診断の考え方

診察の進め方

症候・病態編

症例編

付録

索引

本付録電子版の利用ライセンスは，本書1冊につき1つ，個人所有者1名に対して与えられるものです．第三者へのシリアル番号の提供・開示は固く禁じます．また図書館・図書施設など複数人の利用を前提とする場合には，本付録電子版を利用することはできません．

コインなどでこすってください．

内科診断学

MEDICAL DIAGNOSIS

第4版

編集

福井次矢
東京医科大学茨城医療センター 病院長
京都大学 名誉教授

奈良信雄
日本医学教育評価機構 常勤理事
順天堂大学医学部 客員教授
東京医科歯科大学 名誉教授

松村正巳
自治医科大学地域医療学センター センター長/
地域医療学センター総合診療部門 教授

医学書院

謹告

本書に記載されている診断・治療法に関しては，出版時点における最新の情報に基づき，正確を期するよう，著者，編集者ならびに出版社は，それぞれ最善の努力を払っています．しかし，医学，医療の進歩から見て，記載された内容があらゆる点において正確かつ完全であると保証するものではありません．

したがって，実際の診断・治療，特に新薬をはじめ，熟知していない，あるいは汎用されていない医薬品，保険適用外の医薬品の使用にあたっては，まず医薬品添付文書で確認のうえ，常に最新のデータに当たり，本書に記載された内容が正確であるか，読者御自身で細心の注意を払われることを要望いたします．

本書記載の診断・治療法・医薬品がその後の医学研究ならびに医療の進歩により本書発行後に変更された場合，その治療法・医薬品による不測の事故に対して，著者，編集者ならびに出版社は，その責を負いかねます．

また，技術上の制約のため，冊子体と付録電子版は一部異なる部分があります．

2024年3月

株式会社　医学書院

内科診断学

発　行	2000年 9 月 1 日　第 1 版第 1 刷
	2007年 3 月 1 日　第 1 版第 8 刷
	2008年 3 月15日　第 2 版第 1 刷
	2013年12月 1 日　第 2 版第 6 刷
	2016年 2 月15日　第 3 版第 1 刷
	2022年 2 月 1 日　第 3 版第 6 刷
	2024年 3 月31日　第 4 版第 1 刷 ©

編集者　福井次矢・奈良信雄・松村正巳

発行者　株式会社　医学書院
　　　　代表取締役　金原　俊
　　　　〒113-8719　東京都文京区本郷 1-28-23
　　　　電話　03-3817-5600（社内案内）

組　版　ウルス
印刷・製本　大日本法令印刷

本書の複製権・翻訳権・上映権・譲渡権・貸与権・公衆送信権（送信可能化権を含む）は株式会社医学書院が保有します．

ISBN978-4-260-05315-0

本書を無断で複製する行為（複写，スキャン，デジタルデータ化など）は，「私的使用のための複製」など著作権法上の限られた例外を除き禁じられています．大学，病院，診療所，企業などにおいて，業務上使用する目的（診療，研究活動を含む）で上記の行為を行うことは，その使用範囲が内部的であっても，私的使用には該当せず，違法です．また私的使用に該当する場合であっても，代行業者等の第三者に依頼して上記の行為を行うことは違法となります．

JCOPY〈出版者著作権管理機構　委託出版物〉
本書の無断複製は著作権法上での例外を除き禁じられています．複製される場合は，そのつど事前に，出版者著作権管理機構（電話 03-5244-5088, FAX 03-5244-5089, info@jcopy.or.jp）の許諾を得てください．

執筆者一覧（執筆順）

福井　次矢	東京医科大学茨城医療センター 病院長/京都大学 名誉教授
奈良　信雄	日本医学教育評価機構 常勤理事/順天堂大学医学部客員教授/東京医科歯科大学 名誉教授
笹野　哲郎	東京医科歯科大学大学院循環制御内科学 教授
磯部　光章	榊原記念病院 院長/東京医科歯科大学 名誉教授
塩田　智美	順天堂大学大学院呼吸器内科学 准教授
髙橋　和久	順天堂大学大学院呼吸器内科学 教授
海瀬　博史	東京医科大学茨城医療センター乳腺科 講師
石川　孝	東京医科大学乳腺科学分野 主任教授
根本　泰宏	東京医科歯科大学大学院消化器病態学 准教授
岡本　隆一	東京医科歯科大学大学院消化器病態学 教授
日比谷秀爾	東京医科歯科大学病院光学医療診療部 助教
早稲田悠馬	東京医科歯科大学大学院腎泌尿器外科学 講師
藤井　靖久	東京医科歯科大学病院 病院長/東京医科歯科大学大学院腎泌尿器外科学 教授
宮坂　尚幸	東京医科歯科大学大学院生殖機能協関学 教授
石橋　恭之	弘前大学大学院整形外科学 教授
王子　悠	順天堂大学大学院医学研究科神経学 准教授
服部　信孝	順天堂大学大学院医学研究科神経学 主任教授
立石宇貴秀	東京医科歯科大学大学院画像診断・核医学 教授
北川　昌伸	新渡戸記念中野総合病院病理診断科 部長
松村　正巳	自治医科大学地域医療学センター センター長/地域医療学センター総合診療部門 教授
一條　智康	九段坂病院心療内科
遠藤　逸朗	徳島大学大学院生体機能解析学 教授
倉橋　清衛	徳島大学大学院地域呼吸器・血液・代謝内科学 特任講師
原　倫世	徳島大学大学院血液・内分泌代謝内科学 助教
西川　徹	昭和大学・京都府立医科大学 客員教授/東京医科歯科大学 名誉教授
甫母　瑞枝	スリープクリニック三鷹 院長
小林　祥泰	小林病院 理事長
明智　龍男	名古屋市立大学大学院精神・認知・行動医学分野 教授
川内　康弘	東京医科大学茨城医療センター皮膚科 教授
清澤　研道	相澤病院消化器病センター 名誉センター長/肝臓病センター 顧問
須山　信夫	日原診療所内科
長井　篤	島根大学医学部内科学第三 教授
村上　晶	順天堂大学 名誉教授
飯髙　誠	医療法人社団甲誠会飯髙医院 理事長
山下　一也	島根県立大学 学長
土谷　治久	佐田診療所 所長
岩佐　憲一	島根大学医学部附属病院脳神経内科
有竹　洵	島根大学医学部附属病院・高度脳卒中センター
野口　佳裕	国際医療福祉大学医学部耳鼻咽喉科学 教授
藤枝　重治	福井大学医学部耳鼻咽喉科・頭頸部外科学 教授
鈴木　康弘	東京都健康長寿医療センター耳鼻咽喉科 医長
近藤　健二	東京大学大学院耳鼻咽喉科・頭頸部外科学 教授
浅香　正博	北海道医療大学 学長
牛木　淳人	信州大学医学部内科学第一教室 准教授
花岡　正幸	信州大学医学部附属病院 病院長/信州大学医学部内科学第一教室 教授
立石　一成	信州大学医学部内科学第一教室 講師
小松　雅宙	信州大学医学部内科学第一教室
近藤　剛史	徳島赤十字病院内科 副部長
北口　良晃	信州大学医学部内科学第一教室（医療情報部） 准教授
生山　裕一	信州大学医学部内科学第一教室総合内科医育成学講座 助教
和田　洋典	信州大学医学部内科学第一教室 助教
稲本　俊	医仁会武田総合病院乳腺センター センター長
皿谷　健	杏林大学大学院医学研究科臨床教授・呼吸器内科学
中尾　元基	北海道大学病院循環器内科 助教
安斉　俊久	北海道大学大学院循環病態内科学 教授
多田　篤司	Department of Cardiovascular Medicine, Mayo Clinic Research fellow
甲谷　太郎	北海道大学大学院循環病態内科学 客員研究員
矢崎　義行	東邦大学医療センター大橋病院循環器内科
中村　正人	東邦大学医学部循環器疾患低侵襲治療学講座 教授
大澤　勲	医療法人埼友会埼友草加病院 院長
富野康日己	順天堂大学 名誉教授/医療法人社団松和会 理事長
芥田　壮平	東京医科歯科大学大学院消化器外科学
絹笠　祐介	東京医科歯科大学大学院消化管外科学 教授
片山　茂裕	埼玉医科大学 名誉教授/名誉病院長
中村　孝志	京都大学 名誉教授
中川　泰彰	日本バプテスト病院整形外科 主任部長
船曳　和彦	順天堂大学医学部附属順天堂東京江東高齢者医療センター腎・高血圧内科 特任教授

執筆者一覧

鈴木　祐介	順天堂大学大学院腎臓内科学 主任教授
清水　芳男	順天堂大学医学部附属静岡病院腎臓内科 教授
井尾　浩章	順天堂大学医学部附属練馬病院腎・高血圧内科 教授
合田　朋仁	順天堂大学医学部内科学教室・腎臓内科学講座 先任准教授
山口　修平	島根県立中央病院 島根県病院事業管理者
吉倉　延亮	岐阜大学大学院脳神経内科学分野 講師
東田　和博	岐阜大学大学院脳神経内科学分野 非常勤講師
下畑　享良	岐阜大学大学院脳神経内科学分野 教授
三瀧　真悟	大田市立病院神経内科 部長
柳田　国夫	東京医科大学茨城医療センター集中治療部 部長
梅枝　伸行	医療法人社団悠伸会うめがえ内科クリニック 院長/理事長
岡田　和悟	大田シルバークリニック 院長
根本　繁	関東労災病院 院長/東京医科歯科大学 名誉教授
中村　博幸	東京医科大学茨城医療センター呼吸器内科 教授
武田　幸久	東京医科大学茨城医療センター呼吸器内科
渡邊　裕介	東京医科大学病院感染制御部・感染症科
東谷　迪昭	東京通信病院循環器内科
鈴木　修司	東京医科大学消化器外科学分野 主任教授
丸山　浩史	東京医科大学茨城医療センター腎臓内科 講師
平山　浩一	東京医科大学茨城医療センター腎臓内科 教授
吉田　梨惠	東京医科大学茨城医療センター産婦人科
藤村　正樹	東京医科大学茨城医療センター産婦人科 教授
横田　恭子	香川大学医学部附属病院感染症教育センター センター長
望月　俊明	がん研究会有明病院救急部・集中治療部 副部長
入山　大希	筑波記念病院救急科
阿部　智一	筑波記念病院救急科 救急センター長
宮道　亮輔	自治医科大学メディカルシミュレーションセンター・救急医学 准教授
上條　吉人	埼玉医科大学臨床中毒学 教授
清水　敦	自治医科大学緩和ケア・消化器一般移植外科 教授
山形　真吾	島根大学医学部大田総合医育成センター・内科 教授
青山　淳夫	島根県立中央病院神経内科 部長
目黒　高志	北海道消化器科病院内科 院長
大野　正芳	北海道大学病院消化器内科 助教
山本　桂子	北海道大学大学院光学医療診療部 助教
松本　将吾	医療法人社団善仁会小山記念病院消化器内科
東田　修二	東京医科歯科大学大学院臨床検査医学 教授
新藏　信彦	医仁会武田総合病院乳腺外科 部長
杉浦　寿彦	千葉大学医学部附属病院呼吸器内科 診療准教授
津田　桃子	北海道対がん協会札幌がん検診センター内科 部長
西川　秀司	市立札幌病院 院長
宮田　誠彦	国立病院機構京都医療センター整形外科 医長
山田　茂	国立病院機構京都医療センター整形外科 診療科長
安部　哲史	島根大学医学部内科学第三 講師
松井　龍吉	益田赤十字病院 副院長
塩田　由利	出雲市立総合医療センター神経内科 診療部長

第4版 序

　もう23年前になってしまったが，本書初版の序に，かつて疾病の病態生理学を学んできた医学生の私が臨床実習でいざ患者さんに接したときに，学習してきたはずの知識をうまく活用できない"もどかしさ"を感じ，なんと当時の内科教授に「教育のしかたがどこかおかしいのではないですか？」と訴えたというエピソードを記載した．

　その"もどかしさ"の原因として，「たとえ疾病に関してどのような症候が起こりうるのかを知っていても，個別の症候の原因としてさまざまな疾病を頻度などとともに思い浮かべられるとは限らないこと」「多くの医学部・医科大学で圧倒的な授業時間を費やしている生物医学的アプローチは臨床医にとって必要な知識の一部分にすぎないこと」の2点を挙げ，少しでもそれらが軽減されるよう本書『内科診断学』の構成に工夫を凝らしてきた．その結果，「I. 診断の考え方」「II. 診察の進め方」「III. 症候・病態編」「IV. 症例編」という4部構成となり，各症候についての詳細な説明，疾患の頻度と臨床的重要度の図の作成，医療面接や身体診察，検査所見の確定診断への寄与などに配慮した内容となった．

　第3版の出版から7年経ち，ここに第4版を出版できることとなった．今回は，松村正巳先生に新たに加わっていただき，奈良信雄先生ともども，3名の編集体制で改訂作業にあたり，内容をよりいっそう充実すべく，以下のような変更を行った．

　「III. 症候・病態編」の掲載項目を8項目（「抑うつ・不安」「せん妄」「鼻漏・鼻閉」「嗅覚障害」「味覚障害」「肛門・会陰部痛」「もの忘れ」「終末期の諸症状」）増やし，109項目とした．「IV. 症例編」の掲載症例数を，前版の26症例から大幅（81症例）に増やして107症例とした．なお，これら107症例中27症例は書籍に掲載し，残り80症例は付録の電子版で閲覧可能とした．前版同様，本版でも，書籍に付与されたシリアル番号を用いてオンライン上で電子版閲覧権の申し込みをしていただくと，スマートフォンやタブレット，パソコンなどの各種端末で，電子版の閲覧が可能となる．

　引き続き，医学生，研修医をはじめとする若い医師の皆さんに，診断学のコース，臨床実習，卒後研修など，さまざまな学習場面で本書を活用していただければ幸甚である．膨大な作業を見事にこなし，本書第3版からさらに高みに押し上げた杉崎公亮氏に心から感謝申し上げる次第である．

2023年10月

福井次矢

初版 序

　医学を学びつつある者にとって，疾患に関する十分な量の知識を蓄えておきさえすれば，患者の訴えや身体所見と照らし合わせて診断を下すことなど，造作もない作業と思われるかもしれない．しかし，実際は必ずしもそうとはいえない．私自身，医学部高学年になって，臨床実習で実際に患者に接するなかで，それまでに学んできた疾患に関する知識がほとんど役に立たないことに強いもどかしさを感じたものである．自分自身の能力のなさを省みず，当時の内科教授に「教育のしかたがどこかおかしいのではないですか？」と訴えたことを，今でも鮮明に覚えている．今振り返ると，このエピソードが，私の医師としての生き方と陰に陽に深く関係しているように思う．

　学習してきたはずの知識が役立たない"もどかしさ"の原因の1つは，たとえ疾病に関してどのような症候が起こりうるのかを知っていても，個別の症候の原因としてさまざまな疾病を思い浮かべることができるとは限らないことに由来する．少し冷静に考えると，これは当然のことである．しかし，疾患の理解に何年も没頭してきた者にとって，このことが自分自身の頭の中で明瞭になるにつれ，驚きとともに医学教育の不条理さを感じたのである．この経験は，後年，ベイズの定理（Bayes' theorem）などの確率・統計的なアプローチ，臨床疫学の分野の勉強をしなければならないと決心させた問題意識を植えつけることになった．

　学習してきたはずの知識が役立たない"もどかしさ"を感じたもう1つの原因は，多くの医学部・医科大学で圧倒的な授業時間を費やしている生物医学的アプローチは臨床医にとって必要な知識の一部分にすぎないと強く感じたことに由来する．たとえば，診断を下すことは，患者の抱えている健康上の問題を，多くの場合，医学的に解決しうる手立てが分類されている項目のどれに当てはまるかを見出すことではあるが，社会的には患者にラベルを貼り，好むと好まざるとにかかわらず，そのラベルに特有の疾病行動をとらせることを意味する．診断名は，物理学のような精緻かつ絶対的な世界を形作っているものではなく，あくまでもとりあえずのラベルにすぎないことは，医学がサイエンスであるかぎり，医療もサイエンスであるに違いないとナイーブに考えていた私にとって，少々の衝撃であった．しかも，患者の心理社会的な問題があまりにも重要で，それに見合った医学教育を正式な形で受けなかったことにやや釈然としない思いを抱いたものである．

　ともあれ，このような経験が，医学者の養成を重視する医学教育（〜ologyベースのカリキュラム）と臨床医の養成を重視する医学教育（問題解決型カリキュラム）との違いや，医学教育そのものへの私の興味をかき立てることになった．

　本書は，従来の内科診断学をできるだけ問題解決型に近づけるために，いくつかの新しい試みがなされている．社会心理学的な視点から，医師の理解する症状と患者が実際に用いる言葉との違いに意を向けることや病態生理学的なメカニズムに則った論理を重視し，できるだけ丸暗記の部分を少なくするよう努めたこと，鑑別診断で挙げられる疾患の頻度と重要度（放置したときに機能障害や死亡の起こる可能性）の関係をイメージできるよう2次元図に表示したこと，などである．また，CD-ROMで利用の便宜をはかることで学習効果はさらに高まることと思われる．将来，多くの大学で導入される可能性の高い，少人数グループによる問題解決型（チュートリアル）学習に本書が役立つことを願う次第である．

これまでにない内科診断学の教科書をつくろうという野心的なプロジェクトに賛同していただき，ともに編集に携わっていただいた奈良信雄先生，編者からの面倒な注文にもかかわらず素晴らしい原稿をご執筆いただいた多くの先生方，それに粘り強く精力的な仕事を続けていただいた医学書院編集部青戸竜也氏，制作部平賀哲郎氏の皆様に深甚の感謝を捧げるものである．

2000年7月

京都にて
福井次矢

目次

I 診断の考え方

診断の意義
医療における診断の意義 …………………… 2
診断の軸 …………………………………… 4

診断の論理
診断のプロセス …………………………… 6
診断の思考様式 …………………………… 12
日常診療における診断の認知心理 ……… 14

医療情報の有用性
病歴情報の有用性 ………………………… 17
身体診察の有用性 ………………………… 18

現代医療における医療面接と身体診察の位置づけ
………………………………………………… 20
検査情報の有用性 ………………………… 23

新しい診断学の考え方
病態の理解と臨床疫学の統合 …………… 25
evidence-based diagnosis（EBD）………… 26
コンピュータの活用 ……………………… 27

誤診に至る心理
臨床判断を誤る心理機制 ………………… 28
不運な結果と誤診 ………………………… 29
誤診の背景と予防 ………………………… 29

II 診察の進め方

診察の進め方
診察の進め方のアウトライン …………… 32

医療面接
医療面接とは ……………………………… 33
医療面接の手順 …………………………… 34

身体診察の進め方と方法
身体診察の進め方 ………………………… 38
身体診察の方法 …………………………… 39

部位別の身体診察 バイタルサイン
意識状態 …………………………………… 45
体温 ………………………………………… 47
脈拍 ………………………………………… 47
血圧 ………………………………………… 51
呼吸状態 …………………………………… 53

部位別の身体診察 全身状態
顔貌 ………………………………………… 54
精神状態 …………………………………… 55
体格 ………………………………………… 56
体位と姿勢 ………………………………… 57
運動 ………………………………………… 58
歩行 ………………………………………… 61
言語 ………………………………………… 63
皮膚・爪・体毛 …………………………… 65
表在性リンパ節 …………………………… 68

部位別の身体診察 頭頸部
頭部 ………………………………………… 70
頸部 ………………………………………… 82

部位別の身体診察 胸部
胸郭の診察 ………………………………… 90
心臓の診察 ………………………………… 92
肺の診察 …………………………………… 107
乳房の診察 ………………………………… 116
腋窩の診察 ………………………………… 117

部位別の身体診察 腹部
腹部の区分 ………………………………… 119
視診 ………………………………………… 120
触診 ………………………………………… 124
打診 ………………………………………… 133
聴診 ………………………………………… 135
肛門・直腸の診察 ………………………… 136
外性器の診察 ……………………………… 138

部位別の身体診察 四肢
視診 ………………………………………… 142
触診 ………………………………………… 145
生体計測 …………………………………… 147

神経症候の診察
神経所見のとり方 ………………………… 155
神経症候の診察 …………………………… 158

検査

- 検査計画の立て方 … 174
- 尿・便検査 … 178
- 髄液検査 … 179
- 血液学的検査 … 180
- 肝機能検査 … 182
- 腎機能検査 … 184
- 代謝検査 … 185
- 内分泌検査 … 187
- 炎症マーカー検査 … 189
- 免疫血清学的検査 … 189
- 腫瘍マーカー検査 … 191
- 病原微生物検査 … 191
- 遺伝子検査 … 196
- 画像検査 … 196
- 病理検査 … 202
- 病理解剖 … 207

診療録の記載法

- 診療録とは … 209
- POMRの記載法 … 209

III 症候・病態編

- 発熱 … 216
- 寝汗, ほてり … 224
- 全身倦怠感 … 233
- 肥満, 肥満症 … 238
- るいそう … 245
- 成長障害 … 253
- 不眠 … 260
- 失神 … 266
- 抑うつ・不安 … 271
- せん妄 … 277
- 皮膚の異常 … 283
- 黄疸 … 292
- 出血傾向 … 299
- 貧血 … 304
- 頭痛 … 310
- めまい … 314
- 視覚障害 … 319
- 結膜の充血 … 324
- 眼球突出 … 332
- 眼瞼下垂 … 337
- 瞳孔異常 … 342
- 眼底異常 … 349
- 眼球振盪(眼振) … 355
- 眼球運動障害 … 361
- 顔面痛 … 370
- 聴覚障害 … 374
- 鼻漏・鼻閉 … 381
- 鼻出血 … 387
- 嗅覚障害 … 393
- 味覚障害 … 398
- 舌の異常 … 402
- 咽頭痛 … 408
- 嗄声 … 414
- いびき … 419
- 悪心・嘔吐 … 426
- 食欲不振 … 433
- 胸やけ・げっぷ … 441
- 口渇 … 445
- 嚥下困難 … 451
- 吐血 … 456
- 甲状腺腫 … 464
- リンパ節腫脹 … 470
- 咳, 痰 … 476
- 喀血, 血痰 … 486
- 胸痛および胸部圧迫感 … 492
- 乳房のしこり … 501
- 呼吸困難 … 511
- 喘鳴 … 515
- 胸水 … 519
- 動悸, 脈拍異常 … 523
- 高血圧 … 530
- 低血圧 … 538
- 脱水 … 545
- チアノーゼ … 551
- 静脈怒張 … 555
- くも状血管腫, 手掌紅斑 … 563
- ばち状指(ばち指) … 567
- 浮腫 … 572
- 腹痛 … 577
- 腹部膨隆 … 582
- 腹水 … 586
- 肝腫大 … 592

脾腫	598	筋萎縮	736
下痢	604	筋緊張異常	741
便秘	613	運動失調	746
下血・血便	619	不随意運動	751
肛門・会陰部痛	625	歩行障害	757
月経異常	632	心肺停止	763
背部痛	637	ショック	772
腰痛	640	意識障害	779
排尿障害	644	甲状腺機能亢進症	785
排尿痛	651	脳血管障害	791
頻尿	656	呼吸不全	802
乏尿・無尿	661	心不全	810
血尿	669	急性冠症候群	817
四肢痛	674	急性腹症	822
関節痛	677	急性腎不全，急性腎障害	833
末梢血行異常	681	妊娠と分娩	840
知能障害	688	急性感染症	846
失語・失行・失認	694	外傷	854
もの忘れ	700	急性中毒	860
痙攣	707	誤飲・誤嚥	867
構音障害	712	熱傷	872
運動麻痺	717	精神科領域での救急	879
感覚障害	722	終末期の諸症状	886
筋脱力	729		

IV 症例編

発熱	896	脱水	938
全身倦怠感	899	チアノーゼ，ばち状指	941
食思不振，不眠	901	静脈怒張	945
黄疸	904	月経異常	948
出血傾向	908	排尿痛，頻尿	951
息切れ，全身倦怠感	911	血尿	953
反応が鈍い	914	ろれつが回らない	956
突然の声がれ	917	感覚障害・感覚異常	959
食欲不振	920	歩行障害	961
吐血	923	心肺停止	964
頸部リンパ節腫脹	926	左半身麻痺	968
咳，痰	929	労作時呼吸困難	971
胸痛	932	悪寒，発熱	975
胸痛，呼吸困難	935		

【以下の症例は電子版に収録．電子版登録方法，「症例編ワークシート」は p.xiii 参照】

寝汗	胸やけ・げっぷ	左上肢痛，左手指しびれ
肥満	口渇	左股関節痛
体重減少	嚥下困難	末梢血行異常
成長障害	甲状腺腫	理解力低下，手指の不随意運動
睡眠中の奇行	血痰	物にぶつかる（自覚なく，周囲から指摘）
失神	乳房のしこり	
失見当識や辻褄の合わない言動	喘鳴，労作時呼吸困難	もの忘れ
皮疹，瘙痒	胸水，労作時呼吸困難	持続する手の痙攣
右後頭部痛	動悸	左手足の脱力発作
めまい，悪心	呼吸困難	四肢脱力
左目の一過性失明発作	意識消失	構音障害，四肢筋萎縮
眼の充血，頭痛と悪心	手掌紅斑，下腿浮腫	手がふるえる，手が使いにくい
眼球突出	下肢浮腫	ふらつき，ろれつ不良
右後頭部痛，ふらつき	腹痛	ショック
喚語困難	腹部膨隆	意識障害
めまい	腹水	甲状腺機能亢進症
眼球運動障害，意識障害	肝腫大	呼吸不全
顔面痛	全身倦怠感，食欲不振，脾腫大	強い心窩部痛
難聴，耳鳴	下痢	上腹部痛，背部痛
鼻閉	便が出ない	易疲労感
反復する鼻出血	下血	下腹部痛（妊娠初期）
嗅覚障害	肛門・会陰部痛	腰背部痛
味覚障害	背部痛（安静時痛もある）	意識障害
舌痛，口内乾燥	腰痛	異物誤飲
咽頭痛	排尿障害	熱傷
いびき	頻尿	意識障害・痙攣発作
悪心・嘔吐	無尿・乏尿	左殿部から下肢にかけての疼痛

主要検査の基準値 ……………………… 977
略語一覧 ……………………………… 997
和文索引 ……………………………… 1013
数字・欧文索引 ……………………… 1065

ご利用にあたって

付録電子版について

下記をご確認のうえ,お手続きください.

ご注意

- 付録電子版の利用ライセンスは,本書1冊につき1つ,個人所有者1名に対して与えられるものです.第三者へのID,パスワード,シリアル番号の提供・開示は固く禁じます.また図書館・図書施設など複数人の利用を前提とする場合には,付録電子版を利用することはできません.
- 付録電子版は,書籍付録のため,ユーザーサポートは行っておりません.

閲覧期間

- 閲覧期限は本書の第1刷発行後8年間(2032年3月末まで)となります.
- 将来,都合により,登録方法,利用方法,配信方法,閲覧期間が変更になる場合があります.変更が生じた際は弊社WEBサイトなどで通知いたします.

https://www.igaku-shoin.co.jp/book/detail/112202#tab5

ご利用手続きの流れ(概要)

- 既に医学書院IDを取得済みの方は Step 2 へお進みください.

Step 1 医学書院IDを取得(メールアドレスの登録)

① https://my.islib.jp にアクセスします(右のQRコードからもアクセスできます).「医学書院IDを取得」をクリックします.

② 受信可能メールアドレスを入力します(ここで入力したアドレスが医学書院IDになります).「利用規程に同意する」にチェックし「次へ」を選択します.
③ 「医学書院ID取得受付メール」を受信し,記載されているURLをクリックします.
④ 基本情報の登録が完了すると「医学書院ID取得完了のお知らせ」のメールが届きます.
　[ご注意]迷惑メールフィルター等の受信設定(URLを含む受信拒否等)により,返信メールを受信できない場合があります.その場合は,受信リストに「igaku-shoin.co.jp」ドメインを追加いただくか,他のアドレスをご使用ください.

Step 2 シリアル番号※を入力

※本書の前見返し裏側のスクラッチを削り，印刷されているシリアル番号をご確認ください．

① https://my.islib.jp にアクセスし（ Step 1 のQRコードからもアクセスできます），Step 1 で設定した「医学書院ID（メールアドレス）」と「パスワード」でログインします．

②画面右上の「発行」ボタンをクリックします．

③本書前見返し裏側のスクラッチを削り，印刷されているシリアル番号（16桁）を入力します．

④シリアル番号を入力すると「■Contents」欄で本書のコンテンツバナーが表示されますので，クリックしてご利用ください．

[推奨ブラウザ]Google Chrome, Firefox, Safari, Microsoft Edgeの各最新バージョン

症例編ワークシートについて

本書「症例編」の項目を，自習・グループ学習・チュートリアルなどでより活用してもらえるように，「症例編ワークシート」を用意しています．各項目の医療面接・身体所見・検査などのデータと，診断のプロセスをなぞるための見出しのみを掲載したものです．Microsoft® WordファイルとPDFで提供いたします．弊社WEBサイトよりダウンロードしてください．

> https://www.igaku-shoin.co.jp/book/detail/112202#tab5
>
> ID：naika4
> PW：385735

Microsoft® Wordは米国Microsoft Corporationの，米国およびその他の国における登録商標または商標です．

I 診断の考え方

診断の意義 2
診断の論理 6
医療情報の有用性 17
新しい診断学の考え方 25
誤診に至る心理 28

診断の意義

医療における診断の意義

診断は知的分類作業（カテゴリゼーション）

われわれ医師に課せられた最大の使命は，目の前の患者の命を救い苦痛を取り除くこと（治療）と，予見される病的状態の発現を妨げること（予防）にある．

そのためには，第一に，患者が現にどのような病的状態にあるのか，またはどのような病的状態に向かいつつあるのかを知る必要がある．そうすることで初めて，病的状態ごとに有効性が証明されている治療方法や予防方法（マネージメント）を選択することができる．つまり，医療における診断とは，どのように患者をマネージメントしたらよいかを知るための病的状態の知的分類作業（カテゴリゼーション）と言い換えることができる．

診断名ごとに選択されるマネージメントは，病的状態の自然歴を変える（持続期間の短縮化，自覚症状の緩和・軽症化，治癒など）ものでなくてはならない．そうでなければ，診断に必要な面接や身体診察，検査に伴う苦痛やリスク，費用を患者に強いることは倫理にもとることになろう．

evidence-based medicine（EBM）

下した診断に連動して選択される治療や予防の有効性は，1990年代半ば以降，世界的に新たな医療のパラダイムとなった感のある evidence-based medicine（EBM）の考え方に則って判断すべきである．

> **EBMとは**
> 入手可能な範囲で最も信頼できる根拠（エビデンス）を把握したうえで，1人ひとりの患者に特有な臨床状況や価値観に配慮した医療を行うための一連の行動指針．

そもそも治療ないし予防の有効性は，なんらかの論理・根拠（エビデンス）に基づいて判断されるものではあるが，EBMの考え方では，真実を反映している可能性が最も高いエビデンスに基づいて決めることを基本原理とする．治療のエビデンスには，たとえば，
①ヒトでのデータはないが，病態生理学的メカニズムから考えて有効な可能性が高い．
②何名かの患者で試みたら有効だった．
③観察研究の一種である症例対照研究で有意差があった．
④ランダム化比較試験で有意差をもって有効だった．

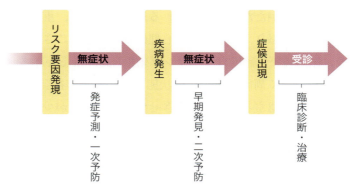

図1　疾病の自然歴と医療の役割

など，どのような研究方法（デザイン）によって得られたのかによって，種々のタイプのものがありうる．

これらのうち，ランダム化比較試験で得られた結論にはバイアスの入り込む可能性が最も少なく，したがって真実を反映している可能性が最も高いことから，最も信頼できるエビデンスとみなすことを基本方針とするのがEBMの考え方である．

診断に連動して決定されるマネージメントの有用性が，どのような種類のエビデンスに基づいて提唱されているのかを知ることができて初めて，医師の下す診断が患者にとって有意義なものとなりうる．

患者のメリット

近年の遺伝子解析の進歩や多くの新しい臨床検査法の導入により，かつては身体徴候が出現するまで診断できなかった病的状態を早期に診断することが可能となってきた．ある種の癌については，癌の存在の早期発見という段階をさらに遡って，癌の発生の予測さえ可能となってきた．

しかしながら，疾病の自然歴を変えるだけの治療や予防の方法がない場合には，単に医学的に早期発見，発症予測が可能だからといって一律に診断を下すことは，弊害あって一利なしということになりかねない．弊害のなかには，診断手技・検査に伴う身体的苦痛やリスク，費用だけでなく，将来，不可避的に直面せざるをえない健康状態の悪化に対する無益な不安感も含まれる．

疾病の自然歴のなかで，何を目的とした診断で，患者にとってどのようなメリットが期待されるのかを十分見極めておく必要がある（図1）．

柔軟な視点（biopsychosocial model）

有効なマネージメントの有無はさておいても，診断を下すことの患者に与える心理・社会的影響はさまざまである．

診断名を告げられることで（特に軽症・一過性の疾患であれば）心理的な安堵感が得

られ，自覚症状がただちに軽減される患者もいれば，重症で予後不良の疾患を有する患者では否認，怒り，うつなどの心理機制が引き起こされることもある．

また，医師の下す診断はラベリング効果(labeling effect)をもたらし，患者本人の心理状態だけでなく周囲の者の心理状態をも，患者が社会的に病者の役割(sick role)を果たすことを容認するように変化させてしまうことが少なくない．その結果，疾病に伴う社会的利得を享受し続けるため sick role に拘泥する患者もいれば，疾病の種類によっては社会的な汚名を着せられ(stigmatization)，強いストレス下での生活を強いられることとなる患者もいる．そして，そのような強いストレス下に置かれた患者では，新たに身体の器質的な異常が引き起こされることもある(精神・神経・免疫連関)．器質的な異常が起これば，それがまた心理・精神状態に悪影響を及ぼすといった具合に，"疾病の悪循環"が容易に形成される．

このように，医師が下す診断は，患者の生命の長短，器質的疾患の有無といった身体的側面に影響を及ぼすだけでなく，心理・精神的側面，行動・社会的側面にまで大きな影響を及ぼす．したがって，われわれ医師には，患者の身体的側面，心理・精神的側面，行動・社会的側面それぞれについて，十分な目配りができるだけの幅広い，柔軟な視点(biopsychosocial model)が必要とされる．

診断の軸

対象を身体的側面に限ったとしても，診断は以下のようにさまざまな切り口(軸)で記述することが可能である．

①病因論(etiology)
②解剖学(anatomy)または
　構造(structure)
③生理学(physiology)または
　機能(function)
④症候群(syndrome)
⑤重症度(severity)
⑥病期(disease stage)
⑦予後(prognosis)

〈例〉中年女性の甲状腺疾患
病因論――自己免疫学的機序によるもの
構造――びまん性リンパ球性甲状腺炎
機能――甲状腺機能低下症
重症度――末期の荒廃状態にある

疾患名自体，このようなさまざまな軸のうちのどれかに基づいて命名されている場合が多い．そのほかには，第1例目の発見者や患者名が疾患名となっている場合もある．

臨床上は，可能なかぎり多くの軸で診断するように心がけるべきである．その場合，New York Heart Association の The Criteria Committee が1973年に初めて提唱した，5つの軸での診断のつけ方が参考になる．ある心臓病の患者について，

①病因論的(etiologic)には，リウマチ性
②解剖学的(anatomical)には，大動脈弁の線維化と弁尖の癒合
③生理学的(physiological)には，大動脈弁狭窄
④心臓状態(cardiac state)は，軽度心不全状態
⑤予後(prognosis)は，かなり悪い
といった具合である．

　一方，緊急状態の患者について必要となる診断の軸は，
①どの臓器または臓器系の異常なのか
②どの程度の機能障害なのか
③自然の経過に任せると，短期的にはどのような健康上の結果(health outcome)になるのか

の3点であろう．緊急状態においては，詳細な解剖学的分類や病因論的分類は，病状が落ち着いて時間的に余裕ができた時点で検討すればよい．

〈福井 次矢〉

診断の論理

診断のプロセス

一般診療での診断は，以下のようなプロセスで行われることが多い．

- 診断のプロセス 1 ── 患者基本情報
- 診断のプロセス 2 ── 患者観察
- 診断のプロセス 3 ── 医療面接
- 診断のプロセス 4 ── 身体診察
- 診断のプロセス 5 ── 検査の選択と結果の解釈
- 診断のプロセス 6 ── 治療閾値
- 診断のプロセス 7 ── 診療のスパイラル

診断のプロセス 1 ── 患者基本情報

通常，カルテに記載された患者の年齢や性別，住所などの基本情報〔デモグラフィックス（demographics）という〕を知った時点から診断のプロセスが始まる．年齢や性別，出生地，居住地などによって，頻度の明らかに異なる疾患が少なくないからである．

> **Box-1**
>
> **年齢**
>
> たとえば，胸痛を訴える 20 代，30 代の若年患者では，動脈硬化性疾患を第一に考える必要はまずない．微熱が数か月も持続していて，体重減少や皮疹も加わってきたという高齢患者では，全身性エリテマトーデス（SLE）などの膠原病よりも，感染症や悪性疾患の可能性のほうが高い．小児では先天性疾患の可能性が，高齢者では変性疾患の可能性が高くなる．
>
> **性別**
>
> 性別によっても疾患の可能性は著しく異なる．従来，生命予後に大きな影響を与える心血管疾患については，女性は男性に比べて 10 年以上遅れて罹病率が上昇してくるとされてきた．2000 年前後から，女性医学（women's health）の重要性が強く認識されるようになり，動脈硬化の進展を促進するリスクファクターの重要度について，女性は男性とかなり異なることが明らかとなり，産科婦人科以外の側面についても男性との違いが改めて注目されつつある．
>
> たとえば，閉経状態（自然閉経と卵巣摘出術後）は，女性における動脈硬化進展の最大のリスクファクターであり，男性に比べて糖尿病はより大きなリスクファクターとなるが，喫煙や高血圧，脂質異常症（高脂血症）寄与率はやや低くなる，といった具合である．
>
> **出生地，居住地**
>
> 患者の出生地や居住地域も診断の重要な手がかりとなることがある．他の地域ではまずみられない特殊なウイルスやリケッチア，寄生虫による感染症がみられたり，ある地域の人々に特有のライフスタイルに由来する疾患が高頻度でみられたりする場合などである．

診断のプロセス 2 ── 患者観察

次いで，患者に対峙して言葉を交わす前の短い時間，服装，体格，姿勢，歩き方，顔の表情などを観察することによって，可能性のある疾患がさらに絞られる．

たとえば，うつ病や統合失調症などの精神神経疾患，Parkinson（パーキンソン）症候

群，甲状腺機能低下症，Basedow（バセドウ）病，先端巨大症といった疾患は患者の容貌や姿勢，歩き方の観察から思いつくことが多い．

診断のプロセス 3 ―― 医療面接

次に，診断のプロセスで最も重要な意義を有する医療面接に移る．このプロセスでは，患者との対話のなかから診断のための情報を引き出すのであるが，同時に，患者−医師関係という特殊な人間関係が樹立され，治療・教育的な効果ももたらされることが期待される．

> **Box−2**
> ### 医療面接の3つの目的・意義
>
> ▶ **情報収集**
> 　初診時に患者と交わす対話の目的の第1が診断の手がかりを得ることにあるのは当然である．面接で得られる診断のための情報には，患者が話す内容と非言語的メッセージがあり，それらの解釈に基づき，どのような疾患（診断仮説）をどれくらいの可能性（確率）で患者が有しているのかを，医師は推論する．その思考プロセスは，一度考えた内容がただちに固定化するものではなく，患者から情報が得られるたびに繰り返し頭の中で（診断）仮説の設定と確率の予測を新たにやり直すという，動的で高度な知的労力を要する認知プロセスである．臨床医にとっては，最もチャレンジングな知的作業ともいえよう．
>
> ▶ **患者−医師関係の樹立**
> 　第2の目的・意義は，会話を交わすことそれ自体から醸し出されるところの人間関係（患者−医師関係）の樹立である．つまり，相手に自分を理解してもらえるかどうか，相手が信頼できるかどうか，ウマが合うかどうか，といった情緒的要因が強くかかわる人間関係の樹立である．医療の場では，話題の大部分は症状や徴候，検査，治療などであり，医師も患者もそれぞれが特殊な社会的役割（患者は医師に善意ある対応を期待する）を担っていて，しかも互いに異なる知識，信念，価値観を有しているため，複雑な人間関係が形成されやすい．よい患者−医師関係が築かれると，検査や治療上の患者コンプライアンスが高まり，結果として，効果的かつ効率的な医療が提供されることとなる．
> 　臨床上，診断や治療にはある程度の不確実性がつきまとうのは避けることができず，その場その場での判断や決断が妥当なものであったとしても，患者にとっては望ましくない結果も起こりうる．そのような場合，たとえば，患者やその家族が最終的に医療訴訟にまで持ち込むといった敵対関係を選択するかどうかを決定する最大の要因は，それまでに形成されていた人間関係，信頼関係の善し悪しであることは繰り返し報告されているところである．
>
> ▶ **治療・教育的効果**
> 　医師と患者の交わす会話の第3の目的・意義として，治療および教育的効果が挙げられる．有する疾患は何であれ，医師を受診する時点での患者の自覚症状は強い不安感で修飾される．そのために，患者が医師に苦痛や苦悩を訴えるという行為自体によって，または医学的な論理に基づいて，それほど心配する必要がないといった説明を医師から受けることで，自覚症状のうちの心理・精神的要因や不安感によって増幅されている部分が取り除かれる可能性が高い．後者の，患者の訴えが医学的には心配のないものであることを説明して安心させることをリアシュアランス（reassurance）という．
> 　また，対話のなかで，疾病の発症や重症化を予防する目的で，好ましくないライフスタイルなどの日常行動や習慣を変えてもらうよう医師からの教育的配慮の重要性もますます高まってきている．

問診・病歴聴取から医療面接へ

従来，用いられてきた「問診」という言葉には，医師が患者を一方的に問いただして診断に必要な情報を引き出すというニュアンスが感じられ，また，「病歴聴取」という

言葉も，医師の関心は専ら病気の診断を下すことにあるように感じられ，上記の患者・医師関係の樹立や治療・教育的効果などの目的・意義が医師と患者の対話に含まれていることが伝わらない．

そこで，患者と医師の間の上下関係やパターナリスティックな関係が示唆されず，しかも診断や治療のための情報収集，良好な人間関係の樹立，病状の説明や治療・教育などの目的がすべて包含されている「医療面接(medical interview)」という言葉を用いるのが一般的となってきた．これは，現今の医療においては患者と医師は対等であり，医療を受ける立場にある患者の意向，人生観，価値観を尊重するのは当然であるという人権尊重の社会的潮流が反映された結果である．

医療面接のスキル：質問と受け答え

医療面接の3つの目的・意義を効果的に達成するために，次のようなさまざまな種類の質問や受け答えに関する長所短所を理解し，それらをうまく使いこなす必要がある．

> **Box-3**
> ### 質問の種類
>
> **▶ 開かれた質問(open-ended question)**
> 「どうされましたか」「今日はどういうことでいらっしゃったのですか」「どのような症状でお困りですか」など，患者が自由に症状や来院理由について話すよう促す質問．症状だけでなく，患者の抱いているさまざまな疑問や信念についても述べられることが多く，初診患者では，まずこの種類の質問を用いるべきである．そして，最初の1～2分間は患者の話に耳を傾けるとよい．
>
> **▶ 閉じられた質問(closed question)**
> 「頭痛がしますか」「そのときに吐きましたか」など，患者が「はい」「いいえ」で答えるのを求める質問．1つの質問で1つの情報しか得られないため，効率的な質問とはいえない．また，この質問を多用すると詰問調となりやすく，患者は受動的な役割しか期待されないこととなり，現代の医療に求められる患者中心の人間関係を樹立するためには，あまり多用すべきではない．
> しかし，医療面接の最後のほうで行われる系統的レビューは例外で，全身の各部位について主な症候がないかどうかを1つずつ確認するときには閉じられた質問が用いられる．
>
> **▶ 中立的質問(neutral question)**
> 「生年月日はいつですか」「どちらにお住まいですか」など，患者に特有な客観的な答えを求める質問．通常，答えは1つしかなく，患者に特別な情緒的反応を引き起こすことは少ない．
>
> **▶ 焦点を絞った質問(focused question)**
> 「どのような頭痛か説明してもらえますか」「その後，発熱はどうなりましたか」など，特定のテーマについて患者が自由に述べるように促す質問．分野を絞ったopen-ended questionといえ，多用すべき質問法である．
>
> **▶ 誘導的質問(leading question)**
> 「めまいと一緒に耳鳴りも起こったのではないですか」「空腹時には，心窩部痛があったと思いますが」など，記憶があいまいであったり，表現が難しかったりした場合に，医師からの質問の内容を患者が無意識に肯定してしまうような質問．結果として誤った情報を収集することになり，重大な誤診につながることがあるため，使用を避けるべきである．

診断の考え方

▶ 対決的質問（confrontation）
「気持ちのなかでは，仕事がいやで入院を希望されたのではないですか」「その薬で気分がよくなるから受診されるのではないですか」など，患者自身は口に出さなかった心の動きを，鋭く言い当てるような質問．このような質問には挑戦的なニュアンスを伴い，患者−医師関係に緊張感をもたらす結果となる．

▶ 要約（recapitulation）
「つまり，…ということですか」「今までのお話をまとめると…ということでしょうか」など，患者の話した内容をまとめ，医師の理解が正しいかどうか確認を求めるタイプの質問．内容を明確にし，双方に誤解が生じるのを避けることができるため，有用な質問である．

▶ 反復（repetition）
「そうですか，ピリピリする痛みだったのですか」「これまでに3回，CTを撮ってもらったのですね」など，患者の話した（通常，最後の）言葉を繰り返す質問．さらに話を続けるよう，バトンを患者に渡すための質問である．会話をスムーズに進めるテクニックの1つである．

Box-4
受け答えの種類

▶ 評価的な答え方（evaluative answer）
患者の訴えや行動，感じ方，考え方に対して，医師が適・不適を判断するような評価的な答え方．たとえば，患者が「この薬を飲んでも関節痛は同じで，昨夜は全く身動きできませんでした」と訴えるのを受けて，「全く身動きできないとは，大げさじゃないですか．そんなはずはないと思いますが」などと答える場合をいう．

▶ 解釈的な答え方（interpretative answer）
患者の訴えに対し，医学的な解釈を断定的に行って，説明する答え方．たとえば，患者が「最近，夜あまり眠れないんです」と訴えた場合に，「仕事で1日中座りっきりで体を動かさないとか，仕事や家庭内での人間関係がギクシャクしているからではないですか」などと答える場合をいう．

▶ 支持的な答え方（supportive answer）
患者の抱いている不安感や心配を当然のこととして支持し，励ますような答え方．たとえば，「食事は普通どおりにとっているのですが，最近1か月間で体重が4kgも減ってきて，もう心配で心配で夜も眠れません」との患者の訴えに対して，「それは，さぞご心配でしょう．それだけ体重が減れば，誰でも心配になります．でも，食事を普通どおりとれるだけの食欲がある場合には，悪性の病気ではない可能性が高いと思いますので，まず気を楽にしてください」などと答える場合をいう．

▶ 共感的な答え方（empathic answer）
患者の感じていることを，医師自ら，自分のことのように感じていることを伝えること．たとえば，「1日中体がだるくて，身の置き場がないように感じますし，特にここ2〜3日は少し動いただけでも息苦しくなります．もう早く死んでしまいたい」との患者の訴えに対して，「もともとあった体のだるさに加えて，動くと息苦しくなるんですね．つらいですね」などと答える場合である．

Box-5
その他のコミュニケーションスキル

▶ 非言語的コミュニケーション（non-verbal communication）
心理学者のMehrabianによると，2者間のメッセージは，7%が（文字で表すことのできる）言語，38%が（言語の発音に伴う声の高低，抑揚，ピッチなどの）準言語，そして55%が顔の表情や手振り，身振りなどによって伝達されるという．つまり，言語に補助的ないし相補的に働く場合を含めると，コミュニケーションの93%は非言語的メッセージを介していることになり，非言語的メッセージの果たす役割は想像以上に大きい（図1）．

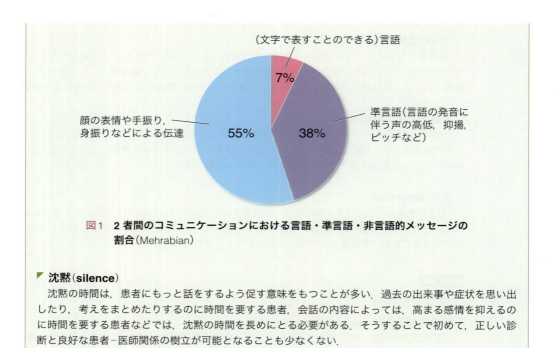

図1　2者間のコミュニケーションにおける言語・準言語・非言語的メッセージの割合(Mehrabian)

▶ **沈黙(silence)**
　沈黙の時間は，患者にもっと話をするよう促す意味をもつことが多い．過去の出来事や症状を思い出したり，考えをまとめたりするのに時間を要する患者，会話の内容によっては，高まる感情を抑えるのに時間を要する患者などでは，沈黙の時間を長めにとる必要がある．そうすることで初めて，正しい診断と良好な患者−医師関係の樹立が可能となることも少なくない．

診断のプロセス4 —— 身体診察

　以上の医療面接で得られた情報に基づいて，頭に思い浮かべた疾患(診断仮説)の1つひとつを確認または除外するのに有用と考えられる体の部分について身体診察を行う．つまり，どのような異常所見があれば診断仮説を確認するのに役立ち(pertinent positive)，どのような正常所見があれば診断仮説を除外するのに役立つのか(pertinent negative)を常に考えながら，診察部位と診察方法を選択する．

　時間が許すなら，全身の診察を行うのが理想的ではある．しかし，患者への身体的・心理的負担と時間の消費を考えると，すべての患者に同じように，すべての身体部位について考えられる限りの診察を行うというのは，初心者が学習の目的で患者の許可を得て行うとき以外は，実際上困難である．

　身体診察については Part II「診察の進め方」で詳しく述べる．

診断のプロセス5 —— 検査の選択と結果の解釈

　身体診察と同様のプロセス——診断仮説の確認あるいは除外——が検査の選択と結果の解釈についても繰り返される．検査について特に留意すべき点は，身体診察と違って，患者に身体的・心理的苦痛と費用の負担が大きいことである．

　緊急を要しない患者においては，身体診察を終えた時点で最も可能性が高いと考えられた疾患のみをターゲットとした検査を行い，その結果が陽性なのか陰性なのかを確かめたうえで，次の検査の必要性と種類を決める(直列検査という)べきである．患者の状態が緊急を要する場合でもないのに，可能性の低い疾患をも対象にした多数の

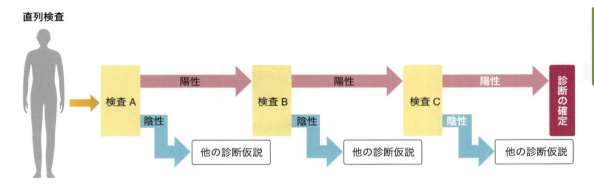
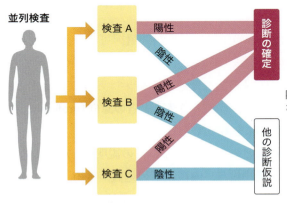

図2 直列検査と並列検査

検査を同時に行う（並列検査という）ことは厳に慎むべきである（図2）．

診断のプロセス6 ── 治療閾値

　上記までに得られた患者特性や容貌・姿勢の視診，医療面接，身体診察，検査などの結果を総合して，頭の中でリストアップしている疾患（診断仮説）の可能性が，ある確率を超えて高ければ，治療に移ることになる．しかし，その確率を超えないときには，さらに検査を繰り返すか，他の診断仮説の設定，確率予測をやり直すことになる．われわれは必ずしも（というよりも，ほとんどの場合）ワンポイントの確率数値を用いて物事の判断を行っているわけではない．どちらかというと，境界の漠然とした，ある幅をもった確率の範囲を頭に描いて物事の判断をしているといってよいであろう．

　診断のための情報収集を終了して，治療に移ることを正当化できる診断仮説の確率を治療閾値（treatment threshold）という（図3）．

　理論的には，当該疾患を見逃して放置すると重大な結果（死亡や機能廃絶など）になる可能性が高いときは治療閾値が低くなる．反対に，見逃して放置してもあまり重大な健康上の結果（health outcome）にならない疾患の場合には，治療閾値が高くなる．

　一方，特定の疾患が存在する可能性が十分低く，検査を行う必要もないと判断されるときの確率を検査閾値（test threshold）という．検査に伴う苦痛がなく，しかも費用

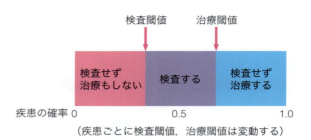

図3 検査閾値と治療閾値

があまりかからないときには，検査閾値は低くなり，検査に伴う苦痛が大きく，費用がかさむ場合は，検査閾値は高くなる．

　治療法を決定するにあたり，放置した場合の予後はどうか，選択可能な治療法にはどのようなものがあるのか，それぞれの治療法で期待されるメリットは何か，起こりうるデメリットは何か，そして予測される最終的な健康上の結果はどうなのかなど，さまざまな要因について総合的に考える必要がある．当然，患者の意向(preference)，場合によれば患者の家族の意向が重要な意味をもってくる．

　治療には，症候が医学的には心配するほどのものではない旨の説明(リアシュアランス)，行動変容を促すカウンセリング，薬物投与，内視鏡下の処置，手術，放射線治療，臓器移植，遺伝子治療など，さまざまな種類のものがある．医師は，あらゆる治療法について，たとえ自ら行うことはなくとも，具体的にどのような手順で行われるのか，患者はどのような苦痛を被る可能性があるのか，どのような効果が期待でき，どのような種類の合併症がどのくらいの頻度で起こりうるのかなど，常に最新の知識を身につけておく必要がある．

　医師にとって生涯勉強を続けることはプロフェッショナルとしての義務であり，そのこと自体を喜びとする態度をもちたいものである．

診断のプロセス7 —— 診療のスパイラル

　最後に，選択した治療を実行し，それに対する患者の反応を観察することで，診断が正しかったのか，選択した治療が適切だったのかなどを判断する．期待した結果が得られない場合は，医療面接，身体診察，検査，治療選択というプロセスを，必要に応じて何度も繰り返す．これを，"診療のスパイラル"という(図4)．

診断の思考様式

　医師は，病歴や身体所見，検査結果など，患者から得られる臨床情報をどのように頭の中で処理をして，診断仮説としての疾患名を記憶の中から引き出すのであろうか．認知心理学的には，診断を下すための思考様式(diagnostic reasoning)としてBox-6

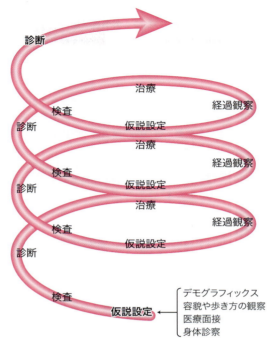

図4　診療のスパイラル

の4種類があると考えられている．

> **Box-6**
>
> ▶ **パターン認識**
>
> 　パターン認識（pattern recognition）とは，やせた女性で前頸部に腫瘤があり，目を見開いたような表情をしていれば，ただちに甲状腺機能亢進症を思い浮かべ，顔の表情が乏しく前かがみに危なっかしく小刻みに早足歩行をしている高齢者では，ただちに Parkinson 症候群を思い浮かべるような場合をいう．
> 　つまり，患者の徴候が医師の記憶にある疾患（群）のパターン像と完全に一致することを瞬間的に認識する認知心理過程である．このような認知心理過程を引き起こす刺激には，上の例からもわかるように，視覚を介するものが多いが，聴覚（口蓋裂やジフテリアに伴う特徴のある声音）や嗅覚（ケトアシドーシス，アルコール中毒）を介するものもある．
> 　このようなパターン認識は，鍵と鍵穴の関係のように非常に厳密なものでは必ずしもなく，もう少し幅をもったものと考えたほうがよさそうである．甲状腺機能亢進症の例に関していえば，前頸部の腫瘤はないが，目を見開いたような表情とやせた体型から甲状腺機能亢進症を思い浮かべるような場合である．すべての症候がそろっている場合に比べると，正しく診断される確率がやや低くなるが，このようなゆるい鍵－鍵穴の関係は，なんらかの相似部分を有する一群（family resemblance）を同定する知的過程といわれ，人間に備わった非常に優れた認知能力と考えられている．
> 　この思考様式は，少数の，特定の疾患については診断上きわめて有用であり，臨床経験とともにその数は増えることが期待される．しかし，言語を介さない直感的な認識過程であるため，他人に伝授するのが難しい．
>
> ▶ **多分岐法**
> 　多分岐法（multiple branching method）とは，ある症候について可能性のあるすべての疾患のなかから，質問の答えを得るたびに可能性のなくなった疾患を順次除外していく方法である．
> 　たとえば，頭痛を訴える患者に対面したなら，頭痛を引き起こす全疾患名を，枝分かれ図（アルゴリズム）の形で頭に思い浮かべる．そして，頭部外傷後に起こったものかどうかを尋ね，そのような既往がな

い場合には，この時点で，血腫やいわゆる外傷後頭痛の可能性を除外する．次に，痛みの性質を聴き出し，筋緊張性か血管性かを鑑別する．血管性のものであれば，炎症を疑わせる症状の有無を聴く．発熱など，炎症による可能性を示す所見がない場合には，片頭痛の可能性のみが残されていて，さらに，頭痛の起こる直前になんらかの前兆（眼症状など）があるかどうかにより，common type か classical type に分類する．

　この思考過程は非常に論理的ではあるが，質問の種類とその順番により，精度や効率が左右されやすい．また，診断仮説の数を常に減少させていく方向のみであるという点で融通性がない．分岐がかなり多い場合や，特定の疾患を頻繁に扱う専門医以外の者には，頭の中にすべての質問を順序だてて記憶しておくことは難しいであろう．

　したがって，どちらかというと，医学部卒業後間もない医師や，コメディカルの人々による予診レベルでの患者振り分け，研究データの収集目的で，特定の症候についてあらかじめ作成したアルゴリズムを印刷した用紙を用いることが多い．

▌徹底的検討法

　徹底的検討法（method of exhaustion）とは，個々の患者に特有な症状や徴候とはほとんど無関係に，教科書に記載されているような，考えうるすべての疾患について，いわば，しらみつぶしに1つひとつその有無をチェックしていく方法である．

　たとえば，主訴が頭痛であれ胸痛であれ，頭から足まですべての系統，臓器について異常の有無をチェックする．当然，この方法では診断に到達するまでに比較的長い時間がかかる．そして，1人ひとりの患者を新たに受け持つたびに，また，新たな症候に出会うたびに，たとえ万分の一の可能性でもある疾患ならば，その有無を詳細に検討することになり，効率的とはいえない．

　しかし，診断上の見逃しを最小限にできるはずであり，パターン認識や，次に述べる仮説演繹法などの方法で，当初，可能性が高いと考えられた疾患がことごとく存在しないことが判明したとき，いわば気持ちを新たに，ゼロから診断を検討し直す場合にしばしば用いられる．また，幅広く医学を学ぶためには優れた方法であり，医学生や研修医が学習目的で用いることが多い．

▌仮説演繹法

　中年の男性が左胸の痛みを訴えている場合を考えてみよう．まず，心血管系，呼吸器系，胸郭，それに消化器系などが，可能性のある異常部位として頭の中にリストアップされよう．次に，胸痛の持続時間や痛みの起こる状況，呼吸や運動，体動に伴うものかどうか，食事との関係などを尋ねながら，順次可能性のある疾患名の数を減らすなり，新しい疾患名をつけ加えていく．たとえば，体動時や呼吸時に痛みが強くなるようだと狭心症などの虚血性心疾患や，肺炎，胸膜炎，胸郭の異常の可能性が高い．何年間にもわたって同様の症状が頻繁に起こっていて，以前に他の病院で受けた検査では異常が見つからなかったことが明らかになれば，狭心症や身体化症候群（somatization syndrome）の可能性がより高くなる．

　このように，仮説演繹法（hypothesis-deductive method）とは，新しい情報が得られるたびに，頭の中にリストアップされている疾患の確率を変化させたり，疾患自体を除外ないし新たなものと入れ替えたりする方法である．しかしながら，最初に診断仮説を頭に思い浮かべるのは，どのような認知心理的過程によるのかはあまりよくわかっていない．パターン認識，family resemblance を同定する認識過程が作動しているのものと推測される．

▌日常診療における診断の認知心理

　前項で述べた診断における4つの思考様式のうち，現在のところ，日常診療上，最も頻繁に用いられているのは仮説演繹法である．ここでは，この仮説演繹法を軸として，医師がどのような心理過程を経て，診断に至っているのかをみてみよう．

診断仮説と認知心理

　患者に対面し，会話を始めて30〜50秒以内に，ほとんどの医師は少なくとも1つの診断仮説を頭の中に思い描く．つまり，病歴情報や身体所見をすべて収集して，やおら，「さて診断は何だろう」と考えるのではない．少数のたとえ断片的な情報であってもそれを手がかり(cue)として，なんらかの診断仮説を思い浮かべるのである．

　一般的に，われわれが一度に頭の中で思い浮かべて検討対象とすることのできる診断仮説の数は，せいぜい4〜7項目(5項目以上の事柄を同時に考えることのできる人は比較的稀で，7項目はほぼ最大数とされ，magic number seven といわれる)であることが認知心理学分野の研究で明らかにされている．

　診断仮説のうち最も可能性が高いもの(通常は1つであるが，複数の場合もある)を第一群仮説(leading hypothesis)とするなら，第一群の仮説と入れ替えるべきかどうか活発に検討されているものを第二群仮説(active alternatives)，そして，可能性はかなり低いが見逃すと重大な結果をもたらすため，常に頭の片隅に置いておかなくてはならないものを第三群仮説などと分類して考えると，鑑別診断の認知プロセスを明瞭に意識することができるであろう．新たに得られた臨床情報が，どの群とどの群の仮説の可能性を比較するのに役立つのかを考えながら鑑別診断を進めるとよい．

診断仮説(仮説演繹法)の落とし穴

　診断の思考過程を知ることが重要な理由の1つは，誤りをおかしやすいわれわれ自身の認知過程，心の動きを客観的に眺められる目を養うことができるからである．われわれは症状や徴候をすべて聴き出したのちに，それらの組み合わせから最も可能性の高い疾患を思い浮かべるよりも，1つの症状あるいは徴候があることを聴いただけで，ただちに「これこれの疾患の可能性はあるか」という問題に変換して考えるのが得意である．

　可能性があるものとして思い浮かべた診断仮説の蓋然性を1つひとつ検討するという，この仮説演繹法では，ある時点から，診断仮説の情報源となった症状や徴候を無視してしまい，そのために苦悩している患者への配慮を欠きやすいことも指摘されていて，注意すべきである．最初に思い浮かべた診断仮説が正しくなかったなら，苦痛に悩む患者への共感の意を示しながら，何度でも症状や徴候について尋ねなくてはならない．

　病歴や身体所見のなかでも，たとえば発熱，全身倦怠感，体重減少などといった非特異的な情報が1つだけ得られても，ただちに特定の診断仮説が思い浮かべられるものでもない．しかし，非特異的な情報であっても，1人の患者が同時に複数の症状を併せもっている場合は，それらの組み合わせを注意深く考えることにより，かなりの精度で正しい診断名を思い浮かべ，確定診断に必要な検査も少数ですむことがわかっ

ている．

診断能力と情報量

　診断仮説は，必ずしも系統(心血管系，消化器系など)なり，臓器(心臓，肺，腎など)，原因(感染症，虚血，変性疾患など)といった一般的なカテゴリー(general hypothesis)から，特定の疾患(心筋梗塞，肺炎，肝炎，大腸癌など，specific hypothesis)に順次移行していくものでもない．どちらかというと，わずかな病歴情報からただちに特定の疾患を考えて，その蓋然性を検証するために以後の質問，身体診察，検査を行う場合のほうが多い．

　また，興味深いことに，ある研究によると，同僚医師から優れた診断能力をもっていると評価されている医師と，特にそうとは思われていない医師との間には，診断の認知プロセスに大きな違いは認められていない．しかし，診断能力が優れていると評価されている医師は，そうでない医師に比べて，最初の診断仮説を立てる前に，より多くの質問を発し，全体として得る情報量が多く，データの解釈が正確であるなどの傾向が認められている．

〈福井 次矢〉

医療情報の有用性

病歴情報の有用性

　医療面接で得られた情報が，診断上，どのくらい役に立っているのかについては，病歴情報から医師が考えた疾患名(仮説病名)を書き出しておき，その後，得られる身体所見や検査結果，場合によっては経過観察などによって判明する最終診断名と比較することで評価できる．

　40年以上も前からこのような研究の重要性は提唱されていたが，実際にこのテーマについての研究報告を行ってきたのは2〜3の研究グループのみであった．しかし最近では，世界的に医療の有効性，効率性についての意識が高まるなかで，病歴情報の有用性が再検討されつつある．これまでの研究結果を総合すると，56〜83%の患者では，医療面接後に医師が最も可能性が高いと考えた疾患名が最終診断に一致するとされている．たとえば，胸痛患者について筆者らが行った研究では，医療面接後に最も可能性が高いと考えられた疾患名が，平均7か月後に調べた最終診断名と一致していた割合は71%であった(図1)．

　しかも，医療面接後に医師が最も可能性が高いと考えた診断仮説が最終診断と一致する割合は，40年以上も前の結果とほとんど変わっていなかった．したがって，超音波検査やCT，MRI，PETなど新たな診断技術が日常診療で容易に利用できる今日でも，たとえ診断という側面に限っても，医療面接の重要性は変わらないと理解すべきである．

　しかしながら，このような診断仮説と最終診断との一致率が，患者の訴える症状により，かなり異なることに留意すべきである．たとえば，胸痛についての詳細な病歴情報から絞り込まれる診断仮説が最終診断と一致する確率は，全身倦怠感やめまいなどの場合よりも高い．一般的にいって，特定の臓器に由来する可能性の高い症状に比べて，全身的な症状のほうが鑑別診断の的が絞りにくく，診断仮説と最終診断との一致率は低い傾向がある．

　また，病歴情報に基づいた診断仮説が最終診断と一致する可能性が高ければ高いほど，特定の身体部位に焦点を合わせた身体診察を行っても診断を誤る可能性が低いことになり，無駄な診察に時間を費やさなくてすむようになる．

　医療面接の最後に行われる系統的レビュー〔頭頸部から足まで主な症状の有無について，閉じられた質問(closed question)を用いて聴き出す〕については，入院患者の5%で重大な疾患を見出すきっかけとなったとの報告がある．ていねいな系統的レ

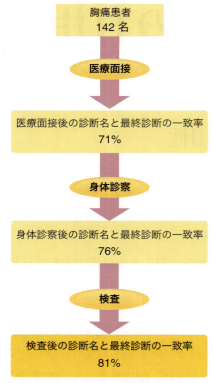

図1 医療面接，身体診察，検査情報の有用性：最終診断との一致率
（胸痛患者についての例）

ビューにはかなりの時間がかかるため煩雑で，医師はややもすると系統的レビューを行いたがらない傾向があるが，診断上の有用性を考えると，入院患者については必ず行うべきである．もちろん，系統的レビュー以外の場面では，できるだけ開かれた質問（open-ended question）を用いるべきである．

身体診察の有用性

　医療面接に少なくとも3つの目的・意義が考えられるのと同様，身体診察（physical examination）にも，患者の状況により，次のようないくつかの目的・意義がある．
①疾病の有無を知る（診断）
②疾病の重症度を知る（重症度評価）
③疾病のないことがすでに明らかな患者で，安心感を抱かせる（reassurance）
④相互の信頼感，守秘義務などを伴う特殊な社会契約的信認関係である患者−医師関係をより強固なものとする

診察の有用性と評価方法

　疾患の存在や重症度を知るうえでの身体診察の有用性は，

①正しい診断仮説を医師に思い浮かばせるうえで診察所見がどれくらいの頻度で手がかりとなるのかという一致率
②診察所見と当該疾患の一致関係を感度(sensitivity)と特異度(specificity)などの臨床疫学的指標で表す方法

などを用いて評価されてきた．

診断仮説と最終診断の一致率による評価方法

前者の評価方法では，医療面接後の診断仮説と最終診断の一致率に加えて，身体診察で得られる情報が加わることによって一致率がさらに5〜17％高まると報告されている(図1参照)．この数値は一見低いようにみえるが，医療面接後の高い一致率(56〜83％)を考えるなら，病歴情報＋診察所見でほぼ70〜90％の患者で最終診断を正しく予測できることになる．

注意深い医療面接と身体診察に続いて行われる検査は，診断を確定し，治療への反応や経過観察をするうえでは不可欠であるが，思いもしなかったような新たな診断名が浮かび上がってくることは比較的少ない．

臨床疫学的指標を用いた評価方法

後者の臨床疫学的指標を用いた評価方法については，感度と特異度という概念を理解する必要がある．一定の方法と基準(gold standard という)で確定された最終診断としての疾患が存在する場合(D＋)としない場合(D－)のそれぞれにつき，特定の身体所見が検出される場合(F＋)と検出されない場合(F－)の組み合わせを考えると，表1のような2×2表を作成することができる．

感度とは，対象となっている疾患を有する者(D＋)のうち，当該身体所見が得られた者(F＋)の割合を示し，特異度は，対象となっている疾患を有さない者(D－)のうち，当該身体所見が得られなかった者(F－)の割合を示す．したがって，表1の文字を使って表すと次のようになる．

$$感度 = \frac{a}{(a+c)}, \quad 特異度 = \frac{d}{(b+d)}$$

感度，特異度とも100％に近ければ近いほど，臨床情報としての価値は高いことに

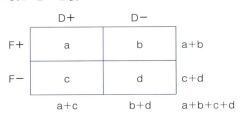

表1　2×2表

	D＋	D－	
F＋	a	b	a＋b
F－	c	d	c＋d
	a＋c	b＋d	a＋b＋c＋d

表2 診察所見の感度と特異度

身体所見		gold standard	感度(%)	特異度(%)
頭蓋	**AVM** ■ 粗い機械的血管雑音	血管造影	18〜29	94〜100
頸部	**頸動脈狭窄** ■ 頸動脈雑音	カラードプラ,超音波	35.9	98.4
眼	**直眼鏡** ■ 視神経乳頭(緑内障)	視野計測	48	73
甲状腺	**甲状腺癌** ■ 硬く触知する腫瘤 ■ 癒着した腫瘤 ■ 一側のリンパ節腫脹	手術所見	42 31 5	89 94 96
	甲状腺腫	剖検,エコー	70 (68〜73)	82 (79〜85)
	胸腔内甲状腺腫 ■ 触診	手術所見	52	99
肺	**閉塞性換気障害** ■ 喘鳴 ■ 樽状胸部 ■ マッチテスト	呼吸機能検査	15 10 61	99.5 99 91
	COPD ■ 身体所見(12項目)	呼吸機能検査 (FEV_1,FEV_1/FVC)	40	100
	閉塞型の睡眠時無呼吸症候群 ■ 医療面接と身体所見(性,年齢, BMI,家族の観察,咽頭所見)	ポリソムノグラフィー	60	63
	睡眠時無呼吸症候群 ■ 医療面接と身体所見	ポリソムノグラフィー	94	28
	胸水 ■ 打診	胸部X線	95.8	100

(つづく)

なる.

　診察所見の感度と特異度を明らかにする目的で,多くの臨床研究が行われてきた.これまでに入手可能なデータを表2に示す〔Box-1(☞23ページ)も参照〕.

　たとえば,左室拡大を知るためには,心尖拍動を3cm以上の幅で触れる場合の感度・特異度の組み合わせが最も優れていることとなる.このように,これまで多くの先輩医師が行ってきたからという理由で,診察手技を十年一日のごとく繰り返すのではなく,科学的な評価をすることによって,行う価値のある身体診察と行う価値のない身体診察を見分けていく作業が,今後さらに必要となるであろう.

現代医療における医療面接と身体診察の位置づけ

　現在のわが国では,眼前の患者で行う必要があると判断される検査法の大部分について,外注という手段を含めれば,ほとんどの医療施設であまり苦労することなく行

表2 診察所見の感度と特異度（つづき）

身体所見		gold standard	感度(%)	特異度(%)
乳房	**乳癌**			
	▪ 癒着した腫瘤	生検	40	90
	▪ 境界不鮮明な腫瘤		60	90
	▪ 硬い腫瘤		62	90
	乳癌			
	▪ 触診	生検	89	60
	T₁乳癌			
	▪ 触診	生検，細胞診	58.9	
	早期の乳癌			
	▪ 腫瘤を触知する	生検	56.6	88.4
	▪ 腫瘤を触知しない		29	88.8
	乳癌			
	▪ 触診による集団検診	生検，細胞診	61.1	94.5
	乳癌			
	▪ 身体所見	生検	96	66
	乳癌の腋窩リンパ節転移			
	▪ 触診	手術所見	68	68
心臓	**左室拡張**			
	▪ 心尖拍動	心エコー		
	・左鎖骨中線より左方		100	33
	・正中線より10 cm 左方		100	53
	・3 cm 以上の幅で触知		92	91
	逆流音の聴取	ドプラ，心エコー	12〜37	87〜100
	心拡大			
	▪ 第5肋間で胸骨中線から 10.5 cm 以上	胸部X線 (CTR>50%)	94.4	67.2
	S3 gallop	cardiology pat simulator	85 (79〜91)	81 (75〜88)
	心機能の評価			
	▪ 頸動脈怒張	肺動脈楔入圧	81	80
	左心不全			
	▪ 浮腫	左室拡張末期圧	8〜10	93〜100
	▪ 45°で頸静脈の拡張		10〜20	97〜100
	▪ 肺底部のラ音		13〜20	91
	▪ III 音の聴取		16〜31	95〜100
腹部	**大動脈瘤**	腹部エコー		
	▪ 明瞭な腫瘤触知		28	97
	▪ 腹部血管雑音		11	95
	▪ 大腿動脈雑音		17	87
	▪ 大腿動脈の拍動を触知しない		22	91
	腎血管性高血圧			
	▪ 収縮期および拡張期血管雑音	血管造影	39 (27〜51)	99 (98〜100)
	▪ 収縮期血管雑音のみ		63 (45〜81)	90 (84〜96)
	▪ 収縮期血管雑音		77.7	63.6
	腹水			
	▪ bulging flanks	腹部エコー	81 (69〜93)	59 (50〜68)

（つづく）

表2 診察所見の感度と特異度（つづき）

身体所見		gold standard	感度(%)	特異度(%)
腹部(つづき)	腹水(つづき)			
	▪ flank dullness		84 (68〜100)	59 (47〜71)
	▪ 濁音界の移動		77 (64〜90)	72 (63〜81)
	▪ 波動の触知		62 (47〜77)	90 (84〜96)
	▪ puddle sign		45 (20〜70)	73 (61〜85)
	脾腫			
	▪ 打診法			
	・Traube(トラウベ)'s space	腹部エコー	62	72
	・Nixon(ニクソン)法	シンチグラフィー	59	94
	・Castell(カステル)法	シンチグラフィー	82	83
	▪ 触診法	シンチグラフィー, 手術, エコー	58	92
	脾腫	超音波		
	▪ 触診法(双手法, 浮球法, 頭側からの触診)		64.3	55〜100
	▪ 打診法(Nixon法, Castell法, Barkun(バーカン)法)		75	60〜100
	脾腫	腹部超音波		
	▪ splenic percussion sign		79	46
	▪ Traube's space の打診		62	72
	▪ 打診, 触診所見とも陽性		46	97
	肛門括約筋の緊張			
	▪ 直腸診	内圧計	63〜84	57
生殖器系	婦人科悪性腫瘍の局所再発			
	▪ 身体所見	組織診・細胞診	100	93
	前立腺癌			
	▪ 直腸診	生検	42.8	75.7
その他	溶血性連鎖球菌による咽頭・扁桃炎			
	▪ 扁桃部の膿(鼻汁または湿性咳嗽は伴わない)	咽頭培養	68〜83	44〜74
	手指および膝の骨関節炎			
	▪ 身体所見	X線所見	20〜49	87〜99
	若年者の失神			
	▪ 20分間の頭位挙上試験	病歴	57	83

( )の数字：95% CI を表している

うことが可能となっている．しかも，一般検尿や血球検査，血液生化学，心電図，単純X線検査といった基本的な検査だけでなく，超音波検査やCT，MRIなどのハイテクノロジーを駆使した高価な検査でさえ日常的に施行可能な医療施設が多い．そのような状況下では，医療面接や身体診察といった医師の五感と認知能力を要する診療手技は，時代遅れで一段も二段も低いレベルのテクノロジー（ローテクノロジー）と考えられ，しかもかなりの時間を費やさなければならないことから敬遠されやすい．

> **Box-1**
>
> ▶ **感度と特異度の臨床的活用方法**
>
> 確率とオッズ，尤度比という3つの指標を理解すれば，身体所見の感度，特異度を臨床上の判断に用いることができる．確率とオッズの関係は，
>
> $$\text{オッズ} = \frac{\text{確率}}{(1-\text{確率})}$$
>
> したがって，
>
> $$\text{確率} = \frac{\text{オッズ}}{(1+\text{オッズ})}$$
>
> となる．尤度比と感度，特異度との関係は，
>
> $$\text{尤度比} = \frac{\text{感度}}{(1-\text{特異度})}$$
>
> であり，また，
>
> $$\text{事後オッズ} = \text{事前オッズ} \times \text{尤度比}$$
>
> という関係がある（事前と事後とは，ここでは診察の前後を示す）．
>
> たとえば，患者の性，年齢，病歴からある疾患の可能性〔事前確率(prior probability)〕が 0.75 と予測された患者で，感度が 0.8，特異度が 0.9 であることがわかっている身体所見が陽性であったとしよう．事前確率を事前オッズに変換すると，$0.75/(1-0.75)=3$ となる．感度と特異度を尤度比に変換すると $0.8/(1-0.9)=8$ となる．したがって，事後オッズは $3\times 8=24$，その値を確率に変換すると $24/(24+1)=0.96$ となり，当該疾患の可能性は身体所見が得られたことにより，疾患の存在する可能性が 0.75 から 0.96 まで上昇したことになる．
>
> このような，定量的な考え方をすることにより，臨床上の誤りやすい判断を予防することが可能となり，医師どうしのコミュニケーションも容易となる．

しかし，医療は人と人との交流のなかでしか成り立たないものであり，すでに述べたように，医療面接と身体診察には複数の目的・意義と診断上の高い有用性があることなどを総合的に考えると，医療面接と身体診察が臨床医の能力の中核をなすべきものであることは明らかである．重要なことは，精神論的に重要だと唱えるのでなく，あくまでも科学的な方法で得られた客観的データに基づいて評価し，共通の認識をもつことであろう．

検査情報の有用性

検査を行う目的・意義についても，診断を下すこと以外にさまざまなものがある．たとえば，
①身体診察を終えた時点で考えられた診断を確定または除外する．
②続いて行う治療の効果や経過を観察するうえで指標になる．
③医学的に有用かどうかは疑問があるが，患者の不安を解消するために行う．
などである．

医師にとって，多くの検査について，オーダーシートの項目をチェックあるいは電子カルテで何度かクリックするだけで，短時間で結果が目の前に出てくるようなシステムになり，大変便利ではあるが，そのことがかえって過剰に検査をオーダーする原因ともなっている．

また，あらゆる検査には，患者の苦痛を伴うこと，医療側の人手がかかり，コストもかかるものであることを踏まえて，得られる結果が真に診断を下すうえで役に立つのか，検査結果によって選択される治療やマネジメントが異なるのかなどについ

> **Box-2**
>
> ### 臨床上の"正常"とは
>
> 　臨床上，よく用いられる"正常"(normal)という言葉にはさまざまな意味がある．1人ひとりの患者で得られた検査結果は，当該検査の"正常"値と比較することで初めて臨床的な解釈が可能となる．いったい，"正常"値はどのようにして決定されるのであろうか．
>
> 　Murphyによれば，"正常"という言葉には，①正規分布としての確率関数（統計学：ガウス分布），②特定の群を代表する（記述科学：平均，メディアン，モード），③特定の群で頻度が高い（記述科学：常習的），④生存に最も適している（遺伝子，手術，研究：最適），⑤害をもたらさない（臨床医学：無害），⑥一般公衆が望んでいる（政治学，社会学：保守的），⑦特定の群で最も完全（哲学，美学，道徳：理想的）という，7つの意味があるという．括弧内は，（用いられる分野：より正確な用語）を表す．
>
> 　これにならうと，血清コレステロール値が"正常"とはいっても，①ガウス分布をしている，②ある集団での平均値，③ある集団内で最も頻繁に遭遇する値の範囲，④生存に最適の値，⑤疾病を引き起こす可能性の少ない値，⑥権威ある委員会のコンセンサスによって承認された値，⑦理想的な値などの意味がありうることになる．従来，ほとんどの検査について，ある集団での結果の分布がガウス分布に従うという仮定のもと，中心部の約95％を占める値の範囲を正常値としてきた．これは，上記の分類では③に相当するものであって，個人の患者にとって臨床上どのような意味をもつかについては全く無関係な値であった．
>
> 　臨床上，検査をすることでわれわれが知りたいのは，現在，どれくらいの可能性で当該疾患が存在しているのか，将来疾患にかかる可能性が高いかどうか，そして究極的には，なんらかの手立てを講じなければ生存期間が短くなることを意味しているかどうかである．血清コレステロール値については，1980年代以降，心筋梗塞発症や死亡率との関連について精力的に研究が行われ，緊密な関連性が明確となった．その結果，心筋梗塞発症率が高くなる血清コレステロールのレベルがわかり，ようやく健康上の結果(health outcome)との関連で正常値が設定されるようになってきたのである．今後，ますます多くの検査について，臨床上役立つ，本当の意味での"正常"値が設定されることと思われる．
>
> 　"正常"値をめぐるこのような状況を反映して，わが国でも"正常"値(normal value)ではなく，"基準"値(reference value)という表現が使われるようになったことは，現実的にも哲学的にも好ましいといえよう．

て，十分考慮すべきである．特別な場合を除けば，診断と治療，マネージメントに役立つ情報が得られるような検査のみを行うべきである．

　"正常"についてはBox-2を参照されたい．

〈福井 次矢〉

新しい診断学の考え方

病態の理解と臨床疫学の統合

　患者の訴える症候を手がかりとして診断を進めること，つまり，症候を引き起こしている可能性のある疾患(＝診断仮説)の数を少なくしていくプロセスでは，2つの異なった考え方が用いられる．1つは病態生理学的な考え方であり，もう1つは臨床疫学的な考え方である．

　前者の考え方により，医学的に可能性のある病態や疾患を多数(症候によっては数十にもなる)想起し，後者の考え方により，想起した病態や疾患を最も可能性の高いものからランクづけすることになる．

病態生理学的な考え方

　病態生理学的な考え方とは，体の構造や機能に関する知識や病気のメカニズムに則って，患者の症候の背後で起こっている病態や疾患を予測することをいう．たとえば，下肢に浮腫を認める患者では，血管内静水圧が高まっているか，血管壁の透過性が亢進しているか，血管内膠質浸透圧が低下しているか，または組織膠質浸透圧が上昇しているかの，いずれかの病態が関係しているはずである．そして，それぞれの病態を引き起こす原因として，以下のような疾患を考える．

①血管内静水圧の上昇：静脈・リンパ管の閉塞，心不全，収縮性心外膜炎，長時間にわたる立位や座位，過剰輸液など

②血管壁透過性の亢進：血管性浮腫，血管炎，特発性浮腫など

③血管内膠質浸透圧の低下：ネフローゼ症候群，肝硬変，蛋白漏出性胃腸症，栄養不良などによる低蛋白血症など

④組織膠質浸透圧の上昇：甲状腺機能低下症(粘液水腫)など

　言い方を換えるなら，このような病態生理学的な知識によって，考慮対象となる疾患の範囲をまず決定するのである．

　従来の診断学は，このような病態生理学に基づく論理にほとんどすべて依拠していたといえよう．たとえば，動悸を訴える患者では，最初に，動悸という言葉で表しているのが，①心拍の不規則性，②心拍の多さ(頻度)，③心臓の拍動の強さのいずれを表しているのかを明確にする．そして，"動悸"の意味が，②の心拍の多さ(頻度)の場合には，どのような始まり方をするのか，どれくらい続くのか，動悸以外にどのような症状を伴っているのかなどについて聞き出す．何月何日の何時頃に始まり，数分後

には徐々に治まったという場合には，発作性上室性頻拍症の可能性が著しく高くなる．

臨床疫学的な考え方

　一方の臨床疫学的な考え方とは，眼前の患者の特性（年齢，性別，受診医療施設の種類など）と同じか，または非常に似通った特性を有する，過去の患者群について得られているデータを参考にして，何％くらいの可能性でどのような疾患の可能性があるのかをまず考えようとする方法である．

　当然，病歴情報や身体所見，検査結果のすべてについて感度や特異度を明示的に考えようとするのも，臨床疫学が提言するところの重要な点である．あらゆる種類の収集されたデータについて，感度と特異度がわかっていて，上記のように特定の疾患の存在確率（事前確率）がわかっていれば，事後確率を計算することが可能である．

evidence-based diagnosis（EBD）

　本章の最初の項で述べたように，1990年代に入って，世界の医療界はこぞってevidence-based medicine（EBM）という新しいパラダイムに取り組んできている感がある．evidence-based diagnosis（EBD）とは，「可能なかぎり質の高いエビデンスを把握したうえで，1人ひとりの患者に特有な臨床状況や価値観を考慮した医療を行うための一連の行動指針」というEBMの枠組みのなかでの，科学的論理に基づく診断の進め方をいう．

　EBDを行うためには，
①診断上の疑問点を扱っている文献を効率的に検索できること
②得られた文献の内容を臨床疫学的知識に基づいて批判的に吟味できること
③文献の結論を眼前の患者に応用してよいかどうか判断できること
などを必要とする．診断上の疑問点の例としては，患者が訴えている症状を起こしうる疾患の種類と頻度（疾患についていえば罹病率ということになる），身体所見や検査法に関する感度と特異度などが挙げられる．

　それらの疑問点をキーワードで表し，これまでに世界中で報告されている研究論文のなかから，疑問点を扱っている論文を迅速に入手するのが第一段階である．個人レベルの限られた経験（客観的なデータとしてはまとめられていない，"印象"としての経験のことが多い）のみに頼ることなく，インターネットの検索ソフトを介してMEDLINEやEMBASEなどのデータベースにアクセスし，それらの疑問点を最もよく表すキーワードをインプットして，求める種類の論文を効率よく見出す方法は，これからの医師にとって必須の技量である．

　入手した文献の結論が妥当なものかどうかは，当該研究がどのような研究デザインで行われ，どのような統計手法でデータを処理しているのかなどについて，批判的に

吟味することで判断される．そのためには，さまざまな種類のバイアス，交絡因子，偶然性などの臨床疫学的概念を理解しておくことが不可欠である．

　最後に，文献の結論が妥当であったとしても，その結論を眼前の患者に応用してよいかどうかは，文献で対象となった患者群と眼前の患者との間で，患者のデモグラフィックスや用いた診断基準，医師や施設の診断能力などに大きな違いがあるかどうかを考慮して判断しなくてはならない．

　診断上の疑問点を解決するための体系的な手順としてのEBDは，今後，診断のあらゆるレベル(医療面接，身体診察，検査)で日常的に応用されるようになることと思われる．

コンピュータの活用

　今後の診療現場での診断をめぐる大きなテーマの1つがコンピュータの活用である．

　たとえば，すべての医療施設で電子カルテの情報を共有できるようになれば，患者の過去の診療情報すべてが一瞬にして入手できる．

　症候の1つひとつについて，あるいはさまざまな症候の組み合わせについて，過去の研究結果に基づき仮説診断名を可能性の高いものから自動的にリストアップすることも可能であり，さまざまな所見や検査結果について診断上の感度や特異度，場合によれば尤度比を表示することも可能となろう．

　また，診断の遅れや誤りについて事例を集積し，客観的な視点をもって診断プロセスや認知心理プロセスを分析し，診断精度の向上に努めるべきである．

〈福井 次矢〉

誤診に至る心理

臨床判断を誤る心理機制

医師が診断を誤るときの心理過程は，一般にいうところの臨床判断（clinical judgment）を誤るときの心理過程の一部としてとらえることができる．われわれの下す臨床判断は，常に論理的で筋道だっているわけではない．むしろ，直感的で簡便な心理的早道（heuristics）を経て，短時間で下されることが多い．前者の論理的な判断と後者の心理的早道による判断とでは，ときにかなり異なる結論に至ることがある．

現在までに，少なくともBox-1のような心理機序で，誤った臨床判断や誤診が引き起こされることが報告されている．

Box-1

臨床判断を誤らせる心理機序

▶ **仮説設定の早期閉鎖（premature closure）**
　いったん思いついた診断仮説に固執し，新たなデータが得られても，仮説の再検討をしようとしない心理状態をいう．何かしら非論理的な理由をつけて，仮説の再検討を行わないことを正当化しようとすることが多い．

▶ **事前確率の無視**
　異なる患者で，ある特定の検査（または身体診察）を行って同じ検査結果（または身体所見）が得られたとしても，検査を行う時点で，そもそもどのくらいの確率で当該疾患が存在するのか（事前確率）により，検査結果（または身体所見）の解釈が異なるはずであるが，事前確率を無視しやすい傾向が多くの医師に認められる．新たになんらかの情報を得ようとする場合は，それまでに得られている情報に基づいて，どのような病態，疾患がどれくらいの可能性で存在するのかを，十分考えて行うべきである．

▶ **平均値への回帰**
　ある幅をもって生起する事象について，変動幅の両極端に近い値が出たあとは，確率論的に，平均値に近い値が出やすい．

▶ **標本数と確率変動幅の関係**
　観察対象者の数が少ないと，非常に多くの対象集団から得られている確率から大きくずれる可能性が高くなる．

▶ **過去のデータの影響**
　互いに影響を及ぼさない複数の事象について，全体としての確率の帳尻を合わせようとする傾向をいう．

▶ **記憶の鮮明度の影響**
　稀な疾患や非常に印象深い経過をとった症例に出会ったのちは，確率予測の正確度が低下する．
　ある日の診療で，頭痛患者がくも膜下出血であったことがわかると，それ以降，診る頭痛患者のほとんどで，くも膜下出血の確率を以前よりも高く考えてしまう．

> ▼ **選択バイアス**
>   診療所や病院の外来，病棟といった診療の場によって患者特性に偏りが生じ，いろいろな疾患について罹病率（事前確率）がかなり異なることを考慮しない傾向がある．
>
> ▼ **陰性データの無視**
>   診断上，陽性データよりも陰性データのほうがより有用な場面は少なくないが，医師は陽性データにのみ注目し，陰性データは無視しがちである．
>
> ▼ **集団規範の影響**
>   同僚医師，特に上司の下す判断を模倣するようになる．

不運な結果と誤診

　診療の結果，患者の健康状態が望ましくない結果（undesired outcome）になったからといって，すべて誤診というわけではない．undesired outcome のなかには，その時点で最良の判断・決断をしたにもかかわらず，不可抗力によって望ましくない結果になる場合〔不運な結果（bad outcome）〕もあれば，あとで振り返ってみると，異なった判断・決断をするべきであったと考えられる場合〔過誤（mistake）〕がある．

　不運な結果は，今まで抗菌薬を一度も使用したことのない肺炎患者に，ある抗菌薬を投与した結果，重篤なアレルギー反応を起こしたような場合をいう．患者にとっては気の毒ではあるが，このような場合の望ましくない結果は医学的には予測不可能であり，過誤とはいえない．医療には 100% 確実なことは 1 つもない．どの患者についても，不確実性を伴った確率をもって予測できるのみである．

　一方，過誤とは，患者の症候から考えて，当然行っておくべき検査を怠ったために診断が遅れ，したがって治療が手遅れになり，重大な結果を招いた，または逆に，行う必要のなかった検査を行ったために身体的な傷害を引き起こした，などの場合をいう．

誤診の背景と予防

　結果として誤診を招いてしまう診療現場での原因には，さまざまなものがある．医師に直接かかわる原因としては，単なる知識不足，医療面接や身体診察で注意を払うべき重要な情報の無視，最初に考えついた診断仮説へのとらわれ（仮説設定の早期閉鎖），事前確率の無視などが主なものである．医療施設のシステムにかかわるものとしては，検査機器の不備や検査データの円滑な伝達の阻害などがある．実際には過誤でなくても，医師を含む医療者と患者やその家族との人間関係がぎすぎすしたものであれば，過誤であるとの訴えを容易に起こされてしまう．

　このような過誤の原因を避け，質の高い医療を提供するために，われわれ医師が

日々行うべきことは，最新の標準的な医学知識を常に身につけるよう努めるとともに，必要時にはただちに情報源にアクセスできるシステムづくりをしておくこと，診断上の認知心理的落とし穴を知っておくこと，臨床技量を磨くこと，そして，患者やその家族との心地よい人間関係を結べるようコミュニケーション・スキルを身につけ実践することであろう．

　わが身の利益より患者の利益を優先させ，社会のニーズに敏感で，高い倫理・道徳的規範に則り，そして，患者に共感性・思いやりのある態度を示すという，医師に不可欠のプロフェッショナリズムを生涯にわたって身につけようと努力するなかで，質の高い診断能力も獲得されていくはずである．

〈福井 次矢〉

II 診察の進め方

診察の進め方 ……………………………… 32
医療面接 …………………………………… 33
身体診察の進め方と方法 ………………… 38
部位別の身体診察 バイタルサイン …… 45
部位別の身体診察 全身状態 …………… 54
部位別の身体診察 頭頸部 ……………… 70
部位別の身体診察 胸部 ………………… 89
部位別の身体診察 腹部 ………………… 119
部位別の身体診察 四肢 ………………… 142
神経症候の診察 …………………………… 155
検査 ………………………………………… 174
診療録の記載法 …………………………… 209

診察の進め方

診察の進め方のアウトライン

診察とは，患者がもっている精神的・肉体的異常を正確に把握し，患者が健康に復帰するために行う適切な処置，すなわち治療を施すうえでの根拠を得るための医療行為のことである．

この目的には，患者の訴える自覚症状〔愁訴(symptom)〕を確認することから始まり，患者の身体に現れている異常な他覚的所見〔徴候(sign)〕を眼で見たり，手で触ったりして観察する．次いで，必要に応じて臨床検査を実施する．これらを通じて，病態を把握し，疾患を診断(diagnosis)する．

疾患によっては，病名をただちに診断できることがある．しかし多くの場合は，可能性のあるいくつかの疾患を念頭におき，それらのなかから，その患者に最も妥当と考えられる疾患名を判定していく．この過程を鑑別診断(differential diagnosis)といい，誤診を防ぐためにきわめて重要である．

正確な診断を下すには，細心の注意を払って診察を進める．わずかな異常所見をも見落とさないためには，常に一定の方式で系統的に診察を行い，必要な臨床検査を適宜組み合わせて診断する．

正しい診断を下すために

実際の診療では，以下のように行われる(図1)．
①患者の自覚症状を聞く（医療面接）
②他覚的所見を診察する（身体診察）
③必要に応じた臨床検査を行う
④それらに基づいて鑑別診断・診断を行う
⑤診断された疾患に適切な治療を開始する
⑥治療効果をみたり，副作用や合併症に注意しつつ経過を観察する

患者はなんらかの異常があって医療機関を訪れる．肉体的苦痛に加え，精神的にも不安感や恐怖感がある．また，病歴情報を聴取したり，身体

図1　診療の手順

を診察する過程では，患者のプライバシーにふれることも少なくない．こうしたことから，患者を診察するときには，常に真摯で，しかも温かみのある親切な態度で接するべきである．これによって，患者から信頼されて協力を得ることができ，正しい診断や適切な治療が可能になる．

診療の記録

診察で得た所見は，専門的な見地から客観的に正しく評価し，そのつど診療録〔［独］カルテ(Karte)，［英］チャート(chart)〕に正確に記録する．

患者の症状や他覚的な所見は，時間の経過とともに，あるいは治療の影響などを受けて，刻々と変化する．初診時に認められた症状や所見が改善して消失したり，逆に増悪したり，新しい所見が出現したりする．これらの変化を的確に把握し，治療の指針にする必要がある．このため，診療録には，要領よく正しく記録しておく．そして，あとで見ても，また他の医療スタッフが見ても，十分に理解できるように，簡潔に整理しておく．

診療録には，初診時の診察の所見だけでなく，鑑別診断・診断，治療計画，治療内容，治療後の経過なども詳しく整理して記録する．患者やその家族へ説明した内容やインフォームドコンセント(informed consent)も記載しておく．記載漏れがないようにするには，一定の方式で記録することが望ましい．診療録は大切に保管し，患者のプライバシーを侵害しないよう，関係者以外に内容が漏れないよう配慮する．

〈奈良 信雄〉

医療面接

医療面接とは

病歴とは，疾患を中心にした，個々の患者の歴史というべきものである．すなわち，患者が現在かかえている疾患だけでなく，それに影響を与えていると考えられる背景すべてを指す．その内容は，
① 患者情報
② 主訴
③ 現病歴
④ 既往歴
⑤ 家族歴・社会歴
⑥ システムレビュー

などである．これらを患者に尋ねて病歴情報を確認する医療行為を，医療面接(medical interview)という．

診療録へは通常この順序で記載するが(表1, 図1)，実際には，患者にとって最も関心が大きい主訴および現病歴から質問を開始する．

家族歴や社会歴などは，むしろ患者とのコミュニケーションがよくとれてから聞いたほうが，より正確で詳しい情報を得られることも多い．

すなわち，「どうなさいましたか」「いつから，どんなふうに具合が悪いのですか」といったことから，順を追って尋ねていく．

患者とのコミュニケーション

医療面接を行う際に大切なことは，患者がリラックスして話せるような雰囲気にしておくことである．医師は患者と同じ目線になるように座り，見下すような姿勢をとらないよう気を配る．特に小児や高齢者でも話しやすいように注意をする．

医師はていねいな言葉づかいをして，患者を気づかう温かみのある態度をとることが大切である．患者が理解できないような難しい医学用語は使わないようにし，患者の話をよく聞き，途中で

表1 診療録に記載する医療面接事項

① **患者情報**
 - 氏名，性別，生年月日
 - 職業
 - 現住所
 - 本籍

② **主訴**
③ **現病歴**
④ **既往歴**
⑤ **家族歴・社会歴**
⑥ **システムレビュー**

患者情報	主訴	現病歴
・できるだけ詳細な情報を聞いておく	・自覚症状の最も主要なもの ・患者の表現を適切な症状名に表現し直して記載	・患者の症状が，「いつから」「どのように」発生し「どういう経緯」をたどってきたかを確認

既往歴	家族歴・社会歴	システムレビュー
・出生してから現在までの患者の健康状態や罹患した疾患などについて確認	・患者の家族(親，配偶者，子供など)の健康状態や罹患した疾患などについて確認 ・患者の生活環境や職業，居住地，渡航歴などについて確認	・最後に，身体の各臓器系統別に，過去から現在までの状況を確認

図1 医療面接の手順

（診察の進め方）

さえぎらないようにする．矢継ぎ早に質問をしたり，患者が詰問されているという印象を受けるような話し方は絶対にしてはならない．患者の話に耳を傾け（傾聴），うなずいたり，患者の言葉を繰り返したり，話の内容を要約すると，患者に安心感を与え，かつ正確な情報の確認につながる．

診察室は明るく整頓し，また室温と湿度を適度に保っておく．隣室からの声が聞こえたり，騒音が聞こえるような環境は避ける．

患者が訴えている症状や，これまでの経過をよく聞けば，診断を行うのに有用な情報が得られる．ただし，過去にかかった疾病や，家系内に発生している疾患が現在の疾患に関係している可能性もあり，既往歴や家族歴も聞き逃してはならない．喫煙歴や飲酒歴，常用薬などが発病に関係していることもあり，必ず確認しておく．

また，患者は病める"人"であり，病態を正確に認識するうえで，生活環境や生活歴，職業などといった社会歴も意義深い．

情報の的確な把握

医療面接では，患者の訴えを確認するとともに，医師のほうからも質問を適宜行い，患者の症状を正確に把握していく．

通常は患者との対話という形式で行われる．もっとも，患者の意識や精神状態に障害があったり，小児や知能に低下がみられる者などでは，患者の家族や知人から情報を得なければならないこともある．この場合には，情報が必ずしも正確に伝わらないおそれもあるので，十分に注意し，診療録には誰から聞いたものであるかを付記しておく．

病歴の確認は，系統だてて行い，要点を整理して診療録に記録する．患者によっては重大な症状をあえて申告しなかったり，逆に重要でない些細な症状をおおげさに表現することもある．そこで，専門的見地から，患者の訴えを客観的，かつ的確に判断するようにする．

ある症状が認められないといった陰性の所見が診断に重大な意義をもつこともある．「こういう症状はありませんか」と患者に質問をして，回答を引き出すことも，時に必要である．ただし，この場合には，最初から特定の疾患を想定して，その疾患だけに都合のよい答えを誘導することがないよう配慮する．医療面接は，あくまでも客観的に行うべきである．

医療面接の手順

患者情報

氏名・生年月日（年齢）・性別・住所・職業など，患者情報をまず確認する．同姓同名による誤認を防ぐため，できるだけ詳細な情報を聞いておく．

主訴

主訴（chief complaint）とは，患者が訴える自覚症状のなかで最も主要なもので，治療を求めて医療機関を訪ねてくる直接の動機になったものをいう．

医師の問いかけに対する患者の最初の返答が主訴であることが多い．たとえば，「どうなさいましたか」という医師の問いかけに対して，「食欲がまるでないのです」「頭がとても痛い」などといったものである．受診した理由が複数あり，しかも相互に関連のない場合には，主訴も複数となる．

診療録へは，患者の表現を適切な症状名に表現し直して記載する．たとえば，「食欲がない」を「食欲不振（appetite loss）」，「頭が痛い」というのを「頭痛（headache）」というように表現する（表2）．

ただし，適切な医学用語にどうしても当てはめにくいような場合には，患者自身の表現，あるいはそれになるべく近い表現で記載する．この際，疾患名は，たとえ前医によって診断されたものであっても，主訴には使用しない．誤診であったり，患者の誤解であったりするからである．客観的に診察するためには，患者の訴えを素直に聞くべきで，先入観にとらわれては誤診につながる危険性がある．

なお，患者本人には自覚症状がなく，健診や前医の診察で検査値の異常や疾患の存在を指摘され，その確認や精密検査を目的として受診してく

表2 主な主訴の記載例

全身症状
- 高身長，低身長，体重増加，体重減少，肥満，やせ，全身倦怠感，易疲労感，発熱，悪寒戦慄，不眠，全身浮腫，盗汗，貧血，リンパ節腫脹

皮膚，毛髪
- 皮膚瘙痒，チアノーゼ，発疹，脱毛，出血傾向

頭部
- 頭痛，めまい，失神，失神発作，意識障害

顔面
- 顔面浮腫，顔面紅潮，顔面蒼白

眼，耳，鼻，口
- 視力低下，複視，視野障害，耳鳴，聴力低下，鼻出血，歯肉出血，咽頭痛

頸項部
- 前頸部腫脹，側頸部腫脹，項部強直感，頸部疼痛

胸部
- 呼吸困難，胸痛，前胸部痛，動悸，喘鳴，咳，痰，血痰

腹部
- 食欲不振，腹痛，悪心・嘔吐，吐血，下痢，便秘

泌尿器
- 多尿，乏尿，無尿，頻尿，血尿，膿尿

精神・神経系
- 意欲低下，不安感，不穏感，歩行障害，言語障害，運動麻痺，感覚障害，筋力低下，痙攣

四肢
- 関節痛，関節腫脹，下肢浮腫

その他
- 精査希望

表3 現病歴で確認する要点
- 発病の日時と様式
- 症状の持続期間
- 症状の存在する部位
- 症状の内容と推移
- 随伴する症状
- 全身状態
- 治療による影響

表4 既往歴で確認する要点
- 全般的健康状態
- 出生時の状況
- 幼小児期の主な疾患
- 成人期以降の主な疾患
- 外傷，手術，輸血の有無
- アレルギー，ワクチン接種の有無と内容
- 薬物使用の状態
- 嗜好品(アルコール，喫煙)
- 月経，妊娠，分娩歴(女性)

ることもある．この場合には，それらの精査が主訴となる．たとえば，健診で高血圧を指摘されて来院したのなら「高血圧の精査」，尿検査で蛋白陽性を指摘されたのなら「蛋白尿の精査」となる．

現病歴

現病歴(present illness)とは，患者の訴える症状が，いつから，どのように発生し，現在までどういう経過をたどってきたかを指す．すなわち，発病の日時，様式，持続期間，経過などを詳しく確認する(表3)．

発病の日時は，何月何日何時と特定できることもある．しかし，何か月前頃からとか，何年前頃からとか，明確にできないことも少なくない．突如として発病したのか，徐々に起きてきたのか，発病の前になんらかの前兆はなかったかを聞くこ

とも重要である．疾病によって，発病のしかたに特徴があるからである．

たとえば，下肢の麻痺を主訴とした患者でも，交通事故などの外傷や，出血・血栓など血行障害が原因の場合には，突然に，しかも急激に進行してくる．これに対し，変性疾患や腫瘍などの慢性疾患では，徐々に進行してくるので，発病の日時を厳密には特定できない．

発病してから受診までの経過における症状の推移についても詳しく確認する．症状が次第に増悪してきたのか，消長しているのか，軽快しているのか，主症状以外に随伴する症状は出現していないか，などを確認する．受診してくるまでに他の医療機関で治療を受けている場合には，その治療内容や治療後の経過などについて照会しておく．

なお，現病歴が長期間にわたっているときには，簡単に図示しておくと理解しやすい．

既往歴

既往歴(past history)は，出生してから現在に至るまでの患者の健康状態，罹患した疾患などについての情報をいう(表4)．

過去の疾患や処置が原因となって疾病が発病することもある．たとえば，扁桃炎後の腎炎，胃全

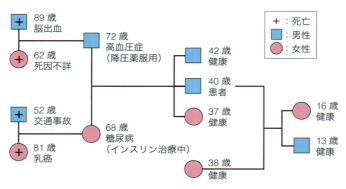

図2 家系図の一例

表5 家族歴・社会歴で確認する要点
- 家族の健康状態：祖父母, 父母, 同胞, 配偶者, 子供
- 遺伝的関係：高血圧, 糖尿病, 悪性腫瘍, 神経疾患など
- 生活環境
- 職業歴

摘後の巨赤芽球性貧血，輸血後のウイルス性肝炎などがある．

具体的には，出生時の状況，幼小児期の健康状態，予防接種，輸血の有無，過去に罹患した疾患・外傷などについて確認する．この場合，単に病名だけでなく，症状・治療内容・経過などについてもできるだけ確認しておく．たとえば，患者が黄疸にかかったことがあると申告した場合，それが胆石・胆囊炎であったのか，肝炎であったのか，あるいは溶血性黄疸であったのか，確認しておかなければならない．

喫煙・アルコールなどの嗜好品や，常用薬の有無，アレルギーの有無についても確認する．女性では，月経・妊娠・分娩・流産などについても確認する．

家族歴・社会歴

家族歴

家族歴（family history）では，祖父母，両親，同胞，配偶者，子供などを中心に，その健康状態，罹患した疾患，死亡している場合には死亡時の年齢，死因などを聞く（表5）．そして，家系図として表記する（図2）．疾患については単に病名だけでなく，その際の具体的な状況や症状などを聞くことが重要である．

家系内に多発しやすい疾患としては，血友病などの遺伝性疾患のほか，体質や同じ生活環境のために家族内に発症しやすい疾患，家族内で感染しやすい疾患などがある．特に，高血圧症，糖尿病，脳血管障害，代謝疾患，アレルギー性疾患，結核，精神神経疾患，内分泌疾患，悪性腫瘍，奇形などに注意する．

社会歴

社会歴（social history）は，患者を取り巻く生活環境や職業などの変遷を示すものである．

まず，現在までの住所を確認する．現住所だけでなく，出生地や以前の居住地も確認しておくとよい．海外渡航の経験についても聞いておく．公害による環境汚染や，マラリアやアメーバ赤痢など地域に特有の感染症などが，疾病の発生に直接あるいは間接的に関係していることがあるからである．

職業は，単に職種だけでなく，実際の仕事内容と従事した期間を詳しく聞く．重労働による腰痛症，手先作業による頸肩腕症候群，砂岩坑夫や石工の塵肺症など，仕事の内容そのもの，あるいは職場環境が疾病発生の原因となっていることも少なくない．

生活環境としては，家族構成，住宅環境，日常の習慣，趣味，経済状況などについて聞く．家庭内の問題や経済状況をめぐる精神的ストレスなどが，疾病と関連することもある．心配事や不満の

> **Box-1**
> ▶ 開放型質問（open-ended question），
>   閉鎖型質問（closed question）
>
> 　医療面接で最も重要なことは，患者が気兼ねすることなく，自由に話せるように環境を整えておくことである．このため，最初は焦点を絞らずに「どうなさいましたか？」というように開放型質問から開始する．そして，「頭痛がする」などという訴えが出た場合に，頭痛の強さや持続期間などに焦点を絞って質問する（閉鎖型質問）．
> 　なお，かつては医療面接を「問診」と言っていた．これは医師が「問いかけて診察する」という意味であった．患者と医師は対等であり，かつ開放型質問を重視するという観点から，現在では「医療面接」と呼ばれる．

有無についても確認する．

　なお，家族歴や社会歴については初診では十分に確認することができないこともある．診療を繰り返していくうちに患者との良好な信頼関係が築かれ，詳しい情報を得られることも多い．

システムレビュー（系統的レビュー）

　医療面接の最後に，身体の各臓器系統別に，過去から現在までの状況を確認する．この行為をシステムレビュー（系統的レビュー：system review）という．

　「最後にもう一度確認のために話をうかがいます．話し忘れたようなことがあれば，おっしゃってください」と言って切り出す．いわゆる「頭のてっぺんから爪先まで」確認することになり，それまでの医療面接で得た病歴情報の確認漏れを防止することができる．システムレビューは，表6のような項目について順序だてて進める．

〈奈良 信雄〉

表6　システムレビューで確認すべき主な事項

①全身状態
　普段の体重，最近の体重の変化，全身倦怠感，発熱，食欲不振，不眠など

②皮膚・毛髪・爪
　皮膚色調の変化，痒み，発疹，毛髪や爪の変化など

③頭部・顔面・頸部・乳房
　頭痛，めまい，視力障害，聴力障害，耳鳴，鼻出血，歯肉出血，咽頭痛，頸部腫脹，乳房腫脹など

④循環・呼吸器系
　動悸，胸痛，高血圧，呼吸困難，咳，痰など

⑤消化器系
　嚥下障害，腹痛，悪心・嘔吐，便通異常，便の性状の異常など

⑥泌尿・生殖器系
　尿量の変化，排尿異常，尿の異常，月経，性的トラブルなど

⑦内分泌・代謝系
　体重の変化，皮膚と体毛の変化，発汗障害，多飲，多尿など

⑧造血系
　貧血，出血傾向，輸血歴など

⑨精神・神経系
　失神，痙攣，歩行障害，感覚障害，麻痺など

⑩筋・骨格系
　筋肉痛，関節痛，関節腫脹など

身体診察の進め方と方法

医療面接が終われば，ただちに身体の診察に移る．もっとも，患者が診察室に入室してきた時点から，患者の表情，歩行，動作など一挙手一投足に目を配り，観察を始める．また，医療面接で病歴情報を聴取する合間にも，顔貌，表情，精神状態，言語障害の有無などについて注意を払う．

身体診察の進め方

身体診察（physical examination）は，患者の病態を把握するうえで最も基本的な行為である．全身をくまなく観察し，見落としをしないよう，系統だてて一定の順序で行う．

通常は，まずバイタルサインと全身状態を観察し，次いで頭頸部から観察を始め，胸部，腹部，四肢，そして神経系の診察へと順次進める（図1）．ただし，患者が腹痛などを強く訴えているような場合には，まず問題となっている腹部から診察を開始してもよい．こうした場合でも，見落としがないよう，他の部位の診察を怠らないようにする．

異常が観察されるという陽性の所見だけでなく，異常が観察されないという陰性の所見にも気を配る．たとえば，強い頭痛を主訴としている患者では，項部硬直の有無が診断に重要な情報を提供する．特徴的な所見がないということ自体が，診断の根拠になることもあるからである．

身体診察は，主に次の方法を基本とする．
① 視診（inspection）
② 触診（palpation）
③ 打診（percussion）
④ 聴診（auscultation）
⑤ 神経学的診察（neurological examination）

これらの診察によって確認された他覚的所見あるいは身体所見（physical findings）を現症（present status）という．

現症の診療録への記載は，診察を通じて得られた所見を正確に，詳細に，しかも要領よく行う（表1）．

その患者を直接には診察していない他の医師が，診療録を読んだだけでも患者の状態をはっきりと思い浮かべられるような記載が望ましい．所見は，存在する場合だけでなく，存在しない場合でもその旨を記載しておくことも重要である．

症状や所見は変化するので，経過に伴う変化を図示しておくとわかりやすい．また，皮疹や腫瘤などは写真に撮影して保存しておくと，経過を追ううえで参考になる．

なお，救急患者の診察では，迅速かつ的確に診察することが要求される．バイタルサインをすばやくチェックして重症度と緊急度を迅速に判定

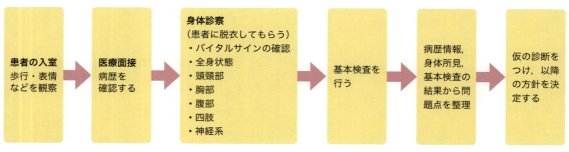

図1　診察の進め方

し，バイタルサインに異常があれば重症度に応じて，適切な処置を行いながら身体診察を行う．

身体診察の方法

視診

視診の意義

患者の外形や外観を医師の眼で観察して所見をとる診察法を視診という．身体診察のうちでも最も基本的で，かつ簡単に行える．それでいて，注意深い視診は診断を行うのに有意義な情報を提供してくれる．

たとえば，胸痛を主訴とした患者の胸背部に発赤や水疱を一側性で帯状に認めた場合には，帯状疱疹(帯状ヘルペス)が示唆される．全身倦怠感や食欲不振を訴える患者の皮膚や眼球結膜が黄染していれば，肝・胆道疾患による黄疸が考えられる．Basedow(バセドウ)病〔Graves(グレーブス)病〕や先端巨大症などの内分泌疾患や，Parkinson(パーキンソン)病や舞踏病などの神経疾患は，特徴ある所見から一瞥しただけですぐに診断できることがある．これをスナップ診断(snap diagnosis)と

表1　診療録に記載する現症の主な項目

全身状態(general status)
①外観
- 身長，体重，体温
- 顔貌
- 体格，栄養，姿勢，体位
- 異常運動の有無

②精神状態
- 意識，感情，見当識，知能，協調性

③皮膚
- 色調，湿潤度，弾力性，発汗
- 毛髪，爪
- 色素沈着，発疹，瘢痕
- 浮腫，静脈怒張，出血

局所状態(specific status)
①頭部
- 大きさ，形，頭髪，異常運動

②顔面
- 顔貌，形，色調，異常運動

③眼
- 眉毛，眼瞼，眼球(位置と運動)，眼瞼結膜，眼球結膜，角膜，瞳孔(大きさ，形，左右差，対光反射，調節反射)，水晶体
- 視力，視野，眼底

④耳
- 形，聴力，分泌物

⑤鼻
- 形，嗅覚，分泌物，鼻出血

⑥口
- 口臭，唾液分泌
- 口唇，舌，歯，口腔粘膜，歯肉
- 軟口蓋，咽頭，扁桃
- 嚥下作用

⑦頸部
- リンパ節，唾液腺，甲状腺，気管，静脈拡張，こま音，異常拍動

⑧腋窩
- 皮膚，腋毛，リンパ節

⑨胸部
- 皮膚，形状，呼吸運動，乳房
- 心血管(脈拍，心尖拍動，心濁音界，心音，心雑音，心膜摩擦音，血圧)
- 肺(肺肝境界，打診音，呼吸音，副雑音，摩擦音，声音振盪，声音聴診)

⑩腹部
- 皮膚，形状，周囲，静脈拡張，蠕動
- 圧痛，筋緊張，抵抗，腫瘤，拍動
- 肝，脾，腎，膀胱
- 打診音，波動，体位音響変換
- 鼠径部リンパ節，ヘルニア

⑪背部
- 脊柱の変形，叩打痛

⑫四肢
- 肢位，形，大きさ，皮膚，筋肉，血管，リンパ管，骨，関節，運動

⑬性器
- 陰毛，男性性器，女性性器

⑭肛門，直腸
- 痔核，出血
- 直腸指診

⑮神経系
- 髄膜刺激症状(項部硬直，Kernig(ケルニッヒ)徴候)
- 脳神経系(I～XII)
- 運動系(体位，姿勢，歩行，随意運動，不随意運動，共同運動，筋肉)
- 言語および関連機能(言語障害，失行症)
- 感覚系(表在感覚，深部感覚，複合感覚)
- 反射(皮膚反射，粘膜反射，腱および骨膜反射，病的反射)
- 自律神経系(血管運動障害，分泌障害，栄養障害，膀胱直腸障害，性機能障害)

⑯その他の異常所見

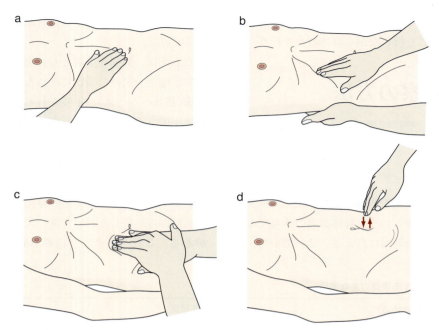

図2　腹部の触診
a：単手による触診（手を腹壁に軽く当て，触診する）．b：双手診（両手で挟むようにして触診する）．c：双手深部触診（深在性の臓器や，腹壁の厚い肥満者ではこの方法で行う）．
d：衝動触診

いう．
　ただし，このような場合でも，誤診を防ぐために，また合併症の存在を見逃さないためにも，身体各部の診察を怠ってはならない．

視診の方法

　患者が診察室に入室した時点から視診を開始する．あまりじろじろ見て不審がられないよう，それとなく観察するとよい．
　体格，表情，身だしなみ，歩行などの動作をまず観察する．次いで全身を観察し，頭から顔，頸，胸，腹，四肢へと各部位の視診に移る．所見を見落とさないためには，常に一定の順序で系統だてて視診を行うようにする．そして，患者が訴える症状のある局所は，特に入念に視診を行う．

触診

触診の意義

　触診とは，患者の身体各部に医師の手指を触れて診察する方法をいう．
皮膚や皮下組織などの体表部分，内部臓器，筋肉，骨，関節などが触診できる．触診では，患者が異常感を訴える局所，および視診によって医師が異常と判断した部位の性状を調べることに意義がある．

触診の方法

　手のひら，指先，片手，両手など，医師の手を最大限に利用して局所に触れ，その性状や異常の有無を把握する．局所の熱感，緊張，抵抗，弛緩，圧痛，感覚過敏などを，指先の感覚としてとらえるようにする．
　腹部の触診では，肝臓や脾臓などの腹腔内臓器や，腫瘤の有無などの確認を行う．医師の片手を軽く当てて，指の末節掌面で触診する（図2a）か，両手を使って行う双手診がある．
　双手診には，一方の手を腹壁に，他方を背部に当てて，両手で腹部を挟むようにして行う触診方法（図2b）と，両手を重ねて触診する双手深部触診がある（図2c）．後者では，医師が右利きの場合，腹壁に軽く当てた右手指上に左手を乗せ，右手指

表2　腫瘤(硬結)の触診ポイント

L : Location	位置
M : Mobility	可動性
N : Nodular?	表面の性状
O : relationship to Other organ	他臓器との関係
P : Pulsation	拍動の有無
Q : Quality	硬さ
R : Respiratory mobility	呼吸性移動の有無
S : Size & Shape	大きさと形
T : Tenderness	圧痛の有無

の力は抜いて左手で右手を圧する．左右の手を逆にして行ってもよい．腹部の深部を触診したり，肥満者の触診に適している．

圧痛点を調べるには，指先を腹壁に垂直に押して調べる指先触診を行う．

また，触診する手は固定しているだけでなく，動かして触診することもある．滑走性触診は腹壁に触診の手指(掌)を軽く押し当てたまま，呼吸運動に従って静かに滑らせるようにする方法である．肝や脾の辺縁や，腫瘤の呼吸性移動をみるのによい．衝動触診は，指先で腹壁を急激に強く突き，すぐに指を腹壁から離す方法である(図2d)．腹水が貯留していると，通常の触診では確認しにくい腫瘤や臓器が，瞬間的に腹水を側方に排除させることによって，指先に触知される．

実際の触診では，種々の方法を適宜組み合わせて行う．

臓器を触知する場合は，その臓器であることを確認するとともに，表面や辺縁の性状・硬さ・緊張度，圧痛などを調べる．腎臓の触診は双手診で行い，一方の手で急激に腎臓を押すようにすると他方の手に浮球が衝突したように感じる．これを浮球感(ballottement)といい，腎臓の触診所見として特徴的である．

しこり，硬結，あるいは腫瘤を触れる場合は，大きさ・形状・硬さ・可動性・周囲との癒着・圧痛などを調べる(表2)．

特殊な胸部の触診法として，低音で発声したときの胸壁への振動の伝わり方を手で感じる方法がある．これを，声音振盪(vocal fremitus)という．手のひら，または手の尺骨面を患者の胸壁に軽く当て，患者に「ひとーつ，ひとーつ」と低く声を

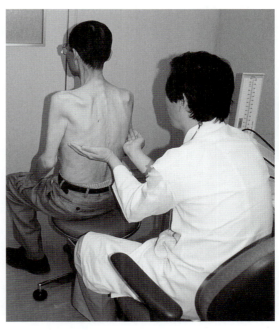

図3　声音振盪の診察法
手のひらか尺骨面を胸壁に軽く当て，振動を感じとる．

出してもらい，その振動を感じ，左右で比較する(図3)．

声音振盪の減弱は，胸内に伝導を妨げる病変のある場合に起こる(胸水，無気肺，気胸など)．逆に声音振盪の亢進は，肺内に浸潤や硬化のある病変で起こる(肺炎など)．

触診での注意点

触診を行うにあたっては，以下のような点に注意する．

- 手掌と指先は清潔にし，爪は適宜整えておく．
- 手指を適温に保つ．ことに冬季の寒いときには，いきなり冷たい手で触診しないようにする．
- 最初はソフトに，かつ広く触れる．力を加える場合は徐々に加えて，徐々に力を抜く．決して衝撃的に行ってはならない．
- 患者の訴える部位だけでなく，むしろ他の部位から触診を開始して，最後に問題のある部位を入念に触診してもよい．

たとえば，腹痛で腹部を触診する際，腹痛のある部位をいきなり触ると腹壁筋肉が緊張してしまい，詳しく触診できなくなってしまうこと

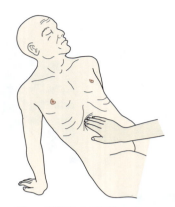

図4　半座位での触診

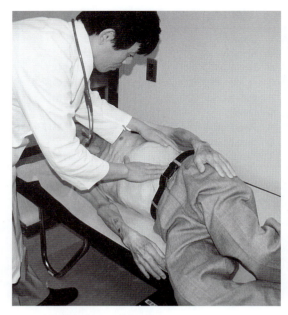

図5　右半側臥位での脾臓の触診
右第Ⅱ指尺側面で脾臓を触知する．

がある．ただし，このような場合には，「痛む箇所は最後に詳しく診察しますから」と説明し，患者に不安感を抱かれないよう注意する．

- 体位，姿勢，肢位をいろいろ変えて触診することも重要である．

　腹部は通常は仰臥位で両下肢を屈曲して腹壁の緊張をとった状態で触診する．心窩部を触診する際は両下肢を伸ばして上半身を半ば起こし，両手を後ろで支えるようにした半座位で行うと，心窩部腫瘤，肝・脾の辺縁，胆嚢などをよく触知できる(図4)．立位では腎臓，左側臥位では盲腸・上行結腸・胆嚢，左半側臥位では肝右葉，右側臥位では下行結腸，右半側臥位では脾臓の触診が，それぞれ容易になる(図5)．

- 触診するときは，検者は患者の右側に位置し，患者の顔を見ながら触診を進める．圧痛の有無や程度は顔の表情で判断できるからである．

打診

打診の意義

　身体のある部位を，指もしくは簡単な器具で叩き，そのときに発生する音の性質を聴き分けて，その部位の性状を判断する診察法である．

　肺や胃腸管など空気が存在する臓器と，心臓や肝臓など空気含有の少ない実質臓器が隣接している部位での診察に意義が深い．打診音の変化を聴き分けることが比較的簡単にできるので，臓器に起きた微妙な変化を判断できるからである．特に，胸部と腹部の診察に有用である．

打診の方法

　打診には，体表を指または打診槌で直接叩く直接法と，体表に指や打診板を当ててその上から叩く間接法とがある．一般的には，体表に指を置き，その上から指で叩く指指打診法が行われる．

　指指打診法は，左手中指(左利きの診察者は右手中指)の中節を体表にぴったりと密着させ，その指の背面を鉤状に曲げた右手中指の指頭で叩く方法である(図6)．

　右手は，手関節のみをスナップを効かせるようにして速やかに直角に叩き，叩いたのちは，ただちに左指背面から離す．この瞬間に発生する音について，音量・音質・音調・持続を判断する(図7)．同時に，叩いたときに生じる振動と抵抗感にも注意する．

打診音の種類

　打診によって生じる音には次のような性質のものがあり，慎重に聴き分ける．

❶ 清音(clear)
　振幅の大きい音で，正常の肺野を叩打したと

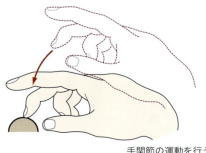
手関節の運動を行う

左手中指の中節を打診面に密着させる

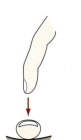
右手中指の指頭が左手中指の中節を直角に叩く

図6　指指打診法

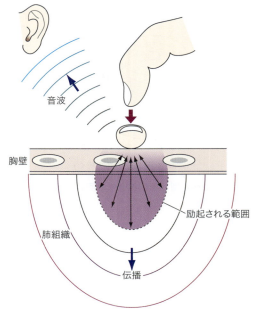
図7　打診による音の伝わり方

きに聴取される．かなり長い比較的低調の音で，音量は大きい．振動が，体表に置いた指に感じられる．

❷ 濁音（dull）

心臓や肝臓など含気量が少ない実質臓器や，空気を含まない大腿部などを叩打した際に聴取される振幅の小さい音である．持続は短く，高調で音量は小さく，ごく近くにいる人にしか聞こえない．指に伝わる振動感も弱く，抵抗の増加として感じられる．

❸ 鼓音（tympanitic）

胃や腸管など，閉じた囊状のものの中に空気が存在する場所を叩打したときに聴かれる．振動が規則的で，単音に近い音である．鼓を叩いたときに発する音のように，高調で，ポンポンとした響きがある．持続はそれほど長くなく，音量は中等度ないし大である．弱く叩打したほうがはっきりしやすい．

聴診

聴診の意義

身体内部では，呼吸運動に伴う空気の出入り，心臓の拍動，あるいは腸管の蠕動などによって音が発生している．病変が起こると，自然に発する音の性質が変化したり，通常では聴かれないような音が発生したりする．このように身体内部で発生する音を聴いて診察する方法が聴診である．

聴診は，特に肺，心臓，腹部臓器，血管の病変の診断に重要である．

聴診の方法

聴診の方法には，患者の体表に診察者が耳を当てて聴診する直接法と，聴診器を使って聴診する間接法とがある．緊急時を除けば，間接法で聴診するのが一般的である．

聴診器には，診察者の片方の耳に当てて聴診する単耳型と，両耳を当てる双耳型とがある．ただし，今日では単耳型聴診器が使用されることはほとんどなく，双耳型聴診器がもっぱら使用される．

双耳型聴診器は，採音部，挿耳部，およびその

図8 聴診器（ベル型と膜型採音部の使い分け）

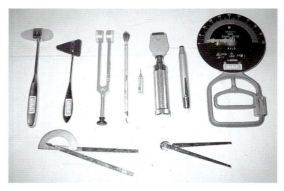

図9 神経学的診察に使う主な用具

両者を結ぶゴム管から構成される．採音部は，主として低周波（低調）の音を聴くベル型と，高周波（高調）の音を聴く膜型とがあり，両者を使い分ける（図8）．

聴診での注意点

聴診器は，ゴム管部は短いほうが音の伝達にはよいが，診察時の便宜を考え，40～50 cm程度のものが一般的に使われる．挿耳部（イヤーピース）は，診察者の耳にフィットするものを選ぶ．

診察室は静かにして，聴診器を体表に密着させて，注意深く聴診する．室温は適温にし，寒さのために患者がふるえて筋肉収縮による雑音を生じることがないよう配慮する．

神経学的診察

神経学的診察の意義

神経系疾患を診断するうえで，重要な診察法である．

神経系疾患の診断には，とりわけ医療面接が重要である．発病の経過，進行の具合，病状を悪化させたり寛解させる因子，家系内での発症状況などを入念に確認すれば，それだけでも疾患の性質がかなり推察できる．

神経学的診察は，精神状態の観察，髄膜刺激症状の有無，脳神経系の検査，運動系の検査，言語ならびに関連機能の検査，感覚系の検査，反射の検査，自律神経系の検査に分けて系統的に行われる．

神経学的診察の方法

神経学的診察は，大部分が視診によって行われ，さらにハンマーなどの簡単な用具を用いた検査を加えるとかなり正確な診断が可能である（図9）．脳神経系の検査や，反射の検査のしかたなど，個々に独特な診察法があるので，神経所見の項（☞155ページ）で具体的に方法を述べる．

神経学的診察での注意点

神経系疾患の診断は，医療面接と身体診察を通じて，下記のように3段階診断を行う．

❶ **部位診断**（anatomical diagnosis）
症状と所見に基づいて，病変の存在する部位を推定する．
❷ **病因診断**（etiological diagnosis）
発症様式と経過から，病態または病因を大きくとらえる．
❸ **臨床診断**（clinical diagnosis）
上記の1と2に基づいて，最も可能性が高い臨床診断を暫定的に行い，それに対する鑑別診断を進める．

〈奈良 信雄〉

部位別の身体診察 バイタルサイン

バイタルサイン(vital sign, 生命徴候)は，生命の維持に直接関係する"呼吸"と"循環"の状態を表す徴候である(表1).

意識と体温は，それぞれ脳と皮膚という臓器の血流状態を示し，脈拍と血圧は心血管系の機能を示す．呼吸は呼吸機能の指標となる．したがって，バイタルサインは身体診察のなかでも最も基本的なもので，どんな患者に対しても必ず最初に観察する．特に重症な救急患者では迅速に，しかも繰り返して評価をする必要があり，バイタルサインに異常がある場合には，すぐに処置を開始する．

バイタルサインは，医療面接，視診，触診，聴診など，基本的な診察法で確認できるが，重症患者では血液ガス，心電図，胸部X線撮影，血球検査，血清電解質検査などを用いて，より精密に評価しておく．

なお，意識状態を"バイタルサイン"に含めないことも多いが，意識状態のチェックは救急患者の重症度を把握するのに重要であり，本書では含めて記載する．

意識状態

意識状態(consciousness)は，感覚・注意・認知・思考・判断・記憶などの精神活動全般を統合したもので，大脳皮質全体の興奮水準を意味する．人間が生き生きとした生命活動を行っていることを示す根本的な徴候である．意識状態を把握するには，問いかけをしたり，刺激を与えたりして，患者がどう反応するかを注意深く観察する．

意識がしっかりしている状態を"清明"という．周囲に関心を払い，対象を認知し，そして外部からの刺激にも適切に反応できる．

これに対し，周囲への注意が鈍り，対象を正確に認知できず，さらに外部からの刺激に適切に反応しなくなった状態を"意識障害"(disturbance of consciousness)という．意識障害には，意識のレベルが低下して意識が混濁している場合(覚醒障害)と，興奮など意識変容を伴う場合がある．

種々の脳疾患(外傷，脳血管障害，脳炎，髄膜炎，脳腫瘍など)をはじめ，肝硬変，尿毒症，糖尿病，薬物中毒などの疾患で意識が障害される〔症候・病態編「意識障害」参照(☞ 779ページ)〕．

意識障害は基礎疾患の重症度に応じて変化することがあり，意識障害の内容と程度を正しく把握し，明確に記載しておくことが重要である．そのためには，呼びかけたり(名前や現在地，日付，家族構成などを尋ねる)，皮膚を叩いたりつねるなどの痛み刺激を与えたりして，患者がどのように反応するかを観察する．また，興奮などの意識変容にも注意して観察する．

覚醒障害の程度分類

一般的な分類

❶ 清明(alert)
周囲の刺激その他に対し，正しく，的確に反応できる状態．

❷ 傾眠(somnolence)
軽い刺激には反応するが，うとうとと眠っているように見える状態．名前を呼んだり，体を揺するなどの刺激に反応を示し，質問にも返答するが，

表1　バイタルサイン
- 意識状態
- 体温
- 脈拍
- 血圧
- 呼吸状態

表2 Japan Coma Scale（3-3-9度方式）による意識障害の分類

Ⅰ．刺激しないでも覚醒している状態（1桁で表現）
　〔delirium（せん妄），confusion（錯乱），senselessness（明識困難状態）〕
　1．だいたい意識清明だが，今ひとつはっきりしない
　2．見当識障害がある
　3．自分の名前，生年月日が言えない

Ⅱ．刺激すると覚醒する状態―刺激をやめると眠り込む（2桁で表現）
　〔stupor（昏迷），lethargy（嗜眠），hypersomnia（過睡眠），somnolence（傾眠），drowsiness（嗜眠状態）〕
　10．普通の呼びかけで容易に開眼する
　　　合目的的な運動（たとえば，右手を握れ，離せ）をするし，言葉も出るが，間違いが多い
　20．大きな声または体を揺さぶることにより開眼する．
　　　簡単な命令に応ずる（たとえば，なんらかの理由で開眼できない場合の離握手）
　30．痛み刺激を加えつつ呼びかけを繰り返すとかろうじて開眼する

Ⅲ．刺激をしても覚醒しない状態（3桁で表現）
　〔deep coma（深昏睡），coma（昏睡），semicoma（半昏睡）〕
　100．痛み刺激に対し，はらいのけるような動作をする
　200．痛み刺激で少し手足を動かしたり，顔をしかめる
　300．痛み刺激に反応しない

注　R：Restlessness（不穏状態）
　　Ⅰ：Incontinence（尿失禁）
　　A：Akinetic mutism（無動性無言症），Apallic state（自発性喪失）

例　■ 強い刺激（疼痛など）で覚醒するが，同時に体動が激しく不穏である → Ⅱ-20-R
　　■ 覚醒しているが，自分の名前，生年月日が言えず，呼びかけに対しても無表情に見える → Ⅰ-3-A

表3 Glasgow Coma Scaleによる意識障害の分類

	スコア
E 開眼（eye opening）	
■ 自発的に（spontaneous）	4
■ 言葉により（to speech）	3
■ 痛み刺激により（to pain）	2
■ 開眼しない（nil）	1
V 言葉による最良の応答（best verbal response）	
■ 見当識あり（orientated）	5
■ 錯乱状態（confused conversation）	4
■ 不適当な言葉（inappropriate words）	3
■ 理解できない言葉（incomprehensible sounds）	2
■ 発語なし（nil）	1
M 運動による最良の応答（best motor response）	
■ 命令に従う（obeys）	6
■ 痛み刺激部位に手足をもってくる（localises）	5
■ 四肢を屈曲する（flexes）	
■ 逃避（withdraws）	4
■ 異常屈曲（abnormal flexion）	3
■ 四肢伸展（extends）	2
■ 全く動かさない（nil）	1

E+V+M=3～15
E，V，Mの各項の評価点の総和をもって意識障害の重症度とする．最重症：3点，最軽症：15点
V，M項では繰り返し検査の最良反応とする

刺激を止めると眠ってしまう．

❸ 昏迷（stupor）

皮膚をつねったり，針でつつくなどの強い刺激に対してのみ少し反応する状態．自発的な動作はみられず，前昏睡（precoma）ともいう．

❹ 昏睡（coma）

意識が完全に消失し，いかなる刺激に対しても反応しない状態．最も高度の覚醒障害である．尿・便を失禁する．

その他の分類

上記の分類はいくらか抽象的で，しばしば判定が難しい．そこで，より客観的に判定でき，しかも医師以外の人でも評価が可能な分類として，Japan Coma Scale（いわゆる3-3-9度方式）やGlasgow Coma Scaleが使われている．

Japan Coma Scale（表2）は脳卒中の外科研究会による分類で，意識障害の経過をみるのに有用であるが，認知症や失語と，軽症の意識障害を誤認しないよう注意が必要である．

Glasgow Coma Scale（表3）は，開眼，言語反応，運動反応のそれぞれについて判定するものであるが，重症度の判定にはやや不向きである．

これらの分類を用いるときでも，単に数値だけでなく，どのような刺激にどのように反応したかを具体的に記載しておく．

意識変容の種類

❶ もうろう状態（twilight state）

意識混濁は軽度であるが，周囲に関心を示さずぼんやりとしている状態で，全体的な判断力や批判力に欠けている．

❷ **せん妄**(delirium)

軽度の意識混濁があるときに，精神的興奮が加わって，意味不明のことを口走ったり，身体を動かしたりする状態をいう．幻覚(hallucination)や妄想(delusion)を伴うこともある．

❸ **アメンチア**(confused state)

軽度の意識障害で，思考がまとまらずに困惑している状態である．

体温

体温(temperature)は，体内での熱産生と熱放散のバランスによって，環境温に関係なくほぼ36〜37℃の範囲内に維持されている．

熱産生は，安静時には主として脳，心臓，肝臓などの深部臓器で行われ，運動時には骨格筋での産生が高まる．産生された熱は血液循環によってほぼ体内に均等に分布され，体内から体表へ伝えられる．

熱の喪失は，体表や気道から放射・伝導・対流・蒸発などの物理的過程で行われる．

この熱収支は視索前野・前視床下部にある体温中枢によって調整され，そこで設定された温度(セットポイント温度)に体温が維持されるように調節されている．

体温がほぼ恒常に保たれることは生命活動にとって重要であり，体温を測定することは，身体診察において欠かせない．

体温の測定

電子体温計などを用いて，腋窩，口腔内，もしくは直腸内で測定する．

真の体温とは体温中枢でのセットポイント温度であり，体腔内の温度を指す．このため，環境温度の影響を受けない部位で測定するほうが正確である．ほぼ体腔内の温度を示す直腸温は，健常者では36.2〜37.5℃である．ただし，わが国では，簡便性から，腋窩で測定することが多い．

腋窩で測定した体温は，口腔内，および直腸内での検温に比べると，それぞれ0.2〜0.5℃，0.6〜1.0℃ほど低い．いずれの部位で測定するにしても，正しい位置で，十分な時間をかけて計測する．

正常体温と生理的変動

健常者の腋窩で測定した体温は，通常，36.0〜37.0℃の範囲にある．

ただし，体温には個人差が大きい．乳幼児の体温は一般に高めで，高齢者では低体温の傾向がある．また，同一人でも，午前2〜4時頃に最も低く，午後2〜6時頃にかけて最高になる日内変動がある．

女性では，性周期によって0.3〜0.5℃程度の変動があり，月経・卵胞期は低く，黄体期には高体温となる．

体温の異常

体温が腋窩で37.0℃を超えるとき，一般に発熱していると判定する．もっとも，個人によって差があるので，各人がそれぞれ健康時の体温の範囲を測定しておき，その範囲を超えたときを異常と判断したほうがよい．

発熱は，感染症，悪性腫瘍，膠原病，内分泌疾患，アレルギー性疾患などの病態でみられる．疾患によって典型的な発熱パターン(熱型)をみることがあるが，抗菌薬や解熱薬などを投与されていると明確でなくなる(図1)．発熱のある患者では，その原因を明確にして対処しなければならない〔症候・病態編「発熱」参照(☞216ページ)〕．

一方，口腔内温が35.0℃未満の状態を低体温症(hypothermia)とする．甲状腺機能低下症，下垂体機能不全症，Addison(アジソン)病，慢性消耗性疾患などでは，持続的に低体温となる．外傷，大量出血，重症感染症など，ショック状態では急速に体温が下降することがあり，危険な徴候である．

脈拍

脈拍(pulse)とは，心臓の拍動に伴う動脈の拍動を指す．脈拍の触診は，循環器疾患の診察に有用なだけでなく，生命徴候の1つとして全身状態を示す指標としての意義をもつ．

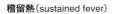
稽留熱(sustained fever)
発熱が持続
日内変動が1℃以内

腸チフス
大葉性肺炎
感染性心内膜炎
オウム病

弛張熱(remittent fever)
日内変動が1℃以上
平熱まで下がらない

種々の化膿性疾患
ウイルス感染症
敗血症, 悪性腫瘍

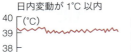
間欠熱(intermittent fever)
体温の変動が1℃以上
最低体温は平熱まで下がる

腫瘍, 粟粒結核
薬物副作用
尿路感染症

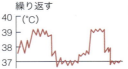
波状熱(undulant fever)
有熱期と無熱期が不規則に
繰り返す

Hodgkin(ホジキン)リンパ腫
(Pel-Ebstein熱)
マラリア
胆道閉塞症
(Charcot熱)

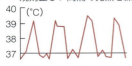
周期熱(periodic fever)
規則正しい間隔で発熱を繰り返す

マラリア
(三日熱, 四日熱)
回帰熱, Felty(フェルティ)症候群
ステロイド熱

図1 特徴的な熱型

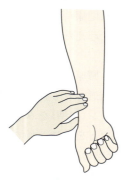

図2 脈拍の触診
左右同時に触診し, 比較する.

診察部位

　動脈が体表近くを走り, かつ骨など硬い組織に対してその動脈を体表から圧迫できるような部位を選ぶ. この目的に適しているのは, 橈骨動脈, 上腕動脈, 膝窩動脈, 大腿動脈, 足背動脈などである.

　通常の診察では, 橈骨動脈で触診を行う. 患者の手掌を上に向け, 橈骨茎状突起の高さで, 橈骨動脈の上に診察者の示指, 中指, 環指をそろえておいて触診する(図2). 脈拍については, 表4に示す要素を確認する. 左右同時に触診して比較する.

表4 脈拍触診で診察するポイント

- 脈拍数
- リズム
- 大きさ
- 遅速
- 緊張度
- 動脈壁の性状
- 左右差・上下肢差

脈拍の性状と主な異常所見

脈拍数

　1分間の脈拍数(pulse rate)を数える. 健康な成人での脈拍数は毎分ほぼ65〜85である. 一般に小児や若年者では脈拍数は多く, 高齢者では少ない. また, スポーツをしている人では脈拍数が少ない傾向にある.

❶ 頻脈(tachycardia)

　成人では, 脈拍数が100/分以上の場合を頻脈という.

　健常者でも, 精神的緊張, 運動直後, 発熱時などでは脈拍数が増加する. 体温が1℃上昇するごとに, 脈拍数はおよそ8〜10/分増加する.

　病的な頻脈は, 貧血, 心不全, 甲状腺機能亢進

症，大量出血などでみられる．

❷ 徐脈（bradycardia）

脈拍数が 60/分以下の状態を徐脈という．

健常者でも，運動選手や睡眠時では徐脈の傾向にある．

病的な徐脈は，甲状腺機能低下症，脳圧亢進などでみられる．40/分以下の高度の徐脈は，徐脈性不整脈，なかでも房室ブロックによることが多い．極端な場合には脳虚血状態となって痙攣や失神発作を起こすことがあり，Adams-Stokes（アダムス・ストークス）症候群という．

リズム（調律）

脈拍のリズム（rhythm）を触診で調べる．

健常者では，脈拍はほぼ一定の間隔で律動的に拍動し，これを整脈（eurhythmia または regular pulse）という．これに反して脈拍のリズムが不整であるものを不整脈（arrhythmia）という．

脈拍が不整であることは心拍不整を意味する．これは心疾患を示す重要な所見ではあるが，器質性心疾患がなくても不整脈は起こりうる．

不整脈は触診では次のように分類するが，詳しくは心電図検査で確認する〔症候・病態編「動悸，脈拍異常」参照（☞ 523 ページ）〕．

❶ 呼吸性不整脈（respiratory arrhythmia）

脈拍数が吸気時に多く，呼気時に少なくなるもので，病的な意味はない．

❷ 期外収縮（premature beat）

リズムは基本的には規則正しいが，ときに規則的な時期よりも早く心拍が起こる状態である．心臓が収縮しても心室内血液が有効に駆出されないため末梢動脈の拍動が触れない場合〔脈拍欠損（pulse deficit）〕や，小さな脈拍として触知する場合がある．

なお，正常収縮と期外収縮が交互に出現するときは二段脈（bigeminy または bigeminal pulse）（Panel-1），正常収縮と期外収縮がそれぞれ 1 個と 2 個，あるいは 2 個と 1 個を交互にみるものは三段脈（trigeminy または trigeminal pulse）という．

❸ 絶対性不整脈（absolute arrhythmia）

脈拍が全く不整で，規則性のない状態をいう．大きさも不同で，脈拍欠損により心拍数に比べて脈拍数は少ないことが多い．心房細動が原因のことが多い．

大きさ

脈拍の大きさ（size）とは，動脈の拍動の振幅，つまり収縮期と拡張期の間の動脈壁の動きの幅をいう．これは収縮期血圧と拡張期血圧の差（脈圧）を示しており，拍動が指先を押し上げる力として感じる．

❶ 大脈（large pulse）

動脈の拍動の振幅が大きい脈拍を大脈という．大動脈弁閉鎖不全症，甲状腺機能亢進症，高熱時などでみられる．

❷ 小脈（small pulse）

大脈と反対に，動脈の拍動の振幅が小さいものである．大動脈弁狭窄症などで認められる．

速さ

脈拍の速さとは，動脈壁が上下に動く速さ（celerity）を意味する．脈拍の遅速と大小とは互いに密接に関係しており，一般に速脈は同時に大脈で，遅脈は同時に小脈である．

❶ 速脈（rapid pulse）

動脈壁が急激に持ち上がり，急激に元に戻る脈拍をいう．大動脈弁閉鎖不全症，甲状腺機能亢進症，貧血，高熱時などでみられる．

❷ 遅脈（slow pulse）

速脈とは逆に，ゆっくりと動脈壁が動く脈拍である．大動脈弁狭窄症などでみられる．

緊張度

緊張度（tension）とは，外部からの圧力により圧迫されやすいかどうかを意味する．橈骨動脈の触診において，中枢側の指で血管を圧迫し，末梢側の指で脈拍を触れなくなるのにどのくらいの力を要するかで判定する．

❶ 硬脈（hard pulse）

緊張度の高い脈拍をいい，高血圧症で認めら

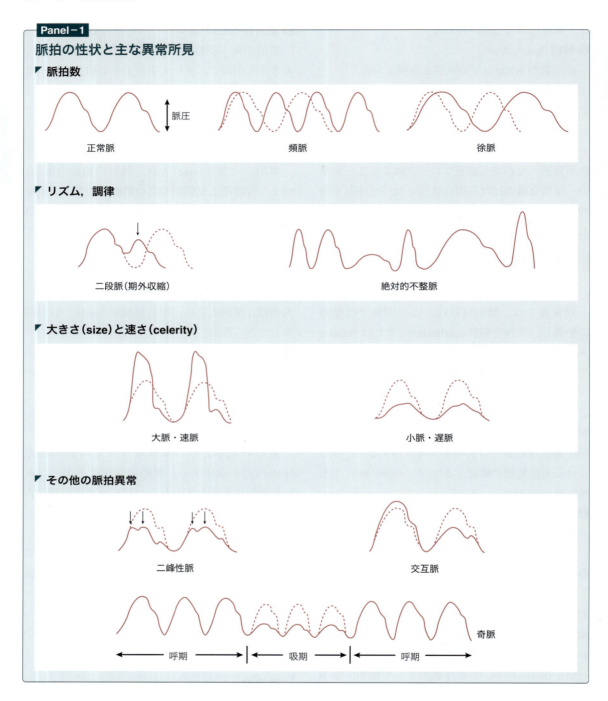

Panel-1 脈拍の性状と主な異常所見
- 脈拍数: 正常脈／頻脈／徐脈（脈圧）
- リズム，調律: 二段脈（期外収縮）／絶対的不整脈
- 大きさ(size)と速さ(celerity): 大脈・速脈／小脈・遅脈
- その他の脈拍異常: 二峰性脈／交互脈／奇脈（呼期—吸期—呼期）

れる．

❷ 軟脈(soft pulse)

緊張度が低い脈拍で，低血圧症，ショック，全身消耗状態などでみられる．

動脈壁の性状

脈拍を触診する際，緊張度や走行などの動脈壁の性状(character of arterial wall)に注意する．検者の一側の手指で橈骨動脈を圧迫して血流を停止させ，その末梢側の動脈を他側の手指で血管を転

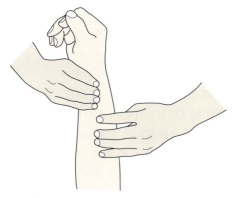

図3　動脈壁性状の診察
検者の左手の示指で橈骨動脈を圧迫して血流を停止させ，右手の手指で血管壁の性状を調べる．

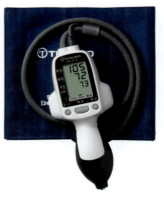

図4　電子血圧計

がすように触診する(図3)．

健常者では，血流の停止した末梢側の動脈は触知できないが，動脈硬化があると硬く，蛇行した状態で触知する．

左右差・上下肢差

脈拍は1か所だけでなく，左右または上下肢で比較することが大切である．大動脈炎症候群，大動脈瘤，動脈硬化症，動脈血栓症などで，脈拍の性状に部位別の差(inequality of pulse)を生じる．

その他の脈拍異常

❶ 二峰性脈(double apical pulse)
最初に急峻な峰があり，続いて緩徐な峰を感じるもの．左室流出路狭窄を伴う肥大型心筋症でみられる．

❷ 交互脈(alternating pulse)
脈拍の大きさが交互に変化する状態である．心筋梗塞や心筋炎など心筋障害があるときにみられ，心拍出量が一定しない重症心不全の徴候である．

❸ 奇脈(paradoxical pulse)
吸気時に明らかに脈拍が小さくなり，ときには触れなくなるものをいう．心タンポナーデ，気道閉塞，上大静脈閉塞などで観察される．

血圧

血圧(blood pressure)は循環系機能の状態を示す指標であり，バイタルサインに関する身体所見としてきわめて重要である．血圧とは，血液が血管壁に与える血管内圧のことをいう．通常は，動脈血圧(arterial blood pressure)を指す．

血管内圧は，心臓が収縮するときに最高となり，最高血圧(maximal blood pressure)もしくは収縮期血圧(systolic blood pressure)という．心臓の拡張期には血管内圧が最低となり，最低血圧(minimal blood pressure)または拡張期血圧(diastolic blood pressure)と呼ぶ．最高血圧と最低血圧の差を脈圧(pulse pressure)という．

測定方法

血圧を水銀柱の重さと釣り合わせる水銀血圧計が標準として用いられてきた．しかし，最近では環境への影響も考慮され，電子血圧計(図4)が普及し，家庭でも簡便に測定できる．

触診法

血圧計の圧迫帯(マンシェット)を上腕に巻き付ける．橈骨動脈を触診しながら，圧迫帯に空気を送る．脈拍を触れなくなった時点から，さらに20～30 mmHgくらい圧迫帯に圧を加える．次いで，1心拍ごとに2～3 mmHgの速さで空気を抜く．再び脈拍を触れ始めるときの圧迫帯内圧を最高血圧とする．

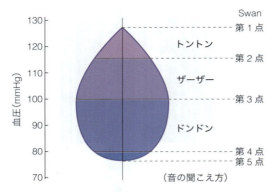

図5 血圧測定で聴診される Korotkoff 音

一般に，触診法で測定される血圧は聴診法よりも低く測定され，最低血圧の測定はできない．触診法は，次に示す聴診法でKorotkoff（コロトコフ）音が小さくて聞き取れないような場合に行う．

聴診法

肘窩で，上腕動脈の拍動を触れる部位に聴診器を当てる．触診法の場合と同じく，圧迫帯に空気を送入し，徐々に空気を抜く．心臓の拍動に一致して拍動音（Korotkoff 音）が聞こえ始める時点〔Swan（スワン）第1点〕の血圧を最高血圧と判定する．さらに空気を抜いていくと拍動音は突然に弱くなり（Swan 第4点），ついに完全に消失する（Swan 第5点）（図5）．完全に Korotkoff 音が消失したときの血圧を最低血圧とする．

Korotkoff 音を聞きやすくするには，膜型聴診器を強く当てるとよい．ただし，最低血圧測定の際は動脈を圧迫しないようにする．また，腕の静脈がうっ血しないようにすることも大切である．

血圧の基準範囲

日本高血圧学会による「高血圧治療ガイドライン2019」（JSH 2019）によれば，診察室血圧では，正常血圧は最高血圧 120 mmHg かつ最低血圧 80 mmHg（120/80 と記載する）未満で，正常高値血圧は 120～129/80，高値血圧が 130～139/80～89，そして 140/90 以上が高血圧と分類される．高血圧はさらに細分類されている（表5）．

高血圧

高血圧症（hypertension）には，原因を明らかにできない本態性高血圧症と，なんらかの臓器に異常があって高血圧症になる二次性高血圧症とがある．これらを鑑別することは，治療にあたってきわめて重要である〔症候・病態編「高血圧」参照（☞ 530 ページ）〕．

二次性高血圧症は，原因別に，腎性（腎炎，糖尿病性腎症，膠原病など），内分泌性〔褐色細胞腫，Cushing（クッシング）症候群，原発性アルドステロン症など〕，神経性（脳圧亢進など），心臓血管性（大動脈弁閉鎖不全症など）に分けることができる．

低血圧

一般に最高血圧が，男性で 100 mmHg，女性

表5 成人における血圧値の分類

分類	診察室血圧(mmHg)			家庭血圧(mmHg)		
	収縮期血圧		拡張期血圧	収縮期血圧		拡張期血圧
正常血圧	<120	かつ	<80	<115	かつ	<75
正常高値血圧	120～129	かつ	<80	115～124	かつ	<75
高値血圧	130～139	かつ/または	80～89	125～134	かつ/または	75～84
I 度高血圧	140～159	かつ/または	90～99	135～144	かつ/または	85～89
II 度高血圧	160～179	かつ/または	100～109	145～159	かつ/または	90～99
III 度高血圧	≧180	かつ/または	≧110	≧160	かつ/または	≧100
(孤立性)収縮期高血圧	≧140	かつ	<90	≧135	かつ	<85

〔日本高血圧学会高血圧治療ガイドライン作成委員会（編）：高血圧治療ガイドライン2019, p.18, ライフサイエンス出版, 2019 より〕

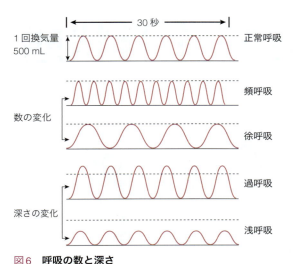

図6 呼吸の数と深さ

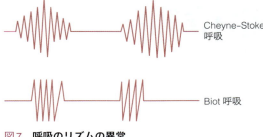

図7 呼吸のリズムの異常

で90mmHgに達しないとき，低血圧症（hypotension）という．持続的に低血圧症がある場合と，起立したときなどに一過性にみられる低血圧症（起立性低血圧症）がある．

　低血圧症にも，本態性低血圧症と，種々の疾患に伴う二次性低血圧症とがある．本態性低血圧症は，やせた無力性体質の人に多い．二次性低血圧症は，大量出血，脱水，心筋梗塞，敗血症，急性腎不全，薬物中毒などで起こる．二次性低血圧症のうち，末梢循環不全が急激に起こった状態がショック（shock）である．

呼吸状態

　健常者では，安静にしている状態では，ほぼ1分間におよそ14～20回の呼吸をしている．その深さやリズムは規則正しく，呼吸数と脈拍数の比率はほぼ1：3～4である．運動したり，精神的に緊張すれば，健常者でも呼吸数が多くなり，リズムも乱れたりする．ただし，これらは安静にすればやがて回復する．

　呼吸器疾患や高熱時には，こうした呼吸状態（respiration）に変化が起こる（図6, 7）．さらに，代謝障害や重症な疾患でも呼吸が乱れる．以下に述べる異常呼吸は，患者が重症であることを示す徴候である．

❶ Cheyne-Stokes（チェーン・ストークス）呼吸

　呼吸期と無呼吸期が交互に繰り返される呼吸様式をいう．はじめに小さい呼吸が起こり，次第に大きな呼吸となる．そしてきわめて深い呼吸となったのち，再び無呼吸となる．これが周期的に繰り返される．

　重症の心疾患，腎疾患，脳疾患や，薬物中毒などのときにみられる．予後がとても悪い状態であることを示す．

❷ Kussmaul（クスマウル）呼吸

　異常に深くて大きく，しかも呼吸数も増えた状態の呼吸様式である．尿毒症や，糖尿病性昏睡時などでみられる．

❸ Biot（ビオー）呼吸

　短い呼吸をすばやく4～5回行ったのち，休止期に入り，次いで再び呼吸するものである．脳圧亢進症などのときにみられる．

❹ 下顎呼吸（sternomastoid breathing）

　瀕死期の患者にみられる呼吸様式で，斜角筋や胸鎖乳突筋などの呼吸補助筋の収縮によって特徴的な下顎の動きを伴う．呼吸はしばしば不規則である．

〈奈良 信雄〉

部位別の身体診察 全身状態

全身状態(general status)の診察では，全身の外観と精神状態を観察する．

顔貌

まず，顔全体，顔貌(countenance)を観察する．健常者の顔貌は，いきいきとした活気があり，表情も豊かである．これに対して，疾患によって特徴のある顔貌を示すことがある．患者の顔貌を観察することは，重篤な疾患であることを判断したり，特有な顔貌から疾患を特定するのに有意義である．

特徴的な顔貌(図1)

苦悶状顔貌

疼痛など強い苦痛があるとき，顔をしかめ，苦痛の表情をとる．これを苦悶状顔貌(painful)という．一見して苦痛の存在がわかる．

有熱顔貌

有熱顔貌(febrile)とは，高熱があるとき，顔面が熱のために紅潮している状態をいう．

無欲状顔貌

表情に活気がなくなり，眼光は鈍く，周囲に対して関心を示さない状態を無欲状顔貌(apathetic)という．敗血症，腸チフス，粟粒結核などの高熱を出す重篤な疾患や，精神疾患，脳疾患，中毒などの際にみられる．

仮面様顔貌

仮面様顔貌(mask-like face)とは，顔面筋が硬直して運動が減少し，表情が乏しくなって能面のようになった顔貌をいう．また，皮脂腺の分泌が

仮面様顔貌
(顔面筋が硬直し，表情に乏しい)

満月様顔貌
(顔が丸く，頬が赤い，眉毛が濃い)

粘液水腫顔貌
(表情が乏しく，鈍い感じ，眉毛が薄い)

先端巨大症顔貌
(眉弓，頬骨，下顎が突出し，鼻，口唇が大きい)

図1 特徴的な顔貌

亢進して脂ぎったような光沢を帯びた顔貌を膏顔(salve-like face)という．いずれもParkinson(パーキンソン)症候群に特徴的で，Parkinson顔貌という．

ヒポクラテス顔貌

ヒポクラテス顔貌(hippocratic face)は，消耗性疾患によって死期が近い場合，表情に乏しく，眼窩がくぼんで眼光が鈍く，頬がくぼんで鼻がとがってくる．古代ギリシャの医聖ヒポクラテスに因む．

満月様顔貌

Cushing(クッシング)症候群，あるいは副腎皮質ステロイド薬を大量に長期間服用している患者では，副腎皮質ステロイドホルモンの影響で

顔全体が丸くなり，赤く，かつ多毛になる．顔が満月のように丸みを帯びることから，満月様顔貌(moon face)と呼ばれる．

粘液水腫顔貌

粘液水腫顔貌(myxedematous face)は，甲状腺機能低下症でみられる．毛髪が薄くなり，顔面は蒼白で表情に乏しく，皮膚は乾燥して粗糙である．

先端巨大症顔貌

先端巨大症顔貌(acromegalic face)では，前額，特に眉弓部，頬骨，下顎が突出し，鼻や口唇が肥大している．

精神状態

精神状態(mental status)とは，意識，感情，認識，知能などの機能が統合されて表れる全体的状態像のことで，表出症状(身体症状)と体験症状(患者の内的症状)に分けて解析される．それらは，診察室における患者との会話，患者の態度・行動などを観察することによって把握することができる．

精神機能はきわめて複雑であり，その異常は神経疾患，その他の器質性疾患，心身症や神経症など心因性要素の強い病態，内因性の精神疾患などでみられる．

意識

意識(consciousness)を保持する機能には，覚醒して周囲への注意を十分に払う機能と，周囲の状況を十分に認識する機能がある．意識レベルの評価のほか，幻覚・妄想・錯覚などによる不安や興奮状態の有無に注意する〔症候・病態編「意識障害」参照(☞779ページ)〕．

なお，幻覚(hallucination)は現実には存在しないものをあたかも存在しているように感じるもので，錯覚(illusion)は存在しているものを違ったものとして認識する状態である．

感情

外的刺激に対する喜び・怒り・悲しみ・愉快・憂うつなどの精神的反応を感情(feeling)という．感情の変化には以下のようなものがある．

不安状態

不安状態(anxiety state)とは，じっとしていられない強い苦しみの感情で，不安神経症などにみられる．胸内苦悶，呼吸困難，冷汗，頻尿，不眠など，多彩な自律神経症状を伴うことが多い．

抑うつ状態

抑うつ状態(depressive state)とは，気分が沈みがちで，絶望感，自責感などが表れる状態である．外界に対する関心や意欲がなく，ささいなことを心配したりする．

躁状態

躁状態(manic state)は，気分が高揚し，外界の状況を無視したまま感情を表して行動に移す状態で，一見すれば上機嫌に見える．多弁で，話題が次から次へと飛躍する．

多幸症

多幸症(euphoria)とは，異常な，あるいは誇張された爽快気分をいう．躁状態とは異なり，行動の促進は伴わない．多発性硬化症，進行麻痺など脳の器質性疾患でみられる．

協調性

協調性(cooperation)の評価では，周囲の出来事をよく理解し，質問に対しても答えられるかどうかを判断する．

統合失調症患者では周囲に関心がなく，疎通性を欠く．抑うつ状態では，周囲に無関心のように見えるが，疎通性はあり，周囲の出来事に理解を示し，質問への返答もできる．ただし，返答に時間を要し，緩慢な応答をする．

表1 見当識を調べるための質問

時間に対する質問	「今日は何日ですか」 「今の季節は？」
場所に対する質問	「ここはどこですか」
人物に対する質問	「あなたのお名前は？」 「あなたの側にいる人は誰ですか」
左右に対する質問	「右の手はどちらですか」

見当識

見当識(orientation)とは，自分の置かれている状況を正しく認識する能力をいう．時間，場所，人物などに関する質問を行い，見当識障害の有無を確認する(表1)．

見当識障害(disorientation)は，精神疾患，種々の原因による脳障害でみられる．

なお，抑うつ状態では，しばしば自身もしくは周囲に対する関心を失い，質問にわからないと答えたり，十分な返答をしないことがあるので，真の見当識障害と誤らないよう注意する．

知能

知能(intelligence)が高度に低下したものを精神遅滞(mental retardation)，もしくは認知症(dementia)という．

精神遅滞は，知能の発育が生まれつき悪いものをいう．認知症は，一度発達した知能がなんらかの原因で低下したものをいう．知能は知能検査を行って判定するが，簡便には以下のようにして判断する．

計算力

100から順に7を次々に引いていくなど，単純な計算を課して計算力(calculation)を調べる．

記憶力

記憶力(memory)の評価では，過去に関する記憶(remote memory)と，最近の出来事に関する記憶(recent memory)を調べる．前者は生年月日や両親の名前などを尋ねる．後者は朝食の内容や昨日の行動などを尋ねたりして記憶を調べる．ごく新しい経験を覚え込む能力を記銘力という．

記憶障害(disturbance of memory)のうち，最近の記憶や記銘力の障害は老人性認知症，Korsakoff(コルサコフ)症候群などでみられる．

常識

現在の総理大臣，米国の首都など，社会的な常識(general information)を正しく答えられるか質問をする．

体格

身体は成長によって各方向へ発達する．身長(height)・体型(habitus)を含めた総合的な身体の外見を，体格(stature)という．体型は骨格・筋肉の発達状況などによって規定される，いわゆる"体つき"のことを指す．筋肉の発達が悪くてほっそりした体型，筋肉が発達して肩幅が広い闘士のような体型などがある．

身長

体格は骨格系の発達により，主として身長，すなわち縦方向への発達の程度を表現することが多い．身長と体重(body weight)を計測し，体格の大小を判定する．異常のないときは，中等度(moderate)と記載する．体格の異常は，遺伝的素因，胎児期における母体の疾病，出生後の疾患などによって起こる．

身長が極端に高い状態を巨人症(giantism, gigantism)という．

下垂体機能亢進症で下垂体ホルモンが思春期以前，すなわち骨端が完成する前に過剰に分泌されると骨格が過度に発育し，巨人症となる．骨端が完成した成人で下垂体機能亢進症が発病すれば，身長は伸びずに，頭部，頬骨，顎，手足などが肥大する．これは先端巨大症と呼ばれる．

Marfan(マルファン)症候群は，四肢が長く，身長が高くなる先天性の疾患である．指趾が細長くなり，くも状指趾症(arachnodactyly)と呼ばれることがある．また，先天性心疾患を伴うことも多い．

逆に身長が極端に低い状態は小人症（dwarfism）と呼ばれる．くる病，骨・軟骨異栄養症などの骨疾患，心疾患などの全身性疾患，下垂体機能低下症などの内分泌疾患，代謝異常症などが原因で起こる．

栄養状態

栄養（nutrition）の状態は，皮下脂肪組織の発達の程度で判断される．体重を計測し，標準体重との比較によって栄養状態を評価する．標準体重の算出法にはいろいろあるが，現在ではBMI（body mass index：体容量指数，肥満指数）を22とした次式が使用される．

$$標準体重 = 身長(m)^2 \times 22$$

そして，肥満度を次のように定義し，肥満とやせの判定に利用される．

$$肥満度 = (実測体重 - 標準体重) \div 標準体重 \times 100\%$$

肥満

肥満（obesity）とは，単に体重が多すぎるということではなく，体を構成する成分のうち，脂肪組織の占める割合が異常に増加した状態と定義する．しかし，実際には脂肪組織量を正確に測定するのは一般的ではないので，肥満度が20％以上であるときを肥満と判定するのが通常である．

なお，肥満度から計算するとBMIでは26.4以上が肥満となるが，高血圧症，脂質異常症（高脂血症），糖尿病のいずれかがみられたり，内臓脂肪が多い場合には，BMIが25以上を肥満として扱う（表2）．

肥満の原因としては，カロリーのとりすぎ，または体質に基づく単純性肥満（本態性肥満）が最も多く，肥満者の約90〜95％を占める．内分泌疾患・視床下部障害・遺伝性疾患など，なんらかの基礎疾患があって肥満になるものを症候性肥満という．

症候性肥満としては内分泌疾患によるものが多く，副腎皮質機能亢進症（Cushing症候群），性腺機能不全，甲状腺機能低下症などがある．

表2 肥満度分類

BMI（kg/m²）	判定	WHO 基準
BMI＜18.5	低体重	Underweight
18.5≦BMI＜25	普通体重	Normal range
25≦BMI＜30	肥満（1度）	Pre-obese
30≦BMI＜35	肥満（2度）	Obese class I
35≦BMI＜40	高度肥満 肥満（3度）	Obese class II
40≦BMI	肥満（4度）	Obese class III

〔日本肥満学会（編）：肥満症診療ガイドライン2022. p.2, ライフサイエンス出版, 2022より転載〕

やせ

やせ（emaciation）とは，脂肪組織だけでなく，筋肉などの除脂肪組織までもが減少した状態と定義される．この意味では，やせは直接的に肥満の反対概念とはいえない．やせの場合にも，実際には肥満度が−20％以下の場合と判定することが多い．

やせにも単純性と症候性がある．単純性やせは，食物不足やダイエットが原因となる．症候性やせは，摂食障害（神経性食思不振症）にみられるような精神的影響や，消化器疾患のために食事の摂取が不十分であったり，吸収不良の場合に起こる．また，代謝の亢進，内分泌疾患〔甲状腺機能亢進症，下垂体機能低下症，Addison（アジソン）病，糖尿病など〕などでもみられる．

悪性腫瘍や肺結核などの重症あるいは慢性消耗性疾患では，末期に高度のやせとなる．皮膚は乾燥して弛緩し，眼窩や両頬がくぼみ，特徴的な顔貌となる．このように極端にやせが進んだ状態を悪液質（cachexia）と呼ぶ．

体位と姿勢

健常者では，頭をまっすぐにして胸を張り，腹部は平坦である．立位，座位，仰臥位など，思いのままに体位を自由に変えることができる．しかし疾病に罹患すると，特徴的な体位（position）や姿勢（posture）をとることがある．

そこで，視診で体位・姿勢を観察すれば，診断の参考になる．

うっ血性心不全患者の起座呼吸

ときに体を前に傾けていることもある

図2　起座呼吸

図3　片麻痺患者の Wernicke-Mann 肢位

体位の観察

患者が仰臥位になっている場合，自らの意志で仰臥位になっている〔能動的仰臥位（active supine position）〕のか，苦痛などで仰臥位をとらざるをえない〔受動的仰臥位（passive supine position）〕のかを区別し，記載する．

重症心疾患や肺疾患では，仰臥すると右心系への血液灌流量が増え，左心不全が増悪し，呼吸困難が強くなって苦しくなる．そこで，床上に座ったり，胸の前にふとんを当ててもたれかかるようにして呼吸をする（図2）．これを起座呼吸（orthopnea）という．

姿勢の観察

疼痛などの苦痛を訴える患者では，苦痛のある部位をかばうような姿勢をとることがある．

たとえば，腹痛のある患者は，股関節および膝関節を曲げる姿勢をとっている．腰椎椎間板ヘルニアのために腰痛や坐骨神経痛症候群のあるときには，立位で疼痛を和らげるように健側に体幹を曲げ，軽く股関節を屈曲した姿勢をとる．あるいは，健側に重心をかけるようにして脊柱を側弯の状態にした姿勢をとる．

また，骨・筋肉・神経系疾患では，しばしば独特な体位や姿勢を示す．

脳血管障害では，麻痺側の前腕は屈曲・回内し，下肢は痙性となって足が足底側へ屈曲した姿勢になる〔Wernicke-Mann（ウェルニッケ・マン）肢位〕（図3）．

Parkinson 症候群では，体全体の柔軟性が失われ，硬直した体を小さく丸め，独特の前かがみの姿勢をとる．そして，体のバランスをとるために，両側上肢を肘関節で軽く曲げて，回内位で固定している（図4）．

髄膜炎・破傷風では，背筋が強く緊張して硬直し，体全体がまっすぐに伸びて硬くなり，弓状に背屈した姿勢〔後弓反張（opisthotonus）〕になる．

脊柱の弯曲の異常として，脊柱側弯（scoliosis，特発性脊柱側弯，坐骨神経痛，姿勢性側弯など），脊柱後弯（kyphosis，脊椎カリエスなど），脊柱前弯（lordosis，強直性脊椎炎，くる病など）がある．

運動

人間は脳・神経系の指令を受けて，筋肉・骨・関節が円滑に作動してスムーズな運動（movement）をする．通常では認められないような異常運動が

図4 Parkinson症候群患者の特有な姿勢

表3 麻痺の分類

程度による分類
- 完全麻痺(paralysis)
  随意運動が全くできない状態
- 不全麻痺(paresis)
  ある程度は運動が可能な状態

性質による分類
- 痙性麻痺(spastic paralysis)
  筋緊張および腱反射の亢進を伴う麻痺
- 弛緩性麻痺(flaccid paralysis)
  筋緊張と腱反射の減弱ないし消失を伴う麻痺

部位による分類
- 単麻痺(monoplegia)
  四肢のうち一肢のみの麻痺
- 片麻痺(hemiplegia)
  身体半身の麻痺
- 対麻痺(paraplegia)
  対称的な両側の上肢または下肢の麻痺
- 四肢麻痺(tetraplegia)
  四肢すべての麻痺

ある場合には，運動を調節するメカニズムのいずれかに異常があると考えられる．しかも，疾患によって特有の運動を示す．

診察室に入った時点から患者の一挙手一投足に目を配り，運動障害や異常運動の有無を観察する．

麻痺

随意運動(voluntary movement)が障害された状態を麻痺(palsy)という．麻痺は程度と範囲から表3のように分類する．たとえば，完全片麻痺，不全対麻痺などと記載する．病変部位によって，麻痺に特徴がある．

核上性(中枢性)麻痺

核上性(中枢性)麻痺(supranuclear palsy)は，脳血管障害，筋萎縮性側索硬化症，仮性球麻痺などにより，大脳皮質運動領から脳神経核あるいは脊髄前角細胞に至る上位運動ニューロン(錐体路)の障害によって起こる．

筋肉は緊張し，かつ深部反射が亢進する痙性麻痺の状態になる．

核性および核下性(末梢性)麻痺

脳神経核および脊髄前角細胞の障害によるものが核性麻痺(nuclear palsy)，末梢神経の障害によるものが末梢性麻痺(infranuclear palsy)で，Guillain-Barré(ギラン・バレー)症候群，球麻痺，神経損傷などで起こる．

筋肉の緊張は減退し，深部および表在性反射は減弱もしくは消失する．筋肉は萎縮する．

不随意運動

自らの意思とは関係がなく，不随意に起こる運動を不随意運動(involuntary movement)という〔症候・病態編「不随意運動」参照(☞751ページ)〕．

これには恒常的に持続する場合と，反復性に規則的あるいは不規則に起こるものとがある．また，全身性に起きたり，局所的もしくは特定の筋肉だけに出現するものがある．特徴的な不随意運動を述べる．

痙攣

痙攣(crampまたはconvulsion)は，筋肉が不随意に，激しく攣縮する状態である．筋肉の攣縮がある時間持続的に起きるものを強直性痙攣(tonic cramp)，攣縮と弛緩が交互に繰り返すものを間代性痙攣(clonic cramp)という．

痙攣は，脳神経系疾患のほか，代謝異常症，電解質異常，破傷風，ヒステリーなどで起こる．

てんかん大発作では，突然に強直性痙攣が始まり，意識消失，頭部および眼球の偏位を起こし，

やがて間代性痙攣に移行する．痙攣が治まると深い睡眠状態に陥る．全経過は数十分〜数時間にわたることがある．

てんかん小発作では，短時間の意識障害と眼瞼痙攣や手の軽い痙攣などを示す．

破傷風では，顔面筋が痙攣して，あたかも無理やり笑ったように見えることがあり，痙笑(canine spasm, sardonic laugh, risus sardonicus)という．

振戦

リズミカルに動く不随意運動を振戦(tremor)という．

甲状腺機能亢進症，アルコール依存症，精神の不安定な状態などでは，周期が短く，振幅の小さな手指の振戦がしばしばみられる．Parkinson症候群では，粗くて遅い振戦がみられ，あたかも丸薬をこねるように母指を中指および示指に擦るような運動が特徴的である．

なお，手を動かそうとしたときだけに手がふるえることがある．行動しようとするときだけに振戦が起こるものを企図振戦(intention tremor)といい，多発性硬化症や小脳疾患に特徴的である．

肝硬変などの重症な肝疾患では，切迫昏睡時に手指や前腕・上腕が不規則に屈伸し，鳥が羽ばたくような振戦をすることがある〔羽ばたき振戦(flapping tremor)〕．

舞踏病様運動

舞踏病様運動(choreiform movement)とは，不規則で，目的のないような非対称性の，迅速でしかも多様性の運動をいう．舌を出したり引っ込めたり，顔をしかめたりするなど，踊るような動作を連続的に行ったりする．小舞踏病，Huntington(ハンチントン)舞踏病などでみられる．

アテトーゼ運動

アテトーゼ運動(athetotic movement)とは，ゆっくりと，持続性のある運動をいう．虫が這うように指をくねらせたり，腕関節を屈曲し回内させたり，前腕および上腕の回内および外転，または回外と内転運動を示したりする．精神的に緊張すると増強し，睡眠中には消失する．脳炎，脳血管障害，脳性小児麻痺などでみられる．

チック

チック(tic)は，単一もしくは複数の筋肉が目的もなく運動を反復するものである．

顔面筋にみられやすい．眼をパチパチさせたり，顔をしかめたり，唇をなめたり，舌鼓を打ったりする．

器質性脳疾患のほか，神経症など精神的異常でも起こる．

ミオクローヌス

ミオクローヌス(myoclonus)は，突発性に一部の筋肉がすばやく収縮するものである．運動範囲が狭く，通常は関節運動を起こさない．

上肢にミオクローヌスが起これば，手に持っている物を落としたりする．突然に転倒することもある．脳炎や，その後遺症などで起こる．

ジストニー

ジストニー(dystonia)とは，大きくゆっくりとした運動で，体部の捻転と回転がみられる．運動は絶えず起こり，不規則的である．筋群の移動性痙攣によるもので，筋緊張は亢進している．精神的緊張で増悪し，睡眠時には消失する．出生時の脳虚血や，幼児期の脳炎などで起こる．

運動失調

ある目的をもった複雑な運動を円滑に行うには，いくつもの筋群が調和を保って収縮することが重要である．そうした調和が乱れてしまうと，円滑な運動ができなくなる．この結果として起こるぎこちない運動を運動失調(ataxia)という．運動失調を確認するには，協調運動テストを行う〔症候・病態編「運動失調」参照(☞746ページ)〕．

脊髄性運動失調

脊髄性運動失調(spinal ataxia)は，脊髄癆などで脊髄後根と後索が障害され，深部感覚に異常が生じて起こる．足を必要以上に高く上げ，足元を

しっかり目で確かめながら歩く．視覚の助けを借りて動作を行えば，深部感覚の障害が代償され，円滑な運動が可能になる．

小脳性運動失調

小脳腫瘍などで，小脳あるいは小脳へ出入りする神経経路の障害によって起こる運動失調を，小脳性運動失調（cerebellar ataxia）という．不安定で，動揺しながら酩酊様の歩行をする．視覚では矯正できない．

歩行

患者が歩行（gait）する状態を視診で観察することは，運動系の検査として重要な意義がある．

室内を普通に歩いてもらったり，回れ右や左，後ろ歩き，爪先歩き，踵歩きなどをしてもらい，歩行の様子を観察する．この際，足と下肢の動きだけでなく，体幹，上肢，肩，顔面などの運動にも注意する．

歩行の障害は，筋肉・骨・関節の疾患や，神経系の疾患などで出現する．特徴的な異常歩行と，それを示す代表的な疾患には次のようなものがある．

特徴的な異常歩行（Panel-1）

痙性片麻痺歩行

痙性片麻痺歩行（spastic hemiplegic gait）は，脳血管障害などで一側性の上位運動ニューロン（錐体路）に障害のある片麻痺患者でみられる．

麻痺のある側の下肢が痙性となって足は足底側へ屈曲し，前腕は屈曲して回内位となり，上腕は胸部に向かって内転した状態となる（Wernicke-Mann肢位）〔図3（☞58ページ）〕．そこで，歩行するときには，下肢は伸展させたままで外方へ大きく円を描くようにして前進する．

痙性対麻痺歩行

痙性対麻痺歩行（spastic paraplegic gait）は，両側の錐体路に障害がある場合，両足が内側に向いた足尖を交互に交叉させながら歩く爪先歩行である．はさみの動きに似ているので，はさみ脚歩行（scissors gait）ともいう．

麻痺性歩行

麻痺性歩行（paretic gait）とは，下位運動ニューロンの障害が原因で起こる弛緩性麻痺歩行をいう．特に総腓骨神経麻痺または深腓骨神経麻痺による尖足の状態では，歩行するときに足を異様に高く上げて爪先から降ろし，足先を引きずるように歩く．あたかも鶏が歩くのに似ており，鶏歩（steppage gait）ともいう．

引きずり歩行

引きずり歩行（shuffling gait）は，脳動脈硬化症や錐体外路性疾患のときにみられる，小刻みに足底を引きずって歩く状態である．特にParkinson症候群では，前かがみの姿勢で，ちょこちょこと小刻みに歩くのが特徴で，Parkinson（パーキンソン）歩行（parkinsonian gait）と呼ぶ．ほとんど上肢の振りはない．歩き出しが困難であるが，後ろから軽く押されると，身体の重心が前へ移り，加速度的に歩行が速くなってしまう〔加速歩行（festinating gait）〕．

失調性歩行

失調性歩行（ataxic gait）は，円滑な運動ができないために，つたなく不確実な歩行をするものである．

脊髄後根および後索障害では，深部感覚が障害される結果，両下肢を大きく開いて，一歩ごとに足を高く上げて，眼で足元を確かめながら足を運ぶ．足を高く上げるのは鶏歩症に似るが，踵が足先よりも先に降り，あたかも地面を打つような感じになる．

小脳疾患では，"千鳥足"のように，頭部や体幹がきわめて不安定で動揺し，しばしば患側へよろめく．目の開閉によっても症状に変化はない．

アヒル歩行

先天性股関節脱臼や進行性筋ジストロフィー症

Panel-1
特徴的な異常歩行

痙性片麻痺歩行

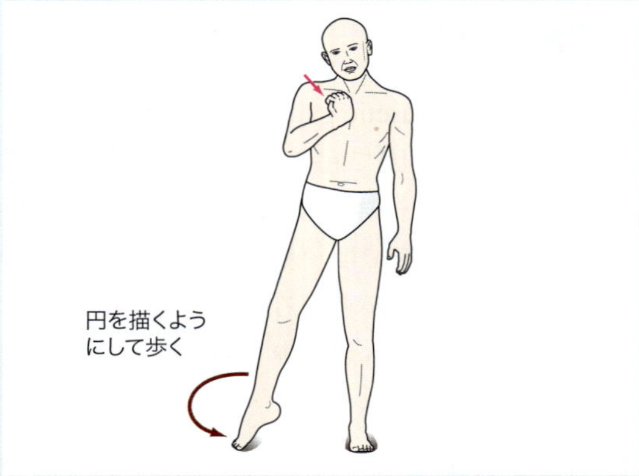

円を描くようにして歩く

痙性対麻痺歩行

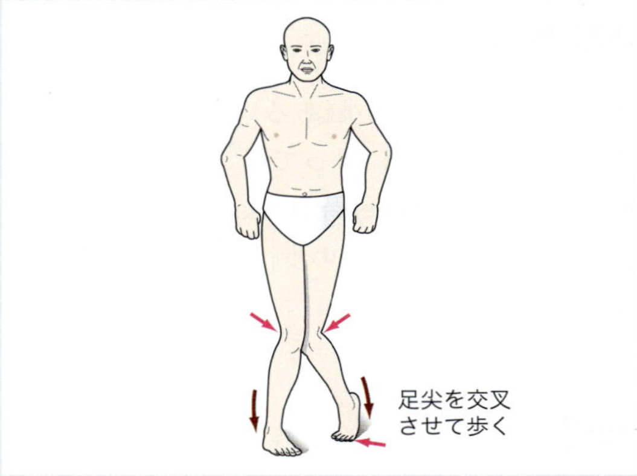

足尖を交叉させて歩く

麻痺性歩行（鶏歩）

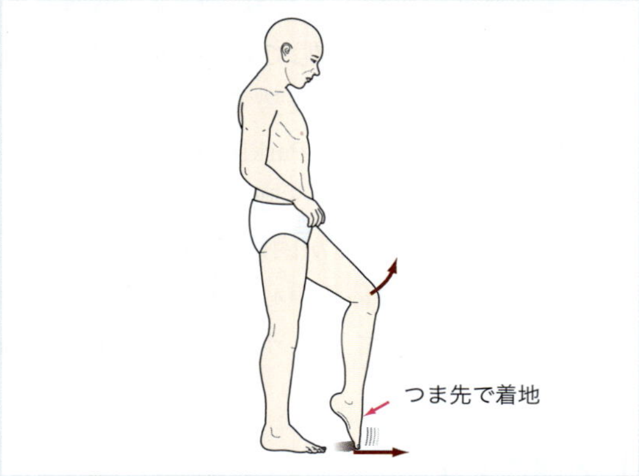

つま先で着地

Parkinson 歩行

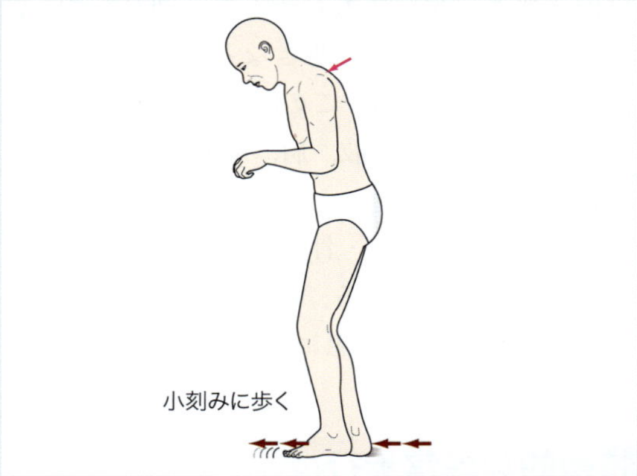

小刻みに歩く

失調性歩行（小脳疾患）

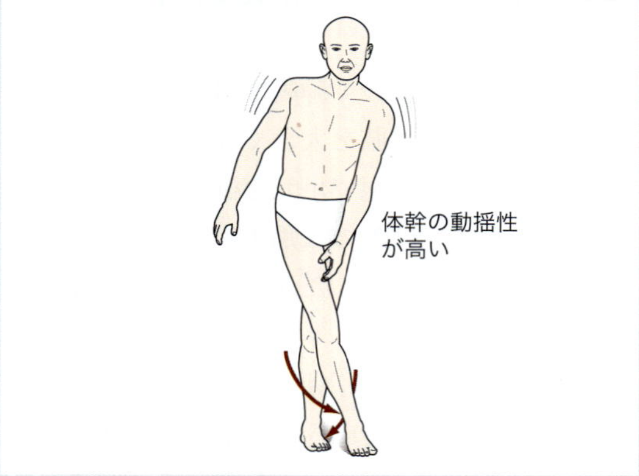

体幹の動揺性が高い

アヒル歩行

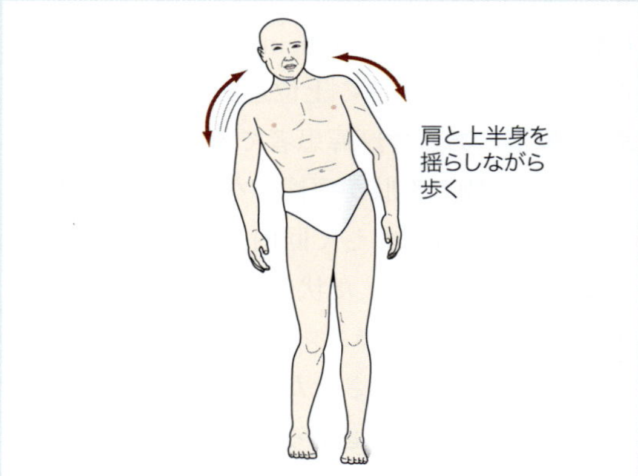

肩と上半身を揺らしながら歩く

などでは、骨盤で大きな弧を描くように、上半身と肩を揺すりながら歩く。アヒルがよたよたと歩くような印象を与えるので、アヒル歩行(waddling gait)と呼ぶ。

跛行性歩行

跛行性歩行(limping gait)は、一側の下肢に疼痛がある場合、痛みのある側の下肢はゆっくりと注意深く地面につき、接地時間を短くする。そして、痛みのないほうの下肢をすばやく前に出して歩行する。

ヒステリー歩行

ヒステリー患者では、あたかも麻痺があるような歩行をするが、いかにも誇張的で、上記のいずれのタイプにも属さない。これをヒステリー歩行(hysteric gait)という。歩行のしかたはその時々で変化があり、他人が見ていないところでは歩行障害が認められなかったりする。

言語

患者と対話をするときには、言語障害(speech disturbance)の有無に注意する。言語障害には、失声症、構音障害、失語症がある。これらを鑑別する必要がある。

なお、意識障害、知能障害、精神障害があるときには、言語(speech)を理解できなかったり、発語が困難なことがある。これを言語障害と誤らないよう注意する。

失声症

失声症(aphonia)は、声帯の異常によって発語が不十分になった状態を指す。喉頭炎、喉頭腫瘍、反回神経麻痺による声帯麻痺などが原因となって起こる。当初は声に変化が起こって嗄声(hoarseness)の状態となり、病変が進むにつれて声が出なくなる。

構音障害

構音障害(dysarthria)とは、口唇、舌、口蓋、喉頭など、構音に作用する筋の障害により、口唇音(マ行、バ行、パ行など)、舌音(タ行、ラ行など)、口蓋と喉頭を使う発音(カ行など)がうまくできない状態である。

これらの筋肉は脳神経(三叉、顔面、迷走、舌下神経など)の支配を受けている。したがって、これらの脳神経障害(末梢性、核性、および核上性のいずれかの部位での障害)や、筋肉障害(重症筋無力症など)で構音障害が起こる。さらに、小脳や錐体外路もこれらの筋運動に影響を及ぼすので、小脳疾患、Parkinson症候群でもみられる。延髄の障害による球麻痺では、構音障害が嚥下障害とともに現れる。

構音障害には、次のような特徴的なものがある。

緩徐言語(遅語)

緩徐言語(bradylalia または slow speech)は、言葉の順序や言語そのものには異常がないが、話し方が異様にゆっくりとしたものをいう。小脳障害では筋の協調運動が障害されるため、Parkinson症候群では筋硬直のため、ゆっくりと話す。

断綴性言語

断綴性言語(scanning speech)では、一語一語を区切るように、ゆっくりと話す。小脳障害やParkinson症候群でみられ、単調な話し方となる。

爆発性言語

小脳障害では、堰を切ったように突然に爆発的に話すことがある。話し始めは性急であるが、次第に発語が小さく、不明瞭になる。多発性硬化症では小脳に病変が及び、断綴性言語と爆発性言語(explosive speech)がみられる。

蹉跌性言語

蹉跌性言語(syllable stumbling)では、言語を正しく発語できず、言語の順序を間違えたり、一音を抜かしたりする。進行性麻痺に特徴的で、「犬も歩けば棒に当たる」「瑠璃も玻璃も照らせば光る」など、言いにくい表現をさせると発見しやすい。

失語症

右利きの人の約99%, 左利きの人の約60%は, 左大脳半球が優位半球である.

言語中枢は優位半球にあり, 運動性中枢は, 前頭葉の下前頭回, 特にその後方のBroca(ブローカ)野にある. 感覚性中枢は, 側頭葉の上側頭回, 特にその後上方のWernicke(ウェルニッケ)野にある. 両者は弓状束および角回で連絡されている (図5).

聴力や構音器官には異常がなくても, 大脳皮質の言語中枢の異常によって, 言葉を理解したり, 言葉を構成できない状態があり, これを失語症 (aphasia)という. 言語領域は中大脳動脈によって血流を受けており, 失語症の原因としては中大脳動脈の血管障害が最も多い. ほかには, 外傷, 炎症, 腫瘍, 変性疾患でも生じる.

Broca野の障害では, 言葉の理解はできるが, 自発的に発語できなくなり, これをBroca失語という. 一方, Wernicke野の障害によるものをWernicke失語といい, 自発言語はできるが, 言語の理解や復唱, 音読, 読解, 書字が障害されている.

失語症の鑑別方法

話し言葉, 言葉の理解力, 読み, 書きの4つの側面について調べる. 失語症には, 障害される部位によっていくつかのタイプがあり, それを鑑別するためには, 以下のように調べる(図6).

❶ 自発言語

名前を言わせたり, 自覚症状を話させる. 話し方が流暢かどうかを調べる.

❷ 言葉の理解力

「ボールペンはどれですか」「百円玉を取ってください」などと質問や指示を出し, 理解できるかどうかを判定する. 運動性失語症(motor aphasia)ではきちんと反応できるが, 感覚性失語症(sensory aphasia)では理解ができない.

❸ 復唱

医師の言葉をそっくり復唱してもらう. 失語が

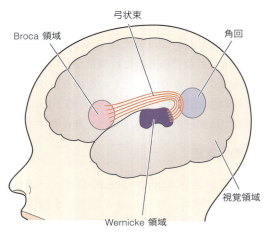

図5　左大脳半球の言語領域

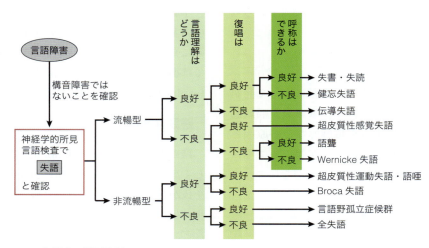

図6　失語症の鑑別診断

あるのに復唱できる場合には，言語領域自身の障害ではなく，その周囲に障害がある超皮質性失語と考える．

❹ 呼称

ボールペン，腕時計，コインなど，ありふれたものを見せて，その名称を答えさせる．すぐに名前が出ない状態を喚語障害といい，いずれの失語症でも認められる．健忘失語では，名前が出ずに，まわりくどい言葉で説明しようとする．

その他の認識障害

失行症

失行症（apraxia）とは，運動麻痺や運動失調などがないのに，ごくありふれた動作ができない状態をいう．服を着ることができなかったり（着衣失行），ボールペンを渡しても使えなかったりする．着衣失行は非優位半球の頭頂葉の障害でみられる．

失認症（agnosia）

身体の左右や手指の区別などができない状態である．言語領域の左角回に障害があるときには，失認のほか失読（alexia），失書（agraphia），計算不能（acalculia）なども加わり，Gerstmann（ゲルストマン）症候群という．

皮膚・爪・体毛

皮膚（skin）や粘膜の変化は，これらの疾患自体によるものだけでなく，全身性疾患の部分徴候であることも少なくない．以下の項目を中心にして，注意深く視診を行う．

皮膚所見は全身を観察することが大切で，発疹のないことを確認する意味でもあらゆる部分を観察する．通常は視診のしやすい部位から，見にくい部分へと進める．すなわち，両上肢，顔面，頭部，胸腹部，背部，殿部，両下肢，外陰部へと診察を進める．まず両手をとり，「どこか気になるところはありませんか」などと声をかけてから，視診を始めるとよい．

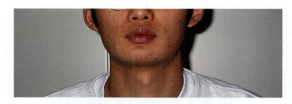

図7　肺動静脈奇形患者にみられたチアノーゼ
特に口唇が暗紫赤色である．

肛門周囲や外陰部の診察は，看護師や付添人の立ち会いのもとに，診察をする．

皮膚の色調の変化

なるべく直射日光を避け，明るい室内で自然光のもとで観察する．電灯や蛍光灯下での色調は自然光の場合と異なることがあり，また，暗い室内では微妙な発疹を見落とす危険性がある．

色調の変化としては次のようなものがある．

蒼白

高度の貧血患者では皮膚が蒼白（pallor）になる．ただし，皮膚の色調は個人差が大きく，眼瞼結膜，口腔粘膜，爪床が蒼白であることを確認する．ショック状態で循環不全のある場合にも皮膚が蒼白となる．

チアノーゼ

チアノーゼ（cyanosis）は，皮膚と粘膜が暗紫赤色を呈するもので，毛細血管内の還元ヘモグロビン濃度が 5 g/dL 以上に増加した場合に出現する．

皮膚が薄い口唇，頬骨部，鼻尖部，耳朶，爪床などで特に目立つ（図7）．先天性心疾患〔Fallot（ファロー）四徴症など〕，肺疾患，右心不全，心臓弁膜症，肺動静脈奇形，末梢循環不全，静脈血栓症などでみられる．

チアノーゼはヘモグロビン濃度が高い多血症では出現しやすく，逆にヘモグロビン濃度が低い貧血では出現しにくい〔症候・病態編「チアノーゼ」参照（☞551ページ）〕．

黄疸

黄疸（jaundice または icterus）は，血清中のビリ

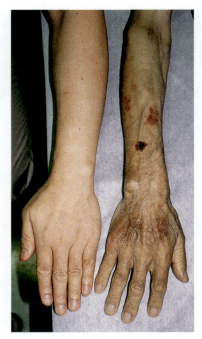

図8　ヘモクロマトーシス（右側）
皮膚がやや黒ずんだ灰色調である．

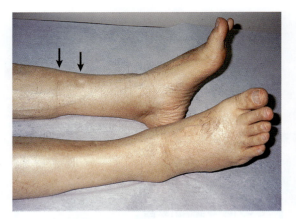

図9　心不全患者にみられた浮腫
脛骨前面に指で押した圧痕がある（矢印）．

ルビン濃度が増加し，皮膚が黄色くなった状態である．通常は血清ビリルビン値が 2～2.5 mg/dL 以上のときに出現する．眼球結膜，口腔粘膜も黄色く染まる．

肝炎，肝硬変，肝癌，胆石症，胆道炎などの肝胆道疾患や，溶血性貧血などでみられる〔症候・病態編「黄疸」参照（☞292ページ）〕．

紅潮

紅潮（redness）は，発熱しているときや精神的に興奮した状態で現れ，顔面を中心に皮膚が赤くなる．多血症でも顔面は赤味を帯びる．皮膚に炎症があるときには，局所的に皮膚が発赤する．

色素沈着

Addison 病では皮膚や粘膜にメラニン色素が過剰に沈着し，全身の皮膚が黒褐色を呈する．顔面・頸部・手背など日光に当たりやすい部位，乳頭・腋窩など，通常でも色素の多い部分，あるいは衣服で圧迫されやすい箇所や瘢痕の残る皮膚などで目立つ．さらに，歯肉・口腔粘膜などにも黒色の斑点をみることが特徴的である．

ヘモクロマトーシス（hemochromatosis）では，ヘモジデリンが沈着し，青みを帯びてやや黒ずんだ灰色調になる（図8）．

皮膚の性状の変化

皮膚の疾患もしくは全身性の疾患で，皮膚に種々の変化が生じることがある．患者自身が訴えることが多いが，気づいていないこともあるので，注意深く視診を行う．

浮腫

浮腫（edema）は，皮下組織に水分が過剰にたまった状態で，"むくみ" とも呼ばれる．足背部や脛骨前面などに浮腫が生じやすく，指で圧迫すると指の圧痕が残り，すぐには消えない．これを **pitting edema** と呼ぶ（図9）．甲状腺機能低下症や強皮症患者では，浮腫の部位を押しても圧迫痕がみられず，**non-pitting edema** という．

心疾患，腎疾患，肝硬変，栄養不良，高度の貧血，内分泌疾患などでは全身性に浮腫がみられる．これに対し，局所的な感染や外傷では，局所の皮膚に浮腫が起こり，発赤，熱感，疼痛も伴う．

血管神経性浮腫〔Quincke（クインケ）浮腫〕は，血管の透過性が亢進して発作性あるいは一過性に出現する限局性の浮腫である．顔面，四肢，外陰部などに出現しやすい．

ツルゴール（turgor，皮膚緊満度）

特に小児の脱水症や慢性栄養障害で診察が重要である．腹部の皮膚を検者の母指と示指でつまんでヒダをつくり，手を離した際に元に戻る状態を評価する．健常者ではすぐに戻り，ヒダも残らないが，脱水症などでは戻りが遅く，ヒダがしばらく残っている．この状態をツルゴールの低下と表現する．

発疹

発疹（eruption）には種々の性状がある（表4）．発疹は，皮膚や粘膜の局所性の変化だけでなく，重症の全身性疾患の一部分症であることが少なくなく，見落とさないようにする．発疹が生じている場合，原因となった疾患によっては種々の発疹が組み合わさっていたり，経過とともに二次的に発疹が生じたり（続発疹），分布が変化することもある．

診察は視診が主体となるが，触診も欠かせない．発疹がある場合には，次のような点に注意して観察し，診療録に記載する．スケッチしたり，写真撮影しておくとよい．

❶ 皮疹の性状

- 形：円形，類円形，楕円形，不整形，地図状，環状など，視診で見た形状を記載する．
- 立体的な形状：隆起性，台形に盛り上がった，有茎性，半球状，中央が陥凹，中心に臍窩ありなど，立体的な形状を記載する．
- 大きさ：ノギスで計測し直径を記載する．計測ができないときには，粟粒大，米粒大，小豆大，大豆大，鶏卵大などと表記する．
- 色調：淡紅色，紅色，淡褐色，褐色，紫紅色，黒色，黒褐色などの色調を表現する．
- 境界部の性状：皮疹と健康皮膚部との境界が鮮明なのか，不鮮明なのかを表現する．
- 触診所見：皮疹を手で触り，所見を記載する．表面平坦な皮疹では，熱感の有無，乾燥しているか湿潤であるか，硬さ，感触を調べる．結節や腫瘤の場合には，表面の性状，硬さ（弾性軟，弾性硬など），圧痛の有無，可動性や周囲との癒着，波動の有無などを調べる．

❷ 全身への分布の状況

皮疹の広がりを観察する．全身性，体幹部，四肢伸側，胸部，腹部，背部などと，具体的な解剖学的部位名を記載し，図示する．

❸ 配列

皮疹がどういう配列をしているのかを観察する．びまん性，散布性，両側性，左右対称性，孤立性，帯状，集簇性などの所見を確認し，診療録に記載する．

表4 主な発疹

斑：表面平坦な限局性色調変化
- 紅斑：炎症性の血管拡張，充血で起こる発赤斑．皮膚筋炎，薬疹，感染症，炎症性角化症，膠原病などでみられる
- 紫斑：出血によりできる紫紅色の斑．小さいもの（1〜5 mm径）を点状出血，大きいもの（1〜5 cm径）を溢血斑という
- 白斑：メラニン色素の減少による白色の斑
- 色素斑：メラニン色素の沈着などによる黒色や青色などの斑の総称

丘疹・結節・腫瘤
- 丘疹：径1 cm以下の限局性隆起性病変[*1]
- 結節：径1〜3 cmの限局性隆起性病変．皮下にできた炎症性のしこりは硬結という
- 腫瘤：径3 cm以上の限局性隆起性病変

水疱・膿疱
- 水疱：透明な水様の内容を有する病変
- 膿疱：表皮内水疱の内容が膿性になったもの

びらん・潰瘍・亀裂・瘻孔
- びらん：表皮レベルの組織欠損[*2]
- 潰瘍：真皮レベル以上の組織欠損をいう
- 亀裂：角質増生部に線状に生じた皮膚の裂け目
- 瘻孔：深部より続く皮膚の孔[*3]

鱗屑・落屑・痂皮
- 鱗屑：皮膚上に厚く貯留した角質
- 落屑：鱗屑が脱落する状態
- 痂皮：分泌物が乾燥して硬くなった状態[*4]

その他
- 萎縮：真皮の退行性変化で皮膚が菲薄化した状態
- 硬化：真皮の膠原線維もしくは基質の増加によって皮膚が硬く触れる状態

[*1] 小さくても明らかな腫瘍性病変は，丘疹とはいわず小結節と呼ぶことが多い．
[*2] 皮膚を搔爬したりして生じる線状・点状のびらんを表皮剥離という．
[*3] 治癒しにくい瘻孔は結核性のことがあり，注意する．
[*4] 血液が乾固したものは血痂，いわゆるカサブタである．

❹ 特徴的な発疹

それぞれの疾患に特有な発疹が出て，診断の参考になることがある．

- 蝶形紅斑(butterfly rash)：鼻を中心に，両側頬部に蝶が羽を広げたような紅斑で，全身性エリテマトーデスや皮膚筋炎などにみられる．
- 結節性紅斑(erythema nodosum)：小動脈の炎症により，有痛性の硬結を触れる紅斑で，通常は1〜4 cmの大きさである．下腿，稀には前腕に生じる．溶血性連鎖球菌感染症，Behçet（ベーチェット）病，潰瘍性大腸炎，サルコイドーシスなどにみられる．
- 多形滲出性紅斑(erythema multiforme)：円形ないし楕円形で，大小不同の浮腫状紅斑が四肢伸側に多発する．中心部に水疱を形成していることもある．薬物アレルギー，ウイルス感染症，ワクチン接種後などにみられることがある．
- ヘリオトロープ紅斑(heliotrope erythema)：上眼瞼に紫紅色の発赤，腫脹をみるもので，皮膚筋炎に特徴的な所見である．
- 手掌紅斑(palmar erythema)：母指球，小指球，手指の基節などが赤味を帯びた状態である．圧迫すると赤味は消えるが，圧迫を解くとすぐに赤くなる．慢性肝炎，肝硬変などの慢性肝機能障害でみられる．

Raynaud 現象

Raynaud（レイノー）現象とは，寒冷にさらされた場合などに，発作性に四肢末梢に虚血状態が起きて，皮膚が蒼白になったりチアノーゼとなり，やがて回復すると逆に充血と発赤が起こる現象をいう．

強皮症などの膠原病，神経血管症候群（頸肋，前斜角筋症候群，振動工具の常用など），閉塞性動脈疾患などでみられるほか，原因が不明の Raynaud 病でみられる．

くも状血管腫

肝硬変では，顔面や前胸部などで，クモが脚を広げたように血管が拡張して中心部の血管が拍動していることがある．これをくも状血管腫という．中心部を先のとがっていない鉛筆などで軽く圧迫すると，血管拡張が消失する．

爪の変化

爪の変化も診断の役に立つことがあり，視診で確認する．

貧血患者では，皮膚や粘膜と同様に，爪床が蒼白である．このうち鉄欠乏性貧血では，爪が薄く弱くなり，高度になるとスプーンのように陥凹してくる（スプーン状爪：spoon nail）．ネフローゼ症候群などで高度の低アルブミン血症が長期間にわたって続くと，横に向かって帯状の白線をみることがある．爪の真菌症では，爪が厚くなってもろくなり，縦に走る線がみられる．

毛髪，体毛の異常

脱毛と白髪は加齢現象の1つであるが，個人差が大きい．遺伝的素質が関係するが，精神的ストレスにも影響される．

円形脱毛症は，限局性に，境界鮮明な円形もしくは不規則に起こる脱毛で，原因は不詳である．悪性貧血では，年齢の割には白髪が目立つ．

体毛が異様に多い状態を多毛症(hirsutism)，少ない場合を貧毛症(hypotrichosis)，欠如する場合を無毛症(atrichia)という．

多毛症は，Cushing 症候群，卵巣腫瘍などでみられる．貧毛あるいは無毛症は，甲状腺機能低下症，下垂体性小人症，Klinefelter（クラインフェルター）症候群，Turner（ターナー）症候群などでみられる．抗癌薬や免疫抑制薬使用の患者でも貧毛になる．

表在性リンパ節

全身所見として，表在性リンパ節を必ず触診する．リンパ節はリンパ管とともに全身各部に分布(図10)し，免疫機能を司っている．健常者では，リンパ節は触知できないか，触知したとしてもごく小さく，かつ軟らかい．表在性のリンパ節の診察では，側頸部，顎下部，鎖骨窩，腋窩，鼠径部，肘窩，膝窩などを系統だてて順に触診を進める．

部位別の身体診察 全身状態　69

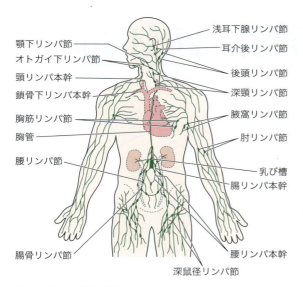

図10　リンパ節の分布

　リンパ節は炎症や腫瘍など，リンパ節自体の病変で腫脹することもあるが，ウイルス感染症など全身性疾患の部分症として腫脹してくることも多い〔症候・病態編「リンパ節腫脹」参照（☞470ページ）〕．これらは，触診所見と臨床症状からある程度の鑑別が可能である．

　一般的に，リンパ節の炎症性腫脹では軟らかく，圧痛があり，表面の皮膚も発赤して熱感がある．悪性リンパ腫による腫脹では，弾性軟で，圧痛のないことが多い．悪性腫瘍のリンパ節転移では，石のように硬く，圧痛はない．

　触診では，下記の諸点に特に注意する．触診した所見は，診療録に図示しておくとよい．

- 腫大の程度：大きさ（size）と数（number）
- 硬さ（consistency）
- 圧痛の有無（tenderness）
- 表在皮膚の性状：発赤（reddening），局所熱感（local heat），浮腫，リンパ節との癒着の有無
- 可動性（mobility）
- リンパ節相互の癒着の有無

〈奈良 信雄〉

部位別の身体診察 頭頸部

全身を観察したのち，局所の視診に移る．頭部から爪先まで，系統だてて観察を進め，見落としがないように注意する．

頭部 head

頭部の診察では，患者と向かい合って座り，主に視診と触診で診察をする．大きさや形，毛髪の状態を観察し，同時に運動の状態や異常運動の有無を調べる．

頭部の診察

大きさ

同年齢の健常者に比べて，頭の大きさ(size)が異様に大きいものを大頭症(macrocephaly)，逆に小さすぎるものを小頭症(microcephaly)という．

大頭症は，水頭症(hydrocephaly)，先端巨大症，変形性骨炎などでみられる．

水頭症は，脳室内に髄液が大量に貯留して脳室が拡張し，さらに頭蓋骨縫合が離開して頭蓋骨が拡大した状態である．顔面は普通の大きさなので，頭が異様に大きく，眼がくぼんで見えて，下を向いたような状態になる〔眼球の落陽現象(setting sun phenomenon)〕(図1)．先端巨大症では，頬骨・顎・上眼窩縁が突出し，耳・鼻・口唇などが肥大している．

小頭症は，脳の発育障害などでみられる．先天性のものに Fanconi(ファンコニ)貧血と Alpers(アルパーズ)病(乳児進行性脳灰白質ジストロフィー)がある．Fanconi 貧血では，小頭症のほか，血球減少，知能障害，斜視，指趾低形成，色素沈着などもみられる．Alpers 病では，痙攣発作，肝障害，ミオクローヌス(myoclonus)，精神運動発達遅滞がみられる．このほか，胎児期での放射線被曝，風疹，トキソプラズマ症，サイトメガロウイルス(CMV)感染などでも小頭症になることがある．

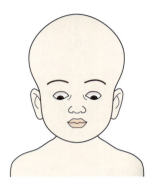

図1　水頭症

形

次いで，頭の形(shape)を視診で観察する．

1個もしくはそれ以上の頭蓋縫合癒合が異常に早期に起こると，頭蓋骨が特異な変形をきたし，頭の形態に異常がみられる．これを総称して狭頭症(craniostenosis)といい，出産1,000人に対して1人くらいの頻度で起こるとされる．早期に癒合が起これば，頭蓋骨の変形だけでなく，脳の発育にも支障が生じ，知能や脳の諸機能に障害が現れる．頭蓋内圧亢進症状があり，頭部単純X線写真で指圧痕(digital impression)が認められる．

狭頭症には，頭蓋縫合癒合の部位によって，さまざまな頭の形態異常がある(図2)．

❶ 尖頭(oxycephaly)

矢状縫合，冠状縫合が早期に癒合した結果で，最も頭蓋内圧亢進が強い．

❷ 舟状頭(scaphocephaly または boat skull)

矢状縫合が早期に癒合し，前後径の長い頭で，Hallermann Streiff(ハラーマン・ストライフ)症候群，Hurler(ハーラー)症候群などでみられる．

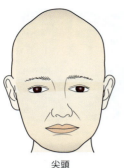
尖頭

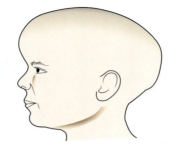
舟状頭

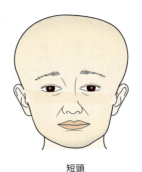
短頭

図2　頭の形態異常

❸ 短頭（brachycephaly）

　冠状縫合または冠状人字縫合の早期癒合により，前後径が短く左右径が長い頭で，軟骨無形成症，Down（ダウン）症候群，Prader-Willi（プラダー・ウィリ）症候群などでみられる．

❹ 斜頭（plagiocephaly）

　一側の冠状縫合癒合により，左右非対称になった形の頭である．

　また，狭頭を示す特殊な疾患には，次のようなものがある．

① Crouzon（クルーゾン）病

　尖頭，上顎骨低形成，眼窩間開離，仮性下顎突出，眼球突出，視力障害，脳圧亢進症状を呈するものをいう．

② Apert（アペール）症候群

　尖頭に上顎骨低形成や合指症を伴うもの

③ Carpenter（カーペンター）症候群

　尖頭に合指症や多指症，肥満を伴うもの

頭髪

　脱毛は個人差が大きく，遺伝的素因，内分泌性因子の影響を受ける．年齢に不相応，もしくは限局性の脱毛に注意する．

　限局性の脱毛は，円形脱毛症（alopecia areata）や頭部白癬（tinea capitis）でみられる．不規則に限局した頭髪の脱落がある．

　長期の消耗性疾患，下垂体前葉機能不全症，甲状腺機能低下症，慢性消化器疾患，重金属中毒などではびまん性に脱毛が起こり，症候性脱毛症（symptomatic alopecia）をきたす．これらでは，全身状態の改善とともに回復する．抗がん薬投与でもびまん性に脱毛が起こる．

　悪性貧血では若年性白髪がみられる．

顔面の診察

　顔面では，まず顔面全体を観察したあと，眼，鼻，耳，口の順序で診察していく．

　顔面の診察では視診が主体となる．触診は，頭蓋骨・顔面骨とそれを覆う軟部組織を診察したり，硬結や腫瘍などの病変を認めたときに行う．両手の示指・中指・薬指を使い，左右対称に触診を行う．顔面に圧痛があるときには，圧痛点を調べる．また，動静脈奇形や血管腫などの血管性病変が疑われるときには，触診して拍動を調べたり，聴診で血管性雑音の有無を調べる（☞図3）．

顔貌

　顔面全体の視診では，まず顔貌をよく観察する．全身状態を観察する際にすでに行うものであるが（☞54ページ），特徴的な所見を見逃さないよう，あらためて確認しておく．

形と大きさ

　左右が対称であるかどうかを比較する．顔面の炎症，外傷，斜頸，顎関節症，一側歯牙の脱落，手術後などでも顔面は左右非対称（asymmetry）となるが，顔面が左右非対称となる代表的な疾患は神経筋疾患である．

　顔面神経麻痺（facial palsy）では，罹患側で眼瞼の閉鎖が不十分となって瞼裂が開大し，鼻唇溝が

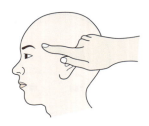

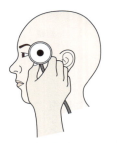

図3 側頭動脈の触診（上）と聴診（下）

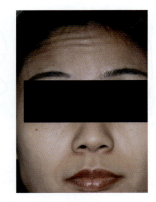

図4 顔面神経麻痺
左側で前額のしわを寄せられず，鼻唇溝が浅い．

浅く，口角が低下する（図4）．眼を閉じさせると麻痺側の眼球は上方かつやや外方へと回転する．核性もしくは末梢性麻痺では，罹患側の前額でしわを寄せられないが，核上性もしくは中枢性麻痺ではしわを寄せることができる．

進行性顔面片側萎縮症（progressive facial hemiatrophy）では，片側顔面の皮膚・皮下組織・筋肉・骨などが徐々に進行性に萎縮し，顔面が非対称となる．女性に多いが，原因は不詳である．

顔面の大きさは個人差が大きい．先端巨大症では頭部と顔面が大きくなって，顎・頬骨・上眼窩縁が突出し，耳・鼻・口唇などが肥大している．Pierre Robin（ピエール ロバン）症候群，Treacher Collins（トリーチャー コリンズ）症候群，5q−症候群，Taybi（テイビ）症候群（耳口蓋指趾症候群）などでは下顎の低形成がみられる．

皮膚

皮膚の変化は，顔面で特に目立つ．

❶ 色調の変化

貧血では顔面皮膚が蒼白になる．赤血球増加症，精神的興奮や発熱などによる血流増加では紅潮を示す．赤血球増加症では，顔面の赤色調が強く，特に頬・耳朶・鼻・口唇などが暗赤色になる．猩紅熱，熱傷，感染などでは局所的に発赤がみられる．

チアノーゼ，黄疸も顔面の皮膚で目立つ．

❷ 発疹

全身性エリテマトーデスにおける蝶形紅斑，皮膚筋炎のヘリオトロープ疹，アルコール長期多飲者の外鼻の酒皶，高齢者や閉経期女性にみられる黒褐色斑の肝斑などが顔面に特徴的である．抗菌薬，降圧薬，精神安定薬，サルファ剤などが原因となる日光過敏症も外気にさらされる顔面に出現しやすい．

❸ 眉毛

粘液水腫では，頭髪の脱落とともに眉毛の外側1/3が薄くなる．de Lange（ド ランゲ）症候群，Waardenburg（ワールデンブルグ）症候群，13トリソミー症候群などでは両側眉毛が正中部で癒合する．

異常運動

異常運動が顔に出現する疾患がある．

たとえば，脳動脈硬化症，Parkinson（パーキンソン）症候群，アルコール依存症などでは，頭部が小刻みにリズミカルに揺れる振戦がみられ，しかも精神的な緊張で増強される．精神的興奮，三叉神経痛，アルコール依存症，麻薬中毒などでは，顔面筋がピクピクと小さく痙攣することがある〔顔面痙攣（facial spasm）〕．

チック（tic）は，単一または複数の筋肉が無目的性に運動を反復する状態で，顔面筋にみられやす

い．顔をしかめたり，眼をパチパチさせたり，唇をなめたり，匂いを嗅ぐような動作をしたり，舌鼓を打ったりする．多くは心因性で，精神的緊張で増強する．

眼の診察

眼は眼科的な疾患だけでなく，高血圧症，糖尿病，内分泌疾患，脳神経系疾患など全身性疾患でも異常所見をきたす．黄疸や貧血では結膜に特徴的な所見が現れる．そこで，顔面を診察するときには，眼の診察を怠ってはならない．

眼の診察にあたっては，眼の解剖学的構造を十分に理解しておく必要がある(図5)．眼瞼，眼球，結膜，瞳孔は必ず診察し，必要に応じて視力，視野，角膜，水晶体，眼底，眼圧などの検査を追加する．

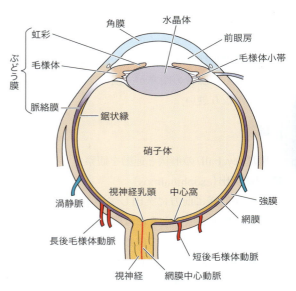

図5　眼の構造

眼瞼

眼瞼は，下垂，浮腫などに注意する．

❶ 眼瞼下垂(blepharoptosis)

上眼瞼が下垂して，これを上げることのできない状態をいう．

上眼瞼の挙上は，動眼神経に支配される上眼瞼挙筋と，頸部交感神経に支配される上瞼板筋によって行われる．そのため，動眼神経もしくは頸部交感神経の麻痺で眼瞼下垂が起こる．上瞼板筋の作用は上眼瞼挙筋に比べて弱いので，上瞼板筋の麻痺による眼瞼下垂の程度は軽い．このほか，ミオパシーの一部分症であったり，全身の筋緊張低下に伴うものなどがある．

くも膜下出血，脳炎，髄膜炎，ジフテリア後麻痺，脳腫瘍などでは主として一側の動眼神経麻痺により一側性に眼瞼下垂が起こる．動眼神経は上眼瞼挙筋のほか，上斜筋と外側直筋を除く外眼筋の運動を支配し，かつ瞳孔括約筋と毛様体筋の運動を支配する副交感神経線維を含む．このため，動眼神経麻痺では，眼瞼下垂とともに対光反射と調節反射の消失，外斜視，散瞳も認められる．

頸部交感神経の麻痺では，眼瞼下垂(瞼裂狭小)のほか，縮瞳，眼球陥凹を伴う．この病態をHorner(ホルネル)症候群と呼ぶ．

両側性の眼瞼下垂は，神経筋接合部の障害による重症筋無力症でみられる．眼の開閉運動などによって増強され，午前よりも午後から夕方にかけて眼瞼下垂が目立つ．抗コリンエステラーゼ薬を静注すると改善する．

❷ 眼瞼浮腫(edema of the eyelids)

眼瞼は皮下組織が粗なため組織圧が低く，浮腫を生じやすい．そのため，全身性浮腫では眼瞼に浮腫が出現する．特に腎炎では，顔面，特に眼瞼に浮腫が初発する特徴がある．

このほか眼瞼浮腫は，眼球ないし眼瞼の疾患，丹毒・皮膚炎・じんま疹など顔面の炎症性皮膚疾患，麻疹・百日咳など感染症，副鼻腔炎，Quincke(クインケ)浮腫，外傷，上大静脈症候群，薬物アレルギーなどでも出現する．特に前頭骨骨髄炎による眼瞼浮腫は，局所の疼痛，発熱を伴い，危険な状態で，Pott's puffy tumorと呼ぶ．

❸ 麦粒腫(hordeolum)

眼瞼縁にみられる限局性の急性化膿性炎症で，いわゆる「ものもらい」である．睫毛嚢の脂腺(ツァイス腺)やアポクリン汗腺(モル腺)の化膿によることが多く，局所の疼痛，圧痛，発赤，腫脹，浮腫を伴う(外麦粒腫)．稀には瞼板の中にある脂腺(マイボーム腺)に生じ，内麦粒腫という．

❹ 霰粒腫(chalazion)

マイボーム腺やツァイス腺の梗塞によって慢性に肉芽腫性炎症を起こし，球状の硬結をきたしたものである．腺管の閉塞が原因で，疼痛や発赤はなく，かなり硬い．

眼球

眼球(eyeball)の形状と運動を観察する．

❶ 眼球突出(exophthalmos)

眼球が異様に前方に突出している状態をいう．ただし，瞼裂が広いときには眼球が突出しているような印象を与えるので注意する．顔をわずかに下に向かせ，前上方から見て左右の眼球の突出をまず判断する．正確には眼球突出計で計測し，眼窩外縁から角膜頂点までの距離を測定する．健常者では10〜15 mmである．

片側性の眼球突出は，眼窩内の炎症，腫瘍，囊胞，血管病変などで起こる．頻度としては副鼻腔の囊胞が多い．眼窩内腫瘍，Wegener(ウェゲナー)肉芽腫，内頸動脈海綿静脈洞瘻，小児では神経芽腫，眼窩内神経膠芽腫などに注意する．

両側性の眼球突出は，内分泌疾患，代謝異常，先天性の場合がある．ことに甲状腺機能亢進症〔Basedow(バセドウ)病またはGraves(グレーブス)病〕に伴うものが多い．これは眼窩内容の増殖によるもので，時に片側性のこともある．瞼裂が大きくて瞬目運動が少なく〔Stellwag(ステルワーグ)徴候〕，患者の眼前20〜30 cmで検者の指をゆっくりと上から下へ移動して眼で追わせると，上眼瞼の運動が眼球運動よりも遅れるので上眼瞼縁と角膜上縁の間に白い強膜がみられることがある〔von Graefe(フォン グレーフェ)徴候〕．また，近くを見るときに両眼の輻輳ができず，これをMöbius(メビウス)徴候という．

❷ 眼球陥凹(enophthalmos)

眼球が異常に陥凹した状態をいう．放射線障害などによる小眼球症，星状神経節ブロック後，高度の脱水や消耗性疾患のときなどにみられる．眼球陥凹に眼瞼下垂と縮瞳を伴うものをHorner症候群という．

❸ 眼球運動障害

安静時の眼球の位置をまず観察する．次いで検者の指を患者の眼前で左右上下に動かし，眼球の動き，複視の有無をチェックする．

眼球運動(eye movements)は，動眼(Ⅲ)神経，滑車(Ⅳ)神経，外転(Ⅵ)神経で支配されており，これらの神経に麻痺が起こると眼球運動に支障が出る〔症候・病態編「眼球運動障害」参照(☞ 361ページ)〕．一側の麻痺では，物が二重に見えてしまう〔複視(diplopia)〕．

動眼神経運動核の核上性の障害では，両側の眼球が一方向へ向けて偏位する〔共同偏視(conjugate deviation)〕．ただし，この場合には両眼の視軸は平行しているので，複視は起こらない．

斜視(strabismus)は，一眼が外方〔外斜視(divergent strabismusまたはexternal strabismus)〕または内方〔内斜視(convergent strabismusまたはinternal strabismus)〕へ偏位した状態をいう．先天性のほか，眼筋麻痺でも起こる．

❹ 眼球振盪(眼振)(nystagmus)

眼球が一定方向へピクピクと反復性に迅速に動く不随意運動を眼振という．水平方向や垂直方向のほか，回転性のこともある．眼球が静止しているときに認められたり，一方向を注視したり，輻輳したり，特定の頭位をとったときに出現することがある．

静止時に眼振がなくても，検者の指を動かして注視させると眼振が出現したり，増強される．患者の眼前に指を置き，それを注視させながら十分に外方へ動かし，その位置で5〜6秒ほど指を固定すると，水平眼振が出現しやすくなる．同様に，上方あるいは下方を凝視させると垂直眼振を診察できる．

眼振は，高度の近視による先天性のこともあるが，アルコール依存症，迷路疾患，小脳および脳幹疾患，頸髄疾患などで出現する．

結膜

結膜(conjunctiva)は，眼瞼結膜と眼球結膜を観察する．

眼瞼結膜は眼瞼の内面を覆う部分で，眼球結膜

は眼球強膜(sclera)の前面を覆っている．両側下眼瞼を軽く下方へ引くとともに上方を見つめさせると，眼球結膜と下眼瞼結膜が同時に観察できる．

❶ 眼瞼結膜

眼瞼結膜(palpebral conjunctiva)は厚くて不透明で血管に富み，赤紅色をしている．

貧血では赤色調が減じて蒼白となる．特に血液ヘモグロビン濃度が10 g/dL以下になると，結膜が蒼白となり，貧血の診断に有用である．

種々の感染症では結膜に炎症が起こり，眼瞼および眼球結膜の充血をみることがある．特にインフルエンザ，麻疹などで充血が起こる．赤血球増加症では血液ヘモグロビン濃度が増加し，やはり充血する．結膜炎では，眼瞼および眼球結膜の充血と発赤をきたし，しばしば粘液膿性分泌物が出る．眼瞼の浮腫を伴うこともある．

感染性心内膜炎では眼瞼結膜に1〜数個の点状出血を生じることがあり，爪の線状出血とともに重要な徴候である．

❷ 眼球結膜

眼球結膜(bulbar conjunctiva)も正常状態では透明なので強膜の白色が見える．眼球結膜の観察では，特に黄疸に注意する．高ビリルビン血症では白色の強膜が黄染し，結膜が黄色になる．

なお，結膜の炎症による結膜充血は，表面性で，眼球結膜全体が赤く充血し，眼瞼結膜も赤くなっている(図6)．これに比べ，角膜の傷，潰瘍，膿瘍，上強膜炎，強膜炎や，毛様体の炎症に起因するぶどう膜炎などでは，より深部の角膜周囲が充血する．深部のために赤色は結膜充血よりも薄いが，むしろ重症のことが多いので注意しなければならない．

出血にも注意する．明らかな原因がなくて結膜下に出血することもあるが，高血圧症，咳や排便に伴う努責，出血傾向などでみられることがある．

瞳孔

瞳孔(pupil)は，大きさと形を観察したのち，対光反射と調節反射を調べる．

❶ 大きさと形

正常な状態では，瞳孔は正円で左右同大である．

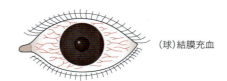

(球)結膜充血

角膜周囲充血
(毛様充血)

図6　結膜充血と毛様充血

瞳孔の大きさが左右で異なるときは瞳孔不同症(anisocoria)といい，神経梅毒，虹彩炎，交感神経麻痺などでみられる．

瞳孔の大きさが大きくなった状態を散瞳(mydriasis)，小さい状態を縮瞳(miosis)という．

暗所では生理的に散瞳が起こるが，病的には高度の視力障害，動眼神経麻痺，神経症，コカイン・アトロピンなどの薬物で起こる．

縮瞳は生理的には明所で起こるが，モルヒネ・ピロカルピンなどの薬物投与，脳神経梅毒などで起こる．

一側性のみの散瞳は，頭部外傷や脳腫瘍でみられる重要な所見である．頸部交感神経麻痺によるHorner症候群では，罹患側の縮瞳がみられる．

瞳孔が正円形でない状態を脱円という．虹彩炎で虹彩と水晶体が癒着して起こるが，その他，神経梅毒，外傷，先天異常症などでもみられることがある．

❷ 対光反射と調節反射

室内を暗くし，ペンライトで明かりを側方から瞳孔に近づけると，瞳孔は縮小する．これを対光反射(light reflex)という．健常者では，同時に光を当てていない側の瞳孔も縮小し，これを共感性対光反射(間接対光反射)という．

遠くを見るときには瞳孔は散大し，近くを見るときには瞳孔は縮小する．これを調節反射(accommodation reflex)という．また，近くを見るときには両眼が鼻側へ偏位し，これを輻輳(convergence)という．調節反射を確認するには，患者の顔に近づけた検者の指を注視させたときの瞳孔の

大きさを観察する．

脊髄癆や進行麻痺では，縮瞳とともに対光反射が消失し，しかも調節反射は保たれている．この状態を Argyll Robertson（アーガイル ロバートソン）徴候という．多発性硬化症，脳炎，アルコール依存症，中脳腫瘍などでも対光反射は消失して調節反射は維持されているが，縮瞳はみられない．

Adie（アディー）症候群では，一側または両側の瞳孔がやや散大し，対光反射が遅延もしくは欠如し，調節反射がきわめてゆっくりと起こる．しばしば下肢，時に上肢の腱反射も消失する．女性に多く，先天的要因が考えられる特発性のものと，多発神経炎や多発性硬化症などに伴う症候性のものがある．

視力

視力（visual acuity）は，一般には 5 m 視力表や自動視力計を用い，片眼ずつ検査する．簡便には，30〜40 cm の距離で名刺や新聞の字を読ませたり，極端な場合には患者の前に指を差し出して，その数を当てさせたりする．

視力の障害は，眼の調節異常（近視，遠視，乱視），角膜・水晶体・硝子体の混濁，網膜・硝子体の出血，網膜血管障害，脈絡膜・網膜の腫瘍，網膜剥離，緑内障，視神経疾患などで起こる．これらは眼の局所的疾患だけでなく，糖尿病や高血圧症などの全身性疾患や神経疾患の一部分症のこともあり，慎重に判定する．

視野

視野（visual field）とは，眼で見える範囲のことである．

視神経萎縮や脳腫瘍などでは視野の一部もしくは全体が見えなくなることがある．これを視野欠損といい，ちょうど半分の視野が欠損した状態を半盲という．視野検査は，眼球より中枢の頭蓋内病変や，視神経乳頭の病的変化（緑内障，視神経炎など）を把握するのに重要な検査である．

一般には Goldmann（ゴールドマン）型視野計で検査されるが，簡便には次のようにして行うとよい．

患者と約 50〜60 cm の間隔を置いて向かい合う．それぞれ相対する片眼を手で覆い，他方の眼で相手の眼を注視する．この状態で，検者は両者のほぼ中間に置いた指を視野の周辺から内方に向けて動かし，どこで見え始めるかを言わせる．検者の視野の範囲と比較する．これを上方，左右側方，下方について調べる．

角膜

角膜（cornea）は，厚さ約 1 mm，直径約 11 mm の透明な膜で，表層，実質，内皮からなる．ペンライトを側方から照らし，角膜表面を視診で観察する．表層の病変は蛍光色素を点眼し，ブルーのフィルターを通して観察する．古い損傷や既往の感染で角膜に白い斑点があったり，先天梅毒では角膜がびまん性に混濁している．

高齢者では，角膜周辺に輪状の白い角膜老人環（senile corneal arcus）を見ることがある．Wilson（ウィルソン）病では，緑褐色の円形の輪が角膜周囲にみられ，Kayser-Fleischer（カイザー・フライシャー）輪と呼ぶ．

なお，角膜を羽毛や毛髪で軽く触れたり，息を吹きかけると眼輪筋が収縮して閉眼する．これを角膜反射（corneal reflex）といい，三叉神経第Ⅰ枝（眼神経）異常や片麻痺の診断に行われる．また，昏睡でも角膜反射は消失するので，意識障害の程度の把握にも応用される．

水晶体

水晶体（lens）は正常では透明である．視診もしくは細隙灯顕微鏡で観察する．

水晶体の混濁した状態を白内障（cataract）という．加齢で起こるほか，糖尿病，外傷，副甲状腺機能低下症などでみられたり，先天性のことがある．

水晶体の亜脱臼は，Marfan（マルファン）症候群でみられる．

眼底

高血圧症，糖尿病，腎疾患，神経疾患などでは眼底（ocular fundus）に種々の変化が生じることがあ

り，これらの疾患の診断では眼底を観察することが重要である．また，頭蓋内圧亢進を判断するうえでも重要な手段となる．

眼底検査は，通常は検眼鏡（ophthalmoscope）を用い，暗くした部屋で検査する．眼圧をまず確かめ，緑内障がなければ，散瞳薬トロピカミド（ミドリン®M），フェニレフリン塩酸塩（ネオシネジン®コーワ 5％），またはその合剤（ミドリン®P）を点眼し，散瞳して観察する．

患者の右眼を検眼するときには患者の右側に立って検者の右眼で，患者の左眼を検眼するときには患者の左側に立って検者の左眼で検査する．患者にはなるべく遠くの1点を見つめさせ，眼球を動かさないように指示する．眼底像が鮮明になるようにレンズのリングを順次回して調節する．

眼底では，まず乳頭を観察する．次いで乳頭周囲の網膜，主要血管，網膜周辺部，黄斑を観察する（図7）．

❶ 視神経乳頭

視神経乳頭（optic disc）は網膜の中心からやや鼻側にある．正常の視神経乳頭は乳白色ないしピンク色で，鼻側で色が濃く，円形かやや縦長の楕円形である．平坦で，中心部に生理的陥凹がある．視神経乳頭の観察では，辺縁の鮮明度，色素沈着，生理的な陥凹などに注意する．

視神経乳頭の生理的陥凹が消失し，乳頭縁が不鮮明となって乳頭が網膜の面から持ち上がった状態を乳頭浮腫（disk edema）という．頭蓋内圧亢進が原因となる乳頭浮腫はうっ血乳頭（papilledema）と呼ばれる重要な所見で，脳腫瘍，脳血管障害，髄膜炎などでみられる．

❷ 網膜血管

次いで，乳頭から上鼻側，上耳側，下鼻側，下耳側の4方向に広がる細動脈と細静脈を追跡する．細動脈は鮮明な白赤色で光を反射し，細静脈は太く，色調は暗い．正常では細動脈と細静脈の径は約2：3である．

網膜血管（retinal vessels）では，径，狭窄，交叉現象，蛇行などを注意して観察する．高血圧性変化ならびに動脈硬化性変化が特に重要で，重症度に応じていくつかの段階に分類される〔症候・病態

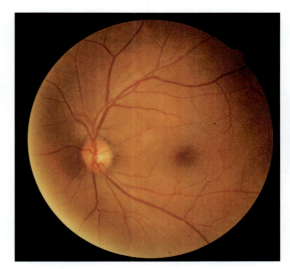

図7　正常の眼底

編「眼底異常」参照（☞ 349 ページ）〕．

❸ 網膜

網膜（retina）そのものは透明であるが，色素上皮層，脈絡膜，強膜の色によって帯黄赤褐色ないし黄褐色に見える．

網膜の観察では，色調，出血，白斑などに注意する．糖尿病では，毛細血管の小血管瘤，点状出血，滲出物，増殖性変化，網膜剥離など種々の変化が出る．感染性心内膜炎では中心部が黄白色の網膜出血斑がみられ，Roth（ロート）斑という．

❹ 黄斑

黄斑（macula）は，眼球後極のほぼ中心部にあたり，乳頭の耳側にやや横に長い楕円形の領域で，周囲の網膜に比べてやや暗く見える．中心部には点状の光線反射を示す陥凹部があり，中心窩（central fovea）と呼ばれる．

眼圧

眼球の硬さ，すなわち眼圧（intraocular pressure）は，眼圧計（tonometer）で測定する．簡便には，患者の頭はまっすぐにしたままで少し下方を見させて軽く閉瞼させ，その上眼瞼に検者の左右の示指を当てて静かに眼球を圧迫して調べる．眼圧が高ければ眼球は硬く触れ，眼圧が低いと軟らかく感じる．

眼圧は，毛様体でつくられる房水が過剰に産生

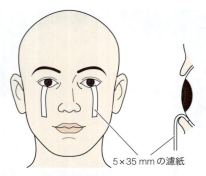

図8 涙液分泌検査（Schirmer 法）

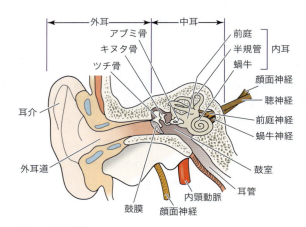

図9 耳の構造

されるか，眼外への排出が妨げられると上昇する．この状態が緑内障（glaucoma）で，眼球後方の視神経や血管が圧迫され，長く続くと視力障害や視野障害をきたす．

眼圧の低下は，脱水症で起こる．

涙

涙（tear）の分泌は Schirmer（シルマー）法で調べる（図8）．幅 5 mm × 長さ 35 mm の市販濾紙の先 5 mm を折り曲げて下眼瞼のやや外側に引っ掛ける．5 分後に外して濾紙の濡れた長さを測る．健常者では 10 mm 以上である．Sjögren（シェーグレン）症候群などの涙液分泌減少では，5 mm 以下しか湿らない．

耳の診察

耳は，外耳，中耳，内耳からなる（図9）．

外耳は耳介と約 2.5 cm の外耳道からなり，外耳道の外側 1/3 は軟骨部，内側 2/3 は骨部である．

中耳は，鼓膜，鼓室，耳管，乳突洞，および側頭骨乳突蜂巣から構成される．

内耳には，聴覚を司る蝸牛と，平衡覚を司る前庭と三半規管がある．

耳介

まず耳介の視診と触診を行う．

耳介の位置，大きさと形を観察する．耳介には小耳症など先天的な奇形や，レスラーや柔道家などでは後天的な変形をきたしていることがある．耳前部から耳輪基部にかけては先天性の耳瘻孔をみることがあり，感染を起こしたりする．痛風のある患者では，耳輪外縁部に沿って痛風結節（gouty tophus）を認めることがある．

触診では，外耳道炎のある場合，牽引痛と圧痛が認められる．中耳炎では自発痛がある．

外耳道，鼓膜

次に，耳鏡を使って外耳道と鼓膜を観察する．

患者の頭を少し傾かせ，耳鏡を持たない側の母指と示指を使って患者の耳介を軽くつかみ，軽く後上方に引き上げる．こうして外耳道をなるべくまっすぐにして耳鏡を挿入する．

外耳道では，皮膚の炎症や滲出物の有無，異物や骨腫などを観察する．

次に鼓膜を観察する．鼓膜は外耳道の方向に対して斜めに張っているので，傾いて見える．正常の鼓膜は半透明の白い膜として認められるが，加齢とともにその透明度が低下する．

中耳炎では，鼓膜の透明度の減少，発赤，膨隆，穿孔，耳漏などの所見が認められる（図10）．

聴力検査

聴力は，防音室でオージオメーターを用いて検査する．簡便には，静かな室内で腕時計などの音を聴かせ，耳元からどのくらいの距離まで聞こえるかによってある程度の判定ができる．

聴力障害には，外耳道閉塞や中耳炎などが原因

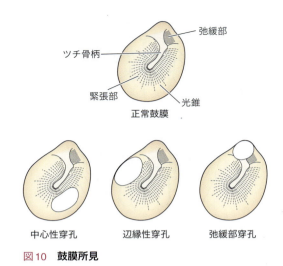

図10　鼓膜所見

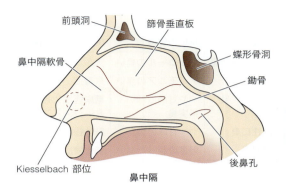

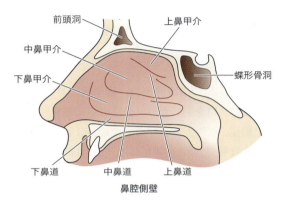

図11　鼻中隔，鼻腔側壁

で音や振動の干渉によって起こる伝音性難聴と，内耳・内耳神経（聴神経ともいう）・聴覚中枢の障害による感音性難聴がある．

聴力障害のあるときには耳鳴を伴いやすい．伝音性難聴では，低調性で，鈍いうなるような音が聞こえたりする．感音性難聴では，高調性で，鈴や笛の鳴るような音が聞こえたりする．

鼻の診察

鼻は，外鼻，鼻腔，副鼻腔からなる．鼻腔は気道の入り口で，鼻腔上方に嗅神経が分布する．

左右鼻腔の中間にある鼻中隔の前方は軟骨部で，前下方のKiesselbach（キーゼルバッハ）部は血管が豊富で粘膜下組織が乏しく，鼻出血の好発部位である（図11）．鼻中隔後方は骨部である．

鼻腔側壁には上，中，下の3つの鼻甲介がある．鼻腔に隣接して，左右におのおの上顎洞，篩骨洞，前頭洞，蝶形骨洞の副鼻腔がある．

鼻の外観

鼻の形，皮膚を観察する．

鼻は外傷や，先天形成異常で変形していることがある．先天性梅毒やWegener肉芽腫では鼻骨が破壊されて鼻梁が陥没し，鞍鼻（saddle nose）という．先端巨大症では，鼻が全体として大きい．

大量のアルコール常飲者や肝硬変患者では，鼻尖部の細静脈が拡張して発赤している．これが高度になると，紅潮が強くなり，痤瘡を併発して皮脂腺口が拡張し，皮脂の分泌も旺盛となる〔酒皶性痤瘡（acne rosacea）〕．

鼻腔

鼻腔は，額帯反射鏡で光を入れ，鼻鏡を使って観察する．鼻腔粘膜の色と性状，鼻腔の広さ，下鼻甲介の大きさ，出血や鼻漏の性状，腫瘍の有無などを観察する．

主な鼻の疾患には，急性鼻炎，慢性副鼻腔炎，鼻アレルギー，鼻・副鼻腔悪性腫瘍，外傷（鼻骨骨折，鼻出血）などがある．副鼻腔炎では，前頭洞および上顎洞の上部を打診し，圧痛の有無でスクリーニングを行う．

口の診察

口の診察では，まず口臭を嗅ぎ，口唇，舌，歯肉，歯，口腔粘膜，咽頭，扁桃の順で診察を進める．舌圧子とペンライトを用い，視診が主となる．義歯を装着している場合には，義歯を外してもら

表1 特徴ある口臭

口臭	臭いの特徴	関連する主な疾患
アルコール臭	アルコールの臭い	アルコール多飲
尿臭	アンモニアの臭い	尿毒症
アセトン臭	やや甘酸っぱい果実臭	糖尿病性ケトアシドーシス
肝性口臭	やや甘味の糞臭	肝性昏睡
腐敗臭	野菜の腐った臭い	肺化膿症

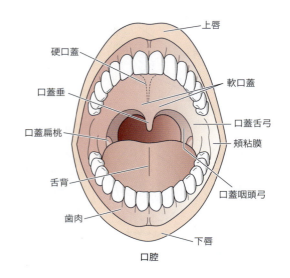

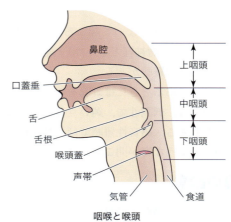

図12 口腔，咽頭と喉頭の構造

い，診察する．腫瘤を認めたときなどには，ディスポーザブルの手袋をつけて触診する．

口臭

口内炎，口腔内清浄不良，歯周病，鼻腔内炎症などでは，口を開いたり，会話の際に悪臭がする．肺化膿症，気管支拡張症などでは，口臭（halitosis）もしくは呼気臭が悪臭となる．このほか，疾患と結びつく特徴的な臭いのすることがある（表1）．

口唇

口唇（lip）の形，色を観察する．

先天性の形の変化として口唇裂（cleft lip）がある．一側のことも両側性のこともある．先端巨大症，粘液水腫，クレチン病などでは，口唇が腫大し，肥厚している．ネフローゼ症候群やQuincke浮腫では，口唇が腫脹する．

ビタミンB_2欠乏症では，口唇や口角に亀裂やびらんができる．口唇ヘルペスは，有痛性の小水疱で始まり，数日以内に乾燥して痂皮を残して治癒する．単純ヘルペスウイルスが原因で，過労や高熱のあるときなどに発病しやすく，口唇のほかに歯肉，舌，咽頭などにも生じることがある．口唇に難治性の硬結や潰瘍を認めるときには，口唇癌を疑う．

口唇の色調の変化としては，蒼白（貧血），チアノーゼ（先天性心疾患，肺炎など），暗赤色（多血症）がある．

口腔内の診察

次いで，口を大きく開いてもらい，舌，歯，口腔と咽頭の視診を行う（図12）．舌圧子を使って舌を軽く押さえると，口腔粘膜と咽頭，扁桃の観察をしやすくなる．舌圧子を当てると強い嚥下反射を起こす患者では，「あー」と長く発声させたり，大きく吸気をさせると咽頭が簡単に観察できる．

舌

舌（tongue）は，局所疾患だけでなく，種々の全身疾患に伴って変化が起こる．舌の大きさ，表面と側面の性状，偏位の有無，異常運動の有無などを観察する．

先端巨大症，粘液水腫，クレチン病，アミロイドーシスでは舌が大きく，巨大舌（large tongue）と呼ばれる．アミロイドーシスの場合には，舌の肥厚だけでなく，触診すると硬度の増加も確認で

健常者の舌は，赤みを帯びて，適度に湿潤している．脱水状態では舌は乾燥する．舌の表面が白色や褐色，黒色の層で覆われることがあり，舌苔(coating)と呼ぶ．たとえば，高熱が続いたり，抗菌薬を長く服用して真菌が感染したりすると，舌苔が現れる．

猩紅熱では，著明な発赤とともに乳頭が腫脹し，いわゆるイチゴ舌の状態になる．悪性貧血では，舌乳頭が萎縮して表面が平滑となり，蒼白で光沢を有するようになる．しばしば舌炎を合併して発赤と疼痛を起こし，Hunter(ハンター)舌炎と呼ばれる．高度の鉄欠乏性貧血では，舌が発赤して痛く，嚥下困難も伴うことがあり，Plummer-Vinson(プランマー・ヴィンソン)症候群という．

舌には潰瘍ができやすい．アフタ性潰瘍は周辺部が発赤した2～10 mm程度の潰瘍で，舌の先端や側面，下面などにみられる．義歯による機械的刺激が原因のことがある．Behçet(ベーチェット)病では，再発性で難治性の潰瘍が口腔内にでき，ぶどう膜炎，外陰部潰瘍，結節性紅斑などを伴う．白板症，舌癌にも注意する．

舌を口の外へ出させると，舌全体が小刻みにふるえる振戦(tremor)をみることがある．精神的緊張，甲状腺機能亢進症，アルコール依存症などで認められる．舌下神経核の障害では，舌のごく一部分だけが細かくふるえ，細動(fibrillation)という．片麻痺の患者では，舌を出させると麻痺側へ舌が偏位する．

なお，舌を持ち上げさせ，舌下面の静脈怒張の有無を調べる．健常者では，座位もしくは立位だと静脈は萎縮するが，静脈圧が200 mmH$_2$O以上に上昇していると，座位または立位でも静脈の怒張が認められる．

歯と歯肉

成人では，左右・上下にそれぞれ切歯2，犬歯1，小臼歯2，大臼歯3ずつの，合計32本の歯(teeth)がある．ただし，第3大臼歯は成人でもみられないことがある．

歯の数を数え，不足しているときにはその原因を調べる．う歯，歯の変形，歯の欠損，義歯装着の有無などを確認する．

歯と同時に，歯肉(gingivaまたはgum)も観察する．歯肉炎では，歯肉が発赤，腫脹し，疼痛がある．歯周炎では，歯磨きをするときに出血しやすく，歯根部から歯肉部が萎縮し，圧迫すると悪臭の膿が流出してくる．

急性白血病，ことに単球性白血病では，白血病細胞が歯肉に浸潤し，びまん性に歯肉が腫脹して一部に潰瘍ができたりする．出血傾向も伴う．

口腔

口腔(oral cavity)では，口蓋，頬粘膜，口腔底を観察する．

口蓋には，前方の硬口蓋(hard palate)と，後方の軟口蓋(soft palate)がある．硬口蓋は軟口蓋に比べて白色調が強く，横走する皺襞がみられる．硬口蓋では，先天形成異常として，左右の口蓋が融合不全を起こして生じる口蓋裂(cleft palate)をみることがある．また，硬口蓋中線に辺縁が不規則な結節状の骨隆起を認めることがあり，口蓋結節(torus palatinus)という．

頬粘膜では，貧血，色素沈着，出血斑，潰瘍，粘膜疹，硬結，腫瘤などを観察する．

貧血では，頬粘膜が蒼白になっている．Addison(アジソン)病では，舌や口腔内粘膜に黒褐色または青褐色の点状ないし斑状の色素沈着が特徴的である．

特発性血小板減少性紫斑病や白血病など，全身性の出血傾向のある患者では，皮膚の紫斑とともにしばしば口腔内粘膜に点状または斑状の出血斑を認める．

歯その他の刺激を受けて，口内炎(stomatitis)を生じていることがある．粘膜が発赤し，びらん，浮腫，壊死した上皮細胞が付着した白苔などを認める．

ウイルス感染症や薬物中毒など，皮膚に発疹をきたす疾患では，口腔内粘膜にも発疹すなわち粘膜疹(enanthema)を生じることがある．麻疹では，Koplik(コプリック)斑という特徴的な所見がある．臼歯の反対側の頬粘膜(通常は耳下腺開

口部付近)にみられる境界が明瞭で，やや隆起した帯青白色の小斑点で，そのまわりの粘膜が輪状に充血する．皮膚に発疹の出る2日くらい前に出現するので，麻疹の早期診断に重要である．

アフタ(aphtha)は特有の粘膜疹で，舌，口唇，口腔内粘膜に生じやすい．直径が数mm～1cmの小水疱から始まり，破れて二次感染を起こして浅い潰瘍をつくる．潰瘍は白苔で覆われ，周囲が発赤している．疼痛が強い．

慢性消耗性疾患の患者では，カンジダが感染して，凝乳状の白色斑付着をみることがある．これを拭い取ると，易出血性の赤色粘膜斑となる．

白板症(白斑症，leukoplakia)は歯による慢性的刺激などを受けて上皮が増殖し，硬い白色不透明の斑面が形成された状態である．前癌状態として注意する．

口腔底では，がま腫(ranula)を認めることがある．舌下腺の貯留囊胞で，無痛性で波動がある．

咽頭

咽頭(pharynxまたはthroat)では，軟口蓋，口蓋垂，口蓋弓，扁桃，咽頭後壁を観察する．舌根部が咽頭部を隠している場合には，軽く舌圧子で舌を押さえて調べるとよい．粘膜の性状，扁桃の大きさ，口蓋垂の偏位や運動障害の有無などを確認する．

咽頭炎(pharyngitis)では，咽頭全体がびまん性に発赤し，浮腫状となって自発痛と嚥下痛を伴う．特に溶血性連鎖球菌による感染症では著明に発赤し，扁桃に灰白色の滲出物が付着する．Epstein-Barr(エプスタイン・バー)ウイルス(EBV)感染による伝染性単核球症では，咽頭粘膜に多発性小潰瘍と軟口蓋に点状出血を伴う．猩紅熱では，発赤が著しい．ジフテリアでは，咽頭が発赤するだけでなく，汚い乳白色～灰黄白色の偽膜形成が特徴的である．

扁桃(tonsil)は，小児期には肥大しているが，成人では萎縮してくる．扁桃炎(tonsillitis)になると，扁桃が発赤して腫脹し，腺窩から滲出物が出て白色～黄白色の斑点状になっていることがある．しばしば高熱を出し，扁桃の自発痛と嚥下痛を伴う．急性扁桃炎に続発して扁桃周囲膿瘍(peritonsillar abscess)を起こすこともある．

薬物が原因となって起こる顆粒球減少症では，壊疽性口内炎が起こる．咽頭など口腔内粘膜全体が発赤し，浮腫，潰瘍形成が起こる．そして急速に壊死部形成がみられ，口内疼痛，嚥下困難，高熱を伴う．

口蓋垂と口蓋弓の偏位は，特に発声時に注意して観察する．一側性の迷走神経(咽頭枝)麻痺では，「アー」と発声させたときに，患側の口蓋弓の挙上運動が障害され，かつ口蓋垂が健側へ引っ張られる〔カーテン現象(curtain sign)〕．高度に麻痺している場合を除き，発声をしないときには口蓋垂の偏位が明瞭でないので，必ず発声させて観察するようにする．両側の迷走神経麻痺では，発声したときに，軟口蓋全体と口蓋垂の挙上が起こらない．

味覚検査

味覚の検査では，舌を口の外に出させ，各種の味のする液体を浸み込ませた綿棒を舌表面に当てて，味をあてさせる．

甘味には砂糖水，酸味には酢酸またはクエン酸，塩味には食塩水，苦味には硫酸マグネシウム溶液などを使用する．顔面神経の障害では味覚が消失する．

頸部 neck

頭部と顔面に続き，頸部を観察する．

頸部では，皮膚，リンパ節，唾液腺，血管，気管，甲状腺などを視診および触診で診察する．

頸部の異常所見は，頸部局所の疾患だけでなく，口腔・咽頭などの感染や腫瘍の波及，全身性疾患の一部分症，遠隔臓器からの腫瘍の転移などがあり，常に他部位や他臓器，あるいは全身との関連を意識しながら診察を進める．

頸部の診察

座位の状態で，患者と向き合ってまず視診を行う．全身の緊張をとり，背筋を伸ばして両手を大

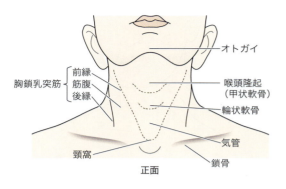

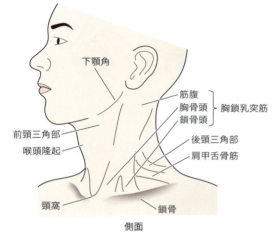

図13 頸部の構造

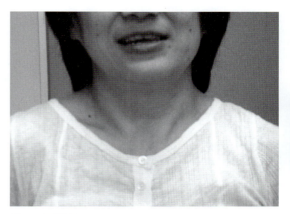

図14 翼状頸

腿部に軽く置いた状態で，まず患者の正面から皮膚の状態，気管の位置，甲状腺腫脹の有無などを観察する．次に両側で斜め前から，次いで両側面から，さらに背後から頸部と項部を観察する．側頸部を観察するときには，診察しようとする側と反対方向へ少し頭を傾けてもらい，診察側の皮膚を緊張させると，リンパ節腫脹，静脈怒張，動脈拍動などが見やすくなる．下顎の下面を見るときには，顔面を少し上方へ向けてもらう．

視診に次いで触診を行う．系統的に後頭下部→後耳介部→項部→後頸三角部→前頸三角部→前耳介部の順に触診を進める(図13)．そして最後に甲状腺を丹念に触診する．後頸三角部や前頸三角部の触診では，触診しようとする側へ頸部を少し傾けると，筋肉が弛緩して触りやすくなる．頸部の触診では両手を使い，左右の同部位を比較するとよい．また，手袋をした手指を口腔内に入れ，他方の手を頸部に当てて双手診を行うと，顎下腺やオトガイ下および顎下のリンパ節の触知が容易となる．

形状と運動

斜頸(torticollis)は，頭部が常に一側へ傾いている状態である．先天性に胸鎖乳突筋が拘縮した筋性斜頸のほか，炎症，骨奇形，神経疾患，熱傷後の瘢痕などでみられる．

Turner(ターナー)症候群では，特有の翼状頸がみられる(図14)．

頭部を前後，左右に曲げてもらったり，左右に回転してもらい，運動が普通に行われるかどうかを調べる．ただし，頸椎の疾患や損傷のおそれがあるときには，頸髄に障害を与えないように十分な配慮が必要である．

髄膜炎では前後への運動が障害される．特に項部での運動が著しく制限され，項部硬直(nuchal stiffness)と呼ばれる状態になる．頸部筋肉の炎症，破傷風，Parkinson症候群，頸椎疾患などでも，頸部の運動が制限される．重症筋無力症では，筋力が減退して，頭をまっすぐに支持できないことがある．

皮膚の診察

皮膚の発赤，腫脹など炎症所見の有無を確認する．項部はフルンケル(furuncle, 癤)やカルブンケル(carbuncle, 癰)が好発する部位なので，特に糖尿病患者では注意して観察する．慢性毛包炎(毛嚢炎，chronic folliculitis)も起こりやすい．リ

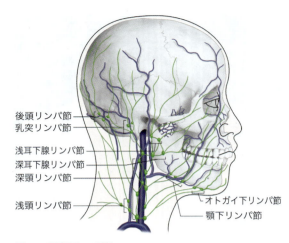

図15 頸部リンパ節
〔坂井建雄：標準解剖学. p.459, 医学書院, 2017 より〕

（後頭リンパ節／乳突リンパ節／浅耳下腺リンパ節／深耳下腺リンパ節／深頸リンパ節／浅頸リンパ節／オトガイ下リンパ節／顎下リンパ節）

ンパ節結核では慢性の膿瘍（abscess）をつくり，かつ自潰して難治性の瘻孔となることがある．

口腔，咽頭，唾液腺などの炎症では，頸部の皮膚に浮腫をきたすことがある．上大静脈症候群（superior vena cava syndrome）では，頸部全体がうっ血して浮腫状に腫脹し，顔面や上半身にもうっ血や腫脹が及ぶ．

リンパ節の診察

リンパ節は，健常者では触知しないか，触知してもごく小さく，軟らかい．1cmを超える大きさのリンパ節を触知したり，きわめて硬いときには，病的なものを鑑別しなければならない〔症候・病態編「リンパ節腫脹」参照（☞ 470 ページ）〕．リンパ節の触知は，頸部で最も多く観察される．耳の前，乳様突起部，後頸部，前頸三角部，後頸三角部，鎖骨上窩，鎖骨下窩など，見落としのないように触診する（図 15, 16）．

頸部リンパ節を触知した場合には，その部位，数，大きさ，形，硬さ，圧痛の有無，表在皮膚の性状，周囲との癒着，リンパ節相互の癒着について調べる．さらに頸部に限局しているのか，全身に広がっているのか，腋窩，肘窩，鼠径部などのリンパ節を必ず確認する．

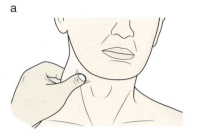

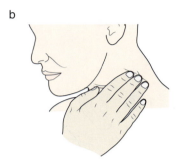

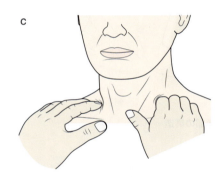

図16 頸部リンパ節の触診法
a：胸鎖乳突筋奥の内深頸リンパ節群を触診．b：外側頸三角の触診．c：鎖骨上窩の触診．

リンパ節腫脹の鑑別

頸部リンパ節の腫脹は，炎症性の変化か，腫瘍性の変化か，鑑別が重要である．頸部リンパ節腫脹をきたす主な疾患と，その特徴は次のようなものである．

❶ 二次性リンパ節炎

頸部皮膚や口腔内粘膜に化膿があると，その所属リンパ節として頸部のリンパ節が炎症性に腫脹してくる．軟らかく，圧痛がある．さらに表面の皮膚が発赤している．リンパ節が化膿して膿瘍を形成することもある．

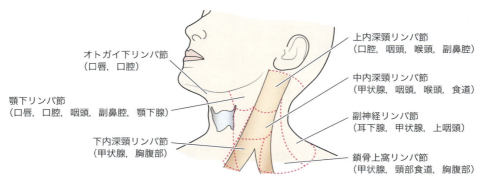

図17 頸部リンパ節の腫大部位と頻度の高い癌原発病変の部位

❷ 伝染性単核球症，その他のウイルス感染症

伝染性単核球症では，しばしば頸部および多発性にリンパ節が腫脹してくる．リンパ節は軟らかく，小豆大から母指頭大となる．圧痛や癒合はみられないことが多い．Epstein-Barr ウイルス（EBV）が原因となり，20 歳前後の若年者に好発し，発熱，咽喉頭炎も伴う．肝機能異常を伴うこともある．

麻疹や風疹などの感染症でも頸部のリンパ節が腫脹することがある．風疹では特に後頸部のリンパ節が腫脹する．比較的軟らかく，小豆大から母指頭大になる．

❸ リンパ節結核

頸部に好発する．一般的にいって，疼痛や発赤，あるいは熱感はない．リンパ節相互，もしくは周囲の組織と癒着し，塊状になることが多い．しばしば膿瘍をつくり，波動を触れる．破れると皮膚に瘻孔をつくり，治癒しにくい．サルコイドーシスでも結核と似たリンパ節腫脹をきたすが，波動は触れない．

❹ 悪性リンパ腫

リンパ節の腫瘍で，初期には限局するが，進行とともに広がる．リンパ節は弾性硬で，発赤や圧痛はない．大きさはさまざまで，小豆大から鶏卵大にもなる．

❺ 白血病

白血病のうち，ことにリンパ性白血病では全身性にリンパ節が腫脹する．弾性硬で，大きさはさまざまである．圧痛や熱感はない．

❻ 癌の転移（図17）

癌細胞がリンパ節に転移すると，石のようにきわめて硬いリンパ節腫脹をきたす．表面は不整で，圧痛はない．胃癌など消化器癌においては，左鎖骨上窩のリンパ節に転移することが多く，Virchow（ウィルヒョウ）リンパ節転移として注目される．

唾液腺の診察

唾液腺（salivary gland）のうち，耳下腺（parotid gland）は外耳道の前下方にあり，上顎第 2 大臼歯に対する頬粘膜に小孔として開口する．顎下腺（submaxillary gland）は下顎角の 1～2 cm 前で下顎骨の内面にある．大きさは直径がおよそ 1.5 cm でほぼ円形をしている．顎下腺の開口部は，口腔底の舌小帯両側にある．舌下腺（sublingual gland）は舌小帯の両側から下顎骨前部内面に沿って走る細長い腺で，多数の開口部が顎下腺開口部外側の舌下ヒダに注ぐ．

健常者の唾液腺は肉眼では見えにくく，触診でもわかりにくい．炎症や腫瘍によって唾液腺が腫脹すると，視診でもわかるようになり，触診ではっきりと触れることができる．

耳下腺が腫脹する疾患として最も多いのは，流行性耳下腺炎（mumps）である．ムンプスウイルス感染により，一側もしくは両側の耳下腺，あるいは顎下腺や舌下腺もびまん性に腫脹し，痛みを伴う．咀嚼するときに不快感を訴える．膵炎や精巣炎もしくは卵巣炎を合併することもある．

このほか，耳下腺が腫脹する主な疾患を表 2 に

表2　耳下腺が腫脹する主な疾患

疾患名	病態
流行性耳下腺炎	一側または両側性に，有痛性のびまん性腫脹
急性耳下腺炎	有痛性で急速に腫脹．表面皮膚に発赤，腫脹
慢性耳下腺炎	慢性に腫大．Mikulicz（ミクリッツ）病，Sjögren症候群
耳下腺良性腫瘍	混合腫瘍が多い．発育は遅く，境界は明瞭．多形腺腫，Warthin（ワルチン）腫瘍
耳下腺悪性腫瘍	発育が速やかで硬い．周囲と癒着
耳下腺結石症（唾石症）	腺管内に結石ができて唾液が貯留し，有痛性に腫脹

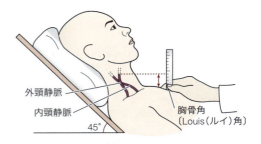

図18　頸静脈圧上昇の診方

示す．耳下腺が腫脹するのと同じ疾患で，顎下腺や舌下腺も腫脹する．

血管系の診察

頸部の血管系（blood vessels）の診察では，頸動脈と頸静脈を視診，触診，そして聴診する．

頸動脈

頸動脈（carotid artery）は甲状軟骨の高さで総頸動脈が内頸動脈と外頸動脈に分かれ，触診では主として内頸動脈を触れる．

健常者では，頸動脈の拍動は視診ではほとんど認めない．頸動脈の拍動を認めるのは，激しい肉体運動や精神的な過度の興奮のほか，大動脈弁閉鎖不全症，高血圧症，甲状腺機能亢進症などのときである．

総頸動脈から内・外頸動脈への分岐部は粥状動脈硬化症の好発部位で，狭窄のある場合には，触診をすると振戦（thrill）を触れ，聴診すると雑音（bruit）を聴取する．頸部血管性雑音は，頸部よりも中枢側の大動脈炎症候群，高安動脈炎，大動脈弓症候群などの血管病変，あるいは高度の貧血がある場合などで聞かれる．

頸静脈

頸静脈（jugular vein）は座位では通常は見ることができず，上体を水平に近づけると観察できる．

うっ血性心不全，収縮性心膜炎，上大静脈症候群などで静脈圧が上昇した場合には，座位でも頸静脈を認めるようになる．45°の半座位の姿勢では，頸静脈の怒張は胸骨角から4.5cmの高さが上限で，それ以上の高さにまで静脈が怒張しているときには静脈圧上昇と判断できる（図18）．

重症心不全，心タンポナーデ，収縮性心膜炎などでは，右心房圧が上昇し，吸気時に静脈圧がより上昇して頸静脈の怒張がいっそう顕著になる．Kussmaul（クスマウル）徴候といい，重要な徴候である．

仰臥位では，健常者でも内頸静脈の拍動が観察される．右心房と内頸静脈の間には弁がないので，心周期の心房内圧の変化が内頸静脈に反映されるため，頸静脈拍動（jugular venous pulse）と呼ぶ．動脈の拍動と異なり，頸静脈拍動は弱くて触知はできない．よく見ると，全体が波のうねりのように滑らかで，1心拍に2回のうねりが観察される．この頸静脈の拍動の波形を頸静脈波という（図19）．側頸部に斜め方向から光を当てて陰影をつけると，頸静脈拍動の観察がしやすくなる．

三尖弁閉鎖不全症では，右心房圧と静脈圧が上昇して頸静脈が怒張し，心収縮期に起こる右心室から右心房への血液逆流を反映して収縮期に強い頸静脈拍動が生じる（図20）．外頸静脈でも観察できるが，内径の太い内頸静脈で拍動が大きく観察される．

高度の貧血や甲状腺機能亢進症で血流速度の大きいときには，頸静脈で低調性の静脈雑音を聴取する．こま音（venous hum）といい，座位または立位で頸を反対側に少し回転して鎖骨上窩外側部で聴診するとよい．

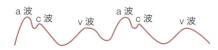

図19　頸静脈波
a波：心房収縮，c波：三尖弁閉鎖，v波：受動的な静脈血充満

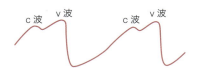

図20　三尖弁閉鎖不全での頸静脈波
v波が増高し，単一で巨大な収縮期波となる．

図21　甲状腺の前面からの触診
左手母指で気管を軽く左側に押しながら，甲状腺左葉を触診する．甲状腺の触診時には適宜嚥下運動をさせる．

気管の診察

気管(trachea)の診察は，視診と触診で行う．視診ではごく一部のみが観察され，触診では胸骨上切痕の真上で母指と示指・中指で挟んで診察する．

位置の確認

気管が偏位(deviation)しているかどうかに注意する．

大動脈瘤，縦隔腫瘍，甲状腺腫，胸腔内での大量の液体貯留などにより，気管は反対側へ偏位する．高度の胸膜癒着，無気肺などの場合は，気管は逆に患側へ引っ張られる．頸椎腫瘍，膿瘍，縦隔腫瘍では，気管が前方に移動することもある．

気管牽引の有無

患者をまっすぐに座らせ，頭を少し後屈した状態にする．そして，検者の母指と示指で輪状軟骨を挟み，それを少し上に押し上げるようにする．

気管牽引(tracheal tug)がある場合，心拍動と一致して下方へ向かう牽引を指尖に感じる．大動脈瘤では気管・気管支が大動脈瘤と癒着する結果として気管牽引が起こり，著しいときには肉眼でも喉頭が心拍動と同期して下方に向かうのが明瞭に認められるようになる〔Oliver-Cardarelli（オリバー・カルダレリ）徴候〕．

甲状腺の診察

甲状腺(thyroid gland)は頸部の正中にある．峡部は輪状軟骨の下方にあり，右葉や左葉の上端は甲状軟骨斜線の高さにまで達している．

甲状腺は種々の疾患で腫脹するので，慎重に視診，触診，場合によっては聴診を行って鑑別診断を行う〔症候・病態編「甲状腺腫」参照（☞ 464 ページ）〕．

視診

座位で正面を向かせ，前頸下部を観察し，甲状腺の腫脹の有無を確認する．このとき，頭を軽く後屈させて前頸部をゆるやかに伸展させると，軽度の腫脹を発見しやすくなる．

前頸下部に腫脹を認めたときには，嚥下運動を行わせる．甲状腺は甲状軟骨や輪状軟骨とともに嚥下運動によって上下するので，甲状腺腫と甲状腺以外のリンパ節腫大などとの鑑別が可能である．

触診

視診のあと，触診を行う．ごく軽度の甲状腺腫は視診では発見できず，触診して初めて確認できることもあるので，触診を怠ってはならない．

触診は，患者の前面から行う方法と，背面から行う方法がある．いずれの場合でも，触診するとき，頭部をやや前屈して触診しようとする側へ少し傾けると，胸鎖乳突筋が弛緩して触診しやすくなる．

❶ 前面からの触診（図21）

右葉と峡部の触診は，検者の右手母指を甲状軟骨の左側に当てて外側から軽く押すようにして

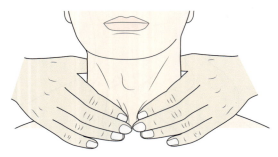

図22　甲状腺の背面からの触診
両側母指は項部に置き，示指・中指で触診する．気管を軽く一側に押しながらその側の葉部を触知するのもよい．

右方へ少し偏位させる．一方，左手母指を胸鎖乳突筋の内面に，示指と中指をその外面に沿って当て，この母指と示指および中指の間で甲状腺を触診する．

左葉の触診には，検者の左母指で甲状軟骨を左方へ押し，右手母指と示指および中指を使って触診する．

❷ 背面からの触診（図22）

患者の背面に立つ．左葉と峡部の触診では，検者の右手示指および中指を気管の左縁に沿って鎖骨直上に置き，左手示指と中指を左側胸鎖乳突筋の外面に沿って置く．次いで，右手の示指と中指を徐々に胸鎖乳突筋の下に入れ，静かに指を動かしながら甲状腺を触れていく．

右葉の触診には，頭部をやや右下方へ傾け，左手の示指と中指を気管の右縁に沿って置き，右手の示指と中指を右側胸鎖乳突筋の外側に当てて，左葉・峡部の触診のときと同様にして触診を進める．

前頸部に腫瘤を触知した場合には，嚥下運動を行わせてみる．腫瘤が嚥下運動とともに上下に動くと，甲状腺腫であると確認できる．この場合，甲状腺腫のある部位，大きさ，形，表面の性状，硬さ，可動性，境界の状態，結節の有無と大きさ

表3　頸部の先天異常

先天異常	病態
頸肋 (cervical rib)	第7頸椎から肋骨が出ている
鰓原性嚢胞 (branchial cyst)	鰓管の遺残物の中に液体が貯留し，胸鎖乳突筋の前縁に円形の波動を呈する腫瘤となる
甲状舌管嚢胞 (thyroglossal duct cyst)	胎生期の甲状舌管の一部から発生したもの．頸部正中に円形の腫瘤となる
ヒグローマ (hygroma)	リンパ系の先天異常で生じた嚢胞．鎖骨直上に多い
類皮嚢胞 (dermoid cyst)	口腔底部にみられ，圧痛のない腫瘤

や数，圧痛の有無を確認する．これらの性状を丹念に考慮すれば，ある程度は疾患の鑑別が可能である．

聴診

甲状腺機能亢進症では，血管の増生を伴い，収縮期雑音もしくはブランコ雑音（to-and-fro bruit）を聴取することがある．このときには軽く触診すると振戦を触れる．甲状腺腫の上部で広く聴取できる．頸動脈の血管雑音は，こま音と区別する必要がある．こま音の場合，頸静脈を圧迫すれば消失するので，鑑別は容易である．

先天異常

頸部では，個体発生の過程で生じた先天的な異常を認めることがある．たとえば，鰓管や甲状舌管の一部が残存し，中に液体が貯留して嚢胞を形成して，半球状の腫瘤として触知したりする．波動があり，圧痛はない．ただし，二次感染を起こすと，圧痛や発赤を生じる．

主な頸部の先天異常を表3に示す．

〈奈良 信雄〉

部位別の身体診察 胸部

胸部の診察では，胸郭，心臓血管系，肺，気管，乳房，腋窩などを，視診，触診，打診，聴診で調べる．通常はまず患者を座位の状態にして前面を診察し，次いで背面を診察する．仰臥位で診察する場合には，背面は起座位の状態で行うが，側臥位で診察せざるをえないこともある．胸部診察のポイントを表1に示す．

胸部の診察で得た所見を記載する場合，指標が必要となる．よく使用される縦線(垂直線)および横線(水平線)を図1，表2に示す．たとえば，「右側第5肋骨上，鎖骨中線より1cm外方」「左側第3肋間，前腋窩線より1cm内方」などという表現を用いて胸壁上の位置を記す．かつては長さや距離を表現するのに指の幅を使って"横指"で計測

表1　胸部診察のポイント

胸部前面
- 視診：胸郭(形状，呼吸運動)，乳房，心尖部(心尖拍動)
- 触診：心尖部(心尖拍動)，前胸部(振戦)，両肺野(声音振盪)，乳房
- 打診：右肺下部(肺肝境界の決定)，心(心濁音界の決定)，両肺野(打診音)
- 聴診：心臓(心音，心雑音)，大動脈(雑音)，両肺野(呼吸音，副雑音)

胸部背面
- 視診：胸郭(形状)，脊柱(形状)
- 触診：脊柱(形状)，両肺野(声音振盪)
- 打診：両肺野(打診音)
- 聴診：両肺野(呼吸音，雑音)

表2　胸部位置決定のための指標

縦線(垂直線)
- 前胸壁
  前正中線：胸骨中央を通る直線
  胸骨線：胸骨縁にあたる線
  傍胸骨線：胸骨線と鎖骨中線の中央を通る直線
  鎖骨中線：鎖骨の中央を通る直線
- 側胸壁
  前腋窩線：腋窩の前皺襞の起点を通る直線
  中腋窩線：腋窩の頂点を通る直線
  後腋窩線：腋窩の後皺襞の終点を通る直線
- 背部
  後正中線：脊椎後突起を通る直線
  肩甲線：肩甲骨下角を通る垂直線

横線(水平線)
- 肋骨*
- 肋間腔

*前胸壁の胸骨角(Louis角；胸骨柄と胸骨体の関節部)を触知し，そこに接続する肋骨が第2肋骨である．これを基準に各肋骨の番号を決める

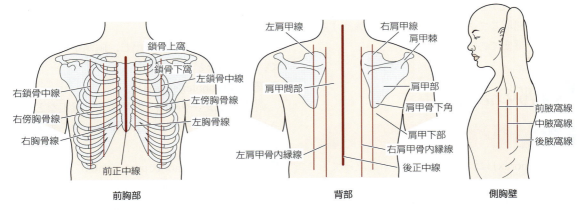

図1　胸郭における位置の記載法
側胸壁における腋窩線の決定の際は上腕を正しく外転させて行う．記載の都合上，右図では上腕を90°以上挙上させてあるが，実際には90°を超えてはいけない

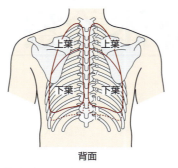
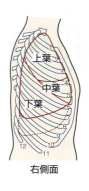
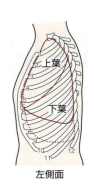

図2　胸郭と肺との関係（点線は肺の膨張範囲を示す）

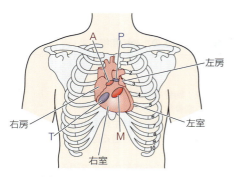

図3　胸郭と心臓との関係
A：大動脈弁，P：肺動脈弁，M：僧帽弁，T：三尖弁

することが多かったが，"cm"などで具体的に表現するほうがよい．

　また，胸壁上の位置を表す言葉として，慣用的に鎖骨上窩，鎖骨下窩，肩甲部，肩甲間部，肩甲下部などの表現もよく使われる（図1）．

　なお，体表から見た肺および心臓の位置と形態を十分に理解しておくことも，胸部を診察するにあたって重要である（図2，3）．

胸郭の診察

視診

　胸郭（thorax）は，患者にまっすぐに座ってもらい，前方，側方，そして背部から観察する．視診で観察する要点は，皮膚，皮下脂肪，筋肉の発達，胸郭の形や大きさ，呼吸運動，心尖拍動，乳房の変形などである．

胸郭の変形（図4）

　胸郭の形と大きさは個人差がある．通常は左右対称で，前後径が横径に比べて小さく，横断面では楕円形である．

　胸郭の変形をまず観察する．これらの異常は必ずしも病的でないこともあるが，高度になると呼吸機能に障害を与えることがある．

❶ 樽状胸（barrel chest）
　胸部の前後径が横径に比べて長くなった状態で，ビール樽のように見える．肺気腫患者にみられる．

❷ 扁平胸（flat chest）
　胸郭が狭長で，前後に扁平な状態である．病的ではないが，いわゆる無力型体型の人にみられる．

❸ 漏斗胸（funnel chest）
　胸骨下部が著しく陥凹した状態で，Marfan（マルファン）症候群でもみられる．

❹ 鳩胸（pigeon chest）
　胸骨，特に下半部が突出し，両側が扁平な状態で，くる病などでみられる．

❺ 靴工胸（cobbler's chest）
　剣状突起がやや陥凹した状態で，靴工などのように胸に道具を当てて仕事をする人や，先天性にみられる．

❻ ピラミッド胸（thorax pyramidalis）
　横隔膜前面胸骨の形成不全によって胸骨下部が突出した状態

❼ 左右非対称
　高度の胸膜癒着や，胸郭形成術後などにみら

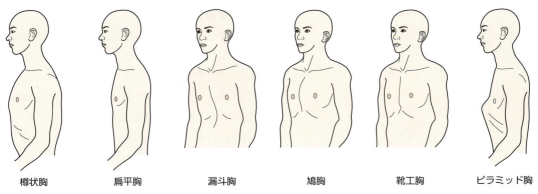

樽状胸　　扁平胸　　漏斗胸　　鳩胸　　靴工胸　　ピラミッド胸

図4　胸郭の変形

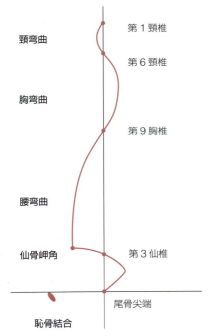

図5　脊柱の弯曲

表3　脊柱側弯の原因

先天性
- 楔状椎など，脊椎の先天的異常

後天性
- 機能性
  - 習慣（姿勢の不良）
  - 静力学（下肢の一側の短縮などで，機能的に矯正するため）
  - 疼痛性（坐骨神経痛などの疼痛を緩和するために特有な姿勢をとる）
- 骨の異常：くる病，脊椎カリエス，骨折など
- 神経性：背筋の麻痺など
- 瘢痕性：肋膜炎，胸郭形成術後など
- 特発性：原因が不明で，学童に多い

れる．

❽ 局所的膨隆

著明な心肥大，心嚢水貯留，胸壁の腫瘍，膿瘍，皮下気腫，大動脈瘤などで，胸部が局所的に膨隆していることがある．

脊柱の視診

脊柱の後方への弯曲を後弯（kyphosis），前方への弯曲を前弯（lordosis），側方への弯曲を側弯（scoliosis）という．生理的状態では，頸椎と腰椎は軽度に前弯があり，胸椎では軽度の後弯がある（図5）．

胸椎の高度の後弯や，頸椎と腰椎の後弯は病的で，脊椎骨関節炎などでみられる．脊柱が局所的に鋭く突出しているときは，突背（gibbus）と呼び，脊椎カリエスが原因のことが多い．強直性脊椎炎では，脊柱が竹の棒のようにまっすぐになる．

脊柱が左右に偏位する脊柱側弯は，頻度の高い脊柱の変形である．原因としては，表3に示すようなものがある．側弯が高度の場合は視診でも容易にわかるが，軽度の場合は前屈位をとってもらい，観察する．棘突起線と垂直線の関係，肩甲の位置，体幹側縁線，肋骨隆起などを調べる．

呼吸運動

胸郭は呼吸運動によってスムーズに動く．しかし，気道や肺，あるいは腹部臓器や中枢神経系の疾患によって呼吸運動に支障を生じていることがある．そこで，呼吸運動に伴う胸郭の動きを観察

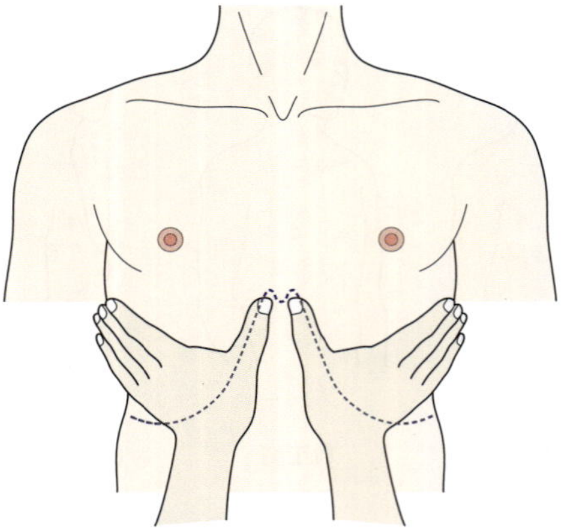

図6　胸部呼吸運動の触診
特に肋骨弓の動きをみる診察法

することが重要である．この際，左右を比較し，かつ腹部の動きも同時に観察する．

なお，ごく軽度の胸郭運動の左右差を検出するには，両手の母指を患者の肋弓に沿って置き，他の指と手掌を側胸部に軽く当て，深呼吸したときの検者の両手の動きを比較するとよい(図6)．または，背面で患者の肩甲下角に沿って両手を当て，深呼吸したときの検者の両母指の動きを比較する．

❶ 胸郭の収縮を伴う呼吸運動制限
肋間腔が狭くなり，呼吸運動が制限されている状態である．進行した肺線維症，両側胸膜癒着，気管の狭窄や閉塞などでは両側性に呼吸運動制限がみられる．片側性の無気肺や胸膜癒着では，片側で呼吸運動制限がある．

❷ 胸郭の膨張を伴う呼吸運動制限
肋間腔が拡大して胸郭の前後径が増し，呼吸運動が制限された状態である．肺気腫，気管支喘息の重積発作，両側の気胸や胸水貯留では両側性に起こる．片側性の運動制限は，片側の気胸や胸水貯留，胸郭内の腫瘤，種々の原因による気管支狭窄で生じた患側肺の過膨張などで起こる．

❸ 胸郭の変形を伴わない呼吸運動制限
呼吸筋に麻痺をきたす神経筋疾患，薬物中毒，あるいは外傷などによる胸腹部の疼痛などで，呼吸運動が両側性もしくは片側性に制限されることがある．

❹ 奇異性呼吸運動
呼吸に伴う胸郭の運動と腹部の動きが逆の状態をいう．通常は呼吸に際して胸郭と腹部は同じ方向に運動するが，横隔膜などの呼吸筋に高度の疲弊があったり，胸郭外気道閉塞(窒息)のある場合などでは，吸気で腹部が凹むような動きを示す．

左右胸郭の動きが呼吸気で逆に動くときには，片側の緊張性気胸が疑われる．

触診

他の部位と同様に，皮膚や皮下組織を調べる．さらに呼吸運動や，心臓の拍動，乳房，腋窩なども触診で確認する．

皮膚や皮下組織の結節，しこりなどを調べる．胸痛を訴えている患者では，皮膚，皮下，筋肉，骨などをよく触診する．本人の自覚がなくても肋骨骨折が起きていることがある．圧痛や，呼吸に伴う胸郭運動による痛みの変化に注意する．

心臓の診察

診察の基本姿勢

循環器系に限らず共通する姿勢として，患者の立場に立って診察を行う心がけが重要である．初対面であれば自己紹介，再診であればあいさつから始め，患者の確認ののち診察に移る．このとき，きちんと目を見て話をすることも重要で，「パソコンの画面ばかり見ている」と思われないようにする．適切な身だしなみ，不快感をもたれない言葉づかいにも注意する．言葉づかいなどは医師－患者関係によって変わってくるが，敬語・丁寧語で話すことが基本である．これらの基本姿勢の根本は，患者に対する敬意を適切な形で伝えることであり，ときとして苦痛を伴う診察を行うことに理解を得るための基礎的な人間関係を確立することが目的である．患者の多くは年長者であり，敬意を払って診察にあたる心構えが重要である．患者に不快感や不信感を与える態度では，適切な診察が行えないだけでなく，その後の診断・治療プロセスにおいても大きな障害となり，トラブルの

原因ともなる．意識せずとも適切な態度でふるまえるように習慣づける．

循環器系の診察は胸部が中心であり，基本的に脱衣が必要になる．このとき，男性・女性を問わず，不快感や羞恥心への対応は十分に気をつける．医師は服を着たままで患者だけに脱衣を依頼することを考慮し，適切な室温の維持，診察室の出入り口の開閉，ベッドサイドでのカーテンなど，十分に配慮する．冷たい聴診器をいきなり当てられるのも苦痛になるため，配慮して行う．苦痛を伴う可能性がある診察の場合は必ず先に説明を行い，同意を得たうえで行う．

循環器系の診察に限らないが，診察は漫然と行うものではなく，病態生理や1つひとつの所見をとる意義を考えながら行う必要がある．近年，画像診断や臨床検査がより簡便・スピーディになり，身体所見にかける比重が軽んじられているきらいもあるが，身体診察とは，自らの知識と経験と体系的な病態生理の理解から診断の糸口を紡ぎ出す，きわめて高度なものである．

診察室の環境

- 上半身を露出しても寒くないよう，適度な室温を保つ．
- 患者の羞恥心に配慮し，不要な露出は避け，適切にタオルなどを使用する．
- 特に患者が異性の場合，必要に応じて患者と同性の医療スタッフの立ち会いを考慮する．
- 胸部拍動の視診のために，一定の明るさの照明を使用する．
- 手技の前には必ず説明を行い，同意を得る．
- 冷たい手や聴診器で触れないように注意する．

視診

心臓に関連する全身の視診

患者の行動の1つひとつが重要な所見となることがあるため，他の部位の診察同様に入室時から診察が始まる．たとえば，診察室に入り，椅子に座るまでの歩行におけるスムーズさ，歩いたあとの呼吸の変化などは重要な所見である．再診の場合，「いつもと異なる」というのも重要な所見であり，細かなことにも注意を払いながら診察を進める．

全身の視診では，患者の体格・姿勢・顔色・呼吸状態・皮膚の乾燥・皮膚の色などを観察する．仰臥位では呼吸困難が生じて眠れず，座位をとる状態が起座呼吸であり，医療面接によって情報を得ることが多いが，診察時にも座位や軽い前屈位などをとり，荒い呼吸をしている場合は起座呼吸の可能性を疑う．

顔色・爪色・結膜の色の観察では，貧血・黄疸・チアノーゼのほか，眼球突出，眼瞼黄色腫と角膜輪の有無を確認する．甲状腺腫大もまず視診で確認する．また，体格については，長身・細長い四肢・手指はMarfan（マルファン）症候群の可能性を念頭におくほか，肥満は動脈硬化性疾患の可能性を考える．心不全が進むと低栄養になり，るいそう（emaciation）をきたすので，やせにも留意する．

皮膚の診察では，乾燥の有無・ツルゴールの低下などから脱水の評価を行う．四肢末梢の有痛性結節性紅斑〔Osler（オスラー）結節〕，手掌・足底の無痛性小赤色斑〔Janeway（ジェーンウェイ）発疹〕の存在は感染性心内膜炎を疑う所見であるほか，下腿では浮腫や静脈瘤の有無・体表の血管拡張の程度を評価する．

胸部の視診

上記の胸部以外の視診ののち，患者を座位または仰臥位とし，前胸部の視診を行う．体格（前胸部の形態），皮膚の状態を確認したのち，心血管拍動の観察を行う．座位では正面および右側から胸壁の拍動の観察を行い，仰臥位では患者の右側に立ち，あるいは座って胸壁の拍動を丹念に観察する．心尖部・左傍胸骨領域・左第3肋間・右第2肋間は特に注意して観察する．心尖部では心尖拍動の位置や強さを確認し，必要に応じて左側臥位の状態で心尖拍動を観察する．

胸部視診の所見と解釈

❶ 胸郭の異常

- 漏斗胸はしばしばみられる所見である．高度な

場合に心臓を圧迫して静脈圧の上昇をきたすことがあるが，稀である．しばしば傍胸骨領域に収縮中期雑音が聴取されることがある．
- 小児期から長期にわたり心臓の肥大や拡張が持続している場合に，前胸部が膨隆することがある．

❷ 胸壁で観察される心血管拍動

- 前胸部全体の拍動：重症大動脈弁閉鎖不全症など，重度の弁閉鎖不全症で前胸部の拍動が明確に認められることがある．また高心拍出状態をきたす疾患，動脈管開存症などシャント性疾患でも認められることがある．
- 心尖拍動：心室が収縮するときに心尖部が胸壁に当たって生じる拍動である．心尖拍動は必ずしも病的所見ではなく，健常者でもみられる所見である．仰臥位では明確ではなく，左半側臥位にして認められることもある．心尖拍動がみられた場合，その位置，性状，強さに注意する．

 正常では，心尖拍動は第5肋間と鎖骨中線が交わる部位（心電図でいう V_4 誘導の位置）の内上方で認められる．心尖拍動が鎖骨中線よりも外側へ移動して認められる場合は，心拡大の存在を疑う所見となる．特に，心尖拍動が左下方よりに移動する場合は左室拡大の存在を疑い，下方へ移動せず胸骨左方の広い領域で拍動がみられる場合は右室拡大の存在を疑う．

 正常な心尖拍動は収縮期に心尖部が胸壁を押し上げて生じる拍動であり，収縮期に心尖部が隆起してみられる．一方，収縮期に心尖部が陥凹するような異常拍動がみられる場合がある．この心尖部収縮期陥凹は，著明な右室肥大や収縮性心膜炎，および心臓の拍動が著明に亢進しているときにみられる．

 心尖拍動の強さは，心尖部が胸壁を押す力に比例し，収縮力の強さをある程度反映するが，皮下脂肪の厚さ，肺気腫の有無，心嚢水の有無などによって減弱する．特に肥満の程度により変化するため，単純に評価はできない．
- 右第1～2肋間の拍動，右胸鎖関節部の拍動：上行大動脈の動脈瘤を疑う．
- 胸骨上窩の拍動：腕頭動脈，内頸動脈の動脈瘤を疑う．
- 胸骨左縁の著明な膨隆ならびに拍動：心房中隔欠損症による右室拡大を疑う．
- 心窩部の拍動：やせた健常者で横隔膜が下降している場合にみられる．

頸部の視診

 頸部の視診では，頸静脈の評価を行う．頸静脈は，弁などを介さず上大静脈および右心房と接続されているため，臥位であれば頸静脈－上大静脈－右房の血圧は同一であり，頸静脈圧はそのまま右房圧を反映する．左右どちらの頸静脈でも同じ所見がみられるが，通常右頸静脈の視診で評価を行う．静脈拡張が明確にみられるのは外頸静脈であり，皮下組織を介して拍動が観察しやすいのは内頸静脈である．

 頸静脈怒張の評価は右外頸静脈で行う．臥位では健常者でも頸静脈の拡張を視認できるが，半座位あるいは座位になると頸静脈は虚脱し，観察できなくなる．45°以上の半座位で外頸静脈が認められる場合は，頸静脈怒張と呼ぶ．頸静脈怒張は，基本的に右房圧の上昇を反映しており，右心不全の所見として重要である．

 また，半座位で軽い呼吸を続けた状態で右季肋部を10～30秒間圧迫すると，静脈圧の上昇がある患者では頸静脈怒張が出現あるいは増強する〔hepato-jugular reflux（肝頸静脈逆流）〕．静脈圧上昇のない患者では，仮に頸静脈怒張がみられても一過性で，すぐに消失するが，しばらく（10秒以上）持続する場合を陽性とする．開口して軽く呼吸をした状態で行うことが重要である．三尖弁閉鎖不全などによる右心不全，上大静脈症候群の際にみられる．

 健常者では，吸気時には胸腔内圧の低下に伴い右心系の圧が低下して頸静脈圧も低下するが，呼気時には上昇する．一方，吸気時に頸静脈圧が奇異性に上昇し，呼気時に低下する現象がみられることがあり，これをKussmaul（クスマウル）徴候と呼ぶ．これは収縮性心膜炎の所見として重要であるが，右心不全を伴う重症心不全でもみられることがある．

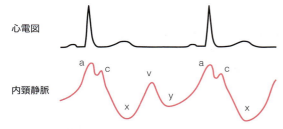

図7　内頸静脈波

　内頸静脈は直接には観察できないが，その拍動を皮下組織を介してみることができる．正常では一心周期の間に2つ拍動があり，圧が上がるところをa波，v波と呼び，a波のほうが大きい（図7）．a波は右室収縮直前の右房収縮による右房圧上昇を反映する波であり，v波は三尖弁が閉鎖したあとに末梢から右房内に血液が還流して右房圧が上昇するために生じる波である．a波のあとには心房弛緩によってx谷が生じ，v波のあとには三尖弁開放による右房圧低下に伴うy谷が生じる．

　a波の増高は右室肥大，肺高血圧，肺動脈弁狭窄など，右室コンプライアンスが低下したときにみられる．また，房室ブロック患者で，三尖弁が閉鎖しているときに心房収縮が生じると，巨大なa波が観察され，cannon波と呼ぶ．v波の増高は三尖弁閉鎖不全で生じることが多い．

触診

胸部の触診

　胸部の触診は，仰臥位で患者の右側に位置して右手を用いて行う．心尖部，傍胸骨領域，大動脈・肺動脈領域の部位を中心に行い（図8），心窩部や肝臓の拍動も確認する．拍動の場所（最強点）を探すときは手掌全体で触れ，次いで拍動の性状をみるときには手指（第2指，第3指）を軽く当てる．仰臥位で明瞭でない場合は，左手を挙上させて左半側臥位〜側臥位にすると明確に触知できることがある．胸骨左縁，大動脈・肺動脈領域の触診は仰臥位で行う．それぞれ，拍動の位置，性状，強さの評価を行い，異常拍動や振戦の有無を調べる．

心尖拍動の触診

　心尖拍動は視診で明瞭でなくとも触診で検出できることがあり，触診での評価を必ず試みる．視診の際と同様，心尖拍動を触知することは病的所見ではなく，健常者でもみられるが，肥満の場合などに触知できないことがある．一方，健常者は仰臥位では心尖拍動を触れないことも多いが，左半側臥位・左側臥位にすると触知されることがある．心尖拍動は，通常は胸壁における拍動の最強点となり，健常者では第5肋間と鎖骨中線が交わる部位の内上方で認められる．

　心尖拍動が鎖骨中線より外側かつ下方へ移動していれば左室拡大を疑う．心尖拍動を触知できる範囲が広いことも心拡大を疑う所見であり，左下方寄りに広がり，大きさが3cm以上であれば左室拡大，最強点が下方へ移動せず胸骨左方の広い領域で拍動を触知する場合は右室拡大の存在を疑う．

　心尖拍動の性状は，健常者では叩くように（tapping）短く触れる（図9）．強く短く触れる場合は，心機能は亢進して拍動が強い状態であり，不安などによる心拍動亢進状態や，心臓自体は正常だが貧血などで拍出量が増加した状態などが考えられる．強い心尖拍動が持続性に（sustained）触知される場合は，中等度以上の左室肥大があると考えられる．これは高血圧性心疾患や大動脈弁狭窄症など求心性肥大を伴う場合に著明にみられる．また，心尖拍動が二峰性に触知されることもある．1つは心房収縮波の増大を検知して二峰性になる場合で，しばしばⅣ音を伴う．もう1つは拡張早期の左室流入波を触知する場合で，高度の僧帽弁閉鎖不全などで認められ，しばしばⅢ音を伴う．

　収縮期に心尖部が陥凹する，奇異性の心尖拍動を触知する場合は，著明な右室肥大の存在を疑う．

傍胸骨部の触診

　正常では右室の拍動は触知されないが，仰臥位で左傍胸骨領域に拍動が検知できる場合は，右室の拡大あるいは肥大が疑われる．強さと性状の評価は心尖拍動におけるものと同様で，左傍胸骨領

心尖拍動の触診　　左傍胸骨領域(右室)の触診　　肺動脈領域，大動脈領域の触診

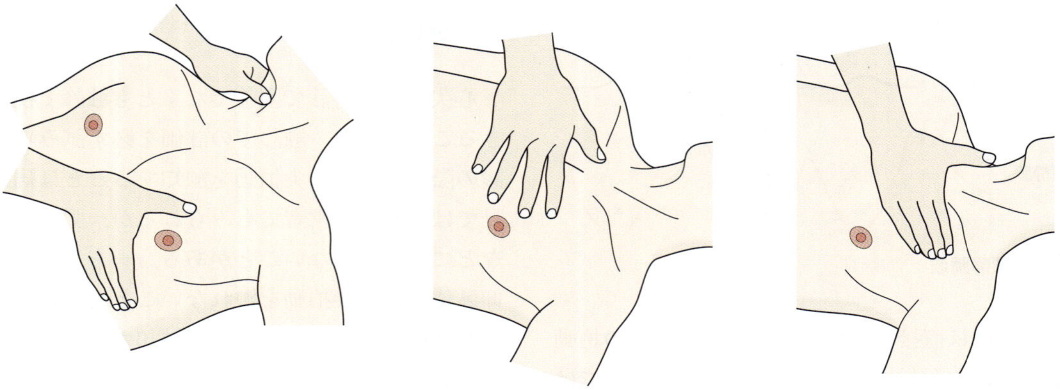

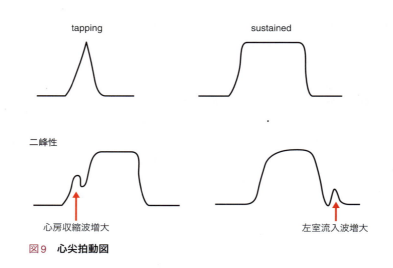

図8　**心臓の触診**

〔磯部光章ほか：心臓の診察. 福井次矢ほか(編)：内科診断学, 第 3 版, pp.95–111, 医学書院, 2016 より〕

図9　**心尖拍動図**

域における拍動の強さが亢進する場合や，拍動を触知する範囲が大きくなる場合は，心房中隔欠損症や高度の三尖弁閉鎖不全症などによる右室拡大を疑う．また，左傍胸骨領域で持続性(sustained)の拍動が触知される場合は，圧負荷による右室肥大の可能性があり，肺高血圧や肺動脈弁狭窄を疑う所見となる．

また，大動脈領域での拍動触知は，その部位での動脈瘤などでみられることがある．

心窩部の触診

やせた健常者では心窩部で拍動を触知しうるほか，肺気腫のある症例では右室の拍動を心窩部(健常突起下)で触知しうる．また，重症三尖弁閉鎖不全症では，肝静脈の逆流による肝拍動を触知することがある．

心音の触診

音とは，媒質を伝播する波(振動波)のなかで，人間の耳で感知できる周波数帯域のものをいう．胸壁で聞こえる音はすなわち胸壁の振動なので，その振幅が大きければ触診でも検知できる．特に低周波で大きな振動が触知しやすい．以下のような心音がしばしば触知される．

- 心尖部：僧帽弁狭窄症における亢進した I 音や，拡張期の僧帽弁開放音，拡張期における著明な

- III 音，IV 音
- 第 2 肋間胸骨左縁：肺高血圧症における肺動脈弁閉鎖音
- 第 2 肋間胸骨右縁：高血圧症における大動脈弁閉鎖音

心雑音の触診

心雑音とは，心臓内あるいは心臓の近くで血液が乱流や渦をつくり，振動を生じて発する音である．心音同様，心雑音も低周波数帯で振幅が大きいときには胸壁の振動として触知することが可能であり，振戦またはスリル(thrill)と呼ぶ．心雑音の大きさは Levine(レバイン)分類によりなされるが(「聴診」の項参照)，Levine IV 度は振戦が触知できるものをいう．触知される振戦と疾患の関連を以下に示す．

❶ 収縮期雑音の振戦
- 心尖部〜腋窩：僧帽弁閉鎖不全症，大動脈弁狭窄症
- 第 3〜4 肋間胸骨左縁：心室中隔欠損症，三尖弁閉鎖不全症
- 第 2 肋間胸骨右縁〜左縁：大動脈弁狭窄症

❷ 拡張期雑音の振戦
- 心尖部：僧帽弁狭窄症
- 第 2〜3 肋間胸骨左縁：大動脈弁閉鎖不全症，肺動脈弁閉鎖不全症

❸ 連続性雑音の振戦
- 第 2 肋間胸骨左縁やや外方：動脈管開存症

打診

心臓領域に限定すると，打診の有用性は高くない．打診により心臓の大きさを評価することもあるが，前述の触診による評価のほうが有用である．打診は胸水貯留などの評価に使用し，心不全の状態評価などに活用される．

聴診

聴診器

聴診器は，胸に当てるチェストピース，耳に差し込むイヤーピース，それをつなぐゴムのチューブと金属のイヤーチューブで構成されている．チェストピースはベル型と膜型の 2 種類があり，切り替えて使用する．ベル型のチェストピースは，辺縁にゴムのリングが装着されている．リング部分全体を軽く胸壁に当てて聴診を行う．膜型のチェストピースは，膜(ダイアフラム)を胸壁に押し当てて聴取する．ベル型は低音(25〜150 Hz)の聴取が可能であるが，強く押しつけて皮膚が張ると低音は聴取できない．押しつける強さを上げると徐々に高周波数帯(350 Hz 程度まで)が聴取可能となる．膜型はダイアフラム全体を押し当てることで，高音(350〜600 Hz)の聴取が可能である．目的とする音の周波数帯により，チェストピースとその当て方を調整する．膜型・ベル型を兼用するサスペンデッドダイアフラムというタイプもあり，軽く当てるとダイアフラムが機能せずベル型の働きをし，強く押し当てるとダイアフラムとリングが接触して膜型となる．いずれのタイプでも，強く押し当てて低音が明瞭に聞こえることはなく，ベル型の当て方には注意が必要である．正常な I 音，II 音の主帯域は 100 Hz 以下(70〜80 Hz がピーク)であり，心雑音はその正常によって 1,000 Hz 程度の高周波帯まで分布するので，目的とする周波数帯によってチェストピースの種類と当て方を変える．

イヤーチューブには，外耳道の向きに合わせるように角度がついているので，後ろから差し込むように装着する．イヤーピースは各自の耳孔にフィットするものを使用する必要がある．

聴診の方法

「診察室の環境」で述べたとおり，患者を快適な状態にして胸部を露出させて聴診を行う．心音は皮下組織などによって減衰するので，やせた人のほうが大きく聞こえ，肥満や高度肺気腫などがあると減弱する傾向があるが，やせが強いとチェストピースを当てたときに肋間が浮いてしまい，聴取が困難なことがある．この場合は小児用の小型のチェストピースを使用するとリングが密着して明瞭に聴取できる．

聴診の際は，患者の右側に位置し，座位・仰臥

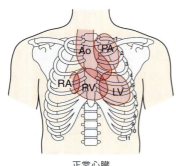

図10　心臓聴診部位
LV：左室領域，RV：右室領域，Ao：大動脈領域，PA：肺動脈領域，RA：右房領域
〔磯部光章ほか：心臓の診察．福井次矢ほか（編）：内科診断学，第3版，pp.95-111，医学書院，2016 より〕

位・左側臥位の3つの体位で聴診を行う．通常は浅い呼吸のもとで聴診を行い，微弱な音の聴取の場合は一時的に呼吸を止めて行うとより感度よく聴取できる．聴診の際も患者とアイコンタクトをとり，適切に声をかけることは重要である．説明なく聴診器を当てようとすることはときとして患者の不安を増大することになるほか，呼吸音聴取と思って患者が深呼吸を行うこともあるので，心音の聴診をすること，呼吸は指示がない限り軽くでよいことなどを説明してから行う．

　聴診は，心尖部（僧帽弁領域），胸骨右縁第2肋間（大動脈弁領域），胸骨左縁第2肋間（肺動脈弁領域），胸骨左縁第5肋間（三尖弁領域）を中心に行う（図10）．それぞれの弁の音が最もよく聞こえるためにそのように命名されるが，弁の位置そのものを意味しているわけではない．また，胸骨左縁第3肋間がErb（エルブ）の領域と呼ばれ，大動脈弁閉鎖不全の拡張期雑音が特に特に聴取しやすい部位である．しかし，心音・心雑音の最強点は，心拡大などで変化することがあるので，視診・触診により心拡大の評価を行い，聴診部位の判断に利用する．聴診器のチェストピースは右手で持ち胸壁に当てるが，指が胸壁やチェストピースのリングに当たらないようにする．

　聴診では，まず心尖部で心音のⅠ音とⅡ音を聴取する．頻拍の場合にはⅠ音，Ⅱ音が区別しにくい場合があるが，その際は以下の方法で鑑別する．仰臥位で聴診を始めるが，場合により左側臥位で聴取する．

①心尖拍動を触れるか，左手で頸動脈拍動を同時に触れ，拍動の直前に聞こえる音をⅠ音とする．橈骨動脈では時相のずれが生じるために判断できない．

②胸骨左縁第2～3肋間で心音を聴取し，大きいほうをⅡ音とする．

Ⅰ音，Ⅱ音を鑑別したら，Ⅰ音-Ⅱ音間が収縮期，Ⅱ音-Ⅰ音間が拡張期となる（図11）．収縮期，拡張期をそれぞれ早期・中期・後期に分けて注意して聴取し，過剰心音の有無，心雑音の有無を評価する．心雑音はさらに，強さ・性状・放散する方向に注意して聴取する．心尖部での聴診が終わったら，仰臥位あるいは座位で，胸骨右縁・左縁の肋間の聴診を行う．さらに，心拡大などの場合や心雑音の放散の聴取をする場合などでは，右前胸部・腋窩・胸骨上縁・鎖骨上縁などの聴取を行う．

心音の聴診

　正常心音にはⅠ音，Ⅱ音がある．Ⅰ音は収縮期の開始（僧帽弁の閉鎖），Ⅱ音は拡張期の開始（大動脈弁の閉鎖）に一致して生じる音（閉鎖音）であり，本項でも閉鎖音と表記するが，音の成因の実態は，弁閉鎖時に弁尖が衝突して生じる単純な閉鎖音だけではなく，弁の閉鎖とそれに伴う心内圧の変化に起因して心内で生じる持続の短い振動の総体としての音である．

　心音はⅠ音，Ⅱ音のほかに，Ⅲ音，Ⅳ音，駆出音，僧帽弁開放音があるが，Ⅰ音，Ⅱ音以外は正常では聴取されないため，これらは過剰心音と呼ばれる（図12）．

❶Ⅰ音

　Ⅰ音は心尖部で強く聴取され，僧帽弁閉鎖による音と三尖弁閉鎖による音の2つの成分がある．両成分の性状は似ているが，僧帽弁成分のほうが大きく，時相がわずかに早いため，分裂して聴取されることがある．Ⅰ音の強さは，弁閉鎖の際に血液の圧力変化によって弁尖を押す力に依存するので，左室収縮力や1回拍出量が増大する場合は大きくなる．また，弁の硬度によって音の周波数

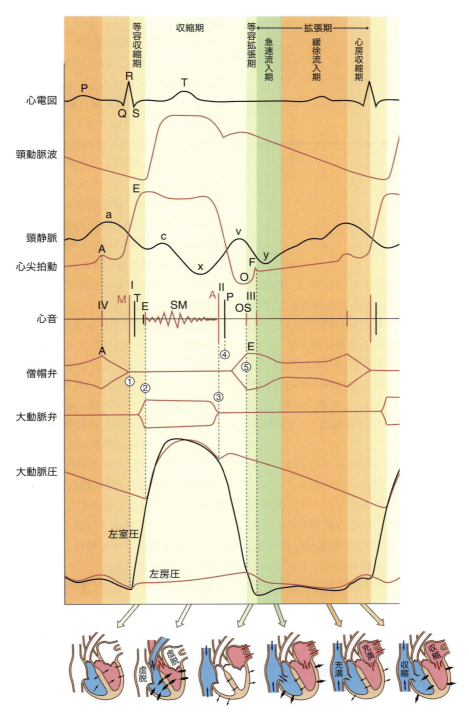

図11 心周期（心電図，動静脈波，心音，弁の開放・閉鎖，心内圧の関係）
①僧帽弁閉鎖，②大動脈弁開放，③大動脈弁閉鎖，④肺動脈弁閉鎖，⑤僧帽弁開放
OS：僧帽弁開放音，SM：収縮期雑音
〔磯部光章ほか：心臓の診察．福井次矢ほか（編）：内科診断学，第3版，pp.95-111，医学書院，2016 より〕

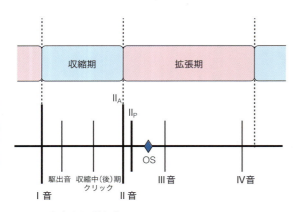

図12 心音と過剰心音
OS：僧帽弁開放音

と大きさは変化する．僧帽弁狭窄症では主帯域が100 Hz程度と高くなり，大きさも増大してI音亢進をきたす．さらに，僧帽弁が最大開口しているときに左室収縮が始まるとI音は増大する．心電図でPR短縮がみられる場合がこれに相当するが，僧帽弁狭窄症や頻拍時にも同様の理由によりI音の強さは増大する．一方，心収縮力の低下・1回拍出量の減少の場合はI音は減弱し，PR延長でもI音は減弱する．

心房収縮と心室収縮のタイミングによってI音の大きさが変化することから，完全房室ブロックの際はI音の強さがさまざまに変化する．徐脈の際に突然大きなI音が聞こえる心拍がみられた場合は，完全房室ブロックによる徐脈が疑われる．また，心房細動の際は，1回拍出量が不定であることから，I音の大きさも1拍ごとに変化して聞こえることがある．

I音の分裂は僧帽弁閉鎖音と三尖弁閉鎖音のタイミングのずれによってみられることがある．完全右脚ブロックの場合や，左室自由壁由来の心室期外収縮の際には，三尖弁閉鎖が相対的に遅れるためにI音の分裂がみられる．一方，完全左脚ブロックでは僧帽弁成分の時相が遅れて三尖弁閉鎖音と同一になり，I音は完全な単一の音となる．Ebstein（エプスタイン）奇形では右室興奮が遅れるためにI音が幅広く分裂し，さらに大きな三尖弁前尖により三尖弁成分の音が大きくなる．

❷ 駆出音

収縮期早期には，大動脈・肺動脈の駆出音が聞こえることがある．駆出音は半月弁が完全に開放したときに一致して生じ，I音の直後に聴取するが，I音よりも高周波成分が強い音であり，明瞭に区別できる．駆出音は正常では聞こえないが，大動脈・肺動脈起始部の病的な拡張によって生じる場合と，弁が癒合した際に駆出時の弁開放運動が動脈内で共振して発生する場合がある．

大動脈駆出音は胸骨左縁第3肋間〜心尖部で聴取され，大動脈弁狭窄，大動脈二尖弁，上行大動脈拡大などで認められる．肺動脈駆出音は胸骨左縁第2〜3肋間で聴取され，肺動脈弁狭窄，肺高血圧をきたして肺動脈拡張を伴う疾患などで認められる．

❸ 収縮中期（後期）クリック

収縮期の中期・後期にクリックと呼ばれる高調な音が聴取できることがある．最も多く聴取されるのは，僧帽弁逸脱での収縮期クリックである．僧帽弁逸脱のクリックは，通常は心尖部で聴取され，その成因は余分な弁尖や腱索が突然緊張することによる．呼吸や体位によってクリックの発生タイミングが移動するという特徴があり，左室容積を減少させる操作〔Valsalva（バルサルバ）試験，蹲踞から立位への姿勢変化など〕によって，クリックのタイミングはより早期にシフトする．一方，左室容積を増大させる操作（ハンドグリップ負荷や蹲踞姿勢など）により，クリックのタイミングが後期にシフトすることもある．

❹ II音

II音は半月弁の閉鎖に伴って発生する音であり，大動脈弁成分（II_A）と肺動脈弁成分（II_P）により構成される．通常II_AはII_Pに先行し，大きな音である．II_Aは胸骨右縁第2肋間を中心とする広い領域で聴取されるが，II_Pは胸骨左縁第2〜3肋間にある程度限局して聴取されるという特徴がある．

II音は，II_Pが遅れることによる生理的な分裂を示す．正常ではII_AはII_Pにやや先行するが，吸気時に胸腔内圧が陰圧になると，静脈還流量が増加し，右室の1回拍出量が増加する．そのため，

右室の駆出時間が延長して肺動脈弁閉鎖が遅れ，II_Pの時相が遅れて生じ，II音の分裂が大きくなる．呼気時にはその逆の現象が起こり，II音の分裂が小さくなる．

II音の亢進はII_Aの亢進とII_Pの亢進に分けられる．II_Aの亢進は，高血圧などで大動脈が拡張し，上行大動脈が胸壁に近づく場合や，大動脈の前方にある肺動脈幹が小さく上行大動脈と胸壁の距離が近い場合にみられる．II_Pの亢進は，肺動脈幹が拡張している場合に認められ，肺高血圧の際に認められる所見である．II音が亢進している場合，胸骨右縁第2肋間と胸骨左縁第2〜3肋間で聞き比べ，どちらが亢進しているかを判断する．

■II音の病的分裂：前述の生理的な分裂のほか，II音は病的な分裂が聴取されることがある．

①持続性分裂
　吸気時・呼気時の両方でII_AとII_Pが分裂して聞かれるものである．完全右脚ブロックで右室興奮が遅れ，II_Pが遅れる場合や，僧帽弁閉鎖不全症で左室収縮時間が短縮してII_Aが早まる場合がある．いずれもの場合でも呼吸性変化は保たれている．

②固定性分裂
　II音が分裂し，その呼吸性変化が消失しているものである．代表的な疾患として心房中隔欠損症がある．心房中隔欠損症では右室を通過する血流が増えるため，II_Pが遅くなりII音が分裂するが，吸気による静脈還流と右室血流の増大はないため，呼吸による変化は認められなくなる．

③奇異性分裂
　II音は，通常II_A→II_Pの順で聴取されるが，この順序が逆になるものを奇異性分裂と呼ぶ．左室の興奮が遅れる病態ではII_AがII_Pよりも遅くなることがある．完全左脚ブロックや，右室ペーシングにより左室興奮が遅れる場合に認められる．呼吸性変化は保たれるので，吸気時にII_Pが遅れて時相が近くなり，分裂が小さくなる．この現象は生理的分裂の場合と逆になる．

④単一II音
　先天性心疾患の一部でII_Pが聴取されず，単一のII音が聴取されることがある．肺動脈弁閉鎖・高度肺動脈弁狭窄，完全大血管転位などが代表例である．また，大動脈弁に可動性がないか閉塞している場合にはII_Aが消失することになる．Eisenmenger（アイゼンメンゲル）症候群では大動脈弁・肺動脈弁の閉鎖時相がほぼ同期しているため，持続性の単一II音を聴取する．

❺ 僧帽弁開放音(opening snap; OS)
　僧帽弁開放音は拡張早期に聴取される音で，僧帽弁狭窄症でみられる．僧帽弁狭窄症では僧帽弁と僧帽弁輪に硬化と肥厚がみられ，弁腹には可動性が残存している．また，僧帽弁狭窄のために左房内圧は上昇している．この状態で拡張早期に僧帽弁が開放する際には，高い左房内圧を受けて可動性を残した弁腹が，風向きの変化によってヨットの帆が反転するときのように急激に移動する．このとき，高調で持続の短い音が生じるのが僧帽弁開放音である．僧帽弁開放音が聴取されることは，僧帽弁腹に一定の可動性があることを意味しているほか，II_Aと僧帽弁開放音の間隔が短縮することは左房内圧の上昇を示し，僧帽弁狭窄症の重症度を反映する．

❻ III音
　III音は拡張中期に聞かれる低調な心音であり，心房から心室への血液の急速流入（急速充満）に伴って心室内で振動が生じて発生する．III音の成因には，心室への流入血液量が増大する場合と，心室筋の緊張が低下して振動しやすくなる場合とがある．前者は，貧血・発熱・甲状腺機能亢進症などでの心拍出量の増大，僧帽弁閉鎖不全症による左房−左室間の血液量の増大，右→左シャントのある疾患などが原因疾患となる．後者は心室収縮期容積の増大を伴い，拡張型心筋症・大動脈弁閉鎖不全症・うっ血性心不全などが原因疾患となる．

❼ IV音
　IV音は拡張終期（前収縮期）に聞かれる低調な心音であり，左房収縮に伴って左室の充満が前収

縮期に加速する際に心室で生じる．心房音とも呼ばれ，心房収縮が消失する心房細動では生じない．Ⅳ音は，左室壁厚が増大してコンプライアンスが低下している病態で生じ，左室拡張末期圧の上昇を伴うことも多い．高血圧性心疾患・大動脈弁狭窄症などが原因疾患となるほか，虚血性心疾患でも聴取される．

心雑音の聴診（Panel-1）

　心雑音（murmur）とは，血流に起因する音である．一定の径の円筒内で液体が流れる際，その流速が遅いと液体は管軸に平行な直線状の流れとなる（層流）．しかし，流速がある限界以上になると液体は途中で乱れて不規則な流れとなる（乱流）．層流が乱流に変化することを遷移と呼ぶが，遷移する条件はReynolds（レイノルズ）数の定義式によって示され，円筒の内径，流体の速度，流体の密度が大きくなると遷移が生じやすく，液体の粘性が高いと生じにくくなる．

　また，流体の速度差が生じると，そこで液体は渦（渦流）を生じる．たとえば，流れのなかに障害物があった場合や，管腔径が急に変化して，狭いところから急に広い管径になった場合などに，空間内の速度差が生じて渦を生じる．

　心臓内または血管内で血液が乱流あるいは渦を起こして振動を生じて発生するのが心雑音である．

　以上より，心雑音を発生させる要素は，血流速増大，血液の密度と粘度，管腔径の増大や急な変化となる．これらは，心臓の構造的な要因と，貧血や運動などによる血流速の増加などの機能的な要因に分けられる．

　心雑音の聴診では，時相・部位・強度・音の高さ・性状などの特徴をそれぞれ聴取し，診断を行う（表4）．まず評価するのは時相で，心音との関係から収縮期・拡張期・連続性に分類する．収縮期雑音はⅠ音とⅡ音の間に聴取できる音であり，拡張期雑音はⅡ音とⅠ音の間に聴取できる音である．連続性雑音は収縮期に始まり，Ⅱ音の前後で中断することなく拡張期にも持続する音である．部位は図10（☞98ページ）で述べた領域を中心に聴取し，最強点と放散の部位，方向をみる．強度の評価にはLevine分類を用いる（表5）．

　Levine分類は心雑音の強度を6段階に分類したものであり，"Ⅰ/Ⅵ"のように表記するが，単に"Ⅰ度"のように表記することもある．音の高さは，主に高音・中音・低音と3段階で分類する．性状はさまざまであり，音の強度の変化による分類（漸増型，漸減型，漸増漸減型）および音の性質（楽音性，騒音性）による表現がある．

❶収縮期雑音

　収縮期雑音は，その時相によって収縮中期・全収縮期・収縮早期・収縮後期に分類される（図13a）．

■収縮中期雑音

　収縮中期雑音とはⅠ音からやや時間を空けて開始し，Ⅱ音の直前までに終わる雑音である．

表4　心雑音聴取の注意点

時相
- 収縮期雑音：収縮中期，全収縮期，収縮早期，収縮後期
- 拡張期雑音：早期，中期，末期（前収縮期）
- 連続性雑音

最強点
- （放散があれば放散方向）

持続時間
- 長い，短い

高さ
- 高音（250Hz以上）
- 中音（100〜250Hz）
- 低音（100Hz以下）

性状（大きさの変化）
- 漸増，漸減，漸増漸減，平坦

性状（音色）
- 楽音性，騒音性

増強する条件
- 体位：仰臥位，左側臥位，座位
- 呼吸：呼気，吸気

表5　Levine分類

Ⅰ/Ⅵ	きわめて微弱で注意深い聴診で聞こえる雑音
Ⅱ/Ⅵ	弱いが聴診器を当てるとすぐに聞こえる雑音
Ⅲ/Ⅵ	振戦を伴わない高度の雑音
Ⅳ/Ⅵ	振戦を伴う高度の雑音
Ⅴ/Ⅵ	聴診器の端を胸壁に当てるだけで聞こえる雑音
Ⅵ/Ⅵ	聴診器を胸壁に近づけるだけで聞こえる雑音

Panel-1 心雑音

▶ 心雑音の原因と鑑別

			心雑音の特徴(最強点,放散など)	心音の特徴
心雑音	駆出性雑音	収縮期		
		機能性雑音	心尖部~胸骨左縁,III度以下,収縮中期,体位で変動	正常
		大動脈弁狭窄	心基部胸骨右縁または左縁,頸部に放散	II音(II_A)減弱,奇異性分裂,IV音,大動脈駆出音
		肺動脈弁狭窄	心基部胸骨左縁,吸気時増強	II音(II_P)減弱,広いII音分裂,肺動脈駆出音
		Fallot(ファロー)四徴症	血管雑音	単一強勢なII音
		心房中隔欠損	肺動脈駆出雑音,吸気時増強,拡張期雑音	II音固定性分裂,三尖弁開放音
		閉塞性肥大型心筋症	心尖部~胸骨左縁第3肋間,Valsalva手技で増強・蹲踞で減弱	III音,IV音
		拡張期		
		僧帽弁狭窄	心尖部,腋窩に放散,低調性雑音,前収縮期雑音	I音亢進,僧帽弁開放音
		三尖弁狭窄	下部胸骨左縁~右縁,吸気時増強	三尖弁開放音
	逆流性雑音	収縮期		
		僧帽弁閉鎖不全	心尖部,前胸部または腋窩に放散	I音減弱,収縮期クリック,III音
		三尖弁閉鎖不全	下部胸骨左縁~右縁,吸気時増強	III音
		心室中隔欠損	胸骨左縁中下部,強勢な雑音(振戦)	III音
		拡張期		
		大動脈弁閉鎖不全	胸骨左縁第3~4肋間,高調性,Austin Flint雑音	I音減弱,III音
		肺動脈弁閉鎖不全	胸骨左第2肋間,高調性,吸気時増強	II_P亢進(肺高血圧時)
	連続性雑音		動脈管開存 — 胸骨左縁第2~3肋間,機械様雑音,ときに拡張期成分を欠く	奇異性分裂,III音
			Valsalva洞破裂 — 胸骨左縁第3~4肋間	II音
	摩擦音		急性心膜炎 — 機関車様,体位で変動	

▶ 心雑音の頻度と臨床的重要度

疾患頻度(高↔低) / 臨床的重要度(低↔高)

- 機能性雑音(頻度高・重要度低)
- 病的III音(心不全など)
- 僧帽弁閉鎖不全
- 大動脈弁閉鎖不全
- 大動脈弁狭窄症
- 三尖弁閉鎖不全
- 閉塞性肥大型心筋症
- 心房中隔欠損
- 僧帽弁狭窄
- 心膜炎

〔磯部光章ほか:心臓の診察. 福井次矢ほか(編):内科診断学,第3版, pp.95-111, 医学書院, 2016 より〕

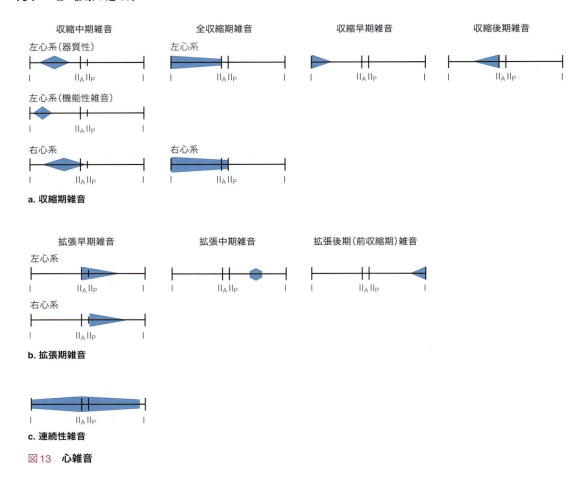

図13 心雑音

収縮中期の雑音は，主として心室流出路の血流に起因する．収縮期に半月弁が開放して血流が開始すると雑音は漸増し，最大流速点を超えて血流が減少すると雑音も漸減するというパターンをとる．

左心系における収縮中期雑音の代表例は，大動脈弁狭窄で生じる雑音で，狭窄した大動脈弁を通過したあとに生じる渦流に起因する．I音のあとに大動脈駆出音とともに始まり，漸増漸減してII音の前に終わる．最強点は胸骨右縁第2肋間だが，心基部～心尖部の広い領域で聴取でき，さらに頸部に放散することがある．振戦を触れることも多い．重症になると雑音の持続時間が長くなり，さらにII音の減弱を伴う．また，閉塞性肥大型心筋症（HOCM）では左室流出路の狭窄により収縮中期雑音を聴取する．

右心系における収縮中期雑音は肺動脈性の雑音であり，胸骨左縁第2～3肋間を最強点として聴取される．I音のあとにときとして肺動脈駆出音とともに始まり，漸増漸減してII_Pの前で終わる．肺動脈弁狭窄または弁下部狭窄，肺動脈拡張で聴取されるほか，心房中隔欠損症のような肺動脈血流量の増大する疾患で聴取されることがある．

無害性雑音は，胸骨左縁第2～3肋間を最強点として認められる，漸増漸減型の収縮中期雑音である．特に若年者でよく聴取されるほか，成人ではやせている人や女性で聴取できることがある．心臓の器質的な異常を伴わない雑音なので，機能性雑音（functional murmur）とも呼ばれる．前述の大動脈弁狭窄などによる器質性雑音は，そのピークが収縮中期から後期にあるのに対し，無害性雑音は持続時間が短く，そのピークは収縮期前半にあることが特徴である．

高齢者でも無害性雑音を聴取することがあり，胸骨右縁第2肋間を最強点とする．これは大動脈弁尖の硬化によって生じる機能性雑音である．機能性雑音は，大動脈弁を通過する血流が増大するような状態，すなわち貧血・発熱・甲状腺機能亢進症でも生じる．妊娠中に循環血液量が増大することで機能性雑音が聴取できることもある．

■ 全収縮期雑音

全収縮期雑音はⅠ音とともに始まり，Ⅱ音（$Ⅱ_A$ または $Ⅱ_P$）までの全収縮期にわたって持続する雑音である．全収縮期にわたる乱流や渦流によって生じ，僧帽弁閉鎖不全，右室圧が高い場合の三尖弁閉鎖不全，および欠損口の小さな心室中隔欠損などで認められる．

僧帽弁閉鎖不全では，心室圧が心房圧を超えると逆流が始まるので，Ⅰ音とともに雑音が生じ，$Ⅱ_A$ まで持続する．心尖部に最強点をもち，僧帽弁逆流の心房内ジェットの方向により放散する部位が異なる．僧帽弁逸脱症で後尖逸脱の場合は逆流が左房前壁に偏位するため，胸骨左縁から胸骨右縁第2肋間方向に放散する．一方，前尖逸脱などで逆流が左房後壁，特に外側に向かう場合には，雑音は胸骨左縁から腋窩に放散する．比較的高調な音が聴取される．

三尖弁閉鎖不全では，右室収縮期圧が十分に上昇しているときに全収縮期雑音を生じる．胸骨左縁第4〜5肋間に最強点を有し，吸気時に静脈還流が増加して雑音が増強し，呼気時には減弱する〔Rivero Carvallo（リベロ カルバイヨ）徴候〕．雑音が小さいときには，吸気時にのみ雑音を聴取することもある．

欠損口の小さな心室中隔欠損では，左室収縮期圧が右室収縮期圧を上回るため，全収縮期雑音を生じる．胸骨左縁第3〜4肋間に最強点を有する，粗い性状の雑音で，振戦を伴うことが多い．欠損口が大きくなると左室→右室の血流速が低下し，雑音は小さくなるほか，右室圧が上昇して圧較差が小さくなっても雑音は小さくなる．

■ 収縮早期雑音

収縮早期雑音は，Ⅰ音とともに始まり，Ⅱ音よりかなり前の収縮中期かそれ以前に終わる雑音である．僧帽弁閉鎖不全，三尖弁閉鎖不全，心室中隔欠損で聴取できることがある．僧帽弁閉鎖不全で，左房の拡大がなく壁の伸展に制限がある場合では，収縮後期に左房圧が上昇して逆流が小さくなり，雑音が早期に消失して収縮早期雑音を生じる．三尖弁閉鎖不全，心室中隔欠損でも同様に，収縮後期に逆流やシャントの血流が著減することで雑音が消える場合には収縮早期雑音となる．

■ 収縮後期雑音

収縮後期雑音は，収縮中期から後期に始まり，Ⅱ音まで続く雑音である．僧帽弁逸脱や乳頭筋機能不全の一部で聴取され，収縮中期クリック音に続いて聞こえる場合がある．

❷ 拡張期雑音

拡張期雑音は，拡張早期，拡張中期，拡張後期（前収縮期）に分類される（図13b）．収縮期には機能性雑音（無害性雑音）が聴取されることがあるが，拡張期雑音は常に異常所見である．

■ 拡張早期雑音

左心系における拡張早期雑音は，大動脈弁閉鎖不全によるものがほとんどである．大動脈弁を通過する逆流血流により，胸骨左縁第3〜4肋間を最強点とする雑音が生じる．$Ⅱ_A$ と同時に始まる漸減性の雑音であり，灌水様と形容される高調な音が特徴である．慢性中等度の大動脈弁閉鎖不全では拡張期全体を通して聴取される．軽度の大動脈弁閉鎖不全では雑音は拡張早期のみで聴取されることがあるほか，重度の大動脈弁閉鎖不全で左室拡張期圧が上昇している場合にも雑音が拡張中期に急速に減衰し，拡張後期には聴取されないこともある．大動脈解離や感染性心内膜炎に伴う急性の大動脈弁閉鎖不全では，左室が拡張しておらず逆流によって急速に左室拡張期圧が上昇するため，雑音の持続時間が比較的短くなる．大動脈弁閉鎖不全による拡張早期雑音で，腋窩で聴取されるものをCole-Cecil（コール・セシル）雑音と呼ぶ．

右心系に起因する拡張早期雑音は，肺高血圧症に伴って生じる肺動脈弁閉鎖不全によるものが代表的であり，Graham Steel（グラハム スティール）雑音と呼ばれる．胸骨左縁第2～3肋間で聴取される高調で，吹鳴様の漸減性雑音である．吸気時には静脈還流が増えるために雑音も増強する．

■ 拡張中期雑音

拡張中期雑音は，Ⅱ音のあとに間を空けて始まる雑音であり，心室の急速流入期において房室弁から発生する．房室弁の狭窄により生じるが，狭窄は伴わなくても弁尖の硬化や変形がある場合にこの時相の雑音が発生することがある．僧帽弁狭窄による拡張中期雑音は，心尖部に最強点を有する低調な雑音であり，僧帽弁開放音に続いて生じ，左側臥位でよく聴取される．輪転様，遠雷様，ランブルと形容される．

三尖弁狭窄でも同様の拡張中期雑音が聴取されることがあるが，三尖弁由来の雑音に共通する特徴として，吸気時に雑音が増強し呼気時には減弱するRivero Carvallo徴候を伴う．また，三尖弁由来の雑音は右室流入部で生じて胸壁に伝わるために胸骨左縁下部の比較的狭い領域で聴取される．

狭窄のない房室弁において房室弁血流量が増加すると，相対的な房室弁狭窄が生じて短い拡張中期雑音を生じることがある〔Carey Coombs（ケリー クームス）雑音〕．左心系では僧帽弁閉鎖不全，右心系では三尖弁閉鎖不全による房室弁血流の増加が原因となるほか，シャントを伴う疾患でそれぞれの弁を通過する血流が増加すると生じうる．

■ 拡張後期雑音（前収縮期雑音）

拡張後期雑音は，Ⅰ音のすぐ前に生じる雑音であり，前収縮期雑音とも呼ばれる．僧帽弁・三尖弁の狭窄に起因するものが多い．最も典型的な前収縮期雑音は，リウマチ性僧帽弁狭窄で聴取される高調な雑音である．中等度の僧帽弁狭窄症で左房収縮が増強している病態で聴取される音であり，左房収縮により増加した僧帽弁血流が，狭窄した僧帽弁口を通過する際に生じる．心房細動になると心房収縮がなくなるためにこの雑音は消失する．

大動脈弁閉鎖不全で，心尖部に前収縮期雑音が聴取されることがあり，Austin Flint（オースチン フリント）雑音と呼ばれる．大動脈からの逆流血のために僧帽弁が心房側に押されて僧帽弁口が相対的に狭窄するために生じる雑音と考えられているが，大動脈弁の逆流血と左室流入血の衝突による乱流によるという説もある．

❸ 連続性雑音

連続性雑音とは，収縮期に始まりⅡ音で中断することなく拡張期のすべてあるいは一部へと連続して聴取できる雑音をいう（図13c）．心臓内で発生する心雑音は，収縮期あるいは拡張期のいずれかで生じるが，連続性雑音はこれらとは異なり，Ⅱ音の前後で連続的に生じる血流に起因する．収縮期と拡張期の間で中断のない血流を生じるので，大動脈弁あるいは肺動脈弁を越えたところで高圧系から低圧系に流れる血流に起因する，血管性の雑音である．

代表例は，動脈管開存による大動脈→肺動脈の血流による雑音である．Ⅱ音の前後にピークをもち，拡張後期に漸減し，Ⅰ音直前では聴取されなくなる．第2～3肋間で胸骨左縁やや外側に最強点をもつ．Gibson（ギブソン）雑音〔機械様雑音（machinery murmur）〕と呼ばれ，臼をひくような荒々しい音が典型例である．ほかにも動脈−静脈の交通がある場合には同様の連続性雑音が聴取される．先天性の冠動静脈瘻・心外の血管の動静脈瘻や，後天性ではValsalva洞動脈瘤破裂によるValsalva洞と右心系の交通で生じる．また，頸動脈などの動脈硬化性狭窄に伴って生じる動脈性雑音も連続性となる．これらの連続性雑音は，収縮期・拡張期にそれぞれ雑音が生じるブランコ雑音（to-and-fro murmur）との鑑別が必要になる．

静脈性連続性雑音は，無害性頸部静脈雑音（こま音）が代表的である．健常若年者や貧血の場合などで認められる．

❹ 心膜摩擦音

心膜摩擦音は，心膜炎によって炎症を起こした心膜どうしが，心拍動に伴い摩擦し合って生じる

心外性雑音である．収縮中期・拡張末期・前収縮期の3相があり，特に収縮中期成分が聴取されやすい．前収縮期成分は心房細動では消失する．性状は，機関車の走るような音に似た荒い音であり，機関車様雑音（locomotive murmur）と呼ばれる．3相の音がすべて聞こえる場合は，心膜摩擦音は，短時間でその強さが変化したり，体位により強さ・性質が著明に変化したりするという特徴がある．体位変換などを行って聴診することで評価できる．

肺の診察

肺の診察ができることとは，正常所見を理解していること，異常所見に気づけること，異常所見から病態や疾患を考えられること，である．肺の診察は，視診，触診，打診，（叩打），聴診の順で行う．

視診

前面

気管，肺葉，呼吸に関与する筋（横隔膜，肋間筋，胸鎖乳突筋），胸郭を構成する骨格（胸骨，鎖骨，肋骨）のおのおのの解剖に基づいた視診を行う．

❶ 確認する部位：頸切痕，胸骨鎖骨角，胸骨角（図14）

胸骨は胸郭の全部の正中にある細長く扁平な骨で，上方より胸骨柄・胸骨体・剣状突起からなる．胸骨柄はほぼ六角形を呈し，頸切痕（胸骨上切痕ともいう，首の下部にあるくぼみ）は，背部では第2胸椎の下縁の高さにある．頸切痕の外側には鎖骨切痕があり，左右の鎖骨が付着し，鎖骨下に左右の第1肋骨が付着する（第1肋骨は鎖骨の深側にあり体表からの触知は困難である）．胸骨鎖骨角（頸切痕と鎖骨で囲まれたくぼみ）は，リンパ節の触診を行う部位である〔「触診」を参照（☞111ページ）〕．胸骨角は，胸骨柄と胸骨体の結合部の隆起している部位で，この位置が気管分岐部であり，聴診部位の把握に役立つ〔「聴診」を参照（☞114ページ）〕．胸骨角には第2肋骨が付着しているので，視診に続く触診で胸骨角の両側から指を外側にすべらすと，体表で肋骨を数える場合の基準となる．

肋骨は，第3肋骨から第6肋骨までは胸骨体に直接付着する．第7肋骨から第10肋骨までは弓状に肋軟骨を介して胸骨と付着する．第11，12肋骨は胸骨と結合せず浮遊して終わる．左右の鎖骨中線をイメージする．右鎖骨中線は体表から直接観察できないが，肺葉をイメージする際に役立つ〔「肺葉（間接的な視診）」を参照（☞108ページ）〕．仰臥位で，左鎖骨中線より外側で心尖拍動の最強点（point of maximal impulse; PMI）が認められ

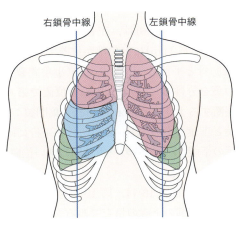

図14　視診（前面）

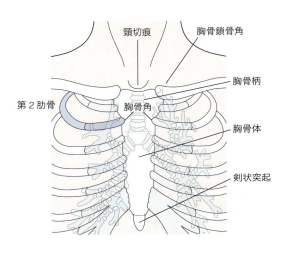

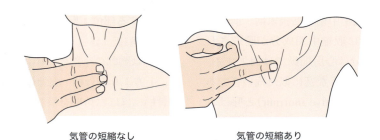

| 気管の短縮なし | 気管の短縮あり |

図15 気管の短縮

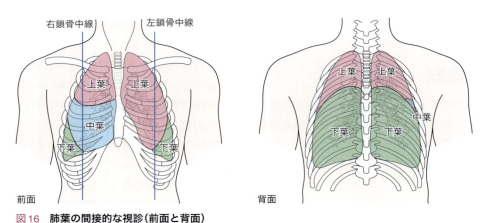

図16 肺葉の間接的な視診（前面と背面）

る場合は，左室拡大が示唆される〔「心臓の診察」を参照（☞92ページ）〕．

❷ 視診の異常例

胸郭の形状が変化している状態では，呼吸機能に異常をきたしていることが推測できる．例として，脊柱の前後弯曲〔亀背（kyphosis）〕，脊柱の側弯（scoliosis），胸骨の突出〔鳩胸（pigeon chest）〕，胸骨下部の陥没〔漏斗胸（funnel chest）〕は，いずれも拘束性障害をきたしうる．甲状軟骨の頂部から頸切痕まで2横指以下である気管の短縮（図15）は，肺の過膨張を示唆する所見であり，気管が下方に引っ張られるみかけ上の気管の短縮である（例：肺気腫）．

背面

頸部で体表に隆起している部位が第7頸椎（C7）であり，C7の下部から胸椎となるので聴診・打診の部位の把握に役立つ．個々の胸椎に第1肋骨から第12肋骨の肋骨が付着する．第7肋骨が左右の肩甲骨下縁の目安であり，打診・聴診は肩甲骨付近を避けて行うため，背部の打診・聴診部位の把握に役立つ〔「聴診」を参照（☞114ページ）〕．

肺葉（間接的な視診）

体表から肺葉の視診はできないが，体表下の肺葉の解剖をイメージし，肺のX線やCTの画像所見と照合することは，画像所見で認めている陰影を反映した触診・聴診・打診所見を確認することに役立つ．

肺葉の前面（図16）は，左右の鎖骨上（鎖骨内側1/3より上方3cm）に肺尖部が位置する．右肺は，第4肋骨と平行にminor fissure（小葉間裂：上葉と中葉を分ける），右鎖骨中線の位置で第6肋骨を縦断するようにmajor fissure（大葉間裂：上葉・中葉と下葉を分ける），第8肋骨と平行に両肺の下葉の下端（座位で肺の一番背側の低い位置）がイメージできる．

肺葉の背面（図16）は，第10胸骨（Th10）が安静呼気位での肺の下縁の目安である．深吸気ではそこから3〜5cm下方面下縁を示す．

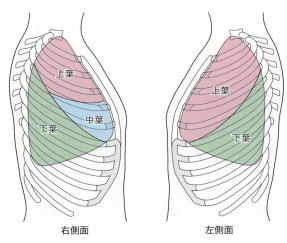

図17 肺葉の間接的な視診（右側面と左側面）

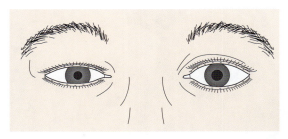

図18 Horner 症候群

　肺葉の側面(図17)について，座位の状態で，右側面からの観察では，右中葉はより腹側，右下葉は背部側で上方〜下方に位置することがイメージできる．左側面からの観察では，上葉は腹側で上部中心，下葉は背側で下部中心に位置することがイメージできる．

体位

　患者は，呼吸困難を軽減するために特徴的な体位をとることがある．

❶ 起座呼吸(orthopnea)

　仰臥位よりも，座位や半座位で後ろに寄りかかる姿勢をとる．この姿勢で呼吸困難が軽減する状態．左心不全の徴候（静脈還流を軽減する目的），気道分泌の喀出困難であることの徴候（気道分泌物の喀出は臥位では困難であり，体位を起こして喀出を軽減する目的），肺気腫症や気管支喘息重積状態（横隔膜や呼吸補助筋を用いた呼吸仕事量を軽減する目的）を示唆する．

❷ 片側臥呼吸(trepopnea)

　片側に肺疾患（肺炎，無気肺）などがある際にその病側を上にし，健側を下にした側臥位をとる状態．換気の不良な病側肺が下になると，換気は不良である一方，血流は重力に依存して増大することにより，換気不均等が増強され低酸素が増悪する．患者は健側を下にした側臥位の呼吸が楽であることに気づきその姿勢をとる．しかし，大量胸水の存在や気胸の無気肺の程度によっては，縦隔の偏位や横隔膜による相対的な肺容積の減少により，病側肺を下にする場合もある．

顔貌，体表，四肢

　呼吸器疾患に関連する視診の所見がある．

❶ 縮瞳，眼球陥没，眼瞼下垂：Horner 徴候 （図18）

　交感神経遠心路の障害によって生じる縮瞳，眼球陥没（眼球後退），眼瞼下垂（眼裂狭小化）の三大徴候は Horner（ホルネル）症候群と呼ばれる．呼吸器疾患に関連するものとして，肺腫瘍による頸部リンパ腺転移，肺尖部の肋膜癒着などがある．

❷ 顔面・頭頸部・上肢のうっ血や浮腫：上大静脈症候群

　肺癌や縦隔腫瘍の浸潤により，上大静脈が圧迫・閉塞され，顔面・頭頸部，上肢にうっ血や浮腫を生じる状態．

❸ 指先が太鼓のばちのように丸く膨らんでいる状態：ばち状指(図19)

　爪と軟部組織の角度が約180°以上（正常は160°以内）で，太鼓のばちのように変化した状態．ばち状指が起きる明確なメカニズムは不明であるが，なんらかの機序により爪を構成する結合組織の過形成を起こすことが考えられている．肺癌，間質性肺炎のほか，心疾患，消化器疾患でも認めることがある〔症候・病態編「ばち状指（ばち指）」を参照（☞567ページ）〕．

❹ 口唇，皮膚の青紫色変化：チアノーゼ

　進行性の低酸素血症により，その箇所の血液の還元ヘモグロビン濃度が高くなっている状態．呼吸器疾患により低酸素状態をきたした患者，肺動

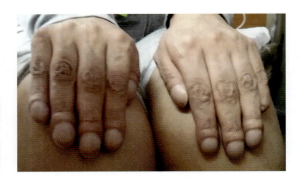

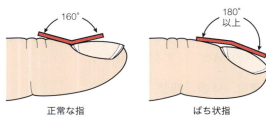

図19　ばち状指

図20　呼吸様式

脈と肺静脈が異常吻合をきたす肺の血管性病変である肺動静脈瘻が代表的である〔症候・病態編「チアノーゼ」を参照（☞ 551 ページ）〕．

呼吸様式

❶ 安静時呼吸（健常者の呼吸）（図 20）

呼吸数は正常では 1 分間に 14～20 回である．呼吸様式の異常には，回数（速さ）の異常，深さ（1 回換気量）の異常，吸気と呼気の比率の異常，リズムの異常の要素がある．

主な呼吸筋は，横隔膜，内肋間筋，外肋間筋であり，主な呼吸補助筋は，胸鎖乳突筋，斜角筋，僧帽筋である．呼吸には，腹式呼吸と胸式呼吸がある．腹式呼吸は横隔膜呼吸とも呼ばれ，主に横隔膜を動かす呼吸運動であり，吸気時に腹部が膨らむ．胸式呼吸は主に肋間筋の運動により胸郭を動かす呼吸運動であり，吸気時に胸部が膨らむ．健常者の安静時の呼吸は，通常腹式呼吸優位（主に横隔膜を収縮することによりつくり出される呼吸）である．

❷ 頻呼吸と過呼吸

最も簡便に観察可能な異常呼吸である．成人で 1 分間に 25 回以上であれば呼吸の回数は異常である．頻呼吸は，1 回の呼吸が浅く回数が増加した呼吸，過呼吸は，1 回の呼吸は深いが，呼吸数は変わらない呼吸をいう．両者を呈していることもある．

❸ 浅く速い呼吸，頻呼吸（rapid shallow breathing または tachypnea）

1 分間に 24 回以上の浅く速い呼吸をいう．間質性肺炎，肺水腫が代表的疾患で，肺実質のコンプライアンスが低下した状態で生じる．

❹ 深く速い呼吸（rapid deep breathing または hyperpnea または hyperventilation）

呼吸の随意調節の異常や心因性に生じる過換気症候群が代表的疾患である．肺実質に変化はないことが多い．高酸素血症で低炭酸ガス血症をきたす．

❺ 深く規則正しい呼吸：Kussmaul（クスマウル）呼吸（図 20）

深く規則正しい呼吸が中断することなく続く．代謝性アシドーシスに対する呼吸性代償として生じる．

❻ 呼吸の深さと速さが漸増・漸減する呼吸：Cheyne–Stokes（チェーン・ストークス）呼吸（図 20）

無呼吸から呼吸の深さと数が漸増し，過換気状態に達するとやがて深さ・数が漸減して再び無呼吸に戻る状態が反復するもの．心不全，広範な脳血管障害，脳外傷，尿毒症や薬物性呼吸抑制などでみられる．

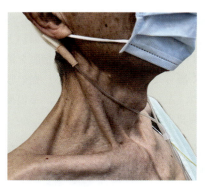

図21　胸鎖乳突筋の肥大

❼ 規則性を失った呼吸状態（ataxic breathing）：
　Biot（ビオー）呼吸（図20）

　無呼吸から急に換気量の多い呼吸をするなど，規則性を失った呼吸である．脳炎，脳外傷，脳腫瘍などで認める．

❽ 努力呼吸

　主たる呼吸筋である横隔膜や気道の形態の異常では，さまざまな努力呼吸を生じる．肺気腫では呼気時の気道虚脱による病的な肺過膨張状態，気管支喘息発作時では呼気時に気道狭窄をきたすことによる過膨張状態を呈し，横隔膜が平坦化し横隔膜を動かす呼吸運動の効率が低下する．横隔膜以外の呼吸筋を動員し，換気を維持する努力呼吸が観察できる．

　呼吸補助筋を使用した呼吸が続いている患者では，頸部（胸鎖乳突筋，斜角筋）と肩（僧帽筋）の筋肉の肥大を認める（図21）．

　鼻翼呼吸では，吸気時に鼻翼が膨らむ呼吸を認める．呼吸補助筋の使用と同様に，多くの空気を取り入れようとする呼吸である．

　口すぼめ呼吸では，呼気時に口をすぼめてゆっくり吐く呼吸を認める．口をすぼめて息を吐くことで，呼気時の気道内圧を上げ気道の虚脱を防ぐことにより過膨張肺自体を軽減し，横隔膜が動けるようにする呼吸である．

　陥没呼吸では，吸気時に胸郭の一部（下位肋間やみぞおち）が陥没し，呼気時にそれが解消される呼吸を認める．Hoover（フーバー）徴候ともいわれる（図22）．過膨張になっている肺では，両横隔膜が下に押し下げられて平坦になっている状態か

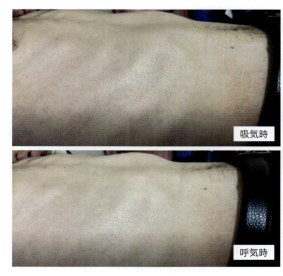

図22　Hoover 徴候

ら，吸気時にさらに収縮することが難しく，吸気時に胸腔内を陰圧にして肺胞を開くため，吸気時に肋間が陥凹し，呼気時にそれが解除される徴候である．

　会話の途絶（会話を患者自身が中断する）も努力呼吸のサインの1つである．一文を話し続けるだけの十分な時間，呼吸を止めることができないためである．

触診

　視診で得た所見を触診・打診で確認していく．触診は患者に直接触れるという行為であり，手の感触は単なる情報収集に加え，患者と医師の相互の信頼関係の意味をもたらす側面もあることを認識する．

声音振盪（声音伝導，vocal fremitus）

❶ 概要

　座位で実施し，患者の発声音の伝導を，体表に当てた手で触知する．声帯の振動は喉頭から気管支系を介して胸壁へ達する．左右差があれば肺葉，肺区域などを考慮しながら患者の肺実質や胸腔に生じている病態を推測する．

❷ 手技（図23）

　左右の手掌または手の尺側面を，同時に逆ハの字に患者の背部に密着させる．次に，患者に低音

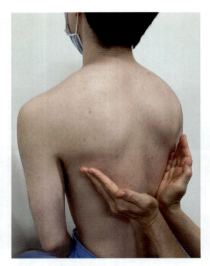

図23　声音振盪の手技

で少し長く「ひとーつ」と繰り返し発声をさせる．触診部位を変えて実施する．

❸ 評価

左右差，減弱（低下）/増強（亢進）．減弱する場合は，減弱する側の胸水，気胸，無気肺などが示唆される．増強する場合は，伝導や共鳴を増強する肺内の変化，すなわち肺実質に分泌物など水分が混じる肺炎，肺水腫などが示唆される．ただし，気道の分泌物が過度となり無気肺を生じている場合には，かえって振盪は減弱する．

表在リンパ節の触診（鎖骨上リンパ節，頸部リンパ節）

❶ 概要

肺腫瘍のリンパ節転移は，表在リンパ節である鎖骨上窩リンパ節の触診で評価できる．一方，肺内リンパ節である縦隔リンパ節や肺門部リンパ節は体表から触知できない．左右の鎖骨上窩リンパ節（鎖骨の上のくぼみにあるリンパ節）は，左右おのおのの内頸静脈と鎖骨下静脈が合流した部位である静脈角の近くのリンパ節である．鎖骨上窩リンパ節に転移があることは，癌が進行した状態を示す．

❷ 手技（図24）

リンパ節の触診は患者と対面位で行う．視診のあとに行う．両側を一度にせず，必ず片方ずつ行う．触知する際に息こらえを行うように声かけをすると，胸郭と一緒に鎖骨上リンパ節が上がり触知しやすくなる．鎖骨の上端から指腹を鎖骨の裏側に深く潜らせるように触知する．指の腹で柔らかく触れ，左右差や凹凸を感触し，その後指端で細かく確認する．

静脈怒張（例：上大静脈症候群による前胸壁に下行性の静脈怒張）

上大静脈症候群にみられる浮腫や表在静脈怒張では，血管の走行に沿い指で血管の上部と下部を両側にすべらせていったん血流を除き〔血管を虚脱（collapse）させる〕，その後一方の指を交互に離して再度血流が怒張するかどうかで流れの方向を推定する．上大静脈が圧迫を受けたり閉塞している場合には，上大静脈を通って右房に還るべき血流が，上大静脈を通れずに皮静脈経由で下へ流れるため，上部の指を離すと怒張し，下部の指を離すと怒張せず，下行性の静脈怒張であることを確認できる．

皮下気腫（例：重症気管支喘息発作による前胸部の皮下気腫）

❶ 概要

胸壁下の皮下組織内や縦隔に空気が貯留した状態のことをいう．特に縦隔内に生じたものを縦隔気腫と呼ぶ．喘息の重症発作や進行状態の間質性肺炎など，胸腔内圧が高度に上昇した際に生じる．胸腔ドレーン挿入時など医療処置によって生じることや，気管支・肺が損傷を受けることでも生じうる．

縦隔気腫の発生機序は，肺胞破裂により空気が肺間質に入り込み，肺血管鞘を通り肺門に至り縦隔内に漏出することである．

❷ 手技

肺のX線や肺CTで皮下気腫を疑った際は，その部位を指の腹でグッと圧すると，新雪を圧したときのようなギュッとした握雪感を感じる．

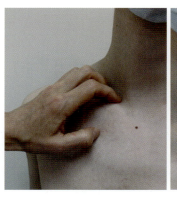
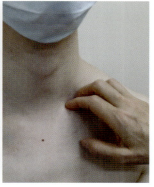

図24　左右の鎖骨上リンパ節の触診の手技

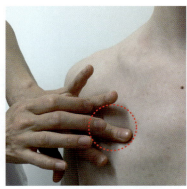
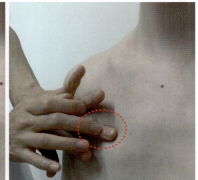

中指を当て，ほかの指は浮かせておく

図25　打診の手技

打診

❶ 概要

打診により左右の解剖学的な横隔膜の位置を認識する．右側については，肺肝境界の位置を認識する．正常域から大きく外れる場合は，その病態を想起する．

❷ 手技

左(右)手を広げ，その中指の中節骨部または遠位指節間(DIP)関節の真上を，右(左)中指で手首のスナップを効かせて弾むように原則として2回ずつ叩き，打診する(図25)．肺尖・側胸部・胸郭下端を含む胸部全体(8か所以上)を打診する(図26)．肋骨のある部位は肋間を打診する．前胸部では胸骨寄りの打診は，心臓の打診となる可能性があるため避け，背部では肩甲骨上は避ける．左右交互に上から下へ打診して，左右差を確認する．右左→右左でも，右左→左右でも，左右を比較しながら行えばどちらでもよい．痛みのある領域の打診は苦痛を与えないように実施する．

❸ 評価

一般に打音が鼓音であるときは空気含量の増加，肺気腫などの閉塞性疾患や気胸であり，濁音の場合は肺炎，無気肺などの肺実質の変化，胸水，胸膜肥厚などの胸郭の変化を意味する．これらは聴診と連携されて初めて，その病態の全体像が浮かび上がってくる．

叩打

❶ 概要

胸部の診察における叩打では主に，患者が痛みを訴える部位の叩打痛(knocking pain)の有無をみる．

❷ 手技

手を握って小指側で軽く叩打する．患者への配慮として，あらかじめ叩くことを知らせ，痛みの

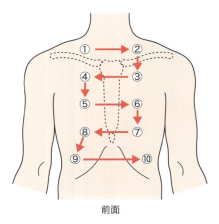
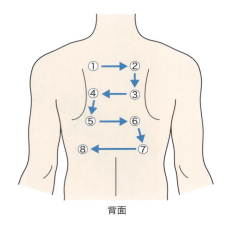

前面　　　　　　　　背面

図26　打診と聴診の部位

ある領域の叩打診は苦痛を与えないように実施する．

❸ 評価
脊椎，肋骨，上肢，骨盤で叩打痛を認めるときには，骨転移の頻度も高い．

聴診

❶ 概要
聴診は胸部X線写真が可能となる以前の19世紀前半に，Laënnec（ラエンネック）によって発明された直接的な胸部の診察法である．肺の聴診の意義の第一は，肺の解剖学的構造に沿って，肺の各部位の換気が正常かどうかを音の性状によって評価することである．

❷ 手技
イヤーチューブは外耳道に合わせるために最適な角度がついており，自分の側から見てカタカナのハの字の向きに後ろから差し込むように外耳道に挿入する．肺の診察では，原則的に膜型聴診器を用い，聴診器の端を持つ（図27）．打診と同様に，肺尖・側胸部・胸郭下端を含む胸部全体（8か所以上）を聴診する（図26）．肋骨のある部位は肋間を聴診する．背部では肩甲骨上は避ける．左右交互に上から下へ聴診して，左右差を確認する．右左→右左でも，右左→左右でも，左右を比較しながら行えばどちらでもよい．

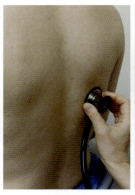

図27　聴診器の扱い

呼吸音（正常）（図28）

気管から肺の末梢に沿い，気管呼吸音，気管支呼吸音，気管支肺胞呼吸音，肺胞呼吸音が聴取できる．聴診される肺音は，比較的太い気管支を流れる空気の乱流が，気道内，肺胞，胸壁を伝播しながら肺の構造のフィルターにより特徴的な音色となったものである．したがって，呼吸音の種類は，聴診器を用いて聴取する部位を示すもので，必ずしも呼吸音の発声部位ではない．たとえば「肺胞呼吸音」は肺胞領域で発生した音ではなく，太い気道で発生した音が肺胞領域で伝播して聴かれる音である．

呼吸音の生理的異常として，やせ型体型や，乳房切除後の胸壁では，正常でも呼気相の音が聴取できる．

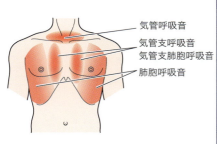

呼吸音の種類	聴取部位	特徴	聴取音の吸気：呼気
気管呼吸音	頸部気管上	気管上であり，きわめて大きく高い音．肺の末梢の，流速の遅い音は聴こえにくいため，吸気と呼気は1：1の長さで聴かれる	吸気と呼気は等しい（1：1）
気管支呼吸音 気管支肺胞呼吸音	前面の胸骨周囲 後面の肩甲骨間	太い気管支に近く，大きく高い音．総断面積が最小の区域気管支付近では，呼気時に，気道抵抗も高く流速が速く時間も長いため，吸気と呼気は1：1〜3の長さで聴かれる	呼気が長い（1：1〜3）
肺胞呼吸音	肺末梢に接する部位	太い気管支に遠く，小さく低い音．太い気管支で発生した大きな音が，肺末梢に向かって長く伝播し，呼気では肺末梢組織で高音が吸収され口側へ向かうため，小さく短く聴かれる	呼気が短い（3：1）

図28　正常呼吸音の種類と聴取部位

図29　異常呼吸音の種類と疾患

呼吸音（異常）（図29）

❶ 呼吸音の減弱・消失

気胸，胸水貯留，胸膜肥厚などで生じる．肺気腫では末梢気腔におけるair trappingを反映して呼吸音は遠く（distant），柔らかく聴取される．

❷ 呼吸音の亢進

肺水腫や肺炎などでは，肺水分量増加を反映して呼気相でもはっきり呼吸音が聴取される．

副雑音（図30）

呼吸運動に伴って発生する，健常者では聴かれない異常音である．肺内から発生する副雑音を特にラ音と呼ぶこともある．

副雑音は断続音と連続音に分類される．断続音はさらに，fine crackle（捻髪音）と coarse crackle（水泡音）に分けられ，連続音はさらに，wheeze（笛音），rhonchus（いびき音），stridor, friction rubに分けられる．

❶ 断続音

fine crackleは吸気相の終末期に聴取される．パチパチ・バリバリという音が聴取できる．髪の毛をつまんで捻る音に似ていることから捻髪音と呼ばれることや，マジックテープを剝がす音に似ているため，マジックテープのメーカーであるベルクロ社にちなんでベルクロ音と呼ばれることもある．肺間質の線維性変化で，閉じた気道が吸気に急激に開放するときの音と理解されている．深呼

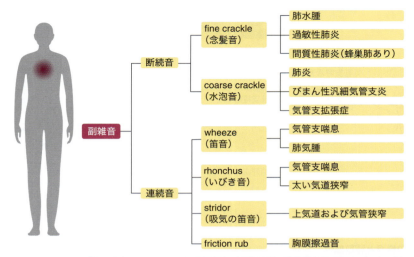

図30 副雑音の種類と疾患

気からの深吸気を促すことで，初期の病変であっても捻髪音の聴取を誘発できる．

coarse crackle は，吸気相の初期や中期に聴取される．プツプツという音が聴取できる．喀痰の多い病態で，気道の分泌物中を空気が通過する際に生じる音と考えられている．

❷ 連続音

気管支内腔の狭窄などの病態でみられ，高調な wheeze，低調な rhonchus がある．主として吸気相に，前胸部で聴取される．いずれも気管支喘息や喘息様病態の混在する肺気腫症で特徴的である．気道内腔の狭窄や粘液を反映し，音色や分布は時間とともに変化する．強制呼出時や咳をさせることより，安静呼吸では認めていなかった連続音が聴取できることがある．喘息重積状態では呼気延長に wheeze，rhonchus が加わり，初期には呼気のみ聴取しているのが，状態の悪化で吸気と呼気に聴取できるようになる．深吸気からの努力呼出を促すことで，初期の病変であっても連続音の聴取を誘発できる．

stridor は主として吸気相に，前胸部で聴取される．stridor は太い気管の腫瘍性狭窄による連続音として聴取できる．

乳房の診察

乳房の診察は目的に応じて対応が異なる．
①一般診察：一般外来・救急外来にて乳房のさまざまな症状を主訴に来院した患者に対する第一のアプローチは，視触診である．
②乳癌検診：画像診断(マンモグラフィー，超音波)の進歩により視触診は必須ではなくなった．
③乳癌術後経過観察時の診察：術後の診察ポイントは，皮膚再発・乳房内局所再発・領域リンパ節再発のチェックと対側乳房の検診である．
視触診のポイントを以下に示す．

視診

視診で確認するポイントは，形・大きさ・色調になる．

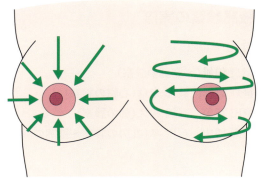

図31 乳房の触診：触診の進め方
座位で行う場合，乳房は下垂しているため，上方半分は比較的容易である．仰臥位では乳房が上外側に流れるため，中央から下方半分は容易となる．したがって，原則は座位→仰臥位にて診察することが望ましい．乳房の触診順序は，図に示すように，乳腺の腺葉に沿って放射状に行ってもよいし，横～縦方向にくまなく全体を触診してもよい．乳房全体をスクリーニングすることが重要である．全体の触診とは別に，乳頭・乳輪部においては分泌物や乳頭下乳腺の検索も行う．

- 形：左右差，同側乳房での変形
- 大きさ
  ①腫大する病態：乳癌の増大，乳腺炎（特に急性化膿性乳腺炎），異物
  ②縮小する病態：乳癌のなかには周囲の乳腺組織・脂肪織・皮膚を引き込むように浸潤し，縮小・平坦化するものもある．
- 色調
  ①熱感を伴う発赤：化膿性乳腺炎，授乳期乳腺炎など
  ②熱感を伴わない発赤：乳癌の皮膚浸潤（炎症性乳癌）

触診

座位および仰臥位にて行うことが望ましい．指先の腹を用い柔らかいタッチで実施することが重要である．つまむような手技は用いない．

乳房触診の実際

図31 および図32 を参照．

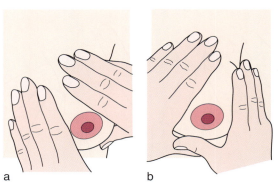

図32 乳房の触診
触診の前に，必ず視診にて皮膚の性状をチェックする．化膿性乳腺炎などは皮膚の発赤・腫脹・熱感を伴うことが多く有用となる．乳房の触診は，図のごとく両手の指の腹を当てて乳房内の腫瘤などの病変を検索する．強く押し当てると肋骨などを触れてしまうため，比較的軽いタッチで行う．特に，思春期から更年期までの乳腺の発育は個人差があり，強く押すと痛みを伴うこともあるので注意したい．つまむ操作は乳頭部のみである．

腋窩の診察

腋窩診察の目的は主にリンパ節腫大の有無を確認することである．

近年，超音波が聴診器代わりに使われる時代となり，容易に精密な画像検査が可能であるが，一般外来・救急外来などではまず視触診による診断が不可欠である．

まず，腋窩リンパ節腫大をきたす疾患を知る必要がある．
- 良性
  ①特に炎症性腫大：上腕由来（上肢リンパ管炎，蜂窩織炎，ネコひっかき病など）
  ②全身疾患の一部症状：アトピー性疾患，発熱性疾患・感染症（風疹，アデノウイルス感染症，伝染性単核球症）など
- 悪性：乳癌，悪性リンパ腫，急性白血病など（鎖骨上リンパ節腫大の場合は，胃癌・肺癌・卵巣癌なども鑑別に挙がる）

上記疾患は好発年齢があるため鑑別診断に有用である．また，最新の注意事項として新型コロナウイルス（COVID-19）ワクチン接種後は腋窩リンパ節腫大を高頻度に認めるため，ワクチン接種の有無については必ず聴取する．

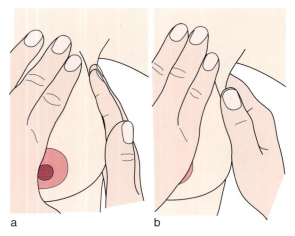

図33　腋窩の触診
腋窩の触診の目的はリンパ節の検索であり，本文中に挙げた鑑別診断を常に思い浮かべて臨む．腋窩〜鎖骨下リンパ節は fat pad のなかにあり，正常の状態では触知しにくい．腋窩の触診は a のごとくまず座位で行う．腫大したリンパ節は皮膚側に突出していることもあるため，強く奥にかけて押す必要はなく，比較的触れやすい．その際，大きさ・硬さ・可動性などをチェックする．また，鎖骨下方向の深部を検索する場合は，大胸筋の裏側になるため，b のように反対側の指で大胸筋を押し腋窩を挟むようにすると触知しやすい．

腋窩診察の実際

図33 を参照．

〈奈良 信雄（〜胸郭の診察）
　笹野 哲郎，磯部 光章（心臓の診察）
　塩田 智美，髙橋 和久（肺の診察）
　海瀬 博史，石川 孝（乳房の診察〜腋窩の診察）〉

部位別の身体診察 腹部

　腹部（abdomen）の診察では視診，触診，打診，聴診が行われる．とりわけ重要なのは視診と触診である．打診は腹水貯留，腸閉塞による鼓腸，肝臓や脾臓の腫大を調べるときなどに行われ，聴診は腸蠕動の消失，減弱，亢進の有無を調べたり，腹部大動脈瘤などの血管病変の存在が疑われるときなどに有用である．診察の順番も重要であり，腹部の診察は，視診→聴診→打診→触診の順序で行う．聴診の前に打診や触診を行うと，接触や圧迫の影響によって腸の蠕動が亢進する可能性がある．

　患者の体位は，腹部診察では仰臥位が基本となる．両上肢は側腹部に沿って軽く伸展し，両膝を伸ばした状態で診察する．患者の緊張をほぐすためには，腹部に関する愁訴を問いかけたり，対話しながら診察するとよい．腹部全体を詳細に観察するために，視診は通常膝を伸ばした状態で行うが，触診時に腹壁の緊張が強い患者においては，膝を軽く曲げてもよい．このほか，側臥位，半座位，場合によっては立位でも診察を行う．検者は通常，患者の右側に位置する．患者の腹部を斜め上から見下ろす姿勢で診察することになるが，視診では患者の腹壁と目線を同じ高さになるようにして側面から眺めることも必要である．特に心窩部の膨隆などは側面からのほうが発見しやすい．

　腹部を診察しているときでも，胸部の動きを見たり，ほかの部位も同時に観察する．特に触診や打診の際には経験の浅い医師ほど手元に集中しがちであるが，圧痛の有無などを確認するためにも適宜声をかけながら，表情の観察を行う．

　患者の腹部は十分に露出し，可能なかぎり心窩部から恥丘，鼠径部までを観察できるようにする．ただし，患者の年齢，性別にかかわらず，患者に差恥心を抱かせないよう，胸部や下半身など診察していない部位はタオルなどで覆うなどの配慮が必要である．特に直腸診を行う際には，可能なかぎり看護師などほかの医療従事者に同席してもらう．

　腹部診察では深い触診や打診を行うために，事前にしっかり診察者自身の爪を切っておく必要がある．また診察の前には患者の許可を得て，手や聴診器が冷たすぎないか確認してから行う．冷たい場合には手を擦り合わせたりして温める．

腹部の区分

　腹部の所見を記載するためには，腹部をいくつかの分画に分けて表現する．最も簡単なものは，臍を中心とする水平線と垂直線で4つの分画に分けるもので，それぞれ右・左上腹部，右・左下腹部と表現する（図1a）．さらに詳しい分類では，腹部を9つに区分する．左右の肋骨弓の最下端（第10肋軟骨縁にあたる）を結ぶ水平線と，左右の上前腸骨棘を結ぶ水平線で上限を3つに区分し，さらに左右のPoupart（プパール）靱帯（鼠径靱帯；上前腸骨棘と恥骨結節間に張られた靱帯）の中点を通る2本の垂直線を引き，前述の2本の水平線と合わせて9つの区画に分ける（図1b）．一方で，このような区画の境界線は必ずしも厳密でないこともあり，実際の臨床の現場では図1cに示すようなおおまかな区分で表現することも多い．

　区画のほか，指標として点や線もしばしば用いられる．たとえば，正中線，鎖骨中線，剣状突起，臍，恥骨結合などがある．右上前腸骨棘と臍を結ぶ線上で，右上前腸骨棘から約5cm内方の点をMcBurney（マクバーニー）点といい，虫垂開口部にほぼ一致し，急性虫垂炎を診断するときに重要である．なお，McBurney点は，右上前腸骨棘と臍を結ぶ直線の外1/3と中1/3の境界点を指すこともある．左上前腸骨棘と臍を結ぶ線はMonro-

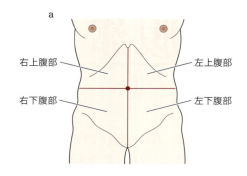

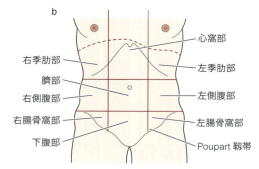

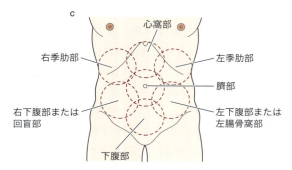

図1　腹部の区分

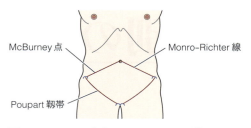

図2　McBurney 点と Monro–Richter 線

Richter（モンロー・リヒター）線という（図2）.

　実際の表現では，「心窩部（"胃部" などと表現しない）に圧痛がある」「正中線上で剣状突起から 3 cm 下方の部位に径 2 cm の腫瘤を触知する」などと表記する.

視診

　視診は最も基本的な診察法である．ただ見ることに特別な技術は必要ないが，一目でわかる情報も見ようとしなければ入手できない．腫瘍マーカー高値で全身の造影 CT を施行された患者の下腹部に巨大な腫瘤がみられたり，強い右下腹部痛と圧痛があり急性虫垂炎が疑われ，外科医が触診しようとしたら帯状疱疹がみられたり，視診さえすれば簡単に得られる重要な情報がある．一方で，さまざまな徴候の特徴的な外観は，知っていなければ知覚されにくいものである．ただ見るのではなく，"診る" 心構えが重要である．重要な徴候に関しては陰性であることも重要な所見であり，カルテに記載するべきである．

　視診では，腹部の外形，皮膚の性状，腹壁静脈拡張の有無，臍の変化，呼吸運動，蠕動運動，拍動などを観察する．

腹部の輪郭，形状

　腹部全体あるいは局所的に，膨隆もしくは陥凹があるかどうかを観察する．患者の正面から腹部を見下ろし，左右への突出がないかを確認する．垂直方向への突出に関しては，検者の目線を患者の腹壁とほぼ同じ高さに置き，側面から観察すると発見しやすい．

腹部全体の膨隆
〔症候・病態編「腹部膨隆」参照（☞ 582 ページ）〕

　腹部全体の膨隆は，肥満，腹水貯留，鼓腸，卵巣腫瘍，腹部腫瘍，妊娠などの場合にみられる．一方で，高度な肥満を伴う患者では，腫瘍や妊娠などほかの原因による腹部膨隆が合併していても，本人および周囲が認識しにくい場合がある．

❶ 腹水（ascites）
〔症候・病態編「腹水」参照（☞ 586 ページ）〕

　肝硬変などによる漏出性腹水，結核性腹膜炎やほかの炎症性疾患あるいは癌性腹膜炎の際の滲出性腹水が貯留したときには，腹部全体が膨隆する（図3）．ただし，視診だけで腹水貯留を判断することはできず，打診，触診を加えて判断する．漏

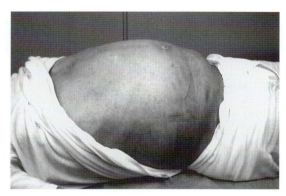

図3 門脈圧亢進症患者での腹水貯留

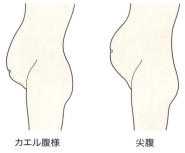

図4 立位での腹部膨隆の鑑別

出性腹水では，腹壁の緊張を伴わないので，仰臥位では腹部は前方よりも側方に膨隆し，カエル腹の状態となる．立位にすると，下腹部の膨隆が目立つ（図4）．

一方，炎症性腹膜炎による滲出性腹水では，腹壁の緊張を伴うので，腹部は側方よりも前方に膨隆し，尖腹の状態となる（図4）．もっとも，癌性腹膜炎や，妊娠・出産を繰り返した女性では炎症性腹膜炎でも腹壁の緊張が乏しいため，一見すると漏出液が貯留しているように見えることもあり，注意が必要となる．

❷ 卵巣腫瘍

巨大な卵巣腫瘍では，腹部中央が膨隆し尖腹の状態となり，立位では臍を中心とした膨隆が目立つ．腹水の貯留だと臍が突出していることがあるが，卵巣腫瘍では臍自体の変化をみることはない．

❸ 腹部諸臓器の腫瘤

肝・脾・腎・卵巣・腹膜・腸間膜など，腹部諸臓器の腫瘍や囊胞では，それらが巨大な病変になると腹部全体が膨隆してくる．初期にはそれぞれの臓器の存在する部位が局所性に膨隆するが，著しく大きくなれば腹部全体が膨隆し，原発臓器が不明の状態になる．腹膜偽粘液腫や，良性の卵巣腫瘍に胸腹水を伴うMeigs（メーグス）症候群でも腹部は全体的に膨隆する．

❹ 鼓腸

さまざまな原因により，ガスが消化管内に充満した状態を鼓腸といい，この場合にも腹部は膨隆する．排ガスができれば，膨隆は消失する．

❺ その他

腸閉塞や慢性特発性偽性腸閉塞では腸管内に内容物やガスが充満し，腹部全体が膨隆する．Hirschsprung（ヒルシュスプルング）病に伴う巨大結腸症でも腹部全体が膨隆し，やせた患者では拡張した大腸の輪郭が認められたりする．

局所的な膨隆

腹部が局所的に膨隆している場合には，該当する部位にある腹部臓器の病変を鑑別する．

❶ 心窩部の膨隆

胃・肝臓の疾患によることが多い．胃では胃癌，急性胃拡張症などを，肝では肝癌，肝膿瘍などがある．

❷ 右季肋部の膨隆

肝癌，うっ血肝など肝の腫大，もしくは腫大した胆嚢で右季肋部が膨隆する．やせた人では腫大した肝辺縁が呼吸運動に伴って上下するのを認めることがある．三尖弁閉鎖不全症では腫大した肝の拍動をみることがある．

❸ 左季肋部の膨隆

脾腫が原因のことが多い．伝染性単核球症，慢性骨髄性白血病，悪性リンパ腫などの血液疾患，Banti（バンチ）症候群や肝硬変に伴う門脈圧亢進症，マラリアなどで認められる（図5）．

❹ 側腹部の膨隆

主として腎の腫大で起こる．水腎症，多発性囊胞腎，腎囊胞，腎癌などが原因となる．多発性囊胞腎は両側腎に囊胞が多発性にみられることが多いので，両側性に側腹部膨隆をみたときには本疾患を念頭におく．

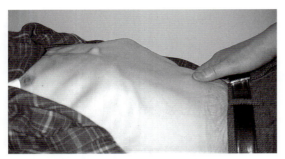

図5　骨髄線維症患者でみられた左季肋部膨隆

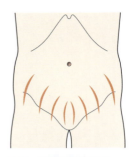

図7　腹部の皮膚線条

ある（図6）．

腹部全体の陥凹

高度なるいそうでは，腹部全体が陥凹し，腹部大動脈の拍動を認めるようになる．急性汎発性腹膜炎，コレラでも全体的に腹部は陥凹する．

局所的な陥凹

腹壁の瘢痕が原因であることが多い．横隔膜麻痺，気管狭窄，慢性閉塞性肺疾患（COPD）などで肺内への空気の流入が妨げられているときには心窩部が吸気時に陥凹する．

皮膚の性状

ほかの部位の皮膚と同様に，腹壁の皮膚についても，色調，色素沈着，発疹，腫瘤などについて観察する．

皮膚線条

妊娠，肥満，腹水，腹部腫瘍などで腹壁皮膚が過度に伸展され，その後，弛緩した場合に，真皮の裂傷に沿って白色または灰白色の線条が下腹部に身体の長軸方向に走ることがある．これを皮膚線条（striae cutis）という（図7）．

妊娠および妊娠を経験した婦人にみられる皮膚線条は妊娠線（striae of pregnancy）と呼ばれる．Cushing（クッシング）症候群でも下腹部や側腹部，殿部などに皮膚線条をみるが，この場合には赤色の皮膚線条がみられる．

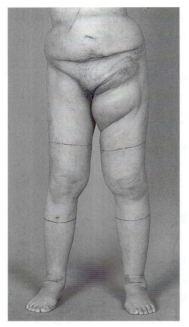

図6　悪性リンパ腫患者にみられた鼠径部の膨隆
下肢周囲径計測のために線が描かれている．

❺ 腸骨窩の膨隆

右側では回盲部の癌や膿瘍，左側ではS状結腸癌を鑑別する．

❻ 下腹部の膨隆

尿を充満した膀胱，妊娠子宮，子宮腫瘍，卵巣腫瘍，卵巣嚢腫などで下腹部の膨隆をみる．直腸膀胱障害では排尿障害で膀胱が膨隆するが，導尿すれば消失する．

❼ 鼠径部の膨隆

鼠径部は，ヘルニア，リンパ節腫大，肺結核に合併した流注膿瘍，停留精巣などで膨隆する．鼠径リンパ節の腫大では，下腿に浮腫を伴うことが

発疹，出血斑
〔症候・病態編「皮膚の異常」参照（☞ 283 ページ）〕

麻疹，風疹，猩紅熱などの発疹，薬疹，紫斑，黄疸などの変化に注意する．腸チフスのバラ疹は腹部に好発する．帯状疱疹では神経に沿った片側性の皮疹が特徴的で，水疱を呈することが多く，ピリピリした自発痛を訴える．

腹壁の出血斑は後腹膜や腹腔内の出血を反映することがある．臍周囲の出血斑は Cullen（カレン）徴候と呼ばれる．側腹部の出血斑は Grey-Turner（グレイ・ターナー）徴候と呼ばれ，急性膵炎の所見とされる．しかし，両者ともにそれぞれの疾患に対する感度，特異度は低く，腹腔内出血や腸管虚血，腹部大動脈破裂などさまざまな病態で起こることが報告されている．

瘢痕，手術痕

腹部の手術を受けたことのある人では手術痕を認める．時に幼少時の虫垂炎手術痕などは医療面接時には患者本人も忘れていることがある．手術の内容を確認し，瘢痕のある部位と大きさを記載しておく．虫垂切除後の右下腹部痛であれば，当然虫垂炎は除外されるし，腹部手術後の悪心，嘔吐，腹痛であれば術後の腸閉塞の可能性が高くなる．

腹壁静脈拡張

腹壁の表在性静脈は通常は明瞭には認められない．腹壁表在性静脈が拡張している場合には，門脈あるいは上・下大静脈に閉塞があることを示す重要な徴候である．高度になると静脈は拡張するだけでなく，屈曲したり蛇行するようになり，静脈怒張と表現する．

静脈の拡張を認めた場合には，必ず血流の走行を調べる．そのためには，両手の示指を使って静脈をしごくようにして空虚にし，片方ずつの示指を順に離して血液の流入してくる方向を確かめる（図8）．健常者における腹壁表在性静脈の血流は，臍より上では上方へ，臍より下では下方へ向かう．

肝硬変や門脈血栓症などで門脈が狭窄したり

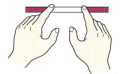

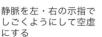
静脈を左・右の示指でしごくようにして空虚にする　　右示指を離すと静脈は空虚のまま　　左示指を離すと血液が流入してくる

図8 静脈内の血流方向の調べ方（血流は左→右）

閉塞されたりすると，門脈血液は肝臓に流入できず，傍臍静脈を通って臍に達し，下大静脈支配の血管に逆流する．そこで，拡張して蛇行した静脈が臍から周囲に向かって放射状に走り，頭髪が無数の毒蛇で覆われたギリシャ神話に出てくる怪物メドゥサに因んでメドゥサの頭（caput medusae）と呼ぶ．

下大静脈の閉塞では，下半身の静脈血の一部は腹壁から胸壁の静脈を通って上大静脈に流入し，腹壁と胸壁の表在性静脈が拡張する．血流はすべて上行性である．

上大静脈の閉塞では，上半身の静脈血が一部胸壁から腹壁静脈を通って下大静脈に流入し，血流は上から下へと向かう．ただし，上大静脈の閉塞では奇静脈を介する側副血行路が発達し，腹壁静脈の拡張を認めないこともある（図9）．

臍

臍（navel または umbilicus）の異常としては，ヘルニアと癌，臍炎に注意する．

臍ヘルニア

先天性もしくは後天性に起こる．後天性のヘルニアは腹水，妊娠，肥満などの腹部膨隆に続発して起きる．臍部に半球状の軟らかい直径 1〜2cm の隆起として認められる．咳をしたり，腹圧を加えたときだけに認められることも多い．新生児には臍ヘルニアは 10% 程度にみられ，特に低体重出生児で頻度が高い．

臍の癌

臍の癌は稀ではあるが，転移性に起きることがある．硬く，小さな隆起として認める．転移性臍

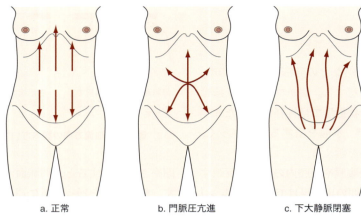

a. 正常　　b. 門脈圧亢進　　c. 下大静脈閉塞

図9　腹部表在性静脈の血流方向

癌を Sister Mary Joseph's nodule という．表面には凹凸があり，進行すると潰瘍を形成したりする．

臍炎

臍の疼痛，排膿を認めた場合には臍炎を疑う．臍炎を繰り返す場合には尿管膜残遺症の可能性を検討する．

呼吸運動

腹部の呼吸運動を観察する．健常者では胸郭の呼吸運動に連動して規則正しく腹部も運動する．腹膜炎などで激しい腹痛があったり，腹水で横隔膜が挙上されたり，あるいは横隔膜麻痺などの場合には，このような腹部の運動が抑制されたり，時には停止したりする．

蠕動運動

健常者では，体表から消化管の蠕動運動が観察されることはほとんどない．やせて腹壁が弛緩した人では，検者の目線を腹壁と同じ高さに置き，側方から観察するとわずかに認められることがある程度である．

消化管に通過障害が起きると蠕動運動の亢進が認められるようになり，蠕動不穏(visible peristalsis)という．特に，腹壁を指で軽く叩いて刺激を与えると蠕動運動が増強される．

幽門狭窄では心窩部の膨隆と，左から右に向かう胃の蠕動運動がみられる．小腸上部の狭窄では上腹部にソーセージ様の膨隆と1～2か所で蠕動運動を認める．回盲部付近での狭窄では，蠕動運動は臍部に認められることが多い．大腸での狭窄では明瞭な蠕動運動を認めることは少ない．

なお，体表から蠕動運動を視認しても，必ずしも消化管に狭窄があるとはいいきれない．聴診や触診所見も参考にして判断しなければならない．

拍動

健常者でもやせている人では，心窩部に腹部大動脈の拍動を認めることがある．しかし，心窩部よりやや下方で著明な拍動を認める場合には，腹部大動脈瘤の存在に注意する．触診して拍動性の腫瘤を触知するとともに，聴診して血管雑音の有無を確認する．

触診

腹部の診察のなかでは触診が最も重要である．腹部を十分に露出し，腹壁筋肉の緊張を取り除くようにして触診をする．通常は仰臥位で両膝を伸ばした姿勢で触診するが，腹壁の緊張が強い場合には軽く膝を曲げて行う．緊張をほぐすために，腹壁に手を当てて，何回か腹式呼吸をしてもらってもよい．状況に応じて，立位，半座位，側臥位などの体位をとらせて触診を行う．触診法も単手触診だけでなく，双手触診や，指先触診などを必要に応じて併用する．

a. 浅い触診
・平行に近い角度
・1 cm 以上凹ませない
・手指全体で

b. 深い触診
・角度をつけて
・1 cm以上深く
・手前に少し引いて探るように

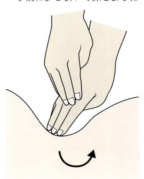

側面

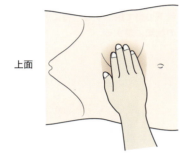
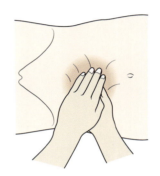
上面

図10　浅い触診と深い触診

腹部全体の触診

腹部全体を各分画ごとにまんべんなく触診していく．前述したような9領域に分けるのが一般的である(図1b)．自発痛がある箇所は必ず一番最後に触診する．最初に触診してしまうと，疼痛のために腹壁全体が緊張してしまい，十分な触診が行えなくなってしまう．手元のみではなく，常に患者の表情を確認しながら，適宜「痛くないですか」などの声かけを行いながら触診していく．腹部全体の触診は，大きく分けて浅い触診と，深い触診がある．

浅い触診

片手の示指から小指をそろえて，水平に近い角度で(指は立てない)それぞれの分画の触診を行う．おおむね腹壁を1 cm以上圧迫しない程度の触診である．浅い触診によって，腹壁の緊張，圧痛の有無，表層臓器の性状や腫瘤の有無を判断する(図10a)．

深い触診

片手，または両手をそろえて(片方の指先の上に対側の指先を乗せて力を加える)，示指から小指までをそろえて，浅い触診のときよりも角度をつけて深く触診をする．圧迫した際に，指先を少し手前に引くように，指先で腹壁下の臓器を探るように触診をする．このとき，あまり力を入れすぎると腹筋が反射的に緊張し，十分な触診が行えなくなるので注意する(図10b)．

諸臓器の触診

肝臓(Panel-1)

患者の右側に位置し，診察者の右手掌を患者の右肋骨弓に沿って腹壁に平らに密着させるように

Panel-1
諸臓器の触診

肝臓

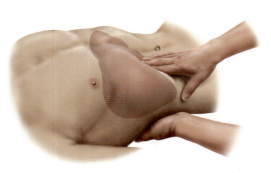

一般的な肝触診法：検者の左手を背部に，右手を腹壁上に平行に置く

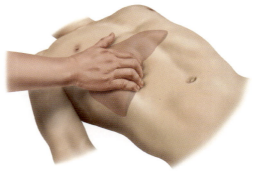

検者は患者の右側，肩付近に位置し，右手指を肋骨弓下に当て触診する．特に，軟らかく辺縁鈍な肝の触知に適する

胆嚢

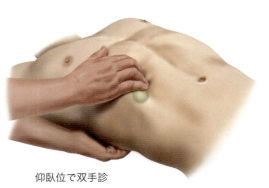

仰臥位で双手診

半座位での触診

脾臓

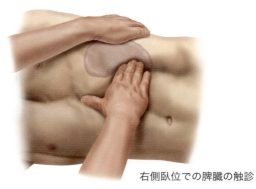

右側臥位での脾臓の触診

置く．指は肋骨弓に平行になるようにするのが一般的であるが，身体の長軸に平行になるように置いてもよい．前者だと肝臓は示指末節の掌面内側で，後者では指先に肝臓を触知することになる．指先の力は極力抜いた状態にする．

患者にゆっくりと腹式で深呼吸してもらい，深く息を吸い込むときに腹部を膨らませ，息を吐いたときには腹部が凹むようにする．口を開けて呼吸させるほうが腹壁の緊張がとれ，大きく呼吸ができる．

腹壁上に置いた手は腹式呼吸による腹壁運動に合わせ，呼気時に腹壁が凹む際に軽く圧迫を加えながら静かに肋骨弓下に向かって深く進め，吸気時に腹部が膨らんでくる際にはごく軽く圧力を加えたままで腹壁とともに上昇させる．このとき，触診する指を下方から上前方に跳ね上げるような感覚で軽く回転させると，吸気で横隔膜が下がるとともに下降してくる肝の下縁が触れやすくなる．

なお，検者の左手を患者の胸郭背面下部に当てて置き，吸気時に右手を上昇させるのに合わせて左手で胸郭すなわち肝を前方へ押し上げるようにすると，肝をより触れやすくなる（双手診）．健常者では通常，肝を触知することはない．

びまん性肝疾患などでは，肝を最も容易に触知できるのは右季肋部の鎖骨中線付近である．ただし，肝の触診は肋骨弓下の全領域で診察すべきである．正中線の左側へも指先を移動して肝左葉の腫大の有無を確認し，右葉については右鎖骨中線より右方の側腹部へと指先を動かして触診する．肝左葉の腫大は，脾腫との鑑別が重要である．肝腫大が高度のときには，肋骨弓下に置いた手が腫大した肝表面上の腹壁にあることになり，うっかり肝腫大を見落とすおそれがある．このため，指を少しずつ腹壁に沿って下方へとずらしながら触診するようにするとよい．

肝を触知したときには，次のような点を確かめる．

❶ 大きさ

右鎖骨中線，傍胸骨線，正中線上の3点において，肋骨弓から，もしくは正中線上では剣状突起

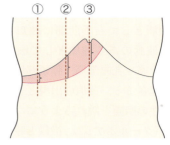

図11 肝腫大の大きさの記載
①右鎖骨中線：肋骨弓下2cm，②右傍胸骨線：肋骨弓下3cm，③正中線：剣状突起下3cm

から何cmと計測し，記載する．何横指という表現も慣用的に用いられるが，客観性をもたせるにはcmで記載するほうがよい．診療録には図示しておくとわかりやすい（図11）．

❷ 肝の辺縁

鋭（sharp）か鈍（rounded）であるかをみる．正常の肝を触知する場合には辺縁は鋭であるが，慢性肝炎，肝硬変などでは鈍である．

❸ 肝の表面

触知される表面が平滑（smooth）か，凹凸不整（uneven）か，さらに細結節状（fine nodular）か，粗大結節状（coarse nodular）かを確認する．進行した肝硬変や肝癌では結節状に触れる．

❹ 肝の硬度

軟（soft），弾性硬（elastic hard），硬（hard）など，硬さを調べる．正常の肝は軟らかいが，肝硬変や肝癌では硬い．

❺ その他

圧痛や拍動の有無を調べる．急性肝炎による短時間での肝腫大では圧痛を伴うことがあり，うっ血性心不全では拍動を触知する．

胆嚢（Panel-1）

胆嚢を触診するには，仰臥位で左手は右側胸郭背面に当て，右手指先を右肋骨弓下に置き，患者に腹式呼吸をさせながら，深呼吸時に左手で肝を背面から上前方に押し出すようにして，それを右手で迎えるようにする．半座位の体位で背後から触診するほうが胆嚢はよく触れることもある．

健常者では胆嚢は触知されないが，胆嚢が腫

脹してくると球形もしくは西洋ナシ形の比較的軟らかい腫瘤として右季肋部に触知される．強く緊満して波動のある腫瘤として触れることもある．総胆管癌や乳頭部癌，膵頭部癌などで総胆管に閉塞が起きると，黄疸の出現とともに緊満腫大した無痛性の胆嚢を触れるようになり，これをCourvoisier（クールボアジェ）徴候と呼ぶ．腫大した胆嚢は癒着していない限り，固定された頸部を中心として振り子のように左右へ動くのが特徴である．

胆嚢部の圧痛の有無を確認する．胆嚢やその周辺に炎症がある場合には，吸気時に胆嚢のある部位を圧迫すると圧痛を訴える．胆嚢結石症，胆嚢炎では強い圧痛がある．急性胆嚢炎では，検者の手が胆嚢に触れた途端に激痛を生じ，患者は思わず息を止めてしまうことがあり，これをMurphy（マーフィ）徴候と呼ぶ．

脾臓（Panel-1）

脾臓の触診も双手診で行う．仰臥位でもよいが，右半側臥位もしくは右側臥位にして脾を重力によって右方に寄せてから触診したほうが触知しやすい．右手を患者の左肋骨弓下近くに肋骨弓とほぼ平行に，左手は左胸郭下部背面に置く．深呼吸とともに左手で背面を前上方に押し出すように圧迫すると腫大した脾臓を触れやすくなる．

脾臓も通常では触れない．肝硬変，悪性リンパ腫，白血病，伝染性単核球症などの疾患で脾臓が腫大していると左季肋部に触知するようになる．脾臓を触知した場合には，大きさ，硬度，表面と辺縁の性状，圧痛の有無などを調べる．脾臓が腫大するときには通常は元の形態を保ったまま大きくなるので，表面は平滑で辺縁は鋭なことが多い．内側に脾切痕を認めるのが特徴である．

腎臓

腎臓の触診は必ず双手診で行う．患者の体位は仰臥位，立位，側臥位などとする．遊走腎の場合，立位では腎が下降して明瞭に触知できる一方で，仰臥位では触知できないことがあるため，立位での触診を怠らないようにする．左右腎とも患者の右側から診察をするが，左腎では患者の左側に位置して触診することもある．

右腎の触診では，左手を患者の背部の肋骨脊柱角部付近でちょうど腎の高さに当て，右手を右季肋下の腹壁で左手と同じ高さに置く．患者に深呼吸をさせ，吸気時に左右両手で腹部を前後から挟み込むようにすると，腎を触れる場合には両手の間に腎が入り，右手の指先に硬い，表面が滑らかな腫瘤として感じられる．腎の下極を触れるときには，丸みを帯びた腫瘤として触知する．

左腎の触診も，患者の右側に位置する場合には左手を背部に置き，右手を腹壁に当てて診察する．患者の左側から触診する場合は，両手を逆にする．

やせた人では右腎の下極を触れることもあるが，腎癌，多発性嚢胞腎，水腎症などでは腫大した腎を右もしくは左側腹部に触知するようになる．腎を触知する場合には，大きさ，表面の性状，硬度，圧痛の有無，体位による移動性などを確認する．触知される腫瘤が腎であることを確認するには，必ず浮球感の有無を調べる．

上部尿路疾患，特に炎症をきたす疾患（腎結石，腎盂腎炎など）では，背部の肋骨脊柱角部（costovertebral angle；CVA）付近を中心として腰肋部に圧痛もしくは叩打痛（knock pain）を感じる（CVA tendernessとも表現する）．手掌の尺骨側面でこの部分を軽く叩打するか，左手掌全体もしくは拳をつくってこの部分に当て，その上から右拳で叩くと，響くような痛みとして感じることがある（図12）．

膵臓

膵は後腹膜腔にあるので触診はきわめて難しい．仰臥位で膝を軽く曲げ，患者の背面から腎を右方へ押しやるようにしながら双手深部触診を行って診察する．

膵癌や慢性膵炎では，稀に腫瘤として触知できることがある．急性膵炎では圧痛がある．

胃，腸管

正常の胃は触診では認知できないが，進行胃癌

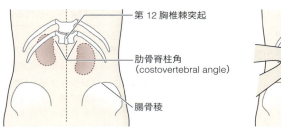
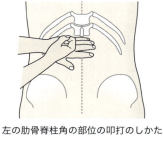

背部から見た両側腎の位置　　　左の肋骨脊柱角の部位の叩打のしかた

図12　CVA 叩打痛の診察法

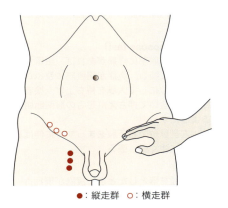

●：縦走群　○：横走群

図13　鼠径リンパ節の触診

などがある場合，固い腫瘤を心窩部に触知することがある．仰臥位，半座位，立位など体位を変えて触診する．

　腸管は仰臥位で触診する．横行結腸は正中線付近で横走する索状物として触れることがあり，上行結腸，下行結腸も走行に沿って索状に触れることがある．それぞれの腫瘤を触知する．糞塊を腫瘤と誤らないように注意する．

鼠径部

　鼠径部では，リンパ節の触診と，鼠径ヘルニアに注意する．

　浅鼠径リンパ節には，浅腸骨回旋動脈に沿い，陰茎，陰部皮膚，肛門管，殿部，下腹部からのリンパ管が流入する横走リンパ節群と，大伏在静脈に沿い，下腹部の前面と内側面，および大腿部全域からのリンパ管が流入する縦走リンパ節群がある．両側のリンパ節を，第2〜4指の末節掌側で，円を描くようにしながら触診する（図13）．

　健常者でも1cmくらいのリンパ節は触知し，場合によっては2cmくらいのものを触知することがある．2cm以上の大きさの場合には異常である可能性が大きい．ただし，2cm以下の小さなサイズのものであっても，硬かったり，圧痛を伴うものは病的である可能性があり，慎重に触診する〔症候・病態編「リンパ節腫脹」参照（☞470ページ）〕．

　鼠径ヘルニアは，鼠径管に腸管が嵌入し，鼠径部に膨隆をきたした状態である．咳をしたりして腹圧を加えると，膨隆が著しくなる．右側の診察は右手で，左側は左手で触診する．愛護的な圧迫により用手で還納可能なこともあるが，嵌頓ヘルニアでは還納不能であり，腸閉塞の原因となるため外科医へのコンサルテーションが必要である．多くの場合は無症状あるいは漫然とした不快感のみであるが，疼痛，圧痛，発赤を伴う場合，あるいは悪心，嘔吐など腸閉塞を疑う症状がみられた場合には絞扼性ヘルニアの可能性が高く，緊急手術を念頭におく必要がある．

触診上注意すべき所見

筋性防御

　腹部の触診では，まず腹壁に軽く手を当て，腹壁の緊張状態を知ることから始める．腹腔内に炎症があり，それが腹壁・腹膜にまで波及していると，肋間神経・腰神経を介して罹患部位に対応した腹壁筋肉が反射的に緊張する．これを触診すると腹壁が硬い抵抗として触れる．これは一種の防御反応で，筋性防御（muscle guarding または defense musculaire）といい，"ディフェンス"と表現されることが多い．しばしば圧痛を伴う．胃・十二指腸潰瘍が穿孔して汎発性腹膜炎を起こした

場合のように，高度な炎症では腹壁筋肉が板のように硬くなり，板状硬という表現を使う．

筋性防御の有無を調べるには，腹壁の緊張を十分にとって触診することが重要である．手掌を腹壁に軽く当て，次に徐々に右手の示指あるいは示指と中指の指先を用いて，できるだけ弱い力で腹壁を圧迫するようにして触診する．患者が痛みを訴えている部位から離れた所より診察を開始し，順次痛みの部位に向かって触診を進める．そして，左右の相対する部位を比較しながら触診する．

高齢者では筋性防御が出現しにくいこともあり注意が必要である．また神経質な患者や，解離症，詐病患者では触診の際に故意に腹壁を緊張させることがあり，これを筋性防御と誤らないようにする．

病変の広がりにより，筋性防御は限局性の場合と，広範な場合がある．急性虫垂炎の初期など，病変が局所にとどまっている場合には，病変部位に筋性防御を認めるが，広範に筋性防御をみる場合は汎発性腹膜炎の存在を示し重篤である．

筋性防御を認めた場合には腹膜炎など重篤な腹腔内炎症の存在が示唆されるために，常に緊急手術を念頭におく必要があり，安易な経過観察は禁忌といえる．静脈路の確保，バイタルサインのモニタリングを行いながら，外科医へのコンサルテーションや手術可能な病院への搬送など適切な対応を行うべきである．

圧痛

腹腔内に病変がある場合，腹壁を指で圧迫すると痛みを感じることがある．これを圧痛(tenderness)といい，病変の局在を知るうえで参考になる重要な所見である．触診で抵抗や腫瘤を触知したときには必ず圧痛の有無と程度を確認する．

圧痛を診察するには，第2〜4指の末節掌面を使って，腹壁を圧迫する．ごく限られた1点に圧痛を認める場合には，示指など1本の指を腹壁に垂直に立てて触診する．こうして確認される圧痛のある部位を圧痛点といい，虫垂炎におけるMcBurney圧痛点〔図2(☞120ページ)〕，Lanz(ランツ)圧痛点(左右の前腸骨棘を結ぶ棘間線を3等分

表1 急性虫垂炎の診断に用いられる徴候

Rovsing(ロブジング)徴候
手掌を左下腹部に当て，下行結腸内容を逆流させるように横行結腸へ圧迫すると虫垂部に疼痛を感じる

Rosenstein(ローゼンシュタイン)徴候
左側臥位で股と膝関節で軽く下肢を曲げ，右前腸骨棘の4〜5cm内方を押すと圧痛を訴える．しかも，仰臥位のときより痛みが強い

内閉鎖筋テスト(obturator muscle test)
仰臥位にし，右手で右下腿下部を少し持ち上げ，膝関節を軽く曲げた状態で右大腿を内転させると，右下腹部に疼痛を訴える．内閉鎖筋付近の骨盤内への炎症の波及を示す

腸腰筋テスト(iliopsoas test)
下記の方法で右下腹部に疼痛があれば，虫垂が盲腸後面にあって後腹膜に接し，炎症が腸腰筋に及ぶことを示す
- 第1法：仰臥位にして大腿を持ち上げ，検者の手を患者の膝の上に置いて押さえ，患者の股関節屈曲運動に抗するようにする
- 第2法：左側臥位で右下肢をまっすぐに伸ばし，股関節部で背側に強く引っ張る

heel drop 徴候
爪先立ちから踵を落としたときに腹痛が現れる

直腸診
骨盤内虫垂炎では，右側の直腸前壁に圧痛がある．虫垂炎がDouglas(ダグラス)窩(男性の場合は直腸膀胱窩)に膿瘍をつくると，Douglas窩に軟らかい波動のある膨隆として触れ，肛門括約筋の緊張が低下する

し，外1/3と中央1/3の境界点)のように，診断のうえで参考になる圧痛点がある．ただし，虫垂の走行には個人差が大きく，圧痛点が異なることがあるので注意する．

虫垂炎の診断には，このほかにもいくつかの圧痛点が提唱されているが，虫垂の位置により圧痛点が異なる可能性がある．これらの圧痛点に圧痛があるときには急性虫垂炎を考え，表1のような徴候の確認，あるいは検査を行って診断を確実にする．

なお，女性では急性虫垂炎と婦人科疾患との鑑別が特に重要である．下腹部痛と腹膜刺激症状がある場合，急性虫垂炎のほかに，子宮外妊娠，卵巣嚢腫茎捻転，卵巣出血，骨盤腹膜炎などを鑑別しなければならない．妊娠の可能性，最終月経を確認するとともに婦人科へのコンサルテーションを考慮する．

患者が疼痛を訴える部位，あるいは圧痛がある

と推測される部位の触診は，腹部触診の最後に行う．最初に圧痛のある部位で触診を行うと，腹壁筋肉が緊張し，ほかの部位の触診が行いにくくなるからである．

腹部の疼痛には，腹部内臓の機能性あるいは器質性病変による内臓痛（visceral pain）と，壁側腹膜または腹壁自体の疾患に起因する体性痛（somatic pain）がある．内臓痛は，腸管が狭窄した場合などのように平滑筋の刺激によって発生するもので，一般に鈍い痛みで限局性に乏しい．触診をしているうちに痛みが軽減してくることもある．それに対し，体性痛は限局し，鋭い痛みのことが多い．急性虫垂炎では，最初鈍い痛みで限局性にも乏しいが（心窩部の鈍痛として自覚されることもある），進行して壁側腹膜にまで炎症が波及すると圧痛が右下腹部に限局し，鋭い疼痛になる．このように，当初は内臓に原発する疼痛でも腹壁にまで病変が及ぶと体性痛を訴えるようになる．

なお，腹壁を圧迫するだけでなく，1本の指で軽く腹壁を叩いたときに疼痛（叩打痛）を訴えることもある．圧痛，叩打痛を認めるときは，反跳痛（下記）および筋性防御の有無を必ず確認しておかなければならない．

反跳痛（Blumberg（ブルンベルグ）徴候）

手指で腹壁をゆっくり深く圧迫し，急にその手を離して圧力を除くと，圧迫していたときよりもかえって局所に強い痛みを感じることがあり，これを反跳痛（rebound tenderness，"リバウンド"と表現されることも多い）という（図14）．反跳痛は腹膜に炎症が波及していることを示す．腹膜刺激徴候であり，Blumberg 徴候とも呼ばれ，腹膜炎の診断に重要な所見である．

反跳痛は，圧迫していた手指を離した瞬間の腹壁の緊張によって腹壁腹膜が牽引され，それが刺激となって疼痛を生じるものである．炎症が広範に及んでいると病変部から離れた部位でも反跳痛を認めるが，病変の広がりが小さいときには病変部のみで認められる．このため，急性虫垂炎ではMcBurney 圧痛点で反跳痛を認めるので診断的価値が高い．腹膜刺激が筋性防御を生じるほどでな

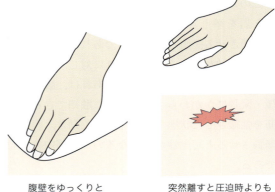

腹壁をゆっくりと深く圧迫する　　突然離すと圧迫時よりも強い痛みが誘発される

図14　反跳痛（Blumberg 徴候）の診察

くても反跳痛を認める場合がある．ただし，近年反跳痛に対しては感度，特異度，侵襲性の面からも批判的なエビデンスが増えつつあり，咳嗽試験（患者に意図的に咳をさせると腹痛が誘発される）や，前述の叩打痛が好まれる場合もある．

腫瘤の触知

腹部に腫瘤を触知したときは，臓器との関連および性質を確認する．そのために，腫瘤の部位，大きさ，形，表面の性状，硬さ，圧痛の有無，拍動性，移動性，波動性，腹壁との関連などを調べる．

一般的に，良性腫瘍は表面が平滑で球形で軟らかい．悪性腫瘍は表面が凹凸不整または結節状のごつごつとした硬い腫瘤として触れる．腎囊胞などの囊胞は，緊満し，弾力性のあるボールのように触知されることが多い．膿瘍は自発痛および圧痛のある腫瘤として触知される．

頑固な便秘のある人では，結腸の部位に硬い糞塊を触れることがある．腫瘍と間違いやすいが，排便後には消失するので鑑別できる．

なお，腫瘤（mass または tumor）とは一般に境界が比較的明瞭で固まりとして触知されるものをいう．これに対し，境界が不鮮明な腫瘤様の抵抗感を手に感じることがあり，抵抗（resistance）という表現を用いる．

❶ 部位

まず腫瘤が腹腔内のものか腹壁のものかを区別する．

このためには，いきませたり，仰臥位のままで頭と肩を挙上させるなどして腹圧を加え，腹壁を緊張させる．腹腔内の腫瘤であれば，腹壁が緊張すると触れにくくなる．これに対し，腹壁，特に腹筋の外側に発生した腫瘤であれば，腹壁の弛緩・緊張にかかわらず同じように触知できる．腹筋を弛緩させた状態では腫瘤がよく動き，腹筋を緊張させると可動性がなくなるのは腹筋内の腫瘤である．

次いで，局所解剖学的関係を考慮し，腫瘤がどの臓器に関連しているものであるかを考える．もっとも，腹部区画に相当する腹部臓器の位置には個体差があるので，触診だけでどの臓器に由来する腫瘤であるかを断定するのは困難である．

❷ 大きさ

腫瘤の長径と短径を計測し記載する．慣用的には小豆大，大豆大，ソラマメ大，クルミ大，小指頭大，母指頭大，手拳大，雀卵大，鳩卵大，鶏卵大，鶯卵大，小児頭大などといった表現がよく用いられるが，客観性をもたせ，経過を観察するには，計測した具体的な数値を記載しておくことが望ましい．

❸ 形，表面の性状，硬度

触診で腫瘤の外観を確かめ記載する．
- 形：球形，楕円形，不規則形など
- 境界：鮮明，不鮮明
- 表面の性状：平滑，凹凸不整，粗大結節状など
- 硬度：軟，弾性硬，軟骨様，骨様，板状など

❹ 圧痛

膿瘍などの炎症性の腫瘤は圧痛がある．腫瘍では圧痛がないことが多く，あっても軽度もしくは不快感にとどまることが多い．

❺ 拍動性

腹部大動脈瘤では膨張性に拍動する紡錘状もしくは嚢状の腫瘤として触れる．腹部大動脈の上に他部から生じた腫瘤が乗っているような場合にも拍動を感じるが，このときには腫瘤全体が膨張性に拍動していることはない．

やせた人では正常の腹部大動脈の拍動を正中線近くで縦に細長く触れることがあり，これを大動脈瘤と間違えないように注意する．

❻ 波動

囊胞，膿瘍などの腫瘤では波動を触知する．

腫瘤に左右の示指を当て，片方の示指で腫瘤に鋭く衝突させるように圧迫を加え，そのときに他側の指に波動を感じるかどうかを調べる．腫瘤内部に液性の成分があれば，瞬間的な圧迫で波動が発生し，それを触知できる場合がある．

❼ 移動性

腫瘤を触知するときには，その腫瘤が自由に，また触診する手によって，あるいは呼吸とともに移動するかどうかを確かめる．移動性を調べることによって，腫瘤が発生した臓器を確認できたり，良性と悪性の鑑別，周辺との癒着状況によって手術適応の有無を決定したりするのに有用である．

まず体位を変えてみて，腫瘤がその重みによって自然に動くかどうかを調べる．卵巣嚢腫は側臥位にすると正中線のほうへ移動し，体位を戻すと元の位置に戻る．腎，脾，肝などに発生した腫瘤は，直立位にすると下垂してくることがある．

次に，腫瘤を手で動かしてみる．胃や腸管に発生する腫瘤の多くは可動性がある．ただし，癌で周囲へ浸潤したり，炎症が波及したような場合には可動性がなくなる．膵臓に由来する腫瘤や後腹膜腫瘍は移動しないことが多いが，稀に膵腫瘍でも可動性のあることがある．呼吸運動に伴う腫瘤の移動についても確認する．手指を腫瘤の下縁に軽く当て深吸気によって腫瘤が下方へ移動するかをみるか，腫瘤の上縁に手指を当てて深呼気したときの上方への移動をみる．

呼吸性移動が著しいときには，深呼吸に伴う腫瘤の移動を手指で阻止しようとしても手指をくぐり抜けてしまい，これを固定不能と表現する．深吸気時に下降した腫瘤を手指で押さえることができ，深呼気でも腫瘤が上昇しない腫瘤は呼気時固定性の腫瘤と表現し，胃腫瘍などでみられる．

肝，脾，時に腎など，横隔膜に連続する臓器から発生する腫瘤は一般に呼吸性移動が認められ，呼気時に固定することができない．胃や横行結腸などに発生する腫瘤は呼吸性移動に乏しく，これらの腫瘤で明瞭な呼吸性移動のあるときは腫瘍が肝などに浸潤して癒着している可能性のあること

部位別の身体診察 腹部 **133**

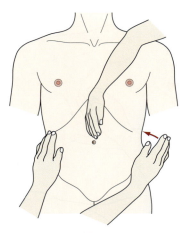

図15　腹水貯留時の波動の検査法

を示す．膵に発生した腫瘍，後腹膜腫瘍，下腹部の臓器は一般に呼吸性移動がない．

波動

　腹水が大量に貯留している場合，波動を調べることで確認できる．

　仰臥位とし，一方の手掌を一側の側腹部下方に当て，他方の手の中指あるいは中指と示指の指先で他側の側腹部を瞬間的に鋭く軽く打つか，他方の手の母指と示指，または中指の先端で軽くはじくように側腹部に衝撃を与える(弾診法)．腹水が貯留していると，衝撃によって発生した振動が伝わって一側に置いた手掌に感じられ，これを波動という．

　肥満した患者などでは腹壁上の皮膚あるいは軟部組織の振動を波動と誤りやすい．そこで介助者に手の尺骨側面を腹壁正中線上で検者の両手の間に置かせ，腹壁の振動を防ぐようにする(図15)．

　波動は，仰臥位でなく，立位または座位で検査したほうがわかりやすいこともある．

拍動

　臍の上部あるいは下部で，正中線上もしくはそのやや左側よりの深部に，腹部大動脈の拍動を触知する．特にやせた人や，腰椎前弯の強い人では，大動脈が腹壁に近いので，縦に細長い拍動性の腫瘤として触知される．幅は3 cmを超えることはなく，圧迫すると軽度の圧痛を感じることが

ある．大動脈瘤と誤らないように注意する．

蠕動運動

　健常者では胃，小腸，大腸を触知することはない．正常の消化管の蠕動運動も触れない．

　蠕動が亢進していると攣縮時に腸管が硬くなり，弛緩時に軟らかくなる運動を腹壁下に触れる．S状結腸軸捻転などでは著明に拡張した腸管係蹄の輪郭が腹壁の外からみられ，また触知される．小児の回盲部の腸重積症では，弾力性のあるソーセージ様の可動性に富む腫瘤として腸管を右側の中腹部もしくは上腹部に触れる．

その他

　腹壁筋肉の発達した人では，腹直筋の筋束をソーセージ様に触れ，腫瘤と間違うことがある．また，腹直筋の筋束の辺縁を肝の辺縁と誤らないように注意する．

　やせた人や，腰椎前弯の強い人では第4，5腰椎，時に第3腰椎の椎体を臍の高さくらいで触知することがあり，これを腫瘤と誤らないようにする．

　大腸は正常ではあまり触れないが，やせた人では下行結腸を触れることがあり，特に硬い糞塊を触知することがある．盲腸はガスや液体などの内容物で満たされていると，軟らかく境界のあまり明瞭でない腫瘤として触知することがある．横行結腸の結腸紐を触知することもある．

　健常者では膀胱や子宮も普通は触知しない．尿で充満した膀胱や妊娠子宮を触れた場合，腫瘤と誤らないようにする．

打診

　腹部の打診は，胃・腸管内ガスの確認，肝・脾などの臓器の大きさの確認，腹水貯留の評価，腫瘤の有無と大きさなど性状の把握に有用である．視診，触診で得た所見を補足し，診断を確実なものにするのに役立つ．

打診の手技

腹部の打診では，弱打診が基本となる．左（あるいは右）手を広げ，打診を行う部位に添える．手の中指の中節骨部または遠位指節間（DIP）関節部を，曲げた右（あるいは左）中指で手首のスナップを効かせ，中指の先端で叩き打診を行う．痛みがある場合は，その部位の打診は最後に行う．打診をしながら，医療面接あるいは顔の表情を観察し，痛みの有無を確認する．

胃，腸管の打診

消化管内にはガスが存在し，ガスの貯留部位を打診すると鼓音を発する．貯留するガスが多ければ，鼓音の程度は増強する．

胸骨の左側下方もしくは心窩部左側では，胃泡による鼓音が認められる．空気嚥下症や急性胃拡張などで胃泡が拡大すると，この部位での鼓音が増強される．逆に，胃泡が消失する噴門部癌，アカラシア，胃の機能不全，著明な脾腫などでは鼓音が消失する．急性胃拡張で大量の胃液が貯留すれば，この部位には濁音が認められる．

麻痺性イレウスでは腸管にガスが貯留して鼓腸となり，腹部が膨隆するとともに腹部全体に鼓音が増強する．小腸の狭窄・閉塞では臍部から上方の鼓音が増強する．

肝の打診

肝臓は大部分が肋骨に囲まれている．打診により，大きさの評価を行う．肝の上縁は打診による肺肝境界（lung-liver border）の決定で確認する．右鎖骨中線で，頭側からの打診を行う．通常は右鎖骨中線上の第6肋骨下縁か第6肋間である．肝の下縁を尾側からの打診を行い判断する．肝縦径（vertical span）は右鎖骨中線上で8〜12 cmであれば正常であるが，肝腫大があれば肝縦径は長くなる．肝腫大のあるときは肝上縁が上昇する．肝硬変などで肝が著明に萎縮したときには肝濁音界が減少する．また，消化性潰瘍の穿孔などで腹腔内に空気が漏出したときには横隔膜下に空気が入り，肝濁音界は減少する．

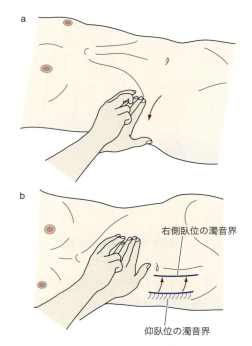

図16 打診による濁音界移動現象の検査

脾の打診

Traube（トラウベ）三角（第6肋骨，肋骨下縁，前腋窩線に囲まれた範囲）の濁音の有無で，脾腫大を推測する．左中腋窩線上で，側胸壁を上方から下方へ打診していくと，第9肋間より上部で濁音が証明されるときには脾の腫大が考えられる．ただし，消化管内の液体貯留や固形物，肝左葉や左腎との鑑別が必要である．

腹水の打診

腹部の著明な膨隆をみる場合，腹水の存在が疑われるが，鼓腸と腹水との鑑別が重要となる．鼓腸は打診で鼓音を呈するが，腹水が貯留した部位は濁音を示す．腹水は液体であるため，体位変換により重力に従い下方に移動することから，濁音の移動を認める．濁音界移動現象（shifting dullness）といい，仰臥位，側臥位，座位でそれぞれ鼓音と濁音部の境を調べると，腹水が移動することによって濁音界が変化する（図16）．触診での波動と並び，腹水を証明するうえで重要な所見である．

その他，大きな腫瘤，たとえば巨大卵巣嚢腫でも腹部が膨隆し，濁音を伴う．腹水の場合には仰

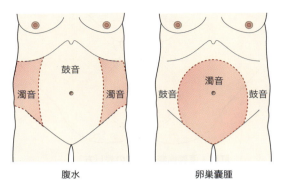

図17　打診による腹水と巨大卵巣囊腫の鑑別

臥位では腹水が側腹部に移動して腸管は中央にあるので側腹部が濁音を呈するが，卵巣囊腫では中央部に腫瘤による濁音があり，側腹部で圧排された腸管による鼓音が認められる（図17）．

腫瘤の打診

腹部に腫瘤を触知したときには，打診を試みる．腫瘤が肝，胆囊，脾であれば，その上部に腸管はないので，打診すると濁音を発生する．心窩部で腫瘤を触知したとき，肝なら濁音であるが，もしも鼓音であれば肝ではないと考えられる．

聴診

腹部では，腸管の運動による腸蠕動音と，血管の病変による血管雑音に注意する．腹部の聴診は，視診に続いて行うとよい．打診と触診を行ったあとでは，腸管が刺激され，腸蠕動音の頻度が変化してしまうことがある．聴診器はベル型よりも膜型のほうがよい．

腸管運動音

腸管が蠕動することによって，空気と腸管内容物が移動する際に自然に発する音を腸蠕動音という．聴診器の膜部を腹壁に軽く当てて腸蠕動音を聴取する．腸蠕動音は腹部全体に伝わるため，1か所を聴診すればよい．正常の腸蠕動音には，カチカチといった高い音や，ゴロゴロといった低い音が含まれる．グーグー鳴る音に似た腹鳴を聴取することもある．

腸管が狭窄あるいは閉塞をきたすと，それよりも上部の腸管の蠕動が亢進して腸蠕動音が増強する．初期には間隔をおいて疼痛発作とともに，爆鳴性，金属性，有響性の音を聴取する．急性腸炎で腸管運動が活発になっているときにも，腸蠕動音が増強する．逆に，急性腹膜炎や麻痺性イレウスなどで腸管の蠕動が停止すると，腸蠕動音が消失する．腸蠕動音の消失は重症であることを示し，腸蠕動音の消失を証明するには，少なくとも腹部の1か所で2〜3分は聴診を続ける．

血管雑音

動脈に狭窄や部分的な拡張があると，血流に変化が起こり，乱流や渦流を生じて収縮期雑音が発生する．聴診器を押し当てて，動脈音を直上で聴取する．

動脈硬化症，腹部大動脈瘤，大動脈炎症候群，血栓症などで腹部の血管雑音が聴取される．高血圧症の患者では必ず心窩部・左右上腹部の血管雑音の有無を聴診する．収縮期および拡張期に血管雑音を聴取する場合，腎血管性高血圧症が示唆される．肝硬変などによる門脈圧亢進症では，臍の周囲に持続性の静脈雑音を聴取することがある．

胃の振水音

幽門狭窄などで胃内容の排出が障害されると，胃が拡張し，多量の液体成分と空気が貯留する．上腹部に聴診器を押し当て，腹部全体をゆすって聴取すると，ピチャピチャという振水音（splash sounds）が聞こえる．聴診器を使わなくとも聴取されることがある．

腹水の聴診

多量の腹水が貯留した場合，腹水の有無は波動や体位変換現象で証明できる．少量の腹水の場合には，患者を四つ這いの姿勢（手-膝位）として，腹水を前腹壁の最低部に集めて打診を行い，濁音を証明する．あるいはこの姿勢で一方の側腹部を手で揺すりながら，聴診器を腹部中央から次第に側腹部のほうへと移していくと，腹水のある部分では振水音が聴こえないが，腹水の貯まった水

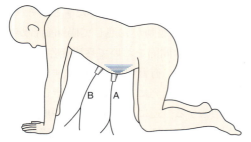

図18 腹水の水たまり現象
Aでは振水音は聴こえないが，Bでは聴こえる．

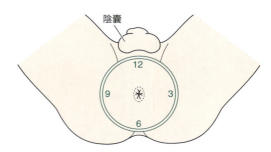

図20 肛門・直腸病変の位置の表し方

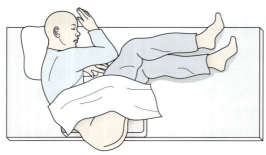

a. Sims 体位

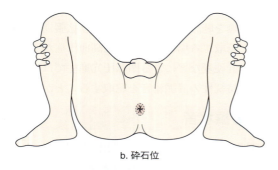

b. 砕石位

図19 肛門・直腸診察の体位

際では振水音が聴取される〔水たまり現象（puddle sign）〕（図18）．

肛門・直腸の診察

　肛門・直腸の診察は，多くの患者・医療者にとって診察のなかで抵抗感や羞恥心があることから，省略されやすい診察である．患者にとっては不快な検査ではあるが，直腸癌の発見など，重要な情報が得られることが少なくない．診察中に患者がどのように感じるか，診察の必要性について十分に患者に説明する．特に女性患者の場合には，女性看護師を立ち会わせるようにする．

患者の体位と準備

　直腸診を行うために，患者を側臥位として診察を行う．患者を診察台上に左側臥位にし，腰を診察台の縁まで寄せてもらう．左の大腿と膝を軽く曲げ，右の大腿は約45°曲げて膝から下部が左下肢の上ではなく直接にベッドに乗るようにする．上半身は胸がベッドに近づくようにやや回転させる〔Sims（シムス）体位〕（図19a）．患者には，「膝を曲げ，エビのように丸くなって臍を見るようにしてください」と説明するとよい．仰臥位で，両膝を両手で抱えるようにさせた砕石位で診察することもある（図19b）．

　検者はディスポーザブル手袋をはめる．示指の先端に潤滑剤を塗り，潤滑にしておく．

視診

　十分な照明を確保し，殿部を左右に押し広げるようにして肛門周囲の皮膚を十分に伸展させ，殿部と肛門周囲を観察する．仙鼻骨領域と肛門周囲の部位を表現するには，仰臥位での肛門を時計に見立て，3時方向，6時方向などの表現をする（図20）．視診では，次のような病変を評価する．

❶ 肛門周囲の皮膚ならびに粘膜病変
　腫瘍，潰瘍，炎症，皮疹，裂創などがないか観察する．

❷ 痔核（hemorrhoid）
　痔静脈叢が拡張したもので，出血をきたしやすい．血栓を形成すると周囲皮膚が腫脹し，疼痛を認める．肛門歯状線より奥にできるものを内痔核，外にできるものを外痔核という．外痔核は容

易に観察できる．

❸ 裂肛 (anal fissure)
排便時の過度の伸展により肛門縁粘膜が線状に亀裂を生じた状態である．多くは後面の中線上に認め，前面に認めることは少ない．排便するときに疼痛を訴え，出血しやすい．

❹ 肛門周囲膿瘍 (perianal abscess)
肛門陰窩から侵入した細菌が肛門腺に感染を起こし，直腸肛門周囲に膿瘍を形成する．肛門周囲が化膿し，発赤，腫脹，自発痛，圧痛を認める．膿瘍が自壊するあるいは切開により肛門の内外を交通する瘻管が形成された状態が痔瘻 (anal fistula) となる．

❺ 痔瘻
外痔瘻が肛門輪付近に開口し，漿液性または漿液膿性の分泌物を流出する．痔瘻の最も一般的な病因は，肛門周囲膿瘍由来による．Crohn (クローン) 病が原因の場合もあり，裂肛や潰瘍に感染や閉塞が加わり発生するとされる．Crohn 病では肛門近傍の皮膚所見〔皮垂 (skin tag)〕を伴うことがある．

❻ 直腸脱
直腸壁の前壁が重積状態で脱出してくる病態で，肛門括約筋の緊張低下などで起こる．トイレでいきませると観察しやすくなる．

❼ 扁平コンジローマ (flat condyloma)
第 2 期梅毒の皮膚所見として認める．肛門周囲の乳頭状の肥大増殖や，浅い潰瘍を形成する．

触診
患者に手順を説明し声をかけながら行う．リラックスするように伝える．肛門周囲の硬結と圧痛の有無を確認する．肛門周囲膿瘍では圧痛が著明である．また，肛門括約筋の緊張度を調べる．肛門潰瘍や裂肛があると，肛門括約筋は過度に緊張する．逆に，脊髄疾患による膀胱直腸障害では括約筋の緊張が低下する．

直腸指診
示指を肛門から挿入して直腸指診を行う．示指を肛門括約筋内に入れて括約筋の緊張状態と肛門

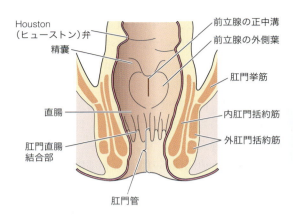

図21　肛門断面 (男性)

管を調べる．肛門括約筋は直腸診の際に反射的に収縮するため抵抗を感じるが，膀胱直腸障害があると抵抗なく挿入される．そのまま数秒待ち，括約筋が少しゆるんだのを見計らって，直腸肛門部，さらに直腸内へと示指を進める．

括約筋の緊張が解けない患者では，口を開いてゆっくりと呼吸をするように指示する．括約筋痙攣，瘢痕による肛門輪の狭窄，裂肛で痛みが激しいとき，血栓を生じた痔核などのある場合には，示指を挿入しようとすると激しい痛みを訴えることがある．このような場合には，無理に指を深く入れず，痛みの原因となる裂肛などの病変を探す．

診察を進めることができる場合は，まず正常の構造を確認する (図21)．

直腸の奥の指の届く範囲で，指を時計回りに動かし，直腸の表面を触診する．全周を触知し，次第に深部へ進めていく．結節，不整，硬結に注意して触診する．

直腸癌は，凹凸不整の硬い腫瘤として触れる．病変の位置，大きさ，形状，方向，硬さ，血液付着を確認する．

大腸ポリープは，比較的軟らかい腫瘍として触知する．大きさや個数はさまざまで，有茎性のものや無茎性のものがある．

男性では，直腸前壁に前立腺の後面を触れる．位置，大きさ，硬度，左右対称性，圧痛の有無，硬結や腫瘍の有無を調べる．正常な前立腺はほぼクルミ大で，表面は平滑，弾性硬，球形で，左右は対称で正中に浅い溝を触知し，無痛である．前

立腺肥大があると，正中の中心溝が消失していることがある．前立腺癌では硬い領域を触れる．硬い結節を触れることや，表面凹凸不整の腫瘤として触知することがある．

女性では，直腸前壁を通して子宮頸部に充実性の可動性のある腫瘤として触れる．骨盤内腫瘍や直腸癌と間違えないようにする．

悪性腫瘍が直腸前部の腹膜反転部に転移あるいは浸潤し，男性では前立腺上，女性ではDouglas窩に硬い結節状腫瘤として触知することがある．Schnitzler(シュニッツラー)転移として癌の進展を示す所見である．

指診が終了して指を抜いたあと，指についた糞便の性状もしくは血液の有無に注意する．暗赤色の血液が付着しているときには，大腸癌などの消化管疾患を念頭におき精査を進める．

外性器の診察

外性器(genital organ)の診察には，患者はことさらに羞恥心をもつものである．しかし，これらの疾患が疑われたときには，診察の必要性を十分に説明し，納得してもらったうえで診察するようにする．遠慮したがために誤診につながることは避けたい．外性器の診察が必須と判断された場合には躊躇せず，むしろ毅然とした態度で患者に接したほうが有効なこともある．

診察に際しては，患者の承諾を得たうえで，医師および患者の性別にかかわらず，患者と同性のコメディカルスタッフの立ち会いを徹底すべきである．プライバシーに最大限の注意を払い，必要最小限の診察とする．また，感染予防策として手袋をつける必要がある．

男性性器

男性性器の診察は，外陰部では視診と触診が，前立腺では直腸指診が主体をなす．

陰茎

陰茎(penis)の大きさ，形，包皮の状態，亀頭の色と形，尿道口の位置と大きさをまず視診で観察する．さらに，瘢痕，潰瘍，結節，腫瘤，炎症所見の有無などを視診と触診で観察する．

陰毛が少なく，陰茎や精巣(testis)が小さいときには，性腺刺激ホルモン低下による低ゴナドトロピン症，Klinefelter(クラインフェルター)症候群が疑われる．包皮は，成人では無理なく翻転ができて亀頭が露出できることが多いが，包皮の内板外板移行部が狭くて全く翻転できない状態を真性包茎とする．包皮を引っ張って亀頭を観察した場合には，包皮輪の最狭部で陰茎の絞扼を起こす嵌頓包茎となりうるため，元の状態に戻す必要がある．尿道口の異常としては，陰茎の腹側(下面)にずれているのが尿道下裂である．

亀頭部の腫瘤としては尖圭コンジローマと陰茎癌に注意する．尖圭コンジローマはヒト乳頭腫ウイルス(human papillomavirus; HPV)によって感染する性感染症(sexually transmitted disease; STD)で，粟粒大から指頭大の柔らかい乳頭状，鶏冠状の腫瘤をなし，多発していることが多い．陰茎癌はほとんどが包茎患者に発生し，硬く，表面が凹凸不整である．

炎症性の変化としては，亀頭包皮炎，陰部ヘルペス，軟性下疳，硬性下疳がある．亀頭包皮炎は包皮と亀頭との間に細菌感染が起きたもので，包皮が発赤腫脹し，排膿を伴う．陰部ヘルペスはヘルペスウイルス2型によるSTDで，包皮内板や冠状溝周辺に好発し，発赤，小水疱が集簇し，疼痛を伴う．軟性下疳はDucrey(デュクレイ)菌の感染によるSTD，硬性下疳は梅毒の初期症状で，冠状溝付近に潰瘍を形成し，鼠径部リンパ節の腫脹を伴う．触診すると軟性下疳は軟らかくて痛みがある．一方，第1期梅毒で認められ，初期硬結部位を中心に潰瘍が生じた硬性下疳は硬くて痛みは乏しい．

陰嚢，精巣

視診で観察したのち，触診する．

視診では，陰嚢(scrotum)の皮膚疾患の有無をまず観察する．陰嚢内の精索静脈が拡張し蛇行しているものに精索静脈瘤(varicocele)がある．精巣静脈の弁不全や，外部からの圧迫で生じる．立

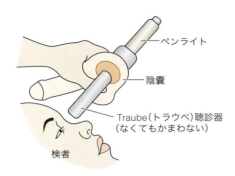

図22 陰嚢の透光性試験

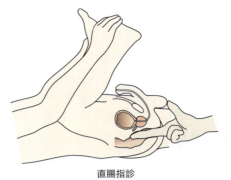

直腸指診

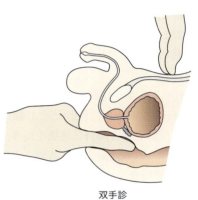

双手診

図23 直腸指診による前立腺触診と双手診

位にしたり，息をこらえて胸腔内圧を高めたり〔Valsalva（バルサルバ）法〕すると，拡張が著明になる．陰嚢が腫脹している場合には，陰嚢自体に病変がある場合と，精巣（睾丸）や精巣上体（副睾丸）など陰嚢の内容が腫脹している場合があり，触診して鑑別する．

両側の陰嚢浮腫でびまん性，無痛性のものは通常全身浮腫によるものであり，重度のうっ血性心不全，ネフローゼ症候群，肝硬変ではよくみられる．また，低蛋白血症をきたす低栄養状態や，癌の後腹膜リンパ節転移などが原因で起こる場合もある．触診すると陰嚢全体がブヨブヨしているように触れる．

これに対し片側の陰嚢浮腫は，精巣や精巣上体の疾患の現れであり，陰嚢内容の腫大に起因する．有痛性の陰嚢腫大としては，精巣上体炎（副睾丸炎），精索捻転症，流行性耳下腺炎性精巣炎，尿道の破裂による二次的陰嚢内尿浸潤または血腫がある．無痛性の陰嚢腫大には，陰嚢水腫（hydrocele），精液瘤（spermatocele），精巣腫瘍がある．陰嚢水腫は精巣周囲の固有漿膜内に漿液が貯留したもので，軟らかい嚢胞状の腫瘤を触知する．暗室内でペンライトを一方から当てると，光がよく透過する〔透光性試験（徹照法；transillumination）〕（図22）．精液瘤は精巣上体の頭部に好発する嚢胞状の腫瘤であり，やはり透光性を有する．穿刺液中に精子を確認することにより診断される．精巣腫瘍は，無痛性に硬く腫大している．表面は比較的平滑なことと不整なことがあり，透光性はない．青年期に多いが，どの年齢層にもありうる．

精巣が陰嚢内に触れない場合には，停留精巣の可能性があり，陰嚢の頭側もしくは鼠径部をよく触診して確認する．稀に異所性精巣，精巣欠損症もある．

前立腺

前立腺（prostate）については，直腸指診により，前立腺肥大症，前立腺癌，前立腺炎を診断する．膀胱内は空虚にしておき，できれば双手診で行う（図23）．左手指をそろえて恥骨結合上の腹部を下方に圧しながら，直腸内の右示指を上方へ押し込むようにして，両手間に前立腺を挟み込むようにして触診する．

正常な前立腺はクルミ大で，弾力があり表面は滑らかである．前立腺癌ではしこり（硬結）が触れ，進行すると表面が硬くなる．前立腺炎は圧痛があり，慢性の場合には硬度も増している．

女性性器

女性性器は外陰部に存在する外性器と骨盤内に存在する内性器から構成され，これらの診察を婦

人科的診察という．婦人科的診察は内診台を使って砕石位で行うが，これは患者にとっては羞恥心を伴うものであり，時に苦痛を感じさせることもある．患者の緊張が強い状態では，必要な所見が得られないことがあるので，診察の必要性と方法を十分に説明し，リラックスした状態で実施する．

外陰部の視診と触診

外陰部には恥丘，大陰唇，小陰唇，会陰，陰核，外尿道口，腟口，肛門が存在する．生殖器の発生・発達異常が疑われる場合は，陰毛の状態，大陰唇，小陰唇，陰核の発達などから二次性徴の状態を評価する．

Bartholin(バルトリン)腺や Skene(スキーン)腺の疾患が疑われる場合は，触診により腫大の有無を確認し，圧痛を伴う場合は感染を疑う．腟口近傍に疼痛を伴う水疱性病変がある場合には，外陰ヘルペスを疑いウイルス検査を行う．鶏のとさかのような小さな疣が存在する場合は尖圭コンジローマを疑う．潰瘍が存在する場合は，Behçet(ベーチェット)病やLipschutz(リプシュッツ)潰瘍を念頭において検査を進める．白斑や腫瘤を認め腫瘍性病変が疑われる場合は，外陰癌，外陰Paget(パジェット)，悪性黒色腫などを疑い生検を実施する．

高齢女性で骨盤臓器の下垂感や脱出を訴える場合は，患者に腹圧をかけてもらい，子宮脱，膀胱瘤，直腸瘤の有無を確認する．

腟鏡診

腟鏡診は内診に先立って行い，腟分泌物，子宮腟部，腟壁の状態を観察する．通常は Cusco(クスコー)式腟鏡を用い，患者に合うサイズを選択する．腟鏡の装着は片手手指で陰裂を開き，反対の手で閉じた状態の腟鏡を把持し腟内に挿入，適切な深さに到達したところで上下に両葉を開いて子宮腟部が視認できる状態で固定する．

腟分泌物は量，色，正常を観察する．瘙痒を訴える場合，カンジダ腟炎では白色酒粕状帯下が，トリコモナス腟炎では黄色泡沫状帯下が特徴的である．腟内の常在菌が減り雑菌が増えた状態を細

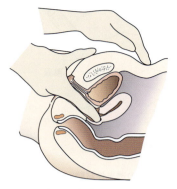

図24　内診の方法

菌性腟症と呼ぶ．また，閉経後の女性ではエストロゲンの低下により菲薄化した腟粘膜が擦れて血性帯下を生じることがあり，これを萎縮性腟炎という．

子宮腟部は，びらん，子宮頸管ポリープ，腫瘤の有無，子宮頸管粘液の状態を観察する．性成熟期女性では腟壁から続く扁平上皮と子宮頸管から続く腺上皮との接合部(squamo-columnar junction; SC junction)が外反して腺上皮の部分が赤く見えるが，これは真性のびらんではない．また SC junction は子宮頸癌の発生部位であり，子宮頸癌検診ではこの部位を中心に擦過細胞診を行う．さらに細胞診により子宮頸部異形成や子宮頸癌が疑われる場合は，コルポスコピーによる精密検査を行う．

子宮頸管粘液は排卵期には量が増加し，牽糸性が高くなる．また双頸双角子宮，重複子宮などの子宮構造異常がある場合，子宮腟部や子宮口が2つ存在したり，腟中隔が存在したりすることがある．

内診(双手診)

排尿後の膀胱が空虚な状態で片手の示指を腟内に挿入し(内診指)，対側の手を腹壁上に当て(外診指)，両者で子宮や左右の付属器(卵巣，卵管)を挟み込むようにして触診する(図24)．患者には腹壁の力を抜いてもらう必要があり，腹式呼吸などを促して力が抜けたときに所見をとる．

子宮は傾きと屈曲，位置，大きさ，形状，硬さ，可動性，圧痛の有無などを確認する．正常な子宮

は鶏卵大で，可動性がよく，圧痛を認めない．正常な付属器は触知しないことが多いが，腫大した腫瘤を触知する場合は形状，硬さ，可能性を確認する．内診指を後腟円蓋に置き，仙骨子宮靱帯やDouglas窩腹膜を触診し，抵抗，硬結，圧痛がある場合には炎症や癒着の存在を疑う．

性交未経験の女性の診察では内診の代わりに直腸診を行うことがある．また，子宮頸癌の傍子宮結合織浸潤を診察する場合には直腸診のほうが触知しやすいことがある．

分娩進行中の産婦に対する産科的内診では，示指と中指を腟内に挿入し，子宮口の開大度，展退度，硬さ，位置，胎児先進部，下降度を診察する．

経腟超音波検査

経腟超音波検査は，内科医の聴診器と同じくらい頻用され，現在の産婦人科医療において必須の画像診断機器である．経腟超音波検査はプローブを腟内に挿入することで，子宮や付属器に近い位置から高い周波数でスキャンすることが可能なため，より解像度の高い画像を得ることができる．

〈根本 泰宏，岡本 隆一(腹部の区分〜触診)
　日比谷 秀爾，岡本 隆一(打診〜肛門・直腸の診察)
　早稲田 悠馬，藤井 靖久(男性性器)
　宮坂 尚幸(女性性器)〉

部位別の身体診察 四肢

四肢の診察では，視診と触診が主となる．

四肢の疾患には，四肢自体の局所的疾患だけでなく，全身性疾患に際して四肢の筋肉，関節，骨，血管が障害されることもある．また神経疾患ではしばしば四肢に病変があり，その診察が重要である．

四肢を十分に露出し，全長にわたって入念に診察する．常に左右を比較し，上肢では手指，手，前腕，上腕，肩へと順を追って系統的に診察を進める．下肢では，足趾，足，下腿，大腿，鼠径部へと診察を行う．

視診

四肢では，皮膚の性状，変形，運動，異常運動などをよく観察する．

皮膚の視診

皮膚の異常所見は四肢の皮膚に出やすく，また発見しやすい．皮膚の色調，炎症性変化，発疹，浮腫，腫瘤などに注意する．

四肢の変形

上肢の変形

左右の上肢は普通，対称性であるが，利き腕のほうが長く太いこともある．左右の上肢を比較するには，正確に計測して比較する〔後述の「生体計測」参照（☞147ページ）〕．明らかな左右の非対称は，先天的異常，外傷，骨折，浮腫などでみられる．外反肘はTurner（ターナー）症候群に特徴的である（図1）．

手の変形

骨折や外傷のほか，神経疾患，骨・関節疾患，

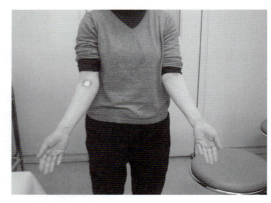

図1　外反肘

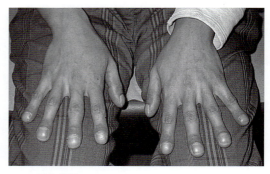

図2　ばち状指

代謝性疾患などで認められる．後天性の関節変形は，皮膚によるもの，結合組織によるもの，筋の麻痺や線維化によるもの，炎症性関節疾患によるもの，神経疾患によるものがある．特徴的な手の変形について述べる．

❶ 鋤手（spade hand）

先端巨大症の患者で，手が大きく，広く角ばった手掌と太い指のために，あたかも鋤のような形状を示す．

❷ くも状指（arachnodactyly）

クモの脚のように指が細長くなった状態で，Marfan（マルファン）症候群でみられる．

❸ ばち状指（ばち指）（clubbed finger）

手指の末節が太鼓の"ばち"のように腫大して，

スワンネック変形

ボタン穴変形（中指）

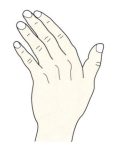
手指尺側偏位

図3　関節リウマチでみられる種々の手の変形

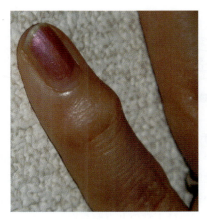
図4　Heberden 結節

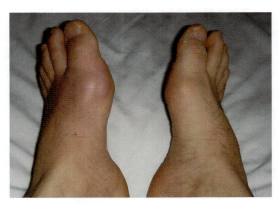
図5　痛風性関節炎（左母趾関節）

爪が前後左右から見ても凸状になったものである（図2）．右-左シャントを伴う先天性心疾患，血管奇形にみられるのが特徴的で，チアノーゼを伴うことが多い．気管支拡張症や肺気腫などの慢性肺疾患でもみられることがあり，爪床下の毛細血管が増生して赤色調を呈する．このほか，肺癌，慢性肝疾患，潰瘍性大腸炎などでも認めることがある〔症候・病態編「ばち状指」参照（☞ 567 ページ）〕．

❹ 関節リウマチによる手の変形

関節リウマチでは，急性期には関節の疼痛，腫脹，発赤，局所熱感といった炎症所見があり，寛解と再燃を繰り返す．慢性化すると，関節軟骨が破壊され，関節の変形，強直，亜脱臼などが起こる．近位指節間（PIP）関節，中手指節関節，手関節などに好発し，肘関節，膝関節，足関節などに病変が及ぶこともある．左右対称性，そして多発性に関節が障害されやすい．慢性に経過した患者では，炎症性変化の結果，手指などに特有な変形がみられることがある（図3）．

❺ 変形性関節症（osteoarthritis; OA）

関節の退行性変化をきたすもので，手指，足趾，股関節，膝関節，脊椎が障害される．中年以降の患者で頻度が高い関節疾患である．手指の変化として遠位指節間（DIP）関節にみられる Heberden（ヘバーデン）結節があり，遠位指節間関節背側あるいは内外側に骨棘を形成し，小さな結節状の骨隆起の状態となる（図4）．しばしば末節骨の屈曲，外側への変形をきたす．PIP 関節に生じる結節は Bouchard（ブシャール）結節といい，Heberden 結節より頻度は少ない．

❻ 痛風性関節炎（gouty arthritis）

痛風患者で，母趾関節に起こることが多いが，ほかの趾関節や指・手関節にみられることもある．急性期には激烈な疼痛と関節の発赤，腫脹，局所熱感があり，圧痛も強い（図5）．慢性の患者では結節を形成することがある．

図6　猿手(a)と鷲手(b)

❼ 猿手, 鷲手

猿手(ape hand)は, 筋萎縮性側索硬化症, 脊髄性進行性筋萎縮症などでみられる手の変形で, 母指球と小指球が萎縮して扁平となっている(図6a). 手掌尺側縁は正常の丸みがなくなって直線状となり, 凹みをみるようにもなる. 母指は短母指外転筋の萎縮と麻痺によって内転位をとり, 母指とほかの4指が同一平面上にあるようになる.

骨間筋や虫様筋が萎縮すれば, 手背骨間腔が著明に陥凹し, 反対筋である総指伸筋・浅総指屈筋が収縮するため, 中手指節関節は背屈し, 遠位指節間関節が屈曲位をとるようになる. 鷲手(claw hand)と呼ばれる(図6b).

筋萎縮がさらに前腕にまで及ぶと, 尺骨・橈骨間も陥凹するようになる.

なお, 正中神経麻痺では猿手, 尺骨神経麻痺で鷲手になる.

❽ 下垂手(drop hand)

橈骨神経麻痺があると, 手が手関節で屈曲したまま背屈させることができなくなり, 手関節が垂れ下がったような状態となる.

下肢の変形

先天的にも, 後天的にも下肢に変形が起こる場合がある. 骨・関節疾患, 神経疾患, 代謝性疾患などで変形がみられる. 上肢の変形で述べたような変形を下肢にもみることがあるほか, 下肢には以下のような変形がある(図7).

❶ 内反膝, 外反膝

両膝を基本肢位に平行に並べ, 両足の内果が接着しても両大腿骨顆が開いている状態を内反膝(bowleg, genu varum)といい, O脚になる. 逆になるのが外反膝(knock-knee, genu valgum)で, X脚になる. くる病による骨軟化などが原因で起こる.

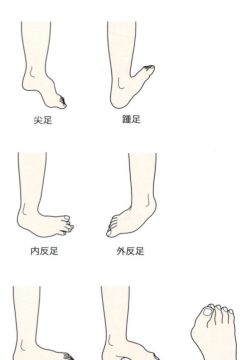

図7　足の変形

❷ 尖足(equinus foot, talipes equinus)

腓骨神経が麻痺すると, 足背が屈曲できなくなり, 足尖が垂れ下がってしまう. このため, 歩くときには足を異常に高く持ち上げ, 爪先から投げ出すようにして歩く(鶏歩). 外傷後の変形や, 長期臥床による不注意で起こる尖足位拘縮もある.

❸ 踵足(talipes calcaneus)

脛骨神経が麻痺して足が強く背屈した状態である. 歩くときには踵だけで歩くようになる.

❹ 内反足, 外反足

内反足は足が下肢の正中線よりも強く内転した状態で, 足外縁を用いて歩く. 外反足は, 足が外反し, 足内縁を用いて歩く.

❺ 扁平足, 凹足

扁平足(flat foot)は, 足の長軸弓隆が低下してしまい, 足底のくぼみ(土ふまず)がなくなり, 足底全体が地面に付くようになった状態である. 凹足は扁平足と逆に, 足のくぼみが強くなった状態である.

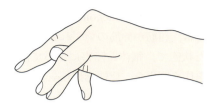

図8 テタニー発作時の産科医の手

❻ 外反母趾（hallux valgus）

足の母趾が強く外反し，第2趾と交叉するような状態である．先天性のほか，不適切な靴の着用，関節炎などで起こる．

異常運動

痙攣，振戦，舞踏病様運動，アテトーゼ，ミオクローヌスなどの異常運動が四肢に出現することがある．

テタニーでは，発作時に手関節と中指関節が屈曲し，母指を強く内転し，ほかの指は伸展する．前腕はやや回内位をとる．あたかも産科で行う内診の手つきに似るので，産科医の手（obstetrician's hand）と呼ぶことがある（図8）．

触診

皮膚の触診

皮膚に発疹や腫瘤を視診で認めたときには，その性状を確認するために触診を行う．

皮膚または皮下に腫瘤を触知する場合には，その大きさ，表面の性状，硬さ，圧痛，可動性などを必ず確認する．皮膚の性状や熱感，分泌物の有無にも注意する．皮下腫瘤の場合には，深さや骨・関節との関係も確認する．

腫瘤が良性腫瘍の場合には，一般的に表面は平滑で，可動性がある．炎症を起こしていれば，表面は発赤し，自発痛や圧痛を伴う．一方，悪性腫瘍では，硬く，表面は凸凹で不整となっている．周囲の組織と癒着し，可動性は悪い．

筋肉の触診

筋肉の発達程度は個人差が大きい．職業やス

表1 筋萎縮分布の特徴

四肢全域に及ぶもの
- 多発性筋炎
- 多発神経炎
- 筋緊張性ジストロフィー症

四肢遠位に偏るもの
- 脊髄性進行性筋萎縮症
- 筋萎縮性側索硬化症
- 神経性進行性筋萎縮症：Charcot-Marie-Tooth（シャルコー・マリー・ツース）病

四肢近位に偏るもの
- 進行性筋ジストロフィー症〔Duchenne（デュシェンヌ）型，肢帯型〕

分散型，局在型
- 脊髄腫瘍
- 脊髄空洞症
- 末梢神経損傷
- 脊髄・神経根症：椎間板ヘルニア

特異的局在型
- 進行性筋ジストロフィー症：顔面肩甲上腕型

ポーツで鍛錬された筋肉はよく発達している．逆に，長期間使用しないでいると，筋肉は萎縮してくる．これを廃用性萎縮（disuse atrophy）といい，脳血管障害で麻痺の生じた四肢などにみられる．

筋肉の触診では，左右の同部位を比較することが大切で，四肢の周径を測定することも参考になる〔後述の「生体計測」参照（☞147ページ）〕．

筋萎縮

筋肉を触ると軟らかく，力を入れても硬くならない場合に，筋萎縮（muscular atrophy）があると判断できる．

筋萎縮は，下部運動ニューロンの障害による神経原性のもの（灰白髄炎，脊髄性進行性筋萎縮症，筋萎縮性側索硬化症，末梢神経障害など）と，筋ジストロフィーなど筋肉疾患による筋原性のものとがある．筋萎縮は，それらの疾患により，発生のしかたや分布に特徴があり，鑑別するうえで参考になる（表1）．どの部位から，どのように筋萎縮が起きたのか，萎縮は進行性であるかどうかを確認する．また，感覚障害の有無や神経症状の有無にも注意する．発症した年齢や，家族内での発病の有無も，診断するうえで参考になる．

上位運動ニューロン障害では本来は筋萎縮は起きないが，片麻痺では廃用性萎縮をきたす．この場合には，下部運動ニューロン障害のときに比べて萎縮の程度は軽い．

筋肥大

運動や職業などの鍛錬でも筋肥大(muscle hypertrophy)は起こる．この場合には，筋肉の構造そのものには問題がない．

これに対し，筋ジストロフィー症ではほかの筋肉は萎縮するのに，一部の筋肉だけが肥大する．そして，肥大した筋肉は脂肪組織が主体となっており，ゴムのような弾性を示す．筋力も低下している．このような筋肥大を仮性肥大という．仮性肥大はDuchenne型筋ジストロフィー症に特徴的で，腓腹部，時には上腕部に認められる．

筋緊張

筋肉をすっかり弛緩させた状態でも，筋肉は不随意に緊張した状態にある．こうした筋緊張(muscle tonus)を筋トーヌスと呼んでいる．筋肉の緊張度を客観的に評価するのは難しいが，各関節を他動的に動かし，そのときに受ける抵抗から筋トーヌスを判定する．

たとえば，患者に力を抜いてもらい，前腕を持ち他動的に回内・回外させ，その抵抗をみる．あるいは，診察者が母指の指腹で筋肉を触り，一定の深さに指が押し込まれるまでにどのくらいの力が必要かを判断し，筋肉の硬さや軟らかさを判断する．これを数値で表示する筋緊張測定器もある．

筋トーヌスの変化には，亢進と低下がある．亢進は，痙縮と固縮(強剛)に分けられる．

❶ 筋痙縮(spasticity)

筋痙縮は，他動的に筋肉を運動させた場合，最初は抵抗が強くて運動が起こりにくいが，あるところまで動かすと急に抵抗が抜けてしまう状態を指す．

たとえば，前腕を屈曲させたり伸展させようとすると，最初は硬いが，ある時点で急に抵抗がなくなる．あたかも折りたたみナイフを閉じたり引き出したりするような感じで，折りたたみナイフ現象(clasp-knife phenomenon)と呼ぶ．

筋痙縮は，屈筋か伸筋のいずれか一方のみが障害された状態で，錐体路障害によって出現する．筋痙縮を伴う麻痺を，痙性麻痺(spastic paralysis)と呼ぶ．

❷ 筋固縮(rigidity)

屈筋と伸筋の両方が障害されると，他動的運動に際して，運動の最初から最後まで抵抗がある．この状態を筋固縮という．あたかも鉛のパイプを曲げる感じに似ており，鉛管現象(lead pipe phenomenon)と呼ばれる．また，筋固縮のあるときには，四肢を屈伸する際，歯車を回すように特有な律動的，断続的な抵抗を感じることがあり，歯車現象(cogwheel phenomenon)という．

筋固縮は錐体外路系の疾患で出現し，Parkinson(パーキンソン)病などでよくみられる．

❸ 筋緊張低下(hypotonus)

他動的な運動に対して全く抵抗がなく，弛緩している状態を指す．触診すると筋肉は軟らかく，筋肉に特有な抵抗が減弱している．このため，四肢を揺さぶると，四肢がブランブランする状態になる．

筋トーヌスの低下は，下部運動ニューロンの障害による運動麻痺でみられる〔弛緩性麻痺(flaccid paralysis)〕．このほか，脊髄後根および後索障害(脊髄癆など)，小脳障害でも起こる．

骨，関節の触診

骨・関節疾患の診断にも，触診が重要な情報を提供する．

骨の触診

骨の変形，骨折，骨腫瘍などの診断に触診が行われる．

骨折，特に外傷で起きた骨折では，局所の疼痛，機能障害，骨の変形，異常な動き，軋轢音が重要な症候である．これらを骨折の固有症状といい，骨折の診断に重要な所見である．ただし，骨折はX線検査やMRI検査で簡単に，しかも確実に診断できるので，あえて固有症状にこだわるべきではない．

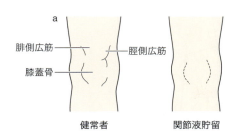

図9 膝関節液貯留
a：外観，b：膝蓋骨跳動

関節の触診

関節の触診では，関節部を覆う皮膚，皮下組織，関節周囲の靱帯，筋肉や腱，関節包，関節裂隙，関節を構成する骨といった順序で診察を進める．

関節の触診で注意して確認すべき事項は，局所熱感の有無，皮下の結節や硬結，浮腫，リンパ節腫脹，関節包の肥厚，関節部の圧痛の有無と部位，関節周辺の腫瘤や膝窩部粘液囊腫などである．関節包の肥厚は，関節部の炎症が長期間持続したときにみられるが，関節の部位によっては判断が難しい．関節周辺の腫瘤としては，手関節背部などに多くみられるガングリオン（ganglion）に注意する．

関節炎で関節腔に滲出液が貯留することがある．膝関節に滲出液が貯留すると，内側および外側広筋と膝蓋骨でつくられる正常のくぼみが消え，明瞭でなくなる（図9a）．さらに大量の滲出液が貯留すると，膝関節部が膨隆してくる．膝関節を伸ばしたままで仰臥位になり，膝関節の側面と前面を検者の両手の間で強く圧迫して，示指で膝蓋骨を上から圧すると，関節腔内に液体が貯留している場合には膝蓋骨が反張してくる抵抗感がある．これを膝蓋骨跳動（floating patella）といい，膝関節液貯留の診断に有意義な所見である（図9b）．

関節を患者自身で，あるいは他動的に動かしてみて，運動に制限や抵抗がないかどうかを調べることも重要である．さらに関節の弛緩や，運動に伴う疼痛や異常な音にも注意する．

関節の運動制限は，大きく分けて2種類ある．第1は，骨および軟骨の関節体に病変があって生じるもので，関節強直（ankylosis）という．第2は，関節体を取り巻く関節包，靱帯，皮膚，筋肉，腱などに原因がある場合で，関節拘縮（contracture）と呼ぶ．ただし，現実にはこの両者を厳密に区別することの難しいことがあり，硬直もしくは硬着という表現が用いられることもある．

正常の関節運動範囲を超えて，あるいは本来はできないはずの異常な方向に関節が運動し，固定性や支持性に乏しい状態を動揺関節という．全身疾患の一症状としての関節弛緩や，局所的には靱帯の損傷が疑われる．

生体計測

四肢の長さや大きさ，筋力，関節可動域などを，基本的な計測法に準じて評価し記載する．正確な計測により，筋肉の萎縮や腫脹の程度を客観的に評価することができる．計測には巻き尺や角度計を用い，左右差も比較する．

四肢の計測

上肢長および下肢長

体表から触知できる骨突出部を基準として長さを計測する．上肢長は，肘完全伸展位・前腕回外位（手掌を前方に向け）とし，上肢が体幹に接した状態で計測する（図10a）．肩峰から橈骨茎状突起までが上肢長，肩峰から上腕骨外側上顆までが上腕長，上腕骨外側上顆から橈骨茎状突起までが前腕長となる．

下肢長の計測法は2種類あり，上前腸骨棘から足関節内果までの距離（spina malleolar distance；SMD）と，大腿骨大転子から外果までの距離（trochanter malleolar distance；TMD）である（図10b）．計測時には骨盤水平位とし，両下肢を平行伸展位で股関節内外旋中間位として計測する．

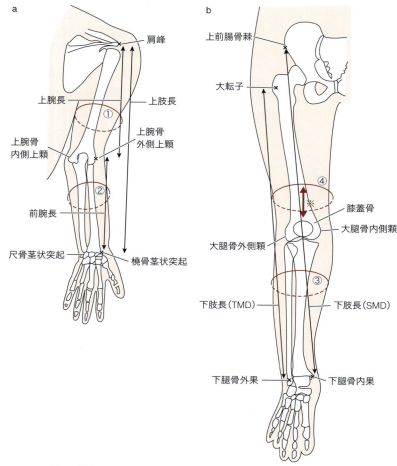

図10 四肢の計測
四肢長は体表から触知できる骨突出部を基準として長さを計測する．上腕周径（①），前腕周径（②），下腿周径（③）は最も太い部分で計測し，大腿周径（④）は膝蓋骨近位端からの距離（※）を計測し，左右で同じ部位で計測する．

四肢周囲径

見た目の違いがなくても，客観的に計測することで左右差が明らかになることがある（図10）．上腕周径，前腕周径，下腿周径は，それぞれ最も太い部分で計測する．大腿周径は，成人では膝蓋骨近位端から10cmの部位で計測し，小児では5cmあるいは7cmの部位で計測する．

筋力測定

筋の収縮により発生する力が筋力であり，神経筋疾患，神経障害の高位診断などに重要である．臨床的には徒手的に評価することが一般的であり，0～5の6段階で判定する（表2）．また筋力測定機器（CybexやBiodexなど）により，等尺性，等張性，等運動性収縮といった，より客観的な筋

表2 徒手筋力テスト（manual muscle testing; MMT）

	評価		基準
5	Normal（正常）	100%	強い抵抗を加えても完全に動く
4	Good（優）	75%	いくらか抵抗を加えてもなお完全に動く
3	Fair（良）	50%	抵抗を加えなければ重力に打ち勝って完全に動く
2	Poor（可）	25%	重力を除けば完全に動く
1	Trace（不可）	10%	関節は動かないが，筋の収縮を軽度に認める
0	Zero（ゼロ）	0%	筋の収縮が全くみられない

表3 関節可動域表示ならびに測定法〔Jpn J Rehabil Med 2021;58:1188–1200, 日本足の外科学会雑誌 2021, Vol.42:S372–S385, 日整会誌 2022;96:75–86〕

部位名	運動方向	参考可動域角度	基本軸	移動軸	測定肢位および注意点	参考図
I. 上肢測定						
肩甲帯 shoulder girdle	屈曲 flexion	0–20	両側の肩峰を結ぶ線	頭頂と肩峰を結ぶ線		
	伸展 extension	0–20				
	挙上 elevation	0–20	両側の肩峰を結ぶ線	肩峰と胸骨上縁を結ぶ線	背面から測定する.	
	引き下げ（下制） depression	0–10				
肩 shoulder （肩甲帯の動きを含む）	屈曲（前方挙上） forward flexion	0–180	肩峰を通る床への垂直線（起立または座位）	上腕骨	前腕は中間位とする. 体幹が動かないように固定する. 脊柱が前後屈しないように注意する.	
	伸展（後方挙上） backward extension	0–50				
	外転（側方挙上） abduction	0–180	肩峰を通る床への垂直線（起立または座位）	上腕骨	体幹の側屈が起こらないように 90°以上になったら前腕を回外することを原則とする.	
	内転 adduction	0				
	外旋 external rotation	0–60	肘を通る前額面への垂直線	尺骨	上腕を体幹に接して, 肘関節を前方 90°に屈曲した肢位で行う. 前腕は中間位とする.	
	内旋 internal rotation	0–80				

（つづく）

測定も行われる.

関節可動域の測定

四肢・体幹の関節には可動性と支持性という2つの重要な機能があり, 関節可動域（range of motion; ROM）は前者を定量的に評価する指標である. 自動的 ROM と他動的 ROM があるが, 前者は筋力低下などの影響も受けるため, 関節機能を評価するためには他動的 ROM のほうが重視される. 日常診療では, 関節リウマチといった疾患の重症度や治療効果判定などに用いられる.

可動域の測定方法と正常な動きの範囲は, 日本整形外科学会と日本リハビリテーション学会により詳細に定められている（表3）. 基本肢位はおおむね解剖学的肢位と一致する. 正しく関節可動域を評価するためには, 各関節の基本肢位, 運動内容（方向）, 可動域の測定方法と表示法を順守する必要がある.

表3 関節可動域表示ならびに測定法(つづき)

部位名	運動方向	参考可動域角度	基本軸	移動軸	測定肢位および注意点	参考図
I. 上肢測定(つづき)						
肩 (つづき)	水平屈曲 horizontal flexion (horizontal adduction)	0–135	肩峰を通る矢状面への垂直線	上腕骨	肩関節を90°外転位とする.	
	水平伸展 horizontal extension (horizontal abduction)	0–30				
肘 elbow	屈曲 flexion	0–145	上腕骨	橈骨	前腕は回外位とする.	
	伸展 extension	0–5				
前腕 forearm	回内 pronation	0–90	上腕骨	手指を伸展した手掌面	肩の回旋が入らないように肘を90°に屈曲する.	
	回外 supination	0–90				
手 wrist	屈曲(掌屈) flexion (palmar-flexion)	0–90	橈骨	第2中手骨	前腕は中間位とする.	
	伸展(背屈) extension (dorsiflexion)	0–70				
	橈屈 radial deviation	0–25	前腕の中央線	第3中手骨	前腕を回内位で行う.	
	尺屈 ulnar deviation	0–55				

(つづく)

表3 関節可動域表示ならびに測定法(つづき)

部位名	運動方向	参考可動域角度	基本軸	移動軸	測定肢位および注意点	参考図
II. 手指測定						
母指 thumb	橈側外転 radial abduction	0–60	示指(橈骨の延長上)	母指	運動は手掌面とする．以下の手指の運動は，原則として手指の背側に角度計を当てる．	
	尺側内転 ulnar adduction	0				
	掌側外転 palmar abduction	0–90			運動は手掌面に直角な面とする．	
	掌側内転 palmar adduction	0				
	屈曲(MCP) flexion	0–60	第1中手骨	第1基節骨		
	伸展(MCP) extension	0–10				
	屈曲(IP) flexion	0–80	第1基節骨	第1末節骨		
	伸展(IP) extension	0–10				
指 fingers	屈曲(MCP) flexion	0–90	第2〜5中手骨	第2〜5基節骨		
	伸展(MCP) extension	0–45				
	屈曲(PIP) flexion	0–100	第2〜5基節骨	第2〜5中節骨		
	伸展(PIP) extension	0				
	屈曲(DIP) flexion	0–80	第2〜5中節骨	第2〜5末節骨	DIPは10°の過伸展をとりうる．	
	伸展(DIP) extension	0				
	外転 abduction		第3中手骨延長線	第2,4,5指軸	中指の運動は橈側外転，尺側外転とする．	
	内転 adduction					

注：MCP，IP，PIP，DIPについては153ページの脚注を参照

(つづく)

表3 関節可動域表示ならびに測定法（つづき）

部位名	運動方向	参考可動域角度	基本軸	移動軸	測定肢位および注意点
III. 下肢測定					
股 hip	屈曲 flexion	0–125	体幹と平行な線	大腿骨 （大転子と大腿骨外側顆の中心を結ぶ線）	骨盤と脊柱を十分に固定する． 屈曲は背臥位，膝屈曲位で行う． 伸展は腹臥位，膝伸展位で行う．
	伸展 extension	0–15			
	外転 abduction	0–45	両側の上前腸骨棘を結ぶ線への垂直線	大腿中央線 （上前腸骨棘より膝蓋骨中心を結ぶ線）	背臥位で骨盤を固定する． 下肢は外旋しないようにする． 内転の場合は，反対側の下肢を屈曲挙上してその下を通して内転させる．
	内転 adduction	0–20			
	外旋 external rotation	0–45	膝蓋骨より下ろした垂直線	下腿中央線 （膝蓋骨中心より足関節内外果中央を結ぶ線）	背臥位で股関節と膝関節を90°屈曲位にして行う． 骨盤の代償を少なくする．
	内旋 internal rotation	0–45			
膝 knee	屈曲 flexion	0–130	大腿骨	腓骨（腓骨頭と外果を結ぶ線）	屈曲は股関節を屈曲位で行う．
	伸展 extension	0			
足関節・足部 foot and ankle	外転 abduction	0–10	第2中足骨長軸	第2中足骨長軸	膝関節を屈曲位，足関節を0°で行う．
	内転 adduction	0–20			
	背屈 dorsiflexion	0–20	矢状面における腓骨長軸への垂直線	足底面	膝関節を屈曲位で行う．
	底屈 plantar flexion	0–45			

（つづく）

表3　関節可動域表示ならびに測定法（つづき）

部位名	運動方向	参考可動域角度	基本軸	移動軸	測定肢位および注意点	参考図
III. 下肢測定（つづき）						
足関節・足部 foot and ankle	内がえし inversion	0-30	前額面における下腿軸への垂直線	足底面	膝関節を屈曲位，足関節を0°で行う．	
	外がえし eversion	0-20				
第1趾 母趾 great toe, big toe	屈曲（MTP） flexion	0-35	第1中足骨	第1基節骨	以下の第1趾，母趾，趾の運動は，原則として趾の背側に角度計をあてる．	
	伸展（MTP） extension	0-60				
	屈曲（IP） flexion	0-60	第1基節骨	第1末節骨		
	伸展（IP） extension	0				
趾 toe, lesser toe	屈曲（MTP） flexion	0-35	第2〜5中足骨	第2〜5基節骨		
	伸展（MTP） extension	0-40				
	屈曲（PIP） flexion	0-35	第2〜5基節骨	第2〜5中節骨		
	伸展（PIP） extension	0				
	屈曲（DIP） flexion	0-50	第2〜5中節骨	第2〜5末節骨		
	伸展（DIP） extension	0				

MCP：中手指節関節（metacarpophalangeal joint），MTP：中足趾節関節（metatarsophalangeal joint），
IP：指節間関節（interphalangeal joint），PIP：近位指節間関節（proximal interphalangeal joint），
DIP：遠位指節間関節（distal interphalangeal joint）

（つづく）

表3 関節可動域表示ならびに測定法（つづき）

部位名	運動方向		参考可動域角度	基本軸	移動軸	測定肢位および注意点	参考図
IV. 体幹測定							
頚部 cervical spines	屈曲（前屈）flexion		0-60	肩峰を通る床への垂直線	外耳孔と頭頂を結ぶ線	頭部体幹の側面で行う．原則として腰かけ座位とする．	
	伸展（後屈）extension		0-50				
	回旋 rotation	左回旋	0-60	両側の肩峰を結ぶ線への垂直線	鼻梁と後頭結節を結ぶ線	腰かけ座位で行う．	
		右回旋	0-60				
	側屈 lateral bending	左側屈	0-50	第7頚椎棘突起と第1仙椎の棘突起を結ぶ線	頭頂と第7頚椎棘突起を結ぶ線	体幹の背面で行う．腰かけ座位とする．	
		右側屈	0-50				
胸腰部 thoracic and lumbar spines	屈曲（前屈）flexion		0-45	仙骨後面	第1胸椎棘突起と第5腰椎棘突起を結ぶ線	体幹側面より行う．立位，腰かけ座位または側臥位で行う．股関節の運動が入らないように行う．	
	伸展（後屈）extension		0-30				
	回旋 rotation	左回旋	0-40	両側の後上腸骨棘を結ぶ線	両側の肩峰を結ぶ線	座位で骨盤を固定して行う．	
		右回旋	0-40				
	側屈 lateral bending	左側屈	0-50	ヤコビー（Jacoby）線の中点に立てた垂直線	第1胸椎棘突起と第5腰椎棘突起を結ぶ線	体幹の背面で行う．腰かけ座位または立位で行う．	
		右側屈	0-50				

〈奈良 信雄（触診），石橋 恭之（生体計測）〉

神経症候の診察

神経所見のとり方

医療面接のポイント

　神経疾患では特に医療面接が重要である．神経疾患の原因は，変性，脱髄性，発作性・機能性，血管障害，感染，炎症(非特異的)，代謝性，中毒，形成異常，腫瘍，外傷，脊椎疾患，内科疾患(特に膠原病，自己免疫性疾患)など多種多様である．医療面接で最も重要な最初のステップは，医療面接により患者に起こっている症状がどの神経疾患に分類されるのか，その病変の性質を診断することである(原因診断)．図1に代表的な発症と経過パターンを示す．てんかんや片頭痛などの機能性疾患は病歴のみでほとんど診断できる場合も多い．

　医療面接は診断に必要な情報を得る過程である．しかし，患者が教科書に載っているとおりに症状経過を述べるとは限らない．そのため，診断に必要な臨床項目について医師から質問することが重要である．たとえば，Parkinson(パーキンソン)病では振戦や筋強剛，動作緩慢などの運動症状に加えて嗅覚低下や便秘，REM睡眠行動異常などを伴うことがあり，患者の訴えからParkinson病が疑われた際には，それらの症状の有無についても医療面接で確認することが重要である．

　医療面接は必ずしも神経学的診察の前に完結するとは限らず，診察で得られた神経所見から新たに疑うべき疾患が想起された際には，必要な情報を新たに聞き出す必要がある．意識障害や知能低下のある患者では，医療面接は家族や介護者など周囲の人から聞き出すことも重要である．

　医療面接の順序を以下に示す．

① 年齢，性別，職業：年齢は神経疾患の診断において重要な情報である．変性疾患や脳血管障害には加齢が関与する．遺伝性疾患では，常染色体潜性(劣性)遺伝形式で発症する疾患では若年発症のことが多い．性別に関しては，たとえば男性に発症する伴性潜性遺伝性疾患である球脊髄性筋萎縮症や，多発性硬化症や視神経脊髄炎など女性に頻度の高い自己免疫性疾患など，発症頻度に性差のある疾患の診断のため重要である．職業歴は有害物質への曝露による中毒性疾患を疑う場合などに必要な情報である．鉛曝露による橈骨神経麻痺，有機溶剤による末梢神経障害などが代表的である．特殊な薬品を扱うような職業歴がないか確認し，必要な場合には職場に同様の症状の人がいないかを聞き出すこともある．

② 主訴・初発症状の内容とその時期：患者の最も困っている症状を聞き出す．また，それがどれくらい前の時期から起こっているのかを確認する．

③ 発症の様式，経過：発症の様式や経過は，疾患の種類を分類するために重要である(図1)．突然その症状が起こりその確かな日時が判明しているのか(脳血管障害や外傷)，何日か前に発症し急性に経過しているのか(感染症や中毒性疾患)，しばらく前に発症し次第に進行しているのか(神経変性疾患，腫瘍性疾患，代謝性疾患)，増悪と寛解を繰り返しているのか(脱髄性疾患)，発作性ないしは周期性に症状が発現するのか(てんかんや機能性頭痛)など，時間経過に沿ってどのように症状が起こっているのかを詳細に聞き出す．

④ 既往歴，妊娠・出産状況：内科疾患に伴う病態としては高血圧症，糖尿病，不整脈など，多くの内科疾患が脳血管障害のリスクとなるため，治療の有無によらず内科疾患の既往を確認する．健診で指摘を受けていても未加療の場合がある．発作性，機能性疾患や脱髄疾患は過去に

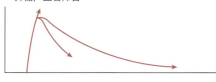

1) 突然発症（秒，分，時間単位）
→そのまま悪化，またはその後徐々に回復
外傷，血管障害

2) 急性・亜急性発症（日，週単位）
→そのまま増悪，またはその後徐々に回復
感染症，中毒性疾患

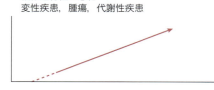

3) 潜行性／慢性発症（月，年単位）
→緩徐進行性に悪化
変性疾患，腫瘍，代謝性疾患

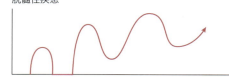

4) 増悪・寛解の繰り返し
脱髄性疾患

5) 発作の繰り返し
発作性疾患

6) 重症筋無力症（日内変動，日差変動，増悪・寛解）
内科疾患に伴うとき原疾患の消長に連動することがあり，脊椎疾患では安静により改善，運動により増悪することが多い

図1 神経疾患の代表的な発症・臨床経過パターン

同様の症状を経験していても医療機関を受診しなかった，ということもあるので詳しく確認する．多発性硬化症や視神経脊髄炎では過去に視力低下を自覚していながらも数日で改善したため放置した，ということも稀ではない．また，脱髄性疾患は感冒など感染様症状に続発して発症することもある．交通事故を含めた外傷，手術歴も重要である．

⑤服薬・治療歴：服薬中の薬物により医原性疾患を起こすこともある．例として抗精神病薬やスルピリドによる薬物性パーキンソニズム，フェニトインによる小脳失調がある．医療面接では服薬中の薬物の内容も詳細に確認する．

⑥生活歴・嗜好歴：アルコール関連神経障害やビタミン欠乏症による栄養障害性神経障害の診断に必要な情報である．喫煙は脳血管障害のリスクファクターである．心因反応が疑われる症状には家族関係や職場環境が関連することもある．

⑦家族歴：神経疾患には遺伝の関与する疾患が多い．家系内に同様の症状を起こしている人がいないかを確認するため，必要に応じて家系図を書きながら具体的に医療面接を行う．血族婚の有無や類縁疾患の家系発症者がいる場合には，可能であれば地域も聞き出しておく．

診察のポイント

医療面接の次のステップは，病変が神経系のどこにあるかを決定するための局在診断である．医療面接により推定される疾患の種類（図1）と診察により下された局在診断を総合し，原因診断を行う（図2）．病変の存在様式は多様であり，脳血管障害や脳腫瘍のようにある局所（単発性）に限局する疾患，脳脊髄炎のように広範に及ぶ疾患，運動ニューロン単独の障害をきたす筋萎縮性側索硬化症（amyotrophic lateral sclerosis; ALS）や悪性貧血に伴う脊髄後索および側索障害をきたす亜急性脊髄連合変性症のように特定の神経系統を障害する病変がある．疾患の種類による病変の解剖学的部位，分布を理解しておくと疾患を診断しやすくなる．

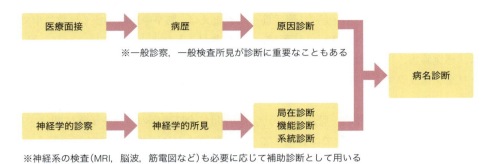

図2 神経疾患の診断のプロセス

実際の診察手順

　神経徴候を取りこぼしなくチェックするためには，普段から精神状態，高次脳機能，脳神経，運動機能，反射，感覚という「決まった順序と系統ごとの診察」を行う習慣をつけるとよい．以下に，一般的な診察室における診察手順を紹介する．

　患者が診察室に入り対面する時点から観察を行い，歩行の様子，姿勢，異常運動などを簡単にみる．歩行障害や不随意運動をこの時点で把握できることもある．

　まず検者が名乗り，患者の氏名を確認してから医療面接，簡単な内科的診察を行ってから神経学的診察に移る．精神状態として，意識障害の有無，知能障害の有無，および精神科的異常の有無を判定する．意識状態は覚醒度(清明，傾眠，昏迷，半昏睡，昏睡)を確認する．知能低下が疑われる場合には見当識，記憶，計算などを調べておき，必要があれば認知機能評価スケールを用いて評価する．

　座位の状態では，頭部，顔，頚部のほかに，脳神経，上肢の運動機能と反射を確認できる．次にベッド上に寝かせ，臥位の状態で下肢の運動機能と反射，腹壁反射，感覚の診察を行う．起立位の姿勢や歩行は入室するときにもみるが，歩行障害や小脳失調などが疑われる症状の場合は，継ぎ足歩行やRomberg(ロンベルク)徴候などを評価するため，改めて歩行状態を詳細に診察する．

座位での診察

　患者名を確認し，受診の理由(愁訴)と病歴を聞き，意識状態や高次脳機能におおよその見当をつけ，これらの機能低下が疑われた場合には詳細に評価する．患者の病歴から疾患の種類を判定し，推定された局在診断を重点的に確認することを念頭におき，身体所見，神経所見をとる．

　座位で対面し，まず顔貌をよく見て瞳孔，光彩，角膜，結膜の外観を確認する．脳神経系の診察は脳神経の番号順に行うとよい．嗅(I)神経では嗅覚に関して質問を行い，ある特定のにおいのするものを嗅がせて嗅覚の確認をする．視(II)神経に関連する視力や視野，次に動眼(III)神経，滑車(IV)神経，外転(VI)神経に関連する対光反射や眼球運動，眼瞼下垂の有無などを確認する．三叉(V)神経に関連する顔面の感覚，顔面(VII)神経に関連する眼輪筋や口輪筋の筋力，前頭筋について確認をする．内耳(VIII)神経では聴覚，耳鳴，めまいの有無を調べる．舌咽(IX)，迷走(X)，舌下(XII)神経では舌の表面・筋萎縮・挺舌状態，軟口蓋，扁桃，咽頭とその動き，軟口蓋反射，咽頭反射，発話，嚥下状態を診察する．歯の状態や舌・口腔粘膜の状態にも注意を払うとよい．副(XI)神経では胸鎖乳突筋と僧帽筋の筋力を確認する．

　頚部の診察として頚部の前後・側屈，回旋，その筋力・筋萎縮を診察し，必要に応じて頚部の甲状腺・リンパ節の触診，頚動脈の聴診も行う．

　頭部で確認すべき反射〔下顎反射，口輪筋反射，snout反射(口とがらし反射)，sucking反射(吸啜反射)〕をみる．

　上肢について前方挙上(手掌下向き)で振戦・筋力，前方挙上(手掌上向き)で筋力〔Barré(バレー)徴候〕の有無をチェックする．さらに手・手指・爪

を観察し両側の脈拍をみる．握力・筋力〔徒手筋力テスト（manual muscle test; MMT）〕，筋萎縮，筋トーヌス，感覚障害，指鼻試験，回内・回外運動，指タップをチェックする．座位時では血圧も測定しておく．

胸部に続き，背面の視診，触診，聴診を行う．仰臥位で診察をするのであれば座位では省略してもよい．逆に仰臥位での診察ができないときは，ここで下肢の筋力，筋萎縮，筋トーヌス，感覚，腱反射，病的反射を診察し，必要に応じて腹部の診察も行う．ただし，膝踵試験は座位ではできない．

臥位での診察

診察台に仰臥位にして，下肢の筋力，筋萎縮，筋トーヌス，膝踵試験，感覚，腱反射と病的反射をみる．（胸）腹部の視診，触診，聴診を行う．上肢・下肢の腱反射，腹壁反射，睾丸筋反射などの表在反射，Babinski（バビンスキー）徴候，Chaddock（チャドック）反射などの病的反射を確認する．座位がとれない患者については，座位の所見項目を臥位で診察する．

立位・歩行時の診察

起立位，歩行を観察する．筋力が問題となる愁訴の場合には爪先立ち，踵立ち，蹲踞(そんきょ)からの起立など，体重負荷状態での下肢筋力もみる．ふらつきが問題となるときには片足立ち，継ぎ足歩行，Romberg徴候，Barany（バラニー）の指示試験（past-pointing），閉眼足踏みなども評価する．患者の転倒予防に細心の注意を払い診察を行う．

外来ではこれらの項目をすべて一律に診察するには時間が不足することが多い．主訴や病歴に応じて重要な診察項目を選択し異常が疑われる神経徴候について重点的に評価する〔症状志向型診察（symptom-oriented examination）〕．その場合でも意識，高次脳機能，脳神経系，運動系，感覚系，小脳系，錐体外路系，自律神経系の概略はスクリーニングとして確認すべきである．

また，神経診察は一般外来のほかにも救急外来や病棟での急変の状況で必要となることがある．たとえば，脳卒中患者の多くは救急車で搬送され，患者がストレッチャーに横たわり，場合によっては意識障害や失語を伴った状況で診療を行う必要がある．近年，脳卒中治療は血栓溶解療法や血栓回収術などが進歩しており，発症から治療までの時間が治療適応の有無や予後に関係するため，可及的速やかに医療面接や診察を行う必要がある．そのため，必要な項目や検査を優先的に行いながら医療面接と診察をほぼ同時並行で行うことが必要になるが，このような状況でも手早く確実な神経診察が可能となるためには，やはり普段から「決まった順序と系統ごとの診察」を心がけて，繰り返し医療面接や診察のトレーニングを地道に積むことが大切であり近道でもある．

神経症候の診察

意識障害

意識は「覚醒」の要素と「自己と非自己（外界）の正しい認識」の要素があり，意識障害の原因は上行性網様体賦活系の障害か両側大脳皮質の広範な障害によるものである．覚醒度（意識レベル）の障害と内容の障害に分けられ，覚醒度の障害は，傾眠−昏迷−半昏睡−昏睡に分けられることが多く，尺度として3−3−9度方式とも呼ばれるJapan Coma Scale（JCS）やGlasgow Coma Scale（GCS）がよく用いられる〔診察の進め方「部位別の身体診察 バイタルサイン」の表2，3を参照（☞46ページ）〕．

意識の内容の障害は，せん妄やもうろう状態といった覚醒度の低下は高度ではないが，精神状態の変化を伴うような場合を指す．詳細については診察の進め方「部位別の身体診察 バイタルサイン」（☞45ページ）参照．

認知症

認知症とは，一度正常に獲得された知能がなんらかの原因により失われ，それまでの日常生活や社会生活を行えなくなった状態をいう．高齢者に多いため，せん妄などの意識障害やうつ病などの精神疾患との鑑別を行うことが重要である．代表

表1　治療可能な認知症

1. **脳神経外科的治療の対象となるもの**
   慢性硬膜下血腫
   正常圧水頭症（特発性，続発性）
   脳腫瘍
   硬膜動静脈瘻（dural AVF）
2. **中枢神経系の炎症性疾患**
   脳内感染症（神経梅毒など）
   脳の血管炎（原発性中枢神経系血管炎）
3. **全身の腫瘍性疾患**
   血管内悪性リンパ腫
4. **代謝・内分泌疾患**
   ビタミン欠乏症
   甲状腺機能低下症
   橋本脳症
   副甲状腺疾患（機能低下，機能亢進）
   副腎皮質ホルモン異常症〔Cushing（クッシング）症候群，Addison（アジソン）病〕
   血糖異常（高血糖・低血糖）
   電解質異常
5. **内臓疾患**
   肝疾患（肝性脳症）
   腎疾患（尿毒症，透析脳症）
   肺性脳症
6. **膠原病**
   神経 Behçet（ベーチェット）病
   全身性エリテマトーデス（SLE）
7. **中毒性疾患**
   薬物
   アルコール
   金属
8. **頭部外傷**

〔水野美邦（編）：神経内科ハンドブック．第5版，p.170，医学書院，2016 より〕

的な認知症を呈する疾患は Alzheimer（アルツハイマー）型認知症である．認知症の多くは変性疾患が原因であり，脳の器質性疾患による進行性かつ不可逆性の病態の過程と考えられるが，一部には代謝障害や内分泌障害により認知機能障害が起こることがあり，「治療可能な認知症（treatable dementia）」として治療を行う必要がある．治療可能な認知症を示す（表1）．

失語，失行，失認
〔症候・病態編「失語・失行・失認」参照（☞ 694 ページ）〕

失語

失語とは，大脳の損傷を原因とする獲得された言語の障害である．物品呼称の障害，言語の理解障害，発話による誤り（錯語）により特徴づけられる．失語症のさまざまな分類を表2に示す．

診察はまず簡単な質問から開始し，できるだけ患者に自由に話をさせて，自発言語の流暢性と内容を判定する．同時に物品呼称を検査し，錯語の有無も調べる．このとき言語理解についても確認できるが，必要に応じて「はい」「いいえ」で答えられる簡単なものから，「左の人差し指で右の耳に触れてください」というようなやや複雑なものまで試みる．復唱も簡単な言語から文章まで行わせて評価する．

読解と音読の評価には「目を閉じてください」などの文章を音読させ「ここに書かれたことを実際に行ってみてください」と指示し実行させることで読解を調べる．文章が困難であれば単語の音読と実物とのマッチングで読解の評価を試みる．

次に，住所・氏名・愁訴などを書かせ，自発言語や「時計」といった言葉を示して書き取り（写字）も確認する．言葉が出ない，すなわち非流暢性失語を呈する Broca（ブローカ）失語や言語理解の障害と意味不明のことを喋る状態（ジャルゴン）となる流暢性失語を呈する Wernicke（ウェルニッケ）失語がよく知られている．

失語では個々の発音は正常でも音の置換すなわち錯語が生じ，「とけい」を「めがね」という語性錯語，「とけい」を「めけい」と誤って発音する字性錯語（音韻性錯語）がみられることが特徴である．さらに失語の判定では，話し言葉の理解障害や書字障害を伴うことからも識別を行う．

失行

失行は，運動麻痺，運動失調，不随意運動などの運動障害がなく，行うべき行為を正しく理解しているにもかかわらず，その行為を正しく遂行することができない状態をいう．

表2 失語の分類

病型		自発言語	復唱	言語了解	文字了解	音読	自発書字	書取り
運動性失語（表出性失語）	Broca（皮質性運動性）	×	×	△	△	×	×	×
	純粋運動性（皮質下性運動性）	×	×	○	○	×	○	○
感覚性失語（受容性失語）	Wernicke（皮質性感覚性）	語健忘 保続 錯語 錯文法	×	×	×	×	錯書	×
	純粋感覚性（皮質下性感覚性）	○	×	○	△	○	○	×
全失語（表出−受容性失語）		×	×	×	×	×	×	×
伝導性失語（中枢性失語）		錯語	×	○	○	錯読	錯書	錯書
健忘性失語		語健忘	○	○	○	○	△	△
超皮質性失語	超皮質性運動性	×	○	○	○	△	△	△
	超皮質性感覚性	錯語	○	×	×	錯読	錯書	△

○正常，×障害，△軽度障害
〔田崎義昭ほか：ベッドサイドの神経の診かた．改訂18版，p.250，南山堂，2016より転載〕

　失行を診察するためには，まず単純な動作として手を握って開くことや箸やペンを使うことができるかなどの手指の微細な動作，閉眼や開口，口笛を吹くなどの顔面の動作，および起立や歩行をさせてみる．これらがうまくできない失行は肢節運動失行（limb-kinetic apraxia）といい，左右いずれの運動領域〔中心前回，Brodmann（ブロードマン）4および6aα〕の障害でも起こり，病巣と対側に症状がみられる．

　さらに，手でジャンケンのチョキの手つきや影絵のキツネをつくらせる．下肢では足で空中に円や三角などを描くことを指示し，その動作が可能かどうかをみる．口頭命令や模倣による動作遂行は侵されるが，実際の日常生活上の自動的動作や道具の使用は保たれている状態を観念性失行という．次に，日常用いる物品を正しく使用できるかどうかをみる．たとえば「手紙を折って封筒に包み糊づけする」「急須に湯を注ぎ，茶を茶碗に注ぎそれを飲む」などの一連の動作をさせる．どうやって手紙を折るのか，どうやって湯を注ぐのかがわからないなど，運動観念の障害により物品使用動作の手順の企画が困難な状態を観念運動性失行という．観念性失行と観念運動性失行は左大脳半球の病変で生じる．

ほかに，右あるいは左半球の頭頂葉−後頭葉領域の障害で2次元から3次元の図形の模写ができなくなったりする構成失行や，右大脳半球の障害による着衣失行がある．

失認

　失認とは，ある一種類の感覚を介して対象物を認知（recognition）することの障害である．原則として1つの感覚モダリティにおいて障害がみられる．感覚モダリティそのものには異常はなく，他の感覚モダリティを利用すれば認識できることを確認する必要がある．

　視覚性失認では，日常用いるものを見せてもそれが何であるかがわからず，視覚による物体認知が障害されている状態であり，両側後頭葉性病変で生じる．触ったり音を聞いて初めて認識できる場合が多い．ほかに，字を読めなくなる後頭葉性失読（純粋失読）と頭頂葉性失読，人の弁別，表情の理解ができない相貌失認がある．視空間失認では視空間的情報の知覚と操作に関する障害がある．視覚性定位障害では，対象物が空間のどこにあるかを認知できず，複数の対象物の相互の位置関係や大きさを比較する機能に障害がみられる．半側空間無視は，一側の大脳半球の障害により病

図3 直線の二等分テスト
20 cm 程度の直線を目測で二等分するように線を引かせる．左半側空間無視では障害側である右側に二等分線が寄る．

図4 線分抹消テスト
A4 サイズ程度の紙に 40 本の 2.5 cm くらいの線を置き，患者にはそれらすべての線に交わるように短い線を引かせる（抹消）．左半側空間無視では左側に線の引き残しがみられる．

図5 図形模写
上図を模写させると，模写すべき左側の構図が描かれず絵が完成しない．

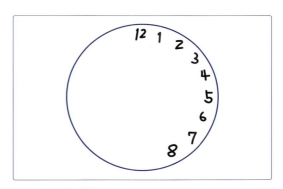

図6 時計描写
円を描き，患者には円内に時計の文字盤を描かせる．左側に時計の構図が描写されないことがわかる．

巣と対側の視空間を無視するようになる．直線の二等分テスト（図3），線分末梢テスト（図4），図形模写（図5），時計描写（図6）などで検出できる．顕著な例では，病巣と対側にしか視線がいかず無視された側の障害物によくぶつかる，食事も無視された側には手をつけない，などというエピソードがみられる．地図障害では地図に関する認識が障害され，地誌見当識障害ではよく知られているはずの場所や道の認知が障害され患者は迷子になる．特殊な視空間性失認として Bálint（バリント）症候群があり，精神性注視麻痺，視覚性失調，視覚性注意障害の 3 徴候を呈する．

聴覚性失認には，言葉や音楽を除くあらゆる音への認知症である（狭義の）聴覚性失認，言語の了解だけが侵される純粋語聾，メロディ，リズム，テンポなどに関する能力が障害される感覚性失音楽などがある．

触覚性失認では，日常用いている物品を手で触れても，それが何かわからなくなる．素材失認，形態失認のほか狭義の触覚性失認（素材も形もわかるが物品名がわからない）がある．

身体失認を生じる状態として，Gerstmann（ゲルストマン）症候群が重要である．これは，手指失認，左右識別障害，失書，失計算を 4 徴候とするものであり，1 あるいは 2 症候を欠く不全型もしばしばみられる．左半球の頭頂-後頭葉移行部，特に角回が原因病巣とされている．

筋力低下と筋萎縮

ヒトの神経系において力を発揮する系は，上位運動ニューロン-下位運動ニューロン-神経筋

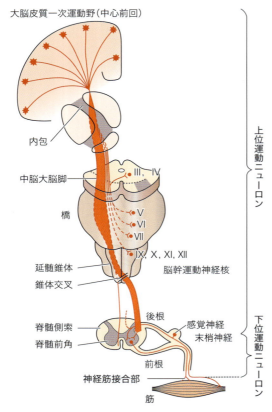

図7　筋力を発揮する系（上位運動ニューロン-下位運動ニューロン-神経筋接合部-筋）

される部位に応じて特徴的な臨床症状と検査所見がみられ，これらを確認することで局在診断が可能である．さらに詳しい局在診断は，感覚障害などの合併する他の神経系の障害を組み合わせて考察する（表3）．

筋力低下

まず医療面接で，「力が入らない」「しびれる」「腕や下肢が重い」「よく動かない」などと表現は多様なことが多いので，それが筋力低下であるかどうかを確認する．

筋力の評価には，MMTにより6段階で評価すると便利である．MMT 0は筋が全く動かない状態で，MMT 5は正常な筋力である．MMT 3は重力に抗して関節可動域内で十分に動かせる状態，MMT 2は重力を除けば関節可動域内を十分動かせる状態，MMT 1は筋の収縮はみられるが関節運動が生じない状態である．MMT 4はMMT 3と5の中間であり，正常より低下しているが検者がある程度抵抗を加えても筋収縮がみられる状態である．一見，複雑であるが，「重力に抗して」MMT 3をまず理解するとよい（図8）．

MMTの評価では，個々の筋の評価のみならず，主な関節運動の方向で行ってもよい．たとえば，以下の部位の運動についてMMTを評価し記載してもよい．

- 頸（前屈，後屈，右回旋，左回旋）
- 肩（前方挙上，後方挙上，内転，外転）
- 肘（屈曲，伸展）
- 手首（掌屈，背屈）
- 手指（屈曲，伸展）
- 股（屈曲，伸展，内転，外転）
- 膝（屈曲，伸展）
- 足首（底屈，背屈）
- 足趾（屈曲，伸展）

手指の評価には握力計を用いた握力測定も有用である．下肢の筋力については，本来重力に抗して上体を支える強大な筋であり，筋力評価には注意を要する．ベッド上の診察でMMT 5，すなわち正常と判定された場合でも，実際にはしゃがんでしまうと立ち上がれないほど筋力低下が顕著で

接合部-筋である．この経路のどこに障害があっても筋力低下（weakness）すなわち脱力，運動麻痺（motor paralysis）が出現する（図7）．

上位運動ニューロンは大脳皮質運動野の細胞体を有し，長い軸索を下位運動ニューロンに送っている．その軸索が延髄にある錐体で交叉（錐体交叉）する．脊髄では大部分が側索を通り，反対側の下位運動ニューロンに至る．したがって，右脳の障害では左側の運動麻痺を生じる．ただし，構音・嚥下に関する下部脳神経核は両側性核上性支配を受けている．

下位運動ニューロンは生理学的にはα運動ニューロンであり，脳幹の運動神経核と脊髄前角にある．後者，つまり脊髄前角細胞は前根を経て感覚神経である後根と合わさり，混合神経としての末梢神経を形成したのち，再び運動神経のみとなって各筋の神経筋接合部に終わる．

この運動ニューロン-筋の系においては，障害

表3 筋力低下をきたす障害部位別の症候・検査所見

症候・検査	障害部位			
	上位運動ニューロン	下位運動ニューロン	神経筋接合部	筋
筋力低下	＋	＋	＋	＋
筋萎縮	－	＋	－	＋***
筋線維束攣縮	－	＋	－	－
筋トーヌス	↑	↓	→	↓
腱反射	↑	↓〜－	→	↓〜－
病的反射	＋	－	－	－
異常連合運動	＋	－	－	－
血清CK	→	→(時に↗)	→	↑
針筋電図	→	神経原性変化	→**	筋原性変化
神経伝導速度	→	→(脱髄性のニューロパチー*で↓)	→	→
筋生検	→	神経原性変化	→	筋原性変化，各疾患に特徴的な変化
代表的疾患	脳梗塞，出血，脳腫瘍などによる片麻痺，脊髄障害による対麻痺，運動ニューロン疾患，頸椎症，多発性硬化症	運動ニューロン疾患，頸椎症	重症筋無力症 Eaton-Lambert 筋無力症候群	筋ジストロフィー，筋炎，代謝・内分泌性ミオパチー，ミトコンドリア脳筋症

＋：存在する，－：なし・消失，↑：亢進・上昇，↓：低下・減少，→：正常ないし著変なし，↗：軽度上昇
* ニューロパチー(Charcot-Marie-Tooth病，Guillain-Barré症候群など)
** 誘発筋電図で，重症筋無力症では振幅漸減(waning)，筋無力症候群では漸増(waxing)がみられる．
*** 周期性四肢麻痺では筋萎縮はほとんどない．

あることが稀ではない．したがって下肢筋力の評価では，必ず立位になって体重を負荷した状態で，しゃがみ立ち，爪先立ち，踵立ちができるかどうかをよく確認する．

上位運動ニューロンの障害では，いわゆる錐体路障害による痙性麻痺を生じ，筋力低下に加えて筋トーヌスの亢進(痙縮，折りたたみナイフ現象)，腱反射亢進，表在反射低下・消失，病的反射，異常連合運動の出現などの錐体路徴候を伴う(表3)．錐体路徴候を呈する筋力低下として，脳血管障害による片麻痺が典型的である．

軽い麻痺を検出する方法(図9)として，Barré徴候の確認がよく用いられる．手掌を上にして両上肢を前方に差し出すように指示し閉眼をさせると，麻痺側の上肢は回内を伴い下降する．ヒステリーによる下降の場合，つまり器質的異常によらない麻痺の場合には回内を伴わない．同様に仰臥位で股関節と膝関節を直角に屈曲した肢位を保持させたときに麻痺側が下降することを検出するMingazzini(ミンガツィーニ)試験や，腹臥位で下腿を40°くらい曲げさせて行うBarré変法試験がある(下肢のBarré徴候)．

下位運動ニューロンや筋障害では筋萎縮がみられ，筋トーヌスが低下，腱反射も低下，消失し弛緩性麻痺となる(表3)．運動ニューロン疾患の代表である筋萎縮性側索硬化症(ALS)では，上位運動ニューロン・下位運動ニューロンの両者の障害が混在した状態を呈することが特徴であり，それぞれの障害の程度に応じて症候が混在する．頸椎症では，前角や前根の障害による下位運動ニューロン障害を呈し，側索の障害では上位運動ニューロン障害を呈するため，しばしば鑑別診断が難しいことがある．

神経筋接合部の障害を呈する重症筋無力症(myasthenia gravis; MG)では，眼瞼下垂，複視，鼻声，嚥下障害，頸部および四肢近位筋の筋力低下を生じやすい．筋の反復運動により徐々に筋力が低下するwaning現象や，朝には症状がよく夕方に悪化しやすい日内変動が特徴である．エドロホニウム塩化物(アンチレクス®)の静注でこれら

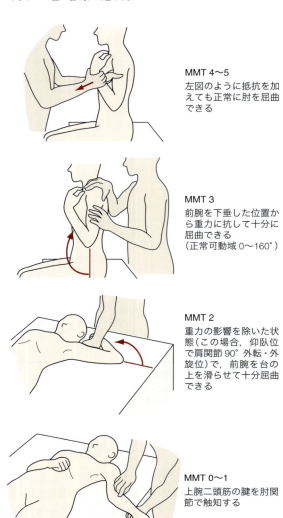

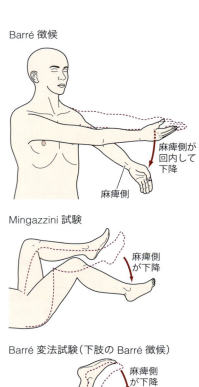

図9 軽度の麻痺の見つけ方

図8 徒手筋力テストの方法
例として肘の屈曲，すなわち上腕二頭筋筋力の評価を示す．

の症状がはっきり改善すればテンシロンテスト陽性であり，MGの診断に有用である．また，誘発筋電図でこの変化を定量的に記録することもできる．Eaton-Lambert（イートン・ランバート）筋無力症候群は半数以上の場合において肺の小細胞癌に伴う傍腫瘍症候群であり，MGとは反対に筋収縮を繰り返すうちに徐々に収縮力が強まるというwaxing現象がみられる〔症候・病態編「筋脱力」参照（☞729ページ）〕．

筋萎縮

　筋萎縮（muscular atrophy）は筋の容積が減少することである．明瞭なものは下位運動ニューロン障害と筋そのものの障害（ミオパチー）でみられ，それぞれ神経原性筋萎縮，筋原性筋萎縮と呼ばれる．上位運動ニューロン障害や神経筋接合部の障害では，筋力低下はあっても筋を動かさないことによる廃用性萎縮以外の病的萎縮は通常生じない．

　一般に，下位運動ニューロン障害では筋力低下よりも筋萎縮が目立ち，ミオパチーでは筋萎縮よりも筋力低下が目立つ．筋線維の一部がピクピクと動く線維束性収縮がみられれば神経原性筋萎縮である．患者が自覚していることもあるため，筋力低下の診察では線維束性収縮の有無や部位を医療面接で確認する．手指で軽く叩くと出現しや

すい．また末梢神経障害（ニューロパチー）では，感覚神経も障害されて感覚の異常を伴う場合が多い．

筋萎縮の診察のコツとしては，視診で正常の筋のふくらみが減少していることを認めるとともに，ていねいな触診で筋が小さく，柔らかくなっていることを確認する．前脛骨筋や手掌の母指球，小指球など外に凸の輪郭をもつものが平坦化したりくぼんだりしているときには確実に病的な萎縮と判定できる．筋の発達状態は個人差が大きいため，必ず左右，近位部・遠位部あるいは以前と比較して病的であるかどうかを判定する〔症候・病態編「筋萎縮」参照（☞ 736 ページ）〕．

筋トーヌス

骨格筋は完全に力を抜いた状態でもある程度の緊張をもっている．そのため受動的な運動でも軽度の抵抗があり，これを筋トーヌス（muscle tonus）という．筋トーヌスの診察では患者を仰臥位にして十分にリラックスさせ，肩，肘，手，股，膝，足の各関節で受動的に屈伸運動を行って判定する〔症候・病態編「筋緊張異常」参照（☞ 741 ページ）〕．

筋トーヌスの亢進

❶ 痙縮（spasticity）

受動運動の最初のみ強い抵抗があるがすぐに抵抗が減じることで，折りたたみナイフ現象とも呼ばれる．急激にすばやく動かすことで検出しやすい（図 10 a）．腱反射亢進，病的反射出現とともに錐体路徴候の 1 つである．

❷ 筋強剛（rigidity）

受動運動の最初から最後まで持続的な抵抗がみられることで，抵抗が一定のときは鉛管様筋強剛，屈筋と伸筋の緊張が交互に亢進してガクガクとした抵抗になるときは歯車様筋強剛と表現される（図 10 b，c）．錐体外路徴候の 1 つで，後者は Parkinson 病などの大脳基底核疾患のパーキンソニズムの中核症状である．

筋トーヌスの低下

受動運動における抵抗が減弱した状態であり，

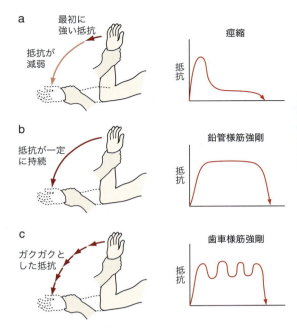

図 10 痙縮と筋強剛の評価

関節の過伸展や過屈曲を示す．各種類のミオパチー，末梢神経障害，脊髄後索障害，小脳障害などでみられる．脊髄ショックなど急性に生じた錐体路障害でも筋トーヌスは減弱することがある．

反射の異常

腱反射（深部腱反射）

腱反射（tendon reflex）とは，腱の叩打による筋伸展刺激が Ia 感覚線維を介して単シナプス的に α 運動ニューロンを興奮させ，筋が収縮する反射である．深部腱反射（deep tendon reflex）ともいう．

代表的な腱反射に関する末梢神経（反射弓），当該反射中枢の髄節と叩打のしかたなどを示す（Panel-1）．腱反射をうまく誘発するには対象の筋が短縮しすぎたり，伸びきったりしていないちょうど中間位に伸展した状態で叩くことが必要である．ハンマーはある程度大きく重みのあるものがよく，ゴムは固すぎず弾力性のあるものがよい．

下顎反射は正常では咬筋の収縮を認めないか，ごくわずかに感じる程度であるが，亢進時は明らかな収縮を認め下顎が上昇する．膝蓋腱反射で反

Panel-1
反射の検査法

▼ 代表的な腱反射の検査法 I

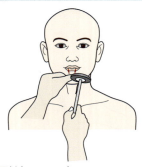

下顎反射（jaw reflex）
（中枢；橋，遠心路；三叉神経）
軽く開口させ，下顎を母指あるいは示指で押さえ，指の上をハンマーで叩くと，錐体路障害時には下顎が上昇する

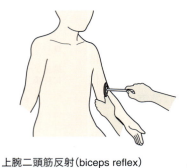

上腕二頭筋反射（biceps reflex）
（$C_{5\sim6}$；筋皮神経）
前腕を軽く屈曲させ，検者は肘をつかみ二頭筋腱の上に母指を置いてその上を叩くと，正常ではやや収縮が起こる

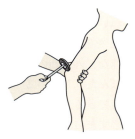

上腕三頭筋反射（triceps reflex）
（$C_{6\sim8}$；橈骨神経）
肘または前腕を軽くつかみ，肘関節を半屈曲位に保つ．肘頭の三頭筋腱を叩くと，正常では肘関節が伸展し，三角筋が収縮する

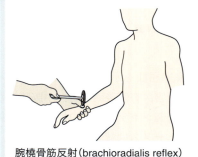

腕橈骨筋反射（brachioradialis reflex）
（$C_{5\sim6}$；橈骨神経）
肘関節を軽く屈曲位に保ち，前腕を回内，回外の中間位にし，筋腱を押さえた検者の母指を叩くと，正常では前腕の屈曲と回外が起こる

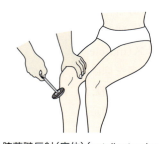

膝蓋腱反射（座位）（patellar tendon reflex）（$L_{2\sim4}$；大腿神経）
座位の場合はベッドに腰掛け足を垂らし，膝蓋の下の四頭筋腱に対して垂直に叩打すると，正常では膝が伸展する

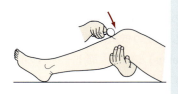

膝蓋腱反射（仰臥位）（patellar tendon reflex）（$L_{2\sim4}$；大腿神経）
膝関節を120〜150°に屈曲するように持ち上げ，膝蓋の下の腱を叩打すると，正常では膝が伸展する

▼ 病的反射の検査法

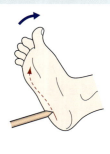

Babinski 徴候
足底を上図のようにこすると，母趾が背屈する．正常では底屈する

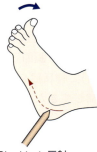

Chaddock 反射
足背外縁を上図のようにこすると，同様に母趾が背屈する

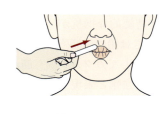

sucking 反射
上唇を軽くこすると，口をとがらせる反応．幼児では正常な反応で成人では出なくなったものが病的に出現する

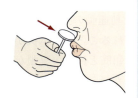

snout 反射（口とがらし反射）
上唇の正中部を軽く叩くと，唇を突き出す反応．正常では出ない

代表的な腱反射の検査法 II

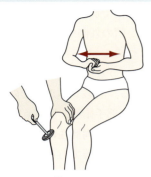

Jendrassik 法
膝蓋腱反射が消失ないし高度の減弱の場合に試みる．被検者の両手指を屈曲して鉤状に引っかけ合わせ，左右に強く引っ張らせ，同時に膝蓋腱を叩く

アキレス腱反射（Achilles tendon reflex）（L_5～S_1，S_2；脛骨神経）
被検者を仰臥位とし，膝関節を屈曲させ，大腿を十分に外旋させ，検者の手で被検者の足尖を持ち，足関節を 90°の屈曲位にさせてアキレス腱をハンマーで叩打する．正常では底屈が起こる

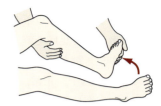

足クローヌス（ankle clonus）
クローヌスの出現は，反射の著明亢進と同義であり，錐体路の障害を示す徴候である．仰臥位で膝を軽く屈曲させ，手を足底に当て，急激に足を背屈方向に押し下げ，力を加え続けると，カクカクと下腿三頭筋がリズミカルに持続的に収縮する．数回の収縮で止まるときには，仮性クローヌス（pseudoclonus）という

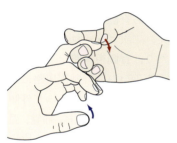

Hoffmann 反射
被検者中指の末節を検者の母指ではじくときに，被検者の母指が屈曲する反応．正常者では反射が出ないことが多く，病的反射とされてきたが，正常な反射であり両側に陽性の場合は病的とは限らない

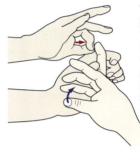

Trömner 反射
被検者の中指を検者の指で持ち，検者の反対側の指で，被検者の中指末節をはじくときに，被検者の母指が屈曲する反応．Hoffmann 反射と同様の機序で起こり，健常者でも発生することがある

〔代表的な腱反射の検査法 I・II は「大越教夫：筋トーヌスと反射の異常．内科，77(5):956-957, 1996」より許諾を得て一部改変し転載〕

表在反射の検査法

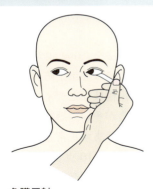

角膜反射
ティッシュペーパーなどを紙縒りにしたもので，一側の角膜辺縁に触れると正常では両側の瞬目を生じる反応

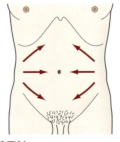

腹壁反射
腹壁の皮膚を外側から正中に向かって安全ピンのようなもので軽く擦ると正常では腹壁の筋が収縮する反応

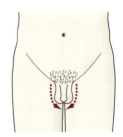

挙睾筋反射
大腿の内側を下向きに擦ると，同側の挙睾筋が収縮し，睾丸が挙上する反応

射亢進がみられる場合は膝蓋上部を叩いても反射が認められる(反射域の拡大). アキレス腱反射で反射が出にくい場合には被検者をベッドにおいて膝立ちをさせて, 足関節以下がベッドから出るようにし, 検者の手で足底を軽く圧迫して背屈させてから, アキレス腱を叩打する.

判定は消失, 低下, 正常, 軽度亢進(クローヌスに至らない亢進), 著明亢進(クローヌスレベルの亢進)の5段階で行う. 表記は, 消失から順に(−), (↓), (→), (↑), (↑↑)や(0), (1), (2), (3), (4)を用いて記載する. 腱反射の亢進は反射中枢レベル以上の錐体路障害で生じる. 一方, 腱反射の減弱・消失は下肢運動ニューロン障害, 神経根, 末梢神経, 筋など反射弓のどこに障害があってもみられる. 腱反射の出やすさには個人差があり, 常に左右差, 上下肢での差, 近位・遠位などの比較や他の症候も参考にしながら判定する. 膝蓋腱反射については単に出現しにくいのか真の低下なのかを判定する方法として, Jendrassik(ジャンドラシック)誘発法が有用である(Panel-1).

病的反射

病的反射は正常ではみられないが, 錐体路障害で出現する異常な反射である. なかでもBabinski徴候とChaddock反射が最も重要である(Panel-1). それぞれ足底の外縁, あるいは足背の外縁を先の尖った鍵のようなもので擦り上げると, 錐体路障害がある場合, 母趾が背屈し, 他の足趾が開扇する現象である. この手技は痛みと不快を伴うので, 患者に声をかけリラックスさせながら行う. 最近では感染予防の観点から使い捨ての爪楊枝の柄が用いられるようになっている.

表在反射

表在反射とは, 皮膚や粘膜の刺激で多シナプス性に筋収縮が生じるものである. 当該反射弓を構成する感覚神経, 下位運動ニューロン, そこに至る錐体路の障害で低下〜消失する(Panel-1).

角膜反射(反射中枢:橋, 求心路:三叉神経第1枝, 遠心路:顔面神経)では脱脂綿やティッシュペーパーを柔らかい紙縒り状にして, 一側の角膜に軽く触れることで両眼の瞬目を生じる反射である.

腹壁反射では, 仰臥位で肋骨縁の下($Th_{5〜6}$), 腹壁部の上部($Th_{6〜9}$), 臍の外側中央部($Th_{9〜11}$), 下部($Th_{11}〜L_1$)の3つのレベルで外側から正中に向かって安全ピンのようなもので表皮を軽く擦ると腹壁の筋が収縮する. 当該レベルまでの錐体路障害で消失するが, 腹部手術歴, 肥満, 加齢でも消失するので, 全レベルで両側性に消失しているときには病的意義づけは困難である.

感覚障害

感覚は運動と並んで神経系を構成する大きな要因である. 感覚系は表在感覚, 深部感覚, 皮質性感覚に大別される. 表在感覚は比較的細い線維により伝わり, 後根から脊髄に入ったあと, 後角でニューロンを代え, 二次ニューロンは灰白交連を通って対側にわたり, 脊髄視床路を上行して視床後外側腹側核に入る(図11). 脊髄視床路には層状構造があり, 身体の下からきた線維ほど外側に位置し, また前から後ろにかけて触覚, 痛覚, 温度覚の順に配列している(図12). 深部感覚は比較的太い線維により伝えられ, 後根から脊髄に入り, すぐ同側の後索に入り上行し, 延髄の薄束核または楔状束核においてニューロンを代え, 二次ニューロンは対側に渡って内側毛帯を形成し, 視床後外側腹側核に入る(図11). 三叉神経領域では, 二次感覚ニューロンはいずれも視床後外側腹側核に入る.

主な感覚の種類と検査法をPanel-2に示す. 触覚や痛覚の検査は, 最近では感染予防の観点からティッシュペーパーや爪楊枝などディスポーザブルなものを使用する場合が多い. 感覚の低下は点数方式で記載するとよい. まず正常と思われる部位に刺激を加え, その感覚を10点とし, 次に障害部位に刺激を加えその部位の刺激が何点くらいかを答えさせる. 痛覚, 触覚, 温度覚の判定がこれで可能である. 振動覚は, 振動させた音叉の柄を患者の上肢の尺骨茎状突起や下肢の内顆・外顆に当てる. 患者が振動の消失に気づいたら申告するように伝える. 音叉を当ててから消えたという申

神経症候の診察   169

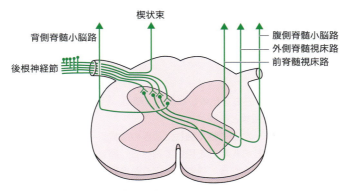

図11　感覚ニューロンの走行
脊髄小脳路は筋紡錘や腱器官などから固有知覚を小脳に伝える経路である．
〔田崎義昭，吉田充男（編）：神経病学．第3版，p.96, 医学書院, 1988 より〕

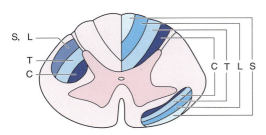

C：頸髄　T：胸髄　L：腰髄　S：仙髄

図12　脊髄の層状構造
〔田崎義昭，吉田充男（編）：神経病学．第3版，p.96, 医学書院, 1988 より〕

告までの秒数をカウントする．上肢の正常値の目安は15秒以上，下肢では10秒以上である．申告までにあまりに秒数が長くなるなど，患者の回答があてにならないこともある．この場合は患者に閉眼を指示し，音叉を当ててから比較的すばやく音叉の振動を止め，患者がなおも振動を感じているのかどうかを参考にする．感覚の程度の変化ではなく，感覚の内容の変化が生じている場合は，自発的な異常感覚（dysesthesia）か，もしくは外部からの刺激に対する錯感覚（paresthesia）かを区別し，それを記載する．

　感覚の検査を行ったら各感覚の種類別に障害部位を記載する．それぞれの脊髄髄節や末梢神経の支配領域（デルマトーム）が存在し，病変部位や原因により特有の感覚障害パターンを示す．その障害部位のパターンが末梢神経障害，神経根障害，脊髄障害，脳幹障害，大脳半球などの障害のどれに最も当てはまるかを判定する．デルマトームと代表的な感覚障害パターンと病巣部位の例をPanel-2に示す．

不随意運動

　不随意運動は患者の意思によらず出現する運動の総称であり，多くは病的なものである．随意運動は錐体路から下位運動ニューロン，神経筋接合部を経て骨格筋に至る系が司るが，大脳基底核や小脳が随意運動を微妙に調節している．さらにそこに，より高次の意思や精神状態が関与して，滑らかで適切な運動が遂行されることになる．このいずれかに障害があっても不随意運動が生じうる．

　医療面接や身体診察では，不随意運動の出現部位，出現状況（時期や誘発因子，軽減する条件など），運動のパターンなどに注意する．詳細は，診察の進め方「部位別の身体診察 全身状態」（☞54ページ），症候・病態編「不随意運動」（☞751ページ）参照．

小脳症状

　小脳は脳幹の背面に乗る形で後頭頭蓋窩の大部分を占める．その機能は，さまざまな反射やフィードバック機構を用いて身体の平衡を保ち，個々の筋が適切な緊張を維持し，協調して運動をスムーズに行えるようにすることである．そのため，小脳の異常では体幹の平衡感覚の異常（体幹

Panel-2
感覚障害

▸ 主な感覚の種類とその検査法

表在感覚

皮膚・粘膜への刺激に対する感覚．左右を比較しながら，顔面，頸部，上肢，体幹，下肢など，各部位の障害の程度，範囲などを調べる．

- 触覚：筆，綿，ティシュペーパーなどで軽く触れたときの感覚．
- 痛覚：安全ピン，ピン車，爪楊枝の先などを用いて調べる．痛覚鈍麻がある場合には，障害部位から正常のほうに向かって検査したほうが境界を決めやすい．
- 温度覚：温水，冷水を入れた試験管，音叉などの金属類を用いて温度の感じ方を調べるが，痛覚と同じ経路をとるので省略することも多い．

ピン車

深部感覚

深部組織(筋・腱・骨膜・関節・靱帯)への刺激に対する感覚．

- 振動覚：音叉(C128)を用い，手首，足踝，足趾，膝，骨棘などに音叉を当て，感じる時間を測定する．通常，手首，足踝で測定する．糖尿病性ニューロパチーや脊髄後索障害で低下することが多い．
- 関節覚(位置覚，運動覚)：手指，足趾を上または下に動かして，上下を答えさせる．検者は指の圧迫で向きがわからないように，患者の指の両側面をつまむ．脊髄後索障害で異常がよくみられる．

複合感覚

要素的な感覚に基づいて総合的に判断される感覚．大脳の頭頂葉病変で障害されることが多い．

- 二点識別覚：ディバイダやノギスで皮膚上の2点を同時に触れたり，1点を触れたりして，1点と2点の区別ができない距離の閾値を調べる．
- 描画識別覚：皮膚に書かれた数字・文字・図形などを判断する感覚で，皮膚上に2，3などの数字や○，△などを書き，患者に答えさせる．
- 立体覚：閉眼し，日常よく用いられるもの(硬貨，ペンなど)，円形，四角などのものを握らせ，どんなものかを判断させる．

ノギス

▸ 代表的な感覚障害パターンと病巣部位の例

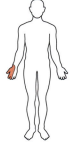
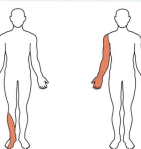
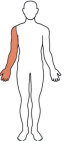
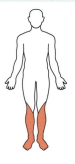
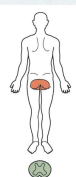

■ 全感覚低下　■ 温痛覚低下　■ 触覚・振動覚低下

1. 単神経麻痺
（右正中神経麻痺）
2. 多発性単神経麻痺
（右尺骨神経および右総腓骨神経麻痺）
3. 腕神経叢障害
（右腕神経叢障害）
4. 馬尾症候群
（L_4以下の中部馬尾障害）
5. 脊髄円錐症候群によるサドル型感覚消失
（S_3〜S_4の円錐障害）

〔平井俊策(編)：目で見る神経学的診察法．p.125，医歯薬出版，1993より〕

末梢神経, 脊髄髄節の支配域

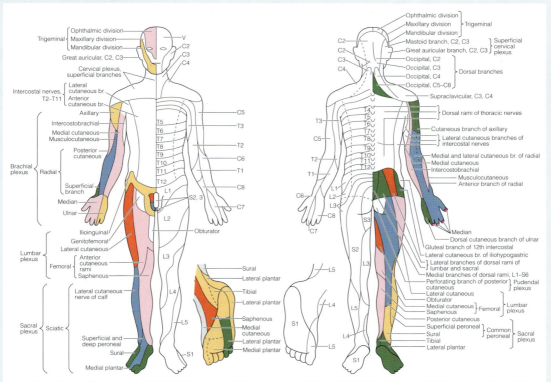

前面左側は末梢性分布, 右側は脊髄分節性および根性分布を示す. 背面左側は脊髄分節性および根性分布, 右側は末梢性分布を示す〔Brain: Clinical Neurology, 1964 より〕

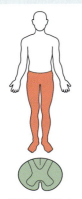

6. 横断性脊髄障害
（Th$_{10}$ の横断障害）

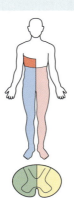

7. 脊髄半側障害
（右 Th$_4$ の半側障害）

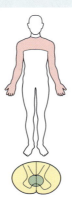

8. 脊髄髄内障害による宙吊り型感覚障害
（脊髄空洞症, C$_4$〜Th$_2$）

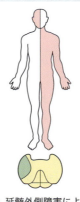

9. 延髄外側障害による交叉性感覚障害
（Wallenberg 症候群；右延髄）

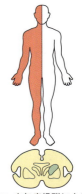

10. 内包症候群による視床・大脳半球型感覚障害
（左内包障害）

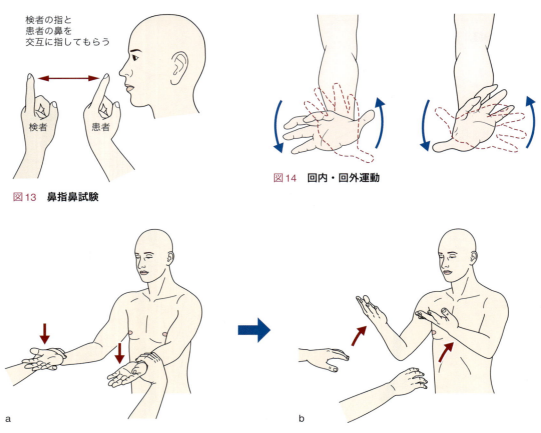

図13　鼻指鼻試験

図14　回内・回外運動

図15　反跳現象

失調），協調運動の異常（運動失調），筋緊張の低下などが生じる．体幹失調では，起立・歩行時のふらつきや動揺がみられ，脚幅スタンスが広くなる（開脚歩行）．軽度の症状は，一直線上に爪先に反対側の踵をつけて歩く継ぎ足歩行をさせて検出する．

上肢の運動失調の判定法には，遠くから示指先を患者の鼻につける指鼻試験や，示指先で検者の指と患者の鼻との間を往復させる鼻指鼻試験（図13），肘を軽く屈曲した状態で前腕の回内・回外を繰り返し行わせる回内・回外運動〔反復拮抗運動（diadochokinesis）〕などがある（図14）．指鼻試験や指鼻指試験では，運動が遅くぎこちなくなり，1〜2度止まってから目標に到達したり（運動分解，測定過小），目標を外れたり（測定異常）することで検出される．回内・回外運動での運動失調は，遅くなり，リズムが不整となり，完全に回内をしきらないうちに回外に戻り，軸がぶれているような運動にみえる．

小脳半球の障害では反跳現象〔Stewart-Holmes（スチュアート-ホームズ）徴候〕も検出される．患者に両上肢を，検者の抵抗に抗して力いっぱい挙上するように命じる．患者が力いっぱい入れたタイミングで，検者の加えていた抵抗を急に離す（図15）．このとき上肢が大きく上に跳ね上がる場合には反跳現象が陽性である小脳障害の存在が検出できる．

下肢の運動失調では，患者を仰臥位にし，一方の踵をできるだけ高く上げ，その後反対側の膝をできるだけ正確に叩き（踵膝試験），さらに踵を反対側の膝から脛骨稜に沿って足背まで滑らせる（踵脛試験）などで評価する（図16）．踵膝試験では膝が正確につくかどうかで測定異常の有無を，踵脛試験では踵が左右にゆらゆらとぶれないかどうかで運動分解の有無を判定する．

小脳失調では眼球運動や眼振にも注意を払う．

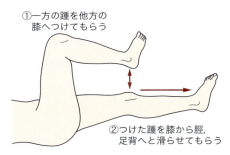

図16　踵膝試験と踵脛試験

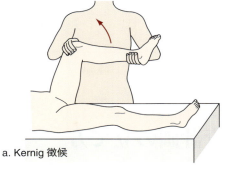

a. Kernig 徴候

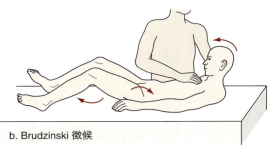

b. Brudzinski 徴候

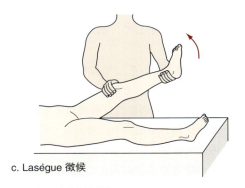

c. Lasègue 徴候

図17　主な髄膜刺激徴候

検者の指を追視させると注視方向性眼振がみられる．また構音障害を呈し，会話がゆっくりとなり，前後の音節がつながって不明瞭になる(不明瞭発話)．さらには音節の開始が唐突かつ大きな声で発せられる爆発性発語(explosive speech)となることがある．

髄膜刺激徴候

髄膜刺激徴候は，髄膜炎，くも膜下出血(subarachnoid hemorrhage; SAH)，頭蓋内圧亢進などにより出現する．いずれも緊急性が高く致命的な経過をたどる可能性のある病態であるため，この症候を見逃さないようにすることが大切である(図17)．

項部硬直は，仰臥位で患者の頭部を持ち頭部を前屈させたときに，項部筋の収縮により抵抗が増大することであり痛みを伴う．筋固縮とは異なり，項部の回旋では抵抗は増大しない．

Kernig(ケルニッヒ)徴候では，仰臥位の患者の大腿を股関節で90°に屈曲しておいて下腿を他動的に伸展させると，抵抗のため大腿と下腿の角度が135°以上に伸展できない徴候である．腰仙部の神経根や神経叢障害，もしくは股関節の病変でみられるLasègue(ラゼーグ)徴候とは異なることに注意する．Lasègue徴候は下肢を膝関節で伸展させたままで下肢全体を挙上させ，抵抗の増大や坐骨神経痛の疼痛のため下肢を70°以上に挙上できない徴候である．仰臥位で足首を持って膝を伸展したままで下肢を持ち上げたときに途中で抵抗が強くなり，ひとりでに膝が屈曲することを観察する．患者の頸部を強く前屈させると股関節や膝関節も屈曲するBrudzinski(ブルジンスキー)徴候も用いられる．

〈王子 悠，服部 信孝〉

検査

検査計画の立て方

　医療面接における詳細な病歴情報の聴取，そして入念な身体診察により，多くの病態は把握でき，"仮の診断"をつけることができる．しかし，より正確に，しかも客観的な情報を得るためには検査を行う必要のあることが少なくない．

　検査のなかには，尿・血液検査，胸部X線検査，心電図検査のように，身体診察の一部と考えてもよいごく基本的な検査もある．たとえば，基本検査には，表1，2に示すようなものがある．これらは患者の病態に応じて，適宜選択し，診断の参考にする．

　医療面接，身体診察，そして基本検査を加えて，仮の診断がつけられる．そのうえで，各臓器別の機能をチェックし，仮の診断を確実にするために，スクリーニング検査を追加し，診断をつける．さらに，その診断の確定，疾患の病因や重症度の判定，合併症の発見や誤診の防止のために，精密検査，特殊検査を行う（図1）．

　また，診断がついたのち，経過の追跡，治療効果の判定，あるいは治療による有害事象の発現をモニタリングしたり，合併症の出現をチェックする目的にも，適宜検査を行っていく．

　このように，検査は疾患の診断，病態の把握，予後を推測するうえで，きわめて有用な役割を果たす．しかし同時に，検査には，患者に精神的，肉体的，あるいは経済的な負担をかける場合があることを十分に認識しておくことも必要である．

　検査計画を立てるにあたっては，患者への負担がなるべく少なく，効率よく実施でき，かつ結果を診療に有効に活用することを忘れてはならない．「検査を行えば見落としがないだろう」といった安易な考えに基づき，必要もない検査を過剰に行うことは厳に戒めるべきである．

表1　基本的検査I（ごく基本的な検査）

尿検査
- 蛋白，糖，潜血

便検査
- 潜血

血液学的検査
- 白血球数（WBC），赤血球数（RBC），ヘモグロビン（Hb），ヘマトクリット（Ht），血小板数（Plt）

血液生化学検査
- 血清総蛋白，アルブミン，CRP

表2　基本的検査II（入院時あるいは外来初診時に，必要に応じて行う基本検査）

尿検査
- pH，比重，蛋白，糖，ウロビリノゲン，潜血，沈渣

便検査
- 潜血

血液学的検査
- WBC，白血球分画，RBC，Hb，Ht，赤血球恒数，Plt

血液生化学検査
- 血清総蛋白，アルブミン，蛋白分画，総コレステロール，中性脂肪，AST，ALT，LD，ALP，γ-GT，尿素窒素，Cr，尿酸，CRP

免疫血清学的検査
- HBs抗原・抗体，HCV抗体，梅毒血清反応

胸・腹部X線単純撮影

心電図検査

　検査を実行し，結果を活用するためには，以下のような検査の特性を十分に理解しておく必要がある．

検査の種類

　検査は，実施する内容，目的，時機によって，次のように分類することができる．

検査の内容による分類

❶ 検体検査

　血液などの体液を形態学的，生化学的，細菌学

図1 検査の進め方

的手法などを用いて検査するものである．

　検体としては，尿や便など自然に排泄されるものを集めたり，血液や髄液など，侵襲的に採取するものがある．また，健康状態でも採取できる検体と，喀痰，腹水や膿など，病変によって生じてくる検体がある．

　臨床検査のなかでも検体検査は種類が多く，尿・便検査，血球・凝固系検査，生化学検査，免疫血清学検査，微生物検査，染色体・遺伝子検査などが属する．

❷ 生理機能検査

　機械工学や電子工学の技術を用いて，循環機能，呼吸機能，神経・筋活動などを記録する検査である．心電図検査，呼吸機能検査，脳波検査，筋電図検査などが属する．

　臨床生理検査，生体機能検査とも呼ばれる．

❸ 画像検査

　臓器の病変を画像として描出する検査である．X線検査，超音波検査，CT検査，MRI検査，内視鏡検査などがあり，技術の進歩によって鮮明で，微細な病変までも検出できる詳細な画像が得られるようになっている．

目的による分類

　少なくとも基本検査，スクリーニング検査はいかなる場合にも実施し，正確な診断を下すとともに，合併症の存在を見落とさないようにする．

❶ 基本検査

　外来受診時，もしくは入院時に必ず行うべき基本的な検査で，医療面接，身体診察と並んで基本的な情報を得る目的で行う．"仮の診断"をつけるために役立つ．

❷ スクリーニング検査

　臓器別の機能をチェックし，仮の診断を確実にする．さらに，見落としのないよう，あるいは合併症の存在を検出する意味もある．

❸ 精密検査，特殊検査

　診断を確定するために行う，より精密な検査，または特殊な検査を指す．診断確定だけでなく，病態を詳しく解析し，経過観察や予後推定に必要なことも多い．

検査の時機による分類

　検査の結果はすべて迅速に報告されるのが望ましい．しかし，試薬に対する反応時間や，種々の処置には必然的に時間がかかる．緊急検査では，通常の検査過程を短縮した検査法を駆使し，迅速に検査が行われる．

　このため，処理法や検査法の違いなどによって通常検査と緊急検査の結果に乖離が生じることもあり，注意が必要である．

❶ 通常検査

　外来患者や入院患者に対して，一般的に実施される検査．報告までにある程度の時間がかかっても，多くの検体を効率よく処理できるような方法がとられる．

❷ 緊急検査

　救急処置を必要とする患者に対して行われる検査．循環系，呼吸器系，代謝系など，生命の維持に重要な機能の評価を目的とする．

❸ 診察前検査

　糖尿病患者での血糖検査，貧血患者での血球検査など，診察前に検査が行われ，かつ結果も出ていることが期待される検査である．

検査の進め方

検査は，図1に示したように進められる．ただし，患者の状態や疾患・病態によっては，検査の順序を適宜変更して行ってもよい．たとえば，身体診察で黄疸が認められ，肝疾患が疑われる場合には，まず肝機能検査を開始する．

検査結果の評価

検査で得られた結果は，病態の把握，そして診断に有効に活用されなくてはならない．そのためには，検査の結果をただ単に基準値と照らし合わせるだけではなく，種々の要因を考慮して総合的に判断すべきである．

検査結果を判断するための基準

得られた検査結果が正常なのか異常なのかを判定するには，いくつかの基準がある．対象とする疾患の病態，あるいは検査の性質に応じて，判断の基準を適宜考慮する．

❶ 基準値

多くの健常者が示す検査値の平均値±2 SD（標準偏差）の範囲内を指す．

検体検査の結果を多数の集団としての分布でみると，正規分布〔総蛋白(TP)，アルブミン，UN，Cr，LD，総コレステロール，血糖(Glu)，Na，K，Cl，Ca，Pなど〕，または対数正規分布〔AST，ALT，γ-GT，総ビリルビン，直接ビリルビン，ALP，CK，トリグリセリド(TG)など〕を示すものが多い．そこで，95％信頼限界で正常と判定する測定値である．

基準値は，施設間でかなり相違がある．検査方法，試薬，検査機器などが施設間で異なるので，基準値は各施設で設定しているものを参照する．

❷ カットオフ値

検査値が異常かどうかを判定するために設定した病態識別閾値をいう．たとえば，腫瘍マーカーでは，ある値を超えた測定結果が出た場合，異常と判定する．

❸ 治療目標値

望ましい検査値を設定し，それ以下もしくは以上になるように治療目標をおくもの．必ずしも基準値と治療目標値は一致しない．たとえば，LDL-コレステロール値は多数の集団で求めた基準値を使用するよりも，日本動脈硬化学会の提唱する140 mg/dL未満（中リスク者）にすることが勧められている．血糖，尿酸値なども治療目標値が設定されている．

❹ パニック値

基準値をはるかに超え，緊急処置をとらなければならないほどの重篤な状態を示す検査値である．たとえばASTが5,000 U/Lを超えたような場合には，劇症肝炎で死亡する危険性が高い．

検査の感度と特異度

一般には，検査結果は基準値やカットオフ値を参照して正常か異常かを判断する．その場合，健常者であっても異常値と判定されてしまう（偽陽性）ことと，異常であっても正常値と判定されてしまう（偽陰性）ことに絶えず注意が必要である．

検査の感度と特異度は次のように定義される（表3）．

❶ 感度（sensitivity）

疾病に罹患している人が検査で陽性と判定される割合で，偽陰性の少ないものほど感度が高い検査である．すなわち，"偽陰性率＝1－感度"の関係にあり，感度が高い検査ほど，疾患をより確実に発見できる．

❷ 特異度（specificity）

疾病に罹患していない健常者が検査で陰性と判定される割合で，偽陽性の少ない検査ほど特異性が高い．すなわち，"偽陽性率＝1－特異度"の関係にある．特定の疾患を診断するためには，特異度の高いことが望まれる．たとえば，抗dsDNA抗体や抗Sm抗体検査は，陽性であれば全身性エリテマトーデスである確率が高く，全身性エリテマトーデスを診断するうえで特異性の高い検査といえる．

一般に，健常者と患者で同一の検査を行った場合，結果は図2のような分布となる．そこで，カットオフ値を決める際，図2のa値のような測定値を設定すれば，患者を診断できる確率が高

表3 検査の感度と特異度

		疾患	
		あり	なし
検査	陽性	a	b
	陰性	c	d

a：真陽性　b：偽陽性　c：偽陰性　d：真陰性

$$感度 = \frac{a}{a+c}$$

$$特異度 = \frac{d}{b+d}$$

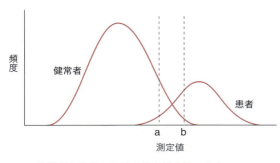

図2　健常者と患者における検査測定値の分布

いが，健常者をも異常と判定してしまう偽陽性率が高くなる．すなわち，特異度が低くなってしまう．b値を設定すれば，健常者を誤って異常と判定する偽陽性は減るが，患者を見落とす偽陰性の可能性が高くなる．つまり，感度が低くなる．

検査結果に変動を与える諸因子（表4）

遺伝要因（人種など），生活環境（気候，居住地など），個人の生物学的条件（年齢，性別など），検査の際の条件（体位，時間など），生活習慣（食事，運動，飲酒，喫煙など）などが検査値に影響を与えることがある．検査結果を判定する際には考慮が必要である．

また，空腹時に採血するなど，それらの要因による影響を少なくする検査を行うように努力する．

検査と医療保険制度

医療行為は，原則として医療保険制度の枠組みのなかで行われる．

検査には，保険で承認されている検査項目と，承認されていないものがある．いかに学問的に有

表4　検査結果に変動を与える主な要因

要因	変動	検査項目
個体間で差が大きい検査項目		
個人差	大きい	AST, ALT, ChE, γ-GT, コレステロール, 尿酸
	小さい	Na, K, Cl, Ca, P
性差	男＞女	尿酸, Cr, ヘモグロビン(Hb), 鉄(Fe)
	女＞男	黄体形成ホルモン(LH), 卵胞刺激ホルモン(FSH), HDL-コレステロール
年齢差		
■ 新生児～乳児	高値	LD, ALP, P, 白血球数(WBC), アルドステロン, 血漿レニン活性(PRA), α-フェトプロテイン(AFP)
	低値	総蛋白(TP), Cr, コレステロール, アミラーゼ
■ 幼小児	高値	ALP, ChE
■ 青年～中年	漸増	コレステロール, 中性脂肪
■ 高齢者	高値	LH, FSH, カテコールアミン(CA), ALP(女性)
	低値	テストステロン, カルシトニン, TP, アルブミン
習慣		
■ 過食	高値	コレステロール, 中性脂肪, 尿酸
■ 喫煙	高値	WBC, CEA
■ 飲酒	高値	γ-GT, 中性脂肪, 尿酸
個人内で検査値が変動する要因		
時間		
■ 早朝	最高値	ACTH, コルチゾール
■ 午前	最高値	Fe, トランスフェリン(Tf), ビリルビン
■ 午後	最高値	リン(P)
■ 深夜	最高値	成長ホルモン(GH), 甲状腺刺激ホルモン(TSH)
食事	上昇	血糖, 中性脂肪, インスリン
	低下	遊離脂肪酸, K(糖食)
体位		
■ 立位	上昇	TP, アルブミン, コレステロール, PRA
月経周期		LH, FSH, 性腺ホルモン, CA125
妊娠	上昇	尿酸, ALP, LD, コレステロール, AFP, プロラクチン(PRL), ヒト絨毛性ゴナドトロピン(HCG)
	低下	TP, アルブミン, ChE, Hb, Fe, Na, Ca

用な検査項目であっても,「費用が高額すぎる」「普遍化していない」などといった理由で保険制度で認められていないものが少なくない.

また,保険で認められている検査項目であっても,不適切に実施すると,保険では認められない.たとえば,腫瘍マーカー検査などを1か月のうちに何度も繰り返して行ったり,癌をスクリーニングするという理由だけで多項目を検査するのは認可されない.疾患名に適応していない検査項目も認められない.

医師が必要と考えて行った検査であっても,保険で認められていないもの,あるいは適切と認められない検査については,検査に要した費用の全額が患者の自己負担か,病院の負担になってしまう.

検査計画を立てるにあたり,こうした保険制度の適応についても十分に考慮しておかなければならない.

尿・便検査

尿検査は,全身性疾患を診断するうえでごく基本的な検査であり,同時に,腎・尿路系疾患のスクリーニング検査としても欠かせない.

また,便検査は消化管疾患のスクリーニング検査として重要である.

尿検査

尿検査は,原則として早朝尿で検査するのが望ましい.しかし,外来診療など,随時尿で検査することも多い.この場合には,食後かどうかを確認しておく.

随時尿では,主として,蛋白,糖,潜血,沈渣などを検査する.蛋白,糖,潜血は試験紙法で検査し,沈渣は尿を遠心分離して顕微鏡で観察する.

尿成分を生化学的に分析する場合には,蓄尿して検査を行う.尿路感染症を疑うときには,排尿途中の中間尿を無菌的に採取して細菌学的検査を行う.

表5 尿蛋白が陽性になる主な疾患・病態

原因	疾患・病態
腎前性	多発性骨髄腫(Bence Jones(ベンス ジョーンズ)蛋白),横紋筋融解症(ミオグロビン),不適合輸血
腎性 ■ 糸球体性 ■ 尿細管性	急性腎炎,慢性腎炎,ネフローゼ症候群,糖尿病性腎症,全身性エリテマトーデス,アミロイドーシス,腎硬化症 Fanconi(ファンコニ)症候群,急性尿細管壊死,慢性腎盂腎炎,痛風腎,重金属中毒,アミノグリコシド系抗菌薬,間質性腎炎
腎後性	尿路感染症,尿路結石症,尿路系腫瘍

尿蛋白検査

通常は,試験紙法でアルブミンを検出する.30 mg/dL以上の濃度のアルブミンがあると(+)となり,異常と判定される.健常者でも1日に40〜100 mg程度の蛋白質は尿中に排泄されるが,150 mg以上の排出は異常と考える.

尿蛋白が陽性になる主な疾患には,表5に示すようなものがある.

尿糖検査

通常は試験紙法でブドウ糖(グルコース)を検出する.健常者でも20〜30 mg/dL,40〜85 mg/日程度の糖は排出される.食後には健常者でも尿糖が陽性になることがある.

尿糖が陽性の場合には,血糖値を調べておく.尿糖が陽性になる主な疾患を表6に示す.

ケトン体

ケトン体は,糖質が不足したり利用が障害されたとき,脂肪が代わりに利用され不完全燃焼して生成されるもので,アセト酢酸,β-ヒドロキシ酪酸,アセトンを総称したものである.

尿ケトン体は表7に示すような疾患や病態で検出される.糖尿病患者などでケトン体が検出された場合には,早急に代謝異常を改善する必要がある.

表6 尿糖が陽性になる主な疾患・病態

原因	疾患・病態
高血糖性糖尿	
■ 内分泌性	糖尿病，下垂体機能亢進症，甲状腺機能亢進症，副腎機能亢進症
■ 非内分泌性	肝疾患，中枢神経疾患
■ 薬物性	ACTH，ステロイドホルモン，アドレナリン，甲状腺ホルモン，モルヒネ，精神安定薬
■ ストレス	感染症，手術，麻酔，呼吸不全
■ 食事性	胃切除後，過食
糖排泄閾値低下	
■ 重金属中毒	カドミウム，クロムなど
■ 腎疾患	慢性腎炎，腎硬化症，Fanconi症候群，ネフローゼ症候群
■ その他	腎性糖尿（先天性），妊娠

表7 尿ケトン体が陽性になる主な疾患・病態

原因	疾患・病態
代謝性疾患	糖尿病，腎性糖尿，糖原病
食事性	飢餓，高脂肪食
代謝亢進	甲状腺機能亢進症，発熱，妊娠，授乳

潜血

　試験紙法ではヘモグロビンのペルオキシダーゼ様反応を検出する．尿潜血反応の陽性は，腎・尿路系のいずれかの部位で出血していることを示し，出血部位の確認と，出血の原因を精査するようにする(表8)．
　なお，ヘモグロビン尿やミオグロビン尿では，尿潜血反応は陽性であるが，沈渣には赤血球が見当たらない現象が起きる．

尿沈渣

　新鮮な尿を遠心分離して，上清を捨て，沈渣をスライドガラスに乗せて400倍の倍率で検鏡する．
　少数の赤血球，白血球は健常者でもみられることもあるが，多数出現するのは表9のような疾患や病態である．円柱は，尿細管で尿中の成分が停滞し尿細管から分泌されるTamm-Horsfall（タム-ホースフォール）ムコ蛋白質とアルブミンが凝固沈殿してできる円柱様構造物に細胞やその変

表8 尿潜血反応が陽性（血尿）になる主な疾患・病態

原因	疾患・病態
腎前性	出血性素因，抗凝固療法，播種性血管内凝固，血小板減少症，白血病
腎性	急性糸球体腎炎，慢性糸球体腎炎，ループス腎炎，間質性腎炎，腎盂腎炎，腎結核，腎結石，腎癌，腎血管腫，腎動脈瘤，腎静脈血栓症，腎外傷，多発性囊胞腎，遊走腎，特発性腎出血
腎後性	腎盂・尿管・膀胱・前立腺・尿道の腫瘍，結石，炎症，外傷

表9 尿沈渣の異常がみられる主な疾患・病態

尿沈渣成分	疾患・病態
赤血球	糸球体腎炎，腎・尿路の結石，腫瘍，炎症
白血球	尿路感染症，移植後の拒絶反応
上皮細胞	腎盂腎炎・急性尿細管壊死（尿細管上皮），腫瘍（移行上皮）
円柱	糸球体腎炎（硝子円柱，赤血球円柱），ループス腎炎（赤血球円柱，白血球円柱），ネフローゼ症候群（硝子円柱，脂肪円柱，顆粒円柱）
結晶	腎結石（尿酸，シュウ酸塩，リン酸塩），シスチン尿症（シスチン）
細菌，真菌	尿路感染症

性成分などが封入されて生じる．硝子円柱は健常者でもみられることがあるが，他の円柱の出現は病的である．

便検査

　便潜血反応で消化管出血を検出するほか，寄生虫症，細菌感染症の検査も行われる．
　潜血反応は，ヒトヘモグロビンをモノクローナル抗体によって検出する免疫法で検査する．便潜血反応が陽性の場合には，上部消化管，下部消化管検査を行い，出血部位と出血の原因を確認する必要がある(表10)．

髄液検査

　中枢神経系の疾患の診断にはCT，MRIの検査が行われるが，髄膜炎・脳炎・Guillain-Barré（ギラン・バレー）症候群などの炎症性疾患や，軽微なくも膜下出血などの検査には髄液検査が有用で

表10 便潜血反応が陽性になる主な疾患・病態

出血部位	疾患・病態
食道	食道静脈瘤破裂，食道潰瘍，食道炎，Mallory-Weiss（マロリー・ワイス）症候群，食道癌
胃・十二指腸	消化性潰瘍，胃炎，急性胃粘膜病変，胃癌，十二指腸炎
小腸	Crohn（クローン）病，Meckel（メッケル）憩室，上腸間膜動静脈の閉塞，小腸潰瘍，結核，肉腫
大腸	大腸癌，ポリープ，肉腫，潰瘍性大腸炎，Crohn病
肛門	内・外痔核，痔瘻
全身性	出血性素因，慢性肝障害，歯肉，鼻出血，月経血の混入

表11 髄液検査

項目	基準値	異常	異常となる疾患，病態
髄液圧	60～180 mmH₂O	亢進	頭蓋内占拠病変（脳腫瘍，脳膿瘍，脳内血腫），脳浮腫，髄液産生過剰，髄液吸収障害
		低下	高度の脱水，髄液漏
外観	透明，清	鮮紅色	新鮮なくも膜下出血
		黄褐色	陳旧性出血，黄疸，高カロチン血症
細胞数	5/μL以下	白血球増加	化膿性髄膜炎，脳膿瘍，白血病性髄膜炎
		単核球増加	ウイルス性髄膜炎，日本脳炎，結核性髄膜炎寄生虫症
		好酸球増加	
		腫瘍細胞	癌性髄膜炎，脳腫瘍，悪性リンパ腫
		ATL様細胞	HAM
蛋白	15～45 mg/dL	増加	脳炎，髄膜炎，脊髄腫瘍，Guillain-Barré症候群，脳出血，多発神経炎，神経Behçet（ベーチェット），粘液水腫
		低下	良性頭蓋内圧亢進症，甲状腺機能亢進症，水中毒
糖	45～90 mg/dL	増加	高血糖
		低下	化膿性髄膜炎，癌性髄膜炎，結核性・真菌性髄膜炎，サルコイドーシス，ムンプス・ヘルペス脳炎，SLE，脳出血，低血糖
LD	40 U/mL以下	高値	癌性髄膜炎，細菌性髄膜炎
ADA	8 U/L以下	高値	結核性髄膜炎

ATL：成人T細胞白血病，HAM：ヒトT細胞白血病ウイルスⅠ型関連脊髄症，SLE：全身性エリテマトーデス，ADA：アデノシンデアミナーゼ

ある．ただし，髄液検査では合併症が起こることもありうるので，適応と禁忌には十分に留意する必要がある．

髄液検査の項目と異常を示す疾患を表11に記す．Guillain-Barré症候群では蛋白が増えているのに細胞数が増加しておらず，蛋白細胞解離を示す．

血液学的検査

血液学的検査では，一般に血球検査と血液凝固・線溶系検査を行う．基本的検査，血液疾患のスクリーニング検査として必須である．

血球検査では，赤血球数（RBC），ヘモグロビン（Hb），ヘマトクリット（Ht），網赤血球数（Ret），白血球数（WBC），白血球分画，血小板数を検査する．これらの異常から血液疾患が疑われれば，必要に応じて骨髄検査を行う．

出血性素因が疑われる患者には，出血・凝固・線溶系の検査を行う．

血球検査

赤血球数，ヘモグロビン，ヘマトクリット

赤血球系の検査としては，RBC，Hb，Htの3者を測定し，平均赤血球容積（mean corpuscular volume; MCV），平均赤血球ヘモグロビン量（mean corpuscular hemoglobin; MCH），平均赤血球ヘモグロビン濃度（mean corpuscular hemoglobin concentration; MCHC）を算出する．

$$\text{平均赤血球容積（MCV, fL）} = \frac{Ht\,(\%)}{RBC\,(10^6/\mu L)} \times 10$$

$$\text{平均赤血球ヘモグロビン量（MCH, pg）} = \frac{Hb\,(g/dL)}{RBC\,(10^6/\mu L)} \times 10$$

表12 平均赤血球恒数による貧血の分類

小球性低色素性貧血 （MCV ≦ 80，MCHC ≦ 31）	正球性正色素性貧血 （MCV = 81〜100，MCHC = 32〜36）	大球性正色素性貧血 （MCV ≧ 101，MCHC = 32〜36）
・鉄欠乏性貧血 ・慢性炎症性疾患 　（関節リウマチなど） ・サラセミア ・鉄芽球性貧血 ・無トランスフェリン血症	・急性出血 ・溶血性貧血 ・再生不良性貧血 ・赤芽球癆 ・白血病，多発性骨髄腫 ・癌の骨髄転移 ・骨髄線維症 ・腎性貧血 ・内分泌疾患	・ビタミン B_{12} 欠乏性貧血 　（悪性貧血，胃全摘後など） ・葉酸欠乏性貧血 ・DNA合成の先天的あるいは 　薬物による異常 ・肝障害

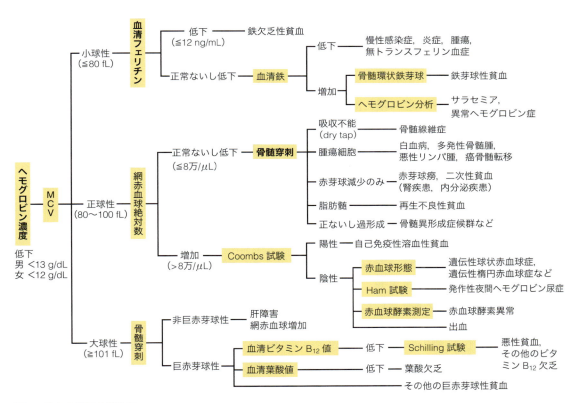

図3 貧血の検査の進め方

平均赤血球ヘモグロビン濃度（MCHC, g/dL）
$$= \frac{\text{Hb (g/dL)}}{\text{Ht (\%)}} \times 100$$

貧血のある場合には，平均赤血球恒数に基づき，小球性低色素性貧血，正球性正色素性貧血，大球性正色素性貧血にまず分類し，鑑別診断を進める（表12）．この目的には，WBC，血小板数（Plt），網赤血球数，血液像，さらに必要に応じて，血清鉄，不飽和鉄結合能（UIBC），血清フェリチン，Coombs（クームス）試験，血清ビタミン B_{12}，葉酸測定，Ham（ハム）試験，骨髄検査などの検査を追加する（図3）．

白血球数，白血球分画

自動血球計数機でWBCを求め，Giemsa（ギムザ）染色もしくはWright（ライト）染色などを施した血液塗抹標本で白血球分画を調べる．

WBCの異常としては，WBCの増加と減少が

表13　主な出血性素因と止血凝固スクリーニング検査

疾患	血小板数(Plt)	出血時間	PT	APTT	フィブリノゲン
先天性出血性素因					
■ von Willebrand 病	〜	延長	〜	〜/延長	〜
■ 血小板機能異常症	〜	延長	〜	〜	〜
■ 血友病	〜	〜	〜	延長	〜
後天性出血性素因					
■ 血小板減少症	減少	延長	〜	〜	〜
■ ビタミンK欠乏症（クマリン系抗凝固薬服用）	〜	〜	延長	〜/延長	〜
■ 肝硬変	〜/減少	〜	延長	延長	〜/軽度減少
■ 急性肝不全（劇症肝炎）	減少	延長	延長	延長	減少
■ 播種性血管内凝固	減少	延長	延長	延長	減少
■ lupus anticoagulant	〜	〜	〜/軽度延長	延長*	〜

〜：正常
* 正常血漿と患者血漿の混和(1：1)で補正されない

ある．WBCは，感染症，組織崩壊，急性出血，溶血，ストレスなどの際に反応性に増えたり，白血病など骨髄増殖疾患では腫瘍性に増加したりする．逆に，再生不良性貧血，白血病，骨髄異形成症候群，癌の骨髄転移などで白血球産生が低下したり，薬物などの副作用で減少したりする．これらの病態を鑑別するには，血液像を確認し，骨髄検査を行う．

血小板数

出血性素因（出血傾向）のある患者，手術を受ける患者ではスクリーニング検査として必須の項目である．

Pltが10万/μL以下は病的で，5万/μL以下では出血傾向が出現しやすくなる．Pltの減少は，
① 産生の低下（再生不良性貧血，悪性貧血，白血病，多発性骨髄腫，癌の骨髄転移など）
② 破壊の亢進（特発性血小板減少性紫斑病など）
③ 消費（播種性血管内凝固，血栓性血小板減少性紫斑病など）
④ 体内分布異常（脾腫，肝硬変など）
でみられる．これらの鑑別には，骨髄検査，凝固・線溶検査，腹部超音波検査などを行う．

Pltが40万/μL以上の増加には，
① 腫瘍性の増加（本態性血小板増加症，慢性骨髄性白血病，真性多血症など）
② 反応性の増加（出血，炎症，手術後など）

があり，鑑別するには骨髄検査が必要である．

凝固・線溶検査

出血すると止血しにくい，あるいは外傷やたいした刺激を受けていないのに容易に出血するなどの出血性素因（出血傾向）のある患者では，その原因を明らかにするために必須の検査である．また，術前にもチェックする必要がある．

出血傾向が疑われる場合には，まずスクリーニング検査として，血小板数，出血時間，プロトロンビン時間（PT），活性化部分トロンボプラスチン時間（APTT），フィブリノゲンを検査する（表13）．そのスクリーニング検査の結果からある程度の鑑別を行う．さらに詳細に診断したり，重症度を判定するために，凝固・線溶能の精密検査を進める．

フィブリン分解産物（FDP，D-ダイマー），トロンビン・アンチトロンビン複合体（TAT），アンチトロンビン（AT），プラスミノゲン，α_2-プラスミンインヒビター（α_2-PI），プラスミン・プラスミンインヒビター複合体（PIC），さらに必要に応じて各凝固因子活性などを検査する．

肝機能検査

病歴情報，身体所見，そして基本的検査の結果から肝胆道系の疾患が疑われた場合，肝機能検査を行う．このほか，全身性疾患で肝障害を伴った

表14 肝機能検査と診断的意義

診断的意義	検査項目
病態把握	
■ 肝細胞傷害	AST, ALT, ALP, γ-GT, LD, 総胆汁酸
■ 胆汁排泄機能	総ビリルビン, 直接ビリルビン, 総胆汁酸, ICG, γ-GT, ALP, ロイシンアミノペプチダーゼ
■ 蛋白合成機能	アルブミン, ChE, PT, ヘパプラスチン試験
■ アミノ酸代謝	血漿アミノ酸(分枝アミノ酸/芳香族アミノ酸, メチオニン)
■ 糖代謝	血糖, グルコース負荷試験(OGTT), ガラクトース負荷試験
■ 脂質代謝	コレステロール, コレステロールエステル
■ 尿素サイクル	アンモニア, 尿素窒素(UN)
■ 線維化	Ⅲ型プロコラーゲンペプチド, Ⅳ型コラーゲン
■ 間葉系反応	血清蛋白電気泳動
■ 門脈-大循環シャント	ICG, 総胆汁酸, 血漿アミノ酸, アンモニア(NH_3), 血小板数(Plt)
病因解析	
■ 肝炎ウイルス	IgG-HA抗体, IgM-HA抗体, HBs抗原, HBs抗体, IgG-HBc抗体, IgM-HBc抗体, HBe抗原, HBV関連DNAポリメラーゼ, HBV DNA, HCV抗体, HCV RNA, HDV抗体, HEV抗体, HGV RNA
■ 原発性胆汁性胆管炎	ミトコンドリア抗体, ピルビン酸脱水素酵素抗体
■ 自己免疫性肝炎	抗核抗体(ANA), 抗平滑筋抗体, 肝腎ミクロソーム抗体
■ 代謝疾患	セルロプラスミン, 鉄(Fe), 鉄結合能, $α_1$-プロテインインヒビター
■ 肝細胞癌	α-フェトプロテイン(AFP), PIVKA-Ⅱ

表15 肝胆道疾患を鑑別するのに有用な検査

スクリーニング
- AST, ALT, ALP, 総ビリルビン, 直接ビリルビン, 総蛋白(TP), アルブミン, γ-グロブリン

ウイルス性肝炎
- 急性期:IgM-HA抗体, HBs抗原, IgM-HBc抗体, HCV抗体, PT
- 慢性期:HBe抗原・抗体, HCV抗体

自己免疫性肝障害
- LE細胞, 抗核抗体(ANA), 抗平滑筋抗体, 抗ミトコンドリア抗体

薬物性肝障害
- リンパ球活性化試験

劇症肝炎
- 血中アンモニア(NH_3), 遊離アミノ酸, PT, APTT

肝硬変
- HBs抗原, HCV抗体, 蛋白分画, ICG, PT, ヘパプラスチンテスト, ヒアルロン酸(HA), Ⅳ型コラーゲン, プロコラーゲンⅢペプチド, モノアミンオキシダーゼ, 画像検査

脂肪肝
- 中性脂肪, 画像検査

閉塞性黄疸
- 画像検査, 腫瘍マーカー

肝癌
- 画像検査, 腫瘍マーカー, 生検

り, 薬物による肝への影響をみる目的でも, 肝機能検査は重要な役割を果たす.

肝胆道系疾患の診断では, まず肝機能検査を行って肝胆道障害の有無と程度を評価する. 次いで, その病因や重症度を判定するために, 血清ウイルス抗原・抗体検査, 自己抗体検査, 腫瘍マーカー検査, 画像検査, 生検などを行う.

肝機能検査として行われるものには表14のようなものがある. それぞれの病態を把握するうえでの意義を考え, 疾患を鑑別する際に応用する(表15).

肝胆道系疾患を疑った場合には, まずスクリーニング検査として, AST, ALT, 総ビリルビン, 直接ビリルビン, ALP, γ-GT, ChE, γ-グロブリンを調べる.

AST, ALTが高値の場合には, 主として肝炎を考慮し, ウイルス性肝炎, 薬物性肝炎, 自己免疫性肝炎などを鑑別する.

総ビリルビン, ALP, γ-GTが高値の場合には, 主として閉塞性黄疸, 肝内胆汁うっ滞を鑑別する. この目的には, 超音波検査, CT, MRI, 内視鏡的逆行性膵胆管造影(ERCP), 経皮経肝的胆道造影(PTC)などの画像検査を必要に応じて行う.

ChE低下, γ-グロブリン増加の場合には肝硬変を疑い, 画像検査, ICG試験, 線維化の状態などを検査する.

その他, 肝細胞癌を疑った場合には, 画像検査, 腫瘍マーカー検査が必要である.

肝炎の原因として多いA, B, C型肝炎ウイルス感染時の経過と, 各抗原・抗体検査の意義を図4~6, 表16に示す.

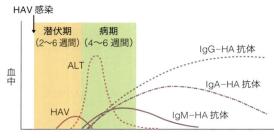

図4 A型肝炎ウイルス感染後の経過

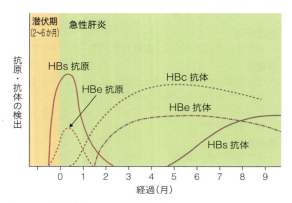

図5 B型肝炎ウイルス感染後の経過

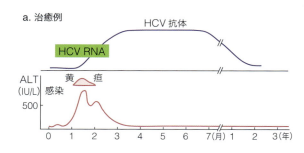

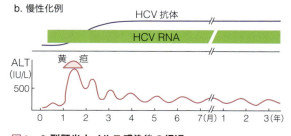

図6 C型肝炎ウイルス感染後の経過

表16 肝炎ウイルスマーカー

肝炎	抗原・抗体	意義
A型肝炎	IgG-HA抗体	過去のA型肝炎ウイルス感染
	IgM-HA抗体	A型肝炎発症時とその後数か月間
B型肝炎	HBs抗原	B型肝炎ウイルス感染状態
	HBs抗体	過去のB型肝炎ウイルス感染, 感染防御抗体
	HBc抗体	
	低抗体価	過去のB型肝炎ウイルス感染
	高抗体価	B型肝炎ウイルス感染状態
	IgM-HBc抗体	
	低抗体価	B型急性肝炎数か月以上経過, またはB型慢性肝炎の増悪期とその直後
	高抗体価	B型急性肝炎時
	HBe抗原	血中B型肝炎ウイルスが多い(感染性強い), 慢性肝疾患では肝炎の持続性マーカー, B型肝炎ウイルス増殖のマーカー
	HBe抗体	血中B型肝炎ウイルスが少ない(感染性弱い), 慢性肝炎の持続例は少ない
	HBV関連DNAポリメラーゼ	血中B型肝炎ウイルス量を示す. 抗ウイルス薬治療効果の指標
	HBV DNA	B型肝炎ウイルス増殖のマーカー
C型肝炎	HCV抗体	C型肝炎ウイルスの感染マーカー
	HCV RNA HCVコア蛋白	HCV増殖マーカーで, 定量的測定により抗ウイルス薬治療効果の予測が可能
	HCV遺伝子型	抗ウイルス薬治療効果予測因子の1つ

腎機能検査

　腎・尿路系疾患は，浮腫，高血圧，排尿異常，発熱，側腹部痛などの症状が出て発見される場合と，尿検査や血液生化学検査などで偶然に指摘される場合とがある．

　腎・尿路系疾患を疑った場合には，尿検査が基本となる．それに，末梢血液検査，血液生化学検査，免疫血清学的検査，腎機能検査，画像検査などを加える(表17)．

表17 腎疾患の診断に有用な検査

腎機能に関する検査
- 糸球体機能
  - 糸球体障害のスクリーニング：尿検査(蛋白，赤血球円柱，変形赤血球)
  - 糸球体濾過能：血清 Cr，クレアチニンクリアランス(C_{cr})
- 尿細管機能
  - 尿細管障害のスクリーニング：尿中低分子蛋白(β_2-ミクログロブリン，α_1-ミクログロブリン)，尿中酵素（N-アセチル-β-d-グルコサミニダーゼ(NAG)など)，糖尿，アミノ酸尿
  - 尿細管再吸収能：リン酸再吸収率(%TRP)，ブドウ糖再吸収閾値(TmG)
  - 尿の酸性化能：塩化アンモニウム負荷試験，重曹負荷試験
- 腎血流：RI(ラジオアイソトープ)レノグラフィー
- 血液生化学：血清 Cr，尿素窒素(UN)，電解質，pH，血液ガス分析
- 調節系：レニン・アルドステロン，副甲状腺ホルモンなど

形態に関する検査
- 画像検査：腎エコー検査，X線検査(腹部単純，腎盂造影，CT スキャン)，腎血管撮影
- 病理組織検査：腎生検(光顕，FA，電顕)

背景因子に関する検査
- 血糖検査
- 自己抗体検査：抗核抗体(ANA)，抗 DNA 抗体，抗基底膜抗体，抗白血球細胞質抗体など
- 血清学的検査：血清補体価，CRP，抗ストレプトリジン O 抗体(ASO)
- 凝固・線溶検査

スクリーニング検査
- 血圧
- 検尿
- エコー検査

精密検査
- 病因：血糖，ASO，尿細菌検査，抗 DNA 抗体，腎生検
- 病変部位：RPF，GFR，尿 NAG，尿 β_2-MG，尿 α_1-MG，重炭酸負荷試験，塩化アンモニウム負荷試験，各種画像検査(エコー検査など)
- 病変の活動性：尿沈渣，赤沈，補体価，C_3，C_4，抗 DNA 抗体，腎生検
- 病変の重症度：Cr，UN，RPF，GFR，血清電解質，腎生検，尿蛋白1日排出量
- 腎外合併症：血圧，血算，心電図，胸部X線検査，眼底検査，血液生化学，レニン・アルドステロン測定

図7 腎・尿路疾患の検査の進め方

腎・尿路系疾患を診断するにあたっては，まずその存在を確認するだけでなく，原因，病変部位，活動性，重症度，腎外の合併症をも把握することが必要である．そこで，それらを診断するために検査を適宜組み合わせる(図7)．

代謝検査

代謝検査は蛋白・脂質・糖代謝異常症の診断のために行われる．

血清蛋白質検査

蛋白代謝異常では，血清蛋白高値，低値，異蛋白血症が問題となる．これらを判定するには，血清総蛋白濃度，アルブミン濃度，血清蛋白電気泳動検査が行われる．

総蛋白が高値の場合，グロブリンが高値のことがほとんどで，グロブリンの過剰産生，もしくは脱水による血液濃縮などが原因となる．

グロブリンの産生過剰には，単クローン性高γ-グロブリン血症と，多クローン性高γ-グロブリン血症がある．前者は骨髄腫やマクログロブリン血症など腫瘍による場合と，良性 M 蛋白血症(MGUS)がある．多クローン性高γ-グロブリン血症は，炎症・免疫刺激などによって多クローン性にグロブリンが産生されるもので，慢性肝炎，肝硬変，慢性感染症，自己免疫疾患，リンパ増殖性疾患などがある．これらを鑑別するには，血清蛋白電気泳動検査ならびに血清免疫電気泳動検査を行う(図8)．

総蛋白が低値になるのは，アルブミンが低いことが多い．アルブミンの低値は，摂取不足(低栄養)，漏出(熱傷，ネフローゼ症候群，蛋白漏出性胃腸症)，異化亢進〔Cushing(クッシング)症候群，甲状腺機能亢進症〕，合成低下(肝硬変，肝癌，リン中毒)などが原因で起こる．γ-グロブリンの減少は，低または無γ-グロブリン血症で起こる．

血清脂質検査

血清脂質検査は，特に脂質異常症(高脂血症)の

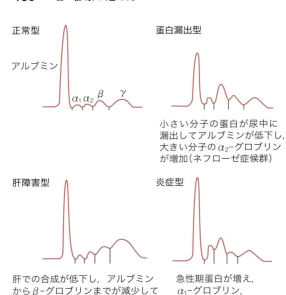

図8 血清蛋白電気泳動の基本パターン

表18 脂質異常症の検査の進め方

脂質異常症の診断・経過観察
- 総コレステロール，トリグリセリド（TG），HDL-コレステロール，LDL-コレステロール

続発性脂質異常症の鑑別
- 尿検査，血液生化学検査，血糖，甲状腺機能検査など

病型分類
- リポ蛋白分析〔リポ蛋白電気泳動，ポリアクリルアミドゲル電気泳動（PAGE），超遠心分析，リポ蛋白(a)〕
- アポ蛋白測定

病因・病態解析のための特殊検査
- 酵素活性，転送蛋白活性の測定〔リポ蛋白リパーゼ（LPL），肝性中性脂肪リパーゼ（HTGL），レシチンコレステロールアシルトランスフェラーゼ（LCAT），コレステロールエステル転送蛋白（CETP）〕
- アポ蛋白分析（アポ蛋白電気泳動）
- LDLレセプター解析

表19 糖尿病の検査の進め方

糖尿病の診断
- 尿糖，血糖，75g OGTT

病型判定
- インスリン分泌能の評価：インスリン初期分泌指数，尿中 CPR，グルカゴン（IRG）負荷試験
- 自己抗体検査：抗膵島細胞抗体，抗膵島細胞膜抗体，抗グルタミン酸脱炭酸酵素（GAD）抗体
- HLA 検査
- 二次性糖尿病の検査：膵疾患，内分泌疾患，薬物副作用など

合併症の診断・管理
- 網膜症：眼底検査
- 腎症：尿検査，尿中微量アルブミン，C_{cr}，尿中 N-アセチル-β-d-グルコサミニダーゼ（NAG），尿中 $β_2$-ミクログロブリン，尿中 $α_1$-ミクログロブリン
- 神経症：末梢神経伝導速度，心電図 R-R 間隔変動係数
- 動脈硬化：総コレステロール，トリグリセリド（TG），HDL-コレステロール，LDL-コレステロール，脚関節腕血圧比（ABI），頸動脈エコー検査

経過観察
- 血糖コントロール状況：血糖，HbA1c，フルクトサミン，1,5-AG
- 尿検査：尿糖，尿ケトン体
- 血清脂質：総コレステロール，TG，LDL-コレステロール

診断に重要である．脂質異常症と診断された場合には，原発性か続発性かの鑑別，病型の分類，さらに病因や病態解析のために必要に応じて特殊検査を行う(表18)．

血清糖質検査

　血清糖質の検査は，糖尿病の診療に重要である．
　糖尿病の診断は，自覚症状，家族歴などに加えて，尿糖，血糖，糖負荷試験（OGTT）によって比較的簡単に行える．問題は，病型を正しく分類し，かつ合併症の存在と程度を正しく判断することにある．そして，治療していくにあたり，経過を追って血糖コントロール状態を評価することが重要である(表19)．
　すなわち，血糖コントロールの経過観察には血糖値だけでなく，HbA1c（最近1～2か月の血糖を反映），フルクトサミン（最近1～2週間の血糖状態），1,5-AG（ごく最近の血糖状態）などを測定

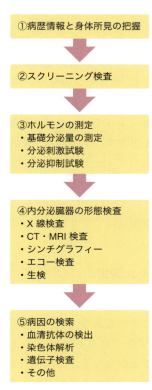

図9 内分泌疾患の診断の進め方

する．

さらに糖尿病の合併症としての腎症(尿検査，尿微量アルブミン)，網膜症(眼底検査)，神経症(神経筋伝導速度)などの有無と程度を定期的にチェックしなければならない．

内分泌検査

内分泌疾患では，体型，体格，顔貌，四肢などに特徴的な所見を示すことがある．また，発育の過程で異常があったり，家系内に同様の疾患が集積していることもある．

このため，内分泌疾患を診断するにあたっては，特有な症状，発育状態を含む既往歴，家族歴を丹念に聴取し，体型などを含めた身体診察がきわめて重要である．そして，医療面接，身体診察から内分泌疾患を疑った場合，確定診断を行うために内分泌検査を実施する(図9)．

スクリーニング検査

基本的なスクリーニング検査が内分泌疾患を疑う手がかりになることが少なくない．たとえば，血液生化学検査では，電解質異常(血清 Na, K, Cl, Ca, P の低値もしくは高値)，糖代謝異常(低血糖，高血糖)，脂質代謝異常(コレステロール低値，高値)などが内分泌疾患を診断するきっかけになることがある．また，尿量，尿浸透圧(U_{osm})，血漿浸透圧(P_{osm})も重要な所見となる．

ホルモンの測定

内分泌疾患の診断で最も基本となるのが，血中あるいは尿中のホルモン，またはその前駆体や代謝産物を測定することである．

血中ホルモン基礎分泌量の測定

一般に内分泌機能亢進症では，その内分泌器官が産生・分泌するホルモンが過剰になり，血中ホルモン濃度が高値をとる．逆に機能低下症では，ホルモン分泌が低下し，低値を示す．

さらに，内分泌器官は上位もしくは下位の内分泌器官に影響を及ぼすので，negative feedback(負のフィードバック)機構によって他のホルモンにも変化が生じる．

たとえば，甲状腺機能亢進症で甲状腺ホルモン分泌が増加した場合，甲状腺刺激ホルモン(TSH)の分泌が低下する．そこで，血中ホルモン濃度の測定が重要となる．

ただし，ホルモンの分泌には日内変動があったり，体位，運動やストレスなどの影響を受けたりするものがある．服用している薬物にも左右されることがある．また，血中ホルモン濃度が正常であるからといっても，内分泌疾患を否定できないことがある．

こうしたことから，ホルモンの測定は，基礎値だけでなく，負荷をかけて分泌の応答を検査する負荷試験が必要なことも多い．

負荷試験

血中ホルモン基礎値のみでは，内分泌疾患を

診断したり，障害部位を判定することが困難なことがある．そこで，より診断を確実にしたり，障害部位や程度を判定する目的で負荷試験が行われる．

負荷試験には，分泌刺激試験と分泌抑制試験とがある．

分泌刺激試験は，障害された内分泌腺にどの程度のホルモン分泌能力（分泌予備能）が残っているかを知る目的で行われる．一定の負荷（刺激）をかけたのち，血中の目的ホルモン濃度の増加度により予備能を判定する．たとえば，下垂体ホルモン分泌予備能をみる目的に成長ホルモン放出ホルモン（GH-RH）負荷試験，インスリン負荷試験などがある（表20）．

なお，刺激したのち，ホルモンではなく，そのホルモンの作用を指標として判定することもある．たとえば水負荷試験では，抗利尿ホルモン分泌能だけでなく，尿量と尿浸透圧（U_{osm}）も測定して指標とする．

分泌抑制試験は，血中ホルモン濃度が高い場合に行われる．ホルモンの分泌を抑制するような刺激（負荷）を与え，ホルモンの分泌が抑制されるか，抑制されないかをみる．抑制されない場合には，内分泌腺腫瘍によってホルモンが自律性に産生されていることを示す．すなわち，ホルモンの過剰分泌が，正常のフィードバック機構から逸脱したことの結果によるものかどうかを判断するのに有意義である．たとえば，Cushing 病と Cushing 症候群の鑑別診断にはデキサメタゾン抑制試験が行われる（表21）．

尿中ホルモン測定

尿中ホルモンもしくはその代謝産物を測定することが有用な場合もある．

一般にペプチドホルモンはそのままの状態で排泄されることが少なく，臨床検査としては限界があるが，尿中成長ホルモン（尿中 GH）の測定は GH 分泌量の推定に役立つ．

一方，ステロイドホルモンやカテコールアミン（CA）は尿中にそのままの形あるいは代謝産物が排泄されるので，それらの測定が有意義である．アルドステロン，コルチゾール，17-ヒドロキシコルチコステロイド（17-OHCS），17-ケトステロイド（17-KS），CA，メタネフリン，ノルメタネフリンなどが測定される．

表20 下垂体ホルモン分泌刺激試験

下垂体前葉ホルモン
- 成長ホルモン（GH）：インスリン負荷試験，アルギニン負荷試験，l-ドパ負荷試験，グルカゴン（IRG）負荷試験，クロニジン負荷試験，成長ホルモン放出ホルモン（GH-RH）負荷試験
- 副腎皮質刺激ホルモン（ACTH）：インスリン負荷試験，メチラポン負荷試験，CRH 負荷試験，バソプレシン負荷試験
- 甲状腺刺激ホルモン（TSH）：TRH 負荷試験
- プロラクチン（PRL）：TRH 負荷試験
- 黄体形成ホルモン（LH）：LH-RH 負荷試験
- 卵胞刺激ホルモン（FSH）：LH-RH 負荷試験

下垂体後葉ホルモン
- バソプレシン（AVP，ADH）：水制限試験，高張食塩水負荷試験

画像検査

画像検査も内分泌疾患の診断に重要である．

X 線単純検査は，骨年齢の判定や，下垂体腫瘍，骨代謝異常，甲状腺腫瘍などの診断に有用で

表21 Cushing 病と Cushing 症候群の鑑別診断

疾患	血中 ACTH	尿中 17-OHCS	尿中 17-KS	メチラポン反応テスト	CRH 反応試験	2 mg デキサメタゾン抑制試験	8 mg デキサメタゾン抑制試験
Cushing 病（下垂体性）	↑, →	↑	↑	(++)	(++)	(−)	(+)
副腎腺腫	↓	↑	↑, →	(−)	(−)	(−)	(−)
副腎癌	↓	↑	↑↑	(−)	(−)	(−)	(−)
原発性副腎過形成	↓	↑	↑	(−)	(−)	(−)	(−)
異所性 ACTH 産生腫瘍	↑↑↑	↑↑	↑	(−)	(−)	(−)	(−)

＋：反応あり，＋＋：強い反応，−：反応なし，↑：増加，↑↑：強い増加，↑↑↑：著増，↓：減少，→：不変

ある．エコー検査，CT検査，MRI検査，シンチグラフィーは，障害部位を診断するうえで有用である．血管造影検査を行うこともある．

病因の検査

内分泌疾患のなかには，自己免疫が原因で発症するものもある．すなわち，自己抗体が発病や病態に関与していることがある．これらの疾患を診断するうえで，自己抗体の検査が行われる．

抗TSHレセプター抗体〔甲状腺刺激ホルモンレセプター抗体（TRAb）〕，抗ミクロソーム抗体〔抗甲状腺ペルオキシダーゼ抗体（抗TPO抗体）〕，抗サイログロブリン抗体（TgAb）などが検査される．

また，内分泌疾患はホルモン遺伝子やレセプター遺伝子の異常が原因となっていることもあり，遺伝子検査が診断や保因者解析などに有用なことがある．

炎症マーカー検査

感染症，外傷，梗塞，腫瘍などによって炎症が起きると，生体側の反応として種々の炎症反応が起こり，急性期反応物質（急性期蛋白）が産生され，血中に増加する．すなわち，炎症によって活性化したマクロファージに由来するインターロイキン1（IL-1），インターロイキン6（IL-6），腫瘍壊死因子（TNF）などサイトカインのシグナルを受けて，C反応性蛋白（CRP），α_1-酸性糖蛋白，ハプトグロビン（Hp），フィブリノゲンなどが産生される．

そこで，これらの物質を炎症マーカーとして測定することにより，炎症の有無ならびに重症度が判定できる．

炎症マーカーとして最も頻用されるのがCRPで，これは炎症に反応して比較的速やかに血中に出現し，重症度に相関して高くなり，炎症が沈静化すると減少する．そこで，炎症の有無，程度，活動性，治療効果の判定などに用いられる．

なお，従来は炎症の判定に赤血球沈降速度〔赤沈，血沈，ESR）が使用されてきた．これは炎症によって増える陽性荷電のγ-グロブリンやフィブリノゲンが赤血球の陰性荷電を放電して赤血球を凝集しやすくし，赤血球沈降速度が速くなることを応用した検査である．ただ，炎症にやや遅れて速くなり，炎症が沈静化しても正常になるのが遅いなどの欠点がある．

CRPと赤沈の結果はおおむね並行するが，播種性血管内凝固，多発性骨髄腫，貧血などでは結果が乖離するので注意する（表22）．

免疫血清学的検査

免疫血清学的検査は，アレルギー性疾患，膠原病，免疫不全症などの検査に重要である．

アレルギー性疾患の検査

アレルギー性疾患には，気管支喘息，過敏性肺炎，アレルギー性皮膚疾患，アレルギー性鼻炎といった4大アレルギー性疾患に加え，アレルギー性眼炎，枯草熱，血清病などがある．これらを診断するには，医療面接，身体診察が重要であるが，検査はアレルゲンを特定することと，重症度を判定するのに有意義である（表23）．

アレルゲンは，医療面接と皮膚テスト，およびIgE抗体測定でかなり同定できる．誘発試験は必要に応じて実施されるが，ショックを起こす危険性もあり，適応を考慮して慎重に行わなければならない．

膠原病の検査

関節リウマチ，全身性エリテマトーデス，全身性硬化症，多発性筋炎/皮膚筋炎，Sjögren（シェー

表22　赤沈とCRPの相関

	CRP陽性	CRP陰性
赤沈亢進	炎症性疾患 組織崩壊性疾患	M蛋白血症 急性炎症の回復期 貧血 ネフローゼ症候群 妊娠
赤沈の亢進がない	急性炎症の初期 感染症や悪性腫瘍に併発した播種性血管内凝固	一般状態良好

表23　アレルギー性疾患の検査の進め方

アレルギーの診断
- 末梢血液検査：WBC，白血球分画
- 総 IgE 定量

アレルゲン確定
- 皮膚反応：皮内テスト，プリックテスト，スクラッチテスト，パッチテスト
- アレルゲン特異的抗体測定：特異的 IgE 測定，多項目抗原特異的 IgE 同時測定など
- 誘発試験：鼻・眼粘膜誘発試験，吸入誘発試験，食物経口誘発試験
- 除去試験：食物除去試験
- 試験管内反応：ヒスタミン遊離試験，リンパ球刺激試験，沈降反応，凝集反応など

アレルギー性気管支喘息の鑑別
- 呼吸機能検査：肺気量，換気量，ガス分布，血流分布，肺の一酸化炭素拡散能（D_Lco）など

表24　膠原病の診療で使用される検査

免疫検査
- 自己抗体：リウマチ因子（RF），抗核抗体（ANA），抗細胞質抗体，抗レセプター抗体など
- 血清蛋白定量：免疫グロブリン，補体，免疫複合体（IC）
- リンパ球表面マーカー：B 細胞系（CD19，CD20 など），T 細胞系（CD4，CD8 など）
- サイトカイン：インターロイキン（IL），IL-2R，腫瘍壊死因子（TNF），インターフェロン（IFN），TGF-β など
- HLA 検査：クラス I〜III 抗原
- 細胞機能検査：好中球機能，芽球化試験，抗体産生能など

炎症マーカー
- 赤沈
- 急性炎症性蛋白：CRP，シアル酸，ハプトグロビン（Hp）など
- 血清蛋白分画
- 血清鉄，フェリチン

臓器障害検査
- 血球検査：RBC，WBC，Plt，血液像
- 肝機能：AST，ALT，γ-GT，ALP など
- 腎機能：検尿，尿素窒素（UN），Cr，尿酸など
- 筋肉病変：CK，アルドラーゼ，ミオシンなど
- 骨・関節病変：血清ヒアルロン酸（HA），オステオカルシン，ピリジノリンなど
- 唾液腺病変：アミラーゼ

グレン）症候群，Behçet（ベーチェット）病の 6 疾患，および類縁疾患を含む膠原病は，以下のような特徴をもつ．
①全身性の炎症性変化を起こす．
②多臓器に障害を及ぼす．
③慢性にわたって増悪と寛解を繰り返す．
④種々の自己抗体が証明され，免疫機構に異常がみられる．
⑤発症に遺伝的な素因の存在が認められる．

膠原病の検査は，疾患を診断するだけでなく，障害された臓器の種類と程度を判定し，さらに疾患の活動度を評価するのに重要な意味がある．そこで，免疫異常を判定するための検査，炎症性変化を判定する検査，臓器病変を検出する検査を適宜選択する（表24）．

膠原病は，発熱，関節痛，皮疹などの症状のほか，末梢血液検査（貧血，血小板減少など），炎症マーカー（赤沈，CRP など），免疫検査〔リウマチ因子（RF），抗核抗体（ANA）など〕などのスクリーニング検査で異常を指摘されて診断の端緒になることがある．

次いで，鑑別診断を行ううえで必要な検査を選択する．これには，疾患特異的な免疫異常をみるために，自己抗体として RF，ANA，抗甲状腺抗体などを検出するとともに，自己免疫現象の把握のため補体，免疫グロブリン，免疫複合体（IC）などを検査する．そして，検尿，末梢血液検査，血液生化学検査などにより，臓器障害の部位と程度を確認する．

診断が確定し，治療を開始したのちは，経過に伴う疾患の活動度と治療効果を観察することが必要となる．この目的には，必要な検査項目を選択し，同じ項目での変化を注意して追跡するよう心がける．

なお，膠原病の治療では，免疫抑制薬などを使用することが多い．これらは有害事象を発現することもあり，造血機能，肝機能，腎機能などを定期的にモニタリングしなければならない．

免疫不全症の検査

免疫不全症には，遺伝的な背景があって一次的に免疫因子が欠陥して起きる原発性免疫不全症と，HIV 感染などの後天的疾患によって二次的に免疫因子に異常が生じている続発性免疫不全症がある．

表25　免疫不全症の診断に有用な検査

液性免疫能検査
- 免疫グロブリン検査：血清蛋白電気泳動，免疫電気泳動，免疫グロブリン定量
- 抗体産生能評価：同種血球凝集素価，抗ストレプトリジンO抗体(ASO)，抗ストレプトキナーゼ抗体(ASK)，寒冷凝集素，抗ウイルス抗体
- B細胞マーカー：表面免疫グロブリン，CD19またはCD20陽性細胞

細胞性免疫能検査
- 末梢血リンパ球数
- T細胞マーカー：CD3，CD4，CD8陽性細胞
- 皮膚反応：ツベルクリン反応
- マイトゲンによるリンパ球幼若化反応：フィトヘマグルチニン(PHA)，アメリカヤマゴボウマイトジェン(PWM)，コンカナバリンA(ConA)などによるリンパ球幼若化反応
- リンパ球機能：抗原刺激(PPDなど)によるリンパ球幼若化反応，同種リンパ球混合反応，抗リンパ球抗体(CD3，CD2，CD28，CD43)刺激
- 食細胞機能：ニトロブルー–テトラゾリウム(NBT)還元試験，化学走性，食菌能，細胞内殺菌能，化学発光

補体検査，免疫複合体検査
- 血清補体価(CH_{50})，補体成分C_3，C_4定量
- 血中免疫複合体測定：C_{1q}結合体

いずれも，感染症が反復したり，遷延または重症化したり，病原性の低い微生物に容易に感染したりすることなどの特徴がある．

こうした免疫不全症を診断するには，感染症の既往歴，家系内での発症，基礎疾患の有無を十分に確認するとともに，免疫不全状態を検査し，診断する．免疫不全は，液性と細胞性の両免疫能について評価する(表25)．

腫瘍マーカー検査

腫瘍マーカー検査は，腫瘍細胞に特有な成分，あるいは腫瘍細胞が産生する特異な成分を検出して癌の診療に応用するものである．

ただし，腫瘍マーカー検査は腫瘍の早期発見に役立つというよりは，腫瘍に罹患しやすい高リスク患者での経過観察(肝硬変患者で肝細胞癌が高率に発生しやすいなど)，腫瘍の進行度や転移の判定，治療後の経過観察や再発発見などの目的に使用することが多い(図10)．

癌のスクリーニング
- 癌の早期診断（限界がある）
- ハイリスク患者での早期発見

癌の診断
- 癌の種類の診断（補助的）
- 進行度・病期の診断
- 転移の判定

癌の治療経過観察
- 治療効果の判定
- 再発のモニタリング

図10　腫瘍マーカーの臨床的意義

現在，腫瘍マーカーとして使用されるものは数多いが，目的と意義を十分に考慮して利用する(表26)．また，同じ腫瘍マーカーが複数の腫瘍で検出されたり，良性疾患でも陽性になることがありうるので，陽性の場合には注意して解釈する．

病原微生物検査

感染症の診断は，自覚症状や発熱などの炎症所見を確認することから始まる．そして感染症と判断した場合，感染部位をきちんと診断し，感染巣から起炎菌を分離して同定することが重要である(図11)．短時間で検査を効率よく進め，できるだけ早く起炎菌を特定して治療を開始するようにする．

また，起炎菌そのものが変化したり，薬物感受性が変わることもあるので，治療経過中にも検査を繰り返すことが重要である．

病原体の同定には，塗抹培養だけでなく，免疫血清反応による抗原・抗体の検出や，毒素検出，遺伝子検査なども行われる(図12)．

なお，感染症では，起炎菌が同定される前に治療を開始しなければならないことも多い．その場合には，感染症の特徴から最も可能性のある起炎菌を推定し，それに対応した治療薬物を投与する〔経験的治療(empiric therapy)〕．ただし，治療を開始する前には検体を採取しておき，治療開始後に検査結果が出た場合に治療薬物を見直す必要のあることも少なくない．

敗血症でも，血液培養で細菌が検出される確率

表26 腫瘍マーカーの種類，カットオフ値，対象となる腫瘍

腫瘍マーカー（カットオフ値）	甲状腺癌	肺癌	食道癌	胃癌	結腸・直腸癌	膵癌	肝細胞癌	肝内胆管癌	胆嚢・胆道癌	腎癌	膀胱癌	乳癌	子宮癌	卵巣癌	前立腺癌	精巣癌	その他
CEA（≦5 ng/mL）	●	●	●	●	●	●		●	●		●	●		●			
BFP（≦75 ng/mL）		●	●	●						●	●		●	●	●	●	
IAP（≦500 μg/mL）		●	●	●						●	●		●	●			白血病
TPA（<70 U/L）		●	●	●							●	●		●			白血病
AFP（≦10 ng/mL）							●									●	肝芽腫，ヨークサック腫瘍，転移性肝癌
PIVKA-II（<40 mAU/mL）							●										
CA19-9（≦37 U/mL）		●	●	●	●	●		●	●					●			
CA-50（≦40 U/mL）						●		●	●								
SPan-1（≦30 U/mL）						●		●	●								
DUPAN-2（≦150 U/mL）					●	●		●	●	●							
エラスターゼ1（100〜400 ng/dL）						●											
POA（≦15 U/mL）						●		●	●								
KMO1（<530 U/mL）						●*	●	●	●*								
NCC-ST-439（≦7.0 U/mL）		●1)		●	●	●**		●	●**			●					
SLX（≦38 U/mL）		●				●		●	●					●			
SCC（≦1.5 ng/mL）		●2)	●					●					●4)				
NSE（≦10 ng/mL）		●3)															神経芽細胞腫
CA15-3（≦30 U/mL）												●					
BCA225（≦160 U/mL）												●					
CA125（≦35 U/mL）		●				●							●	●			
CA130（≦35 U/mL）		●					●	●						●			
CA72-4（≦4.0 U/mL）				●	●									●			
STN（≦45 U/mL）				●	●									●			
その他のマーカー	A														B		

1) 腺癌，2) 肺扁平上皮癌，3) 肺小細胞癌，4) 子宮頸癌
* 1型糖鎖抗原，** 2型糖鎖抗原
A：カルシトニン，サイログロブリン．カルシトニンは健常者よりも極端に多く出て，Ca代謝異常を起こすこともある
B：PSA，γ-Sm

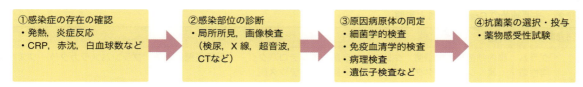

図11 感染症の診断・治療の進め方

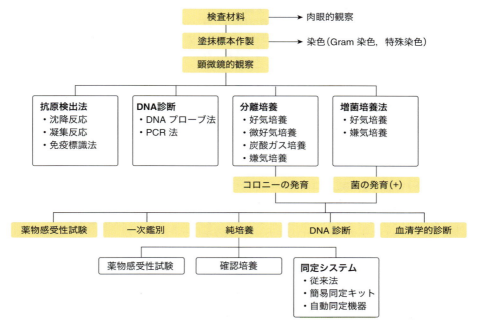

図12 感染症における起炎菌の同定法

は低い．発熱があり，悪寒戦慄のあるようなときに検査を繰り返して行うと検出率が高くなる．抗菌薬投与中では，次回の投与の直前を狙って検査するとよい．

　咽頭や尿など，常在菌の混入がありうる検体では，なるべく新鮮で，雑菌の混入を避けるようにして採取する．咽頭培養ではうがいをしてから，尿では中間尿を採取する．血液や髄液など，本来は常在菌が存在しない検体では，十分に消毒をしてから採取しなければならない．

　主な細菌の Gram (グラム) 染色性と分類を表27に，主な感染症の原因微生物を表28，29 に示す．

表27 主要細菌のGram染色性と形態

分類		桿菌	球菌
偏性好気性菌および通性嫌気性菌	グラム陰性菌	腸内細菌科：大腸菌，クレブシエラ属，エンテロバクター属，シトロバクター属，セラチア属，プロテウス属，シゲラ属，サルモネラ属，エルシニア属 非発酵菌：緑膿菌，シュードモナス属，アシネトバクター属，アルカリゲネス属，クリセオバクテリウム属，ステノトロフォモナス属，バークホルデリア属 小桿菌：インフルエンザ菌，百日咳菌，野兎病菌（フランシセラツラレンシス），ヘモフィルスパラインフルエンザ その他：腸炎ビブリオ，コレラ菌，エロモナス属，カンピロバクタージェジュニ，ヘリコバクターピロリ	髄膜炎菌，淋菌，ブランハメラカタラーリス
	グラム陽性菌	ジフテリア菌，コリネバクテリウムジェノケイアム，リステリアモノサイトゲネス，バシラスセレウス，ガードネレラバジナリス	化膿連鎖球菌，B群溶血性連鎖球菌，肺炎球菌，緑色連鎖球菌，黄色ブドウ球菌，表皮ブドウ球菌，エンテロコッカスフェカーリス，エンテロコッカスフェシウム
偏性嫌気性菌	有芽胞菌	ウェルシュ菌，ボツリヌス菌，破傷風菌，クロストリジオイデスディフィシレ	
	グラム陽性菌	ビフィドバクテリウム属，プロピオニバクテリウム属，ユーバクテリウム属	ペプトストレプトコッカス属，ペプトコッカス属，ストレプトコッカス属
	グラム陰性菌	バクテロイデスフラジリス，プレボテラメラニノゲニカス，ポルフィロモナスアサッカロリチカ，フソバクテリウムヌクレアタム	ベイヨネラパルビュラ

表28 主な感染症と原因微生物

臓器	感染症	主な原因微生物
呼吸器	咽頭炎	化膿連鎖球菌，ジフテリア菌，アデノウイルス，EBウイルス
	中耳炎	肺炎球菌，インフルエンザ菌，化膿連鎖球菌，黄色ブドウ球菌
	気管支炎，肺炎	肺炎球菌，インフルエンザ菌，肺炎マイコプラズマ，黄色ブドウ球菌，百日咳菌，結核菌，オウム病クラミジア，レジオネラニューモフィラ，新型コロナウイルス
	肺膿瘍	嫌気性球菌，フソバクテリウム属，溶血性連鎖球菌
	在郷軍人病	レジオネラニューモフィラ
	結核	結核菌
中枢神経系	髄膜炎	■ 新生児：大腸菌，B群連鎖球菌，リステリア菌 ■ 小児：インフルエンザ菌，肺炎球菌，髄膜炎菌 ■ 成人：肺炎球菌(結核菌，クリプトコッカスネオフォルマンス)
	脳炎	単純ヘルペスウイルス，日本脳炎ウイルス，ヒト免疫不全ウイルス(HIV)
尿路	膀胱炎	大腸菌，表皮ブドウ球菌，プロテウスミラビリス
	腎盂腎炎	■ 急性：大腸炎，クレブシエラ属 ■ 慢性：緑膿菌，腸球菌，カンジダ属(特に尿道カテーテルによる感染が多い)，セラチア属
	尿道炎	淋菌，トラコーマクラミジア，ウレアプラズマ属
肝・胆道系	胆嚢炎，胆管炎，肝膿瘍	大腸菌，クレブシエラ属，腸球菌属，バクテロイデス属，ウェルシュ菌
腹腔内	腹膜炎	大腸菌，クレブシエラ属，バクテロイデス属，ウェルシュ菌

（つづく）

表28 主な感染症と原因微生物（つづき）

臓器	感染症	主な原因微生物
消化管	（感染型）	カンピロバクター属，サルモネラ属，腸炎ビブリオ，赤痢菌，エルシニア属，腸管組織侵入性大腸菌
	（毒素型）	ボツリヌス菌，黄色ブドウ球菌，ウェルシュ菌，コレラ菌，毒素原性大腸菌，腸管出血性大腸菌，クロストリジオイデスディフィシレ
皮膚・軟部組織	蜂巣炎，癤	黄色ブドウ球菌，化膿連鎖球菌
	破傷風	破傷風菌
心・血管系	心内膜炎	緑色連鎖球菌（ビリダンスグループ），表皮ブドウ球菌，黄色ブドウ球菌，カンジダ属
リンパ球系	チフス	チフス菌，パラチフスA菌

表29 ウイルスなどの病原体による感染症

分類	感染症	主な原因微生物
スピロヘータ感染症	梅毒	梅毒トレポネーマ
	Weil（ワイル）病	レプトスピラ（黄疸出血性レプトスピラ）
	ライム病	ライム病ボレリア（ボレリアブルグドルフェリ）
リケッチア感染症	つつが虫病	オリエンチアツツガムシ
	日本紅斑熱	日本紅斑熱リケッチア（リケッチアジャポニカ）
クラミジア感染症	オウム病	オウム病クラミジア（クラミドフィラシッタシ）
	尿道炎	トラコーマクラミジア（クラミジアトラコマティス）
	肺炎	肺炎クラミジア（クラミドフィラニューモニエ）
ウイルス感染症	普通感冒	インフルエンザウイルス，パラインフルエンザウイルス，アデノウイルス，ライノウイルス
	肺炎	RSウイルス
	麻疹	麻疹ウイルス
	風疹	風疹ウイルス
	流行性耳下腺炎	ムンプスウイルス
	伝染性紅斑	パルボウイルスB19
	突発性発疹	ヘルペスウイルス6型
	水痘・帯状疱疹	水痘・帯状疱疹ウイルス
	小児麻痺	ポリオウイルス
	尋常性疣贅	パピローマウイルス
	伝染性単核症	EBウイルス
	日本脳炎	日本脳炎ウイルス（フラビウイルス）
	AIDS	ヒト免疫不全ウイルス（HIV）
	成人T細胞白血病	ヒトT細胞白血病ウイルスI型（HTLV-I）
	A型肝炎	A型肝炎ウイルス（エンテロウイルス72）
	B型肝炎	B型肝炎ウイルス
	C型肝炎	C型肝炎ウイルス
	乳児嘔吐下痢症	ロタウイルス
	新型コロナウイルス感染症（COVID-19）	新型コロナウイルス（SARS-CoV-2）

表30 感染症の遺伝子検査

病原体	検査法	検体
クラミジアトラコマティス	DNAプローブ法，PCR法，LCR法	子宮頸管スワブ
結核菌，非結核性抗酸菌	DNAプローブ法，PCR法，LCR法	喀痰，気管支洗浄液，胃液，髄液
淋菌	DNAプローブ法，PCR法，LCR法	子宮頸管スワブ
メチシリン耐性遺伝子（mecA）	PCR法	血液
HBV DNA	PCR法，分岐プローブ法	血液
HCV DNA	PCR法，分岐プローブ法	血液
HIVプロウイルスDNA，RNA	PCR法	血液
新型コロナウイルスRNA	PCR法	鼻咽頭ぬぐい液，唾液

表31 造血器腫瘍の遺伝子検査

検査項目	対象	検査法	検体
major-bcr/abl キメラmRNA	CML，ALL	RT-PCR法	血液，骨髄液
minor-bcr/abl キメラmRNA	CML，ALL	RT-PCR法	血液，骨髄液
PML/RARA キメラmRNA	AML M3	RT-PCR法	血液，骨髄液
AML1/MTG8 キメラmRNA	AML M2	RT-PCR法	血液，骨髄液
E2A/PBX1 キメラmRNA	ALL	RT-PCR法	血液，骨髄液
DEK/CAN キメラmRNA	AML M2，M4	RT-PCR法	血液，骨髄液
AML1/EVI1 キメラmRNA	CML急性転化	RT-PCR法	血液，骨髄液
3'-bcr 再構成	CML，ALL	サザンブロット法	血液，骨髄液
5'-bcr 再構成	CML，ALL	サザンブロット法	血液，骨髄液
免疫グロブリン遺伝子再構成	B-cell ALL，悪性リンパ腫	サザンブロット法	血液，骨髄液，組織
T-cellレセプター遺伝子再構成	T-cell ALL，悪性リンパ腫	サザンブロット法	血液，骨髄液，組織
HTLV-I プロウイルス	成人T細胞白血病（ATL）	サザンブロット法	血液，骨髄液，組織
Y特異的DNA配列	異性間骨髄移植-生着確認	FISH法	血液，骨髄液

遺伝子検査

遺伝子検査とは，DNAやRNAを対象として検査するものである．

主として，外来性の遺伝子を検出して病原微生物を同定するものと，患者細胞の遺伝子の変異などを検出して，先天性疾患や癌などの後天性疾患を診断したり病態を解析する場合がある．

前者は，患者には本来存在しないはずの遺伝子を検出することで，病因を特定することに意義がある．

後者では，先天性代謝異常症などの先天性疾患，脂質異常症，糖尿病，悪性腫瘍など多くの後天性疾患において，発病，病態の形成，疾患の進展などになんらかの形で遺伝子の異常が関与していることに基づき，関与している遺伝子変異などを特定することに意義がある．

従来は遺伝子検査は研究的な要素が強かったが，臨床検査として実際の診療に応用されているものも少なくない．現時点における臨床検査として，しばしば行われる感染症の遺伝子診断を表30に，造血器腫瘍の遺伝子診断を表31に示す．

画像検査

画像診断の進め方：非侵襲から侵襲へ

evidence-based medicine（EBM）が求められ，客観性が高く低侵襲である画像診断はより重要性を増しており，現在の医療は画像診断なくして成り立たない．より正確な画像診断が医療の質を保証する第一歩となっている．

画像診断には，単純X線，CT，MRI，超音波検査（エコー），核医学検査（PETを含む）などがある．血管撮影装置，CT，超音波などで身体の中を

観察しながら皮膚から挿入したカテーテルを病巣部まで誘導させる治療にも応用されている．低被ばくで侵襲性の少ない検査から開始し診断に役立てている．

画像検査と医療被ばく

単純X線，CTなどの画像検査は，少ない量ではあるが放射線の被ばくを伴う．放射線被ばくによって白血病と固形癌（白血病以外の大腸癌や肺癌などの癌）の罹患が増加することが知られている．このため，被ばくを伴う画像検査は発癌リスクを増加させる可能性がある．わが国の医療現場では可能なかぎり不必要な検査を控え，それぞれの検査における被ばく線量を最小限にする（最適化）努力がなされている．

Box-1
画像検査による被ばく低減の努力
- 適切な診断情報を損なうことなく，放射線被ばくについて配慮した検査適応の判断を行う．
- 患者の被ばく低減に配慮した装置の開発，撮影方法の改善に努める．
- 患者1人ひとりの医療被ばくについて適切な記録を行う．
- 画像検査に携わる医療従事者が，患者とその家族に検査に伴う医療被ばくとそのリスクならびに安全の確保について具体的に正しく説明できるようにする．

画像検査と人工知能

画像検査に人工知能（artificial intelligence；AI）の技術が，画像を作成する撮像技術と，補助画像診断に導入されている．撮像技術では，X線照射量を減らした低線量CT撮影や撮像時間を短縮した撮像でもMRI画像が劣化しないように補正を行う画像補正が可能となっている．これにより患者の被ばくの軽減や検査時間の短縮が可能となる．また，補助画像診断では，発見しにくい病変の検出や画像所見から想定される病名の候補を挙げる診断補助機能が開発されている．

AIのなかでディープラーニング（deep learning；DL）の利用がさかんで，医師の画像診断の支援に応用されている．AIを用いた画像検査に対する期待は大きい一方で，医療の現場で一般的に使用するためには課題がある．AIが学習するための画像データベースが必要なことや，多くの疾患に対応できる高精度なAIを開発することである．

画像検査の有効利用

諸外国と比較するとわが国に存在するCT・MRIの装置台数は際だって多いが，その2/3は画像診断医不在で稼働している．また，画像診断医による専門的診断の実施は4割以下にとどまり，多くの検査が質的担保なしに行われている．人口の高齢化で検査数は増加し続けており，医療費高騰，医療被ばくの原因としても問題となっている．このため，患者に短時間でできるだけやさしく，そしてより正確な診療を行うために画像検査を有効利用し，先端技術を駆使することが重要である．

各種画像検査の種類と特徴

画像検査は被ばくの有無で大別できる．被ばくのない検査は非侵襲的で小児や妊婦にも安全に施行できる．これには，超音波検査やMRI検査がある．被ばくのある検査にはX線検査，CT検査，透視検査，血管造影，核医学検査が含まれる．

被ばくのない検査

❶ 超音波検査

人間の可聴域（20 kHz）を超える高周波数の音波を超音波と呼ぶ．超音波検査では，超音波を生体内に発信し，生体内の音響的に性質の異なる境界面から戻ってくる反射波（エコー）を検出し画像表示する．超音波の伝搬速度は媒質により変化する．媒質の密度が高いほど速いことが多く，「気体＜液体＜固体」の順で伝搬効率が高くなる．

超音波検査装置は，反射波（エコー）を受信する役割をもつプローブ（探触子），受信した信号やデータを画像処理する装置，そしてディスプレイ部から構成される．検査者が把持したプローブを観察したい部分に当て，画像をモニターで注視しながら操作する．

超音波検査は，超音波の反射特性を活かして生体内の臓器や組織構造を簡便に画像化できるため，多くの診療科で必要不可欠な検査となって

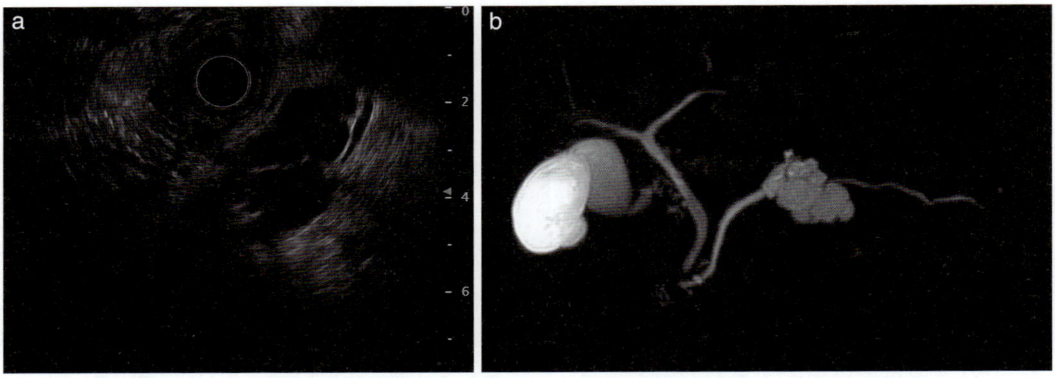

図13　超音波検査，MRCP
a：超音波検査．超音波内視鏡で胃の内腔側から膵臓をBモード表示している．膵体部に多胞性囊胞性腫瘍が認められる．
b：MRCP．aと同一症例で，膵体部の囊胞性腫瘍は多数の隔壁を有している．

いる．

■ 画像表示法

画像表示法にはBモード法（brightness mode）とMモード法（motion mode）がある．Bモード法は，反射波の強度をモニター上の輝度に変換し超音波が進む方向と平行な断面での二次元の断層像を得る方法で，最も広く用いられている（図13a）．Mモード法は，モニターの横軸に時間をとり，Bモード画像のある部分の動きの時間的な変化を波形として表示する方法で，主に心臓の超音波検査で用いられている．

■ 超音波ドプラ法

ドプラ効果は，波の発生源が近づく場合に振動が詰められて周波数が高くなり，逆に遠ざかる場合は振動が伸ばされて周波数が低くなる現象である．これを利用した検査が超音波ドプラ法であり，血流速度計測のためのパルスドプラ法や連続波ドプラ法，血流の有無と方向性を知るカラードプラ法などがある．

Box-2

超音波の新技術

- ハーモニックイメージング：音圧の高い部分で発生しやすい高調波を画像化する技術で，分解能の向上やアーチファクトの低減が期待できる．
- エラストグラフィー：臓器のひずみ（硬さ）をカラースケール表示する技術で，組織の硬さから良悪性鑑別や線維化などを非侵襲的に評価できる．

❷ MRI検査

MRI（magnetic resonance imaging）は，強力な磁場と電磁波を用いて体内のプロトンの密度，運動状態の2つの情報を得て画像化する方法である．MRIでのプロトンとは体内に含まれる水素原子の原子核（陽子）を指し，プロトンは脂肪や体液，軟組織に多く分布している．人体を強力な磁場内に置くとプロトンが同一方向を向く．このときプロトンはある一定の角度をもち，かつ磁場の方向を中心として回転している．これを歳差運動という．次に外部から電磁波（90°パルス）を照射するとプロトンが共鳴現象により磁場に対し垂直な平面内に倒れる．そして電磁波を停止させると，プロトンは倒れた方向からもとの方向へ回転するコマのように起き上がっていく．このプロトンが平衡状態に戻ることを緩和現象と呼び，プロトンの高さ（z方向）を回復していくことを縦緩和（T_1），z軸からの回転のずれ（xy方向）を回復していくことを横緩和（T_2）と呼ぶ．このT_1，T_2それぞれの過程で放出されるエネルギーを信号として受信し，データを蓄積・配列し，さらにフーリエ変換し画像化する．

得られるプロトンの情報からT_1強調画像，T_2強調画像，FLAIR（fluid attenuated inversion recovery）画像，拡散強調画像などが得られる．T_1強調画像は縦緩和の情報を強調することで得られる画像であり，自由な水は低信号に写る．一方，

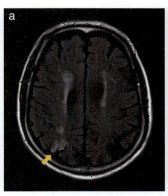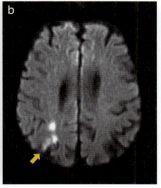

図14　FLAIR 画像，拡散強調画像
a：FLAIR 画像．右頭頂葉皮質に異常高信号域を認める（矢印）．
b：拡散強調画像．a と同一症例で，右頭頂葉に異常高信号が認められ，急性期脳梗塞と診断できる．

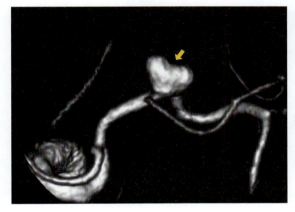

図15　MRA
中大脳動脈分岐部に囊状の動脈瘤を認める（矢印）．

T_2 強調画像は横緩和の情報を強調し得られる画像で，T_1 強調画像とは逆に自由な水は高信号に写る．水をより強調させて三次元画像を構築すると MR cholangiopancreatography（MRCP）に応用できる（図13b）．FLAIR 画像は水の信号をなくす，つまり無信号・真っ黒にしてその他の情報を際立たせた画像であり，水と接する部分の様子が鮮明となる（図14a）．拡散強調画像は水分子の動きやすさを反映した画像で，水分子の流動性が低下すると高信号になる（図14b）．速度の速い血流信号のみを強調して MRA（MR angiography）を得る．造影剤を使用せずに短時間で撮像できるため脳動脈瘤のスクリーニングに役立つ（図15）．

被ばくのある検査

❶ 単純 X 線検査

X 線を使用する検査としては最も一般的な検査である．X 線の吸収量は物質によって異なり，吸収量を表す値は X 線吸収係数（μ）である．μ が大きい，すなわち吸収率が高いほど白く写り，逆に μ が小さいほど黒く写る．X 線を人体に照射し，各組織を通過してきた X 線の量の違いをグレースケールで表示する．空気などの X 線が通過しやすい部分は黒く，骨などの X 線が通過しにくい部分は白く描出される（図16a）．

❷ CT 検査

CT（computed tomography）は，被検者の周囲から X 線の回転照射を行うことで同一平面の X 線吸収量を測定し，コンピュータ上で処理，画像作成するものである．CT 装置は，ガントリ（架台），患者が横たわるクレードル（寝台），そして操作するコンピュータのコンソールの 3 つから構成されている．ガントリは大きい輪状の構造物で，中に X 線を発する管球と輪の反対側に透過 X 線を受ける検出器が備わっている．管球や検出器がガントリの中で 1 周あたり 0.5 秒ほどで回転し，X 線吸収量を高速で測定している．

CT の撮影方法の主流はマルチスライス法である．X 線管が検査を受ける人のまわりをらせん状に回転し照射，撮影する．検出器を多数列配置し，

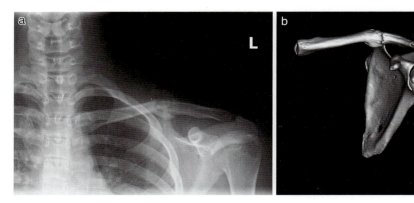

図16 単純X線検査，CT検査
a：単純X線検査．左鎖骨骨幹部に骨折を認める．
b：CT検査．aと同一症例で，左鎖骨骨幹部に骨折を認める．

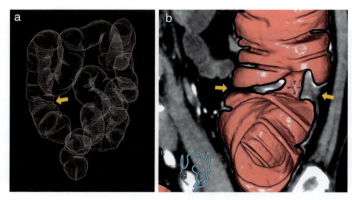

図17 CTコロノグラフィー
a：上行結腸に狭窄が認められる(矢印)．
b：背側から内腔を表示すると癌による狭窄が認められる．

短時間で三次元データを取得可能である(図16b)．CTの技術進歩は目覚ましく，臓器の動きさえも撮影できるようになった．CTコロノグラフィーは大腸疾患をスクリーニングするために用いられる．肛門側から二酸化炭素を送り込み大腸を拡張させてCTを撮影し，再構成して画像を作成する(図17)．病変部の外観だけでなく，内腔からの観察も可能である．

造影剤を経静脈投与すると，血行分布は肘静脈→右心系→肺動脈→肺静脈→左心系→体循環となり，その後，腎から排泄される．時間経過とともに造影剤の位置が変化するため，観察した時相に合わせて撮影することができる．たとえば大動脈を観察したい場合，15秒経過時点で動脈に高吸収域がみられるため，これに合わせて撮影する(図18)．

> **Box-3**
>
> **CTの新技術**
> - Dual-Energy CT(DECT)：2種類の異なるX線エネルギーのデータを取得し，質量減弱係数が物質やX線エネルギーによって変化することを利用して画像化する技術である．仮想単色X線画像や物質弁別(密度)画像が得られ，コントラスト向上やアーチファクト低減による画質改善，高精度な物質弁別などが可能になる．
> - フォトンカウンティングCT：次世代型検出器(フォトンカウンティング検出器)を搭載したCTである．複数の物質構成を特定することができ，放射線被ばくを低減できる．検出器のピクセルが小さく，低エネルギーの量子感度が高いため，画像コントラストや空間分解能が向上する．

図18 造影 CT 検査
背側から観察すると下行大動脈に動脈瘤を認める(矢印).

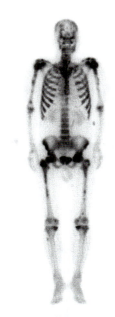

図19 骨シンチグラフィー
正面像でほぼ全身の骨に異常集積を認め,多発骨転移である.

❸ 透視検査

X 線を連続的に発生させ,その透視像をテレビモニターで動画のように見ながら行う検査である.胃のバリウム検査をはじめ,食道,小腸,大腸といった消化管疾患の診断に利用され,骨折や脱臼の整形整復などにも使用されている.また,電子内視鏡装置を併用して胆道・膵管を造影する内視鏡的逆行性膵胆管造影(endoscopic retrograde cholangiopancreatography; ERCP)を行い,膵,胆道疾患の診断や総胆管結石の治療に役立てている.

❹ 血管造影

血管造影は interventional radiology(IVR)や画像下治療で用いられる画像検査である.X 線透視,超音波,CT などの画像ガイド下に体の中を透かして見ながら,細い医療器具(カテーテルや針)を挿入して治療する.低侵襲で負担が少なく,外科手術と同程度の治療効果が得られることが特徴である.対象となる疾患には脳動脈瘤から大動脈瘤,狭心症,血管閉塞,良悪性腫瘍,血管奇形など多岐にわたる.交通事故など救急の場合には一刻も早い止血が必要となる.造影剤を流し,血液が漏れている場所,すなわち出血している場所を短時間で検索し,すぐに止血することができる.

❺ 核医学検査

核医学検査は体内に放射性医薬品を投与し,それが臓器,組織に集積する様子を画像化するもので,臓器・組織の代謝の情報を得られる検査である.放射性医薬品とは,同位元素のうち放射線を放出する放射性同位体(radio isotope)で目印をつけた薬品であり,特定の臓器,組織に集積しγ線を放出する.このγ線をガンマカメラという撮影装置でとらえ画像化し,作成された画像はシンチグラフィーと呼ばれる.

撮影方法は SPECT(single photon emission computed tomography)と PET(positron emission tomography)がある.SPECT は単一光子を放出する放射性医薬品を使用し,放出される放射線の分布を体外のシンチレーションカメラで 2〜3 方向から信号を計測する(図19).全身の撮影が可能であり,またガンマカメラを回転させ撮影することで断層画像を得ることができる.PET では消滅γ線を生成する陽電子放出核種を標識した放射性医薬品を用い,輪状に配置されたガンマカメラで体から出る放射線をさまざまな角度から計測し画像化する(図20).同時計測により体内の放射線分

布から正確に病変を同定し，代謝に関する情報を知ることが可能である．

病理検査

病理検査（pathological examination）では，患者から採取した臓器・組織や，尿，喀痰，体腔液（胸水・腹水など）などに含まれる細胞から病理組織標本を作製し，病理診断を行う．種々の形態学的な検索に加えて，最新の分子生物学的な手法を用いることによって医科学の進歩に対応した情報も取り入れ，診断のみならず治療選択，予後予測などに役立てている．病理検査としては，主として細胞診（細胞診断），病理組織検査，剖検が行われる．病理検査の流れの概要を図21に示す．いずれも診断，治療や病態把握に欠かせない検査であるが，特に病理組織検査は，他の臨床検査のように臨床診断を補完するものではなく，病理医が最終診断として診断を確定するためのきわめて重要な検査である．

細胞診（cytological examination）

細胞診検査とは，臓器・組織や排泄物・体腔液などから採取した細胞を顕微鏡で観察して，形態学的な診断を行う検査法である．染色法としてはPapanicolaou（パパニコロウ）染色が広く用いられている．

後述する病理組織検査に比較して，生体の一部を切除することなく，非侵襲的に材料採取が可能なことも多いので，癌の集団検診，スクリーニング検査，治療効果判定や経過観察などに用いられる．細胞診検査は，特に広い範囲からの腫瘍細胞の発見に威力を発揮する．たとえば，腹腔内に腫瘍があるかどうかについて腹水中の細胞診検査をすれば，個々の病巣の位置がわからなくても，腹腔内に癌病巣があるかどうかを反映した全体的情報を得ることができる．また，癌の原発巣を類推

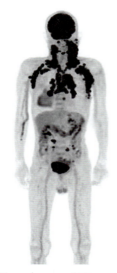

図20　^{18}F-FDG PET検査
両側頸部から体幹部のリンパ節に異常集積を認め，悪性リンパ腫の病変である．

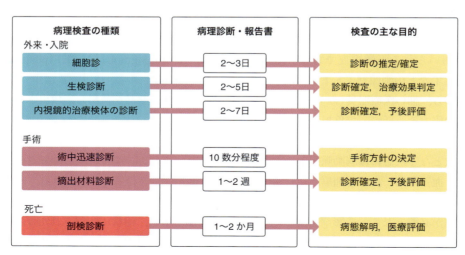

図21　病理検査の流れの概要

するうえで有用な情報が得られることもある．比較的短時間で検査結果が報告できるのも長所の1つであるが，病理組織検査に比べて得られる情報量は限られており，確定診断するためには組織の採取が必要なことも少なくない．細胞診検査の利点と限界をよく理解しておく必要がある．主な採取部位ごとの検体採取法とその目的を表32に，検体採取と標本作製の手順を図22に示す．

細胞診では，採取された材料に含まれる細胞が悪性腫瘍に由来する細胞かどうかについて，細胞相互の結合性，細胞質の性状，核と細胞質の大きさの比率，核クロマチンの密度・パターンなどから総合的に判断して，正常細胞（Class I）から悪性細胞（Class V）まで，表33に示したような5段階の評価（Papanicolaou分類）を行う．そのほか，背景となる細胞に炎症や感染性の変化や影響があるかどうかなどについても，情報が得られることも多い．

病理組織検査 (histopathological examination)

病理組織検査には，病変のごく一部を採取して検査する生検，手術中に病変組織の速やかな診断を行う術中迅速診断，また手術で摘出した臓器・組織を精査する手術摘出材料診断がある．染色方法はヘマトキシリン-エオジン（hematoxylin-eosin; HE）染色を基本とし，必要に応じてさまざ

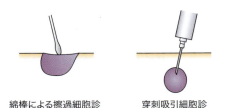

検体の採取法

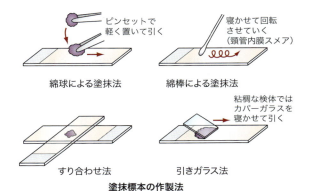

塗抹標本の作製法

図22 細胞診の検体採取と標本作製の手順

表32 主な部位の細胞診検体採取方法と診断的意義

採取部位	主な検体採取	診断的意義
皮膚・皮下組織	■ 病巣擦過法（皮膚表層） ■ 穿刺吸引法	■ 皮膚腫瘍や感染症などの診断に有用 ■ 皮下腫瘍の診断に有用
胸腹水，脳脊髄液	■ 穿刺による体腔液採取	■ 炎症や腫瘍の診断に有用
呼吸器	■ 喀痰採取 ■ 気管支鏡下擦過法 ■ 穿刺吸引法	■ 診断率は低いが，反復検査，経過観察に有用 ■ 病変選択的採取可能，早期診断に有利 ■ 末梢性肺癌の診断などに有用
女性生殖器	■ 子宮頸部粘膜の擦過 ■ 自己洗浄採取法 ■ 子宮内膜洗浄吸引法 ■ 子宮内膜ブラシ擦過法	■ 子宮頸部腫瘍の診断に有用 ■ 診断率は低いが集団検診に有用 ■ 子宮体癌の診断に有用 ■ 子宮体癌の診断に有用
乳腺	■ 乳頭分泌物塗抹法 ■ 穿刺吸引法	■ 太い乳管由来の腫瘍の診断に有用 ■ 乳腺腫瘍の診断に有用
泌尿器	■ 自然排尿採取 ■ 膀胱洗浄液採取法	■ 腎，尿管，膀胱の腫瘍の診断に有用 ■ 膀胱癌の診断に有用
リンパ節	■ スタンプ（捺印）法 ■ 穿刺吸引法	■ リンパ腫や転移性腫瘍の診断に有用 ■ リンパ腫や転移性腫瘍の診断に有用

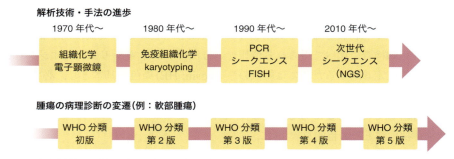

図23 解析技術・手法の進歩と分子基盤に基づく病理診断・分類

表33 細胞診の Papanicolaou 分類

Class 分類	判定内容
Class I	異型細胞が認められない（陰性）
Class II	異型細胞が認められるが悪性の疑いはない（陰性）
Class III	悪性の疑いのある異型細胞が認められるが悪性と判定できない（疑陽性） Class III のなかで，良性域に近い疑陽性を Class IIIa，悪性域に近い疑陽性を Class IIIb とさらに詳しく分けて判定内容を記載することもある
Class IV	悪性の疑いがきわめて濃厚な異型細胞が認められる（陽性）
Class V	悪性と断定できる高度の異型細胞が認められる（陽性）

まな特殊染色を追加する．

　細胞診は主に悪性細胞の有無の判定が目的であるが，病理組織検査では組織全体の構築を含めた所見と細胞所見を総合して，感染症，炎症性疾患，変性疾患，増殖性疾患，腫瘍など，あらゆる種類の疾患の確定診断を行う．

　同じ臓器に由来する腫瘍でも，組織型，発現型によって治療方針や予後が異なる．病理組織検査は腫瘍の細かい組織型および発現型を決定することによって，治療方針の決定や変更に必須の情報を提供する．また，解析技術・手法の進歩に伴って分子基盤に基づく病理診断も取り入れられるようになり，腫瘍の組織分類も最新の知見を取り入れたものへと順次更新されている（図23，腫瘍の病理診断・分類をまとめた WHO 分類も時代とともに改訂がなされている．例として軟部腫瘍の WHO 分類の改訂状況を示す）．

生検（biopsy）

　なんらかの疾患が疑われる患者から，病変部位の組織を少量採取してホルマリンで固定したのち，病理組織標本を作製し，顕微鏡観察（鏡検）を行って異常所見の有無を検索する検査を生検という．生検はさまざまな疾患の確定診断を行う際に非常に重要な検査である．患者に対する侵襲をできるだけ少なくし，かつ最大限の情報が得られるよう，工夫がなされている．生検は非常に重要かつ有意義な検査であるが，採取する組織が比較的少量なことが多いため，病変を的確に反映している部位から材料を採取しないと，正確に診断することはできない．うまく病変部の組織が採取できるよう，また材料が適切な状態で検索できるよう，医療者は細心の注意を払って実施する必要がある．また，出血傾向，心不全などが疑われる患者では生検の適応を慎重に検討する必要がある．

❶ 検査の方法

①穿刺針による生検（針生検）：針生検は，主に実質臓器（肝，腎，骨髄，甲状腺，前立腺，各種腫瘍など）の病変部に生検針を刺し，組織の一部分を針の中に採取してくるものである．大血管などの重要臓器を傷つけるおそれのあるときは，超音波監視下に針を誘導して慎重に採取する．

②内視鏡的パンチ生検：消化管・女性生殖器・呼吸器系などで用いられる．基本的に内視鏡で病変部を確認しながら，鉗子で組織を採取するため，病変部を採取することが比較的容易で，出血などの合併症も確認でき対処しやすい．胃・大腸の生検診断は表34 に示すような Group 分

類で行われることが多い．

③試験的切除(一般)生検：皮膚，皮下腫瘍，軟部腫瘍，リンパ節，各種腫瘍など，表在性の病変や比較的容易に切除可能な病変に対して行われる．メスで病変部位を切り開き，組織を切除して検査する．肺や肝では，全身麻酔下で胸腔鏡(video assisted thoracic surgery；VATS)あるいは腹腔鏡(腹腔鏡下肝生検)を用いて組織のごく一部を切除して生検を行うこともある．

④その他：消化管などの管腔臓器では早期の小さな病変に対して治療的な意味を含めた病変部全体の摘出も行われる．内視鏡から金属のワイヤーを輪にした器具(スネア)をポリープにかけ，ポリープを切り取るポリペクトミー〔ポリープ切除術(polypectomy)，スネアに高周波電流を流して焼き切る通常のポリペクトミーと熱を加えずに切除するコールドポリペクトミーがある〕，病変のある場所の粘膜下層に生理食塩水などを注入し，切除しやすいように持ち上げてからスネアをかけ，高周波電流を流して病変部を焼き切る内視鏡的粘膜切除術(endoscopic mucosal resection；EMR)，スネアではなくさまざまなナイフで粘膜を薄く剝いでいく内視鏡的粘膜下層(切開)剝離術(endoscopic submucosal dissection；ESD)などの方法がある(図24)．

Box-4
特殊な染色
- 免疫組織化学的染色(免疫染色，immunohistochemistry；IHC)：ある特定の分子(抗原)に対する抗体を用いて，組織切片上で抗原の分布を同定する方法で，広く病理組織検査に取り入れられている．特定の抗原が発現しているかどうかによって，異常細胞や腫瘍細胞の由来の検討や治療法の選択に有用な発現型を判定することができる．
- in situ hybridization(ISH)：切片上で特定の核酸配列を同定するもので，ウイルスの検出などによく用いられる．この方法を応用した蛍光ISH(fluorescent ISH；FISH)は，染色体異常や異常なDNAの検出に用いられている．

術中迅速診断(ゲフリール[注1])検査

病変が身体の深い部分にあるために生検が難しい場合，手術に際して，病変部位や切除断端な

表34　消化管生検組織診断分類の例

A. 胃生検組織診断分類(Group分類，胃癌取扱い規約第15版より)

Group X	生検組織診断ができない不適材料
Group 1	正常組織および非腫瘍性病変(化生性粘膜，炎症性粘膜，過形成性粘膜など)．再生性・反応性異型が認められても，非腫瘍性と判断される変化は本群に含める
Group 2	腫瘍性(腺腫または癌)か非腫瘍性か判断の困難な病変．この場合はindefinite for neoplasiaと記載する
Group 3	腺腫(良性腫瘍)
Group 4	腫瘍と判断される病変のうち，癌が疑われる病変．腺腫か癌か鑑別が困難な病変
Group 5	癌

B. 大腸生検組織診断分類(Group分類，大腸癌取扱い規約第9版より)

Group X	生検組織診断ができない不適材料
Group 1	正常粘膜および非腫瘍性病変(炎症性粘膜や過形成結節)
Group 2	腫瘍性(腺腫，腺癌)か非腫瘍性か判断が困難な病変．粘膜脱症候群などに伴い出現する異型腺管などがこれに相当する
Group 3	良性腫瘍．細胞異型および構造異型の点で幅のある病変が含まれる
Group 4	腫瘍と判断される病変のうち，癌が疑われる病変．癌を疑うが確定できないもの
Group 5	癌

どの組織から小片を採取し，凍結標本を作製して病理組織診断を行う検査を術中迅速診断検査という．通常のように固定して作製する永久標本に比較して，細部の観察が難しいため，診断の確定性ではやや劣るが，数分で標本作製が可能であり，迅速性という点では格段に優れている．

術中迅速診断検査は，手術中に摘出しようとしている組織が確かに病変部であるかどうか，切除範囲が適切であるかどうか，また腫瘍の転移があるかどうかなどを知る目的で用いられることが多い．術前に病変の生検が行えなかった場合に，術中迅速診断検査によって病変が腫瘍であるかどうか，腫瘍が良性であるか悪性であるかの判定にも

[注1] ゲフリール：ドイツ語の"gefrieren"(凍結する)に由来する．

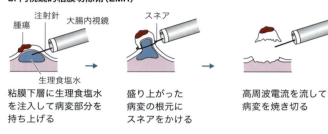
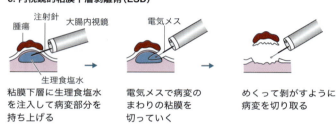

図24　内視鏡を用いた病変の切除方法

用いられることがある．

　たとえば，胆道の悪性腫瘍の手術などでは，切除断端に腫瘍細胞があれば追加切除と術中迅速診断検査を繰り返して行い，断端から腫瘍細胞が検出されなくなるまで，すなわち腫瘍が取りきれるまで切除するように努力する．このように迅速診断検査の結果は，手術方針の決定上，非常に重要なことが多い．そのため，術中迅速診断検査の結果は手術室にすぐに報告され，術式の決定や予後判定などにおける重要な情報として役立てられる．

❶ 検査の方法

　手術中，病変部から組織小片として切除された検体は，ただちに病理検査室に届けられ，液体窒素などを用いて急速に凍結される．凍った組織はクリオスタット（cryostat）といわれる装置を用いて低温環境下（約 −10 ℃〜−30 ℃）で薄切され，HE 染色した標本を病理医が顕微鏡で観察し，診断を行う．通常約 10〜15 分で結果が手術室に伝えられ，外科医はその情報をもとに手術方針を立てる．

手術摘出材料診断

　手術で摘出（臓器全体の切除や部分切除）された臓器は，まず表面から肉眼的な観察を行い，次に脳刀（解剖刀）などで割を入れて内部まで詳細に観察して病理学的に肉眼診断する．その後は，組織学的診断や臨床的対応に必要な情報を得るために，重要な部位を見極めて，その部分から小片を切り出して標本作製を行う．正確な情報を得るためには，肉眼的な観察を詳細かつ的確に行うことが必須である．

手術がうまく行われたかどうか，追加治療の必要はあるか，患者の予後はどうかなどを判定するために，切除手術が行われた場合には必須の検査である．

❶ 検査の方法

病理医は，手術で取り出された部位が適切に病変に当たっているかどうか，病変の正確な組織学的診断は何か，病変は取りきれているかどうか，取り出した臓器から病変が外に波及していた可能性があるかどうか（腫瘍であれば外方への浸潤がどの程度まで進んでいるか，切除断端に腫瘍がないか，転移やリンパ管・血管への侵襲の有無など癌取扱い規約上の各種チェック項目の確認が重要）などを判定し，臨床医へ報告する．

Box-5 癌取扱い規約

各臓器に発生する癌の状態（病理所見を含む）や治療結果を記録する際の約束事を関連学会がまとめた内容が示されている．癌の進行の程度を評価するための基準を示し，治療法の選択や治療効果を評価判定するためのよりどころとなる．また，同じ臓器の癌でも症例によって多種多様であり，その種類が治療法の選択にも影響するので，どのような性質の癌なのかを病理学的に分類する．「取扱い規約」に従って検索を進めることで，どの医療施設においても共通の尺度での診断や治療が可能となる．

Box-6 コンパニオン診断

コンパニオン診断は，腫瘍細胞における治療標的分子の蛋白発現の変化や遺伝子増幅・変異・染色体転座の有無，薬物代謝酵素活性などを規定する遺伝子を検索することにより，特定の治療薬に対し高い治療効果が期待できる患者や，あるいは有害事象の発現リスクが高い患者を同定することを目的とした分子診断である．診断と治療法とが対応しているため，このように呼ばれる．診断のよりどころとなるバイオマーカーは通常 IHC，FISH，RT-PCR などにより検索されるため，病理検体の採取からホルマリン固定，パラフィン包埋ブロック作製，切片作製，判定まで多岐にわたり，病理部門の責務は大きい．

Box-7 がん遺伝子パネル検査とエキスパートパネル

がん遺伝子パネル検査は，がんの発生にかかわる複数の「がん関連遺伝子」の変異について次世代シークエンサーを使って一度に調べる検査で，この検査で得られた結果が臨床上どのような意味をもつのかを医学的に解釈するための会議がエキスパートパネルである．具体的には，検査の結果，検出された遺伝子変異に対する生物学的意義づけや対応する薬物の有無，さらには推奨すべき薬物や臨床試験の順位づけを検討し，1人ひとりの患者に適した治療法を検討する．病理部門は解析に適切な個所を選んで試料としてゲノム解析の材料を提供し，特に腫瘍の体細胞遺伝子変異解析にあたって，試料中の腫瘍細胞の比率を明確にすることが求められる．

病理解剖

病理解剖は剖検（autopsy）とも呼ばれ，病院内で死亡した患者に対して，生前診断の適確性の検証，生前に確定がなされなかった疾患・病態の解明，死因の究明，臨床的問題点の解決などのために，解剖を行って肉眼的・組織学的・分子生物学的情報から総合的に検討して剖検診断を行う．

死体の解剖および保存は，死体解剖保存法によって規定されている．一般に病院内での病理解剖は，遺族の承諾を得たうえで，死体解剖資格（病理）をもった剖検医（病理医）によって行われる．病理医は患者の臨床担当医から臨床経過を詳細に聴取し疑問点を確認して，剖検で明らかにすべき点を整理する．明らかな病死と異なる場合には，警察による検死が必要になることもある．剖検は所定の解剖室で行われることが多い．

剖検では外表を十分に観察し所見をとったうえで，臓器を取り出し，肉眼的な所見を詳細に把握したのち，剖検診断を行ううえで必要な個所の切り出しを行って組織標本を作製する．数週〜数か月の標本作製・検討期間を経て，最終診断としての剖検報告書が作成され，臨床担当医との討論〔臨床病理検討会（clinicopathological conference; CPC）〕を通じてさらに詳細な検討が行われる．日本全国のほとんどの剖検データは「日本病理学会剖検輯報（しゅうほう）」というデータベースに登録されている．

医学の急速な進歩によって，さまざまな疾患に対して新しい診断法や治療法が開発され，現代の

医療は大変高度かつ複雑なものになっている．その一方で，患者に起こるすべての出来事を予測し，対応することは現在でも難しいといわざるをえない．また，新しい治療法の及ぼす全身への影響を解析することにより，今後，正しい治療を行ううえで必須の情報を得ることができる．つまり，より確実でより適切な医療を行うためには，診療の効果，問題点を絶えず検証する必要があるということである．この医学的検証は治療中の患者だけでなく，亡くなられた患者も貴重な対象となる．したがって，病理解剖は生前の画像診断技術などが発達した現在も非常に重要な意義をもつといえよう．

> **Box-8**
> **医学における死体解剖**
> ①系統解剖：人体の正常構造を学ぶことを目的に解剖学の教育研究のために行う解剖．
> ②病理解剖（剖検）：病気などで死亡した患者に対して，疾病の原因・本態，診断，治療効果判定などの究明のために行う解剖．
> ③司法解剖：犯罪と関係があると思われる死体を刑事訴訟法に基づいて行う解剖．
> ④行政解剖：感染症・中毒・災害などによって死亡した疑いがある場合や，原因・経過の明らかでない場合に死因を明らかにするために，主として監察医が行う解剖．
> ⑤その他の解剖：今後，病院に入院していなかった患者の死亡事例，医療行為に関連して病院内で死亡した事例などについて，死因を究明することが社会的に求められる例が増加することが予想される．日本医療安全調査機構では，医学・医療の発展および医療事故の再発防止のために病理医や法医学者，臨床専門医が協力して新しいシステムで医療事故調査の一環としての解剖により詳細な検討を行っている．
> ⑥また，死体解剖を補助する死因究明手法として，CTあるいはMRIによる死後画像（いわゆるオートプシーイメージング）も実施されているが，その有用性，意義，適用などについては今後さらなる議論が必要である．

〈奈良 信雄，
　立石 宇貴秀（画像検査），
　北川 昌伸（病理検査）〉

診療録の記載法

診療録とは

患者を診察し，処置を行った場合には，必ずその都度，診療録〔medical record または medical chart，〔独〕カルテ（Karte）〕に記載しておく．電子カルテが普及しているが，記載する内容は紙媒体と基本的には同様である．

診療録には患者の訴え，診察所見，検査所見，医師としての専門的な判断（診断，鑑別診断を含む），患者および家族への説明，治療計画，看護師など医療スタッフへの指示，治療や処置の内容，経過など，あらゆる医療行為を正確に記載しておかなければならない．

これらは，他の医師，あるいは他の医療スタッフが見ても理解できるよう，客観的な立場で記載する．さらに，冗長に走らず，要領よくまとめ，簡潔であることも重要である．患者像，あるいは病態が，どの医療スタッフにとっても短時間で把握できなければならないからである．

診療録の記載法には，必ずしも統一された方式があるわけではない．しかし，客観的で系統的な記載という点から，患者を診察した時点で問題点を挙げ，その解決を目指す POS〔問題解決志向システム（problem oriented system）〕に基づいた POMR〔問題解決志向型診療録（problem oriented medical record）〕が一般的である．

POS では，①患者のもつ問題点をすべて集め，②それらの問題点を整理して明確化し，③問題解決のための合理的な計画を立て，④その計画を実行し，⑤得られた成果を評価し，フィードバックすることに特徴がある．こうすることにより，系統的な思考が行われ，客観的で科学的な診療が行えることになる．

POMR は，その思考過程に沿って記載するので，見落としがなく，客観的で論理的な診療が実行できる．

表1　POMR の構成

基礎データ（data base）
- 病歴情報：主訴，現病歴，既往歴，家族歴，生活歴など
- 身体診察所見
- 検査所見

問題リスト（problem list）
- 番号（#），タイトル
- active と inactive の区別をつける

初期計画（initial plan）
- 診断計画（diagnostic plan）→ Dx
- 治療計画（therapeutic plan）→ Tx
- 指導計画（educational plan）→ Ex

経過記録（progress note）
- 叙述的記録（narrative note）
  - S：subjective data（患者の訴え）
  - O：objective data（身体所見，検査所見）
  - A：assessment（評価，考察）
  - P：plan（計画）
- 経過一覧表（flow chart）

退院時要約（discharge summary）

POMR の記載法

POMR の構成は，大きく 5 つに分けられる（表1）．このうち，初診時には基礎データ，問題リスト，初期計画を記載し，経過に伴って日々の経過記録を記載する．そして患者が退院するときには退院時要約を書き，その後の診療方針にとって指針となるようにする．

基礎データ

患者に関する情報のすべてを基礎データ（data base）として記載する．

基礎データには，主訴から始まり，現病歴，既往歴，家族歴，生活歴など，医療面接で得た病歴情報，身体診察で確認した身体所見，そして検査の結果による所見が含まれる（表2）．情報量が多

表2 基礎データの例

例として，発熱とリンパ節腫脹を主訴に入院した68歳男性患者を示す．

主　訴	発熱，頸部リンパ節腫脹
現病歴	2022年9月10日から38℃前後の発熱が出現．食欲低下と全身倦怠感もあり，9月15日に〇〇クリニックを受診した．このとき左頸部リンパ節腫脹と血清LD高値を指摘された．紹介により9月16日来院し，精査加療を目的に9月20日入院した
既往歴	1977年8月に交通事故で右脛骨骨折手術（輸血なし） 2018年3月より糖尿病で食事療法中
家族歴	父親　64歳　胃癌で死亡 母親　82歳　肺炎で死亡 長兄　72歳　糖尿病（血糖降下薬服用中）
生活歴	アルコール　日本酒1合/日（22歳より） タバコ　　　20本/日（20〜55歳） 常用薬　　　特になし
身体所見	身長：162 cm，体重：64 kg 体温：37.6℃，血圧：138/78 mmHg，脈拍：72/分・整 意識：清明，眼球結膜：黄疸なし，眼瞼結膜：貧血なし，口腔内：異常所見なし 表在リンパ節：左側頸部におのおのの径3 cmと2 cmのリンパ節を2個触知（弾性硬，自発痛・圧痛なし，可動性良好），腋窩・鼠径部のリンパ節腫脹なし 胸部：異常所見なし，腹部：肝脾腫なし，四肢：異常所見なし 神経学的異常所見なし
検査所見	血清LD　1,200 U/L（持参検査結果）

いほど，患者の全体像を判断するうえでの重要な参考資料となる．

そこで，できるかぎりの正確な情報を収集することが，診断するにあたっての第一段階といえる．

問題リスト

次いで，集めた情報をもとに，患者にとって何が解決されなければならない問題なのかを抽出して整理する．患者にとって問題点は複数あるのが通常であり，それらを箇条書きにして番号をつけて整理し，問題リスト（problem list）を記載する（表3）．この過程で，問題点を漏らさないようにしなければならない．

問題点には，現時点で解決しなければならないactive なものと，すぐには解決する必要はないにしても将来問題になりうる可能性のある inactive なものがある．たとえば，頭痛を訴えてきた患者の場合，頭痛は現時点で解決すべき active な問題である．肺結核にかつて罹患し，治療して完治しているような場合には，inactive な問題として挙げておく．

問題点は active でかつ重要な順に沿って番号を付けてリストに挙げ，それぞれの問題点に active か inactive なのかの区別をつけておく．

初期計画

挙げられた問題点のリストを解決するための計画を立てる（表4）．初診時の患者に最初に立てるもので，初期計画（initial plan）という．これには，診断するための計画，治療の計画，患者と家族を指導し教育するプログラムがある．

診断計画

診断計画（diagnostic plan）とは，挙げられた問題点のそれぞれに対し，どうアプローチし，どのように解決していくのかの計画である．たとえば，動悸を訴え，心臓聴診で心拍不整と心雑音を認めた患者に対して，心電図検査や心臓超音波検査を行って診断するという計画を立てる．

すなわち，診断を確定するための検査項目を選択し，どういうスケジュールで実行するかの計画の立案が主体となる．

治療計画

治療計画（therapeutic plan）では，患者の病態に応じて，いかに治療していくかの方針を記載する．これには，薬物療法，手術療法などについての基本方針のほか，安静度や食事の指示も必要である．

治療は，診断が確定してから実行するのが根本的治療ではあるが，高熱で苦しむ患者からとりあえず苦痛を除く対症的治療も必要なことがある．そうした治療方針のすべてを決定し，記載する．

表3 問題リストの例

日付	active problem	inactive problem
2022.09.20	＃1　発熱，全身倦怠感→＃6（26/IX）	
	＃2　左頸部リンパ節腫脹→＃6（26/IX）	
	＃3　血清LD高値→＃6（26/IX）	
	＃4　糖尿病（2011年より）	
	＃5	右脛骨骨折（1977年手術）
2022.09.26	＃6　悪性リンパ腫（濾胞性リンパ腫）	

＃1，＃2，＃3は9月26日（26/IX）に悪性リンパ腫と診断され，＃6にまとめている

表4 初期計画の例（＃1と＃2に対する記載の提示）

```
＃1　発熱，全身倦怠感
Dx  1．尿・便検査（21/IX）
    2．血球検査，血液生化学検査，免疫血清検査（21/IX）
    3．胸・腹部単純X線，心電図検査（21/IX）
    4．尿・血液培養検査（21/IX）
    5．腹部エコー検査（21/IX）
Tx  1．ベッド上安静
    2．食事は常食
    3．発熱の原因がつき次第治療開始
    4．発熱で苦痛が強いときはNSAID頓用
      Rp）ボルタレン®坐薬（25mg）1個
          38.5℃以上のとき頓用
Ex  1．発熱の原因をなるべく速やかに診断し，診断が
      確定次第治療を開始することを患者と家族に説
      明する
＃2　左頸部リンパ節腫脹
Dx  1．尿・便検査（21/IX）
    2．血球検査，血液生化学検査，免疫血清検査（21/IX）
    3．胸・腹部単純X線，心電図検査（21/IX）
    4．頸部エコー検査（21/IX）
    5．出血凝固検査（21/IX）
    6．頸部リンパ節生検（22/IX 頭頸部外科に依頼）
Tx  1．リンパ節生検の結果，悪性リンパ腫であれば，
      病期確定のための検査を行う（骨髄生検，消化管
      内視鏡検査，CT，PET）
Ex  1．リンパ節腫脹の原因確定には生検が必要である
      ことを患者および家族に説明し，インフォーム
      ドコンセントを得る
```

表5 叙述的記録の例

```
2022.09.21
  S：まだ熱がある．食欲も出ない
  O：左頸部リンパ節腫脹
```

```
     血清LD 1,420 U/L，CRP 6.4 mg/dL
  A：＃1，＃2，＃3
     発熱，全身倦怠感，頸部リンパ節腫脹，検査結果
     でのLD高値，CRP陽性は悪性リンパ腫の可能性
     が高い．病理組織診断と病期診断を急ぐ
  P：22/IX 頭頸部外科にて局所麻酔下リンパ節生検
     を施行（インフォームドコンセント済）．病理組織
     検査と細菌培養検査に検体を提出する
```

指導計画

医療は医師と患者の合意のうえで成り立つ．このため，患者および家族に病気をよく説明し，さらに検査や治療方針などを説明して，理解し納得してもらうことが重要である．

こうした説明についての計画を立てるのが指導計画（educational plan）である．重症の場合や，長期間の治療を要する疾患では特に重要である．

経過記録

初診時に立てた計画に則って診療を開始したのちは，経過についての記録を毎日残す．少なくとも午前と午後に1回ずつは診察を行い，患者の愁訴や病状について記載する．検査結果などについても報告があり次第，逐次記載する．

この経過記録（progress note）については，叙述的記録と経過一覧表がある．

叙述的記録

叙述的記録（narrative note）は，患者の愁訴，身体診察や検査で得た所見を記載し，かつそれらに対する考察を加え，以降の計画を立てることを目的とする．この過程を診療録に記載する．これは，次のように分けて毎日記載する（表5）．"SOAP"

診察の進め方

と略して記憶しておくとよい.

❶ S：subjective data（患者の訴え）

患者が訴える愁訴を記載する．食欲不振，腹痛，関節痛など，患者の主観的な情報である．これらが複数あるときには，番号を付けて項目立てをする．

❷ O：objective data（身体所見，検査所見）

身体診察ならびに検査で得られた客観的な情報を記載する．これも項目立てをして番号を付しておく．

❸ A：assessment（評価，考察）

それぞれの問題点に対して得られた情報について，十分に分析をして考察する．現時点で何が起こっているのか，なぜそうしたことが起きたのか，病態を解析して仮説を立てる．

診療のなかでもとりわけ重要な作業であり，おろそかにしてはならない．この部分については文章形式で記載するので，叙述的記録と表現している．

❹ P：plan（計画）

assessmentで立てた仮説が正しいことを立証するための計画を立案し，記載する．たとえば，患者の訴える腹痛の原因が消化性潰瘍であろうと考察した場合，それを実証するためには上部消化管内視鏡検査を施行するなどの計画を立てる．

経過一覧表

自覚症状，身体所見，検査結果など問題リストで挙げられている重要な事項や治療の経過が一目でわかるように一覧表に表すものが経過一覧表（flow chart）である．患者の状態を把握しておくのに有用であり，かつ回診やカンファレンスなどで複数の医師や医療スタッフと討議をする際にも役立つ．

退院時要約

退院時要約（discharge summary）とは，入院している患者が退院するときに，入院中の経過を総括し，要約するものである．初診時に挙げられた問題点をいかに解決したかを記載する．

退院時においても問題点が残ることは少なく，退院時の問題リストを挙げ，それに対する評価と計画も書いておく．退院時の処方，あるいは近日中に予定している検査がある場合には，その旨を記載する．これらは，患者が外来通院したり，他院へ転院となったり，転科した場合には必須の要件である．

このため，他の医師が見ても入院中の経過が十分に把握できるよう，要領よく記載しておかなければならない．

退院時要約には署名・捺印をして，退院後に診療を担当する医師（外来主治医，紹介医など）に送付する．

クリティカルパス（critical path）

患者が入院してから退院するまでの，検査，治療，処置，看護，リハビリテーションなどのケアアウトラインを一覧表に明示した総合ケア計画で，クリニカルパス（clinical path）とも呼ばれる．

疾患別に最少の人的資源，物的・経済的資源で最大の治療効果を上げることを目的とした管理方法である．質の高いチーム医療が計画的に行われることを目的としているが，同時に入院期間を短縮し，医療費を削減するのにも有用で，DPC/PDPS（診断群分類別包括支払い制度）による包括医療で医療費を削減するのに役立つとされる．

診療録は，患者が入院した時点から始まり，到達目標を設定して，医師，看護師，コメディカルの職種別にケアアウトラインを経時的に一覧表として記載される．

電子カルテ

電子カルテは，情報伝達技術（information communication technology；ICT）を応用して，電子媒体に診療情報を記録し，保存するものである．基本的にはPOMRに基づき，日々の記録を電子カルテにリアルタイムに記録する．

電子カルテは医師，看護師，その他の医療スタッフが記載することにより，チーム医療の推進がはかれる．文字情報だけでなく，X線画像やエコー画像などの画像情報も記録することにより，医療にかかわるあらゆる情報を比較的短時間で閲

覧，検索，記録することが可能である．

多くの病院で，医療情報システムが積極的に取り入れられ，診療録も電子カルテ化されるようになっている．電子カルテは，正確な診療情報の記録，検索が可能であるだけでなく，医事会計や患者数管理などといった病院経営や医療体制などの業務改善にも役立つ．さらに，情報を共有化することで，診療科間連携，病院間や病院と診療所間での連携(病病連携，病診連携)の効率的な推進などにも有効な手段となっている．

電子カルテの導入による診療へのメリットは大きい．しかし，便利になれば特に注意しなければならないのが誤入力やセキュリティの問題である．患者に関する情報が，病院外に流出したり，診療の目的外に利用されることがないよう，十分に注意すべきである．たとえば，患者情報を入力したUSBメモリを紛失したり，コンピュータへのウイルス感染によって患者情報が流出するような事例がある．

利便性があるだけに，特にセキュリティ確保には十分に気を配らなければならない．

〈奈良 信雄〉

III 症候・病態編

- 発熱 216
- 寝汗, ほてり 224
- 全身倦怠感 233
- 肥満, 肥満症 238
- るいそう 245
- 成長障害 253
- 不眠 260
- 失神 266
- 抑うつ・不安 271
- せん妄 277
- 皮膚の異常 283
- 黄疸 292
- 出血傾向 299
- 貧血 304
- 頭痛 310
- めまい 314
- 視覚障害 319
- 結膜の充血 324
- 眼球突出 332
- 眼瞼下垂 337
- 瞳孔異常 342
- 眼底異常 349
- 眼球振盪（眼振） 355
- 眼球運動障害 361
- 顔面痛 370
- 聴覚障害 374
- 鼻漏・鼻閉 381
- 鼻出血 387
- 嗅覚障害 393
- 味覚障害 398
- 舌の異常 402
- 咽頭痛 408
- 嗄声 414
- いびき 419
- 悪心・嘔吐 426
- 食欲不振 433
- 胸やけ・げっぷ 441
- 口渇 445
- 嚥下困難 451
- 吐血 456
- 甲状腺腫 464
- リンパ節腫脹 470
- 咳, 痰 476
- 喀血, 血痰 486
- 胸痛および胸部圧迫感 492
- 乳房のしこり 501
- 呼吸困難 511
- 喘鳴 515
- 胸水 519
- 動悸, 脈拍異常 523
- 高血圧 530
- 低血圧 538
- 脱水 545
- チアノーゼ 551
- 静脈怒張 555
- くも状血管腫, 手掌紅斑 563
- ばち状指（ばち指） 567
- 浮腫 572
- 腹痛 577
- 腹部膨隆 582
- 腹水 586
- 肝腫大 592
- 脾腫 598
- 下痢 604
- 便秘 613
- 下血・血便 619
- 肛門・会陰部痛 625
- 月経異常 632
- 背部痛 637
- 腰痛 640
- 排尿障害 644
- 排尿痛 651
- 頻尿 656
- 乏尿・無尿 661
- 血尿 669
- 四肢痛 674
- 関節痛 677
- 末梢血行異常 681
- 知能障害 688
- 失語・失行・失認 694
- もの忘れ 700
- 痙攣 707
- 構音障害 712
- 運動麻痺 717
- 感覚障害 722
- 筋脱力 729
- 筋萎縮 736
- 筋緊張異常 741
- 運動失調 746
- 不随意運動 751
- 歩行障害 757
- 心肺停止 763
- ショック 772
- 意識障害 779
- 甲状腺機能亢進症 785
- 脳血管障害 791
- 呼吸不全 802
- 心不全 810
- 急性冠症候群 817
- 急性腹症 822
- 急性腎不全, 急性腎障害 833
- 妊娠と分娩 840
- 急性感染症 846
- 外傷 854
- 急性中毒 860
- 誤飲・誤嚥 867
- 熱傷 872
- 精神科領域での救急 879
- 終末期の諸症状 886

発熱
fever

発熱とは

定義

　発熱は外因性抗原（病原微生物）の侵入に対し，至適な増殖温度域を与えないようにする生体の防御反応として，あるいは外因性抗原は関与しない免疫反応として，体温が上昇した状態である．視床下部の視索前野（preoptic area; POA）における体温のセットポイントの上昇と同義である．体温のセットポイントの上昇を伴わない体温上昇は，高体温（hyperthermia）として発熱とは区別する．これは悪性高熱症のように熱放散の能力を超える熱産生が起こる場合や，熱中症のように熱放散のメカニズムが障害されて体温が上昇する場合をいう．

　若年健常者を対象とした研究では，口腔温の平均値は 36.8±0.4℃ で，午前 6 時で最も低く，午後 4 時で最も高かった．体温には較差 0.5℃ の概日リズムがある．体温は年齢，性別，測定法により変化する．腋窩温＜口腔温＜直腸温の順に高い値が測定され，直腸温が深部体温を最も反映する．腋窩温測定は簡便であるが，気温や湿度，発汗の状態などに影響を受けやすい．口腔温が午前 37.2℃，午後 37.7℃ を超えるときを発熱とするが，わが国の臨床では 37.5℃ を超えたときに発熱とするのが現実的である．41.5℃ を超える発熱を異常高熱（hyperpyrexia）といい，脳出血や重症感染症で観察される．一方，深部体温が 35℃ 以下を低体温とする．

患者の訴え方

　最も一般的な訴え方は，「熱が出た（ある）」であろう．その他，「熱っぽい」「体が熱い（ほてる）」「寒気がする（ゾクゾクする）」という表現もある．留意すべきは，37.5℃ を超えない体温でも，特に高齢者が「熱がある」と訴える場合である．高齢者は若年者に比べ体温は低い．37.5℃ を超えていなくても，炎症病態が存在しうる．体温以外の症状・徴候・身体診察から総合的に判断する．また，ステロイド薬内服中の患者においても注意が必要である．本人がいつもより体温が高いと認識しているか，寝汗の有無，随伴症状や徴候を評価し，病態を把握する．

患者が発熱を訴える頻度

　季節や医療施設の機能によって頻度は異なり，正確な数値を示すのは難しい．インフルエンザや新型コロナウイルス感染症（COVID-19）などの感染者が増える時期には，当然頻度は増加する．このような状況を除けば，一般診療においては 20〜30％ 程度であろう．

症候から原因疾患へ

病態の考え方

　体温は神経伝達と液性因子から構成されるメカニズムにより，熱産生，熱の保持および放散がバランスをとりながら一定に維持されている．POA を体温調節中枢とし，神経，血管，骨格筋，汗腺，褐色脂肪組織（brown adipose tissue; BAT）がこのメカニズムにかかわっている．POA には，深部体温と環境温度の 2 つの情報がもたらされる．深部体温は温度感受性ニューロンにより感知される．環境温度は皮膚の受容器が感知し，大脳皮質一次体性感覚野に投射される．同時に外側腕傍核を通して寒暑が認識され，POA からの抑制性シグナルにより体温が調節されている．暖かくなると抑制性シグナルが強くなり熱産生が抑制され，寒く

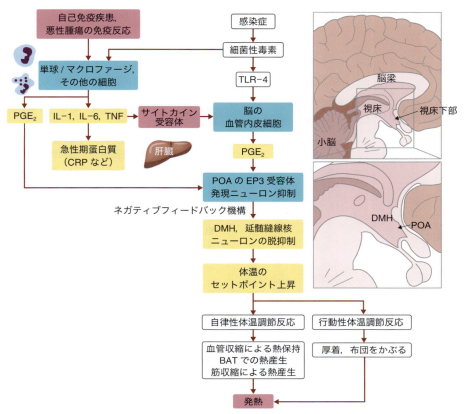

図1　発熱のメカニズム
〔松村正巳：発熱．矢崎義雄ほか（編）：内科学，第12版，I-129，朝倉書店，2022より〕

なると抑制性シグナルが減弱し熱産生が促進される．

　液性因子である発熱物質には，外因性発熱物質，内因性発熱物質がある．外因性発熱物質には，Gram（グラム）陰性菌の細胞壁に含まれるリポ多糖，黄色ブドウ球菌が産生するエンテロトキシンなどがある．内因性発熱物質には，炎症性サイトカインであるインターロイキン（interleukin；IL）1，IL-6，インターフェロン（interferon；INF）γ，腫瘍壊死因子（tumor necrosis factor；TNF）-α などがある．抗原・抗体複合体，補体などは外因性発熱物質の曝露なしに発熱物質として作用する．

　外因性発熱物質の曝露により，Toll様受容体（Toll-like receptor）4が反応するほか単球やマクロファージなどの細胞はIL-1，IL-6を産生し，これらが脳の血管内皮細胞のサイトカイン受容体に作用してアラキドン酸からプロスタグランジン（prostaglandin；PG）E_2が産生される．IL-1，IL-6により肝臓では急性期蛋白質であるC反応性蛋白（CRP）が産生される．産生されたPGE_2は血液-脳関門を通過し，POAのEP3受容体が発現しているGABA作動性の抑制ニューロンに作用する．PGE_2がEP3受容体に結合すると，ニューロンの発火活動が抑制される．GABA作動性の抑制が減弱すると，視床下部背内側部（dorsomedial hypothalamus；DMH）と延髄縫線核のニューロンへの抑制が解除され，体温のセットポイントが上昇し，熱産生が促進される（図1）．

　体温のセットポイント上昇により，自律性体温調節反応，行動性体温調節反応が起こる．自律性体温調節反応として，皮膚からの体温喪失を防ぐため，交感神経を介し皮膚の血管が収縮し，悪寒や立毛筋の収縮による鳥肌が自覚される．また，BATでの熱産生も起こる．さらに，体性運動神経を介し筋収縮による熱産生が促進されると戦慄が起こる．一方，行動性体温調整反応として，体温

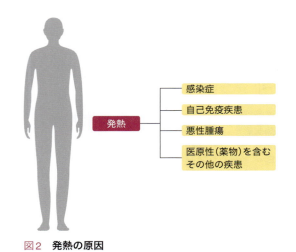

図2 発熱の原因

表1 発熱をきたす疾患

感染症
- 感染性心内膜炎，粟粒結核
- 歯性膿瘍，副鼻腔炎，乳突蜂巣炎
- 上気道炎，気管支炎，肺炎，胸膜炎，膿胸，肺結核，感染性心膜炎
- 胆嚢炎，胆管炎，肝膿瘍，虫垂炎，腹膜炎，腹腔内膿瘍，骨盤内膿瘍
- 腎盂腎炎，腎膿瘍，肺外結核（腎），前立腺炎
- 蜂窩織炎，壊死性筋膜炎，椎間板炎，骨髄炎
- 髄膜炎，肺外結核（中枢神経），脳炎
- HIV感染症，ツツガムシ病，腸チフス，ブルセラ症，Q熱，ネコひっかき病，マラリア
- 体内デバイス感染

自己免疫疾患
- 関節リウマチ，全身性エリテマトーデス，多発筋炎，皮膚筋炎，リウマチ性多発筋痛症，巨細胞性動脈炎，高安動脈炎，結節性多発動脈炎，顕微鏡的多発血管炎，多発血管炎性肉芽腫症，好酸球性肉芽腫性多発血管炎，成人Still（スチル）病，サルコイドーシス，Behçet（ベーチェット）病

悪性腫瘍
- リンパ腫，腎細胞癌，肝細胞癌，心房粘液腫

その他の疾患
- 薬剤熱，偽痛風，炎症性腸疾患，肺動脈血栓塞栓症，亜急性甲状腺炎，菊池病，自己炎症症候群，血栓性血小板減少性紫斑病，特発性好酸球増加症，副腎不全，特発性多中心性Castleman（キャッスルマン）病，心理ストレス性体温上昇，Münchausen（ミュンヒハウゼン）症候群

の喪失を防ぐために厚着をし，布団をかぶるなどの行動をとる．悪寒や戦慄後に体温は上昇し，上昇が完了する頃には悪寒や戦慄は自覚されない．

解熱目的にアスピリンを投与すると，シクロオキシゲナーゼが阻害され，アラキドン酸からPGE_2の産生が抑制される．これにより体温のセットポイントが正常化し，血管拡張や発汗による熱放散が始まる．この過程が夜間に起こると寝汗をかく．典型的な寝汗は午前0～2時前後に認める．発熱時も体温の概日リズムは保たれることが多く，午後から悪寒を自覚し，夕方～夜間にかけ体温が上昇し，朝に向け体温が下がる相で寝汗をかくことが多い．

病態の考え方を示すために，古典的不明熱を例にとってみよう．古典的不明熱の定義は，①経過中38.3℃を超える発熱を数回認め，②診断なしに3週を超えて発熱が持続し，③1週間の入院でも診断に至らないものである．不明熱の診断を考えるときには，以下のカテゴリーから原因疾患を考える（図2）．①感染症，②自己免疫疾患，③悪性腫瘍，④医原性（薬物）を含むその他の疾患である（表1）．

病態・原因疾患の割合

2000～2011年までの間に出版された，不明熱に関する論文におけるカテゴリーごとの頻度は，感染症36%，自己免疫疾患21%，悪性腫瘍13%，その他6%，診断不能24%であった．これは地域，対象患者の年齢などにより異なる．原因疾患の頻度とその臨床的重要度を図3に示す．

診断の進め方

診断の進め方のポイント

- 最も大切なのは，ていねいな医療面接と正確な身体診察を行い，整理することである．不明熱例における身体診察での見落としは少なくない〔例：感染性心内膜炎のOsler（オスラー結節）〕．鑑別疾患が挙がらないときは，医療面接と身体診察を繰り返し行う．
- 次に重要なポイントは，鑑別疾患の想起の鍵となる発熱以外の症状や徴候，スクリーニング検査における異常を探すことである（後述）．発熱以外に鍵となる症状・徴候が見つからないとき

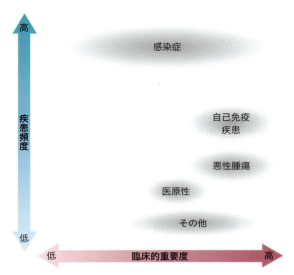

図3 疾患の頻度と臨床的重要度

は診断困難である．
- 稀な疾患の典型例よりも，コモンな疾患の非典型例のほうが遭遇しやすいことを銘記しておく．
- 不明熱を医療状況や基礎疾患などに応じて，①古典的不明熱，②院内不明熱，③好中球減少に伴う不明熱，④HIV 関連不明熱の4つに体系化する考え方が提唱されている．

医療面接

医療面接では，時間経過に沿った症状の変化，発熱のパターンを明らかにする(表2)．一般に発熱は夕方から夜にかけて認めることが多い．発熱患者には解熱鎮痛薬が投与され，熱型が修飾されることも多く，熱型からその原因を探ることは容易でないことが多い．しかし，鑑別疾患を想起することも経験する(表3)．

そして，発熱以外の鑑別疾患を想起することに寄与する随伴症状について，詳細に医療面接することが重要である(表4)．診断が困難なときはシステムレビューを用いるとよい．

身体診察

身体診察は，発熱の原因疾患を診断するうえで特に重要である(表5)．バイタルサインのチェックは必ず行う．Quick Sequential Organ Failure As-

表2 医療面接のポイント

経過
- いつから，どのくらいの発熱があるのか
- 1日の発熱パターンを確認する
- 食欲低下，体重減少，寝汗の有無を含め，発熱以外の症状の有無を確認する（システムレビューを用いるとよい）

既往歴
- 結核，悪性腫瘍，骨髄炎（骨髄炎はいったん治っても同じ部位に再発することがある），その他を詳細に聴く

家族歴
- 結核の家族歴，同様の発熱を有する家族がいないか

嗜好品，常用薬
- 喫煙は悪性腫瘍の発症率を高める
- 薬剤熱を除外するために常用薬とその服用状況を確認する

職業歴
- 病原微生物，発癌性物質の曝露に関係する職業かどうか
- 診断が困難な患者が医療従事者であるときに，稀にMünchausen 症候群と判明することがある

生活歴
- 性的活動を聴くことが診断のヒントになることがある
- ペットを含めた動物との接触歴を確認する
- 国内外の旅行歴を確認する

表3 熱型と典型的疾患

名称	熱型	典型的疾患
稽留熱	日差1℃以内で発熱が持続する	大葉性肺炎，Gram 陰性桿菌敗血症，腸チフス
弛張熱	日差1℃以上で，最低体温が37℃以上	感染性心内膜炎，Gram 陰性桿菌敗血症，リケッチア感染症，成人Still 病
間欠熱	高熱期と無熱期の日差が1℃以上で最低体温が37℃以下	マラリア，Gram 陰性桿菌敗血症
回帰熱	1日ないし数日の正常体温期の間に短期間の有熱期	Hodgkin（ホジキン）リンパ腫のPel-Ebstein（ペル・エブスタイン）熱，ボレリア症
周期熱	規則的な周期をもつ	マラリア

sessment (qSOFA) スコア〔呼吸数≧22 回/分，意識の変容 Glasgow（グラスゴー）Coma Scale ≦14 点，収縮期血圧≦100 mmHg〕を意識する．視診はきわめて重要である．皮膚の視診で診断への重

表4 鑑別疾患を挙げるのに寄与する症状

症状	鑑別疾患
体重減少	結核，癌，HIV/AIDS
1日2回の発熱のピーク	成人Still病，粟粒結核，マラリア
難治性中耳炎の既往	ANCA関連血管性中耳炎 (otitis media with ANCA associated vasculitis; OMAAV)
高齢者の頭痛	巨細胞性動脈炎
咽頭痛	成人Still病，亜急性甲状腺炎，Lemierre（レミエール）症候群，トキシックショック症候群
頸部痛	髄膜炎，リウマチ性多発筋痛症，crowned dens syndrome（頸椎の偽痛風），亜急性甲状腺炎，Lemierre症候群
腰痛	腰椎骨髄炎，椎間板炎，癌の転移，感染性心内膜炎，腎盂腎炎
下肢のしびれ	顕微鏡的多発血管炎，結節性多発動脈炎，サルコイドーシス

表5 身体診察のポイント

バイタルサイン
- 意識レベル，体温，脈拍，血圧，呼吸数，S_pO_2の評価：患者はショック状態ではないか，血液培養を採取すべきかを考慮しながら評価する

全身状態
- 急性発症か，慢性的に衰弱してきているのか観察する
- 黄疸や皮疹の有無を含め皮膚を観察する

頭頸部
- 眼瞼結膜と眼球結膜で貧血と黄疸を評価する（眼瞼結膜の出血斑があれば感染性心内膜炎を疑う）
- 歯の状態，口腔内の衛生状態，アフタの有無を観察する
- 頸部，鎖骨上リンパ節腫大を評価する

胸部
- 呼吸音を評価する
- 心音，過剰心音，心雑音を評価する
- 腋窩リンパ節腫大を評価する

腹部
- 視診で膨隆がないか観察する
- 肝臓，脾臓の腫大がないか評価する
- 圧痛，筋性防御がないか評価する
- 鼠径部リンパ節腫大を評価する

四肢
- 軟部組織の発赤，腫脹，熱感がないか評価する
- 浮腫を評価する．あれば沈下性か，非沈下性かを評価する
- 関節炎（疼痛，発赤，腫脹，熱感，関節可動域）の有無を評価する

神経系
- 髄膜刺激徴候を評価する
- 巣症状の有無を評価する
- 多発性単神経炎を含め末梢神経障害の有無を評価する

要なヒントが見つかることは稀でない（例：ツツガムシ病の刺し口，梅毒の手の皮疹）．診断がつかないときに，身体診察における見落としは少なくない．医療面接から鑑別疾患を想起し，それぞれの疾患が有する所見を意識して探さなければ異常所見と認識できないことを多々経験する．つまり，鑑別疾患として想起されていないと見落としが起こりやすい．われわれの観察と認知にはそういった特性がある．鑑別疾患を挙げるのに寄与する所見を意識する(表6)．

診断のターニングポイント

医療面接と身体診察を総合して考える点

- 医療面接と身体診察から，発熱患者における大半のコモンな原因疾患を想起し，診断することは可能である．
- 医療面接と身体診察の情報から，感染症であればどの感染症か（例：慢性咳嗽，体重減少から結核を疑う），腫瘍性疾患であればどの腫瘍か（例：体重減少，寝汗，リンパ節腫脹を認めればリンパ腫を疑う），自己免疫性疾患であればどの疾患か（例：関節炎と皮疹から全身性エリテマトーデスを疑う）を考慮する．
- 鑑別疾患を挙げる前に，以下のような患者の問題点の描出（要約）を行うとよい．

> 例：先天性二尖弁，大動脈弁狭窄の既往を有する18歳，女性．4週前から発熱があり，頻呼吸，頻脈，左環指に有痛性紅斑を認める．

　上記において左環指の有痛性紅斑をOsler結節と認識できれば，感染性心内膜炎を鑑別疾患の第一として挙げることができる．われわれはこのような問題の描出から鑑別疾患を考えている．

- 不明熱の原因として，1960年代に頻度が高かったのは感染症であるが，最近は感染症以外の炎

表6 鑑別疾患を挙げるのに寄与する所見

所見	鑑別疾患
比較的徐脈	腸チフス，マラリア，Q熱，ブルセラ症，黄熱，レジオネラ肺炎，オウム病，マイコプラズマ肺炎，腎細胞癌，リンパ腫，脳圧亢進を伴う中枢神経感染症
診断のつかない扁桃炎	急性HIV感染症
リンパ節腫大	感染症：EBウイルス感染症，サイトメガロウイルス感染症，単純ヘルペスウイルス感染症，HIV感染症，ヒトヘルペスウイルス6型感染症，連鎖球菌感染症，ブドウ球菌感染症，ネコひっかき病，ブルセラ症，結核，梅毒，ツツガムシ病 腫瘍性疾患：リンパ腫，癌の転移 自己免疫疾患：関節リウマチ，混合性結合組織病，全身性エリテマトーデス，皮膚筋炎，成人Still病 その他：甲状腺機能亢進症，特発性多中心性Castleman病，サルコイドーシス，菊池病，川崎病，薬物（ジフェニルヒダントイン，ヒドララジン，アロプリノール，カルバマゼピン，サラゾスルファピリジン）
リンパ節腫大と血痂	ツツガムシ病
心雑音	感染性心内膜炎（眼瞼結膜の点状出血斑，爪下線状出血，Osler結節，Janeway（ジェーンウェイ）病変の有無も観察する）
関節痛/関節炎	偽痛風，全身性エリテマトーデス，混合性結合組織病，血管炎，成人Still病，サルコイドーシス，Behçet病，炎症性腸疾患
触れる紫斑	血管炎

症性疾患の割合が増えている．

必要なスクリーニング検査

医療面接と身体診察から，発熱患者の大半の原因疾患を想起することは可能である．しかし，正しい診断のためにスクリーニング検査を加え，診断を確定していく．図4のようなスクリーニング検査を行うが，患者の症状と徴候によりオーダーは適宜変える．

スクリーニング検査の異常から，鑑別疾患を考える端緒が見つかることが少なくない（表7）．

❶ 尿検査

尿沈渣を含め評価する．尿路感染症，腎臓に病変を有する全身疾患（例；顕微鏡的多発血管炎）の

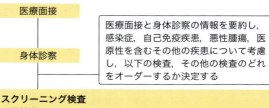

図4 発熱の診断の進め方

診断の端緒になることがある．赤血球円柱の存在は糸球体障害を意味する．

❷ 血球検査（血算）

表7に鑑別疾患を示した．たとえば，異型リンパ球，好酸球増加などは鑑別疾患を挙げるときの大きなヒントになる．また，鑑別疾患のどの可能性が高いかを推測できる．

❸ 血液生化学検査

まず，全身状態の把握に用いることができる．さらに，LD高値から悪性腫瘍の存在を疑うことがある．

❹ 赤沈

巨細胞性動脈炎，リウマチ性多発筋痛症，高安動脈炎，亜急性甲状腺炎では，赤沈が100 mm/時を超えることをたびたび経験する．

❺ 免疫学的検査

医療面接と身体診察から必要なときにオーダーする．

❻ 胸部X線検査

気道感染，心臓由来の発熱を疑う場合に必要である．

❼ 心電図検査

心膜炎が疑われるときに有用である．

表7 診断の鍵となる症状・徴候・検査異常

検査異常	鑑別疾患
白血球増加	多くの感染症，成人 Still 病，薬剤熱
白血球減少	EB ウイルス感染症，サイトメガロウイルス感染症，粟粒結核，腸チフス，マラリア，白血病，全身性エリテマトーデス，Felty（フェルティ）症候群
リンパ球減少	全身性エリテマトーデス
異型リンパ球増加	EB ウイルス感染症，サイトメガロウイルス感染症，急性 HIV 感染症，マラリア，ツツガムシ病，薬剤熱
好酸球増加	旋毛虫症，リンパ腫，好酸球性白血病，結節性多発動脈炎，好酸球性多発血管炎性肉芽腫症，薬剤熱，好酸球性肺炎，特発性好酸球増加症，副腎不全
血小板増加	粟粒結核，関節リウマチ，巨細胞性動脈炎，リウマチ性多発筋痛症，高安動脈炎，結節性多発動脈炎，骨髄増殖性疾患
汎血球減少	サイトメガロウイルス感染症，HIV 感染症，粟粒結核，全身性エリテマトーデス
血球貪食	EB ウイルス感染症，全身性エリテマトーデス，成人 Still 病，リンパ腫
赤沈亢進（100 mm/時以上）	巨細胞性動脈炎，リウマチ性多発筋痛症，高安動脈炎，亜急性甲状腺炎
LD 上昇	リンパ腫，血栓性血小板減少性紫斑病，菊池病，肺動脈血栓塞栓症
フェリチン著増	成人 Still 病，血球貪食性リンパ組織球症
補体低下	全身性エリテマトーデス，感染性心内膜炎

診断確定のために

感染症の確定診断

感染症のほとんどは，特定臓器の感染症としての病態を示すことが多く，医療面接と身体診察，スクリーニング検査からその臓器を特定する．感染症の診断では病原微生物の証明が基本である．各種培養（例：敗血症では血液培養，気道感染では喀痰培養，尿路感染では尿培養），迅速診断キット（例：インフルエンザ，新型コロナウイルス，A 群溶血性連鎖球菌，尿中肺炎球菌抗原，レジオネラ尿中抗原），血清抗体価の推移（各種ウイルス，ツツガムシ）などを用い診断する．敗血症という病態が存在しても，その上流には腎盂腎炎，骨髄炎，感染性心内膜炎など感染臓器が存在する．

特殊な状況として，患者が好中球減少症（500/μL 以下）の場合，細菌感染症として黄色ブドウ球菌，緑膿菌，腸内細菌科，真菌感染症としてアスペルギルス，カンジダに感染しやすくなる．細胞性免疫障害の場合，ウイルス感染症として単純ヘルペスウイルス，帯状疱疹ウイルス，サイトメガロウイルス，EB ウイルス，細菌感染症としてリステリア，レジオネラ，結核菌，ノカルジア，サルモネラ，真菌感染症としてニューモシスチスイロベチイ，クリプトコッカス，原虫感染症としてトキソプラズマに感染しやすくなる．液性免疫障害の場合，肺炎球菌，インフルエンザ菌，髄膜炎菌に感染しやすくなる．以上のように，原因となる病原微生物は比較的限定されるため成書で学んでおく．

自己免疫疾患の確定診断

自己免疫疾患の場合，発熱以外の症状と徴候から，比較的鑑別疾患を挙げやすい．自己抗体など，診断に寄与するマーカーがあり，鑑別疾患に応じてオーダーする．一般に，どの疾患もあとに診断を行うほうが典型的な症状が出そろい有利である．確定診断がつかないときには，時間に沿って経過をみることも必要である．診断の過程で時間経過をどのように使うかについては，医師の技量が試される．

悪性腫瘍の確定診断

発熱を伴う悪性腫瘍の診断には，スクリーニング検査から始まり，CT，MRI，各種内視鏡，ときに PET/CT を適宜用いることが多い．特にリンパ腫では組織診断が必須である．血小板減少を伴うときは，タイミングを逃さずに組織診断を行う．

その他の疾患の確定診断

稀な疾患の場合，医師がその疾患を知らないと診断はできない．日頃からの研鑽が大切である．

発熱あるもCRP正常の場合

　発熱があるにもかかわらずCRPが正常ということをときに経験する．最初に確認すべきは本当に発熱なのかということである．詐熱の可能性がときにある．また，高熱を呈しCRPが正常の患者において髄液検査をすると，無菌性髄膜炎と判明することがある．中枢神経へのウイルス感染は，グリア細胞などから炎症性サイトカインの産生が誘導される．動物実験において，サイトカインを脳内に投与すると全身投与よりも低い濃度で発熱することが示されている．脳出血でも同様のメカニズムで発熱が起こると考えられている．これは以前から中枢性発熱といわれていた．無菌性髄膜炎の場合，全身的にサイトカイン血症にならない状態（肝臓で急性期蛋白質が産生されないためCRPは正常）で発熱を呈していると考えられる．

　一方，発熱があるにもかかわらずCRPは正常，かつ非ステロイド性抗炎症薬（NSAIDs）が効かない患者も経験する．このような患者では，心理的ストレスが発熱の原因になっていることがある．これは以前から心因性発熱として知られていたが，最近，心理ストレス性体温上昇という概念が提唱され，病態解明が進んでいる．心理ストレス性体温上昇では，感染症などの発熱とは異なるメカニズムで体温上昇が起こり，女性に多いとされる．鎮静薬，選択的セロトニン再取り込み阻害薬（SSRI）などで体温が正常化する．

診断がつかないときに考慮すべきこと

- 結核（肺外結核を含め）の可能性を常に考慮する．
- 抗菌薬を投与されている場合，薬剤熱の可能性も考慮する．
- 患者が40歳以下の女性であれば，高安動脈炎の可能性を考慮する．
- リンパ腫が鑑別疾患に挙がるもののリンパ節腫大を認めない患者では，血管内リンパ腫のことがある．皮疹があればそこの生検，またはランダム皮膚生検で診断できることがある．
- 鑑別が絞られていない段階での抗菌薬投与はできるだけ控える．せめて必要な培養検査を行ってから投与する．のちの診断が困難になる．

〈松村 正巳〉

寝汗, ほてり
night sweat, hot flash

寝汗, ほてりとは

定義

寝汗

　寝汗とは，睡眠中の発汗のことであり，盗汗ともいわれる．
　健常者でも，高温や水分を過剰に摂取したときや，運動で肉体的に疲労したときに，寝汗を生じる．また，肥満者でもしばしばみられる．

ほてり

　ほてりやのぼせは，突然に起こる熱感である．部位は上胸部，頸部，顔面，特に頬・頭に多く，手足にも及ぶ．症状の持続は2，3分のことが多く，繰り返し生じ，ほてりと同時にしばしば発汗がみられる．生理的反応として，入浴や運動後などにも生じる．

患者の訴え方

寝汗

　「夜中に首すじ，胸，わきの下などにじっとりと汗をかき，目が覚める」と述べることが多い．

ほてり

　「突然顔がカーッと熱くなり，汗も出ます」などと述べ，患者自らが「更年期障害でしょうか」と質問することも多い．繰り返し生じるほてりには，発汗や動悸を伴うことが多く，そのほかに，倦怠感，不眠，不安，めまい，過呼吸などを伴うことがあり，日常生活にも支障をきたしたりする．そのような場合には，器質性疾患を除外した結果，更年期障害と診断される場合が多い．

患者が寝汗，ほてりを訴える頻度

寝汗

　感染症患者では発熱を伴うことが多く，高頻度で寝汗を訴える．
　更年期障害，甲状腺疾患，結核，悪性リンパ腫などでも，しばしば認められる．

ほてり

　ほてりは更年期の女性では約80％にみられる．同様に，月経前症候群や更年期前に両側卵巣摘出手術を受けた女性でも高頻度でみられ，更年期の男性では約10％程度にみられる．

症候から原因疾患へ

病態の考え方

寝汗

　汗腺は，エクリン汗腺とアポクリン汗腺の2種類に分けられる．
　エクリン汗腺はほぼ全身の皮膚に分布し，アポクリン汗腺よりも多い．特に前額部，手掌，足底などに多く分布する．アポクリン汗腺は腋窩，乳輪，外陰部，陰嚢などに存在する．発汗の形式は，エクリン汗腺が関与する温熱性発汗と，アポクリン汗腺が関係する精神性発汗の2つに大別される．
　汗腺は，自律神経(交感神経)に支配される．就寝中に発熱中枢(視床下部や大脳皮質)から，脊髄・末梢交感神経・汗腺のどこかになんらかの刺激があると，交感神経末端からアセチルコリンが遊離され，寝汗が生じる．

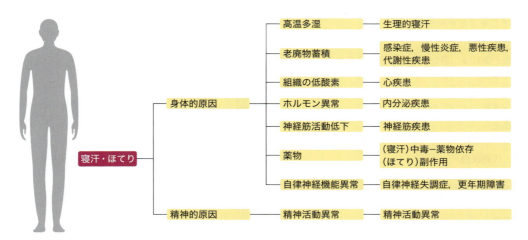

図1　寝汗・ほてりの原因（薬物以外は共通）

これらを引き起こす病態としては図1に示すようなものがあり，その原因疾患として主なものを表1に示す．

ほてり

ほてりは，女性ではエストロゲンの低下により発生する血管運動神経障害症状と考えられる．それには，エストロゲン，視床下部の自律神経中枢，黄体形成ホルモン（LH），カテコールアミン，カルシトニンなどのさまざまな物質の関与が推測されている．男性の更年期障害でもほてりをきたし，一部の患者ではテストステロンの低下が原因と推測される．

ほてりを引き起こす病態としては図1に示すようなものがあり，その原因疾患として主なものを表2に示す．

更年期障害のほてりと鑑別すべき疾患として以下のものがある．

- 肥満，高血圧，狭心症，糖尿病，脂質異常症，甲状腺疾患などでもほてりが発生する．
- カルチノイド症候群では，腫瘍細胞から血管作動性物質（セロトニン，ヒスタミン，プロスタグランジンなど）の分泌が促進され，突然にほてりをきたす．ほかに，カルシトニンが分泌される甲状腺髄様癌や，エリスロポエチン，ゴナドトロピンなどを分泌する腎癌でもほてりが生じる．
- 薬物がほてりの原因となる場合がある．血管拡

表1　寝汗をきたす疾患

生理的反応
- 高温や水分を過剰に摂取したとき
- 運動で肉体的に非常に疲労したとき
- 肥満

意識障害を伴う疾患
- ショック：脳出血，急性呼吸不全，低血糖発作など
- 中毒：抗うつ薬（SSRI，SNRI），麻薬・覚醒剤，有機リン・サリン，農薬，毒キノコ

発熱する疾患
- 呼吸器疾患：かぜ症候群，気管支炎，肺炎，肺結核など
- 敗血症，腎盂腎炎，心内膜炎，新型コロナウイルス感染症（COVID-19）など
- マラリア
- 膠原病：関節リウマチ，全身性エリテマトーデスなど
- 悪性腫瘍：悪性リンパ腫など
- その他：自律神経失調症，片頭痛，真性多血症

内分泌・代謝疾患
- 甲状腺機能亢進症，褐色細胞腫，先端巨大症，糖尿病（低血糖），インスリノーマ

循環器疾患
- 異型狭心症

脳神経系疾患
- 神経炎，脊髄疾患，脳腫瘍，Parkinson（パーキンソン）病

精神疾患
- 不安症（パニック症など），うつ病

張作用のあるニトログリセリン，血中エストロゲン低下作用のある精神安定薬や抗てんかん薬，エストロゲン吸収抑制作用のある抗菌薬などである．

表2 ほてりをきたす疾患

生理的反応
- 入浴後，運動後，温かい物の飲食，日焼け
- 精神的緊張，ストレス

感染症
- かぜ症候群，インフルエンザ，COVID-19など

循環器疾患
- 高血圧，狭心症

内分泌・代謝疾患
- 脂質異常症，糖尿病，甲状腺疾患，カルチノイド症候群，WDHA症候群（VIP産生腫瘍），褐色細胞腫，膵臓腫瘍，甲状腺髄様癌，腎細胞癌

婦人科疾患
- 卵巣摘出術後，月経前症候群

泌尿器科疾患
- 加齢性腺機能低下症（late onset hypogonadism（LOH）症候群）

脳神経系疾患
- 脳腫瘍，起立性低血圧，Parkinson病

薬物
- 血管拡張薬（ニトログリセリン，ヒドララジン），Ca拮抗薬，l-ドパ，ブロモクリプチン，抗てんかん薬，精神安定薬，抗菌薬
- アルコール

自律神経失調症
- 更年期障害

精神疾患
- うつ病，不安症（パニック症など）

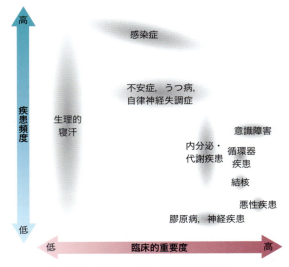

図2 寝汗をきたす疾患の頻度と臨床的重要度

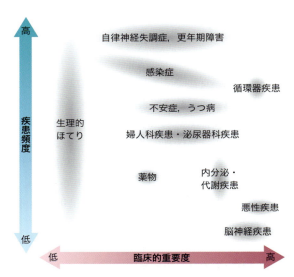

図3 ほてりをきたす疾患の頻度と臨床的重要度

病態・原因疾患の割合

寝汗

発熱を伴う感染症が最も多い．特にCOVID-19を念頭におく必要がある．

寝汗は昔から肺結核の重要な症候の1つとされてきた．結核は以前に比べれば数は少ないが，過去の病気ではないので忘れてはいけない．

甲状腺機能亢進症や糖尿病患者の低血糖などは，日常診療でときどき遭遇する．

低頻度ではあるが，中毒・ショック（脳出血，急性呼吸不全）などによる意識障害や，悪性腫瘍，異型狭心症，膠原病などによる寝汗もある．

現代社会では，心理社会的ストレスが多く，自律神経系のバランスを崩している人が増加している．器質性疾患を見落としてはならないが，除外診断の結果，自律神経失調症，更年期障害，不安症（パニック症など）などが原因となって寝汗が出ることが多い．

病態・原因疾患の頻度とその臨床的重要度を図2に示す．

ほてり

ほてりは，更年期障害の女性に多い．月経前症候群や更年期前に両側卵巣摘出手術を受けた女性にもみられる．ほてりは，しばしば感染症患者にも生じる．更年期障害と感染症以外は頻度が低い

表3 寝汗の医療面接のポイント

経過
- いつから，どの程度の寝汗があるのか
- 急激に始まったのか，徐々に起こってきたのか
- 日中は汗をかくか

誘因
- 寝汗を生じるきっかけはあるか（運動，心理社会的ストレスなど）

全身症状の有無と内容
- 発熱を伴うか（感染症）
- 咳，痰，朝方の胸痛（異型狭心症）はあるか
- 体重の変動はあるか．減少していれば内分泌・代謝疾患，悪性腫瘍，結核などの慢性疾患などを考える．増加していれば糖尿病，肥満を考慮する
- その他，随伴する自覚症状はないか．手指のふるえ・動悸（甲状腺機能亢進症），咳・血痰（肺結核）
- 糖尿病治療中の患者では低血糖発作の有無を聞く

既往歴
- 肺結核の既往を尋ねる（高齢者では肋膜・肺浸潤と述べることがある）．「周囲に結核患者はいないか」も併せて聞く

生活歴
- 睡眠時間，食生活，生活上のストレスなどを確認する

嗜好品，常用薬
- アルコール，喫煙，睡眠薬（中高年者では，睡眠薬とははっきり説明を受けずにエチゾラムを服用しているケースがある）などの有無と量を確認する

合併症
- 睡眠障害，自律神経失調症，不安症（パニック症など），うつ病の有無を質問する．重症の精神疾患では自殺企図の可能性もあるので，過量服用（中毒）を念頭において慎重に行う

職業歴
- 農薬など化学物質が寝汗の原因になることがあるので，仕事の内容を尋ねる

が，器質性疾患が原因となる場合もある．
病態・原因疾患の頻度とその臨床的重要度を図3に示す．

診断の進め方

診断の進め方のポイント

寝汗

- 寝汗の原因は広範囲に及ぶので，鑑別診断が大切である．発熱があれば感染症の可能性が高い．まずは，COVID-19を鑑別すべきである．しかし，高熱が認められない場合でも，結核，甲状腺疾患，膠原病，悪性疾患などのこともある．
- 患者に身体的な重篤感がないと，自律神経失調症や精神的な原因であろうという先入観をもちやすいが，注意が必要である．さまざまな器質性疾患を除外しつつ，心理社会的ストレスや精神症状を確認してから診断する．
- 寝汗そのものへの緊急処置の必要性は，糖尿病患者の低血糖発作や中毒・ショック状態以外では低い．しかし，重大な疾患が潜んでいる可能性があり，疾患によっては早期の治療開始が必要となるので，速やかに原因を明らかにする．

ほてり

- 鑑別診断を念頭において医療面接を行うことが重要である．患者から「更年期障害でしょうか」と言われると，医療者はすぐ更年期障害と決めつけてしまいがちなので注意しなければならない．更年期障害は，鑑別診断でさまざまな疾患が除外されたあとで診断すべき疾患である．
- 今まで健診をあまり受けていない人（中高年女性に多い）であれば，初めての健康診断のような機会になるので，ていねいに医療面接を行う．

医療面接

寝汗

寝汗は自覚症状であるので，医療面接が鑑別診断をするうえできわめて重要である．経過や誘因などを中心に，ていねいに面接を行う（表3）．生理的な寝汗は生活習慣を聞くとほぼ診断できる．パニック症などの不安症やうつ病は，寝汗以外に不眠，不安感，うつ気分などを伴い，心理社会的ストレスの関与が推測されることが多い．

器質性疾患が原因の寝汗では，発熱，体重減少などさまざまな症状を聞く．

ほてり

ほてりも自覚症状であるだけに，医療面接が診断に重要である．経過や誘因などを中心に病歴を

表4 ほてりの医療面接のポイント

経過
- いつから，どの程度（頻度と持続時間）か
- 急激に始まったか，徐々に起こってきたか
- 日内変動はあるか（1日のなかでいつが多いか）

誘因
- ほてりを生じるきっかけはあるか（運動，心理社会的ストレスなど）

全身症状の有無と内容
- 発汗を伴うか
- 発熱を伴うか（感染症）
- 体重の変動はあるか．減少していれば内分泌・代謝疾患，悪性腫瘍，結核などの慢性疾患などを考える．増加していれば糖尿病，肥満を考慮する
- その他，随伴する自覚症状がないか．手指のふるえ・動悸（甲状腺機能亢進症）

既往歴，合併症
- 高血圧，脂質異常症はあるか

生活歴
- 睡眠時間，生活上のストレスなどを確認する

嗜好品，常用薬
- アルコール，喫煙，睡眠薬（中高年者では，睡眠薬とははっきり説明を受けずにエチゾラムを服用しているケースがある）などの有無と量を確認する

合併症
- 睡眠障害，自律神経失調症，不安症（パニック症など），うつ病の有無を質問する

表5 医療面接のキーワード

therapeutic self（治療的自己）〔JG Watkins〕

- **being（どうあればよいか）**
  人柄．態度という行動で表される
- **doing（どうすればよいか）**
  知識・技術・能力の向上．コミュニケーションの技法も含む

ていねいに聞く（表4）．心理社会的ストレスを確認することが必要な場合も多い．

対話・面接の状況により，人間関係の成立の可否が決まる．良好な患者－医療者関係を成立させ，適切な診断と効果的な治療を進めるために医療者が心得ておくべき概念として，「therapeutic self（治療的自己）」という言葉がある〔JG Watkins〕（表5）．これは医療面接のキーワードとなる．治療的自己には「being（どうあればよいか）」と「doing（どうすればよいか）」の2つの要素がある．

「being」とは，人柄であり，人柄は態度という行動で表される．患者に好かれているか，患者の心を和ます要素があるかなどがポイントとなり，患者のもつ自然治癒力と自己実現の可能性への信頼と支持が大事である．

一方，「doing」とは，知識・技術・能力の向上で，コミュニケーションの技法も含まれる．どちらも大事であるが，「being」のほうがより重要である．

患者の訴えが「ほてり」と聞くと，医療者はもしかすると，「大した病気ではないだろう」と思い込み，医療面接を疎かにする危険性がある．しかし，可能性は低くても，身体疾患が潜んでいるかもしれない．患者の主訴に重症感がなくても，真摯に患者と向き合う態度が大切である．すなわち，医療者として「being」が問われる場面となる．

「ほてり」は医療者からみると重症度が低い主訴とみなされがちだが，患者にとってはつらいからこそ来院する．医学生・研修医は，このような患者に向かうとき，治療的自己を向上させることを肝に銘じて，日々の研鑽に励んでほしい．

身体診察

寝汗

身体診察は，寝汗の原因となる器質性疾患を診断するために重要である（表6）．

体温，血圧，脈拍数，体重を必ず確認する．甲状腺疾患は頸部の触診，呼吸器疾患は胸部の打聴診が診断に役立つ．頸部や腋窩リンパ節の触診は悪性リンパ腫を疑うきっかけとなる．皮膚・関節所見が膠原病の診断の有力な手がかりになる．顔貌，表情，話し方，行動などを観察することは，心身症や精神疾患を診断するうえで大切である．

精神疾患が強く疑われても，「器質性疾患はない」と決めつけず，精神疾患に器質性疾患（甲状腺疾患など）が合併する場合もあることを念頭において，慎重に身体診察を行う．特に内分泌疾患は，その存在を疑わないと検査も行わず，なかなか診断がつかないこともあるので，細心の注意を要する．

表6 寝汗の身体診察のポイント

バイタルサイン
- 体温，血圧，脈拍：高血圧などの循環器疾患，甲状腺疾患などを鑑別する

全身状態
- 意識障害を評価し，低血糖，中毒，ショックなどを鑑別する
- 体重：測定し，変動の有無を確認する
- 身長：思春期に著明に伸びたかを確認する

頭頸部
- 表情：うつ気分や不安の有無を観察し，精神疾患を鑑別する
- 頸部：甲状腺腫やリンパ節腫大の有無を触診で確認する
- 前頭部，下顎などの突出や鼻，口唇，舌の肥大を観察し，内分泌疾患をチェックする

胸部
- 打診，聴診で呼吸器・循環器疾患を診察する

腹部
- 触診で腫瘤の有無を確認する

四肢
- 浮腫などを診察する
- 手足の巨大化の有無をみる

神経系
- 腱反射，振動覚を診察し，病的反射や不随意運動(手の振戦など)の有無を確認する

表7 ほてりの身体診察のポイント

バイタルサイン
- 体温，血圧，脈拍：高血圧などの循環器疾患，甲状腺疾患などを鑑別する

全身状態
- 体重：変動の有無を確認する

頭頸部
- 表情：うつ気分や不安の有無を観察し，精神疾患を鑑別する
- 頸部：甲状腺腫の有無を触診で確認する

胸部
- 聴診で循環器疾患を診察する

四肢
- 浮腫などを診察する

神経系
- 腱反射，振動覚を診察し，病的反射や不随意運動(手の振戦など)の有無を確認する

ほてり

身体診察は，ほてりをきたす器質性疾患を診断するうえで，特に重要である(表7)．

体温，血圧，脈拍数，体重を必ず調べる．発作性の血圧上昇があれば，褐色細胞腫の診断の有力な手がかりになる．甲状腺疾患は頸部の触診，カルチノイド症候群(喘息様発作)は胸部の聴診が診断に役立つ．神経系疾患は手指振戦・病的反射などの有無を確認することが診断に役立つ．顔貌，表情，話し方，行動などを観察することは，心身症や精神疾患を診断するうえで大切である．

精神疾患が強く疑われたとしても，「器質性疾患はない」と決めつけず，精神疾患に器質性疾患が合併する場合もありうることを念頭において，慎重に身体診察を行う．特に内分泌疾患は，その存在を疑わないと検査を行わず，なかなか診断できないこともあるので，身体診察を十分に行う．

診断のターニングポイント

医療面接と身体診察を総合して考える点

❶ 寝汗
- **(確定診断)** 生理的発汗は，生活習慣や体重などの確認によってほぼ診断がつけられる．
- **(確定診断)** 不安症(パニック症など)，うつ病などの精神疾患も，医療面接と身体診察で診断をつけられることが多い．
- 身体診察で器質性疾患の存在を疑うことができるものもある．

◆咽喉発赤，呼吸音の異常 → 呼吸器感染症
◆眼球突出，頸部腫瘤，手指振戦 → 甲状腺疾患
◆皮疹，関節腫脹 → 膠原病
◆安静時振戦，筋固縮 → Parkinson病
◆発熱，体重減少，リンパ節の無痛性腫大 → 悪性リンパ腫
◆肋骨脊柱角の圧痛・叩打痛，発熱 → 急性腎盂腎炎
◆発熱，心雑音 → 心内膜炎

❷ ほてり
- **(確定診断)** 生理的ほてりは，生活習慣や体重などを確認するとほぼ診断がつけられる．
- **(確定診断)** 不安症(パニック症など)，うつ病な

どの精神疾患も，医療面接と身体診察で診断のつくことが多い．
- 【確定診断】内服薬を確認すれば，薬物がほてりの原因か否か判断できる．他院で処方されている薬物も把握しておく．
- 女性では，卵巣手術歴の有無や，ほてりと月経周期の時間的関係を尋ねれば，推測できる．
- 身体診察から器質性疾患の存在を疑うことができるものがある．

◆ 発熱 → 感染症
◆ 血圧上昇 → 高血圧
◆ 発作性の血圧上昇 → 褐色細胞腫
◆ 眼球突出，頸部腫瘤，手指振戦 → 甲状腺疾患
◆ 皮膚紅潮発作，気管支喘息様発作 → カルチノイド症候群
◆ 腹痛，下痢 → WDHA 症候群（VIP 産生腫瘍）
◆ 安静時振戦，筋固縮 → Parkinson 病

必要なスクリーニング検査

医療面接と身体診察から，寝汗・ほてりをきたす器質性疾患を推測することはしばしば可能である．しかし，器質性疾患を正しく診断するには，基本的なスクリーニング検査を行い，鑑別診断を進める(図 4)．

❶ 寝汗
- COVID-19 が疑われる場合は，積極的に検査を行う．
- 血球検査(血算)
白血球数が増加している場合，感染症の存在を考える．白血球数が減少している場合，好中球減少症では重症感染症・甲状腺機能亢進症，リンパ球減少症では全身性エリテマトーデスを考える．
ヘモグロビン濃度が高値であれば，真性多血症の診断に有用である．
- 血液生化学検査
CRP が上昇していれば，感染症，膠原病，悪性腫瘍の存在を疑う．循環器疾患は CK-MB やトロポニン T を測定する．肝疾患は AST，ALT など肝機能検査で，腎疾患は Cr，UN などから

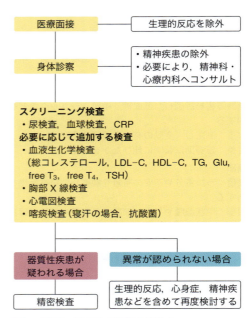

図 4 寝汗・ほてりの診断の進め方

診断できる．甲状腺疾患のスクリーニングには free T_3，free T_4，甲状腺刺激ホルモン(TSH)測定が必須である．内分泌疾患の疑いがあれば，種々のホルモンを積極的に検査する．
- 尿検査
尿糖陽性は糖尿病を診断するうえで参考になる．尿蛋白陽性は腎疾患や膠原病を疑う．尿沈渣で多数の菌や白血球があれば，尿路系感染症の診断に役立つ．尿中肺炎球菌抗原検査が陽性であれば，肺炎球菌性肺炎の可能性が高い．
- 胸部 X 線検査
心肺疾患が疑われるときに行う．
- 心電図検査
狭心症が疑われるときに行う．運動負荷心電図や Holter(ホルター)心電図も必要に応じて実施する．
- 喀痰検査
呼吸器感染症や肺腫瘍が疑われるときに細菌培養や細胞診検査を行う．特に結核菌を想定するときには抗酸菌塗抹・培養検査を行う．

❷ ほてり
- COVID-19 が疑われる場合は，積極的に検査を行う．

- 血球検査（血算）

  白血球数が増加していれば，感染症の存在を考える．白血球数が減少（好中球減少症）している場合，重症感染症や甲状腺機能亢進症を考える．

- 血液生化学検査

  CRPが上昇していれば，感染症や悪性腫瘍の存在を疑う．血糖値やHbA1cは糖尿病を診断するために必須の検査である．甲状腺疾患のスクリーニングにはfree T_3，free T_4，TSHを測定する．内分泌疾患の疑いがあれば，種々のホルモンを積極的に検査する．血中VIP高値とK低下があれば，WDHA症候群を疑う．アドレナリンが高ければ褐色細胞腫を，カルシトニンが高ければ甲状腺髄様癌を疑う．

- 尿検査

  尿糖陽性は糖尿病を診断するうえで参考になる．尿中5-ヒドロキシインドール酢酸（5-hydroxy indoleacetic acid; 5-HIAA）の上昇があれば，カルチノイド症候群が疑われる．

- 胸部X線検査

  心肺疾患が疑われるときに検査する．

- 心電図検査

  狭心症など冠動脈疾患をチェックする．必要に応じて運動負荷心電図を行う．

診断確定のために

医療面接，身体診察，スクリーニング検査の結果に基づき，寝汗・ほてりをきたす疾患をかなり絞り込むことができる．しかし，器質性疾患の確定診断をするには，以下のような臓器系統別検査が必要となる．

寝汗

❶ 感染症の確定診断

急性の感染症の場合，発症時期がはっきりしており，寝汗のほかに発熱，倦怠感，頭痛，食欲低下などの自覚症状があり，COVID-19では抗原検査やPCR検査で確定診断する．また，血液検査でCRPや白血球数の増加が認められる．

敗血症では高熱があり，血液培養検査を行う．心内膜炎を疑うときは心エコー検査も行う．

呼吸器感染症では，咳・痰などの症状があり，胸部X線検査と喀痰培養で確定診断がつく．結核診断の基本は塗抹・培養法による喀痰中の結核菌の証明である．塗抹法で抗酸菌陽性であれば約8割は結核菌であるが，非結核性抗酸菌を除外するために核酸増幅法を行う（迅速に結核菌を確認できる）．確定診断と薬物感受性試験のために培養法を行う（約3週間かかる）．

尿路感染症では排尿痛，頻尿，残尿感などがあり，尿検査で診断する．肝・胆道系感染症では黄疸を伴い，血液生化学検査，腹部エコー検査で確定診断する．消化器感染症では下痢，嘔吐，腹痛などがあり，便培養が必須である．髄膜炎では強い頭痛や吐き気があり，髄液検査を行って確定診断する．

❷ 循環器疾患の確定診断

心電図（必要に応じて運動負荷心電図，Holter心電図）や心エコー検査などを行う．心筋虚血の有無は血液生化学検査（CK-MB，トロポニンT）で確認する．

❸ 内分泌・代謝疾患の確定診断

ホルモン測定や負荷試験を行う．甲状腺機能亢進症，褐色細胞腫，先端巨大症，インスリノーマなどではホルモンを測定して診断する．糖尿病は血糖値，HbA1cを測定し，疑い例では経口ブドウ糖負荷試験（OGTT）を行う．

❹ 血液疾患の確定診断

悪性リンパ腫は適切な生検により病理組織学的に診断される．

❺ 神経疾患の確定診断

脳CT・MRI，脳波，筋電図検査などを行い，脳出血，脳腫瘍，Parkinson病，片頭痛などを診断する．

❻ 精神疾患の確定診断

不安症（パニック症など）やうつ病の可能性があれば，精神科または心療内科に診察を依頼する．

❼ 中毒の確定診断

抗うつ薬（SSRI，SNRI），麻薬・覚醒剤，有機リン・サリン，農薬などによる中毒が疑われるときには，尿や血液を対象とした中毒起因物質の検査キットで薬毒物を検出して診断する．

ほてり

❶ 感染症の確定診断

急性の感染症の場合，発症時期が明らかで，ほてりのほかに発熱，倦怠感，頭痛，食欲低下などの自覚症状があり，COVID-19 では抗原検査や PCR 検査で確定診断する．また，血液検査で CRP や白血球数の増加が認められる．

敗血症では高熱があり，血液培養検査を行う．

呼吸器感染症では咳・痰などの症状があり，胸部 X 線検査と喀痰培養検査で確定診断を行う．

尿路感染症では排尿痛，頻尿，残尿感などがあり，尿検査で診断する．肝・胆道系感染症では黄疸があり，血液生化学検査，腹部エコー検査で確定診断する．消化器感染症では下痢，嘔吐，腹痛などがあり，便培養検査を行う．髄膜炎では強い頭痛や吐き気があり，髄液検査によって確定診断する．

❷ 内分泌・代謝疾患の確定診断

ホルモン測定や負荷試験を行う．甲状腺機能亢進症，WDHA 症候群などではホルモンを測定して診断する．

褐色細胞腫は，血液・尿中アドレナリンを測定し，副腎 MRI の T_2 強調画像で高信号の腫瘍像を認めることから診断する．

カルチノイド症候群は，血中セロトニン，尿中 5-HIAA を測定し，超音波，CT，MRI，内視鏡検査などを行い，腫瘍の局在を確認して診断する．

糖尿病は，血糖値，HbA1c を測定し，必要に応じて OGTT を行う．

❸ 神経疾患の確定診断

脳 CT・MRI，脳波，筋電図検査などを行い，脳出血，脳腫瘍，Parkinson 病，片頭痛などを診断する．

❹ 精神疾患の確定診断

不安症(パニック症など)やうつ病の可能性があれば，精神科または心療内科にコンサルトする．

❺ 更年期障害の確定診断

医療面接，身体診察およびスクリーニング検査を行い，ほてりをきたす器質性疾患を除外しておくことが必要である．更年期障害は男性にも認められることがある．

〈一條 智康〉

全身倦怠感
fatigue

全身倦怠感とは

定義

全身倦怠感とは，身体的，精神的に「だるい」と感じる自覚症状を指し，疲労感，易疲労感などとほぼ同義に用いられる．

健常者でも，過度の肉体的・精神的労働を行うと疲労が残り，倦怠感を感じる．これらは休息をとれば自然と回復するもので，"生理的疲労"と呼ばれる．休んでも回復しない場合，あるいは疲労を感じさせるほどの労働もしていない場合に，病的な倦怠感と考える．

患者の訴え方

患者は，「だるくてたまらない」「疲れがとれない」「起きていられない」などと訴える．たとえば急性肝炎の急性期には，「口を開くのもつらい」ほど強い倦怠感がある．

なお，「気力がない」「活力が出ない」といった訴えもある．ただし，これらはむしろ無気力感を示し，器質性疾患というよりも精神神経疾患の可能性が高い．

患者が全身倦怠感を訴える頻度

全身倦怠感を主訴として来院する患者は比較的多く，外来患者のほぼ1〜3％を占める．また，外来受診患者のほぼ25〜40％は倦怠感を訴える．

症候から原因疾患へ

病態の考え方

患者が疲労感を訴える場合，それが肉体的な原因であるか，精神的な疲労であるかをまず考える．

身体的な疲労は，組織の低酸素，低血圧，老廃物蓄積，ホルモン分泌不全，低栄養などによる細胞レベルでの代謝活動の障害が原因となる．これらを引き起こす病態としては図1に示すようなものがあり，その原因疾患として主なものを表1に

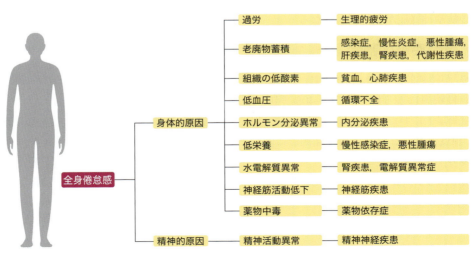

図1　全身倦怠感の原因

表1　全身倦怠感をきたす疾患

生理的疲労

精神神経疾患
- 神経症，心身症，うつ病，統合失調症

睡眠障害
- 不眠，睡眠時無呼吸症候群

感染症
- 細菌感染症：心内膜炎，結核，膿瘍など
- 真菌感染症：ヒストプラズマ症，コクシジオイデス症など
- 寄生虫感染症：トキソプラズマ症，アメーバ症など
- ウイルス感染症：AIDS など

慢性炎症性疾患
- 慢性肝炎，サルコイドーシス，多発血管炎性肉芽腫症など

神経筋疾患
- 多発性硬化症，重症筋無力症

内分泌・代謝疾患
- 糖尿病，甲状腺機能低下症，Addison（アジソン）病，Cushing（クッシング）症候群

薬物依存症
- アルコール，麻薬，有機溶媒・重金属・殺虫剤など中毒

水・電解質異常
- 嘔吐，下痢，低 Na 血症，低 K 血症，高 K 血症，低 Ca 血症，高 Ca 血症，低 P 血症，高 Mg 血症

各臓器の慢性疾患・悪性腫瘍
- 呼吸器疾患，心疾患，肝疾患，消化器疾患，腎疾患，血液疾患

慢性疲労症候群

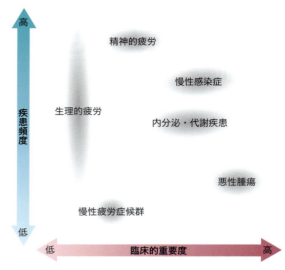

図2　疾患の頻度と臨床的重要度

示す．

　精神的な疲労は異常な精神活動が原因となるもので，うつ病や神経症が基礎疾患になる．

病態・原因疾患の割合

　30〜40％が精神的疲労で，生理的疲労が20％程度，器質的疾患による疲労が30〜40％程度である．2週間以上にわたって全身倦怠感が続く患者が25％程度あり，これらは器質的疾患に基づくことが多い．
　病態・原因疾患の頻度とその臨床的重要度を図2に示す．

診断の進め方

診断の進め方のポイント

- 全身倦怠感の原因には精神的なものが多い．しかし，肝疾患や悪性腫瘍など器質的疾患の初期症状である場合も少なくない．
- 精神的な原因であろうとの先入観にとらわれず，総合的に診断を進める．そして，重篤な疾患を見落とさないように注意しておく．
- 全身倦怠感そのものへの緊急処置の必要性は低い．
- ただし，患者の苦痛が強く，不安を感じている場合には，速やかに原因を明らかにし，対策を講じる．

医療面接

　全身倦怠感は自覚症状であるだけに，医療面接が診断に重要な役割を果たす．経過や誘因などを中心に，病歴を丹念に聴取する（表2）．生理的疲労はそれまでの生活状況や習慣を聴くだけでもほぼ診断をつけることができる．神経症などの精神的疾患では，訴えが多彩で，しかも訴えの内容が変化しやすい．器質的疾患が原因の全身倦怠感では，発熱や体重減少などの随伴症状について聴取する．

表2 医療面接のポイント

経過
- いつから，どの程度の倦怠感があるのか
- 急激に始まったのか，徐々に起きてきたのか
- 日内変動はないか

誘因
- 倦怠感を生じるきっかけはなかったか（運動，仕事，精神的ストレスなど）

全身症状の有無と内容
- 発熱（感染症），発汗，立ちくらみ（貧血），下痢，嘔吐，多飲・多尿（糖尿病），体重減少（内分泌・代謝疾患，慢性疾患，悪性腫瘍）など，随伴する自覚症状はないか
- 上記の全身（自覚）症状があるとすれば，倦怠感との時間関係はどうか

生活歴
- 睡眠時間（精神神経疾患），食生活，1日の過ごし方などを確認する

嗜好品，常用薬
- アルコールや喫煙，睡眠薬などの有無と量を確認する

職業歴
- 職業病としての鉛中毒などが倦怠感の原因になることがあるので，仕事の内容と経歴を確認する

表3 身体診察のポイント

バイタルサイン
- 体温，血圧：感染症や低血圧を原因とする倦怠感を鑑別する

全身状態
- 体格：慢性疾患や悪性腫瘍による体重減少の有無を確認する
- 皮膚：黄疸，発疹などを観察する

頭頸部
- 顔貌，表情：不安や恐怖感，あるいは苦悶状態などの有無を観察する．神経症やうつ病など精神神経疾患では特徴的な表情がみられることがある
- 結膜：貧血や黄疸の有無を観察する
- 頸部：甲状腺腫やリンパ節腫脹の有無を触診で確認する

胸部
- 打診，聴診で，心肺疾患を診察する

腹部
- 触診で，肝腫大やその他の腫瘤の有無を確認する

四肢
- 浮腫，筋力低下などを診察する

神経系
- 腱反射，病的反射，不随意運動などの有無を診察する

身体診察

身体診察は，全身倦怠感を引き起こす器質性疾患を診断するうえで，特に重要である（表3）．

体温，血圧，体重を必ずチェックする．発疹や黄疸などの皮膚所見が診断の有力な手がかりになることもある．心肺疾患は胸部の打聴診，肝疾患は腹部の触診などが診断に役立つ．

精神神経疾患では，動作や話し方，顔貌や表情などにも注意する．

診断のターニングポイント

医療面接と身体診察を総合して考える点

- **（確定診断）**まず，生理的疲労は，生活習慣などの医療面接からほぼ診断がつけられる．
- **（確定診断）**うつ病や神経症などの精神神経疾患も，医療面接と身体診察で診断をつけられることが多い．
- 身体診察で器質性疾患の存在を疑うことができるものは多い．

◆ 発熱 → 感染症
◆ 黄疸 → 肝疾患
◆ 浮腫 → 腎疾患，心疾患，肝疾患
◆ 皮膚・粘膜の蒼白 → 貧血
◆ 高血圧や心雑音 → 心疾患
◆ 呼吸音の異常 → 肺疾患
◆ 眼球突出や頸部腫瘤の存在 → 甲状腺疾患

- 腱反射や筋力などを検査して神経筋疾患を診断することもできる．

必要なスクリーニング検査

医療面接と身体診察から，全身倦怠感をきたす器質性疾患の存在を推測することは可能であることが多い．しかし，器質性疾患を正しく診断するには，基本的なスクリーニング検査を加え，鑑別診断を進める必要がある（図3）．

主なスクリーニング検査として，次のようなものがある．

❶ 尿検査

尿蛋白陽性から腎疾患を，尿糖陽性から糖尿病

を診断する手がかりとなる.

❷ 血球検査(血算)

ヘモグロビン(Hb)濃度低下から貧血，白血球異常から白血病など，血液疾患の診断に有用である.

❸ 血液生化学検査

感染症や炎症性疾患の存在は CRP でわかる．肝疾患は AST，ALT など肝機能検査から，腎疾患は UN，Cr などから診断が行われる．血清 Na, K, Cl, Ca 測定によって電解質異常が確認できる．free T_4, 甲状腺刺激ホルモン(TSH)検査は甲状腺疾患のスクリーニング検査として有用である.

❹ 胸部 X 線検査

心肺疾患が疑われるときに行う.

❺ 心電図検査

心疾患が疑われるときに行う.

診断確定のために

病歴情報，身体所見，スクリーニング検査の結果に基づき，全身倦怠感をきたす疾患をかなり限定することができる.

しかし，器質性疾患の確定診断を行い，かつ重症度や予後までを含めた診断を行うには，次のような臓器系統別検査が必要である.

感染症の確定診断

感染症の場合，一般的に発熱，頭痛，食欲不振などの自他覚症状があり，赤沈の亢進，CRP など炎症性蛋白の高値がある.

呼吸器感染症では咳，喀痰などの症状があり，胸部 X 線検査，喀痰培養検査で確定診断がつく．尿路感染症では頻尿，排尿痛などがあり，尿検査で診断する．肝・胆道系の感染症では黄疸があり，血液生化学検査，腹部エコー検査で確定診断する．消化管の感染症では下痢，嘔吐などの消化器症状があり，便の培養検査が重要となる．髄膜炎では強い頭痛があり，髄液検査で確定診断する．敗血症では高熱があり，血液培養検査を行う.

血液疾患の確定診断

貧血，白血病などの血液疾患が疑われるときは，末梢血液検査と骨髄検査を行う.

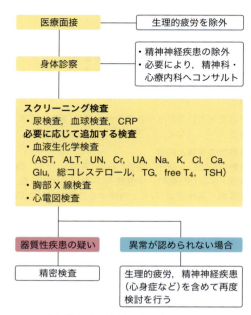

図3 全身倦怠感の診断の進め方

貧血がある場合には，血清鉄，総(不飽和)鉄結合能，フェリチン，ビタミン B_{12}，葉酸，血清ビリルビン，ハプトグロビン(Hp)，Coombs(クームス)試験などの検査を行って鑑別診断を進める.

肝・胆道系の確定診断

スクリーニング検査による AST，ALT 検査で肝疾患が考えられる場合，γ-GT，LD，ChE，ビリルビン，ICG 検査などの肝機能検査を追加する.

ウイルス肝炎が疑われるときには，HBV 抗原および HCV 抗体を検出する．肝硬変や肝細胞癌などが疑われるときは，腹部エコー検査や CT 検査などの画像検査，α-フェトプロテイン(AFP)検査を必要に応じて追加する.

腎疾患の確定診断

尿検査に加え，UN，Cr，β_2-ミクログロブリン，血清電解質検査，腹部エコー検査などを行う．急性腎炎，慢性腎炎などの腎疾患が全身倦怠感の原因として診断できる.

心肺疾患の確定診断

呼吸機能検査，心エコー検査，CT・MRI 検査などを行う．慢性肺疾患，慢性心不全などが全身

倦怠感の原因となる．

内分泌・代謝疾患の確定診断

種々のホルモン測定ならびに負荷試験を行う．甲状腺機能亢進症，甲状腺機能低下症，副腎機能不全などはホルモンを測定して診断する．糖尿病が疑われるときには血糖値検査，HbA1c 測定，OGTT を実施する．

神経疾患の確定診断

脳波，脳 CT・MRI 検査，筋電図，神経筋伝導速度検査などを行う．多発性硬化症，重症筋無力症などを診断する．

悪性腫瘍の確定診断

エコー検査，CT 検査，MRI 検査などの画像検査，内視鏡検査，腫瘍マーカー検査，細胞診検査などを行って診断を進める．

精神神経疾患の確定診断

うつ病や神経症などの精神神経疾患の疑いがあれば，精神科もしくは心療内科にコンサルトする．心理学的検査を行う．

薬物中毒の確定診断

麻薬や睡眠薬などの中毒が疑われるときには，薬物の血中濃度を測定する．

慢性疲労症候群の確定診断

極端な疲労を訴える症候群で，発熱，咽頭痛，リンパ節腫脹，筋痛，筋力低下，関節痛，うつ状態など，多彩な症状がある．全身倦怠感のために，1 か月に数日以上は社会生活や労働ができず，自宅で休息が必要となる．

原因は不明で，確定診断は難しい．うつ病などの精神神経疾患，および悪性腫瘍や他の臓器疾患を除外して診断する．

〈奈良 信雄〉

肥満，肥満症
obesity

肥満，肥満症とは

定義

『肥満症の診療ガイドライン 2022』では，肥満という身体状況の判定と，医学的観点から減量治療を必要とする肥満症を疾患として診断することとを明確に区別している．

- 肥満の定義：脂肪組織に脂肪が過剰に蓄積した状態で，体格指数〔BMI＝体重(kg)/身長(m)^2〕≧25 のもの．
- 肥満症の定義：肥満症とは肥満に起因ないし関連する健康障害を合併するか，その合併が予測される場合で，医学的に減量が必要な病態をいい，疾患単位として取り扱う．

肥満，肥満症は原発性と他の疾患などによる二次性に分類される．原発性肥満は不規則な生活習慣を背景に，相対的な栄養過多により発症するものである．一方，二次性肥満は原疾患の治療により肥満が解消されることがあるため，注意が必要である．

患者の訴え方

患者は美容上の問題から「太い」「お腹まわりの脂肪が増えた」と訴えることが多い．そのほかに，「息が切れる」「汗をかきやすい」「よく眠れない」「倦怠感がある」と訴えることもある．

患者が肥満を訴える頻度

肥満を主訴として来院する患者の詳細な頻度は明らかではないが，その大部分(90～95％)は，食生活や身体活動の低下に伴う原発性肥満(単純性肥満)である．ほかの疾患や薬物などによる肥満(二次性肥満)の頻度は少ない．

症候から原因疾患へ

病態の考え方(図1)

患者が肥満を訴える場合，実際に肥満か否かを後述する方法で確定したのち，患者の食生活，家族歴，肥満歴，運動量などを医療面接で確認し，過食あるいは体質によるものか，視床下部性，内

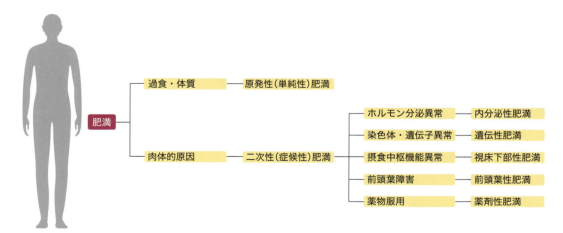

図1　肥満の原因

分泌性，代謝性，遺伝性などによるものかをまず考える．

肥満の本態である脂肪組織の過剰蓄積は，個体において摂取エネルギーが消費エネルギーを超過した結果を示している．すなわち，エネルギーバランスを支配する食欲，ホルモン分泌，自律神経系などの異常が複雑に関連し合って肥満が形成される．その原因疾患として主なものを表1に示す．

表1 肥満をきたす疾患

原発性（単純性）肥満
二次性（症候性）肥満
1) 内分泌性肥満
　甲状腺機能低下症
　Cushing（クッシング）症候群
　性腺機能低下症
　Stein-Leventhal（スタイン・レベンタール）症候群
　インスリノーマ
　偽性副甲状腺機能低下症　など
2) 遺伝性肥満
　先天性異常症候群（syndromic forms of obesity）
　　Prader-Willi（プラダー・ウィリ）症候群
　　Bardet-Biedl（バーデット・ビードル）症候群
　　Alström（アルストレーム）症候群
　　Biemond（ビエモン）症候群
　　Klinefelter（クラインフェルター）症候群
　　multiple X chromosomes
　　Morgagni（モルガーニ）症候群
　　Edwards（エドワーズ）症候群
　　Carpenter（カーペンター）症候群
　　Cohen（コーエン）症候群　など
　単一遺伝子異常による肥満（monogenic obesity）
　　レプチン・レプチン受容体遺伝子異常
　　プロオピメラノコルチン（POMC）遺伝子異常
　　転換酵素-1（PC-1）遺伝子異常
　　メラノコルチン4型受容体異常　など
3) 視床下部性肥満
　脳腫瘍：頭蓋咽頭腫，下垂体腺腫，松果体腫瘍，神経膠腫
　頭部外傷後遺症
　視床下部炎症性疾患：脳炎，サルコイドーシス，結核白血病
　脳血管障害
　Fröhlich（フレーリッヒ）症候群
　empty sella（エンプティー・セラ）症候群
　Kleine-Levin（クライネ・レビン）症候群
4) 前頭葉性肥満
　前頭葉腫瘍
5) 薬剤による肥満
　精神疾患治療薬：アミトリプチリン，イミプラミン，炭酸リチウム，クロルプロマジン，クロザピン，オランザピン，クエチアピン，リスペリドン　など
　糖尿病治療薬：高用量のSU薬・インスリン製剤
　副腎皮質ステロイド

病態・原因疾患の割合

90〜95％が原発性（単純性）肥満で，残り5〜10％が二次性（症候性）肥満である．

二次性肥満の大部分は内分泌性（甲状腺機能低下症，Cushing症候群，性腺機能低下症など）で，遺伝性肥満や視床下部性肥満などは稀である．

病態・原因疾患の頻度とその臨床的重要度を図2に示す．

診断の進め方

診断の進め方のポイント

- 肥満の判定：身長あたりの体格指数：BMI＝体重（kg）/身長（m）^{2} をもとに，表2のように判定する．
- 肥満症の診断：肥満と判定されたもの（BMI≧25）のうち，以下のいずれかの条件を満たすもの
  1. 肥満に起因ないし関連し，減量を要する（減量により改善する，または進展が防止される）健康障害を有するもの

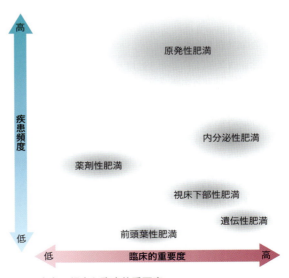

図2 疾患の頻度と臨床的重要度

表2 肥満度分類

BMI (kg/m²)	判定	WHO 基準
BMI＜18.5	低体重	Underweight
18.5≦BMI＜25	普通体重	Normal range
25≦BMI＜30	肥満（1度）	Pre-obese
30≦BMI＜35	肥満（2度）	Obese class I
35≦BMI＜40	肥満（3度）／高度肥満	Obese class II
40≦BMI	肥満（4度）／高度肥満	Obese class III

〔日本肥満学会（編）：肥満症診療ガイドライン 2022. p.2, ライフサイエンス出版, 2022 より転載〕

表3 肥満に起因ないし関連する健康障害

1. 肥満症の診断に必要な健康障害
 1) 耐糖能障害（2型糖尿病・耐糖能異常など）
 2) 脂質異常症
 3) 高血圧
 4) 高尿酸血症・痛風
 5) 冠動脈疾患
 6) 脳梗塞・一過性脳虚血発作
 7) 非アルコール性脂肪性肝疾患
 8) 月経異常・女性不妊
 9) 閉塞性睡眠時無呼吸症候群・肥満低換気症候群
 10) 運動器疾患（変形性関節症：膝関節・股関節・手指関節，変形性脊椎症）
 11) 肥満関連腎臓病

2. 肥満症の診断には含めないが，肥満に関連する健康障害
 1) 悪性疾患：大腸癌・食道癌（腺癌）・子宮体癌・膵臓癌・腎臓癌・乳癌・肝臓癌
 2) 胆石症
 3) 静脈血栓症・肺塞栓症
 4) 気管支喘息
 5) 皮膚疾患：黒色表皮腫や摩擦疹など
 6) 男性不妊
 7) 胃食道逆流症
 8) 精神疾患

〔日本肥満学会（編）：肥満症診療ガイドライン 2022. p.1, ライフサイエンス出版, 2022 より転載〕

2. 健康障害を伴いやすい高リスク肥満：ウエスト周囲長のスクリーニングにより内臓脂肪蓄積を疑われ，腹部 CT 検査によって確定診断された内臓脂肪型肥満
  ＊肥満症の診断基準に必須な合併症と診断基準には含めないが，肥満に関連する疾患を表3に示す．

表4 医療面接のポイント

経過
- いつから，どれくらいの期間にどの程度太ったか
- 急激に太りだしたか，徐々にか
- 特に，体のどの部分が太ってきたか

誘因
- 肥満を生じるきっかけはなかったか（手術，出産，髄膜炎，頭部外傷など）
- 薬物服用との関係は

生活歴
- 食事の時間および回数，夜食の習慣などを確認する
- 食事の量と内容を確認する
- 睡眠時間，1日の過ごし方などを確認する

全身症状の有無と内容
- 口渇，多飲・多尿，頭痛，息切れ，胸痛，月経異常，腰痛などの随伴する自覚症状はないか
- 上記の自覚症状はいつから出現してきたか，また肥満との時間的関係はどうか

嗜好品，常用薬
- アルコールや禁煙，常用薬の有無と量を確認する

職業歴
- 職業，1日の仕事量，歩数などを確認する
- 社会的，経済的，精神的ストレスについて聴取する

家族歴
- 血族結婚の有無を確認する
- 家族に肥満，糖尿病，脂質異常症などがいるか

医療面接

体重の変化は，種々の疾患の初発症状であることが少なくない．肥満度の個人差は大きいので，どのような体格の患者であっても体重の変化の有無について十分に聴取する必要がある（表4）．

医療面接では，特に体重の変化，体重増加の始まった時期，家族歴（血族結婚の有無），食生活環境，既往歴（特に頭部外傷の有無）について詳細に聴取する．原発性肥満は小児期からみられ，家族に肥満者がいることが多いのが特徴である．その他，糖尿病に伴う体重減少や口渇，虚血性心疾患に伴う胸痛や息切れ，月経異常，腰痛などの肥満に合併した随伴症状についても聴取する．

身体診察

身体診察を行う場合，肥満の程度，体型に注意することが必要で特に視診が重要である（表5）．体温（女性では基礎体温の変化），血圧，身長，体

表5 身体診察のポイント

バイタルサイン
- 体温：特に女性では性腺機能異常を伴うことから基礎体温を記録し鑑別に用いる
- 血圧：肥満では高血圧がその合併症として重要である
- 脈拍：甲状腺機能低下症では徐脈が認められる

全身状態
- 体格：体重，身長から肥満度を算出する．肥満は全身的にバランスがよいか，体幹，顔面のみが不均衡に太っているかをみる
- 皮膚：皮膚線条があるか，色調は白色か赤紫色か

頭頸部
- 顔貌，表情：Cushing症候群では満月様を呈す．遺伝性肥満では知能障害を合併することが多いので，特有な表情に注意する
- 頭部：遺伝性肥満の一部には禿頭，水頭症などが認められる
- 口腔：肥満者では扁桃肥大が多く認められる
- 頸部：耳下腺腫大の有無を確認する

胸部
- 打診，聴診で心肥大，心雑音，肺呼吸音について診察する

腹部
- 触診で皮下脂肪の厚さを確認し，肝腫大の有無についても診察する

四肢
- 下腿浮腫，静脈怒張，静脈瘤などについて診察する

運動系
- 腰痛，変形性関節症の有無について診察する
- 四肢，指などの変形について確認する
- 筋緊張の程度について診察する

その他
- 外性器，二次性徴などを確認する

重，視力，知能，外性器などは必ずチェックする．
　一般に，男性は内臓脂肪型を，女性は皮下脂肪型肥満を示すことが多く，著しい肥満を呈する場合は原発性肥満をまず考える．二次性肥満の場合には，疾患による障害のため極度の肥満を示すことは少ない．
　二次性肥満をきたす原因としては内分泌性が最も多く，その代表的疾患である Cushing 症候群では四肢が細く体幹が太い中心性肥満（central obesity）を呈する．原発性肥満でみられる皮膚線条は白色である（striae cutis）が，Cushing 症候群でみられる腹部の皮膚線条は赤紫色を呈するのが特徴である．遺伝性肥満の場合には網膜の変化をきたすことが多いので眼底検査は重要である．ま

た，脳炎や頭部外傷といった明らかな出来事ののちに肥満が発症してくることもある．

診断のターニングポイント

医療面接と身体診察を総合して考える点

- 肥満症診断のフローチャートを図3に示す（『肥満症の診療ガイドライン2022』）．原発性肥満では，緊急性や症状の急速な進行を認めないことが多いが，二次性肥満は原病によっては救急対応が必要となる病態が出現したり，症状が急速に進行したりする可能性があることから注意が必要である．二次性肥満をきたす疾患を表1（☞239ページ）に示す．

- 原発性肥満では，医療面接により，家族内に肥満者が多く，食習慣，運動量，文化的因子，経済要因から間食，気晴らし食いなどによりエネルギー摂取過剰にあるかどうかを見極める．

- 筋肉量の減少がなく脂肪量のみが増加し，四肢体幹にバランスよく脂肪沈着がみられる場合には原発性肥満を考える．

- 身体診察では部分的な形状の異常を伴うことがあるので気をつける．

◆ 性器発育不全を伴う→Fröhlich症候群（視床下部性）
◆ 性器発育不全に多指(趾)症などを合併→Bardet-Biedl症候群（遺伝性）
◆ 性器発育不全に小さな手足を合併→Prader-Willi症候群（遺伝性）

- 内分泌性の場合には，それぞれの基礎疾患に特徴的な主要症候が存在するので，診断は比較的容易である．

- 内分泌性と遺伝性の肥満の鑑別を行ったのちに，原発性と視床下部性の鑑別を行うのが一般的であるが，医療面接，身体診察，画像検査で診断できないような微細な視床下部病変の場合などの鑑別困難なこともある．

必要なスクリーニング検査

医療面接と身体診察から，内分泌性と遺伝性，

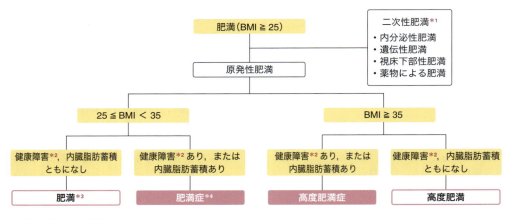

図3 肥満症診断のフローチャート
〔日本肥満学会(編):肥満症診療ガイドライン2022. p.2, ライフサイエンス出版, 2022より転載〕

薬剤性の肥満の存在を推測することは可能であるが,視床下部性肥満と肥満のほとんどを占める原発性肥満とを確実に鑑別することは容易ではない.したがって,診断をより的確に進めるために基本的なスクリーニング検査を行う.主なスクリーニング検査として,次のようなものがある.

❶ 尿検査

尿糖陽性から糖尿病やCushing症候群を,また肥満に伴う合併症としての糖代謝異常を診断する手がかりになる.

❷ 血液生化学検査

血糖検査は,インスリノーマ,糖尿病,Cushing症候群などの内分泌性肥満の診断に有用である.肝機能検査は肥満に合併した脂肪肝の診断に有用である.脂質検査は甲状腺機能低下症などの内分泌性肥満の診断や肥満に伴う合併症としての脂質代謝異常を診断する手がかりになる.腎機能検査はBardet-Biedl症候群やAlström症候群のような遺伝性肥満の診断に有用である.血中Ca測定により偽性副甲状腺機能低下症を鑑別できる.

❸ 内分泌機能検査

下垂体,甲状腺,副甲状腺,副腎,性腺機能検査および基礎代謝などの検査は内分泌性,視床下部性肥満のスクリーニング検査として有用である.

❹ 画像検査

トルコ鞍X線撮影は間脳腫瘍,empty sella症候群などの視床下部性肥満,骨X線撮影はBardet-Biedl症候群などの遺伝性肥満の診断にそれぞれ有用である.さらに,CT,MRIも鑑別診断に頻用される.

❺ 心電図検査

肥満に伴う合併症としての冠動脈疾患,高血圧性心疾患の存在を診断する手がかりになる.

❻ 染色体検査

Klinefelter症候群(XXY),multiple X chromosomes(3〜5個のX染色体)のような遺伝性肥満の診断に有用である.

診断確定のために

病歴情報,身体所見,スクリーニング検査の結果に基づき,肥満をきたす疾患をかなり絞ることができる.しかし,確定診断を行い,かつ肥満による合併症を含めた診断を行うには,次のような臓器系統別検査が必要である.

内分泌性肥満の確定診断

甲状腺機能低下症は,内分泌性肥満のなかでも頻度が高い.甲状腺ホルモンの作用不足においては,活動性の低下,基礎代謝の低下,脂肪分解の抑

制，褐色脂肪細胞における熱産生の低下などを介して肥満を増長する．これに加えて体液貯留やムコ多糖類の蓄積による体重増加も合併することが多い．甲状腺機能低下症は，特徴的な身体所見と甲状腺刺激ホルモン(TSH)，free T_4，free T_3，抗甲状腺ペルオキシダーゼ抗体，抗サイログロブリン抗体などの測定により診断する．

Cushing症候群では，前述の特徴的な体型に加えて，血漿コルチゾール高値，日内変動の消失，デキサメタゾン抑制試験陽性などから診断できる．

テストステロンやエストロゲンの作用不足が認められる性腺機能低下症では肥満，特に内臓脂肪型肥満がみられることが知られている．LH，FSH，遊離テストステロン，エストラジオール(E_2)，プロゲステロンなどの測定により診断する．

Stein-Leventhal症候群は，多嚢胞性卵巣症候群(polycystic ovary syndrome; PCOS)と同意語で，無月経，多毛などの症状に加えて，両側卵巣の多嚢胞性腫大と血中LH，FSH測定，LH-RH試験，血中アンドロゲン測定によって診断できる．

インスリノーマでは，空腹時に低血糖発作があり，その際の血糖値が50 mg/dL以下，グルコース投与により低血糖症状が改善するという特徴がある．空腹時血漿インスリンが高値，インスリン(IRI)/空腹時血糖(FBS)が0.3以上，IRI×100/(FBS−30)が200以上であれば診断できる．ときに，低血糖発作がてんかんと誤って診断されることがあり，注意が必要である．

偽性副甲状腺機能低下症では，第四，五指の中手骨の短縮，テタニー，痙攣がみられ，血中Ca低値，P高値，PTH高値およびEllsworth-Howard(エルスワース・ハワード)試験から診断できる．

遺伝性肥満の確定診断

遺伝性肥満には遺伝性の疾患に随伴して起こるもの(先天性異常症候群；syndromic forms of obesity)と単一遺伝子の異常により起こるもの(monogenic obesity)がある(表1)．先天性異常症候群では，多くの場合，網膜色素変性，知能障害，性器発育不全，手指奇形など，特徴的な身体所見がみられる．網膜色素変性はBardet-Biedl症候群，Alström症候群，Edwards症候群で認められ，知能障害はBiemond症候群，Prader-Willi症候群，multiple X chromosomes，Carpenter症候群，Edwards症候群に認められる．

これらの所見に加えて，染色体検査，骨X線撮影，LH・FSHなどの内分泌検査を行うことにより鑑別診断を行う．ヒトにおける単一遺伝子肥満の原因遺伝子のほとんどはレプチン・メラノコルチン系の構成要素であり，出生まもなくより過食による著明な肥満を呈し，神経内分泌系の異常を伴うことが多い．

視床下部性肥満の確定診断

摂食調節中枢である視床下部腹内側核，室傍核，弓状核の障害により生じる肥満を視床下部性肥満と診断する．視床下部性肥満では，摂食調節中枢以外にも障害が及ぶ場合が多く，睡眠覚醒リズム障害，体温調節異常，内分泌機能異常などを伴う．

原因疾患としては，約75%が頭蓋咽頭腫(craniopharyngioma)であるため，トルコ鞍撮影，CT，MRI，脳血管撮影で診断できる．その他，下垂体腺腫，松果体腫瘍，神経膠腫，empty sella症候群によることもある．脳炎後遺症，サルコイドーシス，結核などの炎症性疾患や白血病細胞の浸潤によるものでは，MRIなどの画像診断に加えて脳脊髄液検査が有用である．

悪心・嘔吐，頭痛，視野欠損などの脳腫瘍症状を示し，かつ性器発育不全を伴うものではFröhlich症候群を疑い，性ホルモン測定，LH-RH試験，MRIを行って診断する．

前頭葉性肥満の確定診断

前頭葉の大きな腫瘍により，稀に肥満をきたす．自発性の欠如，精神症状に加え，CT，MRI，脳血管撮影で診断する．

薬物による肥満の確定診断

三環系抗うつ薬(アミトリプチリン，イミプラミン)やドパミンD_2受容体拮抗薬オランザピンなどで肥満が誘発されることが報告されている．

高用量のSU薬やインスリンの過量投与は低血糖に伴う食欲亢進やインスリンの同化作用（体脂肪蓄積）により肥満を助長することがある．

　ステロイド薬は内服や注射薬のみならず吸入や外用薬の長期使用によっても肥満を含むCushing所見がみられることがある．医療面接では内服薬のみならず，上述のような点にも留意して問診する必要がある．

原発性（単純性）肥満の確定診断

　二次性肥満を除外できれば原発性肥満と診断できる．さらに，肥満に合併した代謝異常，循環器障害，呼吸器障害，肝機能障害などの存在を明らかにすることも重要である．

〈遠藤　逸朗〉

るいそう
emaciation

るいそうとは

定義

るいそうとは，著しく体脂肪量および体蛋白組織量が減少した状態と定義される．しかし，体脂肪量や体蛋白量を正確に定量することは困難なため，一般的には適正体重との比較によって判断されている．

日本肥満学会では，適正体重(kg)の算出として

$$[身長(m)]^2 \times 22$$

を提言しており，体格指数として

$$BMI\ (body\ mass\ index) = \frac{体重(kg)}{[身長(m)]^2}$$

を用いている．

日本肥満学会が2022年に示した基準では，BMI 18.5未満を低体重としている．また，適正体重から20％以上減少した状態をるいそうとして定義することが多い．

低体重であっても，体重がほぼ一定で，日常生活に支障のない場合には病的とはみなされない（単純性るいそう）が，高度のやせにはなんらかの器質性原因を伴うことが多い．やせの程度は高度でなくても，体重が急速に減少する場合(6～12か月の期間において，4.5kg以上あるいは元の体重の5％以上の減少)では，臨床的に重要な体重減少と考える．

患者の訴え方

患者は体重減少をはじめとして，倦怠感，脱力感，易疲労感，頭痛，めまい，不眠，消化器症状などを訴えることが多い．女性では月経異常が主訴となることもある．

るいそうの基礎疾患として悪性腫瘍，うつ病や摂食障害などの精神疾患，糖尿病や甲状腺機能亢進症などの内分泌・代謝疾患，結核や膿瘍などの慢性感染症，膠原病，神経筋疾患などが挙げられるが，このような疾患にみられる訴えにも注意が必要である．

精神的原因による場合には，本人には病識が乏しく，健診で低体重を指摘されたり，家人に連れられて受診することも稀でない．

患者がるいそうを訴える頻度

るいそうのみの頻度は明らかでないが，意図しない体重減少は外来患者の約8％，虚弱な65歳以上の約27％に認められる．無自覚の体重減少を含めると，その比率はさらに高いと考えられる．

症候から原因疾患へ

病態の考え方

健常者では，視床下部に存在する摂食中枢と満腹中枢の制御により，エネルギーの摂取と消費のバランスが保たれている．このエネルギーバランスが負になると体重は減少する．るいそうの病態は，エネルギー代謝における低栄養状態で，通常，食物摂取量が生体の必要量を下回った場合に出現する．

食物摂取の不足が軽度であれば，生体は体重の減少，基礎代謝率の低下，生理機能の低下，各種ホルモン・酵素の産生低下などに対して窒素バランスを保つことにより適応する．

飢餓状態では，エネルギー源としてグリコーゲンがまず利用され，これが枯渇すると脂肪が消費され，体脂肪は減少する．脂肪が分解する結果，遊離脂肪酸が肝に流入してケトン体を産生し，ケトーシスを生じる．体蛋白も分解され，アミノ酸

図1 るいそうの原因

がエネルギー源として利用されるため、窒素バランスは負となり、筋肉や臓器は萎縮する。

るいそうをきたす原因には、食物摂取量の不足、消化・吸収の障害、栄養素の利用障害、代謝・異化の亢進、栄養素の体外への喪失などが挙げられる。図1と表1に、るいそうの原因、機序と代表的な原因疾患を示す。

病態・原因疾患の割合

図2にるいそうの代表的な原因疾患の頻度と臨床的重要性の関係を示す。意図しない体重減少の原因の約65%になんらかの器質性疾患があり、多い順に悪性腫瘍、糖尿病、うつ病を含む精神神経疾患などが並ぶ。

るいそうの原因疾患の頻度は、その程度や出現速度によって異なり、軽症では単純性るいそうが大部分を占める。高度のるいそうをきたす場合には、若年女性では摂食障害や精神神経疾患によるものが多く、体重30 kg以下のことも稀でない。高齢者のるいそうの原因としては、悪性腫瘍による悪液質の頻度が高く、臨床的にも重要である。甲状腺機能亢進症は若年女性に多く、短期間に体重が減少する。

診断の進め方

診断の進め方のポイント

- BMI 18.5未満を低体重と判定し、6〜12か月の間に4.5 kg以上あるいは元の体重の5%以上の急速な体重減少をきたすような場合には、原因疾患の検索を行う。
- 最初の医療面接では、意図しない体重減少であるのか、ダイエットをして減量しているのかをはっきりさせる。
- 体重が何か月で具体的に何kg減っているのか

表1 るいそうの原因

食物摂取の不足
- 食物不足：社会環境，経済的理由など
- 食欲不振，拒食
  - 精神的原因：摂食障害，うつ病，不安症，統合失調症など
  - 消化器疾患：胃炎，消化性潰瘍，胃癌，肝炎など
  - 全身性疾患：感染症，悪性腫瘍，妊娠悪阻，尿毒症，電解質異常など
  - 視床下部摂食中枢の障害：視床下部腫瘍など
  - 内分泌疾患：下垂体機能低下症，Sheehan（シーハン）症候群，副甲状腺機能亢進症，Addison（アジソン）病など
- 消化管通過障害：口腔疾患，食道癌，アカラシア，胃癌，球麻痺など
- 中毒：アルコール，麻薬・覚醒剤，ビタミン（A，D）など

消化・吸収の障害
- 消化器官の障害：胃切除，膵炎など
- 吸収器官の障害：腸管切除，腸管短絡手術，潰瘍性大腸炎，Crohn（クローン）病，腸結核，吸収不良症候群，蛋白漏出性腸炎，下剤の乱用など

栄養素の利用障害
- 先天性代謝異常：ガラクトース血症など
- 内分泌・代謝疾患：糖尿病，下垂体機能低下症，Addison病など
- 肝疾患：肝硬変，慢性肝炎など

代謝・異化，エネルギー消費の亢進
- 炎症性サイトカインの産生増加：悪性腫瘍，感染症，膠原病，血管炎など
- 内分泌疾患：甲状腺機能亢進症，褐色細胞腫など
- 薬物：甲状腺ホルモン薬，覚醒剤など
- 運動：マラソン，重労働など

摂取エネルギーの喪失
- 寄生虫疾患：条虫症，回虫症など
- 尿細管異常：Fanconi症候群，腎性糖尿など
- 体液の喪失：熱傷，外傷，外科的処置など

原因不明

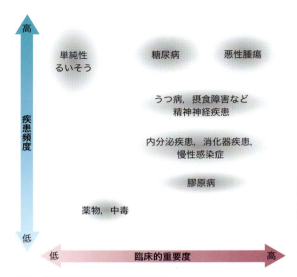

図2 疾患の頻度と臨床的重要度

を聞く．はっきりしない場合には受診時に体重を測定し，1か月後の再検で比較してみる．
- 前述のように，多彩な原因疾患によりるいそうは起こる．
- 発症年齢や性別により原因疾患の頻度が異なる．

医療面接（表2）

るいそうの患者を診察する際には，以下の点に気をつけて詳細な医療面接を行う．
- 体重減少は患者が意図したものかどうかを聞く．意図した減少であれば運動量の増加や摂食障害の可能性がある．
- 体重が何か月で具体的に何 kg 減っているのかを聞く．また，体重減少の進行は急激であるのか，緩徐に進行しているのかも確認する．
- 誘因があれば確認する．
- 随伴症状はあるか．消化器症状（悪心・嘔吐，腹痛，下痢，便秘，下血，消化不良便など）のみならず，発熱，口渇，多飲，多尿，黄疸，リンパ節腫脹，振戦，頻脈，多汗，無月経，不眠，意欲低下などの有無についても聞く．
- 食欲の有無と実際の食事摂取量はどうか，食事摂取のできない社会的・経済的要因はないか．女性では月経や無月経となったときの体重について聞く．
- 結核やHIVなどに感染する機会はなかったか．
- 嗜好品はどうか，アルコールやタバコの多量摂取はないか．特に飲酒量は家族に確認する必要がある．アルコール依存に関しては後述のCAGEスコアを用いて評価するとよい．
- 常用薬があるか．やせ薬，下剤，利尿薬の使用の有無や覚醒剤・麻薬中毒の可能性はどうか．
- 職業は何か．重金属への曝露はないか．
- 消化器疾患の既往や手術歴はないか．

摂食障害などの精神神経疾患の場合には，患者本人は自らの食行動を明らかにしない場合もある

表2 医療面接のポイント

意図しない体重減少の有無
- 意図しない体重減少があるのか，ダイエットをして減量しているのか明らかにする

経過
- 体重減少はいつからか，どのぐらいの期間にどの程度やせたのか
- やせは急激に始まったのか，徐々に始まったのか

誘因
- 職場や家庭環境の変化やトラブルはなかったか
- ダイエットを契機として始まっていないか

随伴症状の有無と内容
- 腹痛，下痢，悪心・嘔吐などの消化器症状はないか
- 発熱，リンパ節腫大，関節痛などはないか
- 咳，痰，喀血，胸痛，呼吸困難など呼吸・循環器系の障害はないか
- 発汗，頻脈，甲状腺腫など甲状腺機能亢進症状はないか
- 無月経，恥毛・腋毛の脱落，睾丸の萎縮など性腺機能低下の症状はないか
- 口渇，多飲，多尿など糖尿病の症状はないか
- 不眠，抑うつ気分，意欲の低下など，うつ病に基づく症状はないか
- 四肢の筋力低下や嚥下困難など神経筋疾患の症状はないか
- これらの随伴症状はいつからどのように起こってきたか

生活歴
- 食事の回数や内容，1日の摂食量はどうか，十分な食事摂取ができない社会的・経済的理由はないか
- 過食や嘔吐のエピソードはないか
- 月経はどうか，無月経となった時期の体重はどうであったか
- 睡眠障害や仕事への意欲低下はないか，休日はどのように過ごしているか
- 結核やHIVに感染する機会はなかったか

嗜好品・常用薬
- アルコール，タバコの常用量はどうか，下剤や利尿薬の乱用はないか
- ダイエット食品の使用，やせ願望はないか
- 覚醒剤や麻薬中毒の可能性はないか

職業歴
- 職業の内容，仕事量，ストレスの有無について聴取する
- 重金属中毒をきたしうる職場環境ではないか

家族歴
- 家族の体格や生活状況はどうか

既往歴
- 消化器疾患の既往や手術歴はないか
- 分娩時の大量出血や頭部外傷の既往はないか

表3 身体診察のポイント

バイタルサイン
- 血圧，脈拍数は栄養障害時には低下することが多い．発熱の有無を確認する

全身状態
- 体格：適正体重の−20％以上の体重減少を確認．脂肪・筋肉の萎縮について観察する
- 皮膚：湿潤度，うぶ毛，恥毛・腋毛の状態を観察．色素沈着の有無を確認する

頭頸部
- 顔貌・表情：不安，恐怖，苦悶などの表情の観察．眼球陥凹・突出の有無を確認する
- 結膜：貧血，黄疸の有無を確認する
- 頸部：甲状腺腫やリンパ節腫脹の有無を触診で確認する

胸部
- 打診・聴診で心肺疾患の有無を診察する
- 乳房萎縮の有無と程度を観察する

腹部
- 触診で圧痛，肝脾腫，腹部腫瘤や腹水の有無を観察する

四肢
- 浮腫，筋萎縮，筋力低下，関節腫脹・変形などを観察する

神経系
- 腱反射の異常，運動障害，感覚障害の有無を観察する

ため，家人などからの聴取も重要である．

身体診察（表3）

身体診察の際には，全身を詳細に診察し，種々の症状・徴候に注意を払う必要がある．

るいそうでは原因疾患により種々の異なった症状が出現するが，やせと体重減少は必発である．皮下脂肪や筋肉蛋白が失われた結果，骨格が明瞭に現れ，両眼は陥凹する．皮膚は薄くなって乾燥し，光沢を失う．筋肉は萎縮し弛緩する．栄養障害がさらに進行すると，低蛋白血症による血漿膠質浸透圧の低下のため浮腫が現れる．その他，低血圧，呼吸数の減少などがみられ，重症では口唇や爪床にチアノーゼが認められる．腱反射は低下ないし消失する．

精神疾患では，不安や苦悶などの表情がみられることが多い．

内分泌疾患によるるいそうの場合には，Basedow病の眼球突出・甲状腺腫・頻脈・振戦・

発汗・アキレス腱反射弛緩相の短縮，Addison 病の皮膚・粘膜の色素沈着，下垂体機能低下症や Sheehan 症候群における恥毛・腋毛の脱落や乳房の萎縮など，各疾患に特徴的な徴候に注意する．摂食障害では，無月経は必発でるいそうも高度であるが，乳房は比較的保たれ，恥毛・腋毛は脱落せず，うぶ毛はよく密生する．

診断のターニングポイント(図3)

医療面接と身体診察を総合して考える点

るいそうをきたす原因としては，表1に示したように，きわめて多くの病態や疾患が考えられるため，常にこれらを念頭において診断を進めていく必要がある．

- (確定診断)高度のるいそうは，皮膚や筋肉の萎縮，徐脈，低血圧，浮腫などが共通の身体所見として認められる．
- (確定診断)病歴情報や生活習慣，食生活の聴取から，特に器質性疾患がなく，体重減少も軽度かつ安定している単純性るいそうや摂食障害はおおむね診断可能である．
- (確定診断)病歴聴取や CAGE スコアを用いたアルコール依存のスクリーニングにより，アルコールおよび薬物によるるいそうは診断できる．
- 悪性腫瘍，消化器疾患，内分泌疾患，感染症，膠原病などによる場合には，原因疾患による随伴症状の有無とその経過を詳細に聴取することが重要で，通常，原因疾患により特徴的な症状を伴っている．

> - 腹部の圧痛，腹部腫瘤，肝脾腫，腹水貯留 → 悪性腫瘍，消化器疾患
> - 発熱，リンパ節腫大 → 感染症，膠原病，悪性リンパ腫
> - 口渇，多飲，多尿 → 糖尿病
> - 抑うつ気分，不眠，易疲労感など → うつ病
> - 食欲低下なし，動悸・頻脈，振戦，発汗，下痢，眼球突出，甲状腺腫 → 甲状腺機能亢進症
> - 無月経，乳房の萎縮，恥毛・腋毛の脱落 → 下垂体機能低下症
> - 皮膚・粘膜の色素沈着 → Addison 病
> - 嚥下機能の低下，感覚障害，運動麻痺 → 神経疾患
> - 高度のやせにもかかわらず，乳房の萎縮や恥毛・腋毛の脱落が軽度で，うぶ毛の増生あり → 摂食障害

必要なスクリーニング検査

医療面接および身体診察によって可能性を絞ったうえで，初期検査として尿検査，便検査，血球検査，肝・腎機能検査，Ca，P を含む電解質，血糖および HbA1c，コレステロール，総蛋白・蛋白分画，炎症反応(CRP，赤沈)，甲状腺機能検査，胸・腹部 X 線検査，心電図などを行う．性別や年齢，危険因子に見合った悪性腫瘍のスクリーニングも行う．

❶ 尿検査

尿糖陽性より糖尿病の存在を疑う．また，尿ケトン体陽性より摂食障害の程度や，やせの経過を知る手がかりを得る．尿蛋白や血尿の存在は膠原病，血管炎症候群などの可能性を疑う．

❷ 便検査

消化管悪性腫瘍に対する潜血反応や寄生虫の虫卵検査などを行う．

❸ 血球検査(血算)

高度の栄養障害では，貧血や白血球数(WBC)減少がみられることが多い．好酸球の増加は副腎不全の存在を疑わせる．

❹ 血液生化学検査

肝機能検査や腎機能検査により，るいそうの原因となる臓器障害の有無を知る．栄養障害が高度な場合には，AST・ALT の上昇，低蛋白血症，高コレステロール血症や低血糖をきたす例がある．血糖値や糖化蛋白(HbA1c やグリコアルブミン)の測定は糖尿病の診断に必須である．ALP の上昇やコレステロールの低値を契機に甲状腺機能亢進症が診断されたり，電解質異常から食行動異常(頻回の嘔吐，下剤の乱用など)や内分泌疾患が見

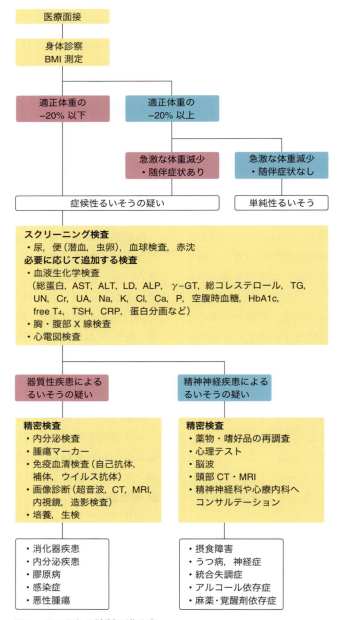

図3 るいそうの診断の進め方

出されることも稀でない．

❺ 胸部X線検査

胸部では結核症などの感染症や悪性腫瘍の存在を診断する．腹部では異常ガスの有無を確認する．

❻ 心電図検査

やせの原因となる心疾患の有無(cardiac cachexia)，栄養障害時の徐脈や低電位を知るうえで有用である．甲状腺機能亢進症では頻脈があり，心房細動などの不整脈を合併していることがある．

診断確定のために

医療面接，身体診察，スクリーニング検査の結果から，るいそうをきたす原因をかなり絞り込むことができるが，確定診断には，さらに以下のような精査が必要である．

消化器疾患の確定診断

消化器疾患では，嚥下障害，悪心・嘔吐，下痢，腹痛などの消化器症状を伴うことが多い．消化管の通過障害や炎症のみならず，慢性膵炎などによる吸収不良もるいそうの原因となる．これらの鑑別には，アミラーゼや腫瘍マーカーの測定，消化管造影・内視鏡，超音波検査，腹部CT・MRI，生検などを行う．

内分泌・代謝疾患の確定診断

下垂体機能低下症やAddison病では，コルチゾール欠乏により摂食量が低下する．甲状腺機能亢進症や褐色細胞腫では，摂食量は減少していなくても代謝亢進により体重減少をきたす．糖尿病では糖の利用障害により体重減少をきたすが，口渇・多尿などを伴うことが多い．

これらの原因の鑑別には以下の検査を適宜，組み合わせて行う必要がある．

❶ ホルモン測定

甲状腺刺激ホルモン(TSH)，甲状腺ホルモン(free T_3, free T_4)，ACTH，血漿コルチゾール，尿中遊離コルチゾール，黄体形成ホルモン(LH)，卵胞刺激ホルモン(FSH)，エストラジオール(E_2)，プロゲステロン(P_4)，テストステロン，尿中カテコールアミン(CA)・メタネフリン分画など．

❷ 各種負荷試験

経口グルコース負荷試験(OGTT)，ACTH負荷試験，視床下部ホルモン三者(TRH，LH-RH，CRH)同時負荷試験など．

❸ 画像診断

X線検査，超音波検査，CT・MRI検査，シンチグラフィーなど．

感染症の確定診断

感染症では，発熱，全身倦怠感，盗汗，食欲不振などの全身症状に加えて，感染部位により異なった局所症状を呈する．赤沈の亢進，WBC増加，CRPや各種炎症性蛋白の増加などの異常が認められることが多い．

以下の検査で鑑別および確定診断を行う．

❶ 病原体の検出

細菌培養(血液，喀痰，尿，便，胸・腹水など)，ウイルス抗原の検出(PCR法，モノクローナル抗体法など)．

❷ 抗体の検出

HBV抗体，HCV抗体，梅毒血清反応(STS)，抗マイコプラズマ抗体など．抗ヒトT細胞白血病ウイルスI型抗体(抗HTLV-I抗体)や抗ヒト免疫不全ウイルス抗体(抗HIV抗体)検査は患者本人の承諾を得たうえで行う．

膠原病の確定診断

膠原病や血管炎症候群では，発熱，関節痛・関節炎，Raynaud(レイノー)現象，皮膚硬化・皮疹，浮腫，血尿・蛋白尿，喀血・喘鳴など，それぞれの疾患に特徴的な症状を伴うことが多い．

これらの疾患では，赤沈の亢進，CRP・γ-グロブリン高値などの炎症所見とともに，自己抗体の検出などの免疫異常が高率に認められる．診断や鑑別には，以下の検査を適宜実施する．

❶ 血清検査

各種自己抗体〔抗核抗体(ANA)，リウマチ因子(RF)，抗好中球細胞質抗体(ANCA)など〕の検出，補体の低下，免疫複合体(IC)の検出など．

❷ 画像診断

胸・腹部単純X線，骨・関節X線，CT・MRI，血管造影，シンチグラフィーなど．

❸ 病理組織診

皮膚生検，筋生検，腎生検，側頭動脈生検など．

悪性腫瘍の確定診断

高齢者のるいそうの原因として，悪性腫瘍を常に念頭におく必要がある．診断には，随伴症状に関連する部位から優先して，画像検査(単純X線，超音波，内視鏡，CT・MRIなど)を行う．局在が不明な場合には，ガリウム(Ga)シンチグラフィーや腫瘍マーカーの測定が有用である．診断の確定には病理組織診・細胞診を行う．膵癌，肝癌，腎癌などは局所症状を呈さないことが多いため，腹部超音波検査を行う．糖尿病による体重減少と診断してしまい，膵癌を見逃すことがあり注意する．

表4 神経性食欲不振症の診断基準

1. 標準体重の −20％ 以上のやせ（3 か月以上）
2. 食行動の異常（不食，多食，隠れ食いなど）
3. 体重や体型についての歪んだ認識（体重増加に対する極端な恐怖など）
4. 発症年齢：30 歳以下
5. （女性ならば）無月経
6. やせの原因と考えられる器質性疾患がない

備考
1. 1，2，3，5 は既往も含む
2. 食べないばかりでなく，経過中には多食になることが多い．多食にはしばしば自己誘発性嘔吐や下剤（利尿薬）乱用を伴う．その他，食物の貯蔵，盗み食いなどがみられる．また，過度に活動する傾向を伴うことが多い
3. 極端なやせ願望，身体イメージの障害などを含む．これらの点では病的と思っていないことが多い．この項は，自分の希望する体重について問診したり，低体重を維持しようとする患者の言動に着目すると明らかになることがある
4. 稀に 30 歳以上での初発もみられるが，ほとんどが 25 歳以下であり，思春期の発症が多い
5. 性器出血がホルモン投与によってのみ起こる場合は無月経とする．その他の身体症状としては，うぶ毛の密生，徐脈，便秘，低血圧，低体温，浮腫などを伴うことがある．ときに男性例がある
6. 統合失調症による奇異な拒食，うつ病による食欲不振，単なる心因反応による一時的な摂食低下を鑑別する

〔厚生省特定疾患神経性食欲不振症調査研究班，1990 より〕

精神神経疾患の確定診断

摂食障害は若年女性における代表的なるいそうの原因疾患である．典型例は，医療面接や家族からの聞き取り調査により，摂食行動や身体イメージの異常を証明することから診断できる．しかしながら，患者本人は身体イメージの自己評価を訴えず，質問しても答えない患者がいることに注意する．さらに必要に応じて心理テスト，脳波検査，頭部 CT・MRI などを行う．

摂食障害（神経性食欲不振症）の診断基準を表4に示す．

種々のストレスやうつ病も現代社会で増えており，これらが疑われる場合には，精神神経科や心療内科との迅速な連携が必要である．

アルコール・薬物中毒の確定診断

アルコール依存は CAGE スコアを用いたスクリーニングを行う．下記に 2 項目以上当てはまればアルコール依存症候群の可能性が高い．

- Cut down：自分の酒量を減らさなければならないと感じたことがありますか
- Annoyed criticism：周囲の人に今まで自分の酒量を批判され，困ったことがありますか
- Guilty feeling：自分の飲酒についてよくないと思ったり，罪悪感を感じたことがありますか
- Eye opener：朝酒をしたことがありますか

薬物による食欲低下としては，麻薬・覚醒剤に加えて，オピオイド，SSRI 投与初期，ジゴキシン，L-ドパ，抗癌薬などがある．

〈倉橋 清衛，遠藤 逸朗〉

成長障害
failure to thrive

成長障害とは

定義

ある年齢の平均（M）および標準偏差（SD）に基づく身長の評価により，M±2SDを基準範囲とみなす．一般にM−3SD以下を明らかな成長障害とし，M−2SDとM−3SDの間は病的低身長の疑いと判断する．

患者の訴え方

低身長以外に特異的な訴えはない．本人の自覚，あるいは家族・学校健診などにより指摘を受けて受診することが多い．

患者が成長障害を訴える頻度

身長の度数分布曲線は正規分布を示すと考えられるので，統計学的にM−3SD以下の低身長は1,000人に対して約1.5人，M−2SD以下は1,000人に対して約24人存在することになる．

症候から原因疾患へ

病態の考え方（図1）

小児期の発育・発達には遺伝的要素，栄養，内分泌などが複雑に関与しており，さまざまな内的因子あるいは外的因子の異常によって成長が障害される（表1）．

成長は軟骨細胞の増殖の結果であるので，その過程に最も直接的に関与する成長ホルモン（growth hormone; GH）／インスリン様成長因子-I（insulin-like growth factor I; IGF-Iまたはソマトメジン C）の内分泌系が最も重要な因子と考えられる．GHは視床下部から産生されたGH放出ホルモン（GH-releasing hormone; GH-RH）の刺激を受けて下垂体前葉から分泌され，主に肝臓におけるIGF-Iの産生を促進する（図2）．GH作用の大部分はIGF-Iを介するものと考えられている．成長障害が認められた場合，まずGH/IGF-I系の評価を行うことが最も重要である．これに

図1　成長障害の原因

表1 成長障害をきたす疾患

内分泌異常
- 成長ホルモン分泌不全性低身長
  - 特発性
  - 器質性
- 甲状腺機能低下症
  - クレチン症
  - 慢性甲状腺炎
  - 萎縮性甲状腺炎
- 思春期早発症など
- 偽性副甲状腺機能低下症
- 先天性副腎皮質過形成症
- Cushing(クッシング)症候群

染色体異常
- Turner(ターナー)症候群
- Down(ダウン)症候群
- Prader-Willi(プラダー・ウィリ)症候群など

奇形症候群
- Noonan(ヌーナン)症候群
- Russell-Silver(ラッセル・シルバー)症候群など

骨系統疾患
- 軟骨形成不全(achondroplasia)
- 骨幹端異形成症(metaphyseal dysplasia)など

代謝・栄養障害
- くる病
- 先天性代謝異常症
  - 糖原病
  - ムコ多糖症
  - 尿細管アシドーシス
- 栄養障害(malnutrition)など

慢性疾患
- 呼吸器系：重症喘息など
- 循環器系：チアノーゼ性心疾患など
- 腎疾患：慢性腎不全など
- 消化器系：Crohn(クローン)病など
- 神経系：てんかんなど
- その他

愛情遮断症候群
- 虐待

医原性
- グルココルチコイドの長期投与など

非内分泌性低身長(狭義)
- 特発性低身長
- 胎児発育不全(FGR)
- SGA性低身長症
- 家族性低身長

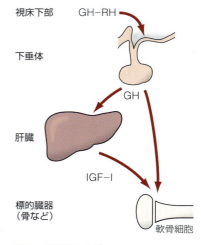

図2 GH/IGF-I系

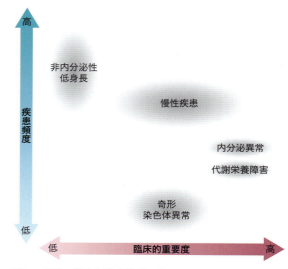

図3 疾患の頻度と臨床的重要度

よりGH分泌不全性低身長と(広義の)非内分泌性低身長との鑑別が可能となり，治療方針も決定される．

表1に挙げた疾患群のなかでも，栄養障害は肝臓でのIGF-Iの産生を低下させ，愛情遮断症候群ではGH分泌の低下がみられるなどGH/IGF-I系との関連性が認められる場合もある．しかし，一般に成長障害が起こる原因は必ずしも明らかでない．

病態・原因疾患の割合(図3)

成長障害のうち約95％は広義の非内分泌性低身長であり，GH分泌不全によるものは5％以下である．非内分泌性の半数以上は明らかな原因を認めない特発性あるいは体質性の低身長である．

表2 低身長と target height

低身長
- 正常集団との比較および遺伝的素因との比較の両者において低身長と評価されるとき

低身長の疑い
- 正常集団との比較，または遺伝的素因との比較のどちらかにおいて低身長と評価されるとき

正常集団との比較における低身長
- 身長 ＜3パーセンタイルあるいは ＜−2SD のとき

遺伝的素因との比較における低身長
- 身長のパーセンタイル値あるいは SD 値が target range のパーセンタイル値あるいは SD 値を下回るとき

target height (TH)
- 男児：〔父親の身長＋（母親の身長＋13）〕/2(cm)
- 女児：〔（父親の身長−13）＋母親の身長〕/2(cm)

target range
- 男児：TH±9(cm)
- 女児：TH±8(cm)

表3 成長率低下

成長率低下
- 2歳以上かつ思春期年齢前において，成長曲線上2チャンネルを超える下向きのシフトあり

成長率低下の疑い
- 2歳以上かつ思春期年齢前において，成長曲線上2チャンネルを超えない下向きのシフトがある．または2歳以下かつ思春期年齢後において，成長曲線上2チャンネルを超える下向きのシフトがある

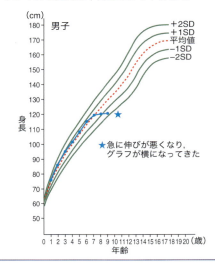

診断の進め方

診断の進め方のポイント

- 成長障害に関して，現在の身長および成長率の両者から身長を評価する必要がある．
- 現在の身長を正常集団および遺伝的素因と比較する(表2)．
- 成長曲線を作成し，成長率を評価する(表3)．
- 低身長および成長率低下の両方が存在すれば，治療が必要である病的低身長の存在が確実となり，低身長＋成長率の低下の疑い，あるいは低身長の疑い＋成長率の低下では，病的低身長の可能性が高い．
- 『成長ホルモン分泌不全性低身長症の診断の手引き』が2018年に改訂され，成長障害の定義は，「通常は，身体のつりあいはとれていて，身長は標準身長の −2.0 SD 以下，あるいは身長が基準範囲であっても，成長速度が2年以上にわたって標準値の −1.5 SD 以下であること．但し，頭蓋内器質性疾患や他の下垂体ホルモン分泌不全がある場合は，成長速度の観察期間は2年未満でもよい」と定義されている．
- 原因が明らかでない特発性低身長が頻度として最も高い．

- 低身長を主訴に専門医療機関を受診する患者の90%以上は治療対象とならない．
- 成長障害や低身長の原因のほとんどは非内分泌性であるが，GH や甲状腺ホルモン補充により治療可能な成長障害があるので，これらの治療適応について検討する．
- 広義の非内分泌性低身長の原因は多彩である〔図1(☞ 253 ページ)〕．これらは簡単な診察や検査で除外できるものが多い．

医療面接(表4)

　成長障害以外の全身症状について確認する．母子手帳や学校の身体検査の記録などをもとに，本人の身長，成長率を評価する．在胎週数を含む周産期情報，出生時の身長・体重，分娩時の異常の有無，乳幼児期の知能，運動能の発達歴，体重変化なども確認する．乳幼児期から現在に至るまでの栄養摂取状態，家庭環境(家庭内暴力など)，慢性疾患，頭蓋内器質性疾患，外傷の既往歴(治療歴

表4　医療面接のポイント
経過 ■ いつから，どの程度の成長障害に気がついたか ■ 在胎週数，出生時の身長・体重および乳幼児期の発育・発達歴を確認する **全身症状の有無と内容** ■ 全身倦怠感，多飲・多尿，頭痛，悪心・嘔吐，寒がり，立ちくらみ，呼吸困難，下痢，骨痛，歩行困難など，随伴する自覚症状はないか ■ 上記の全身症状があるとすれば，いつからか **生活歴** ■ 乳幼児期から現在までの栄養摂取状態，家庭環境などを確認する **家族歴** ■ 両親の身長を確認する ■ 近親婚の有無を確認する ■ 染色体異常，奇形などの先天性疾患の存在の有無を確認する **既往歴** ■ 慢性疾患の有無，副腎皮質ステロイド薬などによる治療歴の有無を確認する

表5　身体診察のポイント
バイタルサイン ■ 体温：感染症など，慢性炎症性疾患を鑑別する **全身状態** ■ 体格：身長，体重，頭囲，指端距離(arm span)，四肢短縮や体幹短縮，側弯の有無，BMI，肥満症などを評価する ■ 性器の発育，腋毛・恥毛の有無を確認する ■ 体表の奇形の有無を確認する **頭頸部** ■ 顔貌：先天性疾患などにみられる特徴的な顔貌の有無を確認する ■ 結膜：慢性貧血や肝障害による黄疸の有無を確認する ■ 視力：視野異常などの有無を確認する ■ 頸部：触診により甲状腺腫やリンパ節腫大の有無を調べる **胸部** ■ 聴診で先天性心疾患や喘息などの有無を確認する **腹部** ■ 触診で肝腫大や脾腫の有無などを確認する **四肢** ■ 心臓・肝臓の異常などの浮腫性疾患を鑑別する ■ 四肢の変形の有無(X脚やO脚など)を確認する **神経系** ■ 脳神経所見，腱反射異常，病的反射の有無などを確認する

も含めて)，内服歴，思春期発来時期などについても必ず聴取する．また，両親の身長の確認も，後述する家族性低身長の診断に不可欠である．

身体診察(表5)

成長ホルモン分泌不全性低身長は，通常，均整のとれた体型である．四肢の短縮は軟骨形成不全(achondroplasia)などの骨系統疾患を示唆する．クレチン様顔貌などの特徴的な顔貌や，翼状頸・外反肘・高口蓋・母斑・斜視・眼瞼下垂などの小奇形は，種々の先天性疾患の診断の手がかりとなる．虐待児では外傷や皮下出血がみられる．

二次性徴の異常は性ホルモン異常を，視力・視野異常は脳下垂体・視床下部近傍の占拠性病変を，甲状腺腫は甲状腺ホルモン低下症を疑う手がかりとなる．

診断のターニングポイント(図4)

医療面接と身体診察を総合して考える点

■ 〔確定診断〕GHとIGF-I値，TSH，free T$_4$，free T$_3$値などから，GH分泌不全および甲状腺機能低下症による成長障害は診断がつく．

■ 〔確定診断〕染色体異常，奇形症候群，骨系統疾患，くる病，栄養障害，慢性疾患に伴う成長障害は，医療面接と身体診察で診断のつくことが多い．

■ 成長曲線，病歴情報および現在の所見から，成長障害の原因が先天的なものか後天的のものか，ある程度は推測できる．

必要なスクリーニング検査

さまざまな疾患が成長障害の原因となりうるので，GH系の評価に加え，必ず一般検査によるスクリーニングを行う．

❶ 尿検査

尿糖は糖尿病を，尿蛋白は腎疾患を疑う手がかりとなる．

❷ 血球検査(血算)

貧血(ヘモグロビン濃度低下)や感染症〔白血球数(WBC)増加〕の診断に有用である．

表6　GH/IGF-I系の障害部位診断法

障害部位	GH刺激試験	GH基礎分泌	IGF-I IGFBP-3	GH負荷によるIGF-Iの反応
神経分泌	正常	低下	低下	正常
視床下部	低下	低下	低下	正常
下垂体	低下	低下	低下	正常
IGF産生組織	正常	正常	低下	低下
IGF標的組織	正常	正常	正常	低下

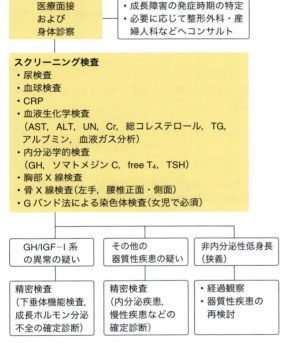

図4　成長障害の診断の進め方

❸ 血液生化学検査

慢性炎症性疾患の鑑別にはCRPが有用である．腎機能(UN, Cr)や肝機能(AST, ALT)なども必須である．一般栄養状態は，総コレステロール，アルブミン，ChEなどにより評価できる．

❹ 胸部X線検査

心肺疾患のスクリーニングに有用である．

❺ 内分泌学的検査

GHは脈動的に分泌され，夜間第一深睡眠時に最も高値を示す．したがって，1回のGH採血では分泌低下の判断はできない．IGF-1(ソマトメジンC)やインスリン様成長因子結合蛋白3型(IGFBP-3)はGHの分泌をよく反映しており，日内変動も少ない．一般にIGF-1が単回採血にお

けるGH分泌指標として用いられている．GH異常が疑われる場合には，後述するように確診のための検査を行うことが必要であるが，同時に下垂体機能異常の鑑別のために他の下垂体ホルモンの基礎値の測定や，CRH，LH-RH，甲状腺刺激ホルモン(TSH)放出ホルモン(TRH)の三者負荷試験により下垂体前葉の予備能の評価も行う．

甲状腺疾患のスクリーニングには，free T_4 とTSHを測定する．性腺機能異常を伴う疾患の診断には黄体形成ホルモン(LH)，卵胞刺激ホルモン(FSH)や各種性ホルモンの測定が有用である．

❻ 骨X線検査

くる病や骨系統疾患の診断に有用である．また，骨端線閉鎖の有無や，手根骨の状態から，骨年齢を判定することができる．

腰椎，椎弓根間距離狭小は，軟骨無形成症でみられる．

診断確定のために

スクリーニング検査により，二次的な(広義の)非内分泌性成長障害の多くは診断することができる．まず重要なのは，治療可能な病態であるGH分泌不全による成長障害である．

GH/IGF-I系の異常による成長障害の確定診断

図2のGH/IGF-I系のどの部位が障害されても成長障害が起こりうる．その診断法を表6に示す．実際にはGH分泌不全を伴うものがほとんどで，これらはGH治療の適応となることが多い．

GH分泌不全性低身長症の診断は，表7に示した厚生労働省「間脳下垂体機能障害に関する調査研究」班による診断の手引きに従う．診断には少

表7 成長ホルモン分泌不全性低身長症の診断の手引き(平成30年度改訂)

I. 主症候
1. 成長障害があること
   通常は，身体のつりあいはとれていて，身長は標準身長の−2.0 SD以下，あるいは身長が基準範囲であっても，成長速度が2年以上にわたって標準値の−1.5 SD以下であること．但し，頭蓋内器質性疾患や他の下垂体ホルモン分泌不全がある場合は，成長速度の観察期間は2年未満でもよい
2. 乳幼児で，低身長を認めない場合であっても，成長ホルモン分泌不全が原因と考えられる症候性低血糖がある場合
3. 頭蓋内器質性疾患や他の下垂体ホルモン分泌不全がある場合

II. 検査所見
成長ホルモン(GH)分泌刺激試験として，インスリン負荷，アルギニン負荷，L-DOPA負荷，クロニジン負荷，グルカゴン負荷，またはGHRP-2負荷試験を行い，下記の値が得られること：インスリン負荷，アルギニン負荷，L-DOPA負荷，クロニジン負荷，またはグルカゴン負荷試験において，原則として負荷前および負荷後120分間(グルカゴン負荷では180分間)にわたり，30分毎に測定した血清(血漿)中GH濃度の頂値が6 ng/mL以下であること．GHRP-2負荷試験で，負荷前および負荷後60分にわたり，15分毎に測定した血清(血漿)GH頂値が16 ng/mL以下であること

III. 参考所見
1. 明らかな周産期障害がある
2. 24時間あるいは夜間入眠後3〜4時間にわたって20分毎に測定した血清(血漿)GH濃度の平均値が正常値に比べ低値である
3. 血清(血漿)IGF-1値が正常値に比べ低値である
4. 骨年齢が暦年齢の80%以下である

[判定基準]
確実例：
1. 主症候がIの1を満たし，かつIIの2種類以上の分泌刺激試験において，検査所見を満たすもの
2. 主症候がIの2あるいは，Iの1と3を満たし，IIの1種類の分泌刺激試験において検査所見を満たすもの

疑い例：
1. 主症候がIの1または2を満たし，かつIIIの参考所見の4項目のうち3項目以上を満たすもの
2. 主症候がIの1を満たし，IIの1種類の分泌刺激試験において検査所見を満たし，かつIIIの参考所見のうち2項目を満たすもの
3. 主症候がIの1と3を満たし，かつIIIの参考所見のうち2項目以上を満たすもの

[病型分類]
成長ホルモン分泌不全性低身長症は，分泌不全の程度により次のように分類する

重症成長ホルモン分泌不全性低身長症
1. 主症候がIの1を満たし，かつIIの2種以上の分泌刺激試験におけるGH頂値がすべて3 ng/mL以下(GHRP-2負荷試験では10 ng/mL以下)のもの
2. 主症候がIの2または，Iの1と3を満たし，かつIIの1種類の分泌刺激試験におけるGH頂値が3 ng/mL以下(GHRP-2負荷試験では10 ng/mL以下)のもの

中等症成長ホルモン分泌不全性低身長症
「重症成長ホルモン分泌不全性低身長症」を除く成長ホルモン分泌不全性低身長症のうち，全てのGH頂値が6 ng/mL以下(GHRP-2負荷試験では16 ng/mL以下)のもの

軽症成長ホルモン分泌不全性低身長症
成長ホルモン分泌不全性低身長症のうち，「重症成長ホルモン分泌不全性低身長症」と「中等症成長ホルモン分泌不全性低身長症」を除いたもの

〔厚生労働科学研究費補助金難治性疾患等政策研究事業「間脳下垂体機能障害に関する調査研究」班：間脳下垂体機能障害の診断と治療の手引き(平成30年度改訂), 2019より〕

なくとも2つのGH刺激試験が必要であり，その結果に基づいて分泌不全の程度により軽症，中等症，重症に分類する．

IGF-IやIGF結合蛋白3型(IGFBP-3)の測定も有用で，スクリーニング検査としても優れているが，軽症の場合には必ずしも低値とならない．器質性疾患の鑑別には下垂体部のMRI，CTなどの画像検査を行う．GH分泌不全と診断した場合には，必ず下垂体前葉ホルモンの分泌予備能を視床下部ホルモン三者負荷試験などで確認する．

非内分泌性低身長（広義）の確定診断

GH の分泌能が正常な場合には広義の非内分泌性低身長となる．

内分泌疾患の鑑別には各種ホルモン検査が必要で，原発性甲状腺機能低下症は TSH 高値，free T_4 の低値から診断される．下垂体性の甲状腺機能低下症では，TSH も正常ないし低値となる．副甲状腺機能低下症やくる病などの骨代謝疾患の診断には，血液と尿中の Ca，P 濃度測定のほかに，副甲状腺ホルモン（parathyroid hormone; PTH），25-ヒドロキシビタミン D（25-OHD），$1\alpha,25$-ジヒドロキシビタミン D〔$1\alpha,25$-$(OH)_2$D〕などを測定して鑑別診断を行う．

Turner 症候群では，染色体分析により X 染色体の欠如もしくは欠失などの異常を認める．FSH 高値となることが多い．

その他，各種慢性疾患の存在が疑われた場合には，それぞれの所見に応じて鑑別診断を進める．

非内分泌性低身長（狭義）の確定診断

GH の分泌能が正常で，ほかに成長障害の原因となりうる基礎疾患が存在しない場合には，狭義の非内分泌性低身長といえる．これには FGR 性低身長，SGA 性低身長症，家族性低身長（familial short stature; FSS），特発性低身長（idiopathic short stature; ISS）が含まれる．

FGR 性低身長は現在の身長が M-2 SD 以下で，出生時の身長または体重が，在胎週数相当の基準値の -1.55 SD の場合を指す．

SGA 性低身長症は，出生時の体重および身長がともに在胎週数相当の 10 パーセンタイル未満で，かつ出生の体重または身長のどちらかが，在胎週数相当の -2 SD 未満であるもののうち，暦年齢 2 歳までに -2 SD 以上に catch-up しなかった場合を指す．

FSS には明確な診断基準はないが，本人の現在の身長が -2 SD 以下で，父親または母親の身長が，その世代の -2 SD 以下，すなわち父親が 157 cm 以下もしくは母親が 145 cm 以下のときに FSS とする．もう 1 つの基準は父親と母親の身長から規定される目標身長（target height）を用いるもので，これは表 2（☞ 255 ページ）の計算式により算出される．表 2 の target height が男子で 162 cm 以下，女子で 150 cm 以下の場合も FSS と診断する．

以上の疾患がすべて除外された場合，ISS と診断する．ISS のなかには思春期遅発傾向を示し，一過性に GH 分泌不全を示す患者が約半数に認められる．これらの患者のほとんどは無治療で正常成人身長になる．しかしながら，このような患者を最終身長に達する以前に診断するのはきわめて困難で，これらの早期鑑別が今後の課題となっている．

〈原 倫世，遠藤 逸朗〉

不眠
insomnia

不眠とは

定義

不眠とは，入眠困難や睡眠維持の困難，睡眠の質の低下を認め，それに伴って疲労感，注意・集中力の低下など，日中の機能障害を認める自覚症状である．

具体的な不眠症状としては，入眠障害，中途覚醒，早朝覚醒，熟眠感の欠如の4つに大きく分けられる．睡眠時間，睡眠スタイルには個人差があり，たとえば6時間以下の睡眠ですむ短時間睡眠者もいる．睡眠時間だけからでは睡眠障害と診断することはない．

患者の訴え方

患者は「寝つきにくい」「夜中に目が覚めて，それから眠れない」「寝た感じがしない」「寝床に入るとかえって目がさえてしまう」などと訴える．ほかに「トイレに何度も起きてしまう」「足がむずむずして眠れない」など，身体症状があるために不眠があると訴えることもある．

一方，「昼間，眠気が強い」「すぐにうとうとしてしまう」と過眠を訴える人のなかには，夜間睡眠の不足を認める場合が多い．

患者が不眠を訴える頻度

慢性の不眠症状を訴える人は，日本人のおよそ20％にみられる．国際的な診断基準を満たす不眠症の有病率は，およそ6％とされる．不眠は60歳以上の高齢者に多くみられ，高齢者の3人に1人が睡眠に問題をもち，20人に1人が睡眠薬を服用している．

一方，24時間社会といわれる夜型生活への変化によって，睡眠リズムが障害される青少年の不眠が増えている．

症候から原因疾患へ

病態の考え方

不眠の原因は5つのPと表現されるように，心理的要因(psychological)，精神疾患(psychiatric)，生理学的要因(physiological)，薬理学的要因(pharmacological)，身体的要因(physical)に大別される．しかし複数の原因が重なっている場合も少なくない．その反面，不眠の原因となりうる要因を有していても，すべての人が不眠症を発現するわけではない．

不眠の原因を図1に示す．まず明らかな精神疾患，身体疾患，薬物投与などの併存疾患があるかないかで分けられる．明らかな併存疾患がない場合は，心理的な問題や特有の睡眠障害を考える．

不眠症患者では，若い頃からストレスなどにより短期間の不眠を呈する神経質な性格傾向がある可能性を指摘されている(素因)．そのような人が上記にある"5つのP"(促進因子)をきっかけにして急性不眠を呈する．

急性の不眠がうまく治療されないと，不眠へのこだわり，睡眠への不安，ベッドに長くいるなどの行動変化(遷延因子)と相まって悪循環になり，慢性の不眠を訴えるようになる．

病態・原因疾患の割合 (表1，図2)

身体疾患(疼痛)や心理的ストレスに基づくことが最も多い．精神疾患，身体疾患に伴う不眠も頻度は高いが，正確な割合の抽出は難しい．その他，睡眠時無呼吸症候群は日本人のおよそ2〜3％，むずむず脚症候群などの睡眠時随伴症は2〜4％と高い割合でみられる．概日リズム障害の有病率は

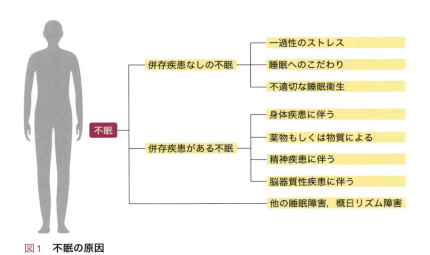

図1　不眠の原因

表1　不眠をきたす疾患

一過性ストレス
- 適応障害性不眠

睡眠へのこだわり
- 精神生理性不眠，逆説性不眠

不適切な睡眠衛生
- 騒音，光，温度

他の睡眠障害
- 睡眠時無呼吸症候群，むずむず脚（レストレスレッグス）症候群，周期性四肢運動障害，REM睡眠行動異常

概日リズム障害
- 睡眠相後退型，交代勤務型，時差型

身体疾患に伴う不眠
- 糖尿病，高血圧，慢性閉塞性肺疾患，気管支喘息，リウマチ性疾患，線維筋痛症，アトピー性皮膚炎，更年期障害

薬物や物質による不眠
- ドパミン製剤，抗コリン薬，副腎皮質ステロイド製剤，インターフェロン，β遮断薬，Ca拮抗薬，アルコール，カフェイン，喫煙

精神疾患に伴う不眠
- うつ病，双極症，統合失調症，不安症

脳器質性疾患に伴う不眠
- Parkinson（パーキンソン）病，Alzheimer（アルツハイマー）病，脳梗塞，脳腫瘍，頭部外傷

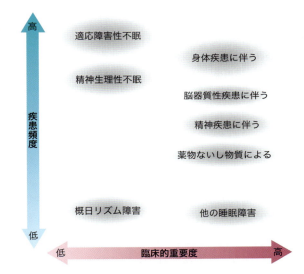

図2　疾患の頻度と臨床的重要度

一般成人では0.13％と低いが，高校生では0.4％にみられる．

診断の進め方

診断の進め方のポイント

- 医療面接を行い，急性か慢性か，どのような不眠症のタイプか，日中の機能障害がないかを診断する．
- 急性の場合，一過性のストレス，睡眠を妨げる環境，薬物，疼痛，脳器質性疾患が考えられるため，鑑別していく．
- 不眠のタイプから診断が推定される．入眠障害の原因として，環境要因や心理的ストレス，むずむず脚症候群，睡眠相後退型がある．

表2 医療面接のポイント

発症形式
- 急性あるいは徐々に発症したのか
- どのような時期に始まったのか

経過
- 入眠困難，中途覚醒，早期覚醒，熟眠障害のいずれか，または併存か
- 対処方法はどうしているのか
- 薬物を使用しているか，それに対する反応は
- 不眠以外の睡眠時の問題はあるか
- 日中の眠気，集中力の低下を確認する

誘因
- 精神的ストレスはなかったか
- 処方されている薬物の開始，変更はないか
- 引っ越しなど，住環境の変化を確認する

全身症状の有無と内容
- 発汗，体重減少，動悸，貧血，足のひきつれ，むずむず感などの随伴する症状はないか

生活歴
- 昼寝の有無，日中の運動量を確認する

嗜好品，常用薬
- アルコール，喫煙，コーヒー，常用薬の有無と量を確認する

表3 身体診察のポイント

バイタルサイン
- 体温，血圧，脈拍を確認する

全身状態
- 体格：肥満や体重減少はないか確認する
- 皮膚：発汗過多や黄疸はないか確認する

頭頸部
- 顔貌，表情：不安や恐怖感などの有無，うつ病など精神疾患の診察を行う
- 甲状腺腫の有無：甲状腺疾患の診察を行う
- 短頸，小顎：睡眠時無呼吸症候群のリスク因子を確認する

胸部
- 打・聴診で心肺疾患を診察する

腹部
- 触診で肝腫大やその他の腹腔内臓器の異常を診察する

四肢
- 手指振戦や筋力低下を確認する

神経
- 腱反射，不随意運動，小刻み歩行を診察する

- 中途覚醒は睡眠時無呼吸，アルコール摂取，疼痛がある場合に起こりやすい．
- 不眠症状が強くなくても日中に過度の眠気や集中困難がみられる場合には，睡眠時無呼吸症候群や周期性四肢運動障害など，他の睡眠障害が疑われる．詳細な検査が必要になる．

医療面接(表2)

不眠は自覚症状であり，医療面接がとても重要である．不眠の評価法には，主観的・客観的方法がある．まずは簡便な主観的方法として医療面接を行い，睡眠に関する質問紙，睡眠日誌(1〜2週間)などで確認する．

医療面接では経過や誘因を中心に，病歴をていねいに確認する．睡眠障害は高齢者に多いが，リズム障害は青少年にもみられるので，年齢も大きな情報である．すでに治療を受けている場合も多く，睡眠薬の使用について聴取する．わが国では寝酒も多いので飲酒歴についても聴取する．できればベッドパートナーからいびきや体動も確認する．

質問紙では，睡眠の質，入眠までの時間，1週間のうち何回眠れないのか，日中の活動性，睡眠へのこだわり，不眠に対しての過度な心配を評価する．

実際の睡眠時間，入眠時間の把握のために睡眠日誌をつけさせるとよい．

身体診察(表3)

医療面接や質問紙によって診断がつくことも多いが，基礎疾患の鑑別のために身体診察が欠かせない．

バイタルサイン，体重の変化，甲状腺の腫脹，疼痛の部位をみる．精神神経疾患では，行動や話し方，顔貌や表情をよく観察する．神経変性疾患では，手指の振戦や固縮，また小刻み歩行などが出る．

診断のターニングポイント

医療面接と身体診察を総合して考える点

- 図3のとおりに診断を進めていく．
- **〔確定診断〕**適応障害性不眠は，医療面接で最近ストレスがかかったイベントがあったことを聴

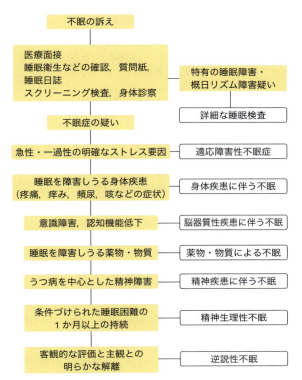

図3 不眠の診断の進め方
〔山寺 亘ほか：不眠症の診断・治療・連携ガイドライン. 日本臨牀, 67:1469–1474, 2009 より一部改変して引用〕

取すると診断がつく.
- **〔確定診断〕**薬物性不眠は，最近の薬物変更のエピソードの聴取で診断がつく.
- **〔確定診断〕**うつ病や統合失調症など精神疾患も，医療面接と身体診察を合わせて診断がつくことが多い.
- 瘙痒，疼痛，頻尿も，身体症状に伴う不眠として診断しやすい. ただし，基礎疾患，使用薬物の悪影響を合わせて考える必要がある.
- 意外と多いのが劣悪な睡眠環境，誤った生活習慣による不眠である. 生活指導で改善するため，面接の際に注意する.
- 他の原因を鑑別したうえで残るのが，精神生理性不眠，逆説性不眠である.

必要なスクリーニング検査

医療面接と身体診察から，不眠の原因を診断できることが多いが，背景として器質性疾患が存在することもある. 基本的なスクリーニング検査を

加えて，鑑別診断を進める.

❶ 尿検査
尿蛋白陽性から腎疾患，尿糖陽性から糖尿病を診断できる.

❷ 血球, 血液生化学検査
赤血球数から貧血や多血，UN, Cr から腎疾患，血清 Na, K, Cl, Ca 測定から電解質異常が確認できる. 糖尿病患者では高い割合で不眠を生じるために HbA1c 検査のスクリーニングも有用である.

❸ 血液酸素飽和度・胸部 X 線検査
肺胞低換気，喘息発作，睡眠時無呼吸などの鑑別に必要である.

❹ 心電図検査
不整脈，狭心症などは夜間に起こりやすく，中途覚醒を起こしうる.

❺ 頭部 CT, 頭部 MRI 検査
意識障害や認知機能低下があり，変性疾患を疑う場合には画像診断も行う.

診断確定のために

病歴情報，身体所見，スクリーニング検査の結果に基づき，不眠をきたす精神科疾患，内科疾患が併存していないかを鑑別する. 疾患ごとの確定診断のポイントについて以下のことに注意する.

精神生理性不眠の確定診断

種々の型の不眠が日中の精神機能の障害を伴っている. 不眠に対する過度の不安と緊張がみられる. 寝室に横になっただけで緊張が生じるなどの条件づけが形成されている(図4).

治療原則としては，睡眠について正しく理解するように指導することであり，睡眠衛生指導が効果を示すことが多い(表4).

薬原性不眠の確定診断

副腎皮質ステロイド薬，抗 Parkinson 病薬やインターフェロンといった高い割合で睡眠障害を引き起こすものと，脂質異常症薬，Ca 拮抗薬のように低い割合のものがある. 投与初期でも，慢性投与中にも発症しうる. カフェインやニコチンといった刺激物も，夜間帯の摂取で睡眠が妨げられ

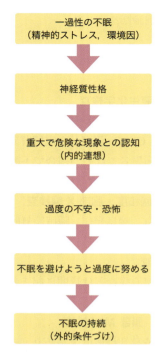

図4 精神生理性不眠症の発生機序
〔山寺 亘, 伊藤 洋(内山 真 編集):睡眠障害の対応と治療ガイドライン. 第3版, p.167, じほう, 2019 より〕

表4 不眠を改善するための睡眠衛生
- 就床時刻と睡眠時間にこだわりすぎない
- 規則正しい起床直後の日光(高照度光)曝露
- 午後から夕方の適度な運動
- 適切な睡眠環境の維持
- 寝室を眠る場所として以外には使用しない
- 睡眠を妨げる物質の摂取を避ける(カフェイン,アルコール,ニコチン)
- リラックスする
  - 昼間の労働と関係のない精神的・身体的活動
  - 個人に見合った入眠儀式の習慣づけ
- 必要に応じた睡眠導入薬の一時的な使用

〔山寺 亘, 伊藤 洋(内山 真 編集):睡眠障害の対応と治療ガイドライン. 第3版, p.170, じほう, 2019 より〕

る.鎮静作用のある薬物の使用で日中過眠が起こり,夜間の睡眠が妨げられることもある.

不眠や異常睡眠を起こしやすい頻用される薬物について表5にまとめた.

身体疾患に伴う不眠の確定診断

呼吸器系,心血管系,筋骨格系などの身体疾患では不眠症状が出現することがある.

慢性閉塞性肺疾患では,咳により入眠障害,中途覚醒などの重篤な睡眠障害を呈しやすい.また,睡眠中に呼吸状態が悪化しやすい.気管支喘息では夜間後半で発作が起こりやすいために中途覚醒を生じる.慢性心不全では呼吸困難感のために中途覚醒を生じる.

腎疾患患者ではむずむず脚症候群,周期性四肢運動障害,睡眠時無呼吸を起こしやすく,不眠や日中の眠気を生じやすい.糖尿病では高頻度に睡眠障害を呈する.リウマチ疾患,頸部や腰背部の疼痛などは不眠を引き起こすことが多く,また睡眠による休息感がないことが疼痛を悪化させやすい.

精神疾患に伴う不眠の確定診断

多くの精神疾患の基本的症状で,特にうつ病,不安症では診断基準の一症状である.うつ病では早朝覚醒が特徴である.背景の精神疾患が適切に治療されれば改善しうる.不眠の再発は原病の再発の予測因子となる.

脳器質性疾患に伴う不眠の確定診断

Alzheimer病などの神経変性疾患,脳血管障害,脳腫瘍,頭部外傷なども睡眠障害を起こすことがあるが,疾患特異性は認められない.見当識障害に幻覚,興奮が重複する症状のせん妄やリズム障害により,夜間の睡眠が障害されることが多い.

Parkinson病やLewy(レビー)小体病で,発症前よりREM睡眠行動異常症がみられることがある(後述).

睡眠時無呼吸症候群の確定診断

仰向けで寝ているときに気道が閉塞し,無呼吸になって中途覚醒がある.また,それによる日中の眠気を生じるが本人が自覚しないことも多い.日中の眠気のために交通事故率が健常者より7倍高いといわれている.

診断には終夜睡眠ポリグラフ検査を行う.慢性の低酸素状態のために,高血圧,冠動脈疾患などの循環器系疾患を併発しやすい.

表5 睡眠障害を引き起こす報告がある主な治療薬

薬効分類	作用機序	薬物名	睡眠障害・精神症状
抗Parkinson病薬	ドパミン前駆物質	L-ドパ	不眠，過眠，悪夢(75%)
	MAO-B阻害薬	セレギリン	不眠(10〜22%)など
	ドパミン受容体作動薬	プラミペキソール，ロピニロール	過眠，不眠
	ドパミン合成・放出促進薬	アマンタジン	不眠(40%)など
	抗コリン薬	トリヘキシフェニジル，ビペリデンなど	幻覚，妄想，躁状態，不安など行動異常が認められることがある
降圧薬	α_2受容体作動薬	クロニジンなど	眠気
	$\alpha_1 \cdot \beta$受容体遮断薬	ラベタロールなど	眠気
	β受容体遮断薬(脂溶性)	プロプラノロールなど	不眠，悪夢，倦怠感，抑うつ
	β受容体遮断薬(水溶性)	アテノロールなど	一般的に脂溶性薬物より症状は軽度
	カルシウム拮抗薬	ニフェジピン，ベラパミル	焦燥感，過覚醒など
脂質異常症治療薬		クロフィブラートなど	倦怠感，眠気
抗ヒスタミン薬	H_1受容体遮断薬 H_2受容体遮断薬		鎮静，眠気
副腎皮質ステロイド薬		プレドニゾロンなど	不眠(20〜50%)
気管支拡張薬		テオフィリンなど	不眠
抗てんかん薬		バルプロ酸，カルバマゼピンなど	鎮静，眠気
その他		インターフェロン，インターロイキン製剤	不眠，過眠

〔井上雄一(内山 真 編集):睡眠障害の対応と治療ガイドライン. 第3版, p.174, じほう, 2019 を一部改変〕

REM睡眠行動異常症の確定診断

REM睡眠の時期の夢の精神活動が行動面に表出されて，寝言，叫び，ベッドから飛び出す，暴力などの異常行動がみられる．その時に名前を呼んで覚醒させるとすぐに覚醒する．夜間せん妄との鑑別が困難であるが，せん妄ではすぐには覚醒しない．

脊髄小脳変性症，Parkinson病，Lewy小体病など脳幹部の変性疾患の前駆症状としてみられることがあり，注目されている．

むずむず脚症候群の確定診断

脚のむずむず感により入眠困難を呈する．むずむず感は夕方から夜間に悪化し，脚を動かすと改善し，安静時に悪化する．腎疾患，妊娠，貧血に伴うことが多い．

周期性四肢運動障害の確定診断

20〜40秒間隔で出現する下肢の筋収縮で，60歳以上の高齢者で高頻度にみられる．中途覚醒を生じるが，自覚しない場合もある．むずむず脚症候群に合併することもある．

概日リズム障害，睡眠相後退型の確定診断

生体リズムの遅れにより睡眠時間が極端に遅くなり，不登校，欠勤などの問題を呈する．ベンゾジアゼピン系睡眠薬を服用しても効果が少ない入眠障害に対してはリズムの問題を疑い，睡眠専門医へ紹介するのが望ましい．

〈西川 徹，甫母 瑞枝〉

失神
syncope

失神とは

定義

失神とは元来一過性の全脳虚血により一時的に意識を失う現象で，一般には数秒〜数分で回復するものを指していた．しかし，この定義はあいまいとなり，現在ではもっと広い意味の一過性意識消失をいうことが多い．すなわち，全脳虚血だけでなく，てんかんによる欠神発作，低血糖発作や心因性失神なども含まれる．

完全な意識消失には至らないふらっとしためまい感のような発作は失神前状態（presyncope）と呼ばれている．また，起立性低血圧による脳虚血などでは，倒れれば脳への血流が回復するので意識障害が数分以上続くことはまずない．一方，心原性失神などでは必ずしも脳への血流がすぐに回復するとは限らないので，発症時には失神から昏睡まで連続的な変化としてとらえる必要がある．

患者の訴え方

失神が医師の目の前で起こることは稀で，多くの場合，病歴から推測することになる．患者も失神している間は記憶がないので，失神前後の状態と失神の持続時間が問題となる．「気分が悪くなって目の前が暗くなり気を失った」というのはいわゆる脳貧血の特徴である．ふっと意識がとぎれるような感じは失神前状態で，てんかん発作の一種である可能性がある．胸痛や頭痛などの前駆症状は診断上重要である．

一般住民が失神を訴える頻度

患者が失神を訴える頻度といっても，その患者の基礎疾患によって大きく異なるので，一般住民における米国の疫学研究のデータを参考までに示す．

Framingham 心臓研究（*N. Engl. J. Med.*, 347:878–885, 2002）では，7,814 人の住民の平均 17 年の追跡で 822 件の失神が観察され，初回の失神の頻度は 6.2/1,000 人/年であった．頻度の多い原因は順に

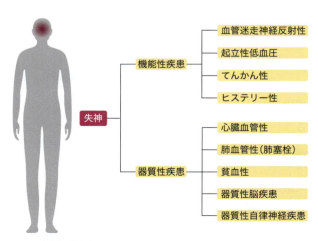

図1 失神の原因

迷走神経反射性（21.2％），心臓性（9.5％），起立性（9.4％）であり，原因不明は36.6％であったとされている．

症候から原因疾患へ

病態の考え方（図1，表1）

失神の最も多い原因は二次的な全脳虚血である．急激な血圧下降がその原因となるが，その機序として末梢血管緊張の異常と心拍出量の急激な低下が挙げられる．前者の代表が迷走神経反射性（血管緊張低下性）失神，起立性低血圧で，後者の代表がAdams-Stokes（アダムス・ストークス）症候群である．

一般に，平均血圧50 mmHgくらいまでの血圧下降では脳血管自己調節機構が働いて，脳血流を一定に保つため，失神は起こさない．しかし，自己調節機構は主として自律神経に依存しているため，機能性あるいは器質性自律神経機能不全が血圧下降の原因であれば，自己調節機構の機能不全も伴うので，脳血流が急激に減少し，失神をきたす．また血圧下降が極端に大きい場合は，たとえ自己調節機構が保たれていてもその範囲から逸脱し，失神をきたす．器質性自律神経障害をきたす代表的疾患である原発性全身性アミロイドーシスや重症の糖尿病性自律神経障害，Shy-Drager（シャイ・ドレーガー）症候群などで認められる．

Adams-Stokes症候群では，一過性心停止または心室性頻拍，心室細動などによる心拍出の停止，高度な減少による全脳虚血により失神をきたす．また，高度な大動脈弁狭窄症や閉塞性肥大型心筋症によっても起こる．

このような脳虚血に基づくもの以外に，てんかん性失神がある．一般に痙攣発作を伴う全般発作では一過性意識消失があっても失神とはいわないが，欠神発作のように瞬間的な意識消失発作のみの場合は上記の機序による失神との鑑別が困難である．また，脳自体の病変による可能性が強いことから臨床的に重要であり，失神の発現機序の1つに加えるべきである．

心因性失神の場合，急激な自律神経失調による迷走神経反射性失神をきたす場合と，いわゆるヒステリー性失神がある．後者の場合，血圧や脳波は正常に保たれ，真の意識消失とは異なる．

主な病態を図1に示す．

病態・原因疾患の割合

前述した一般住民における失神の原因疾患と病院における統計では，かなり内容が異なっている．表1はPittsburghでの成績であるが，病院受診者では迷走神経反射性失神よりも，器質性疾患に起因するものが多い．

病院受診者における疾患の頻度と臨床的重要度を図2に示す．

表1 失神の原因（Pittsburgh症例）

原因	患者数（重複あり）
心臓血管性	53
心室性頻拍	20
洞不全症候群	10
徐脈	2
上室性頻拍	3
完全房室ブロック	2
Mobitz（モービッツ）II型房室ブロック	1
ペースメーカー不全	1
頸動脈洞性失神	1
大動脈弁狭窄	5
心筋梗塞	2
解離性大動脈瘤	1
肺塞栓	1
肺高血圧症	2
非心臓血管性	54
血管迷走神経反射性	9
咳失神，排尿失神	15
薬物誘発性	6
起立性低血圧	14
一過性脳虚血発作	3
subclavian steal syndrome	2
てんかん発作	1
三叉神経痛に伴う迷走神経反射性	1
転換反応	1
不明	97
合計	204

〔Kapoor, W.N.: Syncope. *N. Engl. J. Med.*, 343:1856–1862, 2000より〕

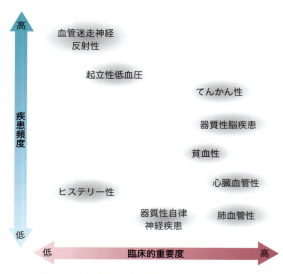

図2 疾患の頻度と臨床的重要度

表2 医療面接のポイント

経過
- 突発する胸痛(Adams-Stokes症候群,肺塞栓)や背痛(解離性大動脈瘤),頭痛(くも膜下出血),腹痛(消化管出血,腹部大動脈瘤破裂)などがあるか

誘因
- 失神時の体位はどうか
- 熱中症の可能性

既往歴
- 糖尿病治療歴(低血糖)や,肝障害(肝性脳症),てんかん既往,心疾患(脳塞栓,僧帽弁狭窄,粘液腫,心筋症),脳血管障害,感染症(DIC,敗血症性ショック),悪性腫瘍(DIC,脳転移)などはないか

嗜好品,常用薬
- 大量の飲酒歴(Wernicke(ウェルニッケ)脳症)などはないか確認する

DIC:播種性血管内凝固

表3 身体診察のポイント

バイタルサイン
- ショック,不整脈,徐脈,異常体温などがないかをまず確認する
- 起立性低血圧(中枢性自律神経障害,糖尿病性自律神経障害)の有無をみる

全身状態
- 貧血,黄疸,発汗,皮膚弾性低下(脱水),脈拍左右差(高安動脈炎,解離性大動脈瘤)をみる

胸部
- 心雑音,肺雑音,頸部・鎖骨下血管雑音の有無をみる

腹部
- 肝腫大,筋性防御,腹水の有無をみる

四肢
- 一側下肢の浮腫(深部静脈血栓→肺塞栓)はないか診察する

神経系
- 項部硬直,眼球運動異常,うっ血乳頭,局所神経症状,羽ばたき振戦の有無をみる

診断の進め方

診断の進め方のポイント

①まず生命にかかわる危険な原因によるものか,生命予後のよい機能性疾患によるものかを鑑別する.
②すなわち,心疾患,肺塞栓,くも膜下出血,失血による失神をまず鑑別することがポイントである.検査の順序もこれに従う.

医療面接(表2)

気分不良があり,眼前暗黒感(目の前がすーっと暗くなる)が前駆して失神するという訴えは,迷走神経反射によるいわゆる脳貧血に多い訴えである.

胸痛や胸部苦悶感を感じたのち失神する場合は,心原性失神や肺塞栓を疑う.

頭痛が前駆もしくは覚醒後にみられる場合は,くも膜下出血を疑う.

全く前駆症状なく失神する場合はてんかん性が多い.

精神的に不安定な場合はヒステリー性失神(意識消失はないことが多い)も疑う.

身体診察(表3)

脳貧血の場合,潜在性に貧血が進行していることがあるので,まず貧血の有無をみる.黄疸と羽ばたき振戦があれば肝性脳症を疑う.脈拍左右差があれば大動脈解離,さらに頸部血管雑音があれば高安動脈炎を疑う.心雑音があれば,重症の大動脈弁狭窄症や僧帽弁狭窄症などを疑う.一側下肢の浮腫があれば深部静脈血栓からの肺塞栓を疑

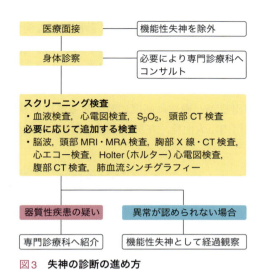

図3　失神の診断の進め方

う．項部硬直があればくも膜下出血を疑う．高度な起立性低血圧があれば器質性自律神経障害を疑う．

診断のターニングポイント(図3)

医療面接と身体診察を総合して考える点

①失神をきたすものとして，表1(☞267ページ)に示すような疾患が考えられる．これらを念頭において鑑別診断を進める．
②眼前暗黒感と眼瞼結膜貧血がある場合は，消化管出血などの亜急性失血性貧血を疑う．
③胸部症状が前駆している場合は，心雑音，Ⅱ音分裂，不整脈，脈の左右差，頸部血管雑音，一側性下肢浮腫などに注意する．
④肺疾患の既往がなく，P_aO_2低下，血圧下降例では肺塞栓を疑う．

必要なスクリーニング検査

医療面接と身体診察から失神をきたす器質性疾患の存在を推測することは可能であることが多い．しかし，失神をきたす器質性疾患は命にかかわるおそれがあるので，決して見逃さないように，適切かつ十分なスクリーニング検査を行うべきである．
主なスクリーニング検査としては次のようなものがある．

❶ 心電図検査

Adams-Stokes発作をきたす房室ブロックや著明な上室性頻脈をきたすWolff-Parkinson-White(ウォルフ・パーキンソン・ホワイト)症候群(WPW症候群)，心室細動をきたすBrugada(ブルガダ)症候群，心筋虚血や粘液水腫などを鑑別する．

❷ 血液検査(血算)

高度な貧血，播種性血管内凝固(DIC)，多血症，白血病などを鑑別する．

❸ 血液生化学検査

低血糖，高血糖をみるために血糖，肝性脳症を鑑別するためにアンモニア(NH_3)，肝機能，脱水関連で総蛋白(TP)，腎機能，電解質，心筋梗塞を鑑別するためにCK，感染症を鑑別するためにCRP，甲状腺機能異常などの鑑別にCK，総コレステロールなどを緊急検査する．

❹ 血液ガス

失神をきたす低酸素血症としては肺塞栓をまず鑑別する．特に整形外科手術後には要注意である．まず経皮的動脈血酸素飽和度(S_pO_2)でスクリーニングする．CO_2ナルコーシスが疑われる場合は，まず血液ガスを調べる．

❺ head up tilt 試験

2012年より起立性低血圧診断のための検査が保険適用となった．収縮期圧下降＞20 mmHg，拡張期圧下降＞10 mmHgのとき起立性低血圧と診断する．

診断確定のために

病歴情報，身体所見，スクリーニング検査の結果に基づき，失神をきたす疾患をかなり限定できる．しかし，器質性疾患の確定診断を行い，かつ予後までを含めた診断を行うには，以下のような精密検査が必要である．

脳の器質性疾患の確定診断

- 頭部CT検査：失神をきたす可能性の高い脳の器質性疾患としては，①くも膜下出血，②脳室出血，③脳塞栓(特に椎骨脳底動脈領域)，④脳腫瘍(てんかん)が鑑別として挙げられる．
- 頭部MRI・MRA検査：CTでは見えない椎骨

脳底動脈系血管狭窄や，拡散強調画像による超早期脳梗塞の検出が可能である．転移性脳腫瘍，髄膜腫，脳寄生虫症，ミトコンドリア脳筋症(MELAS)などのてんかんをきたす病巣，バルブ作用(脳室の髄液循環をブロックして一過性脳圧亢進をきたす)を示す脳室腫瘍など，CTではわかりにくい器質的疾患を鑑別する．

- 失神発作で急激に転倒して頭部を打撲している場合は，急性硬膜外血腫〔意識清明期(lucid interval)がある〕に注意し，耳，鼻，皮下出血の有無を調べ，頭部X線で骨折の有無を検査する．また，高齢者では慢性硬膜下血腫が起こる可能性があるので，2〜3か月は観察し，必要があればCTを撮るようにする．
- 脳波：てんかん性発作，肝性脳症の鑑別に有用である．しかし，失神発作のみを示すてんかん発作では発作波がつかまらないこともあるので，疑わしい場合は繰り返し検査や終夜脳波を行う必要がある．

Adams–Stokes発作などの心疾患の確定診断

- Holter心電図検査：原因となる房室ブロックや発作性心房細動，発作性心室性頻拍など，安静時心電図だけではわかりにくい心電図異常を検出する．さらに患者によっては，心臓電気生理学的検査(EPS)が必要となることがある．
- 植え込み型ループ式心電計：診断困難な例では体内にメモリスティックくらいの小型心電計を植え込む．3年間の記録が可能である．
- 心エコー検査：心原性失神が疑われた場合，心拍出量が一過性に高度に減少する流出路狭窄，左房内巨大血栓，左房粘液腫や塞栓源の検索を行う．

低酸素血症による失神の確定診断

- 胸部X線検査：胸部疾患が疑われた場合，低酸素血症の原因になる肺線維症，肺炎，悪性腫瘍，心不全，気胸などを鑑別する．
- 胸部造影CT検査：胸部X線ではわかりにくい胸部大動脈解離や肺塞栓の鑑別に用いる．
- 肺血流シンチグラフィー，血清D-ダイマー測定：肺塞栓が疑われる場合に確認のために行う．

肝性脳症やショックの確定診断

- 腹部CT検査：病歴から腹部大動脈瘤破裂によるショック，肝硬変による肝性脳症，肝癌破裂での腹腔内出血によるショックなどが疑われた場合に鑑別のために行う．
- 上部消化管内視鏡検査：貧血があり，無痛性胃・十二指腸潰瘍などからの亜急性出血による脳貧血が疑われる場合の確定診断のため行う．

〈小林 祥泰〉

抑うつ・不安
depression, anxiety

抑うつ・不安とは

定義

　まず，感情（affect），気分（mood）という用語の一般的な定義について振り返ったうえで，抑うつ，不安の概念そして定義を確認しておきたい．感情とは，主観的に体験している気持ちの状態（情緒）の表現のことを指し，一般的な感情の例としては，「悲しみ」「喜び」「怒り」などが挙げられる．気分とは，比較的弱い持続的な感情状態を指し，このなかに「抑うつ」「不安」などが含まれる．実際的には，感情と気分を明確に区別できるわけではないが，その相違点は主として持続期間にあり，感情が変動に富む情緒の「天気」の変化を意味するのに対して，気分はもっと広範で持続的な情緒の「気候」を意味している．次に，「抑うつ」「不安」の定義であるが，抑うつとは，一般的に，正常範囲を超えた悲しみが続く状態を指す．抑うつが発現しやすい最大の状況は喪失を体験した際である．不安とは，漠然とした未分化な恐れの感情が続く状態を指す（恐怖とは，明確な対象に対する持続的な恐れを指す）．不安が発現しやすい状況は，不確実な脅威に直面した際である．

　しかし，不安症には高率にうつ病が合併し，うつ病には高率に不安症が合併するように，多くの場合，両者は混在する．

患者の訴え方

　上述したように，抑うつ，不安は気分を表すが，その表現型は実は多彩であり，抑うつ状態にも不安状態にも，同時に身体的な症状表出が存在する（表1）．たとえば，不安状態には多彩な自律神経症状が随伴する可能性があり，「身体的不安」としての動悸，息苦しさ，口渇，手足のふるえ，発汗，頻尿などの存在はよく知られている．一方，抑うつ状態でも，倦怠感や食欲不振などが高頻度にみられる．実際，抑うつや不安が主とした病態であっても，患者自身が「自分は抑うつ状態で困っている」「不安状態で困っている」と訴えて来院することはまずなく，多くはなんらかの身体症状（例：食思不振など）を理由に内科などを受診する．したがって，のちに出てくるように，器質因がはっきりしない身体症状，なかでも抑うつや不安で発現する可能性のある症状については，これら精神症状の可能性を念頭においておきたい．

患者が抑うつ，不安を呈する頻度

　上記の定義から，ストレスに起因した抑うつ，不安の頻度はきわめて高いことが理解できるだろう．なかでも不安は人類が危機や危険から身を守る機能としての側面を有するため，すべてが病的なものではなく，多くは正常な反応である．一方，これらが治療を要する状態になったものに疾患分類としての診断名がつけられる．ここで抑うつ，不安を主とした表現型とした精神疾患は，大きく

表1　抑うつと不安の症状

	定義	発現しやすい臨床状況	随伴する身体症状
抑うつ	正常範囲を超えた悲しみが続く状態	喪失あるいは喪失の予期（「悪い知らせ」が伝えられた際など）	倦怠感，疲労感，食欲低下，頭重感，不眠，便秘，思考・集中力低下，性欲低下など
不安	漠然とした未分化な恐れの感情が続く状態	不確実な脅威への直面（説明不足，情報不足など）	呼吸困難，胸部圧迫感，動悸，口渇，嘔気，胃部不快感，下痢，頻尿，めまい，筋緊張，発汗，ふるえ，頭痛，不眠

表2 抑うつ障害群，不安障害群の有病率

	生涯有病率	12か月有病率
抑うつか不安のいずれか	20.3%	7.6%
不安症	8.1%	4.9%
物質使用症	7.4%	1.0%
気分症	6.5%	2.3%
（疾患別）		
アルコール使用症	7.3%	0.9%
うつ病	6.1%	2.2%
単一恐怖*	3.4%	2.3%
全般不安症	2.6%	1.2%
社交不安症	1.4%	0.7%
心的外傷後ストレス症（PTSD）	1.3%	0.7%
パニック症	0.8%	0.3%
双極症	0.2%	0.1%

〔Ishikawa, H., et al.: Lifetime and 12-month prevalence, severity and unmet need for treatment of common mental disorders in Japan: results from the final dataset of World Mental Health Japan Survey. *Epidemiol. Psychiatr. Sci.*, 25:217-229, 2016 より〕

「抑うつ障害群（抑うつ症群）」と「不安障害群（不安症群）」に分けられる．

無作為抽出された4,130名の成人日本人を対象に行われた精神疾患の疫学調査では，うつ病の有病率は2.2%，不安症は4.9%であった〔*Epidemiol. Psychiatr. Sci.*, 25:217-229, 2016〕．この結果からは，一般人口において抑うつや不安の訴えがあった場合でも，それが精神疾患である割合は比較的低いことが示唆される（表2）．

一方，身体疾患患者に精神疾患が合併することは稀ではなく，先行研究からは，おおむね入院中の身体疾患患者の30～50%程度になんらかの精神疾患が認められることが知られており〔*J. Nerv. Ment. Dis.*, 184:43-51, 1996〕，そのなかで頻度の高いものの1つがうつ病である．もともと，うつ状態は喪失や喪失を予期する臨床状況に続発することが多いことを鑑みると，身体疾患の罹患に起因して，うつ病を合併することも稀ではないことは容易に理解できる．なかでも癌や神経難病など重篤な進行性の疾患に罹患することは，喪失に喪失を重ねることになり，うつ病を合併することも稀ではない〔*JAMA*, 249:751-757, 1983, *J. Clin. Oncol.*, 22:1957-1965, 2004〕．

また近年の研究から，うつ病と身体疾患，なかでもわが国における4大疾病（癌，心血管疾患，脳血管障害，糖尿病）の多くの疾患と双方向性の関係があることが知られている〔*Dialogues Clin. Neurosci.*, 13:7-23, 2011〕．たとえば，うつ病への罹患は心血管疾患の独立した危険因子であり，心血管疾患に罹患すると一般人口に比べうつ病の有病率が2～3倍となり，心血管疾患にうつ病を合併すると死亡率を含めて心血管疾患の予後が悪くなる．このように，身体疾患とうつ病には臨床的にも重要な関係があり，身体疾患に罹患した場合は，抑うつ，不安の頻度が高くなる．

症候から原因疾患へ

病態の考え方

患者が不安や抑うつを訴える場合，あるいは他の症状から，その病態の中心が抑うつ障害群や不安症群であると推測される場合，不安や抑うつはいずれも主観症状であるため，これらの存在をスクリーニングするための質問を行う．

不安症やうつ病を疑う症状があれば，さらに診断基準を満たす他の症状の存在を確認し，そのうえで身体疾患や薬物などに起因するものでないことを確認する．

病態・原因疾患の割合

日本人の場合，一般成人のうち，不安症は5%程度，うつ病は2～3%にみられることが示されている．プライマリケア領域などで不定愁訴が問題となっている場合，不安症やうつ病の頻度はこれらの数倍程度であることが示唆されている．癌などの重篤な身体疾患の場合，うつ病が5～10%程度にみられる．

診断の進め方

診断の進め方のポイント

うつ病の診断基準の必須項目が，2週間以上続

表3 医療面接のポイント

主訴
- 不安か抑うつか，あるいは両者か

経過
- いつから，どのような症状があるのか
- その後の経過は動揺性か，悪化しているのか
- 日内変動はあるのか

誘因
- 症状の発現に誘因はあったのか．あったらならばそれは患者にとってどういう意味のものか（例：喪失なのか否か．昇任であっても自由を失うなどの喪失に関連することも多い）

既往歴
- 過去に同様のエピソードはなかったか

家族歴
- 同様のエピソードを含め，血縁関係にある家族に精神疾患を有する者はいないか

表4 不安や抑うつを呈する身体疾患

パニック症の鑑別診断
- 甲状腺機能亢進症
- 副甲状腺機能亢進症
- 褐色細胞腫
- てんかん
- 不整脈
- カフェイン摂取過多

うつ病の鑑別診断
- 甲状腺機能低下症
- 全身性エリテマトーデス
- Cushing（クッシング）症候群
- 多発性硬化症
- Parkinson（パーキンソン）病
- 脳血管障害

く，抑うつ気分あるいは興味・喜びの低下であることから，まずこれらの存在を「この2週間以上，ずっと気分が沈んでいたり，憂うつであったりしましたか」「この2週間以上，ほとんどのことに興味がもてなかったり，楽しめなかったりといった状態が続いていることはありませんか」といった質問で確認する．

不安症群を疑う場合は，パニック症であれば「突然に恐怖感，不安感を感じたり，動悸や息苦しさなどの身体の症状が出現したりしたことがありますか」，社交不安症であれば「人前で話したり，食事をしたり，書いたりすることに恐怖感を感じたりつらいことがありませんでしたか」，恐怖症であれば「狭いところやある種の動物や昆虫に対して強い恐怖感をいだくことがありますか」，全般不安症であれば「過去6か月間に特に神経質になったり不安になったりすることが続くようなことがありませんでしたか」といった質問を行う．

医療面接

抑うつや不安は患者の主観症状であるため，診断に最も重要なのが医療面接である．誘因が存在していることも多いため，いつ頃，どのような症状が始まり，その後の経過（悪化の一途をたどっているのかなど），最もつらい時期は現在を含めていつか，過去には同様の経験がないのか，家族歴はどうかなど，人生全体を念頭にその経過を尋ねることが重要である（表3）．

うつ状態がある場合は，涙がみられたり，精神運動制止のために話し方がゆっくりである場合もあるため，患者の表情や話し方，動作などにも注意を払う．

身体診察

身体診察は，抑うつや不安の原因となる身体疾患の除外をするうえで重要な役割を果たす．抑うつや不安を呈する身体疾患を表4に示した．特に甲状腺機能異常などの内分泌系疾患がある場合，それらによる自律神経症状や頸部腫瘤の存在など確認する．またバイタルサインなどのチェックも有用なことがある．そのほか，全身性エリテマトーデスなどの場合，特有の皮膚症状などがないかを確認する．Parkinson病などの存在がないかを，動作の確認とともに振戦などの有無についても確認する．

診断のターニングポイント

医療面接と身体診察を総合して考える点

- **（確定診断）** 身体疾患によるものではないことを確認したうえで，うつ病や不安症の各診断基準をチェックすることでおおむね診断はつけられる．

表5 抑うつ，不安のスクリーニング（自己記入式測定法）

測定法	本来の目的	全体の項目数（抑うつ，不安の項目数）	特記事項
PHQ-9	うつ病の診断とスクリーニング	9	米国精神医学会のうつ病の診断項目に準拠した質問項目で構成
HADS	身体疾患患者の抑うつ，不安のスクリーニング	14（抑うつ7，不安7）	身体疾患患者への使用を想定し，身体症状項目が含まれていない．日本人の癌患者に対する使用に際しての標準化が行われている
POMS	抑うつ，不安をはじめとした各種気分の状態評価	65（抑うつ-落ち込み15，緊張-不安9）	活気，怒り-敵意 疲労，混乱も測定可能．気分全体を示す総合指標として，Total Mood Disturbance というスコアも算出可能
EPDS	産後うつ病のスクリーニング	10	産褥期の身体症状によって影響を受けないように身体症状項目を含んでいない．欧米では緩和ケアにおける抑うつのスクリーニングとしても使用されている
BDI-II	うつ病患者の抑うつの重症度の評価	21	抑うつ症状の身体的-感情的側面と認知的側面の2因子構造モデルからなる
CES-D	一般人口におけるうつ病のスクリーニング	20	米国国立精神衛生研究所（NIMH）が開発した疫学研究用の尺度
GAD-7	不安症の診断とスクリーニング	7	米国精神医学会の全般性不安障害の診断項目に準拠した質問項目で構成
STAI	人格特性としての不安へのなりやすさの評価とある時点での不安状態の評価	40（特性不安20，状態不安20）	不安へのなりやすさを示す特性不安と，その時点での不安の程度を示す状態不安を測定可能

PHQ-9：Patient Health Questionnaire-9, HADS：Hospital Anxiety and Depression Scale, POMS：Profile of Mood States, EPDS：Edinburgh Postnatal Depression Scale, BDI-II：Beck Depression Inventory-II, CES-D：Center for Epidemiologic Studies Depression Scale, GAD-7：Generalized Anxiety Disorder-7, STAI：State Trait Anxiety Inventory

- **（除外）** 身体診察や一般血液生化学検査で器質性疾患の存在を疑う．

パニック症の鑑別診断
- 頻脈，発汗，頸部触診 → 甲状腺機能亢進症
- 高 Ca 血症 → 副甲状腺機能亢進症
- 発作性の高血圧，頻脈，発汗，動悸 → 褐色細胞腫
- 医療面接，脳波 → てんかん（てんかん性不安発作）
- 心電図 → 不整脈（発作性上室性頻拍）
- 医療面接，頻脈 → カフェイン摂取過多

うつ病の鑑別診断
- 徐脈，むくみ，甲状腺ホルモン低下 → 甲状腺機能低下症
- 発熱，関節炎，蝶形紅斑 → 全身性エリテマトーデス
- 中心性肥満，満月様顔貌 → Cushing 症候群
- 視覚障害，しびれ，振戦 → 多発性硬化症
- 無動，振戦，固縮 → Parkinson 病
- 局所神経症状 → 脳血管障害

必要なスクリーニング検査

　以上のことから，抑うつ，不安を評価するということは，気分としてのこれら状態をなんらかの方法で測定することであることが理解できるであろう．実際には，これら心の状態を正しいなんらかの「量」として示すことができるわけではないが，科学的な理解を進めるための一助として，計量心理学的な方法で，抑うつや不安をある種の量として示すことができるよう，さまざまな面接法や自己記入式の評価方法が開発されている．これらの評価方法を形式面からみると，自己評価尺度と他者評価尺度に分けられるが，本項では，簡便な自己記入式の評価尺度を紹介する．

表6 うつ病診断基準（米国精神医学会，DSM-5-TR）

診断基準	備考
A. 以下の症状のうち5つ（またはそれ以上）が同じ2週間の間に存在し，病前の機能からの変化を起こしている 1. 抑うつ気分，2. 興味・喜びの低下，3. 著しい体重減少/食欲低下あるいは体重増加/食欲増加，4. 不眠または睡眠過多，5. 精神運動性の焦燥感または制止（他者によっても観察可能な程度のもの），6. 易疲労性・気力減退，7. 罪責感・無価値観，8. 思考・集中力低下，9. 希死念慮	左記の症状のうち少なくとも1つは，1. 抑うつ気分，あるいは2. 興味・喜びの低下である 明らかに他の医学的疾患に起因する症状は含まない
B. 症状は，臨床的に意味のある苦痛，または社会的，職業的，または他の重要な領域における機能の障害を引き起こしている	
C. そのエピソードは物質の生理学的作用，または他の医学的疾患によるものではない	インターフェロンやステロイドによるものは，「物質誘発性気分障害」，身体疾患によるものは，「一般身体疾患を示すことによる気分障害」と診断される
D. 少なくとも1つの抑うつエピソードは統合失調感情症でうまく説明できず，統合失調症，統合失調様症，妄想症，または「統合失調スペクトラム症及び他の精神症，他の特定される」および「統合失調スペクトラム症及び他の精神症，特定不能」に重複するものではない	
E. 躁病/軽躁病エピソードが存在したことがない	過去に躁病/軽躁病エピソードが存在すると診断は双極性障害になる

〔日本精神神経学会（日本語版用語監修），髙橋三郎，大野 裕（監訳）：DSM-5-TR 精神疾患の診断・統計マニュアル．pp.176-178，医学書院，2023 より作成〕

これら評価尺度を適切に用いるためには，それぞれの評価方法の目的，すなわちスクリーニング用なのか診断用なのか，あるいはなんらかの疾患を診断したうえでの重症度評価用なのかを知っておく必要がある．代表的なものをいくつか示した（表5）．よく用いられる抑うつ，不安のスクリーニング法はそれぞれ PHQ-9，GAD-7 である．

診断確定のために

病歴情報，スクリーニング検査の結果に基づき，抑うつや不安をきたす疾患をかなり絞り込むことが可能である．それに加えて，器質性疾患を除外し，医療面接にて，不安症群，抑うつ症群の診断基準を満たすか否かを尋ねていく．

身体疾患の除外

血液生化学検査のほか，必要に応じて，甲状腺ホルモン，脳神経画像，脳波などを追加する．

抑うつ症群の確定診断

❶ うつ病

うつ病の診断基準の必須項目が，2週間以上続く，抑うつ気分あるいは興味・喜びの低下であることから，まずこれらの存在を確認する．

これらのいずれかが認められたら，そのほか，著しい体重減少/食欲低下あるいは体重増加/食欲増加，不眠または睡眠過多，精神運動性の焦燥感または制止（他者によっても観察可能な程度のもの），易疲労性・気力減退，罪責感・無価値観，思

表7 パニック症診断基準（米国精神医学会，DSM-5-TR）

診断基準	備考
A. 繰り返される予期しないパニック発作 パニック発作は，以下の症状のうち4つ以上 1. 動悸，2. 発汗，3. 身震い，4. 息苦しさ，5. 窒息感，6. 胸痛，7. 嘔気，8. めまい感，9. 冷感または熱感，10. 異常感覚，11. 離人症状，12. コントロールを失う恐怖，13. 死ぬ恐怖	パニック発作とは，突然，激しい恐怖または強烈な不快感の高まりが数分以内にピークに達する
B. 症状のうちの少なくとも1つは，以下のうちいずれかが1か月以上続く 1. 予期不安 2. パニック発作を回避する行動など	
C. その障害は物質の生理学的作用，または他の医学的疾患によるものではない	
D. その障害は，他の精神疾患によってうまく説明されない	

〔日本精神神経学会（日本語版用語監修），髙橋三郎，大野 裕（監訳）：DSM-5-TR 精神疾患の診断・統計マニュアル. pp.227-228, 医学書院, 2023 より作成〕

考・集中力低下，希死念慮の存在について面接で尋ねていく．これら9つの症状のうち，同時に5つ以上が2週間以上存在した場合にうつ病と診断される（表6）．なお一般的に，体重減少/食欲低下，不眠の存在はよく知られているが，逆に体重増加/食欲増加または睡眠過多も診断基準項目に含まれている点に注意したい．

不安症群の確定診断

❶ パニック症

まず，繰り返される予期しないパニック発作の存在を尋ねる．パニック発作とは，突然，激しい恐怖または強烈な不快感の高まりが数分以内にピークに達するものをいう．具体的なパニック発作の症状としては，動悸，発汗，身ぶるい，息苦しさ，窒息感，胸痛，嘔気，めまい感，離人症状，コントロールを失う恐怖，死ぬ恐怖，異常感覚，冷感，熱感が挙げられており，これらのうち，4つ以上の存在が確認された場合にパニック発作に該当する．

パニック発作の存在が確認されたら，また発作が起こってしまうのではないかと，持続的な予期不安が形成されているか，パニック発作を回避する行動などが存在しているかを確認する（表7）．

多くの患者は，循環器内科や呼吸器内科，場合によっては救急搬送された経験を有しており，これら経過で特記した異常を指摘されなかったという病歴も診断に有用である．

〈明智 龍男〉

せん妄
delirium

せん妄とは

定義

　せん妄は，軽度～中等度の意識混濁に，幻覚，妄想，興奮などさまざまな精神症状を伴う急性の脳機能不全の状態である．脳機能の不全を示す見当識，感情，意欲，記憶の障害など，多彩な精神症状を呈する注意障害を伴う特殊な意識障害である．

　意識が障害されていない意識清明な状態とは，自身や周囲の状況をよく理解できている状態ともいえるため，上記の急性の脳機能不全の状態を反映して，きわめて多彩な精神症状がみられる．

　表1に米国精神医学会のせん妄の診断基準を示した．

患者の訴え方

　前述したように，せん妄を有する患者は，その障害される精神機能により実にさまざまな症状を示し，その結果が多彩な言動として表現される．意識清明な患者が，自身の苦痛症状やおかれた状態を言語的に表現するのとは異なり，せん妄状態にある患者は，自分自身の状態を的確に把握し，それを周囲の者や医療者に伝えることそのものができない．したがって，治療を受けているという医療現場にそぐわない言動や，辻褄の合わない言葉などを端緒として家族から医療者にその変化が報告されたり，医療者自身がそれまでとは異なる患者の異変に気づいたりすることが大半である．また，せん妄には，この症状があればせん妄と診断できるといった特異的な症状は存在せず，「自分はせん妄なので診療してほしい」と自発的に述べたり，受診する患者はいないという点が，ある意味特徴といえる．

　表1にせん妄の診断基準を示したが，患者にはその診断基準の項目を反映した状態としてのさまざまな症状が観察される．たとえば，注意障害に関しては，自身で注意力の低下を訴えることはまずなく，多くの場合，注意が障害された状態としての客観的な症状が観察される．それには，質問に対して集中できず，医療者との面談中にうとうとしたり，前の質問に対して同じ答えを繰り返すなどの状態が含まれる．診断基準Bの，もととなる注意および意識水準からの変化と1日中での日内変動については，典型的な症状として，日中は落ち着いていた患者が夜に突然興奮するなどの状態として観察される．

患者がせん妄を呈する頻度

　せん妄が薬物や身体疾患に起因する脳機能不全の状態であることを考えると，高齢者を中心として侵襲性の高い手術を受けたあとやICUなどのセッティング，身体状態が悪化する終末期に頻度が高いことは理解しやすいのではないかと思われる．

　侵襲の強い心血管系や開腹，開胸，高齢者に多い大腿骨頸部骨折などの手術後では，おおむね20～40%程度にせん妄がみられる．脳血管障害では10～30%，ICUでは20～80%，入院を要する終末期では入院時点ですでに30～40%がせん妄状態であり，死亡直前では80～90%がせん妄を呈する．

症候から原因疾患へ

病態の考え方(図1)

　せん妄の生物学的な発現機序はいまだはっきりしていないが，脳機能低下を惹起するさまざ

表1　せん妄の診断基準（米国精神医学会，DSM-5-TR）

診断基準	具体的な臨床症状
A. 環境の認識の減少が伴った注意の障害（すなわち，注意の方向づけ，集中，維持，転換する能力の低下）および意識の障害（環境に対する見当識の低下）	質問に対して集中できない．前の質問に対して同じ答えをする．質問をしていても覚醒が保てず，すぐうとうとしてしまう
B. その障害は短期間のうちに出現し（通常数時間〜数日），もととなる注意および意識水準からの変化を示し，さらに1日の経過中で重症度が変動する傾向がある	午前中おとなしく協調的であった人が，昨夜から点滴を抜いたり，部屋から飛び出そうとしたりする
C. さらに認知の障害を伴う（例：記憶欠損，失見当識，言語，視空間認知，知覚など）	最近の記憶が曖昧である 新しいことを5分後には忘れてしまう 時間と場所に関する見当識を失っている 錯覚（壁のシミをみて「虫がいる」という），幻覚（人がいない場所に「人がいる」という）の存在
D. 診断基準AおよびCに示す障害は，他の既存の，確定した，または進行中の神経認知障害ではうまく説明されないし，昏睡のような覚醒水準の著しい低下という状況下で起こるものではない	
E. 病歴，身体診察，臨床検査所見から，その障害が他の医学的疾患，物質中毒または離脱（すなわち乱用薬物や医療品によるもの），また毒物への曝露，または複数の病因による直接的な生理学的結果により引き起こされたという証拠がある	

該当すれば特定せよ
- 過活動型：その人の精神運動活動の水準は過活動であり，気分の不安定性，焦燥，および/または医療に対する協力の拒否を伴うかもしれない
- 低活動型：その人の精神運動活動の水準は低活動であり，昏迷に近いような不活発や嗜眠を伴うかもしれない
- 活動水準混合型：その人の注意および意識は障害されているが，精神運動活動の水準は正常である．また活動水準が急速に変動する例も含む

〔日本精神神経学会（日本語版用語監修），髙橋三郎，大野 裕（監訳）：DSM-5-TR 精神疾患の診断・統計マニュアル．pp.653-655，医学書院，2023 より作成〕

な複合的要因が背景に存在する．一方，臨床的には，せん妄の発生要因は，もともと存在する準備因子（せん妄の本態である脳機能の低下を起こしやすい状態），誘発因子（せん妄の直接原因ではないが，せん妄の発症を促進，重篤化あるいは遷延化する要因），直接原因に分けて考えると理解しやすい(表2)．

準備因子としては，年齢（高齢），脳血管障害をはじめとする脳器質性疾患の既往，認知症や認知機能障害の存在などが代表的である．

誘発因子としては，環境の変化，感覚遮断，強制臥床，身体拘束・抑制，不快な身体症状（疼痛，呼吸困難など）などが挙げられる．

直接原因としては，手術侵襲，薬物（睡眠薬，オピオイド，副腎皮質ステロイドなど），脱水，低酸素血症，感染症，血液学的異常（貧血，DICなど），代謝性異常（肝腎不全，高Ca血症，高/低血糖など），脳の病変（脳転移，髄膜炎，脳血管障害など）など，結果的に脳機能の低下をもたらすさまざまな要因が挙げられる．

つまり，せん妄は，準備因子を有する患者（典型的には高齢者）になんらかの直接原因が加わるこ

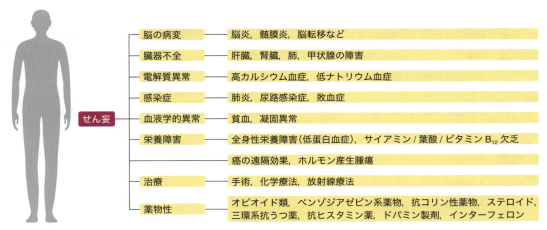

図1 せん妄の原因

とで発現し，そこに誘発因子が修飾要因として関与し，せん妄の臨床像を呈するのである．また，せん妄の直接原因は複数存在することが多く，その病態は臨床的にも複雑であることが多い．

病態・原因疾患の割合

前述したように，せん妄は，脳機能の低下をきたしやすい高齢者に多く，なかでも身体的な負荷が強い状態，たとえば術後やICU入室時，終末期に加え，脳血管障害など脳自体が障害される状態，身体状態の悪化に伴いさまざまな薬物が投与された際に特に頻度が高くなる．

脳機能低下を引き起こすあらゆる身体疾患が原因になりうる．また同様に，脳機能に影響を与える薬物が原因になりうる．

さらに，せん妄は単独の単一要因で起こるよりも，複数の身体因，薬物性要因が重複して発現することが多いこともよく知られている．たとえば，大腸癌の手術を受け出血のため貧血の状態にあった高齢者が，術後に肺炎を合併してせん妄が顕在化するなどである．

診断の進め方

診断の進め方のポイント

まずは中核症状である注意障害と，ごく軽度のものを含めた意識障害の存在を確認することが重要である．注意が障害された状態は，医療面接などに集中できなかったり，質問する医療者以外に容易に注意が削がれたりするなどで確認できる．意識障害については，ごく軽度なものは，実際に脳波などの検査をせずに確認するのはなかなか困難な面があるが，前述した意識が清明であるという状態が「自身や周囲の状況をよく理解できている状態」であることを考えると，おかれた状況や質問にそぐわない言動の有無をチェックするとわかりやすい．たとえば，「体調はいかがですか」「睡眠はとれていますか」と尋ねても，何も返答がなかったり，関係のない出来事についての話など，辻褄の合わない返答が返ってくることが多い．また，点滴やドレーン，チューブ類がついていても，これらが抜けたり外れたりしないよう周囲に対して適切な配慮ができていないことも多い．

一方では，前述したようにせん妄に特異的な症状はなく，上記の症状は認知症などでもみられることがあるため，その他，時間経過（せん妄は急性，亜急性の発現がほとんど）や原因となる薬物投与や身体因などの存在と併せて総合的に判断することが重要である．せん妄と認知症の臨床的な鑑別のポイントについて表3に示した．

医療面接（表4）

面接に際しては，自身のおかれた状況や周囲の状況がよくわかっていない状態のため，多くは不安感を有している患者に十分配慮し，穏やかな態

表2 せん妄の発現要因

	要因	具体例
準備因子(脳機能低下を起こしやすい状態)	年齢	高齢(特に70歳以上)
	脳の器質的病変の存在	脳血管障害の既往
	認知機能障害	認知症
誘発因子(発症を促進・重篤化・遷延化する要因)	環境の変化	慣れない入院環境
	感覚遮断	暗闇,視力・聴力障害
	睡眠・覚醒リズムの障害	夜間の処置
	可動制限	身体拘束,強制臥床
	不快な身体症状	疼痛,呼吸困難,便秘,排尿障害・尿閉
	心理的ストレス	術前のうつ状態
直接原因(せん妄そのものの原因)	臓器不全による代謝性脳症	肝臓,腎臓,肺,甲状腺などの障害,高/低血糖
	電解質異常	高カルシウム血症,低ナトリウム血症
	治療の副作用	手術,化学療法,放射線療法
	薬物性	オピオイド類,ベンゾジアゼピン系薬物(抗不安薬,睡眠薬),副腎皮質ステロイド,抗コリン薬
	感染症	肺炎,尿路感染症,敗血症,脳炎・髄膜炎,播種性血管内凝固(DIC)
	血液学的異常	貧血
	栄養障害	全身性栄養障害(低蛋白血症)
	腫瘍による直接効果	脳転移,髄膜播種
	腫瘍随伴症候群	遠隔効果,ホルモン産生腫瘍

表3 せん妄と認知症の鑑別のポイント

	せん妄	認知症
意識	混濁	正常
発症	急性,亜急性(数時間〜数日)	慢性(数か月〜数年)
経過	一過性	持続性
症状の動揺性	あり(夜間増悪)	目立たない
知覚の障害	錯覚,幻覚が多い	目立たない

表4 医療面接のポイント

主訴
- せん妄状態にあるほとんどの患者は自分のおかれている状況を的確に表現できないため,主訴自体があいまいである
- ぼんやりしていないか

経過
- 日内変動の存在の把握,特に夜間悪化していないか(本人からの聞き取り内容を看護スタッフの記載内容とすり合わせる)
- いつからどのような症状があるのか,検査データや薬歴との関連の検討(家族から有用な情報が得られることが多い)

誘発因子
- ドレーン類や尿バルーンなどの存在の有無を確認する
- 家族の面会時の症状の動揺性の有無を確認する
- 夜間の症状増悪の有無を確認する

既往歴
- 過去の入院時や手術時に同様のエピソードはなかったか(家族から有用な情報が得られることが多い)

度で接することがまず重要である.一方,興奮状態にある患者もいるので,自身の安全にも十分注意する.

せん妄患者の場合,注意障害と意識障害に加え,多彩な認知機能障害の存在のため,何を尋ねるかといった質問の内容より,場にそぐわないやりとりや辻褄の合わないやりとりがないかを確認することが重要である.また,錯覚や幻視をはじめとした幻覚を見ることもあるため,注意が削が

れた際や患者の言動の背景に,これらの存在の有無を確認することも有用な情報となる.

せん妄には,脳機能の障害を反映した意欲が過度に亢進した興奮状態(過活動型)と,逆に過度に低下した不活発な状態(低活動型)の双方がみられることがある.過活動型の場合は,前述したように自身の安全に十分配慮しながら,穏やかに接するが,一般的に多くの質問をするよりは,状態を細かく観察するほうが得られる情報が多く重要である.ほとんどの場合,明確な目的が感じられない行動が多く,行動そのものに一貫性やまとまりがないのが特徴である.低活動型せん妄は,認知症やうつ状態とよく誤診されることが多い.低活動型は,興奮や焦燥などは目立たないため,せん妄の中核症状である注意障害や意識障害の存在を

表5　身体診察のポイント

意識障害の確認
- 自身のおかれた状況や周囲の状況を適切に理解できているかを観察する（見当違いの内容を話したり，視線が定まらなかったりなどがないか）
- 現在，病気のために入院していることを認識できているか

注意力の障害の確認
- 面接時の受け答えや動作から，注意力が正常に保たれているかどうかを確認する（たとえば，ドレーン類がついている場合，体動時にそれらに配慮できているか）

認知機能障害
- 幻視などの知覚障害がないか
- 見当識（場所，時間など）は保たれているか（ただし，患者を傷つけないように文脈のなかで上手に聴取する必要がある）

面接で確認する．睡眠や食欲などを含めた一般的な体調や入院の理由など，尋ねやすい質問をすることで十分であるが，いずれにしても辻褄の合わない返答が戻ってきたり，入院していること自体を理解できていないことなどが多く，これらから意識障害の存在を確認する．

身体診察

最も重要なのは意識状態を詳細に観察，評価することであるが，これについては前述した．せん妄は脳機能障害の結果起こる状態ではあるが，脳血管障害などに起因する局所神経学的な症状や特異的な身体症状はない．したがって，身体診察で重要なのは，意識障害の原因となっている可能性のある身体疾患を示唆させる所見の有無を確認することである．脱水があれば皮膚の乾燥や頻脈などがみられ，肝不全などであれば黄疸，羽ばたき振戦などがみられることがある．髄膜炎などであれば髄膜刺激症状などが観察される（表5）．

診断のターニングポイント

医療面接と身体診察を総合して考える点

- **〔確定診断〕**原因となる薬物や身体疾患が存在した状態で，これらを原因に続発して発現した注意障害や意識障害などの症状を医療面接で確認できれば，ほぼ診断をつけることは可能である．また，これらの原因の増大や増悪で精神症状が悪化しているなどの用量-反応関係が観察されれば，より診断は確実なものとなる．
- **〔除外〕**低活動型せん妄は，認知症やうつ状態と誤診されやすいことは前述した．意識が清明であり，背景に原因となる要因がなく，認知症やうつ病の診断基準を満たす場合は，せん妄はほぼ除外できる．
- 一般血液生化学検査で原因となっている身体疾患を推測できることが多い．

  ◆ CRP や白血球上昇 → 感染症
  ◆ ビリルビン，AST，ALT 上昇 → 肝疾患
  ◆ クレアチニン，UN 上昇 → 腎疾患
  ◆ 低ナトリウム血症，高カルシウム血症
  ◆ 低アルブミン血症 → 低栄養状態
  ◆ 赤血球減少 → 貧血

- せん妄の原因となる可能性がある薬物の先行投与の有無も参考になる．

必要なスクリーニング検査

薬物履歴，一般血液生化学検査，医療面接，身体診察とこれら時間関係などから，せん妄の診断を下すことはできることが多い．しかし，症状が軽度である場合などは，せん妄そのものの診断ではないが，認知機能障害のスクリーニング検査やせん妄の重症度評価用のテストバッテリーが有用であることが多い．その例としては，Mini-Mental State Examination（MMSE），Confusion Assessment Method，Memorial Delirium Assessment Scale などがある．

診断確定のために

中核症状としての注意障害と意識障害の同定がまず第一に重要となる．また，せん妄は急性，亜急性に発現してくる病態なので，これら症状発現に先行して，なんらかの身体因あるいは誘発する薬物投与などがあるため，これらに注目する．さらに，原因の増悪に合わせて症状の増悪などがあれば，両者の因果関係はなお強く疑われることになる．

表6 認知症の診断基準（米国精神医学会，DSM-5-TR）

診断基準	備考
A. 1つ以上の認知領域（複雑性注意，実行機能，学習および記憶，言語，知覚-運動，社会的認知）において，以前の行為水準から有意な認知の低下	神経心理学的検査（Mini-Mental State Examination で 24 点未満など）も有用
B. 毎日の活動において，認知欠損が自立を阻害する	内服薬を管理するなど日常生活動作に援助を必要とする
C. 認知欠損は，せん妄の状況でのみ起こるものではない	せん妄があるときは認知症の診断はできない
D. 認知欠損は，他の精神疾患によるものではない（例：うつ病）	

以下によるものかを特定する．
Alzheimer（アルツハイマー）病，前頭側頭葉変性症，Lewy（レビー）小体病，血管性疾患など

〔日本精神神経学会（日本語版用語監修），髙橋三郎，大野 裕（監訳）：DSM-5-TR 精神疾患の診断・統計マニュアル．pp.659-661，医学書院，2023 より作成〕

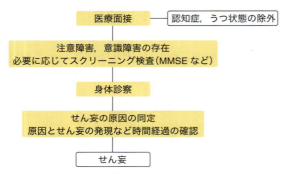

図2 せん妄の診断の進め方

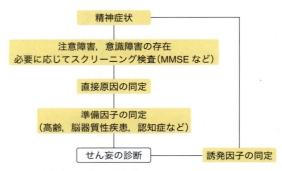

図3 せん妄の病像の考え方

　認知症とせん妄は異なる病態ではあるが，せん妄においても記銘力障害が認められ，その他症状にもいくつかの類似点がある．そのため，認知症の診断基準をしっかりと理解しておくことも，両者の鑑別を行い，せん妄の確定診断を行ううえで重要である．認知症の診断基準を表6 に示した．表3 で両者の鑑別のポイントを紹介したが，症状に加え，経過が異なる点に注目したい．

　原因検索のために身体診察を行い，必要に応じて一般的な血液・生化学検査，脳画像検査などを実施するとともに，必ず薬歴をチェックする．せん妄の原因を図1 に示した．

　もともとせん妄がない患者に，脳機能低下を引き起こす原因が発生し，それに続発して多彩な日内変動を伴う精神症状がみられることで多くの場合，診断に至る．これらプロセスの概略を図2 に示した．

　昏迷状態など，どうしても意識障害の有無をはじめとした診断に難渋する際には，脳波で基礎律動をみることが役に立つ．当然，せん妄の場合は，脳機能低下を反映して全般的な徐波化がみられることが多く，一方昏迷では，α波などが保たれる．

　このように，せん妄の診断は，なんらかの精神症状が発現した際に，その中核症状として注意障害と意識障害の存在を確認したうえで，背景にある直接原因の有無を示すことが最も重要である．一方，観察される症状は脳機能低下を反映した多様な症状であり，ここでも誘発因子などが影響する（例：家族がいないと落ち着かなくなるなど）など複雑であることを知っておきたい．これらの関係を図3 に示した．

〈明智 龍男〉

皮膚の異常
skin abnormality

皮膚の異常とは

定義

皮膚の異常は，他覚的にとらえられる「皮疹（発疹）」(exanthema, enanthema)と，瘙痒や疼痛などの「自覚症状」に分けられる．自覚症のうち，特に瘙痒が皮膚独特の感覚として重要である．皮疹は，視診，触診によって把握できる皮膚の病変であり，自覚症状は医療面接で把握する．皮疹は，一次性に生じる基本的な「原発疹」と，原発疹が変化して生じる「続発疹」に分けられる．皮疹がどのような原発疹・続発疹から構成されているかを判断することは，皮膚病変診断の基本である．以下に，原発疹，続発疹と瘙痒の定義について述べる．

原発疹

❶ 斑（図1）

皮膚の色調変化を主体とする限局性病変（局面）で，隆起はないかあってもわずかである．赤色調の紅斑，紫紅色調の紫斑，白斑，色素斑があり，色素斑はさらに黒色斑，褐色斑，青色斑に分かれる．

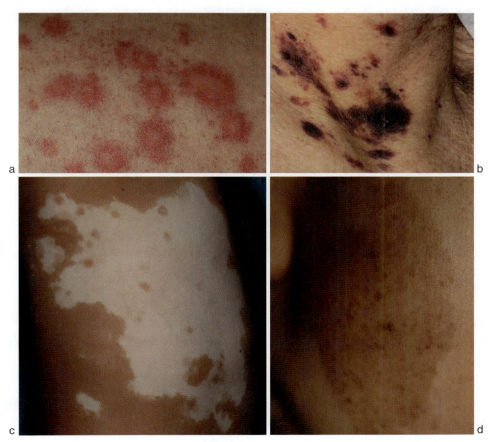

図1　斑
a：紅斑，b：紫斑，c：白斑，d：色素斑（褐色斑）

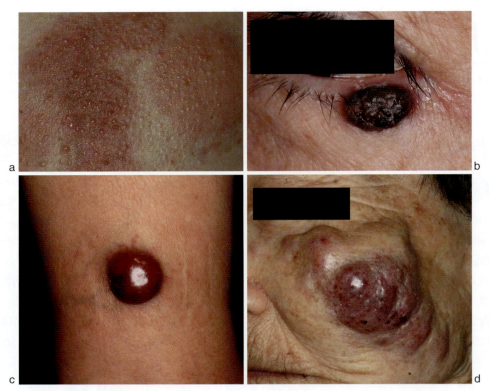

図2　丘疹・結節・腫瘤
a：丘疹，b：小結節，c：結節，d：腫瘤

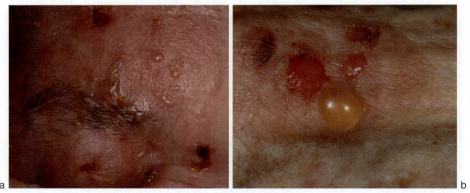

図3　水疱
a：小水疱，b：水疱

❷ **丘疹**（図2a）

エンドウマメ大（5mm以下）くらいまでの皮表面から隆起する病変．

❸ **結節・小結節**（図2b, c, d）

丘疹より大きい隆起病変を結節と呼び，そのうち比較的小さく丘疹との境界に近いものを小結節，ウズラ卵大より大きく増殖傾向の強いものを腫瘤と呼ぶ．

❹ **水疱・小水疱**（図3a, b）

中に液体を含む隆起病変で，米粒大までを小水疱，それ以上を水疱という．

❺ **膿疱**（図4）

水疱の内容が膿性のもので，感染性膿疱と無菌性膿疱がある．

❻ **囊腫**

皮膚内に生じた空洞で，上皮性の壁をもつもの

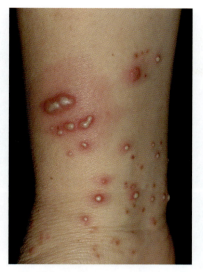

図4 膿疱

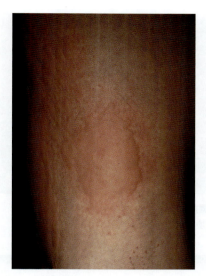

図5 膨疹

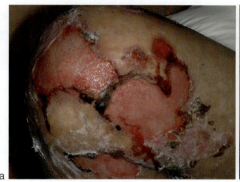

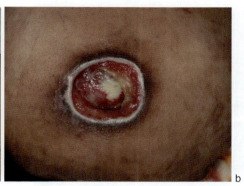

図6 びらん・潰瘍
a：びらん，b：潰瘍

をいう．間葉性の壁をもつものは偽囊腫と呼ぶ．

❼膨疹(図5)

じんま疹の皮膚病変であり，皮膚の限局性浮腫．扁平に隆起し，短時間で消退する．

続発疹

❶表皮剝離

搔破，外傷などにより表皮の小欠損をきたしたもの．

❷びらん(図6a)

表皮の欠損が表皮基底層までにとどまるもの．瘢痕を残さず治癒する．表皮内水疱・膿疱が破れたあとに生じる．

❸潰瘍(図6b)

真皮に及ぶ欠損で，治癒後に瘢痕を残す．表皮下水疱・膿疱が破れたあとに続発し，時間経過とともに膿苔，痂皮を被る．

❹膿瘍(図7)

真皮または皮下に膿が貯留したもの．大きくなるにつれ波動を触知する．

❺亀裂(図8a)

表皮または真皮に達する深い線状の切れ目．

❻鱗屑(図9a)

角質(垢)が厚く堆積し，白色・銀白色にみえるものを鱗屑と呼び，鱗屑が脱落する現象を落屑という．滲出液が浸み込んで黄色にみえる鱗屑を鱗屑痂皮と呼ぶ．

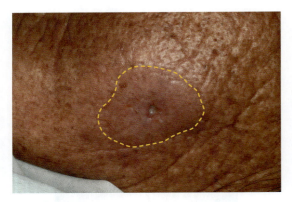

図7 膿瘍
中央に瘻孔がみられる.

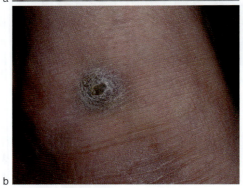

図8 亀裂・胼胝
a:亀裂, b:胼胝

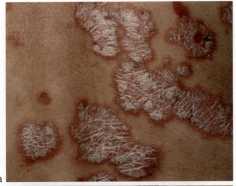

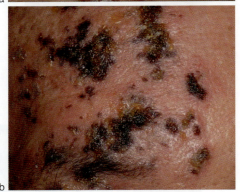

図9 鱗屑・痂皮
a:鱗屑, b:痂皮

厚性瘢痕と陥凹する萎縮性瘢痕がある．もとの潰瘍面を越えて持続的に広がるものをケロイドという．

❿ 萎縮（図10b）

皮膚が菲薄化し，表面が平滑・しわ状となった状態．

瘙痒

瘙痒とは，掻きたい衝動を引き起こす不快な皮膚の感覚である．湿疹・皮膚炎，じんま疹，虫刺症などで生じる．

患者の訴え方

患者は，皮膚の異常を訴えるとき，皮疹という意味で「湿疹ができた」と訴えることがある．医学的には，湿疹は皮膚炎と同義語であり，医学用語と患者の用いる慣用語を混同しないようにする．また，患者はしばしば「水虫ができた」「じんま疹が出た」などと発疹を自己診断して訴えることがあり，これも鵜呑みにせず発疹をきちんと観察す

❼ 痂皮（図9b）

滲出液や膿，壊死物質などが乾固したもの．「かさぶた」と呼ばれる．

❽ 胼胝（図8b）

局所の持続的圧迫・摩擦による限局性角質肥厚．「タコ」と呼ばれる．

❾ 瘢痕（図10a）

潰瘍が治癒したあとの線維性組織．隆起する肥

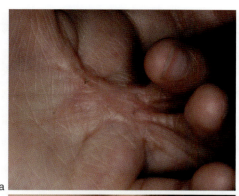
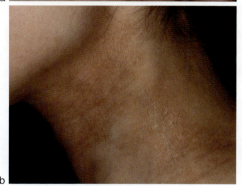

図10　瘢痕・萎縮
a：瘢痕，b：萎縮

ることが肝要である．瘙痒も，「痛痒い」「チクチクする」など患者の訴えはさまざまである．

患者が皮膚の異常を訴える頻度

皮膚科専門クリニックであれば，ほぼ100％が発疹や瘙痒などの自覚症を訴える患者であろうが，一般内科や小児科のクリニックでは皮膚の異常を訴える患者は1割ほどではないかと思われる．

症候から原因疾患へ

病態の考え方

皮疹は皮膚の異常の現れであり，病因としては大きく，①炎症，②感染症，③腫瘍，④奇形・母斑（遺伝），⑤退行・萎縮性病変，⑥進行性・増生病変，⑦血行障害，⑧代謝・栄養障害，⑨環境性病変がある．患者が皮膚の異常を訴えた場合，その皮疹・自覚症状が上記のいずれに当てはまるかを

まず考える．たとえば，その皮膚病変が炎症なのか，腫瘍なのか，もし炎症であれば，アレルギーなどの無菌性炎症なのか，感染性炎症なのか，という具合にさらに考えを進める．

一方，皮疹はその病態によって大きく，①湿疹・皮膚炎，②じんま疹，③紅斑症，④血管炎・膠原病，⑤紫斑病・循環障害，⑥環境性皮膚障害，⑦薬疹，⑧自己免疫性水疱症，⑨角化症，表皮水疱症，⑩炎症性角化症，⑪代謝異常症，⑫形成異常症・萎縮症，⑬肉芽腫症，⑭色素異常症，⑮母斑・母斑症，⑯腫瘍，⑰付属器疾患，⑱感染症（細菌感染症，抗酸菌感染症，真菌症，ウイルス感染症，スピロヘータ・原虫・動物性疾患，性感染症）に分類される．これらの病態と病因との関連を図11に示す．

病態・原因疾患の割合

外来患者では，アトピー性皮膚炎や接触性皮膚炎（かぶれ）などの湿疹・皮膚炎群，じんま疹が最も多く，30～40％ほどを占め，次は白癬症，伝染性膿痂疹（とびひ），伝染性軟属腫（みずいぼ），単純疱疹，帯状疱疹などの感染性皮膚疾患が20～30％程度で多く，残りを腫瘍，母斑，熱傷などの物理的・化学的皮膚障害などが占める．病態・原因疾患の頻度とその臨床的重要度を図12に示す．

診断の進め方

診断の進め方のポイント

皮膚の異常には，他覚的にも認知できる症状である「皮疹」と，自覚的にしか認知できない瘙痒・疼痛などの「自覚症状」の2種類がある．皮膚の異常を診察する際には，皮疹の種類と自覚症状の種類を組み合わせて診断する．さらに，皮疹がどのような原発疹・続発疹で構成されているか，体のどの部位にどのようなパターンで配列・局在するのか，皮疹の組織学的位置（表皮・真皮・皮下組織），経過（急性・亜急性・慢性か，増大傾向か・縮小傾向か）などを総合的に勘案して診断する．

表1に原発疹と続発疹に対応する2，3の主要

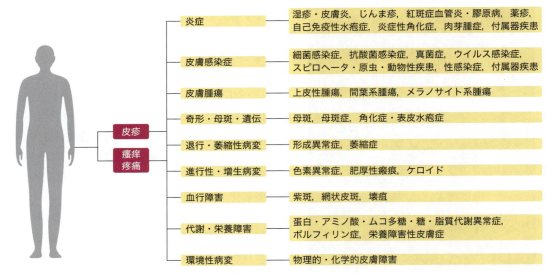

図11　皮膚の異常の原因

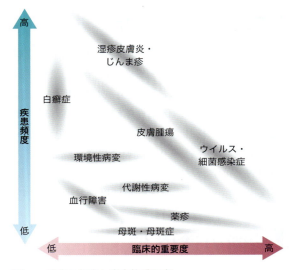

図12　疾患の頻度と臨床的重要度

表1　皮疹と主要疾患

原発疹	疾患
紅斑	単純性血管腫，多形紅斑，湿疹など
紫斑	IgA血管炎，老人性紫斑など
白斑	尋常性白斑，白皮症
色素斑	色素性母斑，炎症後色素沈着，扁平母斑
丘疹	湿疹，尋常性疣贅，汗管腫，光沢苔癬など
結節	神経線維腫，結節性黄色腫など
腫瘤	扁平上皮癌，脂肪腫など
水疱	熱傷，水疱性類天疱瘡，水疱性膿痂疹など
小水疱	単純性疱疹，帯状疱疹，湿疹など
膿疱	掌蹠膿疱症，痤瘡など
嚢腫	粉瘤，粘液嚢腫
膨疹	じんま疹

続発疹	疾患
表皮剥離	搔破痕，湿疹など
びらん	落葉状天疱瘡，表皮水疱症，伝染性膿痂疹など
潰瘍	熱傷，褥瘡，外傷など
膿瘍	蜂窩織炎，化膿性粉瘤など
亀裂	口角炎，角化性湿疹，凍瘡など
鱗屑	乾癬，慢性湿疹，魚鱗癬など
痂皮	急性湿疹，伝染性膿痂疹，類天疱瘡など
胼胝	鶏眼，胼胝腫
瘢痕	熱傷，褥瘡，外傷など
萎縮	線状皮膚萎縮（妊娠線），老人皮膚など

疾患を示した．すなわち，表1に示すように，まず患者の皮疹がどのような原発疹・続発疹から構成されているかを評価し，それに対応する皮膚疾患候補群のなかから最も当てはまる疾患を病名として診断する．

医療面接

患者の年齢，性別，喫煙・飲酒などの生活習慣，付随する全身症状（不眠，倦怠感など），職業，趣味，家族歴，既往歴，薬物歴などの一般的事項を聴取する．皮膚の異常については，皮疹出現の誘因・契機，経過（時間的および空間的広がりの経緯），付随する自覚症状（瘙痒，疼痛）などを聴取する．皮疹の視診からその皮疹がアレルギー性炎症か，感染か，腫瘍かなどあらかじめ大まかに診

表2 医療面接のポイント

経過
- いつから皮疹があるのか
- 皮疹に気づいてから，拡大傾向か，不変か，消退傾向か
- 皮疹は出現・消退を繰り返すか
- 皮疹は急激に拡大したのか，徐々に拡大したのか

家族歴・既往歴
- 家族・親族に同様の皮疹がある人がいるか
- アトピー性皮膚炎，喘息，アレルギー性鼻炎などのアレルギー疾患の有無を確認する

誘因
- 皮疹の誘因・きっかけはなかったか
- 精神的・身体的ストレスは誘因となっているか

薬物歴
- 皮疹出現の半年以内に開始された薬物はないか
- 薬疹を起こしやすい薬物（抗けいれん薬，抗菌薬，NSAIDsなど）はないか

全身・局所症状の有無と内容
- 発熱，倦怠感，関節痛などを伴っていないか
- 皮疹に瘙痒や疼痛はあるか

生活歴
- 喫煙・飲酒歴を確認する
- 海外渡航歴を確認する

職業歴
- パーマ液，染色液などのかぶれやすい薬物を扱う職業ではないか

表3 身体診察のポイント

性状
- 皮疹がどのような原発疹・続発疹の組み合わせから構成されているか

深さ
- 病変の主座は，表皮・真皮・皮下組織のいずれか

分布・配列
- 特定のパターン（帯状，線状，播種状，蛇行状，対称性，片側性など）をとっているか

発生部位
- 特定の発生部位（露出部，被覆部，間擦部，脂漏部位，陰股部など）か確認する

バイタルサイン
- 発熱は感染症，多形紅斑，薬疹，膠原病などを示唆する

断の「あたり」をつけておき，さらに診断を絞り込む方向で病歴の聴取を行う．表2に皮膚の異常の医療面接のポイントを示す．

身体診察（表3）

皮疹は身体内部の病変と異なり，身体診察で直接視診，触診できる病変である．したがって，身体診察は皮疹の性状を確認・分析し，診断をつけるために特に重要である．視診と触診を組み合わせて，皮疹がどのような要素（原発疹・続発疹）の組み合わせで構成されているか，どのようなパターンで皮疹が配列し，皮膚のどの深さ（表皮・真皮・皮下組織）に皮疹の主座があるのかなどを総合的に観察し，図11，表1に示したように個々の皮膚疾患と照合することにより皮疹の診断を絞り込んでいく．

たとえば，手指の紅斑と瘙痒を主訴に来院した患者の場合，より詳細な観察を行い，もし紅斑のほかに小水疱・鱗屑痂皮という原発疹・続発疹を見つければ，その組み合わせで「接触性皮膚炎（かぶれ）」という最も可能性の高い診断が導かれる．

診断のターニングポイント

医療面接と身体診察を総合して考える点

（確定診断） 医療面接と身体診察を総合することにより，ほぼすべての皮疹の診断が可能である．皮疹の身体診察は視診と触診に分けられるが，視診と触診を合わせて診断を決めることが重要である．

必要なスクリーニング検査

皮疹の診断においては医療面接と身体診察が重要であり，スクリーニング検査は鑑別診断がある場合に，さらに診断を絞り込む補助的役割を担う．皮疹の性状をより詳細に観察するためのスクリーニング検査としてダーモスコピーがあり，一般的スクリーニング検査として尿検査，血液検査，画像検査がある．

❶ ダーモスコピー

ダーモスコープは，ライト付きルーペである．ダーモスコピーでは，単にルーペにより皮疹を拡大するだけでなく，エコーゲルや偏光フィルターを用いて散乱光を取り除くことにより皮疹の詳細な観察が可能である．色素性母斑，悪性黒色腫や

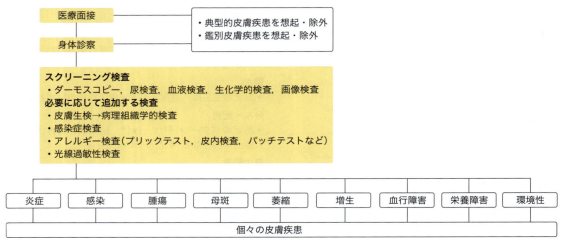

図13 皮膚の異常の診断の進め方

血管腫などの色素性病変や腫瘍性病変，扁平苔癬などの炎症性病変など，さまざまな皮膚病変の精査に用いられる．

❷ 尿検査

皮疹から腎障害を疑う場合に行う．たとえば，円板状紅斑，蝶形紅斑などから全身性エリテマトーデス(SLE)を疑う場合，下肢の点状浸潤性紫斑からIgA血管炎などを疑う場合などに行う．

❸ 血液検査

白血球増加，好中球増加，CRP高値は蜂窩織炎などの感染性皮膚疾患や結節性紅斑，Sweet(スウィート)病などの炎症性皮膚疾患の診断を補強する．好酸球増加は，アトピー性皮膚炎，薬疹などのアレルギー性皮膚疾患の診断を補強する．

皮疹からいくつかの皮膚疾患を想起した場合，おのおのの皮膚疾患の診断を補強する項目を検査する．たとえば，皮疹からSLEを想起した場合は抗核抗体や補体などを検査し，サルコイドーシスを想起した場合はアンジオテンシン変換酵素(ACE)やリゾチームなどを検査するといった具合である．

❹ 画像検査

内科医が画像検査結果を読み解き，診断を絞り込んでいく過程は，皮膚科医が視診により皮疹の性状を読み解き，診断を絞り込む過程と似ている．皮疹は肉眼で観察することができるので，皮疹の診断は特別な画像検査を行うことなく可能である．皮疹の診断における画像検査は，主として皮疹から全身疾患を疑い，その全身疾患の合併症の有無を評価する場合，たとえば，皮膚筋炎で間質性肺炎の有無を評価する，蜂窩織炎で炎症の深度を評価するなどである．さらに，皮膚腫瘍の性状や深度，充実性腫瘍か嚢腫かの鑑別，神経・血管との連続性，転移の有無などを評価する際などにも画像検査を行う．

診断確定のために

皮膚の異常は，医療面接と身体診察を組み合わせて総合的に判断することで，かなり診断を絞り込むことができる．皮疹や自覚症状が典型的な場合は，医療面接と身体診察のみで確定診断が可能である．しかし，医療面接と身体診察のみで確定診断が困難な場合は，以下の検査を組み合わせることで確定診断を行う．図13に診断確定のフローチャートを示す．

皮膚生検

病理組織学的検査は，皮膚腫瘍の確定診断のみならず，炎症性皮膚疾患の確定診断にも重要である．自己免疫性水疱症や膠原病，血管炎などでは，免疫組織蛍光法も併用される．

感染症検査

白癬症，カンジダ症，疥癬などの確定診断には，

検体を水酸化カリウム(KOH)液で処理後に顕微鏡で観察・同定する KOH 直接検鏡法が用いられる．膿痂疹，膿瘍，Hansen(ハンセン)病を除く抗酸菌感染症を疑う場合では，病変部からの培養検査が行われる．

アレルギー検査

アトピー性皮膚炎，接触性皮膚炎，じんま疹，アナフィラキシーなどのアレルギー性疾患では，原因物質・薬物の確定のために皮膚テスト(プリックテスト，スクラッチテスト，皮内テスト)，パッチテストや血液検査(IgE-RAST など)が行われる．

光線過敏性検査

医療面接や身体診察で光線過敏症を疑う場合に確定診断のために行う．可視光線，紫外線 A・B を健常部に照射し，皮疹が再現できるか検査する．

〈川内 康弘〉

黄疸
jaundice, icterus

黄疸とは

定義

黄疸とは，血中ビリルビンが増加し，眼球結膜，皮膚，粘膜，その他の組織が黄染した状態をいう．健常者の血清ビリルビン濃度は 1.0 mg/dL 以下であるが，2.0 mg/dL を超えると肉眼的に黄疸が認められる．黄疸はビリルビンの産生，代謝，排泄のいずれかの障害により生じる．

患者の訴え方

患者自身が黄疸に気づくよりは，むしろ他人から「白目が黄色い」「顔色が黄色っぽい」と言われて受診することが多い．

自分で気づく場合は，黄色調の白目や皮膚と同時に褐色尿を訴える．患者によっては大便の色の変化(灰白色便)を主訴にする．皮膚の痒みを訴える場合もあり，黄疸の重要な徴候の1つである．腹痛，貧血を訴えて来院し，発見される場合もある．

手掌のみが黄色調を呈すると受診する多くの患者は，黄色野菜，果物の過剰摂取によるカロチンの沈着をきたしているものであり，黄疸ではない．

黄疸患者の受診理由を表1に示した．

患者が黄疸を訴える頻度

自分自身が黄疸に気づいて受診する患者または周囲の人に指摘されて受診する患者は，一般外来での頻度はそれほど高くはない．大学病院の総合外来でも1%以下との報告がある．他の主訴で受診し，医師が身体診察を行って黄疸を見出す頻度のほうが高い．

表1　黄疸患者の受診理由
- 他人から黄疸(皮膚の色の変化)を指摘される
- 自分で黄疸に気づく
- 黄疸に付随する症状で受診する
  - 褐色尿
  - 灰白色便
  - 皮膚の痒み
  - 皮膚の色の変化
  - 黄色腫
- 他の主訴での受診時，初めて黄疸と言われた
  - 消化器症状
  - 感冒様症状
  - 全身倦怠感
  - 体重減少
  - 貧血
  - 脾腫
  - 長期の絶食
- 他の病気での加療中
- 健診で発見された

症候から原因疾患へ

病態の考え方

ビリルビンには，間接(非抱合型)ビリルビンと，直接(抱合型)ビリルビンがある．おのおののビリルビンの上昇機序により病態が異なる．その概略を機序別に図1に示す．

間接ビリルビン優位の黄疸

❶ 間接ビリルビンの過剰産生

先天性・後天性溶血性貧血が主因であり，血管外・血管内溶血性貧血がある．骨髄内無効造血によって赤芽球の発育が障害されると溶血が起こり，その結果，間接ビリルビンが増加するものをシャントビリルビン血症という．

❷ 間接ビリルビンの肝細胞摂取障害

肝細胞によるビリルビン摂取障害である．肝硬変でのシャント形成が主因となる．

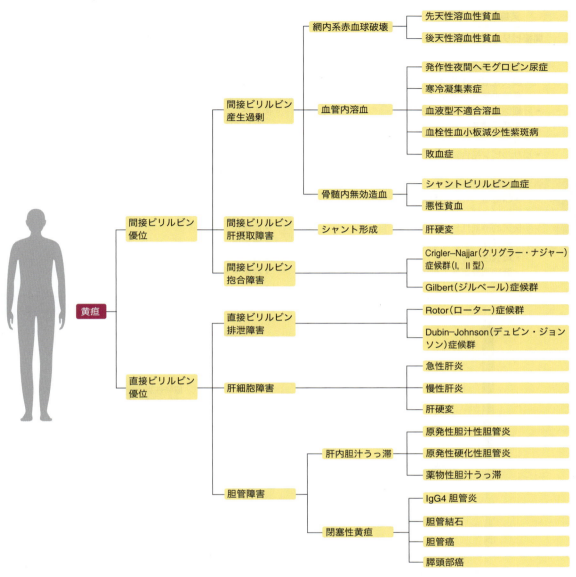

図1　黄疸の原因

❸ 肝細胞内での間接ビリルビンの抱合障害

グルクロン酸抱合酵素が欠如している Crigler-Najjar 症候群と，同酵素活性の部分低下による Gilbert 症候群がある．後者は長期空腹で間接ビリルビンが増加する．

直接ビリルビン優位の黄疸

❶ 遺伝性の直接ビリルビンの排泄障害

遺伝性の肝細胞内での直接ビリルビンの胆汁中への排泄障害（Dubin-Johnson 症候群，Rotor 症候群）による直接ビリルビン血症である．

❷ 肝細胞障害による直接ビリルビンの排泄障害

ウイルス肝炎，アルコール性肝炎などから，胆汁への排泄障害が起こる．

❸ 胆管障害によるビリルビンの流通障害

胆汁に排泄されたのち，胆道の流通障害によりビリルビンが血中へ逆流することによる．胆管そのものの障害，胆管内結石，胆管腫瘍，胆管周囲からの圧迫などが原因となる．

表2 黄疸をきたす疾患

間接ビリルビン増加
- 溶血
  - 遺伝性溶血性貧血
  - 後天性溶血性貧血
  - 骨髄内無効造血
- 肝細胞ビリルビン摂取の減少
  - 末期肝硬変
  - 敗血症
- ビリルビン抱合減弱（グルクロン酸抱合活性減弱）
  - 先天性
    - Gilbert症候群
    - Crigler–Najjar症候群（I，II型）
  - 新生児黄疸
  - 後天的酵素活性低下
    - 薬物性
    - 母乳性
    - 肝細胞障害性：肝硬変

直接ビリルビン増加
- 排泄障害
  - 先天性
    - Dubin–Johnson症候群
    - Rotor症候群
  - 後天性
    - 肝細胞障害性：肝炎，肝硬変
    - 胆汁うっ滞性：原発性胆汁性胆管炎，原発性硬化性胆管炎，IgG4関連胆管炎
  - 妊娠性黄疸
- 胆管閉塞性
  - 胆管内性
    - 胆石
    - 胆管炎
    - 胆管癌
  - 胆管外性
    - 膵癌・悪性リンパ腫など
    - 膵炎

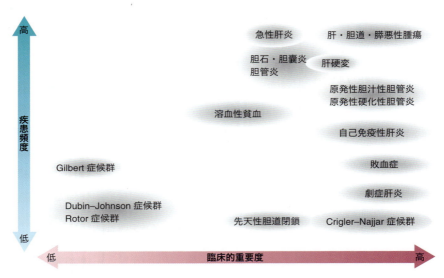

図2 疾患の頻度と臨床的重要度

原因疾患と年齢

黄疸をきたす疾患を表2に示した．小児では溶血性貧血，先天性胆道閉鎖が多くみられ，青年・壮年では急性肝炎，アルコール性肝障害，高齢者では肝硬変，肝癌，閉塞性黄疸，薬物性肝障害が多くみられる．

病態・原因疾患の割合（図2）

小児では先天性胆道閉鎖・溶血性貧血が圧倒的に多い．急性肝炎は多いが黄疸を呈することは少ない．成人では肝・胆道・膵の悪性腫瘍が約30％，胆石・胆管炎が約20％，急性肝炎が約15％，胆汁うっ滞（原発性胆汁性胆管炎，原発性硬化性胆管炎など），肝硬変がおのおの約5％みられる．

診断の進め方

診断の進め方のポイント

- 黄疸の確認は自然光のもとで，あるいはこれに近い環境で観察する．

- 黄疸に関する家族歴を聴取する〔溶血性黄疸（貧血），体質性黄疸〕．
- 肝炎ウイルス感染リスク，薬物使用歴，飲酒状況を聴取する．
- 黄疸が出現した状況と経過を把握する．
- 尿，便の色の変化は鑑別診断に有用である．
- 発熱，意識障害の程度は，黄疸の病態理解に重要である．
- 身体診察では，貧血の有無，皮膚の引っ掻き傷，黄色腫，肝臓・胆嚢・脾臓の性状を観察する．
- 黄疸の診断には超音波検査・CT 検査は必須である．
- 血液検査では，黄疸の原因，重症度，合併する病態の解明に必要である．特に直接ビリルビン，間接ビリルビンどちらが優位の黄疸かを決めるのは診断上重要である．

医療面接

間接ビリルビン過剰産生と直接ビリルビン過剰産生に分けて，医療面接のポイントを表3に示す．家族歴，経過については以下にまとめる．

家族歴

溶血性黄疸（貧血），体質性黄疸は遺伝性のものが過半数を占める．家系内に黄疸や貧血，脾腫大を言われた患者がいないか聴取する．

黄疸の経過

❶ 新生児・乳児の経過

出生直後〜数か月の時期の黄疸で，間接ビリルビン優位ならば母児間血液型不適合溶血性貧血，新生児黄疸，母乳性黄疸を，直接ビリルビン優位ならば胆道閉鎖を疑う．

❷ 成人の経過

成長してからの黄疸の医療面接で大切なのは，黄疸が持続性かあるいは出没しているか，急激に出現したかを知ることである．前者の場合は溶血性貧血，体質性黄疸，慢性胆汁うっ滞が主因であり，後者の場合は一過性の肝細胞障害，閉塞性黄疸である．一過性肝細胞障害はウイルス肝炎，薬物性肝障害，アルコール多飲などが原因であるの

表3 医療面接のポイント

間接ビリルビン過剰産生
- 黄疸が持続ないし出没する
  - 家族内に黄疸，貧血，脾腫の人がいないか
  - 幼小児期から貧血を指摘されたことはないか
  - 脾腫を指摘されたことはないか
  - ときどき黄疸を指摘されたことはないか
  - 「尿の色が他人より濃い」と言われたことはないか
  - 絶食が2日ほど続いたときに，黄疸に気づいたことはないか
  - 若年性胆石を言われていないか
- 黄疸が急激に出現する
  - 急激な貧血があるか
  - 尿が褐色調か
  - 体が寒冷に曝露されたとき，褐色尿が出るか

直接ビリルビン過剰産生
- 黄疸が持続ないし出没する
  - 家族内に黄疸の人がいないか
  - 慢性肝障害はないか
  - 肝臓病以外の既往歴を確認する（手術歴，輸血歴を含む）
  - 意識障害の有無をみる
- 黄疸が急激に出現した場合
  - 肝細胞障害を疑う場合
    - 肝炎蔓延地域への旅行歴を確認する
    - 生魚介類の摂食歴を確認する
    - 不特定者との性的関係を確認する
    - 医療機関への受診はあるか
    - 注射針事故，覚醒剤静注歴を確認する
    - 消化器症状：悪心・嘔吐，腹痛，下痢を確認する
    - 輸血歴を確認する
    - アルコール歴を確認する
    - 薬物内服歴を確認する（種類と期間）
  - 閉塞性黄疸を疑う場合
    - 発熱の有無をみる
    - 腹痛の有無をみる
    - 胆石をもっているか否か
  - 共通する場合
    - 皮膚の痒みの有無をみる
    - 尿の色調の変化をみる
    - 便の色（灰白色）：胆道閉鎖を確認する
    - 体重の変化はあるか

で，生活歴の詳細な聴取が診断に不可欠である．

閉塞性黄疸では，胆管結石，胆管炎では腹痛，高熱を伴い，悪性腫瘍では一般に無痛性黄疸である．

身体診察

身体診察により黄疸の鑑別はかなり可能である（表4）．

表4　身体診察のポイント

黄疸の確認
- できるだけ自然光あるいは白色光のもとで観察する

バイタルサイン
- 体温，呼吸数，脈拍：感染症，横隔膜の挙上，徐脈などを確認する

全身状態
- 意識障害：劇症肝炎，肝性脳症の診断に重要である
- 体重の変化：減少→悪性疾患　増加→浮腫・腹水を確認する
- 皮膚の状態：発疹，掻きこわし，くも状血管腫，手掌紅斑，色素沈着を確認する
- 貧血の有無をみる
- 浮腫の有無をみる

頭頸部
- 顔貌，表情をみる
- 結膜（貧血の有無），顔面皮膚（酒皶鼻，毛細血管拡張）を確認する
- くも状血管腫，リンパ節腫大を確認する
- 頸静脈の怒張を確認する

胸部
- くも状血管腫，血管怒張，女性化乳房を確認する
- 肺肝境界を確認する

腹部
- 腹壁の状態：膨隆，手術瘢痕，血管怒張（メドゥサの頭）を確認する
- 腹水の有無をみる
- 肝濁音界の確認：肝の縮小
- 脾腫の有無，脾濁音界の拡大の有無をみる
- Courvoisier（クールボアジェ）徴候を確認する
- 腹部腫瘤を確認する

四肢
- 浮腫を確認する

神経系
- 手指振戦を確認する
- 見当識消失を確認する
- 計算力低下を確認する

間接ビリルビン優位の黄疸の場合，溶血性貧血のことが多い．したがって，貧血，脾腫を確認することは重要である．

肝細胞性黄疸では，肝腫大，肝圧痛が特徴的である．手指振戦，意識障害は肝性脳症の徴候であり重要である．皮膚所見では，くも状血管腫，手掌紅斑，腹壁静脈怒張〔メドゥサの頭（caput medusae）〕，浮腫は肝硬変の徴候である．

無痛性胆囊腫大の触知（Courvoisier 徴候）は3管合流部以下の胆管の閉塞である．

診断のターニングポイント(図3)

医療面接と身体診察を総合して考える点

- **(確定診断)** 家族に黄疸患者がいて，黄疸，貧血，脾腫があれば溶血性貧血を考える．
- **(確定診断)** 発症前1～数か月内に肝炎ウイルスの感染リスク（生のカキ・ブタやシカの生肉・生もつの摂食，不特定者との性行為，入れ墨，針事故など），薬物使用歴，多量飲酒歴があれば急性肝炎を考える．
- **(確定診断)** 黄疸に肝萎縮，意識障害（肝性脳症）が合併する場合は劇症肝炎が示唆される．
- **(確定診断)** 急激な右季肋部痛と高熱を伴う黄疸は急性胆囊炎を考える．留意すべきこととして，意識障害，血圧低下（ショック）を合併する場合は重症急性胆管炎であり，早急な治療を要する．
- **(確定診断)** 無痛性の胆囊腫大（Courvoisier 徴候）を伴う黄疸は，腫瘍による閉塞性黄疸（膵頭部，乳頭部，総胆管末端の腫瘍など）を考える．
- **(確定診断)** 中年女性で皮膚瘙痒と慢性の黄疸があれば，原発性胆汁性胆管炎を考える．

必要なスクリーニング検査

医療面接，身体診察から推測される疾患を，さらに正確な原因診断に結びつけるためのスクリーニング検査を表5に示す．

❶ 尿検査
ウロビリノゲン，ビリルビンの存在とその程度をみることにより，溶血性黄疸，肝細胞性黄疸，閉塞性黄疸の鑑別に有用である．

❷ 便検査
色調を見る．溶血性黄疸では濃褐色，閉塞性黄疸では灰白色調となる．

❸ 血球検査（血算）
貧血の程度，網赤血球，赤血球形態をみる．白血球数（WBC），分画を調べる．溶血性貧血とそれ以外の黄疸の鑑別に有用である．

❹ 血液生化学検査
間接ビリルビン上昇，LD 上昇，ハプトグロビ

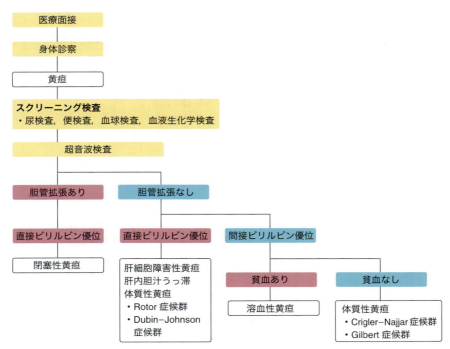

図3 黄疸の鑑別診断の進め方

表5 必要なスクリーニング検査

検査	溶血性黄疸	肝細胞性黄疸	閉塞性黄疸
尿検査	ウロビリノゲン強陽性	ビリルビン陽性	ビリルビン強陽性
便検査	濃褐色	淡黄色	灰白色
血球検査(血算)	貧血(正球性正色素性) 網赤血球数(Ret)増加 赤血球形態の観察	白血球数(WBC) および分画検査 血小板数	炎症があるとWBC増加
血液生化学検査	間接ビリルビン上昇 LD上昇 ハプトグロビン低下	直接ビリルビン上昇 AST上昇 ALT上昇 γ-GT正常〜軽度上昇	直接ビリルビン優位 ALP上昇 LAP上昇 γ-GT著明上昇 IgG4
画像検査	超音波検査	超音波検査	超音波検査 CT検査

ン(Hp)低下は溶血性黄疸，AST，ALTの上昇は肝細胞性黄疸，アルカリホスファターゼ(ALP)，γ-GTの上昇は閉塞性黄疸である．肝内胆汁うっ滞でも，ALP，γ-GTが上昇する．

❺ 超音波検査

通常，身体診察の次の段階で行われる．黄疸の鑑別診断のスクリーニング検査として欠くことのできない検査である．肝内外の胆管の拡張は閉塞性黄疸を意味する．胆石症の診断にも有用．肝腫大，脾腫をみるのも可能である．

診断確定のために

医療面接，身体診察，スクリーニング検査により，溶血性黄疸，肝細胞性黄疸，閉塞性黄疸の鑑別はかなり可能である．しかし，黄疸発生の原因をさらに確実にするために，表6に示すような特異検査を行う．

表6 確定診断に必要な検査

	溶血性黄疸	肝細胞性黄疸	閉塞性黄疸
血液検査	Coombs(クームス)試験 ショ糖水試験 Ham(ハム)試験 網状赤血球数 ハプトグロビン	肝炎ウイルスマーカー 自己抗体 色素排泄テスト コリンエステラーゼ(ChE) プロトロンビン時間(PT) 線維化マーカー〔Mac-2結合蛋白糖鎖修飾異性体(M2BPGi)〕 アンモニア アミノ酸	腫瘍マーカー IgG4
画像検査	超音波,CT(脾腫)	超音波 CT MRI 肝硬度(エラストグラフィー)	超音波,CT,MRI 内視鏡的逆行性膵胆管造影(ERCP) 経皮経肝的胆道造影(PTC) 血管造影
形態検査	末梢血ストリッヒ(赤血球形態) 骨髄検査	腹腔鏡検査 肝生検検査	胆汁細胞診 胆管生検 腫瘍生検
特殊検査	赤血球寿命検査 赤血球膜抗体試験	トランスフェラーゼ酵素活性低下 飢餓試験 脳波	Gaシンチグラフィー

溶血性黄疸の確定診断

遺伝性溶血性貧血のなかでわが国に多いのは、球状赤血球症、楕円赤血球症である。これは赤血球形態観察で診断がつく。

後天性溶血性貧血には種々の原因がある。自己免疫性貧血ではCoombs試験が有用である。発作性夜間ヘモグロビン尿症は、ショ糖水試験、Ham試験が陽性となる。

溶血性貧血一般では、骨髄検査で赤芽球系が優位となる。

肝細胞性黄疸の確定診断

体質性黄疸のなかで、間接ビリルビンが優位であるCrigler-Najjar症候群、Gilbert症候群は、トランスフェラーゼ酵素の完全欠損、部分欠損が原因である。本酵素の活性度の測定は診断に有用である。

直接ビリルビン優位のDubin-Johnson症候群は、色素排泄試験のうちBSP負荷検査で血中濃度の再上昇が特徴的である。しかし、ICG負荷試験では再上昇はない。Rotor症候群ではBSP、ICG試験とも高度の排泄遅延が特徴的である。形態検査で特徴的なのはDubin-Johnson症候群で、肉眼的に黒色肝であり、顕微鏡的には肝細胞内に粗大褐色顆粒を認める。

ウイルス性肝炎では、抗原、抗体などウイルスマーカーの測定を行う。自己免疫性肝炎では抗核抗体(ANA)、原発性胆汁性胆管炎では抗ミトコンドリア抗体(AMA、AMA2)検査が診断に有用である。ウイルス肝炎、自己免疫性肝炎、原発性胆汁性胆管炎では肝組織所見で特有な所見がある。

閉塞性黄疸の確定診断

閉塞性黄疸は、良性疾患によるものか、悪性疾患によるものか鑑別が必要である。

CEA、CA19-9、α-フェトプロテイン(AFP)、PIVKA-Ⅱなどの腫瘍マーカー、CT、MRI、ERCPなどの画像検査は悪性腫瘍の診断に有用である。悪性腫瘍の診断を確実にするには細胞診、生検による病理的診断が望まれる。良性疾患によるものとして、IgG4関連胆管炎、自己免疫性膵炎がある。

〈清澤 研道〉

出血傾向
bleeding tendency

出血傾向とは

定義

出血傾向とは，止血機構になんらかの異常があり，止血しにくい状態をいう．手術後や月経に伴って出血量が通常よりも多いとか，血尿や消化管出血など健康状態では出血すべきではない部位に出血がみられたり，たいした物理的刺激が加えられてないのに紫斑を生じたりする．

患者の訴え方

患者は，「赤（青）アザができた」「鼻血が出て止まらない」「歯を磨いたときにダラダラと血が出る」「生理の量が最近多い」などと訴える．抜歯後の止血困難や，小手術後の出血で紹介されて来院することもある．

患者が出血傾向を訴える頻度

出血傾向だけを主訴とする患者の頻度は多くない．しかし，出血傾向のうちでも重症な播種性血管内凝固（disseminated intravascular coagulation; DIC）は感染症や悪性腫瘍などの基礎疾患に続発するので頻度は高く，1年間に3万人以上で発生していると推計されている．

特発性血小板減少性紫斑病は1年間に約3,000人が発病し，有病率は人口10万に対して約12人である．血友病Aは男子出生人口10万に対して5～10人で，血友病Bはその約1/5程度である．

症候から原因疾患へ

病態の考え方（図1）

出血傾向の患者をみる場合，止血機構のいずれかに異常があるので，止血機構を念頭においておく．

すなわち，血管が破綻して出血が起こると，まず血管が収縮して血流を抑え，破綻した血管部位に血小板が粘着し凝集して傷を塞ぐように血栓（一次止血栓）をつくる（一次止血）．次いで血液凝固因子が働いてフィブリンを形成し，強固な二次止血栓をつくる．これで傷が塞がり，完全に止血する（二次止血）．

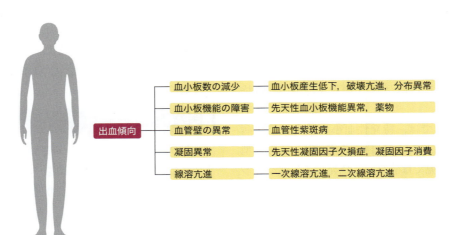

図1　出血傾向の原因

表1 出血傾向をきたす疾患

- 一次止血障害
  - 血小板数の減少
    - 血小板産生の障害：再生不良性貧血，悪性貧血，発作性夜間ヘモグロビン尿症，白血病
    - 血小板破壊の亢進：特発性血小板減少性紫斑病，ウイルス感染症，全身性エリテマトーデス，薬物
    - 血小板消費の亢進：DIC，血栓性血小板減少性紫斑病，血管炎
    - 血小板分布の異常：脾腫を伴う疾患，特発性門脈圧亢進症
  - 血小板機能の障害
    - 血小板粘着の障害：Bernard-Soulier（ベルナール・スリエ）症候群，von Willebrand（フォン ヴィレブランド）病
    - 血小板凝集の障害：血小板無力症
    - 血小板放出の障害：薬物
  - 血管壁の異常
    - IgA血管炎〔Henoch-Schönlein（ヘノッホ・シェーンライン）紫斑病〕，Osler（オスラー）病，単純性紫斑病
- 二次止血障害
  - 先天性凝固異常：血友病A，血友病B，von Willebrand病
  - 後天性凝固異常：DIC，肝疾患，ビタミンK欠乏症
- 線溶系異常
  - 一次線溶亢進：産科的合併症，前立腺手術
  - 二次線溶亢進：DIC

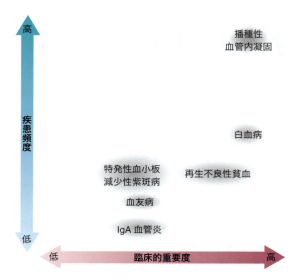

図2 疾患の頻度と臨床的重要度

止血が完了したあとは，線維素溶解現象（線溶）によって血栓が溶かされ，元の状態に復する．

出血傾向は，止血機構にかかわる血小板，血管，凝固系，線溶系のいずれかの異常が原因になって起こる．それぞれの代表的な疾患を表1に示す．

病態・原因疾患の割合（図2）

出血傾向を起こす疾患には，先天的な疾患と後天的な疾患がある．

先天性疾患では血友病Aが多く，その他は稀である．

後天性疾患では，特発性血小板減少性紫斑病が比較的多く，成人では自己免疫に基づく慢性型が多いが，小児では感染症に続発する急性型も多い．重篤な感染症や悪性腫瘍に続発するDICは重症のことが多く，臨床的に問題となる．肝硬変では，血小板数減少ならびに凝固因子欠乏による出血傾向が起こる．なお，消炎鎮痛薬など薬物服用後に出血傾向をきたすことがあり，注意が必要である．

診断の進め方

診断の進め方のポイント

- 出血傾向では，病歴情報を詳しく聴取することが診断の第一歩である．
- 先天性か後天性かをまず鑑別する．先天性疾患では幼小児期から出血を繰り返し，家系内発症を認めることが多い．
- 後天性疾患では，DICは重篤な基礎疾患に基づくので，基礎疾患の有無を確認する．ウイルス感染や薬物服用などが出血傾向の誘因となったり，抜歯や小手術が出血を誘発することもあるので，出血が出現する前の状態や状況を確認しておく．

医療面接（表2）

病歴情報を要領よく，かつ聞き落としがないように正確に確認する．家系図を描き，伴性遺伝形式が認められれば，疾患を絞り込む．出血傾向の出現時期ならびに経過をよく聴取する．先天性疾患では，出生時に臍帯出血があったり，幼小児期から出血傾向がみられる．特に，抜歯など小手

表2 医療面接のポイント

家族歴
- 家系内に同じような出血傾向のある人はいないか

経過
- いつからどの程度の出血があるか
- 月経の際の出血量，期間はどうか

誘因
- 抜歯，手術などで止血しにくかったか（輸血の有無と量）
- 出血傾向の出る前に発熱など感染症の症状がなかったか
- 薬物（消炎鎮痛薬，抗菌薬など）の服用後に出血していないか

全身症状の有無と内容
- 発熱，貧血による症状はないか

嗜好品，常用薬
- 鎮痛薬などの常用薬はないか

職業歴
- 有機溶剤などに接触する職業ではないか

表3 身体診察のポイント

バイタルサイン
- 体温，血圧：感染症や大量出血の有無を確認する

全身状態
- 皮膚，粘膜：出血の部位と程度を確認する

頭頸部
- 鼻出血，口腔内出血の有無を確認する

胸部
- 心肺疾患の有無を確認する

腹部
- 肝脾腫，腫瘤の有無を確認する

四肢
- 筋肉内出血，関節内出血の有無を確認する（血友病）

表4 出血部位と徴候による出血傾向の鑑別

	血小板，血管壁の異常	凝固異常	線溶異常
出血部位	体表部（皮膚，粘膜）	深部（皮下，筋肉，関節）	深部組織に多い
出血徴候	点状出血，小斑状出血	大斑状出血，後出血	後出血，漏出性出血

術時や外傷を受けたときの出血の状態，女性では月経の状態を確認する．後天性疾患では，基礎疾患の有無，出血する以前に感染症や薬物服用がなかったかどうかを確認する．

身体診察（表3）

出血の部位と程度をよく確認する．出血傾向の原因が血小板，血管，凝固系，線溶系のいずれの障害によるかで特徴があり，ある程度の鑑別に役立つ（表4）．

血小板や血管壁の異常では一次止血が障害され，わずかな外力によっても体表面に点状出血を生じやすく，凝固異常では二次止血が不完全なために体深部に大量出血をきたす．

手術などでいったんは一次止血により止血したようにみえても，凝固異常による二次止血異常や線溶系が亢進していると，あとで出血してくる（後出血）．全身状態や腹部所見では，感染症，悪性腫瘍など基礎疾患の有無を診断するようにする．

診断のターニングポイント（図3，4）

医療面接と身体診察を総合して考える点

- 出血傾向の有無ならびに，その原因として先天性疾患なのか後天性疾患なのか，さらに止血機構のいずれの障害によるものかの推測は病歴情報と身体所見である程度は可能である．
- しかし，確定診断を行うには，検査を行わなければならない．

必要なスクリーニング検査

出血傾向の有無と止血機構のいずれに障害があるかを判断するためには，まず次の一般検査を行う．

❶ 血球検査（血算）

血小板数をまず確認する．白血病では血液像で異常細胞を検出する．

❷ 赤沈

重症の感染症や悪性腫瘍があるにもかかわらず，赤沈が正常かむしろ遅延している場合，DICを疑うきっかけになる．

❸ 出血時間，毛細血管脆弱性試験

血小板数に異常がない場合，血小板の機能もしくは血管壁の異常を簡単にスクリーニングするために行う．血小板数が著明に減少しているときには，あえて行う意義はない．

❹ PT，APTT

外因系の凝固異常をスクリーニングするためにPTを，内因系の凝固異常をスクリーニングするためにAPTTを検査する．

診断確定のために

病歴情報，身体所見，スクリーニング検査の結果から，あらかたの出血傾向の原因を推定したのち，確定診断をするために精密検査を実施する．

血小板数減少の確定診断

骨髄検査を行い，巨核球数を調べる．巨核球の減少は，再生不良性貧血，白血病などによる骨髄不全として現れる．巨核球数が正常もしくは増加しているときには，抗血小板抗体（血小板関連IgGや血小板結合IgG），抗核抗体（ANA）を調べ，自己抗体による血小板の破壊亢進を検査する．

血小板機能異常の確定診断

血小板数が正常で出血時間が延長している場合，血小板機能異常症を疑い，血小板粘着能，凝集能，放出能，血小板第3因子（PF-3）定量などを検査する．

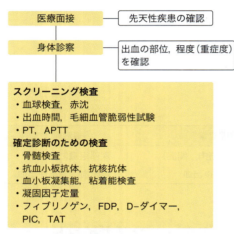

図3 出血傾向の診断の進め方

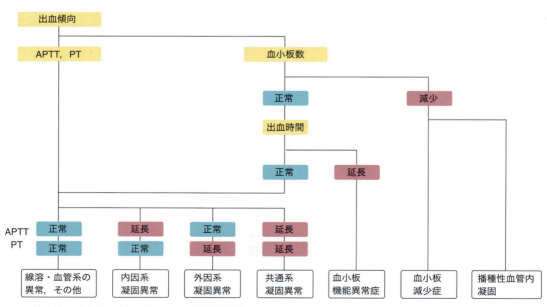

図4 検査結果による出血傾向の鑑別診断の進め方

血管異常の確定診断

IgA 血管炎 (Henoch-Schönlein 紫斑病) を疑った場合には，必要に応じて皮疹のある部位を生検する．

先天性凝固異常症の確定診断

凝固因子の活性，抗原量を調べる．

DIC の確定診断

フィブリノゲン濃度，フィブリン分解産物 (FDP)，D-ダイマー，トロンビン・アンチトロンビン複合体 (TAT)，プラスミン・プラスミンインヒビター複合体 (PIC) などを検査する．

〈奈良 信雄〉

貧血
anemia

貧血とは

定義

末梢血液単位容積あたりの赤血球数（RBC），ヘモグロビン（Hb）濃度あるいはヘマトクリット（Ht）値が低下した状態を貧血という．一般には成人男性でHbが13g/dL未満，成人女性で12g/dL未満，高齢者および妊婦では11g/dL未満を貧血とする〔WHOより〕．

患者の訴え方

貧血患者では，Hbの低下による低酸素血症に基づく症候，貧血が高度になって心不全を起こすことによる症候，そして貧血を起こした原疾患そのものによる症候を訴える．また，貧血の定義が検査値によるので，自覚症状がなく，健診などで貧血を指摘されて来院することもある．

低酸素血症による症候

末梢血液中のHb濃度が減少する結果として末梢組織で低酸素血症をきたし，易疲労感，めまい，皮膚・粘膜の蒼白などの症候が現れる．「仕事の能率が上がらない」「なんとなく気力がない」などと訴えることがある．

心不全による症候

長期間にわたって貧血が続くと慢性心不全を引き起こし，そのために労作時の動悸，息切れ，浮腫が現れるようになる．

貧血をきたした原疾患による症候

鉄欠乏性貧血では口角炎，舌乳頭萎縮，嚥下障害〔Plummer-Vinson（プランマー・ヴィンソン）症候群〕，スプーン状爪（匙状爪）などが認められる．溶血性貧血では黄疸，悪性貧血では舌の発赤と乳頭萎縮〔Hunter（ハンター）舌炎〕，消化器症状，深部感覚障害などを訴える．

患者が貧血を訴える頻度

貧血を主訴として訴える頻度は，入院患者の約0.3％，外来患者の約3.8％である．しかし，実際に貧血のある患者数はもっと多く，貧血のなかでも頻度の高い鉄欠乏性貧血は全女性の約8.5％，

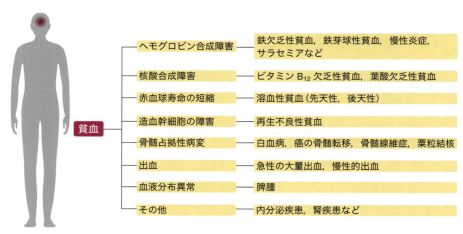

図1　貧血の原因

潜在的な鉄欠乏は女性の約 1/3 にもあるといわれる．

症候から原因疾患へ

病態の考え方（図1）

貧血は，赤血球の産生低下，破壊の亢進，出血による喪失，そして体内での分布異常によって発生する（表1）．Hb 濃度の低下に基づく組織の低酸素症状は共通しているが，基礎疾患にそれぞれ特有な症候があり，それらにも注意を払って鑑別診断を進める．

病態・原因疾患の割合

貧血のなかで最も頻度の高いのは鉄欠乏性貧血で，貧血患者の約半数近くを占める（図2）．

それ以外の貧血は頻度は低いが，白血病や再生不良性貧血など重症の疾患もあり，また溶血性貧血などでは溶血発作を起こして貧血が急激に進行することもあるので注意が必要である．サラセミアや異常ヘモグロビン血症による貧血は，わが国では稀である．

診断の進め方

診断の進め方のポイント

- 貧血の存在は血球検査で簡単に診断できる．
- 問題は，貧血を起こす原因疾患を診断することで，治療方針や予後が異なるので重要である．
- 鉄欠乏性貧血でも，月経過多や消化管腫瘍による慢性出血などといった鉄欠乏の原因を確認し，対処しなければならない．

貧血のタイプに応じて必要な検査を選択して鑑別診断を進める．

医療面接（表2）

貧血の初期症状は，階段や坂道昇降時に息切れを感じたり，倦怠感などを訴える．このような症状がいつからあり，また症状の増悪や軽快がなかったかを確認する．

貧血の原因としては鉄欠乏が多く，食事の内容，女性では月経の周期と量，便の色調の変化を必ず聴取し，慢性の出血の有無を確認する．先天性の貧血では過去に健診などで貧血を指摘されていることがあり，既往歴を確認しておく．手術歴は必ず聞いておく．

再生不良性貧血，悪性貧血や白血病などでは，赤血球だけでなく白血球や血小板にも異常があ

表1　貧血をきたす疾患

赤血球の産生障害
- Hb 合成障害：鉄欠乏性貧血，鉄芽球性貧血，感染・炎症・腫瘍による二次性貧血，サラセミア
- DNA 合成障害：ビタミン B_{12} 欠乏，葉酸欠乏
- 造血幹細胞の異常：再生不良性貧血，骨髄異形成症候群
- エリスロポエチン産生の低下：腎疾患

赤血球の破壊亢進
- 先天性：遺伝性球状赤血球症，遺伝性楕円赤血球症，赤血球酵素異常症，異常ヘモグロビン血症
- 後天性：自己免疫性溶血性貧血，発作性夜間ヘモグロビン尿症，微小血管障害性溶血性貧血

出血

赤血球分布異常
- 脾腫

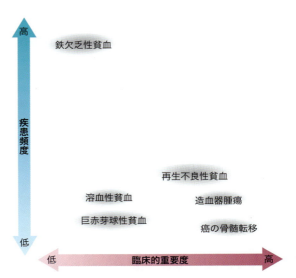

図2　疾患の頻度と臨床的重要度

り，貧血の症状以外に発熱や出血傾向の有無も確認する．

身体診察(表3)

貧血の有無は皮膚や眼瞼結膜，口腔粘膜の色調で判断する．

皮膚，粘膜では出血傾向の有無も観察する．貧血が高度になれば，収縮期機能性心雑音，さらに頸静脈こま音を聴取する．舌や爪の視診，腹部腫瘤の有無は必ずチェックする．直腸癌や痔核が鉄欠乏性貧血の原因になることもあり，直腸指診を欠かしてはいけない．

診断のターニングポイント(図3)

医療面接と身体診察を総合して考える点

- 貧血は自覚症状，皮膚と粘膜の所見からある程度は診断できる．
- しかし，軽度の貧血は症状も身体所見も乏しい．
- さらに，貧血を成因別に分類したり，予後や治療方針を判定するには，検査が必須である．

必要なスクリーニング検査

貧血の診断では，末梢血液検査が最も重要である．

❶ 血球検査(血算)

RBC，Hb 濃度，Ht，網赤血球数(Ret)，白血球数(WBC)，血小板数を測定する．さらに，平均赤血球容積(MCV)，平均赤血球 Hb 量(MCH)，平均赤血球 Hb 濃度(MCHC)を次式で求め，貧血を分類する(表4)．小球性低色素性貧血，正球性正色素性貧血，大球性正色素性貧血について，それぞれ鑑別を進める(表5，図4)．

$$MCV\,(fL) = Ht\,(\%) / RBC\,(10^6/\mu L) \times 10$$

$$MCH\,(pg) = Hb\,(g/dL) / RBC\,(10^6/\mu L) \times 10$$

$$MCHC\,(\%,g/dL) = Hb\,(g/dL) / Ht\,(\%) \times 100$$

さらに血球数だけでなく，各血球の形態を観察し，形態学的変化の有無を調べる．各種貧血や骨

表2　医療面接のポイント

経過
- いつから，どの程度の貧血症状があるか
- 過去に貧血を指摘されたことはないか

全身症状の有無と内容
- 階段や坂道昇降時に息切れや動悸はないか
- 疲れやすくないか
- 便の色調に変化はないか(鉄欠乏性貧血)
- 尿の色調に変化はないか(発作性夜間ヘモグロビン尿症)
- 発熱や出血傾向はないか(再生不良性貧血，白血病)

生活歴
- 食生活，月経の量と期間(女性)を確認する(鉄欠乏性貧血)

嗜好品，常用薬
- アルコールの有無と量を確認する
- 常用薬の有無と内容を確認する

既往歴
- 胃切除術を受けていないか(ビタミン B_{12} 欠乏性貧血)

家族歴
- 家系内に貧血の患者はいないか(遺伝性貧血)

職業歴
- 鉛や有機溶剤などを扱う職業でないか(鉛中毒，再生不良性貧血)

表3　身体診察のポイント

バイタルサイン
- 体温，血圧：急激に起きた貧血の場合に問題となる

全身状態
- 体格：先天性疾患による発育不良や，慢性疾患・悪性腫瘍による体重減少を確認する
- 皮膚：貧血による蒼白や黄疸(溶血性貧血)の有無を観察する

頭頸部
- 顔色：蒼白かどうか
- 結膜，口腔粘膜：貧血や黄疸の有無を確認する
- 毛髪：悪性貧血では若年性に白髪となる
- 舌：舌炎，舌乳頭萎縮の有無を観察する(鉄欠乏性貧血，悪性貧血)
- 頸部：頸静脈でこま音を聴取，甲状腺腫の有無を確認する

胸部
- 機能性心雑音を聴取する

腹部
- 肝脾腫の有無を確認する
- 触診で腫瘤の有無を確認する

四肢
- 爪変形の有無を確認する(スプーン状爪)

神経系
- 深部感覚，深部腱反射の障害の有無を調べる(悪性貧血)

髄異形成症候群では，それぞれに特徴的な血球形態異常がある．また白血病では，特徴的な白血病細胞が出現する．

❷ 血液生化学検査

Fe，総鉄結合能(TIBC)または不飽和鉄結合能(UIBC)，フェリチン，ビタミンB_{12}，葉酸，間接ビリルビン，LD，ハプトグロビン(Hp)などを検査し，貧血患者を鑑別診断する．

❸ 尿検査

腎疾患による貧血を鑑別する．

❹ 便検査

便の潜血反応を調べる．

診断確定のために

貧血を分類し，原因疾患を確定診断するためには，次のような検査を行う．

免疫血清検査

自己免疫性溶血性貧血ではCoombs試験，発作性夜間ヘモグロビン尿症ではHam試験を行う．悪性貧血では抗内因子抗体，抗胃壁細胞抗体を検査する．全身性エリテマトーデスなど自己免疫疾患の診断には抗核抗体(ANA)などの自己抗体を検査する．

骨髄検査

再生不良性貧血など骨髄不全，白血病や多発性骨髄腫などの造血器腫瘍，癌の骨髄浸潤や骨髄線維症などを疑った場合には，骨髄穿刺検査または

表4 赤血球指数による貧血の分類

小球性低色素性貧血(MCV <80，MCHC <31)
- 鉄欠乏性貧血
- 慢性感染症や炎症性疾患に伴う貧血
- 鉄芽球性貧血
- サラセミア
- 無トランスフェリン血症

正球性正色素性貧血(MCV 80〜100，MCHC 31〜36)
- 溶血性貧血
- 骨髄不全
  - 再生不良性貧血
  - 赤芽球癆
  - 腎性貧血
  - 慢性疾患・内分泌疾患に伴う貧血：続発性貧血
  - 造血器腫瘍：白血病，多発性骨髄腫
  - 骨髄異形成症候群
  - 癌の骨髄浸潤
  - 骨髄癆
- 急性出血

大球性正色素性貧血(MCV >100，MCHC 31〜36)
- 巨赤芽球性貧血
  - ビタミンB_{12}欠乏性貧血：悪性貧血，胃切除後など
  - 葉酸欠乏性貧血
- 非巨赤芽球性貧血
  - 肝障害

MCV：平均赤血球容積，MCHC：平均赤血球血色素濃度

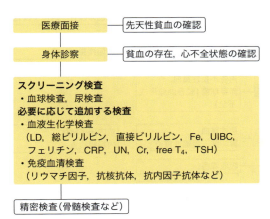

図3 貧血の診断の進め方

表5 小球性低色素性貧血の鑑別診断

	血清鉄	総鉄結合能	鉄飽和率	血清フェリチン	Hb電気泳動	骨髄鉄芽球
鉄欠乏性貧血	↓	↑	↓	↓	正常	↓
鉄芽球性貧血	↑	正常	↑	↑	正常	環状鉄芽球
慢性疾患に伴う貧血	↓	↓	正常	↑	正常	↑
βサラセミア	正常	正常	正常	正常	HbA2↑	正常
無トランスフェリン血症	↓	↓↓	↑	↑	正常	

Hb：ヘモグロビン，↓：減少，↑：増加，↓↓：極端に減少

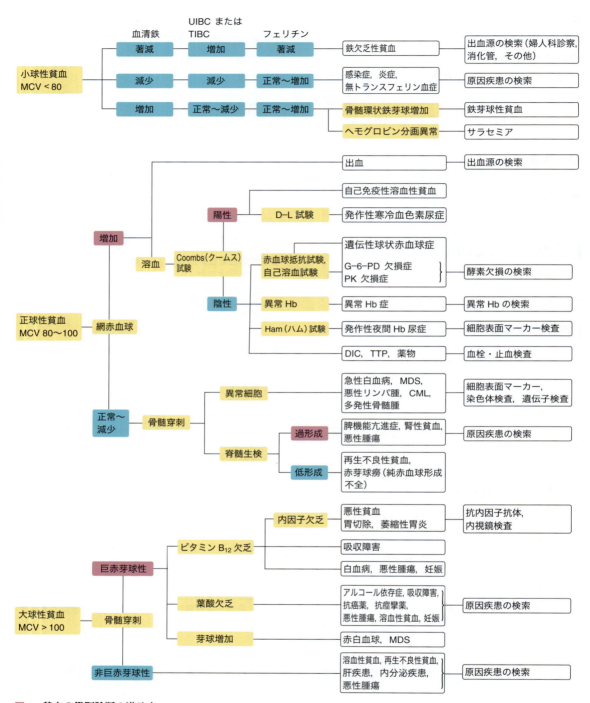

図4 貧血の鑑別診断の進め方

D-L試験:Donath-Landsteiner(ドナート・ランドスタイナー)試験,G-6-PD:グルコース-6-リン酸脱水素酵素,PK:ピルビン酸キナーゼ,DIC:播種性血管内凝固,TTP:血栓性血小板減少性紫斑病,MDS:骨髄異形成症候群,CML:慢性骨髄性白血病

生検を行う．骨髄細胞の形態学的検査，細胞表面マーカー検査，病理組織学的検査，さらに必要により染色体検査や遺伝子検査などを行う．

染色体・遺伝子検査

Fanconi（ファンコニ）貧血などの先天性疾患，白血病，遺伝性溶血性貧血，異常ヘモグロビン症，発作性夜間ヘモグロビン尿症，悪性リンパ腫などでも，それぞれの病型に特徴的な染色体や遺伝子異常があり，骨髄細胞を用いて検査する．

画像検査

便潜血反応で消化管出血が認められた場合には，消化管造影検査，内視鏡検査を行う．腹部エコー検査，CT・MRI 検査も必要に応じて追加する．

〈奈良 信雄〉

頭痛
headache

頭痛とは

定義

頭頸部に限局する痛みの自覚症状を指す．日常の診療で，最も多くみられる症状の1つである．原因は多様で，痛みの強さが必ずしも重篤さを表すとは限らない．器質性疾患に由来する症候性と，器質性疾患に由来しない機能性の頭痛がある．

患者の訴え方

頭痛には，機能性頭痛と症候性頭痛がある．初診時に鑑別診断をするうえで重要なことは，症候性頭痛のなかで，くも膜下出血，脳腫瘍などの頭蓋内器質性病変を見逃さないことである．「急に頭痛が始まった」「いつもの頭痛と違う」と訴える場合は，症候性の頭痛の可能性があるので，緊急CT，髄液検査などを行い，頭痛の原因を至急明らかにする必要がある．

患者が頭痛を訴える頻度

外来初診患者のうち10％近くが頭痛を主訴としている．このうち片頭痛が10％，緊張型頭痛が45％，群発頭痛が1.5％で，機能性頭痛が60％を占め，頭蓋内の器質性病変，髄膜炎，脳炎によるものは1.5％とされている．

症候から原因疾患へ

病態の考え方（図1）

発生機序から頭痛を考えると，①血管由来の頭痛（片頭痛，群発頭痛），②頭蓋外の原因による頭痛（緊張型頭痛，頸部・眼・耳・鼻などによる頭痛），③牽引・炎症による頭痛（脳腫瘍，脳膿瘍，慢性硬膜下血腫などの占拠性病変，くも膜下出血，静脈洞血栓，髄膜炎など），④神経痛に分けられる．これらの分類を表1に示す．

これらの疾患が原因となり，早急に的確に病因を把握して処置をしなければ生命に危険のある頭痛があるが，見落とさないためには医療面接が重要である（表2）．

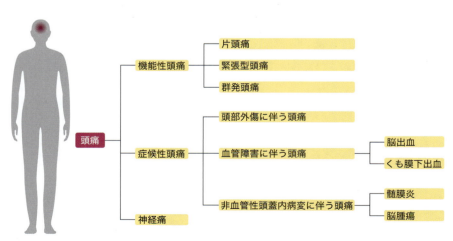

図1　頭痛の原因

病態・原因疾患の割合

疾患のおおまかな頻度と臨床的重要度を図2に示す．

診断の進め方

診断の進め方のポイント

- 頭痛は主観的なものであり，強弱の訴え方には個人差がある．
- 頭痛の程度は，日常生活動作の障害度から判定する．
- 受診時には頭痛がない場合もあり，他覚的所見も乏しいことが多い．
- 多くは機能性頭痛であるが，くも膜下出血など緊急に処置が必要な頭痛もあり，的確な医療面接が重要である．

医療面接（表2）

頭痛の患者が来院した場合，まず危険性のある頭痛かどうか見分けることが重要である．この場合「いつもと違う頭痛が急に起こった」か，発熱があるか，神経徴候を伴うかを確認することが重要である．緊急にCTの必要がある症状と鑑別すべ

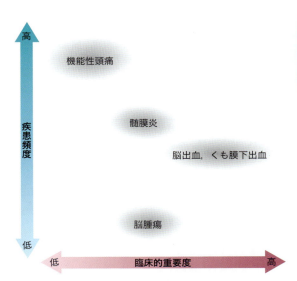

図2　疾患の頻度と臨床的重要度

表1　頭痛の大分類

機能性頭痛
- 片頭痛
- 緊張型頭痛
- 群発頭痛および慢性発作性片側頭痛
- 器質性病変を伴わない各種の頭痛：良性労作性頭痛など

症候性頭痛
- 頭部外傷に伴う頭痛
- 血管障害に伴う頭痛：脳梗塞，脳出血，くも膜下出血，動脈炎，高血圧など
- 非血管性頭蓋内疾患に伴う頭痛：髄液圧亢進，髄膜炎，脳腫瘍など
- 原因物質あるいはその離脱に伴う頭痛：薬物による頭痛，二日酔い，CO中毒など
- 頭部以外の感染症に伴う頭痛
- 代謝障害に伴う頭痛：低酸素，低血糖など
- 頭蓋骨，頸部，眼（緑内障など），耳，鼻，副鼻腔，歯，口あるいは他の顔面・頭蓋組織に起因する頭痛または顔面痛

神経痛
- 後頭神経痛，三叉神経痛など

その他
- 分類できない頭痛

表2　医療面接のポイント

発症形式
- 急性，亜急性，慢性に起こったのか

経過
- 進行性，不変，改善，反復性，発作性，持続性なのか
- 朝にひどいのか，日中（活動時）にひどいのか，夜にひどいのかなどについて尋ねる

性質・部位
- 拍動性，絞扼性，経験したことがないような痛みなのか
- 限局性，片側性，両側性，移動性なのか

増悪因子
- ストレス，不眠，体位変換，アルコール，気温，明るさを確認する

全身症状の有無と内容
- 発熱，嘔吐，前駆症状（閃輝暗点，自律神経症状），神経局所症状，血圧の変化，意識障害がないか

既往歴
- 頭部外傷，耳，鼻，眼，歯疾患の有無を確認する

家族歴
- 片頭痛の有無を確認する

表3 緊急にCTが必要な頭痛をきたす疾患

症状	疑うべき疾患
今までにない頭痛 ■ 突発する激しい頭痛 ■ 徐々に増悪する頭痛	くも膜下出血，脳出血 脳腫瘍，慢性硬膜下出血，脳膿瘍
発熱がある場合	髄膜炎，脳炎，脳膿瘍
神経徴候を伴う場合 ■ 髄膜刺激症状があるもの ■ うっ血乳頭があるもの ■ 神経局所症状を伴うもの	くも膜下出血，髄膜炎，脳炎，脳膿瘍 頭蓋内占拠性病変，脳炎 脳血管障害，脳腫瘍，慢性硬膜下出血

表4 身体診察のポイント

バイタルサイン・全身状態
- 発熱，血圧上昇，徐脈，呼吸状態（慢性呼吸不全）の有無を観察する

頭頸部
- 顔貌，うつ表情，発汗，流涙，眼球結膜充血，眼球圧痛，側頭動脈圧痛，神経圧痛点，皮疹，頸部後屈痛，項部筋群緊張を確認する

神経学的所見
- 意識状態を確認する
- 髄膜刺激症状を確認する
- うっ血乳頭，眼底網膜前出血を確認する
- 神経局所症状を確認する
- 深部腱反射亢進，病的反射出現を確認する

き疾患を表3に示す．

身体診察（表4）

身体診察は医療面接によりポイントが絞られる．発熱があれば髄膜炎を疑い，髄膜刺激症状を調べる．古典的な項部硬直やKernig（ケルニッヒ）徴候は陽性率が髄膜炎の1割以下と低く，jolt accentuation（JA）（1秒間に2～3回頭を振ると頭痛が増悪する．感度64%以上）が有用である．うっ血乳頭は頭蓋内病変による頭蓋内圧亢進を示唆する重要な所見である．意識障害，血圧の上昇は脳血管障害や高血圧性脳症に伴うことを考慮する必要がある．

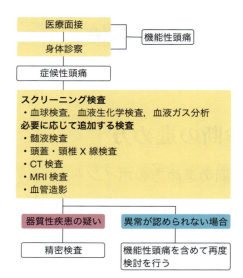

図3 頭痛の診断の進め方

診断のターニングポイント（図3）

医療面接と身体診察を統合して考える点

- 頭痛をきたすものとして表1に示すような疾患が考えられる．これらを念頭において鑑別診断・診断を進める．
- 〔確定診断〕機能性頭痛は，医療面接から頭痛の性状，慢性経過であることでほぼ診断がつけられる．

◆ 発作性拍動性 → 片頭痛
◆ 持続性の鈍痛 → 筋緊張型頭痛
◆ 間欠的な鋭痛 → 神経痛

- 身体診察で発熱，髄膜刺激症状，神経局所徴候がある場合は症候性頭痛が疑われ，以下の精査が必要となる．

必要なスクリーニング検査

医療面接から機能性頭痛を，医療面接および身体診察から症候性頭痛を推測することは可能であることが多い．しかし，症候性頭痛の原因となった器質性疾患を正しく診断するには，基本的なスクリーニング検査を加え，鑑別診断を進める．主なスクリーニング検査として，次のようなものがある．

❶ 血球・血液生化学検査

白血球数(WBC)増加，CRP 上昇から感染症や炎症性疾患の存在がわかる．

❷ 血液ガス分析

P_aCO_2 の上昇は慢性呼吸不全の存在を疑わせる．

❸ 髄液検査

髄膜炎，脳炎を疑うときに行う（くも膜下出血では非典型の場合のみ）．

❹ 胸部 X 線検査

肺疾患を疑うときに行う．

❺ 頸椎 X 線検査

頸椎症を疑うときに行う．

❻ 頭部 CT・MRI 検査

くも膜下出血，脳出血，硬膜下出血，脳腫瘍などの頭蓋内疾患を疑うときに行う．

診断確定のために

病歴情報，身体所見，スクリーニング検査の結果から，症候性頭痛の原因となる器質性疾患を限定できる．さらに，重症度，予後まで含めた診断を次のように行う．

機能性頭痛の確定診断

医療面接から片頭痛，緊張型頭痛を鑑別し，スクリーニング検査から症候性頭痛を否定する．

感染症の確定診断

発熱，炎症反応の上昇から髄膜炎，脳炎，脳膿瘍が疑われる．この場合，髄液検査にて確定診断を行う．髄液細胞の上昇が単核球ならウイルス性，多核球なら細菌性がおおまかに確定できるので，培養により確定診断を行う．また結核性など PCR 法が有用となる場合もある．

脳内出血の確定診断

脳内出血を疑った場合は，ただちに頭部 CT 検査を施行すべきである．ただし，くも膜下出血でも CT で異常がないことが 20% 程度みられるので，くも膜下出血が疑われるが CT，MRI に異常がない場合には，うっ血乳頭がないことを確認したのち，髄液検査を行う．

脳腫瘍の確定診断

神経局所症状がある場合は頭蓋内占拠病変が疑われる．この場合 CT，MRI を施行する．必要に応じて造影を行う．

〈須山 信夫，小林 祥泰〉

めまい
vertigo, dizziness, presyncope (faintness, black-out)

めまいとは

定義

平衡機能の反射系が障害され，自分が運動していないのに動揺しているように感じる異常感覚で，結果として姿勢の統御が困難になることが多い．

患者の訴え方

実にさまざまな症状がめまいとして訴えられる．大きく分けると，以下のようになる．
① 回転性めまい (vertigo)：周囲または自分がぐるぐる回る，揺れる，傾くなどの回転感，傾斜，昇降感がある．
② 浮動性めまい (dizziness)：体がふらつく，船に乗った感じがするという漠然とした浮遊感がある．
③ 失神性めまい (presyncope：faintness または black-out)：目の前が暗くなる感じ (眼前暗黒感)，立ちくらみ感が代表的である (表1)．

患者がめまいを訴える頻度

めまいは，頭痛やしびれなどと並び，脳神経内科あるいは耳鼻科の外来診療できわめて頻度が高い．外来患者の数％〜10％ほどを占める．

症候から原因疾患へ

病態の考え方 (図1)

めまいの性質は大きく3つに分類 (表1) されるため，いずれの症候なのかを鑑別する必要がある．vertigo は，末梢前庭性めまいに生じて眼振を伴う

表1　めまいとして訴えられる症状

vertigo	回転性めまい	末梢前庭性めまい 中枢前庭性めまい
dizziness	浮動性めまい	中枢動揺性めまい （平衡障害）
black-out lightheadedness, faintness	眼前暗黒感 頭が軽くなる， 気が遠くなる	失神性めまい

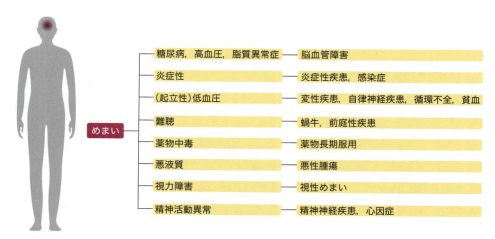

図1　めまいの原因

ことが多い．dizzinessは，中枢性に平衡障害をきたしたときに生じる．black-out, faintnessは，脳血流低下による失神性である（表2）．

3つの範疇に合致しないめまいの訴えがある場合，不安神経症やヒステリーなどで生じる心因性めまいを除外する必要がある．心因性めまいは頭がボーとしたり，ふらつきなど不定愁訴を合併することが多い．

病態・原因疾患の割合（図2）

めまいの4～5割は末梢前庭性めまいで，なかでも頭位めまいやMénière病が多い．3割に中枢性めまいがあり，脳血管障害が多い．聴神経腫瘍は3～5％程度である．失神性めまいは1割程度と考えられる．

診断の進め方

診断の進め方のポイント

- めまいの診断に際し，症状が，①vertigo，②dizziness，③black-out, faintnessのいずれに合致するか見極めることが最も重要である．
- 眼振の有無・性質を確認することで，おおまかに中枢性・末梢前庭性めまいの鑑別が可能である．
- 小脳脳幹部の脳卒中，心疾患に伴うめまいの場合は，救急処置を必要とすることがあるので注意しておく．
- 原因不明な場合，心因性，疲労，精神疾患なども考慮する．

医療面接（表3）

めまいは，受診時には消失していることも多く，医療面接が診断に重要である．めまいの性状を判断し，誘因，生じる頻度を正確に聴取することにより，診断をつけることが可能である．神経症などでも生じるが，その場合はめまいが一様の条件で生じないことが多い．

身体診察（表4）

聴力を主とした頭頸部の診察が重要である．ただし，循環器系の異常によるめまいを鑑別するためにバイタルサイン，胸部所見を必ずチェックする．

めまいのあるとき，運動失調は見逃されやすいので注意する．眼振の有無・観察は特に重要で，頭位変換眼振がみられれば前庭系障害を確認で

表2　めまいをきたす疾患

末梢前庭性めまい
- Ménière（メニエール）病，良性発作性頭位めまい，突発性難聴，内耳炎，前庭神経炎，外傷，薬物性前庭神経障害（アミノグリコシド，シスプラチンなど）

中枢性めまい
- 小脳脳幹梗塞，小脳脳幹出血，小脳炎，小脳脳幹腫瘍，聴神経腫瘍，椎骨脳底動脈循環不全，髄膜炎，Arnold-Chiari（アーノルド・キアリ）奇形，多発性硬化症，脊髄小脳変性症，中毒性（フェニトイン，アルコールなど），側頭葉てんかん，片頭痛

失神性めまい
- 起立性低血圧，Shy-Drager（シャイ・ドレーガー）症候群，自律神経ニューロパチー（糖尿病，アミロイドーシス，特発性），貧血，うっ血性心不全，心臓弁膜症，高度徐脈，脱水，降圧薬の副作用

その他
- 心因性，視性，頸性（頸椎症など）
- 多発神経炎，脊髄後索障害による深部感覚障害

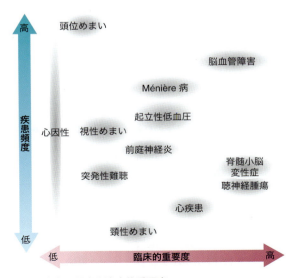

図2　疾患の頻度と臨床的重要度

表3 医療面接のポイント

経過
- 持続性か，間欠性か，進行性か

誘因
- 自発性，発作性に生じたのか
- 頭の位置を変えたとき，急に立ち上がったときに生じるのか
- 体力的，精神的ストレスとの関係はないか

随伴症状の有無と内容
- 発汗，徐脈，悪心，胸痛，頭痛，発熱，耳痛などの随伴する自覚症状はないか
- 前兆はないか

生活歴
- 不規則な生活や，ストレスのかかる生活ではないか

嗜好品，常用薬
- 抗菌薬や抗腫瘍薬などを服用していないか確認する

表4 身体診察のポイント

バイタルサイン
- 不整脈，徐脈によるめまいを鑑別する
- 立位時に脈が微弱にならないかをみる

全身状態
- 皮膚弾性から脱水の有無を確認する

頭頸部
- 頭位：頭位変換時のめまい誘発がないかをみる（Frenzel眼鏡）
- 顔貌：うつ様，不安様顔貌など精神疾患の徴候を観察する
- 眼：視力低下の有無，眼振の有無をみる
- 耳：聴力低下がないか，鼓膜の異常がないかをみる
- 顔面：感覚障害がないかをみる
- 頸部：頸部を動かすことで誘発されないかをみる
- 血管雑音：頸部，頭蓋骨内で聴診する

胸部
- 打診，聴診で心疾患を診察する

腹部
- 原因が消化管かどうかを診察する

四肢
- 浮腫がないかをみる

神経系
- 腱反射低下，感覚低下の有無からニューロパチーを鑑別する
- 運動失調，四肢脱力がないか診察する
- 髄膜刺激徴候の有無を確認する

表5 末梢前庭性めまいと中枢性めまいの差異

	末梢前庭性	中枢性
めまいの性状	回転性のことが多い	回転性は少ない
めまいの強さ	強い	軽いことが多い
めまいの持続時間	長くても数日	しばしば数日以上持続性
眼振の方向	一方向性	注視方向性
自発眼振の性状	水平回旋混合性が多い	純回旋性，垂直性
固視の影響	眼振抑制あり	抑制なし
注視眼振の強くなる方向	健側	患側
蝸牛症状	伴うことが多い	伴うことは稀
中枢神経症候	なし	あり
悪心・嘔吐	(＋)ときに(＋＋＋)	ないか軽いことが多い

き，眼振の性質によって末梢前庭性，中枢前庭性のおおまかな鑑別も可能である（表5）．確認しにくいときはFrenzel（フレンツェル）眼鏡を用いて観察する．多発神経炎や脊髄後索障害による深部感覚障害でも平衡感覚が障害され，動揺性めまいを呈するので，感覚障害の有無をチェックする．

診断のターニングポイント（図3）

医療面接と身体診察を総合して考える点

- **〔確定診断〕**頭位めまいと眼振から，末梢前庭性めまいの診断がほぼつけられる．
- **〔除外〕**めまい以外の神経症状（たとえば，構語障害，四肢脱力・感覚障害など）がないことで，中枢性めまいの除外診断ができることが多い．
- **〔確定診断〕**心因性および精神疾患によるものは，医療面接および話し方，顔貌などから判断する．
- 身体診察で器質性疾患の存在を疑うことができるものは多い．

◆不整脈，徐脈 → 心疾患
◆難聴 → 内耳障害
◆皮膚・粘膜の蒼白 → 貧血（消化管出血など）
◆発熱 → 感染症
◆頭痛，悪心 → 脳卒中による頭蓋内圧亢進
◆運動失調 → 脳卒中

- めまいの性状，随伴症状の診察で，末梢前庭性

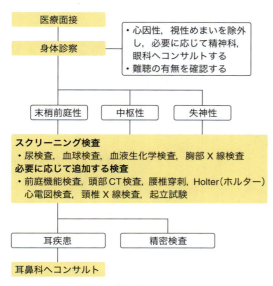

図3 めまいの診断の進め方

瘍を疑わせる．

診断確定のために

病歴情報，身体所見，スクリーニング検査の結果から，かなり疾患を絞り込むことができる．しかし，重篤な器質性疾患の可能性があれば次のような検査を行い，診断後に適切な治療を行うことが必要である．

確定診断が困難なことも多く，約1割は診断不明である．

末梢前庭性めまいの確定診断

中枢性めまいや失神性めまいとの鑑別が重要であるが，頭位，眼位にかかわらず，一方向性のめまいのときは末梢前庭性めまいが考えられる．個々の疾患に関しては，聴力低下，耳鳴を伴うか否か，さらに伝音性難聴か感音性難聴かをみる．

耳鳴，聴力低下ののちに回転性めまいを生じる発作を繰り返す場合，Ménière病が疑われる．

前庭神経炎では難聴がなく，カロリックテストで一側の反応の低下がみられる．

薬物性めまいの際は両側性障害のため，めまいより平衡障害が強いことが多い．

中枢性めまいの確定診断

多くが非回転性めまいを呈する．この鑑別には頭部CT・MRIが有用である．脳幹部の小梗塞は，CTでは確認できないことが多いので注意する．聴神経腫瘍や前庭神経核に限局した病変では，末梢性めまいとの鑑別が困難なことが多い．

一側性感音性難聴に聴覚脳幹反応（ABR）の異常所見がみられれば，聴神経腫瘍を疑い，MRI検査を行う．

髄膜刺激徴候，炎症反応より髄膜炎が疑われれば，腰椎穿刺で髄液の性状を調べる．

MRIでは小脳萎縮症が診断される．

失神性めまいの確定診断

病歴情報から失神性めまいであることは容易に確認されるので，原因について精査する必要性がある．

めまいと中枢性めまいのおおまかな鑑別が可能である（表5）．

必要なスクリーニング検査

めまいの原因が末梢前庭性か，中枢性か，失神性かをまず考えて，末梢前庭性なら平衡機能検査，中枢性ならCT・MRIを行い，失神性なら起立性低血圧の有無を調べ，心電図などを行う．

❶ 尿検査

尿糖陽性から糖尿病を疑う．アミロイドーシスに伴う腎障害では蛋白尿を呈する．

❷ 血球検査（血算）

ヘモグロビン（Hb）濃度減少から貧血を，白血球数（WBC）増加から炎症を伴って生じるめまいの原因疾患を疑う．

❸ 血液生化学検査

感染症は，CRPの上昇の有無で確認する．

❹ 胸部X線・心電図検査

心不全を疑うときは胸部X線で心拡大の有無を確認する．高度徐脈は心電図検査によって判明する．

❺ 頸椎・頭蓋骨X線検査

頭蓋底陥入症などの頸椎の奇形や，頸椎変形による頸性めまいの診断に重要である．

経眼窩撮影で内耳道の片側の拡大は，聴神経腫

まず，臥位より起立時に 20 mmHg 以上の収縮期血圧低下がみられるかどうかを確認する〔Schellong（シェロング）試験〕．糖尿病や貧血はスクリーニング検査で診断が可能である．胸部 X 線で心不全の有無を確認する．徐脈や不整脈は Holter 心電図での確認が必要なときもある．

head up tilt 試験は，起立性低血圧や神経調節性失神など自律神経異常による失神性めまいの特定に有用である．

精神神経疾患の確定診断

検査にすべて異常が認められないとき，または明らかにうつ病や神経症などの疑いがあれば精神科，心療内科にコンサルトし，心理学的検査を行う．

〈長井 篤，小林 祥泰〉

視覚障害
visual disorder

視覚障害とは

定義

　視覚とは外界の物体を認知することである．外界の視覚情報は眼球光学系の働きによって網膜に鮮明な像を結び，画像情報が網膜視細胞で神経信号に変換・情報処理される．そして視神経から始まる視覚路を経て後頭葉皮質で認知され，連合野でさらに高次の処理をされる．この経路のどこが障害されても視覚障害が生じる．

　これらには網膜(眼底)，自律神経(瞳孔，調節)，眼球運動，眼瞼運動も関与するが，これらは別項で詳細に述べられるので，本項では視神経～大脳皮質までの経路での障害について中心に述べる．

患者の訴え方

　視覚に関する自覚症状は，わずかな異変でも患者は気がつき，主訴とすることが多い．

　この場合，まず視覚障害が片眼のみで生じているのか，両眼に生じているのかを尋ねることが重要である．両眼で障害がある場合は，視索より後方経路の病変が疑われる．

　また連合野での障害は，患者本人が視覚障害に気づかない．特に半側空間無視では「知らない間に人にぶつかる」「最近よく左側が脱輪する」などと，一見，視覚障害に関係ないような訴え方をするので注意が必要である．

患者が視覚障害を訴える頻度

　視力低下や半盲，飛蚊症などでは大半の患者がまず眼科を受診する．複視の場合は脳神経内科が多く，一般内科では稀である．

症候から原因疾患へ

病態の考え方

　視覚情報はまず網膜に達し，錐状体細胞と杆状体細胞で電気信号に変換され，視覚路における第一次感覚ニューロンである双極細胞に達する．次に第二次感覚ニューロンである神経節細胞に伝達され，この軸索が視神経乳頭に集約され，眼球を出て視神経となる．

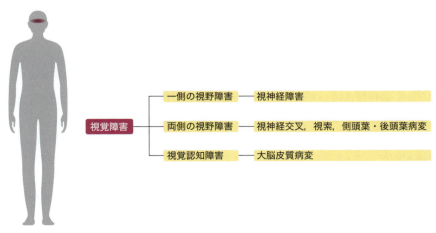

図1　視覚障害の原因

表1 視覚障害をきたす疾患

一側の視野障害（視神経障害）
- 急性：球後視神経炎，視神経脊髄炎，外傷，網膜動脈塞栓症
- 慢性：中毒，感染症（両側の場合もある）

両側の視野障害
- 同名半盲（視神経交叉，視索，後頭葉病変）：脳血管障害，腫瘍，脱髄疾患
- 上同名四半盲（側頭葉病変）：脳血管障害，腫瘍，脱髄疾患
- 下同名四半盲（側頭葉病変）：脳血管障害，腫瘍，脱髄疾患
- 両耳側半盲（視神経交叉病変）：腫瘍，動脈瘤，炎症性疾患

視覚・視空間認知障害
（大脳皮質病変）：脳血管障害，腫瘍，脱髄疾患
- 視覚失認
- 色彩失認
- 相貌失認
- 半側空間無視

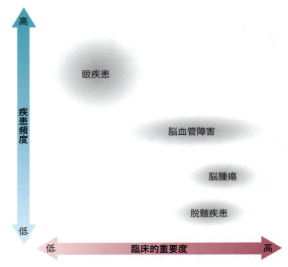

図2 疾患の頻度と臨床的重要度

視神経は対側の視神経と視神経交叉で合流し，視索を形成して第三次感覚ニューロンである視床の外側膝状体の細胞に終わる．ここから視放線が形成され，後頭葉の鳥距溝を取り巻く第1次視中枢に終わる．

これらの経路に障害を引き起こす病態としては図1に示すようなものがある．これらの原因となる疾患で早急に的確に病因を把握して処置をしなければ，失明の危険性のある場合がある．これらを見落とさないためには身体所見の的確な把握が重要であり，視覚障害の特徴別の原因疾患を表1に示す．

病態・原因疾患の割合（図2）

眼科では視神経障害の頻度が高い．内科外来では大半が脳血管障害による大脳皮質病変であるが，片眼の場合は一過性黒内障が多い．視神経交叉障害は下垂体腫瘍などによるもので，稀である．視覚系の皮質症状で最も多いのは右頭頂後頭葉病変による左半側無視である（脳卒中データバンク2015では14％）．

診断の進め方

診断の進め方のポイント

- 近視などの屈折系の異常による視力低下は，矯正することにより正常化する．
- 角膜，水晶体，ぶどう膜，網膜の異常ではさまざまな症状が出現するが，眼底を含めた視診でかなりの部分の診断が可能である．
- 視神経より後方経路の病変は視診では異常を認めない．この場合，両眼の異常の有無，視野異常の有無が重要となる．また視野に異常がない場合は，さらに高次の視覚障害を疑い，検査する必要がある．

医療面接（表2）

視覚障害の医療面接を行う場合，まず片眼か両眼かを聞く．

次に，どのような症状が出現したのか具体的に聞く．「眼がかすむ」「眼が乾燥する」「一部ぼやけて見える」「物が歪んで見える」「虫が飛んだように見える」「夜になるとものが見えにくくなる」「半側が見えない」「片眼だけが見えない」などから，その病巣部位を推定することができる．

表2 医療面接のポイント

発症形式
- 片眼あるいは両眼に起こったのか
- 急性，亜急性，慢性に起こったのか

経過
- 進行性，不変，改善，一過性，持続性なのか

性質
- かすみ
- ぼやける
- 変形する
- 虫が飛ぶ
- 片眼のみが見えない
- 半側が見えない（半盲）
- 全く見えない

全身症状の有無と内容
- 複視を確認する
- 神経局所症状を確認する
- 血圧の変化はないか

既往歴
- 高血圧，糖尿病，脂質異常症を確認する

家族歴
- 網膜色素変性症を確認する

表3 身体診察のポイント

バイタルサイン
- 発熱，血圧上昇の有無を観察する

頸部
- 頸動脈血管雑音の有無を確認する

眼部
- 片眼，両眼に異常があるか
- 角膜，水晶体，ぶどう膜，網膜，眼底の異常はあるか

神経学的所見
- 視野異常を確認する
- 意識状態を確認する
- 髄膜刺激症状を確認する
- うっ血乳頭，眼底網膜前出血，網膜動脈塞栓の有無を確認する
- 半側無視の有無を確認する
- 神経局所症状を確認する
- 深部腱反射亢進，病的反射出現を確認する

そして，視力障害がいつから起こり，どのように経過したかを聞く．これらにより病因が推定される．

急性で突発した場合は，血管障害，炎症が原因に考えられ，慢性でいつから発症したかわからない場合は，腫瘍などが考えられる．

身体診察（表3）

医療面接から身体診察のポイントが絞られる．角膜，水晶体，ぶどう膜，網膜，眼底の異常では，視診でかなりの部分の診断が可能である．

うっ血乳頭は頭蓋内病変による頭蓋内圧亢進を示唆する重要な所見である．視野障害は視索より後方経路の病変が考えられ，腫瘍や脳血管障害によるものを考慮する必要がある．

診断のターニングポイント

医療面接と身体診察を統合して考える点

- 視覚障害をきたすものとして，表1に示すような疾患が考えられる．これらを念頭において鑑別診断・診断を進める．

- (確定診断) 片眼に異常がある場合，視覚障害の性状，視診から眼疾患かどうかほぼ診断がつけられる．
- 片眼で急性発症で視診で異常を認めない場合は，球後視神経炎を疑う．
- 両眼に異常があり，眼底を含め，視診に異常を認めない場合には，視野異常の有無を調べる．
- 視野異常の特徴により病変部位が推定される（図3）．

◆ 急性発症 → 脳血管障害，脱髄疾患
◆ 慢性発症 → 脳腫瘍など頭蓋内病変

- 視覚認知障害が疑われる場合は，大脳の頭頂葉，後頭葉に病変が疑われ，さらに高次機能検査を行う必要がある（図4）．

必要なスクリーニング検査

医療面接および身体診察より，眼疾患の推測が可能であることが多い．しかし，神経疾患を正しく診断するには，基本的なスクリーニング検査を加え，鑑別診断を進める必要がある（図5）．主なスクリーニング検査として，次のようなものがある．

❶ 血球・血液生化学検査

白血球数（WBC）増加，CRP上昇より感染症や炎症性疾患の存在がわかる．

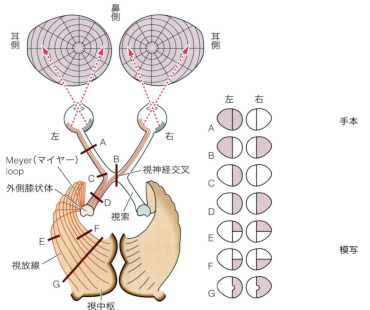

図3 視神経の障害部と視野の異常との関係
視神経および脳のA〜Gまでの障害と，A〜Gまでの視野異常(色で示す部分が異常)を示す．Gは中心視力が保たれており，黄斑回避という

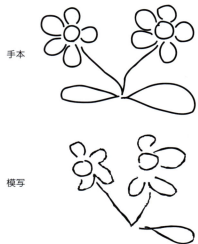

図4 左半側空間無視のある場合の絵の模写

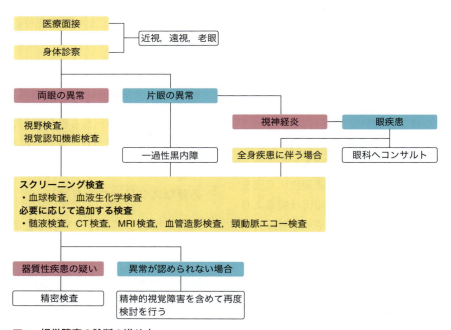

図5 視覚障害の診断の進め方

❷ 髄液検査
脱髄疾患を疑うときに行う．

❸ 頭部 CT・MRI
頭蓋内病変を疑うときに行う．

❹ 頸動脈エコー
一過性黒内障を疑うときに行う．

診断確定のために

病歴情報，身体所見，スクリーニング検査の結果より，視覚障害の原因となる器質性疾患を限定できる．さらに，重症度，予後まで含めた診断を次のように行う．

脱髄疾患の確定診断

中枢神経の脱髄疾患である多発性硬化症は髄液で蛋白上昇，オリゴクローナルバンドを認める．画像診断では血管支配領域に一致しない病巣を認める．また，球後視神経炎の多くが視神経脊髄炎であり，MRI 冠状断で視神経に病巣を確認できることがある．また血中抗アクアポリン 4 抗体測定が有用である．

脳血管障害の確定診断

脳血管障害を疑った場合は，頭部 CT・MRI 検査を施行する．

脳腫瘍の確定診断

神経局所症状がある場合は，頭蓋内占拠病変が疑われる．この場合 CT，MRI を施行する．必要に応じて脳血管造影を行う．

〈須山 信夫，小林 祥泰〉

結膜の充血
conjunctival hyperemia

結膜の充血とは

定義

　眼瞼結膜から球結膜にかけての表層の結膜血管の拡張を特徴とする「結膜充血」と，角膜と結膜の接合部である角膜輪部から眼球前部の眼球結膜深層の結膜血管の拡張による「毛様充血」の特徴をもつものが主になる．両方が混在することはしばしばある．

患者の訴え方

　「眼の充血」「赤目」「目の出血」「目の赤み」を訴える．

患者が結膜の充血を訴える頻度

　プライマリ・ケア医や救急施設を訪れる患者の約2〜3％は眼に関する訴えがあり，その大部分は結膜の充血への対処に関するものとされている．
　一般眼科診療においては，屈折異常に伴う視力障害に次ぐ最も頻度の高い症状である．

症候から原因疾患へ

病態の考え方

　結膜は眼瞼皮膚と角膜を結ぶ半透明な粘膜組織で，眼瞼の内側を覆う部分を眼瞼結膜，角膜と連続して眼球表層を覆う眼球結膜，これら2つを接続する円蓋部結膜から構成される．
　結膜は角膜とともに眼表面を構成する組織であり，眼球の光学的窓である角膜の透明性を維持するための重要な役割をもつ．
　眼球を感染や外傷などから守るためのバリアとして働いている．
　結膜充血と毛様充血は，感染性および非感染性の多様な要因に反応した結膜と結膜下に存在する微小血管系の血管拡張反応によって引き起こされる．

病態・原因疾患の割合(図1)

　結膜充血はアレルゲンや眼表面の感染によって起こる炎症性疾患，結膜炎が原因疾患の多くを占める．毛様充血は角膜やぶどう膜の炎症による眼内の炎症性疾患や全身疾患に関連する非特異的な徴候として現れることが多い．

結膜の充血をきたす頻度の高い疾患

❶ 非感染性結膜炎

- アレルギー性結膜疾患(表1, 2, 図2, 3)
　　結膜炎と診断されるもののなかで最も頻度が高いとされている．4つの病型に分類される．
　　2017年の日本眼科アレルギー研究会調査によると有病率は48.7％．アレルギー性結膜炎が多くを占める．

- 中毒性角結膜炎(toxic keratoconjunctivitis)
　　非感染性結膜炎の一部は，化学物質や薬物により誘発される．しばしば角膜上皮障害を合併し，化粧品や点眼薬が原因として疑われることが多い．緑内障治療薬は，薬理作用から結膜充血をきたすものがあるほかに，長期使用により濾胞性結膜炎(図4)をとるものもある．

❷ 感染性結膜炎

　成人ではウイルス性結膜炎，次いで細菌性結膜炎が眼科診療での受診者のなかでは多いとされている．

- ウイルス性結膜炎
　　流行性角結膜炎や咽頭結膜熱を呈するアデノウイルス結膜炎が最も頻度が高く，グローバルにはウイルス性結膜炎の75％を占め，1990年

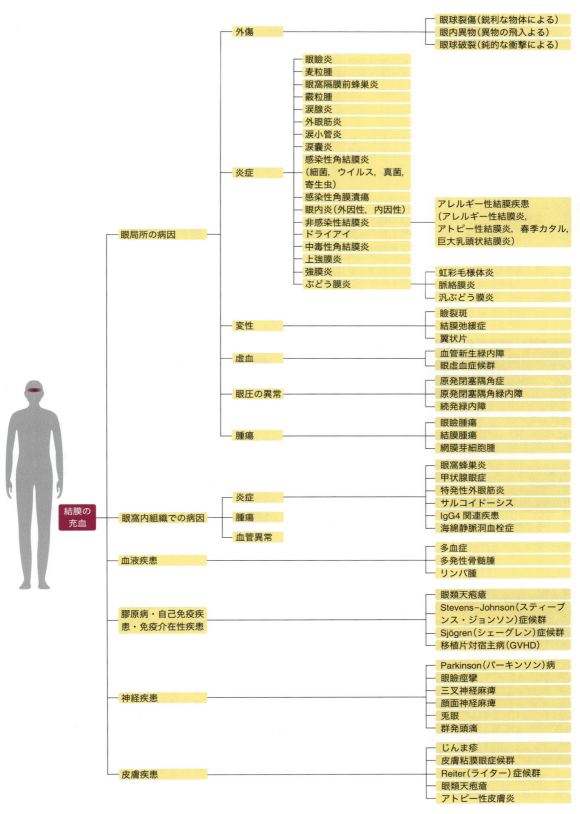

図1 結膜の充血をきたす病因と疾患

表1 アレルギー性結膜疾患の分類

病型	特徴	病因・合併症
アレルギー性結膜炎	・結膜に増殖性の変化を伴わない ・季節性のものと，通年性のものがある	・季節性アレルギー性結膜炎ではスギ，ヒノキなどの花粉が主なアレルゲンになり，花粉症と呼ばれるものが多くを占める ・通年性アレルギー性結膜炎はハウスダスト，ダニが主なアレルゲンとなることが多い
アトピー性角結膜炎	・顔面のアトピー性皮膚炎に合併する慢性のアレルギー性結膜炎	・結膜の線維化，角膜の新生血管・混濁を伴うことが多い ・増殖性変化を伴わない症例が多いが，急性増悪時には巨大乳頭などの増殖性変化を伴うこともある
春季カタル	・増殖性の病変を伴う結膜炎，眼瞼結膜の敷石状の乳頭増殖や輪部結膜の腫脹や堤防状隆起を伴う結膜炎	・アトピー性皮膚炎の合併が多い ・角膜上皮障害，角膜びらん，遷延性角膜上皮欠損，シールド潰瘍，角膜プラーク
巨大乳頭結膜炎	・機械的な刺激で誘発される結膜炎 ・直径1mm以上の乳頭増殖を伴う	・コンタクトレンズによる機械的刺激によるものが多いが，前眼部手術の縫合糸の結節などの刺激でも誘発される

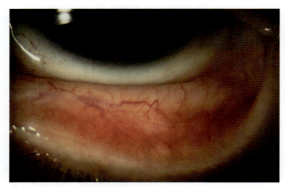

図2 季節性アレルギー性結膜炎
眼瞼結膜の充血があり，痒みの自覚が強い．

表2 結膜の増殖性病変

濾胞	乳頭
・結膜固有層のリンパ濾胞 ・感染，種々の刺激よりリンパ球が増殖し隆起したもの ・小児では最も形成能が高い ・年齢とともに減少 ・円蓋部や輪部に形成されやすく大型になる ・瞼板結膜では小さく乳頭との鑑別が難しいことがある	・炎症が続くことで血管の周囲に浸潤細胞が集まり，結膜上皮層の肥厚と上皮下組織の増殖したもの ・正常でも乳頭は存在する→直径0.3mm以上の場合は病的な乳頭として扱う

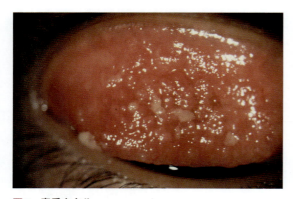

図3 春季カタル
上眼瞼結膜に乳頭増殖を認める．

代のわが国の疫学調査では年間100万人の罹患と推定されている．単純疱疹ウイルスによるヘルペス結膜炎も多い．

全身症状を引き起こすような新型コロナウイルス感染症，インフルエンザ，麻疹，ムンプス，風疹，水痘，ジカウイルス感染症，エムポックスでは，結膜炎症状がみられる．

■ 細菌性結膜炎

頻度は国・地域によりさまざまである．原因菌は患者背景によるが，肺炎球菌，黄色ブドウ球菌，インフルエンザ菌，コリネバクテリウムの検出頻度が高い．小児ではインフルエンザ菌が多く，成人では黄色ブドウ球菌が多い．高齢

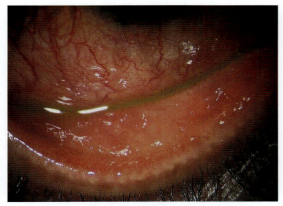

図4 緑内障治療中にみられた慢性濾胞性結膜炎
長期に処方されていた点眼薬による副反応が疑われた.

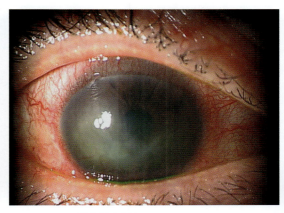

図5 ヘルペス性角膜実質炎
びまん性の角膜混濁と毛様充血を認める.

者になるとコリネバクテリウムが多く検出される．性感染症の原因となる淋菌とクラミジアは，急性結膜炎を起こす(後述)．

❸ ドライアイ

涙液の量的，質的な異常による角膜・結膜の上皮障害．異物感や視力の低下感など多彩な症状を呈しうる．日常診療においては高い頻度で認められる．結膜の充血を伴う例はその一部であるが，眼瞼縁に開口部をもつマイボーム腺の機能不全を合併することが多く，しばしば眼瞼縁の血管拡張（充血）を伴う．

結膜の充血を伴う緊急性疾患

❶ 角膜異物，角膜炎，角膜潰瘍(図5)

感染性角膜炎が多く，原因は細菌，ウイルス，真菌，アカントアメーバなどである．わが国では，コンタクトレンズ関連角膜障害の頻度が高い．角膜異物は異物が脱落しても充血が継続することがある．

❷ 急性緑内障発作

他の要因なく隅角閉塞により眼圧上昇をきたし緑内障視神経症をきたしている原発閉塞隅角緑内障と視神経症を生じていない原発閉塞隅角症のなかには急性に発症するものがあり，その総称として急性緑内障発作と表現されることが多い．急性の眼圧上昇に伴う種々の症状を伴うことが多い．

- 頻度：原発閉塞隅角緑内障の頻度は40歳以上で0.6%，視神経症をきたしていない原発閉塞隅角症を含めれば1.3%．このうちで，急性緑内障発作に相当する急性原発閉塞隅角症（緑内障）は，ごく一部とされている．
- 主症状：毛様充血，眼痛，頭痛，高眼圧による悪心・嘔吐，霞視．
- 診断：眼圧測定，細隙灯顕微鏡検査から診断は比較的容易にできる．治療方針の決定のため隅角鏡検査，前眼部OCT，超音波断層検査が必要になる．

❸ 眼内炎(図6)

感染を主原因とする眼内液(硝子体，房水)の膿性の炎症で，結膜充血，毛様充血と眼痛，視力障害をきたす．

感染が硝子体腔に及んで強い炎症をきたした状

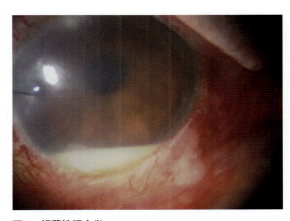

図6 細菌性眼内炎
水晶体再建術後3日目に発症．角膜浮腫と前房蓄膿を伴う結膜充血と毛様体充血，結膜下出血を認める．

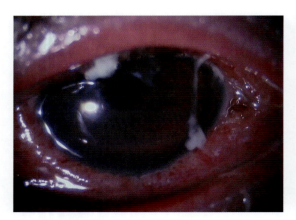

図7　淋菌性結膜炎
当日早朝から発症．夕方には著しい結膜充血と浮腫，大量の膿性の分泌物を認める．

図8　強膜炎
全身性エリテマトーデスの診断を受け5年前から治療を受けていたが，急に目の鈍い痛みと充血を自覚．結膜表層血管よりも深い層の血管拡張が強いことが確認できる．

態で，進行する硝子体炎が特徴である．硝子体腔に大量の炎症細胞の浸潤を認める．しばしば前房蓄膿を呈する．

前房水，硝子体液から原因病原体同定のための検査を行うとともに，ただちに抗菌薬治療（硝子体内注射，点滴静注）を開始する必要がある．

■ 外因性眼内炎

白内障手術などの内眼手術後に起こるものが多く，しばしば術後眼内炎と表記される．術後1～2週以内，多くは3～5日の発症が典型的．ほかに外傷，緑内障濾過手術，抗VEGF薬，硝子体内注射，角膜潰瘍が原因となる．

■ 内因性眼内炎

体内の細菌/真菌感染による．肝膿瘍，肺炎，心内膜炎，尿路感染症，歯の膿瘍からの病原体の転移性の感染で生じる．

❹ 淋菌性結膜炎（図7）

超急性の経過をとる化膿性結膜炎を示す．多量の膿性の分泌物がある場合は疑う必要がある．角膜潰瘍から角膜穿孔へと進行するリスクが高い．性行為による感染のほかに，新生児での産道感染，小児での家庭内感染が起こる．速やかに眼脂の細菌培養検査と薬物感受性検査を行いながら眼科診察を受けさせる．

❺ 眼窩蜂巣炎

感染による急性炎症が眼窩隔膜よりも後方の眼窩脂肪織を含む外眼筋群，血管および神経に及んでいる状態．篩骨洞や前頭洞からの副鼻腔炎によるものが60～80％と多い．眼局所の外傷や麦粒腫，隣接する組織の炎症が波及して起こる．眼窩隔膜前蜂巣炎との鑑別を要する．

起因菌は黄色ブドウ球菌や連鎖球菌が多く，副鼻腔炎では嫌気性菌によるものもある．コントロール不良の糖尿病患者や免疫不全患者でのムコール症および侵襲性アスペルギルス症も報告されている．

眼瞼腫脹，発赤，視力障害や眼球運動に伴う疼痛，眼球運動障害，眼球突出などの症状の出現が診断の手がかりとして重要である．これらを伴う発熱のときには，CT・MRI検査を考慮する．

結膜の充血を伴う全身管理が必要な眼疾患

❶ ぶどう膜炎

前眼部の炎症が存在すると，毛様充血をきたす．有病率は10万人あたり38～714人．原因の内訳は地域差がある．わが国での頻度の高い疾患として，サルコイドーシスが10％以上を占め，次いでVogt（フォークト）−小柳−原田病，ヘルペス虹彩炎，急性前部ぶどう膜炎，強膜ぶどう膜，Behçet（ベーチェット）病などがある．また，糖尿病が原因として見逃されているとの指摘がある．

❷ 強膜炎（図8）

稀な疾患で，欧米諸国における強膜炎の有病率

は10万人あたり5.2人．ほとんどは非感染性であるが，持続する眼痛を伴うことが多い．結膜深層の血管の拡張が特徴である．

関節リウマチ，SLE，再発性多発軟骨炎などの膠原病，自己免疫疾患，川崎病，多発血管炎性肉芽腫症など中型血管炎や小型血管炎に分類される疾患で高頻度に認められ，しばしば再発を繰り返す．

診断の進め方

診断の進め方のポイント

- プライマリ・ケアにおいて，結膜の充血，目の赤みを訴えとする患者は多く，多様な原因がある．その一方で，重要な徴候を見逃すことで重篤な視機能障害をまねく疾患や生命にかかわる病態がある．COVID-19にみられるように，伝染性疾患の症状として現れることもある．
- 正確な臨床診断のため，身体のほかの多くの疾患と同様に，病歴をすばやく聞き出し，感染対策の原則を守りながら身体診察を行う．
- 目の充血の訴えの多くは結膜充血によるもので，結膜の炎症の存在をまず疑う．
- 片眼性であれ，両眼性であれ，眼球の明らかな外傷を疑う損傷がなく，結膜全体の充血が急性に発生しているのであれば，伝染性の強い感染性結膜炎を念頭において診察を進める．
- 眼の赤みとともに眼の痛みか視力低下を伴う場合は，より深刻な病態が存在することが示唆される．
- 急性進行する症状をもつものの多くは，異物，外傷，感染などの単一の原因である可能性が高いが，慢性または再発性の場合は，複雑な病態が背景にある可能性が高くなり，詳細な医学的検査が必要になる．

医療面接

- 充血の期間，片側か両側かを確認する．
- 潜在する危険因子を洗い出し特定する．
- ワクチン接種歴を確認する．
- 上気道炎（ウイルス性結膜炎に多い），密接な接触をしている人の健康状態，外傷，コンタクトレンズ装用，動物との接触，化学物質への曝露，関節痛や皮膚発疹などの全身症状，自己免疫疾患などの他の全身性疾患の有無を確認する．
- 重瞼術などの眼瞼手術を含む眼科手術の既往歴は，ていねいに質問をして確認する必要がある．
- 処方薬やOTC薬使用の確認を行う（緑内障治療薬の一部は高率に充血を誘発する）．

身体診察 (表3)

- 眼局所に限局して病因が存在するか，眼外の病因や全身的な背景があるかを鑑別するため，バイタルサイン，全身状態を把握したのち，顔面と頭頸部の外観を観察しながら眼部を中心とした診察を行う．
- 眼部の診察には細隙灯顕微鏡検査が有用であるが，一般内科診療においては使用する機会は限られている．ペンライトや直像眼底鏡を用いて眼球と眼球周囲の診察を行う．
- 急性結膜充血においては，左右眼でのそれぞれの見え方の自覚的変化を確認する．普段用いている眼鏡があれば装用した状態での見え方の変化を確認する．必ずしも精密な視力検査は必要としないことが多い．
- 結膜充血の原因が角膜や結膜の炎症と関連づけられない場合，羞明，眼痛があれば強膜，ぶどう膜の病変を疑い，速やかな眼科検査の追加を考慮する．

診断のターニングポイント

医療面接と身体診察を総合して考える点

- （確定診断）無害な結膜下出血は医療面接と身体診察から診断できる．すなわち外傷や新たな視力障害を伴わず，眼脂がなく持続する痛みがなく平坦な結膜下の出血の多くは数日で消退する．広範囲に血腫を認める場合，頻回に繰り返す場合は出血をきたす病態を疑い検査を進める．
- 眼球と眼瞼の損傷を伴わない結膜充血→結膜

表3 身体診察のポイント

バイタルサイン
- 体温，血圧：精神的興奮，感情の高揚，発熱性疾患による結膜充血を鑑別する

全身状態
- 呼吸器：感冒様症状，上気道感染症，閉塞性肺疾患を確認する
- 皮膚：発疹，アトピー性皮膚炎，皮下出血，皮膚腫瘍を確認する
- 運動器障害：関節炎，筋炎を確認する
- 神経疾患：Parkinson病，チック，脳血管障害を確認する
- 膠原病・自己免疫疾患：SLE，関節リウマチ
- 内分泌疾患：糖尿病，甲状腺疾患を確認する

眼球と眼球周囲の診察：耳前リンパ節の腫脹は感染性結膜炎，特にウイルス性結膜炎を疑う根拠になりうる
- 顔面皮膚，眼瞼と眼瞼付属器を確認する
  - 色調，浮腫，腫脹の有無
  - 眼瞼周囲の付着物
  - 睫毛の付着物
- 眼瞼縁，睫毛，瞼裂幅の左右差，眼球突出の有無を確認する
- 眼球運動，瞳孔形態，瞳孔反射を確認する
- 眼瞼結膜，眼球結膜，円蓋部結膜の観察
  - 充血の範囲と深さ，充血の程度，眼脂の有無と性状，結膜乳頭，結膜濾胞，異物，圧痛
- 角膜と前房を確認する
  - 混濁の有無とその部位はペンライトで観察可能
  - 角膜を通した虹彩紋理の視認性は角膜と前房の透明度の指標になる
  - 角膜周辺部と虹彩根部の接近度（前房深度）の推定
- 結膜充血の原因が角膜や結膜の炎症と関連していない場合，羞明，眼痛の自覚が確認されれば，強膜とぶどう膜の病変を探索する

速やかに眼科医に紹介をすべき徴候の確認：以下のいずれか1つでも該当すれば要注意
- 中程度または重度の痛み
- 重度の膿性排出物
- 角膜病変
- 結膜の瘢痕化
- 治療に対する反応の欠如
- 結膜炎の再発
- 単純ヘルペスウイルスの既往
- コンタクトレンズ装用
- ステロイドが必要な病態
- 羞明の訴え

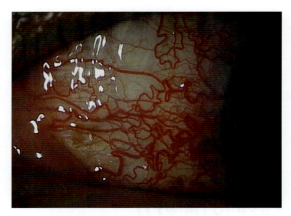

図9 内頸動脈海綿静脈洞瘻
結膜血管の拡張と蛇行が認められる．

- 上気道炎症状の合併 → ウイルス性結膜炎，咽頭結膜熱
- 泌尿器症状や性感染症罹患者との濃厚接触・性行為 → 淋菌性結膜炎，クラミジア結膜炎
- コンタクトレンズ装用 → コンタクトレンズ関連角膜障害
- 眼科手術後3週間以内の眼痛 → 術後眼内炎
- 急性の眼瞼腫脹，眼痛，発熱 → 眼窩蜂巣炎
- 片側性頭痛，嘔気，霞視 → 急性緑内障発作
- 突然の片側性の激しい頭痛，鼻閉 → 群発頭痛
- 眼球突出，眼球運動障害 → 眼窩内疾患（甲状腺眼症，IgG関連疾患，眼窩内腫瘍）
- 膠原病・自己免疫疾患・血管炎の治療歴＋眼の痛み → 強膜炎，ぶどう膜炎
- 感冒様症状，視力低下 → Vogt-小柳-原田病
- 著しく蛇行拡張した結膜血管 → 眼窩内血管異常〔内頸動脈海綿静脈洞瘻（図9）〕

必要なスクリーニング検査

❶ 伝染性の強い感染性結膜炎

- 伝染性の強いウイルス性結膜炎をまず鑑別することを優先する．
- ウイルス性結膜炎の多くは，発症初期に片眼性発症し，数日で他眼に発症することが多いことなどを参考に診断する．
- アデノウイルス免疫クロマトキットは短時間に検査が行える．陽性が得られれば，流行性角結膜炎の診断の確度はきわめて高くなるが，陰性

炎をまず疑う．
- 眼や眼瞼の痒み → アレルギー性結膜疾患
- 結膜炎を発症している人との接触 → ウイルス性結膜炎，一部の細菌性結膜炎（淋菌，クラミジア）

でも否定できない(結膜ぬぐい液を用いた従来型のキットで感度70%以上,涙液を検体とする専用リーダーを用いた銀増法で感度95%).

❷ **毛様充血の原因特定のためのスクリーニング検査**
- 全身状態の把握のための一般採血検査,感染症のスクリーニングとともに免疫関連項目を選択して行う.
  - 甲状腺機能検査 → 甲状腺眼症
  - 血清IgG4 → IgG4関連疾患
  - 病理検査 → 悪性リンパ腫,IgG関連疾患
- 眼圧測定:非接触型眼圧計が使用できれば測定は容易であるが,急性緑内障発作のような著しい高眼圧の場合は,測定値が実際より低い場合や測定不能になることがあるので注意が必要である.

診断確定のために

感染性角結膜炎の確定診断

膿性あるいは膿粘性眼脂を伴う感染性疾患が疑われる場合は,眼瞼結膜や円蓋部結膜からの検体採取は比較的容易であり,眼脂の塗抹検鏡,細菌培養などの病原体同定の検査をできるかぎり実施する.

ウイルス,クラミジアなどの病原体核酸DNAの検出を行うPCR検査も普及しつつある.

角膜病巣の検体採取は,侵襲性があり細隙灯顕微鏡観察下で行うことが望ましく,眼科専門医に依頼する.

アレルギー性結膜疾患の確定診断

I型アレルギーが関与し,痒み,異物感の自覚症状に漿液性あるいは粘液性の眼脂を伴う.

❶ **結膜好酸球の同定**
眼脂または眼分泌物の検体を採取し,スライドガラスに塗抹した検体を染色し,光学顕微鏡で観察する.染色にはキット製品が汎用される.

❷ **涙液中総IgE抗体測定**
涙液を検体としたイムノクロマトグラフィー法による半定量的簡易検査法で,短時間で涙液中総IgE抗体の増加を確認できる.アレルギー性結膜疾患に対する感度73.6%,特異度100%.抗原特異的IgE抗体ではない点に留意する.

❸ **全身のアレルギー検査**
抗原特異的IgE抗体として,血清抗原特異的IgE抗体測定が可能である.

眼窩内異常の確定診断

CT,MRIで眼窩蜂巣炎,外傷,異物の診断を行う.ただし,MRIは金属異物が疑われる場合は禁忌である.

〈村上 晶〉

眼球突出
exophthalmos

眼球突出とは

定義

眼球の前方への異常な突出を眼球突出という．日本人の眼球突出平均値は 13 mm なので，15 mm を超えると眼球突出といえる．Basedow（バセドウ）病〔Graves（グレーブス）病〕の際の悪性眼球突出症では，左右いずれか 17 mm 以上または左右差 2 mm 以上の眼球突出をいう．

患者の訴え方

「目が出てきた」「目つきが変わったと言われた」などと訴えることが多い．両眼の場合も片眼の場合もあり，複視を伴うこともある．眼瞼浮腫を伴うことも多く，「瞼が腫れた」と訴えることも少なくない．炎症を伴う例では，疼痛を訴えることが多い．視野狭窄を伴う例では，「物にぶつかることが多くなった」と訴えることもある．視神経圧迫をきたした例では，視力低下を訴える．内頸動脈海綿静脈洞瘻では，突出した眼球の拍動や頭内の血管雑音を自覚する．

患者が眼球突出を訴える頻度

両眼性眼球突出の 90% を Basedow 病が占めるといわれている．片眼性の眼球突出でも，その 50% は Basedow 病である．わが国では，Basedow 病全患者の約 30% 程度が眼球突出を訴えるとされるが，欧米では 70〜90% の Basedow 病患者に眼球突出を認めるとされている．

眼科ないし耳鼻科疾患による眼球突出の頻度は，Basedow 病による眼球突出の頻度に比べて低いが，片眼性の眼球突出ではその頻度が高くなる．

症候から原因疾患へ

病態の考え方（図 1）

強度近視のように眼球自体が大きくなるものや，眼球の大きさは変わらないが，眼窩容積が小さいために起こる突出，眼窩内や眼窩周辺からの炎症や腫瘍による圧迫が原因の眼球突出などがある．また，眼瞼後退による見かけ上の眼球突出もある．

なかでも眼窩内およびその周囲からの圧迫による眼球突出の頻度が高い．Basedow 病眼症，眼科的あるいは耳鼻科的炎症や腫瘍，眼窩に関連する血管病変などによる眼球の物理的な圧迫によって突出が起こる．

Basedow 病に伴う眼球突出では，甲状腺刺激ホルモン（TSH）レセプター抗体の眼窩内脂肪組織増殖刺激作用や，外眼筋へのリンパ球浸潤による炎症性肥大が主因と考えられている．

眼球突出をきたす主な疾患を表 1 に示す．

病態・原因疾患の割合

Basedow 病眼症による眼球突出の頻度が高い．その他の疾患は頻度は低いが，正確な診断が要求される．病態・原因疾患の頻度とその臨床的重要度を図 2 に示す．

診断の進め方

診断の進め方のポイント

- 内科領域では <u>Basedow 病眼症による眼球突出</u> が最も重要である．
- Basedow 病では甲状腺機能亢進症状や特徴的な眼徴候を伴う．

図1 眼球突出の原因

表1 眼球突出をきたす疾患

眼球容積増大
- 強度近視

周囲からの圧迫
- 炎症性：眼窩蜂窩織炎，全眼球炎，眼窩血栓静脈炎，副鼻腔粘液嚢腫
- 腫瘍性：皮様嚢腫，血管腫，涙腺混合腫，神経線維腫，髄膜腫，横紋筋肉腫，悪性リンパ腫，多発血管炎性肉芽腫症
- 内分泌性：Basedow 病，Cushing（クッシング）病，先端巨大症
- その他の全身病性：眼筋無力症，血液凝固疾患による球後出血
- 外傷性：眼窩内出血，浮腫，気腫
- 血管性：海綿静脈洞血栓症，内頸動脈海綿静脈洞瘻，眼窩静脈瘤

眼窩容積狭小
- 頭蓋顔面異骨症（Crouzon 病）
- 塔形頭蓋
- 水頭症

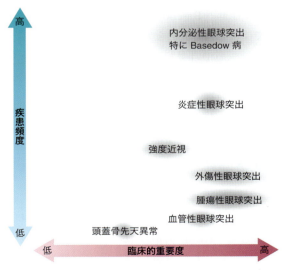

図2 疾患の頻度と臨床的重要度

表2 医療面接のポイント

既往歴・家族歴
- Basedow 病の治療歴がないか
- 副鼻腔炎を指摘されたり，治療を受けたことはないか
- 頭部外傷の既往はないか
- Basedow 病や橋本病患者が家族内または血族にいないか

経過
- 眼球突出をいつから自覚した，あるいは指摘されたのか
- 眼球突出度に変化があるか
- 視力に変化はないか
- 眼球偏位を自覚したのはいつ頃からか

局所症状の有無と内容
- 眼球に痛みはあるか
- 複視はないか，あるとすればどの方向で複視が出やすいか
- 眼球の拍動を感じないか

全身症状の有無と内容
- 甲状腺機能亢進症の症状(動悸，息切れ，発汗過多，手指振戦，全身倦怠感，食欲亢進，体重減少，下痢，いらいら，月経不順など)がないか
- 発熱や疼痛はないか
- 鼻出血や膿性鼻漏がないか
- 歯槽膿漏などの歯牙疾患はないか

生活歴
- 食生活，特に食欲の変化がないか
- ストレスの多い環境にいないか

嗜好品
- Basedow 病では喫煙により眼球突出が悪化するので，喫煙の有無を確認する

表3 身体診察のポイント

バイタルサイン
- 体温：感染症の存在を示唆する
- 血圧：Basedow 病では拡張期血圧が低下し，収縮期血圧が上昇することもあり，脈圧が増大する

全身状態
- 体格：甲状腺機能亢進症によるるいそうを観察する
- 皮膚：甲状腺機能亢進症では，発汗過多による湿潤した皮膚を認める

頭頸部
- 顔貌，表情：Basedow 病では，Graefe 徴候などの特有の眼症状を観察する
- 眼瞼：炎症性の腫脹や Basedow 病の際にも眼瞼腫脹を認め，内頸動脈海綿静脈洞瘻では上眼瞼より血管雑音が聴取される
- 眼球：視力，視野，眼底，突出度計による突出度測定，眼球運動障害，腫脹，発赤の有無などを観察する
- 鼻腔：副鼻腔炎や腫瘍性病変の有無について観察する
- 結膜：貧血や黄疸の有無を観察する
- 口腔内：う歯や歯槽膿漏の有無，扁桃肥大，後鼻漏の有無などを観察する
- 甲状腺腫：びまん性か結節性かを観察する．大きさ，硬さ，表面の性状，周囲との癒着の有無，血管雑音の有無，圧痛の有無などについて観察する
- リンパ節：頸部リンパ節の腫脹の有無を観察する

胸部
- Basedow 病では，頻脈・心房細動などの不整脈・うっ血性心不全などの循環器病変を観察する
- 慢性副鼻腔炎には気管支拡張症を伴うことがある

腹部
- 触診で肝腫大やその他の腹腔内臓器の異常を観察する

四肢
- Basedow 病では前脛骨粘液水腫，筋力低下，四肢麻痺などを観察する

神経系
- 甲状腺機能亢進症による精神不穏状態，いらいら感などを観察する
- 炎症や腫瘍による動眼，外転，滑車，視神経などの障害による神経症状の有無を観察する

- 機能正常 Basedow 病(euthyroid Graves 病)や稀な機能低下 Basedow 病(hypothyroid Graves 病)では機能亢進症状を欠く．
- 眼科疾患や耳鼻科疾患による眼球突出の多くは片眼性で，他の眼科的ないし耳鼻科的症状を伴っている．
- Basedow 病でも片眼性の眼球突出がある．
- 鑑別に頭部 CT・MRI 検査が有用である．

医療面接

医療面接のポイントを表2に示す．
Basedow 病に伴う眼球突出の場合では，甲状腺機能亢進症による諸症状がないか丹念に聴取する．Cushing 病や先端巨大症でも稀に眼球突出を呈すことがあり，それぞれの疾患に特徴的な症状がないか注意する．

眼窩内腫瘍あるいは炎症では，発症が急激であるのか徐々に出たものか，疼痛や発熱があるか，視力障害があるか，鼻出血や膿性鼻漏がないかなどが診断の手がかりとなる．十分に注意して聴取する必要がある．また，外傷の既往についても聴取を忘れないようにする．

身体診察

眼球突出の際には，Hertel(ヘルテル)眼球突出

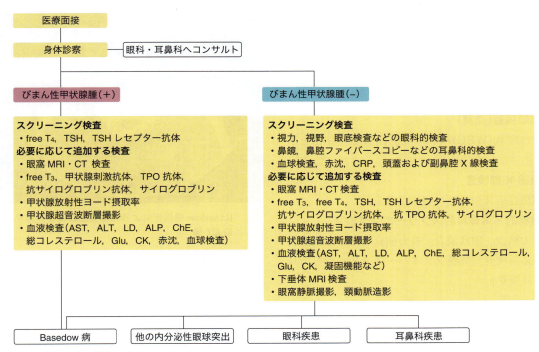

図3 眼球突出の診断の進め方

計を用いて突出度を測定する．身体診察のポイントを表3に示す．両眼性か片眼性かは重要なポイントである．また，眼球の偏位や眼球運動障害などから眼窩内の病変部位が推測可能である．炎症性のものは，眼球突出だけでなく眼瞼や球結膜も含めた眼球全体の腫脹発赤などの炎症所見を呈することが多いので，眼科的疾患であることが推測される．

　Basedow病の際には，眼球突出だけでなくGraefe（グレーフェ）徴候などの特徴的な眼徴候を確認する．また，全身的な甲状腺機能亢進症の所見を観察する．Cushing病や先端巨大症では，両疾患の特徴的な身体所見を見逃さないよう注意する．内頸動脈海綿静脈洞瘻では，突出した眼球の拍動や上眼瞼の聴診にて血管雑音を聴取する．

診断のターニングポイント（図3）

医療面接と身体診察を総合して考える点

■ 〔確定診断〕びまん性甲状腺腫と明らかな甲状腺機能亢進症状があれば，Basedow病と診断できる．

■ 〔確定診断〕外傷性や頭蓋骨先天異常による眼球突出は，病歴情報や身体診察からほぼ診断をつけられる．

■ euthyroid Graves病では，甲状腺腫や甲状腺機能亢進症状を欠くため，眼窩内腫瘍などによる眼球突出との鑑別に血液検査や眼窩CT・MRI検査などが必要である．

■ 特徴的な症状所見の少ない前頭洞および篩骨洞粘液嚢胞などによる眼球突出では，甲状腺機能亢進の軽度なBasedow病やeuthyroid Graves病との鑑別に血液検査や頭部CT・MRI検査などが必要である．

■ 眼科的ないし耳鼻科的所見を伴う眼球突出では，頭部CT・MRI検査を含めた眼科的・耳鼻科的な精査を進める．

必要なスクリーニング検査

　眼球突出をきたす疾患の主なスクリーニング検査としては，次のようなものがある．

❶ 内分泌機能検査

　血清 free T_4 や TSH を測定すると，甲状腺機能亢進症の有無が判明する．Basedow病の診断に

は，TSH レセプター抗体(TRAb)や甲状腺刺激抗体(TSAb)の測定が有用である．

❷ 血液生化学検査
感染症や炎症性疾患の存在は CRP や赤沈で確認する．

❸ 血球検査(血算)
白血球数(WBC)増加は炎症性疾患の存在を示唆する．

❹ 頭部 X 線検査
副鼻腔病変の診断に有用である．

❺ 眼科的・耳鼻科的スクリーニング検査
視力検査，眼底検査，視野検査などの眼科検査や，鼻鏡検査，鼻腔ファイバースコピーなどの耳鼻科検査を行う．

診断確定のために

眼球突出の鑑別診断およびその後の治療に，CT・MRI 検査が重要な情報をもたらすので，必ず行う必要がある．

Basedow 病眼症の確定診断

Basedow 病の診断は，甲状腺機能亢進症と TRAb または TSAb が陽性であれば容易である．euthyroid Graves 病の際にも，甲状腺ホルモンは正常でも TRAb または TSAb が陽性となったり，T_3 抑制試験に反応しないなどの所見を認めることが多い．眼球突出は，球後の脂肪組織の増大や外眼筋の肥大によるものである．

図 4 に Basedow 病眼症の CT 像を示す．著明な眼球突出と外眼筋の肥大を認める．

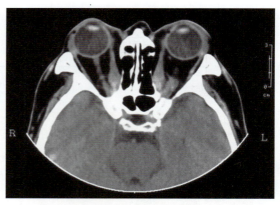

図4　Basedow 病眼症による眼球突出および外眼筋肥大の CT 像

眼窩腫瘍の確定診断

眼窩腫瘍には，皮様嚢腫，血管腫，涙腺混合腫，神経線維腫，髄膜腫，横紋筋肉腫，悪性リンパ腫がある．また腫瘍ではないが，多発血管炎性肉芽腫症も眼球突出の原因となる．CT・MRI 検査，超音波検査，血管造影検査，試験穿刺，試験切除などを行って診断を確定する．

前頭洞または篩骨洞粘液嚢胞の確定診断

前頭洞または篩骨洞の慢性副鼻腔炎により，眼窩上壁ないし内壁の骨壁が消失し，病的粘膜が眼窩内に膨隆して眼球突出をきたす．CT・MRI 検査にて副鼻腔炎および粘液嚢胞の存在を確定する．

〈飯高 誠〉

眼瞼下垂
blepharoptosis

眼瞼下垂とは

定義

眼瞼下垂とは，上眼瞼挙筋や上瞼板筋の筋力低下に伴う上眼瞼の挙上不全をいう．眼瞼の挙上運動や位置を制御する，大脳皮質から筋までの運動系のいずれのレベルの障害によっても起こる．

患者の訴え方

「まぶたが下がる」「まぶたが重い」「まばたきがしにくい」などの訴えが多い．重症筋無力症では，症状に日内変動があり，午後から夕方になると症状が増悪する．

症候から原因疾患へ

病態の考え方(図1)

健常者では，通常，上眼瞼は角膜の上方を約1.5 mm 覆っているが，眼瞼下垂があるとそれ以上角膜を覆い，瞳孔まで覆うと視界に影響を及ぼす．ただ，高齢者ではそれ以上の眼瞼の下垂がみられることがある（加齢性眼瞼下垂）．

眼瞼下垂には，図1に示すように種々の原因があるが，眼瞼下垂は眼瞼を挙上する筋である上眼瞼挙筋や上瞼板筋の障害によるものである．上眼瞼挙筋は横紋筋で動眼神経の支配下にあり，上瞼板筋は平滑筋で交感神経の支配下にある．上眼瞼

図1　眼瞼下垂の原因

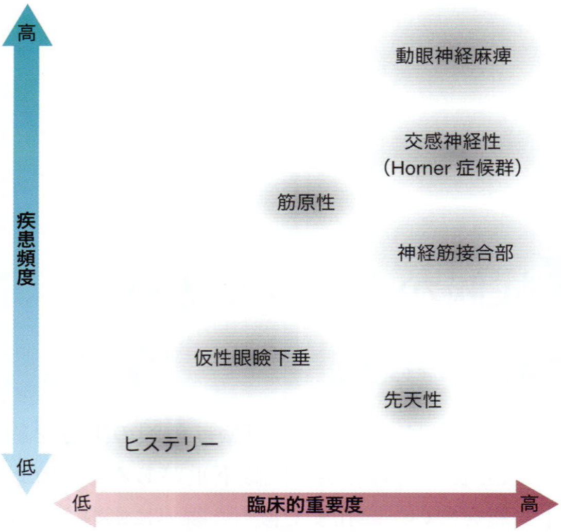

図2 疾患の頻度と臨床的重要度

（図中ラベル：動眼神経麻痺、交感神経性（Horner症候群）、筋原性、神経筋接合部、仮性眼瞼下垂、先天性、ヒステリー／縦軸：疾患頻度 高～低／横軸：臨床的重要度 低～高）

挙筋の麻痺では重度な眼瞼下垂が起こりうるが，上瞼板筋の麻痺（Horner症候群）では下垂の程度は軽い．

病態・原因疾患の割合（図2）

多くの原因のうち比較的頻度が高いのは，動眼神経麻痺とHorner症候群で，次いで重症筋無力症，眼筋ミオパチーであり，それ以外は稀である．動眼神経麻痺の多くは一側性であり，後交通動脈の動脈瘤と糖尿病や高血圧によるものが多い．

ただ，眼瞼下垂の手術療法を受けた例の原因疾患については，欧米の報告をみると，先天性下垂が59～97％，平均72％と多く，後天性下垂は3～41％，平均28％である．後天性下垂は手術にならない例が多いので，必ずしも眼瞼下垂の割合を正確に示すとはいえない．

診断の進め方

診断の進め方のポイント

- 眼瞼下垂の原因には，さまざまなものが含まれる．
- 診断はまず下垂があるかどうかを確認したのち，他の眼症状の有無を調べる．なお，先天性の場合には生来眼瞼下垂があることで診断は容易である．以前の写真を調べることが，発症時期を確認するのに役に立つことがある．
- 眼瞼下垂が軽度である場合に，仮性眼瞼下垂と見誤ってはいけない．眼瞼痙攣（blepharospasm，眼輪筋の緊張性または間代性の攣縮），開眼失行や眼瞼の膿瘍，浮腫，皮膚炎，腫瘍などが挙げられる．

表1 医療面接のポイント

経過
- いつから，どの程度の眼瞼下垂があるのか
- 先天性か，急性発症か，徐々に発症したか，進行性か，非進行性か
- 日内変動はないか

全身症状の有無と内容
- 全身の筋力低下があるかどうか．もしあれば，近位筋優位か，遠位筋優位なのか
- 複視の有無はどうか
- 反復動作で増悪し，安静や休息により症状は改善するかどうか
- 眼瞼下垂が反復性かどうか

医療面接（表1）

先天性か後天性か，急性発症か，徐々に発症したか，進行性か，非進行性かを確認する．急性発症なら動脈瘤，血管障害，炎症などを考え，緩徐で進行性の発症なら眼筋ミオパチー，Kearns-Sayre症候群，筋緊張性ジストロフィーなどを疑う．

一側性か，両側性か，また，複視があるかどうか，ほかに全身の筋力低下があるかどうかなどを聞いておく．一側性なら神経原性であり，両側性なら神経筋接合部疾患，筋原性疾患を考える．ただし，重症筋無力症は初期にはしばしば一側性である．

動眼神経麻痺による眼瞼下垂は，通常，内眼筋麻痺を伴うので，複視の有無を確認しておく．

症状に変動があれば，重症筋無力症，Eaton-Lambert症候群などが考えられる．重症筋無力症では，通常は左右非対称性の眼瞼下垂であり，複視，言語障害（鼻声，ろれつが回らない），嚥下障害，上肢挙上困難，歩行障害などの症状がある．また，易疲労性を認め，反復動作で増悪し，安静や休息により症状は改善する．

表2 身体診察のポイント

二重まぶたの観察
二重まぶたの場合には，二重まぶたの間隔に十分注意する．通常 Horner 症候群では二重まぶたの間隔が開く

瞳孔の観察
瞳孔の大きさや左右差，対光反射の有無をみる．動眼神経麻痺の場合には下垂側の瞳孔が大きく，対光反射の低下ないし消失を伴うが，Horner 症候群の場合には下垂側の瞳孔が小さく，対光反射は保たれる

眼球運動の観察
患者の頭部を動かさないようにして，眼球を水平・垂直方向に動かさせ，眼球運動の制限，複視の有無をみる．動眼神経麻痺の場合には眼球運動障害を伴う

前額筋の観察
まず，前額筋が収縮しているかどうかをみる．眼瞼下垂があると，それを代償するために前額筋の収縮がみられ，検者の指で下垂した眼瞼を挙上すると前額筋の収縮は消失する．一方，ヒステリー性や Horner 症候群の眼瞼下垂の場合には，前額筋の収縮がみられないのが特徴である

眼球突出，眼球陥凹の観察
眼球を側方および上方から観察し，左右の眼球を比較して突出や陥凹の有無をみる．眼球突出や眼球陥凹があれば眼瞼下垂の診断は慎重でなければならない

図3　重症筋無力症の眼瞼下垂
左側に眼瞼下垂がみられる．

表3　動眼神経麻痺と Horner 症候群との鑑別

	動眼神経麻痺	Horner 症候群
瞳孔縮小	−	＋
瞳孔散大	＋	−
対光反射	−	＋
輻輳反射	−	＋
斜視	＋	−
上方視での眼瞼挙上	−	＋
正常の顔面発汗	＋	−

さらに，眼瞼下垂が反復性なら Tolosa–Hunt 症候群などを疑う．

身体診察（表2）

身体診察は，眼瞼下垂を起こす鑑別疾患を検討するうえで，特に重要である．上眼瞼と角膜の位置関係の観察に注意を払う．患者に前方を注視させ，上眼瞼が角膜や瞳孔をどの程度覆っているかをみる．正常の上眼瞼が瞳孔の上縁を覆うことは決してなく，左右を比較しながら十分観察する（図3）．

診断のターニングポイント

医療面接と身体診察を総合して考える点

- 通常，重度の眼瞼下垂は動眼神経麻痺でみられ，しばしば散瞳を伴う．動眼神経麻痺，Horner 症候群は普通一側性であるが，重症筋無力症，眼筋ミオパチーでは眼瞼下垂はしばしば両側性に起こり，ある程度の左右差を示す．
- 瞳孔運動線維は動眼神経の表面に存在するため，動脈瘤をはじめとする圧迫病変では瞳孔散大が初発症状となることが多い．逆に糖尿病性動眼神経麻痺は栄養血管の虚血が原因となるが，表層は虚血を免れることが多いので，瞳孔の障害を伴わない（pupillary sparing）．
- Horner 症候群は眼瞼下垂に縮瞳，同側顔面の無汗を伴い，眼瞼下垂の程度は軽度であり，視野を障害しない．また，下眼瞼が挙上し，全体として眼裂が狭小化している場合には Horner 症候群を疑う．

動眼神経麻痺と Horner 症候群との鑑別を表3に示す．まず，瞳孔の大きさをみる．散大しているのが動眼神経麻痺であり，縮小しているのが Horner 症候群である．その他，斜視の有無，対光反射，輻輳反射を調べる．

- 重症筋無力症では，眼瞼下垂は初発症状であることが多く，一側性または両側性に，休息により改善すること，夕方に症状が変動することなど軽快と悪化の日内変動があり，抗 ChE 薬投与で著明に改善し，上方視を続けると悪化する．Eaton–Lambert 症候群では下肢筋脱力が著明

で，眼瞼下垂の頻度は少ない．
- 眼筋ミオパチーでは，両側性で緩徐進行性であり，通常は遺伝性・家族性で，眼筋以外の筋の障害を伴う．
- Tolosa-Hunt症候群は，海綿静脈洞あるいは上眼窩裂部の非特異的炎症性肉芽腫であり，眼窩後部痛と眼球運動障害による複視を主症状とする．微熱などの非特異的炎症症状を伴うことがある．
- （除外）ヒステリーでは，前額筋の収縮がみられない，目を開けようとすると目のまわりのしわが増える，患者に困った様子がないなどが特徴である．

必要なスクリーニング検査

❶ 血液生化学検査，髄液検査など

重症筋無力症では，アセチルコリン受容体（AChR）に対する抗体が約80％の患者で陽性となる．また，筋特異的受容体型チロシンキナーゼ（MuSK）に対する抗体を有する患者は約5％である．ただし，重症筋無力症の約15％は自己抗体が陰性となる．

糖尿病性眼筋麻痺では，高血糖，HbA1c高値を示す．

CKはミオパチーでは特異的に高値を示すが，すべてのミオパチーで上昇するとは限らない．また，AST，ALT，LD，アルドラーゼが高値を示すことがあり，肝疾患との鑑別ではCK，LDのアイソザイムが有用である．

Guillain-Barré症候群，Fisher症候群では，髄液で細胞増加を伴わない蛋白増加，すなわち蛋白細胞解離を示す．これは臨床症候におよそ比例して，日を追って明瞭となり10～20日でピークに達する．また，抗ガングリオシド抗体の上昇が一部の患者にみられる．

Kearns-Sayre症候群では，血中乳酸・ピルビン酸高値を示す．

❷ 胸部単純X線・CT検査

重症筋無力症では胸腺腫との合併，Eaton-Lambert症候群では肺癌の合併の有無を調べる．

❸ 頸椎単純X線検査・MRI検査

Horner症候群は頸髄下部の障害，特に頸部脊椎症により生じることがある．

❹ テンシロンテスト

エドロホニウム（アンチレクス®）を静注，重症筋無力症であれば，1分以内に臨床症状の改善がみられ，数分間持続する．

診断確定のために

病歴情報，身体所見，スクリーニング検査の結果に基づき，眼瞼下垂をきたす疾患をかなり限定することができる．さらに確定診断を進めるために，以下の検査が必要となる．

動眼神経麻痺の確定診断

動眼神経は，中脳を出たのち，後大脳動脈と上小脳動脈の間を通るので，その近傍にある動脈瘤の圧迫を受けやすい．中年期以降で一側性急性発症の眼瞼下垂があれば，内頸-後交通動脈の動脈瘤をまず考える．CT，MRI，脳血管撮影にて確定診断する．

海綿静脈洞・上眼窩裂の病変では，動眼神経麻痺に加えて，しばしば眼部痛，第IV，VI，V_1ときにV_2，II脳神経麻痺，眼球突出，眼瞼浮腫，Horner症候群などを合併する．原因として，内頸動脈瘤，腫瘍（鼻咽頭腫瘍，髄膜腫，下垂体腫瘍など），炎症（副鼻腔炎の進展など），海綿静脈洞血栓症などが多い．MRIは海綿静脈洞から上眼窩裂の病巣を示す検査としてきわめて有用である．

Horner症候群の確定診断

Horner症候群の責任病巣はアドレナリン，コカイン，チラミンの点眼試験により確定することができる．図4に点眼試験と病変部位との対応を示す．

神経筋接合部疾患の確定診断

重症筋無力症では反復誘発筋電図で2～3Hzの低頻度反復刺激により，振幅が20％以上減弱する現象（waning）がみられる．一方，Eaton-Lambert症候群では10Hz以上の高頻度反復刺激により，

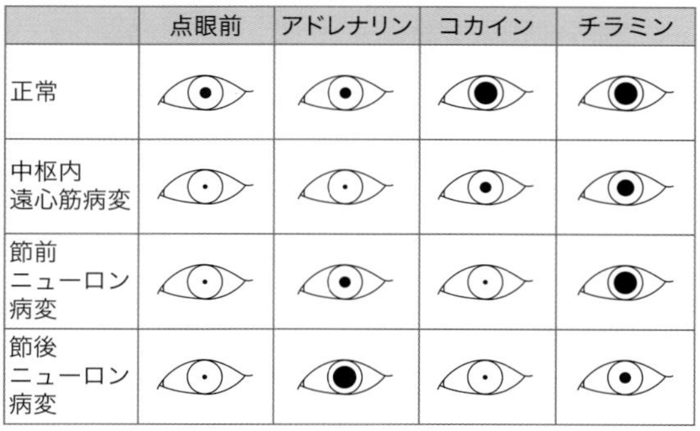

	点眼前	アドレナリン	コカイン	チラミン
正常	⊙	⊙	●	●
中枢内遠心筋病変	⊙	⊙	⊙	●
節前ニューロン病変	⊙	⊙	⊙	●
節後ニューロン病変	⊙	●	⊙	●

図4 Horner症候群の責任病巣と点眼試験との対応

振幅が漸増する現象（waxing）がみられる．

筋原性疾患の確定診断

眼筋ミオパチーの鑑別が困難なら，筋生検を行って，炎症所見の有無，ragged-red fiber（光顕）やミトコンドリアの変化（電顕），炎症所見の有無などを調べる．Kearns-Sayre症候群では，ragged-red fiberやミトコンドリアの異常が認められる．

筋緊張性ジストロフィーは，筋電図にてミオトニー電位，筋原性パターン（持続時間が短く，低振幅電位）を認める．

仮性眼瞼下垂の確定診断

眼瞼下垂と眼瞼痙攣との鑑別には，眼輪筋の筋電図を調べる．すなわち，眼瞼痙攣では収縮がみられるが眼瞼下垂ではみられない．開眼失行は自発開眼時の抑制によるもので，変性疾患にみられる．

〈山下 一也，小林 祥泰〉

瞳孔異常
dyscoria

瞳孔異常とは

定義

瞳孔異常は，左右瞳孔径の不同を示すが，単に左右瞳孔を見比べただけで検出できるもの〔瞳孔不同(anisocoria)〕と，特別な検査や手技で検出できる瞳孔異常〔Marcus Gunn(マーカス ガン)瞳孔，求心性瞳孔異常(afferent pupillary defect)，対光近見反応解離(light-near dissociation)〕がある．

患者の訴え方

瞳孔の機能は，網膜に入ってくる光量調節とピント調節であるため，「像がぼやけてよく見えない」「光をまぶしく，あるいは暗く感じる」などを訴える．しかし，瞳孔異常による自覚症状は軽いことが多く，他の合併している神経症候，たとえば動眼神経麻痺，Horner(ホルネル)症候群の症状を訴えることも多い．

患者が瞳孔異常を訴える頻度

瞳孔異常のなかで，散瞳をきたす場合は動眼神経麻痺の頻度が最も高く，縮瞳をきたす場合はHorner症候群の頻度が高い．また，動眼神経麻痺の20～30%は動脈瘤により生じるとされる．

症候から原因疾患へ

病態の考え方(図1)

瞳孔反応

瞳孔異常を理解するためには，正常な瞳孔反応を理解しておく必要がある．

❶ 対光反射

対光反射の求心路は，網膜神経節細胞(錐体と杆体)が受容器で，ここで受けた刺激が網膜内シナプスを介して神経節細胞からの軸索に伝達される．視神経，視交叉，視索の途中まで視覚伝導路と同一の経路を進むが，外側膝状体に達する前に視覚線維と分かれて上丘腕に入り，視蓋前野に達する．

ここでシナプスを形成してニューロンを変え(介在ニューロン)，同側は中脳水道の周囲を通って同側のEdinger-Westphal(エディンガー・ウェストファル)核(E-W核)に入るが，対側は後交連付近で交叉して対側のE-W核に達する．

E-W核からの遠心路は，動眼神経の一部として，大脳脚内側溝で脳幹を離れ，海綿静脈洞を通って上眼窩裂から眼窩内に入る．瞳孔括約筋を支配する神経は，眼球後方にある毛様体神経節に入る．ここでシナプスを形成してニューロンを変え，虹彩の瞳孔括約筋に達する(図2)．

この対光反射の経路から，片側眼の刺激は，介在ニューロンを介することにより，両側のE-W核に均等に伝達される．したがって，直接対光反射と間接対光反射は同じ強さの反応として起こる．

障害部位により，直接対光反射と間接対光反射が異なる異常を示すことがある．

❷ 近見反応

瞳孔は，カメラの絞りと同様で，散瞳すると焦点深度が狭くなり，眼のピント合わせが困難となる．瞳孔の近見反応は，眼の近見反応の要素の1つとして取り込まれている．近見反応は，注視している物が接近した場合に，縮瞳・ピント調整・輻輳運動が連関して起こる複合反射運動で，視覚像を得る場合に重要な機能である．近見反応の経路には，大脳から視蓋前野に下る経路が含まれ，

瞳孔異常 343

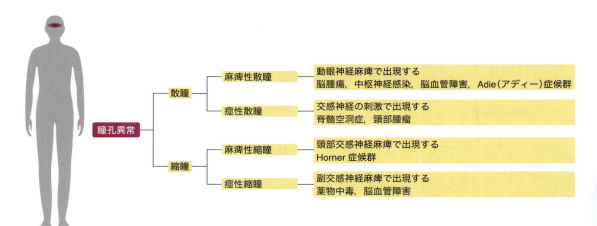

図1 瞳孔異常の原因

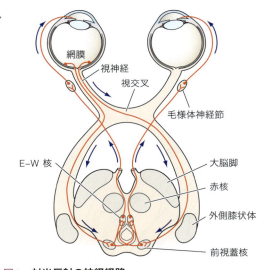

図2 対光反射の神経経路
〔後藤文男,天野隆弘:臨床のための神経機能解剖学.p.154,中外医学社,1992より〕

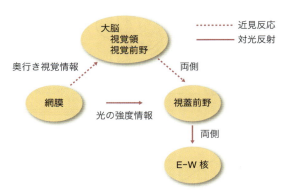

図3 近見反応と対光反射の神経経路

その後は対光反射と同じ経路をとる(図3).

瞳孔の筋

瞳孔調節は,内眼筋の収縮により起こる.瞳孔散大筋の収縮により瞳孔は散大する.瞳孔散大筋は交感神経(アドレナリン作動性)により支配され,瞳孔括約筋は副交感神経(コリン作動性)により支配されている(図4).

また,毛様体筋は瞳孔調整ではなく,ピント調整に関与している.毛様体筋の収縮により水晶体屈折率が大きくなり,近いポイントにピントが合う.

病態・原因疾患の割合(図5)

瞳孔は,瞳孔縁にあって扁平な輪状の平滑筋である瞳孔括約筋と,虹彩の色素上皮前面にあり,放射状に配列する膜様の瞳孔散大筋の相互作用によりその大きさが決まる.瞳孔括約筋は副交感神経の支配を受けており,瞳孔散大筋は交感神経の支配を受けている.

散瞳(表1)

散瞳(mydriasis)には,麻痺性散瞳と痙性散瞳があるが,麻痺性散瞳が多い.麻痺性散瞳は,副交感神経経路の障害で出現し,動眼神経麻痺の病因とほぼ同様である.痙性散瞳は稀な状態で,薬物使用がないかを確認する.

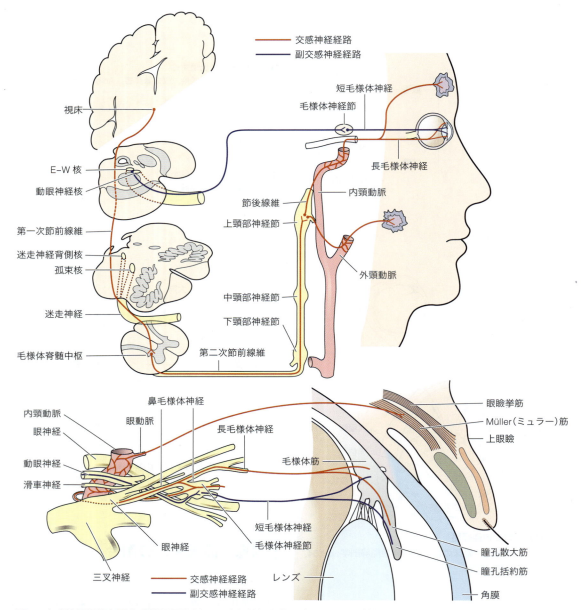

図4 交感神経経路と副交感神経経路（上図：中枢神経全体の略図，下図：神経筋から瞳孔への図）
〔後藤文男，天野隆弘：臨床のための神経機能解剖学．p.155，中外医学社，1992 より〕

縮瞳（表2）

縮瞳（miosis）には，麻痺性縮瞳と痙性縮瞳があるが，麻痺性縮瞳が多い．

麻痺性縮瞳は，交感神経経路の障害で出現するが，その病態の大部分は Horner 症候群である．痙性縮瞳は比較的稀である．

瞳孔不同

瞳孔不同には，散瞳によるものと縮瞳によるものがある．

また，稀ではあるが，機序不明の瞳孔不同がある．眼周囲の炎症や手術，大脳器質性・機能性疾患（脳腫瘍，脳血管障害，てんかん，片頭痛）などで認められる．これらの瞳孔不同は，交感・副交

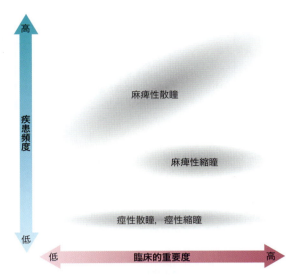

図5　疾患の頻度と臨床的重要度

表1　散瞳をきたす原因と主な疾患

麻痺性散瞳
動眼神経麻痺に伴うものと同様で，神経眼科的異常を伴う場合が多い
- 中枢神経系感染
- 眼神経帯状疱疹
- 中枢神経梅毒
- Adie 症候群
- 脳腫瘍
- 脳血管障害
- 頭部外傷
- 眼圧亢進

痙性散瞳
交感神経経路の刺激で生じるが，実際にはかなり稀である
- 頸部腫瘤
- 脊髄空洞症
- 脊髄外傷
- 甲状腺肥大
- 散瞳薬使用

表2　縮瞳をきたす病因と主な疾患

麻痺性縮瞳
頸部交感神経の麻痺で出現する．大部分は Horner 症候群である
- 脳血管障害
- 頸髄空洞症，頸髄腫瘍
- 腕神経叢麻痺
- 肺尖部腫瘍

痙性縮瞳
副交感神経経路の刺激で出現するが，稀な病態である．また，E-W 核の刺激で出現することもある
- 脳底部中枢神経感染症
- 脳血管障害
- 脳腫瘍
- 頭蓋内圧亢進
- 頭部外傷
- 薬物中毒，覚醒剤使用
- 縮瞳薬使用
- 眼圧低下

感神経のなんらかの機能障害が関与していると考えられるが，機序は明確でないことが多い．

診断の進め方

診断の進め方のポイント

- 瞳孔の異常は，瞳孔不同，Marcus Gunn 瞳孔，light-near dissociation に大別できる．
- 瞳孔の観察にあたっては，①瞳孔の形状，②瞳孔の大きさ，③瞳孔の反応，④瞳孔異常に伴う神経症候の有無をみる必要がある．

医療面接(表3)

瞳孔異常は自覚症状に乏しく，医療面接を行ううえで重要なことは，基礎疾患，合併神経症候の有無，薬物使用歴，自律神経症状の有無などの詳細な聴取である．

身体診察(表4)

瞳孔径は，新生児と幼児期には小さく，20歳代が生涯で最も大きくなり，その後は加齢とともに再び徐々に小さくなる．高齢者では明らかな縮瞳を示す者が多く，多くは老人性縮瞳と呼ばれる．

瞳孔の生理的な大きさには日内変動があり，朝に大きく，深夜に小さくなる．また，一般的には，女性で大きく，近視で大きい．瞳孔径が 6 mm 以上(絶対的な散瞳)もしくは 2 mm 以下(絶対的な縮瞳)の場合は，病的と考えられる．

瞳孔の形は普通正円であるが，Argyll Robertson(アーガイル ロバートソン)瞳孔では不整となる．

また，瞳孔不同を認める場合，どちらが散瞳で縮瞳なのかがはっきりしないことがあるため，瞳孔の観察は，必ず暗所と明所で行う必要がある．

表3 医療面接のポイント

経過
自覚症状に乏しいため，経過では周囲の人に確認する必要がある
- いつから，どの程度の瞳孔異常があるか
- 発症は急激か，徐々に出現したか
- 症状の出現に変動があるか

誘因
- 点眼薬や内服薬物の使用や，最近の変更はなかったか

基礎疾患
- 糖尿病，高血圧など動脈硬化の促進因子はないか

全身症状
- めまい，四肢脱力，四肢感覚障害，頭痛，発熱，排尿障害，立ちくらみなどの随伴する自覚症状はないか

表4 身体診察のポイント

バイタルサイン
- 意識状態，体温，血圧，呼吸状態などをチェックし，急性期疾患か否かを鑑別する

全身状態
- 意識障害を伴えば，呼吸状態，循環動態をチェックする

瞳孔径
- 瞳孔の大きさには年齢，日内変動，性差，視力で差があるため，そのことを考慮する

頭頸部
- 項部硬直，頸部腫瘤，眼圧異常を診察する

胸部
- 打診・聴診で肺疾患を診察する

神経系
- 随伴する脳神経症状，四肢麻痺，四肢感覚障害，小脳失調などの有無を診察する

なお，健常者においても，約20％で生理的瞳孔不同を認めることがあるが，左右差は1mm以下とされる．

診断のターニングポイント (図6)

医療面接と身体診察を総合して考える点

- 医療面接を行ううえで重要なのは，薬物の使用歴と基礎疾患の有無である．これらをよく聞いて鑑別診断を進める．
- 瞳孔異常には，さまざまな神経症候・身体症候が合併することが多いため，瞳孔異常だけでなく，随伴する症候を的確に評価することが必要となる．

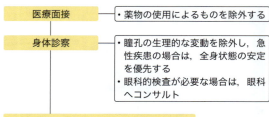

図6 瞳孔異常の診断の進め方

表5 対光反射（左眼への刺激）

右眼の対光反射 （間接対光反射）	左眼の対光反射 （直接対光反射）	障害部位
あり	あり	正常反応
あり	なし	左眼遠心路の障害
なし	あり	右眼遠心路の障害
なし	なし	左眼求心路の障害 両眼遠心路の障害

必要なスクリーニング検査

病歴情報と身体症候から考えられる部位に障害があるかを，検査により確認する．

❶ 対光反射試験

対光反射は，直接反射と間接反射が同じ強さの反応として起こる．そのため，表5のように一側性の視覚路の障害で，左右異なる反射が出現する．

❷ 点眼試験

各種薬物による点眼試験が自律神経系の障害部位の推測に役立つ場合がある．

ノルアドレナリンは，交感神経の刺激伝達物質として，瞳孔散大筋に作用して，瞳孔を散大する．そこで，①ノルアドレナリン，②神経終末よりノルアドレナリンの放出を刺激するチラミン，③放出されたノルアドレナリンが神経終末に戻るのを抑制してレセプターにノルアドレナリンを蓄積させるコカインを用いて，その反応の違いで障害部位を確認する．

表6 Horner 症候群の原因疾患

中枢神経内
- 脳血管障害
  - 上小脳動脈症候群
  - 橋下部外側症候群
  - 延髄外側症候群
- 脳腫瘍
- 脊髄空洞症

節前線維
- 外傷
  - Klumpke(クルンプケ)の麻痺
- 神経鞘腫
- 胸部疾患
  - Pancoast 腫瘍
  - 肺結核
  - 縦隔腫瘍
  - 胸部大動脈瘤
- 頸部疾患
  - 甲状腺腫瘍
  - 頸部大動脈瘤

節後線維
- Raeder(レーダー)症候群
  (内頸動脈サイフォン部,三叉神経節周囲の病変)
  - 片頭痛
  - 腫瘍
  - 骨折
  - 梅毒
  - ヘルペス感染

❸ 画像検査

器質性疾患の有無を確認するため,頭頸部 MRI 検査を行う.また,Pancoast(パンコースト)型肺癌を考える場合には,胸部 CT が必要である.

❹ 髄液検査

中枢神経感染症を疑う場合に行う.

❺ 血液検査

梅毒反応,血糖測定などを行う.

❻ 眼圧測定

眼圧亢進がないかを確認する.

診断確定のために

以上の医療面接,身体診察,スクリーニング検査,必要に応じて行う検査により,瞳孔異常をきたした障害部位と,随伴する身体・神経所見を評価する.

ただし,瞳孔異常をきたす疾患の多くは,瞳孔異常を単独で起こすことは少ない.したがって,疾患の確定のためには随伴症状の評価が重要なポイントとなる.

Horner 症候群の確定診断(表 6)

視床下部から眼球までの交感神経線維経路が障害されて出現する.障害部位と同側性で出現する.縮瞳,眼裂狭小(眼瞼下垂),眼球陥凹(眼裂狭小のための見かけの現象)が 3 主徴であるが,顔面発汗減少・顔面皮膚温上昇,結膜充血を伴うこともある.瞳孔反応は正常である.点眼試験では,神経終末でのノルアドレナリンの蓄積がないため,コカイン点眼で無反応である.

Adie 症候群(瞳孔緊張症)の確定診断(表 7)

20〜40 歳の女性に多く,light-near dissociation がみられる.通常は一側性であるため瞳孔不同がみられ,瞳孔は明所でも散大しているが,暗所では逆となる.対光反射は障害される.また,深部腱反射が消失することが多い.副交感神経障害による除神経効果により,低濃度ピロカルミンに対する過敏性がみられる.

原因は不明とされるが,毛様体神経節,あるいはその節後線維の障害が考えられている.

Argyll Robertson 瞳孔の確定診断(表 7)

Argyll Robertson 瞳孔は,瞳孔の形が不規則で,両側性に縮瞳がみられ,対光反射は直接・間接反射とも障害されている.しかし,近見反応は保たれている.

神経梅毒で有名であるが,糖尿病,多発性硬化症,Wernicke(ウェルニッケ)脳症,脳腫瘍,脳血管障害,脳炎などでもみられる.

Parinaud(パリノー)症候群の確定診断

light-near dissociation に垂直性注視麻痺,pseudo-Argyll Robertson 瞳孔,輻輳後退眼振を伴うことが多い.中脳や松果体腫瘍,脳血管障害,多発性硬化症でみられるため,頭部 MRI を行う必要がある.

表7 Adie症候群とArgyll Robertson症候群の鑑別

	Adie症候群	Argyll Robertson症候群
患眼	一側性	両側性
瞳孔の大きさ	散瞳	縮瞳
対光反射	消失あるいは遅鈍	消失あるいは遅鈍
輻輳反応	遅鈍，時間をかければ可能	迅速
ピロカルミン点眼試験	強く縮瞳	反応なし

Marcus Gunn瞳孔の確定診断

交互対光反射試験で診断する．正常の対光反射は直接・間接反射で差がないため，もし左眼の求心路に障害がある場合，左眼の直接対光反射は，右眼間接対光反射より，弱いものとなる．このため，右眼から左眼に光を当てると，左眼は光が当たっているにもかかわらず散瞳する．この現象は，視神経炎や網膜剥離などでみられる．

動眼神経麻痺の確定診断

動眼神経筋を支配する副交感神経は，動眼神経の上部表層にあるため，外方からの圧迫で瞳孔は散大し，対光反射は消失する．この場合，脳動脈瘤，脳腫瘍などを考える．

一方，糖尿病性に動眼神経麻痺を生じる場合には，瞳孔症候を欠くことが多い(pupil sparing)．

緑内障発作の確定診断

瞳孔は散大する．視力低下，頭痛，対光反射遅鈍，角膜混濁などを伴う．

small pupilの確定診断

橋出血(pontine miosis)で有名であるが，有機リン中毒，覚醒剤中毒でも縮瞳をみる．また，高齢者，糖尿病患者も縮瞳傾向を示す．

〈土谷 治久，山下 一也〉

眼底異常
fundus abnormality

眼底異常とは

定義

眼底異常とは，眼底鏡で見える範囲の眼底を構成する要素の異常所見の総称であり，網膜，網膜動静脈，乳頭の異常に分けられる．全身疾患に伴う所見である場合と，眼球自身の病変である場合があり，ここでは前者を中心に解説する．

患者の訴え方

患者は，「ものが見えにくい」と訴えるが，それが視力低下であるのか，視野欠損による症状であるのか，病歴や身体所見から判断できるものなのかの区別を要する．多くの場合，症状は一側性であるが，疾患によって両側性の場合があり，中枢性病変では両耳側半盲や同名性半盲になる．また，疾患によっては視力低下を訴えないものもある．

視力低下は，①角膜疾患，②ぶどう膜疾患，③硝子体疾患，④網膜脈絡膜疾患，⑤視神経疾患，⑥中枢性病変で起こり，①～⑤については，眼科的な診察，検査，処置が必要である．

患者が眼底異常を訴える頻度

原因によりその頻度は異なるが，視力低下，視野欠損のみの場合は，眼科に受診することがほとんどである．一般内科では，糖尿病の合併症として網膜病変をきたすものが多い．

神経疾患のうち眼底異常を認めるものは，頭蓋内圧亢進をきたす病態や多発性硬化症，視神経脊髄炎，膠原病・炎症性疾患に伴う眼底変化であり，後3者は成人に多くみられる．

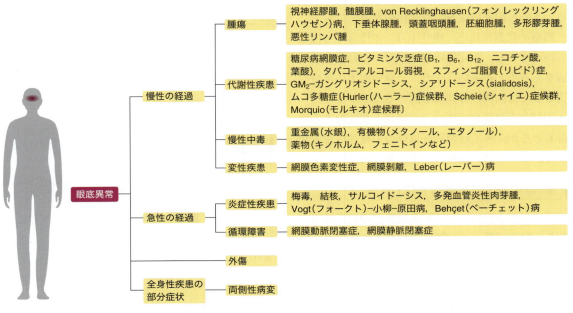

図1　眼底異常の原因

表1 眼底異常をきたす疾患

網膜
- 網膜出血
- 網膜血管腫
- 網膜の炎症性疾患：Vogt-小柳-原田病
- 中毒性網膜症：クロロキン，チオリダジン
- 網膜色素変性症
- 網膜黄斑変性症
- 外傷性
- 網膜剥離

乳頭
- 脱髄性疾患：多発性硬化症，視神経脊髄炎，球後視神経炎
- 自己免疫疾患：全身性エリテマトーデス，結節性多発性動脈炎
- 虚血性血管障害：動脈硬化症，側頭動脈炎，大動脈炎症候群，自己免疫疾患に伴う血管炎
- 炎症性疾患：梅毒，結核，サルコイドーシス，髄膜炎，眼内炎症，眼窩内炎症，副鼻腔炎
- 中毒性疾患：薬物（エタンブトール（EB），イソニアジド（INH），クロラムフェニコール，メチルアルコール）
- 代謝性疾患：低栄養，ビタミンB群欠乏症，タバコ-アルコール弱視
- 変性疾患：Leber（レーバー）病

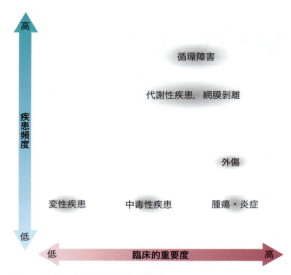

図2 疾患の頻度と臨床的重要度

表2 うっ血乳頭，視神経炎，虚血性視神経症の鑑別診断

	うっ血乳頭	視神経炎	虚血性視神経症
視力	正常	低下	動脈炎では低下著明
視野障害	Mariotte（マリオット）盲点拡大	中心暗点	中心暗点
病側	両側性	一側性	一側性
眼底	強い乳頭浮腫・出血	浮腫-正常	部分的な乳頭浮腫
瞳孔	正常	障害側対光反射低下	障害側対光反射低下
予後	原因治療による	通常良好	不良

症候から原因疾患へ

病態の考え方

図1に視力低下をきたす疾患を原因別に挙げる．また，眼底異常をきたす疾患を表1に示す．

腫瘍や代謝性疾患，慢性中毒，変性疾患は慢性の経過をとり，炎症性疾患や循環障害は急性の経過をとることが多い．また，全身性疾患の部分症状としては両側性の病変を認めることが多い．

視野欠損は眼底疾患の部分症状として起こる場合もあるが，多くは視神経以降の中枢性疾患で起こり，この場合，眼底に異常はみられない．

病態・原因疾患の割合（図2）

最も頻度が高いのは，網膜動静脈の循環障害であり，網膜剥離を含む網膜変性がこれに次ぐ．代謝性疾患では糖尿病網膜症が多い．次いで外傷性の頻度が高い．

中毒性疾患，腫瘍・炎症は頻度は低いが臨床的重要度は高く，原因物質の同定や薬物治療，手術を必要とするものが多い．

診断の進め方

診断の進め方のポイント

- 眼底異常が認められた場合，どの部位が病変部位であるのかを明らかにする（表2）．
- 網膜疾患，網膜動静脈疾患では，眼底所見に異常を認め，後者では血管に沿った病変を示す．
- 中心視力は低下しているが，周辺視力が保たれている場合は，黄斑部の障害ないしは視神経の障害を考える．色覚と対光反射が保たれている場合は，後者の可能性が高い．

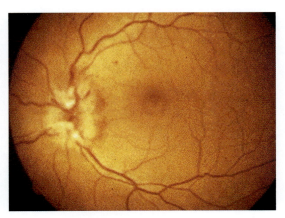

図3　うっ血乳頭の所見

- うっ血乳頭とは，乳頭が発赤腫脹し，その境界が不鮮明となった状態であり，静脈は拡張・蛇行し，動脈はやや細くなる(図3)．この場合，視神経萎縮を伴う末期でなければ，視力低下は軽微である．視野変化は，通常 Mariotte 盲点拡大や周辺部視野狭窄を認める．原因として，頭蓋内圧亢進をきたす疾患(表3)が挙げられる．
- 視神経萎縮とは，乳頭の病的蒼白と視力の障害を伴うものであり，血行障害や圧迫あるいは牽引性萎縮(動脈瘤，水頭症，くも膜炎による癒着，乳頭浮腫に続発)や緑内障が原因になる．脊髄癆による単純性視神経萎縮も存在する．

医療面接(表4)

　視力低下は，発症が急性か慢性か，症状は一側性か両側性かを病歴情報より明らかにする．
　循環障害では一過性黒内障の既往歴を確認する．視神経炎では，感冒様症状や眼球運動時痛，球後痛などが前駆症状としてみられることがある．また梅毒や結核，多発血管炎性肉芽腫，サルコイドーシスなどの全身疾患の部分症状である場合もあり，発熱や体重減少，呼吸器症状などの全身性の病歴も聴取する．発作を反復し徐々に視力低下をきたす場合もある．光視症，飛蚊症，霧視の症状があれば網膜裂孔の発生を疑い，視野に動くカーテン様の陰影，視野欠損が存在すれば網膜剥離が強く疑われる．
　さらに全身疾患の病歴や服用薬物，嗜好品についても聴取する．

表3　頭蓋内圧亢進をきたす疾患

- 頭蓋内占拠性病変：脳腫瘍，水頭症，脳出血など
- 頭蓋内炎症：髄膜炎・脳炎，脳膿瘍
- 脳静脈洞血栓症
- くも膜下出血
- 中毒：鉛(Pb)，タリウム，ビタミンAなど
- 甲状腺機能亢進症による眼窩内圧亢進
- 悪性高血圧

表4　医療面接のポイント

経過
- いつから，どの程度の視力低下があるのか
- 急激に始まったのか，徐々に起きてきたのか

誘因
- 感冒様症状，眼球運動時痛，球後痛はなかったか

全身症状の有無と内容
- 発熱，体重減少，呼吸器症状の有無を確認する

眼の症状の有無と内容
- 光視症，飛蚊症，霧視はないか
- 症状は一側性か両側性か

既往歴
- 同様の症状が一時的に出ていたか，あるいは出ていなかったか

身体診察(表5)

　眼球の診察では，眼球位置，眼球運動を観察したのち，瞳孔不同の有無，対光反射を調べ，直接検眼鏡を用いた眼底の観察を行う．
　眼底所見では，まず乳頭異常の有無を確認し，さらに眼底出血や白斑の有無，その範囲および眼底動脈の閉塞の有無を観察する．最後に網膜動脈の高血圧および動脈硬化による変化を観察し，その程度を記載する(表6)．Keith-Wagener 分類では網膜血管病変を1つの系列として記載し，Scheie 分類では細動脈硬化と高血圧性変化に分けて評価を行う．
　全身所見としては，基礎疾患としての高血圧や糖尿病に付随した身体所見，神経所見の有無に注意する．特に眼窩上や頸動脈に雑音を認める場合には，内頸動脈の狭窄や閉塞が疑われる．

表5 身体診察のポイント

バイタルサイン
- 意識障害，血圧・脈拍・体温はどうか

全身状態
- 発熱，関節症状，皮膚症状はないか

眼球異常
- 眼球位置，眼球運動，瞳孔，対光反射に異常はないか

頭頸部
- 眼窩上，頸動脈に血管雑音はないか
- 甲状腺腫はみられないか

胸部
- 心雑音，不整脈，呼吸器疾患の有無を確認する

腹部
- 肝脾腫の有無を確認する

神経系
- 髄膜刺激症状の有無を確認する
- 腱反射低下や感覚障害の合併はみられないか

表6 網膜血管硬化症，高血圧眼底の分類

Keith-Wagener（キース・ワグナー）分類
- 0度：正常
- Ⅰ度：血管腔狭小化と動脈硬化がわずかにみられる
- Ⅱ度：銅線動脈，交叉現象が加わる
- Ⅲ度：口径不同，軟性白斑，星芒状白斑，その他滲出物，網膜浮腫，種々の形の出血が加わる
- Ⅳ度：乳頭浮腫が加わる

Scheie（シャイエ）分類
- 高血圧性変化（H）
  - Ⅰ度：わずかに細動脈狭細を認めるもの
  - Ⅱ度：細動脈に口径不同が加わる
  - Ⅲ度：出血，白斑が加わる
  - Ⅳ度：乳頭浮腫
- 細動脈硬化（S）
  - Ⅰ度：動脈壁反射亢進，交叉現象軽度
  - Ⅱ度：反射亢進がより著明，交叉現象中等度
  - Ⅲ度：銅線動脈，交叉現象著明
  - Ⅳ度：銀線動脈

診断のターニングポイント（図4）

医療面接と身体診察を総合して考える点

- **〔確定診断〕**医療面接により，経過・誘因・視力障害以外の眼症状，全身合併症を把握し，眼底検査を行って以下の代表的な疾患の有無を判断する．
- **〔確定診断〕**視力障害が存在するが，眼底所見に異常が認められない場合，球後視神経炎や中枢病変を鑑別するために，眼窩部および頭部の画像検査などを行う．
- 以下に主要な疾患の概要を示す．

❶ 網膜動脈閉塞症

網膜動脈閉塞症は一側性の急激な視力低下として発症する．眼底所見では網膜動脈の狭細化，網膜の乳白色混濁を認め，ときに軟性白斑を認める．詳細に検討すると，視神経乳頭付近や動脈分岐部の栓子が認められる場合がある．

合併症として高血圧，心疾患（弁膜症，虚血性心疾患，心房細動），頸動脈病変の有無，糖尿病，外傷，血液凝固異常，膠原病，血液疾患などを検索する．

❷ 網膜静脈閉塞症

網膜静脈閉塞症は眼底出血の原因の1つであ

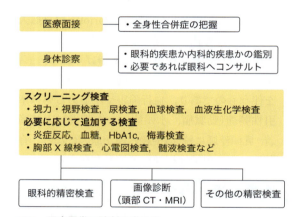

図4 眼底異常の診断の進め方

り，網膜中心静脈閉塞症と分枝閉塞症に大別される．出血は静脈が動脈により圧迫を受けやすい解剖学的部位（前者は視神経内の強膜篩状板を通過する部位，後者は網膜内の動静脈交叉部位）に存在する．

眼底所見は通常は一側性であり，視神経乳頭を中心に放射状に広がる網膜出血と静脈拡張を認める．分枝閉塞症では，動静脈交叉部からくさび状に広がる網膜出血と静脈拡張を認める．急性の視力障害を自覚することが多いが，分枝閉塞症においては，黄斑部病変がない場合は自覚症状として現れにくく，成人に発生することが多い．

若年者では，血管炎，血液疾患，家族性脂質異

常症などの基礎疾患を疑う．

❸ 糖尿病網膜症

糖尿病網膜症は，単純型網膜症と増殖型網膜症に分類される．

単純型網膜症では網膜毛細血管から点状や斑状の網膜出血をきたし，白斑や黄斑浮腫を認める．増殖型網膜症では，網膜出血に加えて，硝子体に向かう血管新生が関与して，網膜前出血や硝子体出血，網膜剝離をきたす．

❹ 網膜剝離

網膜剝離は感覚網膜と色素上皮の間に液体が貯留する病態で，早急な手術の適応がある．光視症，飛蚊症，霧視や動揺性陰影，視野欠損の病歴を重要視する．網膜剝離の既往や外傷，高度近視などが危険因子となる．

❺ 視神経炎

視神経炎は，急性に中心暗点を伴う高度の視力障害として発症する．眼底変化は，障害部位により異なり，乳頭炎では，発赤，腫脹，境界不明瞭，網膜静脈の拡張，蛇行を認める．球後視神経炎では，眼球に異常のみられないことも多い．ときに眼球運動に際して眼球後方の痛みを伴う．

本疾患は，脱髄性疾患である多発性硬化症ないしは視神経脊髄炎の一症状として認められる場合があり，他の神経徴候の有無を確認し，髄液検査，画像診断や電気生理学的検査を参考とする．

必要なスクリーニング検査

視力，視野，眼圧測定などの眼科的なスクリーニングが必要である．全身的には，検尿，血球検査，生化学検査などのスクリーニングを行う．

糖尿病，炎症性疾患，梅毒などについての検査が必要な場合もある．高血圧や糖尿病，動脈硬化症などの合併症がみられる場合には，それらの評価も必要である．

❶ 視力・視野検査

視力低下があれば，診察室では，おおまかに片眼ずつで指の本数がわかるかどうか，瞳孔に光を当てて光覚があるかどうか確認する．視野については対座法で半盲の有無を診察する．

❷ 尿検査

尿糖陽性なら糖尿病の可能性があり，さらに尿蛋白陽性であれば糖尿病性腎症を合併している確率が高い．

❸ 血球検査（血算）

血液疾患，炎症性疾患のスクリーニングとして有用である．

❹ 血液生化学検査

CRP，赤沈などから炎症性疾患や膠原病を，血糖，HbA1c などから糖尿病の有無，程度を把握する．

❺ 胸部 X 線・心電図検査

心疾患や呼吸器疾患が疑われる際には必須である．

❻ 頸動脈エコー検査・心エコー検査

網膜動脈閉塞症において，塞栓源の検索に用いる．

❼ 髄液検査

髄膜炎や脳炎，脱髄疾患が疑われる際には，必須である．うっ血乳頭が認められる場合には，CT や MRI などの画像診断を優先する．

診断確定のために

眼底所見は直像鏡を用いて行うが，異常所見が認められる場合は，眼科的に散瞳眼底検査を行う．糖尿病網膜症や網膜循環障害には蛍光眼底撮影が行われる．

腫瘍性疾患の確定診断

視力，視野，眼底異常の有無から病変部位を想定し，CT や MRI などの画像診断を行う．確定診断には組織診断が必要である．

炎症性疾患の確定診断

検査所見から炎症反応の有無，程度を参考とする．ウイルス性感染であれば PCR 法，IgM 抗体陽性もしくはペア血清で抗体価の上昇を確認する．梅毒，結核，サルコイドーシス，多発血管炎性肉芽腫，Behçet 病では，それぞれ梅毒血清反応，結核菌培養，アンジオテンシンⅠ変換酵素（ACE），抗好中球細胞質抗体（ANCA），HLA-B51 などを

参考とする．

脱髄性疾患の確定診断

脱髄性疾患が疑われる場合には，髄液検査での細胞増加，オリゴクローナルバンドやミエリンベーシック蛋白の検索が必要である．視神経脊髄炎では抗アクアポリン4抗体が特異的である．また，MRIにて視神経，大脳白質，脊髄に脱髄巣を認める．

中枢神経疾患の確定診断

うっ血乳頭などから中枢神経疾患が疑われる場合には，頭部CTやMRIにより疾患の部位や病態を確認する．髄膜炎や脳炎では髄液検査により，細胞数の増加の確認，ウイルス抗体価，細菌培養などを行う．必要があれば脳神経外科にコンサルトする．

代謝性疾患の確定診断

血液所見からその程度を把握し，治療方針を立てる．糖尿病であれば，血糖値，HbA1c値，尿糖定量などの検査が必須であり，腎機能の評価もしておく．ビタミン欠乏症が疑われれば，血中ビタミン濃度の測定を行う．

中毒性疾患の確定診断

重金属，有機物への被曝や薬物の服用などの病歴から中毒性疾患が疑われる場合には，各種物質の血中濃度の測定とともに，毛髪や爪なども測定対象となることがある．

〈岩佐 憲一，長井 篤〉

眼球振盪（眼振）
nystagmus

眼球振盪（眼振）とは

定義

眼球振盪（眼振）とは，眼球の規則性，律動性，不随意性の往復運動を指す．緩徐相と急速相からなる異常眼運動の1つであり，水平性，垂直性，回旋性に分けられる．

ベッドサイドでの眼振検査では，注視下でみられる注視眼振，Frenzel（フレンツェル）眼鏡（眼球観察用の凸レンズを装着したゴーグル），ビデオ眼振計を用いた，頭の位置による頭位眼振，頭の位置を変化させることによって出現する頭位変換眼振，外耳道に冷水または温水を注入することによって誘発される温度眼振（カロリック試験）を検査する（表1）．

眼振は図1に示すように注視眼振，自発眼振，頭位眼振，頭位変換眼振をそれぞれ記載する．なお，眼振の方向とは急速相の方向で表す．

患者の訴え方

眼振は他覚的所見を指す言葉で，患者自身が眼振を訴えることはない．むしろ，「めまいがする」「めまいがして目を開けていられない」などの訴えがほとんどである．

眼振の検査は，めまいやふらつきなどの平衡障害を訴える患者における前庭機能検査の基本であり，さらに小脳・脳幹障害の診察としても重要である．

表1 眼振の種類

注視眼振：各方向の視標を注視させたときに観察される眼振

非注視眼振：非注視下（開眼遠方視，暗所開眼，Frenzel眼鏡下）で観察される眼振で，以下の4種類がある
- 自発眼振：座位ないしは仰臥位正頭位下で出現する眼振
- 頭位眼振：頭を傾けた状態で出現する眼振．座位では正頭位，左右前後に屈した頭位の5頭位，仰臥位では正面，左右下頭位，懸垂頭位正面および左右下頭位の6頭位で観察する．耳石器刺激による末梢および中枢前庭系の不均衡に基づく眼振
- 頭位変換眼振：急激な頭位変換により出現する眼振．懸垂頭位から座位正面，左右の懸垂頭位から座位正面，およびそれぞれの逆などの頭位変換で観察する．耳石器と半規管の刺激で誘発される眼振
- 温度眼振（カロリック試験）：外耳道に冷水または温水を注入することによって誘発される眼振．外側半規管を刺激してリンパ流を起こすことにより，前庭眼反射を誘発する．眼振の緩徐相は前庭神経核と動眼神経核が，急速相は橋の側方注視中枢（PPRF）などが関与する

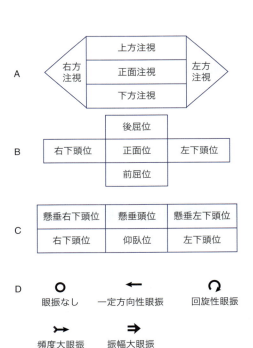

図1 眼振の記載法
A：注視，自発眼振，B：頭位眼振，C：頭位変換眼振，それぞれの位置における眼振をDの記号を用いて記載する

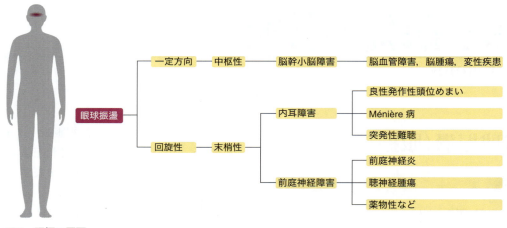

図2 眼振の原因

表2 眼球運動の構成要素

① 衝撃性眼球運動
注視点を変える際に起こる急速な眼球運動．視覚，音刺激で起こり，随意・不随意的に起こる．眼振の急速相にあたる

② 滑動性追跡眼球運動
動くものを随意的に目で追うときにみられる眼球運動

③ 前庭系由来の眼球運動
前庭迷路内のリンパ流により生じる運動．頭部の回旋に対し，対側への眼球運動を生じる．カロリック試験で一側迷路を冷却刺激すると，対側に向け，眼球のゆっくり偏位する運動（緩徐相）がみられ，次いで反対側への急速な動き（急速相）がみられる

④ 視運動性反応
視野全体の動きにより誘発される運動で，主に周辺視野の動きが刺激となる．乗り物に乗って窓の外を見るときなどにみられる視運動性眼振が代表的

⑤ 輻輳開散運動
両眼で近くを見るとき寄り目に，遠くを見るとき開き目になる運動．立体視のために重要な眼球運動

患者が眼球振盪（眼振）を訴える頻度

それぞれの眼振の頻度は，基礎疾患の頻度に左右される．良性発作性頭位めまいに伴う眼振の頻度が最も高い．Ménière（メニエール）病は30〜50歳代で女性にやや多くみられ，めまい患者の10％前後を占める．突発性難聴や前庭神経炎がこれに次ぐ頻度でみられる．脳血管障害によるめまい，眼振は高齢者に多い．

頻度は少ないが，聴神経腫瘍，Ramsay Hunt（ラムゼー ハント）症候群，脊髄小脳変性症，薬物性めまいも見落としてはならない．

症候から原因疾患へ

病態の考え方（図2）

眼球運動は5つの要素からなる（表2）．眼振は，これらの眼球運動にかかわる神経機構の異常により生じる．

中枢性疾患では一定方向性眼振が，前庭神経核以降の末梢性障害では回旋性眼振がみられる場合が多いが，必ずしも一対一対応ではないということに注意が必要である．

注視眼振は注視方向に向かって生じる眼振で，脳幹・小脳障害で認められるが，部位特異性は少ない．

前庭性眼振は，一側迷路の温度刺激によるものが代表的であり，その方向は頭位や温度により異なる．カロリック試験では臥位で頭部を30°前屈させた姿勢で，外側半規管を垂直位として刺激する．外耳道に冷水を注入すると反対側向きの眼振が，温水の注入で同側向きの眼振が誘発される．これらの反応がみられない場合は，半規管機能低下または眼振方向優位性（一方向に眼振が誘発されやすい状態）と判断される．また一側迷路の急性破壊では，反対側へ向かう眼振が生じる．

これらの眼振は，注視により抑制（visual suppression）を受けるが，小脳片葉障害ではこの抑制

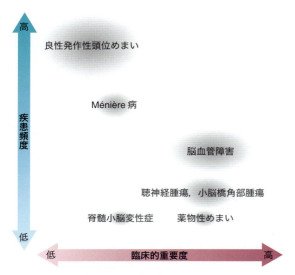

図3 疾患の頻度と臨床的重要度

が減弱する．

病態・原因疾患の割合（図3）

原因疾患の割合は，眼振検査を行う診療科により異なる．耳鼻科で行われる場合は，難聴，耳鳴を伴う疾患，すなわち Ménière 病，突発性難聴，前庭神経炎の順に頻度が高い．聴神経腫瘍，小脳橋角部腫瘍は頻度的には少ないが，見落としてはならない疾患である．内科，脳神経内科では良性発作性頭位めまいによる眼振が最も多く，脳血管障害によるものがこれに次ぐ．脊髄小脳変性症や薬物性の頻度は低い．

診断の進め方

診断の進め方のポイント

- 眼振を示す疾患は，その障害部位により表3に示すように，内耳障害，前庭神経障害，脳幹・延髄障害，小脳障害，その他に分けられる．それぞれの障害部位により，めまいの性質や随伴する症状が異なり，診断を進めるうえで参考となる．
- 一般的に内耳障害や脳血管障害が原因の場合は，急性に発症する．一方，腫瘍性病変や変性疾患を原因とする場合は，緩徐進行性の場合が多い．
- 内耳障害でも耳石器の異常のみとされる良性発作性頭位めまいでは，聴力障害を示さず，Ménière 病や突発性難聴では，蝸牛症状としての聴力障害を伴う．前庭神経炎では回転性めまいと平衡失調のみである．
- 脳幹の血管障害では，種々の眼球運動障害や四肢麻痺を伴い，意識障害を示す場合も多い．Wallenberg 症候群は，後下小脳動脈の閉塞による延髄外側部の梗塞で起こり，めまいや失調症状とともに交叉性感覚障害（障害側顔面の温痛覚障害と反対側体幹・四肢の温痛覚障害）を示す．
- 脊髄小脳変性症は，徐々に進行する失調症状，歩行障害を示す．

医療面接（表4）

医療面接にあたっては，めまいを訴える場合は，その起こり方，持続時間，性質すなわち回転性（vertigo）か非回転性（dizziness）かを聴取し，随伴症状としての難聴，耳鳴，失調症状の有無を確認する．前庭神経炎では，感冒様症状が先駆することが多い．

さらに，他の神経症状や服用薬物の確認が必要である．

身体診察（表5）

眼振の診察は，まず注視眼振の検査を行う．患者の前方 50 cm に視標を置き，左右・上下の各方向を 30°注視させ，眼振の有無や異常眼球運動の有無をみる．測定時に患者の頭ないしはあごを手で軽くおさえ，頭部の回旋を防ぐ．非注視眼振は Frenzel 眼鏡下で観察する．

頭位眼振検査は，頭位を変化させ，耳石器に緊張を与え，潜在した眼振を検出する検査である．仰臥位で正面，右下，左下，次いで懸垂頭位で同じ位置で観察する．特定の頭位でめまいを訴える場合は，まずその頭位で行う．末梢前庭性では特定の頭位でめまい感を伴う．

頭位変換眼振検査は，急速に座位から懸垂頭位

表3 障害部位別の眼振を伴う疾患

障害部位	病名	病因	症状
内耳障害	良性発作性頭位めまい	耳石器の障害	一定頭位で回転性めまい
	Ménière病	内リンパ水腫	回転性めまい，耳鳴，難聴
	突発性難聴	三半規管・蝸牛	回転性めまい，耳鳴，難聴
前庭神経障害	前庭神経炎	前庭神経	回転性めまい・平衡失調
	聴神経腫瘍	VIII神経の腫瘍	聴力障害，失調，VII・V障害
	小脳橋角部腫瘍	小脳橋角部の腫瘍	聴力障害，失調，VII・V障害
脳幹・延髄障害	脳血管障害	脳幹	眼球運動障害，四肢麻痺
	Wallenberg（ワレンベルグ）症候群	後下小脳動脈の閉塞	ふらふら感，感覚解離
	頭蓋底陥入症	延髄	歩行障害，失調
小脳障害	脊髄小脳変性症	小脳	失調症状
その他	薬物性めまい	アミノ配糖体	前庭機能低下

表4 医療面接のポイント

経過
- めまいは，いつ頃から，どのタイプ（回転性か非回転性か）のめまいが起こったか
- 急激に（たとえば起床時，頭を起こした際に）始まったのか，徐々に起きてきたのか
- 随伴症状（難聴，耳鳴，失調症状）はないか
- 症状は反復性か否か
- ふらつきはいつ頃から，どの程度のふらつきがあるのか

誘因
- 感冒様症状の先行はなかったか
- 発症時，仕事や家庭生活でのストレスはなかったか
- ふらつきは起立時に起こるかどうか：起立性低血圧の鑑別が必要

全身症状の有無と内容
- 複視や眼球運動障害はないか
- 他の脳神経症状はないか
- 麻痺や感覚障害（しびれ）の有無と，あれば部位はどこか
- 失調症状，歩行障害はないか

常用薬
- 薬物〔アミノ配糖体系抗菌薬，シスプラチン（CDDP）など〕の治療歴はないか

家族歴
- 同様の症状を示す家族はいなかったかどうか

表5 身体診察のポイント

バイタルサイン
- 意識障害，呼吸障害の有無を確認．血圧・体温はどうか

全身状態
- 瞳孔異常，眼球運動障害，脳神経麻痺の有無を確認する
- 筋力：低下の有無，麻痺は片側性か，両側性か
- 感覚障害：感覚解離の有無を確認する
- 失調症状，歩行障害はないか

眼振の観察
- 注視下および非注視下にて行う（表1，図1，図4参照）

に頭位を変え（あるいはその逆），耳石器と半規管を刺激して誘発される眼振を観察する．

　全身所見としては，意識障害，呼吸障害，瞳孔異常，眼球運動異常（注視麻痺，外転神経麻痺，斜偏位），脳神経麻痺，失調症状，片麻痺・対麻痺の有無などに注意を払う．めまいを訴える患者では立位や歩行の検査が行えない場合が多いが，できるかぎり立位歩行の検査を行うことにより，小脳障害の見落としを防ぐ．

診断のターニングポイント

医療面接と身体診察を総合して考える点

- 〔確定診断〕医療面接における情報（経過，誘因，全身症状，薬物使用や家族歴の有無）と身体診察から病変部位を想定しながら診断する．代表的な眼振所見を図4に示す．
- 〔確定診断〕典型的ではない眼振を観察した場合

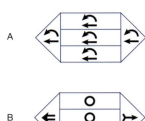
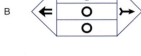
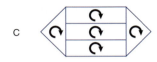
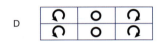
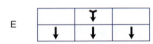

図4　代表的な眼振
A：末梢前庭系障害（Ménière病，前庭神経炎など）でみられる眼振の具体例
B：右向きに振幅の大きい眼振が，左向きに頻度大の眼振がみられる場合．右小脳橋角部腫瘍の存在を意味する〔Bruns（ブルンス）眼振〕
C：時計回り方向の純回旋性眼振．回旋の方向は注視により変化がみられない．延髄の障害を示唆する．Wallenberg症候群など
D：頭位の変化により方向の変化する眼振を回旋性方向交代性眼振と呼ぶ．良性発作性頭位めまいでみられる眼振の例
E：下眼瞼向き垂直眼振．臥位にて下眼瞼方向に急速相を示す垂直性眼振の例．小脳虫部障害を示唆する
図中の記号（↓○など）の記載については，図1を参照

には，ビデオやデジタルカメラによる動画を記録し，鑑別診断を含めたのちの解析に役立てる．

❶ 末梢前庭系障害が考えられる場合

注視方向にかかわらず，水平回旋混合性の眼振が認められる場合，末梢前庭系障害（Ménière病，前庭神経炎など）が代表的な疾患である．

頭位の変化により方向の変化する眼振を回旋性方向交代性眼振と呼び，良性発作性頭位めまいが代表的な疾患である．

❷ 小脳橋角部障害が考えられる場合

一側に振幅の大きい眼振が，対側に高頻度の眼振がみられる場合，Bruns眼振と呼ばれ，振幅の大きい側の小脳橋角部の障害を意味する．発症の経過がゆっくりである場合，腫瘍を考える．

❸ 延髄障害が考えられる場合

注視方向にかかわらず，純回旋性眼振を認める場合，延髄の障害（Wallenberg症候群など）を示唆する．

❹ 小脳障害が考えられる場合

臥位にて下眼瞼方向に急速相を示す垂直性眼振を認める場合，小脳虫部障害を示唆する．

小脳性疾患では，完全注視方向性眼振を示す．また正面固視で高頻度にみられる振子様眼振は，先天性眼振で認められることが多い．

❺ 中脳・間脳疾患が考えられる場合

正面固視でみられる持続性・振子様・回旋性眼振は中脳障害を意味し，同様に正面固視でみられる上眼瞼向き垂直性眼振では，中脳・間脳疾患を疑う．

必要なスクリーニング検査

基本的に，血液・尿検査には異常がない．聴力検査や，温度眼振検査あるいは平衡機能検査により，内耳機能や失調症状の有無を検討する．意識障害や他の神経学的異常を示す患者では，その病態ごとに必要な検査を追加する．

めまいに伴う悪心・嘔吐に対しては，いたずらに消化器系の検査を進めるべきではない．

診断確定のために

眼振をより正確に調べるためには，電気眼振計や赤外線CCDカメラを用いて，①回転刺激検査，②視運動眼振検査，③視運動性後眼振検査などが行われる．病変部位の診断には，聴性脳幹反応（ABR）やCT，MRIなどの画像診断が用いられる．

以下に主要な疾患の特徴を示す．眼振の診断の進め方を図5に示した．

良性発作性頭位めまいの確定診断

頭位変換で誘発されるめまいであり，特定の頭位をとるときに起こりやすい．潜時や減衰現象を

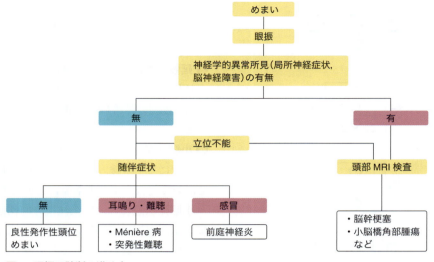

図5 眼振の診断の進め方

もつ頭位眼振が特徴であり，反対回旋性頭位変換眼振を認める．他の随伴症状や画像所見での異常を認めない．

Ménière 病の確定診断

自発性のめまいが反復し，耳鳴・耳閉感・難聴などの症状を伴う．低音障害型の感音性難聴を示す．蝸電図やグリセロール試験などの検査で内リンパ水腫を示す．

突発性難聴の確定診断

自発性のめまいであるが，単発性で反復することはない．めまいに伴って，難聴・耳鳴を認める．難聴は高度難聴を示す．
他の神経症状はみられない．

前庭神経炎の確定診断

難聴を伴わない比較的長期間持続する単発性のめまい．患側の温度眼振検査の低下を認める．
めまいに先行して，感冒様症状を示すことがある．

脳血管障害の確定診断

急激に発症する自発性めまい．自発眼振，注視眼振や異常眼球運動がみられ，脳神経障害，四肢の麻痺や感覚障害などの神経症状を認める．Wallenberg 症候群では，障害側と同側に顔面の温・痛覚消失，Horner（ホルネル）症候群，球麻痺症状，小脳失調を，対側に体幹および上下肢の温・痛覚消失（交叉性感覚障害）を認める．
頭部 CT や MRI から血管障害の部位を同定する．

腫瘍や変性疾患の確定診断

徐々に発生し，持続する平衡障害を主徴とする．「ふらふらする」「歩きにくい」と訴えることが多く，自発，注視眼振や異常眼球運動を示す．脳神経症状や他の神経症状を伴う．
頭部 CT や MRI により腫瘍の存在，部位を同定する．
変性疾患では脳幹や小脳の萎縮の所見に注意する．

〈有竹 洵，長井 篤〉

眼球運動障害
eye movement disorder

眼球運動障害とは

定義

眼球運動は外眼筋で行われ，その神経支配は，大脳から脳幹・小脳までのさまざまな部位が関与している．眼球運動障害は，それらのどの部位の障害でも出現し，眼球の動きの異常と眼球位置の異常がみられる．

患者の訴え方

患者は，両眼視機能の障害がみられるため，「物が二重に見える」と複視を訴えることが多い．ただ，核上性の眼球運動障害では複視は訴えない．

その他，物を見るときに像の位置が実際とずれるため「物をうまくつかむことができない」と訴えたり，複視の結果として「頭がくらくらする」と訴える．

また，複視を避けるため麻痺筋を使わないですむように眼性斜頸を認めることがある．

患者が眼球運動障害を訴える頻度

急性に出現する眼球運動障害をきたす疾患で最も頻度が高いのは脳血管障害である．それ以外には，脳幹脳炎，多発性硬化症などを考える必要がある．徐々に出現するものとしては，重症筋無力症，ミオパチー，甲状腺疾患などを鑑別する．

症候から原因疾患へ

病態の考え方（図1）

眼球運動の目的は，網膜の中心窩に視線を安定させることと，側方にある視標に眼を運ぶことにある．

人間は，2つの眼で物を見ていながら，1つの物と認識する両眼視機能で物をとらえている．したがって眼球運動の障害では，この両眼視ができないことが病態の中心となる．

眼球運動の障害を理解するためには，正常の眼球運動を理解する必要がある．

図1　眼球運動障害の原因

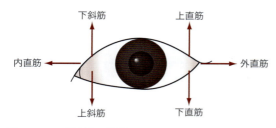

図2 6つの外眼筋の作用
内転位の上転には下斜筋が，下転時には上斜筋が関与し，上直筋と下直筋は外転位で上転，下転作用が最大となる．

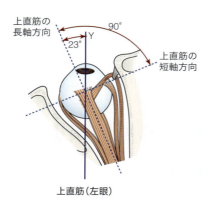

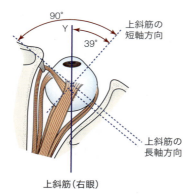

図3 外眼筋と眼球
〔後藤文男，天野隆弘：臨床のための神経機能解剖学．p.8, 中外医学社，1992より〕

表1 外眼筋の機能と神経支配

外眼筋	役割	神経支配
内直筋	眼球を内転させる．輻輳にも関係し，外眼筋で最も発達した筋である	動眼神経
外直筋	眼球を外転させる．内直筋と同様水平方向のみに関与する	外転神経
上直筋・下直筋	眼球を上転・下転させる．ただし，純粋な上転・下転は，眼球が23°外方に向かったときのみにみられる．それ以外の方向では，眼球を回旋させる方向の力が働くため，運動方向が同じ斜筋との共同運動としてみられる．上方視では上直筋と下斜筋，下方視では下直筋と上斜筋が同時に働き，眼球運動はそれぞれ2つの筋の作用方向のベクトル和としてみられる	動眼神経
上斜筋	眼球の下方向の運動と回旋運動に関係する．眼球が51°内転した位置では，純粋に眼球を下方向に動かす．一方，眼球が39°外方に向いた位置では，眼球を内旋させる．上斜筋と下直筋が共同運動して眼球を下転させる	滑車神経
下斜筋	眼球の上方向の運動と回旋運動に関係する．上斜筋と似て上下方向が逆の働きをする．眼球が51°内転した位置では，眼球を上方向に動かす．一方，眼球が39°外方に向いた位置では，眼球を外旋させる．下斜筋と上直筋が共同して眼球を上転させる	動眼神経

正常眼球運動

❶ 片眼での眼球運動

片眼の眼球運動は，4つの直筋と2つの斜筋の計6つの外眼筋の共同運動により行われる．この運動を"ひき運動"と呼び，内転，外転，上転，下転，内旋，外旋などの運動がある．

眼球運動とその障害を理解するためには，その6つの外眼筋の作用を理解する必要がある（図2，3，表1）．眼球の水平運動は，内転は内直筋，外転は外直筋が行っており理解が容易であるが，上下運動は，それぞれ2つの直筋と斜筋が共同運動として行っているため，理解が難しくなる．

動眼神経支配の外眼筋は内直筋，上直筋，下直筋，下斜筋である．滑車神経は上斜筋，外転神経は外直筋をそれぞれ支配している．

❷ 両眼での眼球運動

眼球運動には，両眼で協調して動かす運動があり，"むき運動"と"よせ運動"と呼ぶ．

■ むき運動

両眼視が可能となるように，外眼筋による左右眼の運動は緊密に共同して行われることを，むき運動と呼ぶ．外眼筋への神経制御は常に両眼性に

表2 眼球運動（遠心路）障害の障害部位と代表疾患

核上性：前頭葉の随意運動中枢，頭頂後頭境界部の不随意運動中枢，脳神経核中間中枢（MLF，PPRF，riMLF）までの障害
- 水平注視麻痺
- Parinaud（パリノー）症候群
- MLF症候群
- 輻輳・開散麻痺
- 共同偏位

核・核下性：外眼筋脳神経核から末梢までの障害
- 動眼神経麻痺
- 滑車神経麻痺
- 外転神経麻痺
- 全外眼筋麻痺

神経終末と筋接合部障害
- 重症筋無力症
- Eaton-Lambert症候群

筋性：外眼筋自身の障害
- Kearns-Sayre（カーンズ・セイヤー）症候群
- 甲状腺機能亢進症
- 眼筋ミオパチー
- 眼・咽頭筋ジストロフィー

眼窩周囲：周辺組織の障害による続発性障害
- 眼窩ふきぬけ骨折
- 眼窩腫瘍

MLF：内側縦束，PPRF：傍正中部橋網様体，riMLF：内側縦束吻側間質核

表3 急性と慢性に眼球運動障害をきたす疾患

急性に出現する疾患
- 通常，痛みを伴うもの
  脳底髄膜炎，癌性髄膜腫，脳幹脳炎，脳幹部脳血管障害，頸動脈海綿静脈洞瘻，海綿静脈洞血栓，下垂体卒中，Tolosa-Hunt（トローザ・ハント）症候群，外傷
- その他
  ボツリヌス中毒，中心性ヘルニア，ジフテリア，Fisher（フィッシャー）症候群，AIDS脳症，Leigh（リー）脳症，多発性硬化症，多発性脳神経炎，外傷，Wernicke（ウェルニッケ）脳症

慢性の疾患
重症筋無力症，甲状腺機能亢進症，多発性硬化症，脳腫瘍，慢性脳幹部髄膜炎，Kearns-Sayre症候群，ビタミンE欠乏症，Leigh脳症，筋緊張性ジストロフィー，眼筋ミオパチー，眼・咽頭筋ジストロフィー，Eaton-Lambert症候群，Refsum（レフサム）病

拮抗的に行われるため，片眼や1つの筋でのみの運動は起こらない．たとえば右方視では，右眼の外直筋と左眼の内直筋が収縮し〔Hering（ヘーリング）法則〕，同時にそれぞれの拮抗筋である右眼の内直筋と左眼の外直筋が弛緩する〔Sherrington（シェリントン）法則〕という，4つの直筋の共同作用が行われる．

■ よせ運動（輻輳と開散）

両眼視を行うためには，両眼の視線を同じ方向に動かすだけではなく，反対方向に動かす機能が必要で，両眼の内方への運動を内よせ運動（輻輳）と呼び，外方への運動を外よせ運動（開散）と呼ぶ．

❸ 眼球運動の制御系

眼球運動には，前庭眼反射（VOR），視運動性眼振（OKN）に代表される不随意かつ代償性に生じる反射性眼球運動と，随意的に興味ある視覚対象を中心窩で捕捉する視誘導眼球運動がある．

前庭眼反射は，速い頭位の動きに対して，網膜情報処理では対応が困難な場合に，その代償を行っている反射である．視運動性眼振は，持続的回転刺激に対して前庭器はその反応性が低下し対応できなくなるため，その補償を行うものである．

視誘導眼球運動には，衝動性眼球運動（saccades）と滑動性眼球運動（smooth pursuit）がある．一般には，速い眼球運動（saccades）と遅い眼球運動（smooth pursuit）とに分ける．

両運動の違いは単にその速度にあるのではなく，saccadesは随意的に注視点を変える運動で視標を必要とせず，運動中の視覚が低下するのに対して，smooth pursuitは滑らかに移動する視標を追従するときに起こる眼球運動で運動中の視覚が必要，といった相違がある．

すなわち，saccadesは周辺視野と関連し，smooth pursuitは中心窩に動く物体を保つために生じる滑らかな運動である．saccadesは前頭葉8野と上丘系が関与しており，smooth pursuitは中側頭視覚関連野（MT野）が関与している．

眼球運動障害

眼球運動障害の症候と病態を理解するには，どの部位で眼球運動遠心路が障害されているか考えるとわかりやすい（表2）．表3に眼球運動障害の原因疾患として主なものを示す．

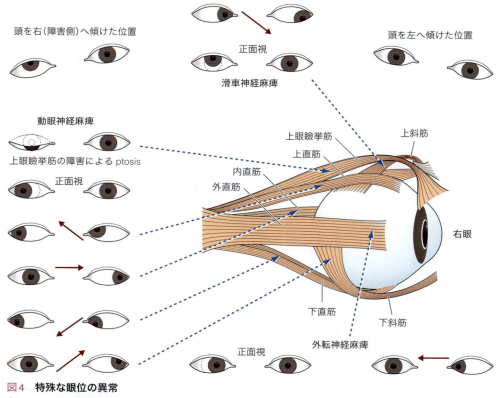

図4 特殊な眼位の異常
〔後藤文男,天野隆弘:臨床のための神経機能解剖学.p.17,中外医学社,1992より〕

❶ 核性・末梢性(神経筋接合部・筋性・眼窩周囲)眼球運動障害

■ 核性(図4)

核性の眼球運動障害は,動眼神経,滑車神経,外転神経の障害でそれぞれその支配外眼筋障害による眼球運動障害をみる.

動眼神経麻痺では,対光反射消失や眼瞼下垂を合併する.また,軽い眼球突出を伴うことがある.

滑車神経麻痺では,回転性の複視がみられ,頭位傾斜をみる〔Bielschowsky(ビールショウスキー)の頭位傾斜〕.

外転神経麻痺では複視を訴え,患側に向くときに増強する.

■ 神経筋接合部・筋性

重症筋無力症,Eaton-Lambert症候群,外眼筋ミオパチー(甲状腺機能亢進症,Kearns-Sayre症候群,眼筋ミオパチー,眼・咽頭筋ジストロフィー)で,単独の外眼筋麻痺では説明できない眼球運動障害を示す.これらでは全眼筋が障害される.

■ 眼窩周囲

眼部への鈍性外傷などで,眼窩底の陥凹骨折が起こると,眼球上転障害,眼球陥凹,眼球下方偏位が起こる.また,眼窩腫瘍での眼球突出と眼球運動障害が起こる.

❷ 中枢性(核上性・核下性)眼球運動障害

■ MLF症候群(図5)

水平眼球運動の中枢は,橋にある内側縦束(medial longitudinal fasciculus; MLF)で,一側の動眼神経核と反対側の外転神経核の間を連絡している.MLF症候群では,病側の内転障害および健側では外転時に眼振をみる.さらに,病側への側方注視麻痺を伴うものをone-and-a-half症候群と呼ぶ.この場合,側方視は健側外転しかできない.また,one-and-a-half症候群の急性期には,健側眼球が外転位をとり,paralytic pontine exotropia(麻痺性橋性外斜視)と呼ばれる.

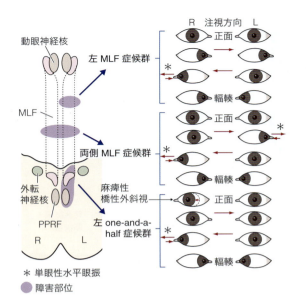

図5　MLF症候群の眼球運動障害
〔後藤文男, 天野隆弘：臨床のための神経機能解剖学. p.12, 中外医学社, 1992 より〕

■ Parinaud 症候群（図6）

上下眼球運動の中枢は, 中脳赤核の吻内側にある riMLF（rostral interstitial nucleus of the medial longitudinal fasciculus）とされる. この核を中心に, 動眼神経, 滑車神経, Cajal 核, PPRF（paramedial pontine reticular formation）, 前頭葉, 頭頂後頭境界領域が関与している.

Parinaud 症候群は, 上方注視麻痺もしくは上下方注視麻痺に輻輳麻痺を認めるとされるが, 定義には混乱がある. 上方視の経路は, riMLF から後交連を経由して動眼・滑車神経核に至るが, 下方視の経路は上丘を経由せずに動眼・滑車神経核に至る. したがって, 中脳背側の障害であっても, riMLF や後交連の障害の有無で臨床症状は異なる.

■ 輻輳・開散麻痺

サルの実験では, 動眼神経背外側近傍に中枢があるとされるが, ヒトでは明らかではない. ただ, Parinaud 症候群で輻輳麻痺を合併するため, 中脳網様体と背側部にその存在が想定されている.

■ 水平注視麻痺（図7）

側方視は, FEF（frontal eye field）と PPRF の連絡で行われている.

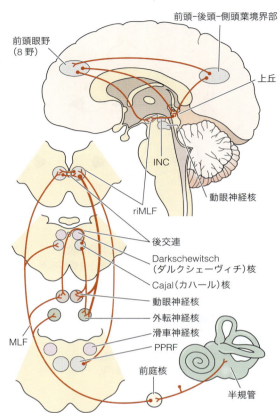

図6　上下眼球運動障害（Parinaud 症候群）
〔後藤文男, 天野隆弘：臨床のための神経機能解剖学. p.15, 中外医学社, 1992 より〕

注視麻痺は, 一側への眼球運動ができなくなっている状態で, 偏位は, 正中視時に眼球が正中以外の位置にある状態である. 大脳半球や内包の障害では病側への注視麻痺がみられ, 脳幹や PPRF では健側への注視麻痺がみられる.

■ 全眼筋麻痺

中枢性に出現する場合は, 動眼・滑車・外転の3つの外眼筋脳神経核がすべて障害されたときに出現するため, 眼瞼下垂, 散瞳もみられる. 原因は, 外眼筋脳神経核が集合している部位の病変が想定される.

眼球位置異常

❶ 偏位（表4）

共同偏位は, 水平注視麻痺と同様で, 大脳半球や内包の障害では病側への偏位がみられ, 脳幹や PPRF では健側への偏位がみられる.

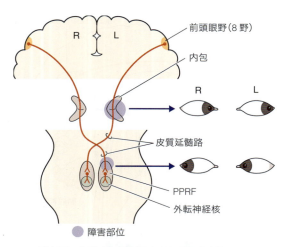

図7　側方視の経路(水平注視麻痺と共同偏位)
〔後藤文男, 天野隆弘：臨床のための神経機能解剖学. p.12, 中外医学社, 1992 より〕

表4　正中視の両眼の位置異常と病巣部位

共同偏位
- 両眼の病巣への偏位(前頭葉, 内包)
- 両眼の病巣と反対側への偏位(脳幹, PPRF)

内下方偏位
- 鼻側下方への両眼の偏位(視床)

斜偏位
- 一側眼が内下方, 他眼が上外方へ偏位(脳幹, 小脳)

斜偏位は, 脳幹部での障害を示唆するが, 病巣診断の意義は少ないとされている. ただ, 下方に偏位した側が障害側のことが多く, MLF症候群に合併する場合は上方に偏位した側が障害側であることが多い.

内下方への偏位は視床出血でみられ, 中脳背側への刺激症状で出現する. 縮瞳し, 対光反射は消失していることが多い.

❷斜視

斜視は眼位異常であるが, 弱視や両眼視機能障害を伴うことが多い. しかし, 眼球運動は正常である.

斜視の原因としては, 左右視力障害を起こすような感覚系の異常, 中枢性の視覚系障害, 眼球運動系の異常が考えられる.

病態・原因疾患の割合(図8)

原因としては核上性, 核・核下性の頻度が高い.

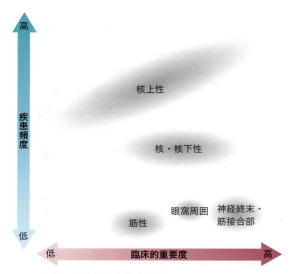

図8　疾患の頻度と臨床的重要度

これらのなかで最も頻度が高いのは脳血管障害で, 大部分の原因疾患となる. 神経終末・筋接合部, 筋性, 眼窩周囲を原因とするものは稀であるが, 神経終末・筋接合部疾患の重症筋無力症の頻度は高い.

診断の進め方

診断の進め方のポイント

- 眼球運動障害を診断するには, 正中視における眼球位置, 水平・上下方向の眼球運動, 輻輳・開散に加え, 瞳孔や眼瞼を観察する.
- 他の脳神経障害の有無, 四肢の運動・感覚障害などの神経症候を総合する必要がある.

医療面接(表5)

医療面接では, 症状の出現した経過について聴取を行う. 特に, 急激に発症したか, 徐々に発症したかを確認する. また, 日内変動を確認する. 基礎疾患のうち悪性腫瘍の有無については, 周囲の人や主治医から聴取する必要がある.

また, 眼球運動障害以外の, 全身症状があるかを聴取する.

表5　医療面接のポイント

経過
- いつから，どの程度の複視があるか
- 発症は急激か，徐々に出現したか
- 複視の出現に変動があるか（特に日内変動の有無）

誘因
- 外傷との関係はないか
- 食事との関係はないか
- 内服薬物の使用や最近の変更はなかったか

基礎疾患
- 糖尿病，高血圧など動脈硬化の促進因子はないか
- 悪性腫瘍の既往はないか（告知されている患者の場合）
- 感染症はないか

全身症状
- 眼痛，頭痛，発熱，めまい，四肢脱力，四肢感覚障害などの随伴する自覚症状はないか

表6　身体診察のポイント

バイタルサイン
- 意識状態，体温，血圧，呼吸状態などをチェックし，急性期疾患か否かを鑑別する

全身状態
- 意識障害を伴えば，呼吸状態，循環動態をチェックする

眼球運動
- 眼位を観察する
- 随意眼球運動が可能であれば，対座法で眼前の目標を追視させることで眼球運動を観察する．このとき，衝動性眼球運動と滑動性眼球運動を検査するため，目標をゆっくり動かす検査と素早く動かす検査を行う
- 意識障害がある場合には，人形の眼現象を利用して観察するか，不随意の眼球運動を観察する

頭頸部
- 頭位，眼痛，眼瞼下垂，瞳孔異常を診察する

胸腹部
- 打診・聴診で全身疾患の合併の有無を診察する

神経系
- 随伴する脳神経症状，四肢麻痺，四肢感覚障害，小脳失調などの有無を診察する

身体診察（表6）

❶ 眼位検査

正面視のほか，上，下，左，右，斜上下の9方向の向き顔位を検査する（表7）．高度であれば肉眼でわかるが，軽度であれば"おおい試験"でみる．

眼性斜頸では，斜頸反対方向へ頭を傾けると眼球偏位が起こる．滑車神経麻痺で行われる，Bielschowsky head tilt test が有名である．また，眼球偏位がみられる場合には，その偏位で病巣推定が可能な場合がある〔表4（☞ 366 ページ）〕．

❷ 眼球運動障害

外眼筋障害については，水平運動は単純で，外側を向かせて外直筋，内側を向かせて内直筋の働きをみる．一般には対座法で検査を行うが，意識障害のある患者では，人形の眼現象（doll's eye head phenomenon）を利用して観察する．MLF 症候群では，上下運動は2つの直筋と2つの斜筋の共同運動で行われているため，より複雑となる．

診察時には，各筋の付着部を考えて1つの動きで主に働く筋の検査を行う．具体的には，上直筋と下直筋は外方に向くように命じ，その後上方を向くようにして上直筋，下方に向くようにして下直筋をみる．また，上斜筋と下斜筋は内方に向くように命じ，その後下方に向けて上斜筋を，上方に向けて下斜筋をみる．

表7　正中視の片眼の位置異常

障害神経	眼球位置	随伴症状
動眼神経	外転位	瞳孔散大，眼瞼下垂，対光反射消失
外転神経	内転位	
滑車神経	正中	内外転障害のため，頭部を健側に傾ける（頭位傾斜）

❸ その他の神経症候

核上性および核・核下性眼球障害では，眼球運動以外の神経症候を認める場合が多いため，それらの神経所見を確実にみておく．また，筋接合部疾患や筋性疾患では，それぞれ特徴的な異常を伴うことも多いため，その所見の有無を確認しておく必要がある．

診断のターニングポイント（図9）

医療面接と身体診察を総合して考える点

- 患者が複視を訴える場合は，眼球運動障害の存在を考えて診察を行う．
- まず身体診察で，眼球位置，眼球運動障害，他の神経症候をとらえ，その後，眼球運動障害を説

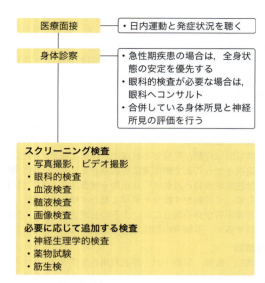

図9 眼球運動障害の診断の進め方

明することができる病態・疾患の鑑別を行う．
- 側方注視麻痺（共同偏視）は脳血管障害などにより生じる．
- MLF 症候群は脳幹梗塞や多発性硬化症でみられるが，両側 MLF 症候群は多発性硬化症に多い．

必要なスクリーニング検査

❶ ビデオ撮影・写真撮影

眼球運動障害の記録と検討に利用する．ただ，詳細な分析や定量を行う際には付属装置を用いる必要がある．

❷ 眼科的検査

■ 眼電図（EOG）

眼球には，角膜側を＋，後極側を－にする静止電位が存在するため，眼裂の耳側と鼻側皮膚電極を置くことで，電位の変化を記録する．眼球運動の検査に用いる．簡便で長時間の記録ができるが，斜行性や回旋性の眼球運動は記録できない．

■ Hess（ヘス）赤緑試験

一眼に赤色，他眼に緑色の眼鏡をかけさせ，赤い碁盤目状の Hess スクリーンを見せる．眼位異常と眼球運動障害の評価に用いる．

■ 赤ガラス法

赤色の眼鏡を一眼にかけさせ，1m 離れた灯火を見せる．視像検査に用いられる．

■ おおい試験

5m 先の目標物を注視させ，まず一眼を隠す．隠された一眼が動けば眼位異常があることになる．おおい試験は，眼位を調べる検査であると同時に，簡便な両眼視機能検査としても用いられる．

❸ 血液検査

動眼神経や外転神経麻痺などは，糖尿病に合併することが多く，血糖など一般生化学検査を行う．

Fisher 症候群では，抗 GQ1b 抗体の測定が有用とされる．

内分泌疾患では，甲状腺機能異常が最も多いため，甲状腺ホルモンの測定を行う．

ミトコンドリア脳筋症では乳酸とピルビン酸，重症筋無力症では抗アセチルコリンレセプター抗体（抗 AChR 抗体）も測定する．

Eaton-Lambert 症候群では電位依存性カルシウムチャネル（voltage-gated calcium channel; VGCC）抗体を測定する．

❹ 髄液検査

くも膜下出血では，CT や MRI でも明らかな出血がみられない場合は，髄液検査も施行し血性髄液や黄褐色混濁（キサントクロミー）の確認を行う．

脳神経炎や脳腫瘍では，髄液細胞数，蛋白，IgGの増加を確認する．

Fisher 症候群では，髄液蛋白細胞解離を示すことが多いが，発症直後に認めない場合には，1週間後に再検を行う．

❺ 画像検査

中枢性神経障害を考える場合には，頭部 MRI を行う．多発性硬化症，脳腫瘍，脳炎などを考える場合は，造影検査も行う必要がある．MR アンギオグラフィー（MRA）画像により，内頚-後交通動脈分枝部（internal carotid-posterior communicating artery; IC-PC）動脈瘤が検出されている．

また，MRI や CT は，眼窩部疾患，甲状腺疾患，重症筋無力症の胸腺腫の検出に行われる．

❻ 神経生理学的検査

重症筋無力症では反復刺激での振幅が20％以上減弱する現象（waning）を，Eaton-Lambert 症候群では振幅の漸増する現象（waxing）をみる．

筋疾患では，針筋電図を行う．

❼ 薬物試験

重症筋無力症では，テンシロンテストを行う．エドロホニウム（アンチレクス®）は 5 mg の静注で行うが，コリン性副作用があるため，当初は 1～2 mg を投与し，副作用がないことを確認する．また，試験を行う際には，プラセボでの確認が必要である．

❽ 筋生検

筋疾患や，Kearns-Sayre 症候群では，筋生検を行う必要がある．

診断確定のために

以上の医療面接，身体診察，スクリーニング検査，必要に応じて行う検査により，眼球運動異常をきたした障害部位と，随伴する身体・神経所見を評価する．ただし，眼球運動異常をきたす疾患の多くは，眼球運動異常を単独で起こすことは少ない．疾患の確定のためには随伴症候の評価が重要なポイントとなる．

脳血管障害の確定診断

CT，MRI で確定診断する．

海綿静脈洞・上眼窩裂の確定診断

動眼神経麻痺に加えて，しばしば眼部痛・第 IV，VI，V₁ ときに V₂，Ⅱ 脳神経麻痺，眼球突出・眼瞼浮腫，Horner 症候群などを合併する．原因として，内頸動脈瘤，腫瘍（鼻咽頭腫瘍，髄膜腫，下垂体腫瘍など），炎症（副鼻腔炎の進展など），海綿静脈洞血栓症などが多い．CT，MRI で確定診断する．

甲状腺眼症の確定診断

甲状腺疾患は外眼筋麻痺，複視，眼瞼下垂の原因となることが稀ではない．甲状腺ホルモンの異常，筋の炎症による肥厚は眼窩の拡大が thin slice CT（眼窩を細かくスキャンした CT），MRI により検出できる．

Fisher 症候群の確定診断

髄液で細胞増加を伴わない蛋白増加，すなわち蛋白細胞解離を示す．また，抗 GQ1b 抗体が陽性である．

Tolosa-Hunt 症候群の確定診断

Tolosa-Hunt 症候群の確定診断は除外診断であるとさえいわれている．すなわち，多くの原因で本疾患との類似症候がしばしば認められるからである．

MRI で異常所見を示すことがあるが，脳血管造影で海綿静脈洞部内頸動脈の不整狭窄像がしばしば報告され，arterial stationary wave phenomenon（動脈停滞現象）といわれている．眼窩静脈造影でも異常所見がみられることがある．

多発性硬化症の確定診断

MLF 症候群による複視が特徴的である．若年で両側性の MLF 症候群の場合は多発性硬化症が疑われる．視神経脊髄炎では抗アクアポリン 4 抗体が存在する．

神経筋接合部疾患の確定診断

重症筋無力症では抗 AChR 抗体や筋特異的受容体型チロシンキナーゼ（MuSK）に対する抗体を測定し，反復誘発筋電図で 2～3 Hz の低頻度反復刺激により，waning がみられる．一方，Eaton-Lambert 症候群では 10 Hz 以上の高頻度反復刺激により，waxing がみられる．

筋原性疾患の確定診断

眼筋ミオパチーの鑑別が困難なら，筋生検して，炎症所見の有無，ragged-red fiber（光顕）やミトコンドリアの変化（電顕），炎症所見の有無などを調べる．Kearns-Sayre 症候群では，ragged-red fiber やミトコンドリアの異常が認められる．

〈土谷 治久，山下 一也〉

顔面痛
facial pain

顔面痛とは

定義

顔面痛とは，顔面に生じる痛みの総称である．神経痛様の痛みが多い．

患者の訴え方

患者は「突然刺すような鋭い痛みが走る」「電気が走るような痛み」「焼けるような痛み」と訴えることが多いが，「目の奥付近の激しい痛み」「強い鈍痛が続く」「漠然とした鈍痛が続く」と訴えることもあり，原因によって異なる．三叉神経痛では話をしたり，冷たいものを食べたり，ものを噛んだり，顔の一部に触ると「痛みが走る」と訴えることが多い．

患者が顔面痛を訴える頻度

専門科によってその頻度は大きく異なる．すなわち，歯科口腔外科や耳鼻科では顔面痛の頻度は内科に比べて高い．内科で多い特発性三叉神経痛（tic douloureux）に限ってみると，Rochester の疫学調査による年齢・性調整後の年間発症率は人口10万人に対して 4.7 人であり，女性で 5.9 人と男性の 3.4 人に比べ有意に高率で，男女とも 50 歳以後に有意に増加する．

症候から原因疾患へ

病態の考え方（図1）

患者が顔面痛を訴える場合，それが特発性三叉神経痛や群発頭痛などの機能性のものか，炎症や腫瘍による症候性のものかをまず考える必要がある．特発性というのは，原因が不明なものである．その多くは機能性と推測されるが，一部に器質性の原因が隠れている可能性もあり，十分な除外診断が必要である．しびれの有無は重要である．

顔面痛をきたす主な原因疾患を表1に示す．

病態・原因疾患の割合（図2）

特発性あるいは症候性三叉神経痛は，内科で頻度が高い．耳鼻科など他科においては当然原因疾患の頻度が大幅に異なり，顔面痛全体における原因疾患の割合は不明である．特発性が最も多いが，症候性では帯状疱疹（後）によるものが比較的多い．また，特発性とされているもののなかに，動脈硬化性血管蛇行による神経圧迫が原因のものもかなりあると推測されている．

診断の進め方

診断の進め方のポイント

① 顔面痛の原因は，特発性三叉神経痛が最も多いが，聴神経腫瘍でも特発性に類似した神経痛を訴えることがあり，典型例と思っても，まず症候性三叉神経痛の原因疾患を鑑別しながら診断を進めるようにする．
② 症候性で根治可能なものも多い．特発性として漫然とカルバマゼピン（CBZ）やプレガバリンなどの対症療法を続けることは避ける．常に症候性の可能性を考えながら観察する．
③ 特に顔面痛を訴える三叉神経領域に感覚鈍麻がある場合はほとんどが症候性なので，あらゆる可能性を考えて精査するべきである．

医療面接（表2）

顔面痛は自覚症状であることから，医療面接が診断上きわめて重要である．経過（特に，急性か

顔面痛 371

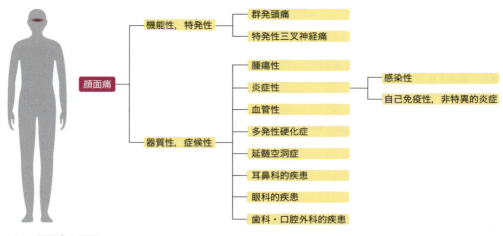

図1 顔面痛の原因

表1 顔面痛をきたす疾患

機能性または特発性
- 特発性三叉神経痛
- 群発頭痛

症候性三叉神経痛
- 腫瘍性疾患
  - 三叉神経鞘腫，聴神経腫瘍，髄膜腫，頭蓋底転移性腫瘍，悪性リンパ腫，非転移性肺癌の迷走神経浸潤
- 感染性疾患
  - 帯状疱疹，海綿静脈洞炎（感染性海綿静脈洞血栓症），脳底髄膜炎，丹毒（溶血性連鎖球菌による皮膚に限局した特異的急性炎症）
- 炎症性疾患（自己免疫疾患，非特異性炎症）
  - Sjögren（シェーグレン）症候群，サルコイドーシス，多発血管炎性肉芽腫，Tolosa-Hunt（トローザ・ハント）症候群，側頭動脈炎
- 血管性疾患
  - 動脈瘤，動脈硬化性血管蛇行による神経圧迫，糖尿病性動眼神経麻痺
- 多発性硬化症
- 延髄空洞症
- 耳鼻科的疾患
  - 副鼻腔炎，副鼻腔腫瘍
- 眼科的疾患
  - 緑内障，角膜炎，強膜炎，ぶどう膜炎，眼窩腫瘍，球後視神経炎
- 歯科・口腔外科的疾患
  - 歯根炎，歯根部膿瘍，抜歯後神経痛，顎関節症

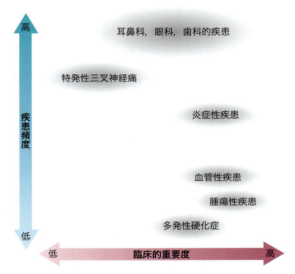

図2 疾患の頻度と臨床的重要度

慢性か，増悪の有無）や誘因，感覚鈍麻その他の随伴症状などを中心に病歴情報を詳細に聴取する．

特発性三叉神経痛や帯状疱疹後三叉神経痛，副鼻腔炎などの耳鼻科的原因や眼科的，歯科的原因による顔面痛は病歴だけでも診断できることが多い．全身的な症状がある場合は悪性疾患などを疑う．急性の三叉神経痛では皮疹がなくても三叉神経節への帯状疱疹ウイルス感染を考える．

身体診察（表3）

身体診察で重要なのは他覚的所見の有無を十分に調べることである．最も重要なのは三叉神経の圧痛点〔trigger point（発痛点）〕の有無と，痛みを訴える部位の感覚鈍麻の有無である．

特発性三叉神経痛では痛みは第2枝または3枝に好発する．経過からは典型的な三叉神経痛であっても，感覚鈍麻がある例では，のちに三叉神経鞘腫や聴神経腫瘍が発見されることがある．他

表2　医療面接のポイント

経過
- いつから，どの程度の強さの顔面痛があるのか
- 急激に始まったのか，徐々に起きてきたのか
- 発作性か，持続性か
- 痛みの程度は同じか，増悪するのか

誘因
- 顔面痛を生じる誘因はないか（寒冷刺激，咀嚼，皮膚刺激，ストレスなど）

他の症状の有無と内容
- 他の脳神経症状はないか，炎症症状はないか，鼻や目，歯の症状はないか

既往歴，基礎疾患の有無
- 帯状疱疹の既往はないか，糖尿病はないか，耳鼻科・眼科・歯科的疾患の既往はないか

表3　身体診察のポイント

顔面の皮疹の有無
- 三叉神経領域に帯状疱疹もしくはその瘢痕はないか

顔面の炎症の有無
- 顔面に発赤，腫脹はないか
- 球結膜充血，眼瞼浮腫，眼球突出はないか
- 側頭動脈，前頭動脈の炎症所見はないか

三叉神経の1～3枝の圧痛点はないか
- 顔面の trigger point（発痛点）の有無も合わせて診察する

顔面感覚障害の有無
- 痛みのある三叉神経領域の感覚を検査する

他の脳神経障害の有無
- 視力低下，眼底所見，眼球運動障害，眼瞼下垂，難聴，味覚障害，顔面神経麻痺などはないか

髄膜刺激症状の有無
- 項部硬直，Kernig（ケルニッヒ）徴候はないか

他の神経系所見の有無
- 腱反射，運動，感覚，協調運動などを診察する

全身所見
- リンパ節腫脹はないか．また，胸部聴診，腹部触診などにより悪性腫瘍の疑いはないか診察する

の脳神経症状の有無，球結膜異常，側頭動脈や皮膚所見，舌，口腔内所見にも十分注意する．乳癌も見落とさないよう注意する．

診断のターニングポイント（図3）

医療面接と身体診察を総合して考える点

- どんなにていねいに医療面接，身体診察を行っても，表1に示したような顔面痛をきたしうる疾患の鑑別診断が念頭になければ，正しい診断にたどりつかない．
- このためには経験を必要とするが，顔面痛は常に症候性であるという疑いをもって検索する癖をつけないと，せっかくの経験も診断技術向上の糧にはならない．
- 症候性顔面痛の原因疾患の大半は炎症性か腫瘍性である．この点に注意してまずなんらかの炎症所見がないかを医療面接，身体診察で丹念に検索する．外見上わからない場合もあるので，必ず検査でもスクリーニングしておく．
- 頑固で増悪性のものは腫瘍性の場合が多いので，早期に専門医に紹介して精査をしてもらうことが肝心である．

必要なスクリーニング検査

顔面痛の多くは確かに医療面接と身体診察で診断が可能である．しかし，前述したように予想もしないような特殊な原因による症候性顔面痛が存在するので，これらを見逃さないために，典型的な特発性三叉神経痛と思っても最低限のスクリーニング検査は必要である．

主なスクリーニング検査としては，以下のようなものがある．

❶ 血球検査（血算），血液像

炎症による白血球数（WBC）増加，悪性腫瘍や自己免疫性疾患などによる貧血，WBC減少・増加，血小板数減少・増加，血液像変化などが診断の手がかりとなる．

❷ CRP，赤沈

すべての炎症性疾患および悪性腫瘍，自己免疫疾患などで異常を示す可能性があり，これらを疑うための有力な手がかりとなる．

❸ 血液生化学検査

悪性腫瘍ではその臓器によって，たとえば肝胆道系酵素の上昇やLD上昇がみられる．慢性炎症や自己免疫性疾患では，蛋白分画でγ-グロブリンの増加などがみられる．血液生化学検査は全身疾患の診断の手がかりとして有用である．

❹ 胸部X線検査

肺癌などの悪性腫瘍や，サルコイドーシス，多

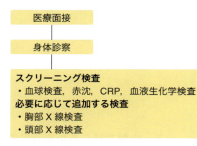

図3 顔面痛の診断の進め方

発血管炎性肉芽腫などをスクリーニングするのに有用である．

❺ 頭部 X 線検査

副鼻腔炎や副鼻腔腫瘍，眼窩腫瘍，一部の髄膜腫などのスクリーニングに有用である．

診断確定のために

病歴情報，身体所見，スクリーニング検査の結果から，顔面痛をきたす疾患をかなり限定できる．しかし，器質性疾患の確定診断あるいは除外診断を行い，治療方針を決定するには，次のような疾患に応じた検査が必要である．

腫瘍性疾患の確定診断

良性腫瘍では年余の経過で徐々に増悪する三叉神経痛で，その領域の感覚障害や他の脳神経症状を伴いやすい．造影 CT や MRI で確定診断する．

悪性腫瘍は三叉神経痛単独のことはほとんどなく，進行も速いので，至急造影 CT や MRI で確定診断する．

感染性疾患の確定診断

三叉神経痛の原因として多い帯状疱疹では，痛み，三叉神経領域の感覚低下を伴った皮疹の既往が重要である．急性に発症した強い神経痛が持続する場合は，皮疹を伴わない三叉神経節の帯状疱疹ウイルス感染を疑う．この場合は帯状疱疹ウイルス抗体価測定が有用である．髄膜炎を伴うことも多く，髄液検査により診断できる場合もある．

感染性海綿静脈洞血栓症では通常，高度の眼球結膜充血，眼球突出，眼瞼浮腫，眼窩部痛を伴う．三叉神経第 1 枝障害だけでなく動眼神経麻痺，外転神経麻痺を合併することもある．頭部 CT・MRI，髄液検査などで診断する．

炎症性疾患（自己免疫疾患，非特異性炎症）の確定診断

Sjögren 症候群では，乾燥症状，抗核抗体（ANA），抗 SS−A，SS−B 抗体，口唇生検で診断する．

サルコイドーシスは，ぶどう膜炎，皮疹，両側肺門リンパ節腫脹，アンジオテンシン変換酵素（ACE）上昇などがあり，生検で診断する．

多発血管炎性肉芽腫は鼻出血，鼻閉，肺の結節状陰影などがあり，抗好中球細胞質抗体（ANCA）が陽性であることを生検で診断する．

血管性疾患の確定診断

以前は血管造影が必須であったが，今は MR アンギオグラフィー（MRA）や 3D−CT アンギオグラフィーで非侵襲的に診断可能である．

血管による圧迫の場合は，微小血管減圧術〔Jannetta（ジャネッタ）の手術〕が有効な場合があるので，専門医に最終診断を依頼する．

多発性硬化症の確定診断

空間的・時間的多発性をもつ他の症状があり，造影 MRI および髄液所見で診断可能である．

延髄空洞症の確定診断

顔面にタマネギの皮状感覚障害があり，MRI で確定診断をつける．

群発頭痛の確定診断

年余の間隔で 1～2 週間持続する激しい眼窩の痛みで流涙，鼻汁を伴う．家族性では遺伝子異常がある．

耳鼻科的疾患，眼科的疾患，歯科・口腔外科的疾患を疑ったら，早めに各専門科に紹介し，確定診断を進める．

〈小林 祥泰〉

聴覚障害
hearing impairment

聴覚障害とは

定義

聴覚経路は，外耳，中耳，内耳(蝸牛)，内耳神経(蝸牛神経)，聴覚中枢伝導路(脳幹～大脳)により構成される．

音は疎密波(縦波)として外耳道に入力する．この機械的振動は，鼓膜と耳小骨(ツチ骨，キヌタ骨，アブミ骨)を経由して内耳へ伝搬される．内耳では，蝸牛コルチ器内の有毛細胞において機械的振動が電気信号に変換される．蝸牛有毛細胞に分布する蝸牛神経は，大部分が脳幹において蝸牛神経腹側核へ入る．

その後，同側もしくは反対側の上オリーブ核，外側毛帯を経由し，下丘，内側膝状体へと上行する．内側膝状体からは聴放線を形成し，大脳聴覚野である横側頭回〔Heschl(ヘシュル)回〕にて音が認知される．これらの聴覚経路のどこが障害されても聴覚障害が生じる．

耳鳴は，外部音とは関係なく患者が音として知覚する異常聴覚現象である．耳鳴の多くは聴力低下を伴うが，聴力検査上明らかな異常を示さない無難聴性耳鳴もある．

患者の訴え方

聴覚障害が生じたときに最も頻度の高い症状は，難聴と耳鳴である．

患者は難聴を「聞こえない」「聞こえにくい」「言葉がわからない」などと訴える．幼児の場合には，「呼びかけに振り向かない」「テレビの音が大きい」などで両親により気づかれることが多い．

耳鳴の大部分は，患者のみが感じる自覚的耳鳴である．この場合，「セミが鳴いているような」「キーン」「ザー」などの持続的な音を自覚することが多い．一方，少数ではあるが患者以外の人にも知覚できる他覚的耳鳴があり，「カチカチ」などの断続音や「心拍に一致する」拍動性耳鳴として訴えることがある．なお，耳鳴を感じる部位は「耳の中」が多いが，頭鳴として「頭の中で音がする」こともある．

そのほか，「耳に水が入ったような」「トンネルの中に入ったときのような」耳が塞がった感じ，あるいは「圧迫された」感じを訴えることがあるが，これらを耳閉感と呼ぶ．また，「周囲の音が響いて聞こえる」症状は聴覚過敏である．逆に「自分の話し声が耳に響く」こともあり，自声強聴と呼ばれる．

患者が聴覚障害を訴える頻度

新生児聴覚スクリーニングで発見される先天性難聴の頻度は，出生数1,000人あたり1～2人と報告されている．一方，米国での調査結果によれば，生活に支障が出るほどの難聴は18～44歳で1％，45～64歳で3％，65歳以上で11％の頻度とされ，加齢に伴い増加する．

難聴，耳閉感，聴覚過敏，自声強聴を訴える患者の多くは耳鼻咽喉科を受診すると考えられる．一方，耳鳴患者も多くが耳鼻咽喉科を受診するが，脳腫瘍などの頭蓋内疾患を心配することもあり，脳神経内科や脳神経外科へも相当数が受診すると考えられる．

症候から原因疾患へ

病態の考え方

難聴は，聴覚経路における障害部位により伝音難聴，感音難聴，混合性難聴に分類される(図1)．これらは，耳鼻咽喉科での純音聴力検査(気導聴

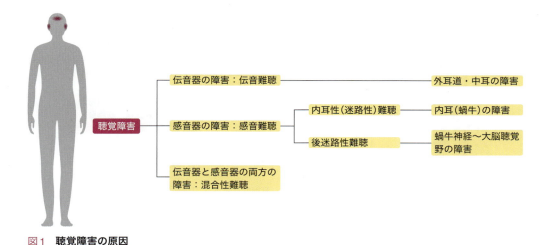

図1　聴覚障害の原因

力検査と骨導聴力検査）により鑑別できる．難聴の障害部位別の原因疾患を表1に示す．

伝音難聴は，外耳道や中耳など伝音器の障害による難聴である．耳垢栓塞，中耳炎，耳硬化症などが代表的疾患であるが，治療により聴覚障害は回復しうる．回復しない場合には，補聴器の効果が見込まれる．

感音難聴は感音器の障害による難聴で，内耳性（迷路性）と後迷路性に分類される．感音難聴の大部分は内耳性難聴である．

内耳性難聴の代表的疾患は突発性難聴やMénière病であり，Ménière病では聴覚過敏を訴えることが多い．

一方，後迷路性難聴は蝸牛神経，聴覚中枢伝導路の障害による難聴である．代表的疾患として聴神経腫瘍が挙げられるが，後迷路性難聴では音が聞こえても言葉として理解できない語音聴取能の低下が特徴的である．

混合性難聴は，伝音器と感音器の両方が障害された場合に起こる．たとえば，老人性難聴（感音器の障害）のある高齢者が，慢性中耳炎（伝音器の障害）に罹患している場合には混合性難聴を示す．

以上のような器質性聴覚障害のほか，聴覚経路に器質的障害がないにもかかわらず難聴を訴え，純音聴力検査上異常を示す機能性聴覚障害がある．

機能性聴覚障害には，心理学的要因が引き金となる心因性難聴と詐病の一種である詐聴がある．

表1　聴覚障害をきたす疾患

1. 器質性聴覚障害
伝音器の障害
- 外耳疾患：耳垢栓塞，外耳道異物，先天性外耳道閉鎖症，外耳道腫瘍
- 中耳疾患
  - 中耳炎：急性中耳炎，慢性中耳炎，滲出性中耳炎，真珠腫性中耳炎，鼓室硬化症
  - 他の中耳疾患：外傷性鼓膜穿孔，耳小骨離断，耳小骨奇形，耳硬化症，中耳腫瘍
  - 全身性疾患：抗好中球細胞質抗体（ANCA）関連血管炎（内耳性難聴を合併しうる）

内耳（蝸牛）の障害
- 先天性難聴：遺伝性難聴，先天性サイトメガロウイルス感染症
- 後天性難聴
  - 明らかな原因のない一側性急性難聴：突発性難聴，急性低音障害型感音難聴，Ménière（メニエール）病
  - 原因のある急性難聴：音響外傷，内耳振盪症，側頭骨骨折，外リンパ瘻，ムンプス難聴，耳性帯状疱疹（Ramsay Hunt（ラムゼー ハント）症候群）
  - 両側性の進行性難聴：老人性難聴，慢性騒音性難聴，薬物性難聴，特発性両側性感音難聴
  - 全身性疾患：高安病，Vogt（フォークト）－小柳－原田病

後迷路の障害
- 腫瘤性病変：内耳道・小脳橋角部腫瘍（聴神経腫瘍，転移性腫瘍など），脳幹腫瘍，サルコイドーシス
- 虚血性病変：前下小脳動脈・椎骨脳底動脈領域の梗塞
- 機械的損傷：頭部外傷，頭蓋内手術
- 神経内科疾患：多発性硬化症，Charcot-Marie-Tooth（シャルコー・マリー・トゥース）病（CMT1Aなど）
- その他：auditory neuropathy spectrum disorder

2. 機能性聴覚障害：心因性難聴，詐聴，誇大難聴

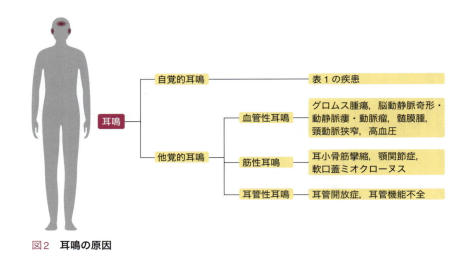

図2　耳鳴の原因

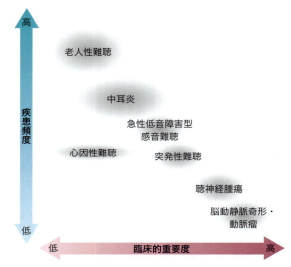

図3　疾患の頻度と臨床的重要度

心因性難聴は小児に多く，友人や担任との関係，親の離婚，家庭内暴力などが背景因子として挙げられる．

耳鳴は自覚的耳鳴と他覚的耳鳴に分類される（図2）．

自覚的耳鳴は表1に示した疾患が原因になりうる．

他覚的耳鳴は，血管性耳鳴，筋性耳鳴，耳管性耳鳴に分けられる．血管性耳鳴では心拍に一致した拍動性耳鳴が認められるが，脳動脈瘤など頭蓋内疾患の初発症状のことがあるので注意が必要である．筋性耳鳴をきたしうる耳小骨筋攣縮は中耳のアブミ骨筋や鼓膜張筋の攣縮により生じるが，羽ばたき様，マシンガン様と表現される．これらは顔面痙攣と同様の機序が考えられている．耳管性耳鳴は嚥下時に耳管開放音が聴取されるもので，多くは病的なものではない．

病態・原因疾患の割合

聴覚障害を訴える患者のなかで最も多いのが老人性難聴であるが，超高齢社会に突入したわが国ではさらに増加傾向がみられる．

後天性に急性発症する感音難聴として最も頻度が高いのが，急性低音障害型感音難聴であり，突発性難聴，Ménière病が次いで多い．

後迷路性感音難聴で最も多い疾患が聴神経腫瘍である．また，稀に前下小脳動脈領域の梗塞が一側性の急性難聴として発症することがあるので注意が必要である．

心因性難聴は増加傾向にあり，ときに難治性である．

病態・原因疾患の頻度とその臨床的重要度を図3に示す．

診断の進め方

診断の進め方のポイント

- 耳漏や耳痛を伴う聴覚障害は，外耳，中耳の炎症性疾患の可能性を考える．難聴のみならず耳鳴やめまいを訴える場合には，内耳炎を併発し

ている可能性があるので留意が必要である.
- 耳閉感，自声強聴のほか自分の呼吸音が耳に響く場合には，耳管開放症を考える.
- 突発性難聴をはじめとする急性感音難聴は，治療上緊急対応を要する疾患である．したがって，聴覚障害が急性に発症したかどうかは必ず聴取する必要がある.
- 耳鳴は人により自殺を考えるほどに苦痛な場合がある．「耳鳴は治らない」「耳鳴は慣れるしかない」などの対応は患者を逆に苦しめることもあり，原因の解明と対策を講じる必要がある.
- 心拍に一致する拍動性耳鳴のなかには，稀にグロムス腫瘍や頭蓋内病変が認められることがあり，注意する.

医療面接(表2)

❶ 経過
- 聴覚障害が両側性の場合には，左右それぞれの耳に対して医療面接を行う.
- 聴覚過敏を訴える場合は，内耳性難聴の可能性を考える.
- 「ブーン」「ボー」などの低い音の耳鳴では低周波数の聴力低下，「キーン」「ジー」などの高い音の耳鳴では高周波数の聴力低下を想起する.
- 聴覚障害が先天性である場合，表3のようなハイリスクファクターが挙げられる．聴覚障害の発症時期が不明の場合，学校や会社の健診でいつ難聴を指摘されたかが参考になる.
- 聴覚障害が急性に発症した場合，表1に列挙した急性難聴を引き起こす疾患のほか耳垢栓塞が原因となる場合もある．急性発症では，患者が発症した日や時間までも覚えていることがあるが，電話などで気づくこともある.

❷ 誘因
- 騒音職場での就労は慢性騒音性難聴，強大音への曝露は音響外傷の原因となる.
- アミノグリコシド系抗菌薬やシスプラチンは不可逆性の聴覚障害を引き起こしうる．サリチル酸，ループ利尿薬による聴覚障害は一般に可逆性である.
- 耳かきや綿棒が不意に耳の奥まで入ると外傷性

表2　医療面接のポイント

経過
- 右側，左側あるいは両側性か
- 具体的な症状(難聴，耳鳴，耳閉感，耳圧迫感，聴覚過敏，自声強聴など)は何か
- どのような音の耳鳴がしているか．耳鳴は拍動性かどうか
- 発症時期は先天性か後天性か，後天性の場合にはいつからか
- 難聴や耳鳴が急に生じたか
- 症状に進行，変動，再発があるか

誘因
- 騒音職場での就労歴はあるか．ありの場合，就労内容と年数，耳栓や耳覆い(イヤーマフ)の使用状況はどうか
- 強大音への曝露(射撃歴，ロックコンサートやクラブでの大音響，携帯音楽プレーヤーによる大音量での音楽聴取，交通事故時のエアバッグ展開，落雷，爆発など)はあるか
- 耳毒性薬物(アミノグリコシド系抗菌薬，シスプラチン，サリチル酸，ループ利尿薬など)を投与されているか
- 耳への外傷(耳かきや綿棒が耳の奥に入った，平手打ち，爆発に伴う爆風など)はあったか
- 頭部外傷はあったか
- 鼻かみ，くしゃみ，重量物運搬，力み，爆風，ダイビング，飛行機搭乗後に聴覚症状が発症したか

随伴症状
- 耳痛，耳漏，耳出血はないか
- めまいはないか，ある場合には回転性か浮動性か，発作性の場合は1回のめまいはどのくらいの時間持続するか

生活歴
- 精神的ストレス，肉体的疲労，不眠はあるか

家族歴
- 難聴の家族歴はないか
- アミノグリコシド系抗菌薬による難聴の家族歴はないか

表3　先天性難聴のハイリスクファクター
- 低出生体重：出生体重1,500g以下
- 難聴の家族歴(近親婚を含む)
- 出生時仮死
- 呼吸障害：乳児呼吸不全(IRDS)，アシドーシス
- 妊娠中のウイルス感染：風疹，サイトメガロウイルス
- 神経学的異常：先天性脳奇形，出生時の外傷性頭蓋内出血
- 新生児重症黄疸

表4 身体診察のポイント

バイタルサイン
- 発熱，血圧上昇，体重およびその変化の有無をみる

頭頸部
- 耳鏡検査：拡大耳鏡を用い，耳垢栓塞や鼓膜の異常を観察する
- 口腔：口蓋裂，軟口蓋ミオクローヌスの有無をみる
- 耳周囲，頸部聴診：他覚的耳鳴の有無を聴診する
- 音叉による聴力検査：低音用音叉を用い，Weber（ウェーバー）試験，Rinne（リンネ）試験を行う

神経系
- 第8脳神経以外の脳神経学的所見の有無を確認する

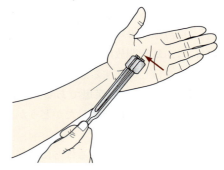

図4　低音用音叉の鳴らし方

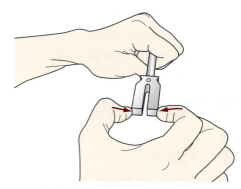

図5　高音用音叉の鳴らし方

鼓膜穿孔や耳小骨離断が起こりうる．一方，耳への平手打ち，爆発に伴う爆風により急激に外耳道内の気圧の変化が起きても，鼓膜穿孔が生じることがある．

- 鼻かみ，くしゃみ，重量物運搬，力みや爆風，ダイビング，飛行機搭乗後に聴覚障害やめまいが生じることがあり，外リンパ瘻という．

❸ 随伴症状

- 耳痛を随伴する場合には急性外耳炎，急性中耳炎，耳漏の場合には急性中耳炎，慢性中耳炎，真珠腫性中耳炎などの中耳炎を想起する．ただし，急性扁桃炎，う歯，舌癌，咽頭癌などが関連痛として耳痛の原因になりうる．
　耳痛や耳出血の原因が外耳・中耳腫瘍の可能性があることに留意する．
- Ménière病では10分〜数時間の回転性めまい発作（浮動性めまいは10％程度）を繰り返し，それに伴い耳鳴や難聴の出現や悪化をみる．
　突発性難聴では，約半数が聴覚障害発症時に回転性もしくは浮動性めまいを呈する．

❹ 生活歴

- 精神的ストレス，肉体的疲労，不眠：急性低音障害型感音難聴やMénière病の発症に関与しうる．

❺ 家族歴

- 遺伝性難聴は，常染色体顕性（優性），常染色体潜性（劣性），X連鎖性，ミトコンドリア性の非症候群性遺伝性難聴があり，120以上の原因遺伝子が同定されている．
- ミトコンドリアDNA 1555A>G変異では，アミノグリコシド系抗菌薬の単回投与でも急に重度難聴が発症しうるため，同様の難聴者が家族にいないか聴取する．

身体診察（表4）

耳鳴は，睡眠不足，精神的ストレスのほか，発熱や血圧上昇時に大きくなることがある．また，耳閉感，自声強聴を主訴とする耳管開放症では急激な体重減少が原因になることがある．耳管開放症では，臥位または前屈で症状が軽快する．

口蓋裂では，高率に滲出性中耳炎を合併する．軟口蓋ミオクローヌスは筋性耳鳴の原因となる．

拍動性耳鳴では，耳周囲，頸部の聴診により耳鳴の音源を他覚的に聴取できることがある．

音叉による聴力検査では，低音用と高音用の音叉を用いる．低音用音叉では手のひらに打ちつけて鳴らす（図4）．一方，高音用音叉では手のひらに打ちつけてもうまく音が鳴らないことがあるので，音叉の両先端を母指と示指または中指の爪で挟んでから爪引くようにするとよい（図5）．

音叉を用いた定性的聴力検査(Weber 試験, Rinne 試験)では，低音用音叉を用いる．

Weber 試験では，音叉を前額正中に立てる．「ブーン」という低い音が聞こえるかどうか，聞こえる場合は左右どちらの耳に聞こえるか，あるいは中心や頭全体で聞こえるかを聞く．このなかで，左右どちらかの耳で聞こえると答えた場合のみ診断的価値がある．

一側性難聴の場合，伝音難聴では難聴側に，感音難聴では正常聴力側に音が偏位する．

両側性難聴の場合，両伝音難聴では聴力の悪い側に，両感音難聴では聴力のよい側に，一側が伝音難聴で他側が感音難聴の場合には伝音難聴側に音が偏位するが，スクリーニング検査としての有用性は一側性難聴に劣る．

Rinne 試験では，最初に音叉を耳介後部乳様突起面(骨導)に当て，音が聞こえるかどうかを確認する．聞こえなくなったら合図してもらい，そのまま外耳道入口部近く(気導)に持っていき，聞こえるか否かを聞く．逆に，気導音を先に聞かせ，聞こえなくなったら骨導音を聞かせる．

正常耳と感音難聴耳では気導音のほうが長く聞くことができる(Rinne 陽性)が，伝音難聴耳では逆(Rinne 陰性)となる．

診断のターニングポイント

医療面接と身体診察を総合して考える点

- (確定診断)一側性の聴覚障害で，Weber 試験にてどちらかの耳へ音が偏位すれば，伝音器の障害(伝音難聴)か感音器の障害(感音難聴)かを鑑別できることが多い．
- (確定診断)耳垢栓塞や中耳炎は耳鏡検査にて診断がつけられる．
- 耳鏡検査にて外耳道と鼓膜に異常がなく，音叉による聴覚検査で感音器の障害と考えられた場合，医療面接から器質性疾患の存在を疑うことのできるものは多い．

◆原因不明の急性の難聴，耳鳴(めまい) → 突発性難聴

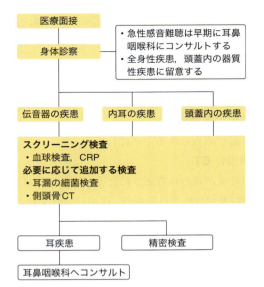

図6　聴覚障害の診断の進め方

◆原因不明の急性の耳閉感，耳鳴，難聴 → 急性低音障害型感音難聴
◆反復するめまい発作，めまい時に随伴する難聴，耳鳴 → Ménière 病
◆強大音曝露後の急性の難聴，耳鳴 → 音響外傷
◆頭部外傷後の急性の難聴，耳鳴(めまい) → 内耳振盪症，側頭骨骨折
◆高齢者における両側同程度の難聴，耳鳴 → 老人性難聴
◆騒音職場での就労者における耳鳴，難聴 → 慢性騒音性難聴

- 第8脳神経以外の脳神経学的異常を伴う場合には，中枢性疾患を考える．

必要なスクリーニング検査

医療面接と身体診察から推定可能な疾患はあるが，正確な診断には耳鼻咽喉科的な各種聴覚検査が必要となる．しかし，ANCA 関連血管炎や高安病のような全身疾患，頭蓋内の器質性疾患のなかに聴覚症状を初発症状とするものもあるため，注意する(図6)．

❶ 血球検査(血算)

白血球数増加から炎症に伴う聴覚障害を疑う．また，稀に白血病において白血病細胞が中耳へ浸

潤することがある．実際，聴覚障害，耳痛，耳漏を訴える患者に白血病が発見されることがある．

❷ 血液生化学検査

CRP高値を示す患者では，炎症のほかに自己免疫性疾患が認められることがある．

❸ 耳漏の細菌検査

耳漏が認められるときに行う．

❹ 側頭骨CT

中耳炎が疑われるときに行う．また，内耳道径の左右差が認められる場合，聴神経腫瘍を考える．

診断確定のために

病歴情報，身体所見，スクリーニング検査の結果から疾患を絞り込むことが可能である．しかし，聴覚障害の多くは外耳道から内耳の障害で起こり，専門的な診断と治療を要することが多いため，適宜耳鼻咽喉科へコンサルトすることが望ましい．

頭部外傷後の聴覚障害の確定診断

頭部外傷後の聴覚障害では，頭部CT（骨モード）にて側頭骨骨折や中耳内血腫の有無を診断できる．外傷性耳小骨離断や側頭骨骨折の詳細を知るには側頭骨CTが不可欠である．

耳漏がある場合には，尿検査試験紙（テステープ）を使って糖の有無を調べ，髄液耳漏の有無を確認する．

後迷路性疾患の確定診断

感音器における一側性聴覚障害では頭部MRIを行い，聴神経腫瘍などの内耳道，小脳橋角部腫瘍を鑑別する．めまいや他の脳神経所見を伴う場合には，頭蓋内の虚血性病変の有無を確認する．

拍動性耳鳴の確定診断

拍動性耳鳴では頭部MRI，MRアンギオグラフィー（MRA）を行い，脳動静脈奇形，動静脈瘻，動脈瘤，髄膜腫などの有無を確認する．

外耳，中耳や内耳疾患の確定のためには，耳鼻咽喉科的な診療を要する．以下にその要点を記載する．

中耳疾患の確定診断

急性中耳炎，慢性中耳炎，滲出性中耳炎，真珠腫性中耳炎などの中耳炎は，顕微鏡下の耳鏡検査で確定診断が可能である．しかし，病状の評価のためには側頭骨CTを要する．また，耳小骨離断，耳小骨奇形，耳硬化症では鼓膜に明らかな異常を認めないことが多い．

耳小骨離断，耳小骨奇形はCTで確定診断が可能な場合が多い．一方，耳硬化症はCTにて異常がない場合と内耳骨胞に骨融解像が認められる場合がある．

ティンパノメトリーは，滲出性中耳炎，耳小骨離断，耳小骨奇形，耳硬化症の診断に有用である．

内耳疾患の確定診断

内耳疾患の確定診断のためには，耳鼻咽喉科での純音聴力検査が必要となる．

語音聴取能の評価のために語音聴力検査が行われることもある．また，障害部位診断のために，補充現象の検査〔SISI（short increment sensitivity index）テスト，ABLB（alternate binaural loudness balance）テスト，自記オージオメトリーなど〕，耳音響放射検査，聴性脳幹反応が用いられる．

〈野口 佳裕〉

鼻漏・鼻閉
nasal discharge, nasal obstruction

鼻漏・鼻閉とは

定義

　鼻漏は，鼻汁（鼻水：はなみず）のことであり，鼻粘膜にある分泌腺と杯細胞から出た分泌液と，鼻の血管から滲み出た血漿成分の合わさったものである．腺細胞からの分泌は，副交感神経の働き（アセチルコリン）で起こり，血管からの滲み出しはヒスタミンなどの炎症性メディエーター（化学伝達物質）の作用である．炎症などで鼻汁分泌量が多くなったり，鼻汁の色・性状が変化したりして，病的な意味合いが強くなると鼻漏として認識される．さらに鼻水の性状が変化し量が増加したとき，鼻汁が後鼻孔から上咽頭へ流出し，嚥下するときに飲み込むことを自覚することを後鼻漏という．

　鼻閉は鼻がつまることである．「鼻から上咽頭にかけて空気の通過を妨げる要素が生じ，鼻呼吸がうまくいかない状態，もしくは安静呼吸状態で鼻腔を通る空気量が不十分と感じる自覚」と定義されている．病的な鼻閉とは，両側の鼻閉かいつも同じ側の鼻がつまっていることを示す．鼻閉の自覚症状は個人差が大きく，鼻腔内の状態や検査所見との乖離が認められることが多い．

鼻漏と鼻閉の生理的意義

　鼻汁である鼻粘膜の分泌液は，元来病的なものでなく，鼻腔に入ったゴミなどの異物を線毛運動とともに取り除く働きをしている．健康成人で1日約1L産生し，無意識のうちに上咽頭に運ばれ，飲み込んでいるが，健康成人では後鼻漏を意識することはない．鼻腔の通気性は一定でなく，数時間の間隔で左右が交代する．これはネーザルサイクルといわれる生理的現象である．

患者の訴え方

　鼻漏に関して患者は，「鼻が出る」「鼻水が出る」「鼻が垂れる」と訴える．そこに「汚い鼻水が」とか「粘っこい鼻水が」「サラサラした鼻水が」「水のような鼻水が」という言葉を伴う．後鼻漏に関しては，「鼻水がのどに落ちる」「のどちんこの裏に何かが付着している・引っかかっている」と訴える．

　鼻閉に関して患者は，「鼻がつまる」「鼻で息ができない」「口でしか呼吸ができない」と訴える．しかし一概に「鼻がつまる」といっても，鼻閉の自覚症状は個人差がとても大きく，鼻腔内の状態や検査所見との乖離が認められることが多い．鼻閉によって「頭が重い」「鼻根部から前頭部にかけて重い（鈍痛がある）」と訴えることもある．

患者が鼻漏・鼻閉を訴える頻度

　鼻閉を訴える頻度のほうが高く，耳鼻咽喉科を受診する患者の80〜90%を占める．鼻漏は50〜60%程度で，解剖学的異常を伴う鼻疾患，薬物性，心因性の鼻疾患では鼻漏を認めない．後鼻漏は鼻漏を認める30%程度が訴える．

症候から原因疾患へ

病態の考え方（図1）

　鼻漏を訴える場合，炎症性疾患かそれとも鼻汁を自然に嚥下する過程で通過障害があるのかをまず考える．炎症性疾患には，急性炎症，慢性炎症，アレルギー炎症，特殊感染症があり，通過障害をきたす疾患には，解剖学的異常による鼻疾患，腫瘍，各種肉芽腫，鼻腔異物，アデノイド増殖症がある（表1）．高齢者の場合には老人性鼻炎，中年女性では本態性鼻炎（血管運動性鼻炎）が重要で

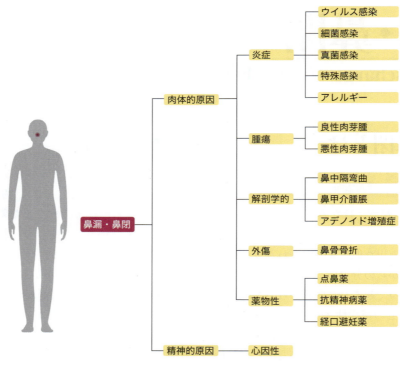

図1 鼻漏・鼻閉の原因

表1 鼻漏・鼻閉をきたす疾患

炎症性疾患	解剖学的異常
■ ウイルス感染：急性鼻炎，感冒，後天性免疫不全症候群（AIDS） ■ 細菌感染：急性副鼻腔炎，慢性副鼻腔炎，歯性上顎洞炎 ■ 真菌感染：副鼻腔真菌症 ■ アレルギー炎症：通年性アレルギー性鼻炎（ダニ），花粉症 ■ 特殊感染症：鼻腔結核，Hansen（ハンセン）病，梅毒 ■ 原因不明：慢性鼻炎，好酸球性副鼻腔炎，老人性鼻炎，本態性鼻炎（血管運動性鼻炎） **腫瘍** ■ 良性腫瘍：乳頭腫，若年性血管線維腫 ■ 悪性腫瘍：上顎癌，上咽頭癌，悪性リンパ腫	■ 鼻中隔弯曲症，鼻甲介腫脹，後鼻孔閉鎖症，外鼻変形，鼻前庭嚢胞 **外傷** ■ 鼻骨骨折 **特殊病変** ■ 好酸球性多発血管炎性肉芽腫症，多発血管肉芽腫症，萎縮性鼻炎 **薬物性** ■ 点鼻薬（血管収縮薬），抗精神病薬，経口避妊薬，血圧降下薬（Ca遮断薬） **心因性** **その他** ■ 鼻腔異物，アデノイド増殖症，妊娠

ある．

　鼻閉に関しては，鼻漏をきたす疾患は原則すべて鼻閉を訴える．さらに心因性，市販の点鼻薬（血管収縮薬），内服薬が原因となる．抗精神病薬，抗不安薬，抗うつ薬および経口避妊薬（ピル）で鼻閉を起こしやすく，この場合鼻腔は乾燥し，鼻漏は訴えない．下鼻甲介が萎縮したり手術で過剰に切除されたりして起こった萎縮性鼻炎も鼻閉を訴える特殊な例である．

病態・原因疾患の割合 (図2)

　鼻漏では，90〜95％が炎症疾患（急性，慢性，アレルギー性）である．腫瘍によるのは1〜2％程度と少ないが，見逃さないようにしなければいけ

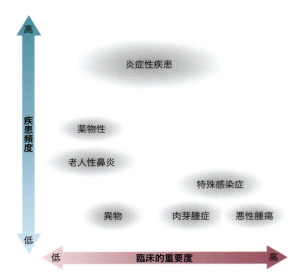

図2 疾患の頻度と臨床的重要度

表2 鼻漏・鼻閉をきたしやすい年齢別疾患

年齢	疾患
0 歳	後鼻孔閉鎖症
1～3 歳	急性鼻炎
3～6 歳	慢性副鼻腔炎, アデノイド増殖症
5～18 歳	通年性アレルギー性鼻炎(ダニ)
7～20 歳	花粉症
17～25 歳	若年性血管線維腫
20～70 歳	慢性副鼻腔炎, 通年性アレルギー性鼻炎(ダニ), 花粉症, 鼻中隔弯曲症, 鼻甲介腫脹
40～70 歳	好酸球性副鼻腔炎, 本態性鼻炎
50～85 歳	悪性腫瘍
70～90 歳	老人性鼻炎, 萎縮性鼻炎

ない.ほかの感染症,肉芽腫症も頻度は1～2%程度と低いが,難治性の鼻漏・鼻閉を示すことが多い.高齢者では,腫瘍を除外すれば,ほとんどが老人性鼻炎か慢性副鼻腔炎などの慢性炎症である.後鼻漏は高齢者で訴えることが多い.また,急性炎症が軽減してくると後鼻漏を訴えることが多い.

鼻閉においては,解剖学的な障害(鼻中隔弯曲症,下鼻甲介肥厚など)が15%,炎症性疾患が70%,腫瘍・特殊感染・肉芽腫が3～5%,薬物性が3～5%,心因性が2～3%を占める.

診断の進め方

診断の進め方のポイント

- 鼻漏・鼻閉を訴える原因は,炎症性疾患が最も多い.
- 年齢によって頻度の多い疾患はある程度決まっているので注意を要する(表2).
- 悪性腫瘍および良性腫瘍などの症状であることも少なくないので,画像診断でこれらを除外する.
- 精神疾患のための内服や,市販の点鼻薬を使用していないかをしっかり聴取する.
- 所見が何もなく異常がない,もしくは障害程度が軽度にもかかわらず強く鼻閉を訴える場合は心因性の可能性が高い.

医療面接

- 鼻漏・鼻閉は他覚所見を伴うが,発症時期,期間,経過,症状発現の誘因などを中心に病歴は丹念に聴取する(表3).
- 「においがわかるのか,においの感じ方に変化がないのか」と嗅覚が正常であるか尋ねる.幼児では幼稚園・保育所への通園,成人では同居している乳幼児の有無を尋ねる.
- 鼻漏に関しては,さらさらと水のよう(水様性),ねばねばした(粘性),緑色や黄色の膿のような鼻水(膿性)のいずれかを聴取する.腫瘍性病変の鑑別のため性状において最も大切なこととして,暗黒色な血液が継続的に混じるようなことがないか中年以降には必ず問う.高齢者においては,朝食後,その時間帯まで激しかった鼻漏が止まるかどうかを問う.また,鼻全体もしくは鼻漏がにおわないか,嫌なにおい,臭いにおい(悪臭)がしないか尋ねる.
- 後鼻漏を訴える場合,発症時期,それを感じている期間,鼻漏・鼻閉の有無など他の症状がないかを問う.
- アレルギー歴を必ず問い,内服薬・外用薬の有無を確認する.特に精神疾患のための内服,市販点鼻薬の使用の有無は必須である.
- 病変部位と痛みの場所には関連性があり,上顎

表3 医療面接のポイント

経過
- 発症はいつからか，どのくらい継続しているか，連続的または間欠的か
- 急激かそれとも徐々に起こったのか
- 日内変動はないか

誘因
- いつ起こるのか(起床時，食事中，外出中，仕事中，掃除中，洗濯物を取り込んだとき)
- 特定の場所で起こるのか

全身症状の有無と内容
- 発熱(感染症)，頭痛，頬部痛，歯痛，目の痛み，体重減少(悪性腫瘍)，咳嗽，最終月経を確認する

併存症・既往歴
- アトピー性皮膚炎，気管支喘息，NSAIDs 不耐症（NSAIDs-exacerbated respiratory disease），びまん性汎細気管支炎，副鼻腔気管支症候群，薬物アレルギー，鼻の手術歴，うつ病，統合失調症，甲状腺機能低下症を確認する

内服薬・外用薬
- 抗精神病薬，経口避妊薬，血圧降下薬(Ca 遮断薬)の服用，点鼻薬(血管収縮薬)の使用を確認する

精神状態
- 過剰なストレスはないか

表4 鼻汁の性状と疾患の関係

水様性（漿液性）	急性鼻炎 感冒 通年性アレルギー性鼻炎(ダニ) 花粉症 血管運動性鼻炎 慢性鼻炎 老人性鼻炎
膿性・粘性	急性副鼻腔炎 慢性副鼻腔炎 歯性上顎洞炎 鼻腔結核 副鼻腔真菌症 鼻腔異物
血性	上顎癌 上咽頭癌 悪性リンパ腫 肉芽腫症
鼻出血	若年性血管線維腫

洞に病変があるときには頬部痛や歯痛を訴え，篩骨洞に病変があるときには「目と目の間が痛い」という．蝶形洞に病変があるときには，「目の奥が痛い」とか「頭の芯が痛い」と訴える．前頭洞に病変があるときには，「目の上や眉毛のところが痛い」「頭痛がする」と訴える．

身体診察

鼻漏・鼻閉を訴える場合，鼻内視鏡(軟性ファイバースコープ)で観察することを推奨するが，耳鼻咽喉科以外では難しいかもしれない．疾患には鼻汁の性状に特徴があるので，鼻汁の性状と鼻粘膜の色調を観察する(表4)．解剖学的異常，腫瘍，肉芽腫，萎縮性鼻炎に関しては鼻内視鏡検査で存在の有無が判明する．

口腔内を診察して粘膜の発赤がないか(急性炎症の有無)，後鼻漏がないか(口腔咽頭後壁に流れている鼻汁の有無)を確認する．小児では漏斗胸(前胸部の陥凹)，アトピー性皮膚炎(赤みのある湿疹，プツプツと盛り上がりのある湿疹，ジクジクと水分の多い湿疹，ゴツゴツしたしこりのよう

表5 身体診察のポイント

バイタルサイン
- 体温：感染症の有無を確認する

全身状態
- 体格：体重減少(悪性腫瘍，結核)を確認する

頭頸部
- 顔貌：眼球突出，眼瞼腫脹，アデノイド顔貌(常時開口)，頬部腫脹を確認する
- 顔面・皮膚：乾燥肌，湿潤，発赤を確認する
- 鼻前庭部：湿疹，痂皮，浸潤，腫脹を確認する
- 鼻翼：外鼻変形(偏位，陥没，鞍鼻)を確認する
- 口腔：犬歯窩腫脹，硬口蓋潰瘍を確認する
- 咽頭後壁：後鼻漏(膿性鼻汁，粘性鼻汁)を確認する
- 鼻腔内所見：鼻中隔弯曲，下鼻甲介腫脹，下鼻甲介粘膜蒼白・発赤・一部出血，腫瘍の有無を確認する

胸部
- 聴診：乾性ラ音を確認する
- 形態：漏斗胸を確認する

な湿疹)がないかを確認する．頬部の腫脹，眼球突出の有無を確認する．

小児の鼻腔異物は外からもわかる悪臭を伴う．進行した上顎癌，萎縮性鼻炎も悪臭を伴う．

身体診察のポイントを表5に示す．

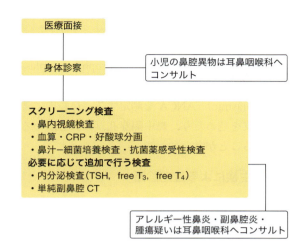

図3 鼻漏・鼻閉の診断の進め方

必要なスクリーニング検査

できれば鼻内視鏡検査をまず行うべきであるが，一般内科では不可能である．感染による急性炎症疾患を正しく診断するために，基本的なスクリーニング検査を行う．

❶ 血球検査（血算）

白血球数増加，好中球分画の増加は鼻副鼻腔感染症診断に有用である．好酸球分画5％以上は好酸球性副鼻腔炎診断に有用である．

❷ 血液生化学検査

感染症や炎症性疾患はCRPで判明する．甲状腺ホルモン（free T_3，free T_4）および甲状腺刺激ホルモン（TSH）は，甲状腺機能スクリーニングとして有用である．

診断のターニングポイント（図3）

医療面接と身体所見を総合して考える点

- （確定診断）解剖学的異常の疾患は，鼻の外見（解剖学的異常）および内視鏡による鼻腔の観察により診断がつけられる．
- （確定診断）幼児に多い鼻腔異物およびアデノイド増殖症は，内視鏡による鼻腔・上咽頭の観察により診断がつけられる．アデノイド増殖症では常に口が開いており，いびきがひどく，漏斗胸を認める．
- 内視鏡による鼻腔の観察で鼻腔内に存在する腫瘍は判明する．
- 内視鏡による鼻腔の観察で鼻茸（鼻ポリープ）が存在すれば，慢性副鼻腔炎，好酸球性副鼻腔炎，乳頭腫のいずれかである．好酸球性副鼻腔炎は両側性，多発性，上鼻道・嗅裂に鼻茸を認める．慢性副鼻腔炎の鼻茸は片側・両側どちらもあり，中鼻道に認めることが多い．
- アトピー性皮膚炎，小児喘息患者においては，家族歴，症状発現のタイミング，水様性鼻汁の存在でアレルギー性鼻炎・花粉症が推測できる．
- 鼻漏の誘因，発現時間・状態，症状発現期間（1週間以上）から，アレルギー性鼻炎・花粉症・老人性鼻炎が推測できる．
- 発熱後に発症した鼻漏・鼻閉は感染症が推測される．

診断確定のために

医療面接，身体診察，スクリーニング検査の結果に基づき，鼻漏・鼻閉をきたす疾患は，かなり推測できる．鼻内視鏡検査ができない場合，腫瘍の存在や副鼻腔炎の有無に関しては画像診断で，アレルギー疾患は血清学的検査でほとんどわかる．

腫瘍の確定診断

単純副鼻腔CTを撮影することで，上顎洞・篩骨洞・前頭洞・蝶形洞の状態が判明する．悪性腫瘍では造影剤で増強される軟部陰影と骨破壊が認められるので，骨破壊を認めた場合には造影CTを行う．

副鼻腔炎の確定診断

単純副鼻腔CTの撮影が最も効果的である．急性・慢性副鼻腔炎では，上顎洞に陰影を認める頻度が最も多い．乳頭腫などの良性腫瘍，副鼻腔炎では各副鼻腔に軟部陰影が認められるが骨破壊は認められない．好酸球性副鼻腔炎では両側篩骨洞に充満した軟部陰影を認め，末梢血中好酸球の比率を調べる．血中好酸球率が5％を超えることが多い．

高齢者での片側性上顎洞の石灰化は，副鼻腔真菌症の可能性が高い．歯性上顎洞炎は成人に多

く，歯科治療もしくは歯の症状（歯痛）と関連を認める．

膿性鼻汁や著しい痂皮を鼻腔内に認める場合は，細菌培養検査および抗菌薬感受性検査を行う．急性副鼻腔炎および慢性副鼻腔炎において抗菌薬が効かない可能性もあるので，治療を開始する前にこれらの検査を行うことが重要である．

アレルギー性鼻炎，好酸球性副鼻腔炎の確定診断

くしゃみ，鼻汁（鼻漏），鼻づまり（鼻閉）を訴える患者においては，血清中抗原特異的IgE検査を行う．一般にコナヒョウヒダニ，スギ，カモガヤ，ブタクサ，シラカンバ（ハンノキ），ネコ，イヌ，カビ一般などに対する特異的IgE検査を依頼する．鼻汁中好酸球検査，in vivo検査として抗原誘発検査や抗原エキスによる皮内テスト・スクラッチテストを行う．これらにおいて陽性所見が2項目以上あれば，アレルギー性鼻炎と診断できる．

一方で，くしゃみ，鼻汁，鼻づまりを訴えながら，すべての血清中抗原特異的IgE検査項目が陰性である場合，中年女性では本態性鼻炎（血管運動性鼻炎），70歳以上であれは老人性鼻炎と診断する．

肉芽腫症の確定診断

抗好中球細胞質抗体（anti-neutrophil cytoplasmic antibody; ANCA），P(perinuclear)-ANCAとC(cytoplasmic)-ANCAを測定する．鼻腔内に著しい痂皮を認めたり，鼻中隔穿孔，鞍鼻を認めたりすることが多い．

組織生検による確定診断

鼻腔内の腫瘍においては生検を行う．また著しい痂皮を認めたり，抗菌薬で一向に軽快しない炎症（発赤，軽度の出血，血管拡張など）を認める場合も生検する．肉芽腫症の診断は最終的には生検による．ただし生検をするには局所麻酔を必要とし，生検後出血することが多いので，確実に止血できる必要がある．耳鼻咽喉科専門医に紹介するのがよい．

特殊感染症による確定診断

結核，Hansen病，梅毒などの可能性がある．鼻中隔穿孔や鼻中隔潰瘍を認めることが多い．最終的にはそれぞれの感染症の確定診断ができる検査を行う．

〈藤枝 重治〉

鼻出血

nasal bleeding, epistaxis

鼻出血とは

定義

鼻出血とは文字どおり，鼻・鼻腔からの出血を指す．

患者の訴え方

患者は，「突然鼻血が出てきた」「なかなか鼻血が止まらない」「毎日のように繰り返し鼻血が出ている」「鼻をかんだら鼻血が出てきた」などと訴える．

なんら誘因なく鼻出血を認める場合と，なんらかの刺激や病変により鼻出血を認める場合の大きく2つに分けられる．

鼻出血の代表的な原因を図1に示す．

患者が鼻出血を訴える頻度

施設により差はあるが，耳鼻咽喉科外来患者総数の約2%という報告がある．めまいと並んで，耳鼻咽喉科救急疾患として最も患者数が多い疾患の1つである．疾患頻度は，施設の規模や設備の有無により差異がある．臨床的重要度も，患者の全身状態や出血量により同一病変であっても異なるとは考えられるが，筆者の臨床経験からおおまかに図2のようにまとめた．患者にとっては，鼻出血はいかなる原因で生じたとしても重要なものと考えられる．

図2の位置づけは，小児の鼻出血では積極的止血術をあまり行わないことが多いことから，低い重要度とした．循環器系の全身性の場合，抗凝固薬などの内服で止血に難渋したり，再出血の可能性が高いことから，高い重要度とした．

症候から原因疾患へ

病態の考え方

患者が鼻出血を訴える場合，まずどちら側からの鼻出血なのかを確認することが大事である．両側性のことは非常に少なく，通常は片側性である．しかし，上咽頭経由で反対側に回った血液が対側

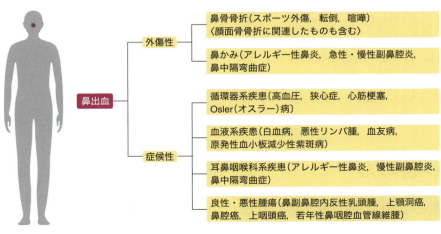

図1　鼻出血の原因

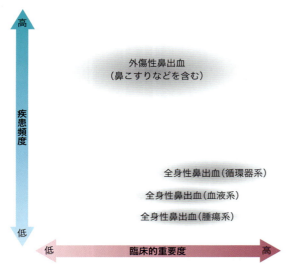

図2　疾患の頻度と臨床的重要度

表1　鼻出血の原因となる疾患や誘因

若年者	中・高年者
■ 鼻かみ，鼻いじり ■ アレルギー性鼻炎 ■ 急性・慢性副鼻腔炎 ■ 鼻中隔弯曲症 ■ 外傷（鼻骨骨折，顔面骨折など） ■ 良性腫瘍（若年性血管線維腫）	■ 若年者と同様の原因 　　　　＋ ■ 高血圧，動脈硬化症 ■ 悪性腫瘍（上顎癌） ■ 血液疾患（白血病，播種性血管内凝固など） ■ 出血性毛細血管拡張症（Osler 病）

表2　鼻出血の好発部位

若年者	中・高年者
■ 主に Kiesselbach（キーゼルバッハ）部位	■ Kiesselbach 部位 ■ 中鼻道後端 ■ 下鼻道後端 ■ 嗅裂部

から出てくることがあるため，「両方の鼻から出てきた」と訴えることも多く，注意して医療面接を行う必要がある．診察をスムーズに進めるためにも大事な項目の1つと考えている．

続いて患者の年齢，既往歴を確認する．表1に示すように，年齢層により原因となる疾患に若干の相違がある．また表2に示すように，鼻出血の好発部位にも年齢による相違があり，診察方法にも若干の相違が出てくる．

病態・原因疾患の割合

大部分は若年者に好発する．しかし，入院を必要とする鼻出血に関しては，中・高年者に多い傾向である．男女比は2:1〜3:2との報告がある．左右差に関して定説はないようだが，鼻中隔弯曲の凸側に多い傾向である．

季節的には，花粉症が増加する2〜4月，また気温が高くなる7〜8月に多いとされている．基礎疾患を有するもの，入院を必要とするような鼻出血は冬にも多い傾向がある．

診断の進め方

診断の進め方のポイント

- まずは，鼻かみなどのきっかけはなかったか，顔面を中心とした外傷がある場合は，受傷機転を確認する．これまでに鼻閉の症状があったか，鼻出血を反復していたかについても聴取し，ある場合は自覚症状を認めた時期についても確認する．鼻出血を反復していた場合は，おおよその出血量を確認することも大事である．

- 次いで既往歴，合併症の聴取が大切である．アレルギー性鼻炎の患者では，「何もしていないのに，いきなり出てきた」「鼻をかんだら，ティッシュに血が混じった」と訴えることが多い．高血圧や血液疾患などが合併している場合は，好発部位とされる Kiesselbach 部位以外から出血している可能性がある．降圧薬の内服や点滴を行うことで，出血量を減少させ，出血点を確認しやすくすることができる．また，出血をしていると話すのがままならないこともあるので，カルテなどで年齢を確認することも大切である．

- 誘因となる事象を把握したら，受診するまでの出血量，飲み込んでいると考えられる血液量を推測することが大切である．

受診時は問題がなくても，診察する段階になって急に嘔吐したり，意識消失や低血圧・貧血症状を生じたりすることがある．嘔吐の可能性や貧血の進行が考えられる場合は，診察より

表3 医療面接のポイント

経過
- いつから鼻出血が出始めたか
- 初回の出血か，反復している出血か
- 動脈性か，静脈性の出血か
- 以前から鼻閉，頬部痛などの出血以外の症状はなかったか

誘因
- 鼻かみや鼻こすりなどのきっかけはなかったか
- 外傷に伴った出血か

全身症状の有無と内容
- アレルギー性鼻炎などの鼻疾患の既往，手術歴はないか
- 高血圧や虚血性心疾患などの合併症はないか
- 悪性腫瘍の既往はないか

常用薬
- 抗凝固薬の内服はしていないか

表4 身体診察のポイント

全身状態
- 意識レベルを把握する
- 血液の飲み込みによる嘔吐の可能性の有無を確認する
- 外傷の有無を確認する
- 腹部膨満の有無を確認する

バイタルサイン
- 血圧：低血圧になっている場合は，状態の変化に注意する
- 体温の低下，冷汗などの有無を確認する

頭頸部
- 結膜：貧血の有無を確認する

先に点滴ルートの確保が有用なことも多い．
- 動脈性出血か静脈性出血かを判断することも大切である．動脈性出血の場合は，出血してからの時間が短くても，出血量は多い可能性があり，貧血症状を生じやすい傾向がある．
- おおよその出血量を把握することで，点滴や輸血の必要性，入院での経過観察の必要性について判断する助けとなる．

医療面接(表3)

まずは，いつから，どちら側から鼻出血が始まったかを聴取する．そして，最初に鼻出血に気づいたとき，鼻から出てきたか，喉のほうに回ってきたかを聴取することで，前方か後方の出血かの目安を立てることができる．

受診までに反復して出ていたのか，初めての出血なのかを確認し，そのうえでどの程度の出血があったかを確認することが，貧血の可能性を考えるうえで大切である．

出血の誘因に関しても，同時に確認することが必要である(図1，表1)．なんらかの誘因がある場合は，自然に止血される場合も多い．しかし全身疾患を合併している場合，または抗凝固薬を内服している場合は，止血困難なことが多い傾向にある．

急性副鼻腔炎，鼻茸を伴う慢性副鼻腔炎やアレルギー性鼻炎，若年性血管線維腫や乳頭腫などの良性腫瘍，上顎癌などの悪性腫瘍でも鼻出血を生じることがある．これらの場合は，以前から鼻閉を自覚していることも多く，入念に聴取する．

身体診察(表4)

身体診察では，まず意識状態の把握をすることが大事である．起こりうる症状の可能性を考え，早めに準備をする．

次いで，眼瞼結膜で貧血の有無を確認するとともに，血圧を測定する．低血圧がある場合は，診察中の状態変化に注意する必要がある．血液の飲み込みの可能性がある場合は，その量を可能な範囲で把握し，悪心や腹部膨満の有無を確認する．また外傷の有無を確認することも必要である．

悪性腫瘍の進行例では，腫瘍の進展に伴い頬部の発赤が認められることがある．

診断のターニングポイント

医療面接と身体診察を総合して考える点

- 身体診察で貧血の徴候や低血圧の症状が認められた場合は，診察と並行して，点滴の投与，貧血がひどい場合は輸血の適応についても判断しなくてはならないことがある．
- 抗凝固薬を内服している場合は，いつまで服用していたかを確認することも大切である．鼻出血を認めたために，自己判断で内服を中止にしていることもある．
- 動脈性の出血や後方からの出血では，医療面接

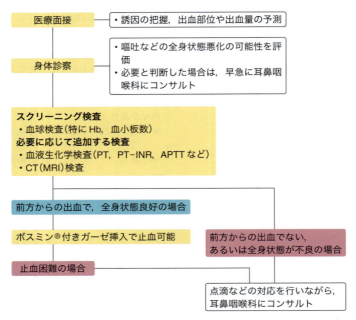

図3　鼻出血の診断の進め方

や身体診察に時間をかけすぎて，患者に苦痛を与える可能性がある．まずは全体の状況を把握したうえで，医療面接と並行して，必要な検査の整理とともに，耳鼻咽喉科医への早急なコンサルトが必要かどうかを判断することも大切である．

- 他臓器癌の既往がある，以前から鼻閉の自覚があるなど，鼻出血を生じる前に関連した症状が認められる場合は，鼻茸を伴う慢性副鼻腔炎，良性・悪性腫瘍の可能性があり，病変の状況を把握するためにも，CT検査（状況によってはMRI検査を追加）を行う必要がある．

必要なスクリーニング検査（図3）

医療面接と身体診察を行って，貧血の進行や低血圧，抗凝固薬の内服歴がある場合は，スクリーニング検査が必要になることがある．

主なスクリーニング検査として，次のようなものがある．

❶ 血球検査（血算）

赤血球数（RBC）やヘモグロビン（Hb）減少から貧血の程度を評価する．また，白血球数（WBC）も含めると，血液疾患の有無を確認するのにも有用である．

急な出血では，すぐにデータに反映されない可能性もあり，データをそのまま鵜呑みにせず，身体診察をふまえて評価するという姿勢も大切である．

❷ 血液生化学検査

PTやAPTTなどを測定することで，凝固系の異常がないか確認ができる．

❸ 単純X線・CT検査（MRI検査）

鼻茸を伴う慢性副鼻腔炎や鼻骨骨折の場合や，良性・悪性腫瘍の可能性が示唆される場合は，単純X線やCT検査などの画像検査を追加する必要がある．

診断確定のために

出血部位の診断

Kiesselbach部位を代表とする鼻腔前方の出血の場合，ボスミン®付きガーゼを挿入することで，ほとんどの場合止血することができる．しかし，動脈性出血の場合は，圧迫不足により止血が得られないことも多く，早急に耳鼻咽喉科専門医へのコンサルトが必要となる．

後方からの出血の場合，ガーゼなどの挿入で一時的に止血できたと思っても，しばらくすると再

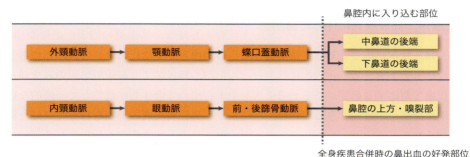

図4　鼻腔の血管系

出血することが多い．また再出血時にガーゼを抜去すると，ガーゼ挿入に伴った傷害で，出血部位が不明になることや，本来の出血点以外にも何か所か別の出血部位が生じてしまうことがあり，早めに耳鼻咽喉科専門医にコンサルトする必要がある．

小児の鼻出血に対する対応

小児の鼻出血は，鼻かみや鼻こすりが原因のことが多く，そのほとんどが Kiesselbach 部位からの出血である．圧迫にて止血が得られることがほとんどである．バイポーラによる止血では，顔をそむけたりして副損傷を生じかねないこともあるので，家族にも心配ないことを説明したうえで，自宅で経過観察するように説明する．

青年期の出血

ほとんどが，前述のように鼻への刺激に伴った，あるいはアレルギー性鼻炎などに伴う鼻出血である．

しかしごく稀に，青年期男性に多い鼻咽腔血管線維腫に伴う出血のことがあり，医療面接で頻回の鼻出血を訴える場合は，鑑別診断の1つに挙げる疾患である．

外傷に伴った鼻出血

外傷直後は粘膜断裂などにより（この場合は両側のことも多いが）出血を生じる．受診時には止血している場合が多く，追加治療を必要としないことが多い．

しかし，鼻内の状態を把握すべく，CT などの画像評価を行うとともに，耳鼻咽喉科へコンサルトし，鼻咽喉ファイバーでの観察を依頼するのが賢明である．鼻骨骨折や顔面骨骨折が疑われる場合は，単純 X 線も追加したうえで，修復が必要な場合は，形成外科にもコンサルトする．

鼻疾患に伴う鼻出血

疾患により，また病変の存在部位により出血点は異なる．アレルギー性鼻炎の場合は季節的に症状を反復することが多く，抗アレルギー薬を内服していない場合は併行して耳鼻咽喉科での治療を依頼する．鼻中隔弯曲症の場合は一般的に凸側から出血することが多い．

出血が頻回の場合や弯曲が高度の場合は，鼻中隔矯正術の適応になることがある．しかし，通常はマスク着用で乾燥を防いだり，軟膏の局所使用で改善することが多い．

循環器系疾患に伴った鼻出血

狭心症，心筋梗塞，脳梗塞などの疾患に対して抗凝固薬が処方されていることは多い．このような場合，大袈裟にいえば，鼻腔のどこから出血をしてもおかしくない．一般的には図4に示すように，鼻腔内に流れ込む動脈の存在部位が好発部位になることが多い．

前述したように，ガーゼ挿入で一時的に止血が得られたとしても，再出血を生じたり，他部位からの出血を招くことがあり，Kiesselbach 部位からの出血でない場合は，早めに耳鼻咽喉科に相談するほうが賢明である．理想的には硬性内視鏡での止血が可能な施設に相談するほうがよい．

良性・悪性腫瘍，血液疾患に伴った鼻出血

これらの場合は，状況に応じた対症療法を行うことしかできないものと考える．一般的にはガーゼ挿入による止血で対応する必要があると考えられるが，明らかに出血点が確認できる場合は，バイポーラなどで止血を行う．

特殊な疾患として，出血性毛細血管拡張症（Osler病）が挙げられる．この疾患では毎日のように出血を繰り返し，重症例では貧血のために輸血を必要としたり，造血薬の内服が必要な場合がある．鼻出血を完全に止めることは困難であることが多いが，施設により鼻中隔粘膜のみをバイポーラなどを用いて全体的に焼灼して一時的な止血を得たり，鼻粘膜皮膚置換術を行って良好な治療効果が得られたとする報告も散見される．

〈鈴木 康弘〉

嗅覚障害
olfactory disorders

嗅覚障害とは

定義

嗅覚障害とは,五感の1つである嗅覚がなんらかの異常をきたし障害された状態である.感覚障害のなかでも視覚,聴覚障害と比較して軽視されがちであるが,食事や花の香りの賞味ができなくなる,腐敗臭やガス漏れが察知できなくなるなどの問題を通じて患者のQOLに大きく影響している.

患者の訴え方

嗅覚障害は量的嗅覚障害と質的嗅覚障害に分かれる.量的嗅覚障害では患者は「においを感じにくい」(嗅覚低下),「まったくにおいを感じない」(嗅覚脱失)などと訴える.一方,質的嗅覚障害では「あるもののにおいを嗅いだときに本来のにおいと異なるにおいを感じる」(異嗅症),「ある特定のにおいを感じない」(嗅盲),「においが強く感じられて不快である」(嗅覚過敏)などの訴えがある.

患者が嗅覚障害を訴える頻度

耳鼻咽喉科を受診する患者のなかで嗅覚障害を主訴とする割合は少なく,5%程度と考えられる.嗅覚障害は加齢とともに急激に有病率が上昇するため,実際には全国民の10〜20%が嗅覚低下症状を有していると考えられるが,嗅覚自体が意識に上りにくい感覚であるため医療機関への受診は多くない.しかし,COVID-19の症状として嗅覚障害が全世界的に大量に発生したことで,2020年以降は患者の受診が大きく増加している.

嗅覚障害で受診する患者の主訴の90%以上は量的な嗅覚障害であり,質的嗅覚障害のみを主訴とする受診は稀である.異嗅症はウイルス性嗅覚障害や外傷性嗅覚障害の量的嗅覚障害に合併する.

症候から原因疾患へ

病態の考え方

鼻腔に進入したにおい物質(嗅素)は気流に乗って鼻腔上方の中鼻甲介と鼻中隔との間の狭い空間(嗅裂)に到達する.嗅裂の最深部に嗅神経細胞を含む嗅粘膜が存在する.嗅神経細胞は双極性神経細胞であり,その樹状突起は粘膜を貫いて粘膜表面の粘液層のなかに露出している.樹状突起の先端からさらに嗅線毛が放射状に伸びており,この線毛上ににおい受容体があって,ここに嗅素が結合することにより神経細胞が興奮し,電気信号が中枢側の軸索を経由して頭蓋内の嗅球,さらに梨状皮質などの脳領域に伝達されてにおいが感知される.嗅覚には嗅素の鼻腔への流入経路によってorthonasal olfaction(前鼻孔から嗅素が流入)とretronasal olfaction(後鼻孔から嗅素が流入)があり,口にした食物のにおいは通常後者のルートで味覚と一体化して「風味」を形成する.

通常嗅覚障害はその想定される病変部位によって,①気導性嗅覚障害,②嗅神経性嗅覚障害,③中枢性嗅覚障害の3つに大別される(図1).

気導性嗅覚障害は鼻腔の粘膜病変や形態異常などによりにおい分子を含んだ気流が嗅粘膜に到達しないために生じる嗅覚障害であり,慢性副鼻腔炎(図2)やアレルギー性鼻炎が代表的な原因疾患である.特にわが国で難病指定されている好酸球性副鼻腔炎は高率に嗅覚障害を合併する.嗅粘膜の感覚神経系は保たれているため,嗅裂が開放されれば嗅覚は回復する.鼻粘膜の炎症,腫脹には変動があるので,日によっておったりにおわな

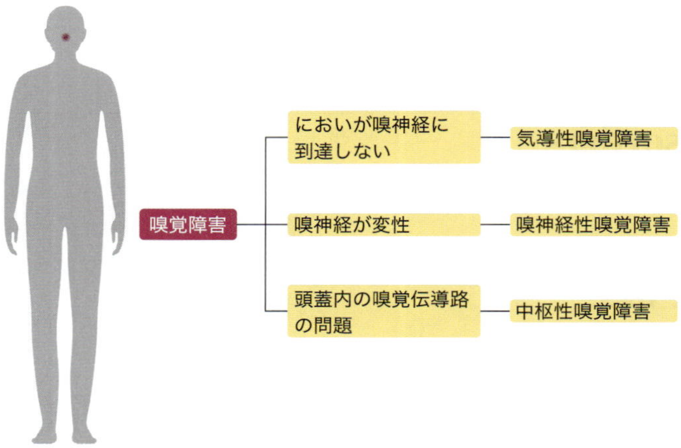

図1　嗅覚障害の原因

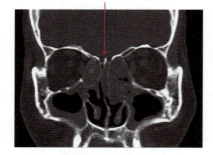

図2　慢性副鼻腔炎による嗅覚障害

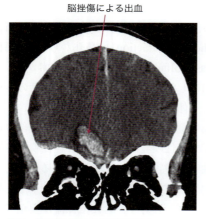

図3　頭部外傷による嗅覚障害

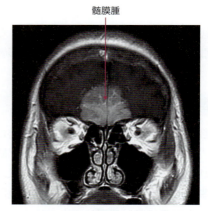

図4　頭蓋底腫瘍(髄膜腫)による嗅覚障害

ことによって嗅覚が減退するものである．ウイルス性上気道炎による嗅神経傷害である感冒後嗅覚障害，薬剤性嗅覚障害，頭部外傷による嗅神経軸索の傷害が代表である．

中枢性嗅覚障害は嗅神経の軸索(嗅糸)より中枢側の伝導路が主として物理的なダメージを受け，嗅覚が障害されるものと定義される．頭部外傷による脳挫傷(図3)が原因として最も多い．その他，脳腫瘍(図4)や脳出血，脳梗塞，またAlzheimer(アルツハイマー)病をはじめとする神経変性疾患に伴う嗅覚障害もこのカテゴリーに入る．

嗅神経性嗅覚障害と中枢性嗅覚障害は感覚神経系そのものの障害なので日によって変動はなく，またretronasal olfactionも障害されているので風味障害が多いことが特徴である．ただしこれらの分類はやや概念的なものであり，実際の患者の病

かったりと変動があることが多い．また，ほとんどの場合retronasal olfactionは保たれているため風味障害は少ない．

嗅神経性嗅覚障害は嗅粘膜が感染や毒性物質への曝露により変性し，嗅神経細胞の数が減少する

表1 嗅覚障害をきたす疾患

気導性嗅覚障害
- 慢性副鼻腔炎（特に好酸球性副鼻腔炎）
- アレルギー性鼻炎
- 鼻中隔弯曲症（嗅裂の閉塞）
- 鼻副鼻腔腫瘍

嗅神経性嗅覚障害
- 感冒後嗅覚障害（COVID-19に伴う嗅覚障害を含む）
- 特発性（加齢変化を含む）
- 嗅粘膜毒性物質〔毒性ガス（塩素など），抗癌薬（特に5-フルオロウラシル，テガフール）〕
- 慢性副鼻腔炎（長期遷延例）
- 頭部外傷

中枢性嗅覚障害
- 頭部外傷
- 脳腫瘍（前頭蓋底）
- 脳出血
- 脳外科手術後
- 先天性〔Kallmann（カルマン）症候群〕
- 神経変性疾患〔Alzheimer病, Parkinson（パーキンソン）病〕

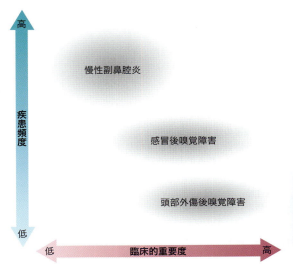

図5 疾患の頻度と臨床的重要度

態はこれらが複合して起こっている場合もある．

それぞれの原因疾患を表1にまとめた．

嗅神経細胞は高い再生能があり，傷害を受けても徐々に回復するが，症状の回復には長期間を要する．また，傷害の程度が高度であると回復が不完全な場合がある．

病態・原因疾患の割合

耳鼻咽喉科を嗅覚障害を主訴に受診する患者の原因疾患別の割合は，慢性副鼻腔炎に伴う嗅覚障害が約30％，感冒後嗅覚障害が約20％，外傷性嗅覚障害が約10％である（図5）．

慢性副鼻腔炎に伴う嗅覚障害はいずれの年齢でも生じうるが，好酸球性副鼻腔炎に合併するものが多いため40～60代に多い．

感冒後嗅覚障害は女性に多く（男女比は1：4～5），50歳以降に好発する．女性に多い理由は不明である．COVID-19に伴う嗅覚障害もこれに含まれるが，従来の上気道炎ウイルスによる感冒後嗅覚障害に比べて発症年齢が若い（20～30代が中心）ことが特徴である．

頭部外傷後の嗅覚障害はすべての年齢で生じうるが，他の嗅覚障害と比較して若年層にも多いことが特徴である．原因が特定されない特発性嗅覚障害は全体の約25％であり，60歳以降に高率にみられる．その多くは加齢変化と考えられている．

診断の進め方

診断の進め方のポイント

- 医療面接である程度診断を絞り込んでから身体所見をとっていくことになるが，鼻内所見を詳細にとることは耳鼻咽喉科以外の科では難しいと思われるので，医療面接から推定される病態に特徴的に合併する症状の有無（たとえば，気導性嗅覚障害では下気道の診察，中枢性嗅覚障害では神経学的所見）を中心に身体所見をとっていくのがよい．

医療面接（表2）

嗅覚障害の診療で医療面接は重要であり，医療面接でしか診断できないものもある．嗅覚が変動するケースはほぼ間違いなく気導性嗅覚障害であり，治療可能な病態が多い．風味障害がある場合，異嗅症がある場合は嗅神経性，中枢性嗅覚障害がほとんどである．

表2 医療面接のポイント

症状の出現
- 急性発症か慢性の経過か
- 日によって変動があるか

随伴症状の有無
- 鼻汁・鼻閉
- 頭痛，脳神経麻痺

嗅覚障害の性状
- 風味障害：「食事の味が変わりましたか」
- 異嗅症：「あるにおいを嗅いだときに，記憶しているもとのにおいと違うにおいを感じますか」

既往歴，生活歴
- 鼻副鼻腔炎の治療歴，手術歴
- 成人発症型の気管支喘息
- 先行感冒
- 頭部外傷
- 毒性ガス（塩素など）への曝露歴

服用薬物
- 抗癌薬（5-フルオロウラシル，テガフール）

表3 身体診察のポイント

全身状態
- 先天性嗅覚障害では性腺機能不全による骨形成の異常や第二次性徴の未発現がみられることがある
- 神経変性疾患に伴う嗅覚障害では認知機能の低下（Alzheimer病）や運動機能障害（Parkinson病）がみられることがある

頭頸部
- 頭部外傷の有無を確認する
- 頭部の手術痕の有無を確認する
- 鼻内を内視鏡により観察する
- 頸部リンパ節腫脹の有無を確認する

胸部
- 聴診により下気道疾患の有無を評価する（特に気管支喘息）

神経系
- 脳神経を評価する
- 不随意運動の有無を確認，認知機能を確認する

身体診察（表3）

耳鼻咽喉科では鼻腔の内視鏡検査で嗅裂の観察を行う．
- 気導性嗅覚障害では鼻内の診察で粘膜浮腫や鼻茸形成をみることがある．
- 嗅神経性嗅覚障害，中枢性嗅覚障害では多くの場合，鼻内所見は正常である．

さらに，問診から想定される嗅覚障害の分類に応じた全身の診察を追加する．
- 気導性嗅覚障害では胸部の聴診により下気道疾患の有無を評価する．
- 中枢性嗅覚障害を疑った場合は神経学的所見を評価する．

診断のターニングポイント

医療面接と身体診察を総合して考える点

- 感冒後嗅覚障害および軽微な外傷性の嗅覚障害は身体所見や画像所見に異常がみられないため，医療面接で診断を行う必要がある．
- 慢性鼻副鼻腔炎による嗅覚障害は鼻内内視鏡検査と副鼻腔 CT で副鼻腔炎を確認することが重要だが，嗅覚障害が日によって変動する，喘息の既往症がある，ステロイド内服などの治療で改善したことがある，という医療面接の結果である程度判断できる．
- 外傷性嗅覚障害や神経変性疾患に伴う中枢性嗅覚障害の診断には頭部の MRI が役立つ．

必要なスクリーニング検査

❶ 嗅覚検査

①基準嗅力検査

5種類の基準臭を各濃度で被検者に嗅いでもらい，においの存在がわかる濃度（検知域値）とにおいの質がわかる濃度（認知域値）を決める．

②静脈性嗅覚検査（アリナミン®テスト）

アリナミン®（プロスルチアミン）10 mg（2 mL）を肘静脈から静注し，アリナミン臭が出現するまでの潜時とアリナミン臭の持続時間を測定する．静脈性嗅覚検査で嗅感がある場合は一般に予後が良好である．

❷ 検体検査

気導性嗅覚障害は好酸球性副鼻腔炎に高率に合併するため，血液像で末梢血好酸球値を測定する．また，吸入アレルゲンに対する反応も確認する．

❸ 画像検査

ルーチンの画像検査としては鼻副鼻腔の状態を

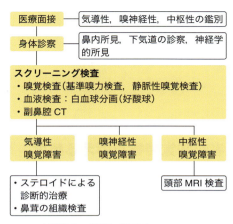

図6 嗅覚障害の診断の進め方

表4 好酸球性副鼻腔炎の診断基準（JESRECスコア）

項目	スコア
病側：両側	3点
鼻茸あり	2点
篩骨洞陰影/上顎洞陰影 ≧ 1	2点
血中好酸球（%）	
2 < ≦5%	4点
5 < ≦10%	8点
10% <	10点

スコアの合計：11点以上を好酸球性副鼻腔炎とする．
確定診断は，組織中好酸球数：70個以上
（藤枝重治ほか：好酸球性副鼻腔炎：診断ガイドライン（JESREC Study）．日耳鼻会報，118:728–735, 2015 より）

CTで確認する．嗅裂の状態の確認は冠状断のほうが行いやすい（図2）．頭部外傷後の嗅覚障害で脳出血や脳挫傷が強く疑われる場合は頭部MRIの有用性が高い（図3）．

臨床症状と身体診察，検査所見に基づいた嗅覚障害の鑑別を図6に示す．

診断確定のために

好酸球性副鼻腔炎の確定診断

好酸球性副鼻腔炎の診断基準は厚生労働省の指定難病の診断基準として定められており，表4に示すJESRECスコアが11点以上であることが必要である．さらに鼻茸の病理組織検査で好酸球浸潤数が400倍1視野あたり平均70個以上であれば確定診断となる．

感冒後嗅覚障害の確定診断

診断自体は問診が中心となるが，インフルエンザウイルスと新型コロナウイルスに迅速検査キットがあるため，これらのウイルス感染の確定診断後に嗅覚障害が出現した場合は原因ウイルスが確定する．

中枢性嗅覚障害の確定診断

頭部外傷や脳腫瘍，神経変性疾患に伴う嗅覚障害の確定診断には頭部MRIが有用である．

〈近藤 健二〉

味覚障害
taste disorder

味覚障害とは

定義

味覚障害とは，舌や咽頭に存在する味覚受容機構の障害によって味質を感知する能力が障害された状態を指す．味覚が低下すると味が薄いと感じ，糖分や塩分の過剰摂取を生じたり，食欲が減退して栄養障害を生じることもある．

患者の訴え方

臨床現場で経験する味覚障害の多くは量的な味覚障害である．味質を感知する能力の低下または消失により，患者は「味が薄くなった」（味覚低下），「味がしない」（味覚消失），「塩味だけ感じにくい」（解離性味覚障害）と表現する．一部の患者では「食べ物の味がすべて苦くなった」（異味症），「何も口に入れていないのに苦い感覚がある」（自発性異常味覚）などの質的味覚障害を訴えることもある．

患者が味覚障害を訴える頻度

味覚は五感のなかでは比較的頑強な感覚であり，耳鼻咽喉科外来における味覚障害の患者の割合は従来は1%以下であったと考えられる．しかし，COVID-19の症状として嗅覚・味覚障害が全世界的に発生し，現在は外来で味覚障害の相談を受けることが増えている．

症候から原因疾患へ

病態の考え方（図1）

味覚障害の患者が来院したときに，その味覚障害が，①どの解剖学的部位の障害なのか，②原因疾患は何か，③味覚障害の重症度はどの程度か，という点を考えて診療を進める．①と②の情報を表1にまとめた．

狭義の味覚障害は甘味，塩味，酸味，苦味，うま味の受容障害を指すが，実際にわれわれが味だと感じている感覚には狭義の味覚以外に辛味成分の三叉神経末端による受容も関与し，また食材の

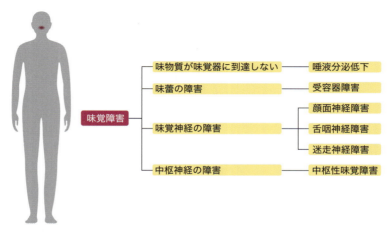

図1　味覚障害の原因

においは味覚と一体化して風味を形成し，食べ物の味を大きく左右するため，知覚神経や嗅覚の障害が起こっても味感覚は変化する．特に嗅覚障害が生じた際に味覚検査で異常がなくても味覚の異常を訴えることはよくあり，これを風味障害と呼んでいる．COVID-19による味覚障害は風味障害の割合が多いとされているが，狭義の味覚障害も生じる．

味覚障害には服用薬物が深く関与しているとされていて，原因となる薬物には抗癌薬，利尿薬，降圧薬，抗うつ薬などさまざまなものがある．薬物による亜鉛のキレート作用が原因とされている．特に高齢者は全身的な合併症が多く，多剤を併用しているため薬物性の味覚障害をきたしやすい．

味覚器の変化以外にも全身的疾患や使用薬物で唾液の分泌量が減り，味物質の味蕾への到達障害が起こって結果的に味覚が低下することもある．

病態・原因疾患の割合 (図2)

味覚障害の大半は受容器障害であると考えられる．そのなかでも薬物性，特発性，亜鉛欠乏性が15〜20％ずつを占め，これら3つの病態が味覚障害の半分以上に関与するとされている．神経性の味覚障害としては顔面神経麻痺に合併する鼓索神経障害，智歯の抜歯に伴う舌神経障害(正確には舌神経を走行している鼓索神経障害)，頭頸部の手術や扁桃摘出に伴う舌咽神経障害などがある．中枢性の味覚障害は稀である．

診断の進め方

診断の進め方のポイント

- 原因検索には医療面接が重要で，味覚障害の性状・程度，症状の出現経過，随伴症状，既往歴，使用薬物を確認する．これに全身，特に頭頸部の系統的な診察を組み合わせる．口腔内の視診は特に詳細に行う．味覚障害は同じ化学感覚障害である嗅覚障害に比べると全身疾患との関連が強い．

表1　味覚障害をきたす疾患

唾液分泌低下
- 加齢変化
- Sjögren(シェーグレン)症候群
- 放射線照射後

受容器障害
- 薬物性
- 特発性(加齢変化)
- 亜鉛欠乏
- 感冒後味覚障害(COVID-19に伴う味覚障害を含む)
- 鉄欠乏性貧血
- 悪性貧血(ビタミンB_{12}欠乏)
- 口腔カンジダ
- 舌腫瘍
- 口腔熱傷
- 甲状腺機能低下
- 糖尿病
- 肝疾患・腎疾患

顔面神経障害(鼓索神経障害)
- Bell(ベル)麻痺
- Hunt(ハント)症候群
- 中耳手術の副損傷
- 智歯の抜歯

舌咽神経障害
- 頭頸部手術の合併症(扁桃摘出術など)
- 頭蓋底腫瘍

迷走神経障害
- 多発神経炎
- 頭蓋底腫瘍

中枢性味覚障害
- 頭部外傷
- 脳梗塞(脳幹部)
- 脳出血

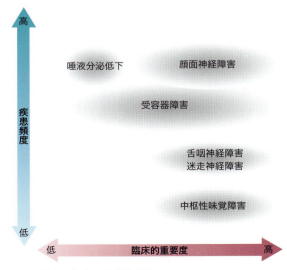

図2　疾患の頻度と臨床的重要度

表2 医療面接のポイント

味覚障害の性状・程度
- 味覚低下か味覚消失か
- 味質によって程度が異なるか
- 風味障害：「食事の味が変わりましたか」
- 異味症：「記憶しているもとの味と違う味がすることがありますか」
- 自発性異常味覚：「何も口に入れていないのに変な味がすることはありますか」

症状の出現経過
- 急性発症か慢性の経過か
- 日によって変動があるか

随伴症状の有無
- 嗅覚障害
- 舌痛
- 口腔乾燥

既往歴，生活歴
- 口腔咽頭手術歴（扁桃摘出術，舌手術）
- 抗癌薬の投与歴
- 放射線照射歴
- 歯科治療歴
- 先行感冒
- 頭部外傷
- 鼻副鼻腔炎の治療歴，手術歴
- 服用薬物〔利尿薬，降圧薬，抗不整脈薬，抗てんかん薬，抗 Parkinson（パーキンソン）病薬，抗うつ薬，抗甲状腺薬など〕

栄養状態
- 食事の摂取，糖質・塩分の摂取状況

表3 身体診察のポイント

全身状態
- 栄養状態，るいそう，肥満

頭頸部
- 舌の状態を確認する（菲薄化，発赤，舌苔）
- 口腔乾燥の有無を確認する
- 歯牙の状態を確認する
- 咽頭の手術痕の有無を確認する
- 頸部の手術痕の有無を確認する

神経系
- 脳神経を評価する（特に VII，IX，X）

- 採血で血算，生化学，血清亜鉛，銅，鉄の測定を行う．
- 障害の程度の評価には味覚検査を施行する．濾紙ディスク法と電気味覚検査がある．これらが使用できない場合はショ糖液，クエン酸，食塩水などで簡易的に判定を行うことも考慮する．

医療面接（表2）

味覚障害の程度（低下か消失か），味質によって低下の度合いが異なるか，日によって変動はないかや，味覚障害の発症様式（急性か緩徐進行か）をまず確認する．既往歴の聴取は特に重要で，先行する感冒罹患の有無，耳疾患の既往の有無，頭頸部手術，扁桃摘出を含む咽頭手術，歯科手術の既往，頭頸部への放射線治療歴，抗癌薬使用歴，その他の服用薬物を詳細に確認する．栄養摂取の問題は味覚障害の原因，結果のいずれの可能性もある．

身体診察（表3）

全身状態を確認したのち，まず口腔内，特に舌の診察を行う．舌の菲薄化，発赤の有無，舌苔の有無に加えて口腔乾燥の有無をチェックする．顔面神経麻痺に伴う味覚障害の場合は，顔面麻痺スコアの評価および聴力検査，外耳道・鼓膜の視診を行う．さらに頭頸部の手術歴，口腔咽頭の手術歴があればその術創を確認する．脳神経，特に直接味覚障害にかかわる VII，IX，X 各神経の神経学的所見を確認する．

診断のターニングポイント（図3）

医療面接と身体診察を総合して考える点

- 上気道ウイルス感染後の感冒後味覚障害は先行する感冒罹患が唯一の診断の手がかりとなるので，医療面接が最も重要である．
- 顔面神経麻痺に伴う味覚障害，智歯抜歯後の味覚障害，扁桃摘出術後の味覚障害などの味覚神経障害は，ほぼ病歴だけで診断できる．
- 鉄欠乏性貧血やビタミン B_{12} 欠乏に伴う味覚障害は舌に菲薄化，発赤など所見の変化が現れるため，身体診察がむしろ重要な項目であるが，たとえば貧血については過去の検査で指摘されていないかどうか，ビタミン B_{12} については胃疾患の有無など医療面接で確認できる項目もある．

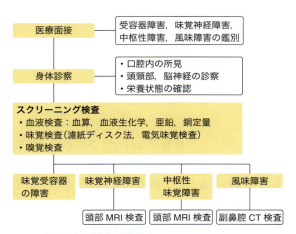

図3 味覚障害の診断の進め方

必要なスクリーニング検査

❶ 血液検査

 甲状腺機能低下, 糖尿病, 肝疾患, 腎疾患など, 味覚障害をきたしうる全身疾患のスクリーニングに加えて, 味覚障害と関係が深い貧血の有無の確認と血清の亜鉛, 銅の測定を行う. 亜鉛は細胞のターンオーバーに関与する酵素活性に必要な微量金属で, 欠乏により味細胞の新生が妨げられ味覚障害を起こす. 特発性味覚障害は血液検査で亜鉛の基準値からの低下がない場合を指すが, 潜在的な亜鉛欠乏があるとの指摘もあり, また薬物性は亜鉛のキレート作用による排泄増加が原因とされているので, 味覚障害のかなりの割合で亜鉛欠乏が関与していると推測されている.

❷ 味覚検査

 わが国で味覚検査として普及している方法は濾紙ディスク法と電気味覚検査がある. 前者は舌前方, 舌後方(有郭乳頭付近), 軟口蓋にショ糖, 食塩, 酒石酸, キニーネ塩酸塩の各味質の水溶液をしみ込ませた濾紙を置き, 味質を感じるか, 味質の区別がつくかを左右別に確認するもので, 希釈系列のどの濃度で判定できたかを記録する. 電気味覚検査は同じく舌の前方, 後方, 軟口蓋に電流を流し, 特有の金属味を感じた電流量の最低値を左右別に検査する.

 濾紙ディスク法は味質別の評価が可能であるが検査に時間がかかる. 電気味覚検査は比較的簡便だが, 味質別の評価はできない. いずれの検査も原因疾患の同定に役立つ検査ではなく, 味覚障害の程度を評価する検査である.

❸ 嗅覚検査

 嗅覚障害の発症率は味覚障害より高いため, 患者が味の変化を訴えた場合に嗅覚障害が主体である風味障害がかなりの確率で交じっている. したがって, スクリーニング検査として嗅覚検査を施行することが望ましい.

診断確定のために

唾液分泌障害の確定診断

 Sjögren症候群の診断目的にガムテストや抗SS-A, 抗SS-B抗体価の測定, 小唾液腺の生検を考慮する.

頭頸部腫瘍性病変の確定診断

 造影CT, MRI検査により頸部腫瘍の有無を評価する.

顔面神経・舌咽神経・迷走神経障害の確定診断

 造影MRI検査により顔面神経の走行に沿った病変の有無を確認する. また, 筋電図検査で顔面神経の運動枝の機能を評価する.

中枢性味覚障害の確定診断

 造影MRI検査により味覚伝導路の病変や手術による変化を確認する.

〈近藤 健二〉

舌の異常
tongue abnormality

舌の異常とは

定義

舌の異常とは舌にみられる炎症，びらん・潰瘍，血管性変化，色素沈着，乾燥，肥大，舌苔，運動障害，味覚障害などを指す．

患者の訴え方

「舌がピリピリする」「舌が焼けるように痛い」「味がしない」「味が変わった」など，訴え方は多彩である．舌の疼痛，灼熱感，不快感，味覚異常が多い．疼痛は嚥下困難を伴うこともある．また，舌は自身で視認することができる部位にあるので，患者の心配の種となり，舌癌恐怖症となる場合もある．

患者が舌の異常を訴える頻度

舌の異常を主訴にして内科を受診する患者は少ない．しかし，医療面接を行うときに舌の異常の有無を聴取すれば，統計的な確証はないが，かなりの頻度になると思われる．

症候から原因疾患へ

病態の考え方（図1）

正常の舌粘膜は重層扁平上皮で覆われ，上皮突起と舌乳頭の発達が特徴的である．舌乳頭は，舌背の前2/3には多数の糸状乳頭が，舌縁と舌の先端には赤い点状の茸状乳頭が糸状乳頭と混在して分布している．舌の萎縮性変化など舌表層の変化の主体は，糸状乳頭の変化である．

また舌の神経支配は，顔面神経が舌前2/3の味覚，舌咽神経が舌の後1/3の味覚，舌下神経が舌筋を支配している．

以下に，主に全身性疾患と関連する舌の異常の病態を述べる（表1）．

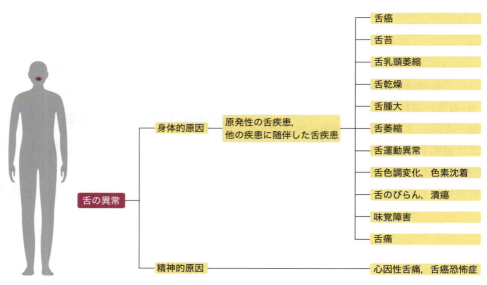

図1 舌の異常の原因

舌苔

糸状乳頭に由来する剥離上皮，食物残渣，唾液，細菌，白血球などにより形成される．舌が乾燥し，舌の運動が少なくなれば，乳頭上皮が増殖して舌苔が厚くなる．しかし，舌乳頭が萎縮して粘膜上皮が菲薄化すれば，乾燥していても舌苔はできにくい．舌苔の色調は，摂食物，喫煙，繁殖する微生物などによって異なる．

なお，悪性貧血，Sjögren症候群，赤色平滑舌などで，舌乳頭の萎縮のある場合は舌苔がみられないが，舌苔よりも萎縮性変化のほうが病的意義のある場合が多い．

舌乳頭の萎縮性変化

舌乳頭の萎縮により舌苔を伴わず，舌の表面が平滑になり暗赤色を呈する状態を赤色平滑舌という．舌乳頭の増殖，再生にはビタミンや鉄(Fe)に依存した補酵素が必要とされ，これらの欠乏により赤色平滑舌を生じると推測される．

表1　舌の異常をきたす疾患

舌苔
- 口腔内の乾燥性変化：熱性疾患，脱水状態，鼻呼吸の障害，各種口腔内炎症，食物摂取の減少・欠如，意識障害などで舌運動の不十分なとき，抗コリン薬の服薬時など
- 片側性の舌苔：舌神経・顔面神経，三叉神経の損傷による，舌の運動障害に起因した舌の機械的清掃の阻害

舌乳頭の萎縮
- 肝硬変などの慢性肝障害：ビタミンB_{12}の代謝障害
- 悪性貧血：Hunter(ハンター)舌炎
- 鉄欠乏性貧血：赤色平滑舌，Plummer-Vinson(プランマー・ヴィンソン)症候群
- 吸収不良症候群：ビタミンB_{12}・鉄(Fe)の吸収障害
- Sjögren(シェーグレン)症候群
- ペラグラ：ニコチン酸・ニコチン酸アミドの欠乏，赤色平滑舌

舌の乾燥
- 全身の脱水状態
- Sjögren症候群
- 糖尿病，粘液水腫，Basedow(バセドウ)病，尿毒症，唾液腺の異常など

舌の腫大
- 沈着症：ムチン沈着(粘液水腫，クレチン症，先端巨大症)，アミロイドーシス
- 肉芽腫：カンジダ舌炎，抗癌薬，ステロイド薬投与患者などの免疫不全状態，抗菌薬による菌交代現象，結核，梅毒，サルコイドーシスなど
- その他：胃癌に伴う黒色表皮腫など

舌の萎縮
- 舌下神経の核性および核下性麻痺(両側性舌萎縮)：筋萎縮性側索硬化症，灰白髄炎，延髄空洞症など
- 強皮症
- 重症筋無力症，筋緊張性ジストロフィーなど

舌の運動異常
- 偏位：舌下神経の一側の障害
- 振戦：Basedow病，Parkinson(パーキンソン)病，アルコール依存症候群など

舌の色調変化
- 赤色平滑舌
- イチゴ舌：猩紅熱，麻疹，風疹，ペラグラ，川崎病など
- 赤血球増加症における濃赤
- 緑色調：SMON患者
- 黒毛舌：抗菌薬による菌交代現象
- 白色：舌白板症
- 紫色：ビタミンB_{12}欠乏症，抗菌薬

舌の色素沈着
- Addison(アジソン)病，ヘモジデローシス，紫斑病など

舌のびらん
- アフタ
  - 水痘，手足口病，ヘルパンギーナなどのウイルス性感染症，Felty(フェルティ)症候群，多形滲出性紅斑，アレルギー性血管炎など
- Behçet(ベーチェット)病，単純性潰瘍
- 鉄(Fe)，ビタミン欠乏性疾患

舌の潰瘍性変化
- ビタミン欠乏性疾患
- アミロイドーシス：アミロイドの血管内沈着
- 舌癌

味覚障害
- 神経障害：鼓索神経(顔面神経)，舌神経(三叉神経)，舌咽神経の障害
- 舌粘膜の異常：強皮症，肝障害など
- 味覚の脱失：インフルエンザ感染後
- 精神疾患，ヒステリーなど

舌痛
- 舌炎，舌癌
- 舌咽神経痛

なお，強皮症，アミロイドーシス，慢性放射線障害などで舌の硬化・変性・萎縮・瘢痕化などが前景に出ると，潮紅が消え，灰色の平滑な舌になる．

舌の乾燥

全身の脱水状態をはじめ，Sjögren症候群，糖尿病，粘液水腫，Basedow病，尿毒症，唾液腺の異常などにより，舌の乾燥をきたす．

舌の大きさ，形状，運動の異常

舌の腫大は，沈着症，肉芽腫，黒色表皮腫などにより引き起こされる．

舌の萎縮では，一般に神経病変による舌萎縮は舌の辺縁部で比較的強いが，ミオパチーや重症筋無力症では，舌全体あるいは舌背部で萎縮が目立つことが多い．

舌下神経の一側の障害では障害側の舌筋は萎縮し，表面は凹凸となり線維束攣縮がみられる．挺舌時に舌は患側に偏位する．一般に一側麻痺では，舌正中部の豊富な交叉性筋線維の存在により運動障害は軽い．

舌の色調変化，色素沈着

舌の色調は，舌の異常をみる手がかりの1つである．色調が，濃赤，緑，黒，白，紫などに変化したり，色素沈着を起こしたときは全身疾患の影響が大きい．

舌のびらん・潰瘍性変化

粘膜の境界鮮明な線維素性炎症局面で，びらんの代表的なものにアフタがある．

再発性アフタは，Behçet病の初発症状や一部分症状のことがある．なお回盲部潰瘍と舌をはじめとする口腔内アフタ以外に，Behçet病の症状が出現していない場合は単純性潰瘍としてよい．

潰瘍性変化には，ビタミン欠乏性疾患のほか，アミロイドーシスがあり，アミロイドの血管内沈着により潰瘍をきたすことがある．

また，舌癌は口腔内に生じる癌の過半数を占める．舌の一部が硬く触れ，痛みがあり，潰瘍になる．発生部位は舌縁が大部分である．舌癌は転移しやすいので，頸部のリンパ節腫脹に留意する．

味覚障害

味蕾を含む神経障害，舌粘膜の異常，精神疾患などが味覚障害を呈する原因として考えられる．

神経障害のうち，味覚障害が舌の前2/3にあれば鼓索神経（顔面神経），舌神経（三叉神経）の異常であり，後1/3にあれば舌咽神経の障害を疑う．

舌粘膜の異常は，口内炎，黒毛舌，舌の萎縮を伴う病変（強皮症，肝障害など）などでみられる．

インフルエンザ感染後に味覚の脱失が出現することがある．この場合は，味覚が鈍くなるというよりも，「味が変わる」と訴えることが多い．新型コロナウイルス感染症の初期にも出現することがある．

精神疾患，ヒステリーなどが原因となることもある．

舌痛

舌炎，舌癌のほか，舌咽神経痛が原因のことがあり，これは，舌根部，扁桃，咽頭後部に起こる神経痛様激痛発作として現れる．

病態・原因疾患の割合（図2）

原発性口腔内疾患に含まれる炎症性・潰瘍性・肉芽性病変のうち，舌疾患の占める割合は約1/3である．

また鉄欠乏性貧血のうち，舌炎，口内炎などの組織鉄欠乏の所見を呈したものが約6%であったとされる．

耳鼻科領域の悪性腫瘍のうちで，舌癌は咽頭癌，上顎癌に次いで多く，口腔癌の約40～60%を占める．

診断の進め方

診断の進め方のポイント

- 局所性にみられる病変か，全身性疾患の随伴症状かを鑑別する．
- 局所病変においては，舌癌の早期診断に留意

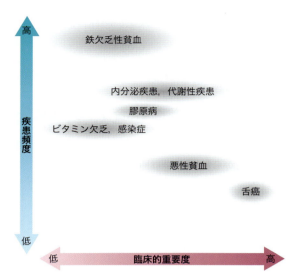

図2 疾患の頻度と臨床的重要度

表2 医療面接のポイント

経過
- いつから，どのような異常に気がついたのか
- 急激に始まったのか，あるいは徐々に起きてきたのか
- 初めて起こったのか，再発性があるのか

誘因
- 異常が起きたきっかけと考えられるものはないか（感染，薬物，食物，義歯，環境の変化，ストレスなど）

舌症状の有無と内容
- 痛み：灼熱感，発作性激痛，局所の疼痛，痛みの誘発因子，痛みの範囲を確認する
- 乾燥感があるか
- 味覚障害：味覚の減退，解離性味覚障害（ある味覚のみの障害），錯味症（味を取り違える障害），異味症（本来の味と異なった味と感じる）などがあるか

全身症状の有無と内容
- 貧血，甲状腺疾患などの内分泌疾患，膠原病，脳血管障害などを示唆する所見があるか確認する

嗜好品，常用薬
- アルコール摂取の有無と量を確認する
- 抗コリン作用をもつ薬物，抗菌薬，ステロイド薬，抗癌薬などの服薬の有無を確認する

する．
- 全身疾患に伴う舌の変化は特異的な症状が少ないが，診断の手がかりとなる場合もあり，軽視するべきでない．

医療面接（表2）

舌は身体診察によって直接視診できるので，他覚的所見がある場合には診断上問題ない．痛みや味覚異常のみを主訴とする場合は医療面接を詳細に行うことが重要となる．

まず抗コリン薬，抗菌薬，副腎皮質ステロイド薬，抗癌薬などの服薬の有無を確認する．抗うつ薬，抗不安薬など抗コリン作用をもつ薬物にも留意する．

既往歴として，貧血，肝疾患，腎疾患，膠原病，内分泌疾患，脳神経疾患などの有無を確認し，これらの全身疾患に随伴した舌異常の可能性を考慮する．

舌痛は，あらゆる舌炎で種々の程度に生じ，診断が難しいが，舌咽神経痛は，嚥下により誘発される突然襲来する激痛で，咽頭部から耳へ突き刺すような痛みが特徴的である．

舌炎は悪性貧血の初期症状とみなされるが，舌の肉眼的変化が現れる前に，舌の痛みないし異常感が先行することが多く，病歴情報の聴取が重要である．

心因性の舌痛にも留意すべきである．

身体診察（表3）

舌は視診・触診が直接可能であるので，身体診察は舌の異常の診断に直結する．

舌の視診の着目点としては，舌苔の有無，乾燥・湿潤の程度，舌乳頭の変化，色調の変化，舌の大きさ・形状の変化，舌の運動異常と感覚・知覚の異常，潰瘍・腫瘍の有無などがある．なお，舌の異常に他の口腔内の異常を伴うことが多い．

舌の視診は皮膚の視診と原則的に同様であるが，粘膜は元来赤いので，赤色調を呈する萎縮性変化などは必ず明るくして見ること，また舌苔と飲食物の残渣との区別などに注意する必要がある．

なお，10から90歳代までに舌上皮の厚さは約30％減少するといわれ，特に女性で著しい．舌の萎縮の判断の際に留意すべきである．

また，硬結の有無は舌癌の診断の根拠になるので，必ず触診する．全身疾患の随伴症の可能性として，たとえば皮膚の色調・色素沈着，性状などから貧血や内分泌疾患，甲状腺腫から甲状腺疾患，

表3 身体診察のポイント

バイタルサイン
- 体温，体重，血圧などを確認する

全身状態
- 体格：糖尿病や甲状腺疾患による体重の変化などを観察する
- 皮膚：黄疸(肝疾患)，蒼白(貧血)，湿潤(甲状腺機能亢進症)，乾燥(脱水)，むくみなどを観察する

頭頸部
- 結膜：貧血や黄疸の有無を観察する
- 頸部：触診で，甲状腺腫やリンパ節腫脹の有無を確認する
- 舌
  - 舌苔，舌乳頭の萎縮，乾燥，腫大，萎縮，色調変化，色素沈着，びらん・潰瘍性変化，舌の偏位・振戦の有無を観察する
  - びらんや潰瘍のある場合，触診で硬結の有無を確認する
- 口角炎，口内炎の有無を確認する
- 毛髪：粗で硬い毛髪，白髪の有無を確認する

胸腹部
- 触診で，肝腫大や脾腫の有無を確認する
- 女性化乳房，腹壁静脈怒張，腹水の有無を確認する

四肢
- 爪の扁平化，末端部肥大の有無を確認する

神経系
- 腱反射亢進，病的反射の有無，振動覚・位置覚の異常の有無を確認する

神経学的検査から脳神経疾患，悪性貧血を疑うことができる．

診断のターニングポイント(図3)

医療面接と身体診察を総合して考える点

- **(確定診断)** 舌癌は舌(縁)の硬結・びらん・潰瘍性変化から診断をつけられることが多い．
- 身体診察で器質性疾患の存在を疑うことができるものは多い．
- 精神神経疾患は医療面接と身体診察で診断できることが多い．

◆ 発熱 → 感染症
◆ 黄疸 → 肝胆道系疾患
◆ アンモニア臭，女性化乳房，肝脾腫，腹壁静脈怒張，羽ばたき振戦 → 肝疾患
◆ 皮膚・粘膜の蒼白 → 貧血
◆ 甲状腺の腫大 → 甲状腺疾患
◆ 浮腫 → 腎疾患
◆ 高血圧，心雑音 → 心疾患
◆ 肝腫大，脾腫，腹壁静脈怒張，女性化乳房 → 肝疾患

- 腱反射や病的反射などを検査して，神経系疾患を診断することもできる．

必要なスクリーニング検査

舌癌のような重要な舌の原発性疾患は，慎重な舌の診察により診断できる．他の多くの舌の異常は全身疾患の随伴症として生じていることが多く，どのような舌の異常であるのかを確認し，医療面接と全身の身体診察を行い，さらに基本的なスクリーニング検査を加え，鑑別診断を進める．

主なスクリーニング検査として，次のようなものがある．

❶ 血液一般検査

赤血球数(RBC)やヘモグロビン(Hb)値から貧血や赤血球増加症の有無を診断し，平均赤血球容積(MCV)，平均赤血球血色素濃度(MCHC)値から鉄欠乏性貧血や巨赤芽球性貧血を疑う．

また，血小板数の減少から肝硬変が疑われる．

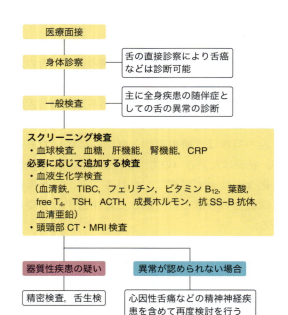

図3 舌の異常の診断の進め方

❷ 血液生化学検査

　肝機能検査から肝炎，肝硬変などの肝疾患，腎機能検査から尿毒症，脱水などが診断できる．

　血清鉄，フェリチン，総鉄結合能(TIBC)から鉄欠乏性貧血，ビタミンB_{12}，葉酸から巨赤芽球性貧血が診断できる．

　free T_4，甲状腺刺激ホルモン(TSH)から甲状腺疾患が診断され，また，抗SS-B抗体はSjögren症候群に特異性が高い．

　血清亜鉛の低値は味覚障害に関係が深い．

　血糖やHbA1cの高値から糖尿病が疑われる．

❸ 頭頸部CT・MRI検査

　これらは脳血管疾患や腫瘍性疾患の診断に必須であり，また，舌癌の頸部リンパ節転移の診断にも必要である．

❹ 超音波・MRI・腹部CT検査

　肝疾患，特に肝硬変の診断に有用である．

診断確定のために

　病歴情報，身体所見，スクリーニング検査の結果から，ほとんどの舌の異常は診断が可能であるが，特定の疾患では，耳鼻咽喉科または口腔外科の専門医受診を勧める．

〈浅香 正博〉

咽頭痛
sore throat

咽頭痛とは

定義

　咽頭痛とは，のどのヒリヒリとする痛みを指す．英語では sore throat と表現するが，sore は「ヒリヒリする」という意味がある．また日本語では「咽頭」痛と記載するが，英語では throat であり，咽頭に限らず広く「のど」の痛みを示すことが一般的である．

　咽頭は解剖学的に上・中・下咽頭に分類され，知覚神経は舌咽神経である．また，喉頭の知覚神経は迷走神経の分枝である上喉頭神経である．咽頭や喉頭の炎症はこれら2つの神経の痛みであることが多い．

　さらに，虚血性心疾患や頸動脈・椎骨動脈解離では関連痛（放散痛）として咽頭痛が生じることがある．

患者の訴え方

　患者は，「のどが痛い」「のどがヒリヒリする」「のどがイガイガする」などと訴える．また強い痛みなどがあるときは，「（のどが痛くて）物を飲み込むのがつらい」と訴えることがある．

患者が咽頭痛を訴える頻度

　咽頭痛を主訴にプライマリケア診療所を受診する患者は多く，4.6〜7.2％程度と報告されている．また，咽頭痛を生じることが多い急性上気道炎関連でプライマリケア診療所を受診する患者は15〜32％程度と全疾患中で最も多い．

症候から原因疾患へ

病態の考え方

　患者が咽頭痛を訴える場合，まずは経過別に考える（図1）．

　突然発症であれば，外傷や異物，また虚血性心疾患や頸動脈・椎骨動脈解離，くも膜下出血などの脳・血管疾患が考えられる．

　急性の経過であれば，咽頭や喉頭の感染症や亜急性甲状腺炎などの炎症性疾患が考えられる．

　慢性の経過であれば，咽頭や喉頭の悪性腫瘍，胃食道逆流症，心因性などが考えられる．

　原因疾患として主なものを表1に示す．

病態・原因疾患の割合

　急性上気道炎や急性咽頭炎が原因の大多数を占める．急性上気道炎の原因はほぼ100％ウイルスである．急性咽頭炎の原因は90％程度がウイルスであり，10％程度がA群β溶血性連鎖球菌である．

　病態・原因疾患別の頻度とその臨床的重要度を図2に示す．

診断の進め方

診断の進め方のポイント

- 咽頭痛の原因としては上気道のウイルス感染症が最多である．しかし，重篤な感染症である急性喉頭蓋炎や扁桃周囲膿瘍，咽後膿瘍などを見落とさないように注意する必要がある．
- 脳・血管疾患は炎症性疾患より頻度は低いが，緊急対応を要する疾患であり鑑別を必要とする．
- 胃食道逆流症は頻度が比較的高いが，緊急性は

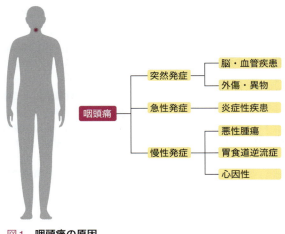

図1　咽頭痛の原因

表1　咽頭痛をきたす疾患

炎症性疾患
咽頭や喉頭の感染症
- 急性上気道炎：感冒，インフルエンザ，COVID-19など
- 急性咽頭炎：ウイルス感染症（伝染性単核球症含む），A群β溶血性連鎖球菌感染症など
- 急性喉頭炎，急性喉頭蓋炎
- 扁桃周囲膿瘍
- 咽後膿瘍

その他の感染症
- 亜急性甲状腺炎

悪性腫瘍
咽頭癌
- 中咽頭癌
- 下咽頭癌

喉頭癌
- 声門上部癌

外傷・異物
- 熱い飲み物による熱傷
- 魚骨

脳・血管疾患
- 虚血性心疾患
- 頸動脈・椎骨動脈解離，くも膜下出血

胃食道逆流症

心因性

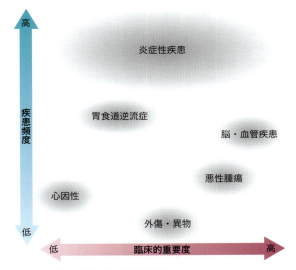

図2　疾患の頻度と臨床的重要度

- 心因性は身体疾患を除外できた場合に診断する．
- 咽頭痛そのものへの緊急対応の必要性は低いが，呼吸困難や胸痛，神経症状などを合併しているときは緊急対応を要する疾患の可能性があるため，迅速に対応していく．

乏しく，また致死的になることもほとんどないため，感染症や緊急対応を要する脳・血管疾患の可能性が低い場合に鑑別に挙げていく．
- 悪性腫瘍は臨床的に重要な疾患ではあるが，緊急性は比較的低い．他の疾患の可能性が低い場合に鑑別に挙げていく．

医療面接

上気道のウイルス感染症が最多ではあるが，重篤な感染症や緊急対応を要する脳・血管疾患を見落とさないように，ていねいに医療面接を行う必要がある．そのためには経過や随伴症状などを丹念に聴取する（表2）．

上気道炎では咽頭痛以外に発熱，鼻汁などの鼻

表2　医療面接のポイント

経過
- いつからあるのか
- 突然始まったのか，急激に始まったのか，徐々に起きていたのか
- 発症後は改善傾向なのか，増悪傾向なのか，不変なのか

程度
- どの程度の痛みなのか，非常に強い痛み（人生最悪の痛み）か

誘因
- 飲食（熱い飲み物，魚など）を契機として出現した痛みか

随伴症状の有無と内容
- 発熱，鼻汁，咳嗽（気道感染症），嚥下困難・発声困難（急性喉頭蓋炎，扁桃周囲膿瘍，咽後膿瘍，悪性腫瘍など），発汗・動悸（亜急性甲状腺炎），胸痛・冷汗（虚血性心疾患），頭痛・めまい（頸動脈・椎骨動脈解離，くも膜下出血など），胸やけ（胃食道逆流症）などの症状はないか

嗜好品・常用薬
- アルコールや喫煙の有無と量を確認する

合併症・既往歴
- 免疫不全をきたすような合併症（糖尿病など），脳・血管疾患のリスク因子となる合併症（糖尿病，脂質異常症，高血圧症など）はないか

上気道感染症の流行状況
- 周囲に同様の症状の人はいないか（sick contact）

表3　身体診察のポイント

バイタルサイン
- 血圧，体温，呼吸数，脈拍：重篤な感染症や，脳・血管疾患ではバイタルサインの異常を呈することがある

全身状態
- 体格：悪性腫瘍による体重減少の有無を確認する

頭頸部
- 顔貌・表情：呼吸困難などによる苦悶様の表情，嚥下困難による流涎，嗄声などを確認する
- 口腔・咽頭
  - 口腔内全体：潰瘍や発赤の有無を確認する．異物や熱傷を確認する
  - 扁桃：腫脹（左右差の有無）や膿栓・白苔の付着を確認する
  - 喉頭蓋：発赤と腫脹の有無を確認する
  - 口蓋垂：偏位の有無を確認する
- 頸部：腫脹やリンパ節の腫大や圧痛，甲状腺の腫大や圧痛を確認する

胸部
- 聴診で虚血性心疾患に伴う心雑音や，虚血性心不全による肺音の副雑音を確認する

腹部
- 虚血性心不全による肝腫大などを確認する

四肢
- 虚血性心不全による浮腫の有無を確認する

神経系
- 頸動脈・椎骨動脈解離やくも膜下出血による髄膜刺激所見，神経症状，失調の有無などを確認する

症状や軽度の咳嗽を伴うことが多い．また，周囲に同様の症状がいないか（sick contact）を確認する必要がある．さらに，新型コロナウイルスワクチンの接種歴，秋から冬の時期にはインフルエンザワクチンの接種歴を確認する．

痛みの程度が非常に強く（人生最悪の痛みなどと表現される），つばが飲み込めないほどの嚥下困難，発声困難，呼吸困難などの症状があるときには，扁桃周囲膿瘍，急性喉頭蓋炎，咽後膿瘍などの重篤な感染症の可能性がある．

突然発症で胸痛や冷汗を伴う場合は虚血性心疾患の可能性がある．また，頭痛や嘔吐，めまいなどの症状，神経症状を伴うときは頸動脈・椎骨動脈解離やくも膜下出血などの可能性がある．

胸やけや食事による症状の増悪があるときは胃食道逆流症の可能性がある．

慢性の経過で嚥下困難，発声困難，呼吸困難などの症状があるときには悪性腫瘍の可能性がある．

身体診察（表3）

身体診察はまずバイタルサインの確認を行う．

口腔，咽頭，頸部の診察は最も重要である．口腔や咽頭の視診は重要であるが，急性喉頭蓋炎では舌圧子などで無理に舌を抑えると気道閉塞を誘発することがあるので，気道確保の準備を行ったあとに診察を行う．

虚血性心疾患を疑う際は胸部の聴診，脳血管疾患を疑う際は神経学的診察が診断に役立つ．

診断のターニングポイント

医療面接と身体診察を総合して考える点

- **〔確定診断〕** 熱い飲み物などによる熱傷や魚骨な

```
Centorの基準
38℃以上の発熱            1点
咳がない                  1点
圧痛を伴う前頸部リンパ節腫脹  1点
白苔を伴う扁桃腺炎          1点

McIsaacの基準
上記の点数を年齢補正
3～14歳 +1点，15～44歳 ±0点，45歳～ −1点
```

```
┌─ 1点以下 ─┐              ┌─ 2点以上 ─┐
・ウイルス性の疑い           ・A群β溶血性連鎖球菌性の疑い
・迅速抗原検査不要           ・迅速抗原検査または咽頭培養
```

図3 ウイルス性咽頭炎とA群β溶血性連鎖球菌性咽頭炎の鑑別

どの異物は，医療面接と身体診察でほぼ診断がつけられる．

- 咽頭や喉頭の感染症は医療面接と身体診察でほぼ診断がつけられる．
- 開口障害や嗄声，嚥下困難があり，扁桃腫大に左右差や口蓋垂の偏位を認めるときは扁桃周囲膿瘍を疑う．
- 痛みが強く，嚥下困難や流涎，嗄声や呼吸困難があるが，咽頭の発赤が乏しく，喉頭蓋の発赤や腫脹を認めるときは急性喉頭蓋炎を疑う．
- 扁桃周囲膿瘍や急性喉頭蓋炎などの重篤な感染症の可能性が否定できれば，ウイルス性咽頭炎か，A群β溶血性連鎖球菌性咽頭炎かをCentorの基準（＋McIsaacの基準）で検討する(図3)．
- 咽頭痛が比較的軽度で，鼻汁や咳嗽を伴う場合は急性上気道炎を疑う．
- 胸痛や冷汗を伴うときは虚血性心疾患を疑う．
- 頭痛やめまい，巣症状を訴え，神経学的所見がある場合は頸動脈・椎骨動脈解離を疑う．

必要なスクリーニング検査

医療面接と身体診察から，咽頭痛の原因の大多数を占める軽度な咽頭や喉頭の感染症を診断することは可能である．しかし，重篤な感染症や脳・血管疾患などを疑うときは，基本的なスクリーニング検査を行いつつ鑑別診断を進める(図4)．

主なスクリーニング検査として，次のようなものがある．

❶ 新型コロナウイルス抗原検査，PCR検査
流行状況に応じて検査を行う．

❷ インフルエンザ抗原検査
流行状況に応じて検査を行う．

❸ 血算(白血球数)，CRP，赤沈
炎症の有無や程度を把握するために有用である．

❹ 血液生化学検査
TPやAlbは炎症や腫瘍による消耗の有無を判断できる．ASTやALTは虚血性心疾患による心不全が原因でうっ血肝を呈したときや，伝染単核球症などのウイルス性咽頭炎で上昇することがある．CKやLDHは急性心筋梗塞で上昇する．

❺ 内分泌検査
BNPは虚血性心疾患による心不全で上昇する．甲状腺刺激ホルモン(TSH)，free T_3，free T_4は亜急性甲状腺炎を疑う際に有用な検査である．

❻ 心電図
虚血性心疾患が疑われるときに行う．

❼ 頭部CT，頸部CT
くも膜下出血や頸動脈・椎骨動脈解離が疑われるときに行う．

診断確定のために

咽頭痛をきたす多くの疾患は医療面接，身体診察に加えてスクリーニング検査で診断ができる．しかし，大多数を占める咽頭や喉頭の感染症，特に重症例では原因微生物の同定のための検査が必要となる．また，感染症以外の疾患では画像検査などが必要となる．

急性上気道炎の確定診断

急性咽頭炎は医療面接と身体診察で診断できる．季節や流行状況を考慮し，必要に応じて新型コロナウイルスの抗原検査もしくはPCR検査，インフルエンザの抗原検査を行う．

急性咽頭炎の確定診断

急性咽頭炎は医療面接と身体診察で診断できる．原因の約90％を占めるウイルス性の場合は対症療法となるが，残りの約10％はA群β溶血

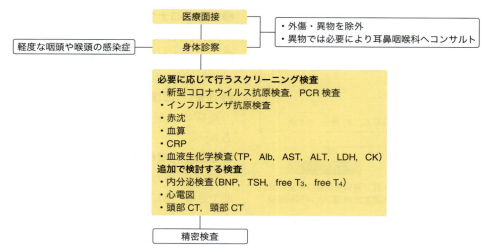

図4 咽頭痛の診断の進め方

性連鎖球菌感染である．A群β溶血性連鎖球菌感染の場合は，リウマチ熱を予防するために抗菌薬の投与が必要となるため，両者の鑑別は重要である．まずは前述のCentorの基準(＋McIsaacの基準)で点数を算出し，2点以上であればA群β溶血性連鎖球菌感染の可能性があるため，溶血性連鎖球菌の迅速抗原検査あるいは咽頭培養を行う．A群β溶血性連鎖球菌以外では，稀ではあるが淋菌やジフテリア菌などが細菌性咽頭炎の原因となる．淋菌であれば性的接触にかかわる事項を，ジフテリア菌であれば流行国への渡航歴などを確認する必要がある．

　Centorの基準(＋McIsaacの基準)で1点以下であればウイルス性の咽頭炎と診断する．ウイルス性咽頭炎であれば数日で症状は軽快傾向となることが多いが，症状が持続する場合はEBウイルス(Epstein-Barr virus；EBV)感染による伝染性単核球症を考慮する必要がある．EBVは唾液を通じて感染するためkissing diseaseとも呼ばれる．好発年齢は20～30代の若年者に多い．身体所見では咽頭の発赤や頸部リンパ節腫脹に加えて，皮疹や肝脾腫を認めることがある．血液検査ではリンパ球の増加，異型リンパ球の出現，好中球数減少，血小板数減少や肝機能障害を認める．確定診断にはEBVに対する抗体検査を行う．抗体検査にはいくつかの種類があるが，急性期にはviral capsid antigen(VCA)-IgMのみが上昇する．対照的にVCA-IgGは既感染者で陽性となる．抗EB-nuclear antigen(EBNA)抗体は伝染性単核球症回復期から上昇し，生涯陽性が続く．したがって，EBVの急性感染である伝染性単核球症ではVCA-IgM陽性，VCA-IgG陰性，抗EBNA抗体陰性となる．サイトメガロウイルス(cytomegalovirus；CMV)感染でも伝染性単核球症と同様の病態を呈することがあるため，CMVに対する抗体検査も行う．CMV-IgMは急性期のみ上昇し，CMV-IgGは既感染で上昇する．EBウイルスやCMV感染が否定的な場合には，ヒト免疫不全ウイルス(human immunodeficiency virus；HIV)感染症も鑑別となるため，性的接触にかかわる事項を医療面接で聴取する．HIV感染症が疑わしい場合は，PCR検査などでHIV RNAの有無を調べる．HIV抗原抗体検査は感染初期には偽陰性を呈する可能性があるため，結果の解釈に注意が必要である．

急性喉頭蓋炎の確定診断

　頸部の側面単純X線で浮腫状の喉頭蓋を認める(thumb sign)．また，軟性ファイバースコープでは発赤や腫脹を伴う喉頭蓋を直接観察できる．本疾患は気道閉塞のリスクがあるため，X線撮影室移動の際のリスクや，ファイバースコープ挿入

に伴う刺激での気道閉塞を十分に考慮し，緊急的な気道確保が可能な状態で実施するべきである．

急性喉頭蓋炎と診断したのちは血液培養で原因微生物の同定を試みるが，陽性率は高くない．原因微生物としてはインフルエンザ菌，肺炎球菌，黄色ブドウ球菌などが挙げられる．

扁桃周囲膿瘍，咽後膿瘍の確定診断

CTでは膿瘍の有無に加えて，病変の広がりや臓器への浸潤なども評価できる．膿瘍と診断後は血液培養，（実施可能であれば）膿瘍を穿刺しての膿汁培養検査を行う．膿瘍の原因微生物としてはA群β溶血性連鎖球菌が多い．

亜急性甲状腺炎の確定診断

亜急性甲状腺炎の診断には有痛性の甲状腺腫の確認が必須である．検査所見では，①CRPまたは赤沈高値，②free T_4 高値，TSH低値，③甲状腺超音波検査で疼痛部に一致した低エコー域を確認する．有痛性甲状腺に加えて，①〜③の検査所見すべてを認めれば確定診断となる．また，有痛性甲状腺腫と①，②を認める場合は亜急性甲状腺炎の疑いとなる．ただし，橋本病の増悪，囊胞への出血，急性化膿性甲状腺炎，未分化癌を除外する必要がある．

咽頭癌や喉頭癌の確定診断

耳鼻咽喉科頭頸部外科にコンサルトを行い，内視鏡下生検にて病理組織学的に確定診断を行う．

虚血性心疾患の確定診断

急性心筋梗塞や不安定狭心症が疑われる場合には，緊急で冠動脈造影が必要となることが多いため，循環器内科に速やかにコンサルトを行う．

安定狭心症が疑われる場合は心筋虚血を確認するため，負荷心電図，負荷心筋シンチグラフィー，冠動脈CTなどを行う．

頸動脈・椎骨動脈解離，くも膜下出血の確定診断

頸動脈・椎骨動脈解離はMRIやMRアンギオグラフィーが非侵襲的な検査として最も有用である．疑わしい場合はCTアンギオグラフィーや血管造影を行う．

くも膜下出血は90％以上の症例が頭部CTで診断可能であるが，発症から時間が経過すると診断率が低下する．頭部CTでは異常がなくとも，くも膜下出血が疑われる場合には腰椎穿刺を行い，橙黄色の髄液（キサントクロミー）を確認する．

胃食道逆流症の確定診断

上部消化管内視鏡検査を行う．上部消化管内視鏡検査で異常を認めなくても本疾患が否定できない場合には，プロトンポンプ阻害薬など酸分泌抑制薬投与による診断的治療も検討される．

〈牛木 淳人，花岡 正幸〉

嗄声
hoarseness

嗄声とは

定義

嗄声（かれ声）は音声障害のうちの1つで，声質の変化を表す際に使用される．音声の質のなかで，特に音色の異常のために，聴く人の意識に「嗄れている」「しわがれている」という聴覚印象を起こす性質を有する声を指す．声帯やその周囲の異常によって発声時の声の質が異常になることをいい，失声（無声，ささやき声），気息声（息漏れのある声），粗糙声（だみ声），無力声（力のない声），努力声（力み声）なども含めて嗄声ということが多い．

患者の訴え方

患者は，「声がかすれる」「声が出ない」「声がふるえる」「ガラガラ声になった」「高い声が出る」などと訴える．ときに人から声の変化を指摘されたことが受診のきっかけとなることがある．反回神経麻痺の患者は「話をしていると疲れやすい」と言うことがある．

患者が嗄声を訴える頻度

内科外来における嗄声の頻度を示した報告はない．音声障害の頻度としては米国で人口の1/3が過去に経験したことがあると報告されている．わが国の疫学研究では，教師における音声障害の自覚頻度は54〜83％と報告されている．上気道炎や感冒様症状の1つとして嗄声を訴える患者もいるため，音声障害の症状を実際に経験する数は多数にのぼると考えられる．

症候から原因疾患へ

病態の考え方（図1）

嗄声の発生機序の分類には，音声障害の分類として器質性音声障害と機能性音声障害がある．運動障害を含めたなんらかの器質的異常を認めれば器質性音声障害とし，器質的異常がなければ機能性音声障害と診断する．

図1 嗄声の原因

器質性音声障害はさらに以下のように分けることができる.
①両側声帯がうまく合わない(運動障害, 両側性または片側性の反回神経麻痺など).
②両側声帯間に異物が挟まる(喉頭異物, 声帯ポリープ, 結痂性炎症など).
③声帯の質的変化(急性・慢性喉頭炎, 喉頭腫瘍, 声帯の萎縮, 声帯の緊張低下など).

これらを引き起こす直接の原因には, 喉頭の組織異常(喉頭悪性腫瘍や喉頭乳頭腫・異形成), 声帯粘膜の異常(声帯ポリープ, 声帯囊胞など), 声帯の血管病変(声帯出血など), 先天性あるいは成長・加齢に伴う喉頭異常, 喉頭の瘢痕狭窄(喉頭横隔膜症, 喉頭軟弱症, 加齢性声帯萎縮など), 喉頭の炎症性疾患(輪状披裂関節炎・輪状甲状関節炎, 急性喉頭炎, 急性声門下喉頭炎, 急性喉頭蓋炎など), 喉頭の外傷(喉頭粘膜外傷, 披裂軟骨脱臼症), 全身性疾患(内分泌・代謝性疾患, 免疫疾患), 呼吸器・消化器疾患(気管支喘息, 慢性閉塞性肺疾患, 胃食道逆流症, 肺炎・結核・真菌症), 神経疾患〔上喉頭神経麻痺, 片側性声帯麻痺, 両側声帯麻痺, 重症筋無力症, 内転型・外転型・混合型痙攣性発声障害, 音声振戦, Parkinson(パーキンソン)病〕などがあり(表1), スクリーニングには間接喉頭鏡検査が有用である. 所見を認めた場合は, 器質的な詳しい診断を耳鼻咽喉科専門医に依頼する.

反回神経麻痺は, 声帯の運動を司る反回神経が周囲の腫瘤性病変(肺癌, 食道癌, 縦隔腫瘍, リンパ節転移, 大動脈瘤など)から圧迫による障害を受けることによって起こり, 原因として重大な病気が潜んでいる可能性がある.

左側反回神経は走行距離が右側反回神経より長く, そのため右側よりはるかに侵されやすい. また, 甲状腺, 食道, 肺の手術治療や外傷による神経損傷が原因となる場合もある.

急性の発症として, 全身麻酔下で実施された手術後に嗄声が起こることがある. これは手術による反回神経損傷のほか, 気管チューブで長時間声帯を圧迫したために起こる声帯の腫脹, そして声帯突起に付着している披裂軟骨の脱臼などが原因として考えられる.

病態・原因疾患の割合(図2)

嗄声の原因疾患別頻度を調査した報告は見つからない. 一方, 肺癌の初発症状として嗄声を呈するものは全症例の約4%(肺門部症例では約6%)と報告されている. 腫瘍による反回神経麻痺の7〜8割は肺癌が原因であり, 続いて多いのが食道癌である. また, 肺癌手術の4%に術後反回神経

表1 嗄声をきたす疾患

小児
- 先天性:囊胞, 奇形(声帯溝症, 喉頭横隔膜症)
- 外傷性:異物
- 感染性:急性発疹, 麻疹, 喉頭気管炎, ジフテリア
- 腫瘍性:多発性乳頭腫

成人
- 外傷性:異物, 喉頭外傷, 刺激ガス吸入
- 職業性:歌手, 牧師, 教師, 物売り
- 急性炎症:急性喉頭炎, 化膿性扁桃炎, 頸部蜂窩織炎
- 慢性炎症:慢性喉頭炎(喫煙, 飲酒), 結核, 梅毒
- 腫瘍性:癌, ポリープ, 線維腫, 乳頭腫, 肉芽腫
- 心因性:ヒステリー

反回神経麻痺
- 外傷性:手術(甲状腺, 食道, 肺), 気管挿管による損傷
- 腫瘍性:癌(甲状腺, 食道, 肺, リンパ節)
- 心血管性:動脈瘤(鎖骨下動脈, 大動脈), 僧帽弁狭窄症

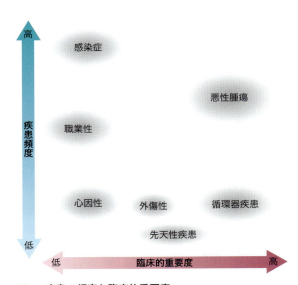

図2 疾患の頻度と臨床的重要度

麻痺を認めたとの報告がある．

片側性声帯麻痺の原因は約 1/3 が腫瘍，1/3 が外傷性，1/3 が特発性である．

診断の進め方

診断の進め方のポイント

- 訴えが真に発声構音障害によるものなのか，難聴に伴う言葉の障害でないかを確認する．
- 呼吸困難があれば，酸素投与や気道確保を優先する．
- 失声を訴えても，反射性の発声（たとえば，咳嗽時，悪心時，寝言）が正常で，悪心反射をさせながら声帯を観察すると閉鎖が認められる場合はヒステリー性も念頭におく．
- 内科医が診断に難渋する場合は，耳鼻咽喉科医へ精査の紹介をする．

医療面接（表2）

難聴の有無

言葉の障害が生じていることを嗄声と誤って認識することがある．難聴を伴っている場合には，聴力障害によって構音障害をきたしている可能性も考慮しなければならない．

先天性か

喉頭の先天奇形（喉頭横隔膜症，声帯溝症など）が原因の場合がある．患者が若年の場合などでは家族からの聴取が必要である．

既往歴

頭頸部や胸部の外傷や手術に付随する反回神経麻痺を念頭において医療面接を行うことも重要である．気管挿管の既往の有無も確認する．喉頭の感染症や脳血管障害，神経・筋疾患の既往も原因となりうる．

発症のしかた

発症の契機を確認する必要がある．急激な発症

表2　医療面接のポイント

難聴の有無
- 聴力障害による構音障害ではないか

先天性
- 喉頭の奇形ではないか

既往歴
- 外傷歴や手術歴はないか
- 結核や梅毒の既往はないか

発症のしかた
- 急に発症したか，徐々に発症したか
- 感冒症状はないか
- 心理的ストレスを受けなかったか

年齢
- 小児期：仮性クループや喉頭ジフテリアか
- 思春期：声変わりではないか
- 中年以上：癌の可能性はないか

職業歴，生活環境
- 有毒ガスの吸入歴はないか
- 喉を酷使していないか

喫煙歴，飲酒歴
- 喫煙量はどのくらいか
- 飲酒量はどれくらいか，どんな酒を飲むか

声の質
- 不規則性や弱さ，疲労，湿った感じはないか

は急性炎症を考慮し，発熱，咽頭痛などの上気道炎症状がないか聴取する．ヒステリー性失声は災害，驚愕などの心理的ストレスがきっかけとなって突然発症する場合が多い．反回神経麻痺も急激な経過をとる場合がある．

年齢

小児と成人では原因となる疾患の傾向が異なるため，年齢の考慮は重要である．就学前は，仮性クループ，声帯結節，喉頭ジフテリアなどを，思春期であれば，声変わりが原因であることも考える．癌の好発年齢では喉頭癌や肺癌などを考慮するほか，転移なども含めたその他の腫瘍による反回神経圧迫や声帯の潰瘍の可能性も念頭におく．

職業，生活環境，喫煙習慣

歌手やアナウンサー，声優など声を生業にする患者では，軽度の変化でも大きな障害になる場合がある．これらを含む過度の発声を強いられる職業では，声帯結節や声帯ポリープを考慮する．喫

表3　身体診察のポイント

バイタルサイン
- 体温，血圧，脈拍はどうか

全身状態
- 呼吸困難の有無およびS_pO_2の低下の有無を確認する

頭頸部
- 表在リンパ節や甲状腺腫を触れないか
- 外傷痕，手術痕の有無を確認する
- 咽頭は腫れていないか，偽膜の有無を確認する
- 間接喉頭鏡で器質的な異常を認めないか

胸部
- 呼吸音の異常，心雑音の有無を確認する

四肢・神経系
- 眼筋麻痺，嚥下障害，下肢麻痺の有無を確認する

煙者および大酒家では喉頭炎，喉頭癌をはじめとする癌を考える．吸入ステロイドなどを含む薬物使用の有無を確認することも重要である．

声の質

さまざまな声の質を嗄声と表現して受診するため，不規則性や弱さ，疲労，湿った感じなど病因につながる可能性のある所見をとらえる．

専門的な評価

聴覚心理的評価のために，GRBAS 尺度による5つの要素(grade of hoarseness：嗄声度，rough：粗糙性，breathy：気息性，asthenic：無力性，stained：努力性)をそれぞれ4段階評価する有用性が報告され，推奨されている．自覚的評価のための質問紙法である Voice Handicap Index (VHI) や Voice-Related Quality of Life (V-RQOL) などの質問紙が日本音声言語医学会でも公開され，推奨されている．

身体診察(表3)

バイタルサインと全身状態のチェック

発熱など炎症症状の有無や S_pO_2 の低下の有無に注意する．呼吸困難を訴えている際には，まず酸素投与や気道の確保を最優先する．特に喉頭異物，仮性クループ，喉頭ジフテリアでは緊急を要し，気管挿管による気道確保を考慮する．

頭頸部・胸部

体表の診察では，表在リンパ節(特に頸部)の腫脹や甲状腺腫，手術痕，外傷痕の有無を観察する．舌圧子を用いて咽頭部・扁桃の炎症や偽膜の有無などを観察する．健診や一般外来などのスクリーニングでは間接喉頭鏡を用いて，患者に「エー」「イー」と発声させながら声帯の形態異常や運動異常，炎症，腫瘍の有無を観察する．必要に応じて耳の評価を行う．喉頭部・胸部の聴診では気道狭窄音などの呼吸の評価を行う．

四肢・神経系

脳神経機能の評価を行う．甲状腺機能低下症，振戦などの神経学的状態，Parkinson 病，筋萎縮性側索硬化症，または多発性硬化症を含む全身性疾患がないか観察する．ジフテリア症例の10〜20% に 2〜6 週後から神経症状(鼻声，誤嚥，眼筋麻痺，下肢不全麻痺など)がみられる場合がある(ジフテリア後麻痺)．

診断のターニングポイント(図3)

医療面接と身体診察を総合して考える点

- **(確定診断)** 医療面接と身体診察およびスクリーニング検査を行えば，上気道炎・感冒による嗄声や，外傷・手術に伴う反回神経麻痺による嗄声などは診断可能である．
- ヒステリー性失声などの機能性音声障害や，喉頭ジフテリア，結核，梅毒，各種喉頭炎，喉頭癌，声帯ポリープや結節は内科医には診断が難しい場合が多いので，耳鼻咽喉科専門医の診察を仰ぐべきである．
- 嗄声の原因として，重篤な疾患による反回神経麻痺をきたしている可能性を常に念頭におくべきである．

必要なスクリーニング検査

❶ 胸部 X 線検査

肺癌，食道癌，縦隔腫瘍，大動脈瘤などを検索する．反回神経麻痺が疑われる状態であれば，縦

図3 嗄声の診断の進め方

隔の評価のためにできるかぎり胸部 CT を実施することが望ましい．

❷ 血球検査（血算）

白血球数（WBC）増加，貧血の有無などを確認する．

❸ 血液生化学検査

CRP，赤沈などの急性および慢性の感染などによる炎症反応を確認する．

必要に応じて追加する検査

❶ 血清学的検査・ツベルクリン反応・腫瘍マーカー

ウイルス抗体価，梅毒トレポネーマ感作赤血球凝集（TPHA）反応などを行う．喉頭結核の診断にはツベルクリン反応や結核菌特異抗原によるインターフェロンγ遊離試験（IGRA）も役立つ．頭頸部癌・肺癌・食道癌などの可能性がある場合，診断の補助のため CYFRA21-1，癌胎児性抗原（CEA），ガストリン放出ペプチド前駆体（ProGRP），神経特異エノラーゼ（NSE）などの腫瘍マーカーの測定を考慮する．

❷ 喀痰・咽頭スメア検査

喀痰細胞診は，反回神経麻痺をきたす中枢型肺癌の診断に必要である．また，抗酸菌・一般細菌検査は原因菌（結核菌，ジフテリア菌）の特定に必要である．

❸ 造影検査

食道造影，血管造影は，それぞれ食道癌，大動脈瘤の診断に役立つ．胸部 CT を撮影する際には必要に応じて造影剤の使用を考慮する．

❹ 内視鏡検査

反回神経麻痺を起こす肺癌や食道癌の診断のため，気管支鏡検査や食道鏡検査を必要に応じて追加する．原因となる所見を認めた場合，確定診断のための病理組織診断として生検を実施する．

耳鼻咽喉科で行う専門的検査

咽喉頭の詳細な観察や記録のため，耳鼻咽喉科にて経鼻で行う軟性鏡（喉頭ファイバースコープ，電子内視鏡）で患部を直接観察し，生検材料を採取する．ストロボスコープ検査を行うことで，声帯運動と粘膜波状運動を観察する．必要に応じて空気力学的な検査として，最長発声持続時間（maximum phonation time; MPT）や発声時平均呼気流率（mean flow rate; MFR），声域検査，声の強さや声門下圧の測定を実施する．

診断確定のために

内科的な診断に加え，耳鼻咽喉科における特殊検査も必要であり，適切な連携を行う．

喉頭疾患の確定診断

間接喉頭鏡検査で所見を認めた場合は，喉頭ファイバースコープを含めたさらに詳しい検査を耳鼻咽喉科に依頼する．喉頭結核，喉頭ジフテリアでは菌の同定が，喉頭梅毒では血清反応陽性が重要である．

反回神経麻痺の確定診断

肺癌，縦隔腫瘍，甲状腺癌，大動脈瘤などの原因疾患は細胞診や組織診，シンチグラム，血管造影やときに FDG-PET などを駆使して診断する．いずれの場合も，必要に応じて詳細な検査・診断を耳鼻咽喉科へ依頼する．

〈立石 一成，花岡 正幸〉

いびき
snore

いびきとは

定義

いびきとは，昼夜を問わず，睡眠中に呼吸気が上気道の狭窄部位を通過する際に起きる気流障害に伴い，咽頭や喉頭の構造物あるいは分泌物が振動して生じる，異常な呼吸音である．通常，吸気に発生するが，呼気時に生じることもある．いびきの発生において，睡眠，気流障害，振動する構造物が重要なファクターである．

いびきは，閉塞性睡眠時無呼吸(obstructive sleep apnea; OSA)に随伴する主要な症状である．一方最近では，いびきと単純性いびきを分けて使用することが多い．単純性いびきは，睡眠時無呼吸，低呼吸，気道の狭窄によって起こる呼吸努力に関連する覚醒や低換気などの病的状態とは異なり，いびきによる日中の眠気や疲労などの症状を伴わず，客観的な呼吸停止を伴っていないと考えられている．

Lugaresi(ルーガレシー)が提唱したいびきの程度分類を表1に示す．程度がひどくなると心肺疾患を合併する．

表1 いびきの程度分類

	重度のいびき	日中の居眠り	心肺疾患
stage 0 (preclinical)	あり	なし	なし
stage I (incipient)	あり	軽度	なし
stage II (overt)	あり	頻繁	なし
stage III (complicated)	あり	頻繁	合併

(三木 誠：いびき．福井次矢ほか(編)：内科診断学, 第3版, pp.387-392, 医学書院, 2016 より)

患者の訴え方

睡眠中に生じるため，本人が自覚している頻度は約23.3%と少ない．いびきとともに出現する呼吸停止を家人やベッドパートナーが心配して来院することが多い．

本人の訴えとしては，日中の居眠り，注意散漫，作業効率の低下，睡眠障害(睡眠不足，日中の傾眠傾向)，頭痛が多い．

患者がいびきを訴える頻度

いびきの発生頻度について，さまざまな報告がなされているが，一過性にいびきを生じることもあるため，正確な頻度は不明である．米国のコホート研究では，男性の44%，女性の28%にいびきを認めたと報告されている．わが国では，35〜79歳の成人を対象にした研究において，男性の24%，女性の10%にいびきを認めたと報告されている．いびきの頻度は，男女とも年齢とともに高くなるとされる．

いびきが代表的な症状である睡眠時無呼吸症候群(sleep apnea syndrome; SAS)の頻度は，成人男性の3〜7%，女性の2〜5%と報告されている．

症候から原因疾患へ

病態の考え方

REM睡眠中には呼吸中枢が抑制され，呼吸パターンは不規則で，しかも上気道の筋肉が弛緩されるため，上気道の狭窄をきたしやすい．そして，上気道の断面積は睡眠中，呼吸のサイクルに従い変化している(図1)．

吸気時には，初期においてのみ上気道がゆっくりと広がる(phase 1)が，すぐに気道拡張筋群に

よって発生した力と気道内陰圧とが釣り合い，一定の面積を保つようになる(phase 2)．

呼気時に入ると気道拡張筋群は動かなくなるが，気道内に発生した陽圧により気道断面積は急速に増大する(phase 3)．しかし，その陽圧も徐々に弱まり，面積は減少して吸気初期時まで戻る(phase 4)．

いびきをかく人，特にSASの患者では，睡眠中に気道拡張筋群の動きが弱まるため，吸気時には気道断面積がわずかとなり，いびきが発生するか，あるいは0となり無呼吸となってしまう．

いびきは睡眠中の上気道のどこかに狭窄があることを示す．通常は上気道の軟口蓋や舌根部が狭窄を起こし，特に吸気において発生するのが一般的である．鼻腔は骨や軟骨により，また喉頭は軟骨によるフレームで周囲が構成するのに対し，咽頭腔は軟部組織で囲まれており，睡眠中に咽頭の構成筋や粘膜の弛緩が起こりやすくなり，狭窄を容易に起こす．また，立位や座位と異なり，仰臥位では重力により軟口蓋が咽頭後壁に近づくため狭窄をきたしやすい．

上気道に狭窄が発生すると，必要量の換気が得られず，呼吸中枢へのフィードバックにより呼吸運動が増加し，増大換気駆動圧によって狭窄部位における呼吸気流の流速増大と側圧減少〔Bernoulli(ベルヌーイ)効果〕が進む．そして，気道内腔がさらに内方に引き寄せられて狭窄の程度が増し，結果的にいびきの強さも増す．

これがさらに進むと気道は完全に閉塞し，呼吸停止をきたして，いびきは消失する．続いてPaO_2が低下し，$PaCO_2$が上昇するため，呼吸中枢はさらに刺激され，呼吸運動を強め，最終的には狭窄部抵抗に打ち勝って気道腔が開き，換気が開始される．

これに伴い，いびきも再開し，いびき，無呼吸，いびきのサイクルが睡眠中繰り返されることとなる．主な上気道の狭窄部位としては，軟口蓋，口蓋垂，扁桃，舌根部，咽頭筋，咽頭粘膜が挙げられる．

いびきを引き起こす原因疾患を図2と表2に示す．また，無呼吸を伴ういびきの鑑別診断のため

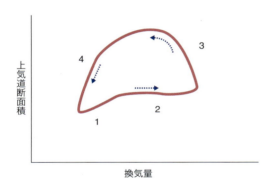

図1　吸気・呼気における上気道断面積の変化
図中の数字(1〜4)は phase を示す．
〔三木 誠：いびき．福井次矢ほか(編)：内科診断学，第3版，pp.387–392, 医学書院，2016 より〕

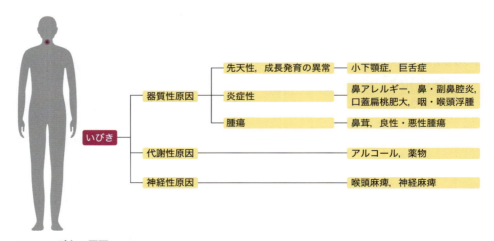

図2　いびきの原因
〔三木 誠：いびき．福井次矢ほか(編)：内科診断学，第3版，pp.387–392, 医学書院，2016 より〕

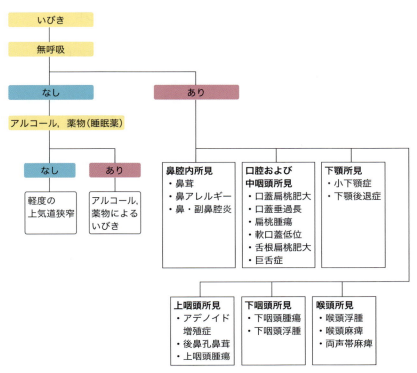

図3 いびきの鑑別診断のための狭窄部位別所見
〔三木 誠:いびき. 福井次矢ほか(編):内科診断学, 第3版, pp.387–392, 医学書院, 2016 より〕

表2 いびきをきたす疾患

先天性	代謝性
・小下顎症	・アルコール
・巨舌症	・薬物
炎症性	**神経性**
・鼻アレルギー	・喉頭麻痺
・鼻炎	**腫瘍性**
・副鼻腔炎	・鼻茸
・アデノイド増殖症	・上咽頭腫瘍
・口蓋扁桃肥大	・扁桃腫瘍
・下咽頭浮腫	・下咽頭腫瘍
・喉頭浮腫	・喉頭腫瘍

〔三木 誠:いびき. 福井次矢ほか(編):内科診断学, 第3版, pp.387–392, 医学書院, 2016 より〕

の狭窄部位別所見を図3にまとめた.

病態・原因疾患の割合(図4)

全身的原因

❶ 肥満

肥満の人は上気道に顕著な脂肪沈着をきたすため,気道の狭窄により,いびきやSASを発生しやすくなる.首が太い人も同様に気道が狭くなり,いびきをかきやすくなる.

❷ 飲酒,過労

普段はいびきをかかない人でも,飲酒や過労により睡眠中に上気道の著明な筋弛緩を引き起こし,その結果,軟口蓋弛緩や舌根沈下を起こして,いびきやSASが発生する.

❸ その他

心不全,腎不全,内分泌障害や代謝障害,中枢神経疾患などが,いびきやSASの原因になることもある.

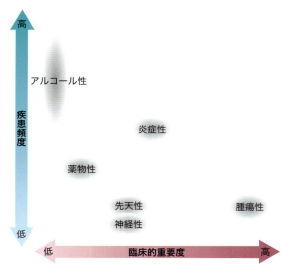

図4 疾患の頻度と臨床的重要度
〔三木 誠:いびき.福井次矢ほか(編):内科診断学,第3版,pp.387-392,医学書院,2016より〕

表3 医療面接のポイント

経過
- 罹患期間,頻度を確認する
- 進行性の有無を確認する

誘因
- 薬物,アルコール摂取を確認する
- 体位を確認する

全身症状
- 肥満の有無,体重の変化を確認する
- 高血圧症,脂質異常症,糖尿病,心疾患などの既往を確認する

睡眠状況,熟眠感
- 就寝時間,中途覚醒の頻度を確認する
- 起床時の頭重感を確認する

生活歴
- 飲酒,運動,昼寝の習慣を確認する
- 日中傾眠傾向の有無を確認する
- 自動車運転中の事故を確認する

嗜好品,常用薬
- アルコール摂取を確認する
- 睡眠薬,抗ヒスタミン薬,トランキライザーなどの服用を確認する

局所的原因

❶ 鼻腔疾患

鼻閉によって吸気時に咽頭腔が陰圧となり,弛緩した粘膜が引き寄せられ上気道が虚脱する.鼻中隔弯曲症,鼻茸,鼻アレルギーや,感冒,鼻炎,種々の副鼻腔疾患が原因として挙げられる.

❷ 上咽頭疾患

アデノイド増殖症や後鼻孔鼻茸,あるいは腫瘍などにより,上咽頭が狭窄して起こる.

❸ 中咽頭疾患

口蓋扁桃の高度肥大,口蓋垂過長・肥大,軟口蓋低位,舌根扁桃肥大などで,中咽頭が狭窄して起こる.

❹ 下咽頭・喉頭疾患

腫瘍,喉頭浮腫,両声帯麻痺などで,下咽頭が狭窄して起こる.

❺ 口腔・下顎疾患

小顎症,下顎後退症,巨舌症などの場合は舌根が沈下しやすく,咽頭狭窄の結果,いびきの原因となる.

割合

原因疾患や病態別の統計は報告されておらず,それぞれの頻度は不明である.

診断の進め方

診断の進め方のポイント

- 本人がいびきを自覚していることは少ない.家人またはベッドパートナーへの確認が重要である.
- 本人が受診の必要性を感じていない場合が多く,診察や検査を進める際の障害となりうる.
- SASの可能性,つまり無呼吸を伴っているかを聴取する.
- 睡眠障害を評価し,ある場合にはSASの検査を進めることが重要である.

医療面接(表3)

いびきの罹患期間,鼻閉の有無,就寝時間,中途覚醒の頻度,いびきの発生状況(アルコール摂取や薬物摂取の有無など)を聴取する.特に無呼吸の有無,出現頻度を聴取することが重要である.また,日中の傾眠傾向,起床時頭重感や熟眠感の

表4 Epworth sleepiness scale (ESS)

もし，以下の状況になったとしたら，どのくらいうとうとする（数秒～数分眠ってしまう）と思いますか．最近の日常生活を思い浮かべてお答えください

0：うとうとする可能性はほとんどない
1：うとうとする可能性は少しある
2：うとうとする可能性は半々くらい
3：うとうとする可能性が高い

1) 座って何か読んでいるとき
2) 座ってテレビを見ているとき
3) 会議，映画館，劇場などで静かに座っているとき
4) 乗客として1時間以上自動車に乗っているとき
5) 午後に横になって，休息をとっているとき
6) 座って人と話をしているとき
7) 昼食をとったあと（飲酒なし），静かに座っているとき
8) 座って手紙や書類などを書いているとき

表5 身体診察のポイント

バイタルサイン
- 血圧，不整脈の有無を確認する
- 呼吸数，呼吸パターンを確認する（可能なら睡眠中の状態も確認）

全身状態
- 体重，肥満度（BMI）を確認する

頭頸部
- 頸部の太さを確認する
- 鼻腔内（鼻茸，鼻中隔偏位，下鼻甲介突出）を確認する
- 口腔内・中咽頭（軟口蓋，口蓋垂の過長，扁桃肥大，アデノイド，腫瘍の有無）を確認する
- 頭頸部の呼吸性雑音を確認する

胸・腹部
- 呼吸音，心雑音を確認する
- 胸郭と腹部の動き，奇異性運動の有無を確認する（可能なら睡眠中の状態も確認）

四肢
- 浮腫を確認する

有無について聴取する．

20歳頃と比較しての体重の変化や高血圧症や脂質異常症，心疾患などの関連する既往歴の聴取も重要である．

睡眠障害の評価

いびきに加え，日中の過剰な眠気がある場合は睡眠呼吸障害の疑いがある．睡眠呼吸障害関連症状である，日中過眠，睡眠中の窒息感やあえぎ，頻回の覚醒，起床時の爽快感欠如，日中の疲労感，集中力欠如を伴うかを確認する．Epworth（エプワース）眠気尺度（Epworth sleepiness scale; ESS）（表4）などを用いて自覚的な日中の眠気の評価を行う．ESSは日常生活において経験する眠気を，読書，テレビ観賞，会議などに関連する8項目の合計点数により評価する．

身体診察（表5）

視診での器質性の変化（舌の大きさ，口蓋垂の長さ，軟口蓋の下がり程度，口蓋扁桃の大きさ，下顎後退・狭小など）をとらえることが重要である．睡眠中でないと狭窄が出現しないこともあるため注意が必要である．

咽頭や顎顔面形態の視診によるSASのスクリーニング方法として，軟口蓋と舌の位置関係を評価するmodified Mallampati（マランパチ）分類や扁桃肥大を評価するTonsillar grade（トンシラーグレード）などが有用とされる（図5，6）．

重症いびきの場合，心肺疾患を合併してくるため，浮腫の所見や不整脈の有無を見落とさないことが重要である．

診断のターニングポイント

医療面接と身体診察を総合して考える点

- 睡眠呼吸障害関連症状（日中過眠，睡眠中の窒息感やあえぎ，頻回の覚醒，起床時の爽快感欠如，日中の疲労感，集中力欠如を伴うか）の有無が重要である．これらを認める患者では，SASを強く疑う．
- 家人やベッドパートナーからの聴取内容，睡眠障害の自覚，局所所見から疾患の鑑別を考えて，次にスクリーニング検査を行う．

必要なスクリーニング検査

❶ 画像検査（X線検査，CT・MRI検査）

咽・喉頭部側面高圧写真を立位と仰臥位で撮像し，気道の横径の変化を評価する．画像の頭蓋計測（cephalometry）から気道幅・下顎骨や舌骨位置などの関係も求める．

図5　modified Mallampati 分類
Class Ⅰ：軟口蓋，口峡，口蓋垂先端，扁桃が確認できる．
Class Ⅱ：軟口蓋，口峡，口蓋垂一部が確認できる．
Class Ⅲ：口蓋垂基部のみが確認できる．
Class Ⅳ：軟口蓋の確認が困難である．

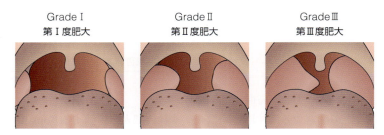

図6　Tonsillar grade
Grade Ⅰ：前後口蓋弓間に存在，後口蓋弓より内方に突出していない．
Grade Ⅱ：後口蓋弓より突出，ⅠとⅢとの中間．
Grade Ⅲ：正中線を越えて突出，あるいは両側の扁桃が正中で接している．

咽頭部の気道断面を定量的に評価するのに頸部CTも有用である．3次元画像の構築ができ，関心領域のより詳細な分析が可能となる．

また動的MRI検査も，鼻腔，口腔，咽頭，喉頭の観察を同時にできるため，病的いびきやSASの原因部位診断にきわめて有用である．

❷ 内視鏡検査

咽喉頭ファイバースコープは，経鼻挿入することで，座位と仰臥位での咽喉頭腔の狭窄の程度を直接観察するのに有用である．睡眠中の状態を知るために薬物睡眠下で施行されることがある．閉塞のパターンとしては，軟口蓋前後型，軟口蓋全周型，扁桃型に分類されている．

❸ 鼻腔通気度検査

鼻腔通気性が悪いと，吸気時に咽頭に過大な陰圧が発生し，同部の虚脱・閉塞の原因となる．また，持続陽圧呼吸療法（continuous positive airway pressure; CPAP）に際しては圧負荷が課題になり，耐容性を悪化させる要因となる．そのため，鼻腔通気度の測定はSASの病態と治療方針決定に有用である．

❹ 呼吸機能検査

いびきの基本的な病態は睡眠時に反復する上気道の狭窄～閉塞である．上気道の異常の検出にフローボリューム曲線は有用である．上気道の狭窄が存在すると，フローボリューム曲線は閉塞性パターンをとり，しかもピークがなく，呼吸早期～中期がフラットなものとなる．

❺ 血液ガス検査

重症のいびき，SASが進行すると，肺胞低換気が日中も持続し，P_aO_2が低下し，P_aCO_2が上昇する．

❻ 簡易睡眠検査

在宅で施行可能な携帯型装置（簡易モニター）による検査である．睡眠中の心電図，呼吸曲線（鼻，口，胸，腹），動脈血酸素飽和度（S_aO_2），無呼吸・

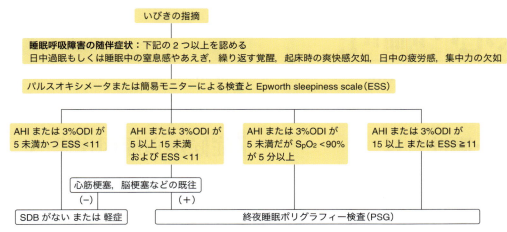

図7 いびき，睡眠時無呼吸症候群（SAS）の診断，治療の進め方
SDB：睡眠呼吸障害（sleep disordered breathing），3%ODI：3% 酸素飽和度低下指数（3% oxygen desaturation index），S_pO_2：経皮的酸素飽和度，PSG：終夜睡眠ポリグラフィー検査（polysomnography）

低呼吸のイベント記録，血圧，心拍数，睡眠体位などを連続的に記録・解析する．

診断確定のために

いびきのなかには SAS が含まれており，検査から診断，治療まで包括的に行うことが重要である．簡単ないびきの診断，治療の進め方を図7に示す．

狭窄部位を特定し，それぞれの疾患に対応した治療法を選択する必要がある．

終夜睡眠ポリグラフィー検査（PSG）

自然睡眠状態における脳波，眼球運動，オトガイ筋電図，心電図，呼吸数，いびき音，呼吸曲線（鼻，口，胸，腹），S_aO_2，無呼吸・低呼吸のイベント記録，血圧，心拍数，睡眠体位などを連続的に記録・解析する．無呼吸低呼吸指数（apnea hypopnea index；AHI）が 5 以上の場合は，SAS と確定診断する．呼吸障害が閉塞型中心なのか，中枢型中心なのかによって，閉塞性睡眠時無呼吸症候群か，中枢性睡眠時無呼吸症候群かを判定する．

AHI が 5 未満の場合も，入眠時 REM 睡眠障害や周期性四肢運動障害の有無，S_pO_2 90% 未満の持続時間に注意する必要がある．

〈小松 雅宙，花岡 正幸〉

悪心・嘔吐
nausea, vomiting

悪心・嘔吐とは

定義

悪心とは，嘔吐したい，嘔吐しそうだという差し迫った感覚，心理的体験であり，嘔気と同義に用いられる．

嘔吐とは，胃内容物が食道，口腔を介して排出されることであり，不快感，苦痛を伴う．

患者の訴え方

悪心では，「むかつく」「吐き気がする」「気持ちが悪い」「げっとなる」など，訴え方は多彩である．患者にとって適切な表現が難しいことが多い．むかつきは嘔吐を伴わない嘔吐様運動であり，厳密には悪心と区別されるが，訴え方からの区別は困難なことが多い．

嘔吐では，「吐いた」「食べた物が出た」「酸っぱいもの（胃液）が上がってきた」「苦いもの（胆汁）が出た」「もどした」などと表現される．

患者が訴える頻度

悪心・嘔吐は，実地診療においてしばしば認められる症状の1つである．特に消化器疾患においては高頻度にみられる．たとえば，胃潰瘍では約25％，十二指腸潰瘍では約28％と報告されているが，幽門部狭窄があると，さらに高率となる．

ただし，消化器疾患のみならず，広範な領域の病態においてみられるものであることを念頭におく必要がある．

本症状は，緊急処置が必要な急性腹症や脳圧亢進症の主症状である場合には，迅速な対応が必要である．

症候から原因疾患へ

病態の考え方

嘔吐に関係する中枢は，①延髄網様体中の迷走神経背側核付近にある嘔吐中枢，②第4脳室底にある化学受容体誘発帯（chemoreceptor trigger zone; CTZ）である．

嘔吐中枢の近傍には，呼吸中枢，血管運動中枢，消化管運動中枢，唾液分泌中枢，前庭神経核などがある．このため，悪心・嘔吐には，これらの中枢の刺激症状である発汗，唾液分泌，顔面蒼白，脈拍微弱，徐脈，頻脈，血圧の動揺，めまいなど種々の症状を伴うことが多い．

嘔吐中枢の刺激経路は，①消化管や身体各部から求心性迷走神経や交感神経を介する刺激，②中枢神経の高位中枢からの経路，③脳圧亢進，脳循環障害などによる直接刺激，④代謝異常，中毒など化学物質によるCTZを介する刺激がある（図1）．したがって，種々の病態，疾患のみなら

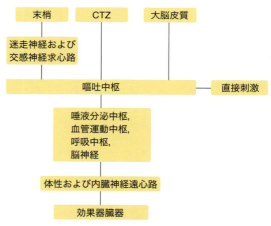

図1　嘔吐中枢の刺激経路
〔Seigel, L.J., Longo, D.L.: *Ann. Intern. Med.*, 95:353, 1981 より改変〕

ず，心理的・感情的要因のみでも嘔吐が誘発される（図2，表1）．

一般に，突然の嘔吐は中枢性疾患，悪心や腹部症状を伴う場合は末梢性疾患とされる．

また，心理的要因や精神的ストレス，過度の嫌悪感や不快感が原因の場合は，症状の重症度や頻度，期間に比較して全身状態は良好であり，体重減少も認めないことが多い．嘔吐中枢の感受性には個人差が大きいものの，これらが鑑別診断の参考になる．

病態・原因疾患の割合（図3）

ある大学病院の総合外来で初診患者の0.8%が悪心・嘔吐を主訴としていたとの報告がある．

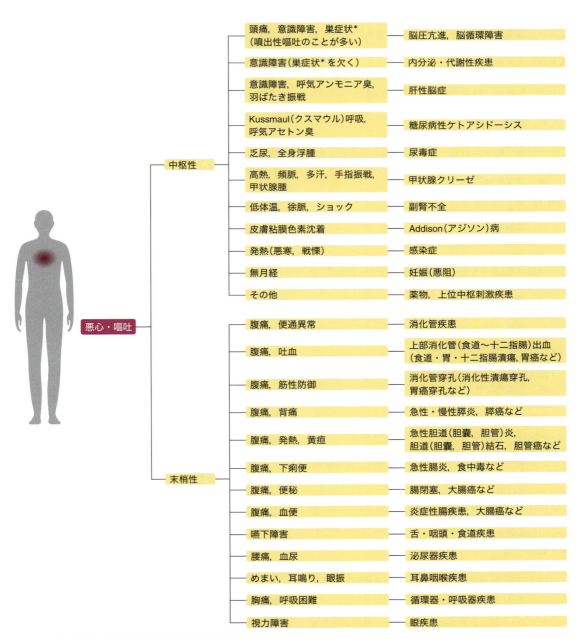

図2　悪心・嘔吐の随伴症状と可能性のある疾患
＊巣症状：片麻痺，瞳孔不同，病的反射など

表1 悪心・嘔吐をきたす疾患

中枢性疾患
- CTZ刺激疾患
  - 薬物(アポモルヒネ，モルヒネ，ジギタリス，抗菌薬，抗癌薬，降圧薬，アミノフィリン，コルヒチン，アルコールなど)
  - 毒物(重金属，ガスなど)
  - 放射線(各種癌治療後)
  - 感染症(細菌毒素)
  - 内分泌疾患(肝性脳症(肝不全)，糖尿病性昏睡(糖尿病性ケトアシドーシスなど)，尿毒症(腎不全))，妊娠悪阻("つわり"，妊娠高血圧症候群など)
  - 代謝疾患(甲状腺機能亢進症(甲状腺クリーゼ)，副腎不全，Addison病など)
- 直接刺激疾患
  - 脳圧亢進(頭部外傷，脳腫瘍，脳出血，くも膜下出血，髄膜炎，脳への放射線療法後など)
  - 脳循環障害(ショック，低酸素脳症，脳梗塞，片頭痛，脳炎，髄膜炎など)
  - 上位中枢性疾患(摂食障害，不快感，てんかん，ヒステリー，抑うつ状態，うつ病，過度の嫌悪感・不快感・拘禁反応などによる恐怖，ストレス，視覚・嗅覚・味覚的刺激など)

末梢性疾患
- 消化器疾患
  - 舌・咽頭疾患(アデノイド，咽頭炎)
  - 食道疾患(胃食道逆流症，食道裂孔ヘルニア，食道癌など)
  - 胃腸疾患(急性胃炎，急性胃・十二指腸粘膜病変，急性腸炎，急性虫垂炎(穿孔)，消化性潰瘍(穿孔)，食中毒，消化管腫瘍(胃癌など)，寄生虫，食中毒など)，Mallory-Weiss(マロリー・ワイス)症候群など
  - 消化管通過障害(腸閉塞，胃幽門部狭窄，輸入脚症候群(遠位側胃切除術後)など)
  - 腹膜疾患(腹膜炎)
  - 胆・膵疾患(急性胆嚢炎，急性胆管炎，急性膵炎，膵癌，胆管癌など)
  - 肝疾患(急性肝炎など)
- 循環器疾患
  - うっ血性心不全，狭心症，急性心筋梗塞など
- 泌尿器疾患
  - 尿路疾患(尿路結石，腎結石，急性腎炎，腎盂腎炎，腎不全など)
- 耳鼻咽喉疾患
  - 中耳炎，Ménière(メニエール)病，乗り物酔いなど
- 眼疾患
  - 緑内障など
- その他
  - 呼吸器疾患(肺結核，胸膜炎，肺癌，咳嗽発作など)
  - 婦人科疾患(子宮付属器炎，月経前症候群，更年期障害など)
  - 脊髄疾患(脊髄癆，多発性硬化症など)
  - 膠原病(結節性多発動脈炎，強皮症，側頭動脈炎など)

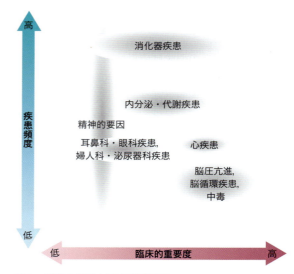

図3 疾患の頻度と臨床的重要度

診断の進め方

診断の進め方のポイント

- 日常診療のみならず，救急医療の現場でもしばしば認められる
- 嘔吐のある患者では診断の前に，第一に，吐物による気道閉塞を防ぎ，気道を確保する．
- 以降，中枢性嘔吐，末梢性嘔吐の鑑別診断を進める．

医療面接

悪心は自覚的な問題であるから，医療面接において病歴情報を聴取することが重要になる(表2)．

いつ頃から，どのようにして起きたか，食べ物との関係，服薬との関係，環境状況(有機溶剤，化学薬品などの特殊な環境，精神的負担となりそうな人間関係)など，誘因を確認する．以前にも同様な症状を訴えたことはないか，また女性であれば，月経や妊娠の可能性を忘れてはいけない．

嘔吐している場合は，その量や性状について詳細に聞き出す(表3)．

身体診察(表4)

身体診察は悪心・嘔吐を引き起こす器質性疾患を診断するうえで重要である．腹部触診による筋

表2　悪心に対する医療面接のポイント

経過
- いつから，どのくらい続いているか
- 急激に始まったか，前駆症状があったか
- 症状の変動はないか

誘因（きっかけ，どのようにして起きたか）
- 食べ物との関係を確認する
- 服薬との関係を確認する
- アルコール摂取との関係を確認する
- 周囲の環境との関係を確認する
  - 有機溶剤，化学薬品などの存在を確認する
  - 新築建物へ転居をしたか

随伴症状の有無と内容
- 発熱，悪寒，戦慄，腹痛，下痢，頭痛，めまい，視力障害などの随伴症状はないか
- 上記自覚症状があれば，悪心・嘔吐との時間的関係はどうか

生活歴
- 睡眠状態はどうか
- ストレスはないか
- 仕事上の問題はないか

既往歴
- 過去に悪心・嘔吐の経験はあるか
- 既往疾患：高血圧，肝疾患，心疾患，腎疾患，糖尿病，内分泌疾患などを確認する
- 手術歴を確認する
- 治療歴：放射線照射など

嗜好品，常備薬
- アルコール，薬物の服用を確認する

職業歴
- 有機溶剤，化学薬品など特殊環境下での仕事をしていないか

その他
- 月経，妊娠との関係を確認する
- ダイエット，食物に対する過度の嫌悪感を確認する
- 長期間の絶食，飢餓を確認する

表3　嘔吐に対する医療面接のポイント

前駆症状の有無
- 悪心を伴うか：末梢性
- 突然の嘔吐か：中枢性

患者自身により誘発される場合
- 心窩部痛の軽減：上部腸管の閉塞初期
- 嘔吐癖：拒食症，過食症

嘔吐の始まる時間
- 早朝：尿毒症初期，妊娠，アルコール依存症，就寝中の後鼻漏，心因反応
- 食直後：食道狭窄や胃の機能性原因によることが多い
- 食後1～4時間：胃・十二指腸疾患，幽門閉塞，毒素型食中毒
- 食後12～48時間：幽門・十二指腸閉塞，感染型食中毒

吐物の性状
- 無臭：食道嚢，アカラシア
- 糞便臭：腸閉塞，胃－大腸瘻，長期間の幽門・十二指腸閉塞
- 腐敗臭：胃残渣の細菌増殖，あるいは真菌感染を伴う胃癌組織の壊死
- 食物残渣：食後8時間以上経過し，残渣がある場合は胃流出路の閉塞
- 食物残渣＋胆汁：Vater（ファーター）乳頭部より肛門側の閉塞（イレウス，腸重積など）
- 胆汁：胃幽門部狭窄，輸入脚症候群
- 大量の胃液：十二指腸潰瘍，Zollinger-Ellison（ゾリンジャー・エリソン）症候群
- 少量の粘液＋胃液：慢性胃炎，鼻咽頭炎，妊娠
- 大量の粘液＋胃液：胃内容のうっ滞，胃炎，悪性腫瘍
- 血液：症候・病態編「吐血」参照（☞456ページ）
- 膿（きわめて稀）：腐食性物質の誤嚥による化膿性胃炎，胃潰瘍，胃外性膿瘍の穿通
- 異物：寄生虫など

性防御の有無，項部硬直や瞳孔不同，頭部外傷のチェックは，緊急性の高い腹部疾患による嘔吐，頭部外傷や脳圧亢進，髄膜炎による嘔吐の診断に重要である．

診断のターニングポイント
（表1，図4）

医療面接と身体診察を総合して考える点

- 心理的要因が強い場合は，症状の重症度や頻度，期間に比較し，身体機能が良好で体重減少も認めないことが多い．
- 摂食障害にみられるような強制嘔吐は，本人が問題として来院することは少ない．
- 全身症状を把握することが重要であり，腹部疾患以外の緊急性の高い疾患を除外する必要がある（図3）．特に緊急性の高い疾患は，急性心筋梗塞，脳循環疾患である．
- 随伴症状が心窩部痛の場合，急性心筋梗塞は否定できないので注意する必要がある．
- 悪心・嘔吐に改善傾向がみられない場合やめまいを随伴する場合，脳循環疾患を考慮する．
  ほとんどの嘔吐には悪心を伴うが，脳循環疾患の場合は悪心を伴わず，突然の嘔吐がみられ

表4 身体診察のポイント

バイタルサイン
- 体温：感染症や内分泌疾患を鑑別する
- 血圧，脈拍・リズム：循環器疾患を鑑別する
- 呼吸状態を確認する
- 嘔吐による脱水状態も同時に把握する

意識障害

全身状態
- 体格：慢性疾患，悪性腫瘍による体重減少を確認する
- 皮膚：黄疸，発疹の確認．皮膚のツルゴール(turgor)の観察をする
- 貧血の有無を確認する
- 黄疸，呼気アンモニア臭の有無：肝疾患を鑑別する
- 呼気アセトン臭の有無：糖尿病性ケトアシドーシスを鑑別する

頭頸部
- 頭部：外傷，打撲の有無を確認する
- 顔貌，表情：神経症，うつ病など精神疾患では特徴的な表情を認めることがある
- 結膜：貧血，黄疸の有無をみる
- 瞳孔：瞳孔不同があれば，脳神経系疾患の可能性がある
- 眼振：脳神経，耳鼻科的疾患を鑑別する
- 甲状腺腫，リンパ節腫脹を確認する
- 項部硬直の有無を確認する

胸部
- 打診，聴診：心肺疾患の有無を鑑別する

腹部
- 腹部の圧痛の有無：部位と程度によって消化器疾患を鑑別する
- 腹部の触診：肝脾腫の有無，腹部膨隆や腹腔内腫瘤の有無を確認する
- 腹部の聴診：腸蠕動音によって腹膜疾患を鑑別する

四肢
- 下腿浮腫の有無：循環器・腎・肝疾患を鑑別する
- チアノーゼの有無：呼吸器・循環器疾患を鑑別する
- 羽ばたき振戦の有無：肝性脳症を鑑別する

神経系
- 髄膜刺激症状，反射の亢進・低下，感覚の鈍麻，乳頭浮腫の有無を確認する

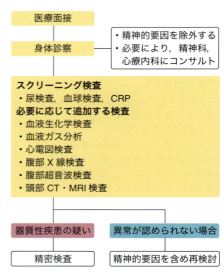

図4 悪心・嘔吐の診断の進め方

婦人科疾患も鑑別疾患として考慮する必要がある．

- 医療面接や随伴症状で鑑別診断を考慮する(図2)．
- 食後からの発症時間による鑑別診断も考慮する(表3)．感染型食中毒(サルモネラ感染など)の場合，しばしば集団発生する．
- 吐物の性状や臭いによる鑑別診断を考慮する(表3)．嘔吐によって軽減する腹痛は小腸閉塞の特徴である．
- 身体診察で器質性疾患の存在を疑うことができるものは多い．

- ◆ 発熱 → 感染症
- ◆ 黄疸 → 肝・胆道疾患
- ◆ 頭痛，視野障害 → 脳循環疾患
- ◆ 意識障害，項部硬直 → 髄膜炎，脳炎
- ◆ 腸雑音消失 → 麻痺性腸閉塞
- ◆ 金属音 → 機械性腸閉塞
- ◆ 側臥位時に上腹部に連続した水の反跳音 → 幽門閉塞，胃不全麻痺(胃に食物が停滞すること)
- ◆ 腹部圧痛，筋性防御 → 腹部炎症性疾患

必要なスクリーニング検査

医療面接と身体診察から，悪心・嘔吐をきたす疾患の存在を推測することが可能なことが多い．

ることが多い．今回初めて生じたあるいは明らかな誘因のない，めまいを随伴する場合は，脳循環疾患の可能性が高い．
- 随伴症状が発熱・頭痛の場合，髄膜炎や脳炎を考慮する．
- 随伴症状が著明な体重減少の場合，悪性腫瘍や腸閉塞を考慮する．
- 腹部疾患は，消化器疾患以外の泌尿器科疾患や

しかし，器質性疾患を正しく診断するには，基本的なスクリーニング検査を加え，鑑別診断を進める．

❶ 尿検査

尿糖から糖尿病を，蛋白，潜血や尿沈渣で円柱がみられれば腎疾患を，ケトン体からケトアシドーシス，ウロビリノゲンから肝疾患，ビリルビンから胆道疾患などを疑う．

❷ 便検査

便潜血反応により消化管疾患などを疑う．

❸ 血液一般検査

白血球数（WBC），血液像から炎症所見，ヘマトクリット（Ht）値から脱水の程度を調べる．

❹ 血液生化学検査

CRPにより炎症の有無を鑑別する．

総蛋白（TP），アルブミン，ChEは栄養状態の判定に用いられる．

血糖高値から糖尿病，低血糖では副腎不全などを疑う．

ビリルビン，コレステロール，ALP，γ-GTは肝・胆道疾患，AST，ALTは肝細胞障害，アルブミン，ChE，PT，アンモニア（NH_3）は肝予備能の判定に有用である．また，γ-GTはアルコール多飲のモニタリングになる．

アミラーゼ高値からは膵疾患，UNの上昇は腎機能障害，消化管出血でみられる．

低Na血症，高Ca血症などの電解質異常が，内分泌疾患（副腎不全，副甲状腺クリーゼなど）の診断の手がかりとなる．

甲状腺ホルモンや甲状腺刺激ホルモン（TSH）は甲状腺疾患のスクリーニングとして有用である．

❺ 心電図検査

心疾患，電解質異常を疑う場合に行う．

❻ 腹部単純X線検査

遊離ガスは消化管穿孔，ニボーはイレウスを疑う．腹腔内石灰化（胆石，膵石，尿路結石など）にも留意する．

❼ 腹部超音波およびCT検査

結石，腹水の有無や腹腔内占拠性病変の有無を鑑別する．

❽ 頭部単純X線・CT・MRI検査

頭部外傷，脳内出血，くも膜下出血など，中枢性嘔吐が疑われる場合に有用である．

❾ 妊娠反応検査

妊娠反応陽性の場合，妊娠の可能性が示唆される．

診断確定のために

病歴情報，身体所見，スクリーニング検査の結果に基づき，疾患をかなり絞り込むことができる．しかし，器質性疾患の確定診断を行い，かつ重症度や予後予測までを含めた診断を行うには，さらに臓器系統別診断を加える．

中毒を疑う場合は血中薬物濃度を測定する．

頭部疾患の確定診断

頭部疾患を疑う場合は，頭部CT・MRI検査が有用である．眼底検査でうっ血乳頭を認める場合は，脳圧亢進を疑う．髄膜炎を疑う場合は，髄液検査を考慮する．めまい，耳鳴を伴う場合は耳鼻科的精査，眼痛を伴う場合は眼科的精査も考慮する．

心肺疾患の確定診断

胸部X線，呼吸機能検査，心エコー検査，胸部CT検査などを行う．

腹部疾患の確定診断

触診で腹膜刺激所見を認める場合は急性腹症を疑う．腹部エコー，腹部X線，腹部CT検査などが有用である．

食中毒，感染性腸炎を疑う場合は便培養を行う．

食道・胃・十二指腸疾患の確定診断には上部消化管内視鏡検査を施行する．

ASTやALTの上昇から肝・胆道疾患を疑う場合は，肝炎ウイルスマーカーや胆道系酵素を追加し，鑑別診断を行う．

内分泌疾患の確定診断

各種ホルモンの測定や負荷試験，血液生化学的検査を追加する．

薬物中毒の確定診断

薬物中毒を疑う場合は，薬物の血中濃度を測定する．

その他

除外診断にて，明らかな原因が特定できない場合は，精神的要因を含め検討する．

〈浅香 正博〉

食欲不振
anorexia

食欲不振とは

定義

食欲(appetite)とは，食物を摂取したいという生理的欲求のことである．食欲不振とは，食欲が低下あるいは消失した状態を指す．

類似した症候である早期満腹感(ほんの少量の食物を摂取しただけで満腹感を生じる状態)と恐食症(食欲はあるものの，食物摂取に伴う苦痛を恐れて食物を摂取しない状態)を鑑別しなければならない．早期満腹感は胃容量の減少によって生じ，亜全摘術後の胃や進行胃癌で認められ，恐食症は食道潰瘍や消化管の虚血などで認められる．

患者の訴え方

「食が細くなった」「食べられない」とか，「やせた」「体重が減った」など，訴え方は多彩である．

「お腹がすぐに満腹になる」と訴える場合は早期満腹感を意味し，「食べたいのに食べられない」と訴える場合は恐食症を意味している．

また，こちらから問いかけなければ訴えない場合も多いので注意を要する．

患者が食欲不振を訴える頻度

食欲不振は，実地診療においてしばしば認められる症状の1つである．主訴としての頻度は約3〜5%である．外来患者が食欲不振を訴える頻度は約10%程度である．

症候から原因疾患へ

病態の考え方

食欲不振を引き起こす病態には図1に示すようなものがある．患者が食欲不振を訴える場合，それが生理的要因に起因するのか，病的要因に起因するのか，あるいは食事・環境要因に起因するのかを，まず考える必要がある．

生理的要因にはストレス時(精神・心理的要因)，運動不足，過労・睡眠不足，宿酔や，生殖年齢の女性では妊娠(悪阻)が含まれる．

食事・環境要因には，「食事がおいしくない」「不潔である」といったことや，生活環境が高温・多湿，低酸素状態，工業用薬物(化学物質)曝露が含まれる．

病的要因としては，まず消化器的要因と非消化器的要因に分けて考える．

消化器的要因

消化管の機械的閉塞・通過障害に伴うもの，消化管の粘膜病変に伴うもの，消化管のうっ血によるもの，消化管の運動障害によるもの，腹痛に伴うもの，肝機能障害に伴うものが挙げられる．ほとんどが迷走神経刺激による食欲中枢の抑制によるものと考えられている．

消化管の機械的閉塞・通過障害をきたす原因としては，消化管閉塞をきたす疾患(消化器癌を含む)が考えられる．消化管の粘膜病変をきたすものには上部・下部消化管の疾患が，消化管のうっ血をきたすものには呼吸器・循環器疾患や門脈圧亢進症をきたす疾患が，そして消化管の運動障害をきたすものには機能性ディスペプシアが考えられる．

また腹痛に伴うものとしては，消化管疾患や膵臓・胆道疾患が，肝機能障害をきたすものには肝炎，肝硬変などの肝疾患が考えられる．

非消化器的要因

脳圧亢進状態によるもの，低酸素状態に伴うも

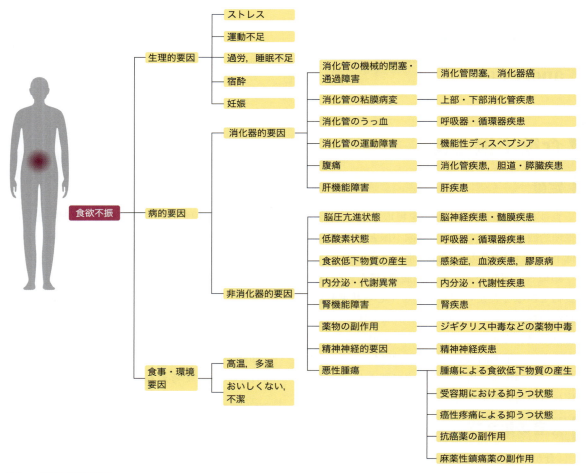

図1 食欲不振の原因

の，食欲低下物質の産生に伴うもの，内分泌・代謝異常によるもの，腎機能障害に伴うもの，薬物の副作用，精神神経的要因，悪性腫瘍によるものが挙げられている．

脳圧亢進によって食欲不振が生じる機序としては，直接的な食欲中枢の障害によるものと考えられ，これには脳神経疾患や髄膜疾患が含まれる．

低酸素状態に伴うものとしては呼吸器・循環器疾患が含まれる．

食欲低下物質としては副腎皮質ホルモン放出ホルモン(CRH)やインターロイキン1(IL-1)，Caがある．食欲低下物質の産生に伴うものとしては感染症，血液疾患，膠原病が，内分泌・代謝異常には内分泌・代謝性疾患が含まれる．腎機能障害が重症になると尿毒症が生じ，食欲不振につながる．

薬物の副作用としては，強心薬であるジギタリス中毒，気管支拡張薬であるアミノフィリン中毒，アルコール依存症，ニコチン中毒や覚醒剤中毒が考えられる．

また，悪性腫瘍による食欲不振の機序としては，腫瘍による食欲低下物質の産生，受容期における抑うつ状態，癌性疼痛による抑うつ状態，抗癌薬の副作用，麻薬性鎮痛薬の副作用によるものがある．

食欲不振をきたす具体的な疾患としては表1に示すようなものがある．

病態・原因疾患の割合

生理的要因の頻度は約10%，食事・環境要因は約5%程度である．病的要因の各頻度とその臨床的重要度を図2に示す．

表1　食欲不振をきたす疾患

生理的要因
- ストレス（苦悩，不安，自信喪失など），運動不足，過労・睡眠不足，宿酔，妊娠

消化器疾患
- 口内炎，舌炎，歯肉炎などの口腔疾患
- 胃食道逆流症，胃炎，胃・十二指腸潰瘍，食道癌，胃癌，十二指腸癌などの上部消化管疾患，機能性ディスペプシア
- 慢性便秘，腸炎（Crohn（クローン）病・潰瘍性大腸炎を含む），腸狭窄，大腸癌などの下部消化管疾患
- 肝炎，肝硬変，肝癌などの肝疾患
- 胆道炎，胆石，胆道癌などの胆道疾患
- 膵炎，膵癌などの膵臓疾患
- 腹膜炎などの腹膜疾患

呼吸器疾患
- 気管支喘息，肺気腫，肺癌など

循環器疾患
- うっ血性心不全，心筋梗塞など

脳神経疾患
- 脳出血，脳炎，脳腫瘍，頭部外傷，髄膜炎，Parkinson（パーキンソン）病など

感染症
- 病原性大腸菌，黄色ブドウ球菌，サルモネラ菌などの食中毒疾患
- 結核，非結核性抗酸菌，チフス菌などの細菌性疾患
- インフルエンザ，伝染性単核球症などのウイルス性疾患
- アスペルギルス，カンジダなどの真菌性疾患

膠原病
- 全身性エリテマトーデス，全身性硬化症（強皮症）など

血液疾患
- 悪性貧血，白血病，悪性リンパ腫など

内分泌疾患
- 甲状腺クリーゼ，甲状腺機能低下症，Addison（アジソン）病，Simmonds（シモンズ）病，副甲状腺機能亢進症など

代謝疾患
- 糖尿病性ケトアシドーシス，ビタミン欠乏症，微量元素欠乏症，Fanconi（ファンコニ）症候群など

腎疾患
- 腎炎，腎不全（尿毒症）など

精神疾患
- 神経性食思不振症
- うつ病（仮面うつ病）
- 統合失調症
- 神経症
- アルコール依存症

悪性腫瘍

薬物副作用
- アルコール中毒，ニコチン中毒
- ジギタリス・アミノフィリン中毒
- 抗癌薬の副作用
- 覚醒剤中毒
- 工業用薬物中毒

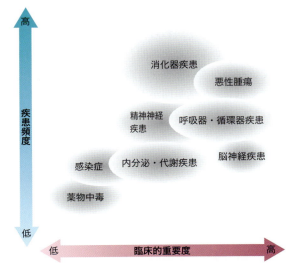

図2　疾患の頻度と臨床的重要度

診断の進め方

診断の進め方のポイント

- 第一に，食欲不振に類似した症候である早期満腹感や恐食症を区別する必要がある．
- 食欲不振はなんらかの疾患の特異的な症候というよりも，すべての疾患に共通な一般的な症候である．
- 食欲不振のみが単独の症状として現れることは少なく，その他の症状・所見を伴っていることが多い．しかし，高齢者では食欲不振のみで受診することも多い．
- 高齢者では義歯不適合の有無を忘れずに鑑別する．
- 若年女性で，著しいいそうを示す場合，神経性食思不振症を念頭におく．
- 生殖年齢の女性では妊娠を必ず確認する必要が

表2 医療面接のポイント

はじめに
- 早期満腹感と恐食症でないことを確認する
- 高齢者では，義歯不適合の有無を確認する
- 生殖年齢の女性では，妊娠の可能性を確認する

経過
- 食物の種類：食べられないものはすべての食物なのか，特定の食物なのか，液状物なのか，固形物なのか
- 食欲不振の程度：全く食べられないのか，少しは食べられるのか
- 体重減少の程度と経過：急激に始まったのか，徐々に始まったのか，進行中なのか，一時的なのか

誘因
- 食欲不振を生じる契機はなかったか（精神・心理的要因，過労・睡眠不足，運動不足など）

合併症
- 他疾患の合併の有無を確認する

随伴症状の有無と内容
- 腹部膨満，嚥下困難，悪心・嘔吐，腹痛，背痛，下痢・便秘，血便・タール便，黄疸などの消化器症状の有無を確認する
- 動悸・息切れ，咳嗽，喀痰，浮腫，全身倦怠感などの症状の有無を確認する
- 頭痛・めまいなどの脳圧亢進症状の有無を確認する
- 発熱の有無を確認する
- 不眠，幻覚，幻聴などの精神症状の有無を確認する

嗜好品・常用薬
- アルコール量，タバコの本数や喫煙年数を確認する
- 常用薬の内服の有無を確認する

生活歴
- 生活の不規則さ，肉体的過労，睡眠不足，運動時間などの生活パターンを確認する
- 1日の過ごし方を確認する

職業歴
- 高温・多湿，低酸素状態，工業用薬物曝露などの作業環境を確認する

ある．本人申告の「妊娠の可能性はない」「生理は終わったばかり」などというのは，あてにならないことがあり，疑いが強いときには妊娠反応を調べるべきである．

医療面接（表2）

食欲不振を患者が訴えたときには，「一応は残さずに食べられますか」と念のために聞いてみるべきである．「空腹感がない」ことを「食欲がない」と勘違いしている可能性があるからである．脳血管疾患などのために意思表示が困難な場合，家族が「食べなくなった」「食が細くなった」と訴えることも少なくない．

食欲不振は患者の訴えとして最も多いものの1つであり，それだけに診断的価値に乏しく，その原因の決定は容易ではない．このため，合併症の有無，随伴症状の有無，飲酒量や喫煙量，常用薬物の有無，生活歴や職業歴の情報の診断的価値が高くなる．

食欲不振の直接的な影響は，体重の変化に現れる．体重減少が期間をかけてゆるやかに現れる場合には，細胞原形質量あるいは脂肪組織の減少が示唆されるが，短期間での急激な体重減少は，主として細胞外液の減少を意味することが多い．

生理的要因は誘因の有無，生活歴によって鑑別でき，環境要因は職業歴から鑑別できる．

病的要因に関しては，まず消化器症状の有無によって，消化器的要因か，非消化器的要因かを鑑別する．

随伴症状によって原因疾患を絞り込んでいく．仮面うつ病では，食欲不振と不眠が前景に出て，うつ気分などの精神症状が隠れていることがある．統合失調症では「毒が入っている」といったような妄想に基づいて，食欲がないわけではないのに拒食することがある．神経性食思不振症では，高度のやせにもかかわらず，精神的には活発であり，やせていることを病的とはみなさず，わがままで依存心が強い態度を，両親，特に母親に対して強く示し，生活範囲が両親との接触のみに狭められているという特徴がある．

身体診察（表3）

貧血の有無，黄疸・アンモニア臭の有無，腹部の触診・聴診によって消化器疾患を鑑別する．

血圧，脈拍・リズム，心肥大や心音，下腿の浮腫の有無，呼吸音，チアノーゼの有無によって呼吸器・循環器疾患を鑑別する．

神経症状の有無によって脳神経疾患を鑑別する．

体温や表在リンパ節の有無によって感染症を鑑別する．

表3 身体診察のポイント

バイタルサイン
- 体温：感染症や内分泌疾患を鑑別する
- 血圧，脈拍・リズム：循環器疾患を鑑別する

全身状態
- 栄養状態(体重)：食欲不振，るいそうの程度を判断する
- 皮膚：ツルゴール(turgor)により脱水の程度を観察する
- 貧血の有無：消化管疾患，血液疾患を鑑別する
- 黄疸・アンモニア臭の有無：肝・胆道疾患を鑑別する
- 乳房の萎縮や恥毛の減少の有無：下垂体疾患を鑑別する
- 体表リンパ節腫大の有無：悪性腫瘍や感染症を鑑別する

頭頸部
- 頭部：外傷，打撲の有無を確認する
- 顔貌，表情：精神疾患では特徴的な表情を認めることがある
- 口腔内所見：口腔内疾患を鑑別する
- 結膜：貧血，黄疸の有無を確認する
- 瞳孔，眼振：脳神経系疾患の可能性を確認する
- 甲状腺の触診：甲状腺疾患を鑑別する
- リンパ節の触診：リンパ節腫脹を確認する
- 項部硬直の有無を確認する

胸部
- 呼吸音：呼吸器疾患を鑑別する
- 心肥大や心音：循環器疾患を鑑別する

腹部
- 腹部の圧痛の有無：部位と程度によって消化器疾患を鑑別する
- 腹部の触診：肝脾腫の有無，腹部膨隆や腹腔内腫瘍の有無を鑑別する
- 腹部の聴診：腸蠕動音によって腹膜疾患を鑑別する

四肢
- 下腿浮腫の有無：循環器・腎・肝疾患を鑑別する
- チアノーゼの有無：呼吸器・循環器疾患を鑑別する
- 羽ばたき振戦の有無：肝性脳症を鑑別する

神経系
- 髄膜刺激症状，反射の亢進・低下，感覚の鈍麻，乳頭浮腫の有無を確認する

診断のターニングポイント(図3)

医療面接と身体診察を総合して考える点

- **(確定診断)** 生理的要因，食事・環境要因は，医療面接によって診断をつけられることが多い．また，精神神経疾患は，医療面接と身体診察で診断をつけられることが多い．
- 食欲不振の随伴症状に注意する．

◆ 消化器症状，貧血(皮膚・粘膜の蒼白)，腹部所見 → 消化器疾患

◆ 全身倦怠感，黄疸，アンモニア臭，女性化乳房，肝脾腫，腹壁静脈怒張，羽ばたき振戦 → 肝疾患

◆ 動悸，息切れ，咳嗽，浮腫，全身倦怠感，呼吸音異常，心肥大，心音異常 → 呼吸器・循環器疾患(ジギタリス中毒，アミノフィリン中毒も念頭におく)

◆ 浮腫，腎疾患 → 尿毒症

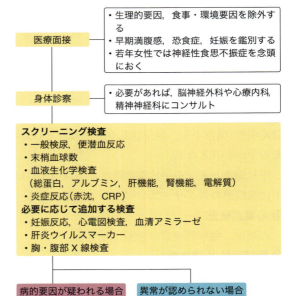

図3 食欲不振の診断の進め方

必要なスクリーニング検査

❶ 尿検査
尿糖から糖尿病，蛋白，潜血や尿沈渣で円柱がみられれば腎疾患を，ケトン体からケトアシドーシス，ウロビリノゲンから肝疾患，ビリルビンから胆道疾患を疑う．

❷ 便検査
便潜血反応により消化管疾患を疑う．

❸ 血液一般検査
白血球数(WBC)，血液像から炎症所見，ヘマトクリット(Ht)値から脱水の程度を調べる．

❹ 血液生化学検査
CRPにより炎症の有無を鑑別する．

総蛋白(TP)，アルブミン，ChEは栄養状態の判定に用いられる．血糖高値から糖尿病，低血糖では副腎不全などを疑う．ビリルビン，コレステロール，ALP，γ-GTは肝・胆道疾患，AST，ALTは肝細胞障害，アルブミン，ChE，PT，アンモニア(NH_3)は肝予備能の判定に有用である．また，γ-GTはアルコール多飲のモニタリングになる．

アミラーゼ高値は膵疾患，UNの上昇は腎機能障害や消化管出血でみられる．

低Na血症，高Ca血症などの電解質異常は，内分泌疾患(副腎不全，副甲状腺クリーゼなど)の診断の手がかりとなる．

甲状腺ホルモンや甲状腺刺激ホルモン(TSH)は甲状腺疾患のスクリーニングとして有用である．

❺ 心電図検査
心疾患，電解質異常の診断に役立つ．

❻ 腹部単純X線検査
遊離ガスは消化管穿孔，ニボーはイレウスを疑う．腹腔内石灰化(胆石，膵石，尿路結石など)にも留意する．

❼ 腹部超音波検査
結石，腹水の有無や腹腔内占拠性病変の有無を鑑別する．

❽ 頭部単純X線・CT・MRI検査
頭部外傷，脳内出血，くも膜下出血など，中枢性嘔吐が疑われる場合に有用である．

❾ 妊娠反応検査
妊娠反応陽性の場合，妊娠の可能性が示唆される．

診断確定のために

病歴情報，身体所見，スクリーニング検査の結果によって，食欲不振をきたす疾患をかなり絞り込むことができる．

しかし，器質性疾患の確定診断を行い，重症度や予後予測までを含めた診断を行うには，さらに臓器系統別検査が必要である．

消化器疾患の確定診断

消化管疾患では，腹部膨満，嚥下困難，悪心・嘔吐，腹痛，背痛，下痢・便秘，血便・タール便などの症状や，腹部の圧痛や腹部腫瘤などの腹部所見，貧血，便潜血反応陽性，腹部X線検査での異常腸管ガス像が認められることが多い．確定診断は上部・下部消化管内視鏡検査，消化管X線造影検査によって行う．

肝疾患では，黄疸，全身倦怠感，腹部膨満などの消化器症状や，肝脾腫，アンモニア臭や羽ばたき振戦などの所見，肝機能障害，肝炎ウイルス陽性所見が認められることが多い．確定診断は腹部超音波検査，CT・MRI検査，肝生検などによって行う．

膵・胆道疾患では，黄疸，腹痛，背痛などの症状，腹部の圧痛や腹部腫瘤などの腹部所見，血清・尿アミラーゼ値の上昇，胆道系酵素の上昇が認められる．確定診断は，腹部超音波検査，CT・MRI検査や超音波内視鏡検査(EUS)，管腔内超音波検査(IDUS)，内視鏡的逆行性膵胆管造影検査(ERCP)などによって行う．

腹膜疾患では，消化管穿孔や悪性腫瘍の末期にみられる．確定診断は腹部エコー，CT検査，腹水穿刺などによって行う．

脳神経疾患の確定診断

脳神経疾患では，頭痛，悪心・嘔吐，めまい，麻痺などの神経症状や，髄膜刺激所見，反射の亢進・低下，知覚の鈍麻，乳頭浮腫などの所見が認

められることが多い．確定診断は頭部 CT・MRI 検査，髄液穿刺などによって行う．

呼吸器疾患の確定診断

呼吸器疾患では，動悸，息切れ，咳嗽，喀痰，喘鳴などの呼吸器症状や，呼吸音の異常，チアノーゼ，低酸素血症などの所見や胸部 X 線異常が認められることが多い．確定診断は動脈血血液ガス分析，胸部 CT・MRI 検査，気管支鏡検査，喀痰細胞診などによって行う．

循環器疾患の確定診断

循環器疾患では，動悸，息切れ，咳嗽，喀痰，浮腫，全身倦怠感などの循環器症状や，心肥大や心雑音，心電図異常などの所見や胸部 X 線異常が認められることが多い．確定診断は心エコー検査，Holter（ホルター）心電図，冠動脈造影検査などによって行う．

感染症の確定診断

呼吸器感染症では，喀痰培養（抗酸菌培養を含む），各種血清抗体の測定によって行う．

尿路感染症では尿培養を行い，肝・胆道感染症ではエコーガイド下膿瘍穿刺，胆道ドレナージによる膿瘍液培養，胆汁培養を行って確定診断する．消化管感染症（食中毒を含む）では便培養を行って確定診断する．

膠原病の確定診断

膠原病では，発熱，関節痛などの症状や，炎症反応（赤沈亢進，CRP 上昇）が認められることが多い．確定診断は血清反応〔免疫グロブリン，抗ストレプトリジン O 抗体（ASO），リウマチ因子（RF），補体，LE 細胞，抗核抗体（ANA），抗 DNA 抗体など〕，ツベルクリン反応などの皮膚反応，生検（皮膚，筋，血管，リンパ節，小唾液腺，肝，腎）や血清筋原酵素測定，筋電図，Schirmer（シルマー）試験などによって行う．

血液疾患の確定診断

血液疾患では，発熱，全身倦怠感などの症状や，赤血球数（RBC）・ヘモグロビン（Hb）の異常，WBC の異常，血小板数の異常が認められることが多い．確定診断は，骨髄検査，骨髄生検，染色体検査，血清鉄，鉄結合能，フェリチン，ビタミン B_{12}，葉酸，間接ビリルビン，ハプトグロビン（Hp），Coombs（クームス）試験などで行う．

内分泌疾患の確定診断

内分泌疾患では，動悸・息切れや全身倦怠感などの症状，甲状腺腫大，乳房の萎縮や恥毛の減少などの症状が認められることが多い．確定診断は各種ホルモン検査などによって行う．

代謝疾患の確定診断

代謝疾患では，血糖値の異常，血清・尿電解質の異常，血清尿酸の異常などが認められることが多い．確定診断もこれらの血液検査などによって行う．

腎疾患の確定診断

腎疾患では，動悸，息切れ，浮腫，全身倦怠感などの症状や尿量減少，下腿浮腫，腎機能障害などの所見が認められる．確定診断は 24 時間 C_{cr} や腎シンチグラフィー，腎生検などによる．

精神神経疾患の確定診断

神経性食思不振症では，①著明なやせ（標準体重 20〜30％ 以上の減少），②器質性疾患がない，③体質的，一時的なやせではないが，特徴的な臨床像である．

身体症状としては，著明なやせ，無月経もしばしば認められる．消化器症状としては，頑固な便秘，胃部膨満感，悪心・嘔吐がある．顔面，四肢，背部にはうぶ毛が密生することがある．恥毛，腋毛は一般によく保たれるが，重症になると脱落することがある．乳房は萎縮することはないが，外性器の萎縮や子宮発育不全が半数にみられる．

血圧は一般に低く，徐脈，低体温を示し，軽度の貧血がみられることがある．甲状腺機能は低下していることが多く，基礎代謝率の低下が著しい．下垂体や副腎皮質機能は，一般に正常ないし軽度

な低下を示すにとどまる．

精神症状としては，自発的に高度の食事制限を行ったり，無理に食べるように説得すると，食物を捨てたり，隠したり，意識的に吐き出したり，下剤を用いたりする．高度のやせにもかかわらず，精神的には活発であり，家事その他に没頭し，日常生活全般に自分独自の規則を設けて，これに干渉されると反抗する．わがままで依存心が強いという態度を，両親，特に母親に対して強く示し，生活範囲が両親との接触のみに狭められる．やせていることを異常と認めず，やせ衰えた容姿を正常とみなす．

確定診断のためには心療内科や精神神経科にコンサルトする．

うつ病や統合失調症が疑われる場合は，確定診断のために，精神科にコンサルトすることが必要である．

薬物中毒の確定診断

呼吸器疾患合併例ではアミノフィリン中毒を，循環器疾患合併例ではジギタリス中毒を念頭におくことが，診断するうえでのコツである．確定診断のためには各種薬物の血中濃度の測定を行う．

悪性腫瘍の確定診断

頭頸部腫瘍は脳神経外科や耳鼻科に，乳癌は外科に，消化器癌は内科に，悪性リンパ腫は血液内科に，皮膚癌は皮膚科に，婦人科腫瘍は婦人科にコンサルトする．

〈浅香 正博〉

胸やけ・げっぷ
heartburn/eructation, belching, ructus

胸やけ・げっぷとは

定義

胸やけとは，胸骨下部の背面あるいは心窩部の上部に感じる灼熱感である．

げっぷとは，噯気，おくびと同義語で，胃の中にたまったガスが口外に出たものである．

患者の訴え方

胸やけという言葉は，医学用語のなかでは比較的一般的に使用される言葉であり，またそれが上部消化管に関係する症状であることも広く知られている．したがって，具体的な症状よりも，「胸やけがする」の一言で済ませてしまう患者が多い．医療面接では，胸やけが前述の状態と合致するものであるかを明らかにする必要がある．

「胸が灼ける感じ」「酸っぱいものがこみ上がってくる感じ」とも訴えられ，食後や臥位によって増悪する場合が多い．

げっぷも一般的に使用される言葉で，げっぷが出ること自体は日常的なことであり，それが単独で訴えられることは少ない．げっぷは，それが頻回に起こる場合，あるいは胸やけやこみ上げてくる感じと同時に発生する症状として訴えられる．

患者が胸やけを訴える頻度

胸やけを自覚症状とする疾患で最も多いのは逆流性食道炎であるが，逆流性食道炎でも軽度の場合では自覚症状がない場合もある．

症候から原因疾患へ

病態の考え方 図1

胸やけの病態は単純ではなく，さまざまな因子が組み合わさって生じる食道粘膜の刺激および運動障害と考えられている．

従来，胃酸を含んだ胃内容物が，食道に逆流することによる食道下部粘膜の刺激症状が胸やけの機序と考えられてきた．しかし，明らかな酸逆流がなくても胸やけは生じることがわかっており，十二指腸液の逆流や食道粘膜の感受性の亢進などが機序として考えられている．

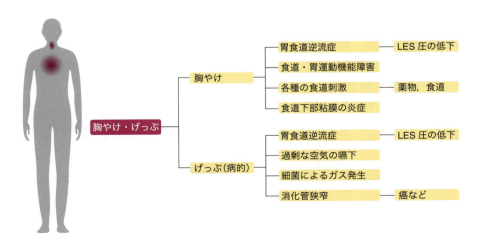

図1　胸やけ・げっぷの原因

表1 胸やけ，げっぷをきたす疾患

器質性疾患
- 逆流性食道炎
- 食道炎
- 食道裂孔ヘルニア
- 食道アカラシア
- 胃・十二指腸潰瘍
- 急性胃粘膜傷害
- 慢性胃炎
- 幽門狭窄
- 食道癌
- 胃癌
- 胃全摘後

機能性疾患
- LES圧の低下
- 過酸症
- 直接粘膜刺激(食物，薬物)
- 空気嚥下症
- 食道痙攣
- 腹腔内圧の上昇
- 食物過剰摂取
- 機能性ディスペプシア(functional dyspepsia; FD)
- 精神的ストレス

表2 LES圧低下の原因

非特異性
- 逆流性食道炎

膠原病
- 強皮症，混合性結合組織病：蠕動運動の低下

内分泌性
- 妊娠：エストロゲン，プロゲステロン上昇(腹圧上昇も関与)

医原性
- 薬物：経口避妊薬(プロゲステロン含有)，Ca拮抗薬，テオフィリン
- 外科手術後：胃全摘術後(LESの切除)

食物，嗜好品
- コーヒー，チョコレート，タバコ，アルコール，香辛料

胃内容物の食道への逆流は，食道・胃の消化管運動機能の異常ととらえることができる．下部食道括約筋(lower esophageal sphincter; LES)により，胃内容の食道への逆流防止機構が存在する．しかし，その障害，すなわちLES圧の低下によって病的逆流が生じる．胃内容の停滞，胃運動の亢進，腹腔内圧の亢進も胃食道逆流(gastroesophageal reflux; GER)の原因となる．

さらに，食道粘膜傷害の発生においても，消化管運動機能異常が関与している．健常者でも胃食道逆流はみられ，食道の蠕動運動により速やかに逆流液は胃へと移動する．胃・食道蠕動運動に異常があり，酸クリアランスが低下すると食道粘膜傷害が生じる．すなわち，"胸やけ"とは消化管運動機能の異常に伴う症状であるといえる．

このような病態を生じる疾患として，表1に示すように器質性疾患として胃・食道病変が挙げられる．それらが除外された場合，機能性疾患も考慮に入れなければならない．LES圧の低下が関与している場合がほとんどであり，その原因を表2に示す．食道痙攣によるもの，薬物・食物による食道粘膜の直接傷害によるものなどは，LES圧の関与がなくても起こりうる．

胸やけと同様，げっぷの原因についても図1に示す．原因の大部分は，LES圧の低下に伴って胃内のガスが食道を通って口腔内に上昇し，排出される状態である．

LES圧の低下は，胸やけの原因の1つであり，げっぷも一連の症状である．LES圧の低下により胃内容が食道へ逆流する際に生じる，胃内から食道，口腔を通じた口外へのガスの排出がげっぷである．したがって，この2者の病態および疾患は深く関連している．

病態・原因疾患の割合

機能性疾患〔機能性ディスペプシア(FD)〕が最も多く，逆流性食道炎，食道裂孔ヘルニア，消化性潰瘍(胃・十二指腸潰瘍)がそれに続く．悪性腫瘍(食道癌，胃癌)は頻度としては少ないが，鑑別のうえで重要である．

病態・原因疾患の頻度とその臨床的重要度を図2に示す．

診断の進め方

診断の進め方のポイント

- 胸やけとげっぷの原因は上部消化管疾患と考えてほぼ間違いない．
- ただし，胸やけは，狭心痛に代表される胸痛と

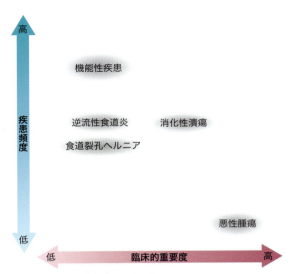

図2 疾患の頻度と臨床的重要度

の鑑別が非常に重要である．
- 胸痛が否定されたのちは，上部消化管疾患を念頭において鑑別を進めていく．
- 頻度は高くないが，悪性腫瘍の存在は重要であり，全身状態にも十分注意を払う必要がある．

医療面接(表3)

　胸やけが，循環器・呼吸器疾患によって生じる胸痛でないことを鑑別するために，症状の性状と発生時の状況について医療面接を行う．性状は灼けるようであったか，圧迫されるようであったか確認する．また，症状の発生は安静時か労作時なのか，それぞれの発生頻度，1日における好発時間帯，あるいは食事との関係はどうかという点について詳しく聴取する．食事の時間，食後の体位もチェックする必要がある．

　さらに，上部消化管疾患に関連した事項について詳しく聴取を行っていく．鑑別疾患のなかには悪性疾患も含まれているので，全身症状についても聴取する必要がある．また，ストレスの有無など，心理的な事項についても注意深く聴取する．

身体診察(表4)

　上部消化管疾患に関連した部位について詳しく診察を行うとともに，全身の状態についても把握することが必要である．

表3　医療面接のポイント

経過
- 以前から上部消化管疾患が指摘されていないかどうか
- 妊娠の可能性はないかどうか

誘因
- 労作時，安静時との関係はあるか(狭心痛との鑑別)
- 食後であるか，食事の内容と関係があるか
- ストレスがあったかどうか

全身症状の有無と内容
- 食欲低下，体重減少があるかどうか
- 腹痛，悪心・嘔吐を伴っていないかどうか
- 嚥下困難を伴っていないかどうか

生活歴
- 食生活について確認する

嗜好品，常用薬
- アルコール摂取や喫煙の状況，常用薬の有無を確認する
- 頻回に摂取する食物があるかどうか確認する

胸部打聴診も行い，心肺疾患を診察する．体重，皮膚所見，表在リンパ節の腫脹の有無，腹部膨隆，圧痛，腫瘤についてチェックする．

診断のターニングポイント

医療面接と身体診察を総合して考える点

- (確定診断)胸やけ，げっぷの症状が食後や就寝中に強く現れる場合は，胃食道逆流症を強く疑い，上部消化管検査を行う．
- (確定診断)胸やけが，圧迫されたりしめつけられるような症状で，労作時に発症するのであれば狭心症を強く疑い，上部消化管検査に優先して，胸部X線検査，心電図検査を行う．
- 胸やけ，げっぷの場合，医療面接と身体診察だけで除外できる疾患はほとんどない．ストレス，習慣的な空気嚥下などがあれば，機能性疾患，空気嚥下症の可能性が考えられる．ただし，心身症的な訴えの患者でも，器質性疾患が存在している場合もあり，基本的には内視鏡とX線による検査が必要であり，それによって確定診断となる場合が多い．

必要なスクリーニング検査

　スクリーニングとしては，可能なかぎり上部消

表4　身体診察のポイント

全身状態
- 悪性腫瘍による体重減少の有無を確認する
- 表在リンパ節の腫脹の有無について確認する
- 皮膚の色調などを観察する

頭頸部
- 結膜：貧血の有無を確認する

胸部
- 打診・聴診で心肺疾患を診察する

腹部
- 視診，触診で心窩部を含めた腹部全体の膨隆，圧痛，腫瘤の有無を確認する

化管X線検査と上部消化管内視鏡検査を施行する（図3）．この検査で上部消化管疾患のほとんどの診断が可能である．

ただし，妊娠の可能性がある場合には，未確認のままX線検査を行ってはならない．妊娠初期のX線被曝を避けるためである．内視鏡検査は，この場合スクリーニング検査にて確定診断が可能な検査である．

❶ 上部消化管内視鏡検査

炎症，潰瘍，癌などの病変の有無およびその範囲を確認するだけでなく，胃・食道への胆汁の逆流，食道への胃液の逆流の状況なども観察する．

❷ 上部消化管X線造影検査

透視下において造影剤の流れ，特に逆流，停滞の有無，食道・胃の拡張・狭窄などの形態の変化の有無についても確認する．

❸ 腹部単純X線検査

空気嚥下症を疑う場合に実施し，上部消化管のガス像が増加しているかどうかを確認する．

診断確定のために

医療面接，身体診察，スクリーニング検査の結果から，ほぼ診断は可能である．しかし，個々の疾患の詳細な評価のために，以下のような検査が必要である．

食道疾患の確定診断

逆流性を含めた食道炎，食道裂孔ヘルニア，食道癌は，内視鏡検査で診断可能である．食道癌の場合は，組織型の確認のために内視鏡下生検，深

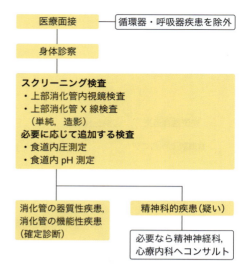

図3　胸やけ・げっぷの診断の進め方

達度診断のために超音波内視鏡を行う．

食道アカラシア，食道痙攣は，内視鏡検査に加えてバリウム造影X線検査が有用である．

機能的なLES圧の低下は，食道内圧測定，24時間pH測定で確認する．

胃疾患の確定診断

胃炎，胃潰瘍，胃癌は，内視鏡検査によって診断できる．食道癌の場合と同様に，組織型の確認のため内視鏡下生検，深達度診断のため超音波内視鏡を行う．

FDの確定診断

FDの診断は除外診断であり，さまざまな病態が含まれる．胸やけを主訴とする器質性疾患が存在せず，LES圧の低下による胃食道逆流が生じている病態は，FDとオーバーラップしているといってよいであろう．

精神科的な疾患の確定診断

ストレスによって生じる上部消化管症状や空気嚥下症は，注意深い医療面接，内視鏡検査，X線検査を施行して消化管の疾患がないことを確認したのちに，精神科，心療内科へ紹介し，相談するのが望ましい．

〈浅香 正博〉

口渇
thirst

口渇とは

定義

"真の口渇"とは，血漿浸透圧（P_{osm}）の上昇や循環血液量の減少により，視床下部の口渇中枢が刺激されることによって生じる水または飲料摂取に対する欲求であり，体液恒常性の維持に重要な生理的症候である．

一方，口腔粘膜の乾燥や唾液分泌の低下によっても同様の訴えを生じることがある（口腔内乾燥感）．

患者の訴え方

真の口渇感の場合，患者は「喉が渇く」などと訴える．一方，口腔内乾燥感による場合は「口が渇く」などと訴えることが多い．

患者が口渇を訴える頻度

正確な頻度は不明であるが，脱水（特に水欠乏症あるいは高張性脱水），糖尿病など日常診療で多く経験する疾患において，しばしばみられる症候であるため，その頻度はきわめて高い．

症候から原因疾患へ

病態の考え方

患者が口渇を訴える場合，それが口渇中枢を介して生じた真の口渇なのか，口腔内乾燥感としての訴えなのかをまず考える．

真の口渇の場合，水分摂取の不足，体液の喪失，血管外への体液移動などにより，循環血液量の減少や P_{osm} の上昇をきたした結果，口渇を生じたものと，口渇中枢そのものの機能性・器質性異常によるものとがある．

一方，口腔内乾燥感は，口腔粘膜の乾燥によるものと，唾液腺からの唾液分泌の低下によるものがある．

これらを引き起こす病態としては図1に示すようなものがあり，その原因疾患として主なものを表1に示す．

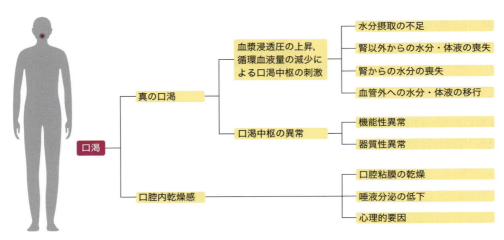

図1　口渇の原因

表1 口渇をきたす疾患

真の口渇
- 水分摂取の不足
  - 慢性消耗性疾患による食欲不振
  - 消化管疾患，神経筋疾患による嚥下困難
- 腎以外からの水分・体液の喪失
  - 発熱，発汗，嘔吐，下痢，出血，熱傷
- 腎からの水分の喪失
  - 浸透圧利尿：糖尿病，高張液や造影剤の輸液など
  - 腎濃縮力低下：尿崩症，慢性腎不全，低K血症，高Ca血症
  - 利尿薬の服用
- 血管外への水分・体液の移行
  - うっ血性心不全，ネフローゼ症候群，肝硬変
- 口渇中枢の機能性異常
  - 心因性多飲症
- 口渇中枢の器質性異常
  - 視床下部付近の腫瘍，炎症，外傷

口腔内乾燥感
- 口腔粘膜乾燥
  - 鼻閉による口呼吸
- 唾液分泌の低下
  - 薬物，Sjögren（シェーグレン）症候群，加齢
- 心理的要因

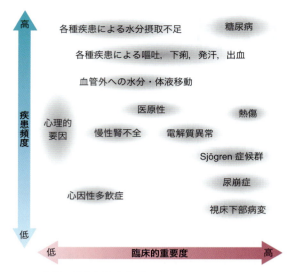

図2 疾患の頻度と臨床的重要度

病態・原因疾患の割合

真の口渇が主訴である場合，その原因疾患の多くを糖尿病が占めている．

一方，日常診療においては食欲不振，発熱，発汗，嘔吐，下痢，出血など，脱水によって循環血液量の減少や P_{osm} の上昇を生じる病態がきわめて多い．このような場合では，原疾患に基づく症状のほかに口渇を訴えることが多い．

うっ血性心不全，ネフローゼ症候群，肝硬変などでは，浮腫，胸水貯留，腹水貯留など，血管外への水分・体液移動により有効循環血液量が減少していることが多く，患者はしばしば口渇を自覚する．

口渇中枢の異常が口渇の原因である頻度は少ないが，視床下部付近の腫瘍，炎症が原因となることがあり，見落とさないように注意が必要である．

口腔内乾燥感は，口呼吸などに伴う口粘膜の乾燥や，抗コリン作用を有する薬物の服用による唾液分泌の低下によることが多い．また，膠原病患者が口腔内乾燥感を訴えた場合には，Sjögren症候群を合併していることが多い．

病態・原因疾患の頻度とその臨床的重要度を図2に示す．

診断の進め方

診断の進め方のポイント

- 口渇の訴えが，真の口渇なのか，口腔内乾燥感なのかを判断することがまず大切である．
- 真の口渇の場合には，P_{osm} の上昇や有効循環血液量の減少をきたす背景の有無，尿量（多尿か乏尿か），尿比重などの所見をもとに鑑別診断を進める．
- 真の口渇をきたす疾患の1つである糖尿病は，初発時に口渇以外の自覚症状や身体所見に乏しいことがあるため，見落とさないように特に注意する．
- 口腔内乾燥感の場合は，Sjögren症候群を念頭におくことと，常用薬との関連が重要である．

医療面接(表2)

真の口渇では，水分の摂取不足，あるいは発熱，発汗，嘔吐，下痢，出血，重度熱傷などによる体

表2 医療面接のポイント

経過
- いつから，どの程度の口渇があるのか
- 急に起こったのか，慢性的なものなのか
- 日内変動はないか

全身症状の有無と内容
- 食欲不振，嚥下困難など，水分摂取不足をきたす背景の有無をみる
- 嘔吐，下痢，発汗，出血など，水分・体液の喪失をきたす背景の有無をみる
- 尿量の減少，あるいは増加はないか
- 多飲の有無をみる
- 唾液分泌の低下，関節痛，Raynaud（レイノー）現象，眼乾燥症状の有無をみる

嗜好品，常用薬
- 抗不整脈薬，抗精神病薬，抗うつ薬などの服用の有無を確認する
- 薬物の服用開始時期と口渇の出現時期との関係を確認する

表3 身体診察のポイント

バイタルサイン
- 座位あるいは立位での血圧低下，頻脈，発熱の有無をみる

全身状態
- 皮膚の乾燥，弾力（ツルゴール）の低下の有無をみる
- 発汗の状態を確認する
- 体重減少の有無をみる
- 尿量の変化の有無をみる

頭頸部
- 顔面の浮腫の有無をみる
- 結膜：貧血，黄疸の有無をみる
- 口腔粘膜・舌の乾燥の有無をみる
- Sjögren症候群の所見の有無をみる
  - 口腔粘膜が赤色すりガラス様
  - 舌が赤色で数条の深い溝があり，舌苔の付着がない
  - 耳下腺・顎下腺の腫脹・圧痛，う歯の多発
- 頸静脈の虚脱の有無をみる

体幹
- 浮腫の有無をみる

胸部
- 打診，聴診で心疾患，胸水貯留の有無を診察する

腹部
- 触診で腫瘤，肝疾患，腹水貯留の有無を診察する

四肢
- 浮腫の有無をみる
- 末梢静脈の虚脱の有無をみる

神経系
- 筋力低下，筋萎縮，腱反射，病的反射，不随意運動，髄膜刺激症状などを診察し，神経疾患の有無を評価する

外への水分・体液の喪失など，脱水（特に水分欠乏性脱水・高張性脱水）をきたす背景について病歴を聴取するとともに，尿量の変化（乏尿か，多尿か）を確認する．さらに，多飲の有無について，また，口渇がいつから起こったものか，どの程度のものか，急に起こったものなのか，慢性的に続いているものなのか，日内変動はないかなどについても聴取する．

口腔内乾燥感と考えられる場合は，唾液分泌の低下について確認する必要がある．ただし，「唾液が出ない」という訴えは比較的少なく，「パンなどの乾いた食物を食べにくい」「食物の摂取時に多くの水分を必要とする」「口が渋い・苦い」などと訴えることが多い．この場合，Sjögren症候群を見落とさないために，乾燥症候群としての他の症状（たとえば，眼乾燥による眼の異物感，疼痛など）や，関節痛，Raynaud現象のような膠原病の随伴症状の有無について聴取することが重要である．

また，常用薬〔特にジソピラミド（DSP）などの抗不整脈薬，抗精神病薬，抗うつ薬〕の有無について尋ね，常用薬がある場合は，服用の開始時期と症状の出現時期との関連を聴取する．

身体診察（表3）

真の口渇では，脱水に伴う口腔粘膜・舌の乾燥所見や細胞外液量の減少による血圧の低下（特に座位あるいは立位での），頻脈，皮膚弾力の低下（ツルゴールの低下），頸静脈や表在静脈の虚脱所見，体重減少などについて診察する．また，顔面，体幹（長期臥床患者では特に背部），四肢（特に下腿）における浮腫の存在や，胸水・腹水の貯留など，血管外への水分・体液の移動の有無について診察する．

口腔内乾燥感では口腔粘膜や舌の変化，耳下腺，顎下腺の腫脹・圧痛の有無，う歯の有無など，Sjögren症候群でしばしばみられる所見について診察する．

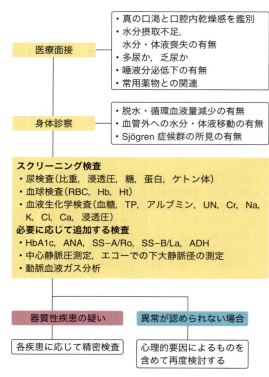

図3 口渇の診断の進め方

診断のターニングポイント(図3)

医療面接と身体診察を総合して考える点

- 病歴情報から脱水をきたす背景があり，口腔粘膜・舌の乾燥症状や循環血液量の減少を示す身体所見がみられ，乏尿である場合は，水分摂取不足や腎以外からの水分・体液の喪失による口渇が最も考えられる．このような場合に，浮腫や胸水・腹水貯留がみられれば，血管外への水分・体液移動による口渇も考えておく必要がある．
- 多尿がみられる場合は，糖尿病や高張液(高カロリー輸液，高張食塩水，D-マンニトールなど)の投与による浸透圧利尿や，尿崩症，電解質異常(低K血症，高Ca血症など)，慢性腎不全(慢性間質性腎炎など)などによる尿濃縮力の低下を考える．これらの場合，多飲を伴うことが多い．
- 心因性多飲症でも多飲，多尿となるが，常に口渇を訴える尿崩症と異なり，夜間の口渇は少ないなど，病歴の特徴からある程度は推測できる．視床下部病変による口渇中枢の器質性異常でも，心因性多飲症と同様の症状がみられることがあるため鑑別が必要である．
- 口腔内乾燥感ではSjögren症候群の場合でも身体所見に乏しいことがあり，あとで述べる諸検査が必要となる．また，薬物によるものは医療面接でおおよその見当がつくことが多い．原因と考えられる薬物を中止すれば，症状が消失することから確定できる．

必要なスクリーニング検査

医療面接と身体診察からおおよその鑑別診断を行ったうえで，次のスクリーニング検査を行う．

❶ 尿検査

特に尿量と尿比重〔あるいは尿浸透圧(U_{osm})〕が重要である．乏尿で高比重尿の場合は，水分摂取不足，腎以外からの水分・体液の喪失，血管外への水分・体液移動などによる P_{osm} の上昇，循環血液量の減少を考える．これらの疾患のうち，ネフローゼ症候群では尿蛋白が高度となる．

多尿で高比重尿の場合は，糖尿病が最も考えられ，尿糖陽性が手がかりとなる．この場合，ケトン体が陽性ならば早急に治療が必要である．

一方，多尿で等比重尿の場合は，慢性腎不全などによる尿濃縮力の低下が考えられる．

著しい多尿(1日5〜10L)で低比重尿(1.005以下)の場合は，尿崩症あるいは心因性多飲症が考えられる．

❷ 血球検査(血算)

脱水では赤血球数(RBC)，ヘモグロビン(Hb)，ヘマトクリット(Ht)の上昇がみられることが多い．一方，これらに急激な減少がある場合では，出血による循環血液量の減少を疑う．

❸ 血液生化学検査

糖尿病では空腹時および食後血糖の上昇がみられる．慢性腎不全は尿素窒素(UN)，クレアチニン(Cr)の高値から診断がつく．また，脱水によるものでは，UN/Cr比，P_{osm}，血清総蛋白(TP)の上昇などが参考となる．血清アルブミンの低下はネフローゼ症候群や肝硬変でみられるが，特に

3.0 g/dL 未満では，血管外へ水分が移動し循環血液量が減少する可能性を考える．

電解質では血清 K の低下や血清 Ca の上昇が多尿をきたし口渇を生じる．

❹ 必要に応じて追加する検査

糖尿病が考えられるときには HbA1c を測定する．また，尿崩症が疑われる場合は抗利尿ホルモン(ADH)の血中濃度測定が参考となる．Sjögren 症候群では抗核抗体(ANA)，抗 SS-A/Ro 抗体，抗 SS-B/La 抗体などの自己抗体が陽性となることが多い．

中心静脈圧の低下やエコーによる下大静脈の虚脱所見は，循環血液量の減少を示す所見として有用である．

また，糖尿病性ケトアシドーシスや高度の脱水などでは酸塩基平衡の異常を伴うため，動脈血液ガス分析が必要である．

診断確定のために

病歴情報，身体所見，諸検査の結果から口渇をきたす病態はほぼ把握できる．それぞれの原因疾患の診断については以下の精査が必要である．

発熱性疾患・消耗性疾患の確定診断

悪性腫瘍，感染症，膠原病などでは，高度の発熱と食欲不振による水分摂取不足から脱水をきたし，口渇を訴えることが多い．これらでは発熱や食欲不振をきたす疾患の鑑別診断が必要であり，その詳細については，それぞれの症候の項目を参照されたい．

消化器疾患の確定診断

嚥下困難による水分摂取不足や嘔吐，吐血などによる脱水では，腹部 X 線撮影，上部消化管内視鏡，腹部エコー・CT などにより，上部消化管の悪性腫瘍，潰瘍などを診断する．

下痢や下血などによる脱水では赤沈，C 反応性蛋白(CRP)などの炎症所見，癌胎児性抗原(CEA)などの腫瘍マーカー，便培養，注腸検査，下部消化管内視鏡検査などにより，大腸炎や大腸癌の診断を行う．

腹部エコー・CT は，肝硬変や膵炎などによる腹水などの血管外への体液移行を評価するうえでも有用である．

腎疾患・電解質異常の確定診断

尿濃縮力の低下をきたす腎疾患については，尿検査，UN，Cr，血清・尿中電解質，β_2-ミクログロブリン，N-アセチル-β-D-グルコサミニダーゼ(NAG)，クレアチニンクリアランス(C_{cr})，Fishberg(フィッシュバーグ)濃縮試験，腹部エコー，腹部 CT，腎レノグラムなどから評価する．

ネフローゼ症候群は，尿蛋白定量，血中アルブミン値などから診断する．

電解質異常のなかでも高 Ca 血症では，原発性副甲状腺機能亢進症，悪性腫瘍の骨転移や腫瘍随伴症候群(paraneoplastic syndrome)についての評価が重要である．

内分泌・代謝疾患の確定診断

糖尿病は空腹時血糖，随時血糖，75 g OGTT，HbA1c，網膜症の存在などによって確定診断する．1 型糖尿病が疑われる場合には，グルタミン酸脱炭酸酵素(GAD)抗体を測定する．

尿崩症は心因性多飲症との鑑別が必要である．水制限試験および高張食塩水負荷試験，バソプレシン負荷試験が鑑別に有用である．

神経筋疾患の確定診断

水摂取不足の原因となる嚥下障害や意識障害をきたす疾患，口渇中枢の異常をきたす器質性疾患の診断が必要である(特に心因性多飲症との鑑別)．脳血管障害，筋萎縮性側索硬化症などの運動ニューロン疾患，筋疾患，視床下部病変(腫瘍，外傷，炎症)などは，神経学的所見，頭部 CT・MRI，髄液検査，筋電図などにより診断する．

うっ血性心不全の確定診断

心電図，胸部 X 線写真，心エコーなどを検査し，基礎心疾患，心機能，血行動態ならびに血管外への水・体液の移動について評価する．

熱傷の確定診断

これらの疾患において口渇をきたす場合は，病変が広範囲かつ重症で，脱水を伴っていることが多い．皮膚科，形成外科への紹介・コンサルテーションと，輸液管理が必要である．

Sjögren 症候群の確定診断

唾液腺造影(主として耳下腺造影)および口唇生検(lip biopsy)の組織像で特徴的な所見を確認し診断を確定する．また，ガムテストで唾液腺の分泌機能低下を調べたり，Schirmer(シルマー)試験，ローズベンガル染色試験により涙液分泌低下の所見を調べることも診断確定の一助となる．なお，本疾患では厚生労働省の診断基準が提唱されている．

〈近藤 剛史，遠藤 逸朗〉

嚥下困難
dysphagia

嚥下困難とは

定義

口腔内より固形物や液状物が，咽頭，食道を経て胃内まで送られる一連の運動を嚥下という．嚥下運動には口腔，咽頭，食道の多数の筋肉や，それらを支配する下顎，舌咽，迷走，舌下などの神経がかかわっている．

これらの諸器官がなんらかの原因で機能的あるいは器質的に障害され，一連の運動が妨げられることによって起こる症状を嚥下困難という．

患者の訴え方

患者は，「飲み込めない」「むせる」「つかえる」などの症状を訴える．また嚥下時に疼痛を伴うこともあり，これは胸やけとは異なり位置が限局して起こることが多い．

また高齢者の場合，狭心症の症状として訴えることもあり，注意が必要である．

患者が嚥下困難を訴える頻度

嚥下困難を訴える可能性がある疾患でも，必ずしも嚥下困難を合併しない場合がある．一方，嚥下障害を高率に合併する疾患が存在する．原因疾患の重症度により症状の重要度も異なるため，一概には論じられない．ただ，疾患としての頻度はそれほど高くないが，強皮症では高率（50〜80%）に嚥下困難を合併する．

症候から原因疾患へ

病態の考え方

正常の嚥下運動は，口腔期，咽頭期，食道期の3期に分けられる．口腔期は随意運動で，咽頭期，食道期は不随意運動で蠕動運動による．嚥下困難は以下に挙げる経路のいずれが障害されても起こる．

図1に嚥下困難が起こる病態を，表1にその原因疾患として代表的なものを示す．

口腔期

口腔期は，食塊が口腔から咽頭に入るまでをいう．口唇，歯列が閉じ，顎舌骨筋の収縮により口腔底が押し上げられ，舌は硬口蓋に押しつけられ，さらに茎突舌筋が収縮して舌根は後方へ向かい，食塊は咽頭に入る．

これらの運動は三叉神経，顔面神経および舌下神経に支配されている．

咽頭期

咽頭期は反射性の不随意運動で，咽頭収縮筋により食塊は咽頭から食道に送られる．この嚥下反射は咽頭粘膜，特に口蓋舌弓，口蓋咽頭弓，咽頭後壁に分布する上喉頭神経，舌咽神経を刺激して起こる．求心性刺激は延髄の嚥下中枢に達して，複雑な協調のとれた運動がほとんど同時に起こる．

まず，軟口蓋が上昇し，咽頭後壁に接して鼻腔と咽頭を遮断して食塊が鼻腔に入るのを防ぐ．舌骨が前上方に動き，咽頭は舌骨に引き寄せられて挙上し，これによって喉頭蓋が喉頭口を塞ぎ，声門も閉鎖され，食塊が気管に入るのを防ぐ．

咽頭が前上方に上がると，その背後にある食道口は自然に開き，食塊は舌根に押されて容易に食道口に入る．同時に上咽頭収縮筋からの蠕動運動が中および下咽頭収縮筋に波及し，食塊は食道に送られる．

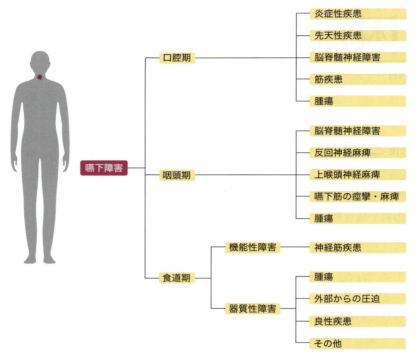

図1　嚥下困難の原因

表1　嚥下困難をきたす疾患

口腔，咽頭，喉頭の障害によるもの
- 炎症性疾患：口内炎，舌炎，舌潰瘍，急性咽・喉頭炎，扁桃炎，扁桃周囲膿瘍，喉頭結核
- 悪性腫瘍：舌癌，喉頭癌，中下咽頭癌
- 神経筋障害：急性球麻痺，進行性球麻痺，急性灰白髄炎，脊髄空洞症，多発性硬化症，ジフテリア後麻痺，重症筋無力症

食道部の障害によるもの
- 食道疾患
  - 器質性疾患：食道癌，良性腫瘍，食道炎，食道裂孔ヘルニア，先天性食道閉鎖，瘢痕狭窄，術後狭窄，異物，Plummer–Vinson（プランマー・ヴィンソン）症候群
  - 機能異常：食道痙攣，アカラシア
- 食道周囲臓器の疾患
  - 頸部：甲状腺腫瘍，リンパ節腫脹
  - 縦隔：縦隔炎，縦隔腫瘍
  - 肺，胸膜：肺膿瘍，滲出性胸膜炎
  - 心血管：心拡大，大動脈瘤，血管走行異常，滲出性心膜炎
  - 横隔膜：横隔膜弛緩症
- 全身性疾患の波及：強皮症，皮膚筋炎，アミロイドーシス，糖尿病

精神的病因によるもの
- ヒステリー球

食道期

食道期も不随意運動で，食塊が食道口に達すると反射的に食道・咽頭移行部の輪状咽頭筋が弛緩し，食道の蠕動が始まる．

食道の蠕動運動には，下咽頭収縮筋の収縮波が食道口に波及して始まる一次性の蠕動と，食道壁の局所の刺激によって生じる二次性の蠕動がある．

食道下部には逆流防止機構が存在し，下部食道括約筋（LES）と呼ばれ，胃内容物の食道への逆流を防いでいる．食塊が食道中部に達するとLESは弛緩し，蠕動運動により胃内に放出される．LESの収縮は交感神経支配であり，この部分の弛緩は迷走神経による．

病態・原因疾患の割合

日常診療において遭遇する嚥下困難は，食道期の異常によるものが多く，なかでも年齢因子として中年期以降は悪性腫瘍によるものを常に考慮しなくてはならない．

図2 年齢による疾患の頻度（食道性嚥下困難）

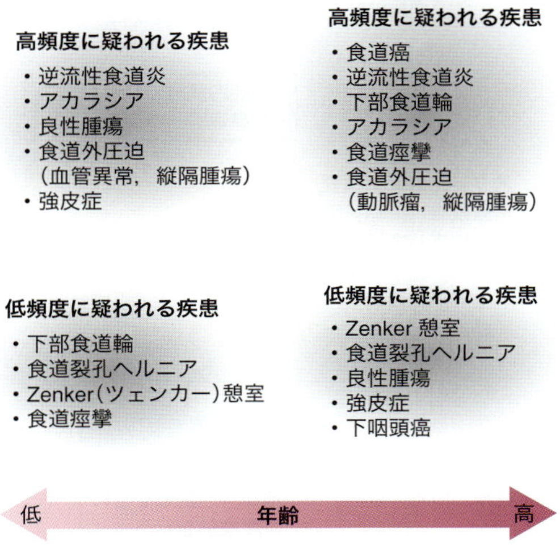

図2に食道性嚥下困難における頻度と年齢を示す．

表2 医療面接のポイント

既往歴
- 強酸, アルカリの誤飲はないか
- アルコールや香辛料の過剰摂取はないか

経過
- いつから, どのような症状が起こったか
- 急激か慢性か

食物による違い
- 障害されるのは固形物か液体か

嚥下痛
- 嚥下時に疼痛を伴うか
- 疼痛の部位, 持続時間はどうか

音声障害
- 嗄声, 構音障害はないか

口臭
- 腐敗臭か酸敗臭か

吐物の性状
- 腐敗臭か酸敗臭か

合併症状
- 何か合併する症状はないか

診断の進め方

診断の進め方のポイント

- 嚥下困難は咽頭から胃噴門までの経路において，精神的なものから癌まで多岐にわたる原因が考えられる．医療面接による絞り込みは重要である．
- 頻度から，小児期では食道異物，若年者ではアカラシア，壮年以上では食道癌を念頭において医療面接を行う．逆流性食道炎も頻度が高いので，胸やけの有無にも留意する．
- 疾患の多くは上部消化管内視鏡検査，バリウム造影X線検査，胸腹部CTなどにより確定診断される．更年期の女性では，いわゆるヒステリー球によることも多いが，これらの検査を行ったあとの除外診断となる．

医療面接（表2）

症状の自覚時期，進行性か否か，固形物と液体での違いはあるか，疼痛の有無，症状の持続時間をよく確認する．さらに，家族歴，既往歴などを医療面接で詳細に聴取する．

異物の誤飲はこの時点で診断可能であり，また吐物の性状から，腐敗臭が強ければ食道に病巣があることが推定される．

身体診察（表3）

一通りの視診，触診，聴打診を行うが，その際，以下の点に注意する．

口腔，咽頭，喉頭疾患では視診が重要で，発赤，粘膜萎縮，扁桃肥大，舌炎，口内炎などの有無を確認する．口腔内の奇形にも注意する．

発熱，貧血，発疹，皮膚硬化，頸部リンパ節腫脹，心拡大，心音・呼吸音の異常を鑑別する．

神経筋疾患では嚥下筋麻痺がみられるが，四肢の運動・感覚神経障害のほかに，種々の脳神経症状を伴う場合が多い．発声困難，構音障害，味覚障害，舌萎縮を伴う場合には球麻痺，仮性球麻痺を疑う．

嗄声を伴う場合，食道周囲の悪性腫瘍による反回神経麻痺や，皮膚筋炎，多発性筋炎の際にみられやすい．

食道癌による嚥下困難では，頸部リンパ節，鎖骨上リンパ節の腫脹がみられることがあるが，多くは身体所見に乏しい．

表3 身体診察のポイント

全身状態
- 発熱，貧血，るいそうを確認する

顔面
- 眼瞼下垂，Horner（ホルネル）症候群を確認する

口腔，喉頭
- 炎症，嚥下運動の障害，腫瘤，唾液分泌異常，先天性異常を確認する

頸部
- 甲状腺腫，浮腫を確認する

胸部
- 打診，聴診で心肺疾患を診察する

腹部
- 触診で腫瘤の有無を確認する

神経系
- 運動障害，感覚障害，精神症状の有無を確認する

図3 嚥下困難の診断の進め方

診断のターニングポイント（図3）

医療面接と身体診察を総合して考える点

- **（確定診断）** 頸部リンパ節の腫脹が認められる場合は食道癌や下咽頭癌を強く疑い，超音波内視鏡検査（endoscopic ultrasonography；EUS）を行う．嗄声を伴う場合も食道癌による反回神経麻痺を疑う．
- **（確定診断）** 水も通らないほどの高度の嚥下障害は，食道癌による完全閉塞，もしくはアカラシアを考える．口臭，吐物が腐敗臭の場合も同様である．
- **（確定診断）** 高度の胸やけを伴う場合は逆流性食道炎による嚥下困難を第一に考え，内視鏡検査を施行する．
- **（確定診断）** 頻度は低いが，女性で貧血，嚥下痛，舌炎を伴えば，Plummer-Vinson症候群を強く疑う．
- 嚥下困難の場合，医療面接と身体診察だけで除外できる疾患はほとんどない．

必要なスクリーニング検査

想定された原因をさらに正しい診断に近づけるための基本的なスクリーニング検査を加え，鑑別診断を進める．主なスクリーニング検査を以下に示す．

❶ 尿検査
尿蛋白，尿糖陽性から，全身性疾患として糖尿病や各種膠原病などが疑われる．

❷ 血球検査（血算）
ヘモグロビン（Hb）濃度低下からPlummer-Vinson症候群や悪性腫瘍による貧血，白血球数（WBC）の異常から併存する炎症の存在が疑われる．

❸ 胸部X線検査
心肺疾患の除外，X線非透過性異物の存在を鑑別する．

❹ 心電図検査
心疾患を除外する．

診断確定のために

病歴情報，身体所見，スクリーニング検査の結果に基づき，嚥下困難をきたす疾患を口腔，咽頭，食道の部位別に絞り込んだのち，図1で挙げたような器質的疾患を確定診断するために，以下のような検索が必要である．

上部消化管造影

食道癌，アカラシアでは特徴的な像が得られる．食道癌では造影所見により腫瘍像や潰瘍像が認められるが，早期癌病変は見落としやすく注意

を要する．アカラシアは高度の拡張とそれに続く噴門部の狭窄が特徴的である．

内視鏡検査

食道を直視下に観察できるため，粘膜病変と粘膜下病変の鑑別が可能である．特に炎症，腫瘍などの粘膜病変に関しては Lugol（ルゴール）染色を併用し，直接生検診断することができる．さらに超音波内視鏡を使用することによって，粘膜下腫瘍の深達度と浸潤範囲が診断できる．また，食道異物が疑われる際には，異物の確認後，鉗子で除去すれば，診断的治療も可能である．

食道内圧モニター

食道の蠕動運動と下部食道括約部圧（lower esophageal sphincter pressure; LESP）を測定する．アカラシア，食道裂孔ヘルニアなどの鑑別に有用である．アカラシアでは食道内圧上昇，蠕動波消失，LESP の高値，嚥下時の弛緩現象消失がみられる．

胸・腹部 CT

CT による検索は，食道癌などの腫瘍性病変の診断と肺癌，縦隔腫瘍，心血管などの食道周辺臓器との位置関係の診断に有用である．

〈浅香 正博〉

吐血
hematemesis

吐血とは

定義

吐血とは，肉眼的に確認しうる中等量から大量の血液成分の嘔吐をいう．通常はTreitz（トライツ）靱帯の口側の消化管（食道，胃または十二指腸）に出血源が存在する．ただし，Treitz靱帯より肛門側の消化管に出血源があった場合でも，出血源より肛門側に狭窄・閉塞などの通過障害があれば吐血を起こしうる（図1）．

吐血の性状は，出血の部位，持続時間により変化する．

一般に，胃を含む肛門側での出血は，ヘモグロビン（Hb）が胃酸の還元作用によりヘマチンに変化し，"コーヒー残渣様"（melanemesis）と表現される暗赤色から黒褐色になる．この色調変化は，出血量，胃内停滞時間に影響を受ける．胃潰瘍など，胃・十二指腸からの出血は，通常，コーヒー残渣様であるが，急性大量出血の場合は，鮮血となる．

一方，食道静脈瘤など，胃より口側での出血では，鮮血となることが多いが，いったん胃内に停留すればコーヒー残渣様となりうる．

紛らわしいものとして喀血が挙げられる．この場合は，咳嗽など呼吸器症状を伴うのが通常で，泡沫が混じった鮮血であることが多いため，鑑別はさほど困難ではない．

患者の訴え方

患者は吐血と前後してさまざまな症状を訴えることが多い．症状としては，①出血に伴う貧血，ショック状態に起因する冷汗，意識障害・無欲無関心，皮膚蒼白など，②出血の原因疾患に伴う疼痛などの症状，③消化管内の血液貯留による悪心が複雑に絡み合って出現する．

なお，医療面接においては，患者本人はもちろんのこと，家族も突然の吐血に動揺・狼狽し，正確に状況を説明できない場合が多々あることは念頭においておくべきである．

患者が吐血を訴える頻度

上部消化管出血は，実地臨床上，遭遇することが多い．腹部救急疾患の10.4～27.1%を占めている．これは急性腹症と並んで高い．

また，全消化管出血の57.5～75.8%は上部消化管出血であり，下血の場合は上部消化管が出血源であることが多い．

症候から原因疾患へ

病態の考え方（図2）

吐血をきたす疾患には上部消化管疾患（図3）と全身性疾患（表1）がある．吐血では，出血性ショックに基づく病態と，吐血の原因となった基礎疾患に基づく病態とが混在しており，これらを迅速かつ的確に把握することが重要である．

急性の大量出血では，しばしば発症が急激で，循環不全など全身状態の急速な悪化をきたすため，死亡率は高率である．この最大の原因は，病態の把握に手間どって，適切な診断・治療がなされなかったか，遅れたためである．したがって，病態に基づく早期診断のみならず，図3，表1に示すような出血の病態生理を理解して適切な処置を行い，重篤な合併症を予防することも重要である．

多くの場合，出血部位や原因疾患は，自覚症状，吐血の性状，生活歴，既往歴，家族歴などから推定が可能である．

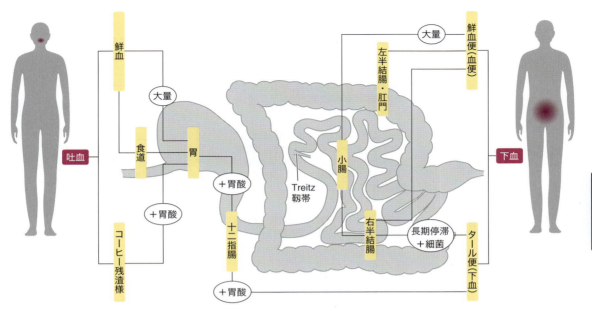

図1　消化管出血の症状

図2　吐血の原因

病態・原因疾患の割合（図4）

上部消化管出血の主な原因疾患別頻度を表2に示す．消化性潰瘍，胃炎（急性胃粘膜病変），胃・食道静脈瘤破裂が3大原因で，全体の69〜86%を占めている．これにMallory-Weiss症候群，胃癌が続く．また，わが国では，消化性潰瘍のなかでも胃潰瘍が十二指腸潰瘍の1.6〜3倍と多い．

診断の進め方

診断の進め方のポイント

- 吐血患者の診療では，原因疾患の診断と救急処置とが並行される．
- 最初に確認すべきことは，①ショック状態の有無，②誤嚥など呼吸器系合併症の有無である．
- ショックの程度を迅速に判断し，必要なら酸素

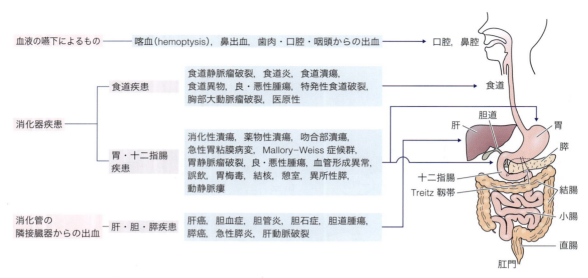

図3 吐血をきたす上部消化管疾患
〔加藤元嗣ほか：吐血, 下血. 福井次矢（編）：看護のための最新医学講座 32 巻―医療面接から診断へ, pp.252-257, 中山書店, 2002 より一部改変〕

表1 吐血，下血をきたす全身性疾患

血液疾患	血管病変	その他
白血病	Rendu-Osler-Weber 病	アミロイドーシス
リンパ腫	結節性動脈周囲炎	褐色細胞腫
血小板減少性紫斑病	IgA 血管炎（Henoch-Schönlein 紫斑病）	サルコイドーシス
血栓性血小板減少性紫斑病	びまん性血管形成異常	全身性エリテマトーデス
血友病 A	海綿状血管腫	放射線腸炎
von Willebrand 病	Ehlers-Danlos 症候群	動脈瘤消化管穿破
播種性血管内凝固	血管形成異常	Kaposi 肉腫
真性多血症		膠原病
血小板無力症		尿毒症
低プロトロンビン血症		
Christmas 病（血友病 B）		
フィブリノゲン減少症		

〔加藤元嗣ほか：吐血, 下血. 福井次矢（編）：看護のための最新医学講座 32 巻―医療面接から診断へ, pp.252-257, 中山書店, 2002 より一部改変〕

吸入，気道確保を行い，患者の全身状態の安定を確保する．
- ショック準備状態を見落とさないよう気をつけ，吐血量の多少にかかわらず，血液型のチェック，血管ルート確保を行い，急変に備える．
- 吐物の誤嚥，気道閉塞を防ぐため，患者には側臥位をとらせる．
- 全身状態の安定後，医療面接，身体診察を行い，出血源を推定して緊急内視鏡検査を考慮する．

医療面接（表3）

吐血の原因疾患はさまざまであるが，原因疾患と出血部位を推定し，検査計画を立てるうえで，医療面接はきわめて重要である．

医療面接は救急処置と並行される．動揺する患者や家族を落ち着かせ，注意深く，冷静に，しかも要領よく行う．また，本人のみならず，家族や周囲の者からも聴取することが必要である．

表2 吐血の原因疾患別頻度(%)

	山形 (1967)	Palmer (1970)	城所 (1977)	川井 (1978)	岡部 (1979)	房本 (1985)	中原 (1990)	浅木 (1990)	秋庭 (1993)	中村 (1993)	全国集計 (1986)
症例数	400	1,500	1,433	500	834	567	454	430	276	237	4,754
胃潰瘍	40.0	12.4	42.4	47.4	28.3	45.0	30.6	36.0	22.8	47.7	34.2
十二指腸潰瘍	16.0	27.1	18.4	20.4	16.3	19.9	18.7	9.8	7.6	16.0	12.2
併存潰瘍	4.2	0.1	0.3	2.8	1.2	—	—	1.2	—	—	—
胃悪性腫瘍	17.5	1.9	6.8	6.2	19.8	1.0	6.8	3.5	2.5	4.2	5.4
食道・胃静脈瘤	3.7	19.7	5.9	3.0	7.8	7.1	9.5	4.7	17.4	9.3	14.6
胃炎(急性胃粘膜病変)	12.5	12.9	14.0	6.8	7.0	13.9	17.9	34.0	21.4	6.8	13.7
Mallory-Weiss症候群	4.2	5.1	2.5	5.8	1.3	1.0	4.2	3.5	7.2	10.1	5.6
食道癌	0.5	0.3	0.3	—	1.4	—	0.9	—	0.7	—	0.3
吻合部潰瘍	0.3	3.1	1.0	1.6	0.8	—	2.0	2.3	2.9	1.3	1.1
食道炎・潰瘍	—	—	—	1.8	1.4	4.9	3.3	1.4	3.3	2.5	1.8
その他	5.3	3.0	8.4	0.2	6.6	3.0	4.6	3.7	14.2	1.3	11.1
不明	—	6.9	—	4.0	8.3	4.1	1.5	—	—	0.8	—

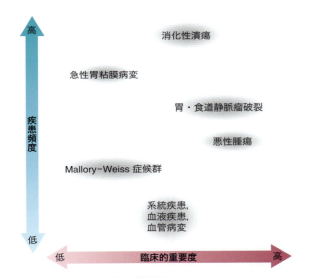

図4 疾患の頻度と臨床的重要度
吐血は大量出血であることが多いので,いずれの疾患も臨床的重要度かつ緊急性の高い疾患であることに留意する.

表3 医療面接のポイント

経過
- いつから始まったか
- 色調はどうか
- 回数,量はどうか
- 下血がなかったか

既往歴
- 以前にも吐血がなかったか
- 直前に飲酒していないか
- 最近,熱傷,頭部外傷,手術を受けていないか
- 基礎疾患の有無を確認する(あれば,その程度,治療内容,服薬状況も聴取する)

全身症状の有無と内容
- 腹痛,胸やけ,悪心・嘔吐,発熱,冷汗はないか
- 意識状態の低下はないか

嗜好品,常用薬
- 非ステロイド性抗炎症薬,ステロイド薬,抗凝固薬の服用歴を確認する
- 飲酒,喫煙の有無,量を確認する

家族歴
- 家族内での肝疾患・血液疾患患者の有無を確認する

まず出血時の状況,すなわち吐血の性状(色調,回数,量),その際の意識状態などを確認する.下血があれば,これについても同様に確認する.色調と出血量からおよその出血部位を推測する.また,発症までの自覚症状(腹痛,悪心・嘔吐,発熱)なども確認する.これらにより,出血開始時期,出血量などが推定できる.

次に,既往歴,生活歴,家族歴を確認する.以前にも吐血の既往があれば,今回も同じ疾患である可能性が高い.消化性潰瘍の既往があれば再発潰瘍からの出血が,肝硬変患者であれば胃・食道静脈瘤破裂が,飲酒直後の頻回の激しい嘔吐後の出現であればMallory-Weiss症候群の可能性が高い,というように,既往歴は出血部位,原因疾患の推定に有用である.

消炎鎮痛薬,抗血小板薬,抗凝固薬やステロイド薬などの服用は,本人が処方成分,薬物名を知らないこともあるが,この場合でも「関節リウマ

表4 身体診察のポイント

バイタルサイン
- 体温，血圧，脈拍，意識レベル，尿量を確認する（ショック，循環動態の把握）

全身状態
- 皮下出血，浮腫，関節腫脹，黄疸，手掌紅斑，皮膚粘膜の血管拡張の有無を確認する

頭頸部
- 鼻，口腔内の観察を行い，出血がないか確認する
- 結膜を観察し，貧血，黄疸の有無を確認する
- 表在リンパ節腫脹の有無を確認する

胸部
- 打診，聴診で心肺疾患の有無を確認する

腹部
- 肝脾腫，腹水，腹壁静脈怒張の有無を確認する
- 表在リンパ節腫脹の有無を確認する
- 腫瘤，圧痛，腹膜刺激症状の有無を確認する

チの薬を飲んでいないか」「腰痛の薬を飲んでいないか」「解熱薬を飲まなかったか」「血液をサラサラにする薬を飲んでいないか」などと聴取することで，服用歴が判明することもある．

抗血小板薬や抗凝固薬を服用している場合には，これらの薬物が出血を増悪させている可能性があるが，安易に休薬することは避けなければならない．脱水状態などで血栓症リスクが増加しており，休薬により血栓症の発症を誘発するおそれもある．出血の状態，内視鏡的止血処置の結果，処方医の意見などを参考にして，継続や休薬を判断する必要がある．

身体診察（表4）

身体診察で行うべきことは，ショックなどの全身状態の評価と，原因疾患に結びつく所見のチェックが重要である．

ショックの重症度の評価

血圧，脈拍，呼吸状況，意識状態，尿量などの身体所見から，ショックの程度を迅速に判断する．典型的な出血性ショックの症状は，5P's——pallor（蒼白），prostration（虚脱），perspiration（冷汗），pulselessness（脈拍触知不能），pulmonary deficiency（呼吸不全）として知られる．

成人では，15分間に500 mLの出血まではほとんど症状がなく，1,000 mL以上の出血では頻脈，悪心，発汗，めまい，脱力などが出現し，2,000 mL以上ではショックになるとされる．ショックの重症度判定は，American College of Surgeonsの重症度分類（表5）が参考となる．一般に，収縮期血圧が80 mmHgまで低下すると，腎血流量が低下して乏尿になり，60 mmHgまで低下すると，脳循環や冠循環血液量も不十分となる．

出血量の推定

出血量の推定においては，①急性出血の初期には，Hb，ヘマトクリット（Ht）低下は認められないことが多い，②吐血では，出血の大半は消化管内に残存しており，吐血量のみで出血量を推定できないことに注意する．

以上のことを理解し，病態を過小評価しないように注意する．出血量の推定には，先の宮崎の重症度分類が参考になる．ほかに表6に示すショック指数（脈拍数/収縮期血圧の比）が簡便で利用しやすい．

ショック準備状態の判断には，挙上試験（tilt test）も参考となる．これは，仰臥位から起座位に体位を変えたときの脈拍と血圧の変化を指標とするもので，脈拍数が20/分以上の増加，収縮期血圧が10 mmHg以上の低下が認められた場合は，有効循環血液量の20～25%（1,000 mL）以上の出血があると判断する．

出血が持続している場合，経過中に数回Htを測定し，Ht 1%の低下があった場合，100 mLの出血があるとみなす．

上部消化管出血では，有効循環血液量の減少に対する反応として，腎前性高窒素血症がみられるが，尿素窒素（UN）が40 mg/dL以上で，かつクレアチニン（Cr）が正常であれば1,000 mL以上の出血が考えられる．

原因疾患の推定

出血傾向，黄疸，腹壁静脈怒張，手掌紅斑，皮膚粘膜の毛細血管拡張，くも状血管腫，腹部膨隆などの視診所見や，腫瘤触知，体表リンパ節腫脹〔特にVirchow（ウィルヒョウ）リンパ節〕，肝脾腫，

表5 出血性ショックの重症度

	ショック指数	推定出血量(mL)	推定出血量(%)	心拍数(回/分)	収縮期血圧	症状・所見
Class I	0.5	750 未満	15 未満	100 未満	正常	なし/軽度の不安
Class II	1.0	750〜1,500	15〜30	100〜120	正常	頻脈，蒼白，冷汗
Class III	1.5	1,500〜2,000	30〜40	120〜140	低下	呼吸促迫，乏尿
Class IV	2.0	2,000 以上	40 以上	140 以上	低下	意識障害・無尿

〔American College of Surgeons: Advanced Trauma Life Support Program for doctors, student course manual. 7th ed., American College of Surgeons, Chicago, 2004 より〕

腹部圧痛の有無，腹水などの触診所見から，原因疾患，出血部位を推定する．

医療面接で下血が認められない場合でも，直腸診でタール便などを確認すべきである．

腹膜刺激症状が認められた場合は，消化管穿孔の可能性を考え，腹部 X 線撮影を急ぐ．

診断のターニングポイント(図5)

医療面接と身体診察を総合して考える点

- 医療面接と身体診察から原因疾患，出血部位を推定したのち，確定診断のための検査を迅速に進める．
- 診断確定の検査ができない場合は，速やかに診断確定が可能な施設へ搬送する．
- 搬送時は，循環動態や呼吸も管理して全身状態の安定を保ち，胃管〔Levin（レビン）チューブ〕を留置して出血のモニタリングと誤嚥防止を行う．
- 胃・食道静脈瘤破裂が考えられる場合は，SB〔Sengstaken-Blakemore（セングステークン・ブレークモアー）〕チューブを留置して一時止血をはかる．
- 消化性潰瘍・悪性腫瘍の穿孔，特発性食道破裂は，緊急手術の適応であるため，疑われる場合は，外科医に連絡をとる．

必要なスクリーニング検査

臨床検査は，原因疾患や合併症の診断に必要であるが，吐血患者の場合は，緊急に実施できなければ意味がないうえ，結果が判明する前に治療が開始されることも稀ではない．あくまで診断の基本は病歴情報と身体所見である．

重要な臨床検査には次のようなものがある．

表6 ショック指数（脈拍数/収縮期血圧の比）

指数	出血量
1.0（軽症）	有効循環血液量の23%（1.0 L）
1.5（中等度〜重症）	有効循環血液量の33%（1.5 L）
2.0（危篤）	有効循環血液量の43%（2.0 L）

❶ 血液型

輸血に備えるため必要である．

❷ 血球検査（血算）

白血球数（WBC），赤血球数（RBC），Hb，Ht，血小板数などから，出血量の推定，感染症の可能性をチェックする．また，血小板減少から肝疾患が推定される．

❸ 血液生化学検査

UN，Cr，尿中 Na は，出血量や腎障害の指標となる．肝トランスアミナーゼ，硫酸亜鉛混濁試験（ZTT），チモール混濁試験（TTT）など膠質反応の上昇，コリンエステラーゼ（ChE）低下などは肝疾患を疑わせる．

❹ 血液凝固系

抗凝固薬服用者にはプロトロンビン時間（PT），活性化部分トロンボプラスチン時間（APTT），フィブリノゲンなどを測定して，PT-INR（プロトロンビン時間の国際標準比）から現在の凝固系の状態を把握する．

❺ 心電図検査

心疾患の有無を確認する．

❻ 胸・腹部単純 X 線検査

喀血との鑑別，嚥下性肺炎の有無，胸腹部大動脈瘤，消化管穿孔，腹水の有無を確認する．

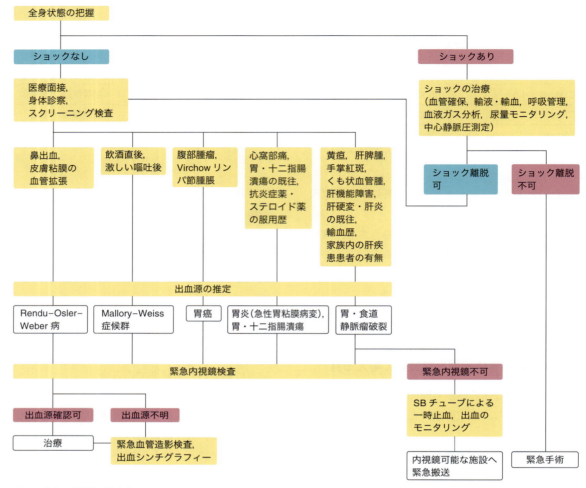

図5 吐血の診断の進め方

❼ 血液ガス分析

ショックの可能性があれば，実施する．もっとも最近は多くの施設で小型のパルスオキシメーターが備わっており，施設の事情によっては，これで代用することもある．

このほかに，超音波検査，X線CTなどの画像診断も診断上有用なことが多いので，時間的余裕があれば実施する．

診断確定のために

上部消化管内視鏡検査の診断能は90%以上であり，吐血の原因疾患，出血部位の診断に最も有用である．

直視型汎用内視鏡は，食道〜胃〜十二指腸のほとんどの部位を観察可能で，①出血部位・病変の診断，②出血の性状，③露出血管の有無，④予後の判定，⑤治療法の決定などが可能である．加えて，内視鏡検査は，出血部位の確認後，ただちに内視鏡的止血治療を施行できるという優れた利点がある．

なお，消化管内部に大量の血液，凝血塊があると，観察が困難な場合があるため，時間的余裕があれば胃管を留置し，胃洗浄を行ったほうがよい．洗浄は冷生理食塩水で行う．冷却した生理食塩水を用いるのは，血管収縮による止血効果を期待してのことであるが，逆に血小板の活性を阻害し，凝固反応を抑えるという考えのもとに温生理食塩水を使用する施設もある．

内視鏡検査が困難，または内視鏡検査にて出血部位の確定が困難な場合で，出血が持続するときは，緊急造影検査，出血シンチグラフィー検査，バルーン小腸鏡，カプセル内視鏡が選択される．

　血管造影検査は，一般に 0.5 mL/分の持続出血がある場合に描出可能で，通常は造影剤の血管外漏出像(extravasation)として認められる．止血状態では診断は困難だが，動静脈奇形や動脈瘤などの出血源が推定できる場合もある．

　出血シンチグラフィー検査は，^{99m}Tc 標識赤血球，^{99m}Tc-コロイドなどを静注し，経時的イメージスキャンで出血の診断を行う．間欠出血や 0.1 mL/分程度の微量出血も検出可能であるが，正確な出血部位の診断には適さない．

　なお現在，95％以上の出血は内視鏡的に永久止血が得られるが，手術でしか止血できない場合があることも事実である．手術適応の判断は一様ではないが，①止血不能例，②止血が得られても再出血の可能性が高く，出血-止血の反復が基礎疾患，全身状態を著しく悪化させると考えられる場合，③消化管穿孔を伴う場合は，手術を検討すべきである．ただし，緊急手術の死亡率は 6〜9％ あり，保存的治療の限界と手術のリスクとの熟慮が求められる．

〈浅香 正博〉

甲状腺腫
goiter, struma

甲状腺腫とは

定義

　甲状腺腫とは，甲状腺が腫大した状態をいう．正常の甲状腺は，視診では認められず，触診でも触れにくい．触診で触知すれば，甲状腺腫があると考えてよい．甲状腺腫には，びまん性甲状腺腫と結節性甲状腺腫がある．

患者の訴え方

　「首が腫れた」という訴えが多い．患者自身で気づく場合と，他人に指摘される場合がある．甲状腺腫を起こす原因疾患により，甲状腺ホルモンに異常をきたす場合と，そうでない場合がある．前者では，甲状腺ホルモン異常に伴う諸症状を訴えることが多い．

患者が甲状腺腫を訴える頻度

　来院する橋本病患者では，90％以上が甲状腺腫を自覚している．
　Basedow（バセドウ）病〔Graves（グレーブス）病〕患者では，女性で約15～30％，男性で約3～8％が甲状腺腫を自覚しており，男性のほうが甲状腺腫に気づきにくいことがわかる．
　結節性甲状腺腫の場合は，そのこと自体が主訴であることが多いため，ほぼ100％の患者が頸部腫瘤を訴える．
　注意すべき点は，甲状腺腫を自覚していない甲状腺疾患患者が多いということである．疫学調査では，一般住民の17％もの人がなんらかの甲状腺疾患を有していたと報告されている．また一般外来でもていねいに診察すると，男性で約4％，女性では約19％もの甲状腺疾患患者が見つかったという報告がある．甲状腺腫を訴えなくとも，甲状腺の触診をていねいに行い，甲状腺疾患を見逃さないようにすることが肝要である．

症候から原因疾患へ

病態の考え方（図1）

　びまん性甲状腺腫と結節性甲状腺腫とに分けて考える．
　びまん性甲状腺腫は，甲状腺濾胞上皮細胞ないし血管を含む結合組織の増殖によることが多い．すなわち，濾胞上皮細胞の増殖を刺激する甲状腺刺激ホルモン（TSH）ないしTSH様作用を有するTSHレセプター抗体（TRAb），ヒト絨毛性ゴナドトロピン（HCG）などの作用による甲状腺腫や，自己免疫性甲状腺炎では，リンパ球をはじめとした炎症性細胞の浸潤による結合組織の増加などによって甲状腺腫が生じる．
　結節性甲状腺腫は，腫瘍ないしは局所の炎症である．特殊なものとして，甲状腺の発生異常による異所性甲状腺腫がある．発生期に甲状腺原基が下降する経路上の舌根部から胸腔内に至る部位に認められる．
　甲状腺腫をきたす原因疾患として主なものを表1に示す．単純性甲状腺腫は，甲状腺腫以外に異常がない状態であるが，のちにBasedow病などを発症する例もある．自己免疫性疾患である橋本病では，甲状腺にびまん性のリンパ球浸潤が認められる．Basedow病では，TSHレセプター抗体による刺激のため甲状腺腫をきたす．甲状腺機能低下症の際や，TSH産生下垂体腺腫のようなTSHの過剰刺激によっても，びまん性甲状腺腫をきたす．
　結節性甲状腺腫は大部分が腫瘍で，過形成，良性腫瘍，悪性腫瘍がある．腺腫様甲状腺腫では，

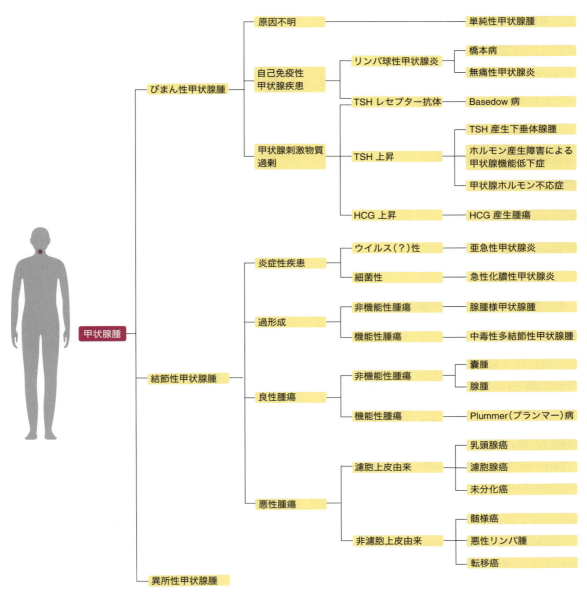

図1 甲状腺腫の原因

多結節性になると甲状腺全体が腫大しているように触知する場合もある．亜急性甲状腺炎では炎症の範囲によって，びまん性に腫大する場合と結節性に腫大する場合があるが，びまん性の場合でも結節状に触知することが多い．

病態・原因疾患の割合（図2）

わが国における過去の疫学調査では，甲状腺腫を有する人は1,000人に対し15〜84人存在するとされている．そのうち，びまん性甲状腺腫は8〜58人に存在し，結節性甲状腺腫は7〜26人に存在した．最近の精密な調査結果では，40歳以上の健康成人の17％になんらかの甲状腺疾患を認め，そのうちの11％にびまん性甲状腺腫を，4.5％に結節性甲状腺腫を認めたと報告されている．

びまん性甲状腺腫を有した人のうちの53.6％が橋本病であった．一般外来においてもていねいに診察すると，8％以上の人に橋本病が，0.3％にBasedow病が認められ，結節性甲状腺腫は4.5％の人に認められたという報告がある．

表1　甲状腺腫をきたす疾患

びまん性甲状腺腫
- 甲状腺刺激物質増加
  - TSH レセプター抗体：Basedow 病
  - TSH：TSH 産生腫瘍，甲状腺機能低下症（橋本病，ホルモン合成障害，抗甲状腺薬の過剰投与など），甲状腺ホルモン不応症
  - HCG：HCG 産生腫瘍（絨毛上皮腫など）
- 自己免疫性甲状腺炎：橋本病，無痛性甲状腺炎
- 原因不明：単純性甲状腺腫

結節性甲状腺腫
- 炎症：亜急性甲状腺炎，急性化膿性甲状腺炎
- 過形成：腺腫様甲状腺腫，中毒性多結節性甲状腺腫
- 良性腫瘍：嚢腫，腺腫，Plummer 病（機能性腺腫）
- 悪性腫瘍：乳頭腺癌，濾胞腺癌，髄様癌，未分化癌，悪性リンパ腫

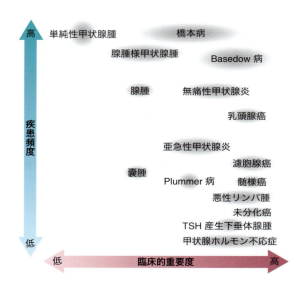

図2　疾患の頻度と臨床的重要度

　結節性甲状腺腫では，腺腫様甲状腺腫と腺腫が主であるが，癌も 0.4% の人に見出されており，注意が必要である．

　一般住民における頻度と異なり，甲状腺専門外来を受診する患者では Basedow 病が最も多く，次いで橋本病，結節性甲状腺腫の順である．これは，Basedow 病では自覚症状が出やすいので受診の頻度が増えるためである．

　臨床的に重要な疾患としては，Basedow 病，甲状腺機能低下症，甲状腺癌である．橋本病のうち，甲状腺機能低下症の人は全体の 24%，血清甲状腺ホルモン値が正常で血清 TSH 値が上昇している潜在性甲状腺機能低下症は全体の 26%，両者を合計すると 50% の橋本病患者で甲状腺機能異常があったという報告がある．甲状腺機能低下症患者で，甲状腺腫がない原発性粘液水腫の頻度は低いが，臨床的には重要である．

　世界的には，ヨード欠乏による地方性甲状腺腫の頻度が依然高く，大陸の内陸部では深刻な問題となっているが，わが国には存在しない．

診断の進め方

診断の進め方のポイント

- 触診でびまん性甲状腺腫か結節性甲状腺腫かを判別する．
- びまん性であっても表面が不整で結節状に触知されることがあり，結節性であってもびまん性に腫大する場合もあるので注意が必要である．
- 甲状腺の大きさ，硬さ，表面の性状，圧痛の有無，周囲との癒着の有無，血管雑音の有無，位置異常の有無などを調べる．
- 甲状腺機能異常の有無について検討する．

医療面接

　甲状腺機能に異常がない場合は，甲状腺腫が唯一の自覚症状であることも多い．病歴では，甲状腺腫が以前からあるものなのか，最近自覚したものなのか，また甲状腺機能異常の症状がないかどうかを質問も交えて丹念に聴取する（表2）．

　Basedow 病や橋本病などの自己免疫性甲状腺疾患や，家族性髄様癌および多発性内分泌腫瘍（MEN）2 型などでは家族集積性が高いので，家族歴にも注意する．T_3 受容体遺伝子異常による甲状腺ホルモン不応症や，甲状腺ホルモン合成障害をきたすサイログロブリン（Tg），甲状腺ペルオキシダーゼ（TPO），Na/I symporter（NIS）などの遺伝子異常による甲状腺腫でも家族集積性や特定の地域集積性が認められる．

　出産を契機にして，Basedow 病や無痛性甲状腺炎が発症ないし悪化する例もあるので，最近の出

表2 医療面接のポイント

既往歴
- Basedow 病や甲状腺腫瘍の手術歴ないし治療歴がないか
- 最近出産をしたか

家族歴
- Basedow 病や橋本病患者が，家族内または親族にいないか
- 髄様癌患者または多発性内分泌腫瘍 (MEN) 2型の家族がいないか

経過
- 甲状腺腫をいつから自覚した，あるいは指摘されたのか
- 甲状腺腫の大きさに変化があるか

局所症状の有無と内容
- 甲状腺腫に痛みはあるか
- 痛みは移動したか
- 痛みは放散するか
- 位置異常はないか

全身症状の有無と内容
- 甲状腺機能亢進症の症状（動悸，息切れ，発汗過多，手指振戦，全身倦怠感，食欲亢進，体重減少，下痢，微熱，筋力低下，いらいら，月経不順など）がないか
- 甲状腺機能低下症の症状（易疲労感，顔面や全身の浮腫，嗄声，寒がり，便秘，皮膚乾燥，嗜眠傾向，無力感，息切れ，脱毛など）がないか
- 眼球突出などの目の異常を自覚ないし指摘されていないか
- 発熱やかぜ様症状がなかったか

生活歴
- 食生活，特に食欲の変化がないか
- ストレスの多い環境にいないか

嗜好品，常用薬
- 海藻類，特に昆布を好んで摂取していないか
- 喫煙の有無を聞く
- ヨード製剤の使用の有無を聞く

表3 身体診察のポイント

バイタルサイン
- 体温：感染症の存在を示唆する
- 血圧：Basedow 病では拡張期血圧が低下し，収縮期血圧が上昇することもあり，脈圧が増大する

全身状態
- 体格：甲状腺機能亢進症によるるいそうや，甲状腺機能低下症による粘液水腫状態を観察する
- 皮膚：甲状腺機能亢進症では，発汗過多による湿潤した皮膚を認め，甲状腺機能低下症では，皮膚乾燥，角化，脱毛などを認める

頭頸部
- 顔貌，表情
  - Basedow 病では，眼球突出や Graefe（グレーフェ）徴候などの特有の眼症状を観察する
  - 甲状腺機能低下症では，顔面浮腫と精神活動の低下による無気力な顔貌を観察する
  - 甲状腺機能低下症の際の頭髪や眉毛の脱落を観察する
- 結膜：貧血や黄疸の有無を観察する
- 甲状腺腫：びまん性か結節性かを観察する．大きさ，硬さ，表面の性状，周囲との癒着の有無，血管雑音の有無，圧痛の有無，位置異常の有無などについて観察する
- リンパ節：頸部リンパ節の腫脹の有無を観察する

胸部
- Basedow 病では，頻脈・心房細動などの不整脈・うっ血性心不全などの循環器病変の有無を診察する
- 甲状腺機能低下症では，徐脈，心嚢水貯留，心拡大などの有無を観察する

腹部
- 触診によって肝腫大やその他の腹腔内臓器の異常を観察する

四肢
- Basedow 病では前脛骨粘液水腫，筋力低下，四肢麻痺などを観察する
- 甲状腺機能低下症では圧痕を残さない浮腫（粘液水腫），筋力低下を観察する

神経系
- 甲状腺機能低下症の際のアキレス腱反射弛緩相の遅延を観察する
- 甲状腺機能亢進症による精神不穏状態，いらいら感などを観察する
- Basedow 病クリーゼでは意識障害を伴う
- 甲状腺機能低下症による嗜眠傾向，意識障害の有無を観察する

産歴についても聴取する．

橋本病患者におけるヨードの過剰摂取は，甲状腺機能低下症を起こすことがあるので，ヨードを含む食品（特に昆布）の摂取や薬物の使用についても聴取する．

身体診察

甲状腺腫の性状を触診で診察するほか，表3に示すような全身的な身体所見を観察する．特に，甲状腺機能亢進症および機能低下症の所見に注意する．Basedow 病では，眼球突出などの眼症状や前脛骨粘液水腫などの随伴症状にも注意する．

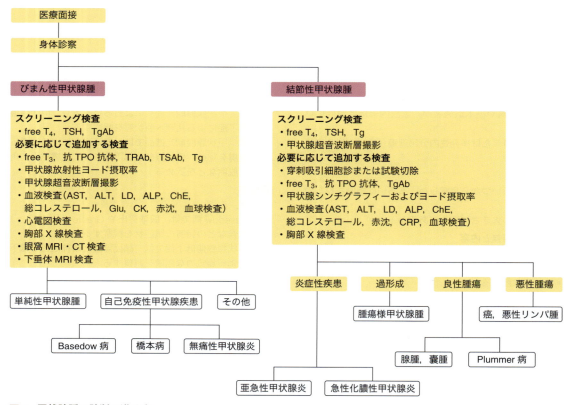

図3 甲状腺腫の診断の進め方

診断のターニングポイント

医療面接と身体診察を総合して考える点

- (確定診断)びまん性甲状腺腫と眼症状および明らかな甲状腺機能亢進症状があれば，Basedow病と診断できる．
- (確定診断)硬く圧痛・自発痛のある結節性甲状腺腫があり，発熱などの上気道炎症状を呈す場合は，亜急性甲状腺炎と診断できる．
- 病歴情報や身体所見で疑うことができる疾患もある．
  - 硬く表面不整なびまん性甲状腺腫を有し，甲状腺機能低下症の症状があれば橋本病が最も疑われる．
  - 軟らかく弾力性のある結節は，囊腫や囊胞変性を起こした腺腫ないし腺腫様甲状腺腫であることが多い．
  - 上気道炎症状がなく，突然痛みのある結節性甲状腺腫を自覚した場合は，腺腫ないし腺腫様甲状腺腫の腫瘍内出血であることが多い．
  - 単発性の結節性甲状腺腫で甲状腺機能亢進症状を呈するときは，Plummer病を疑う．
  - 急激に甲状腺腫が増大する場合は，甲状腺未分化癌や悪性リンパ腫を疑う．
  - 正常な位置に甲状腺を触れず，舌根部より前頸部にかけて腫瘤を触知した場合は，異所性甲状腺腫を疑う．
- 結節性甲状腺腫では，硬さ，表面の性状，癒着の有無などで，腫瘍が悪性か良性かをおおよそ推測できる．
- 悪性腫瘍では，甲状腺腫は硬く可動性に乏しいことが多い．

必要なスクリーニング検査

病歴情報と身体所見から甲状腺腫をきたす疾患を絞り込むことが可能である．さらに，基本的なスクリーニング検査を行い鑑別診断を進める

(図3). 主なスクリーニング検査として以下のようなものがある．

❶ 血液生化学検査

甲状腺機能の評価として，free T_4，TSH を調べる．腫瘍を疑うときは Tg も測定する．

Basedow 病，橋本病などの自己免疫性甲状腺疾患を疑ったときは，TRAb や甲状腺刺激抗体(TSAb)，抗サイログロブリン抗体(TgAb)，抗 TPO 抗体(抗ミクロソーム抗体)などの甲状腺自己抗体も調べる．

橋本病や亜急性甲状腺炎では，赤沈亢進が特徴的である．甲状腺機能異常の際には，肝機能や脂質代謝，骨代謝，糖代謝などにも影響が出るので一般生化学検査項目に異常が出ることも多く，逆にこれらの異常から甲状腺疾患の存在が疑われることもある．

❷ 甲状腺超音波断層撮影

甲状腺内の性状がよくわかるので，特に結節性甲状腺腫の鑑別診断に威力を発揮する．

❸ 穿刺吸引細胞診

結節性病変の良性，悪性の鑑別に重要な情報を提供する．橋本病の診断にも有用である．

診断確定のために

病歴情報，身体所見，スクリーニング検査の結果から，甲状腺腫をきたす疾患の診断はほぼつくはずである．しかしながら，一部の疾患では診断を確定するため，さらに検査が必要になる．

Basedow 病と無痛性甲状腺炎の鑑別

TRAb あるいは TSAb が陽性であれば，Basedow 病としてよいが，陰性でも Basedow 病は否定できない．さらに，Basedow 病の寛解期に無痛性甲状腺炎が発症することもあり，鑑別のためには ^{123}I 甲状腺摂取率の測定が確実で，高ければ Basedow 病，低ければ無痛性甲状腺炎である．ドプラエコーによる甲状腺内の血流の有無によっても鑑別が可能で，血流が豊富であれば Basedow 病，なければ無痛性甲状腺炎である．

Plummer 病，中毒性多結節性甲状腺腫の確定診断

^{123}I 甲状腺シンチグラフィーが確定診断に有用である．

TSH 産生下垂体腺腫の確定診断

下垂体 MRI 検査が有用である．
^{123}I 甲状腺シンチグラフィーや頸部 CT 検査が必要である．

〈飯高 誠〉

リンパ節腫脹
lymph node swelling

リンパ節腫脹とは

定義

リンパ節腫脹とは，リンパ節の大きさや数が異常に増した状態を指す．リンパ節に原発する疾患に起因することと，感染症や腫瘍など他疾患に随伴する場合がある．表在性のリンパ節腫脹は体表から触知できるが，深在性のものは超音波検査，CT検査，MRI検査などで確認する．

リンパ節腫脹は局所に限局している場合と，全身性の場合がある．

患者の訴え方

頸部や鼠径部などのリンパ節が腫れてきたなどと訴える．「ぐりぐりする」などと表現する患者もいる．自発痛や圧痛を訴えたり，皮膚表面が赤くなっていると訴えることもある．

患者がリンパ節腫脹を訴える頻度

リンパ節腫脹のみを主訴に受診してくるのは悪性リンパ腫の場合などで，頻度は低い．

発熱や，口内炎・皮膚炎などに伴ってリンパ節腫脹に気づくことのほうが多い．

症候から原因疾患へ

病態の考え方

リンパ節は，頸部，腋窩，肘部，鼠径部，膝窩などの表在で触知することが多いが，深在性のものでは，縦隔，腹腔内などに注意する．このため，リンパ管の流れに沿ってリンパ節の所在を理解しておくことが重要である（図1）．

健康な小児・若年者では，頸部に軟らかく平坦

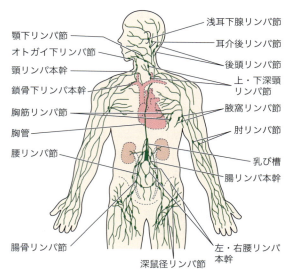

図1　リンパ節の所在

なリンパ節をしばしば触れ，直径1cmまでのものは問題ないことが多い．また鼠径部では，直径2cmくらいまでのリンパ節を触知することもある．それ以上の大きさ，あるいはそれ以下の場合でも表面が不整であったり，圧痛を伴ったり，異様に硬い場合には慎重に対処する．

全身性の疾患に反応して全身性にリンパ節が腫脹したり，ある臓器の疾患に伴って所属リンパ節が反応して腫脹することがある．また，リンパ節自体に感染や腫瘍が起こって腫脹することもある．リンパ節腫脹をみた場合には，どのような病態でリンパ節が腫脹しているのかを考え（図2），その原因となった疾患を考察する必要がある〔表1（☞472ページ）〕．

リンパ節は，主に次のようなメカニズムで腫脹する．

感染症や炎症に対する免疫反応

全身性のウイルス感染症や自己免疫疾患などで

図2　リンパ節腫脹の原因

は，免疫応答に関与するリンパ球やマクロファージが増殖し，リンパ節が腫大する．

リンパ節自体への感染

リンパ節に細菌などが感染してリンパ節腫脹をきたす場合がある．黄色ブドウ球菌など化膿菌による感染では，好中球が浸潤し，充血，浮腫が起こってリンパ節が腫脹する．結核菌の感染では，肉芽腫が形成される．

腫瘍性病変

リンパ節を構成する細胞が腫瘍化する場合と，他臓器の癌細胞が転移してくる場合がある．前者は悪性リンパ腫やリンパ性白血病などである．

その他

サルコイドーシスでは肉芽腫性変化をきたす．Gaucher（ゴーシェ）病や Niemann-Pick（ニーマン・ピック）病などの先天性代謝異常症では，マクロファージに脂質が蓄積し，泡沫細胞（foam cell）となってリンパ節が腫脹する．甲状腺機能亢進症などの内分泌疾患でもリンパ節が腫脹することがあるが，そのメカニズムは不詳である．

病態・原因疾患の頻度（図3）

リンパ節腫脹の原因としては，良性のリンパ節

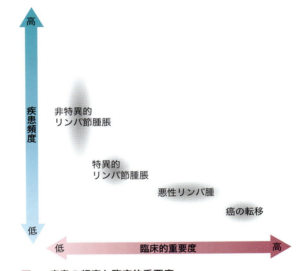

図3　疾患の頻度と臨床的重要度

腫脹が最も多く，84％程度である．このうちの65％程度はウイルス感染症などに付随して起こる非特異的なもので，35％程度は伝染性単核球症，トキソプラズマ症，結核などの特異的な疾患である．残り約16％が悪性疾患で，悪性リンパ腫ならびに癌の転移である．

表1　リンパ節腫脹をきたす主な疾患

感染症
- ウイルス感染症：伝染性単核球症，風疹，麻疹，急性肝炎，後天性免疫不全症候群（AIDS）など
- 細菌感染症：黄色ブドウ球菌感染症，連鎖球菌感染症，結核，ネコひっかき病，Hansen（ハンセン）病など
- クラミジア感染症：鼠径リンパ肉芽腫症，トラコーマなど
- リケッチア感染症：発疹チフス，ツツガムシ病など
- 真菌感染症：コクシジオイデス症，ヒストプラズマ症など
- 原虫感染症：トキソプラズマ，フィラリア，トリパノソーマなど

免疫異常症
- 自己免疫疾患：関節リウマチ，全身性エリテマトーデス，混合型結合組織病，Sjögren（シェーグレン）症候群，皮膚筋炎など
- 血清病
- 薬物アレルギー：フェニトイン，ヒドララジン，アロプリノール，金など
- 血管免疫芽球性リンパ節症
- 移植片対宿主反応

腫瘍性病変
- リンパ節自体の腫瘍：悪性リンパ腫，リンパ性白血病，マクログロブリン血症など
- 二次性のリンパ節腫瘍：癌の転移

脂質蓄積症（リピドーシス）
- Gaucher病，Niemann-Pick病，Fabry（ファブリ）病，Tangier（タンジール）病

内分泌疾患
- 甲状腺機能亢進症

その他の疾患
- Castleman（キャッスルマン）病，サルコイドーシス，皮膚病性リンパ節炎，リンパ腫様肉芽腫症，亜急性壊死性リンパ節炎，川崎病，アミロイドーシス，histiocytosis Xなど

表2　部位別でのリンパ節腫脹をきたす主な疾患

部位	主な疾患
後頭部	頭部皮膚の炎症
耳介部	顔面・頭部の炎症，風疹
顎下部	口腔内・歯肉の炎症，舌癌，梅毒
上深頸部	上咽頭・口腔内の炎症や癌，悪性リンパ腫，結核
上浅頸部	顔面の炎症，結核，悪性リンパ腫，白血病
後頸部	頭部皮膚の炎症，風疹，結核，伝染性単核球症
斜角筋リンパ節	サルコイドーシス，結核，肺癌，塵肺症
鎖骨上窩	左側〔Virchow（ウィルヒョウ）リンパ節〕：腹腔内臓器癌の転移 右・左側：胸腔内臓器癌の転移，悪性リンパ腫
腋窩	上肢・胸郭・乳腺・上側腹部の炎症・悪性腫瘍，結核，悪性リンパ腫
肘部	前腕・手の炎症，梅毒
縦隔	結核，サルコイドーシス，悪性リンパ腫，肺癌，塵肺症，膠原病
腹部	悪性リンパ腫，結核，腹腔内臓器・骨盤内臓器の炎症・癌
鼠径部	下腹部・殿部・下肢の炎症，生殖器・腸管下部の炎症・癌，悪性リンパ腫，軟性下疳
膝窩	下腿・足の炎症・腫瘍

診断の進め方

診断の進め方のポイント

- 頸部リンパ節をはじめ，リンパ節腫脹を主訴とするほか，患者自身が偶然に触知したり，他疾患で診察を受けた際の触診で発見されたりする．
- 腫脹しているリンパ節が良性のもので経過観察だけでよいのか，生検を含め精密検査を要するものなのかを的確に判断することが重要である．
- リンパ節腫脹の診断で最も重要なことは，悪性疾患と良性疾患の鑑別である．この鑑別には，腫脹しているリンパ節の性状を慎重に診察することが基本である．
- リンパ節の部位別に頻度の高い疾患があるので，診断の参考になる（表2）．
- 発熱や皮疹など随伴症状のチェックも重要である．
- リンパ節腫脹そのものが緊急処置を要することは少ない．伝染性単核球症や悪性リンパ腫で扁桃をはじめとするWaldeyer（ワルダイエル）輪や傍気管支リンパ節が急速に腫脹し，気道を閉塞して呼吸困難をきたすおそれのあるときは，気道を確保し，副腎皮質ステロイド薬投与など

を行う.

医療面接

医療面接では，リンパ節が腫脹するきっかけ，あるいは原因となる基礎疾患がないか確認する．医療面接だけでも見当のつけられることが少なくない．たとえば，小児あるいは若年者などではウイルス感染症などに伴う良性のことが多く，これらは経過ならびに全身症状から判断がつく．これに対し，50歳以上では悪性リンパ腫，癌の転移など悪性疾患の頻度が増す．

表3に，聴取すべき主な項目と，注意すべき疾患を挙げる．

身体診察

身体診察では，腫脹しているリンパ節の性状，広がり，炎症所見の有無，咽喉頭所見，皮膚所見，肝脾腫の有無などに注意して診察する．発熱や咽頭炎を伴った全身性のリンパ節腫脹は伝染性単核球症と診断されるなど，医療面接と身体診察だけでも多くの疾患は診断が可能である．表4に示す点に注意しながら，ていねいに触診を行う．

診断のターニングポイント（図4）

医療面接と身体診察を総合して考える点

- **(確定診断)** 歯周囲炎や咽頭炎での顎下リンパ節腫脹や，下肢の化膿に伴う鼠径部リンパ節の腫脹など，身体診察でリンパ節腫脹の原因が確実に診断できる場合も少なくない．
- **(確定診断)** 発熱や咽頭炎を伴った全身性のリンパ節腫脹は伝染性単核球症と診断されたり，風疹では発熱，発疹，あるいは流行性などから診断されるなど，医療面接と身体診察だけからでも良性リンパ節腫脹の多くの疾患は診断が可能である．

必要なスクリーニング検査

良性疾患でも診断を確定するために，あるいは悪性疾患を疑うときには，必ず基本的な検査を行うようにする．

表3 医療面接のポイント

経過
- いつから，どの部位のリンパ節が腫脹してきたのか
- 大きさ・数・硬さの変化をみる

全身症状の有無
- 感染症：咽頭痛，咳嗽，発熱，盗汗，全身倦怠感を確認する
- 悪性腫瘍：体重減少を確認する

局所症状
- 炎症性疾患：リンパ節の自発痛，圧痛を確認する
- 皮膚病性リンパ節炎：皮膚症状を確認する
- 悪性リンパ腫：皮疹，皮膚瘙痒症を確認する

年齢，性別
- 伝染性単核球症（若年者），亜急性壊死性リンパ節炎（若年女性），悪性リンパ腫（中年以降）などを確認する

出身地
- 成人T細胞白血病（西南地方）を確認する

職業
- 塵肺症：粉塵曝露を確認する

ペットとの接触
- ネコひっかき病を確認する

性行動
- 後天性免疫不全症候群：感染者との接触はなかったか

薬物歴
- フェニトイン，ヒドララジンなどの服用歴を確認する

❶ 血球検査（血算）

伝染性単核球症では，ウイルス感染によるBリンパ球の増加と，それに対して反応性のTリンパ球の増殖があり，異型リンパ球がみられる．慢性リンパ性白血病では，リンパ球の増加が著しい．成人T細胞白血病（ATL）では，花弁状の特徴的な白血病細胞が出現する．

❷ 血液生化学検査

炎症性疾患では，CRP上昇，血清蛋白でのα_1，α_2-グロブリンの増加がみられる．LDはリンパ節の炎症もしくは腫瘍で高値となるが，特に悪性リンパ腫では病変の広がりと活動性の指標になる．

❸ 胸部X線検査，腹部エコー検査

縦隔，傍気管リンパ節の腫脹は胸部X線検査で，傍大動脈リンパ節など腹腔内リンパ節腫脹は腹部エコー検査で検出する．必要に応じてCT検査やMRI検査で確認する．

表4 身体診察のポイント

バイタルサイン
- 体温：感染症の診断の指針となる

全身状態
- 体格：慢性疾患や悪性腫瘍による体重減少の有無に注意する
- 皮膚：麻疹や風疹などのウイルス感染症では特徴的な発疹が診断の参考になる

頭頸部
- 頸部：頸部リンパ節腫脹の場合はもちろんであるが，他のリンパ節腫脹が主訴であっても，必ず頸部リンパ節を触診する

咽喉頭
- 扁桃腫大の有無を確認する

胸部
- 呼吸器感染症の有無に注意する

腹部
- 必ず肝脾腫の有無と性状を確認する

四肢
- 四肢の傷がリンパ節腫脹を引き起こすことがあるので，創傷の有無をチェックする

神経系
- 腫瘍性疾患では，腫瘍の脳・脊髄系への浸潤による髄膜刺激症状の有無，腱反射などに注意する

腫脹しているリンパ節の診察

腫脹の広がり
- 局所的に腫脹しているのか，全身性なのか，丹念に触診して確認する．通常は，頸部，腋窩，鼠径部，肘部，膝窩，肝臓，脾臓を系統的に触診する．胸腔内，腹腔内のリンパ節は，胸部X線検査，腹部エコー検査，CT検査，MRI検査で確認する
- ウイルス感染症では全身性のリンパ節腫脹がある．急性・慢性のリンパ性白血病でも全身性にリンパ節が腫脹する．肝脾腫を伴うこともある
- 局所的なリンパ節腫脹は，全身性疾患の部分症状である場合と，特定部位の感染症や悪性腫瘍による所属リンパ節腫脹である場合がある

大きさ
- 一般に直径1cm以下のリンパ節腫脹は良性の非特異的な反応性であることが多い．直径が2cm以上のものは，悪性腫瘍もしくは肉芽腫性病変であることが多く，生検など精査を必要とする

硬さ，自発痛，圧痛，可動性，周囲組織との関係
- 細菌感染症，ウイルス感染症では軟らかいリンパ節が急速に腫脹し，被膜が伸展されて痛む．細菌感染では波動を認めることがある．結核やアクチノマイコーシスでは皮膚に難治性の潰瘍や瘻孔を形成する
- 悪性リンパ腫では大きく，無痛性の弾性軟〜弾性硬で，周囲とは癒着がなく可動性がある．ただし，急速に腫脹する場合には疼痛がある．稀に自然に縮小したりするので注意する
- 癌の転移では非常に硬く，無痛で，周囲にも浸潤して可動性が悪い

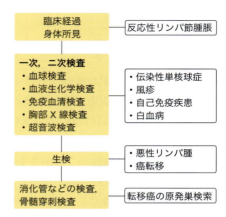

図4 リンパ節腫脹の診断の進め方

診断確定のために

医療面接，身体診察，そしてスクリーニング検査を組み合わせると，診断のつくことが多い．診断を確定したり，さらにその原因を解明する目的や，診断がつかない場合などには精密検査を進める．

確定診断のための検査

❶ 免疫血清学的検査

ウイルス感染が疑われるときには，EBウイルス(EBV)抗体，風疹ウイルス抗体，サイトメガロウイルス(CMV)抗体，ヒトT細胞白血病ウイルスI型(HTLV-I)抗体，ヒト免疫不全ウイルス(HIV)抗体などの血清抗体を調べる．トキソプラズマ抗体，血清梅毒反応，クラミジア抗体も必要に応じて検査する．

全身性エリテマトーデスなど膠原病の疑われるときには，抗核抗体(ANA)など自己抗体を検査する．

結核感染の補助診断用の検査として，インターフェロン-γ遊離試験が用いられる．

❷ リンパ節生検

腫脹しているリンパ節が大きくて悪性腫瘍が疑われるとき，あるいは種々の検査でも診断がつかないときには，生検を行う．

生検標本は病理組織学的検査だけでなく，表面マーカーや染色体・遺伝子検査を行い，正確な診断に供する．

また，結核が疑われるときには，培養検査を行う．

❸ 骨髄穿刺・生検
白血病，悪性リンパ腫の骨髄浸潤，癌の骨髄転移が疑われるときに行う．悪性リンパ腫で病期を決定する目的には，骨髄の生検を行う．

❹ 画像検査
病変の広がりを確認するために，CT・MRI・ポジトロンCT(PET)検査を，必要に応じてGaシンチグラフィー，リンパ管造影検査を行う．癌の転移が疑われる場合には，原発巣を検出する目的で消化管などの画像検査を行う．

主な疾患の確定診断

❶ 伝染性単核球症
若年者に多い．EBVの感染が原因で，発熱，咽頭痛とともに，頸部などのリンパ節腫脹をきたす．軽度の肝腫大と肝機能異常を伴うことがある．末梢血液に異型リンパ球が出現し，免疫血清学的検査でEBV抗体としてVCA，EA，EBNA抗体を検査する．VCA-IgMが高値のときには診断価値が高いが，それ以外のときには間隔をあけたペア血清で抗体価の変化をみて判断する．かつて行われていたPaul-Bunnell(ポール・バンネル)反応の感度は高くない．

❷ 亜急性壊死性リンパ節炎
10～30歳代の女性に多く，発熱と頸部，稀に腋窩や鼠径部のリンパ節腫脹をきたす．リンパ節は比較的硬く，コリコリと触れる．軽度の圧痛，自発痛をみることが多い．原因は不詳で，確定診断は生検で行われる．予後は良好で，1～3か月で自然治癒する．

❸ リンパ節結核
側頸部に多い．弾性硬で，多数のリンパ節が融合して腺塊を形成して可動性の悪いことがある．皮膚に難治性の潰瘍を形成し，瘻孔をつくることもある．分泌物があるときには，それを培養する．診断はリンパ節を生検し，病理組織学的および培養検査，遺伝子検査で確定する．

❹ 悪性リンパ腫
弾性軟～弾性硬のリンパ節腫脹をきたす．1個のことも複数のこともある．通常は無痛性であるが，急速に腫脹するときには圧痛・自発痛を伴うことがある．反応性のリンパ節腫脹が否定されたり，診断がつかないときには生検を行って確定診断を行う．病理組織検査だけでなく，表面マーカー，染色体，遺伝子検査も行い，病型の分類を行う．

悪性リンパ腫では，病理組織診断がつくと，画像診断で病変の広がりを確認し，組織型と病期に応じた治療を開始する．

❺ 癌の転移
非常に硬く，周囲と癒着して可動性の乏しいリンパ節として触知される．胃癌など消化管の悪性腫瘍は，しばしば左鎖骨上窩のVirchowリンパ節に転移する．その他の癌では，原発臓器の所属リンパ節を中心に転移がみられる．生検して確定診断する．

〈奈良 信雄〉

咳, 痰
cough, sputum

咳, 痰とは

定義

咳とは

　咳は，気道内の異物や喀痰などを排除し，気道内を清掃する正常な生体防御反射である．しかし，異物や分泌物に対する咳反射が弱ければ停滞・貯留を起こして気道が閉塞される．逆に分泌物が少なくとも，咳反射が強すぎると気道が虚脱したり，強い咳が自らの気道粘膜を傷つけたりして，さらに咳を誘発することがある．

痰とは

　咳によって気道系から喀出されるものの総称が痰である．痰は，気道の杯細胞や気管支腺からの粘液性分泌物を主体に，脱落細胞成分，細菌などの異物，上気道分泌物や唾液などを含む．その量は通常 100 mL/日以下であり，気道の線毛輸送系により無意識下に喉頭に運ばれ，咽頭を経て嚥下される．量がこれを超えると咳刺激を生じて喀出され，痰として自覚される．

咳, 痰のメカニズム

咳のメカニズム

　咳は，冷気などの気道への物理的刺激，刺激性ガス，煙草の煙などの化学的刺激，気道内に貯留した分泌物や吸い込まれた異物による機械的刺激によって生じる．気管支の上皮間や上皮下などの気道壁表層に分布する知覚神経終末(咳レセプター：有髄神経である $A\delta$ 線維や無髄神経である C 線維)が機械的あるいは化学的に過剰に刺激されると興奮する．興奮は迷走神経の知覚求心路を上行して延髄の孤束核に存在する咳中枢に到達し，種々の遠心路を介して呼吸筋，横隔膜，声帯へ反射的に刺激が伝えられる(図1)．この一連の動きは，生体では最初に大きな吸気(吸気相)，声門閉鎖と呼吸筋収縮による気道内圧上昇(加圧相)，そして声門を開放して生じる爆発的な呼気(排出相)の一連の反応となって咳が発現する．

　気道の炎症による咳嗽では，炎症細胞からケミカルメディエーターが遊離され迷走神経に含まれる無髄神経である C 線維末端が刺激され，C 線維から神経ペプチドと呼ばれる神経伝達物質が放出される(軸索反射)．神経ペプチドのなかでもサブスタンス P が最も広く検討されている．サブスタンス P が C 線維から放出されて，気道の上皮間や上皮下にサブスタンス P が増えると，迷走神経の有髄神経の伝導に結びつく咳レセプター($A\delta$ 線維の終末)が直接あるいは気道収縮を介して間接的に刺激されて，延髄に存在する咳中枢を刺激して咳嗽反射が誘発される．また，気道壁深層に存在する気管支平滑筋の収縮がトリガーとなって $A\delta$ 線維を介した咳嗽反射が発生する経路も存在し，平滑筋の収縮を有する喘息や咳喘息に特徴的とされている．

痰のメカニズム

　下気道分泌の異常な増加が線毛輸送の処理能力を上回り，気道内に貯留した分泌物が咳嗽により気道外に排除されるという生体防御反応である．

　生理的な気道分泌物は，気道上皮細胞を通過した水分と，粘膜下腺と気道表面の杯細胞から産生されたムチンが主成分となり，これに少量の蛋白質，脂質，電解質，および漏出した血漿成分が取り込まれて産生される．

　痰として自覚される病的な気道分泌物は，分泌細胞からのムチンおよびその他成分の分泌過剰，

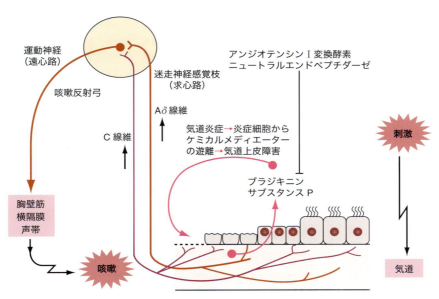

図1 咳のメカニズム

血漿成分の滲出・漏出，上皮からの水・電解質の分泌異常により，物理・化学的性状が変化した分泌物が増加して産生される．その原因には，感染などによる炎症性変化，気道への物理・化学的刺激による粘液分泌亢進などがある．腫瘍や肺膿瘍などにおいて組織破壊物が喀出されたり，粘液産生性肺腺癌や肺水腫の大量の漿液性痰などのように肺胞由来のこともある．

患者の訴え方

患者は，「咳が出る」「咳が止まらない」「咳で眠れない」「痰がたくさん出る」「痰が出にくい」「痰が臭う」「汚い痰が出る」「痰が出ると咳が治まる」などと訴える．なかには咳払いだけや，しきりに唾液を喀出している患者もみられ，精神疾患が関与している可能性もある．

患者が咳と痰を訴える頻度

呼吸器疾患は季節的な変動が大きく，病院に受診する患者の年齢層・重症度によって異なり，疾患の有病率に地域性もあるため患者が咳と痰を訴える頻度に差があるが，咳と痰は最も多い受診理由の1つである．プライマリケアを対象とした報告によると，2019年度における臓器別受診理由のなかで呼吸器疾患が最も多く，なかでも咳は受診理由の1位であった（全患者の10.8％，小児患者の10.7％，成人患者の13.2％）．

症候から原因疾患へ

病態の考え方

咳の種類

咳嗽は，ほぼすべての呼吸器疾患が原因となりうる．咳嗽は喀痰の有無によって，痰を伴う湿性咳嗽と，痰を伴わない乾性咳嗽の2つに分けられる（図2）．

咳嗽は持続期間により，3週間未満の急性咳嗽，3週間以上8週間未満の遷延性咳嗽，8週間以上の慢性咳嗽に分類する（図3）．このような持続期間を設けることで，咳嗽の原因疾患がある程度推定できる．すなわち，急性咳嗽の原因の多くは感冒を含む気道の感染症であり，持続期間が長くなるにつれ感染症の頻度は低下し，慢性咳嗽においては感染症そのものが原因となることは稀である．

咳の起こる様子

咳の起こり方が診断の参考になる．咳の起こる部位として喉の前，後あるいは胸の奥から出るの

図2 咳, 痰の原因

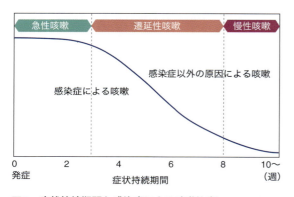

図3 症状持続期間と感染症による咳嗽比率
〔日本呼吸器学会咳嗽・喀痰のガイドライン2019作成委員会:咳嗽・喀痰の診療ガイドライン2019. p.10, 日本呼吸器学会, 2019より転載〕

か, 咳払いを反復するか, 喘鳴があるか, 1日のうちいつ起こるか, 体動や姿勢との関連, 咳の治まり方, 季節や気候との関連(特に寒冷刺激との関連), 職場環境との関連, ストレスや心理要因はないか, などを聴取する(表1).

痰の種類

喀痰をきたす呼吸器疾患は多く, その性状から診断はできないが, 原因疾患や病態の推定の参考になる. 一般に喀痰はその外観から粘液性, 漿液性, 膿性に大きく分類する. 喀痰量や臭いなどに関する分類はないが, 参考になる所見である. 臭いは主観的であるが, 嫌気性菌の感染を示唆する唯一の所見となる場合がある. 患者の訴えの聴取とともに実際に痰を観察することが重要である.

病態から原因疾患を考える

以上の病態から考えられる原因疾患とポイントを表2に示す．

喀痰の原因疾患（喀痰を過剰産生する疾患）は多岐にわたり，同じ疾患でも患者によって喀痰の性状が異なる場合もあり，喀痰の肉眼的所見から原因を明らかにすることは困難である．一般的な喀痰の性状・色調と原因疾患の関係を表3に示す．粘液性の痰は気管支炎，慢性閉塞性肺疾患（chronic obstructive pulmonary disease; COPD），喘息などが多く，漿液性痰としては，急性呼吸窮迫症候群（acute respiratory distress syndrome; ARDS），心原性肺水腫，粘液産生性肺腺癌などが挙げられる．これらは感染がなければ無色透明ないし白色である．膿性痰の多くは細菌感染を示唆する．喘息発作時の好酸球を多く含んだ喀痰やウイルス感染時の喀痰などでも膿性を呈することがある．血痰・喀血の原因は，気道感染症，肺アスペルギルス症，肺癌，気管支拡張症，肺血栓塞栓症，肺結核・気管支結核，肺非結核性抗酸菌症，出血性素因などが多いが不明のことも多い．

病態・原因疾患の割合

呼吸器疾患は季節的な変動が大きく，咳の原因疾患は季節によって変動する．たとえば，感染性疾患は冬季に多く，アレルギー性疾患は春と秋に多い．急性咳嗽の原因疾患は多岐にわたるが，頻度が最も高いのはウイルス性の上気道感染症である．咳・痰を伴う疾患の頻度と臨床的重要度を図4に示す．

慢性咳嗽の原因疾患の頻度については報告によって差があるが，わが国において最も頻度が高いのは喘息/咳喘息（8週間以上慢性的な乾性咳嗽が続くが喘鳴を伴わない．喘息に移行することがある）である（36～54％）．感染後咳嗽（11～14％）も比較的多くみられる．欧米よりも頻度は低いが胃食道逆流症（2～5％）もみられる．慢性咳嗽の原因疾患である咳喘息などの患者が，発症早期に急性咳嗽として受診する場合も少なくないので留意する．

表1 咳の起こる様子と原因疾患

咳の起こる様子	考えられる原因疾患
胸の奥から痰が出る	気管支炎，肺炎，肺化膿症
喉の奥に痰を感じる	咽頭炎，後鼻漏（鼻炎，副鼻腔炎）
咳払いを繰り返す	アレルギー性鼻炎，血管運動性鼻炎，鼻ポリープ，心因性咳嗽，ヒステリー球（ストレス・心理要因を伴う）
喘鳴があって繰り返す	COPD，喘息
早朝～午前に咳が多い	COPD，びまん性汎細気管支炎（痰が出てしまうと咳が治まる）
就寝後に咳が多い	気管支炎，肺うっ血，心原性肺水腫
深夜～早朝に咳が多い	喘息
寒冷刺激で誘発される	喘息
体動で誘発される	喘息
乾性⇔湿性を繰り返す	慢性誤嚥の反復による気道～肺感染症（脳血管障害，Parkinson（パーキンソン）病，Alzheimer（アルツハイマー）病など）

診断の進め方

診断の進め方のポイント

- 急性咳嗽の原因の多くは感冒を含む気道の感染症であり，持続期間が長くなるにつれ感染症の頻度は低下し，慢性咳嗽においては感染症そのものが原因となることは稀である．
- 咳嗽は，ほぼすべての呼吸器疾患が原因となりうる．まず肺炎，肺癌，間質性肺炎，肺結核・気管支結核，肺血栓塞栓症など重篤化しうる，迅速な対応を要する疾患を考慮する．

医療面接

咳・痰の原因疾患は多岐にわたるので，医療面接が診断に重要である．咳・痰の起こり方やその前後の経過，誘因などを中心に病歴を綿密に聴取するが，病歴から診断がつく疾患も多い．病歴では，発熱，呼吸困難，血痰，胸痛，体重減少などに注意する．咳・痰以外にも，随伴する諸症状や生活・家庭・職場環境などを丹念に聴取すれば，

表2 咳，痰の原因疾患と特徴的な所見

区分	疾患名（色字は湿性咳嗽が主である疾患）	特徴・所見・診断のポイント
耳疾患	外耳道刺激	反復する乾性咳嗽，耳垢や異物の刺激など
	中耳刺激	反復する乾性咳嗽，中耳変形→鼓膜の刺激など
鼻疾患	鼻ポリープ	アスピリン過敏症が多い
	後鼻漏（鼻炎，副鼻腔炎）	喉頭刺激（→浮腫）による咳
	アレルギー性鼻炎	くしゃみ・流涙・咽頭刺激感を伴い，主に乾性咳嗽
上気道疾患	咽頭・喉頭炎	ほとんどは急性に経過して2週間以内に消失
	上気道閉塞	吸気性喘鳴（stridor）を伴うことがある
	喉頭アレルギー	咽喉頭異常感を伴う乾性咳嗽，アトピー素因を伴う
感染性気道〜肺疾患	気管支炎，細菌性肺炎	黄色膿性痰が特徴，緑膿菌では緑色痰，ときに血痰
	嫌気性菌肺炎	悪臭膿性痰が特徴，長期間持続しやすい，ときに血痰
	肺化膿症，肺膿瘍	嫌気性菌肺炎と同じだが，大量の痰を伴う
	非定型肺炎	乾性咳嗽が頻回で，疾患改善後も持続しやすい，血痰は少ない，上気道病変も多い
	ウイルス性肺炎	ほとんどが乾性咳嗽，ときに粘性痰，血痰は少ない
	肺結核，気管支結核	持続性の湿性咳嗽，血痰・喀血を伴うことがある
	肺非結核性抗酸菌症	肺結核よりは程度が弱い
	放線菌症，ノカルジア症	初期は乾性咳嗽，次第に膿性痰を伴う
	肺真菌症	血痰・喀血を伴うことがある
呼吸器感染症後	感染後咳嗽	感染性気道〜肺疾患罹患後3週間以上持続する乾性咳嗽
閉塞性肺疾患	COPD	乾性〜湿性咳嗽，早朝起床時に多い，粘性痰，喘鳴を伴うことがある
	喘息/咳喘息	深夜〜早朝に発作的に咳嗽・喘鳴を伴う，粘性痰を伴うことがある
	びまん性汎細気管支炎	膿性痰が早朝〜午前中に多量に出る，副鼻腔炎合併が多い（副鼻腔気管支症候群の一部）
咳レセプター感受性亢進	アトピー咳嗽	咽喉頭の瘙痒感を伴う乾性咳嗽，アトピー素因を伴う
拘束性肺疾患，その他	間質性肺炎	持続性の乾性咳嗽，深吸気で誘発，息切れ強い
	過敏性肺炎	急性に乾性咳嗽を伴うが，慢性化することもある
	塵肺	乾性咳嗽が多いが，ときに粘性痰を伴う
	サルコイドーシス	肺野病変を伴う場合を中心に乾性咳嗽・息切れ
	抗糸球体基底膜腎炎（Goodpasture（グッドパスチャー）症候群）	乾性〜湿性咳嗽，血痰少量が反復，ときに喀血
	ARDS	乾性〜湿性咳嗽，呼吸困難が急激に発現
	特発性肺血鉄症	乾性〜湿性咳嗽，少量の血痰を合併
気管支〜肺構造の変形・破壊	気管支拡張症	粘性〜膿性痰，ときに血痰や悪臭痰を伴う
	陳旧性肺結核	乾性〜湿性咳嗽・息切れ
良性腫瘍	気管内良性腫瘍	乾性咳嗽を伴うことがある
気管気管支内異物		突発的な乾性咳嗽
肺・縦隔・胸膜の腫瘍	肺癌	初期には症状がない場合も多いが，咳嗽・喀痰（ときに血痰）を伴うことがある
	粘液産生性肺腺癌	大量の漿液性痰
	悪性胸膜中皮腫	乾性咳嗽
壊死性肺病変	多発血管炎性肉芽腫症	鼻汁・後鼻漏，鼻出血→血痰，呼吸困難
肺血管病変	肺血栓塞栓症	乾性咳嗽，呼吸困難・胸痛・動悸などが急速に出現
胸膜病変	自然気胸	乾性咳嗽，突発的に呼吸困難・胸痛出現
	胸膜炎	原因によって症状はさまざまだが，細菌感染による胸膜炎（膿胸）では胸痛・発熱を伴う
吸入による刺激	喫煙・スモッグ・大気中の亜硫酸ガス，職業上の有毒ガス	乾性咳嗽が多いが，湿性咳嗽もみられる
薬物性	β受容体拮抗薬 ACE阻害薬	乾性咳嗽
心疾患	肺うっ血	持続性の乾性咳嗽
	心原性肺水腫	湿性咳嗽，呼吸困難，起座呼吸，進行するとピンク色の泡沫状痰が多量でチアノーゼを伴う
上部消化管疾患	胃食道逆流症	夜間に呼吸困難を伴う乾性咳嗽，胸痛・胸やけ多い
精神疾患	心因性咳嗽	突発的，反復性，非律動性の咳嗽の場合，咳チックを考慮する

表3 喀痰の性状・色調と原因疾患

性状・色調	原因疾患
粘液性	気管支炎，COPD，喘息
漿液性	ARDS，心原性肺水腫，粘液産生性肺腺癌
膿性	気道感染症，肺炎，COPDの増悪，喘息発作
緑色	緑膿菌感染症
オレンジ色	レジオネラ肺炎
鉄錆色	肺炎球菌感染症，肺吸虫症
苺ゼリー状	クレブシエラ肺炎
黒色・褐色	真菌感染症
鮮紅色・黒褐色	血痰・喀血（気道感染症，肺アスペルギルス症，肺癌，気管支拡張症，肺血栓塞栓症，肺結核・気管支結核，肺非結核性抗酸菌症，出血性素因など）

表4 医療面接のポイント

咳・痰の所見
- 咳は乾性か，湿性か
- 痰は粘液性か，漿液性か，膿性か，血性か，悪臭があるか

咳・痰の経過
- いつからどの程度の咳・痰があるのか
- 急激に始まったのか，徐々に起こってきたのか
- 1日のうち，いつ増強するか

咳・痰の誘因
- 咳・痰を生じる誘因はないか（かぜ，体動，寒冷刺激，仕事，ストレスや心理要因など）

全身症状の有無と内容
- 発熱，悪寒・戦慄，くしゃみ・流涙・咽頭刺激感，異常呼吸音，鼻汁，息切れ・呼吸困難，チアノーゼ，喘鳴，嗄声，動悸，胸痛，胸やけ，体重減少などはないか
- 上記があるとすれば，咳・痰との時間関係はどうか

基礎疾患・合併症
- 現在治療されている疾患および既往歴・家族歴を確認する

生活歴
- 睡眠時間，食生活，1日の生活時間配分などを確認する
- 生活・家庭・職場環境を把握する

嗜好品，常用薬
- 喫煙，飲酒などの有無と量および習慣となってからの年数などを確認する
- 常用薬の有無と服用量，服用年数などを確認する

ペット飼育
- イヌ，ネコ，鳥類，その他の愛玩動物を飼っていないか確認する

職業歴
- 有毒ガスを取り扱う職場などもあるので，仕事の内容と経歴をすべて確認する

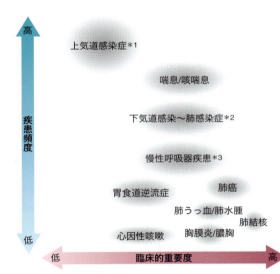

図4 疾患の頻度と臨床的重要度
*1：感冒，急性咽頭炎，急性扁桃炎，急性喉頭炎など
*2：気管支炎，肺炎，肺化膿症など．感染後咳嗽も含む
*3：COPD，びまん性汎細気管支炎，気管支拡張症，間質性肺炎など

さらに正確な診断に到達することが可能となる．喘息を見落とさないことも重要で，喘鳴症状（特に夜間や早朝）に関するていねいな医療面接を行う（表4）．

また，咳・痰の背景に呼吸器以外の疾患（耳鼻科疾患，心疾患，上部消化管疾患，精神疾患など）が存在することがあるので，綿密な医療面接を行うことが大切である．

身体診察

身体診察は，咳・痰をきたした原因疾患の診断に重要である．体温などのバイタルサインの測定，胸部の打診・聴診，咽頭や扁桃の観察は特に重要である．胸部の診察では心疾患の有無にも注意する．四肢に浮腫やチアノーゼ，ばち状指などが現れることもあり，注意する．精神疾患では，行動や話し方，顔貌や表情などにも注意する（表5）．

表5　身体診察のポイント

バイタルサイン
- 体温・血圧・心拍数：全身状態を確認する
- S_pO_2：呼吸不全の有無を確認する

全身状態
- 体格・栄養：筋力・筋肉量低下，栄養状態不良はないか確認する
- 皮膚：発疹などを確認する

頭頸部
- 顔貌・表情：精神疾患で咳・痰を訴えることがあるため，行動や話し方にも注意する
- 眼球・眼瞼結膜：貧血や黄疸の有無を確認する
- 頸部：リンパ節腫脹の有無などを確認する
- 耳道：耳疾患の有無を確認する

咽頭・扁桃・喉頭
- 咽頭：発赤・腫脹などを確認する
- 扁桃：発赤・腫脹や膿苔の有無などを確認する
- 喉頭：発赤・腫脹，可能ならば声帯の様子などを確認する

胸部
- 打診・聴診で心肺疾患を診察する
- 特に呼吸音，副雑音の聴取は重要である

腹部
- 触診・打診・聴診で腹部疾患を診察する

四肢
- 浮腫，チアノーゼ，ばち状指などはないか確認する

神経系
- 腱反射，病的反射，不随意運動などの有無を確認する
- 脳血管障害，Parkinson病，Alzheimer病などによる所見の有無を確認する

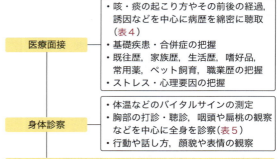

図5　咳，痰の診断の進め方

診断のターニングポイント（図5）

医療面接と身体診察を総合して考える点

- 咳・痰の原因疾患は多岐にわたるので，頻度の高い疾患から順に鑑別診断・診断を進める．
- 最初に，感染性の上気道～肺疾患を鑑別するが，現病歴や発熱などの感染性炎症所見，膿性痰が多いことなどから診断が可能である．
- 医療面接により慢性呼吸器疾患などの基礎疾患や鼻炎・副鼻腔炎などの病歴を確認する．喀痰については，出現時期，色調，臭い，性状，量，喀出困難度，そしてこれらの経時的な変化についての情報を得る．
- 上気道感染症では局所所見を把握する．下気道～肺疾患においては胸部の聴診が役に立つ．
- 喘息を見落とさないことも重要で，胸部聴診時にはていねいな強制呼出を実施し，呼気終末のわずかな笛音（wheezes）をとらえるように心がける．笛音が確認されれば喘息の可能性が高い．喘息だけでなく，心不全の水泡音（coarse crackles）や，間質性肺炎の捻髪音（fine crackles）など他の疾患の副雑音も大切である．
- 咳や痰を訴えていても，心雑音，浮腫などから心疾患の存在を疑うことができる．
- これまでない咳や痰，頸部などにリンパ節を触れることで肺癌が診断されることがある．
- 突発的な咳や痰は，気道内異物や自然気胸，肺血栓塞栓症などが原因のことが多い．
- チアノーゼやばち状指は，呼吸不全をきたす疾患の存在を疑うことができる．

必要なスクリーニング検査

　医療面接と身体診察から，咳と痰をきたす器質性疾患の存在がかなり推測できる．器質性疾患を正しく診断するためには，前述のアプローチに次の基本的なスクリーニング検査を加えて鑑別診断を進める．

❶ 血液検査

末梢血白血球数と分画，血清 C 反応性蛋白 (CRP) 値は有用である．末梢血好酸球数は間接的に好酸球性気道炎症を反映し，喘息などで高値を示すことがある．総免疫グロブリン E(IgE) 値の上昇や特異的 IgE の陽性所見も併せて認められることがある．

感染症の血清学的診断も行われる．マイコプラズマやクラミドフィラ感染症では肝機能が障害されることがある．結核のスクリーニングにインターフェロンγ遊離試験(IGRA)が有用である．

肺癌における腫瘍マーカー，間質性肺炎における血清 KL-6 値は診断の一助となりうる．

❷ 画像検査

胸部 X 線および CT 検査は各種呼吸器疾患の鑑別・診断に有用なのはもちろんであるが，心不全などの呼吸器疾患以外の疾患の鑑別・診断にも有用である．

肺血栓塞栓症を疑う場合は造影 CT 検査を行うべきである．

咳・痰に加え，鼻閉・後鼻漏などがあり副鼻腔気管支症候群が疑われる場合は，副鼻腔 X 線および CT 検査も行うべきである．

❸ 喀痰検査

一般細菌に加えて，抗酸菌の塗抹・培養検査および細胞診が重要である．

細菌学的検査により気道感染症の診断，原因微生物の同定，感染の程度(特に抗酸菌塗抹検査)，薬物感受性の評価などを行う．細胞診検査により，悪性疾患の診断，あるいは炎症細胞(特に好酸球や好中球)を同定して気道炎症の病態の推定を行う．喀痰検査においては，下気道由来の良質な喀痰を採取することが重要である．

膿性痰についてはさらに，主に細菌検査〔Gram(グラム)染色や培養検査〕の適否のための分類を行う．通常，肉眼的分類は Miller & Jones 分類を用い(表 6)，膿性痰(P1～P3)で細菌性肺炎の原因微生物決定における喀痰の価値が高まる．また顕微鏡的には，白血球数と唾液に近い口腔粘膜由来の扁平上皮の数をカウントして分類・評価する〔Geckler(ゲックラー)分類〕(表 7)．

表6 Miller & Jones 分類

M1	唾液，完全な粘性痰
M2	粘性痰だが，少量の膿性痰が含まれる
P1	膿性痰が 1/3 以下
P2	膿性痰が 1/3～2/3
P3	膿性痰が 2/3 以上

表7 Geckler 分類

群	100 倍鏡検の 1 視野あたりの細胞数	
	白血球	扁平上皮細胞
6	< 25	< 25
5	> 25	< 10
4	> 25	10～25
3	> 25	> 25
2	10～25	> 25
1	< 10	> 25

注：喀痰の塗抹標本を低倍率(×100)で鏡検してスコア化したもの
注：1 視野に扁平上皮細胞数が 10～25 個以下で好中球が 25 個以上存在する検体の培養成績は診断的意義が高いとされる

❹ 鼻咽頭ぬぐい液による迅速検査

インフルエンザ，COVID-19 などのスクリーニング・診断に有用である．呼吸器感染症パネル検査によって複数のウイルス，マイコプラズマ，クラミドフィラ，百日咳菌による気道感染症を同時に網羅的に調べることができる．

❺ 生理学的検査

呼吸機能検査は COPD，喘息，びまん性汎細気管支炎などの閉塞性肺疾患および間質性肺炎などの拘束性肺疾患のスクリーニング・診断に有用である．特に COPD の診断には呼吸機能検査が必須である．心電図は心疾患，肺血栓塞栓症などのスクリーニングに有用である．

❻ 呼気中一酸化窒素濃度(FeNO)検査

30 ppb 前後以上の上昇は喘息に特異度の高い所見であるが，感度は高くないことに留意する．

❼ 上部消化管内視鏡検査

胃食道逆流症が疑われる患者において逆流性食道炎(食道粘膜びらん)を証明する目的で行われるが，びらんを示さない非びらん性胃食道逆流症の患者がむしろ多いため，検査の感度は低い．

診断確定のために

咳嗽は，ほぼすべての呼吸器疾患が原因となりうるが，病歴情報，身体所見，スクリーニング検査の結果に基づき，咳・痰をきたす疾患をかなり限定できる．

しかし，器質性疾患の確定診断を行い，かつ重症度や予後までをも含めた診断を行うためには，主な疾患だけでも次のような系統別検査が必要である．

感染性気道～肺疾患の確定診断

感染症の場合，咳・痰とともに一般的に発熱があり，末梢血白血球数高値あるいは低値・核左方移動，血清 CRP 高値などがある．これに加えて，咽頭・扁桃・喉頭炎では各部位に炎症所見があり，気管支炎，肺炎・肺化膿症では聴診上の副雑音，画像所見の異常，喀痰塗抹検査・培養検査などで確定診断がつく．

マイコプラズマやクラミドフィラなどによる非定型肺炎は，血清抗体価測定，特異抗原検出などの迅速検査法が用いられる．

結核症や肺非結核性抗酸菌症は現在，喀痰などの塗抹検査・培養検査・PCR 検査などで確定診断している．診察または画像診断などにより活動性結核が強く疑われるが，細菌学的検査または組織学的検査で確定診断が得られない患者の補助診断に IGRA が有用である．

閉塞性肺疾患の確定診断

COPD（慢性気管支炎，肺気腫を含む），喘息，びまん性汎細気管支炎を含む副鼻腔気管支症候群が代表疾患である．COPD の診断基準には呼吸機能検査での閉塞性換気障害（短時間作用性 β_2 刺激薬吸入後の 1 秒率が 70％ 未満）が含まれる．喘息の発作時はピークフロー値の低下，閉塞性換気障害を伴うことがある．FeNO 検査，血清 IgE 値が診断の参考になり，気道過敏性試験を行うことがある．びまん性汎細気管支炎は，閉塞性換気障害を示すほか，高率に慢性副鼻腔炎を合併し，喀痰量が特に多い特徴がある（膿性，ときに 200～300 mL/日に及ぶことがある）．胸部 X 線・CT 検査が閉塞性肺疾患の診断・鑑別に有用であるが，喘息と COPD は合併することも少なくない点に注意する．ほかに閉塞性換気障害を伴うことがある疾患に肺リンパ脈管筋腫症，気管支拡張症などがある．

拘束性肺疾患の確定診断

間質性肺炎（特発性間質性肺炎，膠原病に伴う間質性肺疾患，薬物性間質性肺炎，慢性過敏性肺炎を含む）が代表疾患である．呼吸機能検査において拘束性換気障害（肺活量が 80％ 未満）を示す．ペット飼育歴や薬物服用歴の聴取を行うことや，胸部 X 線・CT 検査，血清 KL-6 値，血清乳酸脱水素酵素（LDH）値，自己抗体検査が診断・鑑別に有用である．

組織学的な診断が必要な場合，気管支鏡検査・胸腔鏡下肺生検が行われることがある．

肺癌の確定診断

喀痰細胞診や気管支鏡検査（経気管支生検，超音波気管支鏡ガイド下針生検）による生検検体を用いた病理組織検査によって確定診断する．非小細胞肺癌については，確定診断後に遺伝子検査や PD-L1 の免疫染色が行われる．治療方針の決定のために胸部 X 線と CT 検査のほか，FDG-PET 検査，頭部造影 MRI 検査，精密呼吸機能検査が行われる．

血清学的な腫瘍マーカーは診断時のスクリーニング，治療効果の判定などに有用なときがある．

胸膜疾患の確定診断

胸水穿刺を行い漏出性胸水か滲出性胸水かを調べ，滲出性胸水なら胸膜疾患を考える．胸水を認める胸膜疾患として膿胸，結核性胸膜炎，癌性胸膜炎，悪性胸膜中皮腫などがある．肺野の病変の評価のため胸部 X 線や CT 検査が行われる．結核性胸膜炎においてアデノシンデアミナーゼ（ADA），悪性胸膜中皮腫において可溶性メソテリン関連ペプチド（soluble mesothelin related peptides; SMRP）が参考になる．胸水細胞診などで確

定診断がつかない場合は，外科的胸膜生検が必要になることがある．

肺血栓塞栓症の確定診断

急性肺血栓塞栓症は，突然生じた胸痛や呼吸困難，低酸素血症を認めるときに疑うことが重要である．胸部造影CT検査で確定診断する．血中D-ダイマー高値が認められる．

慢性肺血栓塞栓症の診断に肺換気・血流シンチグラフィーが有用である．

〈北口 良晃，花岡 正幸〉

喀血, 血痰
hemoptysis, bloody sputum

喀血, 血痰とは

定義

一般に喀血とは，下気道（肺または気管・気管支）から出血した血液そのものを喀出することをいう．特に100〜600 mL/日の喀血量を認める場合を大量喀血と呼ぶ．血痰とは，痰に血液が付着もしくは混在したものを指す．口腔や鼻腔からの出血とは区別する．

患者の訴え方

喀血・血痰は身体の危機，生命の不安感を感じるものであり，初めて血痰が出た場合，患者は驚いて外来受診することが多い．訴えとしては「痰に赤い点や線が混じった」「咳をして血を吐いた」「血が混じった痰を吐いた」というものなど多彩である．一般的には「咳とともに出た」と表現するため，吐血と区別できることが多い．しかし，鼻出血や咽頭，口腔からの出血も気道内に吸引され咳嗽を伴い「喀血・血痰」と表現することもあるので注意が必要である．

患者が喀血, 血痰を訴える頻度

喀血・血痰を主訴として来院する患者は数％程度とみられ，数十年前と比較し減少傾向である．要因として，生活環境の向上による気道感染，結核の減少，早期発見につながる健康診断の普及などが考えられる．

症候から原因疾患へ

病態の考え方

まず喀血・血痰と鼻，咽頭からの出血，上部消化管からの出血（吐血）を区別する．吐血と喀血の鑑別を表1に示す．

表1　喀血と吐血の鑑別

	喀血	吐血
症状	咳嗽とともに喀出	嘔吐とともに吐出
前兆	喉頭の違和感	悪心
色調	鮮紅色	暗赤色，鮮紅色
混在物	喀痰，膿性痰	食物残渣
pH	アルカリ性	酸性

喀血・血痰は呼吸器疾患のほかに，心血管系疾患（心不全，肺血栓塞栓症など）や出血傾向（血液疾患，薬物性）なども原因となる（図1）．それぞれ具体的な疾患について表2に示す．

気管支拡張症は，気管支がなんらかの原因によって不可逆性の拡張をきたした状態である．慢性炎症化に伴い異常血管が発達し，大量喀血をきたすことがある．また，慢性気道感染によっても異常血管が発達し，喀血・血痰の原因となる．突然の喀血と胸部画像上すりガラス陰影を呈する場合，びまん性肺胞出血が鑑別となる．特に血管炎症候群では貧血や抗好中球細胞質抗体（anti-neutrophil cytoplasmic antibody; ANCA）の上昇が特徴的である．また抗凝固薬による肺胞出血の頻度も高いため，薬物内服歴も重要である．

うっ血性心不全では血液成分の肺胞内への漏出により，ピンク色の泡沫状痰を認める．医原性としては，気管支鏡検査や胸腔穿刺による肺損傷なども原因となる．

病態・原因疾患の割合

調査の時期や地域などにより頻度は異なる．喀血・血痰の原因疾患は多岐にわたり，わが国におけるこれらの疾患の喀血原因としての頻度は明らかでない．日常臨床では，気管支拡張症，呼吸器

図1 喀血，血痰の原因

感染症（非結核性抗酸菌症，結核，肺炎，肺化膿症，気管支炎，肺真菌症など）が多く，約半数近くにのぼる．

肺癌などの悪性腫瘍によるものも比較的みられる．肺癌が癌死の首座を占める現在，40歳以上の男性で喀血・血痰をみた場合，肺癌を念頭におく必要がある．肺癌の初発症状として喀血・血痰をみる症例はわが国では15～20%程度とされている．

結核はわが国では高齢者の発症が多い．非結核性抗酸菌症はやせ型の中年以上の女性で頻度が高く，胸部X線写真で中下肺野に粒状影，結節影，浸潤影を認めることが多い．

一方で原因が特定できないことも多く約30%にのぼり，特発性喀血症と呼ばれる．病態・原因疾患の頻度とその臨床的重要度を図2に示す．

表2 喀血，血痰をきたす疾患

呼吸器疾患
- 感染症：肺炎・肺化膿症，気管支炎，結核，非結核性抗酸菌症，肺真菌症，肺寄生虫症
- 非感染症：肺癌，気管・気管支腫瘍，気管支拡張症，びまん性肺胞出血（ANCA関連血管炎，膠原病，薬物など），形成異常（肺分画症，気管支嚢胞，蔓状血管腫など），肺動静脈瘻，異物

心血管系疾患
- うっ血性心不全，僧帽弁狭窄症，肺梗塞，大動脈瘤破裂

出血傾向
- 血液疾患（白血病，血友病など），凝固異常，薬物性

その他
- 特発性，胸部外傷，医原性

診断の進め方

診断の進め方のポイント

- 上気道出血や吐血を除外する．
- 喀血・血痰は窒息の不安があり，患者の心理的な動揺が大きい．しかし受診時にはすでに治

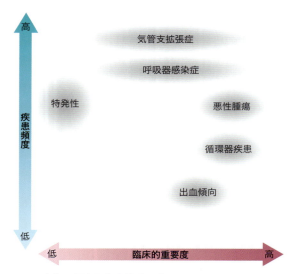

図2 疾患の頻度と臨床的重要度

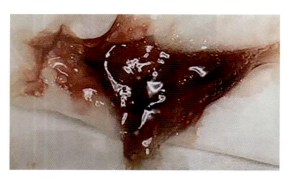

図3 血痰

表3 医療面接のポイント

喀血・血痰の観察
- 色，性状はどうか：血線の有無，色調（鮮紅色か暗赤色か），流動性
- 多量の場合に疑われる疾患：気管支拡張症，結核，中枢型肺癌，大動脈瘤
- 少量の場合に疑われる疾患：末梢型肺癌，下気道感染症，肺うっ血，肺血栓塞栓症

既往歴
- 気管支拡張症，肺癌，結核などの既往がないか

前駆症状
- 咳，痰，発熱などがあった場合に疑われる疾患：呼吸器感染症（肺炎，気管支炎，肺結核など）

随伴症状
- 胸痛，呼吸困難などがある場合疑われる疾患：肺血栓（塞栓）症，胸部損傷

処方薬物
- 抗凝固薬，抗血小板薬の内服歴を確認する

喫煙歴
- 疑われる疾患：肺癌

まっていることも多く，患者に過度な不安をいだかせることのないよう注意する．
- 大量喀血は呼吸不全，窒息の危険があり，速やかにバイタルサインを確認し，全身状態の把握を行う．
- 詳細な医療面接や身体診察を行い，鑑別診断を進める．
- 必要な検査を行う．胸部 X 線，CT 検査，血液検査〔白血球数（WBC），赤血球数（RBC），ヘモグロビン（Hb），血小板数，D-ダイマー，C 反応性蛋白（CRP）〕，動脈血液ガス分析，心電図検査など．

医療面接(表3)

血痰，喀血の色や性状を観察する．血線を認める場合は，病変が新しい，気道の出口に近い部位からの出血が示唆される．また桃色，暗赤色で流動性に欠ける場合は(図3)，病変は慢性化しているか気道の深部にあることが示唆される．肺うっ血ではピンク色の泡沫状痰を認めることが多い．流れ出る鮮血の場合は，重症で緊急に対応が必要である．

喀血量を医療面接と血球検査から推測する．喀血量が少ないのに全身状態の悪化（チアノーゼ，頻脈，血圧低下など）が認められる場合は，他部位からの出血や血液の吸い込み，無気肺，心血管疾患を考慮する．中枢型の肺癌では治療による癌組織の壊死，空洞形成が大量喀血につながる．突然の喀血を起こす疾患として大動脈瘤破裂も稀ながらあるので注意する．

全身状態が安定している場合には詳細な医療面接を行う．出血の原因となる気管支拡張症，肺癌，結核，非結核性抗酸菌症などの既往がないか確認する．気管支拡張症や結核，非結核性抗酸菌症では喀血・血痰を繰り返している場合が多い．喫煙歴，薬物内服歴（抗凝固薬，抗血小板薬など），随伴症状（発熱，呼吸困難，胸痛，体重減少など）などを聴取する．

表4 身体診察のポイント

バイタルサイン
- 呼吸，脈拍，血圧，意識レベルを評価し，ショックや窒息のおそれがある場合は救急処置を行う

全身状態
- 嗄声，チアノーゼ，皮下出血，紫斑，表在リンパ節腫大の有無を確認する

頭頸部
- 眼瞼結膜の貧血の有無，口腔内，鼻腔内の出血や外頸静脈の怒張を確認する

胸部
- 呼吸音の聴診でラ音や左右差，気道狭窄音，心音の聴診では心雑音や過剰心音に注意する

腹部
- 肝脾腫，筋性防御，圧痛を確認する

四肢
- 下腿浮腫の有無や皮疹を確認する

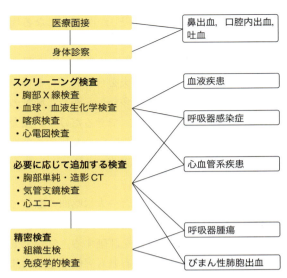

図4 喀血，血痰の診断の進め方

身体診察（表4）

　嗄声，チアノーゼ，外傷，皮下出血や紫斑などの有無を確認する．眼瞼結膜を観察し，貧血の有無を確認する．鼻咽頭部，口腔（歯肉，舌）からの出血か否かを確認する．口腔から出血した場合は唾液に血液が混じり，咽頭からの場合は痰に新鮮な血点が付着していることが多い．

　呼吸音の聴診では気道狭窄音，水泡音などラ音の有無，聴取部位，左右差の有無などに注意する．患側の推定を行う．患者は患側を下にして横になっている場合も多い．

　弁膜症などの心疾患，心不全徴候の鑑別のため，心雑音や心音の聴診（Ⅲ音，Ⅳ音の聴取），外頸静脈怒張や下腿浮腫の有無を確認する．

　腹部触診で肝臓や脾臓の腫大，圧痛や筋性防御の有無を確認する．また悪性腫瘍を疑う場合は，リンパ節腫大を認めることがあるので確認する．

診断のターニングポイント

医療面接と身体診察を総合して考える点

- **（除外）** 鼻腔・口腔内の診察を行い，上気道からの出血を除外する．また吐血を除外する．胃管による消化管内容物の採取も役立つことがある．

- 喀血・血痰を主訴とする患者の身体診察，医療面接で疑う疾患を以下に示す．

> ◆発熱，咳嗽，膿性痰 → 呼吸器感染症（肺炎，肺化膿症，気管支炎など）
> ◆発熱，体重減少，2週間以上持続する咳，痰 → 結核
> ◆心雑音，水泡音，下腿浮腫，外頸静脈怒張 → 心疾患，心不全
> ◆嗄声，喫煙歴，男性，体重減少 → 肺癌
> ◆血尿の合併 → 血管炎症候群，凝固異常
> ◆以前から繰り返す喀血・血痰 → 気管支拡張症，結核，非結核性抗酸菌症
> ◆ピンク色，泡沫状の痰 → 心原性肺水腫，うっ血性心不全

必要なスクリーニング検査

　医療面接と身体診察から，喀血・血痰の原因を推測することは可能であることも多い．しかし，正しく診断するために，次に述べる画像検査，血液検査，喀痰検査など行い鑑別診断を進める（図4）．主な検査として次のようなものがある．

❶ 胸部X線検査

　胸部X線検査は病変，出血部位の精査のため必須である．2方向（正面と側面）撮影を行い，基礎病変を探索する．病変（炎症部位，空洞や腫瘍

の存在，出血の吸い込みなど）が明らかになる場合がある．

血液の吸い込み像は，すりガラス陰影を呈する．出血量が多い場合や肺炎を合併している場合は，浸潤影を呈することが多い．しかし，肺野の検出能はCT検査より劣る．できるだけ早い機会に胸部CT撮影を行い，異常陰影の有無やその性状を正確に把握することが必要である．

❷ 胸部CT

喀血・血痰が持続する場合や大量喀血の際などに胸部CTを行う．肺野の陰影を評価し，肺胞出血か出血の吸い込みかなどを評価する．気管・気管支内腔の出血塊，腫瘍の有無も評価する．胸部X線写真では指摘が難しい肺門部や気管支内の悪性腫瘍が見つかる場合もある．

正確な出血部位の評価や血管走行の確認，肺血栓塞栓症などの評価のために造影CTも検討する．異常血管の評価，同定を行う．

❸ 血球検査（血算）

出血による貧血の評価や血液疾患を鑑別する．WBCの増加や核の左方移動は急性感染症を示唆する．アスペルギルス症，寄生虫症では好酸球の増加を認める．

❹ 血液生化学検査

感染症や炎症性疾患でCRPの上昇を認める．凝固異常の有無を確認するために凝固系の評価を行う．

❺ 尿検査

血管炎症候群では血尿，蛋白尿をみることがある．出血傾向を示す血液疾患でも血尿をきたすことがある．

❻ 心電図検査

心疾患や肺梗塞を疑う場合には，心電図検査を行う．

❼ 喀痰検査

抗酸菌塗抹・培養，PCR検査，一般細菌培養，細胞診を行う．

❽ 気管支鏡検査

胸部CTなどの画像検査が正常でも，気管支鏡検査を行うと気管支上皮から発生した早期の扁平上皮癌を認める場合も稀にある．また出血部位の確認，止血処置などの目的で行われことがあるものの，すでに止血されている場合は検査によって再出血をきたす危険性もあり，適応を慎重に判断する．

診断確定のために

医療面接，身体所見，スクリーニング検査の結果に基づき，喀血・血痰をきたす疾患を絞ることができる．しかし，それぞれの疾患の確定診断のために追加の検査が必要な場合がある．

肺癌の確定診断

細胞診または組織生検によって悪性細胞を証明する．患者の負担を考慮すると，喀痰あるいは気道吸引物による細胞診がまず選択される．ただし，末梢型肺癌（腺癌，転移性肺癌）では喀血・血痰をきたすことは少なく，細胞診も陰性であることが多い．また近年，肺癌の治療において遺伝子検査が重要になっており，気管支鏡検査などにより可能なかぎり組織生検を行うことも重要である．

肺結核，非結核性抗酸菌症の確定診断

画像検査による病巣の性状の把握に加え，喀痰塗抹検査による抗酸菌の証明が必要である．喀痰培養による判定までには時間を要するため，PCR法によって補助診断が可能である．血液診断法（QFT®検査，T-スポット®検査）も有用ではあるが，既感染との鑑別は困難である．

呼吸器感染症の確定診断

画像診断による炎症巣の性状の確認，血液検査による炎症反応の亢進に加え，喀痰検査による起炎菌の証明が必要であるが，実際には起炎菌の同定は難しい場合が多い．気管支拡張症や慢性気管支炎では朝方に痰が多いことが特徴的である．

肺真菌症を考慮する場合は，Grocott（グロコット）染色も提出する．アスペルギルス症では抗原検査が有用であり，胸部X線検査やCT検査で空洞内の菌球を認めることが多い．また，喀痰中に菌塊を認めることがある．

血液疾患の確定診断

末梢血液検査，凝固・線溶系検査，骨髄検査，染色体分析を行う．

心血管系疾患の確定診断

うっ血性心不全では身体所見が重要である．心電図検査やX線検査，心エコー検査を行う．肺血栓塞栓症では造影CTが有用であり，肺血流シンチグラフィーで陰影欠損像を認める．

大動脈瘤が気道に穿孔し，致命的な大出血をきたす場合があるが，その前駆症状として喀血・血痰をみることがある．胸部X線検査やCT検査，血管造影により動脈瘤を確認する．

僧帽弁狭窄症は胸部X線像のほか，心エコー検査によって診断する．

びまん性肺胞出血の確定診断

原因として膠原病(全身性エリテマトーデスなど)やANCA関連血管炎，Goodpasture(グッドパスチャー)症候群，感染(ウイルス性肺炎，ニューモシスチス肺炎など)，薬物性(抗凝固薬，アミオダロンなど)などがある．血液検査で炎症所見や貧血を認める．胸部X線検査や胸部CTでは，両側にびまん性のすりガラス陰影，浸潤影を認める．

気管支鏡による気管支肺胞洗浄(bronchoalveolar lavage; BAL)(生理食塩水 50 mL×3回)を行い，気管支肺胞洗浄液が1回目から3回目にかけて赤色が濃くなることで診断となる．

顕微鏡的多発血管炎による肺胞出血を疑う場合には，血液検査で腎機能障害，MPO-ANCAの上昇を確認し，また尿検査を行い，血尿，蛋白尿の有無を評価する．肺，腎など組織生検が可能であれば行う．

Goodpasture症候群では抗基底膜抗体を検出する．

〈生山 裕一，花岡 正幸〉

胸痛および胸部圧迫感
chest pain, chest oppression

胸痛および胸部圧迫感とは

定義

　胸痛とは胸部に生じる痛みを指し，胸部圧迫感とは胸部に締めつけられる，あるいは重たい感じがするといった，不快な感覚が生じることである．同じく胸部に生じる胸やけ，動悸，呼吸困難などの症状については別項で扱う．

　胸痛および胸部圧迫感は救急外来を含む外来患者の主訴として最も多く，外傷によらない胸痛および胸部圧迫感の鑑別疾患は多岐にわたり，そのなかには診断が遅れると致命的となる急性期疾患が含まれる．そのため，急性発症か否かを意識しながら医療面接を行い，痛みの性状，部位や症状の経過，随伴症状の有無を確認し，身体診察による陽性・陰性所見を参考にしてある程度疾患を分類・絞り込むことが重要となる．

　致命的な急性期疾患を見逃さない観点が重要視されることから，まず急性発症であるかを確認し，その場合は，①急性冠症候群（急性心筋梗塞・不安定狭心症），②緊急性の高い（①を除く）心肺疾患（急性大動脈解離，心膜疾患，急性肺血栓塞栓症，緊張性気胸など），③その他の臓器による緊急性の高い疾患（食道破裂など）についての鑑別が早急にできるよう，必要な検査を優先すべきである．

患者の訴え方

　胸痛および胸部圧迫感は原因となる臓器が多岐にわたる．外傷，帯状疱疹などによる体性痛であれば患者が訴える痛みの部位も明確であることが多いが，急性心筋梗塞をはじめとする内臓痛で生じる胸痛・胸部圧迫感は，ときには放散痛（関連痛）も伴い，患者が痛みの部位を答えられないこともしばしばである．このため痛みの確認時に基本となる，発症様式(onset)，増悪/寛解因子(provocative/palliative factors)，性質と程度(quality/quantity)，部位と放散部位(region/radiation)，随伴症状(symptoms associated)，時間経過(time course)のいわゆるOPQRSTを意識して患者の症状を理解する．

　発症様式について，突然の発症，経験したことのない激しい痛みであれば緊急性の高い疾患を疑う根拠となる．痛みの性質がピリピリ・チクチクなど刺されるような痛みである場合は，内臓痛よりは帯状疱疹などによる体性痛を想起する．患者が痛みを訴える部位について，皮膚・胸壁など体の外側が痛むのか，それとも心肺血管系など内側が痛むのか，解剖学的に鑑別疾患を想起することも有効である．痛みの放散方向について，胸部から背部への移動は急性大動脈解離，左肩，上肢，下顎などへの放散は狭心痛にしばしば伴う．時間経過について，たとえば狭心痛の場合，30分以上続くような胸痛であれば急性心筋梗塞を疑い，安静により数分〜10分以内に胸痛が治まるようであれば労作性狭心症を疑う．

　患者の訴えを以下に例示する．
① 「夜寝ていたら急に胸が灼けるように痛くなって，冷や汗があって吐き気もあり，家族に救急車を呼んでもらい受診しました．痛みはまだ続いています」
② 「日中テレビを見ていたら，突然，胸や背中が痛くなり，引き裂かれるような痛みが今も続いています．右足にしびれる感じもあって，救急車でここへ来ました」
③ 「午前中，大学の講義を受けていたら急に右の胸が痛くなり，息が吸いづらい感じが続いています．歩くのも大変で，救急車でここへ来ま

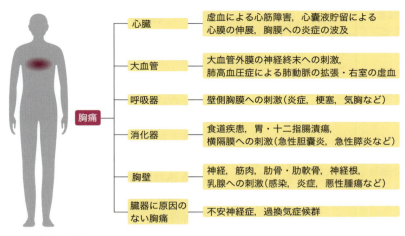

図1 胸痛の原因

した」
④「4，5日前から，胸の左側から背中にピリピリとした痛みがずっと続いています．家族に見てもらうと痛むところに湿疹ができていると言われました」
⑤「2か月くらい前から，趣味のゴルフをしているときなどになんとなく押さえつけられるような重苦しい感じがあって，少し休むとよくなります」

以上の訴えは，①急性心筋梗塞，②急性大動脈解離，③自然気胸，④帯状疱疹，⑤労作性狭心症の患者から聴取された初診時の訴えである．

まず「いつ症状が始まったか」「急に始まったか」といった発症様式についての確認を行い，緊急処置が必要な疾患か否かを判断する．緊急性が高い疾患を疑った場合には医療面接・身体診察は必要最小限にとどめ，速やかに適切な検査を手配する．一方，緊急性が高くないと判断した場合には，詳細な医療面接と十分な身体診察を行う．実際の外来患者は胸痛以外の悪心・嘔吐，咳，呼吸困難，動悸といった胸部症状や，発熱を併せて訴えることがむしろ普通である．あわてて患者の症状を1つに限定するのではなく，症状をていねいに聴取して正しい診断に結びつける受容的な態度が肝要である．

患者が胸痛および胸部圧迫感を訴える頻度

胸痛は来院する患者の主訴として最も多い症状の1つである．

米国において，胸痛を主訴に外来を受診する患者は全体の約1%とされる．米国胸部学会から，胸痛の最終診断として最も多いのは胃腸疾患であり，命にかかわる冠動脈疾患は全体の約5%と報告されている．米国では心疾患が主要な死因であるが，胸痛を訴えて一次医療機関を受診した患者のうち，不安定狭心症または急性心筋梗塞患者は全体の2～4%との報告がある．

症候から原因疾患へ

病態の考え方（図1）

胸痛および胸部圧迫感は原因となる臓器が多岐にわたるため，表1に示すように解剖学的に心臓，大動脈・肺動脈，呼吸器，消化器，胸壁に分けて鑑別診断を想起する．

胸痛の発生源

❶ 心臓

虚血による心筋障害，大量の心囊液貯留による心膜の伸展，心膜への炎症の波及などが痛みの主原因となる．

表1 胸痛をきたす疾患

臓器	特に緊急性が高い	緊急性が高い	緊急性が低い
心肺疾患			
心臓	急性心筋梗塞 不安定狭心症 労作性狭心症 心タンポナーデ 心膜疾患	異型狭心症	
大血管	急性大動脈解離 胸部大動脈瘤破裂 急性肺血栓塞栓症	肺高血圧症 大動脈炎症候群	
肺	緊張性気胸	自然気胸 膿胸	肺炎/胸膜炎 横隔膜下膿瘍
非心肺疾患			
胃腸	特発性食道破裂〔Boerhaave（ブールハーフェ）症候群〕	膵炎 胆囊炎 消化管穿孔 胃・十二指腸潰瘍 アカラシア	逆流性食道炎 胆石症 食道裂孔ヘルニア Mallory–Weiss症候群
神経・筋		肋軟骨炎 帯状疱疹	肋間神経痛
精神		不安神経症	過換気症候群

❷ 血管系

中膜に血腫のできる急性大動脈解離では，外膜の神経終末の刺激により痛みを生じる．肺血栓塞栓症では，二次性の肺高血圧症による肺動脈の拡張，右室の虚血，肺梗塞部位による胸膜への刺激が痛みの原因とされる．

❸ 呼吸器系

肺組織・臓側胸膜には痛覚がなく，壁側胸膜が侵されて初めて痛みを生じるとされる．肺炎時の胸痛は，随伴する胸膜炎による．自然気胸，胸水貯留などによる痛みも胸膜痛である．ただし，急性気管支炎などでも胸痛を訴えることがある．

❹ 消化器系

逆流性食道炎などの食道疾患のみならず，胃・十二指腸潰瘍などでも胸骨下部不快感を認めることがある．また，急性胆囊炎，急性膵炎などで横隔膜が刺激されると，関連痛としての胸痛を生じることがある．

突発的に食道に破裂穿孔が起こる特発性食道破裂（Boerhaave 症候群）は頻度が少ないが，早期診断が予後を左右する．

❺ 胸壁

神経，筋肉，肋骨，肋軟骨，神経根，乳腺に分けて考える．帯状疱疹では胸痛が皮疹の出現に先行する場合がある．肋骨への転移や椎体への浸潤などの悪性腫瘍の関与も忘れてはならない．

❻ 胸壁に原因のない胸痛

胸部症状の訴えが前景に出る不安神経症（心臓神経症あるいは神経循環無力症と呼ばれる）や過換気症候群などがある．

発生源と痛みの関係

その他，症状から原因を考えるうえで参考になる注意点を挙げる．

❶ 関連痛（放散痛）

関連痛とは，痛みの原因となっている内臓からの求心神経が入る脊髄と同じ高さの神経の支配を受けている皮膚に感じる痛みのことをいう．また，内臓のある腹部以外で感じられる関連痛を放散痛という．

たとえば，心筋虚血の痛みは交感神経節を経て，$T_{1\sim4}$ に入る．そのため，$T_{1\sim4}$ を中心とした皮膚分節，すなわち胸骨裏面，左上肢の尺骨側，頸部，下顎などの痛みが感じられる．

また，心膜炎による横隔膜中央部の刺激は横隔神経を経て $C_{3\sim5}$ に送られるが，肩の皮膚感覚も鎖骨上神経を経て同じ高さに投射されるので，肩の痛みとして訴えられる．

心疾患や大血管病変では，胸痛そのものより関連痛（放散痛）の訴えのほうが強い場合もある．

❷ 原因が痛みのある側にあるとは限らない

患者が右あるいは左の一側性に痛みを訴える場合，痛みのある側に病変が存在するのが通常であるが，肺癌などの悪性腫瘍の場合，対側の肋骨への転移などで原発巣の反対側に胸痛を訴えることもある．

❸ 原因が1つとは限らない

胸痛の原因となる疾患は一般的に頻度の高いものが多く，複数の疾患が合併していることも稀で

はない．虚血性心疾患と神経症，自然気胸，帯状疱疹などの合併や，急性大動脈解離による心筋梗塞などには注意が必要である．

病態・原因疾患の割合(図2)

　救急外来，一般外来，循環器や呼吸器などの専門外来によって，また患者の年齢や随伴症状の有無によっても，原因疾患の内訳は変わってくる．

　米国からの報告において，胸痛を主訴に救急外来を受診した患者のうち，急性冠症候群と最終診断された割合は約15%とされ，一般内科外来に比べてその頻度は高く，特に高齢者であるほど，呼吸困難・悪心などの随伴症状を伴う胸痛ほど急性冠症候群である可能性が高まる．

　一方，一般内科外来における胸痛の一般的な原因は，頻度が高いほうから胸壁由来，逆流性食道炎，肋軟骨炎であり，急性冠症候群と診断される割合は2〜4%との報告がある．

　一般内科外来の場合，循環器疾患の占める割合は救急外来や循環器外来よりは少なく，呼吸器系疾患の割合が増えて，これらに加えて神経症や筋・骨格系の疾患が相当数入ってくると考えればよい．

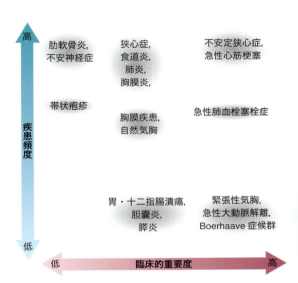

図2　疾患の頻度と臨床的重要度

診断の進め方

診断の進め方のポイント

時間経過の把握

- 胸痛・胸部圧迫感を訴える患者がきたら，まず①急性(数十分〜数時間前)発症か，②亜急性(数時間〜数日前)発症か，③反復性・慢性のものかを確認する．
- ③の反復性・慢性であった胸痛が，強さ，頻度を最近急に増した場合には①に含める．
- それぞれの場合で，以後の診断・処置に要求される迅速さが異なる．

急性発症の場合

- 緊急の処置を要する疾患(急性心筋梗塞，不安定狭心症，急性大動脈解離，心タンポナーデ，肺血栓塞栓症，緊張性気胸，特発性食道破裂など)を鑑別する．
- バイタルサイン〔血圧，脈拍，体温，呼吸数，動脈血酸素飽和度(SpO_2)〕を確認し，ショック症状や呼吸不全の症状があればただちに静脈路確保，酸素投与，心電図モニターを開始する．
- 手際よく3分くらいで医療面接と身体診察を行い，スクリーニング検査(標準12誘導心電図，胸部X線，動脈血液ガス分析)を至急で実施し，診断を迅速に進める．

亜急性発症の場合

- 即日入院加療の必要性を念頭におきながら，系統的に医療面接，身体診察，検査を進める．

反復性・慢性の場合

- 上述の重篤な疾患が反復性・慢性の発症経過をとることもありうるが，より緊急度の低い疾患である可能性のほうが高い．
- 鑑別診断の範囲が広くなるので，時間をかけたていねいな医療面接と身体診察が重要になる．

医療面接(表2)

　急性発症の場合は，鑑別に挙げた疾患に特徴的な所見の有無を短時間で確認することが必要であ

表2 医療面接のポイント

胸痛の強さ・質
- 最も痛みの強かったときを10とすると今はいくつか
- どんな痛みか
- ニトログリセリン舌下の効果はどうか

胸痛の時間経過
- 急性：数十分〜数時間前に発症したのか
- 亜急性・持続性：数時間〜数日前から続いているのか
- 慢性・反復性：出現と消失を繰り返しているのか

胸痛の部位
- 胸骨裏が主か
- 側胸部か

放散痛
- 左腕・頸部・左肩背部が主か
- 背部・腰部が主か

随伴症状
- 悪心・嘔吐，呼吸困難，咳，発熱などはないか

誘因
- 呼吸や咳，体位・運動との関係などはどうか

既往歴・家族歴
- 冠動脈疾患のリスクファクター：喫煙，高血圧症，糖尿病，脂質異常症，高尿酸血症，甲状腺機能亢進症などの既往歴・家族歴を確認する
- 虚血性心疾患，大動脈瘤などの有無を確認する

表3 身体診察のポイント

バイタルサイン・全身状態
- 血圧，脈拍，体温，呼吸数，S_pO_2，全身状態を評価する
- 意識レベルの低下，四肢冷感，冷汗などがあれば，事態は深刻である
- 血圧の左右差，上下差（解離性大動脈瘤），奇脈（心タンポナーデ），不整脈の有無を確認する

頭頸部
- 頸動脈の左右差，雑音や頸静脈の怒張，リンパ節腫脹（悪性腫瘍）の有無を確認する
- 貧血（大動脈瘤切迫破裂），黄疸（胆嚢炎，解離性大動脈瘤）もチェックする

胸部
- 胸郭の運動異常，乳房の変化，皮疹の有無を確認する
- 圧痛や打診痛，異常可動性を確認する
- 鼓音，濁音の有無，肝濁音界を確認する
- 心雑音，血管性雑音，呼吸音の減弱，肺野のラ音，胸膜摩擦音の有無を確認する

腹部
- 肝腫大（肺血栓塞栓症，心不全），季肋部圧痛（胆嚢炎），血管性雑音の有無を確認する

四肢
- 四肢の血圧の左右差，神経系の巣症状などがないか（急性大動脈解離）を確認する

る．以下の点を要領よく聴取する．

- 胸痛の程度：最も痛みが強かったときを10とすると今はいくつか．
- 胸痛の性状：裂けるような痛みか（該当する場合は急性大動脈解離を強く疑う）．
- 胸痛の部位：胸骨裏が主か，側胸部か．
- 放散痛の部位：左腕・頸部・左肩背部が主体か，背部・腰部か．
- 随伴症状：悪心・嘔吐，呼吸困難，咳，発熱など．
- 既往歴：冠動脈疾患のリスクファクター（喫煙，高血圧症，糖尿病，脂質異常症，高尿酸血症，甲状腺機能亢進症など）．

狭心症の既往歴がある場合，ニトログリセリン服用の効果も聴取する．

亜急性や反復性・慢性の経過である場合，胸痛に関するさらに詳しい情報，すなわちその性質（痛みの強さ，部位，放散痛の有無，持続時間など）や誘因（呼吸や咳，体位・運動との関係など）は鑑別診断を絞り込むために重要である．

身体診察（表3）

急性発症の場合は，バイタルサイン（血圧，脈拍，体温，呼吸数，S_pO_2），全身状態の評価が不可欠である．

意識レベルの低下，四肢冷感，冷汗などあれば事態は深刻で，急ぎ応援を集めて集中的な処置を要する．血圧の左右差，上下差（急性大動脈解離），奇脈（心タンポナーデ），不整脈の有無も必ず調べる．

頭頸部では頸動脈の左右差，血管雑音や頸静脈の怒張，リンパ節腫脹（悪性腫瘍）を確認する．

胸部では胸郭の運動異常，乳房の変化，皮疹の有無を視診し，圧痛や打診痛，異常可動性をみる．打診では鼓音，濁音の有無，肝濁音界を確認し，聴診では心雑音，血管性雑音，呼吸音の減弱，肺野の（断続性）ラ音，胸膜摩擦音などの有無を確認する．

腹部では肝腫大（肺血栓塞栓症，心不全）や季肋部圧痛（胆嚢炎），血管性雑音に注意する．たとえ

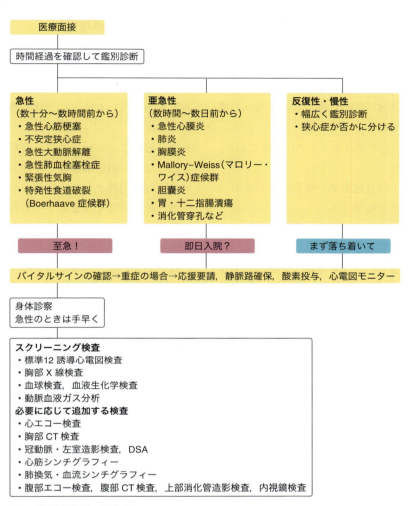

図3 胸痛の診断の進め方

ば，急性大動脈解離では四肢の血圧の左右差，黄疸，神経系の多彩な症状が現れることがあり，全身の陽性所見・陰性所見を過不足なくチェックする．

診断のターニングポイント (図3)

医療面接と身体診察を統合して考える点

❶ 急性発症の場合

急性虚血性心疾患と，頻度は少ないが急性大動脈解離をまず疑う．

①急性心筋梗塞
- 発症の1〜2週間前から狭心症発作の増悪がみられることが多い．
- 発症時の胸痛は一般にきわめて強い．ただし，高齢者や糖尿病患者では胸痛の訴えが弱いことがある．20分以上続き，未治療の場合には数時間から1〜2日間続く場合もある．
- 痛みの部位は胸骨裏面が多く，左前胸部，頸部，下顎などにも出る．肩や肘への放散痛が出ることもある．
- 悪心・嘔吐などをきたすため，消化器疾患と間違われることがある．
- 呼吸音でラ音を聴取する場合，心筋梗塞により左室収縮能が低下し，肺水腫をきたしている可能性を想起する必要がある．

②不安定狭心症
- 急性心筋梗塞と処置に大きな変わりはなく，同様の方針でスクリーニング検査を至急進める．

③急性大動脈解離
- 高血圧症の病歴をもつことが多く，胸痛は普通なんの前ぶれもなく起こる．
- 鋭く刺すような痛み，裂けるような痛みを前胸部と背部（両肩甲骨間部）に感じる．上腕への痛みの放散は稀である．
- 血圧の左右差・上下差のチェックは重要である．

さらに，肺および食道由来の疾患で緊急度の高いものとして以下を鑑別する．
④急性肺血栓塞栓症，自然気胸，緊張性気胸
- 呼吸困難が随伴症状として強いときに疑う．
- 長期臥床の患者や血痰がある場合，肺血栓塞栓症を疑う．
- 一側の呼吸音減弱がみられるときは気胸を疑う．
⑤ Boerhaave 症候群（特発性食道破裂）
- 嘔吐に引き続き胸骨裏，背部の激痛で発症することが多く，頸部・上胸部の皮下気腫，気胸，胸水，上腹部の筋性防御などがみられる．

❷ 亜急性発症の場合

虚血性心疾患や大血管の異常よりも，心膜炎や呼吸器系・消化器系・筋骨格系疾患の可能性が増す．
①急性心膜炎
- 胸痛はやや軽く，前屈みになると改善する傾向がある．前駆する感冒様症状がみられることがある．胸膜摩擦音を聴取する場合がある．
②呼吸器系
- 咳・発熱・呼吸困難などの症状があれば，肺炎，気管支炎，胸膜炎などを疑う．
③消化器系
- 上腹部から前胸部にかけての痛みである場合，消化器急性疾患（Mallory-Weiss 症候群，胆嚢炎，膵炎，胃・十二指腸潰瘍，特に消化管穿孔など）も鑑別する．
④胸壁・腹壁・筋骨格系
- 視診・触診で胸壁腫瘍や帯状疱疹を鑑別することも忘れない．
- 前胸部の痛みを訴える患者で，肋軟骨接合部に限局性の圧痛がみられる場合，肋軟骨炎が考えられる．頻度が高く，自然軽快も多いとされる．

❸ 反復性・慢性の場合

心臓，大血管，肺，消化器，筋・神経・骨，胸壁，神経症に至るまで幅広い鑑別診断が必要になる．病歴情報と身体所見から，狭心症の可能性があるものとないものとに分けて考えるとよい．
①狭心症
- 狭心症による胸痛は通常，運動や摂食，興奮や怒りなどの精神緊張などに伴って起こる．痛みの程度は漠然とした不快感から，圧迫感，重圧感，絞扼感までさまざまである．安静にすれば数分で消失することが多い．
- 胸痛に対してニトログリセリンが奏効することは診断上重要である．舌下後5分経っても胸痛発作が消えない場合は，①急性心筋梗塞に移行する可能性のある不安定狭心症，ないしは②心筋梗塞そのもの，あるいは③虚血性心疾患以外の病気の可能性を考える．
- 冠攣縮性狭心症の場合，胸痛は夜間から早朝にかけての安静時に出現しやすい．
②神経症
- 神経症に関連する胸痛は，心臓前部，特に心尖部に感じられ，①数秒間の短い刺すような痛みとして感じられる場合と，②数時間〜数日間続く圧迫感，鈍痛として訴えられる場合がある．この痛みは体動とは関係がないとされる．

必要なスクリーニング検査

以下のスクリーニング検査は全例に必要である．

❶ 標準12誘導心電図検査

可能なら胸痛出現前の心電図を確認し，経時的な記録を比較する．

ST 上昇がみられた場合は急性心筋梗塞が疑われるが，急性期には T 波増高のみのこともあり，ST 変化がないからといって心筋梗塞の否定はできない．異常の出現した誘導から梗塞部位を推定できる．ST 低下や陰性 T 波の出現は急性冠症候群を疑う所見である．

ST 低下または上昇があって，ニトログリセリン舌下ないしスプレー投与で改善すれば，狭心症の確定診断となる．

ほぼ全誘導で ST 上昇がみられ，さらに低電位があれば心膜炎，心嚢水貯留を考える．

異常 Q 波，R 波増高，冠性 T 波があれば急性期ではない心筋梗塞を考え，急性心筋梗塞に準じて精査する．

洞性頻脈，右軸偏位，右室負荷などが肺血栓塞栓症でみられるが特異的ではない．

急性大動脈解離では心電図異常はみられないが，急性心筋梗塞を合併することがある．

❷ 胸部 X 線検査

- 骨軟部陰影：皮下気腫，骨折線の有無を確認する．
- 胸膜：液体貯留（胸膜炎），気胸（縦隔の偏位を伴えば緊張性気胸），横隔膜下遊離ガス（消化管穿孔）をチェックする．
- 縦隔：大動脈陰影の拡大・大動脈陰影より内側に偏位した壁石灰化陰影（急性大動脈解離），心拡大（心不全，心膜炎，心タンポナーデ），肺動脈主幹部の拡大（肺血栓塞栓症），気管の偏位などをチェックする．
- 肺野：浸潤影（肺炎），肺うっ血（心原性ショックによる肺水腫），明るい肺野・楔状浸潤影（肺血栓塞栓症），腫瘤影（肺癌）などをチェックする．

❸ 動脈血液ガス分析

肺野に明らかな陰影がないのに著しい低酸素血症がある場合，肺胞気動脈血酸素分圧較差（A-aDO$_2$）を計算して開大がある場合は肺血栓塞栓症が疑われる．

❹ 血球検査（血算）

白血球数（WBC）増加は，感染症のほか，心筋梗塞，心膜炎でもみられる．

❺ 血液生化学検査

アスパラギン酸アミノトランスフェラーゼ（AST），乳酸脱水素酵素（LD），クレアチンキナーゼ（CK），CK-MB などの心筋逸脱酵素は，急性心筋梗塞や心筋炎の診断，経過観察に必須である．狭心症では異常はみられない．

急性心筋梗塞・不安定狭心症（一括して急性冠症候群とされる）の初期診断に，ミオグロビン，心臓由来脂肪酸結合蛋白（heart type fatty acid binding protein; H-FABP），トロポニン T などの心筋傷害マーカーの迅速診断キットが利用されている．D-ダイマーは大動脈解離および肺血栓塞栓症において感度が高いが特異度は低い．

❻ CRP・赤沈検査

CRP は炎症の程度を確認するため，診断の補助としてよく利用される．

診断確定のために

スクリーニング検査から疑われた疾患に対し，さらに診断確定と治療方針決定のため，以下の検査を行う．

急性発症

❶ 急性心筋梗塞の確定診断

心エコー（壁運動異常，心機能，心タンポナーデ，心室瘤などの評価），冠動脈造影・左室造影（責任冠動脈の確認，治療方針の決定），心筋シンチグラフィー（梗塞巣の確認，虚血の確認）を行う．

❷ 急性大動脈解離の確定診断

胸腹部造影 CT（解離の程度と範囲の確認），心エコー（大動脈の拡大，flap の確認），大動脈造影〔急性期には静注デジタルサブトラクション血管造影（DSA）で十分〕，MRI を行う．

❸ 肺血栓塞栓症の確定診断

X 線，心電図とも非特異的である．確定診断には造影 CT，D-ダイマー，肺換気・血流シンチグラフィーが有用である．

❹ 自然気胸の確定診断

胸部 X 線検査にて確定診断できることが多いが，目的に応じて胸部 CT（ブラ・ブレブの存在，気胸腔の広がり，肺嚢胞の鑑別，肺合併症の評価）を行う．

❺ Boerhaave 症候群（特発性食道破裂）の確定診断

胸部 X 線検査を行い，縦隔陰影の拡大，縦隔気腫などがみられれば診断の手がかりになる．確定診断は水溶性造影剤を用いた食道透視によって行う．

亜急性・持続性発症

❶ 心膜炎の確定診断
心エコー(心嚢液の確認)のほか,必要な場合,心嚢穿刺(生化学検査,細菌培養,細胞診による原因検索)を行う.

❷ 心筋炎の確定診断
ウイルス抗体価,心筋生検(PCR 法によるウイルスゲノム検出)を行う.

❸ 肺炎・気管支炎の確定診断
喀痰の細菌検査(起炎菌の検索)を行う.

❹ 胸膜炎の確定診断
穿刺液検査(生化学検査,細菌培養,細胞診による原因の検索),胸膜生検,エコー,胸部 CT(胸水の量,肺合併症の評価)を行う.

❺ 上腹部急性疾患の確定診断
腹部エコー,CT,上部消化管造影,内視鏡検査を行い,膵炎,胆嚢炎,胃・十二指腸潰瘍,Mallory-Weiss 症候群を診断する.

反復性・慢性発症

❶ 狭心症の確定診断
血液検査では心筋マーカーの異常はみられない.負荷心電図,心エコー,冠動脈造影を行う.

❷ 食道疾患の確定診断
食道造影,内視鏡検査を行い,逆流性食道炎,アカラシア,食道裂孔ヘルニアを診断する.

〈和田 洋典,花岡 正幸〉

乳房のしこり
breast lump

乳房のしこりとは

定義

乳房の"しこり(lump)"は患者の訴えである．診断する側から触診で得られた所見を表す用語としては，硬結(induration)あるいは腫瘤(nodule/tumor)を用いる．前者は，限局しているが境界が明らかでない硬い変化に対して用い，後者は，輪郭を追ってその長径とその垂直の径を計測して数値で表せるものに対して用い，両者を区別して用いるべきである．

患者の訴え方

患者は「乳房にしこりがある」と訴える．痛みを伴わないことがほとんどであるが，気がついてから，よく触れるために痛みや圧痛を訴えることもある．そのような症状の変化とともに，触れたしこりの大きさの変化を確認しておくことが重要である．

患者が乳房のしこりを訴える頻度

乳腺外来を受診する初診患者の症状は，乳房のしこりと乳房痛がほとんどである(図1)．検診や人間ドックにより精査を指示された無症状の患者や，他院で乳癌の手術を受けた患者を除いた有症状者に限ると，4割の患者が乳房のしこりを主訴として来院している．そして，その半数の患者が最終的に乳癌と診断されている(図2)．

乳房のしこりは乳癌診断につながる重要な症状である．

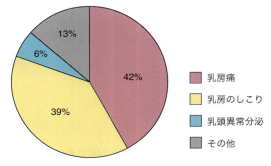

図1　初診時の症状(有症状者)

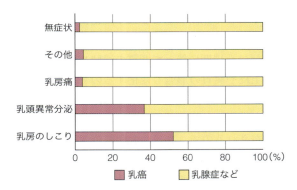

図2　初診時の症状と最終診断

症候から原因疾患へ

病態の考え方

乳腺は乳頭(nipple)を根とし，乳汁を運ぶ乳管(duct)が木の枝のように広がり，その先に葉に当たり乳汁を産生する小葉(lobule)がついているとイメージするとわかりやすい．乳頭には15～20本程度の導管(集合管)が開口している．導管は主乳管を経て区域乳管に繋がり，亜区域乳管に分岐し，最も末梢側で最終乳管から小葉に達する．小葉は膠原線維間質で包まれ，さらに脂肪組織で取り囲まれていて弾性に富んだ組織である．このような組織構造をした乳腺の組織に実がなるように

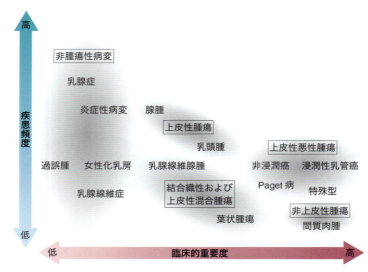

図3 疾患の頻度と臨床的重要度

無構造の組織の腫瘍ができると，膠原線維間質が少なくなって弾性が乏しくなり，正常の乳腺より硬いしこりとして触れる．

乳房は性周期に伴って間質の浮腫や血流が変化し，上皮や実質の形態も変化するので，正常乳腺の硬さも変化する．腫瘍の硬さは，それ自身の硬さとともにまわりの乳腺の硬さや乳腺内での深さに左右されるので，乳癌か乳腺線維腺腫といった良性の腫瘍かという良悪性の質的診断よりも，まずは存在診断が重要である．性周期での乳房の上皮や実質の変化の結果として，乳腺に増殖性変化と退行性変化がさまざまな割合で共存する．つまり，部分的に葉が茂ったり逆に枯れ葉が落ちたりすると均一性がなくなるが，それが乳腺では乳腺症と呼ばれる変化で，乳腺組織の硬さや弾性が変化し，しこりとして触れる．閉経後，乳腺実質は萎縮し，区域間や亜区域間に脂肪組織が増加すると乳腺は弾性が失われ，柔らかくなるが，脂肪組織がクッションのようになり，しこりがかえって触れにくくなることがある．

病態・原因疾患の割合（図3）

乳腺外来に受診した患者の約8割が乳腺症と診断され，1割が乳癌で，残り1割が乳腺線維腺腫や乳腺炎などである．

臨床的重要度の最も高いものが乳癌で，処置や治療を必要とするという意味から乳腺炎がそれに次ぐ．乳腺線維腺腫は乳癌とともに葉状腫瘍との鑑別診断が必要ということから臨床的に重要であり，乳腺症は早期の乳癌を見逃さないという立場からの診断が求められる．

乳房のしこりをきたす疾患

初診の患者を診察する際に念頭におくべき疾患を，腫瘍性病変と非腫瘍性病変に大別して鑑別診断を進める（図4）．

腫瘍性病変

腫瘍性病変は，それぞれ発生母地に従って，上皮性腫瘍，非上皮性腫瘍と結合織性・上皮性混合腫瘍に分類される．

❶ 上皮性腫瘍

上皮性の良性腫瘍には，乳頭腫と腺腫があり，発生する場所や時期によりそれぞれの名前がある．腺腫が乳頭部に発生すると乳頭の腫脹として現れ，特徴的である．乳頭腫が乳管内を進展する形で発育すると腫瘤を形成せず，乳頭異常分泌の症状だけのことが多いが，囊胞内に発育すると，腫瘍細胞と分泌物により囊胞を大きくし，囊胞をしこりとして触知するようになる．

上皮性の悪性腫瘍は乳癌であり，浸潤性の有無により，非浸潤癌と浸潤癌に分けられる．

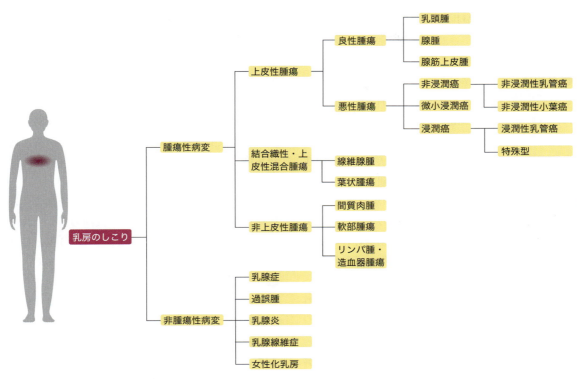

図4 乳房のしこりをきたす疾患
〔日本乳癌学会(編)：臨床・病理 乳癌取扱い規約. 第18版, 金原出版, 2018 より作成〕

　非浸潤癌は，乳管から発生する非浸潤性乳管癌と，小葉あるいは細小乳管から発生する非浸潤性小葉癌がある．非浸潤性乳管癌は腫瘤を形成することもあるが，乳管内を進展して，腫瘤を形成せず，乳頭異常分泌の症状あるいはマンモグラフィー上の微小石灰化として発見されることが多い．

　Paget(パジェット)病は乳頭内の乳管から発生する腺癌で，乳頭びらんを特徴とし，非浸潤性の乳腺内病変がみられ，腫瘤を形成することはなく，乳頭の腫脹という形をとることがある．乳輪や周囲皮膚への進展を伴い，間質浸潤を伴うこともある．

　微小浸潤癌に分類されるものは，間質浸潤の大きさが1 mm以下のもので，浸潤癌の部分は乳管癌，小葉癌のいずれの場合もある．

　浸潤癌の9割は浸潤性乳管癌で，最も広い面積を占める浸潤癌胞巣の形態に従って，腺管形成型，充実型，硬性型とその他の4つに分類される．浸潤性乳管癌以外の組織学的特徴をもつ浸潤癌は特殊型としてまとめられている．浸潤癌のほとんどは腫瘤を形成し，ある程度の大きさになると，しこりとして触知される．

❷ 非上皮性腫瘍

　非上皮性の悪性腫瘍のなかで，乳腺の間質から発生する間質肉腫の頻度は低い．乳腺周囲の軟部組織から発生する良性腫瘍には，線維腫，脂肪腫，平滑筋腫，血管腫などがあり，悪性腫瘍には，血管肉腫，乳房切除後リンパ管肉腫などがある．

　悪性リンパ腫や髄外性白血病が乳房にみられることがあり，急速に増大するもの，あるいは両側にみられる場合には疑う必要がある．

❸ 結合織性・上皮性混合腫瘍

　上皮成分と結合織成分の混合腫瘍のなかで最も多いのが線維腺腫で，年齢の若い人に多くみられる．稀にみられる葉状腫瘍は，線維性間質の細胞成分が豊富にみられるもので，細胞の形態や細胞分裂像の頻度から良悪性の判断がなされる．比較的急速に増大する乳腺腫瘍をみたときには念頭におくべき疾患で，肺転移を起こすことがある．真

の意味で癌と肉腫が共存する癌肉腫は少ない．

非腫瘍性病変

❶ 乳腺症

　非腫瘍性病変として乳癌との鑑別を要するものは，乳腺症である．乳腺症は乳腺の増殖性変化と退行性変化とが共存する病変であり，その1つの乳管過形成では，乳管上皮が乳頭状ないし多層性に増殖する．小葉過形成は小葉内細乳管上皮の増殖であり，非浸潤性小葉癌との鑑別が問題となる．腺症は，乳腺内のある部位に乳管の著明な増殖が起こり，腺腫様病巣を形成する．閉塞乳管のようにみえる閉塞性腺症や間質の線維化が進む硬化性腺症の形態をとり，乳癌との鑑別が必要となる．

　また，間質の線維化による乳管の狭窄・閉塞のために乳管が拡張した結果，大小の囊胞を形成し，大きくなると乳房のしこりとして触知する．

　乳腺症は，ホルモン環境により増殖性変化が影響を受け，しこりと感じる部分や乳房全体に痛みを伴うことがある．月経前に痛みが増強し，月経が終わると痛みが軽減する場合は乳腺症が考えられる．しかし，乳腺症は年齢や月経周期などにより臨床症状もさまざまなので，超音波検査やMRIなどの画像診断により乳癌との鑑別が必要となる．

❷ 過誤腫

　特定の細胞が臓器内で過剰に増殖した状態．腫瘍と形成異常の中間的な存在である．乳房内に発生した場合，周囲との境界明瞭な被膜を有する腫瘤を形成する．乳房の組織成分と同一かあるいは欠損した組織からなる．

❸ 炎症性病変

　産褥期に乳汁がうっ滞すると急性の乳腺炎を起こす．搾乳などにより，乳汁のうっ滞が改善されないと細菌感染を併発して，乳腺膿瘍に発展する．授乳期以外で乳腺が急性の炎症を起こすことは少ない．ただし，乳癌が炎症を伴って進展する炎症性乳癌では腫瘤の形成は認められず，乳房が全体あるいは部分的に腫脹し，発赤や静脈怒張などの強い炎症症状がみられ，急速に進行する．産褥期以外の時期に乳腺炎の所見があるときには念頭においても考える必要がある．

　乳頭陥没があると乳頭から逆行性に感染を起こし，乳頭下に膿瘍を形成し，発赤や圧痛を伴う硬結を触れる．乳輪下膿瘍と呼ばれ，瘻孔を形成し，乳輪周囲に開口して膿が排出することがある．

　肉芽腫性乳腺炎は肉芽腫と膿瘍形成を特徴とする良性の炎症性疾患で，外傷，ホルモン環境，自己免疫，細菌感染などによって起こる炎症が関与していると考えられている．

　乳房の皮下表在静脈に血栓性静脈炎を起こすと圧痛を伴う索状物として触れ，皮膚の引きつれを伴うことがある．Mondor（モンドール）病と呼ばれ，乳房にしこりを訴える疾患の1つである．

❹ 乳腺線維症

　線維化あるいは硝子化した間質内に小葉，乳管が散在性に存在する良性病変である．触診上は硬く触れ，マンモグラフィーでは腫瘤辺縁は不整となることがあり，浸潤癌との鑑別が必要となる．糖尿病性乳腺症も本疾患に含まれる．

❺ 女性化乳房

　女性化乳房は，男性の乳腺の発育を認める疾患である．思春期にみられるものは男性ホルモンと女性ホルモンのバランスが変化していくなかでみられるもので，中年期以降にみられるものは，肝障害により女性ホルモンの代謝が障害され，女性ホルモンのレベルが上昇したために起こる場合や，薬物性にスピロノラクトン，蛋白質同化ステロイド，抗アンドロゲン薬などによって起こる場合などがある．男性の乳癌の発症率は低いが，鑑別は必要である．

診断の進め方

診断の進め方のポイント

- 患者自身が乳房のしこりなどの症状を自覚していることが多いので，患者の訴えを詳しく聴取する．特に，自覚してからの症状の変化はしこりの原因となっている疾患の性格を反映している可能性があり，必ず聴取する．
- 家庭医学書やインターネットなどを通じて乳癌

表1 医療面接のポイント

経過
- いつから，どちらの乳房のどこにしこりを触れたのか
- 自発痛，圧痛などを感じたか
- しこりの大きさの変化はあるか
- 閉経前の場合，月経周期と症状の関連はあるか

既往歴
- 今までに乳腺の疾患に罹患したことがあるか
- 乳癌検診を受けたことがあるか
- 卵巣癌や子宮癌などの婦人科疾患の既往があるか

月経・妊娠などの状態
- 初潮年齢，月経の状態，閉経状態を聴取する
- 妊娠，出産，授乳歴を聴取する

家族歴
- 乳癌の家族歴を聴取する（特に母親，娘，姉妹，祖母，叔母・伯母）
- 卵巣癌，前立腺癌の家族歴を聴取する

表2 身体診察のポイント

視診
- まず座位で，難しい場合は仰臥位で，上半身を脱衣してもらい，両側の乳房の大きさ，形，対称性を観察する
- 局所的な隆起や陥凹（dimpling sign, delle*），変形などをみる
- 乳房の皮膚の変化（発赤，浮腫，手術創など）をみる
- 乳頭の変化（陥没，びらんなど）をみる
- 乳頭分泌のある場合はその色を確認する

触診
- 腫瘤あるいは硬結の乳房内の位置と大きさ（範囲）をみる
- 腫瘤あるいは硬結の硬さ，表面の性状，輪郭の明確さをみる
- 腫瘤あるいは硬結の周囲の乳腺，皮膚，胸筋，胸壁との可動性をみる
- 腫瘤あるいは硬結の圧痛の有無をみる
- 腋窩リンパ節，鎖骨上リンパ節の腫脹の有無をみる

*「乳癌取扱い規約（第18版）」では，えくぼ症状を "dimpling sign"，陥凹を "delle" と記載している．dimpling sign は，指で皮膚を寄せると陥凹が出現する場合をいい，delle は視診で常に陥凹が認められるものをいう．

についての知識をもっている患者が多くなってきたので，乳癌の可能性の説明も含めて，ていねいに診断の進め方を説明する．
- 乳房の疾患の多くが乳房のしこりという症状を呈するが，これらを鑑別するために，簡便で，侵襲の少ない視・触診と超音波検査を用いる．微小石灰化病変や，超音波検査では描出しにくい乳頭下病変を見逃さないように，乳房用のX線撮影装置を用いたマンモグラフィーを行う．
- 視・触診，超音波検索，マンモグラフィーの所見により悪性の腫瘍が疑われた場合は，乳房のMRI 検査を行う．その造影の所見から悪性の疑いが深まれば，穿刺吸引細胞診（fine needle aspiration cytology; FNAC）やコア針生検（core needle biopsy），あるいはマンモグラフィー（ステレオ）ガイド下または超音波ガイド下のマンモトームなどを用いた吸引式組織生検などの病理学的診断を行う．それでも確定診断が得られない場合は摘出生検が必要となる．

医療面接（表1）

医療面接で重要なことは，しこりを感じた部位と時期，大きさの変化，月経周期との関係などを確認することである．自発痛や圧痛については，しこりとの関係とその後の変化を聴取する．ただし，患者はしこりを自覚すると気になるので，そこに意識が集中し，軽微な症状も強く訴える場合があるので注意を要する．

さらに，乳癌の危険因子（risk factor）に関連する乳癌や卵巣癌，前立腺癌の家族歴，乳癌を含めた乳腺疾患の既往，卵巣癌や子宮癌などの婦人科疾患の既往，初潮年齢，月経の状態，閉経の有無，妊娠・出産歴などを聴取しておく．

身体診察（表2）

しこりの訴えがある場合は，その部位を念頭において視・触診を始めるが，両側乳房全体を視・触診することを忘れてはならない．患者には上半身を脱衣させ，まず，座位で左右の乳房の対称性，部分的な形態の異常や皮膚，乳頭の異常の有無について注意して視診を行う．座位での視診が困難な場合は，仰臥位で行う．

乳癌でみられる視診上の所見は，腫瘤上の皮膚の陥凹（delle），浮腫，発赤，癌の浸潤に伴う皮膚の肥厚，潰瘍形成などであるが，いずれも進行した乳癌でみられる．早期の乳癌や良性腫瘍，乳腺症などではこのような皮膚所見はみられない．乳房の皮膚に手術創を認めた場合は，その手術の内

容を確かめておく必要がある．乳頭の変化としては，陥没やびらんの有無をみておく必要がある．

　視診に続いて，乳房の触診を行う．乳房の触診は患者を仰臥位にし，両手を頭の後ろで組み，肘を張って，胸を張るようにした体位で行う．乳房を診察医の指と患者の胸壁の間に挟むようにして，指を一定方向に滑らせる方法と，左右の示指の指先の指腹部で交互に乳房を圧迫して異常を探る方法で，乳房のすべての部分をもれなく触診する．

　乳腺に硬結や腫瘤などの異常を触知した場合は，位置と大きさ，硬さと表面の性状，圧痛の有無，境界の明瞭さ，周囲の乳腺，皮膚，胸筋，胸壁との可動性などを観察する．さらに，指で腫瘤を挟むようにして，腫瘤上の皮膚を寄せ，陥凹がみられるかどうか（dimpling sign）を確かめておく．陥凹は脂肪組織内で乳腺を吊っているCooper（クーパー）靱帯に乳癌が浸潤し，皮膚との距離が短縮されために起こる．

　一般的に，乳癌の特徴的な触診所見は，弾性がやや乏しい硬い腫瘤として触知し，表面は粗いか凹凸があり，周囲の乳腺組織との境界がやや不明瞭である．これに対して，良性の乳腺線維腺腫は弾性硬の腫瘤で，表面が平滑で，境界が明瞭，周囲乳腺との可動性が良である．乳腺症は周囲の正常乳腺との境界は不明瞭で，正常乳腺よりも少し硬い硬結として触れることが多い．囊胞が拡大し，内容が緊満していると，弾性硬で，表面が平滑な可動性のある腫瘤として触れ，線維腺腫との鑑別が難しくなるが，内容が減少すると，柔らかくなって腫瘤として触知できなくなる．

　乳房に続いて，頸部から両側の鎖骨上窩と腋窩を触診し，リンパ節の腫脹の有無を調べる．リンパ節を触知した場合は，個数とともに，それぞれの大きさ，硬さ，可動性などを調べる．

診断のターニングポイント

医療面接と身体診察を総合して考える点

- 乳房のしこりに対する診断の流れを図5に示す．自覚症状をよく聴取し，しこりや限局した痛みなどの症状の場合はその部分を確認することが重要である．ただし，その部分のみにとらわれて随伴する病変を見落とさないように，両側乳房全体をていねいに視・触診することが必要である．
- 患者に症状がなく，視・触診で所見がなくても，患者が希望しない場合を除き，乳房超音波検査とマンモグラフィーを行う．ただし，40歳未満で，症状がなく，視・触診で所見がない場合は乳房超音波検査のみでよい．
- 乳頭異常分泌を訴える場合は，乳頭の分泌物の色を確認し，赤色や褐色の場合は細胞診を行う．

必要なスクリーニング検査

❶ 乳房超音波検査

　乳腺は，乳頭から樹状に広がる乳管とその先にある小葉，そしてそれを取り巻く間質からなり，弾力のある組織で，皮下脂肪の中にCooper靱帯により吊り下げられた状態で乳房を形成している．そのような正常の乳腺は，皮膚の下のエコー強度の低い脂肪に囲まれたエコー強度の高い間質とエコー強度の低い小葉や乳管が入り混じった像として描出される．乳腺に腫瘍性病変があると，腫瘍細胞が増殖し，間質が変化することでこの組織構造が崩されて低エコーの像として描出されることが多い．

　超音波検査で乳腺内に腫瘍性病変が発見された場合，その良悪性の判定を腫瘍の形状，境界，内部エコー，後方エコー，随伴所見などから行う．

　典型的な乳癌では，不整形で内部エコーは強度が低い，かつ不均一な像を示す．縦横比が大きいこと，境界部高エコー（halo）がみられること，乳腺の前面あるいは後面の境界線が断裂してみえること，腫瘍内に血流シグナルがみられることなども悪性を疑う所見である（図6）．腫瘍の底面エコーは癌の組織型により，増強される場合と減弱する場合がある．これに対して良性腫瘍で最も多い線維腺腫では，辺縁の滑らかな類円形，あるいは楕円形の均一な低エコー像を示す．乳癌でも粘液癌などは線維腺腫と同じ超音波像を呈することがあるので，注意を要する．

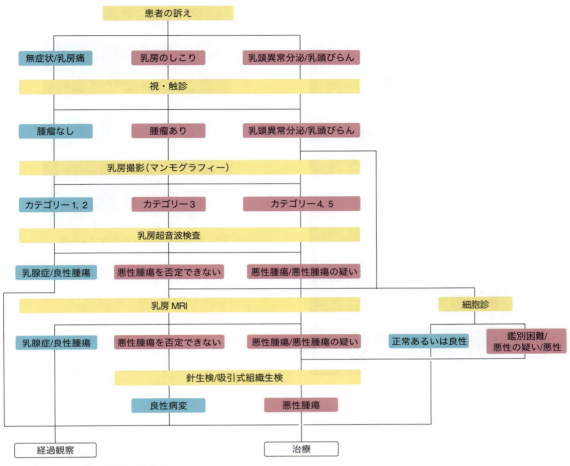

図5 乳房のしこりの診断の進め方

　乳腺症では，増殖と萎縮が混在し，斑点状の変化をきたす．その変化は，超音場検査で斑状，豹紋状あるいは地図状の低エコー域として描出される．びまん性，散在性に分布する場合は乳腺症としてよいが，局所性あるいは区域性にその変化が描出される場合は乳癌を疑わなければならない．乳腺症の中の囊胞は，内部に液体を溜めていて内部エコーはほとんどみられないので，周囲の乳腺とのコントラストが強くなり，小さな病変でも確認できる．また，内部でエコーが吸収されないため，後部エコーが増強されるのも特徴である．ただし，囊胞の内容液が濃縮されて内部エコーがみられるようになることや，囊胞内に乳頭腫や癌が存在して内部エコーとして認められることもあるので，その見極めは必要である．

❷ 乳房撮影（マンモグラフィー）

　マンモグラフィーでは，描出された局所的非対称陰影（focal asymmetric density；FAD），腫瘤陰影や石灰化像からその病変の良性・悪性を診断する（カテゴリー1〜5）．

　乳癌の典型的な像は不整形の腫瘤陰影として描出され，放射性物質陰影（スピキュラ）を有する場合もあるが，明瞭な腫瘤陰影はなくFADとして認められる場合もある（図7）．また，多形成で不均一な集簇あるいは線状に配列した微小石灰化像は，乳癌を疑う所見である．この所見では乳房超音波検査では発見しにくい乳管内を進展する非浸潤性乳管癌を発見する決め手となることがあるので，見逃してはならない．線維腺腫などの良性腫瘍や乳腺症でも石灰化を伴うことがあるが，それらは比較的大きな丸い石灰化として現れることが

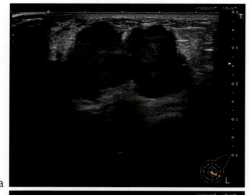
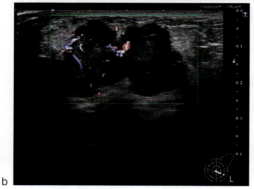

図6 乳癌症例の超音波像
a：境界は明瞭だが，辺縁不整で，内部はエコー強度が低く不均一な3つの腫瘤が結合しているように描出されている．
b：腫瘍内に拍動性血流を認める．

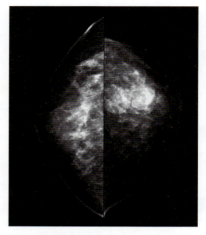

図7 乳癌症例のマンモグラフィー像
（図6と同じ症例）
左乳房中外側に局所的非対称陰影（FAD）を認め，一部に腫瘍性境界が疑われ，区域性分布の石灰化像がみられる（カテゴリー4<5）．

多く，びまん性あるいは散在性にみられることから，良性と判断される．

乳房トモシンセシス（tomosynthesis）は，トモシンセシス機能を加えた乳房撮影装置を用いて，圧迫された乳房に数秒間，多方向にスキャンを加えて得られる画像を一連の薄い高解像度断層像に再構成するもので，腫瘍の微細な境界・辺縁の性状を鮮鋭に描出することが可能である．

❸ 乳房 MRI（magnetic resonance imaging）

視・触診，超音波検査とマンモグラフィーを組み合わせることにより，9割以上の症例で診断が可能となる．これらにより乳癌が疑われた場合や否定できない場合には乳房 MRI を行う．

MRI は空間分解能が高く，病変を3次元画像で表せること，乳腺の造影病変に関心領域を設定し，造影効果の経時的変化をグラフ（kinetic curve）で描くことができるなどの特徴を有している（図8）．

これらの特徴は乳癌の鑑別診断に有用であるとともに，主病変の広がり，乳房内の副病変や腋窩リンパ節，胸骨傍リンパ節への転移の有無も診断が可能である．

❹ その他の画像診断

造影 X 線 CT では腫瘍が濃染されることで乳癌の診断が可能となり，腋窩や胸骨傍リンパ節などの転移や遠隔臓器の転移の有無を確認することもできる．

PET（positron emission tomography）は放射性薬物を投与し，その分布や動態を画像化するもので，癌の領域では癌細胞の糖代謝の亢進を利用して癌の病巣を描出する ^{18}F-FDG が照射性薬物として用いられている．CT と組み合わせて用いることで，病変の詳細な位置やまわりへの浸潤などの診断も可能である．主病巣だけでなく，領域リンパ節転移や遠隔転移を発見することが可能である（図9）．最近では，乳房のみを近接して撮像することで高い空間分解能を得ることのできる乳房専用 PET が開発されている．

診断確定のために

病歴情報，身体所見，乳房超音波検査およびマンモグラフィーの結果により，悪性腫瘍の存在が

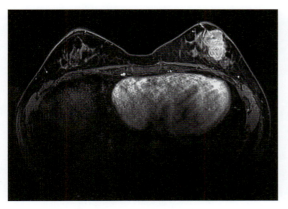

図8　乳癌症例の MRI（図6と同じ症例）
左乳腺外下区域に広がる多結節性・分葉状の腫瘤性病変を認め，早期増強効果を示し，kinetic curve の定常相では wash-out を呈する．

疑われたときには，病変の広がり，対側の乳房も含めた複数病変の有無を精査する目的で乳房 MRI にてより詳しい画像診断を行う．これらの検査で悪性が否定できない場合は，病理学的な確定診断を得ることと，治療を計画するときに必要な悪性腫瘍の性質を知ることを目的として針生検あるいは吸引式組織生検を行う．

　乳頭異常分泌や乳頭びらんなどの症状があるときは，そこから検体を採取して細胞診を行う．細胞診では悪性腫瘍の確定診断が得られない場合は，針生検あるいは摘出生検により病理組織学的な確定診断を行う必要がある．また，細胞診や針生検などで良性との診断が得られても，画像上悪性腫瘍が否定できない場合は，厳密なフォローアップが必要である．

細胞診

　穿刺吸引細胞診は，22 あるいは 21 G（ゲージ）の針で超音波ガイド下に病変を穿刺し，注射器で吸引して細胞を採取し，プレパラートに塗抹して固定し，染色して診断する．分泌物細胞診は，乳頭分泌がある場合に，乳頭上に溜まった分泌物を直接プレパラートに塗抹して固定し，染色して診断する．擦過細胞診は，乳頭びらんがある場合に，乳頭のただれた部分にプレパラートを押しつけて細胞を採取し，固定し，染色して診断する．検体が適正な場合，診断は通常の細胞診と同様に細胞

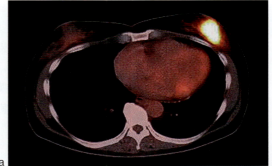

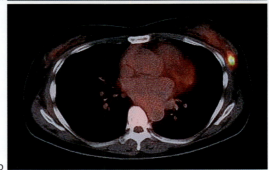

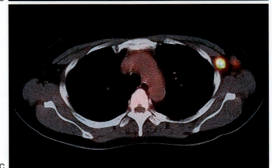

図9　乳癌症例の ^{18}F-FDG-PET-CT 像
　　（図6と同じ症例）
a：左乳腺外下区域に腫瘤があり，^{18}F-FDG の均一かつ強い異常集積を認める．
b：左乳腺外上区域にも腫瘤があり，異常集積を認める．
c：左腋窩リンパ節にも集積増加がみられる．

の異型度から，正常あるいは良性，鑑別困難，悪性の疑い，悪性の 4 段階で行われる．いずれの場合も，いかに的確に病変部から細胞を採取するかということと，採取したのちの標本の塗抹と固定をすばやく行うことが重要である．

針生検・吸引式組織生検

　針生検は，内套針を有する 14 あるいは 16 G の針を用いて局所麻酔下に腫瘤を穿刺し，組織を採取する方法である．針が腫瘤を穿刺しているかど

うかを確認するため超音波ガイド下にて行うことがすすめられる．

　石灰化病変に対してはマンモグラフィー撮影装置に装備されている3次元誘導穿刺装置を用いて石灰化の位置を確認し（ステレオガイド下），吸引式組織生検装置（マンモトーム）を使用して穿刺し，組織を採取する．また，乳房超音波検査でマンモグラフィーの石灰化が確認できた病変や，乳房MRIで悪性が疑われ乳房超音波検査で確認できた病変については，超音波ガイド下に吸引式組織生検装置を用いた生検が適している．

〈稲本　俊〉

呼吸困難
dyspnea

呼吸困難とは

定義

経験的に会得される主観的呼吸不快感であり，質も程度も異なる感覚から成り立つ，と定義されている．

呼吸困難は異常な呼吸感覚であり，その病態生理は不明な部分が多い．呼吸筋，傍血管レセプター（間質液を感知），化学レセプター（二酸化炭素の上昇や酸素の低下を感知）の求心性入力の関与がいわれている．

患者の訴え方

feeling of suffocation（窒息感）や air hunger（息が吸えてない感じ）は慢性閉塞性肺疾患（COPD）やうっ血性心不全ではしばしば経験する一方で，間質性肺炎では乏しい傾向にある．

症候から原因疾患へ

病態の考え方

発症のタイミング（臨床経過）からの推測，VINDICATE（vascular, inflammatory and infectious, neoplastic, degenerative, iatrogenic and intoxication, congenital, allergic and autoimmune, traumatic, endocrine）に基づいた原因病態からのアプローチおよび解剖学的アプローチを推奨したい．

発症のタイミング

呼吸困難の発症のタイミング（臨床経過）から，突然（seconds to minutes），急性（hours to days），慢性（months to years）に分類する．発症のスピードは鑑別診断を絞る効率的なアプローチである（表1）．

表1 発症のタイミングによる鑑別診断

突然（seconds to minutes）
- 気胸
- 胸部外傷
- 誤嚥
- 不安神経症
- 肺水腫
- 肺塞栓
- アナフィラキシー

急性（hours to days）
- 気管支喘息
- 呼吸器感染症
- 胸水
- 肺腫瘍
- 代謝性アシドーシス

慢性（months to years）
- COPD
- 貧血
- 不整脈
- 心臓弁膜症
- 心不全
- 特発性肺線維症
- 胸郭変形
- 神経筋疾患
- 肺高血圧症

VINDICATE による分類

呼吸困難や頻呼吸は，酸素摂取や酸素吸収の低下，肺血流の低下，末梢組織への酸素輸送の低下，組織の酸素需要の上昇，二酸化炭素やその他の代謝物の排泄低下などから生じる．VINDICATE による分類が診断に役立つ（表2）．

- **酸素摂取の低下**：喉頭炎，気管内異物，大動脈瘤や縦隔腫瘍による気管や気管支の圧排，気管支喘息，急性気管支炎，肺気腫などが関与する．そのほか，胸郭運動の低下を生じる筋骨格系の異常（後弯症，重症筋無力症，筋ジストロ

表2 VINDICATE による呼吸困難/頻呼吸の分類

	vascular	inflammatory and infectious	neoplastic	degenerative	iatrogenic and intoxication	congenital	allergy and autoimmune	traumatic	endocrine
酸素摂取の低下		喉頭炎 気管支炎	肺癌	肺気腫		筋ジストロフィー 後弯症 気管支拡張症	気管支喘息	肋骨外傷	
酸素吸収の低下	肺水腫	肺炎 肺結核 肺膿瘍	肺胞上皮癌 転移性肺腫瘍	肺気腫 肺線維症	リポイド肺炎 塵肺	無気肺	結節性動脈炎 多発血管炎性肉芽腫症 サルコイドーシス 強皮症	気胸	
血液灌流の低下	肺塞栓		肺血管腫	肺気腫 肺線維症		先天性心疾患			
酸素輸送の低下	心不全	敗血症性ショック		再生不良性貧血	メトヘモグロビン血症 薬物やトキシンによるショック	先天性心疾患 鎌状赤血球症	ショック	出血性ショック	Waterhouse-Friderichsen（ウォーターハウス・フリーデリクヒン）症候群
酸素需要の上昇	真性多血症	発熱	白血病 Hodgkin（ホジキン）リンパ腫 転移性腫瘍						甲状腺機能亢進症
二酸化炭素の排泄低下 組織代謝の亢進		乳酸アシドーシスを伴う敗血症		肺気腫	尿毒症 乳酸アシドーシス				糖尿病性アシドーシス

フィー），肥満低換気症候群，腹膜炎，脳炎，脳腫瘍などがある．

■ **酸素吸収の低下**：肺炎，サルコイドーシス，塵肺，肺線維症，肺水腫，急性呼吸窮迫症候群（ARDS）などがこれにあたる．

■ **肺毛細血管の灌流異常**：Fallot（ファロー）四徴症などの先天性心疾患，肺塞栓，肺血管腫などがこれにあたる．酸素化されていない血液が肺胞を通過してしまう病態で，灌流が部分的にあっても換気を伴わない肺気腫や肺線維症も含まれる．

■ **酸素輸送の低下**：十分な血流がない場合は，組織は酸素を得ることができない．出血性ショック，貧血，心原性ショック，心不全などがこれにあたる．血流が十分な場合でもメトヘモグロビン血症は赤血球の酸素結合，運搬能力が失われた状態となる．

■ **末梢組織の酸素需要の上昇**：運動やストレス，発熱，白血病，悪性腫瘍，甲状腺機能亢進症では組織の代謝が増加する．その結果，酸素供給を増やすために頻呼吸となる．

■ **二酸化炭素の排泄低下と組織代謝の亢進**：二酸化炭素排泄の低下はCOPDや肺気腫で認め，労作時の呼吸困難が顕著となる．乳酸アシドーシス，糖尿病性アシドーシス，尿毒症などの組織代謝産物の増加（アシドーシス）は，呼吸中枢を同様に刺激する．

解剖学的アプローチ

呼吸困難を呈する代表的な疾患を提示する（図1）．

肺血管，気道，間質，胸郭のどの部位が呼吸困難や頻呼吸の原因になっているのかを想起する．肺血管なら肺塞栓，肺梗塞，肺実質（間質）なら肺炎，気胸，肺線維症，肺気腫，気道なら喉頭気管支炎，気管支異物，気管支喘息などがイメージできる．横隔膜下膿瘍からの腹膜炎，胸水貯留や，心臓なら心不全，心膜炎，心筋炎なども鑑別に挙がる．

病態・原因疾患の割合（図2）

呼吸器内科を受診する慢性経過の原因不明の呼

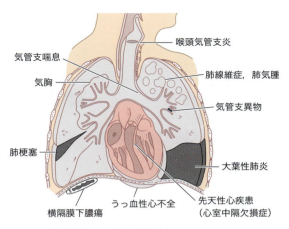

図1 呼吸困難をきたす代表的疾患

表3 医療面接のポイント

経過
- 突然
- 急性
- 慢性

全身症状
- 悪寒戦慄の有無(菌血症のリスク)を確認する
- 発熱,胸痛,喘鳴,胸膜痛,咳嗽があるかどうか

喫煙歴
- 40歳以上で40 pack-years以上はCOPDを考慮
- 70歳以上の男性で70 pack-yearsの喫煙歴はCOPDのハイリスク

職業歴
- 慢性過敏性肺炎や塵肺の可能性を考慮

生活歴
- ペット(鳥),はく製,羽毛布団の有無のチェック

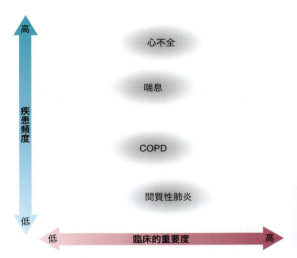

図2 疾患の頻度と臨床的重要度

表4 身体診察のポイント

バイタルサイン
- 心拍数が収縮期血圧より高い場合はプレショック状態を示唆
- 呼吸数20回/分以上や頻脈(100回/分以上)はそれぞれ呼吸器,心疾患の可能性を考慮
- 呼吸様式:Kussmaul(クスマウル)呼吸は代謝性アシドーシスを示唆.奇異性呼吸はCOPDや気管支喘息,神経筋疾患でも陽性となる

皮膚
- 四肢の冷感は末梢循環不全を示唆
- 発汗は交感神経の亢進を示唆

頸部
- 頸静脈圧の上昇,頸静脈怒張は,心不全,肺塞栓,胸腔内圧の上昇する疾患(COPDの急性増悪,気管支喘息,気胸)で陽性となる
- Kussmaul徴候は収縮性心膜炎を示唆

胸部
- 副雑音の有無.特にcoarse cracklesは心不全,肺炎,肺水腫を示唆
- 背側肺底部を主体とするfine cracklesは間質性肺炎を示唆
- 過剰心音は心疾患を示唆

四肢
- 浮腫の有無,腓腹筋の圧痛,腫脹,熱感のチェック(深部静脈血栓症の有無)
- ばち指:虚血(心不全,間質性肺炎,膿胸)や肺癌による肥大性骨関節症を示唆

吸困難症例は,67%が気管支喘息,COPD,間質性肺炎,心機能低下とする報告がある.

診断の進め方

診断の進め方のポイント

- 発症のタイミングが突然(seconds to minutes)の場合は緊急な対応を要する疾患である.
- 急性発症(hours to days)の場合も原因病態と解剖学的アプローチをもとに疾患を想起しつつ,バイタルサインの確認,医療面接,身体診察,画像検査を行う.

医療面接

医療面接のポイントを表3に示す.

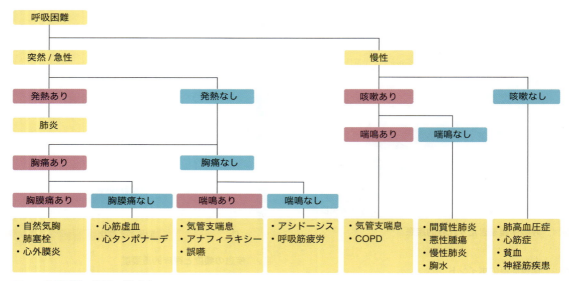

図3 呼吸困難の診断の進め方

身体診察

身体診察のポイントを表4に示す.

診断のターニングポイント

医療面接と身体診察を総合して考える点

呼吸困難の原因,病態は多彩であるが,胸膜痛(吸気での再現性のある胸痛)は鑑別診断を絞ることができる.突然/急性発症の胸膜痛は肺塞栓症や心外膜炎を,咳嗽,喀痰,発熱を伴う胸膜痛は肺炎の進展に伴う胸膜炎を考える.一般的に胸膜痛の存在は心疾患の可能性を下げると考えてよいが,肺塞栓は忘れてはならない.

必要なスクリーニング検査

①血算(貧血,真性多血症)
②赤沈(肺炎,亜急性心内膜炎)
③心電図(心筋梗塞,肺塞栓)
④心筋酵素(心筋梗塞),D-ダイマー(肺塞栓)
⑤胸部X線検査(うっ血性心不全)
⑥喀痰塗抹と培養検査(肺炎),血液培養,尿培養
⑦尿中抗原検査(肺炎球菌,レジオネラ肺炎)
　その他の有用な検査は以下のとおり.
⑧肺動脈造影
⑨肺血流シンチグラフィー(肺塞栓)
⑩喀痰中の好酸球(気管支喘息)
⑪薬物スクリーニング(薬物依存症)
⑫呼吸機能検査(COPD,気管支喘息などの閉塞性換気障害のチェック)

診断確定のために

診断のアルゴリズムの一案に発症様式,発熱,胸痛,咳嗽の有無で分類していく方法もある(図3).

〈皿谷 健〉

喘鳴
wheezes

喘鳴とは

定義

喘鳴は高調かつ連続性の笛音であり，向かい合う気道壁の振動で生じるとされる．連続性雑音である wheezes と rhonchi（いびき様音）の発生機序は同じとされ，太く柔らかい気道は 200〜250 Hz の低音に（rhonchi），細く硬い気道は 400 Hz 以上の高音（wheezes）となる．

❶ その他の把握しておきたい wheezes
- squawk（スクオーク）：吸気の中期から後半にかけて聴取される末梢気道の開放音であり，short wheezes とも呼ばれる．気管支拡張症や間質性肺炎でしばしば聴取される．
- stridor：通常は吸気時の喘鳴を指す．胸郭外の気道閉塞の場合は吸気時に，胸郭内の気道閉塞では主に呼気時（または吸呼気時）に喉頭部で聴取する．

患者の訴え方，患者が喘鳴を訴える頻度

喘鳴は「ヒューヒュー，ゼイゼイする」という訴えで来院することが多いが，その原因は多岐に及ぶ．日常診療で多いのは気管支喘息発作，慢性閉塞性肺疾患（COPD）の急性増悪，慢性気管支炎，気管支拡張症，心臓喘息，気管や気管支の圧排を呈する疾患（気管支内異物，縦隔リンパ節腫大，肺癌，大量胸水）である．

症候から原因疾患へ

病態の考え方

喘鳴の原因は以下の解剖学的部位により異なる

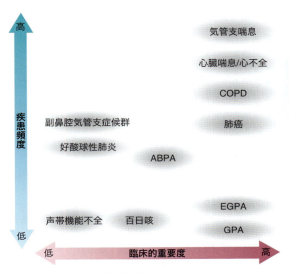

図1　疾患の頻度と臨床的重要度

ことを念頭におく．

① larynx（喉頭）：喉頭炎は吸気時の閉塞や喘鳴を生じる．特に喉頭蓋炎で吸気時の喘鳴として認識される．
② trachea（気管）：気管気管支炎や気管内異物が原因となる．
③ bronchi（気管支）：気管支炎，細気管支炎，気管支喘息で生じる．また肺気腫，塵肺，珪肺，肺癌なども考慮する．
④ alveoli（肺胞）：心臓喘息（肺水腫），心不全が原因となる．

喘鳴の症状のみで受診する症例は少なく，多くは呼吸困難や咳嗽を伴っている．

病態・原因疾患の割合（図1）

喘鳴を呈する疾患で一般的なものを表1に，比較的稀な疾患を表2に挙げる．
表1の疾患では，喘鳴の出現は迅速な治療を要する．

表1 喘鳴をきたす一般的な疾患

- 気管支喘息
- COPD
- 心臓喘息/心不全
- 副鼻腔気管支症候群

表3 医療面接のポイント

経過
- 突然または急性（hours〜days の単位）発症か
- 慢性経過（week の単位で）か
- 喘鳴の持続時間，日内変動などを確認する

全身症状の有無と内容
- 発熱の有無（感染症/アレルギー），体重減少（肺癌）を確認する
- 夜間発作性呼吸困難（心不全），体重増加（心不全）を確認する
- 胸痛の有無を確認する（肺塞栓，胸膜炎などを想定して）
- 血痰の有無を確認する（悪性腫瘍を想定して）
- 咳嗽の有無を確認する（気管支喘息を柱とした問診を）

生活歴
- 自宅のカビの有無，木造，鉄筋，築年数のチェック
- 動物の飼育歴を確認する
- 常用薬：薬物性肺炎の可能性を常に考慮する
- 喫煙歴：40 pack-years は COPD の可能性を考慮
- 職業歴：アスベストやその他の吸入抗原の曝露

表2 喘鳴をきたす比較的稀な疾患

- 肺癌
- 甲状腺腫大，頸部術後の上気道狭窄や腫瘍による気道内閉塞
- 過敏性肺炎
- 百日咳
- アレルギー性気管支肺アスペルギルス症（allergic bronchopulmonary aspergillosis; ABPA）
- 好酸球性多発血管炎性肉芽腫症（eosinophilic granulomatosis with polyangiitis; EGPA）
- 多発血管炎性肉芽腫症（granulomatous with polyangiitis; GPA）
- 好酸球性肺炎
- 声帯機能不全

診断の進め方

診断の進め方のポイント

- 喘鳴は Münchausen（ミュンヒハウゼン）症候群など精神疾患の可能性も鑑別に挙げる．
- 急な喘鳴なら気管支内異物，悪性腫瘍による気管支閉塞，肺水腫/心不全のように早急な治療を要する病態があり，バイタルサインが重要となる．
- 中枢気道閉塞では頻呼吸は認めないため注意を要する．

医療面接（表3）

喘鳴が夜間から明け方に多い場合は COPD の急性増悪や気管支喘息発作の可能性が高く，夜間発作性呼吸困難や体重増加は心不全を示唆する．

逆に体重減少や血痰は悪性腫瘍の可能性がある．胸痛は肺塞栓，心外膜炎，心筋炎，肺炎，胸膜炎を，咳嗽を伴う場合は気管支喘息の素因がどれだけあるかを医療面接で詰める．自宅のカビの有無や動物の飼育歴，鳥との接触などは過敏性肺炎や鳥飼病などを，職歴から塵肺の可能性を探る．

咳嗽が主訴であるならば，気管支喘息の可能性を考慮した医療面接を行う．1つでも陽性であれば気管支喘息の可能性を考慮する（表4）．

身体診察（表5）

血圧の上昇は溢水を，血圧の低下は左心室のポンプ失調を示唆する．

手掌を触知し温かい場合は末梢の灌流が保たれているが，冷感の存在は末梢循環不全である．内頸静脈圧の上昇やギャロップリズム（奔馬調律），起座呼吸は左心不全を示唆する．身体診察は頸部聴診の習慣をつける．大部分の喘息で頸部への wheezes（喘鳴）の放散があるが，頸部だけに喘鳴を聴取する場合がある．頸部のみの wheezes では中枢気道の狭窄（甲状腺腫や癌の縦隔リンパ節腫大，頸部術後）による喘鳴の可能性もある．甲状腺腫大や頸動脈の雑音（bruit）も必ずチェックする．内頸静脈圧の上昇は，心不全以外では，COPD の急性増悪，気管支喘息，肺塞栓，緊張性気胸など胸腔内圧上昇を伴う病態で認める．そのうち喘鳴は心不全，COPD の急性増悪，気管支喘息で一般的である．COPD では気管短縮，打診での過共鳴音は簡単に認識できる所見である．

表4 気管支喘息を疑う医療面接事項

- アレルゲンへの曝露(花粉症の有無も)
- 感染による喘鳴(ウイルス感染の有無：咽頭痛，鼻水，鼻閉など)
- タバコや大気汚染などの気道への刺激(家のそばに工場がないか)
- 動物のふけ
- 埃，ダニ(自宅は木造か鉄筋か，築何年か)
- ゴキブリ
- カビ(室内，室外問わずの曝露歴)
- 冷気(クーラーなど)または天気の急激な変化(例：台風などの気温，気圧の変化での咳の誘発，真夏に暑い外気からコンビニの冷房に入ると咳が出るなど)
- 塗装や調理の強い匂いでの咳の誘発の有無
- 香水などの強い匂いでの咳の誘発の有無(人によってはガソリンスタンドのそばでの誘発)
- 精神的ストレス(精神的な疲労，乱れ．例：親族が死亡した，失恋した，仕事の内容，部署が変わったなど)
- 肉体的ストレス(転職した，睡眠不足とか，仕事が忙しいなど)
- 運動での咳の誘発(小さい頃，走って咳が誘発されなかったか)
- 薬物(アスピリン，β遮断薬，湿布)→医原性の可能性
- 亜硫酸塩の入った食べ物(例：ドライフルーツ，キウイ，マンゴー)
- 胃食道逆流現象(起床時の胸部の灼熱感の有無，口がすっぱくないか)による喘鳴の増悪
- 職業上の化学物質や埃への曝露(仕事の内容まで聞く)，過去の住居
- 慢性副鼻腔炎の有無，鼻茸(患者には蓄膿というと大体わかる．副鼻腔炎は専門用語)
- アトピー性皮膚炎の有無
- 家族歴(特に祖父母，きょうだいでの喘鳴の有無)
- アルコール(ワイン，ビール，焼酎など．特にワインは添加物が多いため発作を誘発しやすい)

表5 身体診察のポイント

バイタルサイン
- 血圧低下，奇脈，酸素飽和度の低下，呼吸数の異常を確認する

全身状態
- 起座呼吸の有無，奇異性呼吸の有無を確認する

頸部
- 内頸静脈圧の上昇(心不全や胸腔内圧の上昇)を確認する
- 甲状腺腫大，頸動脈の bruit を確認する
- 気管短縮を確認する(COPD を想定して)

胸部
- wheezes，rhonchi の有無を確認する
- I音の低下，III音，IV音など心不全，心筋症のチェック
- 打診で過共鳴音を確認する(COPD を想定して)

四肢
- 浮腫を確認する
- 手掌の冷感，発汗など末梢循環不全の把握

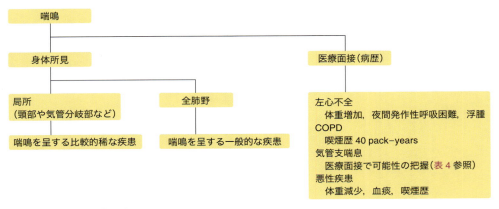

図2 喘鳴の診断の考え方

診断のターニングポイント(図2)

医療面接と身体診察を総合して考える点

喘鳴のみで受診する患者は稀であり，咳嗽や呼吸困難を伴っている場合が多く，鑑別は多岐に及ぶ．40 pack-years(1日の喫煙箱数×喫煙年数)以上の喫煙者は COPD のリスクであり，70歳以上で 70 pack-years はハイリスクとする報告がある．受動喫煙の病歴や α_1 アンチトリプシン欠損

症の稀な合併症がなければ，COPDの増悪による喘鳴の可能性が上がる．医療面接で気管支喘息の可能性を探るが，wheezesが局所に限定されていれば，局所の気管支狭窄(肺癌)や異物の存在を反映し，全肺野にあれば，びまん性の肺炎，気管支喘息，COPDの急性増悪，左心不全を示唆することが多い．

咳嗽が主体の喘鳴であれば，気管支喘息を柱とした医療面接を行う(表4)．

必要なスクリーニング検査

❶ 心電図

心外膜炎，心筋炎のST変化，心囊液貯留による低電位のチェックを行う．

❷ 胸部X線検査

心拡大の有無，Kerley(カーリー)A・B・C lines，縦隔の拡大(腫瘍の縦隔リンパ節転移)，中枢気道狭窄のチェック(肺癌の有無)を行う．肺の過膨張の有無(気管支喘息，COPD)を確認する．

診断確定のために

- 気管支喘息やCOPD：呼吸機能検査で閉塞性換気障害の有無を確認する．
- 心不全/心筋炎：心臓超音波，血清BNP，NT-proBNP．
- 肺塞栓：D-ダイマーや肺動脈の造影CT．
- 悪性腫瘍：胸部造影CT，腫瘍マーカー．

〈皿谷 健〉

胸水
pleural effusion

胸水とは

定義

胸水は胸膜腔(pleural space)内における体液の貯留である．胸膜の毛細血管より産生された胸水は，壁側胸膜と臓側胸膜でその一部が再吸収される．残りは胸膜中皮細胞層を通過して胸腔へ流れ，壁側胸膜のリンパ管を通じて吸収される．

症候から原因疾患へ

病態の考え方

胸水産生の亢進か吸収の低下が胸水貯留の原因となるが，その機序は，①毛細管透過性の亢進，②静水圧の上昇，③膠質浸透圧の低下による．毛細血管透過性は血管内皮細胞増殖因子(VEGF)やトランスフォーミング増殖因子 β(TGF-β)などのサイトカインにより制御されているが，炎症性サイトカイン(IL-8など)とVEGF，TGF-βの胸腔内の上昇は相関する．吸収の低下は，たとえば癌の縦隔リンパ節転移によるリンパ管の閉塞など，物理的原因の関与もある．

病態・原因疾患の割合(図1)

片側性か両側性かでの鑑別

胸膜疾患の鑑別は片側性か両側性かで異なる．片側性胸水では臨床的に悪性胸水(特に肺癌)，結核性胸膜炎，肺炎随伴性胸水/膿胸の頻度が高い．両側性胸水の多くは左心不全や低蛋白血症である(図2)．両側性胸水では，稀な原因として血管透過性が亢進する病態〔例：Crow-Fukase(クロウ・深瀬)症候群(欧米ではPOEMS症候群)，TAFRO

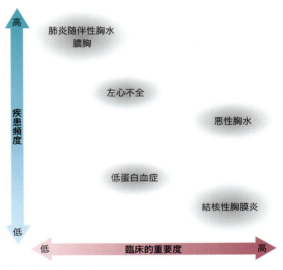

図1　疾患の頻度と臨床的重要度

症候群〕などを考慮する．

胸水量からのアセスメント

片側性胸水の少量胸水は，肺炎随伴性胸水，肺塞栓が一般的な病態である．両者ともに大量胸水になることはきわめて稀であり，胸部X線上で肺尖部から横隔膜面を3等分した場合，横隔膜面から1/3～2/3の範囲にあることが多い(図3)．結核性胸膜炎は1/3～2/3の領域にとどまり，慢性経過であることが多い．結核性胸膜炎の発症早期は胸痛を伴う傾向があり，大量胸水は比較的稀であるため，大量胸水の場合は悪性胸水をまず考える．肺腺癌，悪性胸膜中皮腫，悪性リンパ腫が多い．感染症では急性膿胸が圧倒的に多く，少量～中等量の肺炎随伴性胸水からわずか半日の経過で一気に大量胸水を呈する場合がある．

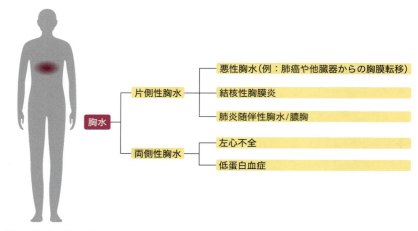

図2 胸水貯留の原因

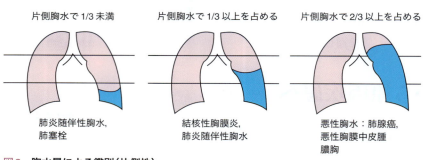

図3 胸水量による鑑別(片側性)

表1 医療面接のポイント

呼吸困難
- 呼吸困難の有無を確認する

呼吸器症状
- 咳嗽の有無を確認する
- 喀痰の有無を確認する
- 吸気時の胸痛の有無を確認する

全身症状の有無
- 浮腫を確認する(低栄養,心不全)
- 体重増加を確認する(心不全)
- 夜間発作性呼吸困難を確認する(左心不全)
- 体重減少を確認する(癌性胸水)
- 発熱を確認する

薬物
- 薬物性胸膜炎のリスクを確認する

職業歴
- アスベスト曝露の有無を確認する(良性石綿胸水や悪性胸膜中皮腫のリスク)

就寝時の体位:起座呼吸

診断の進め方

診断の進め方のポイント

- 片側性胸水か両側性胸水かで鑑別診断を想起する.
- 片側性胸水なら,胸水量で鑑別診断を想起する.
- 両側性胸水では血管透過性が亢進し,浮腫を呈する疾患を想起する.

医療面接(表1)

　胸痛の有無は診断を考慮するうえで重要な因子である.吸気時の胸痛は胸膜痛であり,心外膜炎/心筋炎,肺塞栓などを除けば,一般的には心疾患の可能性が下がる.

　胸膜痛を呈する疾患を VINDICATE(vascular, inflammatory and infectious, neoplastic, degenerative, iatrogenic and intoxication, congenital/coagulopathy, allergic and autoimmune, traumatic,

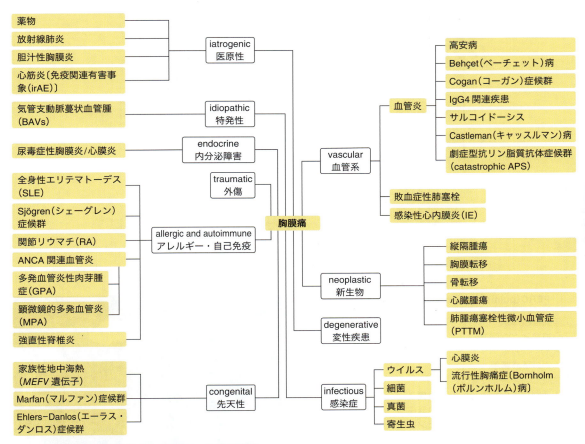

図4 胸膜痛を呈する疾患の VINDICATE による鑑別
irAE：immune related adverse effects, BAVs：bronchial artery varices, SLE：systemic lupus erythematosus, RA：rheumatoid arthritis, GPA：granulomatosis with polyangiitis, MPA：microscopic polyangiitis, APS：antiphospholipid syndrome

endocrine)の病態別に図4に示した．胸膜痛を伴う胸水の鑑別に役立ててほしい．

身体診察

身体診察のポイントを表2に示す．

診断のターニングポイント

医療面接と身体診察を総合して考える点

- 少量の両側胸水で，全身性浮腫/下腿浮腫，体重増加，起座呼吸，夜間発作性呼吸困難があれば左心不全の可能性が高い．
- 片側性の胸膜痛があり，発熱や咳嗽，喀痰などは細菌性肺炎/胸膜炎の可能性が上がる．
- 慢性消耗性疾患(体重減少，食欲低下，微熱)を伴う片側性胸水は，結核性胸膜炎や悪性胸水の

表2 身体診察のポイント

バイタルサイン
- SpO_2 の低下，血圧の低下，頻脈の有無，発熱の有無，呼吸数の増加を確認する

全身症状
- 全身浮腫/下腿浮腫の有無を確認する(pitting edema)
- 起座呼吸の有無を確認する(左心不全)

頭頸部
- 頸部，鎖骨上窩，腋窩リンパ節腫脹を確認する
- 眼瞼結膜の貧血を確認する

胸部
- 胸郭振盪の低下を確認する
- 声音震盪の低下を確認する
- 聴打診テストで陽性か
- 呼吸音の低下を確認する
- 胸郭の拡張障害(患側)を確認する
- 打診で濁音領域の拡大

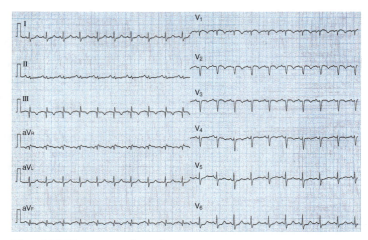

図5 心電図（S1Q3T3 パターン）
I 誘導の深い S 波，III 誘導の Q 波と陰性 T 波を認める．

表3 PERC（pulmonary embolism rule-out criteria）

①年齢≧50 歳
②心拍数≧100 回/分
③S_pO_2＜95％
④片側の下肢腫脹
⑤血痰
⑥4 週間以内の手術もしくは外傷
⑦肺塞栓症や深部静脈血栓症の既往
⑧エストロゲン製剤などホルモン薬の使用

可能性がある．

- 突然の胸痛や血痰，血液凝固の亢進を惹起する基礎疾患の存在は肺塞栓を疑う．
- PERC（pulmonary embolism rule-out criteria）はD-ダイマーなしで肺塞栓症を除外する評価基準である（表3）．すべて該当しなければ肺塞栓の可能性はきわめて低い（感度 96％，特異度 27％）．
- 自然消退する胸水の鑑別に結核性胸膜炎を必ず挙げる必要がある．

必要なスクリーニング検査

❶ 胸部 X 線検査

片側性胸水，両側性胸水の確認を行う．

❷ 心電図

S1Q3T3（図5）などの肺塞栓の可能性，心筋炎，心外膜炎の可能性（ST 上昇や低下など）を探る．

❸ 血算，血液生化学検査

白血球数の増加，CRP 上昇，LDH 上昇などの

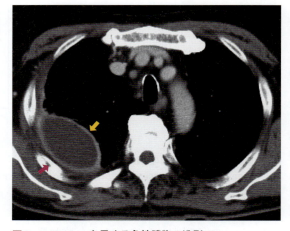

図6 split sign を呈する急性膿胸の造影 CT
split sign は臓側胸膜（黄矢印）と壁側胸膜（赤矢印）が肥厚して可視化し胸水を被包化している状態で，膿胸を示唆する所見である．

確認をする．

診断確定のために

- 造影胸部 CT：膿胸の split sign（図6），肺実質病変の有無のチェックを行う．
- 造影肺動脈 CT：肺動脈血栓を確認する．
- 胸水穿刺：血算，生化学的検査，細胞診．
- 微生物学的検査：一般細菌培養，抗酸菌培養，抗酸菌 PCR．
- その他：胸水中アデノシンデアミナーゼ（ADA），ヒアルロン酸，CEA．

〈皿谷 健〉

動悸, 脈拍異常
palpitation, abnormal pulse

動悸, 脈拍異常とは

定義

　動悸とは，通常は自覚しない心臓の拍動を不快と感じる自覚所見であり，心悸亢進とほぼ同義語で用いられる．多くは強い拍動や不規則な拍動，速い拍動として自覚される．脈拍が正常であっても体調や感受性の違いにより，心拍を不快と感じれば動悸である．
　脈拍異常とは検脈や心電図検査などにより他覚的に指摘される脈の異常を指す．

患者の訴え方

　患者は「心臓がドキンとする」「ドキドキする」「心臓が一瞬止まる（つまずく）ようになる」「脈が抜ける」「脈が速くなる」などと訴える．頻脈が長く続く場合には，「息苦しい」「胸苦しい」と訴える場合もあり，狭心症症状や心不全症状と紛らわしい場合もある．

患者が動悸, 脈拍異常を訴える頻度

　動悸は外来患者で多く認められる症状の1つであり，プライマリケアにおける患者の主訴の約16%を占めるという報告がある．

症候から原因疾患へ

病態の考え方

　動悸の病態生理は十分に明らかにされていない．動悸の感覚受容器は心筋や心膜の機械受容器や圧受容器であり，副交感神経や交感神経を介して視床や扁桃体，前頭葉の底部に伝達されると考えられている．患者が心臓の拍動を動悸として自覚する病態を図1に示す．
　動悸の病態は，①心拍数に対する不快感，②心拍の乱れに対する不快感，③心拍出に対する不快感に分けられる．疾患によってはこれらの病態が重複することで動悸が生じることがある．正常な心拍は洞結節における規則的な脱分極により生じ，心拍数は自律神経により調整されている．心拍出は前負荷，後負荷，心収縮力により規定され，心収縮力は自律神経により調整される．種々の病態によりこの正常な心拍が乱れることで動悸が生じる．
　動悸の原因疾患として主なものを表1に示す．

心拍数に対する不快感を動悸と自覚する場合

　心原性の多くは不整脈が関与している．不整脈疾患では，心房筋および心室筋での異常な電気的活動により過剰な心拍数上昇や心拍数低下が生じることで患者は動悸を自覚する．
　非心原性の多くは自律神経が関与している．種々の病態により交感神経が優位となった状態では，患者は洞性頻拍を呈し動悸を自覚する．交感神経緊張は運動や興奮，精神的ストレスなどによる生理反応として生じる場合や，貧血や発熱など全身疾患の代償として生じる場合がある．心不全の非代償期（＝急性心不全）でも交感神経が優位となるため，動悸を自覚することがある．また，交感神経作動薬，抗コリン薬などの薬物使用も交感神経緊張を引き起こすことがある．なお，これらの交感神経が優位な状況が不整脈を誘発する場合もある（例：感染により血管内脱水をきたした結果，心房細動が誘発されるなど）．一方で副交感神経が優位となる病態では高度の徐脈を呈し，これを動悸と自覚することがある．具体的には迷走神経刺激やβ遮断薬の内服などが挙げられる．

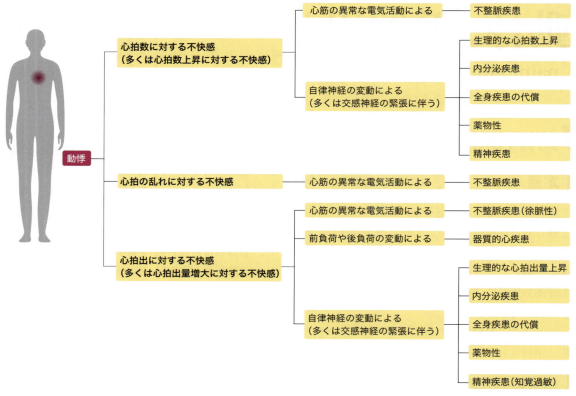

図1 動悸の病態と原因

表1 動悸をきたす疾患

心疾患に伴うもの
- 不整脈疾患：心房細動，心房粗動，期外収縮，発作性上室頻拍，心室頻拍，洞不全症候群，房室ブロック，ペースメーカー症候群など
- 心臓弁膜症：僧帽弁狭窄症，大動脈弁狭窄症，大動脈弁閉鎖不全症，僧帽弁逸脱症など
- 先天性シャント疾患：心室中隔欠損症など
- 心筋症：拡張型心筋症，肥大型心筋症，虚血性心筋症など
- 狭心症：労作性狭心症，冠攣縮性狭心症など
- その他心疾患：心膜炎など
- 急性心不全

非心疾患に伴うもの
- 全身疾患（二次性）：貧血，発熱，肺疾患，低血糖，起立性低血圧，更年期障害，妊娠，迷走神経刺激など
- 内分泌疾患：甲状腺機能亢進症，褐色細胞腫など
- 薬物性：交感神経作動薬，抗コリン薬，β遮断薬の突然中止，カフェイン，ニコチン，違法薬物など
- 精神疾患：パニック症，不安神経症，うつ病など

生理的反応に伴うもの
- 運動，興奮，精神的ストレスなど

心拍の乱れに対する不快感を動悸と自覚する場合

心房細動や期外収縮などの不整脈が原因である．心房細動や期外収縮では洞結節の脱分極とは異なる過剰な電気活動を呈するため，規則正しい心拍が乱され，動悸が生じる．

心拍出に対する不快感を動悸と自覚する場合

心原性は不整脈に伴うものと器質的心疾患に伴うものがある．高度の徐脈性不整脈や期外収縮では前述の心拍数や脈の乱れに対する不快感に加えて，1回心拍出量が増大することで動悸が生じる．動悸を生じる器質的心疾患としては，心臓弁膜症や先天性シャント疾患が挙げられる．これらの疾患では，前負荷や後負荷の変動に伴う心拍出の変動により動悸が生じる．

非心原性の多くはやはり自律神経が関与してい

る．生理反応や全身疾患の代償，薬物使用などにより交感神経が優位となる状態では，心収縮力が増大するために患者は動悸を自覚する．迷走神経刺激やβ遮断薬の内服など，副交感神経が優位となる病態では高度の徐脈を呈し，1回心拍出量が増大することで動悸が生じる．

精神疾患に伴う動悸の病態はさまざまで，交感神経緊張に伴う心拍数および心拍出量増大のほかに，心拍出に対する知覚過敏などが考えられる．

病態・原因疾患の割合

動悸を主訴に外来受診をした患者を調査した報告では全体の43％が心疾患に伴うもので，その大半は不整脈によるものだった．次いで精神疾患が31％，その他の全身疾患（非心原性疾患）に伴う動悸が10％で，16％は原因不明だったと報告されている．全身疾患に伴う動悸は随伴症状として表出されることが多く，動悸が主訴となることは少ない．

病態・原因疾患の頻度とその臨床的重要度を図2に示す．

診断の進め方

診断の進め方のポイント

- 動悸の原因の多くは，医療面接，身体診察，心電図および血液検査により診断可能である．
- 外来来院時には動悸発作が消失しているケースがほとんどであり，詳細な医療面接がきわめて重要である．また，Holter（ホルター）心電計やウェアラブルデバイスなどによる長期間の心電図記録や携帯型心電計が診断の一助となることが少なくない．
- 一方で動悸発作が持続した状態で来院する場合，高度房室ブロックや心室頻拍など緊急性の高い不整脈を有しているケースがあり，ときに致死的な経過をたどる場合があるので留意が必要である．バイタルサインに異常を認める場合は救急対応を優先する．

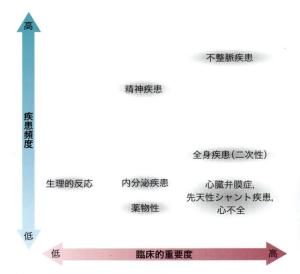

図2　疾患の頻度と臨床的重要度

医療面接

外来受診時には動悸発作が消失しているケースがほとんどであるため，動悸の状態を客観的検査により把握することは容易ではない．よって詳細な医療面接がきわめて重要である．詳細な医療面接により動悸の原因を推定できる．一般的な医療面接と同様に開かれた質問（open-ended question）（例：「今日はどのようなことにお困りでいらっしゃいましたか？」）および焦点を絞った質問（focused question）（例：「動悸の症状はどのようなものなのですか？」「その後の経過について教えてください」）により動悸症状の概要を十分に聴取したのちに，閉じられた質問（closed question）（例：「動悸のときは脈拍が速いのですか？　それとも脈を強く感じるのですか？」「動悸は何分くらい持続しますか？」）で症状の詳細を確認する．医療面接で把握すべきポイントを表2に示す．以下，項目に従って具体的に記述する．

動悸の状況

❶ 動悸の種類（病態）

患者が訴える動悸が前述した3つの病態（①心拍数に対する不快感，②心拍の乱れに対する不快感，③心拍出に対する不快感）のどれに該当するのかを把握する．患者はどの病態でも「動悸がす

表2　医療面接のポイント

動悸の状況
動悸の種類（病態）
- 心拍数に対する不快感なのか
- 心拍の乱れに対する不快感なのか
- 心拍出に対する不快感なのか

動悸の持続時間および開始・終了状況
- 動悸は発作性なのか，現在も持続しているのか
- 動悸は一瞬で終わるのか，一定時間持続するのか
- 具体的に何分間（何時間・何日間）持続するのか
- 動悸の開始および終了が明確であるか
- Valsalva（バルサルバ）手技により動悸が終了するか

動悸の経過，頻度，誘因および発症時刻
- 動悸をいつから自覚するようになったか
- 動悸の頻度はどのようであるか（以前と比べて増えているのか）
- 動悸の発症に誘因はあるのか
- 動悸の増悪因子はあるのか
- 動悸の発症時刻はいつか

随伴症状
- 胸痛，息切れ，呼吸困難，発汗などはあるか
- 失神を伴うか

既往歴，内服歴および生活歴
- 既往歴および内服歴はあるか
- サプリメントの内服はないか
- 喫煙やアルコール，カフェインの摂取はないか
- 食生活や睡眠時間，1日の過ごし方などを確認する

る」と訴えるため，医療面接の早い段階でこれを把握する必要がある．①心拍数に対する不快感や②心拍の乱れに対する不快感が動悸の病態である場合，患者は単純に脈の速さや遅さ，脈の乱れを訴える．③心拍出に対する不快感が動悸の病態である場合はさまざまな訴えを呈する．具体的には「脈がドックンと大きく感じる」「脈が抜ける感じがする」「脈が聞こえる感じがする」などが挙げられる．これら3病態の鑑別はopen-ended questionやfocused questionでは判断できないことが多く，closed questionを必要とすることが多い．

❷ 動悸の持続時間および開始・終了状況

動悸が発作性なのか現在も持続しているのかを確認する．動悸が発作性であれば，一瞬で終わるのか，それとも一定時間持続するのか，具体的に何分間持続するのかを確認する．動悸が発作性で開始および終了を明確に自覚する場合，不整脈疾患であることが多い．特に動悸がValsalva手技により終了する場合，上室頻拍である可能性が高い．一方で動悸が持続性である場合や，発作性ではあるが開始・終了が明確ではない場合，不整脈疾患，非不整脈疾患の双方の可能性がある．

❸ 動悸の経過，頻度，誘因および発症時刻

動悸の発症時期および頻度を確認する．動悸の頻度はその後の検査方針および治療方針に影響を与える．たとえば，週に1～2回の発作であるならば，24時間Holter心電計では不十分であり，より長期間の心電図記録が必要である．動悸が発作性である場合，動悸の誘因を確認する．動悸が持続性である場合は増悪因子を確認する．発症時刻も鑑別や治療方針の選択に有用である．たとえば，夜間に発作性心房細動を生じるのは比較的若年者に多いとされる．

随伴症状

胸痛，息切れ，呼吸困難，発汗などの随伴する症状から原因疾患を推定できる．また失神を伴う場合，高度の徐脈性疾患や重度の弁膜症を有する可能性があり注意が必要である．

既往歴，内服歴および生活歴

非心原性の動悸を鑑別するため，既往歴および内服歴の聴取が必要である．また，喫煙，アルコールやカフェインの摂取などの生活歴の聴取も重要である．

疾患に特徴的な症状を表3に示す．

身体診察

動悸の身体診察においても，他の症候と同様に全身の診察が重要である．身体診察のポイントを表4に示す．以下，項目に従って具体的に記述する．

バイタルサイン（呼吸，脈拍，血圧，意識レベル，体温）

動悸発作時であれば，まずはショックバイタルを呈していないかを確認する．呼吸状態を目視および聴診で確認する．呼吸数の増大は肺疾患や心不全，低血糖，精神疾患などを疑う．検脈で心拍数およびリズムを確認する．脈不整を認めれば心

表3 動悸患者における特徴的な症状と考えられる疾患および病態

特徴的な症状	考えられる疾患および病態
脈が飛ぶ	期外収縮
単発的に脈が強くなる	期外収縮
頸部に感じる規則正しく速い拍動	上室頻脈性不整脈
夜間の増悪	期外収縮もしくは心房細動
精神的苦痛との関連	精神的な原因やカテコールアミン誘発性不整脈
運動負荷に伴う動悸	冠動脈疾患
不安を伴う動悸	パニック発作
薬物の使用	薬物性の頻拍
運動時の速い動悸	上室頻脈性不整脈や心房細動
姿勢によって変化する	房室結節性の頻脈，心膜炎
暑がり，振戦がある	甲状腺機能亢進症
小児期から認める	上室頻拍
不規則で速い動悸	心房細動，ブロックを伴う頻脈
Valsalva手技で消失する	上室頻拍

表4 身体診察のポイント

バイタルサイン
- 呼吸，脈拍，血圧，意識レベル，体温を確認する

頭頸部
- 顔貌，眼瞼結膜，眼球突出，甲状腺腫大の有無を確認する

胸部
- 心音および呼吸音聴取を行う

四肢
- 手指の振戦の有無を確認する

表5 動悸患者における特徴的な心音と考えられる疾患および病態

特徴的な心音	考えられる疾患および病態
Ⅰ音の亢進	高心拍出状態
Ⅱ音の固定性分裂	心房中隔欠損症
Ⅲ音の聴取	心不全，僧帽弁閉鎖不全症
開放音	僧帽弁狭窄症
収縮中期クリック音	僧帽弁逸脱症
収縮期駆出性雑音（右第2肋間～頸部に放散）	大動脈弁狭窄症
収縮期駆出性雑音（左第2肋間）	肺動脈弁狭窄症，心房中隔欠損症
収縮期駆出性雑音（右第2肋間～左第2肋間）	高心拍出状態
全収縮期雑音（胸骨左縁～心尖部）	心室中隔欠損症
収縮後期雑音（心尖部）	僧帽弁逸脱症
拡張期逆流性雑音（左第3肋間）	大動脈弁閉鎖不全症
拡張期ランブル（心尖部）	僧帽弁狭窄症
心膜摩擦音	心膜炎

房細動，欠脈を認める場合は期外収縮を疑う．動悸時の検脈は動悸の3つの病態（①心拍数に対する不快感，②心拍の乱れに対する不快感，③心拍出に対する不快感）の把握に有用である．血圧測定において高血圧や脈圧の開大は心臓弁膜症や内分泌疾患を想起する．意識レベルの低下は完全房室ブロックや洞不全症候群，心室性不整脈，または精神疾患を疑う．体温の上昇は発熱を想起し，感染の存在を疑う．

頭頸部

顔貌，表情から不安や恐怖感，苦悶状態の有無を確認する．眼瞼結膜の蒼白は貧血を疑う．眼球突出，甲状腺腫大を有する場合，甲状腺機能亢進症を疑う．

胸部

心音聴取および呼吸音聴取を行う．動悸時の心音聴取は動悸の3つの病態の鑑別に有用である．また，非発作時の心音聴取では正常心音や過剰心音，心雑音を確認することで，病態を鑑別することができる．なお，頻脈でⅠ音とⅡ音の区別が困難な場合は検脈を行いながら聴診するとよい．脈が触れると同時に聴診されるのがⅠ音である．動悸の原因となる疾患における特徴的な心音を表5に示す．

四肢

手指の振戦は甲状腺機能亢進症を疑う．

診断のターニングポイント

医療面接と身体診察を総合して考える点

- 外来受診時には動悸発作が消失しているケースがほとんどであり，この場合は医療面接と身体診察のみで確定診断を得ることは難しい．

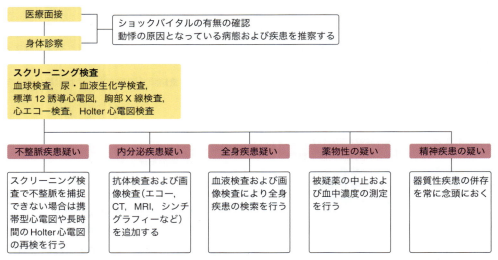

図3 動悸の診断の進め方

医療面接における動悸の3つの病態の把握および特徴的な症状と心音(表3, 5)より,疾患および病態を推定することができる.

必要なスクリーニング検査

医療面接と身体診察から,動悸をきたす器質性疾患を推測することが可能であることが多い.しかしながら,正しい診断のために基本的なスクリーニング検査を加え,鑑別を進める(図3).動悸を訴える患者に対して実施すべきスクリーニング検査として,次のものを実施する.

❶ 血球検査(血算)

赤血球数およびヘモグロビン値から貧血,白血球数および分画から感染症による二次性の動悸の鑑別を行う.

❷ 尿・血液生化学検査

血糖値から低血糖,腎機能や電解質から脱水,甲状腺機能〔甲状腺刺激ホルモン(TSH),遊離トリヨードサイロニン(free T_3),遊離サイロキシン(free T_4)〕,副腎機能〔血中・尿中カテコールアミン(CA),尿中バニリルマンデル酸(VMA)〕から内分泌疾患,心筋逸脱酵素〔アスパラギン酸アミノトランスフェラーゼ(AST),クレアチンキナーゼ(CK),CK-MB〕から心筋虚血イベント,ヒト脳性ナトリウム利尿ペプチド前駆体N端フラグメント(NT-proBNP)の数値から心不全に伴う動悸の鑑別を行う.

❸ 標準12誘導心電図検査

動悸発作時の心電図記録により不整脈疾患の有無を確認する.非発作時の心電図記録においても,PQ間隔短縮,Δ波の存在,QT時間延長などは頻脈性不整脈の存在を示唆し,二束ブロックの存在などは徐脈性不整脈の存在を示唆する.不整脈疾患以外にも,左室高電位波形($SV_1 + RV_5 > 35$ mm)の存在は,大動脈弁狭窄症や肥大型心筋症の存在,左房負荷所見(Ⅱ誘導でP波幅> 3 mm)は僧帽弁逸脱症の存在,ST-T変化は狭心症や心膜炎の存在を示唆する.

❹ 胸部X線検査

肺野の異常や心拡大は呼吸器疾患や器質的心疾患による動悸を示唆する.たとえば,肺うっ血や胸水の存在は急性心不全の存在を示唆する.

❺ 心エコー検査

弁膜症,心筋症,先天性心疾患などによる動悸の鑑別を行う.

❻ Holter心電図検査

24時間または7日間,14日間の心電図記録を行う.動悸時の不整脈の有無の確認のみならず,動悸発作の頻度,自覚症状と頻拍の関係を確認する.また,ST変化を確認することで心筋虚血イベントの有無,心拍変動解析により自律神経のゆらぎを測定することが可能である.

診断確定のために

病歴情報，身体所見，スクリーニング検査の結果をふまえて，必要に応じて下記の臓器系統別検査を行うことで確定診断に至る．また，これらの検査により疾患の重症度や予後を判断し，治療方針を決定する．

不整脈疾患の確定診断

不整脈疾患の診断および鑑別（不整脈が心房細動であるのか発作性上室頻拍であるのかなど）には，発作時の心電図記録が重要である．来院時に不整脈が持続している場合，発作中の標準12誘導心電図およびアデノシン三リン酸（ATP）の急速静注時の標準12誘導心電図から不整脈の鑑別を行う．

来院時に不整脈が持続していない場合は，Holter心電図検査などにより不整脈を捕捉する．発作頻度が多くない場合（週に1回程度など），複数日間の記録が可能なHolter心電図検査を実施することが望ましい．7日間のHolter心電図検査を実施することで，有症候性の不整脈を有する患者の88％で不整脈の記録が可能である．発作頻度が頻回ではない（数か月に1回など）が，持続時間が長時間（数時間など）である場合は，発作時に来院するよう説明し，心電図を記録することも有用である．また，携帯型の心電計やウェアラブルデバイスによる心電図測定も有用である．随伴症状として失神を伴う場合は植込み型ループレコーダーの植え込みを検討する．発作時の心電図から不整脈の鑑別を行うが，頻脈性不整脈の場合，鑑別が困難であることが少なくない．この場合，カテーテルによる心臓電気生理学検査を行い，確定診断に至る．カテーテル検査は侵襲を伴うため，カテーテル治療（カテーテルアブレーション治療）を前提に行われることが多い．

器質的心疾患の確定診断

スクリーニング検査で実施した胸部X線検査および標準12誘導心電図検査，心エコー検査から器質的心疾患が疑われる場合，各心疾患の重症度を精査する．経食道心エコー検査および心臓カテーテル検査（右心カテーテル検査，冠動脈造影検査，心筋生検など），心臓MRI検査などを行う．器質的心疾患は不整脈を併発する可能性があるため，Holter心電図検査などによる不整脈の検索が必要である．

内分泌疾患の確定診断

スクリーニング検査で内分泌疾患が疑われる場合，血液検査や画像検査を追加する．甲状腺機能亢進症を疑う場合は，TSHレセプター抗体の測定，甲状腺エコー，甲状腺シンチグラフィーを実施する．褐色細胞腫を疑う場合は，CT，MRI，メタヨードベンジルグアニジン（metaiodobenzylguanidine; ^{123}I-MIBG）シンチグラフィーで腫瘍の存在を確認する．内分泌疾患も不整脈を併発する可能性があるため，Holter心電図検査などによる不整脈の検索が必要である．

全身疾患の確定診断

スクリーニング検査で全身性疾患が疑われる場合，各疾患に応じた血液検査，画像検査を行う．

薬物性動悸の確定診断

医療面接から薬物性の動悸が疑われる場合，被疑薬の中止および血中濃度の測定をすることで，確定診断に至ることができる．

精神疾患の確定診断

上記の器質性疾患の精査により動悸の原因が特定されず，かつ疑わしい場合に精神疾患による原因が考慮されるべきであるが，身体的な原因と精神的な原因は相互に除外できないことを常に念頭におく必要がある．

〈中尾 元基，安斉 俊久〉

高血圧
hypertension

高血圧とは

定義

　高血圧は，血圧レベルの平均値が，ある一定の基準値を超えたときに診断される．血圧は常に変動しているため，高血圧の正確な診断には正しい血圧測定が不可欠である．診察室血圧測定は安静座位の状態で，心臓の高さにカフを保ち，複数回測定する．高血圧の診断は，2回以上の異なる機会における診察室血圧値に基づいて行う．ただし，高血圧の診断基準値は絶対的なものではなく，臨床的なエビデンスに基づいて恣意的に設定されたものであることは理解しておく必要がある．

　一般的には，数回測定した収縮期血圧が140 mmHg以上，かつ/または拡張期血圧が90 mmHg以上を満たす場合を高血圧と定義する．表1に日本高血圧学会「高血圧治療ガイドライン2019」(2019年)における分類を示す．近年，診察室血圧よりも家庭血圧が心血管リスク因子として価値が高いことが明らかとなり，家庭血圧の測定が重要視されている．そのため，Ⅰ度高血圧からⅢ度高血圧では，「診察室血圧」と「家庭血圧」の差が5 mmHgよりも大きくなっていることには注意する必要がある．

患者の訴え方

　一般的に，高血圧患者は無症状であることが多い．かつては，頭痛や鼻出血，めまいなどが高血圧の典型的な症状と考えられていた．しかし，これらが高血圧の患者に特異的ではないとする研究結果より，その診断的有用性は疑わしい．しかしながら，頭痛，めまい，肩がこる，頭の緊張感，のぼせ感などを訴えて来院することがあるのも事実である．また，無症候であるが健診時や自宅で測定した血圧が高いということで来院することも少なくない．

　高血圧が持続することで全身の高血圧性合併症をきたせば，それに伴ってさまざまな症状が現れる．たとえば，心肥大や虚血性心疾患による心不全を呈した場合，労作時の息切れが出現し，期外収縮や心房細動を呈した場合，動悸や脈の結滞が出現し，狭心症や心筋梗塞や大動脈解離を呈した場合，胸痛や背部痛が出現する．そのほか，脳卒中による麻痺，くも膜下出血・脳内出血による頭痛，眼底出血による視力障害，腎障害によるむくみ，多尿・乏尿などが考えられる．悪性高血圧に至った場合，高度の頭痛や視力障害，意識障害などをきたすことがある．動脈硬化による頸動脈狭窄をきたした場合，血管性雑音により拍動性の耳鳴を訴えることがある．また，高血圧を有していても，起立性低血圧を合併して，立ちくらみを訴えることもある．

患者が高血圧を訴える頻度

　2017年におけるわが国の高血圧有病者数は約4,300万人と試算されている．さらに，2019年の国民健康・栄養調査によると，50歳以上の日本人男性の50%以上，60歳以上の女性の50%以上が高血圧有病者(収縮期血圧140 mmHg以上もしくは拡張期血圧90 mmHg以上，または降圧薬内服中)であったと報告されている．

　患者が高血圧を訴える状況としては，健診結果や家庭用血圧計の値を心配して来院することが多い．一方で，他疾患の診察や手術前の診察の際に，偶発的に血圧高値が指摘されることもある．ただし，すでに降圧薬などによる治療を受けている患者も多いため，高血圧を主訴に来院するのは，内科初診患者の約5～10%程度と考えられる．

　高血圧を主訴に来院する患者のなかで，緊急に

表1　成人における高血圧の分類

分類		診察室血圧（mmHg）		家庭血圧（mmHg）			
		収縮期血圧	拡張期血圧	収縮期血圧		拡張期血圧	
正常域血圧	正常血圧	<120	かつ <80	<115	かつ	<75	
	正常高値血圧	120〜129	かつ <80	115〜124	かつ	<75	
	高値血圧	130〜139	かつ/または 80〜89	125〜134	かつ/または	75〜84	
高血圧	Ⅰ度高血圧	140〜159	かつ/または 90〜99	135〜154	かつ/または	85〜89	
	Ⅱ度高血圧	160〜179	かつ/または 100〜109	145〜159	かつ/または	90〜99	
	Ⅲ度高血圧	≧180	かつ/または ≧110	≧160	かつ/または	≧100	
	（孤立性）収縮期高血圧	≧140	かつ <90	≧135	かつ	<85	

〔日本高血圧学会高血圧治療ガイドライン作成委員会（編）：高血圧治療ガイドライン2019. ライフサイエンス出版, 2019より〕

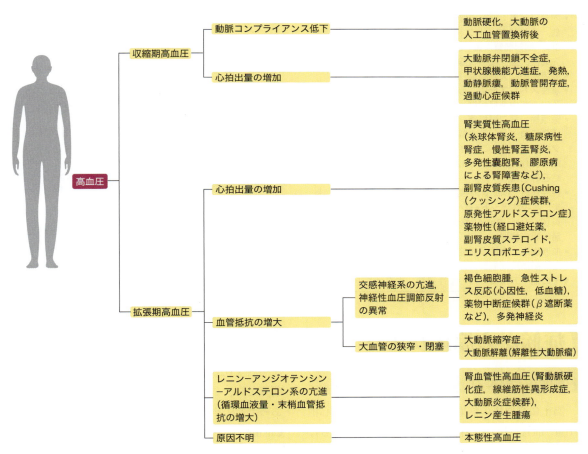

図1　高血圧の原因

　降圧薬治療を開始する必要があるのは，高血圧緊急症などを呈している患者である．残りの大多数の患者では，個々の患者の脳心血管病リスクを評価したうえで生活指導を行い，おおむね1か月後に家庭血圧を含めた血圧値の再評価を行うことになる．

表2　高血圧をきたす疾患

収縮期高血圧

動脈のコンプライアンス低下
- 動脈硬化（老化），大動脈の人工血管置換術後

心拍出量の増加
- 大動脈弁閉鎖不全症
- 甲状腺機能亢進症，発熱，動静脈瘻，動脈管開存症，過動心症候群

収縮期・拡張期ともに高血圧

本態性高血圧
二次性高血圧
- 腎疾患：腎実質性（急性・慢性糸球体腎炎，糖尿病性腎症，慢性腎盂腎炎，多発性嚢胞腎，膠原病による腎障害，水腎症，痛風腎，アミロイド腎，腎梗塞，腎移植後），腎血管性（腎動脈硬化症，線維筋性異形成症，大動脈炎症候群），レニン産生腫瘍，Liddle（リドル）症候群
- 内分泌疾患：副腎皮質疾患（Cushing症候群，Cushing病，原発性アルドステロン症，先天性副腎性器症候群），副腎髄質疾患（褐色細胞腫），甲状腺機能亢進症，先端巨大症，副甲状腺機能亢進症
- 動脈疾患：大動脈縮窄症，大動脈解離
- 急性ストレス反応：心因性，低血糖，熱傷，膵炎，アルコール中断症候群
- 医原性：経口避妊薬，エストロゲン補充療法，副腎皮質ステロイド，漢方薬（甘草），エリスロポエチン，シクロスポリン，コカイン，アンフェタミン，薬物中断症候群（β遮断薬，クロニジン，α-メチルドパ），尿路結石砕石術
- 神経疾患：脳血管障害，急性頭蓋内圧亢進（脳腫瘍，脳炎，呼吸性アシドーシスなど），間脳症候群，多発神経炎（Guillain-Barré（ギラン・バレー）症候群），睡眠時無呼吸症候群
- 血液疾患：真性多血症
- 妊娠高血圧症候群
- その他：アルコールの慢性摂取，中毒（鉛，タリウム）

症候から原因疾患へ

病態の考え方

　図1に高血圧の病態分類を示す．血圧は，心拍出量，血管抵抗（交感神経活性により調節される），動脈コンプライアンスなどの因子により規定されている．

　甲状腺機能亢進症や貧血などでは，心拍出量が増加するが，末梢血管抵抗は低下しており，収縮期血圧のみが高くなる．また，加齢に伴う動脈硬化や人工血管置換術後でも，動脈のコンプライアンスが低下し，収縮期血圧が上昇し，拡張期血圧は低下して，脈圧が増大する．

　一方，腎疾患や内分泌疾患などでは体液が貯留して心拍出量が増加し，血圧が上昇する．白衣高血圧や精神的ストレス，脳血管障害などでは，中枢性の交感神経系の亢進が原因で，褐色細胞腫などでは副腎からのカテコールアミン過剰分泌が原因で，末梢血管が収縮することで血圧が上昇する．また，末梢神経炎などで圧受容体反射の異常をきたすと，血圧の変動が大きくなることがある．さらに，大動脈縮窄症，大動脈解離（解離性大動脈瘤）など大動脈自体の狭窄が生じる疾患において，狭窄部より近位部の血圧が上昇することがある．加えて，腎動脈狭窄による腎血管性高血圧では，レニン-アンジオテンシン-アルドステロン系が亢進し，末梢血管抵抗の増大と同時に，体液量の増加をきたすことで血圧が上昇する．本態性高血圧は，神経系，内分泌系（昇圧系の亢進，降圧系の機能低下），腎臓（体液調節など）など多因子が原因とされるが，不明な点も多い．表2に高血圧をきたす主な疾患を示す．

病態・原因疾患の割合

　高血圧の原因として，本態性高血圧が占める割合は90%程度で，二次性高血圧が占める割合は10%程度とされる．二次性高血圧のなかでも原発性アルドステロン症は最も頻度の高い疾患であり，有病率は高血圧全体の約10%とされている．そのほか，Cushing症候群，褐色細胞腫，腎血管性高血圧，睡眠時無呼吸症候群も比較的高頻度に認められる二次性高血圧の原因疾患である．高血圧患者1,020例を前向きに観察したわが国の観察研究では，二次性高血圧の占める割合は9.1%であった（内訳は，原発性アルドステロン症61例，Cushing症候群11例，潜在性Cushing症候群10例，褐色細胞腫6例，腎血管性高血圧5例）．なお，白衣高血圧の頻度は，外来高血圧患者全体の約20%と比較的高い．

　高齢者における収縮期血圧高値の大多数は，加齢に伴う動脈硬化が原因と考えられている．一方で，若年女性で収縮期血圧高値が持続している場

合には，甲状腺機能亢進症や大動脈弁閉鎖不全症などを疑う必要がある．

高血圧の疾患の頻度と臨床的重要度を図2に示す．

診断の進め方

診断の進め方のポイント

以下の3点を意識して診断を行うことが重要である．

血圧値を正しく評価する

血圧値を正しく測定するためには，数分間の安静座位の状態で，少なくとも2回測定する．必要に応じて，四肢の血圧の左右・上下差，体位による変化も確認する．さらに，白衣高血圧が疑われる患者では，家庭での血圧測定や携帯型血圧計などをすすめることも考慮する．血圧は患者の緊張状態や労作に応じて大きく変動するため，初回の測定が180 mmHgと高値であった場合も，数回深呼吸させてから再検すると150 mmHg程度まで低下することが少なくない．

測定した血圧値に対して緊急処置が必要な病態であるか否か判断する

全身状態，高血圧をきたした原因，合併症などを確認することが重要である．たとえば，脳出血や大動脈解離で血圧が高い場合は，緊急に降圧をはかる必要がある．

初回診察時の血圧だけでなく，その後の血圧の推移にも注意する

初診時の血圧測定で高血圧と判断し，安易に降圧薬を処方するのは低血圧を惹起する危険性がある．また，白衣高血圧の可能性を考慮し，少なくとも1か月程度は家庭血圧を計測し，血圧手帳に記載してもらう．その結果をふまえて，生活指導を続けるか，降圧薬の内服を開始する必要があるか判断する．

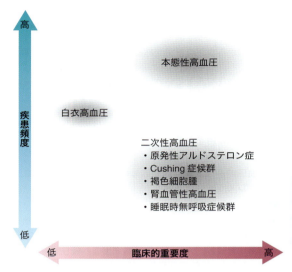

図2 疾患の頻度と臨床的重要度

医療面接(表3)

血圧の経過，自覚症状，高血圧の誘因となりうるものがないか，また，心血管系合併症の有無などに注意する必要がある．特に，高血圧が疑われる患者では，喫煙歴，脂質異常症，糖尿病などの脳心血管病リスク因子の有無や，高血圧が長期間持続したことによる心肥大，脳卒中，腎障害，眼底異常などの高血圧性合併症をきたしていないかに注意する．また，降圧薬を選択するうえでも，合併症や薬物へのアレルギーの有無などを確認することが重要である．

身体診察(表4)

血圧測定

初診時は，必ず両側の上肢の血圧を測定する．緊急性を示唆する所見がなければ，数分の安静後に，1～2分の間隔を空けて少なくとも2回は測定する．また，精神的緊張で血圧上昇を認めている可能性があれば，ベッドで数分間は安静臥位にさせたうえで血圧を測定する．臥位で高血圧を認める患者が起立性低血圧を呈する場合には，糖尿病性自律神経障害や，褐色細胞腫，降圧薬などの薬物性である可能性を考える．

家庭血圧の測定を指示する場合は，上腕用の血

表3　医療面接のポイント

経過
- いつ頃から血圧の異常があるか：血圧レベル，持続期間
- 家庭で血圧を測っていれば，その血圧値・経過をみる
- 自覚症状：特に発作性高血圧では血圧上昇時に発汗，動悸，頭痛などを伴う
- これまでの治療経過，薬物治療を受けていれば，その効果と副作用をみる

誘因
- 高血圧の誘因で思い当たるものはないか：体重増加，ストレス，疲労など

既往歴
- 脳卒中，虚血性心疾患（狭心症，心筋梗塞），心不全，閉塞性動脈硬化症（間欠性跛行），脂質異常症，糖尿病，痛風，腎障害，大動脈解離，眼底出血，慢性閉塞性肺疾患（喘息，慢性気管支炎，肺気腫など），神経疾患，性機能障害などを確認する
- 手術歴はないか
- 薬物による副作用の既往をみる
- 体重の経過をみる
- 妊娠歴はないか

生活歴，嗜好品，常用薬
- 生活パターン，職業歴を確認する
- 喫煙歴，アルコール，清涼飲料水摂取量を確認する
- 運動習慣を確認する
- 塩分摂取量を確認する
- 精神的ストレスの状況をみる
- 常用薬：経口避妊薬，副腎皮質ステロイド，非ステロイド性抗炎症薬，漢方（甘草），エリスロポエチン，シスプラチン，睡眠薬などの服用歴はないか
- 同時に他の医師に通っているか：処方薬があるか

家族歴
- 高血圧の家族がいるか
- 糖尿病，脳卒中，虚血性心疾患，脂質異常症，脳動脈瘤，腎疾患などを確認する

表4　身体診察のポイント

バイタルサイン
- 血圧は必ず複数回測定する
- 状況に応じて血圧の左右差，上下差をチェックする
- 状況に応じて臥位と立位で血圧測定を行う
- 身長，体重，BMI(kg/m^2)，腹囲，体脂肪率などの測定：内臓肥満の有無をみる
- 不整脈はないか
- Marfan（マルファン）症候群の体型ではないか

全身状態
- 意識状態を確認する

頭頸部
- 角膜輪，瞳孔の左右差，眼底検査を行う
- 甲状腺腫の有無をみる
- 静脈怒張の有無をみる
- 頸部・眼球部の血管性雑音の有無をみる

胸部
- 心尖拍動の部位，範囲（左室肥大の有無）を確認する
- 心雑音，Ⅲ音，Ⅳ音の有無をみる
- 肺ラ音の有無をみる

腹部
- 腹壁皮膚線条，肝腫大，腎腫大を確認する
- 腹部大動脈瘤の有無（動脈径の触診）をみる
- 腹部血管雑音（大動脈，腎動脈）の有無をみる

四肢
- 浮腫，冷感，虚血性潰瘍の有無をみる
- 足背動脈，後脛骨動脈，大腿動脈などの拍動を確認する
- 末梢動脈の血管性雑音の有無をみる

神経系
- 意識レベルを確認する
- 筋力，感覚障害の有無をみる
- 腱反射を確認する
- 自律神経障害の有無をみる

圧計を用い，朝または夜に1〜2回測定し，すべての値を記録するように指導する．なお，朝は起床後に排尿してから，座位で1〜2分の安静後（朝食前）に測定し，夜は就寝前に座位で1〜2分の安静後に測定を指示する．また，高血圧かどうかの判断に迷う場合や，家庭血圧の変動が大きい場合には，24時間自由行動下血圧測定（ambulatory blood pressure monitoring；ABPM）を検討する．

下肢動脈の触診・血圧測定

高血圧患者や高齢者，糖尿病患者では，閉塞性動脈硬化症の合併も稀ではなく，足背動脈，後脛骨動脈の触診は必ず行う．ただし，足背動脈は健常者でも触知しないことがあり，内顆の後下方に位置する後脛骨動脈の触診を念入りに行うようにする．

大腿動脈の血圧は，大腿用のカフを用いて膝窩動脈に聴診器を置き，また，下腿の動脈圧は，上腕用カフを用い足背動脈・後脛骨動脈などで聴診する．動脈の狭窄が疑われれば，動脈の走行に沿って血管性雑音（鎖骨上窩，腹部，大腿動脈など）がないか，注意して聴診する．

高血圧性合併症, 二次性高血圧の鑑別

高血圧患者では, 高血圧性合併症の有無やその程度, また二次性高血圧の原因疾患ごとの特徴的な所見の有無に注意して診察する.

高血圧性緊急症を疑う場合は, 眼底所見におけるうっ血乳頭の所見が重要であり, 検眼鏡で検査し, 疑わしい場合は眼科医に診察を依頼する. また, 満月様顔貌, 中心性肥満, 多毛, 赤色腹部皮膚線条, 野牛肩(バッファローハンプ)などがあれば, Cushing 症候群が疑われる. 腎動脈狭窄の診断には, 腹部の腎動脈部の聴診が重要である. 健常者でも腹部大動脈の壁不整などによって雑音を聴取することがあるので, 大動脈の側方に 2〜3 cm 程度離れた部位で血管性雑音の左右差がないか注意する. また, 腎動脈雑音は, 1日のうち限られた時間にしか聴取できないことがあり, 疑わしい患者では, 何度か聴診を繰り返す必要がある.

診断のターニングポイント

医療面接と身体診察を総合して考える点

その場で数回測定した血圧値と, 医療面接による病歴情報, 身体診察による随伴症状の経過から, 緊急治療が必要な合併症を併発した高血圧かどうかの判断が可能である(図3). たとえば, 激しい胸痛・背部痛, 血圧と頸動脈拍動の左右差, 大動脈逆流の雑音の出現などがあれば, 急性大動脈解離が疑われる. 急激な神経症状(頭痛, 麻痺, 視力障害, 意識障害, 痙攣, 髄膜刺激症状など)を認めれば, 脳出血やくも膜下出血, 高血圧性緊急症などが疑われる. 呼吸困難や浮腫を認めれば急性心不全が, 胸痛や冷汗などを認めれば急性心筋梗塞が疑われる.

上記のような緊急性の合併症が否定できた場合, 一過性の血圧上昇であるのか, 慢性的に持続した高血圧であるのかを判断する. そのためには, 身体所見から判断することも不可能ではないが, 家庭血圧なども参考にしたうえで, その後の検査所見から総合的に判断するのがよい. 必要であれば, 24 時間携帯型血圧計を装着してもらう

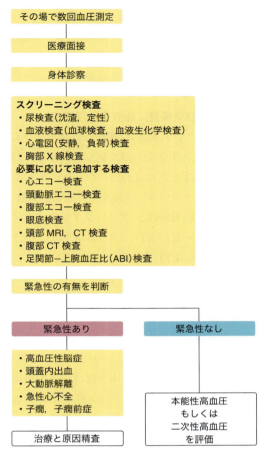

図3 高血圧の診断の進め方

ことも考慮するべきである. そのほか, 本態性高血圧か二次性高血圧かの判断を行うことが重要である. たとえば, 35歳未満の若年者の持続性高血圧であれば, 原発性アルドステロン症や Cushing 症候群などの二次性高血圧を疑って精査する必要がある. また, これまで血圧が正常もしくはコントロール良好の高血圧を有する高齢者において, 急激な血圧上昇によりコントロールが困難になった場合, 腎動脈狭窄による腎血管性高血圧が疑われる.

必要なスクリーニング検査

高血圧による合併症の有無, 心血管イベントのリスク評価, 二次性高血圧の鑑別などの目的で, 以下の検査を組み合わせて行うことが有用である(図3).

❶ 尿検査(定性,沈渣)

尿蛋白陽性から腎疾患を,尿糖陽性から糖尿病を診断する手がかりとなる.また,尿中のホルモン値を測定することで二次性高血圧診断の一助となる.

❷ 血液検査(血球検査,血液生化学検査)

尿素窒素,クレアチニン(またはシスタチンC),カリウム,ナトリウム,カルシウム,尿酸,総コレステロール(またはLDL-コレステロール),HDL-コレステロール,空腹時中性脂肪,血糖(随時または食前),HbA1c,アスパラギン酸アミノトランスフェラーゼ(AST),アラニンアミノトランスフェラーゼ(ALT),γ-GT,アルブミン(または総蛋白),血漿レニン活性,血漿アルドステロン,コルチゾール,副腎皮質刺激ホルモン(ACTH),カテコールアミン3分画をみる.

血清カリウム低値であれば,副腎疾患や腎血管性高血圧,薬物性高血圧などの可能性を考える.そのほか,内分泌疾患の検索を行うことが可能であり,特に原発性アルドステロン症やCushing症候群,褐色細胞腫の診断において必要である.

❸ 心電図検査(安静,負荷)

高血圧に伴う心疾患の関与が疑われるときに行う.心肥大を示唆するR波増高や陰性T波,T波陰転化の有無を確認する.

❹ 胸部X線検査

高血圧に伴う心疾患の関与が疑われるときに行う.心不全を示唆する心拡大,肺うっ血,胸水貯留の有無などを確認する.

そのほか,以下の検査を必要に応じて行うのがよい.

- 心エコー検査:左室肥大の有無,急性心不全の合併を評価する.
- 腹部エコー検査:腎臓,腎動脈,副腎を評価する.
- 頸動脈エコー検査:頸動脈狭窄,プラークの有無を評価する.
- 頭部MRI・CT検査:頭蓋内出血,脳梗塞,脳動脈瘤の有無を評価する.
- 胸腹部CT検査:大動脈解離や大動脈瘤の有無,腎動脈,副腎の評価を行う.
- 足関節-上腕血圧比(ABI)検査:末梢動脈における動脈硬化を評価する.

診断確定のために

比較的高齢な患者における持続性高血圧の場合,本態性高血圧の可能性が高い.通常は,上記に示したスクリーニング検査で異常を認めない場合,家庭血圧を記録したうえで,降圧薬による加療を開始することが多い.若年者において,降圧薬への反応が乏しく,血圧コントロールに苦慮する場合には,二次性高血圧の可能性を疑い,再度検査することが重要である.

原発性アルドステロン症の確定診断

原発性アルドステロン症の可能性が高い高血圧の特徴として,若年性,低カリウム血症合併,治療抵抗性高血圧,副腎偶発腫瘍などが挙げられる.

血漿レニン活性,血漿アルドステロン測定,負荷試験(カプトプリル負荷,生理食塩水負荷,立位フロセミド負荷),腹部造影CT,副腎シンチグラフィーを行う.確定診断後には,副腎静脈サンプリングによる局在診断を行う.

腎血管性高血圧の確定診断

腹部に腎動脈由来の血管雑音が聴取される場合には可能性を考慮する.そのほか,血漿レニン活性高値,低カリウム血症,血清クレアチニン値の上昇,中等度の蛋白尿を認めることが多い.

血漿レニン活性,血漿アルドステロン測定,腹部エコーによる腎サイズの左右差チェック,ドプラエコーによる腎動脈血流速度測定,静脈性腎盂造影(IVP),レノグラム,造影CT,(3次元)造影ないし非造影MRアンギオグラフィーで検査し,最終的には腎動脈造影(同時に腎静脈レニン測定)を行って診断する.

副腎腺腫やCushing症候群の確定診断

コルチゾール過剰に伴うCushing徴候〔満月様顔貌,中心性肥満,野牛肩,赤色腹部皮膚線条,皮膚の菲薄化,挫創など〕が特徴的な身体所見で

ある．

血中コルチゾール，ACTH，尿中17-ヒドロキシコルチコステロイド(17-OHCS)，17-ケトステロイド(17-KS)などの測定，デキサメタゾン抑制試験，腹部エコー・CT・MRIによる腫瘍の検出，副腎シンチグラフィー，血管造影を行う．

褐色細胞腫の確定診断

発作性ないし持続性の高血圧をきたすことが多い．発作性の場合は，頭痛，発汗，動悸，不安感などを伴う．そのほか，起立性低血圧，耐糖能低下を認めることもある．

血中・尿中カテコールアミン測定，腹部エコー，腹部MRI，非造影CT，^{123}I-メタヨードベンジルグアニジン(metaiodobenzylguanidine; MIBG)シンチグラフィーを行う．

腎実質性高血圧の確定診断

腎実質性疾患に基づく高血圧であり，腎機能障害を伴うことが多い．

尿蛋白，潜血，沈渣異常などを確認する．また，腹部X線，腎エコー，IVP，レノグラフィー，腎機能検査などを行う．

甲状腺機能亢進症の確定診断

約20％に高血圧を認める．高カルシウム血症，低リン血症，尿路結石などで診断に至ることが多い．

甲状腺刺激ホルモン(TSH)，free T_3，free T_4，甲状腺抗体，甲状腺エコーなどを確認する．

大動脈縮窄症の確定診断

下行大動脈に沿う前胸部から背部の血管雑音，下肢血管拍動の減弱，上下肢の収縮期血圧差が20～30 mmHg以上などで疑われる．

胸部X線，大動脈MRI・造影CT，大動脈造影などを行う．

大動脈炎症候群の確定診断

発熱，赤沈・CRPなどの異常，眼底検査，大動脈MRI，血管造影，腎血管性高血圧の検査などを行う．

〈多田 篤司，安斉 俊久〉

低血圧
hypotension

低血圧とは

定義

低血圧は表1のように分類される．一般的には収縮期血圧が100 mmHg以下を指し，拡張期血圧は通常はあまり問題視されない．高血圧については明確な基準値が存在する一方で，低血圧には明確な基準がなく，起立性低血圧の定義に関してのみ国際的コンセンサスが存在する．低血圧では単純に血圧が低いかどうかよりも，患者の実際の症状や所見が重要となる．ある状況でのみ血圧が低下する「一過性低血圧」の場合は，診察室では血圧が正常であることが多く，起立性低血圧や食事性低血圧などが鑑別疾患として挙げられる．一方で症状のない慢性的な低血圧は「本態性低血圧」とされ，臨床上あまり問題となることはない．

患者の訴え方

低血圧の症状は，立ちくらみ，めまい，ふらつき感，易疲労感，倦怠感，頭痛，頭重，肩こり，失神，耳鳴，不眠，動悸，胸痛，胸部圧迫感，食欲不振，便秘，腹部膨満感，悪心など非常に多岐にわたる．特に起立性低血圧では，典型的には立位への体位変換後から，ふらつき，めまい，眼前暗黒感などが多いが，これらの症状は一過性の脳血管への血流低下によって引き起こされる．起立時にめまいやふらつきなどの症状がたびたび出現し，日常生活に支障をもたらし，増悪すると失神発作をきたす場合がある．

急性の低血圧で来院した患者の場合は，ショックの徴候（顔面蒼白，冷汗，虚脱，脈拍触知不良，呼吸不全）を示している可能性が高く，注意深い診察が必要である．また，患者によっては，「貧血がある」と訴えることがあるが，これは医学的な貧血ではなく，一過性の脳血流の低下を指している可能性が高く，医療面接の際には注意が必要である．

一方で，慢性の低血圧の場合は無症状のことも少なくない．

患者が低血圧を訴える頻度

低血圧は人口の1.5～7％とされるが，性別では男性で0.5％前後，女性で2％前後，そのなかで愁訴や症状のみられる症例は約10％程度とされている．内科初診症例の1～3％を占めるとされる．

表1　低血圧の分類

本態性低血圧

症候性低血圧
- 心血管疾患：心筋梗塞，心不全，大動脈弁狭窄症，閉塞性肥大型心筋症，心タンポナーデ，致死性不整脈
- 循環血漿量の低下：出血，脱水，低蛋白血症，血液透析，栄養失調，悪液質
- 呼吸器疾患：低酸素血症，肺塞栓症，慢性閉塞性肺疾患，肺高血圧症
- 内分泌疾患：下垂体前葉機能低下症，甲状腺機能低下症，Addison（アジソン）病
- 神経疾患：頸動脈洞過敏症，脊髄疾患，神経調節性失神，糖尿病性自律神経障害
- 薬物性：血管拡張薬，前立腺肥大症治療薬，麻酔薬，アルコール，精神安定薬，抗精神病薬，抗うつ薬，L-ドパなど

一過性低血圧
- 起立性低血圧：特発性起立性低血圧，Shy-Drager（シャイ・ドレーガー）症候群，Parkinson（パーキンソン）病，アミロイドニューロパチー，Guillain-Barré（ギラン・バレー）症候群，多発性硬化症，脳血管障害
- 食事性低血圧

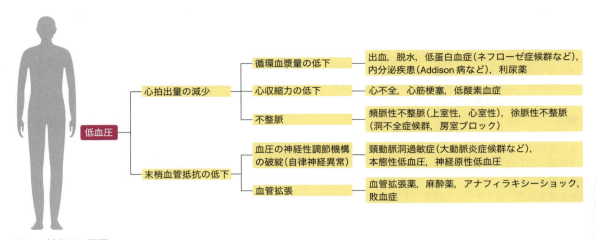

図1 低血圧の原因

症候から原因疾患へ

病態の考え方

血圧は，心拍出量と末梢血管抵抗によって規定される．よって病因については，心拍出量と末梢血管抵抗のいずれに問題があるかを考える（図1）．

健常者では起立により500～800 mLの血液が胸部から下肢・腹部臓器に貯留する．そのため静脈還流および心室充満量は減少し，一過性に心拍出量と血圧が低下する．これに伴い頸動脈洞と大動脈弓の圧受容体が作動し，交感神経遠心路が活性化され副交感神経遠心路は抑制される．この代償性の圧受容器反射により心拍数と末梢血管抵抗が増加し，心拍出量と血圧は回復する．健常者では，この圧受容器反射系が適切に機能して血圧の過剰な低下を抑制しているが，循環血漿量減少や過度の静脈還流の減少のため体位変化による静脈還流の減少を自律神経反射で代償しきれない場合，起立性低血圧の症状が現れる．

また食事によって内臓血流が増加し，血管抵抗は低下するが，健常者では神経性，液性の調節機構により血管抵抗は維持され，心拍出量も増加する．このような生理的代償機序が欠如または低下した場合，食事性低血圧が起こりやすくなる．食事性低血圧を促進する因子として，①食事栄養成分（特に炭水化物），②高温食，③体位（起立），④高血圧，⑤自律神経障害，⑥薬物（特に降圧薬，抗精神病薬）が指摘されており，胃の伸展状態や消化管ホルモンも病態に関与すると報告されているが，機序についてはいまだに不明の部分も多い．

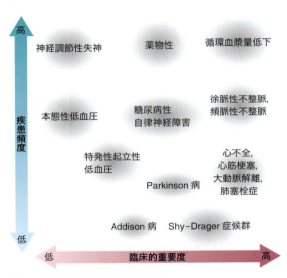

図2 疾患の頻度と臨床的重要度

病態・原因疾患の割合

病態・原因疾患の割合とその臨床的重要度を図2に示す．

急性の低血圧の場合は，心筋梗塞や急性心不全などの心疾患や，消化管出血などによる循環血漿量の低下など，他の重篤な疾患に伴って血圧低下をきたしている患者が多く，緊急処置を要するかどうかの判断を行うことは肝要である．

慢性に血圧低下をきたす症例においては，臨

表2　医療面接のポイント

経過
- 期間：いつ頃から症状を自覚したか
- 程度：血圧の日内変動を確認する
- 自覚症状：ふらつきや失神，冷汗の有無を確認する
- 内服歴：血管拡張薬などについて確認する

誘因
- 全身状態：体重減少，食欲低下，下痢，出血はあるか
- 前駆症状：動悸，胸痛などの有無を確認する
- 状況：起立時，食後などに起こるのか

既往歴
- 循環器疾患：心不全，心筋梗塞，不整脈などを確認する
- 生活習慣病：糖尿病，脂質異常症などを確認する
- 神経・内分泌疾患：Parkinson病，甲状腺機能などを確認する

生活歴
- 喫煙歴・アルコール摂取歴を確認する
- 運動習慣を確認する
- 精神的ストレスを確認する

内服歴
- 降圧薬，血管拡張薬，前立腺肥大症治療薬の服用歴を確認する
- 向精神薬の服用歴を確認する
- 睡眠薬の服用歴を確認する

家族歴
- 低血圧の家族歴を確認する
- 心疾患，糖尿病，脂質異常症，神経疾患の家族歴を確認する

床的に問題のない本態性低血圧が大半を占める．その他，慢性に低血圧をきたす疾患としては大動脈弁狭窄症，慢性心タンポナーデなどの心疾患，Addison病，下垂体前葉機能低下症，甲状腺機能低下症などの内分泌疾患，多系統萎縮症，Parkinson病，糖尿病性自律神経障害などの神経疾患，血液透析中・脱水などの循環血漿量の低下する病態や薬物性などが挙げられる．

　一過性の低血圧としては起立性低血圧と食事性低血圧が代表的であり，特に高齢者においてその頻度が高い．起立性低血圧は，循環器内科だけでなく，一般内科・総合内科領域においてもしばしば遭遇する疾患である．起立性低血圧は加齢とともに増加し，65歳以上では約20％，75歳以上では約30％に認められるという報告がある．特に降圧薬服用者においては約半数に起立性低血圧がみられたとの報告もあり，外来での注意深い観察が必要であるといえる．起立性低血圧による失神・意識消失は決して稀ではなく，失神・意識消失を主訴に来院した患者では，その原因の1つとして起立性低血圧を鑑別に挙げた医療面接とスクリーニング検査が必要である．降圧薬を内服している高血圧患者における起立性低血圧や神経原性起立性低血圧における反跳性高血圧など，高血圧患者においても低血圧が問題となることがある．食事性低血圧は自律神経障害を呈する神経疾患（Parkinson病，多系統萎縮症など）に多くみられる．その他，高血圧，糖尿病，高齢者にみられるが，若年者にはほとんどみられない．

診断の進め方

診断の進め方のポイント

- 血圧は，数分間の安静座位の状態で少なくとも2回測定する．
- 必要に応じて，四肢の血圧の左右差・上下差・体位による変化も確かめる．
- 1か所で測定した血圧が低値の場合，必ず他の部位で血圧を再検し，末梢動脈の狭窄・閉塞による見かけ上の低血圧でないかを確認する必要がある．
- 緊急性を要する低血圧かどうかを判断する．ショックの徴候があれば緊急性を要する可能性が高いため，原因疾患の検索も並行して早急に行っていく．輸液・輸血を行いながら，原疾患の検査・治療（心筋梗塞が疑われればカテーテル検査，消化管出血であれば内視鏡検査など）を進めていく．

医療面接

　血圧の経過や誘因をまず聴取する（表2）．さらに，低血圧時の自覚症状や，一過性の低血圧であれば，その誘因や前駆症状，血圧が低下する状況について確認することも肝要である．既往歴については，心疾患や神経疾患などを中心に聴取を行っていく．また内服歴を聴取することも重要であり，降圧薬や向精神薬などの確認を行う．

身体診察

身体診察は，低血圧を引き起こす器質性疾患を診断するうえで重要である（表3）.

バイタルサイン

バイタルサインは，診察において最も基本的な情報となるため，確実に測定を行う．血圧だけに意識がとらわれがちであるが，脈拍数・体温・呼吸回数・動脈血酸素飽和度（S_pO_2）のすべてを確認し，どのバイタルサインに異常があるのかを診察の最初の時点から明確にすることが重要である．初診時は，必ず両側の上肢の血圧を測定する．1～2分間の間隔を空けて少なくとも2回は測定する．起立性低血圧が疑われる場合は，臥位で数回血圧を測定し，さらに立位で血圧を2～3回測定する．臥位では高血圧で，明らかな起立性低血圧を伴う場合，糖尿病や神経疾患（Parkinson病など）による自律神経障害や，褐色細胞腫などの内分泌疾患，降圧薬などによる薬物性の可能性がある．また，末梢動脈狭窄の可能性もあるため，初診時は四肢の血圧を測定することが望ましい．

視診・触診

末梢循環不全徴候として，ショックの徴候がないか確認する．また，口腔内や舌の乾燥，ツルゴールの低下といった脱水の徴候にも注意する．消化管出血による低血圧の鑑別として，眼瞼結膜の貧血，腹部の自発痛・圧痛や，黒色便・血便がないかなどにも注意する．必要に応じて直腸診を行う．心疾患については，頸静脈の怒張の有無，心雑音，Ⅲ音/Ⅳ音の有無，肝腫大，下腿浮腫などを確認していく．

高度の起立性低血圧の患者では，神経疾患が原因のことがあり，神経学的異常（筋緊張，腱反射，振戦，歩行障害，筋力・感覚障害など）に注意して診察を行う．

表3 身体診察のポイント

バイタルサイン
- 血圧は複数回測定する，立位と臥位で測定する
- 左右上下肢の血圧を測定する
- 脈拍数について確認する（徐脈，頻脈の有無）
- 酸素飽和度，呼吸回数，発熱の有無を確認する

全身状態
- 身長，体重，BMIを確認する
- 意識レベルについて確認する

頭頸部
- 甲状腺腫大の有無について確認する
- 眼瞼結膜の貧血の有無について確認する

胸部
- 心雑音，Ⅲ音/Ⅳ音の有無を聴取する
- 脈の不整について確認する
- 肺ラ音の有無を確認する

腹部
- 肝腫大，腎腫大を確認する
- 腹部血管性雑音（大動脈，腎動脈）の有無を聴取する

四肢
- 下腿浮腫，冷感，虚血性潰瘍の有無をみる
- 末梢動脈の血管性雑音の有無を聴取する

神経系
- 筋力，感覚障害，腱反射を確認する
- 錐体外路症状の有無について確認する
- 自律神経障害の有無を確認する

診断のターニングポイント

医療面接と身体診察を総合して考える点

病歴情報や血圧の低下の程度から，まず緊急治療の必要性を判断する．冷汗や意識レベルの低下を伴う有症候性の低血圧の場合は，原因の検索・治療を早急に行う．冷汗は，危険な徴候「レッドフラッグサイン」であり，全身のカテコールアミンサージが起こっていることを示している．そのような緊急性の疾患が疑われた場合は，必要に応じて標準12誘導心電図や血液検査，胸部X線，心エコー検査を行い，心疾患（急性心筋梗塞，急性心不全，心タンポナーデ，徐脈性不整脈，頻脈性不整脈）や消化管出血など緊急性疾患について精査を行う．

起立性低血圧の患者のなかでは，薬物性か循環血漿量低下によるものかなどは比較的容易に判断できる．口腔内や舌の乾燥，ツルゴールの低下と

いった脱水の徴候や，ベッドサイドエコーによる下大静脈径の評価も非常に有用である．神経疾患が疑われる場合は，心拍数，発汗，瞳孔異常，排便習慣，尿/便失禁などを確認し，他の自律神経障害の有無に注意する．振戦，筋固縮，寡動，歯車現象，仮面様顔貌，突進歩行など特徴的な中枢神経所見があれば，Parkinson症候群が疑われる．

必要なスクリーニング検査(図3)

以下の検査を適宜組み合わせて行う．
- 胸部X線検査
- 12誘導心電図検査
- 血球検査
- 尿検査(定性，沈渣，尿中微量アルブミン定量)
- 血液生化学検査
  尿素窒素(UN)，Cr，Na，K，Ca，尿酸，総コレステロール，空腹時中性脂肪，LDL-コレステロール，血糖(随時または朝食前)，HbA1c，75g OGTT，アスパラギン酸アミノトランスフェラーゼ(AST)，アラニンアミノトランスフェラーゼ(ALT)，γ-GT，アルブミン，総蛋白，ビリルビン，血漿レニン活性(PRA)，血漿アルドステロン，コルチゾール，副腎皮質刺激ホルモン(ACTH)，脳性ナトリウム利尿ペプチド(BNP)
- 心エコー，腹部エコー(特に腎臓や副腎)，頭部MRI，CT検査，頸動脈エコー，足関節-上腕血圧比(ABI)

BNPが高値であれば心疾患の可能性を考慮する．トロポニンT/Iなどの心筋マーカーが陽性であれば心筋梗塞の可能性を考える．心エコー検査では，左室収縮能や弁膜症の有無，心囊液貯留の有無について確認する．D-ダイマーの診断感度は高く，大動脈解離や肺塞栓の否定に有用であるといった報告もあるが，一方で特異度は高くなく，D-ダイマーが高値なだけでは診断確定には至らないため，造影CTなど追加検査を考慮する．内分泌疾患が疑われればホルモン検査，神経疾患が疑われれば頭部CT・MRIや自律神経検査(心拍変動測定，各種薬物への自律神経反応の評価)なども実施する．

診断確定のために

起立性低血圧の確定診断

起立性低血圧は，臥位または座位から起立後3分以内に収縮期血圧で20mmHg以上，あるいは拡張期血圧で10mmHg以上低下する場合と定義されている．さらに，立位での血圧測定に加えて，起立性低血圧が疑わしい症例にはチルトテーブルを用いた受動的な起立試験(head up tilt試験)を行うことが推奨されている．起立性低血圧は，自律神経異常をきたす疾患が原因であることがあるため，Parkinson病や多系統萎縮症などの神経疾患や糖尿病などの検索を必ず行う．一般診察所見とともに神経学的所見としてParkinson症状，自律神経症状(勃起障害，膀胱直腸障害，発汗異常，瞳孔異常，消化管機能異常)，運動障害，感覚障害，小脳失調の有無などを調べる(図3)．

食事性低血圧の確定診断

食事性低血圧とは，食後2時間以内に収縮期血圧が少なくとも20mmHg以上低下するか，食前100mmHg以上あった収縮期血圧が食後90mmHg以下になる場合をいう．診断においては，食事と低血圧の関連性についての医療面接が重要である．

本態性低血圧の確定診断

明らかな原因がなく，血圧が慢性的に低い状態(収縮期血圧＜100mmHg)で，倦怠感などの愁訴はあっても，基礎心疾患が特にない低血圧と定義される．原因が明らかでないことが多い．診断には診察時や家庭での随時血圧のほか，24時間血圧計による日内変動の観察も有用である．低血圧の原因となる基礎疾患がないことを確認する．

心筋梗塞，心不全，心タンポナーデの確定診断

急性心筋梗塞は，冠動脈粥腫の破綻とそれに伴う血栓形成により冠動脈内腔が急速に狭窄，閉塞し，心筋が虚血，壊死に陥る病態を示す症候群で

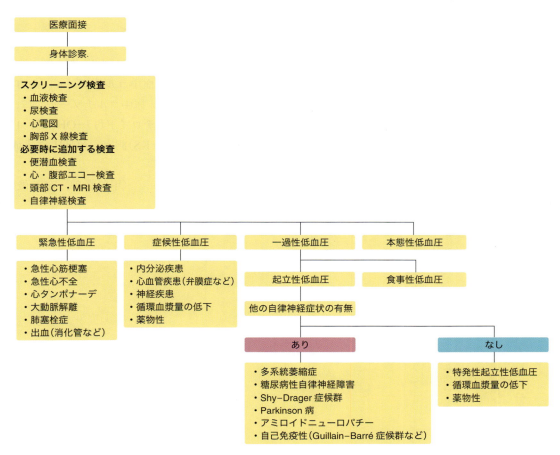

図3 低血圧の診断の進め方

ある〔症候・病態編「急性冠症候群」参照（☞ 817 ページ）〕.

心筋梗塞の診断には標準 12 誘導心電図が基本で最も重要な検査となる．持続する症状から急性心筋梗塞が強く疑われる患者で，初回心電図では診断できない場合に，5〜10 分ごとに複数回心電図をとることで診断能が向上する．なかでも後壁梗塞は見逃しやすいため，胸痛が持続している場合は後壁誘導（V_{7-9}）や導出 18 誘導心電図を記録することを考慮する．トロポニンなどの心筋マーカーの測定や心エコー検査なども重要である．最終的には心臓カテーテル検査による冠動脈造影検査で確定診断がつく．

心不全においては，頸静脈怒張，Ⅲ音，下腿浮腫といった身体所見や，胸部 X 線の蝶形像（butterfly shadow），心エコー検査による左室収縮能，肺高血圧，下大静脈径，弁膜症の評価が重要である．

心タンポナーデは，身体診察上，奇脈を呈する．標準 12 誘導心電図での低電位所見，胸部 X 線での心拡大，心エコーによる心囊液貯留などを評価する．奇脈を呈している場合や，心エコーでの拡張期右室の虚脱などを指標として心囊穿刺を考慮する．また，心タンポナーデの原因疾患（悪性腫瘍，感染性，自己免疫疾患，心臓手術後，心膜炎，大動脈解離など）も同時に検索していく．

消化管出血の確定診断

口腔内乾燥，ツルゴールの低下を認める．ヘモグロビン（Hb）の低下，UN/Cr の上昇，エコーによる下大静脈径の評価，直腸診，便中 Hb，造影 CT などを行う．最終的には，上下部内視鏡検査で確定診断を行う．

Shy-Drager症候群の確定診断

自律神経障害，小脳失調，Parkinson症状などを確認する．頭部CT・MRI，筋電図，自律神経検査などを行う．

アミロイドニューロパチーの確定診断

心・腎障害，巨大舌，肝脾腫などを認める．尿中Bence Jones(ベンス ジョーンズ)蛋白や血中IgM成分の測定，生検・病理組織診断などから診断する．

Addison病の確定診断

色素沈着，低Na血症，高K血症，低血糖，高UN血症などを認める．血中コルチゾール，ACTH，アルドステロン測定，尿中コルチゾール，17-ヒドロキシコルチコステロイド(17-OHCS)，17-ケトステロイド(17-KS)測定，ACTH負荷試験を行う．

〈甲谷 太郎，安斉 俊久〉

脱水
dehydration

脱水とは

定義

　脱水とは，臨床的には体液量，すなわち細胞外液量が減少した状態を指し，体液の主要成分である水と溶質(特にNa)の両者が喪失している．

　脱水は以下の3病型に分けられる．
①Naに比べ水が多く失われ，細胞外液の浸透圧が上昇する水欠乏性脱水(高張性脱水)．
②水に比べNaが多く失われ，細胞外液の浸透圧が低下するNa欠乏性脱水(低張性脱水)．
③両者が同じ割合で失われる混合性脱水(等張性脱水)．

　細胞外液は，間質液と血漿水からなり，脱水ではいずれの体液分画も等しく減少する．

　しかし，膠質浸透圧の低下が顕著な場合は，間質液が貯留し，血漿水は減少することがある(ネフローゼ症候群など)．このような場合は一般的な脱水とは異なるため，臨床的には血管内脱水と呼ばれる．

患者の訴え方

　患者は「喉が渇く」「立ちくらみがする」「フラフラする」「体がだるい」などと訴える．

患者が脱水をきたす頻度

　正確な頻度は不明であるが，発熱・発汗，消耗性疾患，脳血管障害などの意識障害，消化器疾患，糖尿病など，日常診療で多く経験する病態・疾患においてしばしばみられる．このため，その頻度はきわめて高い．

　また，不適切な輸液，血管造影における造影剤の使用，利尿薬の過剰投与など医原性に脱水を引き起こすことも多い．

症候から原因疾患へ

病態の考え方

水欠乏性脱水(高張性脱水)

　水分摂取の障害・不足，浸透圧利尿や尿崩症などによる腎性水分喪失，発熱や発汗過多，下痢(特に軽症のものや小児のもの)などによる腎外性水分喪失などによって生じる．

　水欠乏性脱水(高張性脱水)の場合，血清Na濃度が上昇して高張性となり，水分は細胞内から細胞外へ移動するため，細胞外液量は病態がかなり進行するまで維持され，細胞内脱水が主体となる．患者の訴えとしては，細胞外液の浸透圧上昇と細胞内脱水によるものが主体である．

　軽症(体重の2%前後の脱水，約1〜2Lの水欠乏)では口渇のみを訴える．中等症(体重の6%前後の脱水，約3〜5Lの水欠乏)になると口渇がさらに強くなる．重症(体重の8〜14%の脱水，5〜10Lの水欠乏)では，興奮，幻覚，妄想，指南力低下，昏睡などの精神症状が現れる．

Na欠乏性脱水(低張性脱水)

　利尿薬，副腎不全，慢性腎不全などによる腎性体液喪失，消化管や皮膚からなどの腎外性体液喪失，血管外への体液移行などが原因で生じる．

　Na欠乏性脱水(低張性脱水)の場合，血清Na濃度が減少して低張性となり，水分は細胞外から細胞内へ移動するため，細胞外液量の減少が顕著となる．一方，細胞内液量は増加する．

　患者の訴えとしては，循環血液量減少と細胞内水中毒(脳浮腫など)によるものが主体である．

　軽症(NaCl 0.5 g/kg以下の欠乏)では立ちくらみ，倦怠感・脱力感，鈍い拍動性の頭痛などがあ

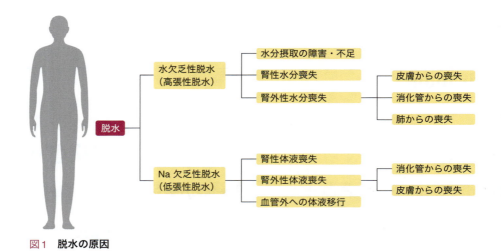

図1 脱水の原因

るが，口渇感はない．また，急激に水を飲んだり運動したあとで筋痙攣を訴えることもある．

中等症（NaCl 0.5〜0.75 g/kg の欠乏）では，めまい，失神発作，悪心・嘔吐がみられ，重症（NaCl 0.75〜1.25 g/kg の欠乏）では，無関心，無欲状態となり，傾眠，昏睡などの意識障害が現れる．

混合性脱水（等張性脱水）

混合性脱水（等張性脱水）では，細胞内外の浸透圧が等張であり，水の移行を生じにくいため細胞外液量の減少を生じ，めまい，立ちくらみ，脱力感，倦怠感など循環血液量減少による症状を訴える．口渇は軽度である．

注意すべきことは，体液が大量に失われる場合，失われる体液は低張性か等張性であるため，食塩喪失性の腎不全，副腎皮質機能不全症などの例外を除いては，まず混合性脱水あるいは水欠乏性脱水が生じることである．この状況で水や低張液を摂取したり，電解質の入っていない輸液を行うと Na 欠乏性脱水となり，一方，生理食塩水など等張液のみの輸液を行うと水欠乏性脱水となる．すなわち，これらの病態，特に Na 欠乏性脱水の成立には医原性の要因が加わっていることが多い．また，実際の臨床では純粋な水欠乏性脱水，Na 欠乏性脱水は少なく，それぞれある程度の喪失により混合性脱水となることが多い．さらに，たとえ純粋の水欠乏が生じても生体の調節機構により Na が排泄されるため，実際上は混合性脱水となることが多い．

水欠乏性脱水と Na 欠乏性脱水を引き起こす病態ならびに原因疾患を対比して，図1 および表1に示す．

病態・原因疾患の割合

水欠乏性脱水では，意識障害による水摂取不能，悪性腫瘍あるいは感染症など消耗性疾患における水摂取不足，発熱に伴う発汗過多，糖尿病や高張溶液（高カロリー輸液，高張食塩水，D－マンニトールなど）の点滴などによる浸透圧利尿などの頻度が高い．

Na 欠乏性脱水では嘔吐，下痢，出血，消化液吸引，腸閉塞，膵炎などの消化器疾患で経験することが最も多いが，前述のように，そのほとんどにおいて，脱水に対する電解質の不適切な補給など医原性の要因が関与している．

混合性脱水は脱水をきたすすべての原因で生じうるが，水摂取不足・摂取不能によることが最も多く，次いで消化液の喪失によって起こることが多い．脱水をきたす疾患の頻度と臨床的重要度を図2 に示す．

表1　脱水をきたす疾患

水欠乏性脱水（高張性脱水）
- 水分摂取の障害・不足
  - 水の補給ができないとき：海上，山岳，砂漠での遭難
  - 嚥下障害・不能：意識障害，麻酔時，消化管疾患，神経筋疾患，悪心，腹痛時，衰弱
  - 口渇感の異常：視床下部の腫瘍，外傷，脳動脈硬化のある高齢者
- 腎性水分喪失
  - 浸透圧利尿：糖尿病，高カロリー輸液，高張性造影剤の使用
  - 尿濃縮力の低下：尿崩症，慢性腎不全，急性腎不全の利尿期，低K血症，高Ca血症
- 腎外性水分喪失
  - 皮膚からの喪失：発熱，発汗過多
  - 消化管からの喪失：比較的軽症の下痢，小児の下痢
  - 肺からの喪失：過換気，気管切開
- 医原性
  - 混合性脱水に対する等張液（生理食塩水など）の不適切な補給

Na欠乏性脱水（低張性脱水）
- 腎性体液喪失
  - 利尿薬の過剰投与
  - 副腎不全：Addison（アジソン）病
  - 食塩喪失性腎疾患：慢性腎不全，多発性囊胞腎，慢性間質性腎炎
- 腎外性体液喪失
  - 消化管からの喪失：嘔吐，下痢，消化管出血，消化液の吸引
  - 皮膚からの喪失：高度の発汗，熱傷，滲出性皮膚疾患，日射病・熱射病
- 血管外への体液移行
  - 腹腔内や腸管への貯留：腸閉塞，腹膜炎，膵炎
  - 熱傷による浮腫・水疱形成
- 医原性
  - 混合性脱水に対する低張液の不適切な補給

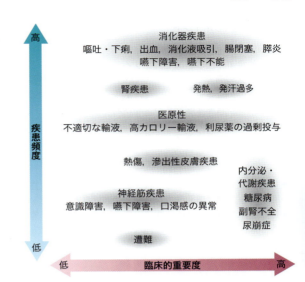

図2　疾患の頻度と臨床的重要度

診断の進め方

診断の進め方のポイント

- 高度の脱水は，生体にきわめて重大な影響を及ぼし死亡することもある．このため，どのような脱水においてもまずバイタルサインをチェックし，緊急処置の必要性を速やかに判断するべきである．
- 意識障害，血圧低下などのショック状態が認められれば，気道確保，血管確保を行い，約500～1,000 mL/時の急速輸液（乳酸リンゲル液あるいは生理食塩水）を開始する．
- 緊急性がなければ，医療面接，身体診察，諸検査により脱水のタイプと重症度を評価したうえで治療方針を決定する．

医療面接（表2）

　水分摂取状況や水・体液喪失の有無とその経路（嘔吐，下痢，消化液吸引，出血，発熱，発汗，多尿など）について聴取し，脱水をきたす背景の有無を検討する．また，糖尿病や腎不全などの基礎疾患の有無，輸液や服用薬物の内容についてもチェックする．

　臨床症状としては，口渇の有無，循環血液量減少による症状の有無，頭痛，悪心・嘔吐の有無，精神症状の有無などを聴取する．

身体診察（表3）

　精神神経所見，脈拍，血圧，尿量，口腔粘膜・舌の乾燥所見，皮膚の弾力性（ツルゴール），体重変化などについて診察し，脱水のタイプと重症度を判定する．

　水欠乏性脱水では，軽症においては尿量の減少がみられる．中等症では乏尿となり，口腔粘膜・舌の乾燥，唾液減少，眼球陥凹が出現する．患者は衰弱し，会話もできない．細胞外液量は維持されるため血圧は保たれる．また，皮膚は柔らかく，弾力性の低下はみられず，皮膚温は温かい．重症

表2 医療面接のポイント

誘因
- 水分や食事の摂取状況を確認する
- 体液喪失の有無とその経路を確認する：嘔吐，下痢，消化液の持続吸引，出血，発汗過多，多尿，熱傷など
- 基礎疾患の有無を確認する：糖尿病，腎不全など

全身症状の有無と内容
- 細胞外液の浸透圧上昇による症状を確認する：口渇，興奮・幻覚・妄想・指南力低下・昏睡などの精神症状など
- 循環血液量の減少による症状を確認する：めまい，立ちくらみ，倦怠感，脱力感，拍動性頭痛など
- 細胞内水中毒症状を確認する：悪心・嘔吐，頭痛，痙攣，無関心・無欲状態・昏睡などの精神症状など

薬物
- 輸液や服用薬物の内容を確認する

表3 身体診察のポイント

バイタルサイン
- 意識状態，血圧，脈拍，呼吸数，体温をチェックし，緊急処置の必要性を判断する
- 立位や座位における血圧の低下の有無を調べる

全身状態
- 体重減少の程度を調べる
- 尿量の変化を調べる

頭頸部
- 舌や口腔粘膜の乾燥の程度，眼球陥凹の有無を診察する
- 頸静脈の虚脱の有無を診察する

胸部
- 皮膚の乾燥，弾力性（ツルゴール），発汗の程度を診察する

腹部
- 聴診・触診により消化管疾患について診察する

四肢
- 皮膚の乾燥や弾力性について診察する
- 表在静脈の虚脱の有無を調べる

神経系
- 幻覚，錯乱，せん妄，昏迷，昏睡など精神症状，意識障害の有無を診察する
- 筋痙攣の有無を診察する

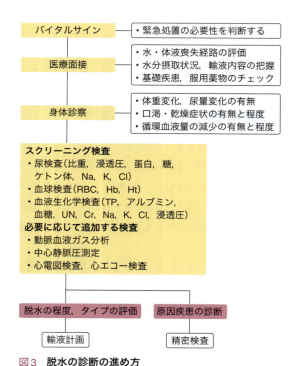

図3 脱水の診断の進め方

になると，興奮・幻覚・妄想・指南力低下・昏睡などの精神症状が出現し，体温は上昇し，循環血液量減少による血圧低下，頻脈がみられ，ついには死に至る．

Na欠乏性脱水では，軽症においては立位・座位での血圧低下がみられ，中等症では臥位でも血圧が低下（収縮期血圧90 mmHg程度）し，脈拍は速く虚脱傾向である．皮膚は乾燥し弾力性が低下する．尿量は保たれることが多い．重症になると痙攣をきたしたり，無関心・無欲状態から半昏睡，昏睡となる．また，収縮期血圧は90 mmHg以下に低下しショック状態となり，乏尿，無尿となり，死に至る．

混合性脱水では，細胞外液量減少による尿量減少，血圧低下，頻脈などの症状が初期からみられ，重症では水欠乏性脱水と同様の状態となる．

診断のターニングポイント

医療面接と身体診察を総合して考える点

- 病歴情報と身体所見から水欠乏性脱水，Na欠乏性脱水，混合性脱水のいずれに該当するかを推測し，同時にその重症度を判定する．また，脱水の原因疾患もおおよその鑑別を行う．

必要なスクリーニング検査

図3に挙げたスクリーニング検査により脱水の程度とタイプを判定する．

水欠乏性脱水では，一般に尿量は 350 mL/日程度にまで減少するが，腎性水分喪失の場合は増加する．尿比重は 1.035 以上，尿浸透圧（U_{osm}）は 500 mOsm/kgH$_2$O 以上に上昇することが多いが，尿崩症では低下する．尿中 Na 濃度は正常ないし上昇している．血清 Na 濃度は上昇し，脱水の程度とほぼ並行するため重要な指標となる．ただし，血糖などの非電解質が増加する病態を合併している場合にはほとんど上昇しない．血清浸透圧は上昇し，ヘマトクリット（Ht），血清総蛋白（TP）は血液濃縮のために軽度上昇する．脱水が高度となり，腎血流量が低下すると尿素窒素（UN）が上昇する．

Na 欠乏性脱水では，軽症においては尿量の変化はないが，脱水の程度が進むと乏尿，無尿となる．一方，腎性体液喪失の場合は尿量が増加する．尿比重，U_{osm} は正常ないし低下している．尿中 Na 濃度は著明に低下し，典型例では 10 mEq/L 以下となるが，腎性体液喪失による場合は 20 mEq/L 以上となる．血清 Na 濃度および血清浸透圧は低下する．Ht および UN は初期から高度に上昇し，TP も上昇する．

混合性脱水では，一般に尿量は減少するが，腎性の水・体液喪失の場合は増加する．尿中 Na 濃度は低下している．血清 Na 濃度および血清浸透圧は正常である．Ht および TP は上昇する．

いずれのタイプの脱水においても酸塩基平衡の障害を伴う可能性があるため，特に中等症以上では動脈血液ガス分析を行う必要がある．また，循環血液量の減少の指標として中心静脈圧の低下やエコー検査による下大静脈の虚脱所見が参考になる．さらに，輸液計画を立てるうえで心機能を把握しておくことが望ましく，これには心電図や心エコー検査が有用である．

診断確定のために

病歴情報，身体所見，スクリーニング検査の結果に基づき，脱水のタイプ，重症度を判定することが可能である．さらに，脱水の原因疾患を診断し，その治療を行うために次のような諸検査が必要になる．

また，これらのいずれの病態においても不適切な電解質投与，高張液の点滴，利尿薬の過剰投与，造影剤の使用など医原性の要因を伴っている場合があることを常に念頭におくべきである．

発熱性疾患・消耗性疾患の確定診断

悪性腫瘍，感染症，膠原病などでは，高度の発熱と食欲不振による水分摂取不足から脱水をきたすことが多い．これらでは脱水を補正しつつ，発熱や食欲不振をきたす疾患の鑑別診断を行う．

消化器疾患の確定診断

嘔吐，吐血などでは，食道癌，胃癌，胃・十二指腸潰瘍，膵頭部腫瘍，腸閉塞などの評価が必要で，腹部 X 線撮影，上部消化管内視鏡，腹部エコー・CT などから診断する．

下痢や下血などでは大腸炎や大腸癌の鑑別が必要で，赤沈，C 反応性蛋白（CRP）などの炎症所見，癌胎児性抗原（CEA）などの腫瘍マーカー，便培養，注腸検査，下部消化管内視鏡検査などを行う．

腹部エコー・CT は肝硬変や膵炎における腹水などの血管外への体液移行を評価するうえでも有用である．

腎疾患の確定診断

尿検査，UN，クレアチニン（Cr），血清・尿中電解質，$β_2$-ミクログロブリン，N-アセチル-$β$-D-グルコサミニダーゼ（NAG），クレアチニンクリアランス（C_{cr}），Fishberg（フィッシュバーグ）濃縮試験，腹部エコー，腹部 CT，腎レノグラフィーなどから，塩類喪失性腎症について評価する．

内分泌・代謝疾患の確定診断

糖尿病は尿糖，尿ケトン体，血糖，HbA1c を測定し診断する．

副腎皮質機能不全症は，血漿副腎皮質刺激ホルモン（ACTH），血中コルチゾールなどを測定して診断する．

神経筋疾患の確定診断

嚥下障害，意識障害，口渇感の異常をきたす疾

患の診断が必要である．脳血管障害，筋萎縮性側索硬化症などの運動ニューロン疾患，筋疾患，視床下部病変(腫瘍，外傷，炎症)などについて，神経学的所見，頭部CT・MRI，髄液検査，筋電図などから診断する．

熱傷・皮膚疾患の確定診断

これらの疾患において脱水をきたす場合は，病変が広範囲，重症であることが多いため，全身管理を行うとともに，皮膚科，形成外科への紹介・コンサルテーションが必要となる．

〈近藤 剛史，遠藤 逸朗〉

チアノーゼ
cyanosis

チアノーゼとは

定義

血中の還元ヘモグロビン(Hb)もしくは異常Hbの増加によって，皮膚や粘膜が暗紫色になった状態をチアノーゼという．口唇粘膜，爪床，外耳，頬部などで目立ちやすい〔診察の進め方「部位別の身体診察 全身状態」図7 参照(☞ 65 ページ)〕．

患者の訴え方

皮膚や粘膜の色調が不良であることを訴えるが，それよりもチアノーゼを生じる原因となった呼吸器疾患や心疾患による呼吸困難，四肢冷感などの自覚症状のほうを強く訴える．

患者がチアノーゼを訴える頻度

チアノーゼを主訴として来院してくる患者の頻度は低いが，緊急処置を要する疾患のこともあり，ただちに原因疾患を診断しなければならない．心不全，ショック，呼吸不全などのときには，ただちに気道確保，人工呼吸，心臓マッサージなどの蘇生術を必要とすることがある．

症候から原因疾患へ

病態の考え方(図1)

チアノーゼは，還元 Hb が毛細血管レベルで 5 g/dL 以上(Hb が 15 g/dL では動脈血酸素飽和度(S_aO_2)が 66％ 以下になると還元 Hb が 5 g/dL 以上になる)，もしくは異常 Hb (methemoglobin, sulfhemoglobin など)が 0.5 g/dL 以上になると生じる．ただし，皮膚の色や厚さ，毛細血管血流の状態などの影響を受ける．

還元 Hb の絶対濃度に依存するので，Hb 濃度が増加している多血症では，S_aO_2 がわずかに低下しても還元 Hb が増加してチアノーゼとなる．逆に Hb 濃度の低い貧血ではチアノーゼが発生しにくい．

チアノーゼには，全身の皮膚と粘膜にみられる中枢性チアノーゼ，末梢性にみられる末梢性チアノーゼ，上肢と下肢，あるいは同じ上肢でも左右でチアノーゼの出現に差がある解離性チアノーゼ

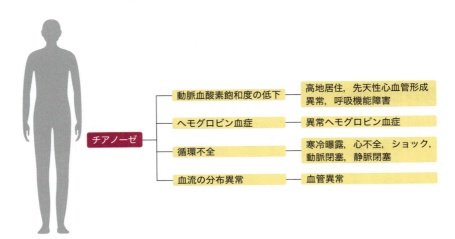

図1　チアノーゼの原因

表1 チアノーゼをきたす疾患

中枢性チアノーゼ
- 動脈血酸素飽和度低下
  - 高地居住
  - 呼吸機能障害：肺胞低換気，閉塞性肺疾患，拡散障害
  - 動静脈シャント：先天性心血管形成異常，肺動静脈瘻，多発性肺内小シャント
- 異常ヘモグロビン血症
  - メトヘモグロビン血症(methemoglobinemia)，スルフヘモグロビン血症(sulfhemoglobinemia)
  - 一酸化炭素ヘモグロビン血症(carboxyhemoglobinemia，真のチアノーゼではない)

末梢性チアノーゼ
- 心拍出量低下：心不全
- 寒冷曝露
- ショック
- Raynaud(レイノー)症候群
- 動脈閉塞：閉塞性動脈硬化症，血栓性動脈炎，動脈塞栓
- 静脈閉塞：血栓性静脈炎，静脈瘤

解離性チアノーゼ
- 下半身にチアノーゼが強い：動脈管開存症に大動脈縮窄症もしくは肺高血圧症(Eisenmenger(アイゼンメンゲル)症候群)を合併
- 上半身にチアノーゼが強い：完全大血管転位に動脈管開存症を合併

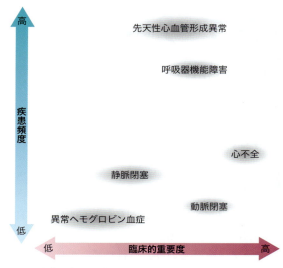

図2 疾患の頻度と臨床的重要度

がある．

中枢性チアノーゼは，心肺疾患などで S_aO_2 が低下した場合や，異常ヘモグロビン血症などで発生する．

末梢性チアノーゼは，心不全や動脈閉塞などの循環不全で起こる．

解離性チアノーゼは，動脈管開存症に大動脈縮窄症を伴う(上半身がピンクで下半身にチアノーゼがある)など，血管異常でみられる．表1にチアノーゼをきたす代表的な疾患を示す．

病態・原因疾患の割合(図2)

チアノーゼは種々の疾患で生じ，それぞれの頻度は明確でない．呼吸器疾患，心疾患でチアノーゼを起こすことが最も多いが，その他の系統的疾患でもチアノーゼを発生しうる．

診断の進め方

診断の進め方のポイント

- チアノーゼは，ショックや心不全など緊急処置を要する疾患が原因となっていることがあり，迅速に診断しなければならない．
- チアノーゼが全身性なのか局所性なのか，まず部位を確認する．
- 中枢性チアノーゼでは，血液ガス分析を行う．動脈血酸素分圧(P_aO_2)が 50 mmHg 以下で S_aO_2 も低下している場合には，100% 酸素を吸入させ，P_aO_2 が改善すれば肺ガス交換の障害が考えられ，改善がなければ右→左へのシャントによる心疾患が考えられる．P_aO_2 が 50 mmHg 以上あるが S_aO_2 が低下している全身性チアノーゼは，異常ヘモグロビン血症を考える．
- 末梢性チアノーゼでは，P_aO_2 が正常で，かつ四肢を温めたりマッサージをしたりしてチアノーゼが改善する場合は，末梢循環不全，静脈うっ滞を考える．
- 解離性チアノーゼでは，上下肢の動脈血液ガス分析を行い，P_aO_2 に差がみられるときには，動脈管開存症に大血管転位あるいは大動脈縮窄症を合併している可能性を考える．

表2 医療面接のポイント

経過
- いつから，どの程度のチアノーゼがあるか
- 幼小児期の発育状況はどうだったか（先天性心疾患）

誘因
- チアノーゼが出現するきっかけはないか（運動，寒冷，薬物，化学薬品など）

全身症状の有無と内容
- 呼吸困難，息切れ，動悸など自覚症状はないか

生活歴
- 居住地はどこか

嗜好品，常用薬
- 喫煙，薬物（硝酸薬，パラアミノサリチル酸（抗結核薬），リドカインなど）の使用歴を確認する

家族歴
- 同じようなチアノーゼのある人が家系内にいないか

職業歴
- 寒冷や化学薬品（アセトアニリド，トリニトロトルエン（TNT），ナフタレンなど）に曝露される職業ではないか

表3 身体診察のポイント

バイタルサイン
- 体温，血圧，呼吸，脈拍を必ずチェックする

全身状態
- チアノーゼの部位と程度を全身で確認する
- 発育状態を確認する

頭頸部
- 口唇粘膜，鼻尖，外耳部，頬部などのチアノーゼを確認する

胸部
- 打診，聴診で心肺疾患を診察する

腹部
- うっ血による肝脾腫の存在を確認する

四肢
- ばち状指や，四肢の先天異常の有無を確認する
- 心不全による浮腫の存在をチェックする

神経系
- 腱反射，病的反射などを確認する

医療面接（表2）

チアノーゼの出現時期と経過をまず確認する．先天性心疾患では，新生児期からチアノーゼがあり，運動によってチアノーゼが増強される．家族歴では，家系内に心疾患がなくチアノーゼを認める人がいる場合，遺伝性メトヘモグロビン血症の疑いがある．

身体診察（表3）

視診でチアノーゼを認める部位と程度を確認する．バイタルサインのチェックは重要で，体温，血圧，呼吸状態（努力呼吸の有無，呼吸数と深さ），脈拍（脈拍数と強弱）を確認する．

胸部の打聴診では，心雑音から先天性心疾患，背部の水泡音から心不全による肺うっ血の存在を診断する．四肢では，ばち状指の有無，心不全による浮腫を確認する．

診断のターニングポイント（図3）

医療面接と身体診察を総合して考える点

- 病歴情報と身体所見で，先天性心疾患や呼吸器疾患，心不全，末梢循環不全などを診断しなければならない．
- ただし，鑑別診断を的確に行い，重症度を判定するうえでは，少なくとも動脈血液ガス分析と胸部X線検査は行うべきである．

必要なスクリーニング検査

❶ 血液ガス分析

P_aO_2，S_aO_2，動脈血炭酸ガス分圧（P_aCO_2）から，右→左へのシャント，肺胞低換気，異常ヘモグロビン血症の診断の手がかりとなる．

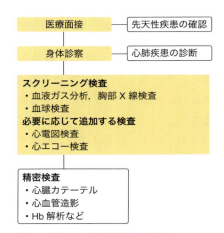

図3 チアノーゼの診断の進め方

❷ 胸部 X 線検査

心拡大，肺血管陰影などの所見から，心疾患，呼吸器疾患の鑑別に重要である．

❸ 血球検査（血算）

多血症，貧血の有無をチェックする．

❹ 心電図検査

チアノーゼの鑑別診断には結びつかないが，右室肥大，左室肥大などの所見を認める．

❺ 心エコー検査

心疾患の診断，心拍出量，心・血管内血流パターン，シャント量などの定量評価に有用である．

診断確定のために

スクリーニング検査の結果に基づき，確定診断と重症度，手術適応の判定などを目的として精査を進める．

循環器疾患の確定診断

先天性心疾患は心雑音，胸部 X 線検査，心エコー検査などで診断する．重症度や手術適応を考えるときには，心臓カテーテル検査や心血管造影が必要となる．

ショックは，血圧，静脈圧測定，血液ガス分析で診断する．心不全では，胸部 X 線検査で心拡大と肺うっ血の所見があり，静脈圧が上昇している．

呼吸器疾患の確定診断

胸部 X 線写真，血液ガス分析，呼吸機能検査で診断する．換気障害では P_aO_2 の低下だけでなく P_aCO_2 が上昇しているが，心疾患では呼吸障害を伴わなければ P_aCO_2 は正常である．

異常ヘモグロビン血症の確定診断

血球検査で赤血球数（RBC）増加をみるほか，動脈血液ガス分析，吸光スペクトル分析による Hb 解析を行う．

中枢神経疾患の確定診断

病歴情報，身体所見から中枢神経疾患を疑うときには，頭部 CT・MRI 検査，髄液検査を行う．なお，2 歳以下のチアノーゼ心疾患では脳血栓を合併しやすく，脳膿瘍はチアノーゼ性心疾患の約 2% に認められる．

新生児疾患の確定診断

新生児では，心肺疾患などのほか，低血糖（血糖検査），低 Ca 血症（血清 Ca 測定），重症細菌感染症（血液・尿・髄液培養）をも考慮し，鑑別する．

〈奈良 信雄〉

静脈怒張
venous dilatation

静脈怒張とは

定義

静脈怒張とは，心臓の機能不全や末梢静脈の狭窄または閉塞により静脈還流異常が起こり，静脈圧の上昇により静脈が拡張，うっ滞した状態である．妊娠中など生理的な場合もあるが，多くは右心不全や静脈血栓症，静脈炎などによる病的な静脈還流異常によるものである．

患者の訴え方

患者の訴え方は，静脈怒張の原因によって多様である．静脈怒張の原因として多い右心不全の場合，体静脈のうっ滞により静脈うっ血をきたし，頸静脈怒張，肝腫大，下肢浮腫などが起こる．特に下肢浮腫は静水圧の関係で，はじめは足背から下腿に強く出ることが多く，患者は「足がむくむ」と訴えることが多い．下肢浮腫に関しては夜間臥位で睡眠し，日中は立位，座位で生活するため，患者は夕方に下肢浮腫が強くなると訴えることもあり，症状の日内変動も特徴的である．しかし，心不全患者は座位や臥位で休んでいることが多くなり，皮下浮腫ははじめ，殿部や背部仙骨部を中心にみられるが，さらに進行すると上肢や顔面にまで及ぶことがある．また，静脈うっ血により肝腫大や腸管浮腫が起こると，患者は「お腹が張る」「食欲がない」などのような消化器系の症状を訴えることも少なくない．さらに右心不全による静脈うっ血が進行すると，胸水や腹水の貯留も認めるようになり，呼吸困難や腹部膨満感を訴えるようになる．加えて左心不全症状も併発すると，肺うっ血などにより患者は「息切れ」を訴えるようになる．そして肺うっ血の患者は「夜は横になると苦しいので，体を起こして寝ている」といったように，臥位による静脈還流の増大が原因の肺うっ血の増悪に対し，座位による軽減として起座呼吸を訴えることも心不全による症状として特徴的である．

腎臓由来の静脈怒張の原因となる腎疾患を発症すると，たとえば急性腎不全では，循環血漿量の増加により，全身性の浮腫を訴えることがあり，腎不全の随伴症状として，食欲低下，全身倦怠感など尿毒症症状を訴えることも多い．甲状腺機能低下症による浮腫は，ムコ多糖類が皮下に溜まって生じ，高弾性のため，指で押してもすぐにもとに戻り，跡が残らない非圧痕性浮腫(粘液水腫)が特徴である．甲状腺機能低下症では抑うつ，無気力，皮膚は乾燥し，脱毛，嗄声などを伴い，粘液水腫顔貌と呼ばれる顔のむくみも合併しやすい．

四肢静脈の狭窄ないし閉塞による静脈怒張は片側性であったり，局所的であることが特徴的である．血栓性静脈炎を合併している場合，患者は同部位の痛み，圧痛を訴える．下肢静脈瘤では，下肢疲労，鈍痛，夜間筋痙攣を訴えることがある．

上大静脈もしくは下大静脈症候群の場合，上大静脈閉塞では上肢，顔面の静脈怒張，浮腫が強く，下大静脈閉塞では下肢の症状を強く訴える．また，静脈閉塞は腫瘍，炎症，外傷などが原因となることが多く，それらによる随伴症状も訴えることがある．

下大静脈閉塞や門脈圧亢進症に伴う腹壁静脈怒張は，消化管の浮腫による吸収障害から，食欲不振，腹部膨満，下痢，便秘などを訴えることもある．

妊娠中にみられる下肢静脈怒張，浮腫の訴えは生理的なものが多く，特に妊娠後期にみられる．ただし，妊娠中でも上記の病的な原因による静脈怒張の可能性は否定できないため，患者の訴えを聴くときは注意が必要である．

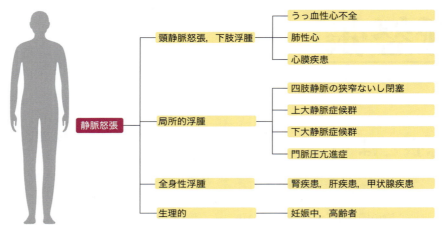

図1　静脈怒張の原因

患者が静脈怒張を訴える頻度

静脈怒張のみを主訴とする患者は比較的少なく，その原因となる疾患に伴うほかの症状を主訴として来院することが多い．たとえば，うっ血性心不全の患者である場合は起座呼吸が60％，下肢浮腫は60〜70％認められる．血栓性静脈炎の場合は，炎症により同部位の発赤，疼痛を訴える．

症候から原因疾患へ

病態の考え方

患者が静脈怒張をきたした場合の病態の考え方として，末梢の静脈から心臓に還流する静脈系のどこに障害があるのかを考える必要がある．障害の部位より上流（末梢側）に静脈うっ血症状として現れることが多い．末梢の局所的な静脈うっ血がみられれば，四肢静脈の狭窄ないし閉塞が，より中枢側の静脈であれば，上大静脈症候群，下大静脈症候群，門脈圧亢進症が考えられる．また頸静脈怒張，下肢浮腫，起座呼吸などの心不全症状を伴う場合は，心疾患が原因となるうっ血症状としての病態を考える．

下肢のみでなく，顔貌など全身性浮腫をきたすようなうっ血では，腎疾患，肝疾患，甲状腺疾患など全身性疾患が原因となる．食思不振，抑うつ，無気力，乾燥した皮膚，脱毛，徐脈などの自覚症状を伴う場合は，甲状腺ホルモンの異常として，甲状腺機能低下症を疑う．妊娠に伴う下肢浮腫，高齢者で夕方のみにみられるような浮腫などは，生理的現象であることが少なくない．

以上のように，静脈怒張を引き起こす病態としては図1に示すようなものがあり，その具体的な原因疾患として主なものを表1に示す．

病態・原因疾患の割合

図2に静脈怒張の原因となる病態・疾患の頻度とその臨床的重要度を示す．

静脈怒張の原因として通常最も多いのはうっ血性心不全である．心臓がなんらかの原因で機能不全をきたし，心拍出量が低下，右心負荷をきたして最終的には静脈うっ血を起こす．原因として左心不全からくるものが多いが，右心不全のみの場合もあり，肺性心，肺高血圧のように右心に対する後負荷が増大し，右室拡張末期圧，右房圧，中心静脈圧が上昇して静脈うっ血所見が現れる．また，心膜疾患による拡張障害により，右心不全症状で浮腫をきたすが，収縮性心膜炎による浮腫は，偽性肝硬変と称されるように腹水を伴うことが多い．

また，妊娠中に子宮による下大静脈圧迫や循環血漿量増大による生理的な下肢浮腫を認めることがあるが，病的には良性・悪性腫瘍や炎症などによる四肢静脈の狭窄ないし閉塞の場合に静脈うっ血をきたすことがある．局所的なことが多く，末

表1　静脈怒張をきたす疾患

心臓由来
うっ血性心不全
- 左心不全および右心不全：虚血性心疾患，高血圧性心疾患，心筋症，弁膜症（僧帽弁，大動脈弁），不整脈
- 右心不全メイン：肺塞栓症，弁膜症（三尖弁，肺動脈弁），右室梗塞

肺性心
- 肺性心，肺高血圧をきたす肺疾患：慢性閉塞性肺疾患（COPD），慢性血栓性肺高血圧

心膜疾患
- 収縮性心膜炎，心タンポナーデ

血管由来
四肢静脈の狭窄ないし閉塞
- 静脈血栓症や血栓性静脈炎
- 良性，悪性腫瘍や炎症による静脈への慢性圧迫
- 静脈瘤

上大静脈症候群
下大静脈症候群
門脈圧亢進症
- 肝内性：肝硬変，特発性門脈亢進症，日本住血吸虫症
- 肝外性：腫瘍や先天性疾患による肝外門脈閉塞症，Budd-Chiari（バッド・キアリ）症候群

その他
腎疾患
- 急性腎炎，慢性腎不全，ネフローゼ症候群

肝疾患
- 肝硬変，急性肝炎，慢性肝炎

甲状腺疾患
- 甲状腺機能低下症，甲状腺機能亢進症

生理的
妊娠中の下肢静脈怒張
- 循環血漿量の増加
- 子宮の下大静脈圧迫

高齢者
- 組織圧の低下

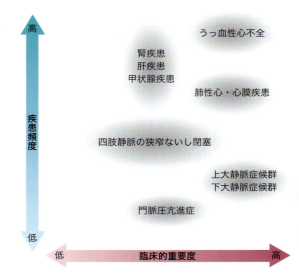

図2　疾患の頻度と臨床的重要度

梢，中枢側と通過障害の場所によって原因や頻度はさまざまである．

　比較的多いのが，腎疾患による循環血漿量の増大からくる静脈うっ血であるが，腎疾患の原因によって頻度は異なる．

診断の進め方

診断の進め方のポイント

- 静脈怒張をみたときは，まずは心不全徴候の有無を評価し，心臓が原因であるかを判断する．

うっ血性心不全の場合は予後改善のために早急な初期治療開始が必要であり，正確な診断が重要と考えられる．

- 肺塞栓など，重症な場合は命にかかわるため，迅速な除外診断が重要である．
- 静脈血栓などによる静脈の末梢や中枢側の狭窄ないし閉塞による静脈怒張は比較的慢性経過によることが多く，その原因がどの部位で障害が起こっているか，医療面接，身体診察，検査を順序立てて診断していくことが重要である．
- 腎疾患による静脈怒張も原因にもよるが，決して少なくないため，鑑別に挙げて診断を進めていく必要がある．

医療面接

　静脈怒張の医療面接のポイントとしては，その症状がいつから，どの程度，急激に始まったのか，徐々に生じてきたのか，そして日内変動がないかについての病歴を詳細に聴取することが重要である（表2）．病歴を聴取する際は，その誘因についても尋ねていく．たとえば開腹手術後や外傷（骨折，打撲）後であるかで，それがきっかけで静脈怒張を生じているのか判断する必要がある．

　続いて静脈怒張に伴う全身症状について，たとえば呼吸困難，冷汗，動悸，嗄声，全身倦怠感，

表2 医療面接のポイント

経過
- いつから，どの程度の静脈怒張があるのか
- 急激に始まったのか，徐々に生じてきたのか
- 日内変動はないか

誘因
- 静脈怒張を生じるきっかけはなかったか〔開腹手術（特に婦人科手術），放射線治療歴，外傷（骨折，打撲），外部からの圧迫閉塞（動脈瘤，妊娠，骨盤内悪性腫瘍），長時間座位，長期臥床，肥満など〕

全身症状
- 呼吸困難，冷汗，動悸，全身倦怠感，体重増加，体重減少，食欲低下など，随伴する自覚症状はないか
- 上記の全身（自覚）症状があるとすれば，静脈怒張との時間関係はどうか

生活歴
- 睡眠時間，食生活，仕事の種類，1日の過ごし方などを確認する

嗜好品，常用薬
- 飲酒歴，喫煙歴と摂取量，経口避妊薬の常用などの有無について確認する

職業歴
- 長時間立ち仕事の有無など，仕事の内容と経歴を確認する

表3 身体診察のポイント

バイタルサイン
- 血圧（脈圧），心拍数，酸素飽和度：低拍出性心不全の原因による浮腫，静脈怒張を鑑別する

全身状態
- 体格：浮腫による体重増加，悪性腫瘍や肝障害による体重減少を確認する
- 皮膚：湿潤，乾燥，蒼白，チアノーゼ，黄疸，色素沈着，手掌紅斑，腫脹，皮膚硬結，潰瘍などを観察する

頭頸部
- 顔貌，表情：顔面浮腫，静脈怒張，舌静脈の怒張，蒼白，冷汗，苦悶状態などの有無を観察する
- 結膜：貧血や黄疸の有無を観察する
- 頸部：浮腫と内頸静脈の拍動とその拍動最高点を観察する．Kussmaul（クスマウル）徴候の有無をみる．触診でリンパ節腫脹，甲状腺腫の有無を確認する

胸部
- 聴診で心音，心雑音，肺雑音を確認する
- 上半身の浮腫，静脈怒張と血流の方向性を観察する

腹部
- 触診で，肝腫大やその他の腫瘤の有無を確認する
- 腹部の浮腫，静脈怒張と血流の方向性を観察する
- 腹部圧迫試験（肝頸静脈逆流試験）を行う

四肢
- 浮腫の部位，圧痕性か非圧痕性か，手背静脈充満度を観察する
- 静脈瘤，リンパ節腫脹の有無を観察する

体重増加または減少，食欲低下などの症状の有無と静脈怒張との時間関係などについて聴取していく．

生活歴では，睡眠時間，食生活，仕事の種類，1日の過ごし方などを確認し，アルコールや喫煙などの嗜好品，経口避妊薬など常用薬の有無などを確認し，摂取量も確認する．

職業歴では長時間の立ち仕事の有無について確認する．

身体診察

身体診察は，静脈怒張を引き起こす器質性疾患を診断するうえで，特に重要である（表3）．バイタルサインでは血圧，心拍数が重要であり，特に脈圧の低下により低拍出性心不全による浮腫，静脈怒張かを診断する．体格では，浮腫による体重増加，悪性腫瘍や肝障害を示唆する体重減少の有無を判断する．皮膚所見では，湿潤，乾燥の有無，蒼白，チアノーゼ，黄疸，色素沈着，手掌紅斑，腫脹，皮膚硬結，潰瘍などを観察する．これらがどこに生じているのかで，全身的疾患による静脈怒張か局所的な原因からくるものなのか見当がつきやすい．

頭頸部の診察では，顔面浮腫，静脈怒張，特に舌静脈の怒張の有無について評価，眼瞼結膜，眼球結膜で貧血や黄疸の有無を観察する．頸部では浮腫と内頸静脈の拍動とその拍動最高点を確認し，深呼吸をさせてKussmaul徴候の有無も確認する．触診でリンパ節腫脹の有無を確認する．

胸部においては，心肺疾患について聴診で心音を確認して心雑音や肺雑音の有無を確認する．上半身の浮腫の有無を観察して，静脈怒張と血流の方向性について確認する．

腹部では，肝腫大やその他の腫瘤の有無を触診で確認する．腹部の浮腫，静脈怒張と血流の方向性を観察する．ここで腹部圧迫試験（肝頸静脈逆流試験）を行い，静脈圧の上昇の有無を評価する．

四肢では，浮腫の部位や手背静脈充満度を観察

する．また，静脈瘤，リンパ節腫脹の有無に関しても視診，触診で観察する．

静脈系疾患

❶ 末梢静脈の狭窄ないし閉塞の身体診察

静脈血栓症，血栓性静脈炎：主に下肢静脈において下腿深部静脈，膝窩静脈，左腸骨静脈などに発生しやすい．三徴として，①腫脹，②チアノーゼ，③血栓形成部の疼痛がみられることが多い．

静脈炎後症候群：静脈怒張のほかに，①腫脹，②チアノーゼ，③静脈瘤，④褐色色素沈着および皮膚硬結，⑤下腿外側下 1/3 に好発する難治性潰瘍形成などがみられる．⑥脛骨前面を指で押すと，くぼみができる pitting edema がみられる．

下肢静脈瘤：大・小伏在静脈ならびに分枝が怒張・蛇行し，放置すると，褐色硬結，湿疹，皮膚炎，血栓性静脈炎，さらには難治性潰瘍が形成される．潰瘍は静脈瘤の走行に一致する．

❷ 中枢側静脈の閉塞の身体診察

上大静脈症候群では，上大静脈血流がせき止められて上半身の静脈うっ血症状が著明となり，顔面・頸部・上肢の浮腫をきたす．上大静脈閉塞の場合は，上半身の静脈血流の一部が胸・腹壁静脈を側副血行として下大静脈に入るため，血流方向は下行性である．

下大静脈症候群や Budd-Chiari 症候群では，腹水，食道静脈瘤形成などの門脈圧亢進症状がみられる．門脈圧亢進症をきたす疾患のうち，肝前性の肝外門脈閉塞症以外は腹壁静脈怒張が認められる．肝内性閉塞の特発性門脈圧亢進症や日本住血吸虫症，肝硬変の場合，胎生期における臍循環の遺物である傍臍静脈が門脈圧亢進により，再度開通し，腹壁皮下静脈を介して，臍を中心に放射線状の静脈怒張として現れる．これがメドゥサの頭 (caput medusae) であり，座位にして Valsalva (バルサルバ) 試験を行うと顕著になる．一方，肝後性のいわゆる Budd-Chiari 症候群では，側腹部や背部に上行性の静脈怒張がみられる．

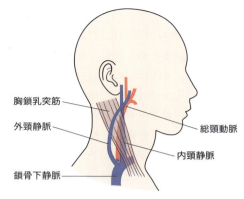

図3　内頸静脈と外頸静脈の位置

うっ血性心不全 (右心不全)

❶ 末梢静脈の身体診察

手背静脈充満度の観察〔Gaertner (ゲルトネル) 法〕：座位で上肢を挙げさせて，どの高さで手背静脈が消退するかを観察する．正常では右房の高さ (胸骨右縁第 3 肋骨下縁) で消退するが，右心不全などで静脈圧が高くなると，右房の高さ以上に挙上しないと消退しない．

舌静脈の怒張度の観察〔May (メイ) 法〕：舌下面の静脈は，正常座位では萎縮しているが，座位で著明な怒張をみるときは静脈圧が 20 cmH$_2$O 以上のことが多い．

❷ 頸静脈の身体診察

右心系の圧が高くなると，その直前に位置する頸静脈が怒張，もしくは拍動点として確認できる単純な所見であるが，心不全や静脈うっ血と関連し，病状に応じて刻一刻と変化するため，初診からフォローアップまで非常に有用な診察所見である．

内頸静脈は胸鎖乳突筋の直下を走り，はじめは総頸動脈の後方に位置するが，下行するにつれて外側に位置するようになり，鎖骨下静脈と合流する (図 3)．外頸静脈は内頸静脈と胸鎖乳突筋で隔てられ，皮下を下行するため，血管が浮き出て見えるが，内頸静脈の輪郭は確認できない (図 3)．

外頸静脈は上大静脈と直線的な関係になく，上大静脈の拍動が十分に伝播されずに静脈圧を反映しないことがあるため，通常は頸部の皮膚に伝播される右内頸静脈の拍動の最高点をもって静脈圧

として判断する．

内頸静脈拍動の頂点の位置は臥位から頭位を挙上すると下がるため，座位と臥位の中間の45°の体位で始め，拍動がみえない場合は徐々に頭位を下げていく〔診察の進め方「部位別の身体診察 頭頸部」図18参照（☞86ページ）〕．頸静脈拍動の診察は決して容易ではないため，接線方向に観察し，頸静脈高値を予測する場合は耳たぶの揺れ（earlobe pulsation）を探す．最大拍動がみられる頂点を，胸骨角をゼロ点として垂直に測定した距離を内頸静脈圧（cmH_2O）として，約4.5cm以下が正常である．

頸静脈圧上昇は主に右心不全徴候の1つとしてみられる所見であるが，それ以外にも上大静脈症候群や三尖弁膜症，肺塞栓症，肺高血圧症，心膜疾患などでもみられる．

❸ 腹部圧迫試験（肝頸静脈逆流試験）

右心不全があった場合でも，安静時の静脈圧は正常を示す場合があり，そのときは，肝頸静脈逆流試験（hepato-jugular reflux test）を行う．この試験は，頸静脈を観察しながら肝臓に上から圧力をかける試験で，右房圧の上昇を認めるか判断する．患者の上体を45°挙上し，検者は患者の腹部の右季肋部に右手掌を置いて，徐々に圧力をかけ15秒間圧迫する．肝臓を圧迫すると血液が押し出され，静脈還流が増加し，右房圧が上昇，頸静脈圧が上昇する．

正常な反応では，一過性に静脈圧が上昇し，頸静脈怒張が増えるが，15秒以内にベースラインの静脈圧まで戻る．しかし，右心不全の場合では，圧迫期間を通して頸静脈圧が上昇したままとなるが，静脈圧の上昇が大きいほど，右房圧はより高いことになる．このときに患者が口を閉じた状態であるとValsalva負荷がかかり，不正確になるため，開口位で平静の呼吸をさせる必要がある．

この腹部圧迫の効果をみることで，静脈圧が正常であるか，相対的に高いかどうかを判断できるため，潜在的な頸静脈怒張をきたす右心不全患者の診断に重要である．

❹ Kussmaul徴候

呼吸性の静脈圧変動ではKussmaul徴候に注意が必要である．正常例では，吸気時に胸腔内圧が低下し，右心系の圧も低下，静脈圧が低下するため頸静脈怒張が減少する．しかし，右心系圧，静脈圧上昇をきたす心不全状態などでは，吸気時に増加した静脈還流に右心系が対応できず静脈圧が上昇し，頸静脈怒張が増加する．この場合をKussmaul徴候という．

以前は収縮性心膜炎に特徴的な所見といわれてきたが，実臨床においては少数にしか認められず，重症心不全や肺血栓塞栓症，右室梗塞などの患者にみられることが多いといわれている．

診断のターニングポイント

医療面接と身体診察を総合して考える点

静脈怒張をきたす疾患として，表1に示すような疾患が考えられるため，これらを念頭において診断を進める．

- **（確定診断）** まず，妊娠中の下肢静脈怒張は生理的なものが多く，医療面接で診断を行うが，病的疾患が合併していないかのスクリーニングも必要である．
- 医療面接で静脈怒張を生じるきっかけは何であったか，経口避妊薬などの常用薬や長時間の立ち仕事の有無を確認することは，その後の診断の有力な手がかりとなる．体重増加，労作時息切れなどの合併症状の有無も心不全診断に重要である．
- 身体診察にて以下の疾患の存在を疑うことができる．

◆ 視診による片側性の局所的腫脹，静脈瘤，チアノーゼ，色素沈着，潰瘍形成，触診による圧痛，皮膚硬結→四肢静脈の狭窄ないし閉塞

◆ 上半身に限局した静脈怒張→上大静脈症候群

◆ 腹壁の静脈怒張→下大静脈症候群や門脈圧亢進症

◆ 静脈圧に依存した全身性の浮腫や静脈怒張，呼吸困難など→心疾患，肺疾患

必要なスクリーニング検査

医療面接と身体診察から，静脈怒張をきたす器質性疾患の存在を推測できることが多い．しかし，器質性疾患を正しく診断するには，基本的なスクリーニング検査を加え，鑑別診断を進める必要がある（図4）．

❶ 血液検査

白血球数の増加，C反応性蛋白（CRP）の上昇は感染症や炎症を反映するため，炎症による静脈への慢性圧迫や血栓性静脈炎などを疑う．総ビリルビン（T.Bil），アスパラギン酸アミノトランスフェラーゼ（AST），アラニンアミノトランスフェラーゼ（ALT）などの肝機能は門脈圧亢進症などの肝疾患，尿素窒素（UN），クレアチニン（Cr）などからは腎疾患による全身性浮腫を疑う．また，脳性ナトリウム利尿ペプチド（BNP）/脳性ナトリウム利尿ペプチド前駆体N端フラグメント（NT-proBNP）はうっ血性心不全のスクリーニング検査として有用である．D-ダイマー上昇も静脈血栓症，肺塞栓症など静脈怒張をきたす疾患のスクリーニングとして，アルブミン値は低蛋白血症の診断，甲状腺機能検査もスクリーニングに必須である．

❷ 尿検査

尿蛋白陽性などはネフローゼ症候群などが鑑別として挙がり，血尿を認めれば急性腎不全，腎炎などが疑われ，全身性浮腫につながる可能性も考えられる．

❸ 胸部X線検査

心拡大，肺うっ血，胸水貯留など，うっ血性心不全などが疑われる場合には必須の検査である．

❹ 心電図検査

心不全の原因となる心疾患の鑑別のための一助となる．

診断確定のために

医療面接による病歴情報，身体所見，スクリーニング検査の結果に基づき，静脈怒張をきたす疾患を鑑別し，かなり限定することができる．しかし，器質性疾患の確定診断を行い，かつ重症度や予後まで含めた診断を行うためには，次のような

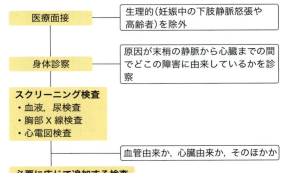

図4 静脈怒張の診断の進め方

臓器系統別検査が必要である．

血管由来の疾患の確定診断

静脈血栓症の場合はスクリーニング検査でD-ダイマー上昇がみられ，確定診断としては非侵襲的な血管エコーが有用である．感染，炎症を伴う血栓性静脈炎の場合は血液検査で炎症反応上昇を認める．四肢静脈血栓症でも中枢側の場合や，下大静脈症候群，上大静脈症候群で中枢側の観察が血管エコーでは不十分な場合は，造影CTでの診断を行う．これにより静脈の狭窄ないし閉塞の原因が血栓以外に腫瘍などによるものである場合も診断できる．最近，非造影MRIでは臨床的には問題とならない末梢血管の抽出はできないが，主要静脈の閉塞は診断可能となってきている．以前は静脈造影が決定的な役割を担っていたが，現在では同等の診断精度を備える非侵襲的な血管エコーに，ほぼとって代わられてきている．診断および血栓溶解治療などを引き続き行う場合は下肢静脈造影を行うこともあるため，患者の年齢などの背景をふまえて諸検査を検討する．

門脈圧亢進症の診断は，病歴情報，身体所見，スクリーニング検査で慢性肝疾患が診断され，側副循環を認めれば，門脈圧亢進症があるとみなされる．確定診断にはカテーテルを挿入し，肝静脈圧較差を測定する必要があるが，侵襲的であり，通常は行われない．肝硬変が疑われる場合は，腹

部エコー検査，CT検査などによる画像診断が有用である．

心臓由来の疾患の確定診断

静脈怒張をきたす，うっ血性心不全の診断は，病歴情報，身体所見，診察所見が重要であり，心電図，胸部X線を加えて診断する．心不全のスクリーニングとしては，採血でのBNP/NT-proBNPの測定が有用で，BNP≧100 pg/mL，NT-proBNP≧400 pg/mLが治療対象となる心不全の可能性があるため，精査あるいは専門医紹介が望ましい．心不全の原因検索として，非侵襲的な心エコー検査が必須であり，下大静脈拡張，呼吸性変動低下は静脈圧上昇を示唆する所見として重要である．

肺性心，肺高血圧をきたす疾患として，慢性閉塞性肺疾患，慢性血栓性肺高血圧などが挙げられる．慢性閉塞性肺疾患は肺機能検査や胸部CTで診断され，慢性血栓性肺高血圧は肺動脈造影CTや肺血流シンチグラフィー，最終的な診断はSwan-Ganz（スワン・ガンツ）カテーテルを挿入して肺動脈圧を測定する必要がある．

心膜疾患による静脈圧上昇として，収縮性心膜炎，心タンポナーデなどが挙げられる．収縮性心膜炎は最終的な診断方法として，カテーテルを挿入し，左右心室の同時圧を測定する必要がある．心タンポナーデは心エコーで心嚢液貯留の観察が確定診断となる．

腎臓由来の疾患の確定診断

尿検査に加え，UN，Cr，β_2-ミクログロブリン，電解質検査，腹部エコー検査などを行う．急性腎炎，慢性腎不全，ネフローゼ症候群などの腎疾患が全身性浮腫，静脈怒張の原因となる．

甲状腺機能低下症の確定診断

甲状腺腫の存在と甲状腺機能で遊離トリヨードサイロニン（free T_3），遊離サイロキシン（free T_4）低下を確認する．

〈矢崎 義行，中村 正人〉

くも状血管腫，手掌紅斑
vascular spider, spider angioma, spider nevus(nevi)/palmar erythema

くも状血管腫，手掌紅斑とは

定義

くも状血管腫の定義

くも状血管腫は中央に拍動する点状の細動脈があり，そこより放射状に血管が伸びて一見"くも"のように見えるため，この名前がある．大きさは直径1～20mm程度までである．圧迫すると血流が途絶え血管腫は消失するが，圧迫を解除すると再び出現する．

出現部位は上大静脈に注ぐ静脈が分布する皮膚領域であり，特に顔面，頸部，乳頭より上の前胸部，手背，手指，前腕，上腕，肩，肩甲部に出現する．

手掌紅斑の定義

手掌紅斑とは，手掌，特に母指球・小指球および指球に紅潮した斑紋を認める場合をいう．圧迫すると紅斑は消失し，放すと再出現する．

健常者でもときどき手掌が紅潮するが，その部位は全体のことがほとんどで，赤さは明るみを帯びて一様である．手掌紅斑では手掌中央部には紅斑がないか薄く，紅斑部にはむらがあり，ときには斑点状に見える．

患者の訴え方

くも状血管腫

患者自身は，"赤い斑点"として気づくことが多いが，くも状血管腫には痛みや痒みはないため，そのものを主訴として受診することは少ない．

手掌紅斑

「手が赤い」「手が赤くてほてる感じがする」と訴える場合がほとんどである．

患者が訴える頻度

くも状血管腫

前頸部，胸部の赤い斑点を主訴として受診することがある(表1)．

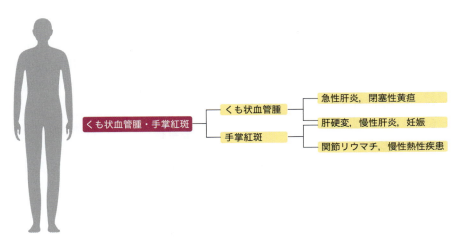

図1　くも状血管腫・手掌紅斑の原因

表1　くも状血管腫をきたす疾患

疾患	頻度	出現個数	持続性
肝硬変	70%以上	多数	あり
アルコール性肝障害	30%	多数	あり(ときに消長)
慢性肝炎	20%	数個	あり
急性肝炎	稀	1〜2個	一過性
閉塞性黄疸	稀	1〜2個	一過性
妊婦	稀	数個	一過性
健常者	きわめて稀	1〜2個	一過性

表2　手掌紅斑をきたす疾患

疾患	頻度
肝硬変	
・ウイルス性	高頻度
・アルコール性	最も高頻度
慢性肝炎	しばしば
関節リウマチ	しばしば
妊娠	しばしば
慢性熱性疾患	しばしば

手掌紅斑

表2に手掌紅斑をきたす疾患とその頻度を示した．肝硬変では全体の50%以上にみられるが，なかでもアルコール性肝硬変の場合には70%以上にみられる．

症候から原因疾患へ

病態の考え方

くも状血管腫

くも状血管腫をきたす疾患を表1に示す．この病変が最も多く出現するのは肝硬変である．アルコール性肝障害，慢性肝炎，急性肝炎などの肝障害時でも稀ながら出現し，その他，妊婦，健常者にもみられる．ただし，肝硬変以外での出現個数は少ない．

肝硬変では，ホルモンのバランスの崩れ，特にエストロゲンの代謝異常に起因するという説が有力である．肝硬変時にはエストロゲンの不活化が障害されるため，体内に貯蓄されやすく，女性化乳房の原因とも共通している．妊娠時にくも状血管腫が出現するのも同じ理由とされる．

くも状血管腫では中央に点状膨隆があるが，この膨隆を欠如し，細かい血管拡張のみが出現する場合を，米国ドル紙幣をすかしたときの状態に似ていることからpaper money skin(紙幣状皮膚)と呼んでいる．

肝硬変患者で，くも状血管腫が20個以上みられる場合は，50%以上に食道静脈瘤の破裂があるとの報告がある．また15 mm以上の大きなくも状血管腫を有する人では，80%に食道静脈瘤破裂がみられるとの報告もある．

手掌紅斑

手掌紅斑の発現機序も，くも状血管腫と同様に考えられているが，病態的に異なる面もある．たとえば，くも状血管腫は上大静脈域である上半身のみに出現するが，足蹠に紅斑が出現することもある．これを足蹠紅斑(plantar erythema)という．

アルコール多飲者に高頻度に出現することから，アルコールの血管拡張作用も一因と考えられる．

病態・原因疾患の割合(図1, 2)

くも状血管腫

肝硬変患者で最も高頻度にみられ，また出現個数も多い．次いで，アルコール性肝障害，慢性肝疾患に多い．急性肝炎，閉塞性黄疸，妊婦は稀であり，かつ出現個数も少ない．健常者でもきわめて稀にみられる．

手掌紅斑

慢性肝疾患，特に肝硬変で高頻度に出現する．

診断の進め方

本項ではくも状血管腫を中心に解説するが，診

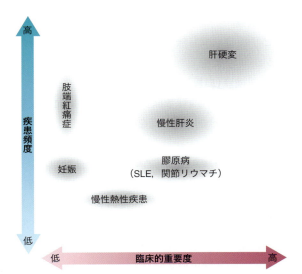

図2 手掌紅斑をきたす疾患の頻度と臨床的重要度

表3 医療面接のポイント

家族歴
- B型肝硬変の多発家系か

既往歴
- 輸血歴，肝炎歴，黄疸歴を確認する
- 経静脈的覚醒剤常用歴を確認する
- 刺青歴を確認する
- 飲酒歴を確認する（量と期間）
- 常用薬を確認する

現病歴
- くも状血管腫，手掌紅斑発見時，あるいはそれ以前の諸症状を聴取する
- 全身倦怠感，食欲低下はないか
- 尿の色の変化はないか（褐色調か）
- 皮膚の色調の変化はないか（黒ずんできたか）
- 皮膚の痒みはないか
- 浮腫・腹水の出現はないか
- 吐血・黒色便歴を確認する

表4 身体診察のポイント

バイタルサイン
- 脈拍，血圧，呼吸数，呼吸状態を確認する

全身状態
- 意識障害の有無をみる：肝性脳症
- 皮膚の状態を確認する：黄疸，貧血，出血斑，黒ずんだ色，掻きこわし

頭頸部
- 顔面：酒皶鼻，paper money skin を確認する
- 結膜：黄疸，貧血，乾燥度を確認する
- 頸静脈：怒張を確認する

胸部
- 心肺所見：心雑音，心外膜摩擦音を確認する
- 女性化乳房を確認する
- 血管拡張を確認する

腹部
- 視診：膨隆，血管怒張（メドゥサの頭），臍ヘルニアを確認する
- 打診：腹水を確認する（体位変換現象）
- 触診：腹水（波動），肝腫，脾腫，妊娠を確認する

四肢
- ばち状指，浮腫，出血斑，手指振戦，手指の変形をみる

断はくも状血管腫，手掌紅斑とも同様に考えて進める．

診断の進め方のポイント

- 皮膚は内臓疾患，特に慢性肝疾患の病態を反映する．
- くも状血管腫，手掌紅斑は慢性肝疾患発見の手がかりになる．
- 男性の場合，女性化乳房を伴うことが多い．
- 肝硬変に進展するほど出現率が高くなり，より顕著になる．

医療面接

肝障害の原因となる事柄が，家族歴，既往歴に存在するかを聴取するのがポイントである（表3）．現病歴では，くも状血管腫に気づく前に，全身倦怠感，下腿浮腫，皮膚の色調の変化（黒ずんできたか），皮膚の痒み，尿の色の変化，吐血・黒色便がなかったかなど，肝硬変の存在を示唆する症状について情報を得る．

身体診察

チェックポイントを表4に示す．慢性肝障害，特に肝硬変に出現する身体所見の有無をみることが肝心である．意識状態，皮膚の所見，腹部の所見，特に肝の触診所見は診断に重要である．肝疾患が疑われない場合，妊娠の可能性，関節リウマチの所見について入念に診察する．

診断のターニングポイント（図3）

医療面接と身体診察を総合して考える点

- **〔確定診断〕** くも状血管腫は健常小児，妊婦に稀

にみられるが，慢性肝疾患，特に肝硬変に高頻度にみられる．
- 【確定診断】手掌紅斑は肝硬変に高頻度にみられるが，妊婦，甲状腺機能亢進症，多血症にもみられることがある．
- 【確定診断】顕著な場合，肝硬変の重症度を反映する．
- 【確定診断】アルコール性肝硬変では高頻度に出現する．
- 肝疾患が示唆されたなら，必要なスクリーニング検査へと進む．

必要なスクリーニング検査

まず慢性肝疾患，特に肝硬変があるか否かをみることが大切である．そのために血球検査（血小板数は絶対必要），肝機能検査，超音波検査が必要である．

❶ 尿検査
ビリルビンの有無，蛋白・血尿，糖尿は診断の手がかりになる．

❷ 血球検査（血算）
肝硬変では汎血球数減少になる．特に血小板数13万/μL以下では肝硬変を疑う．

❸ 肝機能検査
AST，ALTの上昇，アルブミン，総コレステロール低下，コリンエステラーゼ（ChE）の低値，γ-グロブリンの上昇は肝硬変の診断に有用である．ALP，γ-GTが異常に高値を示す場合は，原発性胆汁性胆管炎，原発性硬化性胆管炎，薬物性肝障害，閉塞性黄疸を疑う．

❹ 超音波検査（US）
ベッドサイドで非観血的に行えることから，スクリーニング検査として絶対必要である．血液検査で肝機能異常がない場合でも肝硬変が存在することがあるため，超音波検査は有用である．

診断確定のために

医療面接，身体診察，超音波検査を含めたスクリーニング検査から，基礎疾患，特に慢性肝障害の存在が診断できる．しかし，さらにその原因，重症度，合併症をみる必要がある．また肝疾患がない場合は，他の病態を考えて検査を進める．

肝疾患の確定診断

肝疾患の診断確定のためには腹腔鏡，肝生検による病理診断を行う．近年，フィブロスキャンによる肝硬度測定法が参考になる．重症度をみるため凝固機能検査を，原因診断には肝炎ウイルスマーカー，自己抗体，内視鏡的逆行性胆管造影検査（ERC）などを行う．さらに，合併症の診断のためにCT，MRI，上部消化管内視鏡検査，血糖検査を行う．

肝疾患がない場合は，赤血球増加症，妊娠の有無，甲状腺機能亢進症，関節リウマチなどを疑い，検査を進める．

〈清澤 研道〉

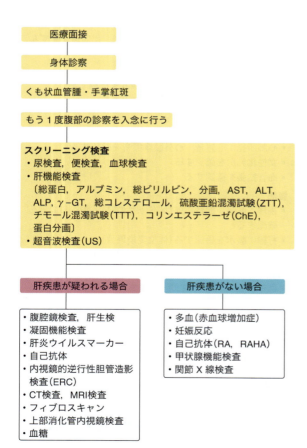

図3　くも状血管腫・手掌紅斑の診断の進め方

ばち状指（ばち指）
clubbed finger

ばち状指とは

定義

示指で，末節骨部分の厚みが遠位指節間関節部の厚さよりも大きい場合と定義される．健常者では爪と爪甲基部がつくる爪郭角が160°以内であるが，ばち状指では爪甲基部が盛り上がるために爪郭角が拡大し，あたかも指趾が太鼓ばちのような状態になっている〔図1，診察の進め方「部位別の身体診察 四肢」図2参照（☞142ページ）〕．

患者の訴え方

「爪の形が変わってきた」「爪が反ってきた」などと患者が訴えることもあるが，身体診察で初めて見つかることも多い．変形以外の症状や徴候は乏しいが，肥大性骨関節症（hypertrophic osteoarthropathy；ばち状指，関節炎，X線で骨膜下骨増殖像を3徴とする）では，指の局所に疼痛を訴える．

患者がばち状指を訴える頻度

先天性にばち状指がみられる強皮骨膜症〔pachydermoperiostosis または Touraine-Solente-Golé（トゥレーヌ・ソレント・ゴレ）症候群〕は稀な疾患で，常染色体優性遺伝を示し，男性に多い．

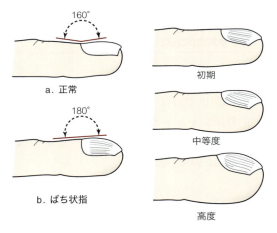

図1　ばち状指

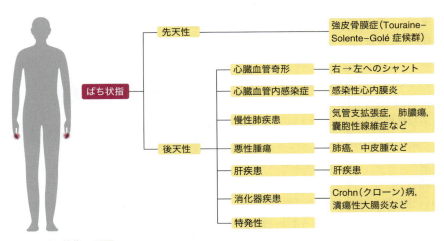

図2　ばち状指の原因

表1　ばち状指をきたす疾患

先天性
- 強皮骨膜症

後天性
- 心血管形成異常
  - チアノーゼ性心形成異常，肺動静脈瘻，心房中隔欠損症や心室中隔欠損症のEisenmenger（アイゼンメンゲル）症候群，動脈管開存症
- 心臓血管内感染症
  - 感染性心内膜炎，動脈炎，動脈瘤，人工血管移植
- 肺疾患
  - 気管支拡張症，肺膿瘍，膿胸
- 悪性腫瘍
  - 肺癌，悪性中皮腫
- 肝疾患
  - 肝硬変
- 消化器疾患
  - Crohn病，潰瘍性大腸炎
- その他
  - 甲状腺および副甲状腺疾患，サルコイドーシス，抗リン脂質抗体症候群，特発性など

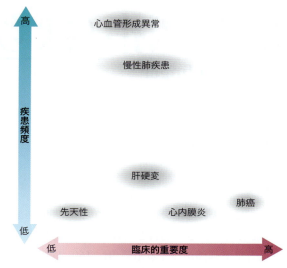

図3　疾患の頻度と臨床的重要度

後天性疾患でのばち状指の頻度は定かでないが，動静脈シャントの程度と期間が増すにつれ，ばち状指が起きてくる．肺癌では1〜10％の頻度でばち状指がみられる．

症候から原因疾患へ

病態の考え方

ばち状指では，指頭部で血管が増生し，血流が増大して結合組織が増殖している．これらをきたす病態と疾患を図2，表1に示す．

ばち状指が起きるメカニズムは必ずしも明確ではないが，血小板由来成長因子（platelet derived growth factor; PDGF）や血管内皮細胞増殖因子（vascular endothelial growth factor; VEGF）などの体液性増殖因子が動静脈シャントによって不活性化が抑制され，結合組織の過形成を起こすためと想定されている．チアノーゼ性心血管形成異常，低換気部分で肺内シャントを生じる慢性肺疾患，多発性に細かい肺動静脈瘻を形成する肝硬変（特に若年性の胆道閉鎖型）などではこうした機序が考えられる．

肺膿瘍や膿胸などでは，感染の近傍での血管拡張や血小板凝集能亢進などが起こることが要因とされる．

感染性心内膜炎や動脈炎などでは血栓が指趾末端で栓塞し，血管拡張を起こすことが関与する．

気道および肺の悪性腫瘍では，体液性因子を異所性に産生し，paraneoplastic syndrome（腫瘍随伴症候群）が起こると考えられる．

病態・原因疾患の割合

チアノーゼ性心血管形成異常，慢性肺疾患，悪性腫瘍などが原因疾患となり，これらは原疾患の診断が重要である（図3）．感染性心内膜炎でばち状指をみることは稀で，慢性に経過したときにのみみられる．

診断の進め方

診断の進め方のポイント

- ばち状指自体は自覚症状がほとんどなく，患者も気づいていないことが多い．
- しかし，ばち状指から心肺疾患など原因となった疾患を診断するきっかけになることが少なくない．

表2 医療面接のポイント

経過
- いつ頃から気づいているか
- 指の局所に痛みはないか(肥大性骨関節症)
- 関節や骨に疼痛はないか

全身症状の有無と内容
- チアノーゼ,呼吸困難,息切れ,身体活動能低下,喘鳴,倦怠,咳嗽,体重減少などの有無と経過はどうか(心疾患,慢性肺疾患)
- 黄疸,食欲不振,体重減少はないか(肝硬変)
- 下痢など慢性の消化器症状はないか(Crohn病,潰瘍性大腸炎)

既往歴
- 発育状態はどうであったか
- 健診で心雑音を指摘されたことがないか(心疾患)
- 原因不明の発熱をきたしたことがないか(感染性心内膜炎)
- 血管手術を受けたことはないか

家族歴
- 同じような指の変形を家族内にみないか

嗜好品
- 喫煙の有無と量を確認する(慢性肺疾患)

表3 身体診察のポイント

バイタルサイン
- 体温:感染性心内膜炎や血管炎など感染または炎症の存在を確認する

全身状態
- 体重:発育不良の有無,悪性腫瘍や慢性肺・肝疾患などによる体重減少の有無を確認する
- 皮膚:チアノーゼ,黄疸の有無を視診で確認する

頭頸部
- 結膜:黄疸,貧血を確認する
- 口唇:チアノーゼを確認する

胸部
- 打診ならびに聴診で心音,心雑音,呼吸音を聴取し,心肺疾患を診察する

腹部
- 触診で,肝腫大や脾腫を確認する
- 下腹部の腫瘤の有無(Crohn病)に注意する

四肢
- ばち状指の存在と程度を確認する
- 肥大性骨関節症では多関節炎の有無を確認する

- 視診で簡単に診断できるだけに,その存在を見落とさないようにする.

医療面接(表2)

先天性の場合には家族歴を確認する.ばち状指の原因疾患として心肺疾患が多いので,チアノーゼ,身体活動能低下,体重減少,呼吸困難発作,喘鳴,咳嗽などの有無と,出現時期,出現後の経過などを聴取する.健診で心雑音を指摘されたことがないかを確認する.

感染性心内膜炎では,発熱や倦怠感について聴取する.肺癌を疑う場合には,喫煙歴,咳嗽や体重減少の有無を確認する.

身体診察(表3)

身体診察は,ばち状指の診断と,その原因疾患を診断するうえで重要である.

体温を測定し,まず感染症や慢性炎症の有無を確認する.全身状態では,体重を測定し,先天性心疾患による発育不良を確認したり,悪性腫瘍や慢性の肺疾患,あるいは肝硬変などによる体重減少の有無を確認する.

胸部の打聴診は心肺疾患の診断に欠かせず,腹部の触診では肝硬変による肝脾腫,感染性心内膜炎による脾腫,Crohn病による下腹部の腫瘤を確認する.四肢の触診では,ばち状指を診断する.

肥大性骨関節症では,熱感,発赤,関節液貯留,可動制限,強直などを伴った多関節炎が特徴であり,四肢の関節を視診および触診で診察する.

診断のターニングポイント(図4)

医療面接と身体診察を総合して考える点

- ばち状指をきたすものとして,表1に示すような疾患を念頭において鑑別診断・診断を進める.
- ばち状指は心疾患をはじめ,種々の疾患が基礎となって生じていることがほとんどである.これらでは,ばち状指以外の症状や所見,たとえば呼吸困難やチアノーゼなどを伴っていることが多い.
- 病歴情報および身体所見から,ばち状指をきたす原因となった疾患を考慮し,それぞれに応じた検査を進めて確定診断を行うようにする.

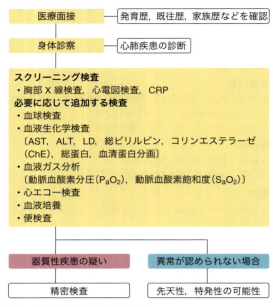

図4 ばち状指の診断の進め方

必要なスクリーニング検査

ばち状指をきたす疾患の頻度を図3に示す．これらの頻度を念頭におき，鑑別診断を行うために基本的なスクリーニング検査から開始し，さらに必要に応じて検査を追加する．

❶ 胸部X線検査

心血管形成異常，慢性呼吸器疾患，肺癌を診断する手がかりとなる．

❷ 心電図検査

心疾患を診断する手がかりとなる．

❸ CRP検査

感染症，炎症性疾患を疑う手がかりとなる．

❹ 血球検査（血算）

炎症性疾患では白血球数（WBC）が増加し，慢性心肺疾患では低酸素血症による続発性の赤血球数（RBC）増加をきたしていることがある．

❺ 血液生化学検査

肝硬変などの肝疾患を鑑別するのに，AST，ALT，コリンエステラーゼ（ChE）など肝機能検査が有用である．

❻ 血液ガス分析

チアノーゼを認める場合には，必ず血液ガスを検査し，ことに動脈血酸素分圧（P_aO_2），動脈血酸素飽和度（S_aO_2）を確認する．先天性心血管形成異常，慢性肺疾患では異常がある．

❼ 心エコー検査

先天性心血管形成異常，感染性心内膜炎の診断に有用である．

❽ 血液培養

発熱が続き，慢性の感染性心内膜炎が疑われる場合には，血液培養検査を繰り返し行う．

❾ 便検査

Crohn病，潰瘍性大腸炎などの消化器疾患が疑われるときには，便の潜血反応を調べる．

診断確定のために

病歴情報，身体所見，スクリーニング検査の結果から，ばち状指をきたす原因となった疾患のほとんどが診断できる．さらに確定診断を進め，手術適応などを判断するために，臓器系統別検査が必要となる．

心血管形成異常の確定診断

チアノーゼ性心血管形成異常では，幼小児期からチアノーゼや呼吸困難などがあり，心雑音や胸部X線検査などから診断できる．確定診断をしたり，手術適応や予後を判定するために，心エコー検査，心血管造影検査などを行う．微量の右→左へのシャントを疑う場合には，血管造影よりも，コントラストエコー法やRIアンギオグラフィーのほうが有用である．

肺疾患の確定診断

肺気腫など慢性呼吸器疾患は，胸部X線検査，血液ガス分析，そして呼吸機能検査を行って診断する．さらにCTやMRI検査が有用なこともある．

肺癌などの診断には，画像検査ならびに喀痰細胞診が有用である．

肺膿瘍や膿胸などの感染症は，画像検査のほか，喀痰培養や胸水培養で起炎菌を同定する．

心臓血管感染症の確定診断

感染性心内膜炎，動脈炎，人工血管の感染など

では血栓が指趾末端の動脈で塞栓となってばち状指を起こすことがある．CRPなど炎症反応を調べ，心エコー検査，血液培養，白血球シンチグラフィー，血管造影検査などで診断を確定する．

肝疾患の確定診断

肝硬変では，多発性の細かい肺動静脈瘻ができて右→左へのシャントを起こし，ばち状指の原因となることがある．肝硬変の診断は，肝機能検査，腹部エコー，CT，MRI，さらに必要に応じて肝生検によって行われる．

消化器疾患の確定診断

Crohn病や潰瘍性大腸炎は，下痢などの消化器症状に加え，便潜血反応陽性となる．消化管造影，内視鏡検査で確定診断をする．

肥大性骨関節症の確定診断

ばち状指，関節炎，X線所見での骨膜下骨増殖像を3徴とする疾患である．強皮骨膜症などによる本態性の場合と，肺癌，慢性肺感染症，チアノーゼ性心血管形成異常，肝疾患，炎症性腸疾患，感染性心内膜炎，囊胞性線維症などに続発するものとがある．

多関節炎の存在を確認し，骨X線検査で骨膜下の骨増生，あるいは骨シンチグラフィーで骨膜下にアイソトープが集積することを確認して診断する．

先天性強皮骨膜症の確定診断

常染色体性優性遺伝を示し，10歳代で発症し，家族内発生がある．ばち状指のほか，しわの深い顔，脂漏，しわの深い頭皮〔回転状頭皮(cutis verticis gyrata)〕など，特有な徴候で診断する．

〈奈良 信雄〉

浮腫
edema

浮腫とは

定義

浮腫とは，細胞外液のうち組織間液が異常に増加し，体表面から腫脹して見える状態を指している．

特に体腔内における水分の貯留として，胸水や腹水があるが，一般的には皮下浮腫のことを意味する．また，胸腔・腹腔を含めて，全身の組織間隙に及んだ著しい浮腫を全身性浮腫(anasarca)と呼んでいる．

患者の訴え方

患者は，「顔が腫れぼったい」「靴・指輪がきつくなってきた」「むこうずねを押すとへこんだままになる」「関節が曲げづらい」などと訴える．また，「急激に体重が増えた」といった訴えの場合は，全身性浮腫の可能性が考えられる．

これらの訴えには，さまざまな表現があるので，浮腫を疑い情報を収集する必要がある．

患者が浮腫を訴える頻度

浮腫を主訴として来院する患者は，詳細な統計はないが，比較的多く，3〜5％と思われる．また，外来受診者のなかには浮腫を伴っている患者が相当数存在している．

症候から原因疾患へ

病態の考え方

患者が浮腫を訴える場合，その分布が局所性なのか，全身性であるのかを見分ける．

局所性の浮腫は，局所の炎症あるいは静脈やリンパ管のうっ滞などが原因となる．炎症性浮腫の場合は，同時にその部位での発赤，熱感，疼痛を伴う．発作的または一過性に出現する限局性浮腫として，血管性浮腫〔Quincke(クインケ)浮腫〕があり，毛細血管透過性の亢進により起こると考え

図1　浮腫の原因

られている．

全身性の浮腫はその原因により，心性，腎性，肝性，内分泌性，妊娠性，栄養失調（障害）性，薬剤性，特発性などに分けられる．

これらを引き起こす病態としては図1に示すようなものがあり，その原因疾患として主なものを表1に示す．

病態・原因疾患の割合

80～90％が全身性浮腫で，10～20％が局所性浮腫である．全身性浮腫のなかでは，心性浮腫と腎性浮腫が50％以上を占め，器質性疾患に基づくことが多い．病態・原因疾患の頻度とその臨床的重要度を図2に示す．

表1 浮腫をきたす疾患

全身性浮腫
- 心性：うっ血性心不全
- 腎性：急性糸球体腎炎，ネフローゼ症候群，腎不全
- 肝性：肝硬変，門脈圧亢進症
- 内分泌性：甲状腺機能低下症（粘液水腫），Cushing（クッシング）症候群，月経前期緊張症候群
- 妊娠性：正常妊娠，妊娠高血圧症候群
- 栄養失調（障害）性：吸収不良症候群，蛋白漏出性胃腸症，悪液質
- 薬剤性
  - 非ステロイド性抗炎症薬：インドメタシンなど
  - ホルモン薬：副腎皮質ステロイド，エストロゲンなど
  - 降圧薬：血管拡張薬（Ca拮抗薬など）
  - 甘草製剤：甘草，グリチルリチンなど
  - Na含有薬：ペニシリン系抗菌薬，重炭酸Naなど
- 特発性浮腫

局所性浮腫
- 血管性（静脈性）：上・下大静脈症候群，静脈血栓症，静脈瘤など
- リンパ管性：本態性リンパ性浮腫，リンパ管閉塞，フィラリア症
- 炎症性：蜂窩織炎，熱傷，刺咬症
- 外傷性：打撲，捻挫，骨折
- 薬剤性血管性浮腫：ACE阻害薬，甘草など
- 遺伝性血管性浮腫

診断の進め方

診断の進め方のポイント

- 浮腫の確認は，皮膚圧痕の存在（pitting edema）によりなされるが，その場合，体重が5％以上（2～3 kg以上）増加していることを意味している．それ以下の場合は体重増加を示すのみで，皮膚圧痕は認められないため，潜在性浮腫と呼ばれている．
- 全身性浮腫のうち，心性浮腫では下腿前面に浮腫を生じやすく，腎性浮腫の場合は顔面（特に上眼瞼）に多くみられる．
- 緊急処置を必要とするものとして，血管性浮腫による喉頭浮腫があり呼吸困難に陥った場合は，気道確保を行うことがある．

医療面接（表2）

医療面接は常に重要であり，経過や誘因などを丹念に確認する．特に，周期性浮腫，特発性浮腫，薬剤性浮腫については，医療面接による病歴情報が決め手になることも少なくない．

全身性浮腫の場合，その原因となりうる心疾患，腎疾患，肝疾患，悪性腫瘍などの既往をまず確認する．遺伝性血管性浮腫では，85％の患者に血管性浮腫の家族歴があり，浮腫に関する医療面

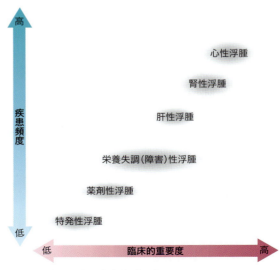

図2 疾患の頻度と臨床的重要度

表2 医療面接のポイント

経過
- いつから，どの程度の浮腫があるのか
- 浮腫の出現は急激か，徐々にか
- 一過性か，持続性か
- 日内変動はないか（朝と夕方の差）

誘因
- 浮腫を生じるきっかけはなかったか（過剰の水分摂取，輸液，薬物服薬など）

全身症状の有無
- 体重増加，尿量の変化はないか（多尿，乏尿）
- 発熱，発汗，疼痛はないか
- 動悸，呼吸困難，起座呼吸はないか
- 食欲不振，下痢，嘔吐はないか
- 妊娠，月経周期を確認する

既往歴
- 心・腎・肝疾患，および内分泌疾患，高血圧症を確認する
- 悪性腫瘍を確認する
- アレルギーの有無を確認する（薬物を含む）
- 外傷，手術，放射線照射の記録を確認する

嗜好品，常用薬
- アルコール摂取量を確認する
- 服用中の薬物の有無と種類を確認する
- 塩分摂取量を確認する

家族歴
- 突発的な浮腫を生じる血縁者はいないか

表3 身体診察のポイント

バイタルサイン
- 血圧：低血圧（ショック状態の有無），高血圧性臓器障害を鑑別する

全身状態
- 体重，尿量：変化の有無を確認する．全身性浮腫では，体重増加や尿量減少がみられる
- 皮膚：色調，肥厚，過敏性を観察する

頭頸部
- 顔面：眼瞼や口唇などに出やすい（急性腎炎など）
- 結膜：貧血や黄疸の有無をみる
- 頸部：甲状腺腫の有無をみる．頸静脈の怒張または虚脱を確認する

胸部
- 打診，聴診で心拡大，肺水腫，胸水を診断する

腹部
- 打診，触診で肝脾腫，腫瘤，腹水の確認をする

四肢
- 浮腫の性状（圧痕の有無）および部位（全身性か局所性か）を確認する

接が重要である．

身体診察（表3）

身体診察は，浮腫が局所性なのか全身性なのか見極めるうえで特に重要である．また，浮腫の分布や程度が有力な診断の手がかりとなる．

全身性浮腫でも，早期には一見限局性のこともあり，下腿，足背部，背部や後頭部に出現しやすい．体重増加の程度は全身性浮腫の程度を最も正確に反映する．

血管性浮腫では，舌・口腔内の浮腫や消化管浮腫による腹部の膨隆も出現することがある．

診断のターニングポイント（図3）

医療面接と身体診察を統合して考える点

- 浮腫をきたすものとして，表1に示したような疾患が考えられる．これらを念頭において鑑別・診断を進める．
- 病歴情報から病状を把握する．①浮腫の出現は急性か慢性か，一過性か持続性か，全身性か局所性か，片側性か両側性か，陥凹性か非陥凹性か，②尿量の変化の有無，③体重の増減の有無，④動悸，呼吸困難などの随伴全身症状の有無などである．
- 身体診察で原疾患の存在を疑うことができるものは多い．尿量の減少，高血圧が認められれば腎疾患であり，尿毒症症状が出現する続発性腎疾患として，糖尿病，膠原病，アミロイドーシス，多発性骨髄腫などがある．
- 心肥大，肺水腫，胸水，呼吸困難を呈する場合は心不全を，黄疸，肝脾腫，腹水を認めれば肝疾患を疑う．
- 限局性の浮腫では，局所の熱感，疼痛，瘙痒感，感覚脱失，皮膚変化の有無に注意する．

必要なスクリーニング検査

浮腫性疾患，特に全身性浮腫は体液の異常を伴うので，血液生化学検査は重要である．尿検査所見は，腎疾患によるものを鑑別するために必須である．その他，心電図，胸部X線などの基本的ス

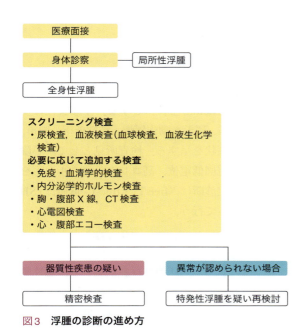

図3 浮腫の診断の進め方

❹ 心・腹部エコー検査

心不全が疑われるときには，心エコーにて心疾患の診断を行う．肝性浮腫を疑うときには，腹部エコー検査・CT 検査で肝脾腫や腫瘍の検索を行う．腎性浮腫の場合は，腎萎縮や多発性囊胞腎などの腎実質性障害の診断を行う．

❺ 心電図検査

心疾患が疑われるときに行う．

診断確定のために

局所性浮腫は，病歴情報，身体所見，スクリーニング検査の結果から，容易に全身性浮腫と区別できる．

遺伝性血管性浮腫の確定診断

血清の C_1-インアクチベーターの活性と補体 C_4 の定量により診断が行われる．遺伝性血管性浮腫では C_1-インアクチベーター活性と C_4 が低下する．

著明な全身性浮腫の患者の大多数は器質性疾患を有するので，次のような臓器系統別検査が必要である．

心性浮腫の確定診断

高血圧，心弁膜症，不整脈，心肥大の既往がある患者で最も考えられる．心不全の診断を確立するためには，胸部 X 線上で心陰影拡大，肺うっ血，胸水の貯留を確認する．

心性浮腫には，右心不全疾患あるいは拡張障害により，初発症状として出現するもの（肺性心，原発性肺高血圧症，肺塞栓，収縮性心膜炎，心タンポナーデなど）と，左心不全疾患で右心不全合併によるものがある．後者の場合，僧帽弁・大動脈弁疾患，陳旧性心筋梗塞，拡張型心筋症，高血圧性心疾患などがある．

原因疾患の診断には，心エコー検査，心筋シンチグラフィーが有用である．その病態診断には，Swan-Ganz（スワン-ガンツ）カテーテルによる心機能検査も用いられる．

クリーニング検査を加え，鑑別診断を進める．

❶ 尿検査

心性浮腫の場合は尿比重の上昇がみられる．血尿および尿沈渣異常所見が認められれば腎炎と考えられるが，尿蛋白陽性所見は腎疾患が関与していることが示唆される．1 日 3.5 g 以上の高度蛋白尿であれば，ネフローゼ症候群を疑う．尿糖陽性所見を伴えば，糖尿病性腎症や尿細管間質障害によるものが考えられる．

❷ 血液検査

血清蛋白またはアルブミンの低値は腎性，特にネフローゼ症候群や肝硬変，栄養失調性浮腫による全身性浮腫の原因となる．また，高コレステロール血症はネフローゼ症候群，肝機能障害は肝硬変に伴いやすい．尿素窒素（UN）や血清 Cr などから腎不全の診断が可能である．free T_3, free T_4, 甲状腺刺激ホルモン（TSH）検査は粘液水腫，血中コルチゾールや副腎皮質刺激ホルモン（ACTH）値は Cushing 症候群などの内分泌症候群の診断に有用である．また，BNP 濃度は心不全の評価に有用である．

❸ 胸・腹部 X 線，CT 検査

全身性浮腫が疑われるときには，心不全や胸水，腹水の有無を確認するために必要である．

腎性浮腫の確定診断

ネフローゼ症候群の場合，典型的な全身性浮腫を伴う．慢性糸球体腎炎，膠原病，糖尿病などの基礎疾患があることが多い．高度の蛋白尿(3.5 g/日以上)，低蛋白血症(6.0 g/dL 以下)，低アルブミン血症(3.0 g/dL)が存在すれば確定診断となるが，基礎腎疾患の診断，予後，治療方針決定のため腎生検が必要である．

急性糸球体腎炎の急性期に起こる浮腫は，血尿，蛋白尿，高血圧の合併が特徴である．溶血性連鎖球菌感染の証明〔抗ストレプトリジンO抗体(ASO)，抗ストレプトキナーゼ抗体(ASK)上昇〕，補体系因子の消費(CH_{50}・C_3の低下)がみられるが，確定診断には腎生検を施行する．

また，乏尿性急性腎不全，慢性腎不全乏尿期にも全身性浮腫が出現し，腎機能低下所見(UN上昇，血清 Cr 上昇，Na 低下，K 上昇)がみられる．これらの浮腫は，Na や水分の貯留が起こる結果として生じる．

肝性浮腫の確定診断

肝硬変または肝癌末期では，低アルブミン血症により全身性浮腫が起こるが，さらに門脈圧亢進，二次性高アルドステロン血症により腹水が生じる．黄疸，腹壁静脈怒張，くも状血管腫の所見および一般肝機能検査より疑診し，腹部超音波検査，腹部 CT，肝シンチグラフィーなどの画像診断で，肝の形態変化から診断する．

確定診断は，肝生検，腹腔鏡，肝動脈造影によるが，肝予備能〔インドシアニングリーン(ICG)排泄試験〕，肝合成能〔ヘパプラスチンテスト，低アルブミン血症，コリンエステラーゼ(ChE)低値〕，プロトロンビン時間(PT)，血中アンモニア(NH_3)濃度を測定して肝機能不全の程度を知る必要がある．

内分泌性浮腫の確定診断

粘液水腫は，下腿から全身に及ぶ非圧痕性浮腫(non-pitting edema)を特徴とする．中年女性に多く，皮膚乾燥，脱毛，動作緩慢，意欲低下，嗄声，徐脈などの症状を呈する．検査所見として，心陰影拡大，心電図低電位，高コレステロール血症を認める．確定診断は，free T_3・free T_4 低値，TSH 上昇を確認して行う．

栄養失調(障害)による浮腫の確定診断

体下部に軟らかい圧痕性浮腫が現れる．悪性腫瘍，蛋白漏出性胃腸症や吸収不良症候群などが基礎疾患になる．検査所見としては，低アルブミン血症，貧血，電解質異常の合併がみられる．サイアミン(ビタミンB_1)欠乏による脚気は，今日では稀であるが，長期経静脈栄養，アルコール依存症，甲状腺機能亢進症などの患者では可能性を否定できない．

薬剤性浮腫の確定診断

顔面を含む全身の軽度圧痕性浮腫を認める．Na 蓄積作用のある薬物(ホルモン薬，非ステロイド性抗炎症薬，グリチルリチン製剤，甘草など)の服薬歴を確認する．薬物過敏症が背景にある場合もあり，薬物の投与中止で改善する．

特発性浮腫の確定診断

浮腫を生じる器質性疾患を認めず，全身性，起立性の浮腫がみられる．若年から中年女性に多く，昼間の尿量の減少，夜間尿の増加，朝夕の著しい体重の変動がみられる．エストロゲンの過剰分泌による月経前浮腫とは異なる．

〈大澤 勲，富野 康日己〉

腹痛
abdominal pain

腹痛とは

定義

腹痛は，プライマリケアで最もありふれた症状で，患者の訴えもはっきりしていることが多い．しかし，あくまでも主観的な自覚症状であり，あいまいな点が多い．訴えから痛みの起こり方，痛みの内容，持続時間などがわかり，おおよその病気を判断することができる．

ただし，病状が進んでいてショックなどの重篤な状態になって受診することも少なくないので，初診時の身体所見のとり方と検査の進め方が重要となる．

患者の訴え方

患者は，「チクチクする」「重苦しい」「さしこむような」「きりきりと」という言葉でその程度を，「だまっていても痛い」「押すと痛い」「痛みが走る」という表現でその性質を訴えてくる．

腹痛は，内臓痛，体性痛，関連痛の3種類からなる．実際にはこの3種類の痛みが複雑に組み合わさって感じられる．

内臓痛は，管腔臓器の伸展・拡張・収縮によるもので，腹部正中線上に疼痛を感じ，局在性に乏しい．痛みの性状は一般に鈍痛で，周期的に発生するが，疝痛のこともある．

体性痛は周辺臓器近くの腹膜刺激によるもので，痛みの性質は鋭く持続的で，痛みと臓器の局在が一致する．刺激が強くなると，反跳痛や筋性防御が出現する．

関連痛は，激しい内臓痛が脊髄内で隣接線維に波及し，その高さの皮膚分節に疼痛を感じるものをいい，特に腹部以外に感じられる関連痛を放散痛という．

患者が腹痛を訴える頻度

消化器内科を受診する患者の主訴として最も多く，約25%を占め，次に，便通異常が10%程度で続く．

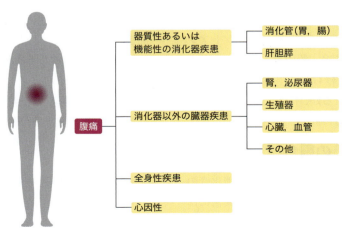

図1　腹痛の原因

表1 腹痛をきたす疾患

消化器疾患
- 消化管疾患
  - 機能性疾患：NUD，過敏性腸症候群，便秘，下痢
  - 器質性疾患：穿孔性汎発性腹膜炎，急性胃炎，胃・十二指腸潰瘍，胃癌，虫垂炎，急性腸炎，虚血性腸炎，腸閉塞，Crohn（クローン）病，潰瘍性大腸炎，腸結核，大腸癌，憩室炎，S状結腸軸捻転
- 肝・胆・膵疾患：胆嚢炎，胆石症，胆道ジスキネジー，膵炎，膵癌，肝腫瘍，肝膿瘍，癌性腹膜炎

他臓器疾患
- 腎泌尿器疾患：尿路結石症，腎盂炎，腎梗塞，膀胱炎，尿路系腫瘍
- 生殖器疾患：異所性妊娠破裂，急性子宮付属器炎，卵巣腫瘍茎捻転
- 心血管疾患：心筋梗塞，狭心症，心膜炎，動脈瘤破裂，腸間膜動脈閉塞症
- その他：肺炎，胸膜炎，横隔膜下膿瘍，脾弯曲症候群，脾梗塞

全身性疾患：ポルフィリア，IgA血管炎〔Henoch-Schönlein（ヘノッホ・シェーンライン）紫斑病〕，腹部てんかん

心因性腹痛

NUD：non-ulcer dyspepsia

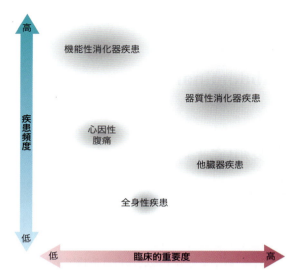

図2 疾患の頻度と臨床的重要度

症候から原因疾患へ

病態の考え方（図1）

患者の年齢，性別などから想定される有病率を出発点とし，患者がどのように行動したかを考慮に入れつつ，訴えによる腹痛の様態と身体診察上の所見から，原因を探っていく．

腹痛の原因として，①器質性あるいは機能性消化器疾患，②他臓器疾患（腎・泌尿器，生殖器，心臓・血管など），③全身性疾患（糖尿病性ケトアシドーシス，ポルフィリア，鉛中毒，腹部てんかんなど），④心因性に分けられる．腹痛の原因疾患はきわめて多岐にわたるが，これらすべてを頭に入れておく必要がある（表1）．

病態・原因疾患の割合

頻度的には，機能性消化器疾患，特に消化管の機能異常によることが最も多い．機能性異常には心因性の誘因も含まれることがある．

次に多いのが器質性消化器疾患であり，他臓器疾患も少なからず存在する．全身性疾患によるものは比較的少ない．

病態・原因疾患の頻度とその臨床的重要度を図2に示す．

診断の進め方

診断の進め方のポイント

- 腹痛を訴えて病院を受診する患者は大きく2群に分けられる．
  第1群は，全身状態はそれほど悪くなく，医療面接と身体診察をていねいにとって，いくつかの検査を実施することで診断を確定し，治療ができる患者である．
  第2群は，来院時の全身状態が悪く，早急に診断，治療を要する急性腹症の患者である．後者に関しては別項があり，そちらに譲る（☞822ページ）．
- まずは，先の病態の考え方①〜④のどの腹痛にも考えが及ぶよう，先入観をもたずに患者の診察に入る．
- バイタルサイン，腹膜刺激症状などを見落と

表2 医療面接のポイント

部位
- どの臓器に痛みがあるか

発現時期とその起こり方
- いつ，どのような痛みが起こるか
- 突然，瞬時に起こるか，比較的急速に出現するのか，徐々に発症するのか

強さと性質
- 鈍痛か激痛か，持続的か間欠的(疝痛)か，放散痛の有無はどうか

増悪寛解因子
- 食後の心窩部痛はあるか(胃潰瘍)
- 空腹時の心窩部痛で食後に軽快するか(十二指腸潰瘍)
- 排便・排ガスにより軽快するか(大腸炎)
- 脂肪食摂取後に増悪するか(胆石症，膵炎)
- 飲酒後に増悪するか(膵炎，急性胃粘膜病変)
- 前屈位で軽快するか(膵炎)

随伴症状
- 随伴症状として考えられるものはあるか
- 臓器の特定ができるか

既往歴
- 消化性潰瘍，胆石の既往，腹部手術歴の有無はどうか(癒着性イレウス)

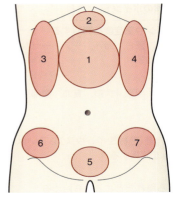

図3 痛みの部位と疾患
1-2：胃潰瘍・十二指腸潰瘍穿孔，急性胃粘膜病変，胆石症，急性膵炎，虫垂炎初期
2：心筋梗塞，肺・胸膜疾患
3：胆石症，右腎結石
4：左腎結石
5：異所性妊娠，付属器炎
6：急性虫垂炎，右尿管結石，右卵巣腫瘍茎捻転
7：左尿管結石，左卵巣腫瘍茎捻転
腹部全体：腸閉塞，腹部大動脈瘤，急性腹膜炎

まず，医療面接をしっかり行い，緊急性がある急性腹症であるかを判断する．急性腹症であれば，適切な緊急処置が必要である．
- 産婦人科疾患，外科的疾患，精神的疾患，内科的疾患であるかを念頭において医療面接を行い(既往歴を含めて)，腹部診察を進める．
- 痛みの部位，発生時期，性質，放散痛の有無，痛みに伴う他の症状(悪心，吐下血など)の有無，食事との関連を確認する．女性であれば妊娠も考慮する．
- 診察により，予想される疾患を念頭に，検尿(妊娠反応も含む)，末梢血液検査，各種血清・生化学検査，胸腹部X線・超音波・CT検査，内視鏡検査などを行い，確定診断を進める．
- 悪性腫瘍を見落とさないように意識する．

医療面接(表2)

腹痛の患者に対する医療面接は，最低限以下に述べる事項に留意することが重要で，急性腹症の患者に対しても可能なかぎり実施すべきである．患者の苦痛が激しいときには，家族や同伴者から情報を得ることもできる．

医療面接のポイントとしては，まず腹痛の部位について，汎発性か限局性か，限局性ならばどの部位か，その部位を指示させる(図3)．いずれも最重要であり，見逃せば重篤化し，命にかかわる疾患であるので，常に頭に入れておくことが重要である．さらに，腹痛の発現状況，その強さと性質，持続性か発作性か，食事や排便との関係について詳細に聞く．悪心・嘔吐，吐血，下血，血尿など随伴症状の有無，婦人では妊娠の可能性の有無などを要領よく聴取する．飲酒との関係，鎮痛薬などの薬物服用，既往歴なども重要な聴取事項である．

身体診察(表3)

診察は，患者が診察室に入ってくる瞬間からの観察に始まる．患者の表情などから重症度を判断し，バイタルサインに異常が認められれば，診察は救急治療と並行して行う．腹部の診察は視診，聴診，触診，打診の順に行う．

表3 身体診察のポイント

バイタルサインや重症度を判断する
- 苦悶様顔貌，蒼白，冷汗，チアノーゼなどが認められれば重症である

視診
- 患者の体位，顔貌，黄疸，貧血，腹部膨隆，手術瘢痕を確認する

聴診
- 腸雑音の亢進(機械性イレウス)あるいは低下(麻痺性イレウス)を確認する

触診
- 疼痛部から離れたところから始める
- 腫瘤，圧痛・抵抗，腹膜刺激症状〔筋性防御，反跳痛；Blumberg(ブルンベルグ)徴候〕を確認する

直腸指診
- 虫垂炎，直腸癌を確認する

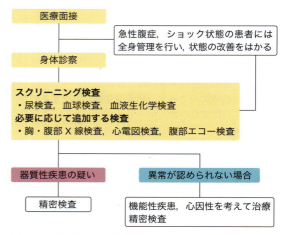

図4 腹痛の診断の進め方

診断のターニングポイント(図4)

医療面接と身体診察を総合して考える点

- 腹痛の発現時期，症状と部位から原因疾患を推定できる．
- 発症したばかりで内臓痛が主のときは臓器の特定は困難だが，進行して関連痛，体性痛の出現がみられると疾患鑑別が可能となってくる．
- 増悪寛解因子，随伴症状，既往歴から鑑別疾患を予測し，身体診察でさらに絞り込める．
- 随伴症状から器質性疾患の存在を疑う．黄疸から肝胆道疾患，吐下血で出血性の消化管疾患，血尿から泌尿器疾患，月経異常や帯下から婦人科疾患を疑うなどである．
- 腹痛の程度と身体所見が乖離する場合には，詐病なども念頭に入れる．

必要なスクリーニング検査

医療面接と身体診察から，腹痛をきたす疾患の推測は可能であることが多いが，さらに鑑別診断を進めるために基本的なスクリーニング検査を加える．

主なスクリーニング検査として，次のようなものがある．

❶ 尿検査

尿路系の炎症，結石や腫瘍の存在を診断する手がかりとなる．

❷ 血球検査(血算)

ヘモグロビン(Hb)濃度減少から出血による貧血，白血球数(WBC)増加から炎症の存在を疑うのに有用である．

❸ 血液生化学検査

感染症や炎症性疾患の存在はCRPでわかる．肝・胆道系酵素，アミラーゼなどの膵酵素の上昇はそれぞれの臓器疾患を疑う．

❹ X線検査

胸部X線写真で消化管穿孔による遊離ガス像，腹部X線写真でイレウス，胆石や尿路結石も診断できることがある．

❺ 心電図検査

心筋梗塞で上腹部痛として出現することがある．

❻ 腹部エコー検査

ベッドサイドで簡便に施行でき，かつ得られる情報量も多い．特に結石や腹水の有無，胆膵管の拡張の有無，肝・膵実質臓器の診断などに有用である．最近では急性虫垂炎の診断にも有用とされ，腹痛の患者にはまず施行すべき検査といってよい．

診断確定のために

病歴情報，身体所見，スクリーニング検査の結果に基づき，腹痛をきたす疾患をかなり限定できる．しかし，器質性疾患の確定診断を行い，かつ重症度や予後までを含めた診断を行うには，次のような臓器系統別検査が必要である．

上下部消化管疾患の確定診断

医療面接，身体診察にて上下部消化管疾患を疑ったら，上下部内視鏡検査を実施する．内視鏡は出血性病変の場合，治療も同時に実施できる利点がある．消化管穿孔は漏出した消化管内容物が腹膜炎の原因となり，ほとんどの例で手術の適応があるが，内視鏡で穿孔部位を確認することもある．ヨード造影剤を用いた消化管造影検査は，消化管穿孔や腸閉塞の部位診断に用いられることがある．さらに従来は難しかったが，カプセル内視鏡を用いることで小腸病変の確認も可能である．ただし，消化管狭窄の可能性がある場合には使えない．

エコー検査は，イレウスで拡張した腸管や腸液貯留，虫垂炎での腫大した虫垂や膿瘍形成の診断に有用である．

肝・胆・膵系の確定診断

腹部エコー検査やCT検査などの画像診断を行う．結石や腫瘍性病変の存在診断，閉塞性黄疸の有無やその原因疾患，胆嚢や膵臓などの臓器腫大から，炎症の存在や程度が診断できる．

泌尿器疾患の確定診断

尿検査で泌尿器疾患が強く疑われる場合，エコー・CT検査，尿路造影（IVP）検査などを行う．

婦人科疾患の確定診断

異所性妊娠破裂を疑う場合は妊娠反応を調べ，直腸指診を行う．骨盤内臓器の診断にはエコー検査やCT・MRI検査が有用である．また，婦人科専門医との連携をはかる．

血管性病変の確定診断

CT・MRI検査や血管造影検査が行われ，腸間膜血栓症や大動脈瘤破裂の診断に有用である．

〈浅香 正博〉

腹部膨隆
abdominal distention

腹部膨隆とは

定義

　腹部膨隆とは腹部が張り，臍部が胸骨剣状突起と恥骨結合線を結んだ線より突出している場合をいう．また自覚的な膨満感，緊満感を訴える場合もこれに含む．

　腹部への気体貯留（鼓腸）あるいは液体貯留（腹水）によって起こることが多いが，腹腔内・後腹膜臓器の腫瘤や妊娠子宮などによっても，また腹壁への脂肪貯留によってもみられることがある．

　腹腔内・後腹膜臓器の腫瘤では，局在性の膨隆を認めることが多いが，ときに腹部全体が膨隆することもある．

患者の訴え方

　一般に自覚症状として，「腹が張る」「腹が苦しい」などの腹部膨満感や緊張感を訴えることが多い．腸内ガスが原因の場合は，げっぷ，放屁，腹痛など他の症状もみられる．腹水が原因の場合は，かなり高度になるまで患者自身が気づかないこともある．

　腹腔内・後腹膜臓器の腫瘤などによる局所性の膨隆では膨隆の自覚を訴えて来院する患者も多い．

　膨隆がみられない膨満感を訴える場合は，管腔臓器の一過性の機能異常に起因し，特に精神的因子の関与が大きいことが多い．

患者が腹部膨隆を訴える頻度

　正確な頻度は不明である．腹部膨隆という症候には，ごく簡単なものからきわめて複雑なものまで，かなり多くの広範囲にわたる病態が含まれるため，頻度は比較的高いと考えられる．

症候から原因疾患へ

病態の考え方（図1）

　腹部膨隆の病因は表1のように分類される．腹部膨隆の主因である鼓腸と腹水の原因疾患については表2，3に示す．

　腹腔内・後腹膜臓器の腫瘤は通常，臓器本来の

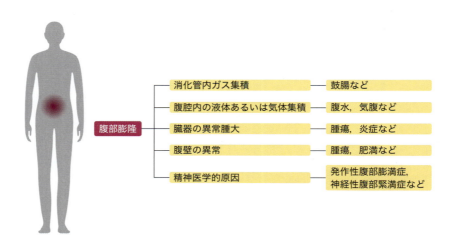

図1　腹部膨隆の原因

部位を占拠する局在性腫瘤である．巨大な卵巣嚢胞，妊娠子宮の羊水過多，水腎症ではびまん性に腹部全体の膨隆となることもある．また，悪性腫瘍や肝硬変合併の肝癌などでは腹水貯留をきたすので，同様に腹部全体の膨隆となる．腹腔内・後腹膜臓器の腫瘤の臓器別占拠部位を図2に示す．

診断の進め方

診断の進め方のポイント

- 緊急処置を必要とするかどうかを見極める．
- 良性疾患か悪性疾患かの鑑別を念頭におき，診断を進める．
- 腹部膨隆は特別な症状であるので，これだけで疾患の輪郭はかなり明瞭である．消化管うっ滞，ガス，腹水，腫瘤，妊娠などである．
- 腹部膨隆は画像検査で診断がつくことが多いので，腹部X線検査，超音波検査などを実施する．

CT，MRIなどの高次の検査も予定する．ただし，妊娠可能女性に関しては注意する．
- 併せて，状態の把握のためには血液，尿（妊娠反応も含む）検査なども実施する．

医療面接(表4)

まず，発症が緩徐か急速なのかを確認する．次に，腹痛，悪心・嘔吐，排便・排ガス，発熱の有無を確認する．肝疾患，心疾患などの基礎疾患，妊娠の有無，薬物服用の確認も忘れてはならない．

身体診察(表5)

視診では，腹部全体が膨隆しているのか，局所性の膨隆なのかを判断する．また腹壁静脈の怒張，手術瘢痕なども観察する．

表1　腹部膨隆の病因

- 消化管内の異常ガス集積
- 腹腔内の液体，気体の集積
- 腹腔内臓器，後腹膜臓器の異常腫大：悪性腫瘍，良性腫瘍，妊娠子宮
- 腹壁の異常：腹壁内腫瘍，皮下脂肪，腸間膜脂肪沈着
- 精神医学的原因：発作性腹部膨満症，神経性腹部緊満症など

表2　鼓腸をきたす疾患

腸性鼓腸
- 嚥下空気量の増大：胃泡症候群，脾弯曲症候群
- 腸内ガスの通過排泄障害
  - 器質性狭窄・閉塞
    - 急性：イレウス
    - 慢性：腫瘍，結核，癒着
  - 機能性障害
    - 結腸過敏症，麻痺性イレウス，感染症，低K血症，薬物による腸運動低下，巨大結腸症
    - 高齢による排便反射低下
- 腸内ガスの吸収障害：心不全，門脈圧亢進症
- ガスの発生増加：膵外分泌障害，閉塞性黄疸

腹膜性鼓腸（気腹）
- 消化管穿孔：消化性潰瘍，悪性腫瘍，憩室炎
- 人工的気腹：腹腔鏡検査後，開腹手術後

表3　腹水をきたす疾患

漏出液

循環障害
- 門脈圧亢進：肝硬変，特発性門脈圧亢進症
- 右側うっ血心
- 収縮性心膜炎
- 下大静脈・肝静脈閉塞：Budd-Chiari（バッド・キアリ）症候群

低蛋白血症
- ネフローゼ症候群，蛋白漏出性胃腸症，栄養不良

滲出液

各種腹膜炎
- 癌性・炎症性・結核性

その他
- 血性腹水：癌性腹膜炎，異所性妊娠，腹部大動脈瘤破裂
- 膿性腹水：化膿性腹膜炎
- 胆汁性腹水
  - 急性：急性胆汁性腹膜炎
  - 慢性：胆道外科術後
- 粘液性腹水：偽粘液腫
- 乳び腹水
  - 悪性腫瘍：悪性リンパ腫
  - 炎症性腹水：膵炎，結核，門脈塞栓，腸間膜リンパ節炎ほか
  - 外傷性
  - 先天性奇形：リンパ管狭窄，閉塞
  - フィラリア症
  - 特発性
- 尿性腹水：術後尿管腹腔瘻形成による
- 人工透析に伴う腹水：慢性透析患者
- 粘液水腫

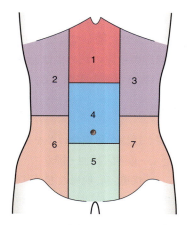

図2 腹腔内・後腹膜臓器の腫瘤の臓器別占拠部位

1. 心窩部：胃腫瘍，肝腫瘍，膵腫瘍，横行結腸癌，後腹膜腫瘍
2. 右上腹部：腎腫瘍，肝腫瘍（転移性，原発性膿瘍，嚢胞），胆嚢腫瘍
3. 左上腹部：脾腫瘍，腎腫瘍，膵腫瘍
4. 臍部：横行結腸癌
5. 下腹部：大腸癌，妊娠子宮，子宮筋腫，卵巣腫瘍，膀胱腫瘍
6. 右下腹部：回盲部腫瘍，右卵巣腫瘍
7. 左下腹部：下行結腸癌，左卵巣腫瘍

表4 医療面接のポイント

経過
- いつから，どの程度の腹部膨隆があるのか
- 急激に始まったのか（イレウス），徐々に起きてきたのか（腹水，腫瘍）

誘因
- 腹部膨隆を生じるきっかけはなかったか（薬物，食事，精神的ストレスなど）

全身症状の有無と内容
- 悪心・嘔吐（イレウス），腹痛（急性腹症），発熱（腹膜炎）はないか
- 排便・排ガスなし（イレウス）かどうか
- 肝疾患・心疾患はないか（腹水）

生活歴
- 妊娠の可能性はあるか（妊娠子宮）

薬物
- 薬物の服用はあるか（薬物による腸管運動麻痺）

触診では，腫瘤を触れたら，表面の性状や充実性か，cystic（嚢胞性）かを，また硬度や圧痛の有無を確認する．腫瘤の位置により臓器を推定する．筋性防御，波動の有無も確認する．

打診では，仰臥位による打診で，鼓音か濁音（腹水）かを鑑別する．体位変換による濁音の変化を

表5 身体診察のポイント

バイタルサイン
- 体温，血圧：腹部膨隆に伴う（引き続く）発熱や血圧低下などから感染やショックなどを鑑別する

視診
- 腹部全体が膨隆：鼓腸・腹水の有無を確認する
- 局所性の膨隆：腫瘤の有無を確認する
- 腹壁静脈の怒張：門脈圧亢進症・腹水の有無を確認する
- 手術瘢痕：癒着性イレウスの有無を確認する

触診
- 充実性腫瘤：腫瘍の有無を確認する
- cystic 腫瘤：嚢胞の有無を確認する
- 腫瘤の位置による臓器を推定する（図2）
- 筋性防御：腹膜炎・消化管穿孔の有無を確認する
- 波動：腹水の有無を確認する

打診
- 鼓音：鼓腸の有無を確認する
- 濁音：腹水・腫瘤の有無を確認する

聴診
- 腸雑音亢進：機械的イレウスの有無を確認する
- 腸雑音減弱・消失：麻痺性イレウス・腹膜炎の有無を確認する

みることにより腹水量を推定することができる．

聴診では，腸雑音が亢進しているか，減弱あるいは消失しているかを確認する．

診断のターニングポイント（図3）

医療面接と身体診察を総合して考える点

- 腹部膨隆は医療面接の情報を頭に入れて身体診察を進めれば鑑別は可能である．
- 表2，3の疾患をしっかりと頭に入れておく．

必要なスクリーニング検査

医療面接と身体診察から，腹部膨隆をきたす器質性疾患の存在を推測することは可能であることが多い．しかし，器質性疾患を正しく診断するには次のスクリーニング検査を行い，鑑別診断を進める．

❶ 腹部X線検査

鼓腸が疑われる場合は，腹部単純X線写真（立位，臥位）にて free air（遊離ガス）か腸管内ガス像かを鑑別する．

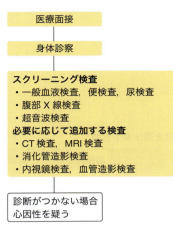

図3 腹部膨隆の診断の進め方

❷ 超音波検査

腹水が疑われる場合には，超音波検査が簡便で診断手段として優れており，確実に腹水を把握できる．

腫瘤を触知した場合にも，まず超音波検査で腫瘤の存在部位，性状を診断する．

診断確定のために

医療面接，身体診察，スクリーニング検査から腹部膨隆をきたす疾患をかなり診断することができる．しかし，器質性疾患の確定診断を行い，重症度や予後までを含めた診断を行うには，次の検査が必要である．

鼓腸の確定診断

鼓腸で腹部単純X線写真にて free air を認める場合には消化管穿孔が強く疑われ，緊急手術の適応となる．

イレウスの確定診断

腸管の閉塞，麻痺，炎症，血行障害などの可能性があり，X線造影，CTスキャン，超音波検査，内視鏡検査，血管造影などを適宜選択し，診断確定を行う．

腹水の確定診断

超音波検査にて存在を確認後，腹水穿刺を行い，腹水の性状や生化学検査より鑑別診断を行う．

腫瘤の確定診断

腫瘤の場合は超音波検査で部位，性状などを観察後，必要に応じてX線造影，CTスキャン，内視鏡検査，MRI，血管造影などを行い，存在部位の確定および質的診断を行う．

精神医学的原因の確定診断

鼓腸，腹水，腹部腫瘤の存在は画像診断により比較的容易に判断できるが，それらを除外しても腹部膨満感が認められるときは，精神医学的因子の関与も考えなくてはいけない．しっかりした医療面接を行うことが必要である．

〈浅香 正博〉

腹水
ascites

腹水とは

定義

腹腔内には30〜40 mLの体液が生理的に存在する．しかし，種々の原因によりこれ以上の液体が貯留した場合を腹水という．

腹水は液体の性状の違いから，淡黄色透明で非炎症性の漏出液（transudate）と，外観上混濁し血性ないし乳び状の滲出液（exudate）に大別される．

両者の比較を表1に示す．

漏出性腹水は，腹膜そのものには病変主座がなく，肝硬変などでみられる門脈圧亢進，低アルブミン血症による浸透圧差，腎における水とNaの貯留，利尿ホルモンの異常が原因となる．

一方，滲出性腹水は腹膜に炎症や腫瘍が存在することにより腹膜血管透過性が亢進し，血液成分が滲出して生成される．

これらとは別にゲル状の腹水がある．

患者の訴え方

腹部膨満感のほか，「ズボンやベルトがきつくなった」と訴えるのが圧倒的に多い．手足の浮腫や体重の増加を主訴として受診した際に見つかる場合もある．

患者が腹水を訴える頻度

腹水は原因となる疾患がかなり進行しないと出現しないもので，頻度は高くはない．しかし，末期肝硬変ではほぼ100％，2.5 g/dL以下の低アルブミン血症では約80％，腹膜炎では約70％にみられる．

表1　漏出液と滲出液の比較

観察項目	漏出液	滲出液
外観		
・透明度	透明	混濁
・色	淡黄色	血性，乳び色
比重	1.015以下	1.018以上
総蛋白	＜2.5 g/dL	＞4.0 g/dL
血清と腹水中アルブミンの差	＞1.1 g/dL	＜1.1 g/dL
リバルタ反応	陰性	陽性
線維素析出	なし	あり
細菌・細胞成分	なし	あり
原因	非炎症性 非腫瘍性	炎症性 腫瘍性

症候から原因疾患へ

病態の考え方（図1）

腹水がある，または疑わしいと考えられた場合は，頻度的に最も多い門脈圧亢進によるものをまず疑って診察する．門脈圧亢進に特徴的な症状や所見があれば，さらに肝硬変によるものか非肝硬変性かを考える．非肝硬変性はうっ血肝をきたす心疾患，肝静脈・下大静脈の閉塞や，門脈血流を阻害する病態を考える．

門脈圧亢進の症状や所見がない場合は，腹水以外に浮腫がないかをみる．全身に浮腫があれば，ネフローゼ症候群など低蛋白血症，粘液水腫を考える．腹水のみの場合は癌性腹膜炎，発熱や腹痛を伴う場合は細菌性腹膜炎を考える．表2に腹水の原因となる主要疾患を列挙する．

病態・原因疾患の割合（図2）

日常最も高頻度に遭遇するのは肝硬変である．進行すると治療抵抗性であり，難治性腹水という．

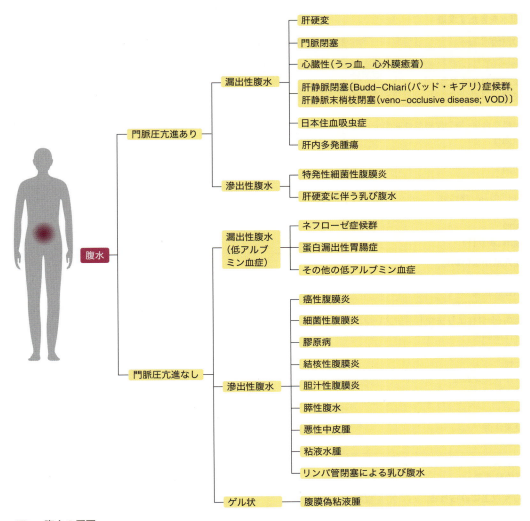

図1　腹水の原因

次いで，癌細胞の腹膜への播種性転移による癌性腹膜炎があり，癌の終末期である．

また，腹水はネフローゼ症候群で高頻度にみられ，治療抵抗性のものもある．慢性右心不全，収縮性心外膜炎による心臓性腹水も稀に経験するが，難治性である．

膠原病では全身性エリテマトーデスによるものが稀に存在する．Budd-Chiari症候群，門脈血栓症，結核性腹膜炎による腹水，蛋白漏出性胃腸症や栄養不良による低アルブミン血症でも腹水がみられる．

診断の進め方

診断の進め方のポイント

- 膨満感がある場合，腹部の視診，打診，触診，聴診は必須である．
- 視診で臍窩が平坦ないし膨隆し，触診で波動（fluctuation）を触知する場合は，腹水である．
- 腹水の存在の確定は超音波検査やCT検査で確定診断する．
- 病因診断には，腹水を穿刺して液の性状を分析して鑑別する．

表2 腹水をきたす疾患

腹水の原因	腹水中総蛋白(g/dL)		(血清アルブミン－腹水アルブミン)の差	
	＜2.5	2.5＜	＜1.1	1.1＜
門脈圧亢進がある場合				
■肝硬変				
・通常	○	△		○
・腹膜炎合併(特発性細菌性腹膜炎)		○	△	○
■門脈血栓	○			
■心臓性				
・初期		○		○
・末期	○			○
■Budd–Chiari症候群				
・初期		○		○
・末期	○			○
■肝腫瘍(多発性)	○			○
門脈圧亢進がない病態				
■癌性腹膜炎	△	○	○	△
■細菌性腹膜炎		○	○	
■ネフローゼ症候群	○	△	△	○
■膠原病(全身性エリテマトーデス)		○	○	
■結核性腹膜炎		○	○	
■膵性		○	○	
■胆汁性		○	○	
■低アルブミン血症	○			○
■粘液水腫		○		○
乳び腹水				
■肝硬変合併	△	○		○
■肝硬変非合併		○	○	
ゲル状腹水				
■腹膜偽粘液腫				

○:80%以上にみられる，△:20%程度にみられる

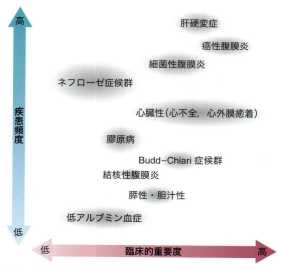

図2 疾患の頻度と臨床的重要度

医療面接

表3にポイントをまとめた．居住歴で，甲府盆地，筑後川流域は日本住血吸虫が多い地域である．既往歴では，ウイルス肝炎，飲酒歴，結核や心臓病の既往を聴取し，腹水の原因診断に役立てる．

現病歴では，腹水そのものに自ら気がつくことは通常ないので，「腹が張る」「ズボンがきつくなった」「バンド(ベルト)がしまらなくなった」というような症状がいつから出たか，間接的な状況の経過を聴取するべきである．それと同時に，他の症状，たとえば食欲の変化，呼吸困難，体重の増え具合，尿量の変化，浮腫の推移などを詳細に聴取する．

表3 医療面接のポイント

居住歴
- 甲府盆地，筑後川流域の居住歴を確認する（日本住血吸虫症の多い地域）

職業歴
- アスベスト被曝歴はないか

既往歴
- 肝硬変の原因となる輸血歴，肝炎歴，黄疸歴，飲酒歴を確認する
- 結核の既往を確認する
- 心臓病の既往を確認する

現病歴
経過
- 腹水出現前の体調を確認する
- 腹水の出現の状況を確認する（急激か，徐々にか）
- 体重の異常な増加はないか

全身症状の有無とその内容
- 食欲の変化はないか
- 体動時の息切れ，呼吸困難はないか
- 尿量の変化はないか
- 発熱はないか
- 腹痛はないか
- 貧血はないか
- 皮膚に異常はないか
- 顔，四肢に浮腫はないか

腹部の症状
- ズボンやベルトがきつくないか
- 腹痛はないか
- 便の異常，便通異常はないか
- 臍ヘルニアはないか
- 陰嚢水腫はないか

表4 身体診察のポイント

バイタルサイン
- 呼吸状態（胸式，頻呼吸），脈拍，体温を確認する

全身状態
- 栄養状態を確認する（るいそう）
- 体型：腹部膨隆を確認する
- 皮膚：黄疸，貧血，色調の変化，痒みを確認する

頭頸部
- 顔貌：ヒポクラテス顔貌，浮腫状顔貌，蝶形紅斑の有無を確認する
- 結膜：貧血，黄疸の有無を確認する
- 頸部：リンパ節腫脹，甲状腺腫大，頸静脈怒張（肝頸静脈逆流），くも状血管腫の有無を確認する

胸部
- 視診：女性化乳房，血管拡張，くも状血管腫の有無を確認する
- 打診，聴診：心肺疾患の有無を確認する（胸水，心雑音，心膜摩擦音）

腹部
- 視診：膨隆（蛙腹状），血管怒張（メドゥサの頭），臍窩の平坦化，臍ヘルニアの有無をみる
- 打診：体位変換現象，水たまり現象を確認する
- 触診：波動，圧痛，Blumberg徴候，肝脾腫，腫瘤を触知する

四肢
- 上肢：浮腫，くも状血管腫，ばち状指，手掌紅斑を確認する
- 下肢：浮腫，色素沈着，下腿静脈瘤，筋力低下を確認する

神経症状
- 肝性脳症を確認する

身体診察

腹水の存在診断

1L以上の大量の腹水の診断は，臍窩の平坦化または膨隆，波動（fluctuation），体位変換現象（shifting dullness）などの身体所見から診断できる．500mL以下の少量のときは患者に肘膝位をとらせると腹水が腹部中央部に貯まるので，この状態で打診を行うと，臍部を中心に濁音となる．これを水たまり現象（puddle sign）という．超音波検査やCT検査により100mL以下の腹水でも診断が容易である．

なお，腹水が存在することによる二次的な身体所見（胸水貯留，胸式呼吸，臍ヘルニア，陰嚢水腫など）がある．

最近ではベッドサイドに超音波検査器があり，腹水の診断は容易である．

腹水の原因に迫る診察

表4に身体診察のポイントを列挙する．腹水の原因として高頻度のものは門脈圧亢進であり，そのなかでも肝硬変が主である．したがって，くも状血管腫，手掌紅斑，腹壁静脈怒張〔メドゥサの頭（caput medusae）〕などの皮膚所見，肝の触診所見，脾腫の有無を確認することが重要である．

鼠径部から腹壁を上行性に血管怒張があればBudd-Chiari症候群を，座位においてもなお頸静脈怒張があり，肝を圧迫したとき頸静脈の怒張がみられる〔肝頸静脈逆流（hepato-jugular reflux）〕

場合は右心不全，肺動脈塞栓，収縮性心外膜炎である．

高熱，腹水と同時に腹痛，Blumberg（ブルンベルグ）徴候があれば細菌性腹膜炎である．著明なるいそうと腹部腫瘤を伴う腹水は癌性腹膜炎を考える．全身浮腫が著明で，肝脾腫がなく，特異な皮膚所見のない場合は，ネフローゼ症候群を代表とする低蛋白血症を考える．

肝性胸水

肝硬変で腹水がある場合に，同時に胸水が貯留することをいう．

診断のターニングポイント（図3）

医療面接と身体診察を総合して考える点

- 自覚的には腹部膨満を訴え，他覚的には腹部膨隆としてとらえられる．
- 腹部の視診，聴診，打診，触診で重要なことは以下のとおりである．
  - 視診：臍窩の平坦化，膨隆がみられる．臍窩が陥凹している場合は腹水ではない．腹壁静脈の怒張をみる．メドゥサの頭は門脈圧亢進の徴候である．
  - 打診：体位変換現象や水たまり現象をみる．
  - 触診：波動，圧痛，腫瘤，脾腫の有無をみる．
  - 聴診：臍部に血管雑音〔Cruveilhier-Baumgarten（クリュヴェイエ・バウムガルテン）症候群〕を聴取する場合は門脈圧亢進による．
- （確定診断）腹壁静脈の怒張，メドゥサの頭，脾腫がある腹水は門脈圧亢進（肝硬変）を示唆する．
- （確定診断）腹水，発熱，腹部圧痛がある場合は細菌性腹膜炎を示唆する．
- （確定診断）腹水に腹部腫瘤を触れる場合は癌性腹膜炎を示唆する．

必要なスクリーニング検査

腹水の原因診断には，以下のスクリーニング検査が有用である．

❶ 尿検査

尿蛋白陽性はネフローゼ症候群の診断に有用で

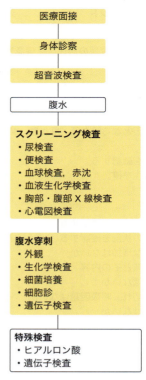

図3　腹水診断の進め方

ある．

❷ 血球検査（血算），赤沈

貧血の状態により門脈圧亢進，悪性疾患，白血球数（WBC）増加により細菌感染症の存在が示唆される．赤沈の亢進は悪性疾患，炎症性疾患，ネフローゼ症候群の存在を示唆する．

❸ 血液生化学検査

肝機能検査異常により肝硬変，アルブミン低下・総コレステロール上昇はネフローゼ症候群，アルブミン・総コレステロールが低下の場合は低栄養，悪性疾患を示唆する．

❹ 胸部・腹部X線検査

胸部X線検査では，心陰影の大きさ，肺野異常，胸水の有無をみる．背臥位の腹部X線検査では，腹部全体の透過性の減少，腸腰筋陰影の消失，腸内ガスの臍部周辺への移動などの所見が観察される．

❺ 心電図検査

徐脈，low voltage，心肥大の有無をみる．

❻ 超音波検査

スクリーニング検査として腹水の存在診断に有用であり，同時に肝脾腫，その性状も観察できる．

診断確定のために

病歴情報，身体所見，スクリーニング検査の結果より腹水の存在はもちろん，原因診断をある程度予測できる．確実な診断を得るために，いくつかの特異的検査を行う．

特に腹水穿刺による腹水の性状観察，Rivalta（リバルタ）反応，蛋白量測定，細菌培養，細胞診は表1(☞586ページ)に示す漏出性，滲出性腹水の鑑別に必要である．さらに原因診断にも有用である．

代表的疾患の診断について述べる．

肝硬変の確定診断

生化学検査，超音波，CT など画像検査により診断が可能である．肝細胞癌の合併および門脈内腫瘍塞栓は難治性腹水の原因であるが，超音波検査，CT，MR および血管造影検査で診断できる．

Budd-Chiari 症候群の確定診断

鼠径部から腹壁～背部への上行性の静脈怒張を呈し，超音波検査，CT，MRI，下大静脈・肝静脈造影により診断する．

門脈血栓症の確定診断

難治性の腹水を呈する．超音波検査，CT，MRI，門脈造影で診断する．

癌性腹膜炎の確定診断

血性腹水，細胞診で診断できるが，原発臓器の診断も行う．消化器癌，女性性器癌が多い．

結核性腹膜炎の確定診断

滲出性腹水である．リンパ球増加，アデノシンデアミナーゼ(ADA)高値は結核性を示唆する．

ネフローゼ症候群の確定診断

漏出性腹水であるが，ときとして乳び腹水のこともある．診断は容易である．腎病変の確定には腎生検を行う．

特殊な腹水の確定診断

❶ 乳び腹水

クリーム色の腹水を呈する．胸管あるいは腹腔内リンパ管の閉塞によりリンパ液が漏れ出したものである．腫瘍によるリンパ節の閉塞，フィラリア症，肝硬変の一部，ネフローゼ症候群などでみられる．リンパ管の閉塞は CT，MRI，リンパ管造影で診断される．

❷ ゼリー状腹水

腹腔内に貯留したムチンに富んだゼリー状の液体．虫垂粘液癌や卵巣の粘液産生腫瘍が腹膜播種をきたしゼリー状物質を分泌することによる．この病態を腹膜偽粘液腫という．診断は超音波検査や CT 検査でゼリー状に充満した囊胞を多数認め，腹水穿刺や試験開腹でゼリー状物質を確認する．

悪性中皮腫の確定診断

胸水を伴うことが多い．利尿薬，アルブミン注射に抵抗性である．胸水中のヒアルロン酸が高値となる．アスベスト被曝歴があると確実になる．

〈清澤 研道〉

肝腫大
hepatomegaly

肝腫大とは

定義

　肝臓は重量約 1,300 g（体重の約 1/50）で人体中最も大きな臓器である．健常者では肋骨に覆われて触れにくいが，約 20％ の人では右肋骨弓下に触れることがある．したがって，右肋骨弓下に肝が触れるからといって肝腫大があるとはいえない．一般的には，指の幅 2 本分（2 横指）を右肋骨弓下に触れれば，肝腫大があるといえる．しかし，1 横指でも肝に圧痛があり，硬さが増していれば，肝腫大ありといえる．

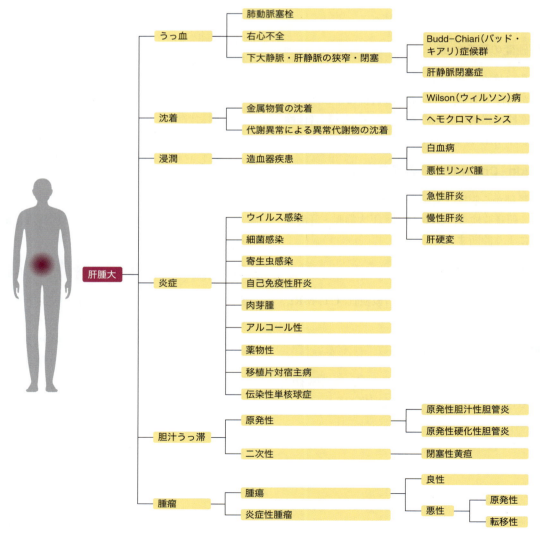

図1　肝腫大の原因

患者の訴え方

自ら肝腫大を主訴に来院する場合は稀である．かなり著明な腫大，たとえば肝腫瘍，種々の物質の沈着症の場合に，「右季肋部の張った感じ」「重苦しい」という訴えが多い．また，肝（あるいは肝腫瘍）そのものをしこりとして訴える．多くは，他の症状（上腹部痛，黄疸，全身倦怠感など）で受診した場合に指摘される．

患者が肝腫大を訴える頻度

肝疾患の患者では，その病気の経過中に，いずれかの時点で肝腫大をきたす．肝が萎縮して全く触知できない劇症肝炎でさえ，病初期では肝腫大がある．

心不全，特に右心不全ではうっ血のため100％に肝腫大がみられる．

症候から原因疾患へ

病態の考え方（図1）

肝腫大は，なんらかの原因で肝がびまん性，ないし局所的に大きくなることである．

びまん性肝腫大の原因としては，うっ血，種々の物質の沈着，造血器腫瘍細胞の浸潤，種々の原因による炎症（病態として急性肝炎，慢性肝炎，肝硬変がある），胆汁うっ滞である．肝腫瘍でも多発性のものは，肝全体に大きく触れる．

局所性肝腫大は肝腫瘍でみられる．

肝腫大を引き起こす疾患として主なものを表1に示す．

病態・原因疾患の割合（図2）

一過性肝腫脹は，原因が一過性のものである．高頻度（80％以上）にみられるものとして，急性心不全，急性ウイルス感染症，薬物性肝障害がある．

持続的肝腫大で高頻度（80％以上）のものは脂肪肝，慢性肝炎，肝硬変であり，急激な悪化は，ない．その他，比較的稀な疾患として，無症候性原発性胆汁性胆管炎，ヘモクロマトーシス，Wilson病，巨大肝囊胞，巨大肝血管腫がある．これらの疾患では高頻度（80％以上）に肝腫大がある．

慢性進行性で重症化する肝腫大として，原発性肝癌，症候性原発性胆汁性胆管炎，肝膿瘍，Budd-Chiari症候群，アミロイドーシス，ポルフィリン症，肉芽腫性疾患がある．

急激な肝腫大をきたし，激痛，出血や破裂など重篤な病状をきたしうる疾患として，巨大肝癌，転移性肝癌，急性アルコール性肝炎，右心不全の急性増悪，急性白血病や悪性リンパ腫の肝浸潤，アミロイドーシス，Wilson病の急性増悪がある．

造血器疾患の治療として行われる造血幹細胞移植で出現することのある移植片対宿主病の一病型に，肝静脈閉塞症（veno-occlusive disease；VOD）がある．

表1　肝腫大をきたす疾患

うっ血
- 右心不全（急性，慢性），下大静脈・肝静脈閉塞（Budd-Chiari症候群，肝静脈閉塞症），特発性門脈圧亢進症

沈着
- 脂肪肝，Wilson病，ヘモクロマトーシス，ヘモジデローシス，糖原病，アミロイドーシス，ポルフィリン症

浸潤
- 骨髄増殖性疾患，白血病，悪性リンパ腫，多発性骨髄腫

炎症
- 急性ウイルス肝炎，伝染性単核球症，慢性肝炎，肝硬変，自己免疫性肝炎，肝膿瘍，アルコール性肝障害，薬物性肝障害，結核，サルコイドーシス，Felty（フェルティ）症候群，全身性エリテマトーデス，肝内胆管炎

胆汁うっ滞
- 肝内胆汁うっ滞：原発性胆汁性胆管炎，原発性硬化性胆管炎
- 肝外胆汁うっ滞：閉塞性黄疸

腫瘍
- 原発性肝腫瘍
  - 良性：肝囊胞，肝海綿状血管腫
  - 悪性：肝細胞癌，胆管細胞癌，血管内皮腫，肝芽腫
- 転移性肝腫瘍

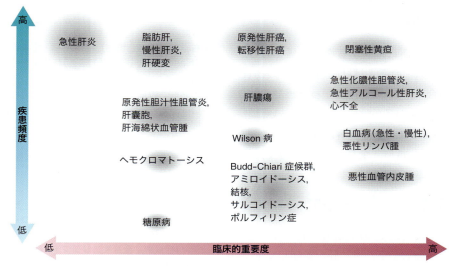

図2 疾患の頻度と臨床的重要度

診断の進め方

診断の進め方のポイント

- 医療面接で肝炎歴，飲酒歴，薬物内服歴，糖尿病歴，心疾患歴などを聴取する．
- 全身状態〔特に食欲，体重の推移，発熱(熱型)，腹痛，貧血，意識状態など〕を把握する．
- 肝臓の触診所見(硬さ，表面の性状，腫瘤，圧痛，拍動など)を確認する．
- 腹部の全体所見(腹水，腹壁静脈怒張，胆囊腫大，脾腫，腫瘤など)をみる．
- 全身の身体所見(皮膚，舌，扁桃腫大，リンパ節触知，頸静脈怒張，神経所見など)をみる．

医療面接(表2)

肝腫大は，全身性疾患に伴うものと，肝原発のものがあるため，肝臓病だけにこだわった医療面接は不完全である．他臓器，全身疾患に伴うものとしては，ウイルス感染症，サルコイドーシス，代謝性疾患，膠原病，造血器疾患，循環器疾患がある．したがって，家族歴，既往歴，あるいは現在そのような疾患があるか否かを詳細に聴取する．

肝に一義的な原因があって肝腫大をきたすものとして，頻度の高いものは急性肝炎，慢性肝炎，肝硬変，肝癌，脂肪肝である．

ウイルス肝炎のうち，B型肝炎では家族内多発のことがあり，A型肝炎では家族内感染がよくみられるので，家族歴聴取は診断に有用である．A型肝炎，B型肝炎，C型肝炎，E型肝炎はおのおの特有の感染リスクファクターがあるので留意する．また急性肝炎の場合，発熱，黄疸，消化器症状の推移を把握する．

肝腫瘍で圧倒的に多いのは原発性肝癌で，B型肝炎，C型肝炎，肝硬変，脂肪性肝疾患の有無に注意する．転移性肝癌で多いのは胃，大腸，膵癌などであり，便の性状，体重の変化を聴取する．

飲酒歴，薬物内服歴は重要である．飲酒歴の場合，患者本人は正直に申告しないことが多いので，家族や同僚からの聴取も必要となる．

身体診察(表3)

バイタルサイン，全身状態をみることは肝腫大の原因診断のみならず，重症度診断に有用である．また頭頸部，胸部，四肢など腹部以外の診察は，他臓器疾患・全身疾患に由来する肝腫大の原因診断に有用である．

腹部診察は，視診，聴診，打診，触診いずれも詳細に行わなければならない．特に肝腫大の確認，肝腫大の性状の診察は重要であり，その手順を表4にまとめた．

表2　医療面接のポイント

家族歴
- 代謝異常疾患の有無を確認する(糖尿病，糖原病，Wilson病，ヘモクロマトーシス)
- ウイルス肝炎の家族内発生はあるか

既往歴
- 手術歴，輸血歴，過去の黄疸歴・肝炎歴を確認する
- リウマチ，全身性エリテマトーデスなどの膠原病を確認する
- 心臓病を確認する(弁膜症，心外膜炎)
- 造血器疾患を確認する(骨髄増殖性疾患，白血病，悪性リンパ腫，多発性骨髄腫，高月病)
- 同種骨髄移植歴があるか確認する
- 糖尿病歴を確認する
- 飲酒歴を確認する(種類，期間，量)
- 薬物内服歴を確認する(種類，期間，量)

生活歴
- 職業，居住歴を確認する

現病歴
- 肝腫大の経過を確認する(自分で気がついた場合，大きさ，硬さ，痛みの変化)
- 肝炎多発地域への旅行歴はあるか
- 生牡蠣など生の貝類を摂食したか
- 肝炎患者との接触はあるか
- 最近の医療内容(輸血，観血的治療)を確認する
- 不特定者との性的接触はあるか
- 腹痛を伴うか
- 発熱はどうか
- 黄疸はどうか
- 食欲の有無，食事後の膨満感を確認する
- 体重の変化はあるか
- 呼吸困難を伴うか
- しゃっくりが出るか
- 尿の色，量の変化はあるか
- 便の色の変化はあるか

表3　身体診察のポイント

バイタルサイン
- 体温：感染症によるものか
- 血圧：心機能異常，出血はないか
- 呼吸：肝腫大での横隔膜挙上による呼吸障害はないか

全身状態
- 意識状態：肝性昏睡を確認する
- 栄養状態：るいそう，肥満，貧血，浮腫を確認する
- 皮膚：黄疸，色素沈着，くも状血管腫，手掌紅斑，出血斑を確認する
- リンパ節腫脹を確認する

頭頸部
- 顔面：表情の確認．浮腫や苦悶状顔貌はないか
- 結膜：黄疸や貧血の有無をみる
- 口腔内：巨舌の有無をみる
- 頸部：頸静脈の怒張(hepatojugular reflux)，リンパ節の腫脹を確認する

胸部
- 皮膚：女性化乳房，血管怒張の有無をみる
- 心・肺疾患の有無：心肥大，肺うっ血を確認する
- 肺肝境界を決定する

腹部
- 視診：腹部の膨隆(全体か，局所的か)，血管の怒張(臍周囲から放射状か，両鼠径部から上行性か)，手術瘢痕の有無をみる
- 聴診：血管雑音の有無をみる
- 打診：肝濁音界，脾濁音界，腹水の有無，叩打痛をみる
- 触診：肝腫大の性状，脾の触知，肝以外の腫瘤の触知，肝臓頸静脈逆流の有無をみる

四肢
- 指：ばち状指を確認する
- 浮腫，静脈瘤，出血斑を確認する

神経系
- 話し方，歩行状態，手指振戦，計算力を確認する

診断のターニングポイント (図3)

医療面接と身体診察を総合して考える点

- **(確定診断)** 発熱，扁桃腫大，全身リンパ節腫脹とともに出現する肝腫大はウイルス感染による急性肝腫大を示唆する．多くは圧痛を伴う．
- **(確定診断)** 長期の肝炎歴，飲酒歴があれば慢性肝炎，肝硬変を疑う．
- **(確定診断)** アルコール性肝疾患では圧痛を伴う肝腫大が特徴的である．
- **(確定診断)** 白血病，悪性リンパ腫治療中の肝腫大は腫瘍細胞の肝臓への浸潤を示唆する．
- **(確定診断)** 皮膚の色素沈着増強，糖尿病歴，神経所見に異常を認め肝腫大があれば，鉄沈着，アミロイドーシスなど代謝疾患を示唆する．
- **(確定診断)** 黄疸が長期にあり，皮膚瘙痒感，黄色腫があれば慢性肝内胆汁うっ滞を示唆する．
- **(確定診断)** 単発の肝腫瘤を触れれば原発性肝癌，複数の肝腫瘤を触れれば転移性肝腫瘍を考える．
- 診断困難な場合は肝生検や腫瘍生検による組織診断が必要となる．

必要なスクリーニング検査

肝腫大の診断にとって，尿・便・血球検査はス

表4 肝腫大の診察のポイント

肝濁音界の決定
呼気時に呼吸を止め，右鎖骨中線上を肺野より下方に打診していき，肺肝境界（lung-liver border；LLB）を決定する．次に，下方に打診を続け，濁音から鼓音になる部位を決めて肝の下限をみる．LLBと肝下限は健常男性で9〜11cm，女性で8〜10cmである．だいたいの肝の大きさを知ることができる

肝触診法
1) 患者を背臥位にし，膝を屈曲させ腹部の緊張をとる．検者は患者の右側に位置する
2) 検者の手はあらかじめ温め，指を伸ばして右手掌を正中線に平行に腹壁上に置く．左手は右手と対になるように背部に置く
3) ゆっくりと深い腹式呼吸をしてもらいながら右手を呼吸に合わせて動かす．肥満気味の人は右手にやや力を入れ，深く触診するようにする
4) 右手第2・第3・第4指先端に肝の下線を触れる
5) 肥満があったり，腹筋の発達した人の場合，患者の肋骨弓下に検者の両手指を腹壁をつかむように置き，深呼吸をしながら触診する方法である

観察するポイント
- 肝腫大の部位（通常は右鎖骨中線上，正中線上）
- 肝の大きさ（肋骨弓下何横指と表現，ただし大きい場合はスケールで測定し，何cmと記載）
- 硬さ（軟らかい，弾性軟，弾性硬，硬いに分類）
- 表面の性状（平滑，凹凸不整，結節）
- 辺縁（鋭か，鈍か）
- 圧痛の有無
- 拍動の有無

同時に観察すること
- 腹壁静脈の性状
- 腹部膨隆
- 腹壁の圧痛の有無
- 胆嚢を触れるか
- 脾を触れるか
- 肝を圧迫したときに頸静脈が怒張するか（hepatojugular reflux）

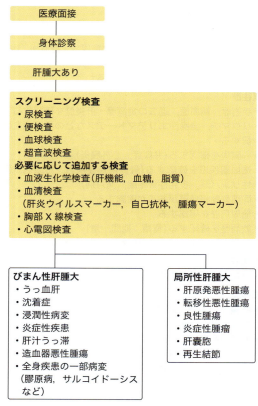

図3 肝腫大の診断の進め方

クリーニング検査として有用であるが，非侵襲的でベッドサイドで行うことができる超音波検査は必須のスクリーニング検査である．

❶ 尿検査
ビリルビンの有無により，肝細胞障害，閉塞性黄疸の存在を知ることができる．尿糖陽性により糖尿病の診断の手がかりが得られる．

❷ 便検査
便潜血反応から転移性肝癌の原疾患の存在を，灰白色便から閉塞性黄疸の手がかりが得られる．

❸ 血球検査（血算）
貧血により悪性疾患を疑う．白血球数（WBC）およびその分画は細菌感染，ウイルス感染，寄生虫感染，薬物性肝炎の鑑別に有用である．血小板減少は門脈圧亢進をきたす肝疾患を疑う．

❹ 血液生化学検査
肝機能検査から肝細胞障害性（AST，ALT 上昇），胆汁うっ滞性・閉塞性（ALP，LAP，γ-GT 上昇）の鑑別を行う．血糖上昇は糖尿病の診断に有用である．

❺ 胸部 X 線検査
心疾患（右心不全），横隔膜挙上，原発性肝癌の肺転移の有無をみることができる．

❻ 心電図検査
心疾患の診断に有用である．

❼ 超音波検査
ベッドサイドで容易に検査可能で，肝腫大の成因に迫る有用な検査である．肝のびまん性腫大か局所性腫大か，肝腫瘍の存在，肝血行動態の把握，

胆管病変の診断，門脈圧亢進の診断のためにルーチンに行う．特にびまん性，局所性肝腫大の鑑別に有用であり，その後の検査の進め方を決定する検査である．

診断確定のために

医療面接，身体診察，スクリーニング検査に加え，以下の検査を加えることにより確定診断へと進む．

うっ血肝の確定診断

心疾患では，慢性心外膜炎，半月弁膜症が原因となることが多く，心エコー検査，右心造影が有用である．

Budd-Chiari症候群は下大静脈，肝静脈の閉塞を超音波検査，CT，MRI，血管造影で確認する．

沈着症の確定診断

超音波検査，CT，MRIで鉄や銅などの沈着物を示唆する所見を得たら，疑わしい物質の血中濃度を測定し，最終的には肝生検を行って病理組織学的に同定する．

造血器腫瘍細胞浸潤の確定診断

末梢血液像，骨髄穿刺・生検，リンパ節生検による形態診断を行う．蛋白異常症では蛋白分画，免疫グロブリン解析を行う．

炎症性肝腫大の確定診断

最も頻度が高いのはウイルス肝炎である．A型・B型・C型・E型肝炎ウイルスマーカーを測定し型別診断を行う．伝染性単核球症様の症状があれば，EBウイルス抗体（EBV抗体）検査，サイトメガロウイルス抗体（CMV抗体）検査を行う．自己抗体〔抗核抗体（ANA），抗平滑筋抗体など〕測定は，自己免疫性肝炎の診断に必要である．

肝炎の活動性，線維化をみるには，腹腔鏡下肝生検，超音波下肝生検による病理組織学的検索が必要である．結核，サルコイドーシスなど肉芽腫性疾患も病理組織検査が不可欠である．

胆汁うっ滞による肝腫大の確定診断

超音波検査，CT，内視鏡的逆行性膵胆管造影（ERCP）により，肝内胆汁うっ滞か肝外胆汁うっ滞（閉塞性黄疸）かを鑑別できる．

肝内胆汁うっ滞の代表的疾患である原発性胆汁性胆管炎は，抗ミトコンドリア抗体（AMA）の測定，肝組織検査による慢性非化膿性破壊性胆管炎（CNSDC）の所見が診断に有用である．

原発性硬化性胆管炎は，内視鏡的逆行性胆管造影（ERC）による胆管の狭窄と拡張，枯れ枝状所見が診断に有用である．

腫瘍性疾患の確定診断

超音波検査，CT，MRI，PETで腫瘍性病変か炎症性腫瘤かの鑑別は可能である．腫瘍性病変は血管造影や生検を行い，悪性・良性・原発性・転移性病変を鑑別診断する．血清腫瘍マーカーであるα-フェトプロテイン（AFP），PIVKA-II，CEA，CA19-9の測定も診断に有用である．炎症性腫瘤病変は穿刺液の塗抹標本検査，細菌培養により原因が同定できる．

〈清澤 研道〉

脾腫
splenomegaly

脾腫とは

定義

　脾臓は，健常小児では触れることはあるが，成人では触れることはほとんどない．通常，触知できるようになるには正常の大きさの 2 倍になっていることが多い．触診上注意すべきことは，仰臥位のみならず右下横臥位でも触診することである．触知しない場合でも，打診で脾濁音界の拡大を知ることも大切である．

　超音波検査で容易に脾の大きさを測定でき，長軸が 10 cm 以上ある場合に脾腫ありと診断する．触診上，脾腫が臍を越える場合を巨脾という．慢性の脾腫は一般に難治性疾患が多い．

患者の訴え方

　巨脾以外の場合，患者はほとんど脾腫を自ら訴えることはない．巨脾になると左上腹部膨満感が出現する．特に，食事中か食後に胃の膨満感を訴える．左季肋部痛を主訴にすることは稀である．

患者が脾腫を訴える頻度

　脾腫は急性ウイルス感染症では約 50％，重症細菌感染症で約 20％，慢性肝疾患で 50〜70％，溶血性貧血で約 70％，血液造血器疾患で約 40％ に出現する．このうち，自ら左季肋部にしこりの存在を訴えるのは，特発性骨髄線維症，慢性骨髄性白血病，本態性血小板血症などの骨髄増殖性疾患が多い．

症候から原因疾患へ

病態の考え方

　脾腫自体は病気ではない．それをきたす病態を

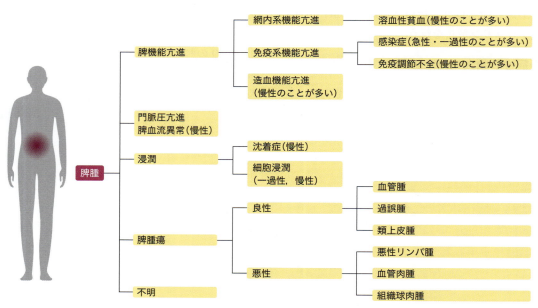

図1　脾腫の原因

明らかにすることが重要である．

急性に脾腫が生じて，一過性で終わる場合は急性ウイルス感染症，細菌感染症など病原微生物の感染症の初期によくみられる．臨床経過により変化が速いので，早期に診断を決定し，的確な治療方針を決めることが大切である．

慢性の脾腫は難治性の疾患が多い．頻度的に多いものとして，門脈圧亢進によるものと血液・造血器疾患によるものが挙げられる．図1に脾腫の原因となる病態を列挙する．表1に脾腫をきたす代表的疾患を挙げる．

病態・原因疾患の割合（図2）

脾腫をきたす疾患はきわめて多岐にわたり，臨床的に軽症のものから重症のものまで幅が広い．脾腫が慢性化すればするほど難治性となり，重症度も高くなる．ウイルス感染症は多くの場合，一過性の脾腫で収束するが，ウイルス関連血球貪食症候群(virus-associated hemophagocytic syndrome; VAHS)では約30％が致死的経過をたどる．細菌感染でも敗血症や感染性心内膜炎を合併すると，早期治療をしない限り予後は不良である．

慢性の脾腫をきたす疾患の多くは，長期経過中に原疾患の増悪，悪性化，感染症の併発などが起こり，臨床病態が複雑化する．

診断の進め方

診断の進め方のポイント

- 急激に腫大したか，慢性的な腫大か．
- 脾腫に伴う他の身体所見を見逃さない．
- 脾腫の病態診断の考え方
  - 全身網内系疾患の一部としての脾腫
  - 門脈圧亢進症としての脾腫
  - 脾機能亢進による脾腫
  - 脾原発腫瘍による脾腫

医療面接

表2に医療面接のポイントをまとめた．

表1　脾腫をきたす疾患

脾機能亢進
網内系機能亢進
- 溶血性貧血：球状赤血球症，鎌状赤血球症，サラセミア，発作性夜間ヘモグロビン尿症

免疫亢進
- 感染症：伝染性単核球症，AIDS，ウイルス肝炎，サイトメガロウイルス感染症，ウイルス関連血球貪食症候群，敗血症，感染性心内膜炎，先天性梅毒，結核，マラリア，トリパノソーマ，リケッチア
- 免疫調節不全：Felty(フェルティ)症候群，全身性エリテマトーデス，免疫性溶血，サルコイドーシス，血清病

髄外造血
- 骨髄線維症

脾血流異常，門脈圧亢進
- 肝硬変，肝静脈閉塞，門脈閉塞(肝内・外)，脾静脈閉塞，うっ血性心不全，特発性門脈圧亢進症

浸潤
沈着
- アミロイドーシス，Gaucher(ゴーシェ)病，Niemann-Pick(ニーマン・ピック)病

細胞浸潤
- 白血病，悪性リンパ腫，骨髄増殖性疾患，血管肉腫，histiocytosis X(組織球増加症)

脾腫瘍
原発性
- 良性：血管腫，過誤腫，類上皮腫
- 悪性：悪性リンパ腫，血管肉腫，組織球肉腫

転移性(稀)

不明
- 特発性脾腫大，鉄欠乏性貧血

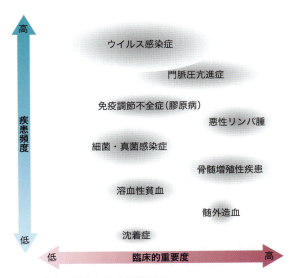

図2　疾患の頻度と臨床的重要度

表2 医療面接のポイント

家族歴
- 溶血性貧血（黄疸）の有無をみる
- 代謝性疾患の有無をみる
- B型肝硬変の多発家系か

居住歴
- 日本住血吸虫症蔓延地域での生活歴の有無をみる

嗜好品，常用薬
- 肝硬変の原因となるアルコール，薬物歴を確認する

既往歴
- 特に以下を確認する
  - 黄疸歴
  - 貧血歴
  - 輸血歴
  - 手術歴
  - 結核歴
  - 膠原病歴
  - 消化管出血歴

現病歴
- 脾腫そのものに関するものを確認する
  - 左上腹部圧迫感
  - 出血傾向
- 血液，造血器疾患に関するものを確認する
  - 発熱
  - 皮疹
  - 体重減少
  - リンパ節腫脹
- 溶血性貧血を確認する
  - 黄疸
  - 貧血
- 門脈圧亢進症を確認する
  - 浮腫，腹水
  - 消化管出血
  - 腹壁静脈怒張

表3 身体診察のポイント

バイタルサイン
- 体温，血圧，脈拍を確認する

全身状態
- 意識状態を確認する
- 栄養状態を確認する（体重の減少）
- 皮膚：黄疸，貧血，発疹，出血斑，腫瘤の有無をみる
- リンパ節：全身の表在リンパ節を触知する

頭頸部
- 顔面皮膚：紅斑，皮疹，紙幣状皮膚，酒皶鼻を確認する
- 結膜：貧血，黄疸を確認する
- 咽頭：扁桃腫大を確認する
- 頸部：リンパ節腫脹，くも状血管腫を確認する

胸部
- 皮膚：くも状血管腫を確認する
- 打診・聴診：心肺の状態を観察する

腹部
- 視診：血管の怒張を確認する
- 聴診：血管雑音を確認する
- 打診：脾濁音界，肝濁音界の確認，腹水の有無をみる
- 触診：脾腫，肝腫大，腫瘤を確認する

四肢
- 浮腫，下肢静脈瘤，下腿色素沈着，手掌紅斑，手関節の変形，ばち状指を確認する

神経系
- 羽ばたき振戦を確認する
- 精神発達遅滞を確認する（認知症）
- 運動失調を確認する
- 眼球運動異常を確認する

家族歴では，遺伝性溶血性貧血，先天性遺伝性代謝疾患，B型肝硬変の家族内集積性が診断の手がかりとなる．居住歴では，山梨県甲府盆地，福岡県筑後川流域での農業従事歴が慢性日本住血吸虫症に起因する脾腫の手がかりになる．

アルコール歴・薬物常用歴も，これらに起因する肝硬変に伴う脾腫の診断に有力な情報となる．

溶血性貧血に伴う脾腫に迫る既往歴として黄疸歴，貧血歴については詳細な医療面接を行う必要がある．若年性（20歳以下）胆石の既往がある場合，溶血性貧血を疑う．門脈圧亢進による脾腫の原因としては，HCV感染を示唆する輸血歴，手術歴に関する病歴情報が参考となる．膠原病，結核などの既往疾患を聴取する．

現病歴では，脾腫そのものの症状としての左上腹部の圧迫感，食後の膨満感の経過を聴取する．さらに，血液・造血器疾患に関する症状としての発熱，発疹，体重減少，リンパ節腫脹との関係，特に溶血性貧血では黄疸，貧血，尿の色の変化の経過を確認する．また，門脈圧亢進に伴う脾腫では浮腫，腹水，消化管出血，腹壁静脈怒張などの症状，所見の推移が参考になる．

身体診察（表3）

脾腫をきたす疾患は多岐にわたるため，身体診察も全身を詳細に観察する必要がある．バイタルサインでは体温測定が重要である．全身状態では意識障害，栄養状態（体重の減少），貧血・黄疸，紅斑など皮膚所見をみる．表在性リンパ節の触知

は重要である．

頭頸部では，顔面皮膚の性状〔紅斑，皮疹，紙幣状皮膚(paper money skin)，酒皶鼻〕，結膜(貧血，黄疸)，咽頭(扁桃腫大)，頸部(リンパ節腫脹，くも状血管腫)をみる．

胸部では，皮膚(くも状血管腫，女性化乳房)，心肺打聴診(肺肝境界の上昇，胸水の存在，心雑音，摩擦音，ラ音)を調べる．

腹部では，門脈圧亢進症の所見(血管怒張，臍ヘルニア，腹水など)がみられる．

四肢では，下腿色素沈着，浮腫，手掌紅斑，手指関節の変形，ばち状指の有無をみる．

神経系では，羽ばたき振戦，精神発達遅滞，運動失調，眼球運動の異常を確認する．

打診と触診による脾腫の診断

打診と触診による脾腫の診断方法は次のとおりである．

❶ 打診

打診で脾腫をみる方法には3法ある．

① Nixon(ニクソン)の方法：患者を右横臥位にする．後腋窩線上を胸部から腹部に向かい打診する．肺鼓音から濁音に変わった部位から左肋骨弓に直角に向かい打診をする．正常では濁音界が6～8 cmである．8 cmを超えると脾腫ありとする．

② Castell(カステル)の方法：患者を背臥位にする．前腋窩線上を胸部から腹部に向かい打診する．第8または第9肋間は正常では鼓音である．深呼吸時でも濁音であれば脾腫がある．

③ Traube(トラウベ)の方法：左第6肋骨上縁と左中腋窩線および左肋骨弓に囲まれた部位をTraube's semilunar space(トラウベ半月腔)という．空腹時，通常の呼吸ではこの領域は鼓音であるが，濁音だと脾腫ありとする．

❷ 触診

双手診で行う．患者は膝を屈曲した背臥位および右横臥位にする．左手は左背部肋骨下に置き，呼吸に合わせて前方に押し出す．右手は左肋骨弓下に置き，呼吸に合わせて下方から移動させる．脾臓がある程度大きくなると切痕を触知する．触れた場合は，左肋骨弓から何 cm か大きさを記載する．

診断のターニングポイント(図3)

医療面接と身体診察を総合して考える点

- 〔確定診断〕高熱，全身リンパ節腫大，扁桃腫大，肝腫大とともに脾腫が出現する場合は，急性ウイルス感染症(EBウイルス，サイトメガロウイルス肝炎など)を考える．
- 〔確定診断〕C型肝炎，B型肝炎，長期飲酒歴などがあり，長期にわたり肝障害を認め，皮膚にくも状血管腫，手掌紅斑，女性化乳房，腹壁静脈怒張，腹水，硬い肝臓を触れる場合は門脈圧亢進症による脾腫を考える．
- 〔確定診断〕家族に黄疸歴があり，貧血，黄疸，脾腫を認める場合は遺伝性溶血性貧血を考える．
- 〔確定診断〕巨大脾腫を認める場合は骨髄線維症，慢性骨髄性白血病を鑑別する．
- 神経症状，運動失調，知能障害を伴う脾腫(肝腫大を伴うことが多い)は代謝異常症を考える．
- 〔除外〕左季肋部に腫瘤を触れても，呼吸性移動がなく切痕を触れない場合は脾腫ではない．左腎癌などを鑑別する必要がある．

必要なスクリーニング検査

❶ 尿検査

溶血性貧血ではウロビリノゲン強陽性，ヘモグロビン尿が，肝硬変ではビリルビン尿がみられる．

❷ 便検査

溶血性貧血ではウロビリン体の増加により，濃褐色調の便となる．門脈圧亢進に伴う食道静脈瘤が破裂して消化管出血があると黒色便となる．

❸ 血球検査(血算)

貧血，赤血球数(RBC)増加，白血球数(WBC)増加，血小板数，異常リンパ球，幼若細胞の出現，破砕赤血球など，脾腫の原因解明に迫る数多くの情報が得られる．血小板減少は脾腫診断の手がかりとして重要である．

❹ 腹部超音波検査

本検査は，ベッドサイドで非侵襲的にいつでも

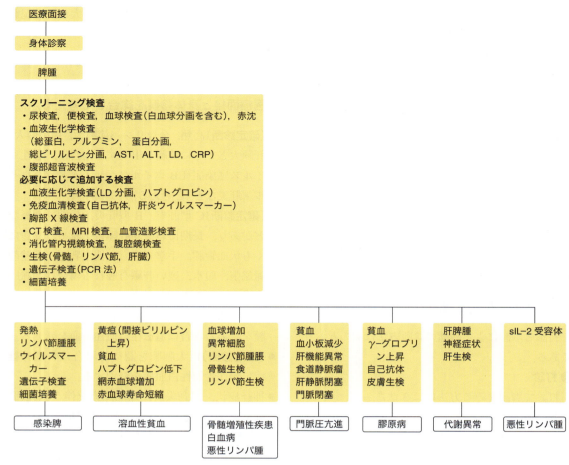

図3 脾腫の診断の進め方

行うことができるので，あえてスクリーニング検査とした．脾臓の大きさの測定，肝硬変，門脈，肝静脈など門脈圧亢進の原因に迫る情報が得られる．若年者での胆石の存在は，遺伝性球状赤血球症など溶血性貧血を疑う．

❺ 血液生化学検査

総蛋白，アルブミン，蛋白分画，総ビリルビン，ビリルビン分画，AST，ALT，LD，総コレステロール，CRP はスクリーニング検査として行うべきである．

CRP は炎症反応，総ビリルビンは黄疸の有無，程度をみるため，LD は溶血性，腫瘍性，炎症性疾患の診断に有用である．身体診察で黄疸を認める場合はビリルビン分画を検査する．総蛋白，アルブミン，総コレステロールは，肝機能の評価に重要である．ハプトグロビン(Hp)の低値は溶血性貧血，LD 分画は溶血性貧血，肝硬変，白血病，悪性リンパ腫の鑑別に役立つ．

❻ 免疫血清検査

自己抗体は膠原病，肝炎ウイルスマーカーは肝硬変の原因診断に有用である．

❼ 胸部 X 線検査

心肺疾患，肺門リンパ節腫脹，縦隔腫瘍の存在診断に有用である．

❽ 画像検査

超音波検査の有用性はすでに述べた．必要により CT・MRI 検査，PET 検査，血管造影を行う．

診断確定のために

脾腫の原因は多岐にわたるため，医療面接，身体診察，スクリーニング検査のみで確実な診断を得ることは容易ではない．確定診断のためには，

さらに特異的な検査を行う．

感染脾の確定診断

感染症の場合，発熱，頭痛，咽頭痛，食欲不振，リンパ節腫脹などの自他覚症状があり，赤沈が亢進し，CRP は上昇する．起因病原体は，ウイルスの場合は抗体反応，PCR 法による核酸の検出，敗血症では血液培養を行う．

溶血性貧血の確定診断

貧血，間接ビリルビン優位の黄疸，Hp 低値，網赤血球数(Ret)の増加，赤血球寿命の短縮により診断される．溶血の原因には赤血球膜異常，Hb 異常，自己免疫性などあるが，形態観察，自己抗体検査，遺伝子異常により鑑別する．

悪性リンパ腫，白血病，骨髄増殖性疾患の確定診断

リンパ節，骨髄の生検による組織診断が必要である．悪性リンパ腫の stage 診断に超音波検査，CT，MRI，PET 検査は有用である．

門脈圧亢進の確定診断

画像検査，肝生検により肝硬変の診断，血管造影検査により肝静脈，門脈閉塞，内視鏡検査により食道・胃静脈瘤の存在をみる．原発性胆汁性胆管炎は，ALP，γ-GT の上昇，抗ミトコンドリア抗体(AMA)陽性，肝生検により診断する．

膠原病の確定診断

高熱，皮膚紅斑，関節痛などの症状，身体所見，γ-グロブリンの上昇，抗核抗体(ANA)，RA テストなど自己抗体検査により診断が可能である．不明の場合，皮膚生検を行う．

沈着症の確定診断

肝臓，骨髄などの生検により沈着物質を同定する．

脾腫瘍の確定診断

超音波検査，CT，MRI，PET 検査が有用である．

〈清澤 研道〉

下痢
diarrhea

下痢とは

定義

下痢の語源は，ギリシャ語の dia(through) と rhein(to flow) にあり，流通を意味する．すなわち，水分含量の多い液状の糞便を頻回に排出する状態が下痢である．

健常者の糞便中の水分量は1日約100〜120 mL で，1日の便重量が200 g を超えることは稀である．個人間，個人内で大きな変動があるため，下痢の定義は，便の湿重量が1日250 g 以上とする場合が多い．

臨床的には，一般に①便通回数の明らかな増加，②便の液状化，③1日の便重量が平均250 g を超えるときを下痢と考える．

下痢は急性下痢と慢性下痢に分類される．急性下痢は急激に発症し，しばしば腹痛を伴って1日4回以上排便をみる状態をいう．持続期間は1〜2週間以内である．

慢性下痢は，小児や成人では3週間以上，乳児では4週間以上，下痢症状の持続した場合と定義される．

患者の訴え方

患者は症状の程度により，「しぶり腹」「水みたいな」から「軟便」まで，さまざまに訴える．同時に腹部膨満感，臍周囲の腹痛，放屁の増加などもみられる．

感染性では「発熱」，腸液の喪失による「のどの渇き」「体がだるい」といった訴えもある．

患者が下痢を訴える頻度

下痢は腹痛とともに最も多く遭遇する消化器症状の1つで，主訴として来院する患者は非常に

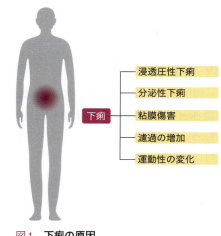

図1　下痢の原因

多い．

症候から原因疾患へ

病態の考え方（図1）

通常，健康成人では，1日あたり，約2Lの水分摂取量に加え，約7Lに及ぶ唾液，胃液，膵液および胆汁などの消化液が小腸に流入する．小腸では水分の70〜80％が吸収され，回腸末端で泥状となり，残りの水分20〜30％(1.5〜2L)は結腸で吸収される．糞便中には約1％，100 mLの水分が排出されるにすぎない（図2）．結腸に最大吸収能力(1日5〜6L)を超す水分が流入したり，または大腸粘膜の傷害や運動異常によって下痢をきたす．

腸管運動は自律神経の支配を受け，さらに消化管ホルモン，心身医学的因子も関与する．

下痢の発生機序として，①腸管内の浸透圧活性物質による水吸収障害，②消化管，特に小腸の分泌の異常亢進，③腸粘膜構造の破壊，④濾過の増加，⑤腸管運動の異常が挙げられる（表1）．

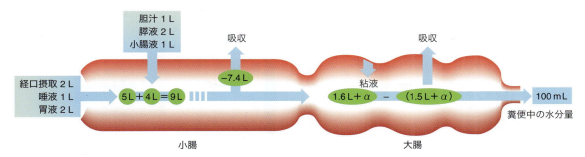

図2　腸における水の分泌と吸収

浸透圧性下痢

浸透圧性下痢は，吸収されない溶質が腸腔内に過剰に存在して水停滞を起こして生じる．

最も多いのは，マグネシウム塩などの塩類下剤，ラクツロースやソルビトールなど吸収されにくい溶質を摂取した場合である．

その次は炭水化物の吸収不良で，頻度の高いものは原発性乳糖不耐症である．炭水化物の吸収不良は，そのほかに特発性ないし熱帯性スプルー，広範腸切除〔短腸症候群（short bowel syndrome）〕や感染性腸炎の経過中などでも認められる．

分泌性下痢

消化管粘膜からの電解質や体液の分泌亢進によるもので，細菌エンテロトキシン，ホルモン，胆汁酸，脂肪酸，下剤や電解質輸送の神経調節の変化などによる．分泌性下痢は絶食しても軽快せず，1日1L以上の多量の水分を排泄することが特徴である．

サルモネラ菌，病原性大腸菌などの感染性下痢では，毒素や菌の侵襲により小腸分泌が亢進する．コレラトキシンおよび毒素原性大腸菌株のつくる易熱性毒素は，腸腔内吸収細胞膜のアデニル酸シクラーゼを活性化し，他の細菌が出すエンテロトキシンはグアニル酸シクラーゼを刺激して分泌が起こる．

胆汁酸と長鎖脂肪酸は，空腸，回腸，結腸での分泌を誘発する．

膵非β細胞腫瘍による消化管液の分泌は，水様下痢（watery diarrhea），低K血症（hypokalemia），無酸症（achlorhydria）の頭文字をとってWDHA症候群，またはVIPoma症候群と呼ばれ，VIP（vasoactive intestinal polypeptide），GIP（gastric inhibitory peptide），カルシトニン，膵ポリペプチドおよびプロスタグランジン（PG）の血漿濃度が上昇する．

甲状腺髄様癌患者にときに認められる分泌性下痢はカルシトニンおよびPGの過剰産生と関係がある．カルチノイド症候群ではセロトニンが関与する．

緩下剤，ひまし油のリシノール酸は強力に分泌を刺激する．糞便軟化薬のジオクチルソジウムスルホサクシネートは，電解質の分泌および細胞内cAMP（cyclic adenosine 3′,5′-monophosphate）濃度を増加させる．フェノールフタレインは結腸内細菌による脱抱合後に作用を生じる．センナは細菌によりアグリコンに変化して，合成薬物であるビサコジルは腸腔内で脱アセチル化されたのちに分泌を刺激する．

神経性調節についてみると，迷走神経の刺激および交感神経除去は腸分泌を起こす．

粘膜傷害

著しい粘膜構造の傷害は吸収障害を起こし，潰瘍形成は血漿や白血球の滲出と出血をまねく．

その顕著な例は，慢性炎症性腸疾患や，赤痢アメーバ，赤痢菌，サルモネラ，カンピロバクター・ジェジュニ，エルシニア・エンテロコリチカ，病原性大腸菌などの原虫や細菌の粘膜内への侵入でみられる．

ウイルスによる腸病変では粘膜構造の傷害は比

表1 下痢をきたす原因

浸透圧性下痢
- 非吸収性溶質
  - 塩類下剤，ラクツロース，ソルビトール
- 輸送障害
  - グルコース-ガラクトース吸収不良，先天性クロール下痢症（chloridorrhea）
- 原発性二糖類分解酵素欠乏症
  - 乳糖不耐症，スクラーゼ-イソマルターゼ欠損症，トレハラーゼ欠損症
- 二次性二糖類分解酵素欠乏症
  - 非熱帯性スプルー，熱帯性スプルー，ウイルス性胃腸炎
- 吸収面の減少
  - 腸切除または側副路

分泌性下痢
- 細菌エンテロトキシン
  - コレラ，大腸菌エンテロトキシン，MRSA
- エンテロウイルス
  - ノロウイルス，ロタウイルス
- ジヒドロキシ胆汁酸
  - 回腸切除，回腸疾患（例：Crohn（クローン）病，特発性胆汁酸吸収不良，胆嚢切除後下痢，迷走神経切断術後下痢（少），細菌異常増殖
- 脂肪酸
  - 非膵性脂肪便（原因を問わず），膵機能不全
- 緩下剤
  - ひまし油（リシノール酸），ビサコジル，フェノールフタレイン，ジオクチルソジウムスルホサクシネート
- 内分泌の関与（既知または未知のメディエーター）
  - WDHA症候群，Zollinger-Ellisson（ゾリンジャー・エリソン）症候群，甲状腺髄様癌，カルチノイド症候群，神経節細胞腫または神経節芽細胞腫
- 神経性統御異常
  - アミロイドーシス（?），糖尿病性下痢（?）

粘膜傷害
- 慢性大腸炎
  - 潰瘍性大腸炎，Crohn病，放射線胃腸炎
- 腸感染症
  - 赤痢アメーバ，赤痢菌，サルモネラ，カンピロバクター・ジェジュニ，エルシニア・エンテロコリチカ，病原性大腸菌，ウイルス性胃腸炎，クロストリジオイデス・ディフィシル，腸炎ビブリオ，腸チフス，腸結核，Whipple（ウィップル）病，ジアルジア症，アメーバ赤痢
- 粘膜傷害を起こす他の原因
  - 非熱帯性スプルー，熱帯性スプルー，虚血，抗癌薬（5-FU誘導体），ジギタリス，コルヒチン，ネオマイシン

濾過の増加
- 不完全腸閉塞，門脈圧亢進症

運動性の変化
- 胃排出の増加
  - 胃切除後下痢
- 直腸コンプライアンスの減少
  - 過敏性腸症候群，直腸炎
- 二次性細菌過増殖を伴う通過遅延
  - 浮腫性硬化症や糖尿病性下痢の一部

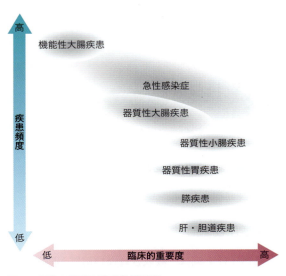

図3 疾患の頻度と臨床的重要度

較的軽度である．

濾過の増加

絨毛内毛細血管の静脈圧が増加すると体液濾過を生じる．腸間膜リンパ流の閉塞はこれに類似した状態であるが，この場合には体液のほかに血漿蛋白やリンパ球が腸腔内に失われる．門脈圧亢進症では軽度の下痢をみることがある．

腸腔内の静脈圧は腸の完全な，または部分的閉塞で上昇する．静脈およびリンパ管の部分的閉塞が生じ，粘膜固有層内の間質の圧力を高める．腸腔内拡張による他の効果として，粘膜内の水力学的伝導性の亢進がある．組織内圧の上昇と水流に対する粘膜抵抗の減弱が腸腔内に液体を貯留させる．

運動性の変化

過敏性腸症候群などの機能性腸疾患では，腸運動の亢進により下痢をきたす．

病態・原因疾患の割合

実際の臨床でのおおよその頻度を図3に示す．

診断の進め方

診断の進め方のポイント

- 下痢の診断においてまず行うべきことは、起立性低血圧、ヘマトクリットの上昇、皮膚ツルゴール（turgor）の減少、尿量減少などの脱水症状や電解質異常、激しい下血、著しい体重減少、高熱などの随伴症状の有無により、重症度および入院治療の必要性を判定することである．
- 次に、腸管出血性大腸菌 O157 感染症のように、ただちに保健所に告知する必要のある下痢症かどうかを決定することが必要である．
- 急性下痢は、感染性（細菌性、ウイルス性、原虫性など）と、非感染性（食事性やアレルギー性、薬物性、中毒性、神経性など）に分けられるが、多くは感染性である．
- 慢性下痢の原因疾患は、消化管の器質的異常、消化管の機能的異常、消化管以外の基礎疾患に分けられるが、過敏性腸症候群などの機能的異常が多い．

医療面接（表2）

下痢の診断にあたっては、下痢を起こす諸疾患と臨床像の特徴を知って、的確に病歴情報を聴取することが重要である．

- 発症状況（発症時期、持続期間、回数）
- 随伴症状（腹痛、悪心・嘔吐、発熱）
- 糞便の性状（水様便、粘血便、発酵臭、酸臭、糞便量、泡立）

家族、同僚や集会の参加者などに同時発症した場合は、感染性または毒素による下痢が疑わしい．食物摂取と発症との間隔が手がかりとなり、14時間以内の早期発症は食中毒でみられるが、遅れて発症する場合は腸内での増殖に時間を要する感染性である．

ペットと接してみられる下痢はサルモネラ、エルシニア、カンピロバクター・ジェジュニによる．

直腸や腸の種々の珍しい感染症が同性愛の男性に認められる．

日和見感染は免疫不全患者や"後天性免疫不全症候群"（AIDS）患者で下痢を引き起こす．

渡航歴や職業歴、居住地なども尋ねておく．飲料水が汚染されている地域へ旅行すると、しばしば急性下痢を生じる．大部分は毒素原性大腸菌などが原因になる．しかし、赤痢アメーバ、サルモネラ、赤痢菌感染の可能性も考慮する．

ランブル鞭毛虫の感染は、キャンプ旅行中などの水源、ロシアや中国の地域で起きることがある．

熱帯性スプルーが浸淫する地方（カリブ海諸島、南および東南アジア、稀にアフリカ）に長く滞在したときは、熱帯性腸症すなわちスプルーに罹患することがある．

既往歴では腹部手術の有無、結核、糖尿病、膠原病などの診療歴、放射線治療の有無など、下痢の発症に関係の深い事項を詳しく聴取する．

下痢の医原性原因としては、腹部手術、放射線治療と薬物がある．

胃切除後下痢は、典型例では間欠性で、完全ないし部分的迷走神経切断術後に発症する．広範囲の小腸切除、特に空腸切除後には難治性の下痢がみられる．

表2　医療面接のポイント

現病歴
- 急性か慢性か
- 血性か否か
- 併発症状の有無
- 急性下痢の場合
  - 食事内容（魚介類、食肉、同じ食物の摂取者間での発症の有無）
  - 海外旅行
  - 薬物の使用（抗菌薬などの服用歴）
- 慢性下痢の場合
  - 下痢の状態（性状、量、回数、テネスムス、血便の有無）
  - 特定の食事との関係（牛乳、蜂蜜、低カロリー食品）
  - 発熱や腹痛
  - 体重減少

既往歴
- 手術（胃、小腸、胆嚢などの切除、人工心臓弁置換）
- 放射線照射
- 基礎疾患（糖尿病、膠原病、腎不全、肝硬変、心疾患、結核、炎症性腸疾患、中枢・末梢神経疾患）

家族歴
- 慢性下痢、ポリポーシス患者の有無

職業歴、居住地

腹部や骨盤部の放射線治療により，急性ないし慢性の小腸や大腸の傷害が発症することがある．慢性の放射線傷害は数か月経ってから発症することがあり，その症状は下痢を含め長期持続することがある．

原因不明の下痢患者では，薬物乱用が最も多いとする研究がある．これらの患者では，下剤をはじめ下痢を引き起こす可能性のある薬物を服用していないかどうか疑わなければならない．

浸透圧性下痢を引き起こす薬物には制酸薬，特にMgやラクツロースシロップを含む製剤がある．また，すべての抗菌薬は下痢を引き起こす可能性がある．クロストリジオイデス・ディフィシル毒素による偽膜性腸炎は，抗菌薬による下痢症の最も劇症型である．

家族歴では，慢性下痢，ポリポーシス患者の有無などを聴取する．家族性大腸ポリポーシスや下痢を伴う甲状腺髄様癌では，一般に家族内発症が認められる．

発熱は炎症性腸疾患，急性感染性腸炎などで認められる．

しぶり腹(tenesmus)は直腸疾患の存在を示す．直腸S状結腸鏡で確診が得られる．

夜間の下痢は機能性より器質性原因の潜在が疑われるが，肛門括約筋の失調での便による汚染とは区別を要する．

吸収不良症患者では中等度の体重減少がよくみられるが，体重減少がなくても吸収不良性疾患の存在を否定できない．

腹痛は多くの下痢の型で認められるが，典型的な疝痛は小腸の機械的閉塞を強く示唆する．

身体診察(表3)

視診

全身的な栄養状態や脱水の有無などをみる．発熱もあり，脱水も著明であれば，感染性腸炎も考えやすい．栄養障害が強ければ，小腸の吸収不良症候群や蛋白漏出性胃腸症を考える．吸収障害があればビタミンB_{12}，葉酸あるいは鉄欠乏による舌炎が認められることがある．

表3 身体診察のポイント

バイタルサイン
- 体温，血圧：感染，脱水，入院治療の適応

全身状態
- 体格：体重減少
- 皮膚：脱水による皮膚ツルゴール(turgor)，色素斑

頭頸部
- 脱毛，顔面紅潮(腹部触診に伴う)
- 結膜：貧血の有無と程度，眼球突出
- 口腔：口角炎，口腔粘膜；口唇色素斑，舌乾燥，巨舌
- 頸部：甲状腺腫やリンパ節腫脹

胸部
- 聴診：喘息発作

腹部
- 腸グル音，圧痛，筋性防御，腫瘤の有無

四肢
- 爪の変形，色素沈着

神経系
- 手指振戦

顔面紅潮，頻脈，発汗，喘息様発作などの症候群があればカルチノイド腫瘍を精査する．アルコール常用者で口角炎や皮膚紅斑，汚い色素沈着をみたらペラグラを考える．

結節性紅斑や壊疽性膿皮症は炎症性腸疾患を示唆する．強皮症(全身性硬化症)の典型的な皮膚変化があれば小腸の病変が疑われる．

手指振戦，発汗，頻脈を伴う患者に甲状腺腫をみたら，甲状腺機能亢進症による下痢を考える．

触診

リンパ節腫脹がはっきりしていれば，悪性リンパ腫や悪性腫瘍の検索が必要になる．腹部の腫瘤や圧痛の有無を注意深く触診し，必ず直腸指診を行って腫瘤の有無を確かめるとともに，痔核や粘血の有無などを探る．

大腸癌でも初発症状が下痢のことがあるので注意する．右下腹部の有痛性腫瘤はCrohn病，結腸腫瘍，稀に回盲部結核や盲腸周囲膿瘍の発見の手がかりとなる．

カルチノイド症候群では腹部，すなわち肝を触診すると突然スミレ色の潮紅が出現することがある．

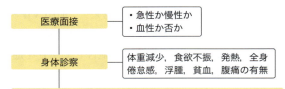

図4 下痢の診断の進め方

診断のターニングポイント（図4）

医療面接と身体診察を総合して考える点

- 典型的な症状と身体所見の組み合わせがそろえば，いくつかの病態をあらかじめ診断することができる．
- (確定診断)アルコール依存症にみられる腹痛を伴う下痢は，吸収不良症を合併した慢性膵炎が考えられる．
- (確定診断)下痢と有痛性の右下腹部腫瘤のある若年患者では Crohn 病を疑う．
- 骨痛，テタニーなどは，吸収不良症を起こす腸疾患のある患者にみられることがある．
- 糖尿病患者の慢性および間欠性下痢は，末梢性および自律神経障害が認められることが多い．
- (確定診断)腎移植後の下痢は，腸のサイトメガロウイルス(CMV)感染や腸カンジダ症が考えられる．
- (確定診断)強直性脊椎炎や大きな関節を侵す反復性関節症を伴う場合は，炎症性腸疾患の合併を考える．
- 皮膚の潮紅は，下痢を合併した大部分のカルチノイド患者や一部の WDHA 患者で認められる．
- 好酸球性胃腸炎患者では，喘息や血管神経性浮腫などのアレルギー症状を有することがある．

必要なスクリーニング検査

❶ 糞便検査

医師が排泄直後の糞便を確認し，性状，軟度や粘血の有無を調べて必ず記載しておく．鮮紅色の血液の存在は，直腸や結腸の活動性炎症を裏づける．血液，粘液や膿からなり，ほとんど固形成分を欠くときは，典型的な下部結腸と直腸のびまん性の潰瘍形成のときである．

軟・下痢便は鏡検する．急性細菌性ないし特発性結腸炎では多数の多核白血球が認められ，腸チフスでは単核細胞が認められる．分泌性，ウイルス性や非特異的な形の下痢では白血球はほとんど認めないか，全く認めない．

潜血検査，細菌培養検査，寄生虫卵検査をする．便検査前に浣腸，抗菌薬治療や消化管造影検査を施行すれば偽陰性の頻度が増す．腸の病原体は発熱や下痢が1日以上持続し，特に60日以内に海外旅行歴をもつ患者に限り同定される傾向がある．

抗菌薬投与後に下痢の発症をみたときは，クロストリジオイデス・ディフィシル毒素の検査も実施しなければならない．エンテロトキシン，ノロウイルスの同定試験はルーチンには利用できない．

幼小児ではClinitest錠が使用されており，便を水で希釈して糖を検出する．本試験が陽性で，しかも便 pH が低値(5.5以下)を示すときは，炭水化物不耐症が疑われる．

脂肪が自然に分離するときは，膵不全が考えられる．消化吸収不良が疑われるときは，鏡検して不消化な筋線維を探す．Sudan Ⅲ 染色で脂肪滴の増加を，ヨード染色で澱粉粒の有無を確認する．脂肪便がはっきりしたら，消化吸収のどの相が障害されているかを知るために，段階的に検索を進めていく．

❷ 尿検査

尿量，比重，糖・蛋白とアミラーゼ活性を調べる．腎不全（尿毒症）でもしばしば下痢を生じるが，この場合は尿検査から多くの情報が得られる．血清電解質，尿素窒素（UN）・Cr などを参考に，腎機能検査を進める．

カルチノイド腫瘍が考えられる場合には，血中セロトニン〔5-ヒドロキシトリプタミン（hydroxytryptamine; 5-HT）〕およびその代謝産物である尿中 5-ヒドロキシインドール酢酸（5-hydroxyindoleacetic acid; 5-HIAA）を測定する．

また，副腎機能低下が疑われる場合には，血中のコルチゾール，副腎皮質刺激ホルモン（ACTH）を測定するとともに，尿中 17-ケトステロイド（17-KS）や 17-ヒドロキシコルチコステロイド（17-OHCS）を測定することも有用である．

❸ 血液検査

急性下痢では，まず末梢血白血球数（WBC），赤沈値，CRP などで炎症の強さをチェックする．同時に Ht，Na，K，Cl を測定して，脱水の程度や電解質異常の有無を確認する．

小球性または大球性貧血，白血球増加症，好酸球増加症をみることがある．好酸球増加症は好酸球性胃腸炎，数種の寄生虫感染や蛋白質に対する陽性アレルギーによる稀有な症候群などでみられる．粘血下痢・タール便では Hb と血清 Fe を測る．必要に応じて血液培養を行い，免疫化学的検査も合わせてチェックする．

また，遷延する急性下痢では肝・腎機能を検査する．慢性下痢，甲状腺機能亢進症が考えられる場合には甲状腺ホルモンを測定する．

副甲状腺機能亢進症でも強い嘔吐と下痢をみることがある．この場合は高 Ca 血症があり，副甲状腺ホルモン（PTH）濃度も上昇している．血中の β リポ蛋白値が著しく低値の場合は，先天性の有無または低 β リポ蛋白症を念頭において検査を進める．

膵腫瘍に難治性の多発性潰瘍を伴う慢性の下痢では，血中のガストリンを経過を追って測定する．ガストリン高値，胃液過酸例では Zollinger-Ellison 症候群を疑う．また，水様下痢と胃液低酸を伴う場合は WDHA 症候群を考えて，血中 VIP・GIP と血清 K^+ を測定する．これらの膵腫瘍が疑わしい場合には血管造影などを施行して検査を進める．

診断確定のために

医療面接，身体診察，便の検査および直腸 S 状結腸鏡検査施行により，下痢患者のおよそ 90%は診断可能である．その大部分は，主に 6 種に分類される．①機能性腸疾患，②薬物起因性下痢，③特発性炎症性腸疾患，④手術後下痢，⑤吸収不良症，⑥感染性（小腸）結腸炎である．下痢の原因に薬物が考えられるときは，その薬物を中止すべきである．その診断が正しければ，診断と治療がこの時点で決定的となる．

上記①～⑥の診断の進め方と画像検査（消化管 X 線検査，内視鏡検査，直腸 S 状結腸鏡検査）からのアプローチを以下にまとめる．

主な疾患の診断の進め方

❶ 機能性腸疾患

過敏性腸症候群は，消化器外来の約半数を占めるとの報告もあり，機能性疾患として理解されているが，病態には不明な点も多い．器質性疾患がないことを確かめる必要がある．

❷ 薬物起因性下痢

下痢の原因に薬物が考えられるときは，その薬物を中止すべきである．その診断が正しければ，診断と治療がこの時点で決定的となる．

❸ 特発性炎症性腸疾患

潰瘍性大腸炎の所見の把握は容易であるが，診断は血便を伴う感染性疾患やその他の疾患を除外したうえで確定する．びらん・潰瘍部からの生検には陰窩膿瘍（crypt abscess）もみられるが，本症に特異的なものではない．重症例の場合，不用意に注腸 X 線検査・内視鏡検査で大量の空気を注腸すると，中毒性巨大結腸症を誘発する．

Crohn 病は skip lesion（非連続性の炎症病変）を示し，病変部は回盲部に最も多い．しかし消化管のいずれの部位にも飛び石状に発生し，しばしば内瘻・狭窄・肛門病変をみる．注腸 X 線・内視鏡

像で特徴的な cobblestone appearance（敷石像）や腸間膜付着側の縦走潰瘍がみられる．内視鏡生検組織または切除標本で，非乾酪性肉芽腫を病変部に証明することで確定診断する．

❹ 手術後下痢

空腸広汎切除による短腸症候群では脂肪の吸収が低下する．回腸切除では腸肝循環の途絶による胆汁酸濃度の低下，脂肪吸収が減る．手術後盲係蹄症候群（blind loop syndrome）などが起こると細菌が異常増殖して抱合胆汁酸を脱抱合し，脂肪吸収を阻害する．空腸液細菌の定量培養と胆汁酸濃度の測定から推定できる．

❺ 吸収不良症

脂肪便は定性的に糞便中脂肪滴を Sudan Ⅲ で染色して脂肪滴の増加を調べ，脂肪の balance study で糞便中脂肪排泄が 7% 以上か，^{131}I-triolein 試験で 5% 以上の ^{131}I 放射性活性が 3 日間の糞便に排出されることから確定する．

①膵性脂肪便：膵切除，慢性膵炎では膵外分泌リパーゼの分泌が減少し，消化が不十分となる．セクレチン試験で判断する．胃切除・Billroth（ビルロート）Ⅱ法再建例では経口膵機能検査（PFD 試験）で消化障害を類推する．

②抱合胆汁酸のミセル形成が障害された脂肪便：閉塞性黄疸による胆汁流出の途絶，肝障害による不十分な分泌で，脂肪酸とモノグリセリドの吸収が減少する．胆汁酸濃度を測定すれば推定できる．

③吸収細胞の取り込み障害による脂肪便：スプルー，熱帯性スプルー，アミロイドーシス，リンパ腫，膠原病，結節性多発動脈炎，放射線性小腸炎などの小腸粘膜障害は，D-キシロース試験やビタミン B$_{12}$ 吸収試験（Schilling 試験）によって吸収低下が推定でき，小腸生検で確認する．

④活性胃腸からの蛋白漏出が疑われる場合は蛋白漏出試験（^{131}I-human serum albumin 注射後の糞便排泄測定）が行われる．

⑤乳糖不耐症では乳糖負荷試験を行い，生検小腸粘膜の二糖分解酵素の活性を測定する．

❻ 感染性（小腸）結腸炎

感染性下痢は大部分が急性の経過をとるが，海外渡航者の増加に伴い，アメーバ赤痢，ランブル鞭毛虫感染による慢性下痢症例にしばしば遭遇する．糞便の鏡検で原虫の証明，もしくは大腸内視鏡検査時に病変部位により生検し，鏡検・組織像から原虫を証明する．

腸結核は感染性慢性下痢を起こす代表的疾患で，結核菌の証明によって確定診断ができるが，菌が検出できない例は Crohn 病との鑑別が困難となる．ほとんどの症例は肺野に結核を疑わせる所見を有し，赤沈も亢進している．痰・胃液から結核菌を検索するが，注腸 X 線・大腸内視鏡検査で病変部に特徴的な輪状下掘れ潰瘍を確認し，潰瘍部からの生検組織で結核菌や乾酪性肉芽腫を証明して確定診断する．

消化管 X 線検査ならびに内視鏡検査

消化管 X 線・内視鏡検査は，狭窄，ポリープ，ポリポーシス，悪性腫瘍の診断に，内視鏡検査は炎症性腸疾患（潰瘍性大腸炎，Crohn 病など），放射線性大腸炎の診断に欠かせない．上部消化管の内視鏡検査に小腸生検を併用すれば，小腸粘膜に異常を伴う Whipple 病，スプルー，先天性 β リポ蛋白欠乏症，小腸リンパ管拡張症，アミロイドーシスなどを診断できる．

血性下痢（粘血下痢）のある場合には，直腸 X 線検査と大腸内視鏡検査を施行する．大腸内視鏡検査は急性下痢を診断する際にも有用であるが，あらかじめ病原細菌・アメーバ原虫の検査を行い，感染性腸炎を十分に除外しておく．

直腸 S 状結腸鏡検査

あらかじめ浣腸で直腸内容を排泄したりせずに本法を施行すべきである．直腸膨大部は通常空虚で，しかも高張性の浣腸液が直腸粘膜の肉眼的ないし顕微鏡的様相を変化させるからである．大部分の慢性下痢では本検査で病的所見をみない．

しかし，異常を認めたときは著しく特異的なことがある．肛門直腸瘻孔，深い肛門裂傷や直腸周囲膿瘍は Crohn 病，稀に結核や同性愛者の性病な

どが疑われる．直腸内に液状の血液をみるときは明らかに器質性結腸疾患が考えられるが，慎重に肛門鏡検査を行って出血性内痔核を除外しなければならない．綿棒で軽く触れて点状出血を起こす脆弱性は直腸炎の確証である．この脆弱性や顆粒形成が外見上正常を呈する粘膜の上方から始まっているときは，結腸 Crohn 病や虚血性腸疾患を考えるべきである．

黄色レンズ状斑は偽膜性結腸炎に特徴的であるが，この病変は直腸鏡が到達できない部位に限定して存在することがある．

アメーバ症が疑われるときは，潰瘍部より吸引して得た液に超生体染色（メチレンブルー緩衝液）を行って速やかに検査すると，栄養型アメーバが動いているのが観察できる．陽性または疑わしいときはポリビニルアルコール固定液を用いて永久標本を作製する．

潰瘍形成は Crohn 病，赤痢，アメーバ症や放射線直腸炎で典型的に認められるが，特発性潰瘍性大腸炎は稀である．正常粘膜で囲まれた小さなアフタ性病変は Crohn 病の手がかりとなる．

直腸 S 状結腸鏡で発見される囊胞は結腸気腫症の存在が疑われ，本症は血性下痢を起こすことがある．その確定診断は腹部 X 線単純写真で得られる．大きな絨毛様腺腫や多発性腺腫状ポリープも同様に下痢を起こすことがある．

結腸黒皮症の灰褐色色素沈着は，アントラキノン（anthraquinone）系緩下剤の乱用に特徴的である．

すべての病変部位に生検を行う．直腸生検により偽膜性腸炎，アメーバ性結膜炎および住血吸虫症の存在，ポリープと腫瘍の性質に関する決定的な所見が得られる．しかし，Crohn 病の診断にとって特異的な組織学的病変が得られることは稀である．

直腸の急性炎症があれば，肛門陰窩膿瘍の有無を問わず視診で直腸炎と確定診断できるが，その病因は確定できない．

〈浅香 正博〉

便秘
constipation

便秘とは

定義

便秘とは，糞便の腸管内における異常な停滞あるいは通過時間の異常な延長により，排便回数や排便量が減少した状態を指す．同時に糞便が腸管内に停滞するため，水分量の減少が起こり，糞便が硬くなることが多い．

排便回数や排便量は個人差が大きく，同一人でも食事内容や量によって変動が大きい．このため，便秘を厳密に定義することは難しいが，一般的には排便回数の減少（3〜4日以上排便のないもの），便量の減少（35g/日以下），硬い糞便の排出のいずれかにより，排便に困難を感じた状態と定義することが多い．これらのうち，最も簡便でよく用いられている定義は，排便回数の減少である．

患者の訴え方

患者は「便の量が少ない」「便が硬い（兎糞状）」「排便しにくい」「排便の回数が少ない」「便意がない」などと訴えることが多い．便遺残感など，種々のものが含まれ，これら単独あるいは複合した意味で用いられる．また，腹部膨満感，腹部不快感，腹痛などを伴うことが多い．

患者が便秘を訴える頻度

米国での検討では，便秘は一般人の約2％にみられ，そのなかで便秘を主訴に病院を受診する人は1.2％程度であるとされる．便秘は男性より女性に多く，加齢とともに増加する．たとえば，2019年の厚生労働省の国民生活基礎調査によれば，便秘の頻度は20〜40歳代で男性1％前後，女性3〜4％，50〜60歳代で男性2〜4％，女性4〜6％，70歳以上では男性6〜12％，女性8〜11％であった．欧米においても同様の傾向が認められている．

症候から原因疾患へ

病態の考え方

経口摂取された食物は，消化吸収を受けて盲腸に達し（2〜6時間），上行結腸から横行結腸中部でさらに水分が吸収されて便塊が形成される（5〜6時間）．そして，徐々に下行結腸からS状結腸に送られる（12時間前後）．

S状結腸直腸移行部の平滑筋は緊張性に収縮しているため，便塊はS状結腸に蓄えられ，直腸は通常空虚である．これらの便塊を直腸に送り込む強い蠕動が食後（特に朝食後）に起こり，このために直腸壁が伸展し，便意が引き起こされる．したがって，健常者では1回朝食後に一度便意を覚える．

便意が起こっても排便がなされない場合，便意は消失し，次の糞塊が直腸に入って直腸壁がさらに伸展されると再び便意が起こる．便意が感じられると反射的に結腸下部から直腸壁の収縮，肛門括約筋の弛緩が起こり，肛門挙筋が上昇する（排便反射）．さらに，随意的に腹筋，横隔膜を収縮させることによって腹圧が高められ，排便が行われる（図1）．

このような排便機序のいずれかの段階で障害があると，便秘が起こりうる（図2）．

病態・原因疾患の割合（図3）

便秘はその起こり方や原因によって，急性と慢性，器質性と機能性に分類できる（表1）．

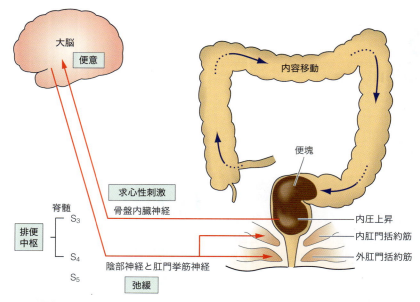

図1　排便のしくみ

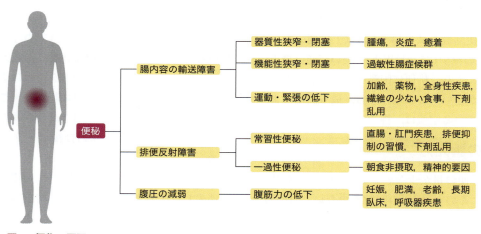

図2　便秘の原因

急性便秘

　急性便秘のうち一過性便秘とは，旅行などによる食事や生活様式の変化，あるいは運動不足などによって生じる機能的なもので，原因が除去されれば速やかに正常に戻る．

　器質性疾患で一時的に便秘の原因となるものには，炎症性腸疾患，肛門疾患，膵胆道系疾患，子宮付属器の炎症，重篤な感染症，脳卒中などが挙げられる．

慢性便秘

　慢性便秘も機能性と器質性に分けられる．機能性便秘はさらに弛緩性便秘と痙攣性便秘，直腸性便秘に分けることができる．

　機能性便秘のうち最も多いのが弛緩性便秘である．弛緩性便秘は大腸の運動の減退に基づくもので，高齢者や無力体質，多産婦などに多く，腹部膨満感を訴えることが多い．

　痙攣性便秘とは，下行結腸やS状結腸に痙攣性の収縮を起こし，通過障害を生じて便秘となる

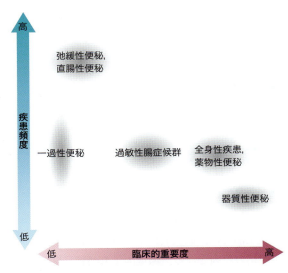

図3　疾患の頻度と臨床的重要度

表1　便秘をきたす疾患

急性便秘
- 機能性便秘（一過性便秘）
  - 食事・生活様式の変化，精神的要因，薬物
- 器質性便秘
  - 管内狭窄，閉塞：イレウス，直腸・肛門周囲の急性炎症
  - 管外狭窄，閉塞：腹腔内器官の炎症
  - 急性代謝異常，急性心不全，感染症

慢性便秘
- 機能性便秘
  - 弛緩性便秘：高齢者，経産婦，腹筋力の低下，薬物
  - 痙攣性便秘：過敏性腸症候群
  - 直腸性便秘（常習性便秘）：直腸・肛門疾患，便意の抑制の習慣
- 器質性便秘
  - 管内狭窄，閉塞：腫瘍，炎症，癒着（術後），腸の形成異常（Hirschsprung（ヒルシュスプルング）病，S状結腸過長症）
  - 管外狭窄，閉塞：腹腔内臓器の腫瘍・炎症，術後，ヘルニア
- 症候性便秘
  - 代謝・内分泌疾患，神経筋疾患，膠原病，鉛中毒
- 薬物性便秘

表2　便秘を起こしやすい薬物

- 抗コリン薬（3級アミン系，4級アンモニウム系）
- 制酸薬（Al，Ca化合物）
- モルヒネ薬
- フェノチアジン系薬物
- 抗うつ薬
- 抗Parkinson病薬
- 降圧薬（特に節遮断薬）
- 利尿薬
- 筋弛緩薬

ものである．代表的なものとして過敏性腸症候群による便秘が挙げられるが，下痢と便秘を繰り返す交代性便秘を生じることも多い．

直腸性便秘は直腸内に糞便が送られてきても便意あるいは排便を生じないもので，便意を抑制する習慣や下剤の乱用のある者，痔や肛門疾患のある者にみられることが多い．

慢性の器質性便秘には大腸癌や腸管癒着，子宮や卵巣の腫大，腹腔内腫瘍などによる閉塞性のもの，Hirschsprung病やS状結腸過長症など先天性便秘などが含まれる．

また，全身性疾患に伴う便秘，すなわち糖尿病や甲状腺機能低下症，低K血症や高Ca血症など代謝・内分泌疾患によるもの，脳血管障害やParkinson（パーキンソン）病など神経筋疾患によるもの，さらに強皮症などの膠原病に伴う便秘などが挙げられる．

さらに，抗コリン薬，抗うつ薬などの腸管運動を低下させる薬物の使用による便秘もある（表2）．これらの分類のなかで最も多いのは，慢性機能性便秘である．大腸癌をはじめとする悪性腫瘍は臨床的に最も重要な疾患であるが，便秘のなかに占める相対的な頻度はそれほど高くない．

診断の進め方

診断の進め方のポイント

- 機能性の急性便秘は症状が軽く，診断も容易である．
- 器質性の急性便秘は，腹痛，悪心・嘔吐などを伴ったイレウス症状を呈することが多い．イレウスとしての処置を行いながら原因となった疾患の診断を進めていく．
- 慢性便秘では，大腸癌をはじめとする器質性疾患を常に念頭におく必要がある．

表3 医療面接のポイント

経過
- いつから始まったか（年齢と病悩期間）
- 始まりは急激かゆっくりか
- きっかけがあるか
- 進行性か

排便
- 回数を確認する
- 便の性状を確認する
  - 硬さ
  - 便柱の太さ（細い：狭窄，太い：弛緩性）
  - 兎糞状（痙攣性）
  - 血便・血液付着（大腸癌，痔，直腸粘膜脱症候群）
  - 粘液付着（痙攣性）
- 腹部症状を確認する
  - 腹痛（器質性疾患，痙攣性）
  - 下痢（大腸癌，痙攣性）
  - 悪心・嘔吐
- 全身症状を確認する
  - 体重減少（大腸癌）
  - 頭痛・めまいなど自律神経症状（痙攣性）

全身疾患

既往歴
- 開腹手術の既往を確認する

生活歴
- 生活環境の変化を確認する

薬物歴
- 便秘をきたす薬物の使用はないか
- 下剤の乱用はないか

表4 身体診察のポイント

全身
- 貧血を確認する
- るいそうを確認する

腹部
- 視診：手術瘢痕を確認する
- 聴診：腸雑音を確認する
- 触診：腫瘤，圧痛，腹水を確認する

直腸診
- 便塊を触知するか
- 腫瘤を触知するか
- 付着物：血液，粘液を確認する

医療面接（表3）

便秘の内容は前述のように多様なので，訴えの内容を詳細に聞き，できるだけ客観的把握を行うようにする．

腹部症状は便秘に基づく症状と，原疾患による症状があり，両者の鑑別が必要である．また，高齢者に多いうつ状態にみられる便秘では，食欲不振・不眠などを訴えることが多い．

年齢や便秘の始まる様式も鑑別に役立つ．中高年者で，最近比較的急に発症した場合は，大腸癌などの器質性疾患を考える必要がある．これに対して，長期に持続するときは，弛緩性あるいは習慣性便秘のことが多い．青少年期に始まる腹痛を伴った便秘の場合は，過敏性腸症候群を考える．幼少時から持続する場合は，Hirschsprung病などの先天性疾患が示唆される．

食生活では，低残渣食や水分摂取量の減少などが便秘の原因となる．環境因子も便秘に関係する場合がある．排便感が生じても，ただちにトイレに行けない職業の人や，入院生活，寮生活が便秘の原因となることがある．モルヒネ，制酸薬，抗コリン薬，抗うつ薬などの薬物も便秘の原因となる（表2）．また，下剤の服用についても聞く必要がある．

既往歴では，開腹手術の有無を聞く．開腹手術の既往は，腸閉塞・腸管癒着症などが考えられる．

身体診察（表4）

全身的な診察に加え，特に腹部の視診，聴診，触診をていねいに行う．

まず，腹部手術の瘢痕の有無を確かめ，聴診でグル音の亢進または減弱がないかをみる．グル音の亢進を認める場合には，大腸癌や腸管の癒着などによる閉塞を疑う．さらに，腹筋の緊張の程度，腹部腫瘤および腹水の有無などを重点に触診を行う．痙攣性便秘では，ときに左下腹部に大腸が索状に触れ，圧痛を伴うことがある．

直腸指診は，便秘を訴える患者にはできるかぎり全例に行う．肛門部疾患の有無，肛門括約筋の緊張の程度，直腸腫瘍の有無，直腸内糞塊の有無およびその性状（血液・粘液の付着）について調べる．直腸内に糞便を触れる場合は直腸性便秘を考える．直腸指診は，直腸癌などをすぐに診断できるきわめて重要な検査である．

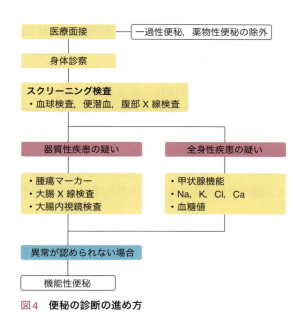

図4 便秘の診断の進め方

診断のターニングポイント (図4)

医療面接と身体診察を総合して考える点

- 中高年者で比較的最近に発症した場合,あるいは血便,嘔吐,体重減少,貧血,腹部腫瘤など器質性疾患を示唆する症状・所見がある場合は,大腸X線検査ないし大腸内視鏡検査を速やかに行う.
- これらの症状がない場合は,まず二次性の便秘の可能性を考え,代謝・内分泌疾患や神経筋疾患,膠原病などの全身疾患,金属中毒,薬物の使用の有無を確かめる.
- **(確定診断)** 以上の要因がなければ,慢性の機能性便秘として弛緩性,痙攣性,直腸性便秘のいずれかと診断される.

必要なスクリーニング検査

医療面接と身体診察から,便秘をきたす疾患をある程度推測できるが,さらに診断を進めるためには,効率よくスクリーニング検査を行う必要がある.

❶ 一般検査

血球検査,血液生化学検査(電解質,血糖値),甲状腺機能検査,腫瘍マーカーなど

❷ 糞便検査

器質性疾患の除外に便潜血反応は必須である.

❸ 腹部単純X線検査

鏡面像,腸管ガス像,糞便量などをみる.

❹ 大腸X線検査

大腸の形態異常(位置異常,過長症,拡張の有無など)を含めた器質性疾患の除外だけではなく,大腸の緊張の程度,ハウストラの状態など機能面でも多くの情報を与えてくれる.

❺ 大腸内視鏡検査

器質性疾患の確定診断に有用である.大腸メラノーシスはアントラキノン系の下剤の乱用を示唆する.

❻ 腹部超音波検査,腹部CT検査

腸管自体の情報には乏しいが,腹腔内臓器のスクリーニング以外に,腸管の拡張,腸管壁の肥厚,腹水の有無などの情報が得られる.

診断確定のために

便秘をきたす主要な疾患について,具体的な診断の手順を以下に示す.

大腸癌の確定診断

病歴情報からは,中高年の患者で,便秘が最近出現してきたり,便柱が細くなったなどの排便習慣の変化に加えて,血便や体重減少,腹痛を伴う便秘の場合は,まず大腸癌を疑うべきである.特に血便と体重減少の存在は重要で,機能性便秘の患者ではほとんどみられない.

便の潜血反応は必ず行うべきである.直腸指診は肛門部の局所疾患の有無が鑑別できるのみならず,大腸癌の40%近くが指の届く範囲に存在するため診断価値が高い.また,直腸内糞塊の有無を知ることができ,さらに潜血反応のための糞便も採取できるので,きわめて重要な検査である.最終的には,直腸鏡検査,注腸造影検査,大腸内視鏡検査により診断を確定する.血便や体重減少を伴う便秘の場合は,必ずこのアプローチを行う必要がある.

弛緩性便秘の確定診断

 慢性便秘の大部分がこの型であり，高齢者，長期臥床者，経産婦に多くみられる．また，内分泌・代謝疾患や神経筋疾患，膠原病などの全身疾患や金属中毒，腸管運動を低下させる薬物の投与などでもみられることから，これらの疾患を1つひとつ除外する必要がある．

 弛緩性便秘では症状は乏しく，腹部膨満感がみられるくらいである．太く硬い便が排出され，腹部の触診でも下行結腸が便で膨大しているのを触知することがある．直腸指診で直腸内に便の貯留を認め，直腸性便秘を合併していることが多い．X線検査では大腸のハウストラは消失し，著しい拡張像がみられる．

過敏性腸症候群の確定診断

 若年～中年の間では比較的頻度の高い疾患で，下痢と便秘を交互に繰り返す交代性便通異常(下痢便秘交代症)の型をとることも多い．左下腹部の不快感や腹痛，腹部膨満感，食欲不振，悪心などの消化器症状のほかに，心悸亢進，めまい，頭重感などの神経症状を訴えることが多い．ただし，体重減少はみられないのが普通である．排便量は少なく，兎糞状の硬便で，排便後に疼痛は軽減することが多いが，残留感を訴えることもある．

 腹部の触診で左下腹部に収縮した腸管を，圧痛を伴った索状物として触知することがある．直腸指診では直腸内は空虚である．X線検査では大腸に深いハウストラがみられる．X線検査あるいは大腸内視鏡検査で器質性疾患を除外する必要がある．

直腸性便秘の確定診断

 直腸に便が進入しても便意が起こらず，排便反射もないため排便が困難となっているもので，排便困難症(dyschezia)とも呼ばれる．多忙な人や，痔など直腸肛門病変のため排便痛のある人では，この型の便秘をきたしやすい．

 症状としては便意を欠くのが特徴で，便は硬く一部分割便となりやすい．直腸指診では，直腸内腔は異常に拡大し，糞便が残っている．

〈浅香 正博〉

下血・血便

melena/hematochezia, bloody stool

下血・血便とは

定義

　下血・血便とは，消化管内に出血した血液の混じった便が肛門より排出されることをいう．

　一般に消化管出血は，Treitz（トライツ）靱帯より口側からの出血による上部消化管出血と，それより肛門側からの下部消化管出血に分けられる．吐血は，上部消化管出血による血液が口腔より吐出されることであり，Treitz 靱帯より肛門側の空腸以下での出血によることはきわめて稀である．一方，下血・血便は上部，下部すべての消化管出血で起こりうる．

　下血は，黒色のタール便のみに使用し，鮮血に近い血便と区別して使用する（図1）．さらに，消化管出血には肉眼的に診断できる下血・血便のほか，糞便の化学的免疫学的血液反応によって検出される潜血（occult bleeding）がある．しかし，潜血を下血・血便とは呼ばない．

患者の訴え方

　患者は，「真っ赤な便が出た」「海苔のような色の便が出た」「イカ墨のような真っ黒い便が出た」などと訴える．また，出血の原因となる種々の疾患の症状（腹痛，腹部不快感，嘔吐，便通異常など）を伴うことが多い．

　また，急激な多量出血によりショックに陥っている場合もあり，「めまい，立ちくらみがする」「冷や汗が出る」「呼吸が苦しい」「胸がドキドキする」などの症状を訴えることもある．

患者が下血・血便を訴える頻度

　外来診療において，下血・血便を主訴に来院する患者の割合は施設の特徴により差がある．北海道大学病院で年間に施行される上部・下部消化管

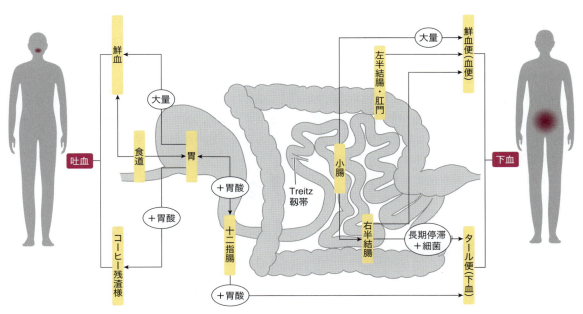

図1　消化管出血の症状

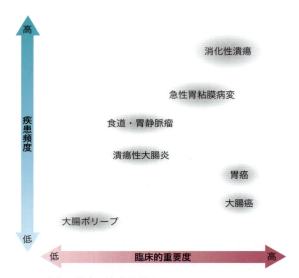

図2 疾患の頻度と臨床的重要度

表1 下部消化管における下血・血便の原因疾患別頻度(％)

虚血性腸病変	26.4%
抗菌薬起因性腸炎	16.4%
大腸癌・ポリープ	11.2%
憩室炎	10.0%
小腸より口側の出血	7.6%
感染性腸炎	7.2%
痔・裂肛	6.4%
宿便性潰瘍	5.2%
その他の腸炎	4.0%
その他の出血	1.2%
不明	4.4%

〔多田らによる京都第二赤十字病院報告，症例数250より〕

内視鏡検査中，消化管出血疑いで緊急内視鏡検査を施行された患者の割合をみても3～4％程度であり，救急搬送患者を多く引き受ける施設では，さらに遭遇する頻度は高くなる．

症候から原因疾患へ

病態の考え方

消化管出血の病態は，①多量出血に伴う生体の反応(ショック状態)，②出血の原因となっている消化器病変に伴う疼痛，下痢，イレウス，嘔吐などの症状，③出血の原因となっている消化器以外の疾患の病態が複雑に絡み合っている．

特に重要なのは，大量出血に伴う生体反応，すなわちショックである．出血が多量である場合，全身の循環動態にさまざまな影響を及ぼし，急速かつ多量な出血の場合，患者はショック状態に陥る．下血・血便の原因やショックの原因となる疾患の症状が，ショック症状にマスクされてしまうことで，診断はさらに困難となる．

病態・原因疾患の割合(図2)

口腔に始まり，肛門までのすべての消化管からの出血が下血・血便の原因となりうる．

消化管疾患のみでなく，肝・胆・膵疾患，血友病や白血病をはじめとする血液疾患，Rendu-Osler-Weber(ランデュ・オスラ・ウェーバー)病や結節性動脈炎などの血管疾患，動脈瘤の穿破，さらに生検やポリペクトミー，食道胃静脈瘤硬化療法などの内視鏡的処置後の出血なども挙げられる．

原因疾患の頻度は報告によりさまざまであるが，上部消化管出血の割合が75～90％と高く，下部消化管出血は10～25％である．

上部消化管出血の代表的な原因疾患としては，消化性潰瘍が20～40％，急性胃粘膜病変が10～20％，食道胃静脈瘤が10～20％，胃癌が5～15％程度である．

また，下部消化管出血の原因は，大腸炎が40～50％，大腸癌・ポリープが5～15％である．下部消化管における下血・血便の原因疾患別頻度を表1に示す．

図3に下血・血便をきたす代表的な消化管疾患を示す．また，表2に下血・血便をきたす可能性のある全身性の疾患を示す．

診断の進め方

診断の進め方のポイント

- 消化管出血の診断は，その症状から出血の存在を疑うことから始まる．
- 診断で最も重要なことは，ショック状態にあるか否かを迅速かつ的確に診断することである．

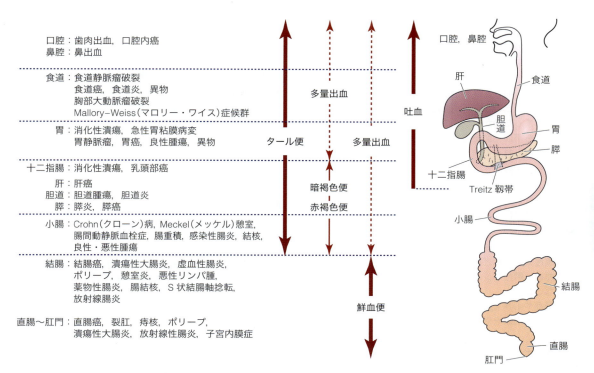

図3 下血・血便をきたす消化管疾患

- ショックを起こしている場合には，ショック症状からの離脱を速やかにはかり，全身状態を安定させる．
- 全身状態を安定させたのち，出血源の診断確定をする．
- 下血・血便の原因は多彩であり，消化管出血をきたしうるあらゆる可能性を念頭におき，医療面接と身体診察を行う．

医療面接

下血・血便の出血源検索の第一歩は病歴情報のチェックである．表3に医療面接のポイントを示す．既往歴や治療歴，家族歴，薬物使用歴，飲酒歴，海外渡航歴から，ある程度原因を絞り込むことができる．

また，下血・血便に先行して発熱や下痢，腹痛などの症状がなかったか，摂取した食物に原因がないかどうかも念頭において病歴を聴取する．

便の色調，性状，量は，出血の部位を推測するために非常に重要な情報となる．

患者本人がショック状態にあり，意識状態の低下がみられる場合には，患者の家族から得られる情報が診断の手がかりとなる．

NSAIDs，アスピリン，他の抗血小板薬，抗凝固薬，副腎皮質ステロイド薬の内服状況は必ず聴取する．

内視鏡下生検や，ポリペクトミー，食道胃静脈瘤の硬化療法，腹部血管造影などの検査後に起こる，いわゆる医原性のものも念頭におかなくては

表2 下血・血便をきたす全身性疾患

血液疾患
- 白血病，悪性リンパ腫，血小板減少性紫斑病，血栓性血小板減少性紫斑病，血友病，von Willebrand（フォンヴィレブランド）病，播種性血管内凝固，真性多血症など

血管疾患
- Rendu-Osler-Weber病，結節性動脈炎，IgA血管炎〔Henoch-Schönlein（ヘノッホ・シェーンライン）紫斑病〕，Ehlers-Danlos（エーラース・ダンロス）症候群，海綿状血管腫など

その他
- アミロイドーシス，サルコイドーシス，全身性エリテマトーデス，放射線腸炎，動脈瘤消化管穿破など

表3　医療面接のポイント

下血・血便の性状
- 色調はどうか，量はどの程度か

経過
- いつから下血・血便が始まったのか
- 突然始まったのか，下痢・腹痛・発熱などの症状に続いて始まったのか
- 以前にも下血・血便の経験があるのか
- 吐血もみられるのか

全身症状の有無
- めまい，立ちくらみ，冷汗，腹痛，嘔吐，下痢，発熱などはないか
- あるとすれば上記の症状はいつから始まったのか

既往歴
- 胃・十二指腸潰瘍，食道胃静脈瘤，肝疾患，Crohn病，潰瘍性大腸炎などの既往はないか
- 白血病，悪性リンパ腫，血友病などの血液疾患の既往はないか
- 弁膜症や心房細動，心筋梗塞，高血圧などの心疾患，脳梗塞の治療を受けていないか

家族歴
- 家族性ポリポーシスの血縁者はいないか
- 父母，同胞に肝疾患はいないか
- 血縁者に血友病，von Willebrand病などはないか

嗜好品，薬物使用歴
- 消炎鎮痛薬や抗菌薬の内服歴はないか
- 抗血小板薬など血液凝固系に影響を与える薬物を常用していないか
- 飲酒歴の有無と量などを確認する

その他
- 海外渡航歴はないか（コレラ，チフス，アメーバ赤痢などに感染する機会はなかったか）
- 生肉，生魚，生焼けの肉は食べなかったか（病原性大腸菌感染の可能性も念頭において）

表4　身体診察のポイント

バイタルサイン
- 血圧，脈拍，意識状態，呼吸状態を把握する
- 麻痺や反射の減弱がないか観察する

全身状態
- 外傷の有無，皮下出血斑，黄疸，くも状血管腫の有無を確認する

頭頸部
- 顔色の蒼白，眼瞼結膜の貧血，眼球結膜の黄疸の有無を観察する
- 鼻腔内，口腔内に出血の所見はないか観察する

胸部
- 心雑音，大動脈の血管雑音はないか
- 呼吸音に異常はないか

腹部
- 腹部膨満，肝脾腫，腫瘍の有無を視診，触診で確認する
- 触診で腹部の圧痛の有無を確認する

四肢
- 末梢の冷感はないか，脈は触知できるか

直腸指診
- 腫瘍，痔核は触知しないか
- 手袋に付着した血液の色調，性状を観察する

ならない．

なお，鉄剤，炭粉（イカ墨）などでタール便に類似した黒色便となるので注意が必要である．

身体診察（表4）

消化管出血患者の身体診察において最も重要なのは，ショック症状の有無を的確に把握することである．まずバイタルサインをチェックし，四肢冷感，血圧低下，脈の微弱，意識状態低下，呼吸状態の悪化などがみられる場合には，ただちにショック対策に入らなくてはならない．

皮下出血斑，黄疸，くも状血管腫などの全身の皮膚所見は手がかりとなる．

頭頸部の診察では，結膜の貧血，黄疸の有無，口腔内や鼻腔内の観察も忘れずに行う．胸部の診察では，心雑音，血管雑音が聴取されないかどうかをチェックする．

腹部触診で腹部の腫瘍，肝脾腫，腹部の圧痛の有無を確認する．

特に直腸指診は重要である．腫瘍や痔核を触知しないかはもちろんであるが，指診時に手袋に付着した血液や便の性状も，出血部位の推定に役立つ．患者が黒色便と訴えても，実際に直腸指診でタール便かどうかを確認することは大事である．

診断のターニングポイント（図4）

医療面接と身体診察を総合して考える点

- 出血に伴いショック状態になっていないかを迅速に判定する（5Pといわれる典型的なショックの身体所見を表5に示す）．
- ショックと判断された場合には，ショック対策を講じ，全身状態を安定させて出血源の診断，止血処置などに進む．
- 下血・血便の色調，性状，量から出血の部位を

ある程度推測することができる．タール便であれば小腸レベルまでの出血を考え，暗褐色～赤褐色であれば十二指腸～回腸の可能性が高く，鮮紅色～新鮮血ならば結腸～肛門付近に出血源があると考える（図3の下血・血便の性状と出血部位の関係を参照）．

必要なスクリーニング検査

医療面接，身体診察と並行して，基本的なスクリーニング検査を行っていく．

❶ 血球検査（血算）

貧血の程度，出血量を推定できる．また，感染症や血液疾患を疑う場合にも必須の検査である．

❷ 血液凝固検査

出血性素因のスクリーニングや，抗凝固薬モニタリングとして有用である．

❸ 血液生化学検査

感染症ではCRPが上昇する．肝疾患の存在を疑う場合，AST，ALT，LD，ビリルビンなどの肝機能検査を行う．また，出血により有効循環血液量が減少すると，近位尿細管からの尿素窒素（UN）やNa^+の再吸収が増加し，血清中のUNやNa^+値が上昇する．

❹ 血液ガス分析

呼吸状態のモニタリングや，代謝性アシドーシスの有無のチェックのために行う．

❺ 血液型検査

消化管出血では，輸血が必要になる場合が多く，早い時点で検査すべき必須項目である．

❻ 胸部X線検査

呼吸不全の原因検索，心疾患を疑う場合に必要である．

❼ 腹部X線検査

消化管出血では，ほぼ必須の検査である．イレウスの有無や消化管穿孔による異常な腹腔内ガス像など，非常に多くの情報が得られる．

診断確定のために

病歴情報，身体所見，基本的スクリーニング検査の結果をふまえ，さらに詳しい検査を行い，原因となる疾患を絞り込んでいく．

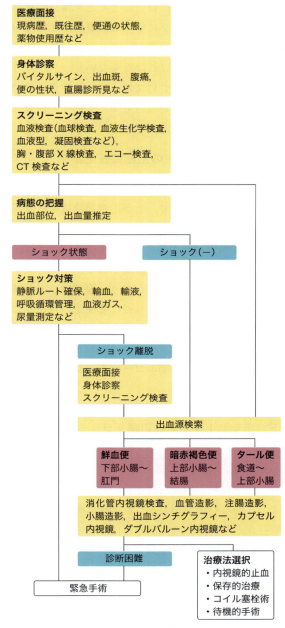

図4 下血・血便の診断の進め方

表5 ショックの5P

1.	蒼白	pallor
2.	虚脱	prostration
3.	冷汗	perspiration
4.	脈拍触知不能	pulselessness
5.	呼吸不全	pulmonary deficiency

消化管出血の場合には，ほとんどが緊急の状態にあるため，ショックに対する治療，原因特定のための検査，さらに治療が同時に並行して短時間のうちに進められなければならない．

実際の臨床の場においては，単独の検査だけでは確定診断に至らない場合も多く，種々の検査を組み合わせて診断を進めていく．

胃・十二指腸からの出血の確定診断

既往歴や身体所見，下血・血便の性状から出血部位を推定したうえで，上部内視鏡検査を行う．

タール便がみられ，胃潰瘍や十二指腸潰瘍の既往がある場合は，上部消化管内視鏡検査を行う．潰瘍が確認されれば確定診断される．

タール便に加え，黄疸があり，腹部触診で肝脾腫がみられる場合には，基礎に肝疾患の存在，および食道胃静脈瘤からの出血を疑い，上部消化管内視鏡検査を行って診断をつける．肝疾患については，血液検査，腹部エコー検査，腹部CTで確定診断する．

胃癌，胃良性腫瘍は内視鏡所見および内視鏡下の病変部生検の病理組織所見から確定診断できる．

鎮痛薬，低用量アスピリンの服用歴がある場合，急性胃粘膜病変，消化管の潰瘍やびらんを起こしている可能性がある．飲酒後に頻回の激しい嘔吐があり，そののちタール便がみられた場合には，Mallory-Weiss症候群が挙げられる．

結腸および直腸，肛門からの出血の確定診断

鮮紅色〜新鮮血ならば，結腸〜肛門付近までの下部消化管に出血源がある可能性が高いと考える．

抗菌薬の内服後に鮮紅色の下痢便がみられ，内視鏡検査で大腸粘膜に黄白色の偽膜の形成を認める場合には，薬物性腸炎と診断される．

粘血便を認め，内視鏡検査にて直腸にびまん性に発赤，浮腫，血管不透見像，びらんがみられる場合は，潰瘍性大腸炎と診断される．直腸癌や結腸癌は，内視鏡検査，注腸造影検査で診断できる．

海外渡航歴や，加熱されていない，あるいは加熱の不十分な食物の摂取があった場合，消化管感染症の可能性を考える．

小腸からの出血の確定診断

タール便，あるいは暗褐色〜赤褐色であるときには，小腸に出血源があることも考慮する．内視鏡で到達できる範囲に病変がない場合には，カプセル内視鏡，ダブルバルーン内視鏡が適応となる．それらの検査で出血源が不明，または両検査が施行できない場合には，血管造影，小腸造影，出血シンチグラフィーなどの検査で出血部位を確認する．

小腸病変は一般的に，食道，胃，十二指腸および結腸〜肛門部の病変と比較して検索範囲が広く，診断が難しい場合が多い．しかし，小腸出血が疑われた場合にはカプセル内視鏡でスクリーニング検査を施行し，疑われる病変を確定診断したり出血が持続していて内視鏡的止血を必要とする場合には，ダブルバルーン内視鏡を施行する．開腹手術を行って，初めて確定診断ができるケースもある．

肝・胆・膵疾患の確定診断

肝胆道系腫瘍や膵腫瘍が消化管に浸潤し，出血をきたす場合もある．

腹部エコー，内視鏡的逆行性膵胆管造影（ERCP），CT検査，血管造影などの画像検査を行い診断する．α-フェトプロテイン（AFP），CA19-9などの腫瘍マーカーの検査も行う．

その他，下血・血便をきたす可能性のある疾患の確定診断

血液疾患やRendu-Osler-Weber病，IgA血管炎（Henoch-Schönlein紫斑病）などの全身血管病変では，消化管のいずれの部位でも出血を起こしうる．出血部位の検索，診断については前述のようにスクリーニング検査を行う．

胸部や腹部に動脈性の血管雑音が聴取されるときには，動脈瘤の消化管穿破の可能性を考える．

〈浅香 正博〉

肛門・会陰部痛
anal pain, perineal pain

肛門・会陰部痛とは

定義

　肛門痛は，肛門に生じる疼痛である．肛門（肛門管）は消化管末端を閉鎖する器官であり，排便や排ガスをコントロールしている．肛門縁から歯状線までを解剖学的肛門管，恥骨直腸筋付着部上縁までを外科的肛門管と定義している．肛門痛は原因疾患の有無により，器質性肛門痛と機能性肛門痛に分けられる．

　一方，会陰部痛は，会陰部に生じる疼痛である．会陰部の解剖学的定義は，狭義には外陰部（男性では陰茎根，女性では腟前庭）と肛門の間の部位で，広義には骨盤出口全体を示す．本項では狭義の会陰部における疼痛を会陰部痛とする．

　肛門と会陰部は隣接しているため，肛門痛と会陰部痛は明確に区別できないこともある．

患者の訴え方

　「ズキズキ痛む」「チクチク，ヒリヒリ痛む」「重く痛む感じがする」など訴え方は多彩である．排便との関連性，痛みの種類，持続時間に留意する必要がある．たとえば，排便時や排便後に「ズキズキ痛む」のであれば裂肛などの肛門管の病変が疑われる．常に「ズキズキ痛む」もので，座位で悪化するのであれば肛門周囲膿瘍が疑われる．拭くときに「チクチク，ヒリヒリ痛む」のであれば帯状疱疹などの皮膚病変が疑われる．

　また持続時間も多彩である．機能性肛門痛では，疼痛が急に生じ数秒から数分で消失する一過性直腸肛門痛，慢性的に反復し1回の疼痛が30分以上も継続する慢性直腸肛門痛がある．

患者が肛門・会陰部痛を訴える頻度

　外来診療において，肛門・会陰部に生じる疾患で疼痛を生じるものは少なくはない．しかし，その正確な頻度は不明である．肛門・会陰部痛は，消化管や皮膚疾患のほか，泌尿器科疾患や産婦人科疾患，整形外科疾患が原因となることもある．

症候から原因疾患へ

病態の考え方

　肛門・会陰部の感覚は第2・3・4仙骨神経より枝を出し合流した陰部神経により支配されており，よって，肛門・会陰部の疾患や，陰部神経の障害によって疼痛が誘発される．器質性疾患による肛門・会陰部痛はこの病態にて説明できる．器質性疾患を病態によって分類すると，感染症，組織障害，炎症，アレルギー，悪性腫瘍，外傷に分けられる．

　一方，機能性肛門痛の原因は解明されていないが，精神心理的要因に加えて，肛門括約筋，肛門挙筋の攣縮や異常な緊張の関与が示唆されている．

　肛門・会陰部痛をきたす病態とその具体的な疾患を図1に示す．また，病態をもとに疾患を分類して把握することも大切だが，肛門・会陰部痛の診察においては，臓器，診療科ごとに疾患を分類することで，鑑別のイメージをつけやすい．肛門・会陰部痛をきたす疾患を診療科ごとに分類したものを表1に示す．

病態・原因疾患の割合

　肛門・会陰部痛に遭遇する科としては，消化器科，皮膚科，泌尿器科，産婦人科，整形外科などが挙げられ，それぞれの担当疾患を表1に示した．

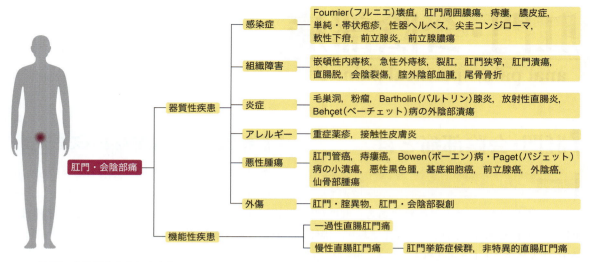

図1　肛門・会陰部痛をきたす病態

表1　肛門・会陰部痛をきたす疾患

消化器科疾患
嵌頓性内痔核，外痔核，裂肛，痔瘻，肛門周囲膿瘍，肛門潰瘍，放射性直腸炎，肛門管癌，痔瘻癌

皮膚科疾患
Fournier 壊疽，膿皮症，毛巣洞，粉瘤，単純・帯状疱疹，重症薬疹，接触性皮膚炎，Bowen 病・Paget 病の小潰瘍，悪性黒色腫，基底細胞癌，癌による Paget 現象

泌尿器科疾患
前立腺炎，前立腺膿瘍，前立腺癌

産婦人科疾患
尖圭コンジローマ，性器ヘルペス，Bartholin 腺炎，軟性下疳，会陰裂傷，腟外陰部血腫，Behçet 病の外陰部潰瘍，外陰癌

整形外科疾患
尾骨骨折，仙骨部腫瘍

外傷性疾患
肛門・腟異物，肛門・会陰部裂創

機能性疾患
肛門挙筋症候群，非特異的直腸肛門痛

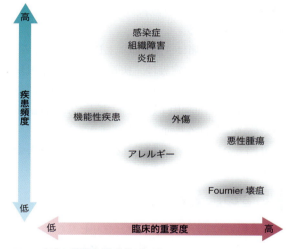

図2　疾患の頻度と臨床的重要度

消化器科では，外痔核，裂肛，肛門周囲膿瘍，痔瘻などが外来で遭遇する頻度は高い．泌尿器科では，前立腺疾患によって会陰部痛を訴える患者を経験する．産婦人科では，外陰部の感染症，出産後の会陰裂傷，腟外陰部血腫が挙げられる．頻度は低いが外陰癌でも会陰部痛をきたす．機能性疾患による直腸肛門痛の一般人口における有症率は 6.6％ で女性に多いとの米国の報告がある．

病態・原因疾患の頻度とその臨床的重要度を図2に示す．臨床的重要度の高い疾患として，緊急を要する Fournier 壊疽，致命的となる悪性腫瘍が挙げられる．疾患頻度としては，感染症，組織障害，炎症の頻度が高い．

診断の進め方

診断の進め方のポイント

■ 肛門・会陰部痛は，消化器科，皮膚科，泌尿器

科，産婦人科，整形外科などの領域疾患が含まれるため，どの領域の疾患なのかを絞り診察を進めていく必要がある．表1を参考にして診察を進める．
- まず緊急を要する疾患を鑑別する．肛門・陰部痛をきたす疾患では，緊急を要する疾患は少なく，Fournier壊疽，外傷が挙げられる．
- 次に，頻度の高い器質性疾患を鑑別する．機能性疾患はその後に鑑別する．
- 悪性腫瘍は臨床的に重要であるため常に念頭におく必要がある．
- 実際の流れとしては，まず医療面接を行う．発症時期や随伴症状，併存疾患などを含めた医療面接を行うことでより診断へ近づく．
- 次に身体診察を行う．痔核，痔瘻，裂肛などの頻度の高い疾患は，身体診察のみで診断できる可能性が高い．また，前立腺炎，前立腺癌も直腸診で推測される．
- 医療面接，身体診察を総合的にふまえ，どの診療科領域の疾患なのかを判断し，検査を追加する．
- 肛門・会陰部の診察は他の診察とは異なり，患者自身も経験が少なく，診察に対する恐怖心や羞恥心がある．十分に配慮した医療面接，身体診察を常に心がけることは医療従事者として当然のことである．また，患者自身のマイナスな気持ちから十分な医療面接，身体診察ができず，得られる情報量が減る場合があるため，必要な情報はしっかり得ることを念頭におくことも重要である．

医療面接(表2)

医療面接は診察のなかで重要な位置を担う診断への第一歩であり，その後の診察を効果的なものにする．十分な医療面接を行うことで，鑑別疾患を絞り，その疾患を念頭においた身体診察を行うことができる．具体的には，発症時期，部位，痛みの程度や性状，持続時間，増悪因子，随伴症状といった基本的な内容は確実におさえたい．それに加え，既往歴，内服歴，家族歴なども確認する．

表2　医療面接のポイント

発症時期，経過
- いつからか(急性，慢性)
- 思い当たる原因があったか
- 同じような症状が過去にあり繰り返しているのか

部位
- 肛門の奥か，肛門周囲(会陰部)か，女性であれば外陰部付近か

程度，性状，持続時間
- 程度は10のうちいくつかのように数字に表し，客観的に示す
- 切れたような痛み，鈍痛，違和感，ピリピリなどの性状を確認する
- 持続時間，疼痛の間隔は間欠的か持続的か

増悪因子
- 排便で増悪するか
- 体動，座位で悪化するか
- 触れると痛みが生じるか

随伴症状
- 出血，瘙痒感を確認する
- 腹痛を確認する
- 下部尿路症状(頻尿や尿意切迫感)を確認する

併存疾患，既往歴，内服歴，家族歴
- 炎症性腸疾患の有無を確認する
- 妊娠の有無を確認する
- 重症薬疹では内服歴は必須である
- 悪性腫瘍では同様の家族歴を認めることがある

身体診察(表3)

バイタルサインは疾患の緊急性の判断に重要である．バイタルサインに異常を認めた場合，バイタルを安定させるための医療介入を行いつつ，診察を急ぐ必要がある．Fournier壊疽では敗血症性ショックに至るケースが多く，特に緊急を要する疾患である．

肛門・会陰部疾患で全身状態が悪い場合は，重症疾患であることが予想される．肛門・会陰部疾患に炎症性腸疾患を合併している場合や，Behçet病のように肛門・会陰部以外の病変が併存する場合もあり，全身の身体所見を見落とさないようにする．

多くの疾患はバイタルサインに異常をきたすことは少なく，以下の順で身体診察を行う．

身体診察は，①視診，②触診・指診，③肛門鏡診がある．診察前に診察内容を患者に伝えること

表3 身体診察のポイント

バイタルサイン
- ショックバイタルの場合は，早急に医療介入を行いバイタル安定に努める
- 肛門・会陰部疾患では，Fournier壊疽が緊急を要する疾患である
- 発熱を認める場合，感染症や炎症性疾患を疑う

全身状態
- 全身状態が衰弱している場合は，重症疾患が予想される
- 炎症性腸疾患を合併している場合や，Behçet病など肛門・会陰部以外の病変がある場合もあるため，全身の身体所見を見落とさないようにする

視診
- 前方は会陰部から後方は尾骨まで広く観察する
- 隆起，発赤，腫脹，硬結などを観察する

触診・指診
- 視診で体表に異常が認められれば，重点的にその性状を触診する
- 直腸診では，肛門管病変のみならず，下部直腸や前立腺にも病変がないか注意する
- 肛門周囲膿瘍や痔瘻の場合は双指診が有効である

肛門鏡診
- 尾骨，仙骨の弯曲に沿って肛門鏡を進める
- 腫瘍，内痔核，痔瘻などの肛門管病変，下部直腸病変を直接視診することができる

患者への配慮
- 診察前に診察内容を患者に伝えることで，患者の恐怖心を減らすことができる
- 短時間で診察を終了するように心がける
- 診察は可能なかぎり他のスタッフを同席させることが望ましい

で，患者の恐怖心を減らすことができる．疼痛や緊張の緩和に注意しつつ，短時間で診察を終了するように心がける．また，診察は可能なかぎり他のスタッフを同席させることが望ましい．体位は左側臥位で両膝を抱え込み殿部を突き出すようにするが，状況次第では他の体位で診察を行うこともある．

①視診

　前方は会陰部から後方は尾骨まで広く観察する．隆起，発赤，腫脹，硬結などを観察する．

②触診・指診

　視診で異常を認めた場合，重点的にその性状を触診する．肛門の指診が必要な場合には，示指にて肛門管から下部直腸を指診する．潤滑剤を十分に示指につけ，疼痛に配慮し診察する．肛門の緊張を緩和するために，患者に深呼吸をさせるなどの工夫も大切である．ゆっくりと示指を肛門から進め，肛門を締める肛門管は3cm程度あり，そこを越えると下部直腸の広がった空間に達する．まず肛門管の狭窄，弛緩を判断する．肛門管の狭窄が強い場合は無理をせず，診察を終了することもある．逆に弛緩が強い場合は，肛門括約筋不全や直腸脱の可能性も考える．下部直腸の奥まで指を進め，全周性に診察する．男性では前方に前立腺を触知し，女性では直腸腟中隔，子宮頸部を触れ，肥大や硬結，疼痛を確認する．また，下部直腸の腫瘍，ポリープなどを触れることもあり，その位置を確認する．ゆっくり指を抜きながら診察すると，肛門管との境に内痔核を触れる場合もある．肛門周囲膿瘍，痔瘻の場合は，体表より母指で挟み双指診をすることで，より多くの情報が得られる．最後に示指に付着した便より，血液・膿の付着を確認する．

③肛門鏡診

　指診後に行うことで，病変の損傷を抑えることが可能である．肛門鏡には筒型，二枚貝式がある．潤滑剤を十分につけ，ゆっくりと肛門から最深部まで挿入する．肛門は尾骨・仙骨に沿って弯曲しているため，肛門鏡先端を挿入したあと，背側に向け弯曲に沿って進めることがポイントである．内筒を抜去後にライトで照らし，最深部よりゆっくり抜きながら観察する．肛門鏡は約10cmの長さがあり，肛門縁より約10cmほど口側の下部直腸まで観察可能である．腫瘍，内痔核，痔瘻などの肛門管病変，下部直腸病変を直接視診することができる．

診断のターニングポイント（図3）

医療面接と身体診察を総合して考える点

- 鑑別疾患を想起しつつ診察を行い，器質性疾患を探すように心がける．
- 医療面接によりある程度の鑑別疾患を絞りつつ，身体診察にてさらに診断に近づける．
- 肛門・会陰部痛をきたす疾患は医療面接，身体

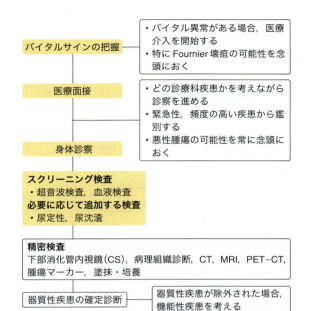

図3 肛門・会陰部痛の診断の進め方

診察にて診断が可能となる場合もあるが，骨盤内疾患や機能性疾患は追加検査が必要である．

- 消化器科疾患，皮膚科疾患は医療面接，身体診察にて診断が可能である場合が多い．
- 消化器科疾患，皮膚科疾患を疑わない肛門・会陰部痛の場合，泌尿器科疾患，産婦人科疾患の可能性が高くなる．
- (確定診断)痔核(外痔核，内痔核の脱出・嵌頓)，裂肛，痔瘻，肛門周囲膿瘍，尖圭コンジローマ，膿皮症，毛巣洞などは，医療面接，身体診察のみで診断可能な場合が多い．
- (確定診断)悪性腫瘍(肛門管癌，痔瘻癌，前立腺癌，外陰癌など)の確定診断は，病理組織診断が必要である．
- (確定診断)機能性疾患は，医療面接，身体診察のみで診断せずに，追加検査を行ったあとに器質性疾患を確実に除外して診断する．

必要なスクリーニング検査

医療面接と身体診察から，肛門・会陰部痛をきたす器質性疾患の存在をある程度は推測できる．特に消化器科疾患，皮膚科疾患は医療面接と身体診察のみで診断できる場合が多い．しかし，泌尿器科疾患や産婦人科疾患などの骨盤内疾患や機能性疾患の鑑別診断を進めるためには，さらなるスクリーニング検査が必要となる．

❶ 超音波検査

簡便，低侵襲な検査で，身体診察以上に得られる情報もあり有効である．肛門周囲膿瘍や痔瘻のみならず，前立腺や直腸・腟周囲の病変を精査できる．経肛門的，経腟的に行うこともある．

❷ 血液検査

炎症反応の上昇があれば，炎症性，感染性疾患の可能性が高くなる．また，炎症性腸疾患など肛門以外の病変を合併する疾患の場合は，全身状態評価の1つの指標となる．

❸ 尿定性，尿沈渣

泌尿器科疾患で感染症を疑う場合に必要となる．

診断確定のために

医療面接，身体診察，スクリーニング検査の結果に基づき，肛門・会陰部痛をきたす疾患を絞ることはできる．しかし，器質性疾患の確定診断を行い，重症度や予後を含めた診断を行うためには下記の検査を追加する必要がある．

機能性疾患を診断するためにも，追加検査で器質性疾患を確実に除外する必要がある．

確定診断のための追加検査

❶ 下部消化管内視鏡(colonoscopy; CS)

肛門管・直腸病変を疑う場合に行う検査である．肛門管病変は身体診察にて診断可能な場合もあるが，CSにより客観的な評価ができる．また，炎症性腸疾患の場合は診断と炎症の状態把握が可能である．悪性腫瘍では組織生検による病理組織診断をするためにも，CSが必要不可欠である．

❷ 病理組織診断

悪性腫瘍の確定診断のためには必要な検査である．組織採取方法として，消化管内視鏡下生検，超音波針生検などが挙げられる．

❸ CT

腎機能障害や気管支喘息の既往，造影剤アレルギーがなければ造影CTが望ましい．骨盤内病変を診断するうえで必須である．また，範囲診断や

治療方針を決定する際にも必要となる．悪性腫瘍の場合はリンパ節転移や遠隔転移の有無が治療方針にかかわるため，胸腹部も含めて撮影する．肛門付近の病変では描出困難な場合があり注意が必要である．

❹ MRI

軟部組織の描出に優れており，直腸，腟，前立腺の病変の範囲をより正確に診断できる．また，仙骨脊椎病変の診断でも必要となる．痔瘻の瘻孔も描出されることがある．

❺ PET-CT

悪性腫瘍の原発巣，転移巣の判断のために行う．すべての疾患で必要ではない．

❻ 血液，尿検体による腫瘍マーカー

悪性腫瘍と確定診断された場合，診断時点の病勢把握をするためにも必要である．

❼ 血液，尿，膿汁検体などによる塗抹，培養

感染性疾患の病原菌を確定するために必須である．また，病原菌の薬剤感受性を調べることにより，適切な抗菌薬を選択することができる．

消化器科疾患の確定診断

肛門管疾患は，医療面接と身体診察のみで確定診断が可能である場合が多いが，悪性腫瘍の場合は追加検査が必要となる．頻度の高い痔核，痔瘻，裂肛，肛門周囲膿瘍と致命的な悪性腫瘍の確定診断について述べる．

❶ 痔核，痔瘻，裂肛，肛門周囲膿瘍

医療面接，身体診察にて診断可能である．嵌頓性内痔核ではCSでより客観的に診断が可能である．痔瘻，肛門周囲膿瘍は，深い部位に病変が及んでいる場合もあるため，超音波検査，CT，MRIによる病変の範囲精査も適宜追加する．また，これらの疾患は炎症性腸疾患を合併していることもあるため，医療面接，腹部を含めた身体診察にて疑われるようであれば，CSで確認する．赤沈の亢進，CRPなどの炎症所見を血液検査で確認し，炎症性腸疾患の状態を把握する．

❷ 直腸癌，肛門管癌，痔瘻癌

CS，組織生検による病理組織診断が確定診断には必要である．さらに病期とそれに基づいた治療方針を決定するために，CT，MRI，PET-CTの追加検査が必要となる．腫瘍マーカーによる病勢把握も行う．

皮膚科疾患の確定診断

皮膚科疾患も身体診察で診断される場合が多い．緊急を要する疾患としてFournier壊疽，また悪性腫瘍について述べる．

❶ Fournier壊疽（壊死性筋膜炎）

会陰部の壊死性筋膜炎がFournier壊疽である．肛門・会陰部痛をきたす疾患のなかで緊急を要する疾患で，適切な治療が行われても致死率は20〜40％と非常に致命的である．身体診察にて黒色壊死や握雪感などの明らかな所見があれば診断可能だが，所見が軽度であったとしても，「強く痛がる」「バイタルサインの異常」「疼痛範囲の拡大が早い」場合はFournier壊疽を疑う．経時的に病変部位をマーキングし，急速な拡大を確認することは診断の一助となる．早期に皮膚切開を行い，壊死筋膜の確認と病理検査へ提出する．デブリドマンを行い，滲出液のGram（グラム）染色，培養を行う．CTやMRIなどの特定検査にて除外することはできないため，診断と治療が遅れることはあってはならない．

❷ 悪性黒色腫，基底細胞癌

組織生検による病理組織診断にて確定診断となる．さらに病期とそれに基づいた治療方針を決定するために，CT，MRI，PET-CTの追加検査が必要となる．腫瘍マーカーによる病勢把握も行う．

泌尿器科疾患の確定診断

頻度の高い疾患としては前立腺炎が挙げられる．悪性腫瘍でも病期が進行し，陰部神経へ浸潤した場合では会陰部痛をきたす．

❶ 前立腺炎，前立腺膿瘍

会陰部痛，下腹部痛，排尿時痛などの疼痛と頻尿，尿意切迫感などの下部尿路症状の訴えで想起する．急性前立腺炎では発熱を伴う．急性前立腺炎は直腸診にて前立腺の圧痛，腫大，熱感により診断可能である．血液検査異常として炎症反応高値，尿検査にて膿尿，細菌尿も認める．抗菌薬を

決定するため尿培養も検査する．

慢性前立腺炎では前立腺マッサージ後の尿中白血球と培養による細菌尿により診断となる．

また，膿瘍形成の評価では，経直腸超音波で前立腺内の血流を伴わない低エコー域，造影CTによる膿瘍辺縁が造影される低吸収域を認める．MRIでは他臓器への炎症波及の程度を診断できる．

❷ 前立腺癌

前立腺癌が会陰部痛をきたす場合は，仙骨神経や陰部神経への浸潤が原因となるため，病期が進行している場合が多い．前立腺癌では経直腸超音波下の前立腺生検による病理組織診断にて確定診断となる．さらに病期とそれに基づいた治療方針を決定するために，CT，MRI の追加検査が必要となる．腫瘍マーカーによる病勢把握も行う．

産婦人科疾患の確定診断

産婦人科疾患としては，主に産褥期の合併症による会陰部痛がある．また，頻度としては低いが，外陰癌に伴う会陰部痛を呈することもある．

❶ 産褥期の疾患

妊娠の産褥期では，会陰裂傷により会陰部痛をきたす．会陰裂傷は医療面接，身体診察のみで診察可能である．分娩時のいきみにより下部腟壁の血管が破綻し，腟外陰部血腫が生じ，会陰部痛，肛門痛をきたすこともある．血腫は，超音波検査や造影CTによる画像精査も有用である．また，いきみにより痔核や裂肛の合併頻度も高くなる．

❷ 外陰癌

基本的には，無症状で検診の際に偶然見つかる場合が多いが，進行し潰瘍を形成すると会陰部痛や出血を伴う．婦人科悪性腫瘍の 2〜5% を占め比較的稀な疾患である．生検による病理組織診断にて診断される．HPV と関連する場合があり，子宮頸部細胞診，子宮頸部や腟のコルポスコピーを追加する．局所浸潤や遠隔転移の評価にはCT，MRI，PET-CT などの各種検査を追加する．

整形外科疾患の確定診断

尾骨骨折や，仙骨部腫瘍による仙骨神経障害によって会陰部痛が生じる．診断には，CT，MRI などの画像検査が必要である．

外傷性疾患の確定診断

外傷性疾患は医療面接，身体診察のみで診断できる場合が多く，診断は容易である．裂創などの外傷では視診により診断可能である．肛門・腟への異物混入では，骨盤部X線，CTなどの画像精査を適宜追加する．

機能性疾患の確定診断

機能性疾患の診断のためには器質性疾患を除外する必要があり，病歴や身体診察に加えて，CS，CT，MRI などの各種検査を追加し，確実に器質性疾患がないことを確認する必要がある．

機能性疾患による肛門痛は疼痛の性質や持続時間によって一過性直腸肛門痛と慢性直腸肛門痛に分類される．一過性直腸肛門痛は肛門部の激痛が急に出現して数秒から数分で完全に消失するのが特徴であることに対して，慢性直腸肛門痛は疼痛が30分以上続き，座位時に増悪するのが特徴である．また，慢性直腸肛門痛では，直腸診で恥骨直腸筋を後方に牽引し疼痛が出現または増強した場合は肛門挙筋症候群と診断し，変化がなければ非特異的直腸肛門痛と診断する．いずれの病態もストレスや不安などの心理的要因が大きく関与していると考えられている．

〈芥田 壮平，絹笠 祐介〉

月経異常
menstrual disorder

月経異常とは

定義

月経とは,「約1か月の間隔で自発的に起こり,限られた日数で自然に止まる子宮内膜からの周期的出血」と定義される.表1に,月経周期や月経量や持続日数などの月経異常を示す.

月経周期の異常

正常周期は25〜38日であり,その変動が6日以内である.
①頻発月経:月経周期が短縮し,24日以内で発来した月経
②希発月経:月経周期が延長し,39日以上3か月以内で発来した月経

月経量および持続日数の異常

経血量は20〜140 mL,月経持続日数は3〜7日間が正常とされる.
①過少月経:経血量が異常に少ないもの
②過多月経:経血量が異常に多いもの
③過短月経:出血日数が2日以内のもの
④過長月経:出血日数が8日以上続くもの

無月経(amenorrhea)

①原発性無月経:性成熟期の18歳になっても月経が出現しないもの
②続発性無月経:以前あった月経の異常な停止(3か月以上)をきたしたもの

これらの病的無月経に対して,初経前,閉経後,妊娠,産褥,授乳期における無月経は生理的無月経と呼ばれる.

患者の訴え方

月経周期や経血量の異常は,「生理の回数が多い」「月経の量が多い」などの訴えになることが多い.また,月経中の下腹部痛や腰痛などの月経随伴症状(表2)を訴えることもある.

「生理がない」と訴えたり,「思春期になっても生理が始まらない」などと訴えて原発性無月経が推測される場合,「4か月前から月経がない」などと訴えて続発性無月経が予測される場合がある.いずれにしても,初経がないのか,月経があったのちに無月経になったのかを確認する.

患者が無月経を訴える頻度

無月経は婦人科疾患では1〜数%を占める.ただ,思春期の女性に限れば頻度の高い疾患である.原発性無月経が約40%を占め,続発性無月経が約60%を占める.

表1 月経異常

月経周期の異常
頻発月経:月経周期が短縮し,24日以内で発来した月経
希発月経:月経周期が延長し,39日以上で発来した月経

月経量および持続日数の異常
過少月経:経血量が異常に少ないもの
過多月経:経血量が異常に多いもの
過短月経:出血日数が2日以内のもの
過長月経:出血日数が8日以上続くもの

表2 月経随伴症状

下腹部痛,腰痛,腹部膨満感,悪心,頭痛,疲労感,脱力感,食思不振,イライラ,下痢,憂うつなど

症候から原因診断へ

病態の考え方

月経周期や経血量の異常は，経過観察が可能なことが多いが，月経随伴症状（表2）を伴う場合には，子宮内膜症や子宮筋腫などの器質性疾患によることもあるので精査をすすめる．

無月経の場合には，原発性にしろ続発性にしろ，月経血流出路の先天的な欠損，あるいは感染症や外傷による後天的な狭窄・閉鎖などの解剖学的異常がないかどうかを，まず確認する．

次に，卵巣系の機能性あるいは器質性異常によって起こる無月経を考える．さらには，視床下部－下垂体系の機能性あるいは器質性異常によって起こる無月経を考える．

無月経をきたす病態を図1に示す．その原因疾患の主なものを表3に示す．

病態・原因疾患の割合（図2）

原発性無月経で最も多い原因は，染色体異常を伴うTurner症候群や精巣性女性化症候群である．次いで，視床下部・下垂体疾患と性分化異常がおのおの約20%を占める．続発性無月経では，視床下部・下垂体疾患が約80%を占め，その1/4は高プロラクチン（PRL）血症やプロラクチン産生下垂体腺腫による．

診断の進め方

診断の進め方のポイント

- 月経とは，約1か月の間隔で起こる子宮内膜からの出血である．そのためには，月経血流出路としての腟口，腟管，頸管および子宮と，性ステロイドレセプターを有する子宮内膜が関係する．
- さらには，視床下部－下垂体－卵巣系のフィードバック機構が作動し，卵巣からのステロイドホルモンの分泌も不可欠である．
- まず，解剖学的異常を除外診断し，次に，視床下部－下垂体－卵巣系の機能性あるいは器質性疾患を鑑別する．

医療面接（表4）

まず，原発性無月経か続発性無月経かの鑑別のため，初経の有無を確認する．初経があれば，初経年齢や月経量・周期などの月経歴，最終月経日時を聴取する．妊娠歴や分娩歴についても聞く．現在授乳していないかどうか，あるいは妊娠の可能性がないかについても忘れずに聴取する．

薬物性高PRL血症を除外するため，向精神薬，胃腸薬，降圧薬，経口避妊薬などの服用の有無をチェックする．

幼児期からの病気や発達歴や手術歴についても聴取する．

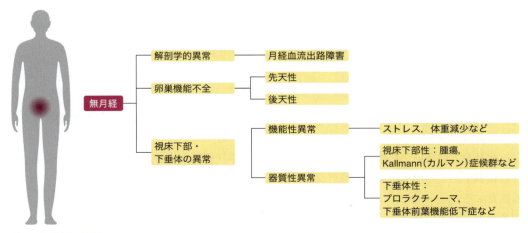

図1　無月経の原因

表3　無月経をきたす疾患

内分泌不均衡

中枢神経系（CNS）-視床下部障害
- 機能性：ストレス，体重減少とダイエット，運動負荷，精神疾患，慢性疾患・感染症
- 器質性：腫瘍（頭蓋咽頭腫（craniopharyngioma）など），Kallmann症候群，Laurence-Moon-Biedl（ローレンス・ムーン・ビードル）症候群，外傷，放射線

下垂体異常
- 高プロラクチン血症とプロラクチノーマ
- 下垂体腫瘍
- Sheehan（シーハン）症候群
- 炎症（自己免疫）
- 外傷
- 放射線

フィードバック障害
- アンドロゲン不応症候群
- 多嚢胞性卵巣症候群
- その他：成人副腎過形成，甲状腺障害，Cushing（クッシング）病，卵巣・副腎腫瘍

卵巣不全
- gonadal dysgenesis（性腺形成不全，Turner（ターナー）症候群）
- pure gonadal dysgenesis（真性性腺形成不全）
- XY gonadal dysgenesis（Swyer（スワイヤー）症候群）
- mixed gonadal dysgenesis（混合性性腺形成不全）
- ovarian insensitivity 症候群
- 17α-ヒドロキシラーゼ欠損症
- 早発卵巣不全
- resistant ovary 症候群
- 自己免疫性卵巣不全
- 化学療法（アルキル化薬）
- その他：Addison（アジソン）病，ガラクトース血症，サルコイドーシス，筋強直性ジストロフィー，毛細血管拡張性運動失調

月経血流出路障害
- Müller（ミュラー）管・尿生殖洞異常：処女膜閉鎖，腟中隔，部分腟欠損，頸管閉鎖，子宮内膜無形成
- 精巣性女性化症候群
- Asherman（アッシャーマン）症候群

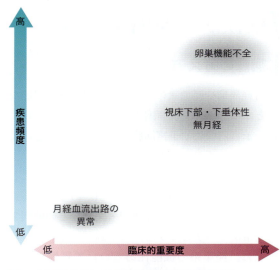

図2　無月経をきたす疾患の頻度と臨床的重要度

表4　医療面接のポイント

経過
- いつからか
- 初経は何歳か
- 月経はこれまで規則正しくあったか
- 月経の量が多くなったか
- 下腹部痛や腰痛などはないか
- 妊娠の可能性はないか
- 妊娠・分娩歴，授乳中ではないか
- 閉経は何歳か

発達の経過や既往歴
- 発達と二次性徴の状態を確認する
- 手術歴や，放射線照射や化学療法を受けたことがあるか

誘因
- ストレスや急激な体重減少や増加はないか

常用薬
- 向精神薬：フェノチアジンなど
- 胃腸薬：スルピリド，ドンペリドン，H_2拮抗薬（シメチジンなど）
- 降圧薬：α-メチルドパなど
- 経口避妊薬

身体診察（表5）

　身長，体重，アームスパンをみる．体重については，最近急激にやせてきていないか，あるいは急に太ったりしていないかを聴取する．

　耳介の位置や胸郭の形態，翼状頸や外反肘の有無にも注意する．

　乳房や腋毛・恥毛の発達の程度など，二次性徴の発達の程度をみる．乳汁分泌の有無については，必ず乳首を圧迫して乳汁漏出の有無をチェックする．

　甲状腺腫大の有無，甲状腺機能亢進症や低下症の症状の有無を調べる．

　婦人科的診察では，外陰部（男性型か女性型か），腟の有無，子宮頸部・体部の有無や大きさ，形態などをみる．

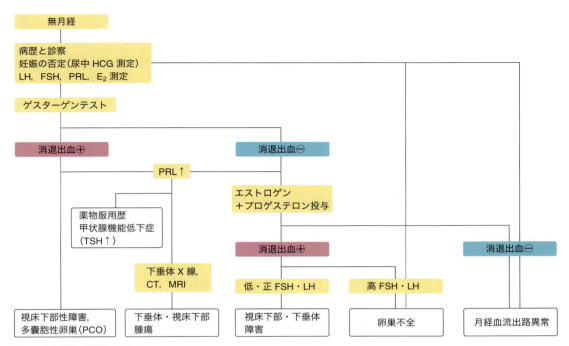

図3　無月経の診断の進め方

表5　身体診察のポイント

身体計測
- 身長，体重，アームスパンを確認する

頭頸部
- 耳介の位置や胸郭の形態を確認する
- 甲状腺腫大の有無，甲状腺機能亢進症や低下症の症状・症候の有無を診察する

胸・腹部
- 乳房や腋毛・恥毛の発達の程度を確認する
- 乳汁分泌の有無を確認する

婦人科的診察
- 子宮の大きさや形態，腟管の大きさや形態を確認する
- 腟壁の状態や頸管粘液の性状を確認する

- 医療面接や身体診察で以下の疾患の存在を疑うことができるものも多い．

  - ◆異常な体重減少 → 摂食障害
  - ◆異常な体重増加 → 肥満
  - ◆嗅覚欠損あるいは鈍麻 → Kallmann 症候群
  - ◆甲状腺腫大 → 甲状腺機能亢進症あるいは低下症
  - ◆乳汁分泌 → 乳汁漏出無月経症候群
    - ・薬物の服用歴あり → 薬物性高 PRL 血症
    - ・薬物の服用歴なし → プロラクチノーマ
  - ◆分娩後の過剰な搔爬 → Asherman 症候群（子宮内膜の破壊による瘢痕化や癒着）

診断のターニングポイント

医療面接と身体診察を総合して考える点

- **〔確定診断〕**18 歳になっても月経が発来しない原発性無月経では，婦人科診察により，子宮ならびに腟管の形成不全などの解剖学的異常を伴う疾患の診断がつけられる．
- **〔確定診断〕**低身長，翼状頸，外反肘などがあれば，Turner 症候群の診断がつけられる．

必要なスクリーニング検査

医療面接と身体診察から多くの疾患の診断が推定できる．しかしながら，さらに鑑別診断を進めるために，基本的なスクリーニング検査を行う．

❶ 尿検査

ヒト絨毛性ゴナドトロピン（HCG）の測定により，妊娠を否定する．

❷ 血液生化学検査

卵巣に病因のある高ゴナドトロピン性か，視床下部・下垂体に病因のある低ゴナドトロピン性かを鑑別するため，血中黄体形成ホルモン(LH)・卵胞刺激ホルモン(FSH)濃度や，エストラジオール(E_2)濃度を測定する．高PRL血症の有無をみるため，血中PRL濃度も測定する．

診断確定のために

図3に無月経の診断確定のためのフローチャートを示す．プロゲステロン(ゲスターゲン)を投与して，消退出血があれば第1度無月経とされ，視床下部の異常によることが多い．血中PRL濃度が高い場合には，100 ng/mL以下ならば薬物性が疑われる．薬物を中止させ，再検する．甲状腺機能低下症に伴う高PRL血症が疑われる場合には，甲状腺ホルモン低値と甲状腺刺激ホルモン(TSH)濃度上昇を確認する．血中PRL濃度が100 ng/mL以上ならばプロラクチノーマを疑って，下垂体CTやMRIを行う．

プロゲステロン投与により消退出血が起こらない第2度無月経では，エストロゲンの基礎分泌が不足していることとなる．プロゲステロンにエストロゲンを併用投与して，消退出血が起これば，血中LH・FSHが低値を示す視床下部－下垂体系の異常(頭蓋咽頭腫，Kallmann症候群などの視床下部疾患，下垂体腺腫やSheehan症候群などの下垂体疾患)による無月経と，血中LH・FSHが高値を示す卵巣不全(Turner症候群，17α-ヒドロキシラーゼ欠損症など)による無月経と診断できる．なお，Turner症候群などでは，必要に応じて染色体検査などを行う．

プロゲステロンとエストロゲンの併用投与でも消退出血が起こらない場合，子宮性無月経を含めた月経血流出路障害と診断できる．

〈片山 茂裕〉

背部痛
back pain, back ache

背部痛とは

定義

背部痛とは，背中に痛みを訴える状態を指す．ただし，ここでいう背中とは頸部背面から腰部付近までを指す．

患者の訴え方

患者は，「肩が痛い」「首が痛い」「背中が張っている」などと訴える．局所が痛いのか，痛みが放散するのか，鈍痛なのか，激痛なのかを把握する必要がある．

患者が背部痛を訴える頻度

整形外科外来患者のなかでは，背部痛を訴える患者は10～20%程度であり，傍脊柱筋の筋肉痛も含め，脊椎疾患が最も多い印象がある．また，肩甲骨周囲の背部痛は頸椎疾患のことが多い．

症候から原因疾患へ

病態の考え方 (図1)

患者が背部痛を訴える場合，まずそれが脊椎（傍脊柱筋を含む）から生じているものなのか，または胸部（肺，心臓など）や腹部内臓に原因のある疾患であるのかを考える．胸部や腹部内臓に原因のある疾患ならば，呼吸器系疾患，心血管疾患，消化器系疾患を中心に精査していく．脊椎に原因のある場合は，外傷，変性疾患などの脊椎そのものの精査を行う．

背部痛を引き起こす原因疾患として主なものを表1に示す．

病態・原因疾患の割合 (図2)

脊椎疾患が多く，特に，傍脊柱筋由来の筋肉痛が臨床的重要度は小さいが，頻度は最も多いと考えられる．最近，転移性脊椎腫瘍が増加しているので，これも念頭におく必要がある．病態，原因疾患の頻度とその臨床的重要度を図2に示す．

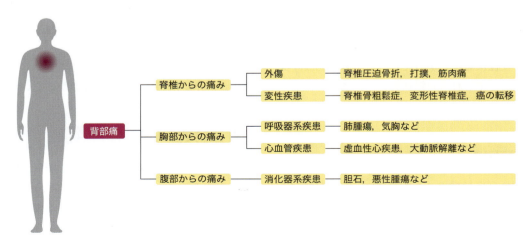

図1　背部痛の原因

表1 背部痛をきたす疾患

脊椎疾患
- 外傷：脊椎圧迫骨折，打撲，筋肉痛など
- 変性疾患：脊椎骨粗鬆症，変形性脊椎症，癌の転移など

呼吸器系疾患
- 肺腫瘍，気胸など

心血管疾患
- 虚血性心疾患，大動脈解離など

消化器系疾患
- 胆石，悪性腫瘍など

表2 医療面接のポイント

疼痛部位
- 背中のどの部分に痛みがあるのか，また，その痛みはどこかに放散するのか

経過
- いつから，どの程度の背部痛があるのか
- 急激に始まったのか，徐々に起きてきたのか
- 日内変動はないか
- 体位による痛みの変動はないのか

誘因
- 背部痛を生じるきっかけはなかったか（運動，仕事，外傷など）

全身症状の有無と内容
- 発熱，咳，下痢，嘔吐，胸痛など，随伴する自覚症状はないか

生活歴
- 繰り返す動作による使いすぎ症候群としての背部痛があるため，運動歴，職業歴を確認する

表3 身体診察のポイント

バイタルサイン
- 体温，血圧：感染症や高血圧に随伴する心血管疾患による背部痛を鑑別する

全身状態
- 体格：慢性疾患や悪性腫瘍による体重減少の有無を確認する

脊椎
- 腫脹，発赤，熱感，圧痛などの炎症症状を観察する
- 詳細に圧痛部位を観察する
- 運動障害，感覚障害を観察する
- 脊椎の動きによる痛みの誘発について観察する
- 腱反射，病的反射，徒手筋力テスト（MMT）などを確認する

胸部
- 打診，聴診で，心肺疾患を診察する

腹部
- 触診で，肝腫大やその他の腫瘤の有無を確認する

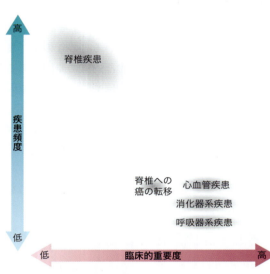

図2 疾患の頻度と臨床的重要度

診断の進め方

診断の進め方のポイント

背部痛の原因には，呼吸器系疾患，心血管疾患，消化器系疾患などの内科的領域のものや，脊椎の外傷，変性疾患などが考えられる．医療面接，身体診察などでこれらの鑑別を行う．また，脊椎の骨転移が初発症状として見つかる悪性腫瘍も存在する．

医療面接

背部痛は自覚症状であるだけに，医療面接が診断に重要な役割を果たす．経過や誘因などを中心に，病歴情報を丹念に聴取する（表2）．これにより胸部および腹部症状なのか，脊椎由来の背部痛なのか，全身疾患によるものなのかのだいたいのめどがつく．

身体診察

身体診察は，背部痛を引き起こす器質性疾患を診断するうえで，特に重要である（表3）．まず背部の診察を行い，次に胸部，腹部の診察を行う．疼痛部位である背中の局所の診察および放散痛を考えての脊椎の診察を行う．

診断のターニングポイント (図3)

医療面接と身体診察を総合して考える点

- 現在の背部痛が疼痛部位の局所に原因があるのか，胸部や腹部疾患の一症状なのか，脊椎などの放散痛として生じているのかの鑑別が，ここである程度可能となる．

必要なスクリーニング検査

医療面接と身体診察から，背部痛をきたす器質性疾患の存在を推測できることが多い．しかし，器質性疾患を正しく診断するには，基本的なスクリーニング検査を行うのが望ましい．具体的には，疼痛部位のX線撮影（骨折，脊椎の変性変化，骨腫瘍などをチェック），胸部X線や心電図検査（呼吸器および心血管疾患をチェック），血球検査や血液生化学検査も行う．

❶ X線検査
疼痛部位では，骨折，脊椎の変性変化，骨腫瘍などを調べる．胸部X線では，呼吸器および心血管疾患を検索する．なお，胆石は単純X線では検出しにくく，超音波検査が効果的である．

❷ 心電図検査
虚血性心疾患の存在などを検索する．

❸ 血液検査
炎症や感染症が疑われるときは，血球検査，CRP，赤沈などの血液検査を行い，異常がないか調べる．

診断確定のために

病歴情報，身体所見，スクリーニング検査の結果に基づき，背部痛をきたす疾患をかなり限定できる．具体的には，疼痛部位の局所の疾患である脊椎骨折，打撲，転移性骨腫瘍や骨髄炎などの感染症，呼吸器系疾患としての肺腫瘍，虚血性心疾患や消化器系悪性腫瘍などが挙げられる．

感染症の確定診断

脊椎の感染症の場合，一般的な局所の疼痛，発赤，熱感，腫脹などの自他覚症状が出現することは少なく，赤沈の亢進，CRPなどの炎症蛋白質の

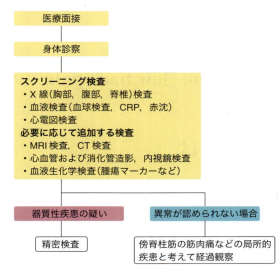

図3 背部痛の診断の進め方

高値や，単純X線での骨融解像が診断確定につながることが多い．必要に応じ，MRIやCT検査を行い，病巣部の広がりを確認する．

脊椎骨折の確定診断

基本的には，単純X線で脊椎骨折の診断がつくが，疑わしいときは，MRIやCT検査も行う．外傷性の骨折はまず問題ないが，軽微な外力もしくはほとんど外傷のない形で発見された脊椎骨折の場合，転移性骨腫瘍を疑い，原因疾患の検索が必要となる．

呼吸器系疾患の確定診断

呼吸器系疾患が疑われたときは，胸部の断層撮影やCT検査で精査していく．

心疾患の確定診断

心疾患が疑われた場合は，心電図（負荷心電図も含む），心エコー，心血管造影などで確定診断していく．

消化器系疾患の確定診断

消化器系疾患が疑われたときは，腹部超音波検査，消化管造影や内視鏡検査，腫瘍マーカーの検索などを行っていく．

〈中村 孝志，中川 泰彰〉

腰痛
lumbago, low back pain

腰痛とは

定義

腰痛とは，腰部に痛みを訴える状態を指す．ただし，ここでいう腰部とは背中から殿部付近までを指す．

患者の訴え方

患者は，「腰が痛い」「背中が重だるい」などと訴える．局所が痛いのか，痛みが放散するのか，鈍痛なのか，激痛なのかを把握する必要がある．

患者が腰痛を訴える頻度

整形外科外来患者のなかでは，腰痛を訴える患者は30～40％程度であり，傍脊柱筋の筋肉痛も含め，脊椎疾患が最も多い印象をもつ．

腰痛の有病率は男女ともに約25％といわれ，70歳代の女性では40％を超えている．整形外科学会の調査によると，実際に来院する整形外科外来患者の愁訴は，上肢，下肢および脊椎・腰椎でみるとほぼ30％と同率であるが，さらに細部を調べると腰痛を愁訴に来院される患者が最も多く，18.8％を占めていた．次に膝関節の14％と続いている．

症候から原因疾患へ

病態の考え方（図1）

患者が腰痛を訴える場合，それが脊椎（傍脊柱筋を含む）から生じているものなのか，または腹部（消化管や後腹膜腔）に原因のある疾患であるのかをまず考える．腹部に原因のある疾患ならば，泌尿器系疾患，産婦人科系疾患，消化器系疾患を中心に精査していくことになり，脊椎に原因のある場合は，外傷，変性疾患などの脊椎そのものの精査につながっていく．

腰痛を引き起こす原因疾患として主なものを表1に示す．

病態・原因疾患の割合（図2）

脊椎疾患が多く，特に，傍脊柱筋由来の筋肉痛が臨床的重要度は小さいが，頻度は最も多い．最

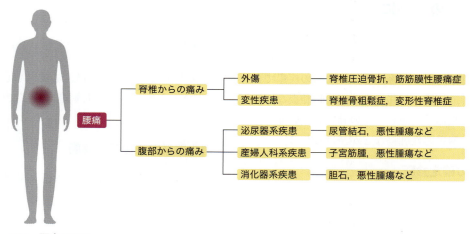

図1　腰痛の原因

近，転移性脊椎腫瘍が増加しているので，これも念頭におく必要がある．病態，原因疾患の頻度とその臨床的重要度を図2に示す．

診断の進め方

診断の進め方のポイント

腰痛の原因には，泌尿器系疾患，産婦人科系疾患，消化器系疾患などの領域のものや，脊椎の外傷，変性疾患などが考えられる．最も頻度の多いのは，傍脊柱筋に由来する筋筋膜性の腰痛症である．医療面接，身体診察などでこれらの鑑別を行うことになる．

また，脊椎の骨転移が初発症状として見つかる悪性腫瘍も存在する．

表1 腰痛をきたす疾患

脊椎疾患
- 外傷：脊椎圧迫骨折，打撲など
- 変性疾患：脊椎骨粗鬆症，変形性脊椎症など

泌尿器系疾患
- 尿管結石，悪性腫瘍など

産婦人科系疾患
- 子宮筋腫，悪性腫瘍など

消化器系疾患
- 胆石，悪性腫瘍など

医療面接

腰痛は自覚症状であるだけに，医療面接が診断に重要な役割を果たす．経過や誘因などを中心に，病歴情報を丹念に聴取する(表2)．これにより腹部や後腹膜腔の症状なのか，脊椎由来の腰痛なのかのだいたいのめどをつける．

身体診察

身体診察は，腰痛を引き起こす器質性疾患を診断するうえで，特に重要である(表3)．まず腰部の診察を行い，次に腹部の診察を行う．疼痛部位である腰部の局所の診察，および放散痛を考えての脊椎の診察を行う．

診断のターニングポイント (図3)

医療面接と身体診察を総合して考える点

- 現在の腰痛が疼痛部位の局所に原因があるのか，腹部疾患の一症状なのか，脊椎などの放散痛として生じているのかの鑑別が，総合的にある程度可能となる．

必要なスクリーニング検査

医療面接と身体診察から，腰痛をきたす器質性疾患の存在を推測できることが多い．しかし，

表2 医療面接のポイント

疼痛部位
- 腰のどの部分に痛みがあるのか，また，その痛みはどこかに放散するのか

経過
- いつから，どの程度の腰痛があるのか
- 急激に始まったのか，徐々に起きてきたのか
- 日内変動はないか
- 体位による痛みの変動はないのか

誘因
- 腰痛を生じるきっかけはなかったか(運動，仕事，外傷など)

全身症状の有無と内容
- 発熱，下痢，嘔吐，下血，排尿時痛など，随伴する自覚症状はないか

生活歴
- 繰り返す動作による使いすぎ症候群としての腰痛があるため，運動歴，職業歴を確認する

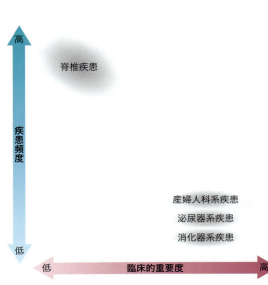

図2 疾患の頻度と臨床的重要度

表3 身体診察のポイント

バイタルサイン
- 体温，血圧：感染症や後腹膜腔出血によるショックなどの腰痛を鑑別する

全身状態
- 体格：慢性疾患や悪性腫瘍による体重減少の有無を確認する

脊椎
- 腫脹，発赤，熱感，圧痛などの炎症症状を観察する
- 詳細に圧痛部位を観察する
- 運動障害，感覚障害を観察する
- 脊椎の動きによる痛みの誘発について観察する
- 腱反射，病的反射，徒手筋力テスト（MMT）などを確認する

腹部
- 触診で，肝腫大やその他の腫瘤の有無を確認する

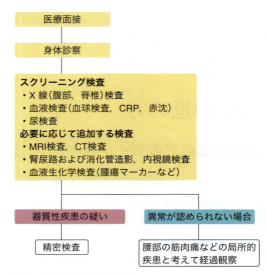

図3 腰痛の診断の進め方

器質性疾患を正しく診断するには，基本的なスクリーニング検査を行うのが望ましい．具体的には，疼痛部位のX線撮影（骨折，脊椎の変性変化，骨腫瘍などをチェック），検尿（泌尿器系疾患などをチェック），血球検査や血液生化学検査も行う．

❶ X線検査

疼痛部位では，骨折，脊椎の変性変化，骨腫瘍などを調べる．腹部単純撮影では，胆石，尿管結石などの存在を確認する．

❷ 尿検査

血尿の存在などを調べ，泌尿器系疾患などを検索する．

❸ 血液検査

炎症や感染症が疑われるときは，血球検査，CRP，赤沈などの血液検査を行い，異常がないか調べる．

診断確定のために

病歴情報，身体所見，スクリーニング検査の結果に基づき，腰痛をきたす疾患をかなり限定できる．具体的には，疼痛部位の局所の疾患である脊椎骨折，打撲，転移性骨腫瘍や骨髄炎などの感染症，いわゆる筋筋膜性の腰痛症，泌尿器系疾患としての尿管結石，産婦人科系疾患としての子宮筋腫，消化器系悪性腫瘍や胆石などの良性疾患などが挙げられる．

感染症の確定診断

脊椎の感染症の場合，一般的に局所の疼痛，発赤，熱感，腫脹などの自他覚症状は少なく，赤沈の亢進，CRPなど炎症蛋白質の高値や，単純X線での骨融解像が診断確定につながることが多い．必要に応じ，MRIやCT検査を行い，病巣部の広がりを確認する．

脊椎骨折の確定診断

基本的には，単純X線で脊椎骨折の診断がつくが，疑わしいときは，MRIやCT検査も行う．外傷性の骨折はまず問題ないが，軽微な外力もしくはほとんど外傷のない形で発見された脊椎骨折の場合，転移性骨腫瘍を疑い，原因疾患の検索が必要となる．

変形性脊椎症の確定診断

MRIや脊髄造影検査で，脊髄の圧迫所見を確認する．

泌尿器系疾患の確定診断

泌尿器系疾患が疑われたときは，腎，尿管の造影検査やMRI・CT検査で精査する．

産婦人科系疾患の確定診断

産婦人科系疾患が疑われたときは，MRI・CT検査などで子宮筋腫や悪性腫瘍の存在を確定診断していく．

消化器系疾患の確定診断

消化器系疾患が疑われたときは，腹部超音波検査，消化管造影や内視鏡検査，腫瘍マーカーの検索などを行っていく．

〈中村 孝志，中川 泰彰〉

排尿障害
dysuria

排尿障害とは

定義

　正常な排尿機能は，膀胱に尿を貯留する蓄尿と，その尿を排泄する尿排出で構成されている．したがって排尿障害は，蓄尿障害と尿排出障害に分けられる．排尿障害の症候として，尿排出障害の程度により，排尿困難，残尿，尿閉などに分けられる．蓄尿障害として尿失禁がある．

　排尿困難とは，スムーズな排尿ができず，排尿に努めても時間を要する状態を指す．尿意を催してから実際に排尿を開始するまで時間がかかるものを遷延性排尿，排尿を始めてもなかなか終わらず，時間がかかるのを苒延性排尿と呼ぶ．

　残尿とは，排尿困難のため膀胱内に貯まった尿を完全に排出できず，尿が膀胱内に残存している状態を指す．

　尿閉とは，残尿が進行し，膀胱内に尿が貯まっているにもかかわらず，排尿ができない状態を指している．尿の生成が少ない乏尿・無尿と混同してはならない．

　一方，尿失禁とは，不適当な時間・場所で尿が不随意に流出する状態である．主なものとして，尿意を感じると排尿を抑制できない切迫性尿失禁，咳・体動などによる腹圧の上昇による腹圧性尿失禁，尿排出障害のため膀胱容量限界まで尿が貯留し膀胱内圧が尿道抵抗より高くなり，尿が漏れる溢流性尿失禁などがある．

患者の訴え方

　排尿困難では，「トイレに時間がかかる」「尿がなかなか出ない」「尿が細い，だらだらと出る」など，トイレの時間的な要素に関する訴えが多い．

　残尿では，「トイレに行ってもすっきりしない」「トイレに行っても，またすぐに行きたくなる」などと訴える．

　突然発症する急性尿閉では，「尿が貯まって苦

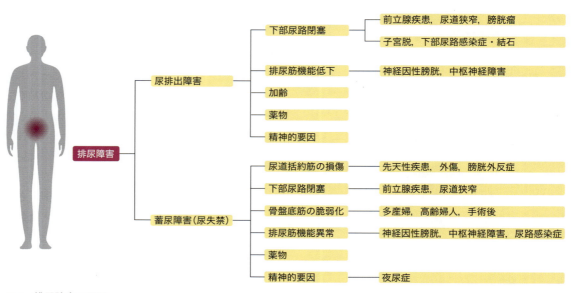

図1　排尿障害の原因

しい，冷や汗が出る」「尿が出なくて苦しい，不安である」など，苦悶状態で切迫した訴えとなる．逆に，徐々に進行する慢性尿閉では自覚症状の訴えが乏しいのが特徴である．

切迫性尿失禁では，「おしっこを我慢できない」，腹圧性尿失禁では，「お腹に力を入れたり，咳やくしゃみをしたら尿が漏れる」，また溢流性尿失禁では，「眠っている間などに下着を濡らしてしまう」など，尿失禁の状態でだいたいの診断の目安がつく．

患者が排尿障害を訴える頻度

加齢に伴い排尿障害の頻度は上昇し，特に80歳以上では急増する．60歳代では男性4〜5%，女性4〜16%，70歳代で男性6〜18%，女性10〜28%，80歳以上では男性10〜40%，女性20〜57%で，各年代ともに女性に多い．

病院や特別養護老人ホームなどの高齢者では，男女ともに50〜70%と高い頻度が報告され，日常生活動作の低下や認知症など尿意が低下していることとの関連が示唆されている．

症候から原因疾患へ

病態の考え方

患者が排尿障害を訴える場合，まずは尿排出障害であるのか蓄尿障害であるのか，または両方なのかを判断する．尿排出障害と蓄尿障害の原因は，器質性の下部尿路閉塞と機能性の排尿筋の障害に分けられる．これらを引き起こす病態として図1に示すようなものがあり，その原因疾患として主なものを表1に示す．

病態・原因疾患の割合

尿排出障害における下部尿路閉塞性疾患の原因として，男性は前立腺肥大，前立腺癌などの前立腺疾患が最も多く，尿道狭窄がそれに続く．女性では外尿道口狭窄，子宮脱や膀胱瘤が多い．

排尿筋機能低下は，糖尿病，骨盤内手術後，神経因性膀胱などによるものが多い．

蓄尿障害の原因としては，下部尿路の炎症，中枢神経障害，神経因性膀胱が多い．神経障害のない患者のうち特に女性では，腹圧性尿失禁が多い．

病態・原因疾患の頻度とその臨床的重要度を図2に示す．

診断の進め方

診断の進め方のポイント

- 患者の訴えから，尿排出障害なのか蓄尿障害かを判断する．

表1　排尿障害をきたす疾患

尿排出障害
- 下部尿路閉塞
  - 前立腺肥大，前立腺癌，前立腺炎
  - 尿道狭窄，尿道周囲膿瘍，尿道断裂，尿道結石
  - 膀胱結石，膀胱腫瘍，膀胱結核，膀胱頸部硬化症
- 排尿筋機能低下
  - 下位脊髄疾患：馬尾腫瘍，脊椎椎間板ヘルニア，二分脊椎
  - 末梢神経障害：糖尿病，帯状疱疹，直腸癌・子宮癌術後
  - 脳血管障害急性期，脊髄損傷急性期
  - 脳腫瘍(小脳，延髄，橋)
- 加齢
- 薬物：かぜ薬，抗不整脈薬，抗うつ薬，抗ヒスタミン薬など
- 精神的要因

蓄尿障害
- 尿道括約筋の損傷
  - 外傷，手術，尿道上裂，膀胱外反症
- 下部尿路閉塞
  - 尿排出障害と同様
- 骨盤底筋の脆弱化
  - 多産婦，高齢婦人，婦人科的手術後
- 排尿筋機能異常
  - 膀胱炎，尿道炎，前立腺炎，膀胱結石，膀胱腫瘍
  - 多発性硬化症，Parkinson(パーキンソン)病，Shy-Drager(シャイ・ドレーガー)症候群
  - 脳血管障害，脳腫瘍，正常圧水頭症，多発性ラクナ梗塞
  - 子宮癌・直腸癌術後，糖尿病
  - 二分脊椎，脊椎症
- 薬物
- 乳幼児
- 心理的要因
  - 夜尿症

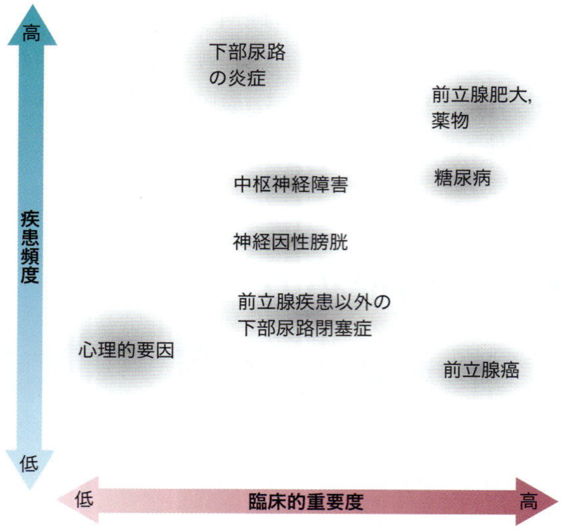

図2　疾患の頻度と臨床的重要度

（縦軸：疾患頻度　高〜低、横軸：臨床的重要度　低〜高）
- 下部尿路の炎症
- 前立腺肥大，薬物
- 中枢神経障害
- 糖尿病
- 神経因性膀胱
- 前立腺疾患以外の下部尿路閉塞症
- 心理的要因
- 前立腺癌

表2　医療面接のポイント

経過
- いつから，どの程度の排尿障害があるのか
- 急激に始まったのか，徐々に起きたのか
- 排尿回数を確認する（日中および夜間に分けて聞く）
- 尿意の有無を確認する

誘因
- 運動，咳，くしゃみ，力仕事との関係はあるのか
- 精神的ストレスの有無を確認する

全身症状の有無
- 発熱，発汗，浮腫，体重増加・減少，痛み，しびれなど，随伴する自覚症状はないか
- 上記の全身症状と排尿障害の時間的関係はどうか

生活歴
- 水分・食事の摂取状況，排便異常の有無，下着の交換やパッド使用回数などを確認する

嗜好品，常用薬
- アルコール，ジュース類および服薬の有無，用量を確認する

既往歴
- 尿閉，尿失禁や血尿の有無を確認する
- 神経疾患，糖尿病，膠原病など全身性疾患の既往の有無を確認する
- 手術歴，特に骨盤内手術の有無を確認する
- 外傷，妊娠・分娩歴を確認する

- 尿路カテーテルを留置中の患者では，排尿状態を評価するため，いったんカテーテルを抜去してみる．
- 気をつけなければならないのは，<u>ほとんどの疾患で尿排出障害と蓄尿障害を合併していること</u>である．たとえば，前立腺肥大などで下部尿路閉塞が高度になると尿閉となり，また溢流性尿失禁も合併する．
- したがって，個々の患者で，初診時だけではなく経時的な観察が必要である．
- 原疾患が重複して存在している可能性にも注意する．
- 排尿障害で緊急処置を必要とするのは，急性尿閉である．「急に尿が出なくなった」と訴える患者では，無尿なのか尿閉なのかの鑑別が重要である．まず，尿閉状態であることを超音波検査などで確認したのち，導尿などで緊急の状態を脱してから原疾患の検索を行う．

医療面接

　病歴情報の聴取によって尿排出障害か蓄尿障害か，おおよその見当をつける．表2のように，医療面接では，発症の時期，生まれつきかまたはいつ頃からか，その契機となった外傷や疾患はないか，また手術や薬物の服用（表3）の有無などを聴取する．さらに排尿時の症状，尿意はあるのか，すぐに尿が出るのか，尿は細いのか，尿が漏れるのかなどを聴取する．排尿の回数については，日中および就寝中に分けて聞き，1回の排尿量なども重要である．

　感染症や本人が気づいていない糖尿病，腎機能低下，脳・神経疾患の可能性にも注意する．習慣性の多飲，アルコール，利尿薬なども夜間多尿を引き起こし，尿失禁の原因となる．認知症によって起こる尿失禁が疑われる場合には，認知症の程度も医療面接などで把握しておく．

　既往歴（特に神経系疾患，糖尿病，骨盤内手術の有無など）の重要性は言うに及ばない．

身体診察（表4）

　身体診察は，排尿障害の鑑別診断のうえで特に重要である．バイタルサインは必ずチェックする．診察では，手術した痕の有無や中枢神経の症候を見逃さないようにすることも大切である．また，神経因性膀胱の診断に肛門反射，挙睾筋反射，球海綿体反射などの簡単な神経学的検査を行う．

表3 排尿障害の要因として重要な薬物

- 利尿薬(多尿,頻尿)
- アルコール(多尿,頻尿)
- カフェイン
- 抗コリン薬(尿閉,溢流性尿失禁)
- 向精神薬:抗うつ薬,抗精神病薬,鎮静薬
- 麻薬系鎮痛薬(尿閉)
- 抗不整脈薬:ジソピラミド,メキシレチン,ピルメノール,シベンゾリンなど(尿閉,溢流性尿失禁)
- Ca拮抗薬(尿閉,溢流性尿失禁)
- α遮断薬(尿道の緊張低下)
- α刺激薬(尿閉,溢流性尿失禁)
- β刺激薬(尿閉,溢流性尿失禁)

表4 身体診察のポイント

バイタルサイン
- 体温,血圧,脈拍:感染症や血圧低下による排尿障害を鑑別する

全身状態
- 体格:脊髄損傷などの外傷の有無を確認する
- 顔貌:Parkinson病などの神経疾患に特徴的な顔貌に気をつける
- 皮膚:色素沈着,発疹などに気をつける

頭頸部
- 結膜:貧血の有無を観察する
- 頸部:静脈の怒張の有無を確認する

胸部
- 打聴診で,心肺疾患の診察をする

腹部
- 触診で腎臓,膀胱の膨隆を確認する
- 外尿道口と周囲の奇形・炎症の有無を確認する
- 女性では腟診,男性では前立腺触診を行う

四肢
- 浮腫,麻痺の有無を診察する

神経系
- 腱反射,病的反射,不随意運動などを確認する

蓄尿障害が疑われる場合には,腹圧をかけたり咳をしてもらい,尿の漏れ具合や子宮脱,膀胱瘤,直腸脱の合併の有無などを確かめる.背部の観察も重要で,脊髄係留症候群では腰殿部の視・触診が役に立つ.必要があれば,専門医による腟診や前立腺触診を行う.

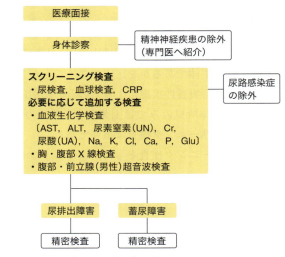

図3 排尿障害の診断の進め方
尿排出障害が疑われる場合の精密検査は図4,蓄尿障害の精密検査は図5のフローチャートを参照

診断のターニングポイント(図3)

医療面接と身体診察を総合して考える点

- 排尿障害をきたすものとして,表1に示すような疾患が考えられる.これらを念頭において鑑別診断を行う.
- (確定診断)患者の表情,歩き方,話し方,既往歴,神経学的所見などから,精神神経疾患,脳血管障害後遺症など原疾患の見当がつけられることが多い.
- (確定診断)薬物,骨盤内手術や外傷なども注意深い医療面接で診断は可能である.
- 身体所見では,器質性疾患の存在を疑うことが大切である.

◆ 発熱と背部叩打痛 → 尿路感染症
◆ 高血圧や浮腫 → 腎疾患
◆ 心・呼吸音の異常 → 心・肺疾患

- 排尿障害では,複数の疾患が合併している可能性のあることを忘れないことが大切である.たとえば,脳血管障害後遺症に前立腺肥大や糖尿病などが合併し,症状が顕著になることもある.

必要なスクリーニング検査

医療面接と身体診察から，尿排出障害，蓄尿障害のいずれが主体であるかを区別できることが多い．しかし，腎実質性疾患によるものとの鑑別は病歴情報と身体所見のみでは困難なこともあり，基本的なスクリーニング検査は重要である．

主なスクリーニング検査として，次のようなものがある．

❶ 尿検査

蛋白陽性から腎疾患，糖陽性から糖尿病，沈渣の赤血球数 (RBC) 増加から腎・尿路系の疾患，白血球数 (WBC) 増加から尿路感染症を診断する手がかりを得る．

尿中 β_2-ミクログロブリン，尿中 N-アセチル-β-D-グルコサミニダーゼ (NAG) 活性より尿細管障害を疑う．

❷ 血球検査（血算）

WBC 増加より感染症，Hb 濃度減少より貧血などが疑われる．

❸ 血液生化学検査

CRP で感染症や炎症性疾患，AST (GOT)，ALT (GPT) などで肝機能を，血清 Cr，尿素窒素 (UN) などで腎機能を把握する．

また，Na，K，Cl，Ca，P などの値から電解質異常の存在を確認する．

❹ 胸部・腹部 X 線検査

胸部 X 線写真は心肺疾患を疑うときに行う．腹部 X 線写真〔または，腎骨盤部単純 X 線検査 (KUB)〕では，骨折，椎弓融合不全や仙骨形成不全の有無に注目する．さらに，尿路結石の有無，腎臓の大きさを測定する．

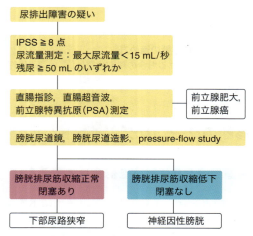

図4　尿排出障害の診断の進め方

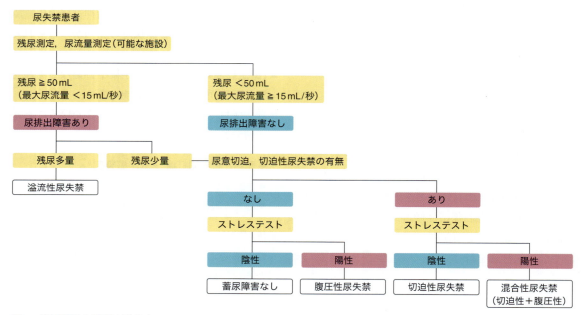

図5　蓄尿障害の診断の進め方
〔泌尿器科領域の治療標準化に関する研究班：EBM に基づく尿失禁診療ガイドライン. p.32, 2004 を改変〕

腎臓が大きいときには，糖尿病性腎症，水腎症，多発性嚢胞腎などを考え，小さいときには腎動脈狭窄，慢性腎不全などを考える．

❺ 腹部・前立腺(男性)超音波検査

水腎症，腎・膀胱などの結石の有無，腎・膀胱・前立腺などの腫瘤性病変の有無，前立腺肥大の有無およびその程度，排尿直後であれば残尿の測定などができ，かなり有用な検査である．

診断確定のために

医療面接，身体診察，スクリーニング検査から，排尿障害は尿排出障害か蓄尿障害のどちらを主体とするのか，おおよその見当がつく．また，その病態は機能性障害か，または器質性障害に基づくものかも区別されることも多い．

しかし，すでに述べたように，多くの疾患では尿排出障害と蓄尿障害の両方を合併している．これらの検査のみでは，いずれの機能がどれだけ障害されているのか診断するのは困難であり，系統だった精密検査が必要である(図4，5)．

検査の順位であるが，通常は，尿路感染症による敗血症のようにすぐに生命の危険があるもの，腎機能に影響を及ぼすものを優先する．また悪性腫瘍の合併を常に考慮することを原則とする．

感染症の確定診断

尿路感染症の場合，頻尿，排尿痛，背部痛などがあり，赤沈の亢進，CRPの上昇，末梢血WBCの増加および左方移動がある．尿沈渣でWBCの増加，尿・前立腺圧出液または排出された膿などの培養，クラミジア抗原，結核菌などの検査も適宜行い，感染症の確定診断を行う．

腎疾患の確定診断

水腎症の診断は，腹部超音波で容易につくが，さらに腹部CT・MRIなどにより原疾患の鑑別診断を行う．腎疾患はスクリーニング検査によって診断されるが，その原因については詳細な医療面接と身体診察，さらに適応があれば腎生検を行って確定診断を行う．

尿排出障害の確定診断(図4)

尿排出障害が疑われた場合，国際前立腺症状スコア(International Prostate Symptom Score; IPSS)

あなたの症状をチェックしてください．							
氏名		生年月日 年 月 日			評価日 年 月 日		
IPSS							
	なし	5回に1回未満	2回に1回未満	2回に1回位	2回に1回以上	ほとんどいつも	
1. 過去1か月間，排尿後に尿がまだ残っている感じがありましたか．	0	1	2	3	4	5	
2. 過去1か月間，排尿後2時間以内にもう一度行かねばならないことがありましたか．	0	1	2	3	4	5	
3. 過去1か月間，排尿途中に尿がとぎれることがありましたか．	0	1	2	3	4	5	
4. 過去1か月間，排尿を我慢するのがつらいことがありましたか．	0	1	2	3	4	5	
5. 過去1か月間，尿のいきおいが弱いことがありましたか．	0	1	2	3	4	5	
6. 過去1か月間，排尿開始時にいきむ必要がありましたか．	0	1	2	3	4	5	
7. 過去1か月間，床についてから朝起きるまで普通何回排尿に起きましたか．	0回	1回	2回	3回	4回	5回以上	
	0	1	2	3	4	5	
IPSS合計得点 S=							
排尿症状のQOL							
	うれしい	満足	大体満足	満足・不満のどちらでもない	不満気味	気が重い	つらい
現在の排尿の状態が今後一生続くとしたらどう感じますか．	0	1	2	3	4	5	6

図6 国際前立腺症状スコア(IPSS)

による自覚症状の重症度評価(図6), 尿流量測定機による尿流量測定, 残尿測定(超音波または導尿)を行う.

IPSS 8点以上, 最大尿流量15 mL/秒未満, 有意な残尿(50 mL以上)のいずれかが認められれば, 直腸指診, 直腸超音波などで前立腺肥大や前立腺癌の鑑別を行う.

前立腺疾患が否定的であれば, 膀胱尿道鏡, 膀胱尿道造影(逆行性, 排尿時)検査, 排尿筋・尿流量同時測定法(pressure-flow study; PFS)などを行い, 尿道狭窄, 膀胱頸部狭窄の診断を行う.

下部尿路閉塞はなく, 膀胱排尿筋収縮低下があれば神経因性膀胱を疑う.

蓄尿障害の確定診断(図5)

蓄尿障害が疑われた場合, 尿失禁の程度, 状況を把握するために適切な医療面接を行い, 排尿時刻, 尿量, 尿失禁の有無や起床・就寝時刻などを記載する排尿日誌をつけてもらう. 必要ならば図7のpadテストなどでおおよその見当をつける.

残尿測定や尿流量測定を行い, 残尿が50 mL以上(最大尿流量15 mL/秒未満)であれば尿排出障害があるとし, さらに大量の残尿(尿閉状態だが尿漏出を認める)があれば溢流性尿失禁である. 残尿が50 mL未満(最大尿流量15 mL/秒以上)で尿排出障害がない場合は, 腹圧性尿失禁, 切迫性尿失禁と混合性尿失禁の鑑別が必要であり, 尿意切迫, 切迫性尿失禁などの有無を聞く. さらに, 腟診, 膀胱充満状態で咳, いきみなどの腹圧負荷をかけ, 尿漏れの有無をみるストレステストを行う.

尿意切迫, 切迫性尿失禁がなく, ストレステスト陽性の場合は腹圧性尿失禁と診断する. 尿意切迫, 切迫性尿失禁がある場合, ストレステスト陰性なら切迫性尿失禁, ストレステスト陽性の場合は混合性(切迫性＋腹圧性)尿失禁と診断する(図5参照).

代謝系疾患の確定診断

糖尿病が疑われる場合には, 経口ブドウ糖負荷試験(OGTT), 眼底検査, HbA1c, 糖化アルブミン, 1,5-アンヒドロ-D-グルシトール(1,5-AG), 尿中アルブミンまたは尿蛋白などの測定, 糖尿病性神経障害では神経伝達速度などの測定を行う.

精神神経疾患の確定診断

うつ病や神経症の疑いがある場合には, 精神科もしくは心療内科にコンサルトし, 心理学的検査を行う.

神経疾患の確定診断

脳波, 脳CT・MRI, 筋電図, 神経伝達速度の測定などを行う. 神経疾患が疑われるときには, 脳神経内科または脳神経外科にコンサルトする.

薬物中毒の確定診断

詳しい既往歴を聴取することと, 薬物の血中濃度を測定することが大切である.

〈船曳 和彦, 富野 康日己〉

〈尿失禁定量テスト〉

検査前：パッドの重量測定……____ g (a)
　　　　パッドの装着
　　　　開始……　午前・午後____時____分

0分：500 mLの水を飲む.
　　　椅子またはベッドで安静にする.

15分：歩行し続ける.
　　　その間, 階段1階分を昇り降りする.

45分：以下の動作を看護師と行う.
　　　1)「座る⇔立ち上がる」10回
　　　2)「強くせき込む」10回
　　　3)「1か所を走り回る」1分間
　　　4)「床の上の物を拾う」1回
　　　5)「流水で手を洗う」1分間

60分：終了……　午前・午後____時____分
検査後：パッドの重量測定……____ g (b)
　　　　排尿して尿量測定……____ mL
　　　　(b) − (a) = ____ g

結果：≦2.0 g　　　尿禁制
　　　2.1〜5.0 g　軽度尿失禁
　　　5.1〜10.0 g　中程度尿失禁
　　　10.1〜50.0 g　高度尿失禁
　　　≧50.1 g　　きわめて高度尿失禁

図7　padテスト

排尿痛
micturition pain

排尿痛とは

定義

排尿に関連して起こる痛みを排尿痛という．排尿と疼痛を感じる時間的関係によって，初期排尿痛（initial pain），終末期排尿痛（terminal pain），全排尿痛（total pain）の3つに大きく分類される．そして，排尿後痛（pain after micturition）があるが，これは残尿感（residual feeling）とも表現される．

患者の訴え方

通常，男性では遠位尿道に，女性では尿道に放散する痛みとして訴えることが多い．排尿後疼痛が軽度な場合には，排尿後の下腹部不快感，残尿感などとして表現することが多い．時に疼痛を，「焼け火箸を突っ込むような痛み」として訴える場合もあり，排尿時灼熱痛（burning on urination）とも記載される．

患者が排尿痛を訴える頻度

2019年の厚生労働統計協会の国民生活基礎調査によれば，排尿困難・排尿痛の有訴者率は人口1,000人あたり男性は11.8，女性で4.8であった．

症候から原因疾患へ

病態の考え方（図1）

患者が排尿痛を訴える場合，痛みとその時間的関係が病態を推測するうえで重要である．
初期排尿痛は，排尿開始当初に強い痛みを感じ

図1　排尿痛の原因

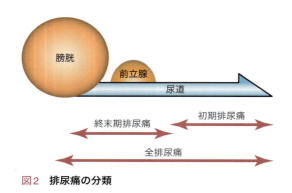

図2 排尿痛の分類

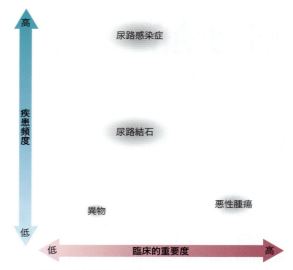

図3 疾患の頻度と臨床的重要度

表1 排尿痛をきたす疾患

初期排尿痛
- 尿道炎（特に淋菌性尿道炎などの前部尿道炎）
- 急性後部尿道炎
- 前立腺炎
- 前立腺腫瘍
- 尿道狭窄
- 尿道結石
- 亀頭包皮炎
- 尿道憩室炎
- など

終末期排尿痛
- 急性膀胱炎
- 急性後部尿道炎
- 急性前立腺炎
- 膀胱結石
- 膀胱結核
- 膀胱癌
- 尿道結石の尿管口嵌頓
- 膀胱異物
- 膀胱周囲炎
- 膀胱周囲膿瘍
- 慢性前立腺炎
- 前立腺結石
- 前立腺癌
- 精嚢腺炎
- など

全排尿痛
- 急性・慢性膀胱炎
- 急性後部尿道炎
- 急性前立腺炎
- 膀胱結石
- 膀胱結核
- 間質性膀胱炎
- 進行性膀胱癌
- 膀胱異物
- 尿道膀胱炎
- 尿道狭窄
- 尿道異物
- 尿道結石
- 膀胱壁周囲との癒着
- 脊髄瘻
- 濃縮尿・塩類尿
- など

るもので，前部尿道炎で起こることが普通である．

終末期排尿痛は，排尿の終末時に増強する疼痛で，膀胱頸部から後部尿道にかけて炎症が存在する場合に認められる．炎症部が収縮するために痛みにつながると考えられ，急性膀胱炎，急性前立腺炎，急性後部尿道炎では，程度の差はあっても必発である．炎症が軽度の場合は痛みではなく，不快感程度のことも多い．

全排尿痛は，排尿の全経過にわたって有痛性の場合をいう．尿道炎に伴うことが多いが，濃縮尿，塩類尿でも訴えることがある．これらを引き起こす病態は，図2に示すように解剖学的位置関係と相関する．その原因疾患として主なものを表1に示す．

病態・原因疾患の割合（図3）

外来で排尿痛を訴える原因疾患としては，尿路感染症がその大部分を占める．しかし，膀胱結核，淋菌性尿道炎などの特殊な感染症は，頻度的には稀である．

診断の進め方

診断の進め方のポイント

- 排尿痛の原因には，尿路の感染症が多く含まれるが，その先入観にとらわれることなく，膀胱・前立腺，および骨盤腔内臓器などの悪性腫瘍を見落とさないように注意する．
- 尿の肉眼的所見を確認するように心がける．混濁尿か，血尿か，または清澄尿かを判定する．この際，生理的塩類尿と病的混濁尿との区別が必要であり，前者は加温または酸添加で混濁が

表2 医療面接のポイント

経過
- いつから，どの程度の排尿痛があるのか
- 急に始まったのか，徐々に起きてきたのか

誘因
- 排尿痛を生じるきっかけはなかったか（過労，脱水，外傷など）

全身症状の有無と内容
- 発熱，発汗，排尿困難，多尿，残尿感，背痛，射精異常，陰嚢痛，骨盤内の違和感などはないか

既往歴
- 尿路結石，性感染症(STD)，結核などの感染歴はないか

生活歴，職業歴
- 睡眠時間，STD感染の可能性はあるか

表3 器質性疾患を疑う病歴情報

- 頻回の再発
- 尿検査異常の既往
- 排尿異常（排尿障害，尿線の異常，尿失禁など）の既往
- 側腹部痛，下腹部痛
- 無症候性血尿の既往
- 婦人科疾患，外科的疾患の既往（たとえば，子宮癌，直腸癌術後の神経因性膀胱，子宮筋腫の圧迫による排尿障害など）

表4 身体診察のポイント

バイタルサイン
- 体温：急性感染症の有無を確認する

全身状態
- 体格：慢性疾患，悪性腫瘍による体重減少の有無を確認する

腹部
- 触診による腫瘤の有無を確認する
- 直腸診による前立腺炎，癌を確認する

背部
- 打診による叩打痛の有無（尿路感染症の広がり，尿路結石など）を確認する

消失する．
- 外来診療においては試験紙法などによる簡便な検査後，診断的治療の目的で抗菌化学療法が開始されることが多い．
- 症状の改善がない場合には，薬物感受性試験を含む尿の再検査を施行するなど，原因を明らかにするために早めの対策を講じることが大切である．

医療面接(表2)

疼痛と排尿の時間的関係を詳しく聴取することは，診断に重要な役割を果たす．同時に，基礎疾患の存在も考慮しながら医療面接を進め，病歴情報を聴取する．特に40歳代以降，なかでも男性では腫瘍が存在する可能性を念頭におく．特に終末期排尿痛には器質性疾患が多く，表3のような訴えがある場合には基礎疾患の存在を疑う．

付随症状として，発熱，頻尿，尿意切迫，尿失禁，残尿感，尿線途絶，排尿終末期血尿，尿混濁，尿道からの排膿などの有無をチェックすることも重要である．外尿道口に刺激性の化学薬品や石鹸が付くと，膀胱炎に似た排尿痛，頻尿，尿意切迫といった症状が起こることがある．これは泡沫浴をする幼女において，しばしば認められる．

身体診察(表4)

視触診では，外尿道口の発赤，尿道をしごいたときの排膿，尿道部の硬結などを必ず診察する．腹部触診にて腫瘤の有無もチェックする．

女性では外陰部視診，排尿障害を伴うような場合は腟内触診を行う．男性では直腸診にて前立腺の腫大，圧痛の有無を調べる．

発熱を伴う尿路感染症を疑う場合の背部(腎部)叩打痛は，上部尿路(腎盂腎炎)への波及を知るうえで重要である．

診断のターニングポイント(図4)

医療面接と身体診察を総合して考える点

- 排尿痛をきたすものとして，病歴情報から表1に示すような疾患が考えられる．
- 排尿と疼痛の時間的関係を念頭において鑑別診断・診断を進める．
- 診察上の身体的所見からは，図1に示すように手がかりをつけていく．

必要なスクリーニング検査

試験紙法による尿検査は，血尿，細菌感染，白

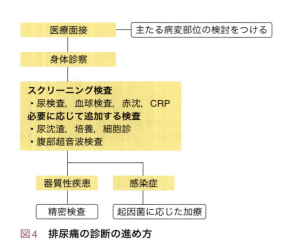

図4　排尿痛の診断の進め方

血球混入などを確認でき，尿路感染症に基づく排尿痛には簡便に対応できる．しかし，分泌液などの混入などにより，正確な所見が得られないことがあるため，最低限中間尿の採取を行うほか，必要に応じて導尿による尿採取や細胞成分の検鏡などが必要になる．同時に，尿沈渣さらには尿（あるいは分泌液）培養を行うことが望ましい．

感染症や炎症性疾患の存在は，血球検査〔白血球数（WBC），分画など〕，血液生化学検査（赤沈，CRPなど）が指標になる．難治性の場合には，尿結核菌培養，尿細胞診などを施行する必要がある．また，器質性疾患を疑う場合，腹部超音波検査を行って骨盤内の腫瘍の有無を確認するほか，各種腫瘍マーカーも参考になる．

診断確定のために

病歴情報，身体所見，スクリーニング検査の結果に基づいて，排尿痛をきたす疾患をかなり限定できる．しかし，感染性疾患の起因菌の特定，器質性疾患の確定診断，かつ重症度や予後までを含めた診断を行うには，次のような系統別診断が必要である．

尿道炎の確定診断

病歴情報から淋菌性尿道炎を疑う場合には，膿汁や尿沈渣の染色検鏡〔Gram（グラム）染色〕を行ってグラム陰性双球菌を確認する．非淋菌性尿道炎は，マイクロトラック法での網様体の確認，クラミジアザイムまたはIDEIAクラミジアが有用である．

培養で起因菌が特定されても，炎症が慢性化する場合は，尿道造影や尿道鏡検査を施行する．

尿道結石の確定診断

尿道X線（単純・造影），尿道ブジーを施行する．

前立腺異常の確定診断

慢性前立腺炎が疑われるときは，前立腺圧出液（expressed prostatic secretion; EPS）あるいはVB3（前立腺マッサージ直後の初尿10 mL）における炎症所見および細菌培養の検査が重要である．慢性細菌性および慢性非細菌性前立腺炎の差は，EPSあるいはVB3における細菌の存在の差しかない．

前立腺癌を疑う場合には，腫瘍マーカー，直腸診（正診率は60％前後）などによるスクリーニング後，経直腸超音波断層法（transrectal ultrasonography; TRUS），CT，MRI，生検を施行する．腫瘍マーカーとしては，前立腺特異抗原（PSA），γ-セミノプロテイン（γ-Sm），ならびに前立腺酸性ホスファターゼ（PAP）などがあるが，PSA判定が最も有効である．

膀胱部腫瘍の確定診断

膀胱腫瘍を疑う場合には，尿検査や尿細胞診を行ったのち，膀胱鏡検査・経尿道的生検を施行する．また，排泄性尿路造影，CT，超音波検査（経腹的，経直腸的，経尿道的），膀胱造影，MRIなども有用である．

子宮や卵巣腫瘍などを疑う場合には，その浸潤程度を確認するため直腸診，膀胱鏡・直腸鏡検査，腎盂造影検査，MRI，CTなどが必要になる．

身体的所見に乏しい場合

❶ 膀胱炎，血尿を伴う頻尿の確定診断

尿沈渣の検鏡と尿培養を行い，起因菌を特定する．慢性化する場合には，尿細胞診，尿中結核菌検査，静脈性尿路造影，膀胱鏡検査，生検を施行する．

尿路結核の場合，尿沈渣をZiehl-Neelsen（チー

ル・ネールゼン）染色し結核菌を確認するか，迅速診断として PCR 法を用いる．生検標本で中心性壊死を伴い，類上皮細胞浸潤を伴う肉芽腫性炎症病変が認められれば結核と診断される．

❷ 清澄尿を伴う頻尿の確定診断

静脈性尿路造影，尿細胞診，膀胱鏡検査，女性では尿道計測などを施行する．

❸ 排尿痛のみの場合の確定診断

静脈性尿路造影，尿細胞診，膀胱尿道鏡検査，ならびに梅毒検査などを施行する．

〈鈴木 祐介，富野 康日己〉

頻尿
pollakisuria

頻尿とは

定義

排尿回数が異常に多いという自覚的訴えを頻尿という．排尿回数は，強い尿意を知覚する機能性膀胱容量（日本人では約 400 mL）と 1 日に産生される総尿量によって規定される．摂取する水分量や不感蒸泄量によって左右されるが，一般的には 1 日 8〜10 回以上，就眠時に 2 回以上の排尿があり，かつ本人が苦痛を感じている場合をいう．

患者の訴え方

患者は，「尿意が頻回で排尿を我慢できない」（尿意切迫），「尿がたくさん出るようになった」（1 日尿量の増加＝多尿），「夜間排尿のため何回も起きる」（就眠時のみの排尿回数増加＝夜間頻尿）などと訴える．

患者が頻尿を訴える頻度

2019 年の厚生労働統計協会の国民生活基礎調査によれば，有訴者数 37,471,000 人のうち，頻尿を訴えた人数は 792,000 人で 2.11% である．

症候から原因疾患へ

病態の考え方（図1）

患者が頻尿を訴える場合，多くは泌尿器科領域の疾患であるが，循環器疾患や糖尿病，尿崩症などの内分泌・代謝疾患，脳血管障害，さらには慢性閉塞性肺疾患などが原因となることもある．頻尿をきたすメカニズムは原因により異なるため，正しく診断するためにはそのメカニズムを知ることが重要である．

頻尿の原因疾患として主なものを表1に示し，以下にそれらの病態を解説する．

膀胱粘膜刺激

異物や結石，腫瘍などの機械的刺激や感染・炎症による膀胱粘膜の刺激のため，機能性膀胱容量が減少し，尿意が切迫して排尿回数が増加する．したがって，1 回の尿量は著明に減少する．軽度の膀胱壁の伸展刺激によっても疼痛や不快感とし

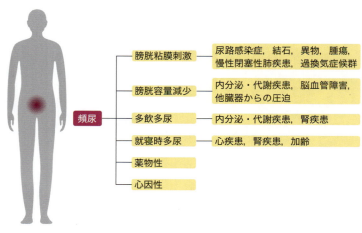

図1　頻尿の原因

て知覚すること，炎症性浮腫による膀胱壁の伸展コンプライアンスが低下することなどによる．

また，慢性閉塞性肺疾患などの呼吸性アシドーシスでは，動脈血 P_aCO_2 上昇を代償するため HCO_3^- の尿中排泄抑制，Cl^- 排泄増加により酸性尿となる．尿の pH 低下も膀胱刺激となり頻尿が生じる．逆に過換気症候群では，尿の pH は上昇するが，これも膀胱刺激となりうる．

膀胱容量減少

前立腺肥大などによる下部尿路通過障害や，糖尿病・脳血管障害などに伴う神経因性膀胱による残尿のため，有効膀胱容量が減少する．また，膀胱結核，間質性膀胱炎，妊娠子宮による膀胱圧迫などでは絶対膀胱容量が減少する．この膀胱容量減少により排尿回数が増加する．

神経因性膀胱では，排尿反射抑制路の障害も認められる．

過活動膀胱

尿意切迫を必須とし，頻尿と夜間頻尿を伴う症状症候群で，膀胱腫瘍・結石，尿路感染症などの局所的な病態を除いたものを過活動膀胱という．その頻度は 2002 年の疫学調査で 40 歳以上の日本人の 12.4％（810 万人）と推定されている．

多尿（polyuria）

糖尿病や尿崩症などによる多飲多尿では口渇を伴い，1 回尿量は正常で 1 日の総尿量が増加する．尿崩症では 3,000 mL/日以上にもなる．

就寝時多尿

正常成人では，尿の産生に日内変動がある．夜間には抗利尿ホルモン（anti-diuretic hormone；ADH）が多く分泌されるため，通常，夜間の尿産生は抑制されている．

腎機能障害時や加齢による腎硬化症では，腎実質が減少して，糸球体濾過量低下，腎血流量減少，尿細管機能低下を認めるが，夜間臥床時には日中に比べて相対的に腎血流量が増加すること，腎の ADH に対する反応性が低下することにより就寝時多尿となる．加齢によるレニン分泌低下に伴う血中アルドステロン濃度の減少や，ヒト心房性ナトリウム利尿ペプチド（hANP）の日内変動の消失も関与している．

また，就寝時多尿は就寝前の多飲によっても起こる．特にアルコールを含む飲料は，ADH 抑制作用を介した利尿作用のため夜間多尿となる．

心因性頻尿

日中の 1 回尿量の減少を認めるが，1 日総尿量や起床時尿量（早朝尿）は正常である．

薬物による頻尿

表 2 に挙げたような薬物は，1 回の排尿量や 1 日総尿量に影響を及ぼすため，頻尿の原因となりうる．

表1　頻尿をきたす疾患

膀胱粘膜刺激
- 急性膀胱炎，急性前立腺炎，膀胱結石
- 膀胱異物，尿管下端結石，膀胱腫瘍
- 慢性閉塞性肺疾患，過換気症候群

膀胱容量減少
- 前立腺肥大，膀胱頸部硬化症，神経因性膀胱
- 間質性膀胱炎，妊娠子宮，異所性尿管瘤

過活動膀胱

多飲多尿
- 糖尿病，尿崩症

就寝時多尿
- 心不全，慢性腎不全，加齢

心因性頻尿

薬物による頻尿

表2　頻尿の原因となりうる薬物
- 抗コリン薬
- フラボキサート塩酸塩
- 利尿薬
- プラゾシン塩酸塩
- ジスチグミン臭化物
- 三環系抗うつ薬

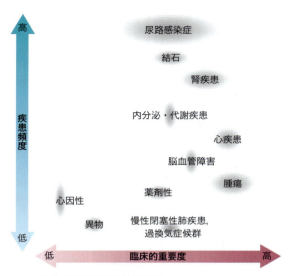

図2 疾患の頻度と臨床的重要度

表3 医療面接のポイント

経過
- いつからか
- 1日排尿回数は，1回尿量はどうか
- 覚醒時か，就眠時か

既往歴，治療中の疾患の有無
- 尿路結石，腎疾患，糖尿病，閉塞性肺疾患などはないか

誘因
- 性的接触，異物挿入はないか

嗜好品，常用薬
- アルコール，喫煙歴，薬物の投与歴はあるか

生活歴
- 就業時間，睡眠時間，食生活，1日水分摂取量と摂取内容はどうか

病態・原因疾患の割合（図2）

頻尿が主訴となる場合，急性疾患では膀胱炎などの下部尿路の感染症や炎症が多く，他の膀胱刺激症状を伴う．膀胱容量の減少による頻尿は徐々に進行することがほとんどである．

糖尿病，慢性腎不全患者は最近増加しており，多尿が主訴となることも多い．

診断の進め方

診断の進め方のポイント

- 頻尿の原因は下部尿路疾患によるものが多いが，内科的疾患でも原因となりうることを念頭に，先入観にとらわれず総合的に鑑別診断を進めていく．
- 患者の訴えが尿意切迫なのか，総尿量の増加なのか，排尿回数の増加なのかを医療面接により鑑別していく．

医療面接（表3）

排尿回数は必ず日中と夜間に分けて聴取する．夜間就労者もいるので，覚醒時と就眠時という聞き方が必要となることもある．夜間排尿回数とは，就眠中に覚醒して排尿した回数であり，不眠のために排尿回数が増える状態は頻尿とはいわない．

回数が多くて患者の答えがあいまいなときには，何時間ごとに排尿があるかを聞き，逆算する．1回の排尿量の変化を聞くことも大切である．排尿回数が多く，排尿量が少なくなっていれば，膀胱刺激症状による頻尿と考えられる．

下部尿路の急性炎症による頻尿は，排尿痛，残尿感，下腹部の不快感など，他の膀胱刺激症状を同時に訴えることが多い．間質性膀胱炎では，排尿後に軽減する膀胱痛・不快感を伴うことが多い．また発熱，腰・背部痛，下腹部痛，排尿困難，血尿，膿尿，排膿，尿失禁などの有無を確認することも，腎・泌尿器系疾患の鑑別診断のためには重要である．

心因性の頻尿は，覚醒時のみのことがほとんどである．1回排尿量が変わらないか，増加していれば多尿であり，表1に示したような内科的疾患を考慮して鑑別診断を進める．アルコールなどの嗜好や常用薬物を問うことも忘れてはならない．

女性では妊娠子宮や性器腫瘍による圧迫症状が頻尿の原因になることもあるので，月経異常についても聴取することが必要である．

身体診察（表4）

頻尿は表1に示したように，多彩な疾患で起こ

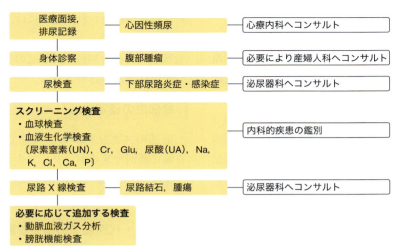

図3　頻尿の診断の進め方

りうるので，バイタルサインを含めた全身の診察が必要である．

診断のターニングポイント (図3)

医療面接と身体診察を総合して考える点

頻尿をきたすものとして，表1に示すような疾患が考えられる．

頻尿に付随する他の症候を詳細に聴取することで，鑑別診断を進めることができる．

- ◆ 残尿感，下腹部不快感，排尿痛 → 下部尿路感染症
- ◆ 直腸診による圧痛・熱感を伴う軟らかい前立腺触知 → 前立腺炎
- ◆ 下腹部腫瘤の触知 → 大腸，膀胱，女性器などの腫瘍
- ◆ 排尿後膀胱部膨隆 → 残尿の存在
- ◆ 口渇，多飲，多尿 → 糖尿病，尿崩症
- ◆ 睡眠時の頻尿消失 → 心因性頻尿
- ◆ 排尿後に軽減する膀胱痛・不快感 → 間質性膀胱炎

必要なスクリーニング検査

下部尿路の急性炎症による頻尿は，医療面接と尿検査で診断が確定できることがほとんどである．他疾患による頻尿を疑う場合には，以下のよ

表4　身体診察のポイント

バイタルサイン(体温，血圧，呼吸数)
- 尿路感染症や循環器・腎疾患，慢性閉塞性肺疾患を診察する

胸部
- 循環器，肺疾患を診察する

腹部
- 視診・触診で下腹部腫瘤，膀胱部膨隆などの有無を確認する

下肢
- 浮腫の有無を確認する

神経系
- 脳血管障害，糖尿病性神経障害などの有無を確認する

うな基本的なスクリーニング検査を加え，鑑別診断を進める．

❶ 尿検査

膿尿を認めれば，膀胱炎などの感染症を考え，細菌培養を行う．肉眼的血尿は膀胱炎でも認められるが，腫瘍や結石を疑わせる．多量の蛋白尿や糖尿は腎疾患・糖尿病を疑わせる．

多尿期の腎不全では蛋白尿が軽度となっていることが多く，注意を要する．尿比重や尿のpHもこれらの疾患を診断する重要な手がかりとなる．

❷ 血球検査(血算)

軽度の膀胱炎などでは異常をきたさないことも多いが，感染症が重症化すれば白血球数(WBC)増加を認める．多尿期の腎不全では腎性貧血となる．

❸ 血液生化学検査

CRPの上昇は，感染症や炎症性疾患の存在を示す．多尿期の腎不全では，尿素窒素(UN)・血清Crの上昇のほか，電解質異常を認める．糖尿病を疑えば，血糖値のほか，HbA1cなども測定すべきである．尿路結石では，Ca・Pの異常を伴うことがあるので，必ず一度は測定する．慢性閉塞性肺疾患のほか，腎不全でも動脈血液ガス分析を必要とする．

診断確定のために

尿路疾患の確定診断

急性膀胱炎，尿道炎，前立腺炎などの急性炎症は医療面接，身体診察と尿検査でほとんどが診断できる．

急性炎症以外では尿路X線検査(単純撮影と静脈性尿路造影)を行う．結石や異物陰影を認めれば診断が確定する．膀胱や前立腺などの腫瘍や間質性膀胱炎が疑われる場合には，超音波検査や膀胱鏡検査が必要となる．

残尿の存在や神経因性膀胱の診断には膀胱内圧や尿流量測定が必要となる．

腎疾患の確定診断

前述のスクリーニング検査で腎疾患の存在の有無を鑑別できるが，クレアチニンクリアランス(C_{cr})により正確な腎機能や原因疾患の精査も必要である．

内分泌・代謝疾患の確定診断

血糖値，HbA1c，グリコアルブミンなどの測定や75g OGTTにより，糖尿病の存在は診断できるが，眼底検査など合併症の精査も必要である．

尿崩症では尿量測定のほか，尿・血漿浸透圧測定，食塩水，バソプレシン負荷試験も必要となる．

〈清水 芳男，富野 康日己〉

乏尿・無尿
oliguria, anuria

乏尿・無尿とは

定義

乏尿

乏尿は，1日尿量が400 mL 以下をいう．

通常，健常者の尿量は500〜2,000 mL/日であるが，主として経口的に摂取される水分の量により尿量は変化するため，乏尿の場合，乏尿になりうる原因の存在が考えられる状態や全身状態の変化などを考慮して，判断するべきである．

無尿

無尿は，1日尿量が100 mL 以下のときをいう．

患者の訴え方

患者は，「尿が少ない」「尿が減った」「排尿の回数が少ない」などと訴える．しかし，これらの訴えは乏尿や無尿の定義に該当しない場合が多く，水分摂取が減少した状態での生理的範囲内の場合がほとんどである．

むしろ，種々の原因でショック状態にある場合や意識障害がある場合に，家族などに「最後の排尿がいつであったか」を確認することが，乏尿・無尿の診断に有用である．

患者が乏尿・無尿を訴える頻度

Allgrenら〔1997〕の報告によると，504人の急性腎不全患者のうち乏尿性腎障害は120人であった（23.8％）．またAltintepeら〔2004〕は，トルコにお

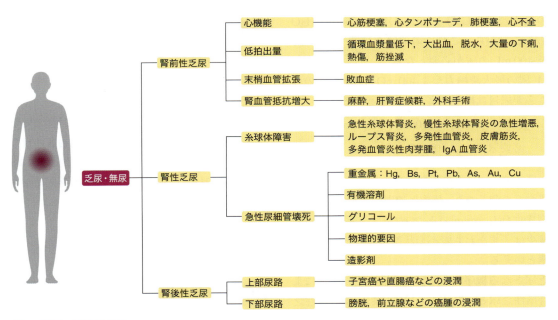

図1　乏尿・無尿の原因
尿閉（尿を排出できない状態）とは定義が異なるため，鑑別に注意を要する

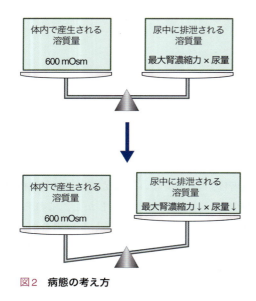

図2　病態の考え方

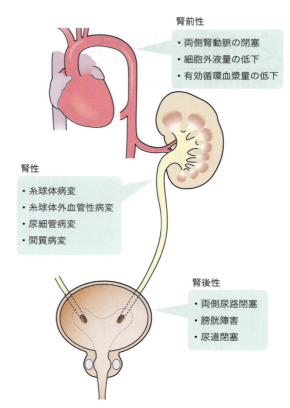

図3　乏尿の原因部位による分類

ける1996〜2002年の急性腎不全患者283人のうち，59.7%に乏尿を認めたと報告している．

症候から原因疾患へ

病態の考え方(図1)

一般に食事を摂取している状態では，1日に600 mOsmの溶質を尿中に排泄する必要がある．尿の最大濃縮力は約1,200〜1,400 mOsm/kgH$_2$Oであることから，これらの溶質を排泄するには，最低400 mLの尿が必要となる．
【例】尿の最大濃縮力が1,400 mOsm/kgH$_2$Oの場合，必要尿量は以下のように計算される．

$$600 \div 1,400 \times 1,000 = 429 \text{ (mL)}$$

必要尿量：約400 mL

1日400 mL以下の乏尿状態が続くと，溶質の排泄が不十分となり，体内に溶質が蓄積した状態，高窒素血症(azotemia)となる(図2)．尿量の病的な減少は，すなわち腎不全状態の発症と直結した病態といえる．

乏尿となる機序から，腎への灌流圧の低下による腎前性乏尿と，腎実質の障害に起因する腎性乏尿，尿管・膀胱・尿道の閉塞などが原因となって起こる腎後性乏尿の3群に分けて(図3)検討することが，病態の理解と治療方針の決定に有用である(表4〜6参照)．

病態・原因疾患の割合(図4)

乏尿や無尿から急性腎不全となる患者のうち，外科手術を病因とする乏尿の患者が最も多く，その死亡率もきわめて高い．特に，胆道系の手術後では死亡率が70%に及ぶ．急性尿細管壊死を引き起こすミオグロビン血症や腎毒性物質の投与がこれに続くが，いずれも予後は比較的良好である．

高齢者では，複数の原因によって乏尿になることが多い．

診断の進め方

診断の進め方のポイント

■ 腎前性では重篤なショック状態や意識障害を呈している場合がある．この際にはただちに緊急

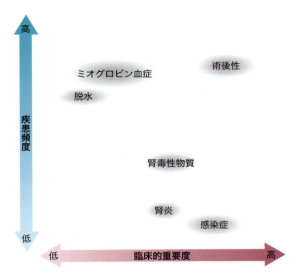

図4 疾患の頻度と臨床的重要度

処置を行い，救命処置が終了したのちに"乏尿・無尿"となった原因の解析と改善に努める．
- 治療方針が根本的に異なるため，乏尿の原因の鑑別として腎前性，腎性，腎後性のいずれの群であるかをまず診断する．
- 詳細な医療面接と身体診察から，原因のおおよその見当をつけることが可能である．

医療面接(表1)

乏尿の発症時期(onset)を決めることは困難な場合が多いが，治療後の腎機能の改善の見込みや，腎不全の程度の予測に有用であるため，経過や誘因を中心に病歴情報を聴取する．得られた自覚症状(特に消化器症状)は，腎不全の重症度を判断する参考となる．

腎前性乏尿

腎前性の場合，ほとんど誘因となるものが存在するため，原因となりうる疾患の有無と重症度の判定を行う〔手術，出血，外傷，熱傷，敗血症(感染症全般)，心筋梗塞，急性膵炎，肝硬変など〕．また，ショックや著しい脱水の既往の有無を確認するとともに，降圧薬や利尿薬の使用の有無，投与量・増量の有無・経過を確認する．

表1 医療面接のポイント

経過
- いつからか
- 急激に起こったか，徐々に起こったか
- 変動はないか

誘因
- 尿量が減少するきっかけはなかったか(手術，下痢，感染症，薬物投与，造影剤の使用)

全身状態の有無と内容
- 意識障害，悪心，食欲不振，不眠などの尿毒症状の有無を確認する
- 症状が時間の経過とともに進行していないか

既往歴
- 腹部手術歴の有無を確認する
- 前立腺肥大症をはじめとする泌尿器疾患の有無を確認する
- 腎障害や蛋白尿の既往歴の有無を確認する

職業歴
- 腎毒性物質(重金属，リチウム，パラコート，有機溶剤)などの使用の有無を確認する

腎性乏尿

原因となりうる疾患の有無を検索する．急性糸球体腎炎の場合，先行する感冒などの上気道感染の有無を聴取する．全身性エリテマトーデス，結節性多発動脈炎，多発性骨髄腫，白血病，悪性リンパ腫，サルコイドーシスなどの全身性疾患の有無を確認する．

また，既往歴に慢性糸球体腎炎や糖尿病，腎機能低下がないかを確認する．

尿毒性物質，特にアミノ配糖体やセフェム系抗菌薬と利尿薬の併用や，造影剤投与後の利尿薬の過剰投与，抗菌薬と解熱鎮痛薬の併用など，複数の尿毒性物質(表2)の投与の有無を調べる．腎毒性物質による障害の場合，薬品名は不明のことが多いので，服薬歴のほかに検査歴を聴取することも有用である．

白血病の場合，白血病細胞の浸潤のほかに，化学療法後に高尿酸血症となり，尿細管腔の閉塞を生じて乏尿を招くことがあるため，治療歴の確認も必要である．

腎後性乏尿

腎後性乏尿の場合，既往歴で腎結核や尿路結石

表2 腎毒性物質

抗菌薬	アミノ配糖体，アムホテリシン，テトラサイクリン系，セフェム系，ペニシリン系，リファンピシン
消炎鎮痛薬	フェナセチン
解熱鎮痛薬	インドメタシンなど非ステロイド性抗炎症薬(NSAIDs)
診断用薬物	ヨード系造影剤
その他の薬物	リチウム，利尿薬，フェニトイン，サルファ剤
重金属類	水銀，カドミウム，鉛，白金など
有機溶剤	四塩化炭素，エチレングリコール，フェノール
農薬	パラコート

表3 身体診察のポイント

バイタルサイン
- 血圧，脈拍数などのショック状態を評価する
- 意識レベルを評価する

全身状態
- 脱水症状の有無をみる
- 間質への体液移動(浮腫，腹水，胸水)の有無をみる
- 皮膚：紫斑，出血斑，皮疹，ツルゴール(turgor)の低下を確認する

頭頸部
- 結膜：貧血，黄疸を確認する
- 口腔内：舌の乾燥，扁桃腺の肥大や炎症の有無をみる
- 頸部：リンパ節の腫脹，頸静脈の虚脱の有無をみる

胸部
- 打診：心拡大，胸水貯留の有無をみる
- 聴診：肺水腫の有無，心不全(Ⅲ・Ⅳ音の聴取)を確認する

腹部
- 視診：手術痕の有無，下腹部膨隆の有無をみる
- 触診：肝脾腫，腹水の有無，背部の叩打痛，下腹部の圧痛の有無をみる

四肢
- 浮腫，鼠径部リンパ節の腫脹の有無をみる

神経系
- 尿毒症性神経症の有無をみる

のため片腎を摘出していないかを聴取する必要がある．また，骨盤内腫瘍の手術に際し，尿管が結紮されて無尿となる場合があるため，病歴の確認は重要である．

尿路結石などでは乏尿以前に，排尿困難や肉眼的血尿などの症状を自覚することが多く，尿路の急激な閉塞によって，背部痛や下腹部痛を自覚することがある．また，腎後性の乏尿では，ほかの場合と異なり，尿量の著しい変動を認めることがある．

身体診察(表3)

腎前性乏尿

有効循環血漿量の減少を示唆する全身状態の評価を行う．

身体所見として，安静時頻脈，低血圧(起立性低血圧)，頸静脈の虚脱，四肢の寒冷，皮膚および舌の乾燥の有無をチェックする．心不全やネフローゼ症候群では，四肢や顔面の浮腫が存在しても循環血漿量の低下をきたしうるため，その他の所見も考慮して病態の把握に努める．

腎性乏尿

乏尿によって発症する急速な腎機能低下(多くは急性腎不全)の症状を，尿量の減少と併せて評価する．

身体所見として，悪心・嘔吐，浮腫，肺水腫，貧血，出血傾向，高血圧，意識障害などの尿毒症症状(uremia)の有無を確認する．

腎後性乏尿

急激に尿路が閉塞すると，下腹部痛を認めることがある．急速な水腎症では背部痛や背部の叩打痛を訴える．腎後性の場合，尿量の変動が著しいことがある．

診断のターニングポイント

医療面接と身体診察を総合して考える点

- 乏尿を示す疾患としては，腎前性，腎性，腎後性に分け，表4～6に示したものが考えられる．これらを念頭において，鑑別診断を進める．
- 腎前性乏尿が考えられる場合，循環血漿量減少の程度と期間を病歴情報や身体所見から推察し，さらに複数の要因，特に腎性の要因が加わっていないかを詳細に検討する．

表4 腎前性乏尿の原因

腎動脈の閉塞
- 腎動脈血栓症，腎動脈塞栓症

細胞外液量の低下
- 摂取量(intake)の不足：脱水
- 排出量(output)の増大
  - 細胞間質への移行：手術，膵炎，熱傷
  - 消化管からの喪失：嘔吐，下痢
  - 利尿薬の投与
  - 出血

有効循環血漿量の低下
- 末梢血管拡張：敗血症，降圧薬，急性腹症
- 心機能不全：心不全，心タンポナーデ，肺梗塞，心筋梗塞
- 低アルブミン血症：ネフローゼ症候群，非代償性肝機能障害，低栄養

腎血管抵抗の上昇
- 肝腎症候群，麻酔，手術

- 腎性乏尿では，原因疾患の鑑別と併せ，腎不全が進展して緊急に透析療法が必要でないかを判断する必要がある．
- 腎後性乏尿では，泌尿器科的な救急処置によって速やかに改善する場合が多く，病歴情報や身体所見からおおよその診断がつくため，丹念な診察が必要である．

必要なスクリーニング検査

医療面接と身体診察から乏尿の原因となる疾患を推察することは，多くの場合可能であるが，基本的なスクリーニング検査をすることで，さらに鑑別診断を進める(図5)．

❶ 尿検査

尿の生成・排泄器官への直接あるいは間接の障害によって生じた病態であることから，尿検査から得られる情報は多い．特に，腎性乏尿のうち最も多い急性尿細管壊死の乏尿と腎前性乏尿の尿にかかわる所見の相違を表7に示す．

❷ 血液生化学検査，血液ガス分析

乏尿になり，溶質の体内蓄積が続くと腎不全に至る．腎不全の程度を判定するとともに，炎症性疾患やネフローゼ症候群，脱水の有無の診断に有用である．

表5 腎性乏尿の原因

糸球体性
- 急性病変
  - 急性糸球体腎炎，半月体形成性腎炎，抗糸球体基底膜(anti-glomerular basement membrane; anti-GBM)病，全身性エリテマトーデス，溶血性連鎖球菌感染後糸球体腎炎，急速進行性糸球体腎炎，膜性増殖性糸球体腎炎，多発血管炎性肉芽腫症，マラリア，レプトスピラ症，B型肝炎
- 慢性病変の急性増悪
  - 慢性糸球体腎炎

細血管性
- 血管炎，悪性腎硬化症，結節性多発動脈炎，過敏性血管炎，溶血性尿毒症症候群，血栓性血小板減少性紫斑病，全身性エリテマトーデス，IgA血管炎，多発血管炎性肉芽腫症，播種性血管内凝固，全身性強皮症

尿細管性
- 尿細管腔閉塞
  - シュウ酸，尿酸(特に，悪性リンパ腫や白血病の治療中)，多発性骨髄腫，メトトレキサートでの治療
- 急性尿細管壊死
  - 虚血性：出血，ショック，敗血症，熱傷，外傷，横紋筋融解症，腎梗塞
  - 尿毒性：腎毒性物質(表2参照)
  - その他：シクロスポリンA，造影剤，ミオグロビン血症，蛇咬症，熱射病

間質性
- 全身性疾患の細胞浸潤
  - 白血病，リンパ腫，サルコイドーシス
- 急性間質性腎炎
  - アレルギー性：ペニシリン，スルホンアミド系，抗菌薬，利尿薬，NSAIDs，プロベネシド，アロプリノール，シメチジン，フェノバルビタール
  - 感染性：急性腎盂腎炎，マラリア，レプトスピラ症，腎症候性出血熱
  - 急性乳頭壊死(acute papillary necrosis)：鎮痛薬やNSAIDsの乱用，糖尿病患者

表6 腎後性乏尿の原因

両側尿管閉塞
- 尿路内病変：結晶，凝血塊，結石，壊死塊，浮腫，乳頭塊
- 尿路外病変：腫瘍，後腹膜線維化，結紮，血管走行異常

膀胱障害
- 膀胱頸部閉塞：腫瘍，結石
- 収縮能低下：ニューロパチー，抗コリン薬

尿道閉塞
- 先天性形態異常，前立腺肥大症

表7 腎前性乏尿と狭義の腎性乏尿の鑑別検査

	腎前性急性腎不全	狭義の腎性急性腎不全
尿蛋白	(−)〜(±)	(+)〜(++)
尿沈渣	ほぼ正常	細胞円柱
尿浸透圧(U_{osm})(mOsm/kg H$_2$O)	>500	<350
尿Cr/血清Cr	>40	<20
尿UN/血清UN	>8	<3
尿Na濃度(mEq/L)	<20	>40
尿Na排泄率(FE_{Na})*	<1	>1
renal failure index**	<1	>1
UN/Cr	>20	10前後
中心静脈(超音波検査)	虚脱	拡張
輸液テスト	利尿あり	利尿なし
furosemide test	利尿あり	利尿なし

* $FE_{Na} = C_{Na}/C_{cr} =$ (尿中Na濃度/血清Na濃度)/(尿中Cr濃度/血清Cr濃度)
** renal failure index = 尿中Na濃度/C_{cr}

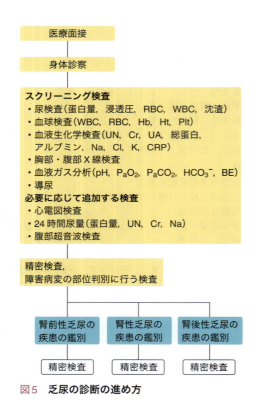

図5 乏尿の診断の進め方

❸ 胸部・腹部X線検査

胸部X線は，心不全をはじめとする疾患を疑うときに行う．腹部X線での腎臓のサイズの測定は，腎障害が潜在的に存在しないか判断するために有用である．

❹ 膀胱内へのカテーテル挿入

尿閉との鑑別に有用である．

❺ 腹部超音波検査

腎盂の拡張を認めた場合，腎後性乏尿と診断される．

診断確定のために(図6)

以上の段階で得られた結果より，乏尿をきたす疾患をかなり限定でき，少なくとも腎前性・腎性・腎後性のいずれの原因群による乏尿であるかを確定できる．

しかし，器質性疾患，特に腎性乏尿の確定診断のためには，さらに特定の精密検査を行う必要がある．

腎前性乏尿の確定診断

心疾患(心筋梗塞，心タンポナーデ，心不全)や脱水などの循環血漿量の変化が著しい場合には，心臓超音波検査によって診断が可能である．肝硬変や腹水の貯留の評価には腹部超音波検査を施行する．

両側腎動脈の閉塞は腹部大動脈瘤や大動脈の術後などに起こりうるが，乏尿の早期で全身状態が比較的よければレノグラムで確定する．

腎性乏尿の確定診断

糸球体障害による乏尿の場合，尿生化学所見は腎前性乏尿に似た所見となるが，尿沈渣で細胞性沈渣を認める．

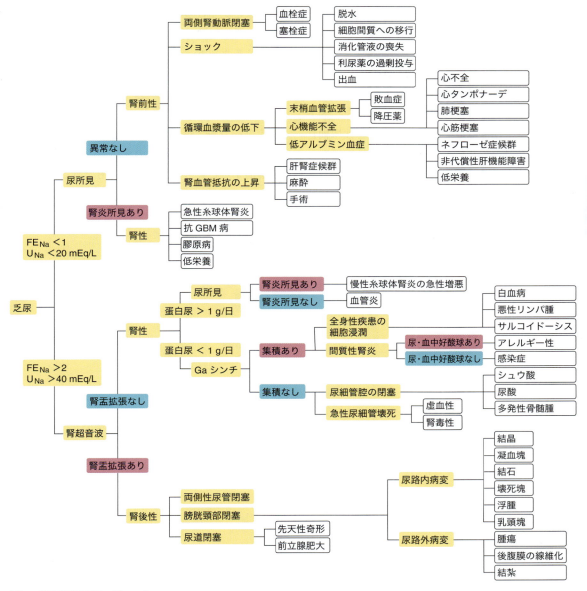

図6 鑑別診断フローチャート

　急性糸球体腎炎では，溶血性連鎖球菌感染の既往や抗ストレプトリジンO抗体（ASO），抗ストレプトキナーゼ抗体（ASK）をみることで診断が可能であり，抗GBM病や多発血管炎性肉芽腫症，急速進行性糸球体腎炎，全身性エリテマトーデスなどは，特異抗体などの血清検査や組織所見（腎生検）から確定診断を行う．マラリアは早朝赤血球中のマラリア虫体の証明で診断される．

　腎性乏尿のうち，尿細管間質性腎炎の診断には，ガリウム（Ga）シンチグラフィーが有用であり，腎以外の集積を認める場合には，サルコイドーシスや悪性リンパ腫の細胞浸潤などが考えられる．

　急性尿細管間質性腎炎では薬物や感染により発症することが多いが，尿中および血中での好酸球数の増加の有無で鑑別する．急性尿細管間質性腎炎を起こす薬物としては，ペニシリンやスルホンアミド系薬物が最も多いが，抗菌薬，利尿薬，NSAIDs，アロプリノール，プロベネシド，シメチジン，フェノバルビタールなども原因となりうる．

　一方，感染症で尿細管間質性腎炎を引き起こす

ものとしては，急性腎盂腎炎，マラリア，レプトスピラ症，腎症候性出血熱などがある．

Gaシンチグラフィーで所見を認めない場合，尿細管腔の閉塞や急性尿細管壊死が原因として考えられる．尿細管腔の閉塞は，尿酸，シュウ酸などの結晶や多発性骨髄腫のミエローマ蛋白，メトトレキサート結晶などの沈着である．急性尿細管壊死の場合は，表2に示すような腎毒性物質や腎虚血が原因となる．腎虚血を起こす病態としては出血，ショック，熱傷，外傷，横紋筋融解症，腎梗塞などが挙げられる．

その他，シクロスポリンA(CYA)や造影剤により生じる乏尿も，長時間続く腎虚血により生じる急性尿細管壊死が原因である．

腎後性乏尿の確定診断

腹部超音波で腎盂の拡張を認めた場合，腎後性乏尿を強く疑い，逆行性の尿路造影を行う．乏尿を解消するとともに，診断に有用である．

〈井尾 浩章，富野 康日己〉

血尿
hematuria

血尿とは

定義

尿に赤血球が混入している状態を血尿といい，顕微鏡的血尿(microscopic hematuria)と肉眼的血尿(macrohematuria)とに分けられる．

①顕微鏡的血尿：新鮮尿10 mLを1,500回転5分間遠心し，上澄みを捨てて沈渣成分をスライドガラスにとり，400倍視野で検鏡する．400倍視野で赤血球が1視野5個以上認められる場合をいう．

②肉眼的血尿：尿1 Lに血液が1 mL以上混入すると肉眼で赤く見える．

試験紙法による尿潜血反応はヘモグロビン(Hb)のペルオキシダーゼ様活性を測定するもので，色原体はヘモグロビンまたはミオグロビンの存在下で過酸化物と反応し，酸化される．その結果，試験紙の色調が黄色から緑色に変化する．

市販の潜血反応試験紙で1+がヘモグロビン濃度0.06 mg/dL，赤血球20個/μLに相当する．尿潜血反応試験紙には偽陽性や偽陰性がみられることがあり，尿沈渣赤血球数と試験紙法が一致しない場合には注意が必要である(表1)．

患者の訴え方

肉眼的血尿では，「尿が赤い」とか「尿の色が濃い」と訴えることが多いが，顕微鏡的血尿では，尿の色調変化に患者自身は気づいておらず，「腰が痛い」「背中が痛い」「尿をする際，痛みがある」「尿をする際，むずむずする」「足がむくむ」「尿の出が悪い」などと訴える．

また，学校検尿や職場の健康診断で尿潜血反応を指摘され，外来を受診することも多い．ほかの疾患で医療機関を受診した際に，偶発的に尿潜血反応や血尿が指摘されることもある．

患者が血尿を訴える頻度

血尿を主訴に受診する患者の頻度に関する統計は少ないが，血尿は内科的疾患や泌尿器科的疾患の重要な徴候である．

日本人の潜血陽性率は，小学校の健診では0.96～3.11%で経年的な変化はない．成人の人間ドック，健診での潜血陽性率を図1に示す．男女別ではすべての年代で女性の陽性率が高く，加齢により陽性率は男女とも上昇する．

症候から原因疾患へ

病態の考え方

診断に際し，まず行うことは血尿の存在の確認で，次いで血尿の原因部位の推察である．血尿

表1 潜血反応と尿沈渣赤血球の不一致の原因

		尿潜血反応	
		−	+
尿沈渣の赤血球	−	血尿なし	尿が古い 低張尿，高度のアルカリ尿 ヘモグロビン(Hb)尿 ミオグロビン尿 高度白血球尿/細菌尿，精液の混入，過酸化物(オキシフルなど)の混入 沈渣赤血球の見落とし
	+	試験紙の劣化 高比重尿 高蛋白尿，粘液成分が高度なとき アスコルビン酸含有尿 カプトリル含有尿 沈渣赤血球の誤認	血尿あり

は糸球体性血尿と非糸球体性血尿に分けて考える（図2）.

糸球体性血尿をきたすものには，原発性・続発性糸球体腎炎，血管炎，菲薄基底膜病などの内科的な疾患が多い．非糸球体性血尿の原因としては，前立腺肥大，膀胱炎，腎盂腎炎，膀胱癌，腎・尿路結石，尿管癌など泌尿器科的な疾患が多い．

尿沈渣で変形赤血球の比率が高く，赤血球円柱を伴うのが糸球体性血尿の特徴である．

病態・原因疾患の割合（図3）

血尿を主訴に来院した原因疾患の頻度の報告では，膀胱炎が22.2％，尿路結石が21.0％，膀胱癌が12.6％，腎炎が5.7％，遊走腎が5.7％，腎結核が3.6％，腎腫瘍が3.3％，前立腺肥大症が3.3％との報告がある．

診断の進め方

診断の進め方のポイント

- まず第一に行うことは，血尿の存在の確認である．実際に尿を見て，肉眼的血尿（着色尿）であるか否かを判断する．
- 次いで尿潜血反応の程度と尿沈渣赤血球の程度との乖離の有無を確認し，血尿の定義に一致するかどうかを確かめる．
- 血尿が確認された場合は，次に部位診断をする．

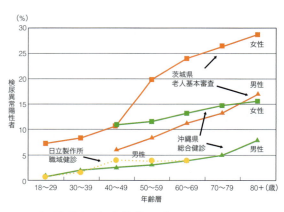

図1　血尿陽性者の頻度（年齢層別）
〔血尿診断ガイドライン 2013. p.14, ライフサイエンス出版, 2013 より〕

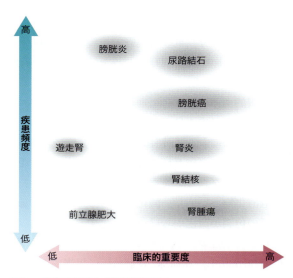

図3　疾患の頻度と臨床的重要度

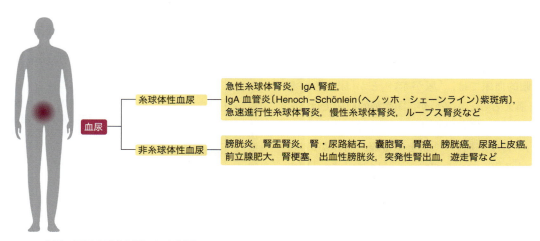

図2　血尿の原因疾患（病態による分類）

糸球体性血尿：急性糸球体腎炎, IgA 腎症, IgA 血管炎〔Henoch-Schönlein（ヘノッホ・シェーンライン）紫斑病〕, 急速進行性糸球体腎炎, 慢性糸球体腎炎, ループス腎炎など

非糸球体性血尿：膀胱炎, 腎盂腎炎, 腎・尿路結石, 嚢胞腎, 胃癌, 膀胱癌, 尿路上皮癌, 前立腺肥大, 腎梗塞, 出血性膀胱炎, 突発性腎出血, 遊走腎など

出血傾向などによる血尿以外で，無症候性血尿の場合は緊急の処置が必要なことは少ないが，外傷や尿路結石などにより，患者のバイタルサインが悪化したり，疼痛の訴えが激しい場合には緊急の処置を行う．
- 症候性肉眼的血尿では，血尿以外の症状に対する精査を行うことにより，診断は可能である．
- 小児や25歳以下の若年者の無症候性肉眼的血尿では，まず泌尿器科的な精査を行う（肉眼的血尿を呈する疾患：尿路上皮癌，腎癌，前立腺癌，腎動静脈奇形，腎梗塞，尿路結石，出血性膀胱炎，突発性腎出血など）．

医療面接(表2)

血尿を訴える患者を診察する場合も，既往歴や現症に関して詳細な医療情報を聴取することが重要である．

身体診察(表3)

皮膚や歯肉などの出血や発熱に注意する．
腎臓の触診は両手触診を行い，腎が一側性にやや硬く触れ，表面が平滑，ときに凹凸著明なものは腎腫瘍が考えられるが，全く触知しない場合も多い．腎結石や急性腎盂腎炎では，平手の尺側で腎臓部を叩打すると疼痛や響く感じを訴えることが多い．また，前立腺肥大症では直腸診が有用なことがある．疾患によっては婦人科的診察が必要なこともある．

腎炎などでは浮腫や高血圧をきたすこともあり，血圧測定や浮腫の有無，体重の増減を確認することも重要である．抗糸球体基底膜(anti-glomerular basement membrane; anti-GBM)病，顕微鏡的多発血管炎(microscopic polyangiitis)や多発血管炎性肉芽腫症(granulomatosis with polyangiitis)などのANCA関連血管炎では，血尿とともに肺病変を伴い，喀血を認めることもあるので，胸部の聴診も不可欠である．

また，他臓器に病変を認めた際には，血尿をしばしば見逃すことがあるので注意を要する．

診断のターニングポイント(図4)

血尿をきたす疾患として，図2，5に示した疾患が考えられ，これらを念頭におき鑑別診断を進める．

医療面接と身体診察を総合して考える点

- **(確定診断)** まず，腎・尿路結石は医療面接，身体診察でほぼ診断がつけられるが，腎梗塞を見逃さないよう注意を要する．
- **(確定診断)** 急性膀胱炎，急性腎盂腎炎は医療面接，身体診察でほぼ診断がつけられる．
- 医療面接から，健診で血尿(尿潜血)を指摘され，身体診察で浮腫などが認められれば，糸球体腎炎が疑われる．

表2 医療面接のポイント

経過
- いつから，どの程度の血尿か(肉眼的か)
- 血尿発見のきっかけはどのようなものか(健診で発見されたのか，なんらかの自覚症状があったのか)
- 血尿の起始の状況およびその程度，持続性，反復性などについて確認する

随伴症状
- 疼痛はあるか，あればどの程度か(疝痛発作か鈍痛か)
- 排尿時痛，排尿時違和感，残尿感，頻尿，下腹部膨満感はあるか
- 尿量，尿の回数はどうか
- その他の全身症状の有無(発熱，倦怠感，食欲，咳，痰など)はどうか

嗜好品，常用薬
- 抗凝固薬などの内服はあるか

表3 身体診察のポイント

バイタルサイン
- 血圧，脈，体温，呼吸など出血や感染などの徴候の有無を確認する

全身状態
- 悪性疾患に伴う体重減少の有無，あるいは溢水傾向に伴う体重の増加の有無を確認する
- 歯肉，皮膚などの出血傾向の有無を確認する

胸部
- 打診，聴診で心肺病変を診察する

腹部
- 触診で腎臓の大きさ，腫瘤の有無を確認する
- 腎臓部の打診で，叩打痛の有無を確認する

四肢
- 浮腫，筋痛の有無を確認する

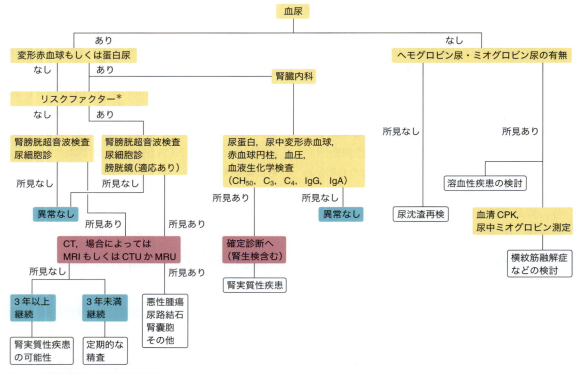

図4　顕微鏡的血尿の診察の進め方

*高リスクを示すリスクファクター：40歳以上の男性，喫煙歴，化学薬品曝露，肉眼的血尿，泌尿器科系疾患，排尿刺激症状，尿路感染の既往，鎮痛薬（フェナセチン）多用，骨盤放射線照射歴，シクロホスファミド治療歴
〔血尿診断ガイドライン 2013. p.21, ライフサイエンス出版, 2013 より一部改変〕

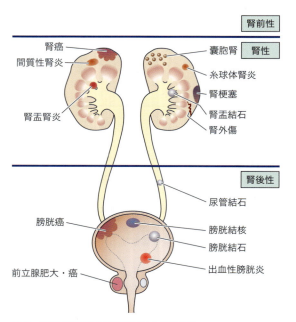

図5　血尿の原因疾患（部位による分類）

- 医療面接にて，家族歴で多発性囊胞腎の人がいることが判明すれば，常染色体優性遺伝の多発性囊胞腎を疑う．
- 40歳以上の男性，喫煙歴，化学薬品曝露，肉眼的血尿，泌尿器科的疾患，排尿刺激症状，尿路感染の既往，鎮痛薬（フェナセチン）多用，骨盤放射線照射歴，シクロホスファミド治療歴などがあれば，尿路上皮癌のスクリーニング検査を行う．
- 身体診察では，発熱や疼痛，腰部叩打痛，排尿時痛があれば，非糸球体性の血尿を疑い，泌尿器科的疾患を念頭においてスクリーニングを行う．
- 健診での尿潜血に加え，蛋白尿も同時に指摘されている場合は，糸球体腎炎など内科的疾患を念頭においてスクリーニングを行う．

必要なスクリーニング検査

医療面接と身体診察から，血尿をきたす疾患を

表4　Thompsonの2杯分尿試験法

尿を排尿時に2分割して採取し，血尿をどの時期に認めるかで出血部位を推定する
1. 排尿初期血尿　→前部尿道よりの出血
2. 排尿終末期血尿→膀胱頸部・三角部・後部尿道出血
3. 排尿全期血尿　→腎・上部尿路の出血

推察することはある程度可能であるが，無症候性の顕微鏡的血尿の場合は，尿潜血反応と尿沈渣を確認しないと不可能である．

主なスクリーニング検査には以下のようなものがある．

❶ 尿潜血反応，蛋白定性試験と尿沈渣

尿潜血反応で陽性の場合，尿沈渣をみて実際に赤血球が400倍視野で1視野5個以上存在しているか否かを確認する．血尿の定義に合致した場合は沈渣で赤血球円柱の有無，変形赤血球の比率をみて，糸球体性血尿か非糸球体性血尿かを判断する．

❷ Thompson（トンプソン）の2杯分尿試験法
（表4）

肉眼的血尿では，まず出血部位の確認のために行う．

❸ 血球検査（血算）

貧血の有無，白血球数（WBC），白血球分画，血小板数から，全身性疾患，感染症，出血傾向の存在の有無をみる．

❹ 血液生化学検査

感染症や炎症性疾患の存在は，CRPや赤沈である程度判断できる．腎機能に関しては，血液生化学検査でUN，血清Cr，血清尿酸（UA），Na，K，Cl，Caなどを測定し，判断する．

❺ 骨盤部単純X線検査（KUB）

結石の種類によっては，陰影が確認できる．

❻ 胸部X線検査

抗GBM病，顕微鏡的多発血管炎，多発血管炎性肉芽腫などの肺病変のスクリーニングに有用である．

診断確定のために

病歴情報，身体所見，スクリーニング検査の結果に基づき，血尿をきたす疾患をかなり限定できる．

しかし，器質性疾患の確定診断を行い，かつ重症度や予後までを含めた診断を行うには，次のような検査も必要となる．

感染症の確定診断

急性膀胱炎，急性腎盂腎炎などを疑った場合には，尿沈渣中の白血球数や，細菌の有無，尿培養試験などを行い，起因菌の同定，抗菌薬に対しての感受性試験を行う．

尿中白血球の増加を認めるものの尿染色標本の検鏡や尿培養で細菌が同定できない場合を無菌性膿尿という．この場合は，尿路結核やクラミジア感染症，ループス膀胱炎，放射線や化学物質による尿路の炎症を疑い精査を進める．

腎・尿路結石の確定診断

医療面接からの自覚症状や尿潜血反応から尿路結石が疑われた場合は，腹部X線（KUB）で結石を確認する．尿酸結石などX線で確認できない場合は，腹部超音波検査やCTなどで大きさを確認するとともに水腎症の有無を調べる．結石が10 mm以上の大きさで自然排石が期待できない場合や，水腎症を伴う場合は体外衝撃波結石破砕療法（ESWL）を検討する．

尿路系悪性腫瘍の確定診断

尿路系悪性腫瘍を疑った場合は，尿細胞診や尿中腫瘍マーカー（BTA，NMP22など），前立腺癌の場合はPSAなどを調べる．画像診断として膀胱鏡検査，CT，MRIなどを行う．

糸球体腎炎の確定診断

糸球体性血尿，赤血球円柱を認めた場合は，蛋白尿の有無や程度を確認し，原発性あるいは続発性糸球体疾患，遺伝性糸球体疾患を疑い精査を進める．

続発性糸球体疾患を疑う場合は，膠原病や血管炎などの基礎疾患について精査が必要である．

〈合田 朋仁，富野 康日己〉

四肢痛
limb pain

四肢痛とは

定義

四肢痛とは，上肢（上腕，前腕，手）または下肢（大腿，下腿，足）に痛みを訴える状態を指す．これには頸部から上肢，腰部から下肢への放散痛も含まれる．

患者の訴え方

患者は，「手が痛い」「腕がだるい」「足に痛みが走る」「ふくらはぎがしびれる」などと訴える．

局所が痛いのか，痛みが放散しているのか，鈍痛なのか，激痛なのか，倦怠感としてのだるさなのかを把握する必要がある．

患者が四肢痛を訴える頻度

整形外科外来患者のなかでは，四肢痛を訴える患者は10〜20％程度であり，脊椎由来の神経痛様症状が最も多い印象がある．

症候から原因疾患へ

病態の考え方（図1）

患者が四肢痛を訴える場合，まず具体的にどの部位かを明らかにする．また，それが四肢痛を訴えている局所の病変なのか，または頸椎，腰椎などの脊椎からの放散痛によるものなのかを鑑別する．さらに，内科的疾患による四肢痛もありうる．

四肢痛を引き起こす原因疾患として主なものを表1に示す．

表1　四肢痛をきたす疾患

局所的疾患
- 外傷：骨折，打撲など
- 慢性疾患：筋肉痛，腱鞘炎など
- 悪性腫瘍

脊椎疾患
- 頸椎疾患：頸椎症，頸椎椎間板ヘルニアなど
- 腰椎疾患：腰椎症，腰椎椎間板ヘルニアなど

内科的疾患
- ホルモン分泌異常：副甲状腺機能亢進症など

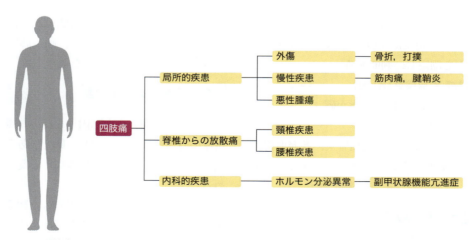

図1　四肢痛の原因

病態・原因疾患の割合 (図2)

局所的疾患と脊椎由来の疾患がほぼ半数ずつであり，内科的疾患や悪性腫瘍は1％以下である．病態，原因疾患の頻度とその臨床的重要度を図2に示す．

診断の進め方

診断の進め方のポイント

- 四肢痛の原因には，それぞれの局所に障害のあるもの，頸椎や腰椎に原因がありその放散痛として生じているもの，頻度は少ないが，内科的疾患の結果，局所の症状として四肢痛を生じるものなどがある．
- まず，どの部位が痛いのかをはっきりと聴取することが大切である．また，歩行可能な患者であれば，診察室に入ってくるところから観察することにより，下肢痛の程度を把握することが可能となる．
- なお，四肢痛そのものに対して緊急処置を必要とすることが稀にある．四肢切断などの外傷，閉塞性動脈硬化症などの血行障害による四肢血流不全，Volkmann（フォルクマン）拘縮などの末梢神経障害などには，緊急時の的確な処置が必要となる．

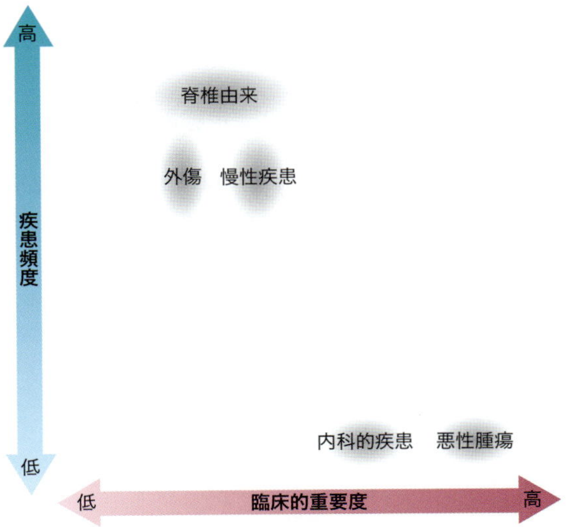

医療面接

四肢痛は自覚症状であるだけに，医療面接が診断に重要な役割を果たす．経過や誘因などを中心に，病歴情報を丹念に聴取する（表2）．これにより局所症状なのか，脊椎などからの放散痛なのか，だいたいのめどがつく．

身体診察

身体診察は，四肢痛を引き起こす器質性疾患を診断するうえで，特に重要である（表3）．

緊急処置を必要とするかどうかの確認のため，まずバイタルサイン，四肢の血行状態，神経障害などをチェックする．

次に，疼痛部位である四肢の局所の診察および放散痛を考えての脊椎の診察を行う．

表2　医療面接のポイント

疼痛部位
- 局所のみが痛いのか，頸・腰部から放散してくるのか

経過
- いつから，どの程度の四肢痛があるのか
- 急激に始まったのか，徐々に起きてきたのか
- 安静時痛なのか，歩行後しばらくして痛くなるのか

誘因
- 四肢痛を生じるきっかけはなかったか（運動，仕事，外傷など）

生活歴
- 繰り返す動作による使いすぎ症候群としての四肢痛があるため，運動歴，職業歴を確認する

表3　身体診察のポイント

バイタルサイン
- 体温，血圧：感染症や出血に伴う低血圧による四肢痛を鑑別する

四肢
- 腫脹，発赤，熱感，圧痛などの炎症症状を観察する
- 詳細に圧痛部位を観察する
- 運動障害，感覚障害を観察する
- 四肢の動きによる痛みの誘発について観察する

脊椎
- 腱反射，病的反射，徒手筋力テスト（MMT）などを確認する

図2　疾患の頻度と臨床的重要度

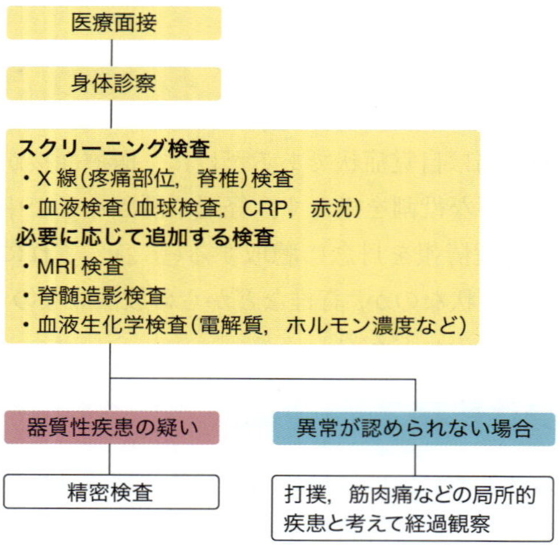

```
医療面接
  ↓
身体診察
  ↓
スクリーニング検査
・X線(疼痛部位,脊椎)検査
・血液検査(血球検査,CRP,赤沈)
必要に応じて追加する検査
・MRI検査
・脊髄造影検査
・血液生化学検査(電解質,ホルモン濃度など)
  ↓                    ↓
器質性疾患の疑い    異常が認められない場合
  ↓                    ↓
精密検査            打撲,筋肉痛などの局所的
                    疾患と考えて経過観察
```

図3 四肢痛の診断の進め方

診断のターニングポイント（図3）

医療面接と身体診察を総合して考える点

■ 現在の四肢痛が，疼痛部位の局所に原因があるのか，脊椎などの放散痛として生じているのか，鑑別がある程度可能となる．

必要なスクリーニング検査

医療面接と身体診察から，四肢痛をきたす器質性疾患の存在を推測することは可能なことが多い．しかし，器質性疾患を正しく診断するには，基本的なスクリーニング検査を行うのが望ましい．

具体的には，疼痛部位のX線撮影（骨折，骨腫瘍などをチェック），脊椎のX線撮影（頸椎症，腰椎症による神経痛をチェック），また炎症や感染が疑われるときは，血液検査（血球検査，CRP，赤沈など）も行う．

❶ X線検査

疼痛部位では，骨折，骨腫瘍などを調べ，脊椎では，頸椎や腰椎に変性変化などがないか検索する．

❷ 血液検査

炎症や感染症が疑われるときは，血球検査，CRP，赤沈などの測定を行い，異常がないか調べる．

診断確定のために

病歴情報，身体所見，スクリーニング検査の結果に基づき，四肢痛をきたす疾患をかなり限定することができる．

具体的には，疼痛部位の局所の疾患である骨折，打撲，骨腫瘍，骨髄炎など感染症，また，頸椎椎間板ヘルニアや腰部脊柱管狭窄症などの神経痛が挙げられる．

頻度は少ないが，副甲状腺機能亢進症による四肢痛も存在する．これを疑ったときには，血液生化学検査やホルモン濃度の測定も必要となる．

感染症の確定診断

感染症の場合，一般的に局所の疼痛，発赤，熱感，腫脹などの自他覚症状があり，赤沈の亢進，CRPなどの炎症蛋白質の出現がある．骨髄炎では，単純X線での骨融解像がみられることがある．

神経痛の確定診断

病歴情報，身体所見から脊椎疾患が疑われる場合，X線検査で頸椎や腰椎の変性変化の存在を調べる．また，頸椎や腰椎のMRIを行うことにより，脊髄，馬尾神経の圧迫所見を確認する．

副甲状腺機能亢進症の確定診断

副甲状腺機能亢進症が疑われたときは，血清Ca，Pなどの電解質の値を調べるとともに，副甲状腺ホルモンの値も測定する．

〈中村 孝志，中川 泰彰〉

関節痛
arthralgia

関節痛とは

定義

関節痛とは，関節の痛みをいう．ここでいう関節とは，上肢では，肩，肘，手関節，手指のMP関節〔中手指節関節（metacarpophalangeal joint; MCP）〕など，下肢では，股関節，膝，足関節，足指のMP関節〔中足指節関節（metatarsophalangeal joint; MTP）〕などを指す．

患者の訴え方

患者は，「肩が痛い」「手がこわばる」「膝が腫れているように思う」などと訴える．ただし，訴えの一部は，関節リウマチなどの重篤な疾患であるとの恐怖観念から生じることもある．局所が痛いのか，痛みの部位が多発しているのか，鈍痛なのか，激痛なのかを把握する必要がある．

患者が関節痛を訴える頻度

整形外科外来患者のなかでは，関節痛を訴える患者は20〜30%程度であり，関節由来の症状が最も多い印象である．

関節痛の部位として膝関節が最も多く，その原因の主なものは変形性膝関節症（膝OA）である．その頻度は，最近のコホート研究によると50歳以上でX線上の膝OAは2,400万人，X線検査で膝OAと診断されて痛みを訴える患者が820万人（男性210万人，女性610万人）になるといわれている．

症候から原因疾患へ

病態の考え方（図1）

患者が関節痛を訴える場合，まずそれが全身疾患であるのか，または局所の関節のみに原因のある疾患なのかを考える．

全身疾患ならば，関節リウマチや全身性エリテマトーデスなどの膠原病を中心に精査する．局所の関節のみに原因がある場合は，外傷，慢性疾患などの関節そのものの精査につながっていく．

関節痛を引き起こす原因疾患として主なものを表1に示す．

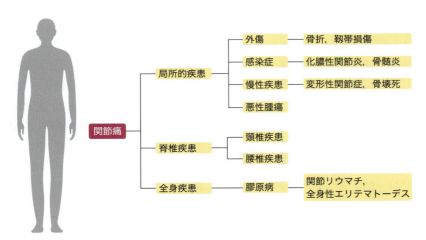

図1　関節痛の原因

表1 関節痛をきたす疾患

全身疾患
- 膠原病：関節リウマチ，全身性エリテマトーデスなど

局所的疾患
- 外傷：骨折，靱帯損傷など
- 感染症：化膿性関節炎，骨髄炎など
- 慢性疾患：変形性関節症，骨壊死など
- 悪性腫瘍

脊椎疾患
- 頸椎疾患：頸椎症，頸椎椎間板ヘルニアなど
- 腰椎疾患：腰椎症，腰椎椎間板ヘルニアなど

表2 医療面接のポイント

疼痛部位
- 関節のどの部分，またはどれだけの関節に痛みがあるのか

経過
- いつから，どの程度の関節痛があるのか
- 急激に始まったのか，徐々に起きてきたのか
- 日内変動はないか

誘因
- 関節痛を生じるきっかけはなかったか（運動，仕事，外傷など）

全身症状の有無と内容
- 発熱，手足のこわばりなど，随伴する自覚症状はないか

生活歴
- 繰り返す動作による使いすぎ症候群としての関節痛があるため，運動歴，職業歴を確認する

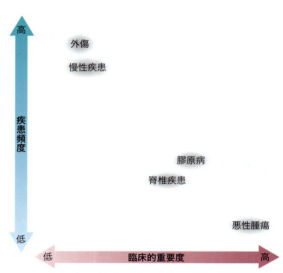

図2 疾患の頻度と臨床的重要度

病態・原因疾患の割合（図2）

　局所的疾患が圧倒的に多く，外傷と慢性疾患はほぼ同じ頻度と考えられる．膠原病がその次に多く，悪性腫瘍は1%以下である．病態，原因疾患の頻度とその臨床的重要度を図2に示す．

診断の進め方

診断の進め方のポイント

　関節痛の原因には，関節リウマチや全身性エリテマトーデスなどの全身疾患によるものや，外傷，化膿性関節炎などの関節局所によるもの，頸椎や腰椎の神経痛によるものなどが考えられる．医療面接，身体診察などでこれらの鑑別は比較的容易である．

　また，緊急の処置を要するものとしては化膿性関節炎などの感染があり，これは早急に洗浄などの処置をしないと関節軟骨の破壊につながり，最終的には関節破壊へと進行する．

医療面接

　関節痛は自覚症状であるだけに，医療面接が診断に重要な役割を果たす．経過や誘因などを中心に，病歴情報を丹念に聴取する（表2）．

　これにより局所症状なのか，脊椎などからの放散痛なのか，全身疾患によるものなのかのだいたいのめどがつく．

身体診察

　身体診察は，関節痛を引き起こす器質性疾患を診断するうえで，特に重要である（表3）．

　緊急処置を必要とするかどうかの確認のため，バイタルサイン，関節の腫脹，発赤などをチェックする．次に，全身の皮膚や関節の変形を確認する．疼痛部位である関節の局所の診察，および放散痛を考えての脊椎の診察を行う．

表3 身体診察のポイント

バイタルサイン
- 体温：感染症による関節痛を鑑別する

全身状態
- 関節リウマチや全身性エリテマトーデスなどの疾患を鑑別するため，全身の関節の変形や皮疹などを観察する

関節
- 腫脹，発赤，熱感，圧痛などの炎症症状を観察する
- 詳細に圧痛部位を観察する
- 可動域，不安定性を確認する
- 運動障害，感覚障害を観察する
- 関節の動きによる痛みの誘発について観察する

脊椎
- 腱反射，病的反射，徒手筋力テスト（MMT）などを確認する

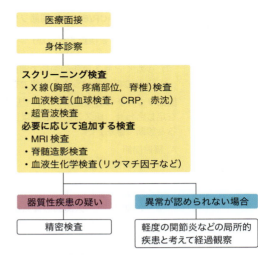

図3 関節痛の診断の進め方

診断のターニングポイント（図3）

医療面接と身体診察を総合して考える点

- 現在の関節痛が疼痛部位の局所に原因があるのか，全身疾患の一症状なのか，脊椎などの放散痛として生じているのかの鑑別が，総合的にある程度可能となる．

必要なスクリーニング検査

医療面接と身体診察から，関節痛をきたす器質性疾患の存在を推測できることが多い．しかし，器質性疾患を正しく診断するには，基本的なスクリーニング検査を行うのが望ましい．

具体的には，疼痛部位のX線撮影（骨折，関節の変性変化，骨腫瘍などをチェック），脊椎のX線撮影（頸椎症，腰椎症による神経痛をチェック），また，炎症や感染が疑われるときは，血液検査（血球検査，CRP，赤沈など）も行う．

❶ X線検査

疼痛部位では，骨折，関節の変性変化，骨腫瘍などを調べ，脊椎では，頸椎や腰椎に変性変化などがないか検索する．

❷ 血液検査

炎症や感染症が疑われるときは，血球検査，CRP，赤沈などの測定を行い，異常がないか調べる．

❸ 超音波検査

従来より整形外科領域では乳児の股関節脱臼の診断に超音波検査が用いられてきたが，さまざまな関節疾患にも応用されている．専門的にはなるが関節リウマチの早期の滑膜増殖の診断が可能となり，関節炎の診断や炎症の経過観察に用いられている．

診断確定のために

病歴情報，身体所見，スクリーニング検査の結果に基づき，関節痛をきたす疾患をかなり限定できる．具体的には，疼痛部位の局所の疾患である骨折，打撲，靱帯損傷，骨腫瘍や骨髄炎など感染症，全身疾患としての関節リウマチや全身性エリテマトーデスなど，膠原病，また，頸椎椎間板ヘルニアや腰部脊柱管狭窄症などまたは神経痛が挙げられる．

感染症の確定診断

感染症の場合，一般的に局所の疼痛，発赤，熱感，腫脹などの自他覚症状があり，赤沈の亢進，CRPなど炎症蛋白質の出現がある．骨髄炎では，単純X線での骨融解像がみられることがある．化膿性関節炎では，関節穿刺を行い，関節液を採取することにより，原因菌の同定も可能である．

表4　2010年 ACR/EULAR 関節リウマチの分類基準

基準の対象（誰を検査すべきか）
患者で
1. 少なくとも1箇所の関節で明確な臨床的滑膜炎がみられる
2. ほかの疾患ではうまく説明できない滑膜炎がある

関節リウマチの分類基準（スコア基準のアルゴリズム．A～Dのカテゴリのスコアを足し合わせ，総スコアが6点以上の場合に，確かに関節リウマチに罹患していると診断できる）

	スコア
A. 罹患関節	
1つの大関節	0
2～10の大関節	1
1～3の小関節（大関節の罹患がある，もしくはない）	2
4～10の小関節（大関節の罹患がある，もしくはない）	3
10以上の関節（少なくとも1小関節）	5
B. 血清学的検査（分類には少なくとも1つの検査結果が必要）	
RF 陰性かつ ACPA 陰性	0
RF 弱陽性または ACPA 弱陽性	2
RF 強陽性または ACPA 強陽性	3
C. 急性期炎症反応（分類には少なくとも1つの検査結果が必要）	
CRP 基準値かつ赤沈基準値	0
CRP 異常または赤沈異常	1
D. 症状の持続期間	
6週間未満	0
6週間以上	1

〔2010 Rheumatoid Arthritis Classification より〕

神経痛の確定診断

病歴情報，身体所見から脊椎疾患が疑われる場合，X線検査を行って頸椎や腰椎の変性変化の存在を調べる．また，頸椎や腰椎のMRIを行うことにより，脊髄，馬尾神経の圧迫所見を確認する．

関節リウマチの確定診断

関節リウマチが疑われたときは，1987年の米国リウマチ学会（ACR）が作成した診断基準をもとに確定診断していたが，早期の診断に適さない点から2010年に米国リウマチ学会と欧州リウマチ学会（EULAR）から，2010年 ACR/EULAR 新分類基準（表4）が作成され，これに基づいた診断がなされるようになっている．この基準の対象になる症例は1か所以上の関節に明確な臨床的滑膜炎がみられることと，滑膜炎を関節リウマチ以外に説明するほかの疾患がみられない（全身性エリテマトーデス，乾癬，痛風などの除外）．新基準では罹患関節，血清学的検査，急性期炎症反応と症状の持続期間の4項目からなっており，リウマチ因子やCCP抗体とCRPまたは赤沈の検査が重要視されている．

〈中村孝志，中川泰彰〉

末梢血行異常
peripheral blood circulation disorder

末梢血行異常とは

定義

　末梢血行異常とは，四肢などの末梢動脈もしくは末梢静脈に狭窄あるいは閉塞をきたし，急性または慢性に血流の通過障害を起こしている状態を指す．狭窄，閉塞の原因はさまざまであり，動脈硬化が進行した場合や血栓により血行障害を起こす．

患者の訴え方

　急性の場合，患者は四肢末梢が「痛い」「しびれる」「触った感覚が鈍い」「皮膚が白くなる」「足が動かしづらい」「冷たい」「急に下肢が太くなった，むくんでいる」などと訴えることが多い．症状が突然であるか否かは医療面接で重要であるが，急性であっても発症が不明確なことが少なくない．原因によって症状の出現部位は異なり，下肢のみの場合であっても両側性の場合がある．
　慢性の動脈性の場合には誘因による痛みの増悪，「上肢を挙げるとだるくなる，疲れる」「歩くと足が痛くなってくる」などの間欠性跛行を訴える．静脈性では「むくむ」「だるい」など違和感の症状が多い．

患者が末梢血行異常を訴える頻度

　急性の動脈末梢血行異常の場合，約80％の患者は突然発症の症状を訴えるが，そのうち疼痛は約60％で，20％は冷汗やしびれを症状として訴える．一方，慢性の動脈末梢血行障害においては，歩行により下腿のふくらはぎに痛みを生じ，休憩で改善する跛行症状が典型的である．しかしながら，下肢閉塞性動脈疾患 (lower extremity artery disease; LEAD) において間欠性跛行は半数以下であり，しびれなどの非典型的な症状や無症状のことのほうが多い．静脈の急性末梢血行異常の場合，片方の足全体やふくらはぎが急に赤黒く腫れあがり，痛みが現れる．数日をかけてゆっくりと進行することもある．
　慢性の下肢静脈瘤では，長時間の立位後に症状を訴えることが多く，約60％近くに疼痛，倦怠感，感覚の違和感を認め，10％弱に浮腫を訴えることがあるが，約20％近くは無症状であると報告されている．血栓性静脈炎の場合は約80％に発赤を伴う疼痛を，約60％に浮腫を認め，これらは合併することが多い．

症候から原因疾患へ

病態の考え方

　患者が突然の持続的な激痛を訴える場合，動脈性では急性の虚血症状を考え，原因として，急性動脈閉塞，動脈瘤の破裂，動脈解離などを考える．急性虚血は側副血行路の発達していない状態で動脈が血栓症，塞栓，解離で突然閉塞もしくは破裂するため，病変部位から末梢への灌流が急速に低下する病態である．通常は片側性であるが，全身性の塞栓では両側，上下肢に認めることもある．虚血に伴い下肢は冷たく蒼白チアノーゼとなり，知覚障害，運動障害などを合併する．比較的急速に進行する片側性の下肢腫脹を伴う疼痛は深部静脈血栓症を考える．下腿の把握により疼痛の増強を認める．静脈血栓による循環障害により，うっ滞による発赤，腫脹，浮腫をきたす場合が多い．熱感を伴う疼痛で発赤腫脹が強い場合は，血栓による静脈通過障害に炎症を伴う血栓性静脈炎を考える．また，静脈うっ滞の経過が長期化すると皮膚が赤黒くなり，茶色に変色することもある．

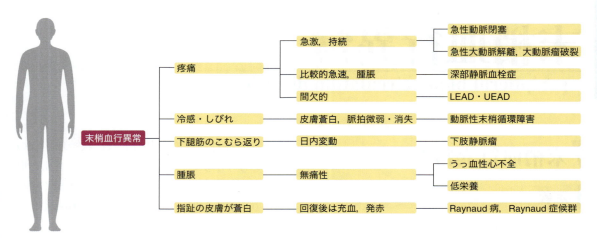

図1　末梢血行異常の原因

　慢性の経過を呈する動脈性循環障害では，末梢動脈疾患（peripheral arterial disease；PAD）が考えられる．特定の筋肉のだるさや痛みのため歩行継続が不能となり，少し休むと改善する再現性のある状態を間欠性跛行という．神経性と血管性があるが，血管性で下肢の鈍痛が増悪する場合，下肢に生じるPADとしてLEADを，上肢を挙上すると手に鈍痛，疲労が生じる場合，上肢閉塞性動脈疾患（upper extremity artery disease；UEAD）を考える．間欠性跛行は慢性の動脈血行障害に特徴的な症候であるが，下肢の間欠性跛行の最大の要因は脊柱管狭窄症など整形疾患であり，下肢閉塞性動脈硬化症は3割程度である．高齢者では両者を合併するため留意が必要である．なお，脊椎疾患に伴う跛行は前屈で症状が改善するのが特徴である．間欠性の鈍痛で静脈性の場合，静脈瘤による症状も考えられる．日内変動のある症状で，腓腹部の倦怠感や痛み，下肢の下垂で増悪，浮腫が昼から夜にかけて起こる場合は，下肢静脈瘤を考える．夜間睡眠中にこむら返りを起こすこともある．

　両側性の上肢もしくは下肢の慢性腫脹，無痛性腫脹を訴える場合は，うっ血性心不全や低栄養による低アルブミン血症が原因の血漿浸透圧低下による腫脹を考える．

　下肢の潰瘍の形成部位は原因によって異なる．動脈性では末梢が最も虚血に陥るため指趾先や踵に生じるのに対し，静脈性うっ滞性の潰瘍は足関節より中枢の下腿に生じる．糖尿病性の壊疽は神経障害によるCharcot（シャルコー）関節など，関節変形，感染を伴う．

　寒冷やストレスに曝露されたとき，発作的に指趾の皮膚が左右対称性に蒼白となり，チアノーゼ，冷感，疼痛をきたし，回復後は充血，発赤を訴える．この場合は，手指の細動脈の攣縮によるRaynaud（レイノー）病（原発性），Raynaud症候群（続発性）を考える．

　末梢血行異常を引き起こす病態としては図1に示すようなものがあり，その原因疾患として主なものを表1に示す．

病態・原因疾患の割合

　末梢血行異常をきたす疾患のうち，最も発生頻度の高い疾患は下肢静脈瘤である．女性では妊娠時に約半数発症するといわれているが，無症状の例も少なくない．一方，緊急を要し，血流の改善が認められない場合は，臓器不全に陥る臨床的重要度の高い急性動脈閉塞，大動脈瘤破裂，急性大動脈解離である．急性下肢動脈閉塞の発症率は人口1万人あたり，1年間で1〜2.3人とされており，原因は塞栓症が45％，動脈硬化病変の血栓症が55％と報告されている．

　LEADは中高年の男性に好発する四肢の動脈疾患のうち最も頻度の高い慢性疾患で，45〜60歳の人口の約2％にみられる．

　Raynaud症候群は約3/4は女性にみられ，基礎

表1　末梢血行異常をきたす疾患

動脈性末梢血行異常
- 急性大動脈解離
- 大動脈瘤破裂
- 急性動脈閉塞
  - 塞栓症
  - 血栓症
- 末梢動脈疾患
  - LEAD
  - UEAD
- 動脈性末梢循環障害

静脈性末梢血行異常
- 深部静脈血栓症
- 血栓性静脈炎
- 下肢静脈瘤

その他
- うっ血性心不全
- 低栄養（低アルブミン血症）
- Raynaud 病（原発性）
- Raynaud 症候群（続発性）

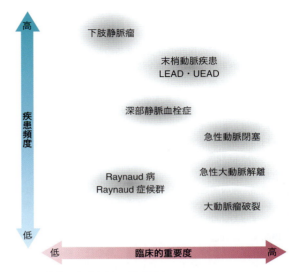

図2　疾患の頻度と臨床的重要度

疾患のうちでは膠原病（全身性強皮症，混合性結合組織病，全身性エリテマトーデスなど），血液疾患（クリオグロブリン血症，多血症など），振動工具病の頻度が高い（図2）．

診断の進め方

診断の進め方のポイント

- まず迅速な診断の必要がある疾患として，急性動脈閉塞，急性大動脈解離，大動脈瘤破裂などがある．これらは正確な診断と適切な治療を行わなければ，時間経過とともに，四肢のみならず，生命予後も不良となるため，まずはじめにこれらの鑑別が必要である．
- 末梢血行異常が動脈で起こっているのか，静脈であるかを判断する必要があり，そのためには病歴を詳細に聴取し，痛みの性状，動脈拍動，炎症症状，感覚障害，運動麻痺の有無，皮膚の色調などの臨床症状，身体所見を慎重にチェックする．
- その他の慢性疾患の場合でも同様に鑑別を行っていき，適切な診断を行い，治療につなげられるようにする必要がある．

医療面接

末梢血行異常をきたす疾患の診断には医療面接が非常に重要な役割を果たし，ポイントを表2に示す．特に発症経過を詳細に聴取することは疾患鑑別に大きく役に立ち，急激に始まった症状は緊急性を要する疾患であることが多い．

また，心疾患や不整脈の既往などは，診断および塞栓症，血栓症の鑑別を行うために必要な病歴情報であり，詳細に聴取する必要がある．動脈硬化病変のリスク因子となる，高血圧，糖尿病，脂質異常症などの既往や喫煙歴の有無などの生活歴を聴取することも，診断上参考になる．

身体診察

身体診察では，まずは緊急的対応が必要であるか，バイタルサイン，血圧を測定し，ショックの有無について評価する．血圧左右差の有無，病変の対称性，左右差も確認する．

視診では，皮膚の色調異常，色素沈着，浮腫，腫脹，静脈怒張，筋萎縮，歩行や上肢・下肢挙上による虚血痛，潰瘍の有無を確認する．

触診では，四肢の動脈拍動の左右差や，拍動が減弱，消失している場合にはその範囲，皮膚温，血管痛の有無を評価する．

聴診による血管雑音の有無，血圧の左右差の存

表2 医療面接のポイント

経過
- いつから，どの程度の症状があるのか
- 急激に始まったのか，徐々に生じてきたのか

自覚症状の特徴
- 疼痛（急激，持続性，間欠性）
- 感覚障害（冷感，しびれ，異常感覚，感覚鈍麻）
- 片側性，両側性
- 日内変動，労作での痛み増強，姿勢による症状の改善
- Raynaud現象

全身症状の有無
- 発熱，呼吸困難，冷汗，動悸，全身倦怠感，体重増加，体重減少，食欲低下など，随伴する自覚症状，低栄養を伴っていないか

現病歴，既往歴
- 心疾患，不整脈，脳梗塞の既往，高血圧，糖尿病，脂質異常症，高尿酸血症，悪性腫瘍，外傷などはないか

生活歴（嗜好品，常用薬）
- 飲酒歴，喫煙歴と摂取量，経口避妊薬の常用などの有無について確認する

職業歴
- 長時間立ち仕事，振動工具を使用する仕事の有無など，仕事の内容と経歴を確認する

表3 身体診察のポイント

バイタルサイン
- 血圧，動脈拍動：左右差を観察．急性大動脈解離，大動脈瘤破裂，急性動脈閉塞症では，血圧低下，ショック状態を呈し，動脈拍動が消失することがある

全身状態
- 顔貌，表情：顔面浮腫，静脈怒張，蒼白，冷汗，苦悶状態などの有無を観察する
- 皮膚：色調異常として急性動脈閉塞では白色，蒼白となり，静脈性うっ滞では紫色から，長期化すると黒色化し，色素沈着する．LEADでは運動負荷や下肢挙上により虚血肢と健常肢で色調の差異がみられる．Raynaud病では四肢末端が白色，蒼白化し，改善で充血する．皮膚温の部位ごとでの差の有無を確認する

頭頸部
- 結膜：貧血などの有無を観察する
- 頸部：浮腫と内頸静脈の拍動とその拍動最高点を観察する．触診で甲状腺腫の有無を確認する

胸部
- 聴診で心音，心雑音，肺雑音を確認する
- 上半身の浮腫，静脈怒張を観察する

腹部
- 触診で，肝腫大やその他の腫瘤の有無を確認する
- 腹部の浮腫，静脈怒張と血流の方向性を観察する

四肢
- 心疾患，腎疾患などに伴う四肢もしくは局所性の浮腫，腫脹を確認する
- 浮腫の部位，圧痕性か非圧痕性かを観察する
- 下肢静脈瘤などを診断する
- 下肢疼痛に伴う廃用性萎縮の有無を確認する
- 間欠性跛行として歩行による疼痛と歩行困難の出現を観察する

腫瘤
- 末梢動脈瘤の有無などを診断する

血管雑音
- 動脈の狭窄病変の有無を診断する

在が，動脈の狭窄病変の存在の手がかりとなる場合もある（表3）．

診断のターニングポイント

医療面接と身体診察を総合して考える点

- 末梢血行異常をきたす疾患として図1，表1に示すような疾患，病態が考えられる．そのほかの神経疾患，代謝性疾患，心疾患でも類似の症状を呈する場合があり，身体所見を加えることにより，さらなる疾患鑑別，診断を進めることができる．
- 医療面接から，急性疾患か慢性疾患か，迅速な診断と適切な治療を行わないと生命予後も不良となるような緊急治療を要する疾患であるか否かはおおむね診断可能である．全身疾患との関連性の有無も予測しうる．
- 身体診察により，末梢血管疾患の存在をよりいっそう明らかにすることができる．四肢の動脈拍動，血圧の左右差，皮膚の色調異常，皮膚温，皮膚の知覚鈍麻，運動麻痺，虚脱などの観察により，動脈性の末梢循環不全，虚血であるのか，静脈性の循環障害，うっ血であるのかを鑑別することがある程度可能である．四肢の腫脹，浮腫が存在する場合，局所であれば静脈性の原因を考え，両側性，全身性であれば，うっ血性心不全，低栄養（低アルブミン血症）などの可能性が高い．歩行による疼痛，上肢挙上による鈍痛などの観察により，間欠性跛行の診断は比較的容易である．

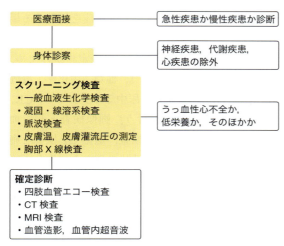

図3　末梢血行異常の診断の進め方

必要なスクリーニング検査

医療面接，身体診察に続いて，病因，病態の把握をするために基本的な臨床検査を行い，鑑別診断，確定診断を行う（図3）．主なスクリーニング検査として以下のようなものがある．

❶ 一般血液生化学検査

糖尿病，脂質異常症，高尿酸血症などの動脈硬化危険因子，炎症反応，免疫，内分泌異常，血小板減少などの有無をチェックする．また，心疾患，腎疾患など，ほかの全身疾患との鑑別に一般血液生化学検査が有用である．

❷ 凝固・線溶系検査

凝固，線溶系の異常が血管疾患の原因となったり，あるいはなんらかの血管疾患により，これらの異常が生じている場合がある．生体内での血小板の活性化を知る指標としてはβ-トロンボグロブリン，血小板第4因子がある．凝固系の検査は，出血傾向のみならず凝固の活性化，血栓傾向を知るのに有用であり，トロンビン・アンチトロンビン複合体，可溶性フィブリンモノマーなどが用いられる．線溶状態を知るマーカーとして，フィブリン分解産物，D-ダイマー，プラスミン・α_2-プラスミンインヒビター複合体，組織プラスミノゲンアクチベータインヒビターなどがある．

❸ 脈波検査

近年，早期動脈硬化の有無やLEADの診断のため，簡便で再現性のよい非侵襲的検査方法として，上腕動脈-下腿動脈間の脈波伝播速度（brachial-ankle pulse wave velocity；baPWV），心臓-足首血管指数（cardio-ankle vascular index；CAVI），足関節-上腕血圧比（ankle-brachial pressure index；ABI）が用いられている．また，動静脈の脈波検査，動脈のドプラ血流検査が末梢動脈循環障害，静脈抵抗亢進の有無のスクリーニング検査判定に有用である．

❹ 皮膚温の測定

サーモグラフィー検査により，動脈性の循環不全，虚血や下肢静脈瘤に伴ううっ血による皮膚温変化の判定が可能であるが，定量性がない．

❺ 皮膚灌流圧の測定

LEADで安静時痛，潰瘍，壊疽をきたしている場合には，経皮酸素分圧測定（TcPO$_2$）やskin perfusion pressure（SPP）による皮膚灌流圧の測定が行われ，虚血の重症度評価に用いられている．

❻ 胸部単純X線検査

動脈硬化に伴う胸部大動脈瘤，悪性腫瘍のほか，うっ血性心不全などの診断に有用である．

診断確定のために

病歴情報，身体所見，スクリーニング検査の結果に基づき，末梢血管異常をきたす疾患をかなり限定できる．しかし，確定診断を行い，かつ重症度や予後までを含めた診断および適切な治療を行うためには，より診断的価値の高い諸検査が必要である．以下に，末梢血行異常をきたす主な疾患の確定診断に至る過程について述べる．

下肢閉塞性動脈疾患（LEAD）の確定診断

自覚症状として，下肢の冷感，しびれ，間欠性跛行のほか，慢性の虚血による安静時疼痛が特徴的であるが，重度の虚血を呈する症例では小外傷などを契機に急速に包括的高度慢性下肢虚血（chronic limb-threatening ischemia；CLTI）に陥ることがある．また，指趾皮膚の色調変化（蒼白，チアノーゼ），皮膚温の低下，末梢動脈拍動の減弱や消失，血管雑音の聴取，狭窄，閉塞部位より末梢側での血圧低下，CLTI症例では指趾の先端や

爪周囲に生じる難治性潰瘍，壊疽などの他覚所見がある．

血流機能を四肢血圧測定で評価する．ABI が 0.9 以下で血流障害と診断される．典型的な間欠性跛行で ABI が正常の場合には負荷 ABI が行われる．足部の血流機能を ABI は反映しないため，足部の評価ならびに透析例，糖尿病例など石灰化が強い場合には足趾－上腕血圧比(toe-brachial pressure index; TBI)で評価を行う．CLTI では SPP, TcPO$_2$ を用いて精密な機能評価を行う．機能障害を行ったうえで病変の局在診断(部位)を画像検査で行う．従来，LEAD に対する画像診断はデジタルサブトラクション血管造影(digital subtraction angiography; DSA)が主体であったが，その侵襲性と合併症リスク，ほかの低侵襲的画像検査の進歩により，近年は多列検出器 CT(multidetector CT; MDCT)を用いた CT アンギオグラフィー(CTA)，MR アンギオグラフィー(MRA)，超音波検査(US)がガイドラインにおいても推奨されている．

急性動脈閉塞症の確定診断

急性動脈閉塞症は，その原因にかかわらず肢切断に至る可能性があり，予後不良な疾患である．急速に進行するため，迅速な診断と適切な治療を行わなければ，肢のみならず生命予後も不良となる．身体所見として，発症経過は突発的で，進行する患肢の疼痛(pain)，知覚鈍麻(paresthesia)，蒼白(pallor/paleness)，脈拍消失(pulselessness)，運動麻痺(paralysis/paresis)の "5P" が特徴的である．これに虚脱(prostration)を加えて "6P" とする場合もあり，さらに筋肉硬直，水疱形成，壊疽の状態を把握する．

病因として，塞栓症と血栓症が主にあるが，塞栓症はしばしば再発するため，再発予防には塞栓源の同定と除去が必要である．塞栓源として，心房細動，弁膜症(人工弁置換後，感染性心内膜炎)，心筋梗塞後の左室内血栓，心内粘液腫，大動脈プラークなどがある．また，深部静脈血栓が，開存卵円孔および心房中隔二次孔欠損(subclinical atrial septal defect; ASD)を通過して静脈系の血栓が左心系に達することで動脈塞栓症を併発する場合もある．

スクリーニング検査のほか，確定診断のため，心電図，胸部単純 X 線写真，血算，生化学，凝固系，尿検査に加え，血中・尿中ミオグロビン，CK，LDH，血液ガス分析を行う．画像検査として血管エコー検査，心エコー検査，造影 CT 検査を施行する．急性動脈閉塞症は肢のみならず生命予後も不良な疾患であり，閉塞部位の範囲，原疾患や塞栓源の精査および多発塞栓症の鑑別のため，下肢のみならず頭部から胸腹部・骨盤を含めた造影 CT 検査を可能なかぎり施行する．高度腎機能障害やアレルギーのため造影検査がどうしても施行不可能な場合は，単純 CT 検査だけでも動脈瘤や動脈壁石灰化などの重要な情報が得られる．

血栓性静脈炎の確定診断

血栓性静脈炎のうち約 30％ が深部静脈血栓症を合併する．静脈血うっ滞のほか，血液凝固能亢進，血管内皮障害がみられる．主な発生部位は重力により下肢で，表在静脈では発赤，圧痛を伴う索状物を触知し，深部静脈では疼痛，浮腫，腫脹，チアノーゼ，皮膚の色調変化(蒼白)などのほか，静脈壊死をきたすこともある．重篤な合併症としては静脈血栓による肺塞栓症も念頭におく必要がある．静脈うっ滞が高度な重症例で，有痛性青股腫と呼ばれる病態では速やかな処置が必要である．

スクリーニング検査としては脈波検査，血液凝固線溶能の検査があり，確定診断では，超音波検査，静脈造影検査などを行うが，簡便で利便性の高い非侵襲的な検査法である超音波検査がよく行われる．

下肢静脈瘤の確定診断

下肢静脈瘤には原因が不明の一次性と，深部静脈閉塞，動静脈瘻，静脈形成異常，骨盤内腫瘤など下肢静脈圧上昇に続発して生じる二次性がある．全く無症状で美容上の問題から受診する場合も少なくないが，長時間の立位後に静脈血のうっ滞により下肢が重い，だるい，疲れるなどのほか，重

症例では浮腫，腫脹，疼痛，痙攣，皮膚の微小血管拡張，菲薄化，色素沈着，皮膚潰瘍，湿疹などの自覚症状を訴える．

　スクリーニング検査として弾性ストッキング装着により症状改善の有無を観察する方法があり，改善されれば下肢静脈瘤が原因である場合が多く，診断的治療を行う．確定診断には Trendelenburg（トレンデレンブルグ）試験で大・小伏在静脈および穿通枝の弁機能を調べたり，Perthes（ペルテス）試験で深部静脈の開存と穿通枝の弁機能をみたりと保存的検査がある．そのほか，下肢静脈造影検査は侵襲的であるが，抽出範囲も限定されるため，ルーチンでは行わない．CT 検査，超音波検査が主に行われている．

Raynaud 病，Raynaud 症候群の確定診断

　Raynaud 現象の自覚症状には手指，特に第 2～5 指の皮膚の突発性の色調変化（蒼白，チアノーゼ），冷感，疼痛などがあり，回復後は反応性充血や発赤を訴えることが多い．また，Raynaud 症候群では皮膚の硬化，潰瘍，出血などがみられることもある．Raynaud 現象の出現には季節性変動が認められ，秋から冬にかけて頻度が高い．

　スクリーニング検査にはドプラ血流計，指尖容積脈波による血流測定が，確定診断には冷水負荷試験を用いたサーモグラフィーによる皮膚温の測定が行われる．

〈矢崎 義行，中村 正人〉

知能障害
intellectual impairment

知能障害とは

定義

知能とは

知能とは，①物事，環境への適応能力，②適応するために言語，数量などを操作する抽象的思考能力，③行動を身につけるための学習能力などの多面的な大脳高次機能の総体である．このなかには，認知，記憶，判断，言語，感情，性格などの精神機能が含まれる．

知能障害

18歳未満の知能の発達過程で基準範囲に達しない場合を精神遅滞(mental retardation)または知的能力障害(intellectual disability)という．一方，一度正常に発達した知能が低下して社会生活や日常生活に支障をきたすものを認知症(dementia)という．以前使用されていた"痴呆"という用語は，2004年12月から正式に"認知症"に変更された．

認知症の定義

記憶障害と認知機能障害が持続し，日常や社会生活に支障をきたした状態をいう．

患者の訴え方

患者が知能低下を訴えることはほとんどない．特に乳児期や幼児期前半では他覚的にも気づかれないことが多い．老年期認知症の初期に，もの忘れや認知機能の低下，失行に気づくことがあり，書字が下手になったり，日常生活の動作がぎこちなくなることを訴えることがあるが，一般に病識は薄い．

症候から原因疾患へ

病態の考え方(図1)

知能低下が疑われる場合，まず精神遅滞なのか認知症なのかを考える．精神遅滞をきたすものは周産期異常，家族性，代謝異常などが原因とな

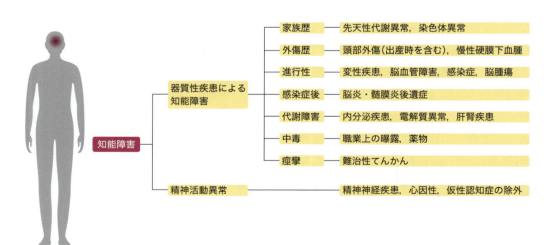

図1 知能障害の原因

表1 精神遅滞を伴う主な先天性代謝異常

アミノ酸代謝異常
- フェニルケトン尿症，ホモシスチン尿症

脂質代謝異常
- GM_1-ガングリオシドーシス，GM_2-ガングリオシドーシス
- Gaucher（ゴーシェ）病，Niemann-Pick（ニーマン・ピック）病

核酸代謝異常
- Lesch-Nyhan（レッシュ・ナイハン）症候群

ムコ多糖症およびムコリピドーシス
- Hurler（ハーラー）症候群，ムコリピドーシス

表2 知能低下をきたす疾患

脳血管障害
- 多発性脳梗塞，再発性脳出血，Binswanger（ビンスワンガー）病

変性疾患
- Alzheimer病，Lewy（レビー）小体型認知症，前頭側頭葉変性症，Huntington（ハンチントン）病，Parkinson（パーキンソン）病，脊髄小脳変性症など

炎症性疾患
- 遅発性ウイルス感染症：亜急性硬化性全脳炎，進行性多巣性白質脳症，プリオン病
- AIDS脳症
- 神経梅毒

感染症後
- ウイルス性脳炎後：ヘルペス脳炎，日本脳炎など
- 細菌性，真菌性髄膜炎後遺症
- アレルギー性脳脊髄炎

遺伝性
- 先天性代謝異常
- 染色体異常：Down（ダウン）症候群など

中毒性
- 薬物，鉛，ヒ素，有機水銀，一酸化炭素，アルコールなど

外傷性
- 周産期の外傷・無酸素状態，慢性硬膜下血腫，頭部外傷後

内分泌疾患
- クレチン病，甲状腺機能低下症，副甲状腺機能異常症，Addison（アジソン）病など

代謝異常症
- 肝硬変，腎不全，電解質異常，高血糖，低血糖，ビタミンB_1欠乏

その他
- てんかん，水頭症，脳腫瘍

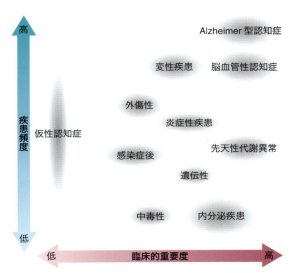

図2 疾患頻度と臨床的重要度

る（表1）．認知症をきたすものには脳血管障害や，Alzheimer（アルツハイマー）病のような変性疾患，脳炎など多彩で，治療により回復するものを治療可能な認知症（treatable dementia）と呼び，見逃さないようにする必要がある．

原因疾患として主なものを表2に示す．

病態・原因疾患の割合（図2）

脳卒中頻度の減少により脳血管性認知症の割合は2〜3割程度に減少し，変性疾患の割合が増加する傾向にある．変性疾患では，Alzheimer型認知症が全体の4〜5割と多く，次いでLewy小体型認知症（数％〜1割），前頭側頭葉変性症（数％）である．

診断の進め方

診断の進め方のポイント

- 意識障害や精神疾患がある場合は知能障害と間違えられやすいため，注意する．
- 知能障害が，発達障害である精神遅滞か，知的退行である認知症のどちらであるかを区別する．
- 脳血管障害や炎症性疾患のように，緊急処置の必要な疾患には注意する．
- Treatable dementiaにあたる慢性硬膜下血腫，代

表3 医療面接のポイント

経過
- 初発年齢はいつか（18歳未満か否か）
- 急に始まったのか，徐々に起きてきたのか

全身症状の有無と内容
- 発熱，体重増加や減少，皮膚色素沈着，脱毛，痙攣，しびれ，脱力などの随伴する自覚症状はないか，また因果関係はどうか
- 成長時の異常はないか

既往歴
- 肝・腎疾患，糖尿病，高血圧症，脂質異常症はないか

嗜好品，常用薬
- アルコール摂取量，特定の薬物の服用歴はないか

生活歴
- 十分な栄養がとれているか

職業歴
- 鉛，ヒ素などへの曝露はないか

家族歴
- 親戚も含め，同様の症状はないか

表4 身体診察のポイント

バイタルサイン
- 体温，血圧：感染症を原因とする疾患を鑑別する

全身状態
- 体格を確認する．低身長，中心性肥満，皮膚色素沈着の有無をみる

頭頸部
- 頭部：頭蓋骨の変形，頭髪の異常，顔貌の異常の有無をみる
- 眼：白内障，網膜色素変性，うっ血乳頭，視神経萎縮の有無をみる
- 結膜：貧血や黄疸の有無を確認する
- 舌：腫大はみられないか
- 項部：髄膜刺激徴候がないか確認する
- 頸部：甲状腺腫の有無を確認する

胸部
- 打診，聴診で心房内血栓の可能性，心肥大の存在について検討する

腹部
- 触診で肝脾腫の有無を確認する

四肢
- 骨格異常の有無，浮腫，筋萎縮，筋緊張を確認する

神経系
- 瞳孔異常はないか確認する〔Argyll Robertson（アーガイル ロバートソン）瞳孔〕
- 麻痺・感覚障害の有無，四肢緊張，病的反射を確認する．腱反射の弛緩相の遅延や四肢の浮腫はないか（甲状腺機能低下症）
- 運動失調の有無をみる

謝性脳症，ビタミンB_1欠乏などは，見逃してはならない疾患である．

医療面接（表3）

精神遅滞か認知症かの鑑別は，詳細な病歴情報を聴取することで可能である．本人は自覚していないことがほとんどのため，家族と医療面接することが重要である．

身体診察

精神遅滞をきたす疾患では，外観異常が診断の手がかりとなることがある．このため，まず全身および顔貌を十分に観察することが重要である（表4, 5）．

内分泌疾患では，体格の変化，脱毛，脈拍・血圧異常が生じることがあるので注意が必要である．甲状腺機能低下では，舌，四肢の浮腫，腱反射の弛緩相の遅延が特徴的である．Addison病の皮膚色素沈着も念頭におく．

正常圧水頭症は，認知症状に加え，歩行障害（パーキンソニズム），尿失禁の有無を確認する．慢性硬膜下血腫では，頭部打撲歴の聴取に加え，頭痛，悪心，麻痺などがないか観察する．

診断のターニングポイント（図3）

医療面接と身体診察を総合して考える点

- **（確定診断）**周産期異常，先天性代謝異常，遺伝性疾患などによる精神遅滞は，病歴情報と特徴的な身体所見から診断を絞ることができる．
- **（除外）**うつ病，ヒステリーなどによって意思発動性が減退して生じる仮性認知症は，医療面接と話す態度などで鑑別可能である．
- **（除外）**主な認知症疾患であるAlzheimer型認知症から脳血管性認知症を除外するためには，おおまかにHachinski（ハチンスキー）の虚血スコア（表6）を用いる．
- 身体診察で器質性疾患の存在を疑うことができるものは下記のように多い．

表5　精神遅滞を呈する主な疾患と外観異常

成長障害
- 低身長：クレチン病，Hurler症候群
- 肥満：Laurence-Moon-Biedl（ローレンス・ムーン・ビードル）症候群，Prader-Willi（プラダー・ウィリ）症候群

骨格異常
- Hurler病

頭蓋骨異常
- 小頭症：Alpers（アルパーズ）病，トリソミー17〜18
- 大頭症：Alexander（アレキサンダー）病，Tay-Sachs（テイ・サックス）病

頭髪異常
- フェニルケトン尿症，Menkes（メンケス）病

顔貌異常
- Down症候群，Hurler症候群

眼症状
- 白内障：Lowe（ロウ）症候群
- 結膜血管拡張：Louis-Bar（ルイ・バー）症候群
- 網膜色素変性：Hallervorden-Spatz（ハレルフォルデン・スパッツ）病
- 視神経萎縮：異染性白質ジストロフィー，Hurler症候群
- 黄斑部変性：Tay-Sachs病，GM_1-ガングリオシドーシス

皮膚症状
- 色調異常：フェニルケトン尿症
- 白斑，皮脂腺腫：結節性硬化症
- カフェオレ斑：von Recklinghausen（フォン レックリングハウゼン）病
- 血管腫：Sturge-Weber（スタージ・ウェーバー）症候群

- ◆ 頭痛 → 慢性硬膜下血腫
- ◆ 羽ばたき振戦 → 代謝性脳症（肝性脳症など）
- ◆ 項部硬直 → 髄膜炎
- ◆ 発熱 → 炎症性疾患
- ◆ 外観異常（表5）→ 先天性代謝異常
- ◆ 徐脈，脱毛 → 甲状腺機能低下

必要なスクリーニング検査

知能障害を診察する際には，まず知能障害の有無を確認する．評価法には行動評価尺度と知的機能検査の2種類ある．行動評価尺度は，行動を観察して，それがどの程度可能であるかを調べることにより知能低下の程度を知る方法である．

さらに知能障害の原因鑑別のためにスクリーニング検査が必要である．

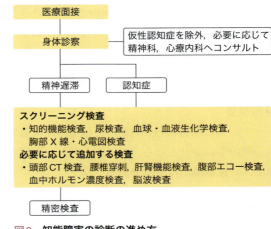

図3　知能障害の診断の進め方

表6　Hachinskiの虚血スコア

急速の発症	2
段階的増悪	1
経過の動揺性	2
夜間せん妄	1
人格の保持	1
抑うつ	1
身体的訴え	1
感情失禁	1
高血圧の既往	1
脳卒中の既往	2
アテローム硬化症合併の証拠	1
局所神経症状	2
局所神経学的徴候	2
満点	18
判定	
4点以下：Alzheimer病	
7点以上：脳血管性認知症	

❶ 知的機能検査

精神遅滞の評価として，ウェクスラー成人知能検査（Wechsler adult intelligence scale；WAIS）が用いられる．

認知症のスクリーニングとしては，長谷川式簡易知能評価スケール改訂版（HDS-R）やMMSE（Mini-Mental State Examination）などの質問式の簡易評価テストが判断材料として用いられることが多い．ただし，認知症の判断は記憶障害のみでなく，ほかの認知機能障害にも注意する必要がある．簡便な検査として，視空間と構成能力の評価には時計描画テストが用いられ，前頭葉機能評価

にはFAB(frontal assessment battery)が用いられる．その他，失語・失行・失認の有無に注意して検査する．

うつ病による仮性認知症を鑑別するために，うつスケールが用いられる．

❷ 尿検査

ケトン体は栄養状態の判断の，尿糖陽性は糖尿病診断の手がかりとなる．フェニルケトン尿症ではネズミ尿様臭が特徴的である．

❸ 血球検査(血算)

ヘモグロビン(Hb)濃度低下から貧血の有無をみる．腎性貧血，悪性貧血，鉛中毒による貧血などを念頭におく．白血球数(WBC)増加から髄膜炎などの感染症が疑われる．

❹ 血液生化学検査

感染症や炎症性疾患はCRP上昇より疑われる．

肝機能異常を伴う疾患はAST，ALTなどの肝機能検査を行い，必要があれば肝性脳症を鑑別するためにアンモニア(NH_3)測定を行う．

腎不全はUN，Crをチェックする．

電解質異常は肝腎疾患はもちろん内分泌疾患でも生じるので，血清Na，K，Clを確認する．

甲状腺機能低下症では総コレステロール，CKが高値をとることに注意する．

低血糖の有無を確認する．

❺ 胸部X線・心電図検査

多発性脳梗塞の原因として心原性塞栓を疑うとき，胸部X線で心拡大を，心電図で不整脈の有無を確認する．

診断確定のために

脳血管性認知症の確定診断

脳血管性認知症の記憶障害では，Alzheimer病の場合に比べて，再生障害(自ら思い出すことはできないが，指摘されれば思い出す)が目立つ．動脈硬化の危険因子があり，Hachinskiの虚血スコアのような症状の経過があれば疑われる．心房細動や頸動脈プラークが原因となる脳塞栓も念頭におく．

CTが確定診断に有用であるが，白質病変や多

表7 保持の時間でみた記憶の分類

短期(即時)記憶(immediate memory)	数秒前の記憶
近時記憶(recent memory)	数分〜数日前の記憶
長期記憶(remote memory)	それ以上の長く持続する記憶

発性ラクナ梗塞を正確に診断するためにはMRIが必要である．SPECTによる前頭葉血流低下も参考になる．

変性疾患の確定診断

Alzheimer型認知症は初期から近時記憶障害(表7)や新規学習障害を主体とした高次脳機能低下が進行し，MRIで内側側頭部の萎縮，SPECTで帯状回〜楔前部の血流低下が特徴的である．

Lewy小体型認知症や前頭側頭葉変性症では，早期には記銘力低下が目立たないことがあり，診断に苦慮することがある．Lewy小体型認知症では幻視がよくみられ，SPECTでの後頭葉血流低下が特徴的である．

前頭側頭葉変性症では，性格変化と社会的行動の障害が症状の主体で，前頭側頭葉の萎縮と脳血流低下は診断の補助となる．ほかの変性疾患を含めて，病理が最終診断となることも多い．

炎症性疾患の確定診断

発熱，頭痛などの自覚症状やWBC増加，赤沈亢進，CRP上昇などの炎症反応があれば感染症が疑われる．脳炎，髄膜炎は腰椎穿刺を行って細胞数増加，蛋白上昇の有無を確認し，髄液培養をする．梅毒による進行麻痺は，Argyll Robertson瞳孔，血清・髄液梅毒検査を確認する．

中毒性知能障害の確定診断

服薬歴，職業歴を含めて医療面接が重要である．

ベンゾジアゼピン系薬物，抗精神病薬，抗コリン薬，カルバペネム系・ニューキノロン系抗菌薬の服用がないか確認する．

鉛中毒では血液中鉛濃度上昇，尿中δ-アミノレブリン酸濃度上昇が特徴的である．水銀中毒で

は血中濃度，尿中濃度，毛髪濃度，ヒ素中毒では尿中濃度，毛髪濃度を測定して診断する．

遺伝性知能障害の確定診断

遺伝歴の聴取が最も大事である．先天性代謝異常では，それぞれの疾患に特徴的な症状と代謝異常物質や蓄積物質の確認が必要である．染色体異常が疑われれば染色体検査をする．

内分泌疾患の確定診断

身体診察やスクリーニング検査である程度の疾患まで絞り込み，ホルモン異常について検査する．必要に応じて負荷テストを行う．

肝腎機能障害の確定診断

スクリーニング検査で確認される．さらにICG検査などで肝機能，尿中の微量アルブミン，$N-$アセチル$-\beta-$D$-$グルコサミニダーゼ(NAG)，血中・尿中 β_2-ミクログロブリンで腎機能を精査する．また，腹部エコー，CTから形態的異常を確認する．

その他

てんかんは器質性障害が確認できないことも多く，脳波での確認が必要である．

正常圧水頭症が症状やMRIで疑われれば，タップテスト(髄液排除)で症状の改善を評価する．

〈長井 篤，小林 祥泰〉

失語・失行・失認
aphasia, apraxia, agnosia

失語・失行・失認とは

定義

　失語・失行・失認は，言語・行為・認知に関する高次脳機能が大脳の病変により障害された状態を指す．

　言語野の障害によって，言語の理解と表出の障害された状態を失語という．言語機能の4つの様式である「話す」「聞く」「書く」「読む」のいずれかの障害が認められる．

　失行は，筋力，感覚，協調運動に障害がないにもかかわらず，特定の熟練した目的行為を遂行できない症状をいう．障害される行為の種類によりさまざまなタイプがあり，構成失行，観念運動失行，観念失行，肢節運動失行，着衣失行，口部顔面失行などに分類される．

　失認は，日常よく知っている対象を感覚器官に障害がないにもかかわらず認知できなくなる障害である．感覚の様式や対象の内容により，視覚失認，聴覚失認，触覚失認，相貌失認，地誌的障害，半側空間無視，身体失認，病態失認などに分類される．

患者の訴え方

　失語では，重度の場合には言葉で意思を伝達できなくなる．軽い運動性失語の場合には，「言葉がなかなか出てこない」という訴えがある．言語理解に障害をきたす感覚性失語の場合には錯語などが混じるため，訴えの内容をとらえにくい．いずれも患者の言語障害は，周囲の人から指摘されることが多い．

　失行の場合には，動作が不器用となり目的とする行為ができないと訴える．たとえば，はさみや箸などの道具が使えない(観念失行や肢節運動失行)，服がうまく着られない(着衣失行)などの訴えがある．

　失認では，見るもの(視覚失認)，触るもの(触覚失認)，聞くもの(聴覚失認)の内容がわからないという訴えがある．さらに，運動麻痺などの自らの障害を自覚しなかったり，または否認したりする(病態失認)．

患者が失語・失行・失認を訴える頻度

　これらの高次脳機能障害を訴える頻度は，外来患者の約0.7％と頻度は低い．この3つの症状のうちでは，失語症の頻度が最も高い．さらに，脳血管障害における失語症の頻度は20％前後である．失認のなかでは半側空間無視の頻度が高く，脳血管障害急性期に詳細な検査を行えば20％前後に認められる．

症候から原因疾患へ

病態の考え方

　失語・失行・失認をきたすような病態として図1のようなものがある．その原因疾患として頻度の高いものを表1に示す．

　失語・失行・失認が認められる場合は，まず大脳に器質性障害が存在することを示唆している．その大半の例で，大脳皮質を含む比較的広範な病巣があると考えられる．

　重要なことは，失語，失行，失認のそれぞれの内容に対応して，障害のある左右半球および大脳領域が特定される点である．たとえば，運動性失語であればBroca(ブローカ)領野，着衣失行であれば劣位半球の頭頂葉の障害が考えられる．

　器質的な要因がどうしても見つからない場合には，ヒステリーも鑑別診断に入れる必要がある．

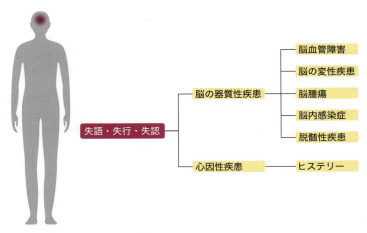

図1 失語・失行・失認の原因

表1 失語・失行・失認をきたす疾患

脳の器質性疾患
- 脳血管障害：脳塞栓，脳血栓，脳出血，一過性脳虚血発作，慢性硬膜下血腫
- 脳の変性疾患：Alzheimer（アルツハイマー）型認知症，前頭側頭型認知症のなかの緩徐進行性失語症（進行性非流暢性失語症あるいは意味性認知症），大脳皮質基底核変性症
- 脳腫瘍：神経膠腫，髄膜腫，転移性脳腫瘍，悪性リンパ腫
- 脳内感染症：脳膿瘍，脳炎，Creutzfeldt-Jakob（クロイツフェルト-ヤコブ）病，進行性多巣性白質脳症
- 脱髄性疾患：多発性硬化症，急性散在性脳脊髄炎

心因性疾患
- ヒステリー

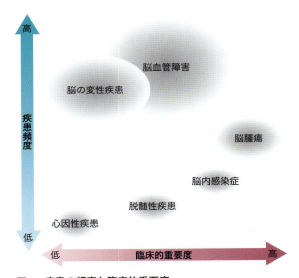

図2 疾患の頻度と臨床的重要度

病態・原因疾患の割合

95％以上は脳の器質性疾患で，心因性によるものは数％である．

器質性疾患のなかでは，脳血管障害によるものが最も多く，半数以上を占める．次いで変性疾患，なかでもAlzheimer型認知症がその多くを占める．脳腫瘍，脳内感染症，脱髄性疾患は頻度は低いが，重篤な疾患が含まれる．

原因別の頻度とその臨床的重要度を図2に示す．

診断の進め方

診断の進め方のポイント

- 失語・失行・失認を認めたときには，まず脳の器質性疾患を念頭において，治療可能な疾患，重篤な疾患を見逃さないことが重要である．
- 最も多い原因である脳血管障害は救急疾患であり，迅速な診断と処置が必要である．
- 脳膿瘍，脳炎，急性散在性脳脊髄炎なども迅速な治療を必要とするので，早期の診断が重要である．

表2　医療面接のポイント

経過
- いつから症状が出現したか
- 急激に出現したのか，徐々に始まったのか
- 症状は進行しているのか，変わらないのか，改善しているのか
- 寛解と増悪を繰り返すのか

誘因
- 症状が出現する誘因はあったのか（頭部打撲，感染症，ワクチン接種，精神的ストレスなど）

随伴症状
- 運動麻痺，感覚障害，視野障害，構音障害，歩行障害，頭痛などの症状を伴っているのか
- 発熱，体重減少，関節痛はなかったか
- もの忘れや異常言動はないか

既往歴
- 心疾患，高血圧，糖尿病，脂質異常症の病歴，治療歴はあるか
- 悪性腫瘍の治療歴の有無を確認する
- 習慣性流産の既往はないか

嗜好品
- 喫煙，アルコール摂取量を確認する

- 症状が徐々に進行する場合には脳の変性疾患を念頭におく．
- 原因が見当たらない場合に，心因性疾患を考慮する．

表3　身体診察のポイント

バイタルサイン
- 体温，血圧，脈拍：感染症，高血圧症，血圧の左右差，不整脈の有無を確認する

全身状態
- 体格：悪性腫瘍による体重減少の有無を確認する
- 皮膚：膠原病に特有の皮膚病変の有無を確認する．紫斑により出血傾向の有無を確認する

頭頸部
- 眼底検査：うっ血乳頭の有無，高血圧性網膜変化，糖尿病性網膜変化を確認する
- 耳鼻：中耳炎や副鼻腔炎の有無を確認する
- 頸部：血管雑音から頸動脈狭窄病変の有無を確認する．リンパ節腫大の有無を確認する

胸部
- 打診，聴診で心・肺疾患を診察する．強い心雑音は心弁膜症，感染性心内膜炎を疑わせる

腹部
- 触診で肝脾腫などの臓器腫大の有無を確認する

四肢
- 四肢末端の動脈拍動は良好か

神経学的診察
- 意識，精神状態の変化をみる
- 視力障害，視野欠損の有無を確認する
- 構音障害の有無を確認する
- 四肢の麻痺，筋緊張の異常，腱反射の異常，感覚障害の有無を確認する
- ミオクローヌスなどの不随意運動の有無を確認する
- 協調運動障害の有無を確認する
- 記憶力障害，失見当識の有無を確認する

医療面接（表2）

　失語があるかどうかは，医療面接をする際の会話のなかでおおよそ見当がつく．すなわち，発話量，発話速度，錯語の有無，言語理解の程度，内容のまとまり具合などを参考にする．

　一方，失行・失認は，訴えの内容を詳細に聴取することで，具体的な障害内容を把握する．

　医療面接のなかで最も重要なのは，症状の出現様式である．すなわち，症状が急速に出現した場合にはまず脳血管障害が疑われる．脳塞栓では突発完成の経過をとる．脳出血，脳血栓では急速または階段状の進行をみる．数日〜週単位の経過で進行する場合には，慢性硬膜下血腫，脳内感染症，脱髄性疾患などを考える．週〜月単位で徐々に進行する場合には，脳腫瘍の可能性がある．さらに月〜年単位の緩徐な進行の場合，脳の変性疾患を考える．

　訴えの内容が一定せず，状況により変化するような場合には，心因性疾患が考えられる．

　既往歴として，動脈硬化の危険因子（高血圧，糖尿病，脂質異常症）や心疾患の有無，悪性腫瘍や感染症の治療歴などを聴取することも参考になる．

　周囲の人からも，症状の経過とともに，記憶力障害の有無や異常言動の有無を聴取する．

身体診察

　身体診察では，失語・失行・失認の検査を行う前に，一般身体診察および神経学的診察が必要である．高次脳機能障害では，要素的な障害，たとえば構音障害，運動麻痺，感覚障害，協調運動障害などがないことが前提となるためである．

　身体診察では，表3に挙げるようなポイントに注意して原因疾患を鑑別していく．

表4 失語・失行・失認の検査法

失語
- 語想起（喚語，呼称）の障害があるか
- 自発言語に異常（発語の減少，速度の低下，内容の空疎さ，錯語）がないか
- 言語理解は良好か
- 復唱が十分に行えるか
- 読字と書字が障害されているか

失行
- 道具を使わずに動作の物まねができるか
- 一連の動作を順序正しく行えるか
- 手の動きはスムーズか
- 衣服が間違いなく着られるか

失認
- いずれの感覚様式に障害があるか（視覚，聴覚，触覚）
- 具体的に物体，顔，身体の視覚認知は可能か
- 身体のうち，手の指の認知，左右の認知はできるか
- 空間の無視はないか（たとえば，聴診器のチューブの中心を指させる）
- 病気の認識はあるか

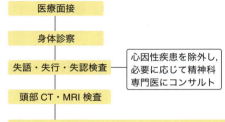

図3 失語・失行・失認の診断の進め方

　実際の失語・失行・失認の検査に際しては，表4に示すような点に関して検査を行い，どのタイプの障害であるかを判定する．失語症状は医療面接だけでもかなりの情報が得られる．失行・失認症状は患者が訴えないことも多いので，疑えば必ずベッドサイドでの検査を行う．

診断のターニングポイント（図3）

医療面接と身体診察を総合して考える点

- 急激に症状が出現した場合には，まず脳血管障害を考える．そのなかで不整脈を伴って症状が突発完成の場合には脳塞栓症を考える．発症が階段状に進行する場合には脳血栓症を考える．
- **〔確定診断〕**症状が突発し，短時間（通常10分以内）で消失した場合には，一過性脳虚血発作（TIA）が考えられる．
- 症状の進行がきわめて緩徐であれば，脳の変性疾患を考える．
- 緩徐に進行する記憶障害とともに，本症状が出現する場合には，Alzheimer型認知症を考える．
- **〔確定診断〕**記憶障害が目立たず失語症状のみが緩徐に進行する場合には，前頭側頭型認知症のなかの進行性非流暢性失語症あるいは意味性認知症を考える．
- **〔確定診断〕**片側性の失行症が緩徐に進行し，筋固縮などParkinson（パーキンソン）症候群を合併しているときには，大脳皮質基底核変性症が最も考えられる．
- 症状が週〜月単位で進行する場合には，脳腫瘍や慢性硬膜下血腫の可能性がある．特に頭部打撲の既往，アルコール多飲歴，悪性腫瘍の治療歴などは参考になる．
- 発熱を伴って症状が出現した場合には，脳炎や脳膿瘍などの中枢神経感染症を考える．
- 本症状に加え，ミオクローヌス，視力低下，運動失調，認知症，意識障害などの症状が，数週〜数か月の経過で亜急性に進行する場合には，Creutzfeldt-Jakob病を考える．
- 稀ではあるが，癌，悪性リンパ腫，白血病，AIDSの患者や，免疫抑制薬を使用している例に症状が出現してきた場合には，進行性多巣性白質脳症を考える．
- 症状以外に，視力障害，小脳障害，脳幹障害，脊髄障害など多彩な症状が寛解と増悪を繰り返す場合には，多発性硬化症を考える．
- 最後に全く原因が不明なときには，ヒステリーを鑑別診断に含める必要がある．

必要なスクリーニング検査

　医療面接と身体診察から，失語・失行・失認をきたす器質性中枢神経疾患のおおよその病型診断

が可能である．しかし，正確な診断を行うには，まず頭部のCT・MRI検査が必要である．次いで，基本的なスクリーニング検査を行う必要がある．

主なスクリーニング検査として，次のようなものがある．

❶ 尿検査

尿糖陽性から糖尿病を診断する手がかりとなる．

❷ 血球検査（血算）

白血球数（WBC）の増加より，感染症の有無が診断の手がかりとなる．赤血球数（RBC）の変化より，多血症，貧血の有無をみる．血小板数減少の有無をみる．

❸ 赤沈検査

赤沈亢進は感染症，血管炎，悪性腫瘍などの診断の手がかりとなる．

❹ 凝固系検査

APTTの延長から抗リン脂質抗体の存在が推察される．

❺ 血液生化学検査

CRPは感染症，血管炎の診断の手がかりとなる．血糖値は糖尿病の診断に有用である．血清脂質は動脈硬化の指標となる．

❻ 胸部X線検査

心肺疾患や癌転移の手がかりとなる．

❼ 心電図検査

心房細動などの不整脈の診断に有用である．虚血性心疾患の有無を判断する．

診断確定のために

病歴情報，身体所見，CT・MRI検査，スクリーニング検査の結果に基づき，失語・失行・失認をきたす疾患をおおまかに推定できる．

さらに，詳細な原因検索と重症度や予後推定を含めた診断を行うには，以下のような検討を引き続き行うことが必要である．

脳血管障害の確定診断

頭部CT・MRIにより脳梗塞と脳出血（慢性硬膜下血腫を含め）の有無を確認する．

急性期脳梗塞の診断には，MRI（拡散強調画像）がきわめて有用である．脳梗塞であれば，脳塞栓と脳血栓の鑑別が必要である．心臓超音波検査，頸動脈超音波検査，MRアンギオグラフィー（MRA）などを行い，塞栓源の検索と血管閉塞の有無を確認する．できれば脳SPECT検査を行い，虚血病巣の広がりをチェックする．

血管炎症候群が疑われる場合は，血管造影検査や，腎臓・皮膚・筋・神経など病変のありそうな組織の生検を行う．抗好中球細胞質抗体（ANCA）の測定も重要である．

抗リン脂質抗体症候群が疑われれば，$β_2$-GPI依存性抗カルジオリピン抗体またはループスアンチコアグラントを検査する．

脳の変性疾患の確定診断

認知症性疾患の診断には失語・失行・失認の有無だけではなく，記憶障害の有無の確認が必要である．まず長谷川式簡易知能評価スケール改訂版（HDS-R）や簡易知能試験（Mini-Mental State Examination；MMSE）などでスクリーニングを行う．

Alzheimer型認知症では，CT・MRIで海馬を主体とする全般的な脳萎縮を認め，SPECTでは側頭・頭頂部および後部帯状回の血流低下が特徴的である．

前頭側頭型認知症は，前頭・側頭葉に限局した萎縮が特徴的である．

緩徐進行性失語症は稀な疾患であるが，早期には記憶障害やほかの高次脳機能障害がなく，失語のみが緩徐に進行する疾患で，進行性非流暢性失語症では優位半球前頭葉そして意味性認知症では優位半球側頭葉に限局した萎縮を認める．

大脳皮質基底核変性症も稀な疾患であるが，Parkinson症候群と片側性の失行症が特徴で，SPECTで一側の基底核と大脳皮質，特に前頭葉の血流低下がみられ，CT・MRIで左右非対称性の脳萎縮を認める．

脳腫瘍の確定診断

脳腫瘍は，CT・MRI検査によりほとんど確定診断ができる．腫瘍の種類は出現部位，造影剤の

増強効果の程度などにより，ある程度推察が可能である．

脳内感染症の確定診断

脳膿瘍の診断にもCT・MRIはきわめて有用で，造影剤による増強効果が著明である．また血液検査で炎症反応が明らかである．

脳炎ではヘルペス脳炎が重要で，CT・MRIで側頭葉病変の頻度が高い．髄液PCR法でのウイルスゲノム検出や血清中ウイルス補体価を測定する．

Creutzfeldt-Jakob病では，脳波検査で周期性同期性放電(periodic synchronous discharge; PSD)が出現し，髄液検査で14-3-3蛋白が陽性で，異常プリオン蛋白が検出されれば確定診断される．進行性多巣性白質脳症は基礎疾患から疑い，CT・MRIで造影剤による増強効果のない白質病変を確認する．髄液中JCウイルスDNAを測定する．

脱髄性疾患の確定診断

多発性硬化症は，その臨床経過とCT・MRIでの多巣性の白質病変から診断する．髄液でのミエリンベーシック蛋白やオリゴクローナルバンドが参考になる．

急性散在性脳脊髄炎は，ウイルス感染やワクチン接種後に生じ，炎症反応を認め，MRIで散在性の白質病巣を認める．髄液検査で単核球増加を認める．

心因性疾患の確定診断

上記の検査で全く異常を認めず，心因性疾患が疑われるときは，精神科もしくは心療内科にコンサルトする．

〈山口 修平〉

もの忘れ
forgetfulness

もの忘れとは

定義

「もの忘れ」という言葉は，一般的には過去に経験した出来事の内容がうまく思い出せない場合や，これから新しく何かを覚えようとしてもうまくできない場合に使用される．つまり，記憶の障害があることを表現するときに使用される．もの忘れに該当する医学的な用語としては健忘（amnesia）が挙げられる．また，どちらかといえば慢性的な経過の健忘を指す場合が多いが，もの忘れという言葉自体に時間的な概念は含まれていない．

われわれの脳に備わっている認知機能の1つである記憶について，もう少し理解を深めるために，記憶の過程や分類について説明する．記憶には，情報を新しく覚える（記銘），一定期間覚えておく（保持），思い出す（想起）という3つの過程がある．記憶の障害は，この過程が障害された場合に起こる．

次に記憶の分類について述べる．記憶の分類方法はいくつかあり，用語もたくさんあって混乱しやすい．何を基準にして分類や記述がされているのか，を意識すると理解しやすい．具体的には，記憶を保持している時間，記憶の内容によって分類される．時間という観点からは，即時記憶（記銘直後に想起する），近時記憶（記銘後に数分〜数日経過してから想起する），遠隔記憶（記銘後に数日〜年単位ののちに想起する）に分類される．そして，記憶の内容の観点からは，内容を説明できる陳述記憶と説明できない非陳述記憶に分類される．陳述記憶はさらに，自分が経験した，時間や場所に関係する情報を含むエピソード記憶（たとえば昨日の夕食について誰とどこで食べたか）と普遍的な知識に相当する意味記憶（例：1年は365日である）に分類される．非陳述記憶の代表的なものとしては，箸の扱い方や自転車の乗り方など，身体で覚えた（記憶した）技能が挙げられる．

なんらかの疾患によって記憶が障害された場合，その疾患の発症時期からみて過去の記憶が障害されているものを逆行性健忘，発症した以降の出来事を記憶できなくなった場合を前向性健忘という．遠隔記憶の障害は逆行性健忘に，近時記憶の障害は前向性健忘に対応する．「記憶」という言葉には非常にさまざまな意味が込められているため，単に記憶障害といった際にはどの種類の記憶の障害のことを指しているかに注意を要する．しかし，一般的な意味で使われる場合にはエピソード記憶のことを指している場合が多い．

「もの忘れ」と「認知症」という用語の区別にも注意してほしい．認知症とは，「一度正常に獲得した認知機能が，後天的な脳の障害によって持続性に低下し，日常生活や社会生活に支障をきたすようになった状態で，それが意識障害のないときにみられる」と定義され，診断基準に則って診断する疾患名である（表1）．

ここまでをまとめると，もの忘れという用語は記憶障害の内容からは主にエピソード記憶の障害であり，逆行性，前向性の両方の健忘が含まれる．もの忘れは特に認知症の診断に重要な症状の1つではあるが，それのみで診断されるわけではない．

患者の訴え方

急性にもの忘れが出現した場合と，慢性的な経過の場合とで患者の訴え方は異なってくる．また実際の臨床において，もの忘れの患者は，1人で受診するよりも，家族や友人などに連れられてくることのほうが多い．したがって，彼らがどのように患者の症状を表現するのかを理解しておくこ

表1 認知症の診断基準（DSM-5-TR）

A 1つ以上の認知領域（複雑性注意，実行機能，学習および記憶，言語，知覚-運動，社会的認知）において，以前の行為水準から有意な認知の低下があるという証拠が以下に基づいている
　(1) 本人，本人をよく知る情報提供者，または臨床家による，有意な認知機能の低下があったという懸念，および
　(2) 標準化された神経心理学的検査によって，それがなければほかの定量化された臨床的評価によって記録された，実質的な認知行為の障害

B 毎日の活動において，認知欠損が自立を阻害する（すなわち最低限の，請求書を払う，内服薬を管理するなどの，複雑な手段的日常生活動作に援助を必要とする）

C その認知欠損は，せん妄の状況でのみ起こるものではない

D その認知欠損は，ほかの精神疾患によってうまく説明されない（例：うつ病，統合失調症）

〔日本精神神経学会（日本語版用語監修），髙橋三郎，大野裕（監訳）：DSM-5-TR 精神疾患の診断・統計マニュアル．p.594, 医学書院, 2023 より作成〕

とも重要である．臨床においては，患者が現実の生活において，どのような困難さを伴っているのかを想像しながら，状況を具体的に聴取して，患者や家族の訴えについてまずはなるべくありのままにカルテに記載する．そして，医療面接や身体診察を進めるなかで，患者の真の訴えが何であるのかを見極めていくとよい．

急性の健忘を呈している場合

「（患者の）様子がおかしくなった」「急に話が通じなくなった」などと表現され，本人に尋ねても「どうして私は病院に来ているの？」と何度も尋ね返してくることがある．また，仮に症状が改善したあとに受診したような場合には，「昨日のことを全く覚えていない」と訴える．

慢性的な経過の健忘を呈している場合

患者本人に症状の自覚がある場合には，「最近，人の名前，鍵やメガネなどの置いた場所をよく忘れるようになった」「医師から聞いた説明を自宅に帰ってから思い出せなくなった」などと述べる．家族からは，「使い切っていないのに，何度もトイレットペーパーを買ってくるようになった」「銀行のATMで暗証番号を忘れて操作ができなかった」「役所からの書類をどこかにやってしまった」などのエピソードが聴取されることがある．

しかし実際には，症状の自覚に乏しく，患者本人に尋ねても「特に困っていない，何も問題はない」と返答することが多い．また，むしろ症状の自覚があるためにそれを隠したいと思っていることもあり，「たまたま忘れただけで，周りがおおげさに騒いでいる」と話すこともある．加えて高齢者の場合には，現実に困っていることがあっても自身の症状をうまく表現できないこともある．そのため，「最近，探し物が多くなってはいませんか」「若い頃のようにはいかないかもしれませんが，以前と同じように予定の管理ができていますか」などと，こちらから具体的な問いを投げかけてみることもよい．本人の身近にいる人（家族やパートナーなど）に本人の近況について尋ねると，先ほど記載したようなエピソードが聴取されることがある．

患者がもの忘れを訴える頻度

わが国で，「もの忘れ」を主訴とする患者が年間にどれだけ病院を受診するかということは，よくわかっていない．もの忘れ外来にやってくるような慢性経過の患者であれば，50％以上はAlzheimer（アルツハイマー）型認知症である．

症候から原因疾患へ

病態の考え方（表2）

健忘，すなわちエピソード記憶の障害が起こる要因として，器質的な要因と機能的な要因がある．器質的な要因は，脳自体に原因のあるもの（たとえばAlzheimer型認知症）と，脳以外の臓器に原因があるもの（たとえば甲状腺機能低下症）に分けられる（図1）．機能的な要因とは，実際に神経組織の障害を伴っているわけではないが，心身の反応として症状が出現しているものをいう．その例としては，うつ病などが挙げられる．

われわれの脳内にある代表的な記憶の回路とし

表2 もの忘れをきたす疾患

器質的要因

脳自体に原因があるもの

急性		認知症	プリオン病
		感染性・炎症性	単純ヘルペスウイルス脳炎,進行性多巣白質脳症,自己免疫性脳炎,多発性硬化症など
		脳血管障害	海馬梗塞,視床梗塞・出血,前交通動脈瘤破裂
		てんかん性	一過性全健忘,複雑部分発作,発作後もうろう状態
		脳腫瘍	原発性脳腫瘍,転移性脳腫瘍,髄膜癌腫症
		外傷性	頭部外傷後
		代謝性	Wernicke脳症(チアミン欠乏)
		その他	一過性全健忘
慢性		認知症	軽度認知障害,Alzheimer型認知症,Lewy(レビー)小体型認知症,血管性認知症,前頭側頭型認知症,正常圧水頭症など
		感染性	神経梅毒,進行性多巣白質脳症など
		頭部外傷	慢性硬膜下血腫,遅発性脳障害など

脳以外に原因があるもの

急性		薬物性	向精神薬,抗コリン薬,抗ヒスタミン薬,抗てんかん薬,抗菌薬など
		代謝性・中毒性	低ナトリウム血症,低血糖,副腎皮質機能低下症,アルコール性,肝性脳症,尿毒症など
慢性		薬物性	向精神薬,抗ヒスタミン薬,抗てんかん薬,抗癌薬など
		代謝性・中毒性	低ナトリウム血症,甲状腺機能低下症,間欠型一酸化炭素中毒,金属中毒など

機能的要因

急性・慢性ともに	精神疾患	うつ病,解離性健忘

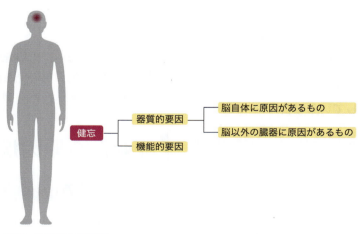

図1 もの忘れの原因

て,Papez(ペーペズ,パペッツ)の回路,Yakovlev(ヤコブレフ)の回路,前脳基底部からの投射経路の3つがあるが,器質的な要因のうち脳自体に原因があるものでは,これらの回路のどこかで解剖学的に障害を受けていることが想定される.たとえば,海馬を含む側頭葉内側の障害をきたす最も代表的な疾患は,Alzheimer型認知症である.これ以外に,辺縁系脳炎(単純ヘルペスウイルス脳炎や自己免疫性脳炎),脳梗塞(海馬梗塞),一過性全健忘(transient global amnesia; TGA),一過性てんかん性健忘(transient epileptic amnesia; TEA)などがある.視床を障害する疾患としては,Wernicke

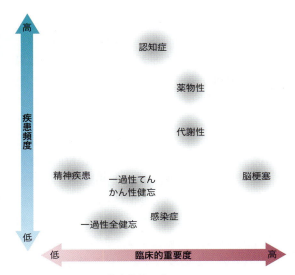

図2 疾患の頻度と臨床的重要度

表3 生理的な健忘と病的な健忘の特徴

	生理的な健忘	病的な健忘
もの忘れの内容	一般的な知識	自分の経験した内容
もの忘れの範囲	体験の一部	体験した全体
症状の進行	進行や悪化はしない	進行していく
日常生活の影響	支障はない	支障がある
症状の自覚	あり	ない場合が多い
学習能力	維持されている	新しいことを覚えられない
日時の見当識	保たれている	障害されている
感情や意欲	保たれている	易怒性，意欲低下

（ウェルニッケ）脳症（チアミン欠乏）や脳腫瘍，脳梗塞（視床梗塞）などが挙げられる．前交通動脈瘤の破裂などによって前脳基底部が障害された場合にも，健忘が出現することが知られている．多数の原因疾患はあるが，経過が急性の場合と慢性の場合とで，実際には考慮すべき疾患が分かれる．

病態・原因疾患の割合

患者がどこにやってきたか，つまり救急外来ともの忘れ外来とでは，原因疾患の割合がかなり異なる．救急外来では，TGA，TEA，頭部外傷後，脳梗塞などの割合が高くなる．もの忘れ外来であれば，認知症性疾患の割合が圧倒的に高くなる．臨床的重要度（治療可能性）と疾患頻度について図2に示す．

診断の進め方

診断の進め方のポイント

診断を進めるポイントは3つである．
① もの忘れが病的かどうかを判断する．
　もの忘れを主訴に患者が受診しても，病気であるとは限らない．これは，加齢に伴う範囲の記憶の衰え，つまり生理的な範囲であっても，認知症を心配して受診行動に至る場合がよくあるためである．生理的健忘と病的健忘の特徴から判断していくことが必要となる（表3）．
② 医療面接と身体所見から鑑別を挙げる．
　突然発症の健忘や週単位で進行するようなものと慢性経過の場合とでは，考えるべき疾患が異なってくる．また，記憶障害以外の認知機能障害の有無，神経学的診察を含む身体所見から，特定の健忘をきたす疾患の診断が可能な場合がある．
③ 治療可能性のある疾患を見逃さない．
　脳血管障害，脳炎，Wernicke脳症，神経梅毒などは，治療によって十分改善する可能性があるが，治療が遅れれば重篤な後遺症をきたしうるため，注意を要する．TEAは，抗てんかん薬によって次の発作を防ぐことができる．Alzheimer型認知症は，治癒は困難であるが，早めに介入することで予後の改善につながる．

これらの3つのポイントに沿って診断を進めるためには，やはりていねいな医療面接と適切な神経症候の評価が重要であり，次に詳しく述べる．

医療面接

まず，発症様式と経過を明らかにすることを心がける．もの忘れに限らず，神経疾患においては，病歴の聴取によって疾患をかなり絞り込むことができるため，ていねいに聴取する（表4）．以下，医療面接時において重要な5つのポイントを

表4 医療面接のポイント

発症様式と経過
- 突然発症(TGA, TEA, 脳血管障害)か，急性あるいは慢性経過か
- 症状の変動(せん妄)を確認する
- 過去にも同様のエピソードがあるか(TEAは再発しやすい)

誘因
- 精神的・身体的ストレスを確認する(TGAや精神疾患)
- 頭部外傷を確認する
- 薬物を確認する(特にベンゾジアゼピン系睡眠薬，抗コリン薬，抗ヒスタミン薬)

既往歴
- 難聴，糖尿病，高血圧などの認知症リスクを確認する
- アルコール常用に伴う疾患(Wernicke脳症)を確認する
- 精神科通院歴(精神疾患)を確認する

生活歴
- 誰と生活しているか
- 食事・飲酒を確認する(ビタミンB群欠乏)
- 喫煙を確認する(脳血管障害のリスクファクター)
- 睡眠を確認する(睡眠時間，レム睡眠行動障害のチェック)
- 学歴・職歴を確認する(高学歴の場合は小さな変化でも有意である可能性がある)

内服薬
- ベンゾジアゼピン系睡眠薬，抗ヒスタミン薬，抗コリン薬などを確認する

特徴的な仕草や反応
- もの盗られ妄想，取り繕い反応，振り返り徴候，作話(認知症)を確認する
- 口部自動症，一点凝視(てんかん)を確認する

述べる．

①健忘が突然発症，急性経過の場合

特に突然発症した場合には，その時刻を必ず確認する．これは健忘の原因が脳梗塞であった場合に，発症時刻からの経過時間が治療内容の決定に重要な情報となるためである．急性に健忘が引き起こされる誘因としては，たとえばTGAでは身体的・精神的ストレスやValsalva(バルサルバ)負荷(いきむ動作)をきっかけとして起こる．TEAでは，起床時から健忘を呈していることが多いが，持続は1時間程度のため，受診時にはほとんど改善しているが，再発率が高いので，以前にも同じようなことがなかったかを尋ねるとよい．

②慢性的な経過の場合

本人のもつ社会的あるいは家庭内での役割を意識して尋ねていくとよい．仕事をしている患者であれば仕事ぶりを尋ね，家事をしている患者であれば炊事や洗濯といったことが以前と同様にできているのかを尋ねる．そうすることで，患者や家族も具体的な場面をイメージしながら答えることができる．詳細な医療面接を通して，日時や場所の間違い(見当識障害)，意欲や関心の低下，性格の変化(怒りっぽくなった，些細なことでくよくよするようになった)，幻覚や妄想の有無を確認する．さらに，遂行機能障害(ものごとの段取りをつける能力の障害)，注意障害(何かに集中したり，別のものに注意を向けたりする能力の障害)，視空間認知障害(見ているものが何であるのかを判断する能力の障害)，社会的認知障害(相手の心理状態を汲み取るような能力の障害)などの記憶障害以外の認知機能障害を把握する．

③情報の信頼性を確保する．

もの忘れを主訴に患者が受診する場合には，情報の信頼性を確保することに注意する．もの忘れのために受診しているのだから，本人からのみでは情報は不十分である．また家族は，患者本人がいるところでは本当に困っていることについては話さなかったり，実際の症状よりも軽く申告したりする場合もある．適宜，患者と家族を分けて聴取することも必要になる．また，患者が高齢の場合，付き添いでやってくる配偶者もまた高齢であることが多い．その場合には，信頼に足る情報が得られないことがあり，状況のわかる者に別途尋ねる必要がある．

④既往歴，内服薬，生活歴を確認する．

既往歴については，難聴や糖尿病などの認知症リスクとなる疾患，脳血管障害，甲状腺疾患，アルコールの常用を示唆する疾患(アルコール性肝炎や膵炎)，精神科通院歴などを確認する．

内服薬に関しては，特にベンゾジアゼピン系の睡眠薬に注意する．また，内服が遵守できているか，誰が管理しているか，家族が管理しているのであればそれはいつからなのかなども併

せて聴取し，病歴に反映させる．

生活歴については，誰と一緒に住んでいるか，食事摂取，飲酒や喫煙歴，睡眠状況，学歴，職歴などを尋ねる．今でも，高齢者のなかには初等教育を十分に受けられなかった人がおり，そのような人においては，もの忘れがあったとしても，それが以前の水準から有意に低下してきたのかどうか，つまり認知症の水準といえるのかどうかについて，慎重な判断を要するためである．また逆に，非常に高いレベルの学歴を有する人においては，些細なもの忘れであっても有意な変化である可能性がある．

⑤特徴的な病歴や反応，仕草にも注意する．

物のしまい場所を忘れてしまった場合に，「盗まれた」と訴えることがある．これは「もの盗られ妄想」と呼ばれる．また，日付について問われてうまく答えられない場合に，患者が「今日はカレンダーを見てこなかったから，日付がはっきりしない」と答えることがある．このような反応は，「取り繕い反応」と呼ばれる．さらに，患者に対して質問を投げかけると，そのたびに付き添いの家族の顔を伺う場合があり，「振り返り徴候」と呼ばれている．これらは Alzheimer 型認知症でみられやすい．

身体診察

基本的には，医療面接の時点で疾患を絞り込む．標準的な身体診察はいずれの症例でも行うが，神経学的診察については想定する疾患の診断や除外など，目的をもって行うのがよい．身体診察ではバイタルサインのチェックや頭部外傷のチェック，顔貌の観察，頸部の触診や聴診，皮膚や粘膜の観察などを行う．

神経学的診察においては，意識レベル，脳神経，四肢の運動，腱反射，不随意運動，感覚，姿勢や歩行，自律神経の評価を行う．もの忘れ患者に神経学的診察を行う時点で，意識障害ではないことを必ず確認する（表5）．

表5 身体診察（神経学的診察を含む）のポイント

バイタルサイン
- 体温や血圧を評価し，感染性疾患や脳血管障害に注意する

身体診察
- 表情から，仮面様顔貌や不安の表情などを読み取る
- 全身の皮膚や粘膜を観察して，外傷の有無，皮疹（部位や性状）を評価する．皮膚の状態から栄養状態も推測する
- 頸部：触診して甲状腺の腫脹の有無を評価し，さらに頸部の聴診をして血管雑音を評価する
- 四肢：下肢の浮腫（圧痕性，非圧痕性）を観察する．触診を通して筋肉量も評価する

神経学的診察（神経学的診察を行う時点ではすでに疑わしい疾患がある程度挙がっており，それらを鑑別するために行うことが望ましい）
- パーキンソニズム：Lewy 小体型認知症，間欠型一酸化炭素中毒
- 開脚位で小刻み歩行，尿失禁：正常圧水頭症
- 不随意運動：Huntington（ハンチントン）病（舞踏運動），プリオン病（ミオクローヌス）
- アステレキシス（かつての羽ばたき振戦）：肝性脳症
- 眼球運動障害，複視，小脳性運動失調：Wernicke 脳症
- 垂直性眼球運動障害と姿勢保持障害：進行性核上性麻痺

診断のターニングポイント

医療面接と身体診察を総合して考える点

- **（除外）** 加齢に伴う健忘や，うつ病などの精神疾患に伴うものは基本的に医療面接の時点で診断する．
- **（確定診断）** 特に TGA，TEA については，ほとんど医療面接をもとに診断していく．そのほか，Alzheimer 型認知症，Lewy 小体型認知症，Wernicke 脳症，薬物誘発性（ベンゾジアゼピン系睡眠薬など）などについても医療面接と身体診察の結果からおおむね診断が可能である．

必要なスクリーニング検査

医療面接と身体診察の結果から，もの忘れをきたす疾患はかなり鑑別できる．しかし，治りうる疾患を見逃してはならず，偶発的にもの忘れをきたす疾患が重なっている場合もあるため，検査を行っておくほうがよい．もの忘れ患者に対して行

う検査は次のようなものがある．

❶ 血液検査

肝機能検査やアンモニア値から肝疾患，甲状腺ホルモン値（TSH，free T_4）から甲状腺疾患，梅毒トレポネーマ抗体検査などから梅毒感染，ビタミンB群の測定によってそれらの欠乏症を検査する．

❷ 神経心理検査

Mini-Mental State Examination（MMSE）は代表的な神経心理検査で，国際的にも臨床の現場で広く用いられている．見当識，言語性記憶，全般性注意・計算，言語，図形模写からなる．

❸ 脳波検査

脳波検査は，もの忘れ患者の全例に行うのではなく，特にてんかんと関連したもの忘れを疑うような場合に行う．てんかんを疑っている場合に，異常な脳波の検出ができれば診断につながる．抗てんかん薬による治療後の評価にも有用である．

❹ 頭部MRI検査

頭部MRIのほうが頭部CT検査よりも空間分解能に優れ，また海馬梗塞や視床梗塞などの血管性病変の検出にも優れている．さらに，形態的な変化の検出にも有用である．Alzheimer型認知症を疑っている場合には側頭葉内側の萎縮を，正常圧水頭症を疑っていれば脳室の拡大や脳頂部の脳溝の狭小化に注意する．T_2強調画像やFLAIR画像は脳炎や脳症の診断に有用な場合がある．具体的には，単純ヘルペスウイルス脳炎では側頭葉内側が高信号となり，Wernicke脳症では視床の信号変化が検出される．

❺ 脳脊髄液検査

全例で行う必要はない．特に行ったほうがよいのは，発熱に伴って急性にもの忘れを呈しているような場合で，単純ヘルペスウイルス脳炎や自己免疫性脳炎などが鑑別に挙がる場合である．

診断確定のために

医療面接，神経学的診察を含む身体診察，検査の結果を得た時点で，疾患はほとんど診断できている場合が多い．最終的には診断基準を参照して，診断の確からしさを考える．以下に代表的な疾患について診断のポイントと一部の疾患では治療についても述べる．

一過性全健忘の確定診断

①前向性健忘が目撃され，十分な情報を得られている，②意識障害や自己認識の障害はない，③認知機能障害は記憶障害のみに限定される，④神経巣症状やてんかん発作を伴わない，⑤最近の頭部外傷や痙攣の既往がない，⑥24時間以内に回復する，⑦頭痛，悪心，ふらつきなどは発作中に伴ってもよい，といった項目に基づいて診断する．

一過性てんかん性健忘の確定診断

①繰り返す健忘のエピソードが聴取される，②信頼できる情報に基づいて，発作中は記憶以外の認知機能は正常であることが確認できる，③脳波検査の結果や抗てんかん薬への反応性，から診断する．

Alzheimer型認知症の確定診断

①認知症の診断が可能（表1），②2つ以上の領域での認知機能の障害が潜行性に発症し緩徐に経過している（例：記憶障害と遂行機能障害），③認知機能障害が詳細な病歴や神経心理学的検査から明らかで，着実に進行している，④ほかの疾患ではうまく説明できない，といった項目を確認する．

単純ヘルペスウイルス脳炎の確定診断

脳脊髄液中や神経組織における単純ヘルペスウイルスの存在を証明する必要があり，主に脳脊髄液PCR検査によって診断される．診断がつく前に治療を開始することを忘れてはならない．

〈吉倉 延亮，東田 和博，下畑 享良〉

痙攣
convulsion

痙攣とは

定義

痙攣とは，筋肉の急激かつ不随意的な収縮をいう．比較的大きな随意筋の収縮を意味し，喉頭痙攣などの植物性機能の筋の収縮，もしくは顔面痙攣などは含めない．

患者の訴え方

部分発作では意識があるので，「手足や顔が勝手に動く」「ピクピクする」「ガタガタふるえる」などと訴える．大発作では痙攣と同時に意識を失うので，痙攣については覚えていない．

患者が痙攣を訴える頻度

一生の間に痙攣を伴わないものも含めて，てんかん発作をきたす頻度は3～10%とされている．

発生率は0～9歳が最も高く，その後，低下する．有病率は人口1,000人に対して1歳で3.9人，70歳で9.1人と直線的に増加する．

60歳以上では部分てんかんが70%以上を占める．

症候から原因疾患へ

病態の考え方（図1，表1）

痙攣には強直性痙攣と間代性痙攣，強直性間代性痙攣がある．起こる部位により全身性と部分性痙攣に分けられる．Jackson（ジャクソン）痙攣は痙攣の強さ，範囲が進行性に増大するのが特徴である．てんかん発作型分類では，部分痙攣は部分発作のなかの単純部分発作の運動発作に属する．Jackson痙攣が全身に及ぶ場合は，単純部分発作由来の二次性全般発作に，間代性・強直性・強直

図1　痙攣の原因

表1 痙攣発作をきたす疾患（成人）

脳血管障害
- 内頸動脈系の脳塞栓，脳葉型出血，血管攣縮を伴うくも膜下出血，脳血管奇形，もやもや病

脳腫瘍
- 神経膠腫，髄膜腫，転移性脳腫瘍

頭部外傷

感染症
- 髄膜炎，脳炎，脳膿瘍，結核腫，敗血症，播種性血管内凝固，寄生虫嚢胞

膠原病・血管炎
- 全身性エリテマトーデス，Sjögren（シェーグレン）症候群，多発動脈炎，サルコイドーシス

変性疾患
- Alzheimer（アルツハイマー）型認知症，歯状核赤核線条体ルイ体萎縮症

脳の機能性障害（代謝性障害，中毒などによるもの）
- 低血糖
- 高浸透圧性脳症
- 高血圧性脳症
- 無酸素脳症
- Adams-Stokes（アダムス・ストークス）発作
- 尿毒症，透析脳症
- 種々の原因によるショック
- 電解質異常
- 甲状腺機能低下症
- アルコールやバルビタールの離脱症候群
- 薬物中毒：向精神薬，抗うつ薬，鎮痛薬，局所麻酔薬，抗菌薬，抗腫瘍薬，気管支拡張薬など
- 過換気症候群：呼吸性アルカローシス

心因性
- ヒステリー性痙攣

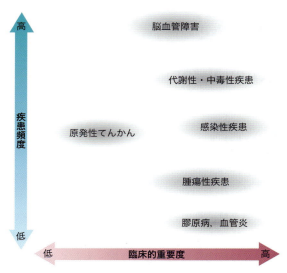

図2 疾患の頻度と臨床的重要度

間代性痙攣が全般発作に属する．

続発性てんかんで痙攣発作をきたす疾患を表1に示す．

痙攣は，なんらかの原因によって過興奮状態をきたした大脳皮質，もしくは辺縁系の一群の神経細胞による，自発的な反復性の過剰放電が原因となって生じる．運動野に限局している場合には，部分痙攣となる．

脳波上の spike & wave は，大きな発作性の脱分極とそれに続く持続性の過分極を反映している．

病態・原因疾患の割合（図2）

小児では熱性痙攣，髄膜脳炎，原発性全般てんかん，脳発達不全，遺伝性代謝異常などによるものが多い．脳の器質性障害や機能性障害が原因となるものとして表1のような疾患がある．

高齢者では脳血管障害が54％と最も多く，次いで，脳腫瘍が9％，Alzheimer型認知症が7％，頭部外傷が5％とされる．脳血管障害のなかでは，皮質を含む病変によるものが圧倒的に多い．脳梗塞では脳塞栓による出血性梗塞合併例，脳出血では脳葉型出血，くも膜下出血では血管攣縮合併例に多い．

診断の進め方

診断の進め方のポイント

- 痙攣発作が目の前で起こることは少なく，病歴で診断をつける必要がある．しかも本人が覚えていないので，家族などへの医療面接が重要である．
- 成人で初発する痙攣，特に最近起こったものは症候性てんかんの可能性が強く，原因の精査を行うことが重要である．

医療面接（表2）

既往歴と発作状況を詳細に聴取することが最も重要である．Jackson 痙攣の場合，発作が始まっ

表2　医療面接のポイント

経過
- いつから，どれくらいの頻度であったか
- 発作型は全身痙攣か，部分痙攣か，Jackson 痙攣か
- 発作時の眼球位置，意識消失の時間を確認する

既往歴
- 頭部外傷，脳卒中，脳炎などの脳疾患の既往はないか
- 高血圧，糖尿病，腎不全，心疾患などの既往はないか

前駆症状
- 痙攣に前駆する発熱，頭痛，嘔吐，意識障害，前兆などの有無をみる

嗜好品，常用薬
- アルコール依存症ではないか
- 痙攣を誘発する薬は飲んでいないか
- 中毒をきたす原因がないか

生活歴
- ヒステリー性格ではないか

表3　身体診察のポイント

バイタルサイン
- 体温，血圧，脈拍：髄膜脳炎や高血圧性脳症，Adams-Stokes 発作などを鑑別する

全身状態
- 痙攣発作中には発作型をすばやく観察し，皮疹や悪性腫瘍などによる衰弱の有無をみる

頭頸部
- 眼球位置，咬舌，チアノーゼ，瞳孔散大，項部硬直をみる

胸部
- 脳塞栓や Adams-Stokes 発作を起こす心疾患の有無をみる

腹部
- 転移をきたす悪性腫瘍などの有無をみる

四肢
- 痙攣の状態をみる

神経系
- 発作後に眼底，腱反射，Todd（トッド）麻痺をみる

た部位がわかれば病巣の部位診断に役立つ．さらに，表2に従って頭部外傷，脳卒中，脳炎などの既往，痙攣に前駆する症状，および高血圧，糖尿病などの既往歴，治療歴を聴取する．また，中毒をきたす原因がないかどうかを聞き出す．

痙攣発作を誰も見ておらず，意識消失状態で搬送された場合は，痙攣があったかどうかもわからず鑑別診断に苦労する．この場合，急激な転倒による外傷の有無，舌を咬んでいないか，口から泡を吹いていなかったか，尿失禁の有無などが参考になる．

身体診察（表3）

痙攣発作中には発作型を観察し，眼球位置を確認し，咬舌の有無をみる．また，脈拍・脈の強さをまず確認することが大切である．全身痙攣発作中はチアノーゼがよくみられ，瞳孔は散大している．全身が強直しているのでほかの神経所見は検査できない．

発作が治まっていたら，全身一般所見と神経所見をとる．

救急時では発作中か，発作後の昏睡が多いので，項部硬直などは意識の回復後に再検する必要がある．

診断のターニングポイント（図3）

医療面接と身体診察を総合して考える点

- 原発性てんかんは思春期までに発症することが多い．
- 内科領域でよく遭遇する成人発症の痙攣発作では，まず続発性てんかんを考える．
- 痙攣が重積しているのに重症感がない場合には，精神的背景も考える．
- 続発性てんかんによる痙攣を診断するには病歴がきわめて重要である．
- 発作直後であれば Todd 麻痺に注意する．Todd 麻痺があれば，対側の運動領野近傍に病変があることを示唆している．
- 痙攣発作の場合は，身体診察では器質性脳疾患によるものかどうか鑑別は困難である．一方，代謝性や中毒性疾患によるものでは身体診察が有用なことが多い．
- たとえば持続性局所性痙攣（epilepsia partialis continua）がほかに症状なく初発した場合は，浸透圧性脳症を示唆している．

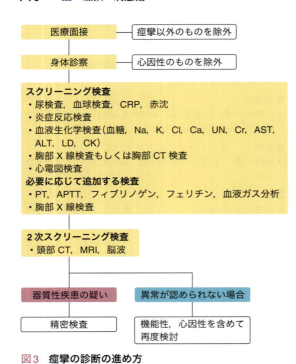

図3 痙攣の診断の進め方

必要なスクリーニング検査

一般スクリーニング検査が有用なのは，代謝性脳症や感染症による痙攣発作である．胸部X線で肺癌があれば転移性脳腫瘍と推測されるが，髄膜腫などは一般検査では異常を呈さない．
したがって，痙攣発作の2次スクリーニングには頭部CT，MRIが必須である．

❶ 尿検査
高度の尿糖があれば高浸透圧性脳症を疑う．

❷ 血球検査（血算）
血小板数減少は播種性血管内凝固の診断に有用である．白血球数（WBC）増加は感染症の，貧血は悪性疾患の手がかりとなる．

❸ 炎症反応検査
感染性疾患，膠原病，悪性腫瘍などの手がかりとなるので必須である．

❹ 血液生化学検査
代謝性脳症の診断に不可欠である．甲状腺機能低下も，コレステロールとCK高値から疑われる．ただし，痙攣直後はCKは高値となることに注意する．

❺ 胸部X線検査もしくは胸部CT検査
肺癌やサルコイドーシス，寄生虫症，膠原病，心疾患などの診断に有用である．

❻ 心電図検査
Adams-Stokes発作や脳塞栓の原因となる心房細動の診断に有用である．

診断確定のために

医療面接，身体診察，スクリーニング検査で，痙攣をきたす疾患をかなり限定はできる．しかし，頭蓋内疾患を鑑別するには頭部CTやMRIが不可欠である．救急時には，検査中に痙攣が起きないよう抗痙攣薬を投与したうえでCT検査を行う．
確定診断のためには，以下のような系統別の精密検査が必要である．

頭蓋内器質性疾患の確定診断

脳血管障害は既往歴，片麻痺，脳塞栓発作などがあり，CT，MRIなどで脳梗塞や脳出血がみられれば診断が確定する．脳腫瘍などでは神経症状がなく痙攣が初発症状である場合も多いので，造影剤を用いた画像診断が必要である．必要に応じて脳血管撮影を行い確定診断する．

中枢性感染症の確定診断

発熱や頭痛，意識障害が前駆するなど，髄膜炎や脳炎が疑われる場合はCT，MRIを撮影し，脳膿瘍などがないことを確認して，髄液検査で確定診断する．

膠原病・血管炎の確定診断

炎症反応，関節・皮膚症状などの全身所見から疑われたら，CT，MRIで病変の有無を確認し，自己抗体，髄液検査，脳波などで確定診断する．

代謝性脳症，中毒性脳症の確定診断

内科領域の代謝性脳症の多くは，スクリーニング検査で診断できる．高浸透圧性脳症では，血糖の異常高値と尿中ケトン体陰性，血漿浸透圧高値で診断できる．中毒性の場合はほかの原因を否定

し，薬物服用などを確認する．

　Adams–Stokes発作の診断には通常の心電図では不十分で，Holter(ホルター)心電図を含めた精査が必要である．内科的疾患がなく，画像診断でも病変が見つからない原発性の場合，脳波が診断の決め手になる．ただし，1回の脳波では診断困難なことが多く，24時間脳波記録も必要である．

高血圧性脳症の確定診断

　急激な血圧上昇があり，頭痛，視力障害などが前駆して痙攣発作を起こした場合，他疾患が除外され，血圧下降により改善すれば確定診断できる．

　MRIで認められる可逆性後頭葉白質病変(posterior reversible encephalopathy syndrome; PRES)〔Hinchey., et al., *N. Engl. J. Med.*, 334:494–500, 1996〕が診断根拠の1つとして重要である．

〈小林 祥泰〉

構音障害
dysarthria

構音障害とは

定義

構音障害は，末梢発語器官，すなわち構音に関与する舌，口蓋，口唇，喉頭などの構音筋群およびその支配神経系の障害による発語障害を指す．意図した音と異なる音が発せられたり，ほかの音が混じったり，音を省略したり，構音が不明瞭になったりする．

患者の訴え方

患者は，「発音がおかしい」「ろれつが回りにくい」「うまくしゃべれない」などと訴える．「言葉が出にくい」という場合には，失語症との鑑別が必要である．

患者が構音障害を訴える頻度

脳神経内科外来患者の約2%が構音障害を主訴に来院する．脳血管障害のなかでは10〜15%の患者で構音障害を認める．

症候から原因疾患へ

病態の考え方（図1）

構音障害を訴える場合，先天的な構音器官の異常や発育障害によるものか，後天的な疾患によるものかを考える．後天的な原因の場合，まず神経筋疾患が考えられる．神経筋疾患は，さらに中枢性疾患と末梢性疾患に分けて考えることができる．また特殊な感染症による構音障害も原因となりうる．

それらの原因疾患として主なものを表1に示す．

病態・原因疾患の割合

年齢によって疾患頻度に大きな差がある．小児では多くが出生早期の構音器官の形態，機能異常に基づくものである．成人になると，後天的な疾患によるものが大部分を占める．後天的疾患のな

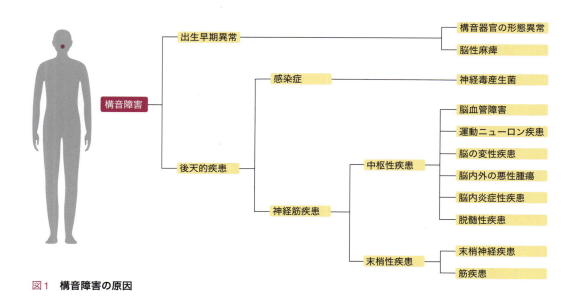

図1　構音障害の原因

かでも中壮年までは末梢性神経疾患，筋疾患，脱髄性疾患，脳内外の悪性腫瘍などが多い．高齢者になると脳血管障害や脳の変性疾患が多くなる．感染症の頻度は少ない．原因別の頻度とその臨床的重要度を図2に示す．

診断の進め方

診断の進め方のポイント

- まず構音器官の形態異常に基づくものを除外する．
- 次いで中枢神経および末梢神経系の器質的な疾患を念頭において，治療可能な疾患，重篤な疾患を見逃さないことが重要である．
- 急速に出現，進行する脳血管障害，炎症性疾患（脳幹脳炎，結核性髄膜炎），脱髄性疾患（多発性硬化症，急性散在性脳脊髄炎）などの中枢神経疾患は，迅速な診断と処置が必要である．
- 緩徐進行性の場合には，詳細な神経学的診察により，中枢神経変性疾患（Parkinson病など），運動ニューロン疾患（筋萎縮性側索硬化症など），末梢神経疾患（Bell麻痺など），筋疾患（重症筋無力症など）を鑑別する．
- ボツリヌス中毒や破傷風などの感染症は病歴や特徴的な随伴症状から疑い，迅速な診断と治療が必要である．

医療面接(表2)

構音障害があるかどうかは，患者の訴えとともに，医療面接の際の会話からおよその重症度まで判断できる．医療面接のなかで最も重要なのは，症状の出現様式の聴取である．すなわち，分，日，月，年単位での症状の進行，変動を聴取する．誘因がはっきりしている場合には，診断に重要な情報となる．随伴症状は病変部位の推定に重要である．

既往歴として，動脈硬化の危険因子（高血圧，糖尿病，脂質異常症）の有無，悪性腫瘍や感染症の治療歴などを聞くことも参考になる．

周囲の人からも，症状の経過とともに，精神遅滞，異常言動，記憶力障害の有無を聴取する．

身体診察

身体診察では，一般身体診察および詳細な神経

表1　構音障害をきたす疾患

出生早期異常
- 口蓋裂，舌小帯短縮，脳性麻痺

脳血管障害
- 脳幹梗塞，脳幹出血，ラクナ梗塞，多発性脳梗塞

脳内外の悪性腫瘍
- 脳幹部腫瘍，癌性髄膜炎，鼻咽頭部，縦隔部あるいは甲状腺の腫瘍

脳の変性疾患
- Parkinson（パーキンソン）病，脊髄小脳変性症，進行性核上性麻痺

運動ニューロン疾患
- 筋萎縮性側索硬化症，進行性球麻痺

脳内炎症性疾患
- 脳幹脳炎，結核性髄膜炎，サルコイドーシス

脱髄性疾患
- 多発性硬化症，急性散在性脳脊髄炎

末梢性神経疾患
- Bell（ベル）麻痺，Guillain-Barré（ギラン・バレー）症候群

筋疾患
- 重症筋無力症，多発性筋炎，眼咽頭型筋ジストロフィー，筋緊張性ジストロフィー，ミトコンドリア脳筋症

感染症
- ボツリヌス中毒，破傷風，ジフテリア，ライム病

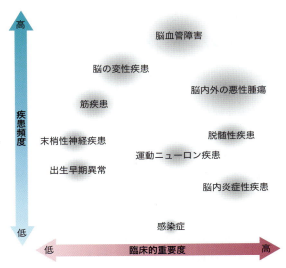

図2　疾患の頻度と臨床的重要度

表2 医療面接のポイント

経過
- いつから症状が出現したか
- 急激に出現したのか,徐々に始まったか
- 症状は進行しているのか,変わらないのか,改善しているか
- 日内変動があるか
- 寛解と増悪を繰り返すか

誘因
- 症状が出現する前に誘因はなかったか(感冒症状,ワクチン接種,外傷,食事内容など)

随伴症状
- うがいはうまくできるか
- 水を飲むと鼻から逆流しないか
- 筋力低下,筋のやせ,感覚障害,歩行障害,頭痛,複視,めまい,嚥下障害などの症状を伴っているか
- 発熱,体重減少はなかったか
- 意識レベルの変化,異常行動などはなかったか
- もの忘れはないか

既往歴
- 出産,周産期の異常はなかったか
- 運動能力は人並みであったか
- 高血圧,糖尿病,脂質異常症,結核の病歴,治療歴はあるか
- 悪性腫瘍の治療歴の有無を確認する

家族歴
- 血族に同様の症状の者はいないか

表3 身体診察のポイント

全身状態
- 体格:全身の筋の発達程度を観察する.頭部脱毛の有無をみる

頭頸部
- 表情:無欲様顔貌,ミオパチー顔貌,痙笑の有無をみる
- 眼:眼瞼下垂,兎眼の有無をみる.眼瞼結膜で貧血の有無をみる
- 唾液腺:耳下腺,顎下腺,舌下腺の腫脹を触診する
- 耳:難聴がないか確認する
- 口腔:口唇裂,口蓋破裂,舌小帯短縮の有無を観察する
- 頸部:血管雑音の有無を聴診する.リンパ節腫大,甲状腺腫大の有無を触診する

胸部
- 打診,聴診で心・肺疾患を診察する.深呼吸が可能か観察する

四肢
- 筋力低下,筋萎縮,線維束攣縮の有無をみる

神経学的診察
- 眼球運動を観察する
- 顔面表情筋の筋力をみる
- 舌の萎縮,線維束攣縮の有無を確認する.舌,軟口蓋,咽頭壁の動き,咽頭反射を観察する
- 実際に発音をさせて,鼻声,嗄声の有無を聞く.タ行,ラ行で舌音の障害を,パ行,マ行で口唇音の障害の有無を確認する
- 四肢の腱反射の異常,感覚障害をみる
- 髄膜刺激症状の有無をみる
- 記憶力障害の有無をみる

学的診察が必要である(表3).特に頭頸部の診察からは,構音障害の原因を調べるうえで重要な情報が得られる可能性が高いので慎重に行う.それと同時に,構音障害が全身疾患の一症状である可能性も常に考慮する.

診断のターニングポイント(図3)

医療面接と身体診察を総合して考える点

- **(確定診断)** まず病歴で,障害が幼少の頃から存在し,身体所見で合致する器質的異常が見つかれば出生早期異常の診断は確定する.
- 誘因としての食物摂取や外傷などがあれば,感染症による構音障害を示唆する.
- 症状が急速に出現進行した場合は,まず脳血管障害が考えられる.随伴する神経学的所見から,障害部位はある程度推定できる.
- 症状が月以上の単位で緩徐に進行する場合は,変性疾患,運動ニューロン疾患,筋疾患などの可能性を考える.筋トーヌス,筋萎縮の分布,腱反射異常,線維束攣縮の有無などから,さらに鑑別が可能である.筋疾患のうち,重症筋無力症は症状の日内変動および易疲労性の病歴が特徴である.
- 前駆症状としてウイルス感染があった場合には,Bell麻痺や脳幹脳炎などの可能性が考えられる.
- 髄膜刺激症状を認めた場合には,癌性髄膜炎や結核性髄膜炎の可能性を考える.
- 症状の寛解と増悪の繰り返しと多巣性の障害を認めれば,多発性硬化症をまず考える.
- 高血圧症,認知症症状を伴って徐々に悪化する場合には,多発性脳梗塞が考えられる.

構音障害　715

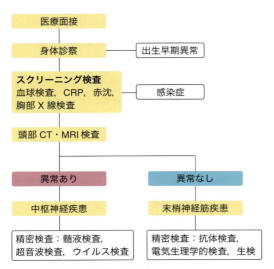

図3　構音障害の診断の進め方

必要なスクリーニング検査

医療面接と身体診察から，構音障害をきたす疾患のおおよその鑑別診断が可能である．続いて次に示すような基本的なスクリーニング検査を行う．

❶ 血球検査（血算）
白血球数（WBC）の増加が感染症の診断の手がかりとなる．ヘモグロビン（Hb）濃度により貧血の有無をみる．

❷ 赤沈検査
赤沈亢進は感染症，悪性腫瘍などの診断の手がかりとなる．

❸ 血液生化学検査
CRPは感染症の診断の手がかりとなる．血糖値は糖尿病の診断に有用である．CKは筋ジストロフィー，多発性筋炎など筋疾患の診断に有用である．血清脂質は動脈硬化の指標となる．

❹ 胸部 X 線検査
縦隔腫瘍，肺結核，サルコイドーシスなどの診断の手がかりとなる．

診断確定のために

病歴情報，身体所見，スクリーニング検査の結果に基づき，構音障害をきたす疾患のいくつかを推定できる．

しかし，正確な病型と病巣部位診断を行い，重症度や予後推定を含めた診断を行うには，以下のような検査を引き続き行うことが重要である．

脳血管障害の確定診断

頭部 CT・MRI により脳梗塞と脳出血の有無を確認する．ラクナ梗塞であれば両側内包～放線冠部，左内包膝部もしくは橋に病巣を認めることが多い．なかでも両側性の病変で仮性球麻痺が起こることが多く，無症候性の梗塞が一側にあり，新たに反対側に梗塞を起こして構音障害が出現することもある．脳幹梗塞の場合，橋以外に延髄でも強い構音障害が生じるので，MRI による注意深い検索が必要である．予後推定のためにも，心臓超音波検査，頸動脈超音波検査，MR アンギオグラフィー（MRA）などを行い，塞栓源の検索と血管閉塞の有無を確認する．

脳内外の悪性腫瘍の確定診断

脳幹部腫瘍は CT・MRI 検査によりほぼ確定診断が可能で，腫瘍の種類は出現部位，造影剤の増強効果の程度などから，ある程度推察できる．脳幹グリオーマ，脊索腫，髄膜腫などが構音障害を呈する．癌性髄膜炎は髄液検査を行い，髄液中に腫瘍細胞を証明して診断する．鼻咽頭部，縦隔部，甲状腺の腫瘍の診断には CT・MRI 検査，超音波検査，組織生検を行う．

脳の変性疾患の確定診断

Parkinson 病は，緩徐進行性で，無動・寡動，安静時振戦，筋固縮，姿勢・歩行障害などの症状が存在することから診断される．画像検査では明らかな異常はない．脊髄小脳変性症も緩徐進行性で，構音障害は不明瞭発語（slurred speech），断綴性言語（scanning speech）といった異常を示し，四肢・体幹の運動失調の存在から診断できる．頭部 CT・MRI で小脳，脳幹部の萎縮が認められれば，診断に有用である．進行性核上性麻痺は易転倒性，Parkinson 症候群，眼球運動障害を認め，MRI で中脳被蓋部の萎縮を認めれば可能性が高い．

運動ニューロン疾患の確定診断

筋萎縮性側索硬化症や進行性球麻痺の診断には，臨床的特徴に加え，筋電図検査や筋生検により神経原性変化を証明することが必要である．

脳内炎症性疾患の確定診断

脳幹脳炎ではウイルス性脳炎と同様，脳脊髄液の検査が重要である．髄液圧の上昇，単核球優位の細胞数の増加，蛋白の増加を認める．さらにCT・MRIで脳幹部の浮腫像を認める．血清ウイルス抗体価の測定による病原の同定も重要である．

結核性髄膜炎の診断にも脳脊髄液検査は必須で，髄液圧の上昇，単核球優位の細胞数の増加，蛋白の増加，糖の減少を認める．塗抹標本の抗酸染色やPCR法で結核菌の存在を証明する．CT・MRIで脳底部脳槽に滲出性の変化を認めたり，結核腫を認める場合もある．

サルコイドーシスは，胸部X線やCTにより両側肺門リンパ節腫脹(bilateral hilar lymphadenopathy; BHL)の確認，気管支肺胞洗浄液(bronchoalveolar lavage fluid; BALF)でリンパ球の増加やCD4/CD8比の増加の確認，さらに血清アンジオテンシン変換酵素(ACE)の上昇を認めることから診断される．

脱髄性疾患の確定診断

多発性硬化症は，臨床経過とCT・MRIでの多巣性の白質病変から診断する．髄液でのミエリンベーシック蛋白やオリゴクローナルバンドが参考になる．急性散在性脳脊髄炎はウイルス感染やワクチン接種後に生じ，炎症反応，MRIで散在性白質病巣を認める．髄液検査で単核球増加を認める．

末梢性神経疾患の確定診断

Bell麻痺の診断は，比較的容易に臨床的に行われる．重症度，予後の判定には，神経電図検査(electroneurography)，顔面神経伝導速度，眼輪筋反射，神経興奮検査などを行う．

Guillain-Barré症候群を疑った場合には脳脊髄液検査を行い，細胞数正常，蛋白上昇の蛋白細胞解離を確認する．また電気生理学的に，運動神経伝導速度(MCV)の低下，伝導ブロック，F波の消失をみる．さらに血清中の抗ガングリオシド抗体の上昇を確認する．

筋疾患の確定診断

重症筋無力症の診断には，テンシロンテスト(エドロホニウム静注で筋力低下の回復をみる)，誘発筋電図検査(反復刺激で電位の減衰をみる)，胸腺腫の有無の確認，血中の抗アセチルコリンレセプター抗体(抗AChR抗体)測定などを行う．

多発性筋炎の診断には，筋電図検査と筋生検で筋原性変化ならびに炎症細胞浸潤を確認する．抗Jo-1抗体は10〜20%で陽性になるが，特異性は高い．また抗ARS抗体も特異性が高い．

眼咽頭型筋ジストロフィーの診断には，筋生検(筋線維のrimmed vacuole)が有用であり，遺伝子検査(PABPN1遺伝子)で確認する．筋緊張性ジストロフィーは，特有の臨床症状で診断できるが，筋電図検査(高頻度持続性放電)と遺伝子診断〔第19染色体長腕でのC，T，G反復配列の延長〕が有用である．

ミトコンドリア脳筋症の診断には，血清中乳酸，ピルビン酸の上昇，筋生検で赤色ぼろ線維(ragged-red fiber)，シトクロム酸化酵素(cytochrome oxidase)染色陰性線維，ミトコンドリア遺伝子異常の証明が必要である．

感染症の確定診断

ボツリヌス中毒は食飲歴と臨床症状から診断するが，菌の同定と毒素産生能を検査することが重要である．破傷風は主として臨床症状から診断できるが，外傷歴や創部からの菌培養が補助診断となる．ジフテリアの診断には，咽頭部擦過物の染色鏡検や培養によりジフテリア菌を証明する．ライム病はマダニ咬傷の既往に加え，血清中の病原体スピロヘータ(ボレリア・ブルグドルフェリ)に対する抗体を証明することで診断する．

〈山口 修平〉

運動麻痺
motor paralysis

運動麻痺とは

定義

運動麻痺とは，運動中枢から末梢神経，筋線維までのどこかに障害があって，随意的に運動ができない状態である．筋脱力については後項（☞729ページ）に譲り，本項では神経原性の運動麻痺を中心に述べていく．

患者の訴え方

患者が「手足がしびれている」と訴える場合には，感覚障害だけでなく運動麻痺の場合があるので，正確に医療面接を行う．

運動麻痺がある場合，患者が「箸を持ちにくい」「スリッパがよく脱げる」と訴える場合は遠位筋の脱力を，「ふとんの上げ下ろしが難しい」「しゃがみ立ちが困難」と訴える場合は近位筋の脱力を考える．

患者が運動麻痺を訴える頻度

一般外来と専門外来（脳神経内科や整形外科）では運動麻痺を訴える患者のみられる頻度は著しく異なる．一般外来では1％以下の頻度であろう．

症候から原因疾患へ

病態の考え方

運動の命令は，大脳皮質運動野，内包，脳幹，脊髄，末梢神経，神経筋接合部，筋肉へと神経刺激が伝達されて運動が行われる．したがって，これらのレベルでの障害により，それぞれ特徴のある運動麻痺を呈する．

これらを引き起こす病態としては図1に示すようなものがある．その原因疾患として運動麻痺の特徴別に主なものを表1に示す．

病態・原因疾患の割合

一般外来を含めた麻痺全体におけるそれぞれの病態の割合は不明である．脳神経内科外来におけるおおまかな相対頻度を図1および図2に示す．

図1　運動麻痺の原因

表1 運動麻痺をきたす疾患

単麻痺・片麻痺(病変レベル：大脳皮質，内包，脳幹)
- 急性発症：脳血管障害
- 緩徐進行性：腫瘍
- 寛解増悪：脱髄疾患

対麻痺(病変レベル：脊髄)
- 急性発症：脊髄炎，脊椎の骨折，椎間板病変による脊髄圧迫，前脊髄動脈閉塞症
- その他：多発性硬化症，脊髄動静脈奇形，ヒトT細胞白血病ウイルスⅠ型(HTLV-Ⅰ)関連ミエロパチー，変性疾患，腫瘍，筋萎縮性側索硬化症，脊髄空洞症，亜急性連合性脊髄変性症

手袋靴下型麻痺
- 多発性ニューロパチー

近位筋対称性麻痺
- ミオパチー，重症筋無力症

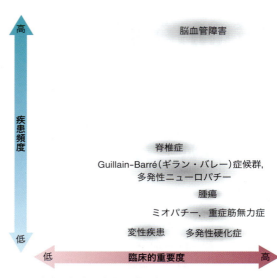

図2 疾患の頻度と臨床的重要度

診断の進め方

診断の進め方のポイント

- 運動麻痺の原因を考える場合，上位運動ニューロン障害か下位運動ニューロン障害かをまず鑑別する．
- 上位運動ニューロン障害は，大脳皮質運動野から内包，脳幹，脊髄に至る経路の障害である．下位運動ニューロン障害は，脊髄前角細胞から筋線維に至るまでの末梢神経の障害である．
- 鑑別点としては，上位運動ニューロン障害では深部腱反射は亢進し，病的反射が陽性で線維束攣縮は陰性である．
- 下位運動ニューロン障害では，深部腱反射は消失し，病的反射が陰性で線維束攣縮がみられ，筋の萎縮がみられる．これらを鑑別後，障害レベルおよび原因を診断していく．

医療面接

発症形式が突発性か，徐々に起こったかを聴取する．次に経過を尋ね，程度が不変か悪化か改善しているかを聞く．さらに麻痺の部位，家族歴，職業歴を聴取する．また，既往歴に胃切除後などによるビタミンB$_{12}$欠乏性貧血がないか確認する．末梢神経障害では，糖尿病の有無，農薬，金属，薬品使用の有無について聴取する(表2)．

表2 医療面接のポイント

発症形式
- 急性，亜急性，慢性，先天性に起こったのか

経過
- 進行性，不変，改善，反復性，発作性，持続性なのか

部位
- 単麻痺，片麻痺，対麻痺，四肢麻痺，末梢神経損傷型，神経叢損傷型，多発神経炎型を確認する

増悪因子
- 体位変換，階段を降りるときの増悪，昇るときの増悪はあるか
- 日内変動はあるか

全身症状の有無と内容
- 自律神経症状，感覚障害，神経局所症状を確認する

生活歴，職業歴
- 農薬，金属(鉛，水銀)による被曝を確認する

既往歴
- 糖尿病，先行感染，悪性貧血を確認する

家族歴，嗜好品，常用薬
- アルコール，シンナー，イソニアジド(INH)，偏食を確認する

身体診察

運動麻痺は他覚的所見であり，身体診察が原因疾患を知るうえで重要である(表3)．

血圧が上昇し，発熱がなく，片麻痺があり，深部腱反射亢進，病的反射陽性の場合は，脳血管障害を疑う．

表3 身体診察のポイント

バイタルサイン
- 体温，血圧，呼吸，脈拍：感染症や脳血管障害の鑑別をする

全身状態
- 皮膚，爪：栄養障害，脱水の有無を観察する
- 外傷がないか確認する

頭頸部
- 眼球結膜：貧血の有無を観察する

四肢
- 筋肉の萎縮がないか，またどの部位にあるか観察する

神経学的所見
- 意識状態を確認する
- 髄膜刺激症状を確認する
- うっ血乳頭，眼底網膜前出血を確認する
- 神経局所症状を確認する
- 深部腱反射，病的反射を確認する
- 感覚障害を確認する

四肢の脱力で四肢の近位筋の萎縮を認め，神経局所症状が認められない場合はミオパチー，症状に日内変動（夕方に悪化）を伴う場合は重症筋無力症を疑う．

診断のターニングポイント（図3）

医療面接と身体診察を統合して考える点

- 運動麻痺をきたすものとして表1に示すような疾患が考えられる．これらを念頭において鑑別診断・診断を進める．
- まず，身体所見で神経原性か筋原性か鑑別する．
- 次に神経原性なら上位運動ニューロン障害か下位運動ニューロン障害かを鑑別する．
- 麻痺のタイプ（単麻痺，片麻痺，対麻痺，四肢麻痺，末梢神経損傷型，神経叢損傷型，多発神経炎型）を確認すれば病変部位をほぼ診断できる．
- 急性発症なら脳血管障害が考えられ，血圧の上昇を伴うことが多い．
- 脊椎の外傷の既往があれば脊椎の骨折，椎間板病変による脊髄圧迫を疑う．
- 複数の病変が血管支配領域に関係なく存在し，寛解と増悪を繰り返す場合には，多発性硬化症を疑う．
- 緩徐進行性の場合は腫瘍，変性疾患を疑う．

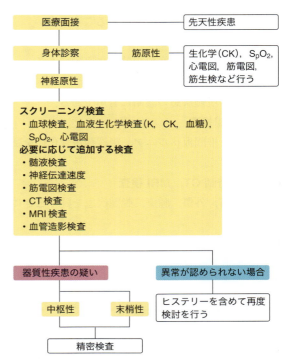

図3 運動麻痺の診断の進め方

- 手袋靴下型麻痺では感覚障害を伴うことが多く，多発性ニューロパチー（polyneuropathy）を疑う．

必要なスクリーニング検査

病歴情報および身体所見から，病変部位の推測が可能であることが多い．しかし，原因となった器質性疾患を正しく診断するには，基本的なスクリーニング検査を加え，鑑別診断を進める．

主なスクリーニング検査として，次のようなものがある．

❶ 血球検査（血算）

白血球数（WBC）増加，CRP上昇から感染症や炎症性疾患の存在がわかる．

巨赤芽球性貧血の有無を確認する．

❷ 血液生化学検査

血糖やHbA1cから糖尿病の有無を確認する．

電解質でKに異常がないか確認する．

ビタミン欠乏，重金属中毒，薬物中毒を疑うときには，これらの血中濃度を測定し，ニューロパチーの原因を診断する．

筋疾患ではCKの上昇を認めることが多い．

❸ 心電図検査
心房細動による脳塞栓の診断に必須である．

❹ 髄液検査
脊髄炎，脱髄疾患の診断に有用である．

❺ 脊椎X線検査
脊椎症，椎間板ヘルニア，後縦靱帯骨化症を疑うときに行う．

❻ 頭部・脊髄CT，MRI検査
血管障害，外傷，腫瘍，脱髄疾患を疑うときに行う．

❼ 頸動脈エコー検査
内頸動脈アテロームプラークからの塞栓を疑うときに行う．

診断確定のために

病歴情報，身体所見，スクリーニング検査から，運動麻痺の原因となる器質性疾患を限定できる．

さらに，重症度，予後まで含めた診断を次のように行う．

感染症の確定診断

発熱，炎症反応の上昇から，脳炎，脊髄炎が疑われる．この場合，髄液検査にて確定診断を行う．髄液細胞の上昇が単核球ならウイルス性，多核球なら細菌性がおおまかに確定でき，培養により確定診断を行う．またPCR法が有用な場合もある．

脳血管障害の確定診断

急性発症で神経局所症状がある場合は脳血管障害を疑い，ただちに頭部CT，MRI検査(拡散強調画像を含む)を施行する．脳幹，脊髄病変では，特にMRIが有効である．

脳腫瘍の確定診断

緩徐進行性に発症し，神経局所症状がある場合は頭蓋内，脊髄占拠病変が疑われる．この場合CT，MRIを施行する．必要に応じて造影を行う．また脊髄病変に対してはミエログラフィーを同時に施行し，ミエロCTスキャンも行うと有用なことがある．必要があれば腫瘍病変，動静脈奇形に対して血管造影を行う．

脱髄疾患の確定診断

中枢神経の脱髄疾患である多発性硬化症は髄液で蛋白上昇，オリゴクローナルバンドを認める．画像診断では血管支配領域に一致しない病巣を認める．視神経脊髄炎では抗アクアポリン4抗体が有用である．

末梢神経の脱髄疾患であるGuillain-Barré症候群では，髄液で抗GM_1抗体を認める．末梢神経伝導速度の遅延，伝導ブロックが診断に有用である．

筋萎縮性側索硬化症の確定診断

緩徐進行性に発症し，上位運動ニューロン障害と下位運動ニューロン障害が両方存在する．末梢神経伝導速度の遅延，筋電図における神経原性変化を認める．必要に応じて筋生検を行い，神経原性変化を確認する．

多発性ニューロパチーの確定診断

靴下手袋型麻痺を呈する．末梢神経伝導速度の遅延を呈し，必要であれば神経生検を行う．原因として毒物の検出やビタミンの欠乏を検索する．

亜急性連合性脊髄変性症の確定診断

末梢神経障害，ミエロパチー，中枢神経障害を呈する．末梢神経障害では腱反射減弱，異常感覚を呈する．ミエロパチーは後索，側索の変性が中心で運動失調，振動覚・位置覚の低下を認める．側索障害が強い場合は痙性麻痺を呈する．末梢血で巨赤芽球性貧血の所見があり，血中ビタミンB_{12}の低下を認める．

ミオパチーの確定診断

近位筋の脱力を認め，血液生化学検査でCKの上昇を認めることが多い．筋電図検査で筋原性変化を示す．原因疾患を特定するには筋生検が必要となる．

重症筋無力症の確定診断

易疲労性があり，運動麻痺は夕方に増悪する．複視，眼瞼下垂を認める眼筋型が多い．テンシロンテスト，誘発筋電図，血中抗アセチルコリンレセプター抗体，抗 MuSK 抗体などの検査で診断が可能である．胸腺腫の検索も必須である．また，治療方針を考えるうえで CH_{50} などの補体検査も必要である．

〈須山 信夫，小林 祥泰〉

感覚障害
sensory disturbance

感覚障害とは

定義

　感覚とは，外界からの刺激または体内状況の変化を感じ取り，それを認知する働きをいう．感覚には表在感覚として触覚，痛覚，温度覚があり，深部感覚として振動覚，関節位置覚，複合感覚（皮質感覚）として2点識別覚，立体覚がある．感覚神経の上行路は，図1に示すように，温痛覚と触覚・深部感覚では経路が異なる．

　感覚障害とは，これらの経路のいずれかの障害をいう．感覚の種類別により走行経路が異なっているため，温痛覚障害が強く，触覚ないし深部覚障害は軽微あるいはみられない場合がある（解離性感覚障害）．

患者の訴え方

　感覚障害は患者の主観によって表現されるので，客観的評価が難しい面がある．

　患者は「しびれ」として感覚障害を表現することが最も多い．「しびれ」の内容について，たとえば「ジンジン」「ピリピリ」「ピリッと走るような」などの具体的な表現を患者から聴取し，記載する．

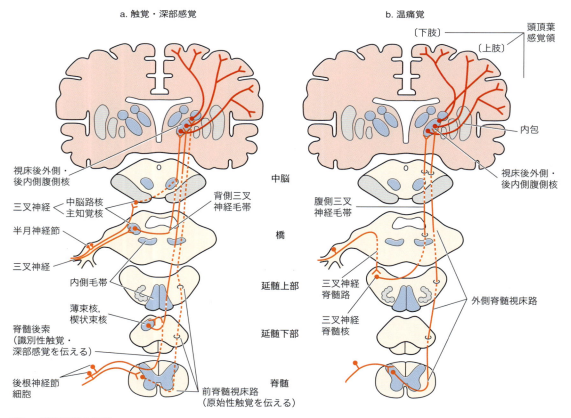

図1　感覚神経上行路

与えた刺激を異常と感じるのをパレステジア(paresthesia), 刺激がなくても「ジンジン」「ピリピリ」とする自発的な異常感覚をジセステジア(dysesthesia)として区別する.

疼痛(痛み)の訴えも多い. これは, 種々の刺激が末梢神経終末から脳へ伝えられるときに起こる異常感覚である.

患者が感覚障害を訴える頻度

末梢神経障害での原因としては手根管症候群や頸椎症などが多く, 中枢性の原因としては圧倒的に脳血管障害が多い. 脳血管障害では, 視床, 内包の障害が多く, 頭頂葉皮質障害や脳幹障害がこれに続く.

症候から原因疾患へ

病態の考え方(図2, 表1)

感覚障害の種類としては, 感覚過敏, 感覚低下・感覚脱失, 異常感覚, 疼痛(痛み)がある.

感覚過敏とは, たとえば針刺激を与えた場合に, それから予想されるよりもさらに強い痛みを生じる場合をいう.

感覚低下・感覚脱失とは, いわゆる感覚鈍麻であり, 感覚すべてが異常になることも, ある特定の感覚だけが障害されることもある.

異常感覚は「ジンジンする」「ビリビリする」と

表1 感覚障害をきたす疾患

末梢神経障害
- 単ニューロパチー
  - 末梢神経絞扼症候群
- 多発性単ニューロパチー
  - 結節性動脈周囲炎
- 神経叢障害
  - 上部腕神経叢障害〔Erb(エルブ)麻痺〕
  - 下部腕神経叢障害〔Klumpke(クルンプケ)麻痺〕
- 脊髄根障害
  - 変形性脊椎症, 椎間板ヘルニア, 脊髄腫瘍, 帯状疱疹など
- 多発性ニューロパチー
  - 糖尿病, アルコール性障害, アミロイドニューロパチー

脊髄障害
- 横断性障害
  - 頸椎症, 多発性硬化症, 脊髄損傷, 脊髄腫瘍
- 半側横断性障害
  - Brown-Séquard(ブラウン・セカール)症候群
- 前2/3の障害
  - 前脊髄動脈症候群
- 中心灰白質障害
  - 髄内腫瘍, 脊髄空洞症
- 後索障害
  - 脊髄癆
  - Friedreich(フリードライヒ)失調症
  - 亜急性連合性脊髄変性症
- 円錐障害と馬尾障害

脳幹・視床・大脳皮質の障害
- 脳幹障害
  - 椎骨脳底動脈血栓症, 延髄空洞症, 腫瘍など
- 視床障害
  - 脳血管障害, 腫瘍など
- 大脳皮質性病変
  - 脳血管障害, 腫瘍など

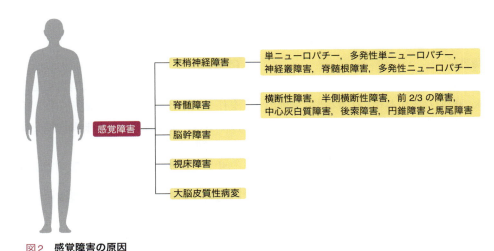

図2 感覚障害の原因

いう訴えで，しびれ感ともいわれ，最も多い感覚症状である．異常感覚は，機械的圧迫による単神経障害や多発性神経障害のような末梢神経疾患に多い訴えであるが，脊髄・脳幹の障害や視床病変のような中枢神経病巣によっても生じる．

疼痛は，特に神経系に障害がなくても，発痛物質によって自由神経終末が刺激されて痛みが生じる．単神経障害による疼痛は，その神経に沿って末梢側に放散し，その神経に圧迫や叩打を加えると放散痛（radiating pain）が誘発される．また，外傷による比較的軽度の単神経障害に引き続いて，その支配領域に激痛をきたすことがある．これは灼熱痛（causalgia）と呼ばれ，交感神経系の障害が関連しており，正中神経領域に最も多い．

中枢神経障害に基づく疼痛を中枢痛（central pain）という．その代表が視床後腹側核の病変によって生じる視床痛（thalamic pain）である．この自発痛は反対側半身の焼けるような刺激痛であり，耐えがたい不快な痛みとして感じる．

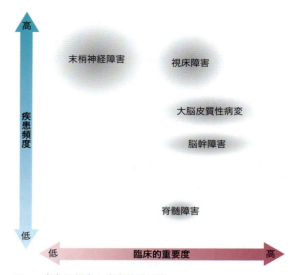

図3　疾患の頻度と臨床的重要度

病態・原因疾患の割合（図3）

以下に，感覚障害をきたす原因疾患を，末梢神経，脊髄，脳の障害に分けて記す（図4）．

末梢神経障害（表2）

❶ 単ニューロパチー
末梢神経絞扼症候群（entrapment neuropathy）が多い．背景因子として，糖尿病，膠原病，甲状腺機能低下症，アミロイドーシスなどがある．

❷ 多発性単ニューロパチー
結節性動脈周囲炎などでみられる．

❸ 神経叢障害
上部腕神経叢障害（Erb麻痺），下部腕神経叢障害（Klumpke麻痺）などがあり，原因として胸郭出口症候群，外傷，炎症，腫瘍がある．

❹ 脊髄根障害
変形性脊椎症，椎間板ヘルニア，脊髄腫瘍，帯状疱疹などがある．

❺ 多発性ニューロパチー（ポリニューロパチー）
糖尿病とアルコール性障害の頻度が高い．解離性感覚障害のみられたときはアミロイドニューロパチーを疑う．慢性炎症性脱髄性多発根神経炎（CIDP）は2か月以上にわたり慢性・再発性に進行し，四肢の脱力やしびれなどの症状がみられる．

脊髄障害（表3）

❶ 横断性障害
頸椎症，多発性硬化症，脊髄損傷，脊髄腫瘍のときにみられる．

❷ 半側横断性障害
Brown–Séquard症候群であるが，原因として，脊髄腫瘍や頸椎症が原因となりうる．

❸ 前2/3の障害
前脊髄動脈症候群にみられる．

❹ 中心灰白質障害
髄内腫瘍，脊髄空洞症でみられる．

❺ 後索障害
脊髄性失調を呈するときは脊髄癆を，小脳症状を伴うときはFriedreich失調症，錐体路障害を伴うときは，亜急性連合性脊髄変性症を疑う．

❻ 円錐障害と馬尾障害
サドル型感覚障害と膀胱直腸障害がみられる．

脳幹・視床・大脳皮質の障害（表4）

❶ 脳幹障害
椎骨脳底動脈血栓症，延髄空洞症，腫瘍などが

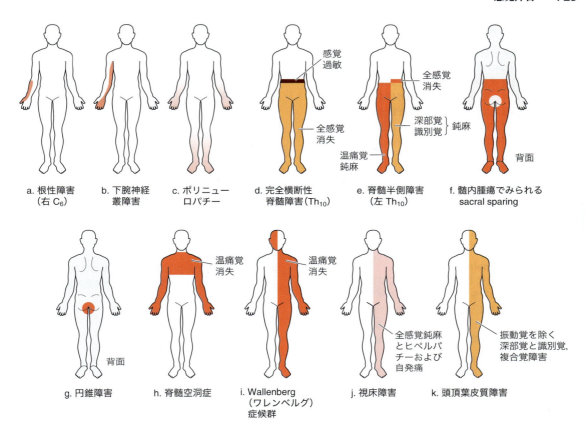

図4 感覚障害の種々の型
〔安藤一也:知覚障害. 内科セミナー, PN1 神経学診断法, p.129, 永井書店, 1979 より改変して作成〕

ある.
❷ 視床障害
　脳血管障害, 腫瘍などがある.
❸ 大脳皮質性病変
　脳血管障害, 腫瘍などがある.

診断の進め方

診断の進め方のポイント

- 感覚障害の診断においては, 患者の協力が必要である.
- 刺激したらすぐ答えるように, また, 強さ, どのような感じか, どの部位かを指で答えるようにし, 左右対称的に検査する.

医療面接(表5)

　患者がしびれを訴えるとき, その内容には感覚鈍麻, 外界刺激を与えられた感覚刺激と異なって感じる錯感覚, 外界刺激なしに自発的に生じる異常感覚の違いがあり, さらに筋力低下や筋のこわばり, 共同運動障害までも含まれることがある. したがって, 感覚の異常以外に筋力低下や筋のこわばり, 共同運動障害もあることを念頭において患者の訴えを聞く必要がある.

身体診察(表6)

　まず, 医療面接により感覚症状の分布と性状を明らかにする. 診察にあたっては, 原則として全身的に全種感覚を検査するが, 自覚症状から予想される所見に主に重点をおいて行うとよい.
　正常な感覚をもつ領域を基準の10とし, 各検査部位における被検者の感覚の程度を $x/10$ というように表示して記録する.
　感覚検査は, 神経検査のうちで最も難しく, また, その結果についての客観的評価が困難な検査

表2 末梢神経障害のパターン（図4a〜c参照）

単ニューロパチー（mononeuropathy）
末梢神経の1つの分枝または神経幹が障害された状態．感覚障害の分布は末梢神経の皮膚支配領域に相応した範囲に認められる．支配筋の萎縮や筋力低下を伴うことが多い．脳神経領域では，三叉神経支配域の1またはそれ以上の部に持続的な感覚障害をみる．上肢では，肘関節部における尺骨神経，手関節部における正中神経の物理的な原因による圧迫によって生じる単ニューロパチーが多くみられる（entrapment neuropathy）．下肢では，外側大腿皮神経の障害による錯知覚性大腿痛症（meralgia paresthetica）がよくみられる

多発性単ニューロパチー（mononeuritis multiplex）
単神経炎が非対称性に多発した状態．代表的なものは，結節性動脈周囲炎などでみられる

神経叢障害（plexopathy）
神経叢が障害を受けるとその神経叢に関係する末梢神経のいくつかが障害を受け，感覚および運動障害を起こす．神経叢障害には，上部腕神経叢障害（Erb麻痺），下部腕神経叢障害（Klumpke麻痺）などがあり，それぞれ原則的には神経根の分節に一致した感覚障害を示す

脊髄根障害（radiculopathy）
神経根の障害では脊髄分節に一致した感覚障害の分布を示す．また根性疼痛（radicular pain）を示すことが特徴的である

多発性ニューロパチー（polyneuropathy）
感覚障害は，四肢末端から左右対称性に上行し，遠位部優位性のいわゆる手袋靴下型（glove and stocking type）の分布を示す．健常部との境界は不鮮明であり，普通は表在感覚障害だけでなく，四肢末梢部の振動覚や位置感覚障害などの深部感覚障害を伴っており，また末梢側優位の筋力低下，腱部反射消失を認めることが多い

表3 脊髄障害のパターン（図4d〜h参照）

横断性障害
障害部レベル以下の対称性全感覚低下，病的反射を伴う運動麻痺（脊髄性対麻痺），膀胱直腸障害などがみられる．その上限は病変部位に一致し，感覚レベル（sensory level）と呼ばれる

半側横断性障害
典型例はBrown-Séquard症候群である．脊髄半側を障害する病変で起こり，分節の高さで，障害側の全感覚脱失と障害の高さ以下で運動麻痺および深部感覚障害がみられる．反対側では温痛覚の障害をきたす

前2/3の障害
下肢対麻痺と解離性感覚障害が突発する．これは，前脊髄動脈症候群にみられる

中心灰白質障害
中心灰白質に病変が生じると，中心管の直前で左右が交叉する脊髄視床路がまず侵され，解離感覚障害が生じる．髄内腫瘍，脊髄空洞症でみられる

後索障害
後索には振動覚，位置覚，関節運動覚の深部感覚の伝導路が通っているため，脊髄癆などの後索が障害されるとこれらの深部感覚が選択的に障害される．深部感覚障害によりRomberg（ロンベルク）徴候は陽性となり，運動失調がみられる

円錐障害と馬尾障害
円錐部や馬尾の障害では，肛門周囲の仙髄域皮節に限局した表在感覚消失（saddle anesthesia）を生じる．膀胱直腸障害を伴い，肛門反射は消失する

である．さらに，患者の感覚は，知能程度，意識障害の有無，注意力，検査に対する協力的姿勢などに影響を受ける．患者が感覚に関する訴えをもっていたり，限局性の筋萎縮，筋力低下，深部腱反射の減弱がみられるときは，感覚脱失の有無を注意深く観察する．数回の感覚検査で常に一定の結果が得られれば信頼性がある．

診断のターニングポイント（図5）

医療面接と身体診察を総合して考える点

- 感覚障害をきたすものとして，表2〜4に示すような疾患が考えられる．これらを念頭において鑑別診断・診断を進める．

- 感覚障害の分布が解剖学的な神経分布に一致しない場合にはヒステリーの可能性も考える．

必要なスクリーニング検査

医療面接と身体診察から，感覚障害をきたす疾患はおおよそ推測できるが，器質性疾患を正しく診断するには次のような検査を行う．

❶ 尿検査

尿糖陽性から糖尿病を診断する手がかりになる．結節性多発動脈炎では蛋白尿，血尿・円柱尿がみられる．

❷ 血球検査（血算）

結節性多発動脈炎では白血球数（WBC）増加，好酸球数増加，血小板数増加のみられることがある．

❸ 血液生化学検査

糖尿病や甲状腺機能低下症などを疑うときには，血糖値，free T_4，甲状腺刺激ホルモン（TSH）

表4　脳幹・視床・大脳皮質の障害のパターン
（図4 i～k 参照）

脳幹障害
脳幹内では，脳幹部は感覚伝導路が上行するとともに三叉神経核を含む脳神経や運動性神経路が通っているので，脳幹障害で感覚障害のみ呈することは稀である．また，病変の広がりによってそれぞれ病像が異なる．たとえば，延髄外側の障害を Wallenberg 症候群というが，この場合の感覚神経障害は，病巣と同側の顔面の温痛覚低下と対側の体幹，四肢温痛覚の低下である．

視床障害
固有感覚を伝える内側毛帯と温痛覚を伝える外側脊髄視床路がともに視床（後腹側核）に入り，ここから3次ニューロンとなり大脳皮質へ投射されている．視床障害では反対側の感覚障害（主に深部感覚障害）を呈する．激しい自発痛（視床痛）をみる．

大脳皮質性病変
大脳皮質体性感覚野はかなり広い領域であり，病変の広がりによって感覚障害の範囲は，反対側の半身鈍麻から，ごく一部に限局する感覚低下までさまざまである．

表5　医療面接のポイント

発症様式
- 発症の様式が急性か，亜急性か，あるいは慢性であったか

部位
- 初発部位は遠位部か，近位部か

経過
- 経過は緩徐進行性か，自然寛解性か，不変であるのか

既往歴
- 糖尿病，呼吸器疾患，腎疾患，甲状腺疾患，広範囲な胃・小腸の切除歴，ワクチンの接種，外傷，感染歴などの病歴を聴取する

職業歴，生活歴，嗜好品・常用薬
- 職業歴，嗜好，習慣，喫煙歴，アルコール摂取歴，薬物の使用歴，毒物（有機溶媒など）の曝露歴を聴取する

疫学的状況
- 患者在住地域に類似の患者が居住しているか

表6　身体診察のポイント

表在感覚
- 触覚：light touch をみる．柔らかい毛筆，あるいは綿球を使って行う．まず，頭から始めて，顎，上肢，体幹，下肢へ，身体の両側の間で，次に四肢の遠位部と近位部で比較してみる
- 痛覚：安全ピンまたは針で軽く皮膚をつついて検査する．触覚検査と同様に，身体の左右両側で，四肢の遠位部と近位部で違いがあるかどうかをみていく．もし違いがあるならば，患者にどこが正常でどこが鈍いか聴取する
- 温度覚：試験管に温水（約40～45℃），冷水（約10℃）を入れ，被検者の皮膚に数秒軽く押し当てる．温度覚と痛覚は，密接な関係があり，いずれの感覚脱失または減弱も神経学的には同じ意味をもち，一方の脱失は，他方の脱失を伴っている．しばしば痛覚の明瞭な消失に先立つことがある

深部感覚
- 振動覚：振動数の少ない音叉（振動数 c128）を用いる．音叉で，胸骨，手指，足指ごとにその末端，その他骨の突出部に当てる．振動覚は四肢末端，つまり，指の末梢から侵され，胸骨の振動覚は保たれているので，まず，胸骨から検査を始める
- 関節位置覚：手指，足指を側面から軽くつまむようにして，わずかな角度だけ上下させる．上下方向から挟むようにすると，圧覚によって上下運動を認知できるので避けなくてはいけない．足の母指の関節覚が最も侵されやすい

複合感覚（皮質感覚）
- 立体認知，皮膚書字試験：立体認知は，視覚を使わずに手掌中の小さな物体を握らせて，判別させることにより検査する．皮膚書字試験は，皮膚に書かれた文字や数字を認識する能力を調べる
- 2点識別：2点と1点を識別する能力を，通常はコンパスを用いて検査する．刺激を2点として識別しうる距離は身体各部位によりまちまちであるが，体表では4～6 cm である
- 2点同時刺激識別感覚：左右の対称的2点を同時に同じように刺激する．両側の同じ部位を同時に刺激し，一側のみしかわからず，対側からの感覚は全くわからないことがある．感覚が無視された側が障害側であり，これを消去現象と表現する

検査を行う．また，ビタミン欠乏症を疑うときには，B_1，B_6，B_{12}，E を測定する．膠原病や感染症の存在は CRP でわかる．尿毒症では UN，Cr の検査から診断がつけられる．

❹ 脊椎単純 X 線検査

椎間板ヘルニア，変形性脊椎症などを疑うときに行う．

❺ 心電図・心エコー検査

脳塞栓などの原因として心疾患を疑うときに行う．

❻ 脳脊髄液検査

髄液圧，性状，細胞数，糖および蛋白量の変化などを調べる．糖尿病性末梢神経障害，アルコール性末梢神経障害では軽度の蛋白量の増加をみることがある．多発性硬化症では IgG の増加，オリ

```
医療面接
   ↓
身体診察
   ↓
スクリーニング検査
・尿検査，血球検査
必要に応じて追加する検査
・血液生化学検査，その他
 （UN，Cr，血糖値，free T$_4$，TSH，ビタミン（B$_1$，B$_6$，
  B$_{12}$，E），髄液検査）
・脊椎単純 X 線検査
・心電図・心エコー検査
・脳脊髄液検査
   ↓
診断確定検査
・末梢神経伝導速度，末梢神経生検
・脊髄 MRI 検査，ミエログラフィー
・頭部 CT・MRI 検査
・体性感覚誘発電位（SEP），脳幹聴覚誘発電位（BAEP），
 視覚誘発電位（VEP）
```

図5 感覚障害の診断の進め方

ゴクローナルバンドの出現がみられる．

診断確定のために

多発性ニューロパチーの確定診断

左右対称性で，末梢，特に下肢優位な感覚障害で，筋力低下が軽度でも深部腱反射の減弱ないし消失をみる．電気生理学的検査として，末梢神経伝導速度を施行する．末梢神経障害の有無およびその障害部位，運動神経優位か，感覚神経優位か，軸索変性主体か，脱髄主体か，などがわかる．

軸索変性は神経の機械的圧迫，中毒，内分泌・代謝疾患，膠原病などによって生じる．軸索変性型は電位の低下がみられるが，伝導速度の著明な低下はない．一方，脱髄型の神経障害は Guillain-Barré（ギラン・バレー）症候群，CIDP などで生じ，Guillain-Barré 症候群では糖脂質抗体が約6割で陽性であり，CIDP では抗 neurofascin 155（NF155）抗体が約1割で陽性になる．

また，末梢神経生検は診断の確立および病態把握のために行われる．末梢神経障害の病変をさらに明らかにするために，通常，純感覚神経である腓腹神経の生検を行う．生検の病理組織所見として，①節性脱髄（有髄線維の脱落の有無とその程度），②軸索変性，③ Waller（ウォーラー）変性，④間質や Schwann 細胞内の異常物質の沈着の有無〔たとえばアミロイドニューロパチーではコンゴーレッド（Congo red）染色陽性のアミロイド物質の沈着がみられる〕，⑤血管病変（結節性多発動脈炎などの血管炎の場合，小動脈の内膜の肥厚や血栓，血管壁のフィブリノイド変性，血管周囲の炎症細胞浸潤などが認められる）について検索する．

脊髄病変の確定診断

❶ 変形性脊椎症および脊椎管狭窄症

頸椎では，上肢にしびれ，痛み，手の巧緻運動障害，腰椎では，下肢にしびれ，痛み，腰背痛，間欠性跛行がみられる．

❷ 椎間板ヘルニア

病歴上，急性発症の上肢または下肢のしびれ，放散痛がみられる．

❸ 脊髄腫瘍

硬膜外腫瘍は，脊椎の叩打痛，根性痛，錐体路症状が出やすい．髄内腫瘍は，下位運動ニューロン症状，解離性感覚障害，仙部回避（sacral sparing）が出やすい．これらには，確定診断のため，単純 X 線，脊髄 MRI，ミエログラフィーなどを行う．

❹ 多発性硬化症

病変部の脊椎叩打痛と，頸部を前屈させると四肢や体幹への電撃様の異常感覚の放散が誘発される Lhermitte（レルミット）徴候がみられる．中枢神経に2つ以上の病巣があり，症状に寛解と増悪がみられる．脊髄 MRI，髄液検査を行って診断する．

脳幹・視床・大脳皮質の病変の確定診断

頭部 CT・MRI は脳幹部障害，視床障害，大脳障害などに有用で，特に脳幹部，後頭蓋下の病変の描出には MRI が優れる．

また，多発性硬化症などでは，体性感覚誘発電位（SEP），聴覚脳幹誘発電位（BAEP），視覚誘発電位（VEP）に，潜時遅延，振幅低下，左右差などの異常がみられ，潜在性病巣の補助診断として役立つ．

〈山下 一也，小林 祥泰〉

筋脱力
muscle weakness

筋脱力とは

定義

筋脱力(筋力低下)は，随意運動の経路，すなわち上位運動ニューロン・下位運動ニューロンおよび筋の障害で生じる随意運動遂行能力の低下，消失をきたした状態をいう．

脱力とは，麻痺を自覚することで，運動麻痺と本質的には同義である．

患者の訴え方

筋脱力の主訴といっても多彩であり，たとえば，患者は「しゃがんだ姿勢から立ち上がりにくい」「階段を昇りにくい」「布団を持ち上げたり，洗濯物を物干しにかけるのがつらい」「手に持った物が普段より重く感じる」などと訴える．

医療面接では日常生活動作のなかから推定する．たとえば，うずくまった状態から立ち上がりが困難な状態では下肢近位筋の筋脱力を，布団を持ち上げたり，物を持ち上げたりするのが困難な場合には上肢近位筋の筋脱力を，箸やドアノブを持ちにくくなった場合には遠位筋の筋脱力を考える．

症候から原因疾患へ

病態の考え方(図1)

脳血管障害による片麻痺や脊髄外傷による対麻痺などでは，いわゆる運動麻痺という形態をとる．これらは一時的に弛緩性麻痺となり，その後，痙性麻痺へと移行する．下位運動ニューロンの障害による運動麻痺は末梢性運動麻痺であり，深部腱反射は低下，消失し，筋萎縮もみられる．神経筋接合部の場合は，末梢性運動麻痺と似ているが，重症筋無力症，Eaton-Lambert症候群などの特殊な病態のみである．

筋自体の病変による筋脱力は，深部腱反射が低下し，筋萎縮を伴う．筋萎縮は，脊髄前角細胞から神経根，末梢神経までの障害による神経原性筋萎縮と，筋肉自体の障害による筋原性筋萎縮(ミオパチー)からなる．

筋病変，神経筋接合部の障害，末梢神経障害，

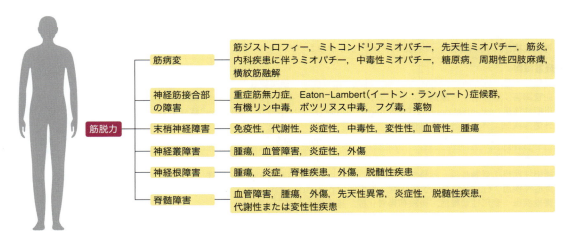

図1　筋脱力の原因

表1 筋脱力をきたす疾患

筋病変
1. 筋ジストロフィー症：Duchenne（デュシェンヌ）型，Becker（ベッカー）型，顔面肩甲上腕型，肢帯型，筋緊張性眼筋型，眼筋咽頭型，遠位型，先天型，大腿四頭筋型，その他
2. ミトコンドリアミオパチー：Kearns-Sayre（カーンズ・セイヤー）症候群，mitochondrial encephalomyopathy，lactic acidosis and stroke-like episodes（MELAS），電子伝達系異常・TCAサイクル異常を伴うもの，脂肪酸酸化異常を伴うもの（カルニチン欠損症，carnitine palmityl-transferase deficiency）
3. 先天性ミオパチー：nemaline，central core，minicore，centronuclear（myotubular），finger-print
4. 筋炎：多発性筋炎，皮膚筋炎，膠原病に合併した多発性筋炎，悪性腫瘍に合併した多発性筋炎，ウイルス性筋炎，封入体筋炎，サルコイドーシス
5. 内科疾患に伴うミオパチー：甲状腺機能亢進，副甲状腺機能亢進，Cushing（クッシング）症候群，ステロイドミオパチー，悪性腫瘍，低K血症性ミオパチー
6. 中毒性ミオパチー：アルコール，クロロキン
7. 糖原病：糖原病 II 型（Pompe（ポンペ）病，acid-maltase deficiency），III 型（debranching enzyme deficiency），IV 型（branching enzyme deficiency），V 型（McArdle（マッカードル）病，筋 phosphorylase deficiency），VII 型（垂井病，筋 phosphofructokinase deficiency）
8. 周期性四肢麻痺：低K血性，甲状腺中毒性，高K血性，正K血性
9. 横紋筋融解：糖原病V型・VII型，過激な運動，status epilepticus，電気ショック，crush injury，動脈閉塞，malignant hyperthermia，CO中毒，急性アルコール中毒，バルビタール中毒，ヘロイン中毒，低K血症，糖尿病性アシドーシス，ヘビ毒

神経筋接合部
- 重症筋無力症
- 先天性筋無力症
- congenital endo-plate acetylcholinesterase deficiency
- Eaton-Lambert 症候群
- 有機リン中毒
- ボツリヌス中毒
- フグ毒（テトロドトキシン）
- 薬物（クラーレ，サクシニルコリン，ネオマイシン，カナマイシン）

末梢神経障害
1. 免疫性疾患：Guillain-Barré（ギラン・バレー）症候群，感覚優位型および失調型 polyradiculoneuritis，慢性炎症性脱髄性多発根神経炎（CIDP），Crow-Fukase（クロウ・深瀬）症候群，multiple myeloma，macroglobulinemia，benign monoclonal gammopathy，serum neuritis
2. 代謝性疾患：糖尿病，尿毒症，栄養障害，ビタミンB_1・B_6・B_{12}欠乏，ニコチン酸（NiA）欠乏，アミロイドーシス，ポルフィリン症，Refsum（レフサム）病，Bassen-Kornzweig（バッセン・コーンツヴァイク）症候群，甲状腺機能低下，低血糖症，癌性，metachromatic leukodystrophy，Krabbe（クラッベ）病，Fabry（ファブリ）病
3. 炎症性疾患：herpes zoster，Mycoplasma，leprosy，diphtheria，hepatitis virus，infectious mononucleosis，varicella
4. 中毒性疾患：重金属（鉛（Pb），水銀（Hg），ヒ素（As），タリウム（Tl），金（Au）），有機物（エタノール，N-ヘキサン，トルエン，triorthocresylphosphate，acrylamide）
   薬物（ビンクリスチン，ジフェニルヒダントイン，INH，ニトロフラントイン，クロロキン，コルヒチン，キノホルム，クロラムフェニコール，チアンフェニコール）
5. 変性疾患：Charcot-Marie-Tooth（シャルコー・マリー・ツース）病，Dejerine-Sottas（デジェリン・ソッタス）病，sensory radiculoneuropathy
6. 血管障害：膠原病，糖尿病
7. 腫瘍性疾患：von Recklinghausen（フォン レックリングハウゼン）病

神経叢障害
1. 腫瘍性疾患：von Recklinghausen 病，肺癌，縦隔腫瘍，後腹膜腫瘍
2. 血管障害：糖尿病，膠原病
3. 炎症性疾患：brachial neuritis（Parsonage-Turner（パーソネージ・ターナー）症候群）
4. 外傷性疾患：外傷，分娩時外傷
5. その他：胸郭出口症候群（cervical rib，scalenus anticus 症候群）

神経根障害
1. 腫瘍性疾患：脊髄腫瘍，転移性腫瘍（骨），carcinomatous meningitis，悪性リンパ腫，meningeal leukemia
2. 炎症性疾患：Guillain-Barré 症候群，その他の polyradiculoneuritis
3. 脊椎疾患：変形性頸椎症，後縦靱帯骨化症，椎間板ヘルニア

（つづく）

表1 筋脱力をきたす疾患（つづき）

神経根障害（つづき）
4. 外傷性疾患：whiplash injury
5. 脱髄性疾患（髄内根）：多発性硬化症，びまん性脳脊髄炎

脊髄障害
1. 血管障害：梗塞（軟化），前脊髄動脈症候群，出血（hematomyelia），血管奇形（動静脈奇形，海綿状血管腫，capillary telangiectasis）
2. 腫瘍およびそれに類似した疾患：脊髄腫瘍（schwannoma，髄膜腫，神経膠腫，hemangioblastoma，脂肪腫，肉腫，悪性リンパ腫，neoplastic angioendotheliosis，chordoma，転移性腫瘍），肉芽腫（結核性，梅毒性），硬膜外膿瘍，椎間板ヘルニア，変形性頸椎症，後縦靱帯骨化症
3. 外傷性疾患：椎体骨折による圧迫，弾丸などによる損傷，過伸展・過屈曲による損傷
4. 先天性疾患：spina bifida と myelomeningocele，diastematomyelia，Arnold-Chiari（アーノルド・キアリ）奇形，頭蓋底陥入症（basilar impression）
5. 炎症性疾患：梅毒（meningovascular syphilis, tabes dorsalis, amyotrophy, myelitis, gumma, pachymeningitis），結核性肉芽腫，硬膜外膿瘍，ウイルス性脊髄炎（poliomyelitis，エコー，コクサッキー，herpes zoster, infectious mononucleosis，ヒトT細胞白血病ウイルスI型関連ミエロパチーなど），感染後および種痘後脳脊髄炎，急性横断性脊髄炎，亜急性壊死性脊髄炎（Foix-Alajouanine（フォア・アラジュアニーヌ）症候群），サルコイドーシスおよび膠原病による脊髄障害
6. 脱髄性疾患：多発性硬化症およびその一型と考えられる Devic（デビック）病
7. 代謝性または変性疾患：combined degeneration，肝障害による脊髄障害，アルコール性ミエロパチー，脊髄小脳変性症（Friedreich（フリードライヒ）失調症，Roussy-Lévy（ルーシー・レビー）症候群，家族性痙性対麻痺），運動ニューロン疾患（筋萎縮性側索硬化症，Kugelberg-Welander（クーゲルベルク・ウェランダー）病，Werdnig-Hoffmann（ウェルドニッヒ・ホフマン）病）

脳幹および大脳半球
1. 血管障害：一過性脳虚血発作，脳血栓，脳塞栓，lacunar state，脳出血，くも膜下出血，動脈瘤，動静脈奇形，Willis（ウィリス）動脈輪閉塞症，血管炎（膠原病，高安病，側頭動脈炎），血液疾患（出血傾向を示す疾患，溶血性貧血，macroglobulinemia, polycythemia, hyperviscosity syndrome，血栓性血小板減少性紫斑病，アンチトロンビンIII欠損症）による血管障害，静脈洞血栓症
2. 腫瘍性疾患：各種グリオーマ，髄膜腫，下垂体腫瘍，松果体腫瘍，頭蓋咽頭腫，脈絡膜乳頭腫，Sturge-Weber（スタージ・ウェーバー）病，結節性硬化症，奇形腫，血管腫，転移性腫瘍，肉腫，悪性リンパ腫，neoplastic angioendotheliosis，白血病
3. 外傷性疾患：脳損傷（contusion），硬膜上出血，硬膜下血腫，脳内出血，hygroma
4. 先天性疾患：各種先天奇形，各種染色体異常，脳性小児麻痺（未熟児，周産期脳損傷，核黄疸）
5. 炎症性疾患：各種ウイルス性脳炎（含む亜急性硬化性全脳炎，進行性多巣性白質脳症），各種細菌性髄膜炎（含む結核，梅毒，leptospirosis），真菌性髄膜炎，各種寄生虫疾患，Creutzfeldt-Jakob（クロイツフェルト・ヤコブ）病，サルコイドーシス，Behçet（ベーチェット）病，Vogt（フォクト）-小柳-原田病，各種膠原病，多発血管炎性肉芽腫症，histiocytosis X，感染後および種痘後脳炎，脳膿瘍
6. 脱髄性疾患：多発性硬化症
7. 代謝性疾患：先天性代謝異常（各種アミノ酸，脂質，ムコ多糖類代謝異常）
8. 変性疾患：筋萎縮性側索硬化症，家族性痙性対麻痺，ALS-parkinsonism-dementia complex of Guam，progressive subcortical gliosis（Neumann）
9. その他：正常圧水頭症，hemiplegic migraine，Todd（トッド）麻痺，心因性障害

〔水野美邦（編）：神経内科ハンドブック．第5版，医学書院，2016 より改変〕

神経叢障害，神経根障害，脊髄障害により，筋脱力をきたす疾患を表1に示す．また，上位運動ニューロン，下位運動ニューロン，筋障害による運動麻痺の鑑別を表2に示す．

疾患の頻度と臨床的重要度を図2に示す．

診断の進め方

診断の進め方のポイント（表3）

- 筋力低下の発症形式，経過，分布，程度，随伴症状を把握する．
- 筋疾患，神経筋接合部疾患，神経疾患と，レベルに応じて考える．

表2 上位運動ニューロン，下位運動ニューロン，筋障害による運動麻痺の鑑別

	上位運動ニューロン	下位運動ニューロン	筋障害
筋萎縮	(−)	(＋)遠位筋優位	(＋)近位筋優位
筋緊張	亢進	低下	正常〜低下
深部腱反射	亢進	低下〜消失	正常〜低下
Babinski反射	(＋)	(−)	(−)
線維束攣縮	(−)	(＋)	(−)
筋電図	正常	神経原性パターン*	筋原性パターン**

* 持続時間の延長，振幅の増大，線維性攣縮
** 持続時間が短く，低振幅電位

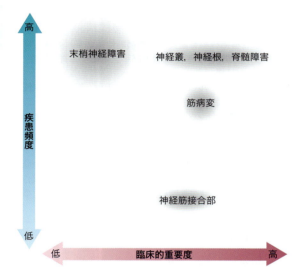

図2 疾患の頻度と臨床的重要度

非対称性の筋脱力の場合

一肢の末梢神経領域に一致した筋萎縮があり，深部腱反射の低下または消失，感覚障害のある場合は単神経障害を考える．

一側上下肢の筋脱力があり，脳神経障害を含む場合には大脳，脳幹障害(脳血管障害，脳腫瘍など)を，脳神経障害を含まない場合には頸椎症，脊髄腫瘍，脊髄空洞症など脊髄局所病変を疑い，脳脊髄MRIを施行する．

対称性の筋脱力の場合

両側遠位優位，両上肢の筋脱力があり，感覚障害がある場合には脊髄局所病変，感覚障害がない場合には筋電図所見から運動ニューロン疾患，筋緊張性ジストロフィーを考える．

両側遠位優位，両下肢筋脱力の場合には，筋萎縮があれば運動ニューロン疾患，筋緊張性ジストロフィー，多発神経炎などが考えられる．筋萎縮，感覚障害もない場合には痙性対麻痺であり，ヒトT細胞白血病ウイルスI型(HTLV-I)関連ミエロパチー，亜急性連合性脊髄変性症が考えられる．

慢性炎症性脱髄性多発根神経炎(CIDP)は対称性に運動，感覚が侵される多発性根神経炎で，上下肢の遠位部または近位部に筋脱力と感覚障害が起こる．また，急性に両下肢末梢から始まり，感冒様症状が前駆している場合にはGuillain-Barré症候群を考える．

両側近位優位で，急性の経過では周期性四肢麻痺，低K性ミオパチー，亜急性の経過で筋痛がある場合には多発性筋炎，皮膚筋炎，慢性の経過ではKugelberg-Welander病，筋ジストロフィー，粘液水腫，ステロイドミオパチーなどを考える．易疲労性で日内変動があるものは重症筋無力症，Eaton-Lambert症候群を考える．

医療面接(表4)

筋脱力がどのような経過や状況で発症したか，どのような動作ができないのかを聴取する．その他，筋萎縮，筋痛，筋痙攣，脱力発作，複視，嚥下障害などの有無，感覚障害などについての聴取も重要である．

診察時に明らかな筋脱力を認めない場合は，易疲労性があれば重症筋無力症を考える．すなわち，運動すると急速に疲労し，休息すると回復し，午前中は具合がよいが，夕方から夜にかけて脱力，運動障害が現れる．

表3 筋脱力の診断

	末梢神経領域の筋脱力		単神経障害
非対称性	一側上下肢	脳神経障害あり	大脳，脳幹障害（脳血管障害，脳腫瘍など）
		脳神経障害なし	頸椎症，脊髄腫瘍，脊髄空洞症
	両側遠位優位	筋萎縮あり，感覚障害なし	運動ニューロン疾患，筋緊張性ジストロフィー
		急性に両下肢末梢から始まり，感冒様症状が前駆	Guillain-Barré症候群
対称性	両下肢	筋萎縮なし：膀胱直腸障害，レベルを有する感覚障害あり	変形性脊椎症，脊髄腫瘍，多発性硬化症，脊髄炎
		筋萎縮なし：感覚障害なし	ヒトT細胞白血病ウイルスI型（HTLV-I）関連ミエロパチー，亜急性連合性脊髄変性症
	両側近位優位	易疲労性	重症筋無力症，Eaton-Lambert症候群
		急性，2〜3日で自然軽快	周期性四肢麻痺，低K性ミオパチー
		亜急性	多発性筋炎，皮膚筋炎
		慢性：神経原性	Kugelberg-Welander病
		慢性：甲状腺機能異常	粘液水腫，甲状腺中毒性ミオパチー
		慢性：ステロイド使用	ステロイドミオパチー

表4 医療面接のポイント

経過
- 何歳頃から症状が出現したか
- 発症の様式が急性か，亜急性か，あるいは慢性であったか
- 発作性か，一過性か
- 経過は緩徐進行性か，自然寛解性か，不変であるのか

部位
- 初発部位は遠位部か，近位部か

家族歴
- 同胞や家系内に類似の症状の者がいるか

基礎疾患の有無
- 甲状腺疾患，糖尿病，悪性腫瘍，膠原病など

薬物の投与
- 副腎皮質ホルモン，サイアザイド系の利尿薬など

表5 身体診察のポイント

バイタルサイン
- 体温，血圧，脈拍などで筋脱力を伴う全身疾患を鑑別する

全身状態
- 筋萎縮がないか，また筋脱力の左右差がないかなど，視診のみならず，四肢の周径計測，徒手筋力テスト（MMT）を行う
- 運動を繰り返すことにより，易疲労性の有無をみる

顔面，四肢
- 額のしわよせ，閉眼，歯をむき出しにさせる，頬を膨らませるなどをする
- 四肢の筋力では，両上肢を挙上してばんざいができるかどうか，手の握力をみる
- しゃがみ立ち，歩行は普通にできるか，踵歩き，爪先歩き，階段昇降は可能かなどをみる

胸部
- 心疾患を合併する疾患があるので，打診，聴診をする

腹部・リンパ節
- 触診で腫瘤，腫脹が触れないか確認する

神経系
- 腱反射，病的反射などの有無を診察する

深部感覚障害やParkinson（パーキンソン）病などによる動作困難もあるので，筋脱力と間違えないようにする．

甲状腺疾患，糖尿病，悪性腫瘍，膠原病，各種疾患治療歴，内分泌異常，アルコール摂取歴，手術歴などの聴取も必要である．

身体診察（表5）

簡単に筋脱力をみるには，上肢のBarré（バレー）検査，下肢の片足立ちを行う．さらには，手の握力をみる．

下肢の近位筋はしゃがんで，手を使わず立ち上がれるかをみる．Duchenne型筋ジストロフィー

表6 筋力の記録法(grading and recording of muscle strength)

- 5 = 正常(normal)：強い抵抗を与えても，完全に運動しうるもの
- 4 = 良好(good)：若干の抵抗に打ち勝って運動できる
- 3 = やや良好(fair)：重力に抗して完全に運動ができる
- 2 = 不良(poor)：重力を除外してやれば，完全に運動ができる
- 1 = 痕跡(trace)：筋のわずかな収縮は起こるが，関節は動かない
- 0 = 筋の収縮が全くみられない

正常の筋力を 5/5 とし，低下により 4/5～1/5 などと表現する

では，腰，大腿部の筋脱力のため，床から起立するとき，膝に手をついて自身の身体をよじ登るようにする．これは登攀性起立〔Gowers(ゴワーズ)徴候〕といわれる．

また，歩行は普通にできるか，踵歩き，爪先歩き，階段昇降は可能かなどをみる．

近位筋の筋力をみるのに最もよい方法は，臥床時，枕から頭を持ち上げたり，首を回すことができるかどうかをみるのがよい．

筋脱力の評価は，表6のように，徒手筋力テスト(MMT)を行い，個々の筋の強さは数字で表しておくと便利である．

筋脱力では，筋萎縮を伴っていることが多く，四肢の周径計測を行う．また，身体他臓器の異常所見も見落としてはならない．

多発性筋炎，皮膚筋炎では，筋脱力以外に，上眼瞼の浮腫を伴った紫紅色の紅斑(ヘリオトロープ疹)や四肢関節伸側の落屑性紅斑がみられる．

診断のターニングポイント(図3)

医療面接と身体診察を総合して考える点

- 筋脱力の患者がどの部位の異常により症状が出ているのか，責任病巣を決定する(表1参照)．
- 筋脱力を伴う筋萎縮では，易疲労性を程度の差こそあれ自覚する．筋萎縮があまり著明でなく，易疲労性の高度な疾患としては，重症筋無力症，Eaton-Lambert症候群などの神経筋接合部疾患がある．

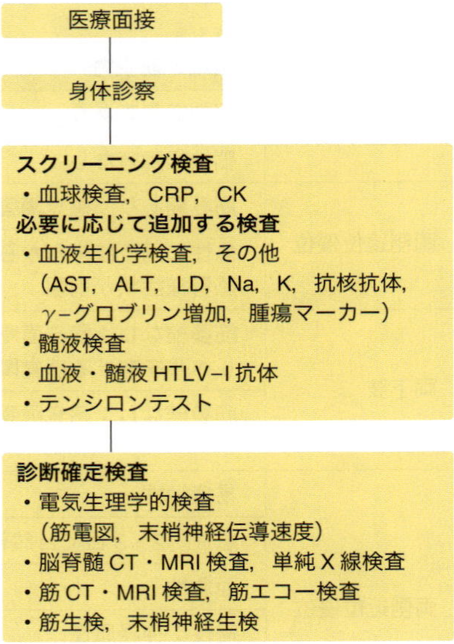

```
医療面接
  ↓
身体診察
  ↓
スクリーニング検査
 ・血球検査，CRP，CK
必要に応じて追加する検査
 ・血液生化学検査，その他
  (AST, ALT, LD, Na, K, 抗核抗体,
   γ-グロブリン増加, 腫瘍マーカー)
 ・髄液検査
 ・血液・髄液 HTLV-I 抗体
 ・テンシロンテスト
  ↓
診断確定検査
 ・電気生理学的検査
  (筋電図，末梢神経伝導速度)
 ・脳脊髄 CT・MRI 検査，単純X線検査
 ・筋 CT・MRI 検査，筋エコー検査
 ・筋生検，末梢神経生検
```

図3 筋脱力の診断の進め方

- 進行性筋ジストロフィーや筋萎縮性側索硬化症などの運動ニューロン疾患においては，合併症がなければ感覚障害はない．もしも感覚障害が認められれば，別の疾患を考えるべきである．

必要なスクリーニング検査

❶ 血球検査(血算)

亜急性連合性脊髄変性症では悪性貧血がみられる．多発性筋炎，皮膚筋炎の炎症性ミオパチーでは，ときに白血球数(WBC)増加がみられる．

❷ 血液生化学検査，髄液検査など

多発性筋炎，皮膚筋炎の炎症性ミオパチーではCRP，抗核抗体(ANA)，抗Jo-1抗体，γ-グロブリン増加がある．また，これらは悪性腫瘍の合併がみられうるので，腫瘍マーカーも調べる必要がある．甲状腺機能低下症を疑うときには，free T_4，甲状腺刺激ホルモン(TSH)を検査する．周期性四肢麻痺，低K性ミオパチーではNaとKの変動が重要である．

CKは，ミオパチーでは特異的に高値を示すが，すべてのミオパチーで上昇するとは限らない．また，神経原性筋萎縮でも軽度高値を示すことがあることに注意する．AST，ALT，LD，アルドラーゼが高値を示すことがあり，肝疾患との鑑別に，CK，LDのアイソザイムが有用である．CKは，

筋障害の広がりと強さを反映する．

Guillain-Barré症候群では，髄液で細胞増加を伴わない蛋白増加，すなわち蛋白細胞解離を示す．また，抗ガングリオシド抗体の上昇が一部の患者でみられる．

HTLV-I関連ミエロパチーでは，血液・髄液HTLV-I抗体が陽性である．

重症筋無力症では，アセチルコリンレセプター（AChR）に対する抗体が約80%の患者で陽性となる．また，筋特異的受容体型チロシンキナーゼ（MuSK）に対する抗体を有する患者は約5%である．ただし，重症筋無力症の約15%は自己抗体が陰性となる．

Eaton-Lambert症候群では電位依存性カルシウムチャネル（voltage-gated calcium channel; VGCC）抗体を測定する．

❸ 胸部X線・CT検査

重症筋無力症では胸腺腫を合併し，Eaton-Lambert症候群では肺小細胞癌などの悪性腫瘍を高率に合併したり，腫瘍の発症に先行することがある．このため，まず肺病変を中心とした全身検索が必要である．

診断確定のために

病歴情報，身体所見，スクリーニング検査の結果に基づき，筋脱力をきたす疾患をかなり限定できる．

筋病変の確定診断

筋電図所見は筋原性と神経原性筋萎縮の鑑別上参考になる．筋電図では，筋原性パターン（持続時間が短く，低振幅電位）か，神経原性パターン（持続時間の延長，振幅の増大，線維性攣縮）の所見が参考になる．また，筋緊張性ジストロフィーでは，刺入時の急降下爆撃音（dive bomber sound）が特徴的である．

筋萎縮の分布の評価には筋CT，MRI，筋エコーの画像診断が役立つ．これらは非侵襲的であり，深部の筋の状態まで的確にとらえられる．

筋生検は，筋脱力，筋萎縮の組織診断を目的として行われる．神経原性の変化か筋原性の変化などの鑑別に有効であり，ミトコンドリアの変化や炎症所見の有無などを調べる．

神経筋接合部の障害の確定診断

重症筋無力症ではテンシロンテストが陽性である．また，反復誘発筋電図において，重症筋無力症では2～3Hzの低頻度反復刺激により，漸減現象（waning）がみられる．一方，Eaton-Lambert症候群では10Hz以上の反復刺激により，漸増現象（waxing）がみられる．

末梢神経障害の確定診断

末梢神経障害の有無を調べるには，末梢神経伝導速度を測定する．CIDPでは神経伝達速度の低下，伝導ブロックなど脱髄を示す所見がみられる．腓腹神経の組織学的検査も，末梢神経障害の鑑別に有効である．

大脳，脳幹，頸髄病変の確定診断

大脳，脳幹障害（脳血管障害，脳腫瘍など），脊髄腫瘍，脊髄空洞症など脊髄より上位の病変を疑えば，頸椎単純X線撮影，頸髄MRI，ミエログラフィー，脳CT，脳MRI，脳血管撮影などを行う．多発性硬化症，神経Behçet病などの炎症性疾患では髄液検査を行う．

〈山下 一也，小林 祥泰〉

筋萎縮
muscular atrophy

筋萎縮とは

定義

筋萎縮は，筋肉のやせを意味し，個々の筋線維，または線維束の容積が部分的に減少する現象である．通常は筋脱力（筋力低下）を伴う．

患者の訴え方

主訴は多彩で，「筋肉がやせた」「細くなった」という筋萎縮の訴えもあるが，一般には「手指が使いにくい」「話しにくい」「食べ物が飲み込みにくい」などの筋脱力を訴えるほうが多い．その他，筋肉痛（自発痛，運動時痛，圧痛），筋痙攣，筋線維束攣縮，脱力発作，複視，嚥下障害なども訴える．さらに，発熱，体重減少，慢性肝炎様症状，関節炎様症状，消化器症状，頻脈，徐脈，心症状（不整脈，心不全），自律神経症状などが前景に立つことも少なくない．

患者が筋萎縮を訴える頻度

幼児期から思春期までは，遺伝性の末梢神経，筋疾患によることが多い（進行性筋ジストロフィーなど）．成人発症の全身性筋萎縮には運動ニューロン病，筋緊張性ジストロフィーなどが多いが，局所性としては，頸椎症，単神経障害などが多い．

筋萎縮性側索硬化症などの運動ニューロン病の有病率は，人口10万人に対して4〜5人といわれている．

症候から原因疾患へ

病態の考え方（図1）

筋萎縮は，大脳皮質から筋肉に至るまでの経路のいずれかの障害で起こり，原因はさまざまである．しかし，筋萎縮のみから分けると，脊髄前角細胞から神経根，末梢神経までの障害による神経原性筋萎縮（neurogenic muscular atrophy）と，筋肉自体の障害による筋原性筋萎縮（myogenic muscular atrophy）がある．神経原性筋萎縮は末梢神経，神経根，脊髄前角運動神経細胞障害で発症する．一方，筋原性筋萎縮は，筋蛋白や筋膜異常による筋ジストロフィー，炎症細胞浸潤，血管炎などの炎症性ミオパチー，内分泌障害を含めた代謝性ミオパチーや，免疫異常および中毒による神経筋接合部の障害が原因になる（図2）．神経筋接合部の障害には重症筋無力症，Eaton-Lambert（イートン・ランバート）症候群があるが，これらの疾患ではむしろ，筋萎縮よりも筋脱力が主な症状になる．

日常臨床で最もよく認められる筋萎縮は，寝たきりやギプス固定，関節炎・骨折など長期間の安静による廃用性萎縮（disuse atrophy），悪液質，栄養障害などの筋組織の消耗である．廃用性萎縮では筋脱力は明らかではない．

病態・原因疾患の割合（図3）

幼児期から思春期までは遺伝性の末梢神経，筋疾患によるものが多い．進行性筋ジストロフィー，Charcot-Marie-Tooth病などがある．

成人発症の筋萎縮には，運動ニューロン病や種々の疾患に随伴した後天性のものを考える（筋萎縮性側索硬化症，筋緊張性ジストロフィー，多発性筋炎，変形性頸椎症に伴う神経根・末梢神経障害など）．

図1 筋萎縮の原因

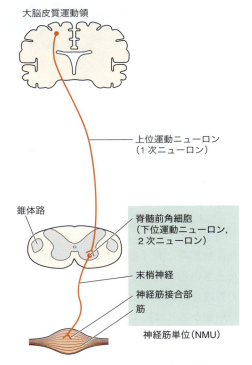

図2 随意運動に関与する神経と筋の関係

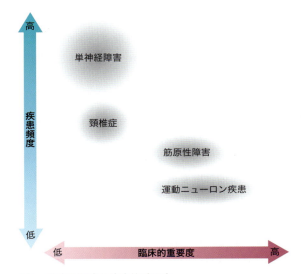

図3 疾患の頻度と臨床的重要度

母指球筋や小指球筋，骨間筋の萎縮がみられるときには神経原性疾患を考える．

医療面接(表1)

主訴の分析はきわめて大切である．医療面接では正しい情報の選択と入力が必要であり，原因や誘因，さらに家族内の類似疾患の有無の確認は診断するうえで重要である．

一般に，筋萎縮は急性に起こることもあるが，緩徐進行性，潜在性に進行することが多く，患者は筋萎縮よりも筋脱力を訴える．また，どの部分から始まり，どのように広がっていったかが重要であるが，通常，潜在性に進行するので初発部位

診断の進め方

診断の進め方のポイント

- 筋萎縮の分布を観察することがまず基本で，左右差に注意する．
- 近位筋，すなわち肩周囲や腰周囲に萎縮がみられるときには筋原性疾患を疑う．両手の観察で

表1 医療面接のポイント

経過
- 何歳頃から症状が出現したか
- 発症の様式が急性か，亜急性か，あるいは慢性であったか

家族歴
- 同胞や家系内に類似の症状の者がいるか

全身症状の有無と内容
- 筋萎縮はどこから始まったか．初発部位は遠位部か，近位部か
- 筋脱力(筋力低下)はあるか
- 感覚異常，特に手指のしびれ感，放散痛はなかったか
- 筋線維束攣縮の有無を確認する
- 筋痛，筋痙攣，脱力発作，複視，嚥下障害などの有無を確認する

表2 身体診察のポイント

全身状態
- 四肢の左右の同じ部位でその差を比較し，視診のみならず，四肢の周径計測，徒手筋力テスト(MMT)を行う

顔面，四肢
- 通常，両側頭筋，頬筋に萎縮が顕著に現れる．近位筋，遠位筋を分けて観察し，筋脱力にも注意する

胸部
- 心疾患を合併する疾患があるので，打診，聴診をする

腹部・リンパ節
- 触診で腫瘤，腫脹が触れないか確認する

神経系
- 腱反射の有無などを診察する

を正確に言える人は少ない．

神経原性筋萎縮では，筋線維束攣縮がみられ，筋がピクピク動くことはなかったかを詳しく聴取する．

随伴症状として筋痛，筋痙攣，脱力発作，複視，嚥下障害などの有無を確認する．さらに，尿の色調異常(ミオグロビン尿)もチェックする．

筋緊張性ジストロフィーでは，白内障，性腺機能についての聴取も重要である．

その他，糖尿病歴，各種疾患治療歴，内分泌異常，アルコール摂取歴，手術歴なども必要であり，筋萎縮の診断には神経以外の諸症状にも注意を払わなければならない．

身体診察(表2)

身体診察では，筋萎縮の分布を把握するために衣服を脱いでもらい，全身を診察する．四肢の左右の同じ部位でその差を比較し，視診だけでなく，四肢の周径計測，徒手筋力テスト(MMT)を行う．ミオパチーでは腓腹筋に仮性肥大をみることがある．

顔面では通常，両側頭筋，頬筋に萎縮が顕著に現れる．ミオパチー顔貌では表情に乏しく，口唇は開いた状態になる．上腕起始部の丸みの消失が起こり，背面では肩甲骨周辺の筋群の萎縮がみられる(翼状肩甲)．手では手掌部と母指球筋，小手球筋の萎縮が，手背部では骨間筋に早期に萎縮がみられる．下肢では下腿前外側面の筋萎縮が現

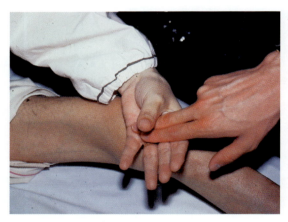

図4 ミオトニー現象

れる．

また，触診時における脱力の程度，他動的に動かしたときの筋の抵抗と伸展性によって，筋トーヌスの程度を判定する．筋萎縮があっても，結合組織の増殖があれば硬く感じ，脂肪組織に置き換わっていれば軟らかく感じる(仮性肥大)．

また，筋線維束攣縮は，筋線維がピクピクと一過性に収縮するもので，患者は自覚していることが多い．診察時に現れないときには，萎縮筋を軽く叩いてみるとよい．

筋萎縮の診察の際，注意すべきその他の項目として，筋萎縮性側索硬化症で舌萎縮(舌の線維束攣縮もみられる)，筋緊張性ジストロフィーでミオトニー現象〔筋収縮後の弛緩障害で，こぶしを握ったあとで手指が容易に広げられない(図4)〕，甲状腺機能低下症で筋膨隆現象(mounding 現象，筋の上からハンマーで叩く)，多発性筋炎で筋痛，

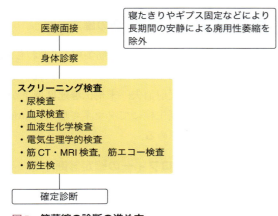

図5 筋萎縮の診断の進め方

表3　神経原性筋萎縮と筋原性筋萎縮の鑑別

	神経原性筋萎縮	筋原性筋萎縮
罹患部位	主に遠位筋優位	主に近位筋優位
筋線維束攣縮	（＋）	（－）
深部反射	末梢神経障害：低下〜消失	低下〜消失
上位ニューロン障害	亢進〜Babinski（バビンスキー）徴候陽性	
血清CK値	正常または軽度増加	増加
筋電図	神経原性パターン（高振幅電位）	筋原性パターン（低振幅電位）
筋生検	群集萎縮	筋線維大小不同、ときに炎症所見
骨格筋X線・CT	遠位筋＞近位筋、びまん性の筋萎縮所見	遠位筋＜近位筋、選択的筋萎縮所見
例外的疾患	Kugelberg-Welander病	筋緊張性ジストロフィー、遠位型ミオパチーほか

圧痛などが挙げられる．

診断のターニングポイント（図5）

医療面接と身体診察を総合して考える点

- よくみられる神経・筋原性疾患の臨床的特徴を図1に，また神経原性筋萎縮と筋原性筋萎縮の鑑別を表3に示す．
- 筋萎縮の分布を罹患部位から区分すると，原則として近位筋優位は筋原性であり，遠位筋優位は神経原性である．ただし，それぞれ，例外的疾患群もある．
- 筋萎縮が起こると，多かれ少なかれ筋脱力が生じる．しかし，筋萎縮の程度と筋脱力の程度は必ずしも比例しない．一般に，神経原性では筋萎縮の強さに比べて筋脱力は軽度で，筋原性では筋萎縮があまり目立たない時期でも強い筋脱力をきたす．

必要なスクリーニング検査

医療面接と身体診察から筋萎縮をきたす器質性疾患の存在を推測することは可能であるが，さらに，スクリーニング検査として以下のものを施行する．

❶ 尿検査

尿糖陽性から糖尿病を診断する手がかりになる．

❷ 血球検査（血算）

炎症性ミオパチーでは白血球数（WBC）増加がみられる．

❸ 血液生化学検査

糖尿病や甲状腺中毒性ミオパチー，甲状腺機能低下症などを疑うときには，血糖値，free T_4，甲状腺刺激ホルモン（TSH）検査を行う．膠原病では，CRP，抗核抗体（ANA），γ-グロブリン増加がみられる．

CKはミオパチーでは特異的に高値を示すが，すべてのミオパチーで上昇するとは限らない．神経原性筋萎縮でも軽度に高値を示すことがあることを念頭においておく．進行性筋ジストロフィーでも，Duchenne（デュシェンヌ）型，肢帯型では持続的かつ著しい高値を示す．ミオパチーでも，甲状腺中毒性ミオパチーやステロイドミオパチーではCKは上昇しない．

ミオパチーでは，その他，AST，ALT，LD，アルドラーゼが高値を示すことがあり，肝疾患との鑑別にCK，LDのアイソザイムを検査する．

❹ 電気生理学的検査

筋電図所見は，神経原性と筋原性筋萎縮を鑑別するうえで参考になる．

筋原性筋萎縮では，持続時間が短く，低振幅電位のパターンがみられる．一方，神経原性筋萎縮では，持続時間の延長，振幅の増大，線維性攣縮がみられる．

また，筋緊張性ジストロフィーでは，筋原性変化のほかに筋強直性放電(myotonic discharge)が記録される．これは針の刺入時に急降下爆撃音(dive bomber sound)もしくはモーターバイク音と形容される高頻度自発放電である．

また，末梢神経障害の有無には，末梢神経伝導速度を測定する．特に脱髄を示す疾患で遅延を示す．

❺ 筋CT・MRI検査，筋エコー検査

筋萎縮の分布の確認には，筋CT・MRI，筋エコーの画像診断が役立つ．これらは非侵襲的であり，深部の筋の状態まで的確にとらえることができる．筋生検の部位を決定するのにも参考になる．

診断確定のために

筋萎縮性側索硬化症およびほかの運動ニューロン疾患の確定診断

緩徐進行性筋萎縮で，筋線維束攣縮，舌萎縮を伴う．感覚障害，膀胱直腸障害は認められない．筋電図所見は神経原性を示し，持続時間の延長，振幅の増大，線維性攣縮がみられる．ただし，Kugelberg-Welander病は，近位筋優位の筋萎縮を示す．

頸椎性脊髄根神経障害の確定診断

自発痛，髄節性感覚障害，振動覚低下がみられる．安静により症状は軽快する場合がある．筋電図所見は神経原性を示す．頸椎単純X線撮影，頸椎MRI，CTミエログラフィー，ミエログラフィーを参考にする．

脊髄空洞症の確定診断

髄節性の筋萎縮，解離性感覚障害(宙吊り型分布)を示す．MRIが有効である．

Charcot-Marie-Tooth病の確定診断

下肢の逆シャンペンボトル型筋萎縮，すなわち，大腿下1/3より末端の筋萎縮を示す．手袋靴下型感覚障害，深部腱反射消失，末梢伝導速度低下がみられる．腓腹神経生検にてタマネギ形成(onion bulb formation)を認める．

進行性筋ジストロフィーの確定診断

近位筋の筋原性筋萎縮を示す．Duchenne型は伴性劣性遺伝を示し，頻度は比較的高い．下腿仮性肥大がみられる．Gowers(ゴワーズ)徴候陽性で，CK異常高値を示す．

筋緊張性ジストロフィーの確定診断

側頭筋・胸鎖乳突筋や四肢遠位優位の筋力低下や萎縮を示す．診察用ハンマーで母指球を叩打したときに，筋強直現象が生じる．筋外症状として，白内障，前頭部禿頭，性腺機能低下，脳波異常などがみられる．血清CKは軽度～中等度の上昇を示す．第19番染色体長腕でCTGが異常反復している(CTGリピート)．筋電図では，刺入時の急降下爆撃音が特徴的である．

多発性筋炎の確定診断

筋痛，圧痛，近位筋優位の筋脱力をみる．初期には，筋萎縮よりも筋脱力が前景に出て筋脱力は亜急性に進行する．赤沈亢進，CRP上昇と血清CK，アルドラーゼ，LDH，AST，ミオグロビンなどの筋原性酵素の上昇が特徴である．ほかの膠原病，悪性腫瘍を合併する．筋電図において，筋原性筋萎縮では，持続時間が短く，低振幅電位のパターンがみられる．筋生検では，筋線維の大小不同，リンパ球を主体とした細胞浸潤がみられる．

甲状腺中毒性ミオパチーの確定診断

近位筋優位の筋脱力をみる．微熱，発汗，頻脈，易疲労性などの全身症状を示す．甲状腺機能亢進状態がある．

〈山下 一也，小林 祥泰〉

筋緊張異常
muscle tone abnormality

筋緊張異常とは

定義

骨格筋は筋紡錘と脊髄の間に存在する伸張反射をはじめとするいくつかの反射により，絶えず不随意に緊張した状態にあり，この緊張を筋トーヌス（muscle tonus）と呼ぶ．筋トーヌスが存在することにより，伸展に抵抗したり，関節の過度の運動阻止，姿勢保持がなされている．

筋トーヌスの異常（筋緊張異常）とは，疾患や病態により筋トーヌスに異常をきたし，亢進や低下を示すことを意味する．

患者の訴え方

通常，患者自身は直接筋トーヌスの異常を訴えることはなく，原疾患に伴う症状の訴えが多い．

筋トーヌス亢進では，「歩行のつっぱり感」や「足を引きずる」「動作が遅くなった」と訴え，筋トーヌスの低下は，軽度では気づかないことが多く，高度では合併する筋力低下の訴えがみられる．

患者が筋緊張異常を訴える頻度

筋トーヌスに異常をきたす疾患の頻度による．脳血管障害やParkinson（パーキンソン）病による筋トーヌスの亢進は高齢者に多いが，多発性硬化症は20〜40歳代にみられ，先天性神経筋疾患（筋ジストロフィーなど）は幼小児，若年者に多い．

図1　筋緊張異常の部位と原因

症候から原因疾患へ

病態の考え方(図1)

　筋トーヌス異常は脊髄反射に関与するどのレベル(錐体路, 錐体外路, 前庭系, 脳幹網様体などの固有受容反射系脊髄前角細胞, 末梢神経, 神経筋接合部, 筋)の疾患でも生じうる.

　筋トーヌス亢進は, 脊髄前角細胞より上位の病変でみられ, 錐体路障害による痙縮(spasticity)と, 錐体外路系の障害による硬直〔固縮〕(rigidity)に分けられる. 痙縮は運動に関する抑制のとれた状態と考えられ, 硬直は制御の異常といえる.

　筋トーヌス低下は, 脊髄から筋のレベルでの障害, ないしは小脳病変, 舞踏病などの疾患で認められ, 前者では運動障害を伴う.

　筋トーヌスの異常をみた場合には, 亢進であれば, 脊髄前角細胞より上位の病変を検討し, 低下の場合, 小脳症状や舞踏病がみられなければ, 前角細胞以下の病変を考える.

病態・原因疾患の割合(図2)

　筋トーヌス亢進のうち痙縮をきたす疾患は, 大脳皮質から内包, 脳幹そして脊髄前角細胞に至る錐体路の障害で起こる. 各部位ごとの代表疾患を図1に示す.

　大脳皮質の病変では脳血管障害(脳出血, 脳梗塞)や頭部外傷が多くみられ, 脳腫瘍なども原因となる. 内包, 大脳基底核部での病変は脳血管障害(出血, 梗塞)が最も多い. 脳幹部の障害は, 高齢者では脳血管障害(出血, 梗塞)が多く, 20～40歳代では多発性硬化症もみられる. 外傷, 変形性脊椎症, 椎間板ヘルニア, 脊髄腫瘍などの上位の脊髄レベルの障害でも筋トーヌスの亢進が認められる.

　一方, 硬直は錐体外路障害による症状であり, 代表的な疾患は黒質の障害されるParkinson病である. 多系統萎縮症や進行性核上性麻痺などの変性疾患でも認められる. 大脳基底核の多発性小病変を示す脳血管障害でもみられる.

　筋トーヌス低下は, 図1に示すように, 前角細胞, 後根・後角, 運動神経, 神経筋接合部, 筋疾患で認められ, 小脳病変, 舞踏病などの中枢性病変でも認められる.

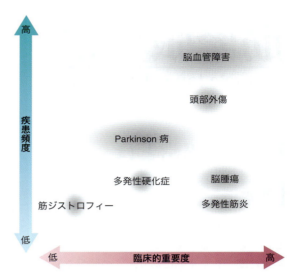

図2　疾患の頻度と臨床的重要度

診断の進め方(表1)

診断の進め方のポイント

- 痙縮では, 腱反射亢進や病的反射を伴い, その分布が, 片側性, 交代性, 対麻痺かどうかにより, 障害部位や広がりを判断する.
- 硬直では, Parkinson病に代表される振戦や無動の有無, 脳血管障害に伴う例では, 麻痺や感覚障害の有無, 嚥下障害や構音障害などの仮性球麻痺の有無を参考とする.
- 筋トーヌスの低下では, 筋力低下の範囲, 感覚障害の有無・部位, 小脳症状や舞踏病の有無を検討し, 前角細胞レベル(脊髄ショック, 灰白髄炎, 進行性脊髄性筋萎縮症, 脊髄空洞症), 末梢神経・神経根レベル(各種ニューロパチーなど), 神経筋接合部異常(重症筋無力症), 筋ジストロフィー, 各種ミオパチー(先天性, 甲状腺中毒性, 周期性四肢麻痺, 多発性筋炎)などの各疾患があり, 身体所見や合併する徴候の診察が必要である.

表1　筋トーヌスの異常の見分け方

痙縮（spasticity）
錐体路障害による．伸展のはじめに抵抗が強く，途中で急に弱くなる．速やかに伸展すると抵抗が増大する．折りたたみナイフ現象陽性．上肢では屈筋，下肢では伸筋に著明．腱反射亢進．病的反射陽性

硬直・固縮（rigidity）
錐体外路障害による．抵抗はほぼ一様．筋を長く伸ばすと抵抗が増大．歯車様または鉛管様．異常筋は上下肢ほぼ同じか遠位筋にやや強い

筋トーヌス低下
筋は弛緩状態を示し，他動的な伸展運動に対し，抵抗が減少，消失する．脊髄前角以下，筋レベルの障害では腱反射は減弱し，後角の障害では消失する

表2　医療面接のポイント

経過
- 動作の緩慢さや歩行障害はいつ頃からなのか，どの部位の，どの程度の歩行障害が起こったか
- 急激に始まったのか，徐々に起きてきたのか

全身状態の有無と内容
- 先行感染（感冒様症状，下痢）がなかったか
- 筋力低下や感覚障害（しびれ）の有無と，あるとすれば部位はどこか
- 嚥下障害（飲み込みにくさ），構音障害（しゃべりにくさ），不随意運動の有無をみる

職業歴
- 鉛（Pb）や有機溶媒などの使用はないか

常用薬
- 現在服薬中の薬物はないか．あるとすればその内容は何か

家族歴
- 同様の症状を示す家族はいなかったか

医療面接（表2）

　動作の緩慢さや歩行障害などの症状が，いつ頃からどのようにして起こったかが重要である．脳血管障害や外傷では，急性発症で時期が明確であることが多い．一方，Parkinson病などの変性疾患や筋疾患では徐々に発症することが多い．

　さらに，筋力低下や感覚障害の有無，嚥下障害や構音障害，不随意運動の合併の有無を確認する．Guillain-Barré症候群や中毒性神経障害が疑われる際には，先行感染や職業歴，服用薬物の有無を明らかにする．

　筋ジストロフィーや変性疾患では家族歴の有無も重要である．

表3　身体診察のポイント

バイタルサイン
- 意識障害の有無や，血圧・脈拍・体温を確認する

全身状態
- 肢位：麻痺の有無，片側性か，両側性か
- 精神状態：患者はリラックスしているか

筋トーヌス
- 筋力：低下の有無，部位はどこか
- 腱反射：亢進や低下の有無と部位を確認する
- 病的反射：異常の有無，片側性か両側性か
- 歩行：歩行異常（小刻み歩行，はさみ足歩行，円描き歩行，失調歩行など）はみられないか

身体診察（表3）

　筋トーヌスは，ベッドサイドで，患者の肘，手，膝，足関節などを他動的に動かし，その際の抵抗から判断する．患者をリラックスさせて診察することが大事である．

　硬直とは，屈筋も伸筋も同時に緊張している状態であり，他動運動で抵抗を感じる．その抵抗が，鉛管を曲げるように，はじめから終わりまで一様である場合，鉛管様硬直（lead pipe rigidity）と呼ぶ．歯車を回転させるようにカクカクとした抵抗を感じる場合，歯車様硬直（cogwheel rigidity）と呼ぶ．硬直が軽度の場合は，増強法（対側で手を見つめさせながら回内，回外運動を行う．あるいは対側の手でコップを取る動作などをさせ，手関節の他動運動の抵抗を調べる）を行うとよい．

　痙縮で障害される筋は選択的であり，上肢では屈筋，下肢では伸筋に著明である．伸展のはじめに抵抗が強く，途中で急に弱くなる（折りたたみナイフ現象）．速やかに伸展すると抵抗が増大する．腱反射亢進や病的反射を伴う．歩行時に，はさみのように両足を内側に組み合わせて歩く歩行は，両側の錐体路障害でみられ，両側大腿内転筋の緊張亢進による．

　片側性の筋トーヌスの亢進は，Wernicke-Mann（ウェルニッケ・マン）肢位と呼ばれる上肢が屈曲し下肢が伸展した姿勢（僧帽筋の痙縮による患側肩の挙上，上腕内転，肘・手・指関節屈曲を示す．

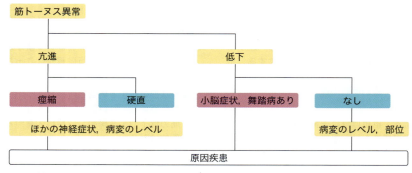

図3 筋トーヌスの異常の診断の進め方

前腕は回内して，手指はこぶしをつくる．下肢は伸展し，大腿は内転，内旋，足は内反尖足の形となる）を示す例が代表である．歩行の際には患肢を投げ出すような歩行(円描き歩行)を呈する．

筋トーヌスの低下は，筋肉の弛緩を伴い，触診で柔らかく感じる．他動運動に際しては，抵抗の減弱・消失として感じられる．また関節の過伸展，過屈曲を伴う．

手を強く握ったりしたときに筋強直が起きて手を開きにくくなる症状があれば，筋強直性ジストロフィーを疑う．

診断のターニングポイント(図3)

医療面接と身体診察を総合して考える点

- 病歴情報と身体所見から筋トーヌスの異常が，痙縮か硬直か，あるいは低下かを判断する．また症状は部分的か，一側性あるいは全身性にみられるかの検討を行う．
- 痙縮を示す場合，脳血管障害や大脳の外傷であれば，多くは一側性であるが，多発病変や脳幹・脊髄病変では両側性を示す．
- 硬直および筋トーヌス低下を示す疾患の多くは，全身性の分布をとる．
- 脊髄障害あるいは末梢神経障害では，障害のレベル，部位を把握する．
- 筋トーヌス異常以外の筋力低下や感覚障害，小脳症状についても，その有無や程度を判定し，腱反射の異常や病的反射の有無などの所見も参考とする．
- 上記の総合的な所見から，図1に示す疾患について診断する．

必要なスクリーニング検査

尿・血液のスクリーニング検査のうち，CRP上昇や赤沈亢進などの炎症所見は多発性筋炎の診断の手がかりとなる．さらに血清CK値は，筋炎や筋ジストロフィーで高値を示し，ときに数千IU/Lの値をとり，重症例では1万IU/Lを超すことがある．電解質異常，特に血清Kの低下は，低K性ミオパチーの診断に重要である．

脳血管障害や高齢者では，合併する高血圧，糖尿病，脂質異常症などの所見に注意する．

診断確定のために

スクリーニング検査と同時に，確定診断のための検査を行う．中枢神経系の疾患の多くはCTやMRIなどの画像診断が決め手となる．末梢神経障害や筋疾患では，神経伝導検査や筋電図所見が必要である．

主要な疾患の確定診断のための検査所見を以下に示す．

大脳病変の確定診断

脳腫瘍を除けば，頭部外傷，脳出血，脳梗塞などの多くは急性発症で，片麻痺，感覚障害などの神経症状を伴う．CTやMRIなどの画像診断が必須である．

多発性硬化症の確定診断

20〜30歳代で，視力障害，脳幹症状，脊髄症状を呈する．時間的・空間的多発性を特徴とする．髄液検査でミエリンベーシック蛋白の上昇やオリゴクローナルバンドを認め，電気生理学的検査や画像診断により確定する．

脊髄障害の確定診断

障害部位以下の運動麻痺，感覚障害を示す．単純X線，CT，MRIなどの画像診断により，変形性脊椎症，椎間板ヘルニア，脊髄腫瘍などの確定診断を行う．

脊髄癆の確定診断

後期梅毒により，脊髄後根および後索の障害を示す．瞳孔の対光反射消失，膝蓋腱反射消失，後根刺激による下肢電撃様疼痛，Romberg（ロンベルク）徴候陽性を示す．血清および髄液の梅毒反応陽性から診断する．

Parkinson病の確定診断

硬直を示す代表的な疾患であり，振戦，無動，歩行障害を伴う．近年，脳線条体におけるドパミン神経終末のドパミントランスポーターの画像診断が利用可能となっているが，画像診断や薬物の服用歴などからParkinson症候群を示す疾患を除外診断する．

Guillain–Barré症候群の確定診断

感染1〜2週間後に下肢筋力低下で発症することが多く，筋力低下は次第に上行する．腱反射の低下や神経伝導速度の低下を示す．髄液検査で蛋白細胞解離を認める．抗ガングリオシド抗体の検索も診断に役立つ．

筋疾患の確定診断

多発性筋炎，筋ジストロフィー，ミオパチーなどでは，近位筋の筋力低下を伴うことが多い．炎症反応や血清CK値高値，筋電図所見などから疾患を疑い，筋生検により確定診断を行う．Duchenne（デュシェンヌ）型およびBecker（ベッカー）型筋ジストロフィーは，筋組織のジストロフィン蛋白の低下により診断しうる．

筋強直性ジストロフィーは筋強直現象，筋電図のミオトニア放電から診断を疑い，19番染色体にある遺伝子のCTG反復配列の異常な伸長があることで診断できる．

〈三瀧 真悟，長井 篤〉

運動失調
ataxia

運動失調とは

定義

多くの筋が協調して収縮・弛緩することで，運動が滑らかに行われる．これを協調運動という．筋の麻痺などがないにもかかわらず，協調運動が障害されるために運動がうまく行えないことを協調運動障害（incoordination）といい，運動失調は一般に，これと同義として扱われている．

患者の訴え方

失調の出現する部位によって訴えが異なる．体幹の運動がうまく行えないとき，「ふらつく」「めまいがする」という訴えになり，下肢の失調は「足が出にくい」「思う方向に足が出ない」などの歩行障害の表現となることが多い．上肢の失調は「物を取るとき手がふるえる」など，日常生活上の不便を訴える．口では「ろれつが回らない」という訴えが多い．

患者が運動失調を訴える頻度

前庭迷路性はめまいを伴い，頻度は高い．脳血管障害の約10％に運動失調がみられる．その他の疾患によるものは稀である．

症候から原因疾患へ

病態の考え方

「運動失調がある」と患者が訴えることはないので，患者の訴えが運動失調であると確認することがまず重要である．なんらかの運動失調症状を患者が訴える場合，循環不全，炎症で生じることが多いが，低栄養や薬物でも生じることを知っておく必要がある．

病態を図1に，主な原因疾患を表1に，また運動失調の病変部位別分類を表2に示す．

病態・原因疾患の割合（図2）

Ménière（メニエール）病，前庭神経炎，脳血管障害によるものが圧倒的に多い．緩徐進行性では脊

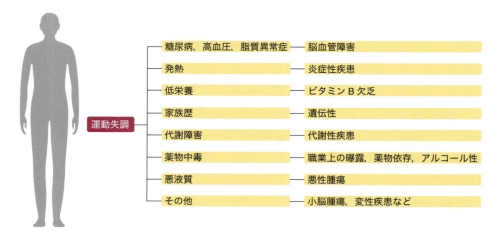

図1　運動失調の原因

髄小脳変性症が多い．

診断の進め方

診断の進め方のポイント

- 頻度からは前庭迷路性が多いが，心因性に運動失調様症状を訴えることもあるので，身体診察を的確に行い鑑別する．
- ①脊髄後索性，②小脳性，③前庭迷路性のそれぞれの訴え，症状の特徴を把握しておくことが重要である．
- 脳卒中の症状である場合，嘔吐や頭痛などの症状が激烈であったり，緊急処置を必要とすることも多いので，見逃さないようにする．

表1　病態からみた運動失調をきたす疾患

脳血管障害
- 小脳出血，小脳梗塞，Wallenberg（ワレンベルグ）症候群など

炎症性疾患
- 急性小脳炎，小脳膿瘍，脊髄癆，前庭神経炎
- Fisher（フィッシャー）症候群，多発性硬化症，多発根神経炎

ビタミンB欠乏
- ビタミンB_{12}欠乏（亜急性連合性脊髄変性症），ビタミンB_1欠乏（Wernicke（ウェルニッケ）脳症）

遺伝性
- Friedreich（フリードライヒ）病，遺伝性脊髄小脳変性症（SCA1, 2, 6, 31型など）
- Charcot-Marie-Tooth（シャルコー・マリー・ツース）病

代謝性疾患
- Refsum（レフサム）病，脳腱黄色腫症，Hartnup（ハートナップ）病など

中毒性
- アルコール，鉛（Pb），ヒ素（As）
- 抗菌薬，利尿薬

悪性腫瘍
- 小脳転移，癌性ニューロパチー，傍腫瘍症候群

変性疾患
- 孤発性脊髄小脳変性症（多系統萎縮症，小脳皮質萎縮症）

その他
- Ménière病，小脳腫瘍，聴神経腫瘍，頭蓋底陥入症，Arnold-Chiari（アーノルド・キアリ）奇形，多発神経炎

医療面接

表3のような医療面接が必要であるが，病因から考えた特徴的症状をふまえて，さらに詳細に病歴情報を聴取すると疾患がかなり絞られる．いずれの場合も起立・歩行時の障害が最も症状として起こりやすい．

表2　病変部位からみた運動失調の分類

脊髄後索性
〈末梢神経障害〉
- アルコール，鉛（Pb），ヒ素（As）中毒
- Charcot-Marie-Tooth病，Refsum病
- 糖尿病

〈脊髄後根障害〉
- Guillain-Barré（ギラン・バレー）症候群，多発根神経炎
- 癌性ニューロパチー

〈脊髄後索障害〉
- 脊髄癆，亜急性連合性脊髄変性症
- Friedreich病，脊髄腫瘍

小脳性
- 孤発性および遺伝性脊髄小脳変性症
- Refsum病，脳腱黄色腫症，Hartnup病
- アルコール性小脳失調症，傍腫瘍症候群
- 急性小脳炎，小脳膿瘍，小脳出血，小脳梗塞
- 頭蓋底陥入症

前庭迷路性
- Ménière病
- 前庭神経炎，薬物中毒
- 聴神経腫瘍，Wallenberg症候群

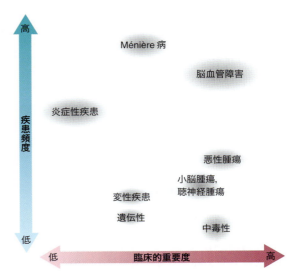

図2　疾患の頻度と臨床的重要度

表3　医療面接のポイント
経過
■ 急に始まったのか，徐々に起きてきたのか
誘因
■ ストレス，特定の頭位で生じることはないか
全身症状の有無と内容
■ 発熱，発汗異常，立ちくらみ，多飲多尿，体重減少，しびれ，脱力などの随伴する自覚症状はないか，また因果関係はどうか
嗜好品，常用薬
■ アルコール摂取量，特定の薬物の服用歴はないか
生活歴
■ 十分な栄養がとれているか
職業歴
■ 鉛，ヒ素などへの曝露はないか
家族歴
■ 親戚も含め，同様の症状はないか

表4　身体診察のポイント
バイタルサイン
■ 体温，血圧，脈拍：感染症や自律神経症状を合併する疾患を鑑別する．不整脈の有無を確認する
全身状態
■ 悪性腫瘍による体重減少，栄養低下によるるいそうなどの有無を確認する
頭頸部
■ 特定の頭位によるふらつきの有無を確認する
■ 耳：聴力低下がないか，あれば伝音性か感音性か確認する
■ 項部：髄膜刺激徴候がないか確認する
■ 結膜：貧血や黄疸の有無を確認する
■ 頸部：血管雑音，リンパ節腫脹の有無を確認する
胸部
■ 打診，聴診で心拡大，弁膜症の可能性，栄養低下による心不全の存在について検討する
腹部
■ 触診で肝脾腫大の有無，腫瘤の有無を確認する
四肢
■ 浮腫，筋萎縮，筋緊張を確認する
神経系
■ 眼振はないか確認する
■ Romberg（ロンベルク）徴候，病的反射，腱反射を確認する
■ 歩行，継ぎ足歩行の詳細な確認をする
■ 知覚：下肢の振動覚をはじめとして知覚障害はないか
■ 膀胱・直腸障害はないか確認する

①脊髄後索性では，暗いときに歩きにくいことや足を強く床に打つことがある．
②小脳性では，下肢のみならず上肢，口にも症状が出現する．
③前庭迷路性では，起立・歩行時のみの障害で，特定の方向に倒れやすい．

身体診察（表4）

Romberg試験

　足をそろえて閉眼させることで，視覚情報なしでのバランス感覚をテストする．脊髄後索障害や前庭迷路性ではよろめくか倒れてしまう．小脳性の場合は足をそろえることでふらつくが，閉眼による増強はない．

眼振

　前庭迷路性や小脳性，特に前庭迷路性では眼振が高頻度にみられる．

指鼻指試験，踵膝試験

　患者に指を，自分の鼻と検者の指との間で交互に動かさせる．下肢では，患者に仰臥位になってもらい，片足の踵でもう一方の足の膝の上を叩き，そのまま足首まで踵を滑らせる動作を複数回行ってもらう．

　小脳障害ではスムーズにできなかったり，行きすぎてしまう〔測定障害（dysmetria）〕，目標に近づく際の手足の振戦〔企図振戦（intention tremor）〕，変換運動障害（dysdiadochokinesis）などの所見がみられる．

　その他，小脳性では筋緊張は低下し，発音は不明瞭で酔っぱらい（slurred speech）のようになったり，爆発性（explosive），断綴性（scanning）となる．脊髄後索性では深部感覚障害がみられる．

診断のターニングポイント（図3）

医療面接と身体診察を総合して考える点

■ 発症経過から大きく急性と慢性の2つに分けることができる．急性発症の場合は脳血管障害や炎症性疾患，急性中毒などが疑われる．

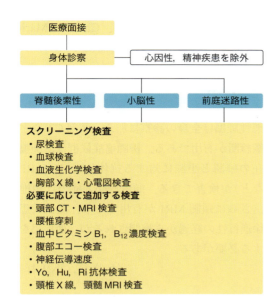

図3　運動失調の診断の進め方

表5　運動失調の診断

脊髄後索性
- 深部知覚障害−振動覚，位置覚，関節覚低下
- Romberg 徴候

小脳性
- 筋緊張低下
- 平衡障害（Romberg 徴候陰性）
- 協調運動障害

前庭迷路性
- めまい
- 平衡障害
- 眼振

- 基本的な神経学的診察から，①脊髄後索性，②小脳性，③前庭迷路性の鑑別が可能である（表5）．
- **〔確定診断〕**心因性および精神疾患によるものは，医療面接および話し方，顔貌などで判断する．
- 身体診察で器質性疾患の存在を疑うことができるものは多い．

◆ 頭痛，悪心 → 脳卒中による頭蓋内圧亢進
◆ 半身の麻痺，知覚障害 → 脳血管障害
◆ 発熱 → 感染症
◆ 難聴 → 前庭迷路性

必要なスクリーニング検査

運動失調は詳細な神経学的診察による診断が基本であるが，スクリーニング検査で補助的に診断が支持されることも多い．

❶ 尿検査
ケトン体は栄養状態の判断の，尿糖陽性は糖尿病診断の手がかりとなる．

❷ 血球検査（血算）
大球性貧血ではビタミン B_{12} 欠乏が疑われ，白血球数（WBC）増加からは感染症が疑われる．

❸ 胸部X線・心電図検査
小脳梗塞の原因として心原性脳塞栓を疑うとき，不整脈の有無や心疾患をスクリーニングする．肺小細胞癌による傍腫瘍症候群として小脳失調が生じているとき，胸部X線で陰影が確認できる．

診断確定のために

脳血管障害の確定診断

動脈硬化の危険因子があり，突発性であればかなり疑われる．心房細動などの心原性塞栓も念頭におく．CT が確定診断に有用であるが，後頭蓋窩の小さい病変は検出できないことも多いので，MRI が必要となることも多い．

炎症性疾患の確定診断

発熱，頭痛などの自覚症状や WBC 増加，赤沈亢進，CRP 上昇などの炎症反応があれば，感染症が疑われる．小脳膿瘍が疑われるときは造影 CT で小脳にリング状増強効果（ring enhancement）の有無を確認する．ウイルス感染や免疫反応による炎症の際は，炎症反応が陽性でないこともある．これらの疾患は，腰椎穿刺にて細胞数上昇，蛋白上昇の有無，蛋白細胞解離などがないか確認する．梅毒による脊髄癆は，Argyll Robertson（アーガイル ロバートソン）瞳孔，血清・髄液梅毒検査を確認する．

ビタミン B 欠乏の確定診断

ビタミン B_{12} 欠乏では大球性貧血があれば疑われるが，確定は血中ビタミン B_{12} 測定による．ア

ルコール性小脳失調症ではビタミン B_1 欠乏を伴うことがあり，Wernicke 脳症を呈することもあるため，ビタミン B_1 測定が必要である．

中毒性の確定診断

医療面接が重要であるが，患者が隠すこともあるため入念に行うべきである．

遺伝性の確定診断

遺伝歴の聴取が最も大事である．脊髄小脳変性症の3分の1は遺伝性で，その多くは常染色体顕性(優性)遺伝形式をとる．Friedreich 病は，常染色体潜性(劣性)遺伝，脊柱側弯，凹足などの骨格異常が診断根拠となる．多くの遺伝性脊髄小脳変性症は遺伝子診断も可能である．Charcot-Marie-Tooth 病は，特徴的な下肢筋萎縮(逆シャンペン瓶型)，神経生検などで確定できる．

その他

悪性腫瘍は全身の診察に加え，頭部 CT などの画像診断が有用である．傍腫瘍症候群は，腫瘍の存在の確認と小脳に対する抗体(Yo，Hu，Ri 抗体など)が検査できる．頭蓋底陥入症では頸椎 X 線，さらに頸髄 MRI が有用である．変性疾患は緩徐進行性の経過から推測されるが，他疾患を否定する必要がある．

〈長井 篤，小林 祥泰〉

不随意運動
involuntary movement

不随意運動とは

定義

不随意運動とは，本人の意思に関係なく，勝手に動く，目的のない運動を指す．多くの場合，安静や睡眠で軽快し，動作時には増強する．

運動の部位，様式により，振戦，舞踏運動，アテトーゼ，バリスム，ミオクローヌスなどの多数の種類に分類される．

患者の訴え方

患者は，「ふるえる」あるいは「手足が勝手に動く」などと訴える．部位によっては，眼瞼のぴくつきや頭部のふるえなどを他人に指摘されて来院する場合もある．

患者が不随意運動を訴える頻度

頻度は不随意運動の種類により異なるが，中高年では，安静時振戦はParkinson（パーキンソン）病の頻度が高く，動作時振戦は本態性振戦でよくみられる．甲状腺機能亢進症では細かい姿勢時振戦がみられる．薬物では，β刺激薬やテオフィリンなどの気管支拡張薬による振戦の頻度が高い．

振戦以外の不随意運動を示す疾患は頻度的には少ない．

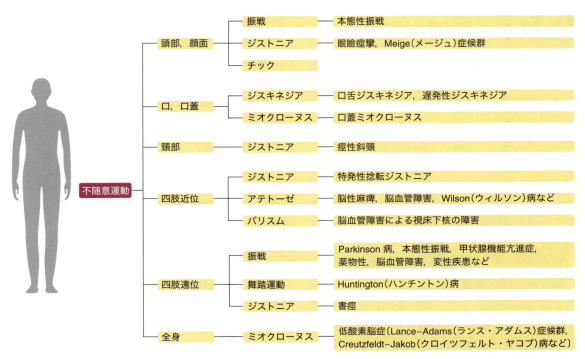

図1　不随意運動の原因

表1 主な不随意運動の種類と特徴

振戦
- 拮抗筋が相反性に律動的に収縮するリズムのある不随意運動

舞踏運動
- 四肢遠位にみられる速い，非律動的な，急激な不随意運動

ジストニア
- リズム性のない頸部や体幹など近位部の力強い回転するような不随意運動

アテトーゼ
- リズム性のない手足の指の虫の這うようなゆっくりした不随意運動

バリスム
- 四肢近位筋の収縮による四肢を投げ出すような乱暴な運動，リズム性なし

ミオクローヌス
- 陽性ミオクローヌスは，突然に起こる最も速い体の一部の共同筋群の収縮運動．持続時間は短く，口蓋ミオクローヌスを除いて律動性はみられない．陰性ミオクローヌスは，不定期に脱力が起こり一定の姿勢に固定することが困難である．羽ばたき振戦はこれに含まれる

チック
- 単一またはいくつかの筋肉の無目的な反復性，常同性運動．顔面に多くみられ，瞬目運動や顔をしかめる，口唇をなめるなどの運動を繰り返す

表2 部位ごとの不随意運動の種類と疾患

眼瞼・顔面
- 眼瞼痙攣，Meige症候群，チック，半側顔面痙攣

口・口蓋
- 口舌ジスキネジア，遅発性ジスキネジア，口蓋ミオクローヌス

頸部
- 痙性斜頸

四肢
- 振戦，舞踏運動，バリスム，アテトーゼ，ジストニア，アステリキシス，下肢静止不能症候群(restless leg syndrome)，チック

全身
- ミオクローヌス

表3 振戦の分類および代表的疾患

安静時振戦
- Parkinson病，Parkinson症候群（進行性核上性麻痺，多系統萎縮症，びまん性Lewy(レビー)小体病）

動作時振戦

〈姿勢時振戦〉
- 本態性振戦，甲状腺機能亢進症，薬物性，生理的振戦，Wilson病，アルコール依存症など

〈運動時振戦（企図振戦を含む）〉
- 多発性硬化症，脳炎，小脳・中脳の血管障害，ミオクローヌスてんかんなど

症候から原因疾患へ

病態の考え方

不随意運動をきたす原因はさまざまであるが，本症候が疾患そのものの症状である場合と，基礎疾患に随伴した二次性の症状である場合がある．

診断のためには，不随意運動の出現部位，様式，状況を観察し，表1に示す各種の不随意運動のいずれにあたるかを検討する．図1，表2に部位ごとの代表的な不随意運動の種類と原因疾患を示す．

出現部位としては，全身性に出現するか身体の一部のみ（顔面，頸部，眼，舌，口蓋，上肢，下肢など）に認められるか，一側性か両側性か，四肢の遠位部か近位部かを医療面接して観察する．また不随意運動が律動的か非律動的か，間欠性か持続性かの点も参考となる．

振戦 (tremor)

表3に示すように安静時振戦と動作時振戦に分類される．

安静時振戦は安静時に最も顕著に認め，動作時に減弱あるいは消失する．Parkinson病やParkinson症候群でみられる．

動作時振戦は姿勢時振戦と運動時振戦に分けられる．姿勢時振戦は上肢を前方に挙上した際に観察できる．姿勢時振戦を呈するものとして，本態性振戦や甲状腺機能亢進症，Wilson病，薬物性，生理的振戦などがある．Wilson病では進行すると近位部の粗大な振戦となり，羽ばたき振戦と呼ばれる．運動時振戦はあらゆる随意運動時に生じる振戦である．このうち目標を目視しながら目標に到達する運動時に生じるふるえを企図振戦と呼ぶ．多発性硬化症や脳炎，小脳や中脳の血管障害，ミオクローヌスてんかんなどでみられる．

表4 ジストニアのみられる疾患

- 一次性
  - 全身性：特発性捻転ジストニア
  - 局所性：眼瞼痙攣，Meige症候群，痙性斜頸，書痙，職業性クランプ
- 二次性
  - 脳血管障害
  - 頭部外傷
  - 脳腫瘍
  - 薬物：L-ドパ，向精神薬など
  - 脳炎
  - 代謝性疾患

表5 ミオクローヌスの分類と代表的疾患

- 生理的ミオクローヌス
- 本態性ミオクローヌス
- てんかん性ミオクローヌス
  - Lennox-Gastaut（レンノックス・ガストー）症候群，良性成人型家族性ミオクローヌスてんかん，MERRF（myoclonus epilepsy associated with ragged-red fibers）など
- 症候性ミオクローヌス
  - リピドーシスなどの蓄積病，脊髄小脳変性症，Huntington病，Wilson病，進行性核上性麻痺，Creutzfeldt-Jakob病，Alzheimer（アルツハイマー）病，脳炎，肝不全，腎不全，低血糖，非ケトン性高血糖，電解質異常（低Na，低Ca，低Mg），低酸素脳症，脳血管障害，外傷，中毒・薬物性など

舞踏運動

舞踏運動を呈する疾患は多岐にわたる．Huntington病や有棘赤血球舞踏病，歯状核赤核淡蒼球ルイ体萎縮症などの遺伝性疾患のほか，基底核の血管障害，リウマチ熱，妊娠舞踏病，老年舞踏病，抗精神病薬の副作用などでみられる．

ジストニア

表4に示すように，一次性と二次性に分けられる．一次性の代表的なものが特発性捻転ジストニアで，小児にみられ，臥位から立位にさせると体幹を捻転させる姿位を示す．局所性ジストニアは，眼瞼痙攣，口や下顎のジストニアが加わったMeige症候群，成人で頸部を捻るような姿位を示す痙性斜頸，写字で出現する書痙などがある．

アテトーゼ

アテトーゼの病変部位は，大脳基底核，特に被殻の障害が想定されている．脳性麻痺，脳血管障害，Wilson病，Lesch-Nyhan（レッシュ・ナイハン）病，パントテン酸キナーゼ関連神経変性症，外傷などが原因疾患である．

バリスム

バリスムの病変部位は視床下核と考えられ，原因としては脳血管障害が多い．稀に，糖尿病あるいは肝硬変による基底核病変に伴う片側性の舞踏病ないしバリスムがみられる．

ミオクローヌス

ミオクローヌスをきたす疾患は多様であり，てんかんの一種である場合と中枢神経を広範に障害する疾患でみられる場合がある．その病変部位も大脳皮質，視床，大脳基底核，脳幹，小脳，脊髄前角と多様である．

表5にミオクローヌスを示す疾患を列記した．

病態・原因疾患の割合（図2）

振戦の頻度が高く，中高年者ではParkinson病が最も多い（60～70％）．

本態性振戦もしばしばみられる．若年の振戦例では，甲状腺機能亢進症や薬物性の頻度が高い，中高年の成人に初発した不随意運動では全身性疾患の二次症状の頻度が高く，原疾患の検索が必要である．

診断の進め方

診断の進め方のポイント

- 不随意運動の部位，運動の早さ，安静時または運動時の出現，進行の有無などから，その種類を推定する．不随意運動の種類に応じて，表1に示した不随意運動を鑑別する．また，各運動について家族歴の有無や合併症状から表2～5

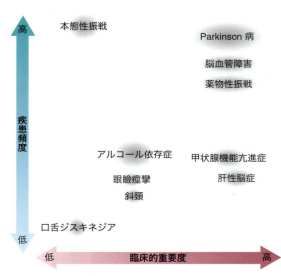

図2 疾患の頻度と臨床的重要度

に示した疾患を考える．
- 不随意運動を示す疾患では，遺伝性疾患や変性疾患が多いが，原疾患が治療可能な二次性の病態を見落とさないようにすることが重要である．

医療面接(表6)

不随意運動の初発時期，出現部位，様式，状況，進行性か否か，随伴症状などについて医療面接を行う．

不随意運動のなかには，ある一定の状況ないしは条件のもとで，出現ないしは増強をみるものがある．たとえば安静状態で出現し，随意運動時にはむしろ消失する振戦はParkinson病にみられるものである．

一方，安静時にはみられず，運動に際して出現するのが本態性振戦である．書字の際のみに認められる異常運動はジストニアの一種の書痙である．

不随意運動は一般的に精神的負荷や緊張時には増強するものが多い．さらに同様の症状を示す家族の有無や全身疾患，服用薬物についても聴取する．

表6 医療面接のポイント

経過
- いつから，どの部位で，どのような不随意運動が始まったか
- 症状は安静時か運動時か，また進行性か否か

誘因
- 精神的緊張や書字の際に症状が出現，増悪するか否か

随伴症状の有無と内容
- 麻痺，筋力低下，歩行障害，精神症状の有無をみる

生活歴，家族歴
- 生下時の仮死の有無，発育状況，外傷の有無，同様の症状を有する家族歴の有無をみる

嗜好品，常用薬
- アルコールや常用薬の有無とその内容を確認する

表7 身体診察のポイント

バイタルサイン
- 血圧，脈拍，体温の異常はみられないか：感染症や頻脈をきたす疾患を鑑別する
- 意識レベルはどうか：意識障害があれば脳血管障害，頭部外傷，脳炎や代謝性疾患などの疾患を疑う

全身状態
- 一般身体所見：黄疸，眼球突出，甲状腺腫，心雑音，呼吸音，肝脾腫の有無に注意する
- 筋力低下，腱反射の亢進，病的反射はみられないか
- 筋トーヌスの亢進は錐体路，錐体外路系病変で，低下は小脳病変，舞踏病，前角細胞以下の病変でみられる
- 精神的ストレスや知的機能の異常はみられないか

身体診察(表7)

不随意運動については，その出現部位や性状を表1や表2に基づいて診察する．

筋力低下や筋トーヌス，腱反射の亢進，病的反射などの神経学的所見も必須である．認知症を示す疾患では，知能検査が参考となる．

全身所見としては，甲状腺腫の有無や肝障害の各所見に注意する．

肝性脳症では，しばしばアステリキシス(固定姿勢保持困難)と呼ばれる不随意運動がみられる．上肢を前方挙上し，手関節背屈位をとらせておくと，突然筋緊張が低下し，前方へストンと手が落ちる状態を指す．姿勢保持に関する筋活動の中断により起こる陰性ミオクローヌスである．尿毒症や肺性脳症でも認められる．

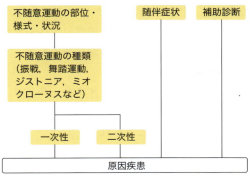

図3 不随意運動の診断の進め方

診断のターニングポイント（図3）

医療面接と身体診察を総合して考える点

- 病歴情報と身体所見から不随意運動の種類を同定し、さらに一次性か二次性かを検討する。原因となる障害部位について、大脳基底核の障害によるものとそれ以外に大別することも、原疾患を検討するうえで有用である。
- 急性発症の不随意運動は、脳血管障害や全身疾患に伴う二次性の場合が多く、画像診断や血液検査が参考となる。
- 不随意運動の鑑別が困難な場合は、ビデオやデジタルカメラによる動画撮影を行い、運動の解析や経過観察に用いる。

必要なスクリーニング検査

一般的な尿・血液検査を行う。不随意運動の種類から疑われる疾患によって、アンモニア（NH_3）、甲状腺機能、血中薬物濃度、血液ガスなどの検査を追加する。

診断確定のために

不随意運動の診断の確定には、尿・血液検査のほかに、脳波検査や画像診断（CT や MRI）が用いられる。ミオクローヌスてんかんや Creutzfeldt-Jakob 病では、脳波検査が有用である。

以下に代表的な疾患のポイントを示す。

振戦を示す疾患の確定診断

❶ Parkinson 病

振戦、筋硬直、無動、姿勢反射障害が種々の組み合わせで出現する。振戦は、一側上肢から始まり、4〜6サイクル/秒（Hz）の頻度で示指の指頭と母指の掌側面が擦り合うような運動（丸薬丸め運動）を示す。安静時に認められ、緊張で増強し、随意運動で軽減・消失する。

原則的に、尿・血液検査や画像検査には異常を認めない。L-ドパに対する反応性がよいことが診断の根拠の1つとなる。頭部 CT や MRI では、原則として異常を認めない。近年、SPECT によるドパミントランスポーターや心臓交感神経の画像診断が補助検査として用いられる。

❷ 本態性振戦

6〜12 Hz の、主として両手、頭部にみられる姿勢時振戦である。運動時にも出現することが多い。振戦のみが症状であり、甲状腺機能亢進症の除外が重要である。常染色体顕性（優性）遺伝を示すことが多い。

❸ 薬物性振戦

日常臨床ではよく遭遇する振戦の1つである。気管支喘息の治療で用いられるイソプロテレノールやアミノフィリン、バルプロ酸などの抗てんかん薬、リチウムやアミトリプチリンなどの抗うつ薬、ハロペリドールなどの抗精神病薬、シクロスポリンやタクロリムスなどの免疫抑制薬などの内服歴を確認する。

舞踏病を示す疾患の確定診断

❶ Huntington 病

典型的な舞踏運動と認知症を主症状とする常染色体顕性（優性）遺伝形式をとる疾患である。*IT15* 遺伝子の CAG リピートの増大も診断に利用される。CT、MRI 画像で尾状核の萎縮を認める。

ジストニアを示す疾患の確定診断

❶ Meige 症候群

中年以降にみられる両眼瞼の痙攣性の収縮と顔面のジストニアを示す疾患である。緊張により増

悪する．

❷ 口舌ジスキネジア
口・舌の常同的な不随意運動を示す．抗精神病薬ないしは抗Parkinson病薬服用者に高頻度にみられる．服薬歴から判断する．

ミオクローヌスを示す疾患の確定診断

❶ 口蓋ミオクローヌス
軟口蓋にみられる律動的収縮で，小脳歯状核，赤核，オリーブ核〔Guillain-Mollaret（ギラン・モラレ）の三角〕の病変によって出現する．原因として血管障害が多く，急性期を過ぎてからみられることが多い．脳幹部はCTでは病変の検出率が低いため，MRIにより診断する．

❷ Creutzfeldt-Jakob病
プリオンの感染により急速に進行する認知症，運動障害，視覚異常にミオクローヌスを伴う疾患である．脳波上，周期性同期性放電（PSD）を認め，画像検査で進行性の脳萎縮を認める．

❸ Lance-Adams症候群
全身，両側性にみられるミオクローヌスで，動作時に増悪する．心肺停止による低酸素脳症の昏睡から回復したのちにみられる．

チックを示す疾患の確定診断

❶ Gilles de la Tourette（ジル・ドゥ・ラ・トゥレット）症候群
小児期発症の運動性および言語性チックを示す．運動性チックは全身性チックを示し，言語性チックは人前でも汚い言葉を発するcoprolaliaを特徴とする．画像診断では異常はみられない．

〈三瀧真悟，長井篤〉

歩行障害
gait disturbance

歩行障害とは

定義

歩行動作は，骨・関節・筋肉などの運動器に加え，錐体路，錐体外路，小脳，前庭神経系，下位運動ニューロン，深部覚や視覚などの感覚神経系などの神経系が，構造的，機能的に密接に関連し合って行われている．歩行障害は，これら諸器官のいずれかの機能が障害されたときに現れる．

歩行障害患者の訴え方

患者は，「足がつっぱる」「足が前に出ない」「突進する」「足先が引っかかる」「速く歩けない」「ふらつく」「階段が昇りにくい」「しばらく歩くと足が痛くなり，長く歩けない」などと訴える．

また，「転びやすい」という訴えも歩行障害に関連している可能性が高い．

患者が歩行障害を訴える頻度

患者が歩行障害を主訴として来院する頻度は，脳神経内科外来の患者の約5％である．

症候から原因疾患へ

病態の考え方

患者が歩行障害を訴える場合，その歩行状態をよく観察し，まずどのような歩行障害に分類されるかを判断する（図1）．病変の部位や種類により，比較的特徴的な歩行異常が分類されているので，それに当てはめて考えるとよい．

それぞれの分類に対応する疾患として主なものを表1に示す．分類に当てはまらず，奇異な歩き方をする場合には，心因性の可能性を考える．

図1　歩行障害の原因

表1 歩行障害をきたす疾患

大脳疾患
- 脳血管障害，頭部外傷後遺症，脳腫瘍，Parkinson病，多発性硬化症，正常圧水頭症，脳性麻痺，精神運動発達遅延，Huntington（ハンチントン）舞踏病，症候性ジストニア

小脳・脳幹部疾患
- 脳血管障害，脳腫瘍，脊髄小脳変性症，進行性核上性麻痺，多発性硬化症，Fisher（フィッシャー）症候群，脳幹脳炎

迷路疾患
- Ménière（メニエール）病，良性発作性頭位めまい症，前庭神経炎，突発性難聴

脊髄疾患
- 頸椎症，脊髄腫瘍，脊髄血管性障害，脊髄空洞症，後縦靱帯骨化症，多発性硬化症，視神経脊髄炎，HTLV-I関連ミエロパチー，筋萎縮性側索硬化症，亜急性連合性脊髄変性症，ポリオ後筋萎縮症，家族性痙性対麻痺，Friedreich（フリードライヒ）病，脊髄癆

末梢性神経疾患
- Guillain-Barré（ギラン・バレー）症候群，遺伝性運動感覚ニューロパチー，多発性ニューロパチー（糖尿病，ビタミン欠乏症などによる），外傷，血管炎，坐骨神経痛，腓骨神経麻痺

筋疾患
- 筋ジストロフィー症，多発性筋炎，封入体筋炎，重症筋無力症，周期性四肢麻痺，大腿四頭筋短縮症

腰椎疾患
- 腰部椎間板ヘルニア，変形性腰椎症，腰椎分離すべり症，強直性脊椎炎，二分脊椎

関節疾患
- 先天性股関節脱臼，内反股，股関節炎，変形性股関節症，変形性膝関節症，大腿骨頭壊死，関節リウマチ

血管性疾患
- 閉塞性動脈硬化症

心因性疾患
- ヒステリー

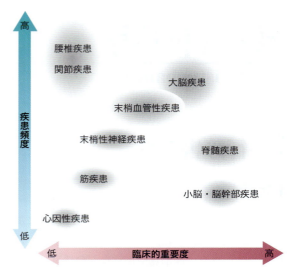

図2 疾患の頻度と臨床的重要度

脊髄血管性障害，多発性硬化症，Guillain-Barré症候群，筋萎縮性側索硬化症，多発性ニューロパチー，多発性筋炎などがある．骨・関節疾患では腰椎椎間板ヘルニア，腰椎分離すべり症，関節リウマチ，強直性脊椎炎，大腿骨頭壊死などがある．

老年期には，神経疾患として脳血管障害，Parkinson病，正常圧水頭症など，骨・関節疾患として大腿骨頸部骨折，脊椎圧迫骨折，変形性膝関節症などがある．

原因別の頻度とその臨床的重要度を図2に示す．

診断の進め方

診断の進め方のポイント

- まず患者を自然に歩かせて，歩行状態をよく観察する．特に，診察が始まる前の自然な状態で，歩行障害の真の姿を観察する．
- 急激に進行する下肢の筋力低下による歩行障害は，緊急の診断・治療を行う必要のあることが多く，注意が必要である．
- その際の随伴症状として，下肢以外の筋力低下，感覚障害や膀胱直腸障害の有無などに注意を払う．

病態・原因疾患の割合

年齢で疾患頻度に大きな差がある．

小児期に起こるものには，神経筋疾患によるものとして，精神運動発達遅延，脳性麻痺，二分脊椎，脊髄腫瘍，大腿四頭筋短縮症，Friedreich病などがある．骨・関節疾患では先天性股関節脱臼，股関節炎，内反股などがある．

中壮年期に起こるものとして，神経筋疾患では頸椎症性ミエロパチー，脊髄腫瘍，脊髄空洞症，

表2 医療面接のポイント

経過
- いつから症状が出現したか
- 急激に出現したのか，徐々に始まったか
- 症状は進行しているのか，変わらないのか，改善しているか
- 寛解と増悪を繰り返すか

症状の内容
- どのように歩きにくいのか（つっぱり感，ふらつき，すくみ，足の引っかかり，小刻みなど）
- どういった動作が困難なのか（立ち上がり，歩き始め，方向転換，階段の昇降など）
- 間欠性跛行はないか（歩行中徐々に下肢疼痛，脱力感が生じ，休息により回復する）

誘因
- 症状が出現する誘因はあったか（転倒，外傷，感冒症状，食習慣など）

随伴症状
- 下肢以外の筋力低下，筋のやせ，感覚障害，膀胱直腸障害，頭痛，複視，めまい，難聴，嚥下障害などの症状を伴っているか
- 発熱はなかったか
- もの忘れはないか

既往歴
- 出産，周産期の異常はなかったか
- 幼少期から運動能力は人並みであったか
- 高血圧，糖尿病，脂質異常症などの病歴はあるか
- 悪性腫瘍の治療歴の有無はどうか
- 胃切除の有無はどうか

家族歴
- 親族に同様の症状の者はいないか

表3 身体診察のポイント

バイタルサイン
- 体温，血圧：感染症，高血圧症の有無の参考にする

全身状態
- 体格：全身の筋の発達程度，座位および立位の姿勢を観察する
- 外表奇形の有無を観察する

頭頸部
- 目：視力障害，眼瞼下垂の有無をみる
- 耳：難聴がないか確認する
- 頸部：血管雑音の有無を聴診する．リンパ節腫脹の有無を触診する

胸部
- 深呼吸が可能か観察する

四肢
- 関節の変形，腫脹，運動時の痛みの有無，関節可動域をみる
- 神経圧痛点の有無をみる
- 下肢の動脈拍動を触れる

神経学的診察
- 眼球運動，眼振の有無を観察する
- 構音障害の有無をみる
- 四肢の腱反射の異常，病的反射の有無，筋トーヌスの異常，筋の萎縮の有無，線維束攣縮の有無をみる
- 不随意運動の有無をみる
- 協調運動障害の有無をみる
- 感覚障害の有無およびその範囲を確認する
- 髄膜刺激症状の有無をみる
- 記憶力障害の有無をみる
（歩行の見方については本文参照）

医療面接（表2）

　医療面接でまず重要な点は，その発症様式と経過の聴取であり，これにより病変の原因に関する情報が得られる．

　突然発症の場合は，脳あるいは脊髄の血管障害，脊髄損傷，骨折などが考えられる．急性発症の場合は，感染性や脱髄性の疾患，あるいは脊髄炎などが考えられる．

　緩徐な進行が認められるときには，さらに歩行障害の具体的内容に関して医療面接する．これにより病変部位に関する情報が得られる．たとえば，階段や坂道が降りにくいといった症状の場合には，錐体路障害による痙性麻痺が考えられる．

　さらに誘因，随伴症状，既往歴を聴取することで，おおまかな診断をつけることができる．

身体診察

　歩行障害の観察では，跛行の有無，歩幅，歩行の速さ，すくみ足の有無，歩調，足の開き具合，着床時の足の状態，円かき歩行の有無，膝の上げ方，上肢の振り，体の動揺，歩行時の疼痛などに注意する．この際に，継ぎ足歩行，突進現象試験（pulsion test），Romberg（ロンベルク）試験は必ず行う．これにより図1に挙げたような歩行障害の分類に当てはめる．

　この歩行障害の原因を明らかにするために，一般身体診察および詳細な神経学的診察が必要である（表3）．

　これらを総合して病変部位の推定を行う．

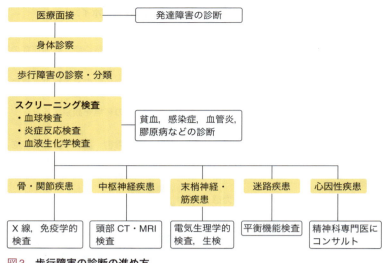

図3 歩行障害の診断の進め方

診断のターニングポイント(図3)

医療面接と身体診察を総合して考える点

- [確定診断]発達歴から先天性疾患，脳性麻痺，精神運動発達遅延などが診断できる．
- [確定診断]次いで，誘因としての転倒や外傷の有無から，外傷性の骨・関節疾患を診断できる．
- [確定診断]不随意運動やジストニアの診断は，患者を注意深く観察することで可能である．
- 神経学的検査により，中枢神経疾患のなかで大脳，脳幹，小脳，脊髄のいずれの部位の障害かを推定し，病因の検討に進む．
- 末梢神経疾患および筋疾患も，筋力，筋萎縮，感覚障害，深部腱反射などの神経学的所見を参考にして，確定診断のための検査に進む．
- 末梢動脈疾患は，病歴および足背動脈拍動の触診で疑う．
- 心因性の歩行障害は，除外診断および病歴・身体所見から疑いをもつ．

必要なスクリーニング検査

医療面接と身体診察から，歩行障害をきたす疾患のおおよその鑑別診断が可能であるが，以下のような基本的なスクリーニング検査を行い，全身性の疾患を除外する．

❶ 血球検査(血算)

白血球数(WBC)の増加は感染症の診断の手がかりとなる．大球性貧血は亜急性連合性脊髄変性症の手がかりとなる．

❷ 炎症反応検査

赤沈亢進，CRP上昇は感染症，血管炎，膠原病，悪性腫瘍の診断の手がかりとなる．

❸ 血液生化学検査

血糖値は糖尿病の診断に有用である．血清電解質(K値)は周期性四肢麻痺の診断に有用である．CKは筋疾患の診断に有用である．血清脂質は動脈硬化の指標となる．血中ビタミン濃度の測定はビタミン欠乏症の診断に必要である．

診断確定のために

病歴情報，身体所見，スクリーニング検査の結果に基づき，歩行障害をきたす疾患のいくつかを推定できる．

しかし，正確な病型と病巣部位診断を行い，重症度や予後推定を含めた診断を行うには，以下のような検査を引き続き行う．

大脳疾患の確定診断

頭部CT・MRIにより，脳血管障害(脳梗塞，脳出血)や脳腫瘍の診断がほぼ可能である．正常圧水頭症もCT・MRIにて脳室の拡大を確認するこ

とと，脳脊髄液排除試験（タップテスト）が診断に有用である．

Parkinson病は，臨床的に緩徐進行性で，特有の歩行障害，無動・寡動，安静時振戦，筋固縮などの症状が存在することで診断される．画像には明らかな異常はない．

Huntington舞踏病を疑った場合には，遺伝子検査により確定診断が可能である．

小脳・脳幹部疾患の確定診断

小脳・脳幹部の脳血管障害と脳腫瘍は，CT・MRI検査によりほぼ確定診断ができる．アーチファクトのため，CTよりMRIのほうが望ましい．

脊髄小脳変性症は，緩徐進行性の経過とCT・MRI検査で小脳・脳幹の萎縮をみることで診断が可能である．

進行性核上性麻痺は歩行障害に加え眼球運動障害を認め，MRIで中脳被蓋部の萎縮を認めるため診断に有用である．

Fisher症候群は外眼筋麻痺，運動失調症，腱反射低下を認めるときに疑い，脳脊髄液の蛋白細胞解離，血中の抗GQ1b抗体の検出が診断に有用である．

迷路疾患の確定診断

回転性のめまいがあり，難聴，耳鳴などの蝸牛症状を伴った歩行障害があるときに疑うが，脳幹病変との鑑別が困難なことも多い．耳鼻科で平衡機能検査や眼球運動検査，内耳機能検査も行う．

脊髄疾患の確定診断

脊髄疾患を疑う場合には，まず臨床症状から障害レベルを推定する．

単純X線撮影から，頸椎症や後縦靱帯骨化症を診断できる．次にMRI検査を行うことで，脊髄腫瘍や脊髄空洞症の診断が可能である．脊髄血管性障害は突然の発症と疼痛により疑うが，脊髄出血と脊髄動静脈奇形の診断にはMRIが有用である．さらに，脊髄動静脈奇形の診断には脊髄血管造影が必要である．脊髄梗塞の診断はMRIに加えて臨床経過や症候を総合的に判断する．

多発性硬化症は，その臨床経過とCT・MRIでの多巣性の白質病変から診断する．髄液でのミエリンベーシック蛋白やオリゴクローナルバンドが参考になる．ヒトT細胞白血病ウイルスI型（HTLV-I）関連ミエロパチーの診断には，緩徐進行性の痙性歩行障害に加え，抗HTLV-I抗体の陽性が必要である．筋萎縮性側索硬化症の診断には，臨床的特徴に加え，筋電図検査や筋生検により神経原性変化を証明することが必要である．亜急性連合性脊髄変性症は脊髄側索および後索障害に加え大球性貧血を認め，ビタミンB_{12}血中濃度の低下で診断される．また，抗内因子抗体陽性も診断の参考になる．ポリオ後筋萎縮症は，ポリオの罹患歴に加え，2次ニューロンに限局した障害を示す．家族性痙性対麻痺とFriedreich病は，家族歴が決め手となる．後者では遺伝子診断も可能である．脊髄癆では血清および髄液中の梅毒トレポネーマ感作赤血球凝集（Treponema pallidum hemagglutination; TPHA）陽性が最も重要である．

末梢性神経疾患の確定診断

Guillain-Barré症候群を疑う場合には，脳脊髄液検査で蛋白細胞解離を確認する．また，神経伝導速度検査，血清中の抗ガングリオシド抗体の測定が有用である．

遺伝性運動感覚ニューロパチーは家族歴，神経伝導速度検査，針筋電図検査，神経生検が重要である．

多発神経炎を疑う場合は，糖負荷試験（OGTT）を含めた糖尿病の検査，ビタミンB_1・B_{12}，葉酸の測定，毛髪などからの重金属の測定などが必要になることがある．

血管炎は炎症反応，抗好中球細胞質抗体（ANCA）などの抗体検査，生検などにより診断する．

筋疾患の確定診断

筋ジストロフィーおよび多発性筋炎の診断には，筋原性酵素測定，針筋電図，筋生検などが必要である．重症筋無力症の診断には，テンシロン試験，誘発筋電図検査，抗アセチルコリンレセプ

ター抗体（抗 AChR 抗体）の測定などが必要である．周期性四肢麻痺の診断は病歴が重要で，血清 K 値と甲状腺機能が参考となる．

腰椎疾患の確定診断

腰椎疾患の鑑別診断には，腰椎単純 X 線撮影および腰椎部 MRI が有用である．

関節疾患の確定診断

関節疾患の鑑別診断には，関節単純 X 線撮影および関節部 MRI が有用である．関節リウマチは炎症反応に加え，リウマチ因子（RF）の測定を行う．

末梢血管性疾患の確定診断

閉塞性動脈硬化症の診断は，下肢動脈の造影 CT アンギオグラフィーや血管造影検査によってなされる．

心因性疾患の確定診断

種々の検査で全く異常を認めず，心因性疾患が疑われるときは，精神科もしくは心療内科にコンサルトする．

〈山口 修平〉

心肺停止
cardiopulmonary arrest（CPA）

心肺停止とは

定義

　心肺停止とは，心臓と肺の機能が停止している状態を示し，心停止とほぼ同様に用いられる．心臓が電気的に動いていても，有効な心拍出量がなく，頸動脈の拍動が触知されなければ臨床的に心肺停止と定義される．

　したがって，心肺停止の心電図波形は，心臓が動いていない（停止している）心静止（asystole）のほかに，心臓のポンプ機能が消失し脈拍が触知されない心室細動（ventricular fibrillation; VF），無脈性心室頻拍（pulseless ventricular tachycardia; 無脈性VT），無脈性電気的活動（pulseless electrical activity; PEA）という合計4種類が存在することになる．

　PEAは，心電図上はなんらかの波形を認めるが，有効な心拍動がなく脈拍を触知できない状態で，心室細動，無脈性VTではないものを指す．すなわち，厳密には心室筋の収縮が消失していなくても，頸動脈など主要動脈で脈拍が触知できない場合は心停止であり，分類上はPEAである．原因として，心室の収縮を妨げる病態，たとえば循環血液量減少，低酸素血症，心タンポナーデなどの存在が考えられ，一般的な心肺蘇生（cardiopulmonary resuscitation; CPR）と同時に原因疾患の検索とその治療を要することが多い．

　心停止時には呼吸は停止しているが，突然の心停止から数分の間，口を開けたままで呼吸をするかのように，顎・頭・首を動かす動作を示す．これは死戦期呼吸といわれ，死の直前のあえぎ呼吸を指す．胸と腹部が動いていなければ死戦期呼吸と判断できる．反応がなく（意識がなく），無呼吸あるいはあえぎ呼吸（死戦期呼吸）で確認される心臓機能の機械的な活動の停止も心肺停止に含まれる．

患者の訴え方

　心肺停止時には患者の意識はなく，患者の訴えはない．何も訴えることができず，反応がないのが心肺停止である．

心肺停止の頻度

　2022年の1年間のデータでは，病院外心肺停止で救急搬送された人数は125,928人で，そのうち心臓が原因で突然心肺停止となった人は79,376人である．これは1日に約200人，7分に1人が心臓が原因で心肺停止で突然亡くなっていることになる．心肺停止傷病者数は増加傾向にあり，特に80歳以上の増加が著しい．

症候から原因疾患へ

病態の考え方

　心肺停止は，気道や呼吸，循環，中枢神経系に致命的な異常が起こった結果生じる．心肺停止は循環不全の究極の状態といえるが，その循環動態を理解するためには，心臓のポンプ機能と，循環血液量，末梢血管抵抗を考慮しなければならない．このいずれかに過度の異常が起こり血圧が低下した場合にショック状態となる．ショックとは，臓器への酸素の供給量が減少し，臓器不全を呈する状態のことである．心肺停止に至る過程において必ずショックを起こすため，心肺停止に至る原因病態をショックの種類ととらえることもできる．

　心肺停止を引き起こす病態・原因には図1に示すようなものがある．これらの原因は，複数が関与し心肺停止に至ることもある．特に呼吸の異常

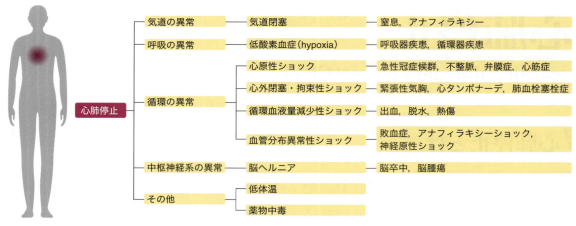

図1　心肺停止の原因

（呼吸苦）による救急要請は病院到着時に心肺停止に移行している場合が多く，この場合，原因が呼吸器疾患なのか循環器疾患なのか判断に迷うことが多い．

中枢神経系の異常では，舌根沈下による気道閉塞や脳ヘルニアによる呼吸停止により心肺停止に至る．急性中毒は，意識障害から舌根沈下や吐物の誤嚥による気道閉塞や不整脈，低体温により心肺停止をきたす．低体温は呼吸・循環を抑制し，心肺停止を起こしうる．

図1には記載していないが，乳児および小児では成人と原因が異なる．心原性の突然の心肺停止は成人より稀で，主な原因は呼吸不全であり，これはさまざまな呼吸器疾患〔誤飲による気道閉塞，溺水，乳幼児突然死症候群（sudden infant death syndrome; SIDS）〕などが考えられる．

これとは別に，心肺停止に至る病態を，大きく循環器障害（心原性と非心原性）と呼吸器障害に分けて考えることもできる．

心原性心肺停止の多くは心原性ショックの終末像ととらえることができる．これは，心筋そのものの障害によって起こるものと，弁の異常によるもの，致死性不整脈によるものととらえることができる．このなかで，広範な心筋障害（広範囲心筋梗塞）や致死性不整脈（VF，無脈性VTなど）は突然の心肺停止になりやすい．心肺停止直後の病態生理の特徴は，病態発生から比較的短時間で心肺停止に至ることで，心肺停止直前の呼吸・循環動態は比較的保たれていることが多い．心電図上PEAで心筋に原因があるときは，幅の広いQRS波を呈することが多い．

非心原性心肺停止は，心臓の器質的障害を原因としない．多くは循環血液量減少性ショック，血液分布異常性ショック，心外閉塞・拘束性ショックの終末像ととらえることができる．心肺停止直後の病態生理の特徴は，病態発生から心肺停止に至るまで，ある程度の循環不全の状態が継続することである．そのなかで，循環不全の継続が短かった場合は心肺停止直後の臓器障害は軽度で，臓器への酸素供給不足で生じる乳酸アシドーシスは比較的軽度である．心電図上は頻脈性で幅の狭いQRS波を呈するPEAであることが多い．循環不全の継続が長かった場合は，心肺停止に至ったときに心筋をはじめ多臓器の酸素化はかなり障害されており，乳酸アシドーシスは進行し，心電図上は徐脈性の幅の広いQRS波を呈するPEAや心静止であることが多い．

呼吸器障害による低酸素症は，心肺停止の原因の1つである．低酸素血症では最終的に組織低酸素状態に陥る．

心肺停止の治療は，胸骨圧迫，人工呼吸，必要であれば電気的除細動（AED）や薬物投与による心肺蘇生を行う．病院外心肺停止の患者には，倒れた現場から病院まで救急救命士がCPRを継続

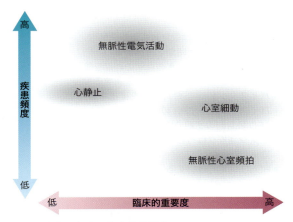

図2　疾患の頻度と臨床的重要度
心肺停止は，すべて臨床的重要度は高いが，あえて4つの心電図波形に分類すると，目撃のある心原性心肺停止の原因となる心室細動，無脈性心室頻拍が救命できる可能性が高いため，臨床的重要度が高い位置づけとした．

表1　心肺停止をきたす疾患

気道閉塞
- 窒息，異物誤嚥，アナフィラキシー，急性喉頭蓋炎

低酸素血症
- 重症肺炎，気管支喘息発作，うっ血性心不全

心原性ショック
- 急性冠症候群（急性心筋梗塞），心室細動（Brugada（ブルガダ）症候群，QT延長症候群などを含む），心室頻拍，大動脈狭窄症，心筋症，不整脈，低/高カリウム血症

心外閉塞・拘束性ショック
- 緊張性気胸，心タンポナーデ，肺血栓塞栓症

循環血液量減少性ショック
- 出血（消化管，腹腔内，外傷），脱水症，熱傷，敗血症

血管分布異常性ショック
- 重症感染症（敗血症），アナフィラキシー，脊髄損傷

脳ヘルニア
- くも膜下出血，脳出血，脳梗塞，脳腫瘍

その他
- 急性薬物中毒，低体温症

している．病院到着後に心肺停止の原因となる疾患を医師が探し，これに対する治療が開始できれば，さらに効果的なCPRが可能となり，患者を社会復帰に導く可能性が高くなる．

病態・原因疾患の割合（図2）

心肺停止をきたす疾患を表1に示す．

わが国で，2022年に病院外心肺停止で救急搬送された人数は125,928人，そのうち心臓の不調が原因（心原性）で亡くなっている心肺停止者数は79,376人である．さらに，そのなかで倒れたときに目撃された傷病者数は25,790人で，一般市民が心肺蘇生を実施した傷病者数は14,974人（58.1%），そのうち1か月生存者数は2,273人（15.2%），1か月後社会復帰者数は1,530人（10.2%）という結果が出ている．また，一般市民がCPRしたなかでAEDを実施された人は1,092人で，そのうち蘇生した傷病者数は1,060人，1か月生存者数は581人（53.2%），1か月後社会復帰者数は479人（43.9%）であった．

病院外心肺停止となった患者を救命し社会復帰につなげるためには，病院到着前に可能なかぎり早く，AEDを含めたCPRを開始できるかにかかっており，一般市民・救急隊・病院医師の救命の連鎖が重要である．

わが国における病院内心肺停止に関しては，現在，その原因疾患の割合などは明らかになっていない．2008年1月から2009年12月に12の施設491人の成人が登録されたコホート研究（J-RCPR）では，病院内心肺停止発見時の場所が，一般病棟が54.0%，ICUが25.4%であった．初期心電図は，除細動適応波形が28.1%，心静止は29.5%，PEAは41.1%，AEDが使用された割合は5.4%であった．心肺停止の直接原因は，致死的不整脈が30.6%，呼吸不全が26.7%，低血圧が15.7%であった．病院内心肺停止に関するエビデンスは乏しい状態が続いているが，2015年に，日本集中治療医学会，日本臨床救急医学会による日本院内救急検討委員会が立ち上げられ，今後，病院内心肺停止症例における蘇生記録の収集が進み，エビデンスに基づいた改善がなされる予定である．

診断の進め方

診断の進め方のポイント

- 心肺停止の診断に時間をかけることはできな

い．呼吸と脈拍の評価にかける時間は10秒以内にとどめ，10秒経過しても判断に迷う場合は心肺停止とみなして診断し，ただちにCPRを開始しなければならない．
- 心肺停止の診断は，臨床所見としての無呼吸，脈拍消失，意識消失を認めることによる．つまり，心肺停止の判断は，反応および呼吸・脈拍の状態を総合的に評価して行う．判断に迷う場合は，まず胸部と腹部の動きに注目し正常な呼吸の有無を判断し，頸動脈の拍動を触知して脈拍の有無を評価する．脈拍を確実に触れた場合は心肺停止ではないと判断でき，呼吸が正常ではない場合にも不必要な胸骨圧迫を避けることができる．
- 重要なのは，絶え間なく効果的な胸骨圧迫を行いながら，心肺停止の原因診断を進めることである．やむをえず胸骨圧迫を中断するのは，人工呼吸を行うとき，心電図や心拍再開（return of spontaneous circulation; ROSC）を評価するとき，電気ショックを実施するときのみと心がける．
- 原因診断には，医療面接から得られる情報が重要である．
- 目撃のある突然の心肺停止の原因は，主に心疾患による心原性ショックであり，急性冠症候群や不整脈の関与が考えられ，体外循環式心肺蘇生（extracorporeal CPR; E-CPR）の適応も考慮し，循環器内科医師に早急にコンサルトする．
- 死亡確認後，死亡時画像診断（autopsy imaging; Ai）を施行してもなお心肺停止の原因が不明なことも多い．

医療面接

心肺停止患者は意識がないため，医療面接は救急隊や発見者，家族を対象に行う（表2）．特に救急隊は，現場到着前からプレアライバルコール（pre-arrival call）も駆使し，主訴や現病歴・生活歴・既往歴情報を詳細に聴取していることも多く，貴重な情報源となる．他院に通院中の患者で既往歴や内服情報が不明な場合は，当該医療機関に診療情報の提供を依頼する．

表2　医療面接のポイント

経過（救急隊員または救急救命士から聴取）
- 反応がなくなった時刻を確認する
- 反応がなくなったときの目撃の有無を確認する
- 最終生存確認の時刻・状態を確認する
- バイスタンダーCPRの有無を確認する
- バイスタンダーCPRの有効性を確認する
- AED装着時の初期心電図波形を確認する
- 電気ショックは行われたか：時刻・施行回数・条件・効果（波形変化）
- ROSC時刻を確認する

救急対応（救急救命士から聴取）
- 搬送中のバイタルを確認する
- 実施した特定行為の内容・実施時刻・効果を確認する

誘因（発見者・家族から聴取）
- 心肺停止を生じるきっかけはなかったか

反応がなくなる前の状態（発見者・家族から聴取）
- 直前の訴え：胸痛，頭痛，動悸，呼吸困難など
- どのくらいの期間調子が悪かったか
- 倒れていたときの姿勢を確認する
- 倒れていた所の周囲の状況（空の薬剤シートがなかったか）を確認する

既往歴（救急隊から情報を入手し家族に確認）
- 心臓病の既往や手術歴を確認する
- 高血圧，糖尿病，脂質異常症の既往はないか
- 内服中の薬物を確認する

家族歴（救急隊から情報を入手し家族に確認）
- 身内に突然死をきたした人はいないか

本人の信条と家族の意向（家族から聴取）
- 蘇生の希望の有無を確認する

その他
- 家族の情報，連絡先，キーパーソンを確認する

外傷が原因と思われる心肺停止患者は，心肺停止後に受傷したのか，受傷により心肺停止を生じたのかに注目して医療面接を行う．

身体診察

身体診察は，心肺停止を引き起こす原因疾患を推測するうえで重要である（表3）．しかし，心肺停止の患者は，意識がなく疼痛の訴えもないことから通常の身体診察とは異なる．また，胸骨圧迫の中断は蘇生率を下げるため，身体診察は胸骨圧迫をなるべく中断することなく短時間で要領よく施行する必要がある．

表3 身体診察のポイント

- 胸骨圧迫を行いながらモニタリング（モニター心電図，S_pO_2，血圧，$EtCO_2$）を開始する
- バイタルサインを測定し，心肺停止か否かの診断を行う
  心電図波形，脈拍・血圧の有無，呼吸の有無，S_pO_2，意識レベル，体温
  $EtCO_2$ が徐々に上がれば ROSC の可能性大
- ROSC 後はバイタルサイン（血圧，脈拍，呼吸数，意識レベル）を最低 5 分ごとに確認，体温にも注意する

全身状態（視診・触診）
- 体格：るいそう，肥満を確認する
- 皮膚：黄疸・発疹・外傷の有無，蜂窩織炎の有無，ツルゴール，死斑の有無を確認する

神経系
- 瞳孔径・左右差，対光反射の有無を確認する

頭頸部
- 頭部：皮下血腫，活動性出血・傷，鼻出血・耳出血の有無を確認する
- 眼球結膜：貧血，黄疸の有無を確認する
- 口腔内：喉頭鏡で気道閉塞の有無，異物を確認する
- 頸部：視診で腫脹の有無，皮下気腫の有無，触診でリンパ節の腫脹を確認する

胸部
- 視診・触診で胸郭の動揺，皮下気腫の存在の有無を確認する
- 聴診で呼吸音・胸郭の動きの左右差，雑音を確認する
- 視診・聴診で換気の状態を確認する

腹部
- 触診で腫瘤・腹満の有無を確認する

骨盤・四肢
- 視診で骨盤・四肢の変形と腫脹，内出血・活動性出血の有無を確認する
- 触診で骨盤の動揺性・長管骨骨折の有無を確認する

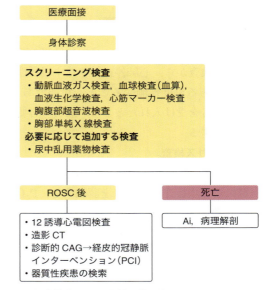

図3 心肺停止の原因診断の進め方
心電図モニター波形が VF や VT の場合，血液検査で心筋トロポニン T の上昇や ROSC 後の心電図で ST 変化があれば急性冠症候群を疑い，ROSC 後，CAG を行い確定診断となる．心臓由来の心肺停止が強く疑われる際には，診断的治療の目的で E-CPR の適応を考慮する．

診断のターニングポイント（図3）

医療面接と身体診察を総合して考える点

- **（確定診断）**重症外傷の一部（脳脱，頭頸部離断など）や縊頸（縊死で発見までの時間が経過しているもの）は，医療面接と身体診察（観察）から心肺停止の診断とその原因が判断できる．ただし，外傷の場合，原因が内因性疾患による心肺停止である可能性もあるため，関係するさまざまな部署から医療面接により情報収集することが重要である．
- 身体診察の情報から心肺停止の原因と関連する可能性のある器質性疾患の存在を疑うことができる．

  - ◆発熱 → 感染症
  - ◆黄疸 → 肝疾患
  - ◆浮腫 → 心不全，腎疾患
  - ◆皮膚・粘膜の蒼白 → 貧血
  - ◆全身の発赤 → アナフィラキシー
  - ◆呼吸音の異常，左右差 → 気道の異常，肺疾患，気胸
  - ◆瞳孔の左右差（瞳孔不同）→ 頭蓋内疾患
  - ◆胸郭の変形，動揺 → フレイルチェスト
  - ◆換気時の抵抗大 → 気道の異常，緊張性気胸
  - ◆皮膚のツルゴール低下 → 脱水症

- 外傷では，目に見える創傷以外にも，他の部位（頭部や胸腹部，骨盤）の臓器組織損傷が隠れている可能性があることに注意する．
- 外傷では，医療面接と身体診察に加え，受傷機転のわかる現場画像情報などがあれば，病態を考え診断を進めるうえで非常に参考になる．

必要なスクリーニング検査

医療面接と身体診察に加え，必要最低限のスクリーニング検査から，心肺停止をきたす器質性疾患の存在をある程度推測することも可能である．心肺停止患者を受け入れたときに，最初に必要な検査を紹介する．

❶ 動脈血液ガス検査

pH，P_aCO_2，HCO_3^-，BE から酸塩基平衡を確認し，腎機能の代償作用の有無を認識する．P_aO_2，P_aCO_2 で換気状態を把握する．乳酸値から循環不全による組織低酸素の程度や，血糖値から血糖異常を診断する．特に低血糖では副腎不全の存在を推測することができる．乳酸値は，静脈のほうが動脈よりやや高い値を示すため，静脈血乳酸値が基準値であれば動脈血乳酸血も基準値内にあると考えられる．心肺停止時に動脈血が採取できなかった場合でも静脈血で乳酸値を測定してみる意義がある．静脈血の乳酸値が異常値であれば，もう一度動脈血採取を試す．

❷ 血球検査（血算）

ヘモグロビン（Hb）減少から貧血，白血球数異常から感染症の可能性を考える．

❸ 血液生化学検査

ビリルビン，AST，ALT などの値から肝機能障害を，UN，Cr，K の値から腎機能障害を，Na，K，Ca，Mg などの値から電解質異常を確認できる．CK 値の上昇は，急性心筋梗塞や筋挫滅を示唆する．CRP の上昇は，感染症の可能性を考える．

❹ 心筋マーカー検査

急性冠症候群を疑う全患者で，CK，CK-MB，心筋特異度の高いトロポニン T を測定する．トロポニン T 上昇は微小心筋障害を意味するが，感度閾値以上に上昇するまでに時間がかかることから，超急性期の早期再灌流の判断を必要とする状況においては参考程度の意義しかなかった．従来の検査法に比べて約 10 倍の感度をもつ高感度トロポニン I の有用性が検討されている．

❺ 胸腹部超音波検査

胸骨圧迫中に行う超音波検査では，心嚢液貯留・胸腹水貯留・大血管の動脈瘤の有無を確認できる．換気時などの胸骨圧迫中断時には，心収縮状況を直接みることができ，肺血栓塞栓症を示唆する右心拡大，急性心筋梗塞を示唆する壁運動低下を確認できることもある．極度の循環血液量不足状態であればこれを推測することもできる．

❻ 胸部単純 X 線検査

治療方法に影響する気胸（特に緊張性気胸）や血胸，胸水貯留の早期診断が必要な場合に施行する．うっ血性心不全の状態確認や気管挿管後のチューブ先端位置確認に有用であるが，これらの優先度は低く，胸骨圧迫を中断してまで撮影するべきではない．

❼ 尿中乱用薬物検査

薬物の影響を考慮するために，尿道カテーテルを挿入した際に検体を提出する．必要に応じて追加する．

❽ 12 誘導心電図検査

ROSC 後ただちに検査を行う．急性心筋梗塞や不整脈などの心疾患の有無を鑑別する際に有用である．ただし，蘇生後の心電図であることから，心肺停止の原因なのか，胸骨圧迫の影響や心肺停止の結果としての心筋虚血なのか判断できないことに注意が必要である．また，くも膜下出血などの頭蓋内疾患でも心電図変化をきたすことがある．

診断確定のために

医療面接により，心肺停止前の症状と発見時の状態，病歴情報を入手し，身体診察とスクリーニング検査の結果に基づき，CPR を行いながら心肺停止の原因を絞っていく．しかし，CPR 施行中に原因診断を確定できることは多くない．死亡確認したあとで施行する Ai でさえも明確な原因が指摘できない場合も多い．ROSC した場合，循環動態が安定した段階で，CT 検査など諸検査を行い確定診断につなげていくことになる．ROSC のための治療戦略が原因検索に結びつく場合もあるが，原則として心肺停止患者には CPR を行うことが最重要で，原因診断確定は ROSC が得られたのちの次の段階となる．

気道閉塞の確定診断

気道閉塞は，心肺停止と判断しバッグ・バルブ・マスクによる換気を行ったときに換気ができないことで判明する．喉頭鏡で喉頭展開を試み，可能であれば声帯までの気道の開通を確認する．異物の存在や粘膜の腫脹，声帯の状態をみることができる．声帯までに気道閉塞の原因があれば，この時点で確定診断となる．それでも確信できない場合は，声帯以降の気管内を気管支鏡で観察し，異物や気管の変形，腫瘍による気道の閉塞状態を確認し確定診断とする．

低酸素血症の確定診断

低酸素血症は，心肺停止と判断しバッグ・バルブ・マスクによる換気を行ったときに，肺雑音が聴取され，正確な胸骨圧迫を行っても循環血液量が不足していない状況でS_pO_2の上昇が悪い場合，原因として低酸素血症があったことを疑う．気管内から多くの喀痰や血液が吸引できた場合，肺病変によるものを強く疑う．気管内から吐物が吸引できた場合，意識消失時前の誤嚥によるものなのか，蘇生時の誤嚥によるものなのかの判断は困難である．発熱と咳嗽や呼吸困難感などの来院前状態や，気管支喘息の既往などの情報があれば，肺炎や気管支喘息急性増悪などの肺疾患が原因の可能性は高いが，CPR 中の胸部 X 線撮影でも，うっ血性心不全との鑑別は困難である．最終的には，ROSC 後の胸部 CT 検査で確定診断となる．

心原性ショックの確定診断

CPA 搬送時心電図モニター波形が VF や VT の場合，血液検査で心筋トロポニン T の上昇や ROSC 後の心電図で ST 変化があれば，急性冠症候群を疑い，ROSC 後に冠動脈造影(coronary angiogram; CAG)を行い確定診断となる．

心臓由来の心肺停止が強く疑われる際には，診断的治療を目的に E-CPR の適応を考慮する．不安定狭心症では CAG 所見では有意狭窄のないものが 10～20% あるとされている．わが国では冠攣縮が関与する安静時狭心症が多いため，CAG でも有意狭窄を認めない症例が稀でない．

心エコーは，局所壁運動異常による ST 上昇を伴う心筋梗塞(ST elevation myocardial infarction; STEMI)においては診断率は 90% を超え，心電図診断が困難な場合にも有用である．外科的治療の適応となることが多い機械的合併症の診断や大動脈解離との鑑別，心タンポナーデの診断にも心エコーは有用で，壁運動異常部位の範囲から虚血範囲や責任冠動脈を推測することができる．

事前に胸痛を認めた心肺停止では，急性大動脈解離は心エコーで診断できるが，急性肺血栓塞栓症は ROSC 後の造影胸部 CT で確定診断となる．

心外閉塞・拘束性ショックの確定診断

緊張性気胸は，バッグ・バルブ・マスクの硬さや胸部挙上の不十分さで疑い，胸部単純 X 線検査で診断する．巨大ブラの存在など気胸との鑑別が疑わしい場合は，胸部 CT を撮影するしかないが，心肺停止状態で胸部 CT 撮影は現実的ではない．外傷などで皮下気腫が著明で緊張性気胸を強く疑う場合は，胸部単純 X 線検査の前に胸腔ドレーン挿入や静脈留置針による緊急脱気を行う診断的治療も必要である．

心タンポナーデは，閉塞性ショックをきたす病態の 1 つで，CPR 施行時の心エコー検査で心嚢内に多量の液体(もしくは気体)が貯留し，心臓の拡張障害から心拍出量低下によるショックと冠血流量低下による突然の心肺停止を起こす緊急度の高い病態である．心タンポナーデ状態を脱却しないと救命できないため，CPR 中に心嚢穿刺・ドレナージを行って診断的治療を選択することもある．心肺停止状態では，Beck(ベック)の三徴や右心不全徴候など，身体診察でこれを疑うことは困難である．

呼吸困難，胸痛，失神などの症状に続いて起きた突然の心肺停止という情報を得た場合，肺血栓塞栓症を強く疑う．血液凝固系検査で D-ダイマーの上昇(1.0 μg/mL 以上)が認められ，手術，肥満，出産，ステロイド内服，癌，長期臥床などのリスク因子の情報があればなおさらである．ROSC したあとに胸部造影 CT 検査により，肺動脈の欠

損像を確認して確定診断とする．この際，下肢の静脈相も撮影し，深部静脈血栓症の存在を確認するとよい．心肺停止の原因であった肺動脈の血栓がCPRによって消失してしまう可能性も考えられ，肺動脈の血栓像がないからといって心肺停止の原因が肺血栓塞栓症ではないと断言はできない．入院患者の突然の心肺停止の原因は，肺血栓塞栓症であることを強く疑う必要がある．

循環血液量減少性ショックの確定診断

数日間食事がとれていないなどの生活歴と，皮膚のツルゴール低下から脱水の存在を疑うことができる．CPR中に正確な胸骨圧迫をしているにもかかわらず，$EtCO_2$の上昇が悪い場合や，来院時の採血で吸引しにくい場合は，循環血液量減少性ショックを疑うことができる．血液生化学的検査におけるUN/Cr比の上昇，受診歴があれば以前の値と比較してHbやTP，アルブミンの上昇，超音波検査での血管虚脱などから総合的に確定診断する．眼球結膜や顔面皮膚の蒼白を認めたら，出血性ショックを疑う．

非外傷性の出血性ショックの原因として多いのは消化管出血であるが，吐血やタール便，下血の情報が必要である．CPR中に胃管を挿入し胃内から血液を認めることがあるが，ストレスによる二次性出血の可能性もある．実際，CPR中に確定診断することは困難で，ROSC後に内視鏡検査で確定診断となる．肝細胞癌の破裂や胸部・腹部大動脈瘤破裂は，超音波検査でスクリーニングを施行した際に発見し疑うことができるが，運よくROSCした場合は造影CT検査で確定診断となる．

外傷性の出血性ショックでは，体表の活動性出血でなければ，ROSC後に造影CT検査で確定診断となる．CPR中に胸腔内，腹腔内，後腹膜の場合は超音波検査で疑うことができる．骨盤骨折や大腿骨骨折もX線撮影でその可能性を疑うことでき，ROSC後の造影CT検査で確定診断となる．

血管分布異常性ショックの確定診断

原因病態として敗血症を多く経験する．心肺停止で搬送され四肢末梢が温かく末梢血管の拡張を認めた場合や，皮膚が冷たいがしっとりしている場合は，心肺停止の原因として敗血症性ショックの存在を疑う．心肺停止前の状況で，敗血症を強く疑うような所見（悪寒とふるえ・発熱，身体の疼痛や不快感，息切れ・頻呼吸，頻脈，血圧低下，意識変容，咳や痰などの呼吸器症状，腹痛や下血などの消化器症状，頻尿や排尿痛などの膀胱刺激症状，頭痛や意識障害などの髄膜炎を示唆するような徴候）は重要である．CPR中は，外表観察で蜂窩織炎や壊死性筋膜炎，皮膚の局所的熱感や発赤を探すとともに，可能であれば単純X線撮影や超音波で感染源を探索する．ROSC後には，血液や尿，喀痰，髄液など各種培養を行うとともに，全身造影CT検査で感染源を特定する．尿路感染症，胆囊・胆管炎，肝膿瘍などの腹腔内膿瘍，血栓症による下部消化管損傷や非閉塞性腸管虚血（non-occlusive mesenteric ischemia; NOMI）などの腹腔内感染症，重症肺炎や縦隔炎による敗血症性ショックに起因する心肺停止を比較的多く経験する．

全身発赤が認められる心肺停止患者は，アレルギーの既往，搬送直前の食事摂取歴などから，アナフィラキシーショックが原因の心肺停止を疑う．末梢血管拡張によるショックに加え，気道閉塞が心肺停止の原因になっている可能性がある．アナフィラキシーの診断は，①皮膚症状（全身の発疹，掻痒または紅潮）または粘膜症状（口唇・舌・口蓋垂の腫脹など）のいずれかが存在，②一般的にアレルゲンになりうるものへの曝露ののち，急速に症状（皮膚粘膜症状，呼吸器症状，循環器症状，持続する消化器症状のうち2つ以上）が発現，③アレルゲンへの曝露後の急速な血圧低下．①～③のいずれかに該当すれば診断できる．既往歴と医療面接による情報収集が特に重要である．

脊髄損傷の可能性がある外傷患者では，脊髄損傷によるショックを経て心肺停止をきたすことがある．高位脊髄の損傷では，横隔神経麻痺による呼吸障害が心肺停止の原因になる可能性もある．脊髄損傷の確定診断は脊椎MRIで行うが，心肺停止状態では検査は不可能であり，単純X線撮影

で頚椎損傷を認めれば強く疑える．

死亡確認後も続く高体温に対して，インフルエンザ迅速診断キットを用いてインフルエンザに罹患していることが判明した事例もある．

脳ヘルニアの確定診断

確定診断は頭部 CT 検査である．CPR 中に頭部 CT 検査が可能な施設は限られており，多くは Ai によると思われるが，心停止をきたすほどのくも膜下出血や脳出血の場合，瞳孔不同や散瞳からこれらを疑うことができる．

薬物中毒の確定診断

多量の空の薬剤シートが倒れていた患者の周囲から発見された，あるいは薬物過量服薬の既往があるなど，救急隊員や家族から聴取した現場の状況と病歴から，薬物などの過量服用が示唆される場合は薬物中毒を疑う．血液や尿から原因薬物を検出し，確定診断に至る．

低体温の確定診断

冬季の寒い日に屋外で倒れていた場合は，低体温の可能性は高い．加えて，特に地方都市で高齢者が居住している場合など，広い住宅環境のなかで十分に暖房が行き届いていない部屋があり，そこで倒れていても，つまり屋内でも低体温は起こりうる．低体温症(hypothermia)とは深部体温が 35℃ 以下に低下した状態で，直腸温，膀胱温，食道温などの中枢温(中心部体温)を測定し確定診断とする．事故や不慮の事態に起因する低体温を偶発性低体温症(accidental hypothermia)と呼ぶが，それが心肺停止の原因か，心肺停止後に体温が低下したものか判断が困難な場合も多い．

〈柳田 国夫〉

ショック
shock

ショックとは

定義

ショックとは，生体に対する侵襲あるいは侵襲に対する生体反応の結果，重要臓器の血流が維持できなくなり，細胞の代謝障害や臓器障害が起こり，生命の危機に至る急性の症候群と定義される．日本語では急性全身性循環障害，末梢循環不全あるいは末梢循環障害といい，細胞障害が生じるため，末梢血管の虚脱，静脈還流の減少，心拍出量の低下，組織循環能力の低下などの循環機能障害を呈する．

収縮期血圧が 90 mmHg 以下の低下を指標とすることが多いが，明らかな血圧低下を認めないこともある．

患者の訴え方

ショックを患者自ら訴えることは少なく，不眠，せん妄，不穏，全身倦怠感，四肢冷感，頻呼吸，発汗などが非特異的な訴えである．急な不穏の発生や意識の変化があった場合は，ショックを疑う必要がある．

ショックは急速に進行する病態であり，必要に応じて早期に治療介入を行わないと，重篤な状態に陥る可能性が高い．患者の訴えがなくなり，意識障害が進行する前に組織灌流の低下状態の有無を評価して適切な介入が必要である．

ショックの頻度

ショックによる循環障害の要因により，その頻度は異なるが，米国では毎年 100 万人以上の人がショックのために救急外来へ搬送される．

急性心筋梗塞による心原性ショックを呈する頻度は，発症時期からの時間，初期治療法によって異なるが，5〜15% で，再灌流療法が遅延した場合には致命率が 70〜95% までに達する．

急性肺血栓塞栓症は突然死をきたす重症疾患の1つであるが，これによる閉塞性ショックを呈した症例は 30% と高く，死亡率は 14% であり，診断の遅れや見逃しが生命にかかわることが多い．

アナフィラキシーショックの場合，院内で経験しうる状況として，造影剤を使用する放射線検査（造影 CT や血管造影）の際に起こる．非イオン性造影剤の場合で，重篤なヨードアレルギーをきたす頻度は 0.04%，ショックに至る頻度は 0.01% である．その約 70% は造影剤注入中か注入後 5 分以内に生じている．局所麻酔薬による薬物アレルギーによってショックを呈する頻度は 0.05% である．

感染性(敗血症性)ショックに至る患者の多くは免疫不全者であるが，高齢，悪性腫瘍，慢性呼吸器疾患，大きな侵襲を伴う外科手術後などを背景として有していることが多い．敗血症は急速に進行し，血圧低下を伴う敗血症性ショック患者では抗菌薬投与の開始が 1 時間遅れるごとに死亡リスクは 7.6% 上昇する．

症候から原因疾患へ

病態の考え方

ショックは，組織の血液灌流低下によって循環不全が起こり，細胞障害が生じる状態である．組織の血液循環は灌流圧に依存し，灌流圧は血圧によって決定される．その血圧は血管抵抗と心拍出量で規定される．心拍出量は心機能(収縮能・拡張能)，前負荷(静脈還流量)，後負荷(血管抵抗)の影響を強く受ける．

ショックは病態に応じて図1のように分類さ

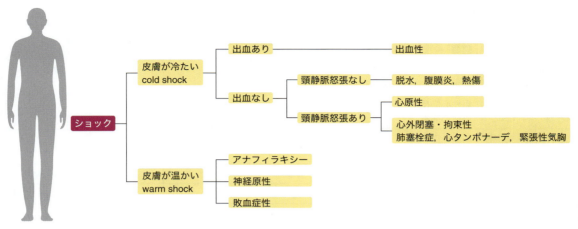

図1 ショックの病態と原因

れ，その原因疾患として主なものを表1に示す．また，循環動態に基づく病態分類は表2のようにまとめることができる．

末梢の血流が増える warm shock（皮膚が温かい）の場合は血管拡張によって後負荷が低下する血液分布異常性ショックに分けられ，感染性（敗血症性）ショック，アナフィラキシーショック，神経原性ショックなどがある．血圧低下に対して生体は，圧レセプター反射を介して交感神経が緊張して，血圧を維持しようとするが，感染性ショック，アナフィラキシーショックでは過度に後負荷が低下してしまいショックとなり，神経原性ショックの場合は交感神経活性が低下してしまい，血管収縮して組織灌流を維持することができずに血圧が低下してしまう．

末梢が虚血になる cold shock（皮膚が冷たい）の場合，前負荷が低下する低容量性ショックは出血により循環血漿量が減少する出血性ショックと，出血がなくても嘔吐，下痢などによる過度の水分喪失からショックとなることがある．さらに頸静脈怒張があり，前負荷が保たれている場合，直接の心筋障害による心原性ショックと，心外での血管閉塞や圧迫が起こり，心臓の拡張障害による心外閉塞・拘束性ショックに分類される．

ショックの分類は病態の理解を進めるうえで有用であるが，実際のショックの成因は複合的であることが多いと理解する点が重要である．また感染性ショックなどの warm shock でも心臓を空打

表1 ショックをきたす疾患

低容量性ショック
- 水分の喪失
  - 嘔吐，下痢，熱傷，脱水
- 外出血
  - 外傷
- 内出血
  - 胸腔内出血（肺損傷）
  - 大動脈破裂（胸部大動脈瘤，外傷）
  - 心破裂（心筋梗塞，外傷）
  - 腹腔内出血（肝破裂，脾破裂）
  - 後腹膜出血（腎破裂，腹部大動脈瘤破裂）
  - 消化管出血（食道静脈瘤，胃・十二指腸潰瘍，腸管出血）
  - 軟部組織出血（骨折）

心原性ショック
- 心筋収縮力低下
  - 心筋梗塞，心筋炎

心外閉塞・拘束性ショック
- 心タンポナーデ
  - 急性心膜炎，心破裂，外傷
- 肺塞栓
  - 深部静脈血栓，骨折
- 緊張性気胸
  - 外傷

血液分布異常性ショック
- 感染性（敗血症性）
  - 感染症
- アナフィラキシー
  - 薬物，虫刺症
- 神経原性
  - 頸髄損傷，高位腰椎麻酔，頭部外傷

表2 ショックの病態分類

病態分類	原因となる疾患，病態	出現機序	中心静脈圧	心拍出量	全身血管抵抗	皮膚
低容量性	急性出血 脱水	前負荷減少	↓	↓↓	↑	冷，脱水
心原性	急性心筋梗塞 急性心筋炎	心収縮力低下	↑	↓↓↓	↑	冷
心外閉塞・拘束性	肺塞栓症 緊張性気胸	前負荷減少	↑	↓↓↓	↑	冷
血液分布異常性	敗血症	後負荷減少	多彩	↑〜↓	↓	温〜冷，発熱
	アナフィラキシー	後負荷減少	↓	↓↓	↓	温，発疹，紅潮
	神経原性	後負荷減少	↓	↓	↓	温，乾燥

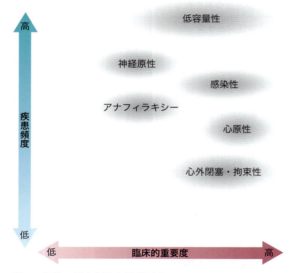

図2 疾患の頻度と臨床的重要度

ちさせて疲労させてしまうため，長期にわたると最終的に cold shock へ移行することもある．

病態・原因疾患の割合（図2）

ショックをきたす病態として，救急現場で最も遭遇するのは低容量性ショックで，特に出血性であるが，下痢や嘔吐による体液損失が原因で起こる場合も少なくない．循環血液量の急激な喪失が10％程度であれば生体反応として代償可能であるが，20〜25％が急速に失われると代償できずに低容量性ショックとなる．

心筋梗塞や感染症などほかの機序のショックを考えたいときも，低容量性の要素が加わっていることも多い．どの病態によるショックも臨床的重要度は高いが，心原性や感染性ショックでは病態の複雑性や対処の難しさから，早期に診断する必要があり，臨床的な重要度は特に高い．

診断の進め方

診断の進め方のポイント

- ショックは患者自ら訴えることが少ないため，不穏など非特異的な訴えでも「おかしい」と感じたらまずは疑うことが重要である．
- 患者をみたときに「ショックかもしれない」と気づけるように特徴的な症状〔ショックの5P（後述）〕を頭に入れておくことが必要である．
- ショックは組織循環障害により2つ以上の臓器不全障害が生じる多臓器不全症候群を呈した場合，死亡率が格段と高くなるため，ただちに緊急治療介入が必要となり，常に緊急性を把握する必要がある．
- 病態の把握，原因疾患を診断し，治療介入が可能な各専門医への診療を依頼する．
- ショックを呈して体表に出血が見当たらない場合は，内出血の可能性を常に考慮する．
- 1つの病態のみならず，他の病態の重複にも注意し，時間経過に沿って病状を追う．

表3　医療面接のポイント

ショックを疑う
- 意識障害(不眠，夜間せん妄，不穏)，全身倦怠感，乏尿，四肢冷感

本人以外(家族，紹介医，救急隊員)から聴取
- ショックでは患者自ら訴えることは少ないため，状況，血圧，呼吸の状態，病状経過などを含めて聴取する

原因疾患に関して
- 嘔吐，下痢，熱傷，脱水による水分の喪失を確認する
- 外傷に伴う出血を確認する
- 喀血，胸痛，腹部膨満，吐血や下血，骨折など，内出血を伴っている可能性はあるか
- 持続する胸痛(心筋梗塞)，起座呼吸や失神はあるか
- 悪寒・発熱を伴った尿路感染，肺炎などの感染症，胆囊炎・急性膵炎などの腹部疾患はあるか
- 薬物摂取や虫刺されなどが先行し，発疹や皮膚紅潮はあるか

既往症
- 心機能低下を確認する
- 深部静脈血栓症を確認する

常用薬
- 抗凝固薬や抗血小板薬の内服の有無を確認する

アレルギー
- 薬物アレルギーの既往を確認する
- 薬物など原因物質の投与方法，経路，投与時刻を確認する

医療面接(表3)

ショックでは患者自らが訴えることが少なく，不眠，夜間せん妄，不穏，全身倦怠感など非特異的な訴えが多く，他覚的所見が重要である．話しかけの応答によって，意識障害も評価する．また，ショックの原因疾患に関しては，ショックへ至るまでの状況，経過が非常に重要であり，家族，紹介医，救急隊員から血圧値，呼吸状態の経過，病状の経過，既往症，薬物内服の内容，アレルギーの既往などを聴取する必要がある．

外傷患者では，外出血量と時間経過に関する情報が必要である．外見から明らかな出血源を認めなくとも，喀血，胸・背部痛，腹部膨満，吐血や下血，骨折などの訴えから，ショックの原因となる内出血を伴っている可能性を予測する．女性では妊娠の有無を確認する．高齢者の出血性ショックでは，併存疾患を合併しており，抗凝固薬や抗血小板薬といった抗血栓薬を内服していることがあるため常用薬の内服状況の確認が必要である．

心原性ショックでは，持続する胸痛を訴えたのちに，急激に血圧低下し，泡沫痰，喘鳴を伴った呼吸困難が持続するなど，ポンプ失調にかかわる症状の有無を確認する．

長期臥床後の安静解除時に失神して転倒し，血圧低下，頻脈を呈する場合は肺塞栓症を疑う．

感染性ショックは感染症や急性膵炎などの腹部疾患が先行し，悪寒，発熱を伴うことが多い．

アナフィラキシーショックでは，薬物投与や虫刺され後，発疹や皮膚紅潮を示す．また，発症経過と薬物投与経路が重要であり，発症が急激であるほど，症状は重篤になる．薬物の投与方法によってアナフィラキシー発症までの時間が異なる．

局所麻酔薬によるアナフィラキシーでは，眠気，めまいが先行し，悪心・嘔吐や発汗から痙攣に至る．放置すると一過性の過呼吸と血圧上昇を経て，昏睡と心肺停止に至る．

身体診察(表4)

身体診察はショックの診断および原因疾患を同定し，迅速に治療介入を行ううえで非常に重要である．

ショックを疑った際に特徴的な症状があり，その代表的なものに以下のような「ショックの5徴候(5P)」がある．

①皮膚・顔面蒼白(Pallor)
②発汗・冷汗(Perspiration)
③肉体的・精神的虚脱(Prostration)
④脈拍微弱もしくは触知せず(Pulselessness)
⑤不十分な促迫呼吸(Pulmonary insufficiency)

これらはショックを疑うべき症状で，全身所見としては，意識レベルの低下，せん妄，不穏を示す．皮膚・顔面は蒼白で，あるいはチアノーゼと紅潮が交錯する大理石模様を呈することがある．発汗は多汗である場合もあり，額や下顎に始まり全身に広がる．肉体的・精神的虚脱の具体的な症状として，元気がない，視線が合わない，反応がない，全身が虚脱しているなどが挙げられる．脈拍は微弱で脈圧は小さく，末梢動脈拍動の触診で血

表4 身体診察のポイント

バイタルサイン
- 意識，呼吸，脈拍（奇脈にも留意），血圧，体温，尿量の順に調べていく

全身状態
- 顔貌：蒼白，冷汗を確認する
- 体幹：皮下出血，骨折，血管損傷の有無を確認する
- 皮膚：湿潤，乾燥，蒼白，チアノーゼと紅潮が交錯する大理石様皮膚，発疹や皮膚紅潮を確認する

頭頸部
- 結膜：貧血の有無を観察する
- 頸部：内頸静脈の怒張，Kussmaul（クスマウル）徴候の有無をみる

胸部
- 聴診で心音，心雑音，肺雑音，一側の呼吸音減弱を確認する

腹部
- 触診で腹部圧痛，腹部膨満，拍動性腫瘤などを確認する
- 吐血や下血を確認する

四肢
- 末梢動脈拍動の触診で観察する
- 浮腫，チアノーゼなどを確認する
- 骨折，出血など外傷を確認する

神経系
- 意識レベルの低下，せん妄，不穏，呼吸抑制などを確認する

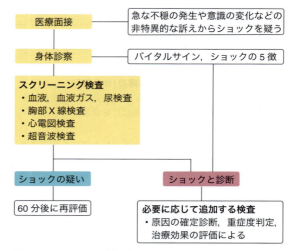

図3 ショックの診断の進め方

圧をある程度推定できる．橈骨動脈が触知できる場合は収縮期血圧が80 mmHg以上，上腕動脈が触知できれば60 mmHg以上，大腿動脈触知では40 mmHg以上，頸動脈が触知できれば20 mmHg以上と推定される．促迫呼吸は，ショックによりアシドーシスに傾いた状態となり，その代償機転として頻呼吸となり，血中二酸化炭素を排出し，アルカローシスへ代償しようとする結果生じる．そのため，バイタルサインでは血圧，脈拍数のみではなく，呼吸数にも注意を払う必要がある．

末梢循環不全の評価に毛細血管再充満時間（capillary refill time; CRT）が有用である．第1指または第1趾爪を3秒間以上圧迫して蒼白とし，圧迫を解除したのちに赤色に戻るまでの時間を測定する．CRT＜2秒が正常とされ，CRTは年齢，温度，部位や圧迫時間などの影響を受け，新生児や高齢者は延長する．

診断のターニングポイント（図3）

ショックの非特異的な訴えである不穏は，精神的不安で起こるというよりも，脳血流低下や代謝性変化によりアシドーシスに傾いた状態，急性心筋梗塞や緊張性気胸などによる疼痛によって起こると考えられる．そのため，急な不穏の発症や意識変化が生じた場合は，バイタルサインとショックの5徴からショックを疑うことが重要である．なお，β遮断薬などの内服や迷走神経機能の異常，洞不全症候群の場合，見かけ上の脈拍が正常範囲内にみえることがあり，注意が必要である．

医療面接と身体診察を総合して考える点

- （確定診断）外出血があってショックの症候を伴えば低容量性ショックと診断する．
- ショック症状・所見とともに発熱を伴っていれば感染性ショックが疑われる．
- 薬物投与後に発疹，皮膚が紅潮したショックはアナフィラキシーショックを考える．
- ショックの重症度判定を血圧値と組織循環低下所見を統合して行うショックスコアが提唱されている．経時的に評価でき，治療効果判定にも使用される（表5）．

必要なスクリーニング検査

医療面接と身体診察から，ショックの診断が可

表5 ショックの重症度判定(ショックスコア(Shock Score))

スコア	0	1	2	3
収縮期血圧：BP(mmHg)	100 ≦ BP	80 ≦ BP < 100	60 ≦ BP < 80	BP < 60
脈拍数：PR(回/分)	PR ≦ 100	100 < PR ≦ 120	120 < PR ≦ 140	140 < PR
酸塩基平衡：BE(mEq/L)	−5 ≦ BE < +5	+5 < BE ≦ +10 −5 > BE ≧ −10	+10 < BE ≦ +15 −10 > BE ≧ −15	+15 < BE −15 > BE
尿量：UV(mL/時間)	50 ≦ UV	25 ≦ UV < 50	0 < UV < 25	0
意識状態	清明	興奮から軽度の応答遅延	著明な応答遅延	昏睡

BP：blood pressure, PR：pulse rate, UV：urinary volume
5項目の総計が0〜4点＝非ショック, 5〜10点＝中等症ショック, 11〜15点＝重症ショック
〔小川 龍：ショックの定量的評価法―ショックスコアの提案. 救急医学 3:329-332, 1979 より〕

能となることが多いが，原因診断を行ううえで，病態に応じて画像診断（単純X線，心電図，CT，超音波検査，内視鏡検査など）を加えることにより，診断確定することができる．さらに，尿量，酸塩基平衡，血行動態評価などの臨床検査と合わせることにより重症度判定が確かになる．また重症度を経時的に追うことにより，治療効果判定や経過観察のためのモニタリングすることが重要である．

診断確定のために

病歴情報，身体所見，スクリーニング検査によりショックを診断，重症度評価をすることが可能であり，原因疾患をかなり限定することができる．しかし，ショックの病態評価と器質性疾患の確定診断を行うためには，次のような分類ごとに検査を進めていく必要がある．

低容量性ショックの確定診断

低容量性ショックでは，中心静脈圧の測定や超音波検査による下大静脈径および呼吸性変動の測定によって循環血漿量の喪失分を補いながら原因検索を行う．強い脱水をきたすほどの嘔吐・下痢の原因の多くは，感染性腸炎や食中毒などの急性消化器疾患である．

内出血の診断は，しばしば適切な画像診断を要する．外傷であれば，まず超音波検査にてFAST（focused assessment with sonography for trauma）を実施して，胸部で血胸や心タンポナーデを，腹部で腹腔内出血や後腹膜出血を鑑別する．FASTは100〜200 mLの液体貯留を検出できるとされている．造影CT撮影により大動脈瘤破裂による胸腔内や腹腔内の出血を確認しうる．食道静脈瘤や胃・十二指腸潰瘍からの消化管出血は，胃管からの吸引により見当がつき，さらに緊急内視鏡検査により診断することができ，場合によっては治療も可能である．部位不明の消化管出血があり，遷延して重症化するようであれば，血管造影によって出血部位を同定することが可能となり，塞栓術による治療ができる場合もある．ショックに至るほどの軟部組織出血は骨折によることが多く，骨折に伴う出血量は骨折部位によって推定可能である（上腕骨折 50 mL，骨盤骨折 2,000 mL，大腿骨折 1,000 mL，下腿骨折 500 mL）．

心原性ショックの確定診断

心原性ショックの原因として最も多いものは広範囲の急性心筋梗塞であり，心電図上ST上昇がみられ，診断される．3枝病変の場合などはST上昇をはっきり認めない場合もあり，注意が必要であるが，心筋逸脱酵素（高感度トロポニン，CKなど）の上昇や心エコーでの壁運動異常により診断される．

また，再灌流までに時間を要した症例や亜急性心筋梗塞などにおいて，1週間前後までに壊死心筋が破れて心嚢内に出血する心破裂や心室中隔穿孔などの合併症により心原性ショックをきたす場合もある．さらに，左室後壁の梗塞により僧帽弁

乳頭筋断裂が起こり，急性の僧帽弁閉鎖不全から心原性ショックをきたす場合もある．いずれも心エコー検査により診断するが，聴診による心雑音の聴取も迅速診断に重要である．

心外閉塞・拘束性ショックの確定診断

肺塞栓症の場合，多くは下肢の深部静脈血栓症が原因となるが，手術後の長期臥床など，深部静脈血栓症の発生リスクが高い状況ののちに発生することが多い．重症肺塞栓症の場合，ショックをきたし，P_aO_2 の低下，中心静脈圧の上昇，心エコーによる右心室の左室圧排所見などで診断し，造影 CT による肺動脈の血栓閉塞で確定診断となる．

心タンポナーデによるショックは心エコーで診断することができる．急性発症の場合は少量の心嚢液貯留でも，右心系の拡張障害が生じる場合もある．ときに急性大動脈解離に伴い生じることがあり，造影 CT にて確定診断となる．

感染性ショックの確定診断

細菌感染による全身反応か，細菌の毒素が放出されることにより体内の炎症性サイトカイン（腫瘍壊死因子やインターロイキン 1 など）が産生され，多彩な病像を形成する．感染性ショックでは，特徴的な経過をたどることが知られており，初期症状は炎症反応が活性化しており，手足が温かい，warm shock といわれる高心拍出量状態である．その後治療が適切でなく，遷延すると低心拍出量状態となり，多臓器不全症候群に陥り，死亡率が激増する．そのため，感染性ショックと診断したのちは，ショックの治療と並行して，感染巣を突き止めて，起炎菌の同定と薬物感受性の検査は必須となる．

アナフィラキシーショックの確定診断

I 型アレルギー反応の 1 つで，外来抗原に対する過剰な免疫応答が原因で好塩基球表面の IgE がアレルゲンと結合し，血小板凝固因子が全身に放出され，過剰に毛細血管拡張を引き起こすことによりショックとなる．アナフィラキシーショックは病歴情報と身体所見からほとんど診断することが可能であるが，原因物質の同定が重要である．インスリンなどの異種蛋白や血清，種子からの抽出物，卵やそばなどの食品，薬物などの摂取歴の聴取が大切である．

神経原性ショックの確定診断

上位胸椎より高位の脊髄損傷，高位に至った腰椎麻酔，神経調節性失神などによるショックで，その本態は迷走神経の緊張亢進により，過度の末梢血管弛緩による血圧低下である．病歴により診断が可能であるが，脊髄損傷の場合は外傷に伴うショックであるので，その診断にはまず出血性ショックを否定することが重要である．

〈矢崎 義行，中村 正人〉

意識障害
consciousness disturbance

意識障害とは

定義

意識障害とは，なんらかの（病的な）原因で意識の明るさ（覚醒度）の低下，あるいはその内容（思考，判断，記憶などの能力）の障害された状態を指す．脳に一次的な原因を有する場合と，脳以外に原因があり二次的に脳機能の障害される場合がある．

意識障害の程度により，深昏睡から意識の変容まで，さまざまな病態が存在する．表1に急性意識障害の程度を表す用語を示す．

これらは定性的であいまいな部分が多いので，救急医療の臨床の場面では，定量的で客観性のある表2に示す Japan Coma Scale や，表3に示す Glasgow Coma Scale（GCS）による意識障害の分類がよく用いられる．

患者の訴え方

一過性の場合を除き，意識障害を患者自らが訴えることはない．表2，3の評価とともに，実際

表1 急性意識障害の程度を表す用語

- **昏睡**(coma)：覚醒状態の完全な消失．患者は目を閉じたまま，いかなる外的刺激にも反応せず無動の状態を示す
- **半昏睡**(semicoma)：ときどき自発的な体動や開眼がみられる以外は，睡眠状態にあり，検者への反応はない状態
- **昏迷**(stupor)：強い刺激でかろうじて開眼，払いのけなどの反応を示すが，十分には覚醒させることができない状態
- **傾眠**(somnolence)：患者は放置すると眠ってばかりいるが，大声で呼びかけるなどの刺激で短時間は目覚めることができる状態

表2 Japan Coma Scale（3-3-9度方式）による意識レベル分類法

I. 刺激しないでも覚醒している状態
  1. 意識清明とはいえない
  2. 見当識障害がある
  3. 自分の名前，生年月日が言えない

II. 刺激すると覚醒する状態（刺激をやめると眠り込む）
  10. 普通の呼びかけで容易に開眼する
  20. 大きな声または体を揺さぶることにより開眼する
  30. 痛み刺激を加えつつ呼びかけを繰り返すとかろうじて開眼する

III. 刺激をしても覚醒しない状態
  100. 痛み刺激に対し，払いのけるような動作をする
  200. 痛み刺激で少し手足を動かしたり，顔をしかめる
  300. 痛み刺激にまったく反応しない

不穏状態（restlessness）があれば R，尿失禁（incontinence）があれば Inc，慢性意識障害（akinetic mutism または apallic state）があれば A を最後に付加する

表3 Glasgow Coma Scale（GCS）

	反応		点数
E. 開眼	自発的に開眼		4
	呼びかけにより開眼		3
	疼痛刺激に開眼		2
	開眼せず		1
V. 言語反応（最良の反応で評価）	見当識良好		5
	混乱した会話		4
	不適切な言葉		3
	理解不能な発語		2
	発声なし		1
M. 運動反応（最良の反応で評価）	指示に従う		6
	疼痛刺激に対し（指示に従わない場合）	手で払いのける	5
		四肢屈曲 逃避反応	4
		四肢屈曲 異常屈曲	3
		四肢伸展	2
		動きなし	1

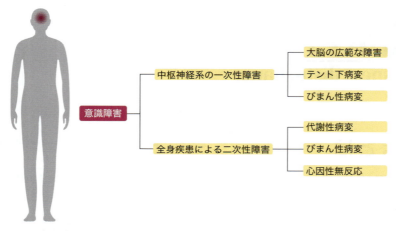

図1　意識障害の原因

の患者の状態についての具体的な記録が重要である．

意識障害の頻度

意識障害を生じた原因疾患の種類により，頻度，性差は異なる．救急外来患者における急性意識障害の原因として，神経疾患は約30％にすぎず，中毒，外傷，精神疾患，内分泌代謝異常など多種の要因が関与している．

症候から原因疾患へ

病態の考え方(図1)

意識障害を考える際，病因診断，程度の把握，病変部位診断の3つが基本的に重要である．

原因疾患の推測は，情報が限られる場合も多いが，可能なかぎり病歴や服用薬物，意識障害を生じた場所などの状況を救急隊員もしくは患者家族などから聴取する．たとえば，患者のおかれていた環境や状況から，環境因子や中毒などの原因を推定する．既往歴や現病歴から，意識障害を起こす原因となる疾患の可能性を考慮する．突然の発症であれば脳血管障害の可能性が高い．

程度の把握には，先に述べたJapan Coma Scaleなどを用いて評価を行う．

病変部位の診断では，病歴情報や身体所見を参考とし，項部硬直や片麻痺，痙攣の有無などを確認する．中枢神経系に一次性の障害を有するか否か，一次性とすれば病変部位はどこかなどを考慮しながら，CTなどの画像診断を行う．テント上病変の場合，原則として大脳の限局性病変では意識障害は生じず，脳幹の圧迫や脳ヘルニアをきたすような広範な病変の存在を疑う．テント下の病変は狭い後頭蓋窩にあるため，脳幹網様体への直接の障害を生じやすく，眼球運動障害や四肢麻痺を伴う．全身性の代謝性ないしびまん性病変は，その症状の一部として意識障害を生じる．全身所見としての循環呼吸状態や合併する身体所見の確認も重要である．

意識障害は，時間的経過により急性と慢性に分けられ，また障害の程度により分類される．一過性の意識障害としては，血管迷走神経反射や起立性低血圧に基づく失神発作，てんかん発作がある．頭部外傷後に意識清明期(lucid interval)を有し，再度意識障害が出現する場合は，頭蓋内出血(急性硬膜外出血，急性硬膜下出血)の可能性があり，経過観察と画像所見の再検が必要である．

急性意識障害が持続する場合，数週間〜数か月の間に慢性の意識障害へと変化していく．

病態・原因疾患の割合(図2)

表4に意識障害の原因となる疾患を示す．「意識障害の頻度」の項で示したように，脳血管障害，外傷，中毒などによる意識障害の頻度が比較的高いが，年齢により疾患の頻度は異なる．若年者で

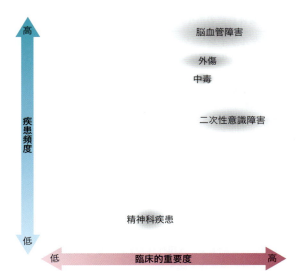

図2 疾患の頻度と臨床的重要度

は，外傷，くも膜下出血の頻度が高く，高齢者では脳梗塞，脳出血の頻度が高い．また，基礎疾患の把握も重要であり，糖尿病，肝硬変，腎不全，播種性血管内凝固などでは二次性の意識障害をきたしやすい．

表4 意識障害をきたす疾患

脳原発の疾患（一次性）
- テント上病変（脳幹の圧迫性病変ないし脳ヘルニアをきたす疾患）
  - 脳血管障害：脳出血，脳梗塞
  - 硬膜下血腫
  - 脳腫瘍：原発性，転移性
  - 脳膿瘍
- テント下病変（脳幹網様体の障害）
  - 脳幹出血，脳幹梗塞，小脳出血，小脳梗塞，脳腫瘍，多発性硬化症など
- びまん性病変
  - くも膜下出血，中枢神経感染症：髄膜炎，脳炎，播種性血管内凝固など

全身疾患に伴う病態（二次性）
- 代謝性またはびまん性病変
  - ショック：心筋梗塞，大出血など
  - 薬物，毒物
  - 無酸素ないし低酸素血症
  - 播種性血管内凝固，全身性感染症：敗血症など
  - 肝不全，腎不全，糖尿病性高血糖，重症膵炎，内分泌疾患など
  - 低血糖，ビタミンB_1欠乏：Wernicke（ウェルニッケ）脳症
  - 脳振盪，てんかん大発作後
  - 酸塩基平衡および電解質異常
  - 栄養障害
- 心因性無反応
  - ヒステリー，統合失調症

診断の進め方

診断の進め方のポイント

- 意識障害を呈する患者では，来院時のバイタルサインをまずチェックする．
- ショック状態であれば，呼吸循環管理を行いながら，病歴情報・状況を把握し，原因疾患を検索する．
- 表4に示すように，意識障害が脳自体の障害による一次性のものか，中毒や代謝性などの二次性のものか，てんかんなどの機能的なものなのかをまず鑑別する．その際に，表5に示すように "AIUEOTIPS" として意識障害の鑑別疾患をまとめておくことは有用である．

医療面接

意識障害のある患者本人との医療面接はほとんどの場合困難である．家族や関係者との医療面接あるいはカルテ記載などから，発見された状況や現病歴，既往歴，さらには治療薬などを含めた病歴情報を可能なかぎり聴取し，把握する．頭部外傷では，lucid interval の有無を記載する．

身体診察

意識障害患者の診察に重要と考えられるポイントを表6に挙げる．バイタルサインのチェックは最も重要である．

姿勢の異常として，除脳硬直（decerebrate rigidity）とは，上肢は伸展，内転，内旋し，股関節は内転，膝は伸展，足は底屈位をとる姿勢で，中脳レベルの障害を示唆する．除皮質硬直（decorticate rigidity）とは，上肢は屈曲，肩は内転，肘・手首・手指は屈曲し，下肢は伸展・内転するいわゆる Wernicke-Mann（ウェルニッケ・マン）の姿勢をとり，大脳の広範な障害で認められる．これらの姿勢は，刺

表5 意識障害の鑑別疾患（AIUEOTIPS）

A	Alcohol	急性アルコール中毒，アルコール離脱症候群
I	Insulin	低血糖，糖尿病性ケトアシドーシス，高血糖高浸透圧症候群
U	Uremia	尿毒症
E	Encephalopathy	肝性脳症，高血圧性脳症，Wernicke脳症
	Endocrinopathy	甲状腺クリーゼ，粘液水腫，急性副腎不全
	Electrolytes	Na，K，Ca，Mg の異常
O	Opiate/Overdose	薬物中毒
	O_2 & CO_2	低酸素血症，CO中毒，CO_2ナルコーシス
T	Trauma	脳腫瘍
	Tumor	脳挫傷，急性硬膜外血腫，頭蓋内血腫などの頭部外傷
	Temperature	低体温，高体温（熱中症）
I	Infection	脳炎，髄膜炎，脳膿瘍，敗血症
P	Psychogenic	精神疾患
	Porphyria	ポルフィリア
S	Seizure	てんかん
	Stroke	脳梗塞，脳出血，くも膜下出血，急性大動脈解離
	Shock	各種ショック

表6 身体診察のポイント

バイタルサイン
- 意識レベル，血圧，脈拍，呼吸，体温などを確認する

姿勢の異常
- 除脳硬直（decerebrate rigidity）を確認する
- 除皮質硬直（decorticate rigidity）を確認する

呼吸状態
- Cheyne-Stokes（チェーン・ストークス）呼吸，過呼吸，失調性呼吸を確認する

瞳孔
- 瞳孔不同，両側瞳孔の縮瞳，対光反射を確認する

眼底所見
- うっ血乳頭，眼底出血を確認する

眼球運動
- 全眼球運動消失，水平性注視麻痺，眼球運動乖離，垂直性注視麻痺を確認する

髄膜刺激症状

眼球頭位反射
- 脳幹機能障害を確認する

四肢
- 麻痺の有無（arm drop test，knee drop test），筋トーヌス，腱反射の左右差，病的反射の有無をみる

激なしで示される場合と，強い痛み刺激によって誘発される場合がある．

呼吸状態として，Cheyne-Stokes 呼吸は代謝性昏睡，テント上病変などで生じる．過呼吸は代謝性アシドーシス，低酸素血症，上部脳幹障害などでみられる．失調性呼吸を示す場合は，脳幹損傷の徴候であり，呼吸停止の危険性が高い．

瞳孔の観察も重要である．意識障害患者で瞳孔不同（一側性の散瞳と対光反射消失）がみられた場合は，鉤ヘルニアを疑う．両側瞳孔の縮瞳と対光反射保持がみられる場合は，橋病変や麻薬・バルビタール中毒などを考える．

自発的な眼球運動の有無により，全眼球運動消失は両側橋病変，Wernicke 脳症，薬物性眼筋麻痺を示唆し，水平性注視麻痺では，一側性の橋ないし前頭葉病変を考える．左右の眼球運動の乖離は脳幹病変〔動眼神経麻痺や内側縦束（MLF）症候群など〕を示す．垂直性注視麻痺は，中脳病変や中心性ヘルニア，急性水頭症などを考える．

眼球頭位反射とは，患者の頭部を側方および垂直に回旋させて，正常でみられる逆方向への眼球の共同運動の有無を観察する（oculocephalic test）ことをいう．この反応が消失（人形の眼現象消失）していれば，脳幹機能障害（脳幹の広範な出血，梗塞および前述の疾患）を意味する．なお，この検査は頸髄損傷が疑われる場合には行ってはいけない．他の脳幹反射として，角膜反射や前庭眼反射（caloric test），咽頭反射も用いられ，心因性無反応の患者の鑑別に有用である．

眼底所見では，うっ血乳頭，眼底出血の有無をチェックする．さらに四肢の動きでは，自発運動や刺激に対する運動の左右差に注目し，麻痺の有無を判定する．Wernicke 脳症では麻痺はみられないのが特徴である．

深昏睡患者では四肢弛緩を示す．JCS Ⅲ-200 までの昏睡患者で麻痺の有無をみるには，上肢あるいは下肢を挙上し，落下状態をみる arm drop test, knee drop test が有用であり，麻痺側の上下肢はただちに落下する．心因性無反応（ヒステリー

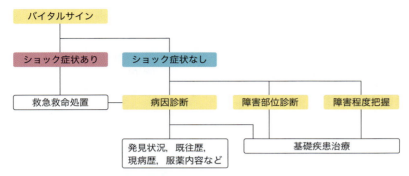

図3 意識障害の診断の進め方

など）では，上肢を顔面の上で離すと，顔面を避けて落下する．また，筋トーヌスや腱反射の左右差，病的反射の有無をチェックする．

診断のターニングポイント

医療面接と身体診察を総合して考える点

- 意識障害とともにバイタルサインが不安定な患者の治療においては，気道の確保と呼吸の補助を優先する．
- ショック状態の患者に関しては，循環管理などのいわゆる救急蘇生のABCを最優先して行う（図3）．
- テント上およびテント下の器質性病変では頭蓋内圧亢進症状（頭痛，嘔吐），脳ヘルニア徴候（瞳孔不同，呼吸パターンの変化），髄膜刺激症状〔項部硬直，Kernig（ケルニッヒ）徴候など〕，神経学的左右差（瞳孔不同，麻痺，失語症，視野障害）などの神経学的徴候に着目する．
- 〔確定診断〕最も一般的なテント切痕ヘルニアでは，意識障害（GCS 8点以下，JCS 20以上，または急速なGCS 2点以上の悪化），呼吸障害（過呼吸，Cheyne-Stokes呼吸），心血管系異常（高血圧と徐脈），瞳孔不同，除皮質硬直，除脳硬直などがみられるので，頭蓋内緊急症として，ABCの確保と同時に緊急開頭・減圧術の適応を見極める．治療開始の遅れは，不可逆的な脳神経障害を残す．
- 表4の全身疾患による二次性の意識障害の場合は，代謝性ないしびまん性変化をきたす病態は多様で，意識の変容から昏睡に至るあらゆる病態をとりうる．呼吸困難，チアノーゼ，脱水の有無，羽ばたき振戦などの全身身体所見を参考にする．
- 〔確定診断〕心因反応でも一見，意識障害様の所見を示すが，病歴情報や身体所見から鑑別できる．
- 意識障害の緊急性を考慮して，原疾患の確定診断にこだわらないで定型的なアプローチを行うことも重要である．
  例：血糖検査の結果を待たずに50％ブドウ糖を静注する．
  アルコール依存症で低栄養を伴っていればビタミンB_1を投与する，など．

必要なスクリーニング検査

静脈確保と同時に血球検査，血液生化学検査，血糖検査などを行う．検尿，血液ガス，アンモニア（NH_3），赤沈，薬物血中濃度，保存用採血，胸部X線検査，心電図検査を必要に応じて行う．中枢神経の器質性疾患が疑われる場合には，CTによる画像診断を行う．脳血管障害例では，可能ならばMRIによる血管の情報も含めた検査が望ましい．また，頭部外傷，くも膜下出血などの脳外科疾患に対しては，脳神経外科へのコンサルトが必要である．

診断確定のために

病歴情報，身体所見，スクリーニング検査の結果により，意識障害をきたす疾患が一次性か二

次性かのおおまかな鑑別を行う．疾患ごとの確定診断のポイントについて，以下のような点に注意する．

外傷の確定診断

明らかな病歴や身体所見を示す例の診断は容易であるが，単純X線写真や頭部CTにより，病変の部位や程度の把握が必要である．また，高齢者において慢性硬膜下血腫は，数か月前の軽微な外傷を契機として徐々に発症することが多い疾患であり，CTやMRIによる診断が必須である．

脳血管障害の確定診断

脳血管障害が疑われる場合，緊急頭部CTを行う．脳出血やくも膜下出血はただちに診断可能であるが，脳梗塞はCTでは発症後6時間以上経たなければ梗塞巣が検出されないため，ごく早期の段階では積極的な診断には用いられない．一過性脳虚血発作の先駆や神経症状，心房細動などの心疾患の存在から診断を行い，治療を開始する．特に，脳梗塞発症4.5時間以内の患者で早期の広範虚血所見(early CT sign)がみられなければ，血栓溶解療法や血栓回収療法の適応を検討する．

MRIが利用可能な施設では，その拡散強調画像が超急性期脳梗塞の検出に非常に有用である．

中毒の確定診断

意識障害の発症状況(農薬の空き瓶，睡眠薬の空き箱，炭火の不完全燃焼，都市ガスの使用など)から判断する．アルコール臭を伴えば急性アルコール中毒の可能性が高いが，Wernicke脳症の合併に注意する．CO中毒ではCO-Hbの測定が確定診断となる．

有機リン剤中毒では，縮瞳，流涎，筋肉の線維束攣縮などのコリン作動性の症状を認め，血中のChEの低下が特徴的である．

二次性意識障害の確定診断

全身性疾患による二次性の意識障害では，基本的にCTでは異常所見は認められない．代表的な疾患についての参考事項を述べる．

❶ 低酸素状態

心原性の循環障害や呼吸停止により起こり，呼吸・循環系の治療とともに血液ガス，心電図検査などでモニタリングを行う．慢性呼吸不全や神経筋疾患の病歴を有する患者で呼吸抑制がみられた場合，CO_2 ナルコーシスを疑い血液ガス分析を行う．

❷ アルコール多飲者，飢餓状態の患者

Wernicke脳症の可能性があり，ビタミンB_1を測定する．

❸ 糖尿病の病歴を有する患者

意識障害を呈する場合，糖尿病薬の過量による低血糖症状やケトアシドーシス性昏睡，高齢者では非ケトン性高浸透圧性昏睡がよくみられる．冷汗，中等度の血圧上昇では低血糖を疑い，大呼吸を伴う場合は糖尿病性ケトアシドーシスを疑う．著明な脱水を伴う場合は非ケトン性高浸透圧性昏睡を疑う．いずれも血糖を検査して確定診断する．

❹ 肝性脳症，尿毒症性昏睡

羽ばたき振戦や痙攣を伴う場合がある．血液生化学検査でNH_3や腎機能を評価し確定診断する．これらの代謝性脳症では3相波や徐波がみられ，脳波検査が有用である．

〈梅枝 伸行，岡田 和悟，小林 祥泰〉

甲状腺機能亢進症
hyperthyroidism

甲状腺機能亢進症とは

定義

甲状腺機能亢進症は，甲状腺からのホルモン産生および分泌が持続的に亢進し甲状腺中毒症状をきたす病態である．血中甲状腺ホルモンが増加する甲状腺中毒症(thyrotoxicosis)の一部である．

患者の訴え方

「疲れがひどい」「少し動いただけで動悸がする」「階段で息切れする」「手がふるえる」「汗をよくかくようになった」「お腹が減って食べているのにやせてきた」などの愁訴が多い．

一部の患者では，家人などに「のどが腫れている」「目が出てきた」「顔つきが変わった」などの指摘を受けて受診することもある．

甲状腺ホルモンがどの程度過剰になるかで症状の強弱はあるが，不定愁訴的な全身症状と同時に，各臓器症状として訴えることが多い．特に循環器症状を訴えることが多く，循環器疾患と間違われることもある．

全身症状としては，体重減少，多汗，易疲労感，暑がり，微熱，月経不順，無月経などがある．循環器症状としては，動悸，頻脈，労作時息切れ，不整脈などがあり，神経筋症状として，手指振戦，いらいら感，多動，不眠，情緒不安定，筋力低下，四肢麻痺などがある．消化器症状としては，食欲亢進，下痢，軟便などである．

患者が甲状腺機能亢進症を訴える頻度

住民健診などで見つかる甲状腺機能亢進症は，1,000人に対し1〜6人と報告されている．同様に，外来を受診する一般患者のうち，甲状腺中毒症を有する人は約0.5％程度存在する．しかし，なんらかの甲状腺の異常を認めて甲状腺専門外来を受診する甲状腺疾患患者のうちでは，甲状腺機能亢進症であった人は，30〜40％に達する．甲状腺中毒症をきたす疾患のなかではBasedow（バセドウ）病〔Graves（グレーブス）病ともいわれる〕が圧倒的に多いが，他疾患による甲状腺中毒症もあることを忘れてはならない．

症候から原因疾患へ

病態の考え方 (図1)

甲状腺中毒症には，甲状腺でのホルモンの産生分泌が増加している甲状腺機能亢進症と，甲状腺の破壊により甲状腺ホルモンが上昇する病態（破壊性甲状腺中毒症）がある．

前者には，甲状腺から自律的にホルモンが産生分泌される病態と，生理的な甲状腺刺激物質である下垂体からの甲状腺刺激ホルモン(TSH)産生の増加や，Basedow病の甲状腺刺激抗体(TSAb)などによる甲状腺外からの刺激による甲状腺機能亢進症もある．さらに，外因性の甲状腺ホルモンによる甲状腺中毒症も稀にみられる．表1に甲状腺中毒症をきたす主な疾患を示す．

甲状腺機能亢進症

甲状腺原発の甲状腺機能亢進症には，ホルモン産生腫瘍であるPlummer（プランマー）病や中毒性多結節性甲状腺腫などがある．Plummer病の一部では，腫瘍細胞のTSHレセプターの突然変異が原因であることが判明している．きわめて稀であるが，先天的にTSHレセプターの突然変異によって持続的なTSHレセプター刺激状態となり，甲状腺機能亢進症をきたした症例の報告がある．

図1 甲状腺中毒症の原因

表1 甲状腺中毒症をきたす疾患

原発性甲状腺機能亢進症	破壊性甲状腺中毒症
■ 先天性 　・TSH レセプター突然変異による先天性甲状腺機能亢進症 ■ 甲状腺ホルモン産生腫瘍 　・Plummer（プランマー）病 　・中毒性多結節性甲状腺腫 **甲状腺刺激物質による甲状腺機能亢進症** ■ 下垂体性甲状腺機能亢進症 ○ TSH 産生亢進 　・TSH 産生下垂体腫瘍 　・下垂体型甲状腺ホルモン不応症 ■ 他の甲状腺刺激物質による甲状腺機能亢進症 ○ 自己免疫性 　・TSAb（TRAb）による Basedow 病（Graves 病） ○ HCG 産生亢進 　・HCG 産生腫瘍：絨毛上皮癌，胞状奇胎，肺癌など 　・妊娠	■ 炎症性 　・亜急性甲状腺炎（ウイルス？） 　・急性化膿性甲状腺炎（細菌） ■ 自己免疫性 　・無痛性甲状腺炎 　・橋本病（急性増悪） **外来性甲状腺中毒症** ■ 医原性 　・甲状腺ホルモン過剰投与ないし過剰摂取 　・甲状腺ホルモンを含む薬の過剰服用 ■ 食物性 　・甲状腺ホルモンを含む食品による甲状腺中毒症

甲状腺外からの刺激による甲状腺機能亢進症としては，TSH レセプター抗体（TRAb）の刺激による Basedow 病，TSH 産生下垂体腫瘍や，稀な疾患ではあるが下垂体型の甲状腺ホルモン不応症，TSH と構造が似ているヒト絨毛性ゴナドトロピン（HCG）による甲状腺機能亢進症などがある．

破壊性甲状腺中毒症

破壊性甲状腺中毒症には，亜急性甲状腺炎，無痛性甲状腺炎，橋本病の急性増悪などがある．亜急性甲状腺炎は，ウイルス感染によると考えられている炎症性疾患で，無痛性甲状腺炎は橋本病や Basedow 病などの自己免疫性甲状腺疾患を基礎にもつ自己免疫性甲状腺炎である．細菌感染による急性化膿性甲状腺炎でも，軽度の甲状腺ホルモンの上昇が認められることが多い．破壊性甲状腺炎による甲状腺中毒症は一過性である．

外来性甲状腺中毒症

人為的な甲状腺機能中毒症としては，甲状腺ホルモン過剰投与や，甲状腺が混入した肉を使用したハンバーガーや甲状腺末を混入したやせ薬を摂取して甲状腺中毒症になった例も報告されている．

また，代謝は亢進していないのに，甲状腺ホルモンの値が高値となることがある．このような見かけ上の甲状腺機能亢進症（高甲状腺ホルモン血症）は，検査に干渉する抗体の存在や甲状腺ホルモン結合蛋白の異常によりもたらされることが多い．このような例では，甲状腺ホルモン値とTSH値の間に乖離が存在することが多いので，慎重に検討する必要がある．

病態・原因疾患の割合（図2）

甲状腺中毒症をきたす疾患としては圧倒的にBasedow病が多い．Basedow病の約5％弱程度がTRAb陰性で，無痛性甲状腺炎でも弱陽性となる症例もある．無痛性甲状腺炎は，特に出産後に発症することが多く，米国では産後の女性の5〜9％に発症するという報告もある．亜急性甲状腺炎は，甲状腺専門外来を受診する甲状腺疾患患者の約2％程度である．その他の疾患の頻度は稀である．

診断の進め方

診断の進め方のポイント

- 症状のみでは鑑別が困難なことが多い．
- 中毒症をきたす疾患の特徴をよく把握しておく．
- 甲状腺ホルモン産生亢進か，破壊による一過性の上昇かを鑑別することが重要である．

医療面接（表2）

甲状腺中毒症の症状の経過や随伴症状について丹念に聴取する．循環器症状が前景に立つ場合もあるので注意が必要である．甲状腺の痛みや結節性の腫大などの局所症状も，診断に重要な手がか

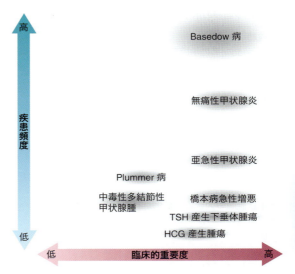

図2 疾患の頻度と臨床的重要度

りを与える．無痛性甲状腺炎では，出産後に起こることが多いので，分娩歴についても注意する．

Basedow病，無痛性甲状腺炎，亜急性甲状腺炎では再発の可能性もあるので，既往歴にも注意する．自己免疫性甲状腺疾患であるBasedow病や無痛性甲状腺炎では，家族歴も重要である．また，甲状腺ホルモンや他の薬物の服用についても詳しく聴取する必要がある．

身体診察（表3）

甲状腺中毒症の症状は，典型的な場合は容易であるが，ホルモンの上昇が軽度だとわかりにくいことがある．また，高齢者では典型的な症状が少ないことも多い．

最も大切な所見は，甲状腺腫の性状である．びまん性か，結節性かで疾患が分かれる．びまん性に腫大していても，亜急性甲状腺炎や中毒性多結節性甲状腺腫では表面不整で結節状になっているのを触知することができる．Basedow病では，典型的な眼症状があれば，それだけでも診断は可能である．

診断のターニングポイント（図3）

医療面接と身体診察を総合して考える点

- **（確定診断）**眼球突出やGraefe徴候などの眼徴

表2 医療面接のポイント

既往歴
- Basedow 病の手術歴ないし治療歴がないか

家族歴
- Basedow 病や橋本病患者が家族内または親族にいないか

経過
- 甲状腺中毒症の症状はいつからあるか
- 甲状腺中毒症の症状は悪化しているか，徐々に軽快しているか
- 甲状腺腫をいつから自覚したか，あるいは指摘されたのか
- 甲状腺腫の大きさに変化があるか
- 甲状腺の痛みが移動したか

誘因
- 最近出産したか
- 妊娠していないか

全身症状の有無と内容
- 甲状腺中毒症の症状（動悸，息切れ，発汗過多，手指振戦，全身倦怠感，食欲亢進，体重減少，下痢，微熱，筋力低下，いらいら感，月経不順など）がないか
- 眼球突出などの目の異常を自覚ないしは指摘されていないか
- 甲状腺に痛みがあるか
- 発熱やかぜ様症状がなかったか

生活歴
- 食生活，特に食欲の変化がないか
- ストレスの多い環境にいないか

嗜好品，常用薬
- 喫煙の有無と量を確認する

表3 身体診察のポイント

バイタルサイン
- 体温：Basedow 病では微熱を認め，亜急性甲状腺炎では 38℃ 以上の弛張熱を認める
- 血圧：Basedow 病では拡張期血圧が低下し，収縮期血圧が上昇することがあり，脈圧が増大する

全身状態
- 体格：体重減少ないしはるいそうを認めるが，食欲が亢進して体重が増加する場合もある
- 皮膚：発汗過多による湿潤した皮膚を認める

頭頸部
- 顔貌，表情：Basedow 病では表情はいきいきとしており，眼症状のために驚いたときのような表情にみえる
- 結膜：貧血や黄疸の有無を観察する
- 眼：眼球突出や Graefe（グレーフェ）徴候などの特有の眼症状や視野異常がないかを観察する
- 甲状腺腫：びまん性か結節性かを観察する．大きさ，硬さ，表面の性状，周囲との癒着の有無，血管雑音の有無，圧痛の有無などについて観察する
- リンパ節：頸部リンパ節の腫脹の有無を観察する

胸部
- 頻脈，心房細動などの不整脈，うっ血性心不全などの循環器病変を診察する

腹部
- 触診で肝腫大やその他の腹腔内臓器の異常を観察する

四肢
- 手指振戦や筋力低下を観察する
- Basedow 病では前脛骨粘液水腫，四肢麻痺などを観察する

神経系
- 甲状腺中毒症による精神不穏状態，いらいら感などを観察する
- Basedow 病クリーゼでは意識障害を伴う

候を認めれば，Basedow 病と診断できる．

- **（確定診断）** 硬く圧痛・自発痛のある結節性甲状腺を有し，発熱などの上気道炎症状を呈す場合は，亜急性甲状腺炎と診断できる．
- 病歴情報や身体所見で疑うことができる疾患もある．

◆ 結節性甲状腺腫，圧痛なし → Plummer 病
◆ 妊婦 → HCG 産生亢進，HCG 産生腫瘍

- 甲状腺機能亢進症の多くが Basedow 病であるが，甲状腺中毒症状を呈する患者すべてが Basedow 病というわけではない．
- Basedow 病と無痛性甲状腺炎は，病歴情報や身体所見のみでは鑑別が困難なことが多い．
- その他の甲状腺中毒症をきたす疾患については，さらに各種検査が必要なことが多い．

必要なスクリーニング検査

甲状腺機能亢進症を疑ったら，Basedow 病か否かをまず決定する．Basedow 病が否定されたらさらに検査を加え，鑑別を進める．主なスクリーニング検査は，次のようなものがある．

❶ ホルモン測定

甲状腺機能亢進症を確定するために，血清 free T_3, free T_4, TSH を調べる．総 T_3 または総 T_4 でもよいが，サイロキシン結合グロブリン（TBG）増加症の場合は高値に出るので注意が必要である．TSH 産生下垂体腺腫，甲状腺ホルモン不応症では TSH は上昇し，他の甲状腺中毒症をきたす疾患では基準値以下に低下する．free T_3, free T_4 が基準

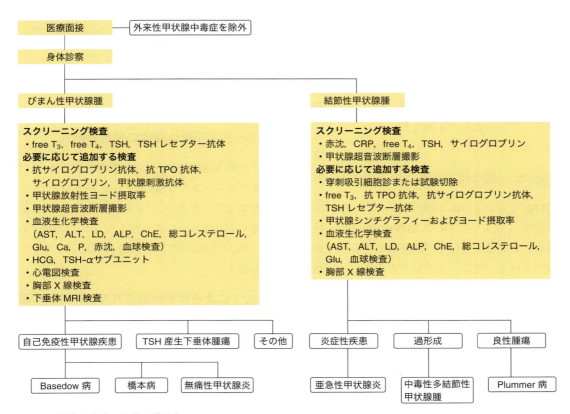

図3 甲状腺中毒症の診断の進め方

範囲内であっても，TSHが抑制されている潜在性甲状腺機能亢進症を見落とさないようにする．

稀にアルブミン異常症などの結合蛋白の異常や甲状腺ホルモンに対する自己抗体の存在などにより，free T_3 and/or free T_4 値が高値に測定されることがある．その際は，甲状腺中毒症状はなく，TSH値との乖離が認められる．見かけ上の高甲状腺ホルモン血症と真の甲状腺中毒症との鑑別が必要である．

❷ 血清学的検査

甲状腺自己抗体の有無は重要で，特にTRAbないしTSAbの存在はBasedow病に特徴的な所見である（稀な例で，橋本病患者にも認められる）．甲状腺中毒症をきたす他疾患では陰性である．ただし，TRAb陰性のBasedow病が存在するので，陰性でもBasedow病を完全には否定できない．橋本病の急性増悪の際には，抗サイログロブリン抗体（TgAb）や抗甲状腺ペルオキシダーゼ抗体（抗TPO抗体）が高値を示す．

亜急性甲状腺炎では，著しい赤沈亢進，CRP上昇などの炎症反応を認める．無痛性甲状腺炎でも，赤沈亢進，膠質反応上昇などを認めることがある．

❸ 甲状腺超音波断層撮影

甲状腺の性状を正確に把握でき，亜急性甲状腺炎や結節性甲状腺腫の有無などを診断できる．ドプラエコーは，甲状腺内の血流を調べることができ，血流の多いBasedow病と血流のない無痛性甲状腺炎との鑑別に有用である．

❹ 血液生化学検査

身体所見で甲状腺中毒症が疑われなくとも，血液生化学所見から見つかる場合がある．甲状腺機能亢進症では，血清コレステロール低値，ALP高値，ChE高値などがよく認められる．また，Ca高値，P高値，食後の高血糖，AST上昇，ALT上昇なども，ときどき認められる．

❺ 心電図検査

洞性頻脈を認めることが多い．Basedow病で

は，心房細動などの不整脈を伴うこともある．

診断確定のために

病歴情報，身体所見，スクリーニング検査の結果で，ほぼ診断がつくことが多いが，さらに精密検査をしないと鑑別が困難な例では，次のような検査を必要とする．

Basedow 病の確定診断

TRAb ないし TSAb が陽性であれば，Basedow 病と診断してよい．TRAb 陰性の Basedow 病の場合は，放射性ヨード(^{123}I)摂取率が高値であれば確定される．稀に，眼症状のみを有し，甲状腺機能正常な Basedow 病(euthyroid Graves 病)が存在する．

無痛性甲状腺炎の確定診断

^{123}I 摂取率が著しく低値となる点が，TRAb 陰性の Basedow 病とは異なり，無痛性甲状腺炎と診断することができる．細胞診では，橋本病様の所見を得ることが多い．亜急性甲状腺炎と異なり，TgAb や抗 TPO 抗体が陽性となることが多く，甲状腺腫は甲状腺中毒症が軽快しても残り，機能低下症になると TSH の刺激で増大する例もある．

亜急性甲状腺炎の確定診断

稀に痛みがほとんどなく，甲状腺ホルモン値も正常で，超音波断層撮影でも腫瘍との鑑別が難しい例がある．細胞診にて類上皮細胞や多核巨細胞などを認め，^{123}I 摂取率が著しく低値であれば確定診断がつく．甲状腺腫は症状の軽快とともに縮小する．

Plummer 病の確定診断

^{123}I による甲状腺シンチグラムにて，腫瘍へのアイソトープの集積を示す hot nodule(陽性像，高摂取結節)を認めれば確定される．

TSH 産生下垂体腫瘍の確定診断

下垂体 MRI 検査で下垂体腫瘍を認める．TSH-α サブユニットと TSH のモル比が 1 以上で，2 以上となることが多い．T_3 抑制試験にて TSH 低下が認められないか，あっても完全には抑制されない．TRH 負荷試験では TSH の反応低下ないし欠如を示す．

HCG による甲状腺機能亢進症の確定診断

HCG 産生腫瘍による甲状腺機能亢進症の際は，HCG の異常高値および産生腫瘍の存在を確定し，なおかつ Basedow 病を否定しておく必要がある．

甲状腺ホルモン不応症の確定診断

全身型の甲状腺ホルモン不応症では，臨床的には甲状腺機能は正常であるが，甲状腺ホルモンが高値となり，TSH は抑制されていない〔不適切 TSH 分泌(SITSH)〕．また，下垂体型では代謝が亢進して甲状腺機能亢進症となる．

TSH 産生下垂体腺腫を除外し，下垂体および末梢組織の甲状腺ホルモン不応性を確認できれば本症の可能性は高くなるが，最終的には甲状腺ホルモンレセプターの遺伝子解析が必要である．

〈飯高 誠〉

脳血管障害
cerebrovascular disease（CVD）

脳血管障害とは

定義

　脳血管障害とは，脳血管に病変があり，その結果，脳および脳神経の症状をきたす疾患の総称で，一般的には脳卒中と呼ばれている．

　かつてはわが国の死亡原因の第1位であったが，悪性腫瘍，心疾患に次いで第3位になり，最近は肺炎と脳血管障害がほぼ同じ頻度となっている．脳血管障害による死亡数は相対的に減少しているが，患者数は減少していない．要介護5のいわゆる寝たきり患者の半数は脳血管障害であり，わが国の医療において非常に重要な疾患の1つといえる．

　脳血管障害は時間との勝負で，"Time is brain"ともいわれ，迅速で適切な診断が患者の予後を左右する．脳血管障害は，出血性疾患，虚血性疾患，その他の疾患に分類できる．出血性疾患ではくも膜下出血と脳出血，虚血性疾患には脳梗塞がある．

患者の訴え方

　「頭痛」は最も多い訴えの1つであり，「頭が痛い」「頭が重い」「締めつけられるように感じる」「頭がズキズキする」から，痛む部位は「頭全体が痛い」「後頭部が痛い」「左半分が痛い」という訴えまでさまざまで，なかには「片頭痛がする」と自分で診断をつけている場合もある．

　「手足がしびれる」という訴えも非常に多い．「手（足）に力が入らない」筋力低下なのか，「感覚が鈍い」知覚低下なのか，「ピリピリ感じる」感覚異常なのか，訴えの範囲は多岐にわたる．

　「ろれつが回らない」「ものが見えにくい」「ものが二重に見える」などの訴えは明らかな神経症状として重要な所見である．

「気持ちが悪い」「めまいがする」「体がふわーっとする」などといった不定愁訴のような訴えも多い．

患者が脳血管障害を訴える頻度

　くも膜下出血ではほぼ全例が頭痛を訴えるが，頭痛を訴える患者でくも膜下出血の頻度はきわめて低い．脳血管障害の疾患によりそれぞれ訴えは異なる．

症候から原因疾患へ

病態の考え方（図1）

　くも膜下出血では，くも膜下腔に出血するために髄膜刺激症状により激しい頭痛，嘔吐を引き起こし，脳圧が亢進して意識障害をきたす．局所的症状を呈することは少ない．脳出血では脳実質内に出血して，血腫と呼ばれる出血塊を形成し，局所的に脳組織を破壊して周囲を圧迫するので，局所的神経症状が出現する．血腫が大きい場合には脳圧が亢進し，意識障害を起こす．

　脳梗塞の場合には，局所的神経症状が主症状であり，頭痛を訴える場合には，脳梗塞以外の疾患も考える必要がある．患者の訴えと神経所見から病態を考えて診断を進めるが，不定愁訴に惑わされない注意も必要である．そのためには各疾患の病態を十分把握しておく必要がある．

　脳血管障害をきたす疾患を表1に示す．

病態・原因疾患の割合

　日本人の死亡原因で最も多いのは悪性腫瘍で，心臓疾患，脳血管障害，肺炎がそれに次いでいる．患者数は，悪性腫瘍は約386万人，虚血性心疾患は約233万人であり，脳血管障害は約107万人で

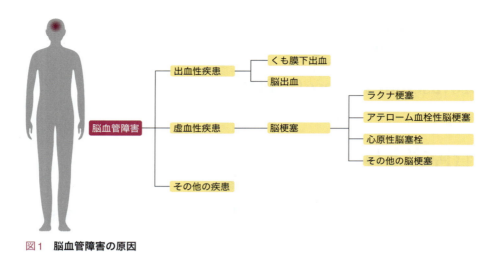

図1 脳血管障害の原因

表1 脳血管障害をきたす疾患

くも膜下出血
- 脳動脈瘤
- 脳動静脈奇形
- 解離性動脈瘤
- もやもや病

脳出血
- 高血圧性脳出血
- 脳動脈瘤
- アミロイドアンギオパチー
- 脳動静脈奇形
- もやもや病
- 海綿状血管腫
- 静脈性血管腫
- 硬膜動静脈瘻
- 脳腫瘍
- 抗血栓療法(抗凝固,抗血小板)
- 血液疾患
- 多発性嚢胞腎
- 人工透析

脳梗塞
- ラクナ梗塞
- アテローム血栓性脳梗塞
- 心原性脳塞栓症
- 動脈解離(解離性動脈瘤)
- 分枝アテローム梗塞
- もやもや病
- 経口避妊薬
- ヘパリン起因性血小板減少症
- 大動脈解離
- 卵円孔開存

その他の疾患
- 脳動静脈奇形
- 硬膜動静脈瘻
- 静脈洞血栓症

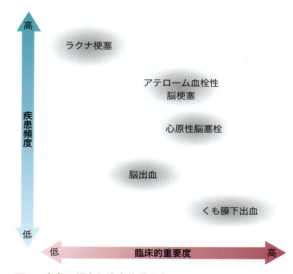

図2 疾患の頻度と臨床的重要度

ある.

　脳血管障害のなかで,脳梗塞は48.6%,脳出血は27.4%,くも膜下出血は9.4%,その他は2.6%である.疾患の頻度と臨床的重要度(重症度)を図2に示す.

診断の進め方

診断の進め方のポイント

- 脳血管障害は突然に発症し,救急患者として搬送されることが多い.急性期には必要かつ十分な情報を得て,迅速に診断する必要がある.

表3 日本版 modified Rankin Scale (mRS) 判定基準書

	modified Rankin Scale	参考にすべき点
0	全く症候がない	自覚症状および他覚徴候がともにない状態である
1	症候はあっても明らかな障害はない：日常の勤めや活動は行える	自覚症状および他覚徴候はあるが，発症以前から行っていた仕事や活動に制限はない状態である
2	軽度の障害：発症以前の活動がすべて行えるわけではないが，自分の身のまわりのことは介助なしに行える	発症以前から行っていた仕事や活動に制限はあるが，日常生活は自立している状態である
3	中等度の障害：なんらかの介助を必要とするが，歩行は介助なしに行える	買い物や公共交通機関を利用した外出などには介助* を必要とするが，通常歩行†，食事，身だしなみの維持，トイレなどには介助* を必要としない状態である
4	中等度から重度の障害：歩行や身体的要求には介助が必要である	通常歩行†，食事，身だしなみの維持，トイレなどには介助* を必要とするが，持続的な介護は必要としない状態である
5	重度の障害：寝たきり，失禁状態，常に介護と見守りを必要とする	常に誰かの介助* を必要とする状態である
6	死亡	

* 介助とは，手助け，言葉による指示および見守りを意味する
† 歩行は主に平地での歩行について判定する．なお，歩行のための補助具（杖，歩行器）の使用は介助には含めない
〔van Swieten, J.C., Koudstaal, P.J., Visser, M.C., et al.: Interobserver agreement for the assessment of handicap in stroke patients. Stroke, 19:604-607, 1988〕
〔篠原幸人，峰松一夫，天野隆弘ほか：mRS 信頼性研究グループ. modified Rankin Scale の信頼性に関する研究―日本語版判定基準書および問診表の紹介. 脳卒中, 29:6-13, 2007〕
〔Shinohara, Y., Minematsu, K., Amano, T., et al.: Modified Rankin Scale with expanded guidance scheme and interview questionnaire: Interrater agreement and reproducibility of assessment. Cerebrovasc. Dis., 21:271-278, 2006〕

■ 特に脳梗塞の急性期では時間との勝負である．

医療面接

急性期では，発症時の様子と既往歴は確実に押さえておく（表2）．

慢性期では，経過の長い場合に医療面接で相当の時間がかかるので，必要な情報が得られるよう，医師のほうから質問して聴取することが大切である．

診断だけではなく，治療後の経過をみるうえで，患者の日常生活での活動を評価することは重要である．障害と自立度を指標とした modified Rankin（ランキン）Scale（mRS）が用いられている（表3）．

「頭を打った」「酔って転倒した」という情報だけで，頭部打撲，急性アルコール中毒という先入観で誤った判断を下さないよう注意する．

表2 医療面接のポイント

発症形式
- 脳血管障害の多くは突然発症する．「○月○日×時×分に…しているときに急に…が起こった」

経過
- いつから，どのような症状が出現したのか
- 突然発症したのか，発症後，症状が持続するか，繰り返しているのか

症状の重症度
- 最も強い症状はどれか

既往歴
- 高血圧，糖尿病，脂質異常症，不整脈，虚血性心疾患などの有無を確認する

家族歴
- くも膜下出血，脳梗塞，脳出血，高血圧の有無を確認する

生活歴
- 喫煙，飲酒の有無を確認する

日常生活での自立度
- 仕事しているか，家庭内で自立しているか，日常生活でなんらかの介助が必要か

表4 身体診察のポイント

バイタルサイン
- 呼吸，血圧，脈拍：全身管理が脳卒中診療で重要である

神経学的所見
- 意識レベル：重症度判定で最も重要である
- 瞳孔，眼球運動：瞳孔不同は脳ヘルニアの徴候，眼球運動障害は局在診断に重要である
- 運動麻痺：重症度判定，治療適応決定に重要である
- 言語などの高次脳機能：失語症は局所診断に非常に重要である
- その他の神経症候を確認する

髄膜刺激症状
- くも膜下出血，髄膜炎などで陽性に出る

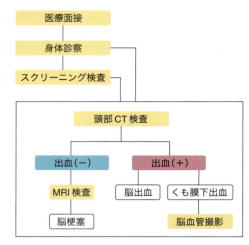

図3 脳血管障害の診断の進め方

身体診察

身体診察ではバイタルサインと神経学的所見が最も重要である(表4)．

バイタルサイン

血圧，脈拍，呼吸回数をチェックする．くも膜下出血，脳出血の急性期では血圧管理が急務である．呼吸抑制，徐脈は脳圧亢進症状として出現する．

脳血管障害の症候

頭部CTなどの画像診断が迅速な診断として有用であるが，神経学的所見は治療適応を決めるうえで重要である．特に脳梗塞急性期ではNIH stroke score(NIHSS)が治療適応決定に重要である(表5)．

みるべき神経所見の順序は，以下のとおり．
① 意識障害
② 瞳孔不同，眼球運動障害
③ 運動麻痺(片麻痺，四肢麻痺)
④ 失語症などの高次脳機能障害
⑤ その他の神経症候

診断のターニングポイント

脳血管障害は，医療面接と身体診断だけからでは確実な診断を下すことは困難である．画像診断が重要で，確定診断には必須である．したがって，医療面接と身体診察から予想される疾患を鑑別するのに必要な検査と画像診断を行う(図3)．

医療面接と身体診察を総合して考える点

- 「突然の頭痛」を訴える患者で，「意識障害」を認め，手足の麻痺がなければ「くも膜下出血」を強く疑う．「手足の麻痺」があれば脳出血の可能性が高い．意識障害がなくても，くも膜下出血は否定できない．
- 「意識障害」のみで，神経学的所見に乏しい場合は，脳血管障害のほかに全身性疾患も考える．
- 頭痛がなく，「意識清明」で「片麻痺，失語症などの局所神経所見」を認める場合には，脳梗塞の可能性が高いが，脳出血の可能性も否定できない．
- 「めまい，悪心・嘔吐」のほかに神経学的所見に乏しい場合には，内耳性疾患の可能性が高いが，脳幹・小脳梗塞，小脳出血の可能性もある．めまいがある場合には悪心・嘔吐を伴うことが多く，めまいだけでは脳梗塞の症状としては考えない．
- 「手足のしびれ」は脳梗塞で多い訴えであるが，触覚，痛覚が低下している「感覚低下」なのか，ピリピリ，ビリビリするという「異常感覚」なのか区別する必要がある．前者は脳梗塞急性期の症状として重要であるが，後者は脳梗塞慢性期の後遺症や頸椎症，末梢神経障害などで認められる．また，手足の脱力を「手足のしびれ」と訴

表5 NIHSS

患者名＿＿＿＿＿＿　評価日時＿＿＿＿＿＿　評価者＿＿＿＿＿＿

1a. 意識水準	□0：完全覚醒　□1：簡単な刺激で覚醒 □2：繰り返し刺激，強い刺激で覚醒　□3：完全に無反応
1b. 意識障害—質問 （今月の月名および年齢）	□0：両方正解　□1：片方正解　□2：両方不正解
1c. 意識障害—従命 （開閉眼，「手を握る・開く」）	□0：両方正解　□1：片方正解　□2：両方不可能
2. 最良の注視	□0：正常　□1：部分的注視視野　□2：完全注視麻痺
3. 視野	□0：視野欠損なし　□1：部分的半盲 □2：完全半盲　□3：両側性半盲
4. 顔面麻痺	□0：正常　□1：軽度の麻痺 □2：部分的麻痺　□3：完全麻痺
5. 上肢の運動（右） ＊仰臥位のときは45°右上肢 □9：切断，関節癒合	□0：90°＊を10秒保持可能（下垂なし） □1：90°＊を保持できるが，10秒以内に下垂 □2：90°＊の挙上または保持ができない □3：重力に抗して動かない □4：全く動きがみられない
上肢の運動（左） ＊仰臥位のときは45°左上肢 □9：切断，関節癒合	□0：90°＊を10秒間保持可能（下垂なし） □1：90°＊を保持できるが，10秒以内に下垂 □2：90°＊の挙上または保持ができない □3：重力に抗して動かない □4：全く動きがみられない
6. 下肢の運動（右） □9：切断，関節癒合	□0：30°を5秒間保持できる（下垂なし） □1：30°を保持できるが，5秒以内に下垂 □2：重力に抗して動きがみられる □3：重力に抗して動かない □4：全く動きがみられない
下肢の運動（左） □9：切断，関節癒合	□0：30°を5秒間保持できる（下垂なし） □1：30°を保持できるが，5秒以内に下垂 □2：重力に抗して動きがみられる □3：重力に抗して動かない □4：全く動きがみられない
7. 運動失調 □9：切断，関節癒合	□0：なし　□1：1肢　□2：2肢
8. 感覚	□0：障害なし　□1：軽度から中等度　□2：重度から完全
9. 最良の言語	□0：失語なし　□1：軽度から中等度 □2：重度の失語　□3：無言，全失語
10. 構音障害 □9：挿管または身体的障壁	□0：正常　□1：軽度から中等度　□2：重度
11. 消去現象と注意障害	□0：異常なし □1：視覚，触覚，聴覚，視空間，または自己身体に対する不注意，あるいは1つの感覚様式で2点同時刺激に対する消去現象 □2：重度の半側不注意あるいは2つ以上の感覚様式に対する半側不注意

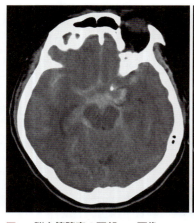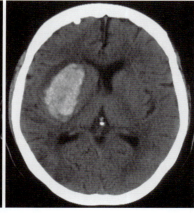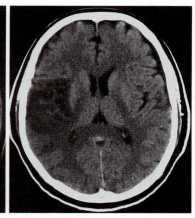

図4 脳血管障害の頭部CT画像
左：くも膜下出血．脳底層に出血（高吸収域）を認める．
中：脳出血．右被殻に血腫（高吸収域）を認める．
右：脳梗塞．右中大脳動脈領域（右前頭，側頭葉）に脳梗塞（低吸収域）を認める．

えることもある．

- 「意識喪失」が一時的に出現し，すぐに回復している場合には，脳全体の血流低下が考えられ，血圧の低下，不整脈などの脳以外の疾患も考慮する．

必要なスクリーニング検査

脳血管障害以外の疾患を血液検査，心電図，胸部単純X線撮影などでスクリーニングし，確定診断には画像診断を必ず行う．

❶ 血液検査

意識障害をきたす疾患，出血性疾患のスクリーニングを行う．低血糖，高血糖，電解質異常，高アンモニア血症，腎機能障害，肝機能障害，血小板減少症，凝固因子異常など．

❷ 生理学的検査

- 心電図：心房細動，不整脈は脳塞栓症，意識障害の原因となる．
- 超音波（頸動脈エコー）：頸部頸動脈狭窄は脳梗塞の原因となる．

❸ 画像診断

- 頭部CT：脳出血は高吸収域（画像上，白く見える），脳梗塞は低吸収域（黒く見える）（図4）．脳室圧排，正中線の偏位，脳室拡大をみる．突然頭痛が発症した患者には必ず救急で実施し，くも膜下出血，脳出血の診断を確定する．造影剤を用いた3D-CTアンギオグラフィーでは脳動脈瘤，脳動静脈奇形，脳動脈閉塞などの描出が可能である．
- MRI：脳梗塞はT$_1$強調画像で低信号，T$_2$強調画像，FLAIR画像では高信号に描出される．発症後3時間以内の超急性期では検出できないことが多いが，拡散強調画像では高信号病変として描出されるので，急性期脳梗塞の診断には有用である．
- MRアンギオグラフィー（MRA）：造影剤なしで脳動脈瘤，脳動静脈奇形，動脈狭窄，動脈閉塞の検出が可能である．
- 胸部単純X線：大動脈解離は脳梗塞の原因となるので，スクリーニングには重要である．

診断確定のために

くも膜下出血の確定診断

❶ 疾患の本態

くも膜下腔，主に脳底槽，Sylvius（シルビウス）裂に出血し，脳室内に出血が広がる場合もある．原因として脳動脈瘤破裂が最も多い．ほかに脳動静脈奇形，もやもや病も原因疾患となる．

❷ 症候

- 頭痛・嘔吐：突然，頭痛を訴え，嘔吐する．
- 意識障害：頭痛，嘔吐ののち昏睡状態になる患

者が多いが，軽症例では意識清明のこともある．
- 髄膜刺激症状：項部硬直，Kernig（ケルニッヒ）徴候が認められるが，発症早期には認められないことが多い．
- 神経学的所見：意識障害のほかには局所神経学的異常所見を伴わないことも多い．

❸ 画像診断
- 頭部CT：急性期ではくも膜下腔に高吸収域を認める．発症後1週間以上経過すると等〜低吸収域となり，診断困難となる．
- CT血管撮影（3D-CTアンギオグラフィー）または脳血管撮影：出血源確認のため入院して検査を実施する．脳動脈瘤または脳動静脈奇形などの病変を検出する．
- MRI：脳動静脈奇形はT_2強調画像でflow void（無信号）として描出される．

❹ 診断後の対処
- 脳動脈瘤破裂：救急手術（開頭術か血管内治療か）の適応を検討する．
- 脳動静脈奇形：大きな血腫を伴う場合には救急手術となる．その他の場合には待機的手術となる．
- もやもや病：保存的治療となる．慢性期に血行再建術の適応を検討する．
- 出血源が同定できない場合：安静にして保存的治療を行い，1〜2週間後に再検査として脳血管撮影を行う．

❺ 診断のポイント
くも膜下出血の軽症例では頭痛を訴えるのみで，嘔吐や意識障害を伴わないことがあり，症状だけでは診断確定できず，見逃すこともある．急性発症の頭痛を訴える患者では頭部CTは必須である．

出血量が少ないか出血後数日経過している場合には，頭部CTで高吸収域を認めないことがある．この場合，腰椎穿刺で血性髄液かキサントクロミーを認めれば，くも膜下出血と診断できる．ただし，検査手技によるtraumatic tapで血液が混入した場合には診断困難となる．MRIのFLAIR画像では，このような場合でもくも膜下腔に高信号を認めれば，くも膜下出血と診断できる．腰椎穿刺は患者にとっては苦痛を伴う検査であるので，なるべく実施せずMRI検査で診断するほうが望ましい．

❻ 未破裂脳動脈瘤
頭痛の精査や脳ドックのMRI検査で発見されることが多い．くも膜下出血を起こしていないため，通常，神経学的異常所見を認めず無症候性である．ほとんどの場合で緊急に治療を要することはない．

脳動脈瘤が増大して周囲の脳神経を圧迫して発症することがある．内頸動脈-後交通動脈分岐部動脈瘤では，小さい動脈瘤であっても急に増大して動眼神経麻痺をきたすことがあり，非常に破裂しやすい（切迫破裂）状態（impending rupture）と考えられる．このため，未破裂であっても破裂脳動脈瘤に準じて緊急手術を行う必要があり，診断には注意を要する．

海綿静脈洞部の内頸動脈瘤では巨大化して動眼神経，外転神経などの外眼筋麻痺で発症することがある．傍鞍部（前床突起近傍）の内頸動脈瘤では，上方に増大して視神経圧迫による視力，視野障害が出現する．脳底動脈-上小脳動脈分岐部動脈瘤では動眼神経麻痺をきたす．

無症候性の場合でも，不整な形状，家族歴でくも膜下出血がある，多発性，破裂しやすい部位（前交通動脈瘤，後交通動脈瘤など）などの危険因子があれば外科治療の適応となるので，放置した場合の自然破裂の危険性，治療のリスクなどを十分検討したインフォームドコンセントが重要である．治療を検討する場合には，3D-CTアンギオグラフィーまたは血管撮影を実施する．経過観察する場合にはMRAで経時的変化をみる．

❼ 解離性動脈瘤
①疾患の本態

椎骨動脈に多くみられる．通常の囊状動脈瘤とは異なり，動脈壁が剥がれて（解離）発生すると考えられている．解離発生時に後頭部痛，後頸部痛を訴えることがある．出血発症と虚血発症がある．

②症候

出血発症ではくも膜下出血を起こすので，頭痛，

嘔吐，意識障害がみられる．虚血発症では脳幹梗塞による延髄外側症候群〔Wallenberg（ワレンベルグ）症候群〕を呈する．

③画像所見
- 頭部CT：出血発症では，後頭蓋窩に強いくも膜下出血を認める．虚血発症では異常所見を認めないことが多い．
- MRA，頭部CTアンギオグラフィー，脳血管撮影：紡錘状動脈瘤，狭窄と動脈瘤（pearl and string sign），狭窄（string sign）を認める．

④診断後の対処
出血発症では再出血の死亡率が高いので，緊急手術を要する．虚血発症では通常の脳梗塞に対する治療を行う．
頭痛のみの無症候性では原則として経過観察を行う．

脳出血の確定診断

❶ 疾患の本態
高血圧性脳出血が最も多い．高血圧による穿通枝動脈の血管壊死により脳実質内に出血し，脳組織を破壊し，血腫が脳を圧迫する．高血圧性出血以外には，脳動脈瘤のほか，脳動静脈奇形，海綿状血管腫，静脈性血管腫などの血管奇形，出血傾向のある血液疾患，抗凝固・抗血小板療法などが出血原因となる．高齢者では血管壁のアミロイド変性が多く認められる．出血部位は，大脳基底核（被殻），視床，皮質下，脳幹（橋），小脳に多い．

❷ 症候
出血した部位による局所症状，髄液循環障害による水頭症が起こる．橋（脳幹）出血では縮瞳する．血腫が大きくなると脳圧亢進し，意識障害を呈し，脳ヘルニアに至る．出血が脳室内に穿破すると脳室内出血になる．

❸ 画像診断
- 頭部CT：急性期は高吸収域として描出される．数日経過すると血腫が溶解し，等ないし低吸収域となる．
- 3D-CTアンギオグラフィーまたは脳血管撮影：出血源を同定して再出血を予防する．

❹ 診断後の対処
- 血圧のコントロール：再出血の予防を行う．
- 脳圧降下：マンニトール，グリセロールの点滴静注を行う．
- 外科治療：脳圧亢進例では脳室ドレナージ，血腫除去，減圧開頭術などの外科治療が適応となる．症状の明らかな改善は得られにくいが，小脳出血で血腫が脳幹を圧迫して意識障害を呈している場合には，血腫除去により症状改善が期待できるので迅速な診断が重要である．

脳梗塞の確定診断

❶ 疾患の本態
脳動脈の閉塞により脳細胞が虚血，壊死に陥り，神経症状が出現する．動脈が閉塞しても残存血流がある場合には（ペナンブラと呼ばれている），血流が再開通して機能回復する．しかし，残存血流が一定以下の場合には完全壊死になり，再開通しても機能回復しない．
脳梗塞の病型は，①ラクナ梗塞，②アテローム血栓性脳梗塞，③心原性脳塞栓，④その他の脳梗塞に分かれる．

①ラクナ梗塞
ラクナ梗塞は，穿通枝領域の細い動脈が閉塞して起こる微小脳梗塞である．

②アテローム血栓性脳梗塞
動脈硬化により近位側の比較的太い動脈にアテローム血栓性プラークが形成され，動脈狭窄をきたして脳梗塞の原因となる．ラクナ梗塞より重症化することが多い．
プラーク表面にできた小さな血栓が末梢に飛来して発症するもの（microembolism）と，主幹動脈の狭窄による血流低下で発症するもの（hemodynamic compromise）がある．

③心原性脳塞栓
心房内にできた血栓が脳に飛来して脳動脈を閉塞し，脳梗塞が発生する．脳梗塞の既往がなく，突然に発症する．重症例が多く，生命予後も不良である．
原因疾患として心臓弁膜症が多かったが，現在では心房細動によるものが多い．脳梗塞予防に

表6　CHADS2 スコア

	危険因子	スコア
C	Congestive heart failure（うっ血性心不全）	1
H	Hypertension（高血圧）	1
A	Age（年齢75歳以上）	1
D	Diabetes Mellitus（糖尿病）	1
S2	Stroke/TIA（脳卒中/一過性脳虚血発作）	2

表7　ABCDD スコア

項目	内容	点数
A（age）	60歳以上	1
B（blood pressure）	収縮期血圧≧140 mmHg または拡張期血圧≧90 mmHg	1
C（clinical features）	片側脱力	1
	脱力を伴わない言語障害	1
D（duration of symptoms）	60分以上	2
	10分以上，60分未満	1
D（diabetes）	糖尿病あり	1

抗凝固療法としてワルファリン投与もしくはその他の抗凝固薬を投与する．心房細動の既往があれば診断は容易であるが，既往が認められない場合もある．

心房細動があって，一過性脳虚血発作（transient ischemic attack；TIA）か脳卒中の既往があるか，うっ血性心不全，高血圧，75歳以上，糖尿病のいずれか2つ以上の危険因子がある場合には，脳梗塞発症のリスクが高いと考えられる．抗凝固療法を検討しなければならないので，危険因子のチェックが必要である．CHADS2 スコアで2点以上は抗凝固療法導入が推奨される（表6）．

❷ 症候

閉塞する血管の部位に応じて神経症状が出現する．発症時期は急性期治療適応決定にきわめて重要である．睡眠中に発症すると発症時刻が不明であるが，就寝前何時まで元気にしていたのか，「最終健常確認時刻」も医療面接には重要である．

神経症状は，NIHSS に従ってチェックすると治療適応決定に有用である（表5）．

- 一過性黒内障：突然片目の視野全体または上半分か下半分が見えなくなるが，数分で消失する状態をいう．繰り返すことも多い．眼動脈から網膜中心動脈に血栓が飛んで起こる網膜の虚血症状で，脳梗塞の前駆症状として出現する．一過性で回復しても至急精査が必要である．
- TIA：手足の運動麻痺，失語症，感覚鈍麻などの神経症状が一過性に出現し，回復するものである．24時間以内に回復するものと定義されていたが，1時間以内に回復するものと変更されている．

TIA は脳梗塞には分類されていないが，TIA 発症後3か月以内に脳梗塞を発症する危険性は15〜20%程度といわれる．放置した場合のリスクは大きく，TIA をきちんと診断して脳梗塞を予防することが大切である．年齢，血圧，神経症状，症状持続時間，糖尿病を危険因子とした ABCDD スコアが予後の判定に用いられている（表7）．TIA 発症後2日以内の脳卒中発症のリスクは，3点以下で1.0%，5点以下で4.1%，6点以上で8.1%とされる．

❸ 画像診断

①ラクナ梗塞

頭部 CT は梗塞病変を検出できず，全体に萎縮性変化を認める以外には所見に乏しい．MRI では T_2 強調画像で基底核，大脳深部白質に小さな高信号スポットとして検出される．加齢性変化との区別が難しい．

②アテローム血栓性脳梗塞

頭部 CT で脳梗塞部位は低吸収域として描出される．

MRI では，T_2 強調画像，FLAIR 画像で高信号として検出される．発症早期では T_2 強調画像，FLAIR では病変を検出できないが，拡散強調画像で高信号として検出される．MRA で脳動脈，頸部頸動脈の狭窄，閉塞を検出する．

SPECT（single photon emission CT）で脳梗塞病変に一致した放射性同位元素の取り込み低下を認める．アセタゾラミド（ダイアモックス®）を投与する負荷試験が血行再建術適応決定に必要である．

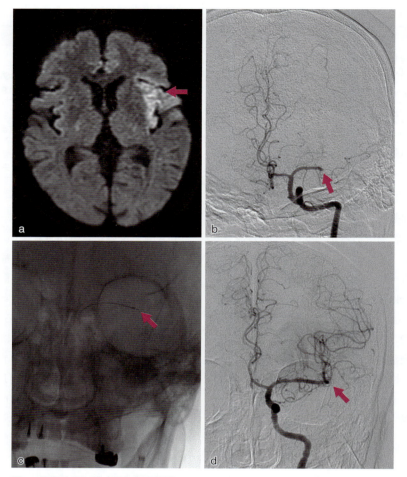

図5 脳塞栓症に対する血栓回収術
75歳男性，急に言葉が喋れなくなり右手足の麻痺が出現．発症後3時間経過．既往歴：心房細動
a：MRI（拡散強調画像）で左前頭葉に高信号病変を認める．CT，MRI（T_2強調画像）では異常所見なし．
b：脳血管撮影．左中大脳動脈閉塞を認める．
c：血栓回収用ステントを挿入して血栓回収．
d：中大脳動脈再開通が得られた．

③心原性脳塞栓

超急性期に閉塞動脈の再開通ができれば回復の見込みがある．迅速な診断が最も重要な脳梗塞である．

血栓溶解薬t-PA（組織プラスミノゲンアクチベータ）の静脈内投与無効症例，適応外症例では，血管内治療による血行再建術（機械的血栓回収療法）が標準的治療として実施されている．

❹ 診断のポイント

脳梗塞は発症後4.5時間以内であれば，血栓溶解作用のあるt-PAを静脈内投与する治療の適応となる．保存的治療に比べて3か月後の機能予後は有意に優れていることがランダム化比較試験で証明されている．2015年以後，脳梗塞急性期治療で大きな変革が起こり，閉塞した脳血管を超急性期に再開通させると劇的な症状改善が期待できる．発症後6時間以内にステントリトリーバー（グレードA）または血栓吸引カテーテル（グレードB）を用いた血管内治療（機械的血栓回収療法）を開始することがすすめられる〔脳卒中治療ガイドラ

イン 2021〕(図 5)．最終健常確認時刻から 6 時間を超えた場合にも，16 時間以内（グレード A）あるいは 24 時間以内（グレード B）に血管内治療（機械的血栓回収療法）を開始することがすすめられる．

診断が遅れると適切な治療の時期を逸することになる．脳梗塞による片麻痺のために転倒して救急外来を受診した場合，頭部 CT で異常がないからと頭部打撲と診断され，脳梗塞を見逃すことがある．脳梗塞超急性期では頭部 CT で病変が描出されない．外傷と思われる場合でも，神経学的所見をきちんととることが大切であり，脳梗塞急性期が疑われる場合には迷うことなく MRI 検査に進む．

その他の脳血管障害の確定診断

❶ もやもや病

発症時期は小児期と成人期に分かれる．出血発症（脳出血，脳室内出血）と虚血発症がある．
- 症候：頭痛，嘔吐がみられる．出血していなくても頭痛を訴えることがある．手足の運動麻痺がみられる．泣いたとき，ハーモニカを吹いたとき，ラーメンを食べたときなど，過換気によって手足の脱力が出現する．
- 画像所見：出血発症では頭部 CT で出血を認める．MRI では脳梗塞のほか，病期によって基底核に側副血行路として多数の細い flow void を認める．

❷ 硬膜動静脈瘻

頭蓋内硬膜に動静脈短絡が発生し，静脈洞への流出が認められる．多くは後天的である．海綿静脈洞，横-S 状静脈洞に発生することが多い．
- 症候：耳鳴（血管性雑音），頭痛がみられる．海綿静脈洞部では結膜充血，眼球突出，外眼筋麻痺がみられる．皮質静脈への逆流がある場合には，静脈圧亢進による脳出血，静脈性梗塞，脳腫脹などが起こることもある．
- 画像診断
  - 海綿静脈洞部では頭部 CT で眼窩内静脈拡張を認める．
  - MRI：皮質静脈拡張を T_2 強調画像で flow void として認める．
  - MRA：動静脈シャントを認める．ただし MRA の設定によっては正常でも動脈と静脈が同時に造影される場合がある．
  - 脳血管撮影：確定診断は血管撮影で行う．

〈根本 繁〉

呼吸不全
respiratory failure

呼吸不全とは

定義

　低酸素血症のために生体が正常な働きを営むことができない病態である．わが国では室内気吸入時のP_aO_2が60 Torr(mmHg)以下，またはそれに相当する呼吸障害を有するものと定義されている．なおP_aCO_2が45 Torr以下のものはⅠ型，45 Torrを超えるものはⅡ型に分類される．

　時間経過の差異により急性と慢性に分類される．

　急性とは短期間の経過（通常数時間から1か月以内）で呼吸不全に陥り，生命の危機に晒される危険が高いものである．慢性とは呼吸不全の状態が慢性的に持続するものである．安静時には症状は軽微ないしみられないが，負荷に対する呼吸機能の予備能が低下した状態である．このため慢性呼吸不全は負荷により容易に急性呼吸不全に陥ることも多く，急性増悪と呼ばれる．なお，急性と慢性の病態は単に時間的な経過の差異のみではなく，本質的に異なった病態と理解すべきである．

患者の訴え方

　原疾患によるものと低酸素血症あるいは高炭酸ガス血症に起因するアシドーシスによる症状がみられる．

　急性呼吸不全では「息が苦しい」「息が苦しく，しゃべれない」などの呼吸困難を訴える．なお，呼吸不全の程度が強いとそわそわして落ち着きがなく，不穏，不安，興奮，錯乱，見当識障害，痙攣発作，昏睡などの精神神経症状がみられることがある．努力呼吸，発汗，苦悶様の表情などもみられる．原因となる疾患によっては胸痛，胸部絞扼感がみられたり，頭痛，腹痛，精神症状，動悸およびショックなど一見すると呼吸不全とは無関係と考えてしまう症状が前面に出たりすることがあり，診断に際しては注意を要する．

　これに対して，慢性呼吸不全では負荷によって呼吸困難を訴えることが多い．「動くと息苦しい」「坂道，階段または入浴時に息が苦しい」などの訴えが多い．高度の高炭酸ガス血症では羽ばたき振戦がみられる．

呼吸不全の頻度

　筆者の施設の一般外来の初診では，急性呼吸不全の頻度は1%以下と少ないが，慢性呼吸不全の頻度は約数%と高くなる．これに対して救急外来では，急性呼吸不全の頻度は格段に高くなる．

症候から原因疾患へ

病態の考え方

　呼吸不全を呈する疾患は呼吸器疾患のみならず，循環器疾患，消化器疾患，神経筋疾患，腎疾患，感染症，膠原病，代謝内分泌疾患，中毒，外傷など多数存在する．このため，呼吸不全の原因を障害部位の主座により分類すると理解しやすい（図1）．定義からわかるように呼吸不全の診断に動脈血液ガス分析は必須である．さらに低酸素血症がみられたら必ず肺胞気動脈血酸素分圧較差（$A-aDO_2$）を計算する癖をつける．室内吸入気では$A-aDO_2 = 150 - P_aCO_2/0.8 - P_aO_2$で計算できる（基準：10 Torr以下）．

　$A-aDO_2$が正常範囲のときには肺胞換気量の低下が病態の主体である．これに対して$A-aDO_2$の開大は肺内シャント，拡散能障害ないし換気血流比不均等分布のいずれか，あるいはこれらが複合的に関与して呼吸不全を引き起こしている（図2

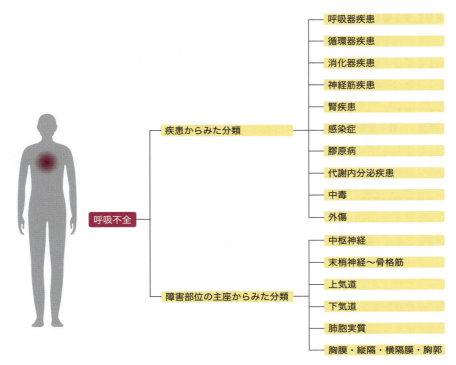

図1　呼吸不全の原因

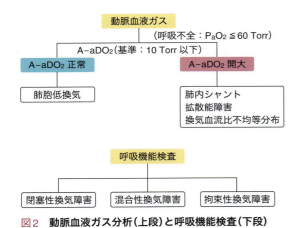

図2　動脈血液ガス分析（上段）と呼吸機能検査（下段）

上段）．呼吸不全をきたす主要な疾患を示す（表1）．

病態・原因疾患の割合

急性呼吸不全を呈する疾患では特に迅速な診断ならびに治療が必要である．呼吸器疾患70〜80％，循環器疾患10〜20％，感染症10％，その他の疾患10％程度である．病態・原因疾患の頻度とその臨床的重要度を図3に示す．たとえ疾患頻度は少なくても，診断および治療の遅れは生命の危機に直結することを念頭において対応することが重要である．

診断の進め方

診断の進め方のポイント

- 急性呼吸不全においては迅速な医療面接や身体診察が必要である．
- 同時に気道確保などの救命処置がただちに行えるように準備しておく．
- 慢性呼吸不全では詳細な医療面接や身体診察が診断につながることが多い．

医療面接

急性呼吸不全では呼吸困難のために本人に十分な医療面接を行うことが不可能なことがあり，同伴者からの情報収集が必要である．慢性呼吸不全は診断から治療までの時間的猶予があるため経過，誘因，嗜好，既往歴，生活歴，職業歴，家族

表1　呼吸不全をきたす主要な疾患

呼吸器系疾患
- 上気道疾患：気道異物，喉頭浮腫，急性喉頭蓋炎，気管腫瘍，両側声帯麻痺
- 下気道疾患：COPD，気管支喘息，嚢胞性線維症
- 肺胞疾患：急性呼吸窮迫症候群/急性肺損傷（ARDS/ALI），重症肺炎，嚥下性肺炎，間質性肺炎，肺結核後遺症，肺癌，塵肺，気管支拡張症，びまん性肺胞出血，無気肺，溺水，心原性肺水腫
- 胸膜疾患：自然気胸，気胸（月経，既存の呼吸器疾患などに併発）
- 縦隔疾患：急性縦隔炎，縦隔腫瘍
- 肺血管疾患：急性肺血栓塞栓症，慢性肺血栓塞栓症，肺高血圧症
- 胸壁・胸郭・横隔膜疾患：脊柱後側弯症，胸郭形成術，外傷，フレイルチェスト，横隔膜ヘルニア，横隔膜損傷

循環器疾患
- 心不全，心タンポナーデ，冠症候群，大動脈解離，細菌性心内膜炎，肺動静脈瘻

消化器疾患
- 消化管穿孔，急性膵炎，肝不全，肝肺症候群，イレウス

神経筋疾患
- 脳血管障害（特に延髄），髄膜炎，脳炎，脳腫瘍，Guillain-Barré（ギラン・バレー）症候群，重症筋無力症，筋萎縮性側索硬化症，筋ジストロフィー，多発筋炎，代謝性筋疾患，外傷性脊髄損傷

腎疾患
- 尿毒症

感染症
- 敗血症，粟粒結核，ニューモシスチス肺炎，サイトメガロウイルス肺炎，急性灰白髄炎

膠原病
- びまん性肺胞出血，間質性肺炎，神経筋障害

代謝内分泌疾患
- 重症の粘液水腫

中毒
- 睡眠薬・鎮静薬の過剰投与，COなどのガス，シアンなどの毒物，パラコートなどの農薬

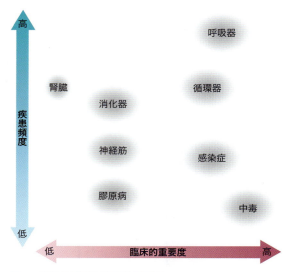

図3　疾患の頻度と臨床的重要度

表2　医療面接のポイント

経過
- 発症のしかた：突然の発症，急性ないし慢性に発症したものか
- 以前に同様の症状はなかったか，繰り返す症状か

誘因
- 長期臥床，同じ姿勢での長時間の移動：急性肺血栓塞栓症
- 労作などの負荷により症状が増悪：COPD，間質性肺炎，慢性肺血栓塞栓症などの呼吸器疾患，循環器疾患，消化器疾患など多数の疾患
- 夜間就寝時の症状の悪化：気管支喘息，左心不全による肺水腫
- 遺伝性疾患や環境因子の可能性はないか

嗜好
- 長期間の喫煙：呼吸器疾患や心筋梗塞，大動脈解離などの心血管系疾患
- 喫煙開始後数週間以内：急性好酸球性肺炎
- アルコール摂取状況や睡眠薬，常用薬を確認する

既往歴，生活歴
- 職業歴や外傷を含めた既往歴を詳細に聴取する

随伴症状
- 胸痛（心疾患，呼吸器疾患），発熱や悪寒戦慄（感染症），血痰・喀血（呼吸器疾患，心疾患，膠原病），喘鳴（呼吸器疾患，心疾患）

歴および随伴症状などを詳しく聴取する（表2）．

身体診察

呼吸不全の診察にあたってはまずバイタルサインの確認をすばやく行う．チアノーゼ，頻呼吸，徐呼吸ならびに精神症状の出現は呼吸不全の重症化の徴候であり，生命に危機が及んでおり要注意である．診察にあたっては頭部，頸部から体幹さらに四肢末梢までよく観察する（表3）．また口腔内の観察から歯周病，口腔内カンジダなど診断に有用な所見が得られる．

呼吸パターンから原疾患を推測できることが

表3 身体診察のポイント

バイタルサイン
- 血圧，脈拍数，呼吸数，体温，SpO_2 測定

チアノーゼ，頻呼吸，徐呼吸，精神症状の出現：呼吸不全の重症度と密接に関係

体位
- 起座呼吸や側臥位

呼吸パターン
- 呼吸の性状，口すぼめ呼吸や異常呼吸〔Cheyne-Stokes（チェーン・ストークス）呼吸，Biot（ビオー）呼吸など〕を確認する

身体所見：全身をくまなく診察する
- 口腔内の観察：歯周病，口腔内カンジダなどを確認する
- ばち指，Osler（オスラー）結節，羽ばたき振戦などを確認する
- 樽状胸，Hoover（フーバー）徴候，くも状血管腫，手掌紅斑，皮下出血，紫斑などを確認する
- 膠原病を疑う所見：Raynaud（レイノー）現象，光線過敏症，蝶形紅斑，ヘリオトロープ疹，Gottron（ゴットロン）徴候，皮膚硬化，指尖潰瘍，ソーセージ様指，結節性紅斑，口腔内アフタ，関節の腫脹・変形およびリウマチ結節など
- 内分泌疾患を疑う所見：甲状腺腫大，粘液水腫，下腿潰瘍など
- 神経筋疾患を疑う所見：意識障害，四肢麻痺，筋力低下，筋の肥大・萎縮など
- 血液疾患を疑う所見：結膜の蒼白，皮下出血，関節腫脹など

打診：左右を比較しながら行う
- 鼓音→気胸，巨大な肺嚢胞
- 過共鳴音→肺気腫
- 濁音→無気肺，肺炎，肺水腫，胸水貯留
- 肺肝境界
  - 低下→肺気腫
  - 上昇→胸水貯留，無気肺，横隔膜の挙上，肝腫大など

聴診：呼吸音と心音をよく聴取する
- 正常呼吸音：気管音，気管支音，肺胞呼吸音からなる
- 気管音の異常は上気道狭窄を考える
- 異常呼吸音：ラ音とその他の異常音（胸膜摩擦音，Hamman 徴候）を確認する

ある．

胸壁の奇異運動は多発性肋骨骨折，横隔神経麻痺，呼吸筋疲労でみられる．

浅く速い呼吸は急性呼吸窮迫症候群（ARDS），急性間質性肺炎などでみられる．

深く遅い呼吸は気管支喘息，慢性閉塞性肺疾患（COPD）の増悪などの閉塞性換気障害でみられ，呼気が延長する．

側臥位は大量胸水や高度の気胸，一側無気肺でみられる．

喘鳴とは，聴診器なしでも聴取される連続性の異常呼吸音のことである．吸気時の喘鳴は喉頭および上気道の狭窄のときに聴取される．窒息の危険性があるためにただちにその原因疾患の鑑別を行いつつ可及的速やかに耳鼻科医との連携，頸部・胸部 CT 検査を行う必要がある．

胸部聴診は呼吸音のみならず心音の聴取も必ず行う．

呼吸音は気管音，気管支音，肺胞呼吸音からなる．呼吸音の聴取の際には気管支音，肺胞音のみならず必ず気管音を聴取する．つまり，聴診器はまず頸部に当てて，気管音を確認する癖をつけたい．

異常呼吸音はラ音とその他の異常音に分類される．

連続性ラ音は wheezes，rhonchi に分類される．気管支喘息，COPD などで聴取される．気管支喘息の発作は重症になると連続性ラ音を聴取しなくなる．これは大変危険な状態であり，ただちに人工呼吸管理の準備や ICU の医師に連絡する．

断続性ラ音は fine crackles，coarse crackles に分類される．fine crackles は特発性肺線維症など肺に線維化をきたす疾患で聴取される．coarse crackles は肺水腫，気管支拡張症など気道内に分泌物がみられる疾患で聴取される．その他の異常呼吸音には胸膜摩擦音，Hamman（ハンマン）徴候がある．胸膜摩擦音は胸膜炎，Hamman 徴候は縦隔気腫，左側気胸で聴取される．

診断のターニングポイント

医療面接と身体診察を総合して考える点

- 最も重要な点は緊急性があるのかどうかである．緊急性があると判断したときには必要な情報を可及的速やかに取得することが肝要である．
- **〔確定診断〕**胸郭変形，急性期の外傷およびフレイルチェストは視診から診断できる．

- **〔確定診断〕**薬物中毒や一酸化炭素中毒は医療面接から診断できる．
- 医療面接や身体診察から診断が疑われる所見と該当する主要な疾患を示す．

- ◆繰り返す症状 → 気管支喘息，月経随伴性気胸，慢性肺血栓塞栓症
- ◆長期間の喫煙 → COPDなどの呼吸器疾患，心血管系疾患
- ◆高熱，悪寒戦慄，低血圧 → 重症感染症，敗血症
- ◆口すぼめ呼吸，胸鎖乳突筋の肥厚，気管短縮，気管牽引 → COPD
- ◆Cheyne-Stokes呼吸 → 心不全，尿毒症および脳血管障害
- ◆Biot呼吸 → 橋や延髄の障害
- ◆起座呼吸 → 気管支喘息などの閉塞性換気障害を呈する疾患，左心不全
- ◆側臥位 → 大量胸水，気胸
- ◆奇脈，Kussmaul(クスマウル)徴候 → 心タンポナーデ
- ◆正常気管音の異常，stridor → 上気道狭窄
- ◆肺胞呼吸音の減弱 → 気胸，胸水
- ◆特徴的な皮膚所見 → 膠原病
- ◆皮下出血，紫斑 → 血管炎症候群
- ◆くも状血管腫，手掌紅斑 → 肝硬変
- ◆粘液水腫 → 甲状腺機能低下症
- ◆片麻痺，筋の肥大・萎縮 → 神経筋疾患

必要なスクリーニング検査

医療面接と身体診察から呼吸不全を呈する疾患を絞り込むことはある程度可能である．これをふまえて診断に至るべくスクリーニング検査を進める（図4）．また，医療面接，身体診察を行っているときも常に呼吸状態に気を配り，人工呼吸管理などの救命処置を行う心構えをしておく．なお，チアノーゼ，頻呼吸，徐呼吸，精神症状の出現は呼吸不全が重篤である徴候であり，要注意である．

❶ 動脈血液ガス分析

呼吸不全の診断には動脈血液ガス分析検査は必須である．

低酸素血症の程度さらにⅠ型ないしⅡ型呼吸

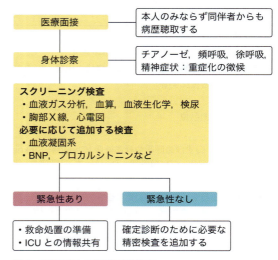

図4 呼吸不全の診断の進め方

不全のどちらに分類されるかを診断する．この結果をみて必要により酸素の投与ないし換気の補助を行う．血液ガスを"よむ"ということはただ単にP_aO_2とP_aCO_2の測定値をみるだけではなく，pH，HCO_3^-の値から呼吸性および代謝性要因の関与，さらにはそれらによる代償の有無を診断することである．

$A-aDO_2$は純粋な肺胞低換気のみでは開大しない．乳酸値は必ず確認する．乳酸の高値は細胞の酸素供給が需要に対して不足し嫌気性代謝が亢進していることを反映している．ショック，低酸素血症などでみられる．

❷ 血液検査，血液生化学検査

血算，生化学検査により障害された臓器を類推できる．炎症反応はWBC，CRPからわかる．BNPないしNT-proBNPは心不全の，トロポニンTは心筋障害のスクリーニングにも有用である．CKは筋疾患で高値となる．アンモニアは肝不全の診断に役立つ．D-ダイマーなどの血液凝固系の検査値の異常は播種性血管内凝固(DIC)，肺血栓塞栓症などの血管性病変を疑う所見である．

❸ 尿検査

尿所見は腎疾患の診断のみではなく，呼吸不全による腎障害の影響も推測できることがある．

❹ 胸部X線検査

原因疾患の診断ならびに他疾患の除外のために

行う．

気胸，大量胸水，肺水腫などすぐに診断できる疾患も多い．

❺ 心電図検査

心疾患，呼吸器疾患などの診断に役立つ．

診断確定のために

医療面接，身体診察，スクリーニング検査でおおよその疾患の絞り込みが可能となる．これらをふまえて確定診断につなげるためにさらなる系統的な検査に進むこととなる．

呼吸器疾患の確定診断

呼吸機能検査は換気障害のパターンから閉塞性，拘束性ないし混合性に分類され，疾患の絞り込みに役立つ(図2下段)．

胸部CT検査は肺野の所見のみでなく気道，胸膜，大血管系，縦隔，さらには胸膜・胸壁・胸郭・横隔膜の病変の鑑別に多くの情報を与えてくれる．胸水が疑われるときには胸水穿刺により精査を進める．

肺胞出血は抗好中球細胞質抗体(ANCA)関連血管炎やGoodpasture(グッドパスチャー)症候群，薬物が原因となり発症するものである．血痰がみられないことも多く，気管支鏡により診断される．併せてANCA，抗GBM抗体測定が診断の一助となる．また薬剤誘起性ANCA関連血管炎をきたす薬物として，甲状腺機能亢進症治療薬のプロピルチオウラシルの頻度は高い．その他，ヒドララジン，ミノサイクリン，D-ペニシラミンなども原因となる．このため常用薬を再度確認する．

上気道狭窄では気管音の異常やstridorを認める．必要により耳鼻科医に相談する．また気管支鏡検査で確認することとなる．

急性肺血栓塞栓症は突然ないし急性に呼吸不全をきたす疾患であるが，病初期には胸部単純CT検査では異常の指摘が困難なことが多いために造影CT検査を必ず行う．また，D-ダイマー，フィブリン分解産物(FDP)などの線溶系マーカーの測定は診断の助けになる．さらに，プロテインC，プロテインSなどの凝固因子異常も念頭において診断を進める．

ARDSは診断および治療に難渋する難治性の疾患である．直接的に肺損傷を引き起こす重症肺炎や胃内容物の誤嚥，間接的に肺損傷を引き起こす敗血症や外傷に伴うショックなど，原因は多岐にわたる．原因疾患の精査のために血液ガス分析，胸部X線検査などのスクリーニング検査に加えて，胸部CT検査などを行う．また，左心不全による肺水腫を否定するために心エコー検査や血漿BNP値を測定する．さらに可能であれば心臓カテーテル検査により肺動脈楔入圧(PAWP)を測定する．

肺炎では高熱，咳嗽，喀痰がみられ，非定型肺炎では喀痰が少ないことが多い．また高齢者ではこれらの症状がなく，「なんとなく元気がない」「食欲がない」という非典型的な症状もよく経験する．肺炎が疑われるときには喀痰のGram(グラム)染色検査と血液培養検査を行う．なお，肺炎球菌とレジオネラは尿中抗原検出法で診断される．その他の病原体が疑われるときには，それぞれ抗体価の測定，検体からの菌体の検出を試みる．

循環器疾患の確定診断

心内膜炎では心エコー検査で疣贅がみられることがある．また，起炎菌同定のために血液培養検査を行う．心不全では浮腫，体重増加がみられ，重症になると起座呼吸を呈している．心エコー検査を行い，血漿BNPないしNT-proBNPを測定する．

心筋梗塞などの冠動脈疾患が疑われるときにも心エコー検査は大変有用である．冠動脈疾患や大動脈疾患の診断のために血管造影検査を行うことがある．特に大動脈解離が疑われるときには造影CT検査は必須である．

心タンポナーデが疑われるときには心嚢液穿刺を考慮する．

消化器疾患の確定診断

腹部エコー検査やCT検査は急性膵炎，イレウスおよび消化管穿孔などの診断に有用である．急性膵炎が疑われるときにはアミラーゼ，リパーゼ

などの逸脱膵酵素を測定する．また，膵炎により胸水貯留がみられることがあり，胸水のアミラーゼ測定により診断につながることがある．

神経筋疾患の確定診断

脳血管障害，脳腫瘍などの脳内病変の診断にはCT検査およびMRI検査が有用である．脳髄膜炎が疑われるときにはMRI検査さらには髄液検査を行う．Guillain-Barré症候群は稀に呼吸筋麻痺を引き起こすことがある．疑われるときには髄液検査や末梢神経伝導速度を測定する．重症筋無力症は呼吸筋が障害されるとII型呼吸不全の原因となる．胸部CT検査で胸腺腫が診断されることがある．また，抗アセチルコリンレセプター抗体（抗AChR抗体）などの自己抗体の測定や誘発筋電図にてwaning現象がみられ診断につながる．

腎疾患の確定診断

腎不全では肺水腫による呼吸不全がみられることがある．胸部画像検査やUN，Crの上昇により診断される．また，各種腎疾患の鑑別のために腎生検が必要なこともある．

感染症の確定診断

感染症の確定診断はとにかく起炎菌の同定に尽きる．

喀痰，尿および感染局所から起炎菌の検出を試み，併せて血液培養検査を行う．

敗血症では心内膜に障害が及ぶと，心雑音が聴取され，心エコーで疣贅がみられることがある．

粟粒結核では喀痰，胃液および尿などから抗酸菌の検出を試み，T-SPOT®検査を実施する．確定診断のために気管支鏡検査が必要なこともある．

日和見感染症は細胞性免疫不全の状態に発症する．

基礎疾患や病態としては白血病などの血液疾患，慢性腎不全，糖尿病，栄養失調による極端なやせ，ステロイド薬や免疫抑制薬の使用，HIV感染症などが挙げられる．

ニューモシスチス肺炎は免疫抑制状態で発症する難治性の疾患である．画像所見が軽微のわりに呼吸困難の訴えや低酸素血症の程度が強いという特徴がある．喀痰，気管支洗浄などから菌体を証明すると診断される．併せてβ-D-グルカンを測定する．また，後天性免疫不全症候群（AIDS）が疑われるときには抗HIV抗体をオーダーする．

サイトメガロウイルス肺炎も免疫抑制状態で発症する．確定診断のため気管支鏡検査での細胞診や組織診を行う．またウイルス抗原血症検出法（アンチゲネミア法）を併せて行う．

その他の各種の真菌，細菌，結核菌，非結核性抗酸菌も原因となる．それぞれ喀痰や気管支鏡検査などから起炎菌の検出を試みる．

膠原病の確定診断

特徴的な皮膚所見から診断が推測されることが多い．

膠原病では，びまん性肺胞出血や間質性肺炎などの肺実質の障害や，神経筋障害による呼吸不全がみられることが多い．

膠原病の診断に各種自己抗体の測定が診断の助けとなる．

血管炎症候群が疑われるときにはANCAを測定する．

各種膠原病と呼吸不全を呈する代表的な合併症を以下に示す．

- 関節リウマチ：間質性肺炎，胸膜炎，心膜炎，心筋炎
- 全身性エリテマトーデス（SLE）：ループス肺炎，肺胞出血，胸膜炎，心外膜炎
- 全身性硬化症：肺線維症，肺高血圧症
- 皮膚筋炎：呼吸筋障害，間質性肺炎，心筋炎，心不全
- 混合性結合組織病：間質性肺炎，肺高血圧症
- 血管炎症候群：肺胞出血，間質性肺炎

合併症の診断のために胸部CT検査，胸水穿刺，気管支鏡検査，心エコー検査，心臓カテーテル検査，筋電図検査や筋生検などを行う．

代謝内分泌疾患の確定診断

代謝内分泌疾患が初発症状として呼吸不全を呈

することは稀である．しかし，病期の進行によるさまざまな合併症のため呼吸不全を呈する可能性はある．

甲状腺機能低下症では顔面や四肢に粘液水腫がみられる．甲状腺ホルモンや抗サイログロブリン抗体，抗甲状腺ペルオキシダーゼ(TPO)抗体などの甲状腺自己抗体を測定する．

糖尿病は心不全，腎不全をはじめとする種々の合併症を併発する．血糖やヘモグロビン A1c (HbA1c)を測定する．

その他の内分泌疾患が疑われるときには各ホルモンの検査を行い，診断を進める．

糖尿病や極端なやせは日和見感染症を引き起こす．感染部位からの起炎菌の検出に努める．

中毒の確定診断

使用ならびに吸入などの状況から診断できることが多い．経皮的に吸収される薬物もあるため，診察にあたっては誤って接触しないなどの注意が必要である．薬物によっては血中濃度の測定が確定診断につながる．

外傷の確定診断

外傷時の状況から判断できることもある．

肺挫傷，肋骨骨折，フレイルチェストなど多数の疾患が引き起こされる．診断には胸部 X 線検査，胸部 CT 検査などが有用である．

〈中村 博幸，武田 幸久，渡邊 裕介〉

心不全
heart failure

心不全とは

定義

日本循環器学会ならびに日本心不全学会主導で急性心不全と慢性心不全に分かれていた心不全の診療ガイドラインが2017年改訂版で1本化された．急性心不全の多くが慢性心不全の急性増悪であり，心不全発症前から急性期そして慢性期まで絶え間ない継続的な治療が必要であることから，診療ガイドラインも急性と慢性の2つに区分するのは現代の心不全診療にそぐわないという認識である．

また，悪性疾患がわが国においてはごく一般的に非医療従事者に浸透しているのに反し，心不全のイメージは浸透していない．このため，心不全は予後不良な疾患群であり本人による意思決定を支援するプロセスであるACP（advance care planning）などが重要であるにもかかわらず，日常臨床においては十分に行われていない現状がある．このような現状をふまえ，非医療従事者にも心不全をわかりやすく理解してもらう必要があると考え，日本循環器学会と日本心不全学会から，2017年10月31日に非医療従事者向けに心不全の定義が発表された（『心不全の定義』について）．医療従事者向けの詳細な定義が「なんらかの心臓機能障害，すなわち，心臓に器質的および/あるいは機能的異常が生じて心ポンプ機能の代償機転が破綻した結果，呼吸困難・倦怠感や浮腫が出現し，それに伴い運動耐容能が低下する臨床症候群」である一方，非医療従事者向けの定義は，「心不全とは，心臓が悪いために，息切れやむくみが起こり，だんだん悪くなり，生命を縮める病気です」と，簡易かつ予後不良な疾患であることが伝わりやすくなっている．

表1 心不全の自覚症状，身体所見

うっ血による自覚症状と身体所見		
左心不全	自覚症状	呼吸困難，息切れ，頻呼吸，起座呼吸
	身体所見	水泡音，喘鳴，ピンク色泡沫状痰，Ⅲ音やⅣ音の聴取
右心不全	自覚症状	右季肋部痛，食思不振，腹満感，心窩部不快感
	身体所見	肝腫大，肝胆道系酵素の上昇，頸静脈怒張，右心不全が高度なときは肺うっ血所見が乏しい
低心拍出量による自覚症状と身体所見		
自覚症状		意識障害，不穏，記銘力低下
身体所見		冷汗，四肢冷感，チアノーゼ，低血圧，乏尿，身のおき場がない様相

（日本循環器学会/日本心不全学会：急性・慢性心不全診療ガイドライン（2017年改訂版）．https://www.j-circ.or.jp/cms/wp-content/uploads/2017/06/JCS2017_tsutsui_h.pdf より（2023年9月閲覧））

患者の訴え方（表1）

「左房圧上昇による肺うっ血」すなわち左心不全，「右房圧上昇による体静脈うっ血」すなわち右心不全，そして「低心拍出量」の3つの病態に分けて症状を理解することが重要である．

左心不全の症状として，初期においては労作時の息切れや動悸，易疲労感を呈するが，重症化すると発作性夜間呼吸困難や起座呼吸を生じ，安静時でも動悸や呼吸苦が生じる．

右心不全の症状としては，食欲不振，便秘，悪心・嘔吐，腹部膨満感，下腿浮腫，体重増加などがある．

低心拍出量に基づく症状としては，易疲労感，脱力感，腎血流低下に伴う乏尿・夜間多尿，チアノーゼ，四肢冷感，記銘力低下，集中力低下，睡眠障害，意識障害などがある．

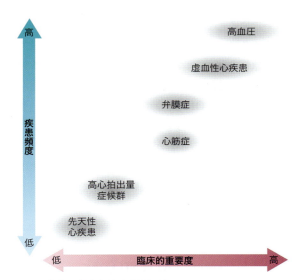

図1　疾患の頻度と臨床的重要度

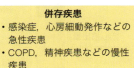

図2　心不全を構成する3要素

特に低心拍出量に基づく症状は多彩であり心不全をイメージしにくく，他疾患からもきたしうる特異度の低い症状につき注意を要する．また，高齢者特有の倦怠感，易疲労感，食欲低下などの症状も頻回に訴えを聴取することが多く，加齢による症状と認識し心不全診断が遅れる場合があるので注意すべきである．

急性心不全による種々の症状の頻度（図1）

わが国の急性心不全研究である ATTEND 研究によれば，発作性夜間呼吸困難は約50％，起座呼吸と下腿浮腫はともに約70％，低心拍出量による四肢冷感は約25％ となっている．

症候から原因疾患へ

病態の考え方

心不全は主に3つの要素で構成され，一般的にそれぞれに対する治療がある．1つ目は左心不全あるいは右心不全症状もしくは低心拍出量による症状，つまり心不全の状態，2つ目は心不全の原因となっている原疾患，そして最後に心不全増悪因子である併存疾患である．

原疾患に対して併存疾患が悪影響を与え，心不全の状態を惹起する．一般的には，まず心不全の状態に対する治療を先行させながら，心不全増悪因子の併存疾患に対しても治療を行い，安定したところで原疾患に対する治療を検討する．また心房細動などのように，明確にこの3つのいずれに分類すべきか判断が難しい疾患も多い（図2）．

心不全の状態に対する治療は，2分間のバイタルサインと身体診察により血行動態をおおむね把握することで遂行可能となる（図3）．収縮期血圧が 90 mmHg 以下程度の低値あるいは末梢の手足に冷感などがあった際には低心拍出量状態が示唆され，図3の4分画の下側にあたる Cold 状態（Profile L & C）となる．逆に収縮期血圧が 110 mmHg 以上程度で末梢の手足が温かい場合には低心拍出量状態がないことが示唆され，図3の4分画の上側にあたる Warm 状態（Profile A & B）となる．「左房圧上昇による肺うっ血」の有無に関しては，経皮的酸素飽和度（SpO_2）測定あるいは呼吸音聴取によって知ることが可能である．肺うっ血が示唆されると，図3の4分画の右側にあたる Wet 状態（Profile B & C）となる．肺うっ血所見がない場合には，図3の4分画の左側にあたる Dry 状態（Profile A & L）となる．肺うっ血を認めたら血管拡張薬や利尿薬の使用が推奨され，低心拍出量状態を認めたらカテコールアミン製剤の使用が

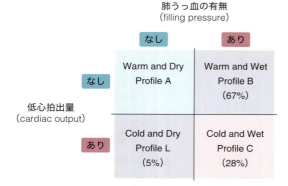

図3 血行動態の2分間評価（Nohria-Stevenson分類）

推奨される．

このごく短時間で心不全状態を的確に把握することの重要性が昨今さらに注目されている．

心不全の原因となっている原疾患としては，高血圧性心疾患，虚血性心疾患，弁膜症，心筋症，先天性心疾患，不整脈などがあるが，必ずしも単独ではなく複合的な要因であることも多く，注意を要する．原疾患に対しては介入して根治するものから，一過性に改善するもの，ある程度の改善が期待できるもの，介入困難な疾患までさまざまである．また，同じ原疾患に対しても介入方法によって得られる利益はさまざまであるため，個々の介入方法の利点や欠点などの特徴を把握する必要がある．そして急性心筋炎のように原疾患が急性疾患であり，その疾患の転帰自体が急性期に不明なものもある．さらに，原疾患のなかには大動脈弁狭窄症や重度の右心不全を呈する収縮性心膜炎のように低心拍出量状態に容易に陥る疾患がある．その際に肺うっ血を改善するための利尿薬を通常治療と同様に使用すると，低心拍出量状態を惹起し血行動態が破綻することがあるので注意を要する．そして介入困難な原疾患で心不全が治療抵抗性の状態となった場合には，65歳未満の患者においてさまざまな要件を満たさなければならないが，人工心臓の植え込み術，そして心移植という最終治療があることを忘れてはいけない．

心不全増悪因子である併存疾患には，今回の心不全増悪イベントに深くかかわった急性疾患と慢性的に存在する疾患の2種類がある．急性疾患の代表格は感染症である．特に高齢者において，感染による心負荷増大を契機に心不全の急性増悪を認めるイベントは多い．ほかの急性疾患としては，急性心筋梗塞，発作性心房細動出現による頻脈，急激な血圧上昇などがある．慢性的な併存疾患としては，COPD，うつ病などの精神疾患，悪性腫瘍，慢性腎臓病などあるが，それぞれの疾患で心不全に対する影響が異なる．たとえば，慢性腎臓病の併存疾患によって心不全の治療薬が使用しにくい，あるいは精神疾患によって内服のアドヒアランスが障害されるなどである．

病態・原因疾患の割合

前述したわが国のATTEND研究によると，虚血性心疾患が約30％，心筋症は約13％，弁膜症と高血圧性心疾患はともに約20％であった．

診断の進め方

診断の進め方のポイント

心不全の原疾患と増悪因子の有無を確認し，症状，身体所見，胸部X線，心電図，採血でのBNP/NT-proBNP値，そして心エコー検査などを行い総合的に診断することが重要である．肺うっ血を伴ったいわゆる急性心不全（うっ血性心不全）の診断には，Framingham criteriaが用いられる（表2）．

ここで重要なのは，うっ血性心不全の確定診断を満たさない慢性心不全患者も多くいるという事実である．「定義」の項目で前述したように，慢性心不全と急性心不全を明確に分離して定義することは難しく，その診断方法も明確に分けることはできない．Framingham criteriaは慢性心不全が代償されていない非代償期，あるいは増悪期などの診断方法であることを銘記する必要がある．つまり，Framingham criteriaで診断に達しなかったということは，現時点で肺うっ血を呈していない代償されていない心不全状態ではなかったということである．つまり慢性心不全の落ち着いた状態あるいは慢性心不全が軽度悪化した状態などの可能性は十分にある．肺うっ血を伴った心不全の非代

表2 うっ血性心不全の診断基準(Framingham criteria)

大症状2つか，大症状1つおよび小症状2つ以上を心不全と診断する

[大症状]
- 発作性夜間呼吸困難または起座呼吸
- 頸静脈怒張
- 肺ラ音
- 心拡大
- 急性肺水腫
- 拡張期早期ギャロップ(Ⅲ音)
- 静脈圧上昇(16 cmH₂O以上)
- 循環時間延長(25秒以上)
- 肝頸静脈逆流

[小症状]
- 下腿浮腫
- 夜間咳嗽
- 労作性呼吸困難
- 肝腫大
- 胸水貯留
- 肺活量減少(最大量1/3)
- 頻脈(120/分以上)

[大症状あるいは小症状]
- 5日間の治療に反応して，4.5 kg以上の体重減少があった場合，それが抗心不全治療ならば大症状1つ，それ以外の治療ならば小症状1つとみなす

〔McKee, P.A., Castelli, W.P., McNamara, P.M., et al.: The natural history of congestive heart failure: the Framingham study. N. Engl. J. Med., 285:1441-1446, 1971 より〕

表3 医療面接のポイント

経過
- いつから，増悪しているのかどうか
- 急激な発症か，あるいは徐々にか
- 安静時の症状の有無を確認する

誘因
- 感染の有無を確認する
- 塩分過剰摂取，水分摂取過多，過労，不眠，ストレスの有無を確認する
- 内服薬アドヒアランス，薬物服用歴，アルコールの摂取を確認する
- 腎機能増悪を確認する

心不全状態の有無
- 左心不全症状，右心不全症状，低心拍出量状態を確認する

既往歴
- 心不全既往，心疾患既往や治療歴を確認する

生活歴，家族構成
- 睡眠時間，食事摂取量，服薬アドヒアランスを確認する
- 同居している家族の有無を確認する

嗜好品，常用品
- 喫煙，アルコール，サプリメントなどを確認する

職業歴
- 過労やストレスが惹起されやすい職種かどうか

家族歴
- 心疾患および突然死を確認する

償期ではないが慢性心不全状態であるという患者は非常に多い．心不全の症状がない時期から心不全の前駆状態であると診断し，予防的介入を行うことは現在のガイドラインに通じる考え方である．

医療面接

詳細な医療面接によって，慢性心不全状態，心不全増悪期，心不全の重症度，あるいは原疾患や併存疾患などが評価可能である(表3)．一方で，患者の呼吸状態が悪く医療面接が困難な場合も多い．肺うっ血が強く呼吸状態が芳しくない患者においては，医療面接はごく短時間で的確に行い，不足分に関しては患者の状態改善後に本人に，あるいは患者の同居者に尋ねるようにする．

身体診察(表4)

左心不全，右心不全そして低心拍出量の3つに分けて評価する．

- **左心不全**：聴診所見においてはⅢ音によるギャロップ(奔馬調律)．肺の聴診では，軽症では座位にて吸気時に下肺野の水泡音(coarse crackles)を聴取し，心不全の進展に伴い肺野全体で聴取される．急性肺水腫に陥るとチアノーゼや冷汗を伴う喘鳴，ラ音を伴う起座呼吸，ピンク色・血性の泡沫状喀痰を認める．
- **右心不全**：頸静脈怒張，下腿浮腫，肝腫大，肝頸静脈逆流を認める．さらに進行すると顔面や上肢を含めた全身浮腫になる．体重増加は数 kg，高度になると10 kg以上になる．慢性心不全患者においては，3日以内に2 kg以上の体重増加を認める場合には心不全治療の強化，具体的には利尿薬の増量などが検討される．

表4　身体診察のポイント

バイタルサイン
- 体温：心不全増悪因子に感染はないか
- SpO_2：呼吸状態つまり左心不全症状の重症度を確認する
- 血圧：血圧が 100 mmHg 未満の臓器低灌流状態ではないか，あるいは血圧が 140 mmHg 以上の高値であり後負荷が不適切ではないか
- 心拍数：頻拍特に 120 回/分以上ではないか，あるいは心房細動を示唆する不整所見はないか

全身状態
- 左心不全症状である倦怠感や脳灌流障害である意識混濁などがないか，右心不全症状である体重増加はないか

頭頸部
- 右心不全症状である頸静脈怒張や眼瞼浮腫はないか

胸部
- 左心不全症状である湿性ラ音，Ⅲ音やⅣ音の聴取，喘鳴，ピンク状泡沫喀痰，基礎心疾患として弁膜症を示唆する心雑音はないか

腹部
- 右心不全を示唆する肝腫大の有無，腹水を示唆する身体所見の有無を確認する

四肢
- 冷汗の有無，右心不全症状である下腿浮腫はないか

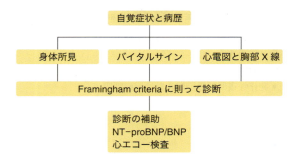

図4　診断の進め方

- 低心拍出量：心原性ショックでは収縮期血圧 90 mmHg 未満，もしくは通常血圧より 30 mmHg 以上の低下がみられ，意識障害，乏尿，四肢冷感，口唇や爪床にチアノーゼがみられる．また Cheyne-Stokes（チェーン・ストークス）呼吸や意識障害を伴うこともあり，脈拍は微弱で頻脈となる．

診断のターニングポイント

医療面接と身体診察を統合して考える点

急性期の臨床現場においては，肺うっ血が強く呼吸状態が悪いあるいは低心拍出量状態にある重症患者を早期に診断し，介入していく必要がある（図4）．前述したように，まずは血圧と診察所見で低心拍出量状態あるいはショック状態かどうかを判断し，同時に SpO_2 測定と肺聴診所見や呼吸数から肺うっ血の有無あるいは重症度を把握する．酸素吸入で呼吸状態が安定しない場合には非侵襲的陽圧換気療法（NPPV 療法）をまずは検討する．

低心拍出量かつ肺うっ血が強い場合，つまり Nohria-Stevenson（ノリア・スティーブンソン）分類の Profile C の場合，あるいは不整脈が多発している場合などは急変する可能性を念頭に，まずは治療にかかわる医療従事者の人数を確保すべきである．そして昇圧薬を準備あるいは使用しながら鎮静・挿管下での人工呼吸器管理も検討される．

最も多い血圧が高く（Warm），肺うっ血（Wet）の Profile B の患者においては，NPPV 療法は著効する場合が多い．このため重症な急性心不全に出くわすことが多い救急外来に，NPPV 療法がすぐにできるよう呼吸器を準備しておくことが重要である．また，Profile B の血圧が維持されている肺うっ血合併患者においては，診断後には迅速にフロセミドを静脈内投与すべきである．

原疾患のなかで初期に診断すべき疾患がある．まずは 12 誘導心電図を施行し ST 上昇型心筋梗塞の有無を確認する．ST 上昇型心筋梗塞は原疾患でありながら急性期の介入を必要とし，また原疾患への介入によって予後が改善することがわかっているので，原疾患治療と心不全治療を並行して進める．また，肺雑音が著明な場合に心音を聴取しにくいことはしばしばあるが，収縮期駆出性雑音を認めた際には注意を要する．頸部まで放散しているか，あるいは狭窄が高度で雑音が高音ではないかなどに留意し，重症大動脈弁狭窄症の有無を診断しなければならない．高齢化が進むわが国において大動脈弁狭窄症患者は増加している．前述したように，大動脈弁狭窄症患者へ通常の治療同様の利尿薬や血管拡張薬を投与すると，血行動態が破綻するような低心拍出量状態を惹起

することがある．このため，重度の大動脈弁狭窄症の有無はごく早期に診断したい．聴診が困難な場合には心電図での圧負荷などが参考になることもある．そして可能であれば，心エコー検査を早期に施行し，心収縮能が保たれているのかどうか，心嚢水の有無，大動脈弁狭窄症などを含めた弁膜症の有無を確認する．

急性期の肺うっ血合併心不全患者においては，心臓へ戻ってくる血流量を増加させるような背臥位などは急激な肺うっ血悪化を惹起するため禁忌である．可能な体勢も限られるので，急性期の心エコー検査は座位でごく短時間で済ませるように配慮すべきである．

また，Nohria-Stevenson分類の4つのProfileに属さない病態として，左心不全を伴わない単独の右心不全がある．急性肺血栓塞栓症，収縮性心膜炎，心筋症の1つである不整脈源性右室異形成症，あるいは一部の先天性心疾患などが原疾患である．特に出会うことが多いのは急性肺血栓塞栓症なので，その特徴は理解しておく必要がある．

必要なスクリーニング検査

❶ 12誘導心電図

ST上昇型急性心筋梗塞のST上昇，急性肺血栓塞栓症の右室負荷所見，左室負荷所見，左房負荷所見，心房細動の有無，心室性期外収縮多発の有無などに留意する．

❷ 動脈血液ガス検査

SpO_2測定で血中酸素濃度は測定可能であるが，同時に測定する項目は初期診療において重要な情報を供給する．組織の虚血によって嫌気性代謝が亢進し出現する乳酸上昇，pH，二酸化炭素分圧の低下の有無は重症度を反映する．また，これらの情報は静脈血液のガス分析でも一部代用可能である．

❸ 血液検査

心不全状態の確認目的，重症度を把握する目的，併存疾患や原疾患を確認する目的，あるいはその両方を目的に行う．

それぞれの項目を測定する意義を理解しておくことは重要である．血算では併存疾患を示唆する

表5　心不全診療におけるBNP値解釈のピットフォール

臨床所見に比べ低値に出る場合	臨床所見に比べ高値に出る場合
■ 肥満の存在 ■ 左室より上流での異常：弁膜症（僧帽弁狭窄症など） ■ 急性肺水腫 ■ 収縮性心膜炎	■ 高齢・女性 ■ 心房細動の存在 ■ 心筋虚血の存在 ■ 腎機能障害の存在 ■ 肥大型心筋症

貧血の有無，感染を示唆する白血球数の増加，原疾患である急性心筋梗塞を示唆する心筋逸脱酵素であるトロポニンT，CK，CK-MB，急性肺血栓塞栓症を示唆するD-ダイマー，右心不全を示唆する肝機能上昇，低心拍出量状態を示唆するビリルビン，尿酸値，重症度を示すBNP，NT-proBNP，UNなどがある．BNP/NT-proBNPの解釈で注意すべきことは，それぞれカットオフ値があり，それ以下であれば心不全状態は否定的だが，値が大きいからといって心不全状態にあるとはいえないことである．心不全状態であると診断する際には，あくまでも総合的に判断する必要がある．またBNPには低く出やすい，あるいは高く出やすい病態があることが知られており，注意を要する（表5）．

❹ 胸部X線検査

いわゆる慢性心不全と急性心不全患者でそれぞれ特徴的な所見がある．図5aは慢性心不全患者の心拡大（CTR増大）を示し，図5bは慢性心不全患者の胸水貯留を示す．一方，図6は両側肺野での肺うっ血を示しており，急性心不全に特徴的である．慢性心不全患者の急性増悪の場合には，図5aの心拡大かつ図6の肺うっ血所見を認めることもあるので注意を要する．

❺ 心エコー検査

前述したように，患者の状態を鑑み，時間をかけすぎないように注意を要する．詳細な心エコー検査は血行動態や心臓の構造的変化を把握するために重要な検査であることはいうまでもない．しかしながら，急性心不全（心不全の非代償期）診療においては，ある程度の心収縮能の把握，大動脈弁狭窄症などの有意な弁膜症の有無の把握など，

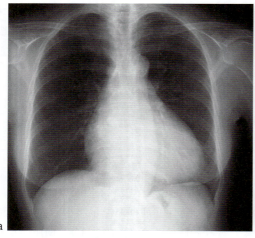
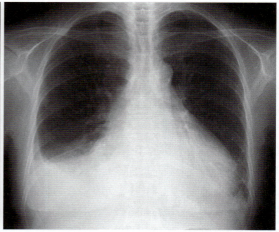

図5 慢性心不全の胸部X線写真

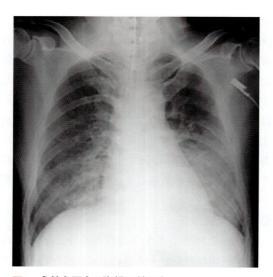

図6 急性心不全の胸部X線写真

目的を明確にして行うことが重要である．心不全の急性期においては心収縮能の正確な把握は重要ではない．しかし，心不全が代償され慢性期に移行した際に，心不全の予後を改善する治療は心収縮能によって大きく異なるため，心収縮能の評価は重要となる．

診断確定のために

前述したように，患者が心不全の非代償期であるという診断は，バイタルサインと身体所見からFramingham criteriaを用いて診断する．最終的には医療面接，胸部X線写真，採血データなども含め，総合的に心不全非代償期，代償された慢性心不全などを診断する．

〈東谷 迪昭〉

急性冠症候群
acute coronary syndrome(ACS)

急性冠症候群とは

定義

急性冠症候群(ACS)は，冠動脈粥腫(プラーク)の破綻とそれに伴う血栓形成により冠動脈内腔が急速に狭窄，あるいは閉塞し，心筋が虚血，壊死に陥る病態を示す症候群である．

ACSはさらに，心電図でST上昇変化があるST上昇型心筋梗塞，ST上昇がなく心筋障害の定義である心筋逸脱酵素トロポニンの上昇を認める非ST上昇型心筋梗塞，トロポニン上昇を認めない不安定狭心症の3つに分類される(図1)．

また，急性心筋梗塞は欧州心臓病学会から2018年に第4版の世界定義(world definition)が提唱された．その定義において5つの病型に分類しているが，心筋トロポニン値，新規の虚血性変化などの情報がなく心筋虚血が原因である心臓死を心筋梗塞type 3と定義している．つまりACSには，院外突然死という表現型があることを忘れてはいけない．

患者の訴え方

ACSの主訴としては安静時胸痛が最も多く，約60～70%と報告されている．しかし約30～40%の患者は胸痛以外の症状を呈する．息切れ，心窩部痛，頸部痛，めまい，失神，嘔気などさまざまである．このため，胸部症状以外のACSを見逃さないように注意を要する．

胸痛の性状は局所的な症状というよりも胸全体を訴えることが多く，圧迫されるような，あるいは押さえつけられるような症状であることも多い．また，胸部症状に冷や汗や腕や頸部などへの放散痛を伴うとACSの可能性が上がる．一方，局所的な痛み，体動に伴う痛み，あるいは圧痛を伴う胸痛であるとACSの可能性は下がる．

糖尿病患者においては症状を呈さずに心筋虚血が無症候性に進行し，心不全が初発症状であることも多い．このため糖尿病患者においては，その罹患年数に応じた適切な心機能評価を行うことが

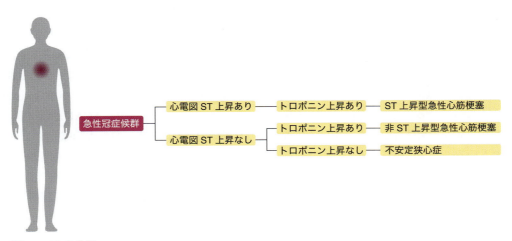

図1　ACSの分類
ST上昇型で最終的にトロポニンが陰性であれば不安定狭心症となる．しかしACSの診断はまず心電図で重症度を判断するため，アルゴリズムの最初を心電図とした．

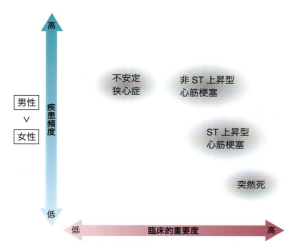

図2 疾患の頻度と臨床的重要度

表1 ACSの原因

① 動脈硬化
② 冠動脈の攣縮
③ 心筋梗塞 type 2：心筋への酸素の需要と供給の不均等
④ 炎症性疾患：高安病や川崎病
⑤ 特発性冠動脈解離（SCAD）
⑥ 外傷，急性大動脈解離による冠動脈狭小化
⑦ 先天性冠動脈奇形（冠動脈瘤，起始異常，冠動脈瘻など）
⑧ 全身性の凝固異常：播種性血管内凝固症候群，抗リン脂質抗体症候群など

望ましい．

急性冠症候群の頻度（図2）

これまでわが国においてACSの発症率の推移を検討した大規模な研究は見当たらない．しかし急性心筋梗塞の地域研究はいくつかあり，宮城県においては，宮城県の人口10万人あたりの急性心筋梗塞の年齢調整後発症率は，1979年には7.4人であったのに対し，2008年には27.0人と30年間で約4倍に増加している．一方，欧米諸国では人口10万人あたり，英国で約800人，米国で約500人と報告されており，わが国における心筋梗塞平均発症率は欧米に比べると非常に低い．わが国における男女別では，男性が女性の約3倍の発症率で推移している．また，わが国における心筋梗塞発症のピーク年齢は男性で約65歳，女性で約75歳と10年の差を認めている．

わが国では，心臓突然死によって年間約6〜8万人が亡くなっている．その原因としてACSは重要であり，ACSで突然死をきたしている患者が年間数万人いることが示唆される．

症候から原因疾患へ

病態の考え方（表1）

動脈硬化の進展過程において，コレステリン結晶や炎症細胞浸潤を伴う脂質成分に富んだ壊死性コア（necrotic core）と，それを覆う薄い線維性被膜からなる脆弱なプラーク（vulnerable plaque）が形成される．この脆弱なプラークが破綻することによって冠動脈内に血栓が形成され，ACSが引き起こされると考えられている．しかし，明らかなプラーク破綻がなく冠動脈内に血栓が形成される病態の存在が近年明らかとなった．血管内皮細胞の障害や欠損により血栓形成を生じるびらん（erosion），さらに頻度は低いが内腔に突出する密集した石灰化結節（calcified nodule）の2つである．いずれの原因においても，急激な血栓形成によって急激な心筋虚血が起こることが急性冠症候群である．動脈硬化進展により，血管内腔の狭小化，それに対応するようにして起こる血管径外径の拡大（positive remodeling），さらにプラークの容積が増大し血管内腔が狭小化することで生じる慢性冠症候群（chronic coronary syndrome；CCS）とは病態が異なることに注意すべきである．

主たる原因は前述したように動脈硬化であるが，それ以外に高安病や川崎病などの炎症性疾患，若年女性に多い特発性冠動脈解離（spontaneous coronary artery dissection；SCAD），わが国で多い冠動脈の攣縮，外傷，急性大動脈解離による冠動脈狭小化，先天性冠動脈奇形（冠動脈瘤，起始異常，冠動脈瘻など），全身性の凝固異常（播種性血管内凝固症候群，抗リン脂質抗体症候群など），そして冠動脈に有意な狭窄や閉塞は認めないが心筋への酸素の需要と供給の不均等から生じる，いわゆる心筋梗塞 type 2（心筋梗塞の世界分類基準における5つの分類の2番目にあたる）が挙げられ

る．心筋梗塞 type 2 はさまざまな要因で起こるが，甲状腺機能亢進症・左室肥大を伴う高血圧性心疾患・大動脈弁狭窄症・頻脈性不整脈の持続などの酸素需要の増大，あるいは貧血・ショック・急性呼吸不全・急性心不全などの酸素供給の減少で生じる．心筋梗塞 type 2 は一般的な心筋梗塞である心筋梗塞 type 1 と比較し予後不良であることが知られており，原疾患に対する適切な治療が望まれる．

病態・原因疾患の割合

ACS における動脈硬化の危険因子合併の割合は，高血圧・脂質異常症が約 65〜80％，糖尿病が約 30〜40％，喫煙が 40〜50％ であることが知られている．ST 上昇型心筋梗塞，非 ST 上昇型心筋梗塞，不安定狭心症の ACS における割合においては，わが国における正確な報告はない．欧米の報告では，ST 上昇型心筋梗塞が約 30％ であり，不安定狭心症と非 ST 上昇型心筋梗塞を併せて約 70％ 程度である．

診断の進め方

診断の進め方のポイント

- ST 上昇型心筋梗塞に対する発症後早期の再灌流療法は，予後を改善させる確立された治療法であるため，ST 上昇型心筋梗塞をいかに適切かつ迅速に診断するかが鍵となる．
- 特に症状として多い安静時胸痛を認める患者においては，患者到着後 10 分以内に第一段階のバイタルサインのチェック，12 誘導心電図検査，そして病歴情報と身体所見をとりながら連続心電図モニタリングを行うことが重要である．また安静時胸痛を呈する患者で，ACS ではないが緊急を要する重篤な疾患として急性大動脈解離と急性肺血栓塞栓症があるので，これらの疾患も念頭に精査を進める．
- 安静時以外の症状の患者においても，ACS の可能性を考慮しながら精査していくことが重要である．特に緊急を要する ST 上昇型心筋梗塞の診断に不可欠な 12 誘導心電図は，簡便に施行できるので幅広い患者層に施行するべきである．

表2 医療面接のポイント

症状
- いつからか，症状は増悪傾向か，一般的に胸部症状が 20 秒以下あるいは体位依存性の場合では虚血性心疾患は否定的である．典型的には前胸部から胸骨後部の圧迫感や絞扼感，息が詰まるような症状，背部や腕，顎への放散痛を呈することもある．しかしながら特に高齢者，女性あるいは糖尿病患者では非典型的な症状も多く，症状のみで急性冠症候群を否定しないことが重要である．息切れや失神を訴えることもある

胸痛の誘因
- 安静時か非安静時か

既往歴
- 動脈硬化危険因子の有無を確認する
- 労作での息切れや胸部症状の有無を確認する
- 同様のイベントの有無を確認する

家族歴
- 虚血性疾患あるいは突然死の有無を確認する

嗜好品
- 喫煙の有無を確認する

医療面接（表2）

安静時胸痛の患者の医療面接においては，胸痛の部位，性状，誘因，持続時間，経時的変化そして随伴症状に注意する．特に 20 分以上持続する胸痛は心筋梗塞を疑う症状である．なお，塩酸モルヒネを要するような強い痛みは約半数の症例で認められるが，症状の強さと重症度は必ずしも一致しないので注意が必要である．

並行して既往歴，冠危険因子や家族歴についての情報も得ることで，ACS とその他の疾患を迅速に鑑別する必要がある．

既往歴に関して最も重要なものは，すでに冠動脈疾患と診断されているのか，あるいは血行再建治療術(冠動脈形成術・冠動脈バイパス術)の既往を確認することである．同時にほかの血管床である脳血管疾患既往や下肢末梢動脈疾患の合併の有無も重要となる．なお，ST 上昇型心筋梗塞においては，医療面接はごく短時間で済ませ，緊急血行再建治療後に再度詳細を確認するようにする．心電図で ST 上昇を認めなかった場合には時間的

表3 身体診察のポイント

バイタルサイン
- 経皮的酸素飽和度(SpO_2)：呼吸状態つまり左心不全症状の重症度を確認する
- 血圧：血圧が 100 mmHg 未満の臓器低灌流状態ではないか，あるいは血圧が 140 mmHg 以上の高値であり後負荷が不適切ではないか
- 心拍数：徐脈や頻脈の有無，心房細動を示唆する不整所見の有無を確認する

全身状態
- 痛みの程度はどうか：苦悶様表情，冷汗の有無を確認する

頭頸部
- 右心不全症状である頸静脈怒張や眼瞼浮腫はないか

胸部
- 左心不全症状である湿性ラ音やⅢ音聴取，喘鳴，ピンク状泡沫喀痰，合併症としての僧帽弁閉鎖不全症や心室中隔穿孔を示唆する心雑音の有無を確認する

腹部
- 腹部大動脈瘤を示唆する拍動性腫瘤の有無を確認する

四肢
- 冷汗の有無，右心不全症状である下腿浮腫はないか
- 両側鼠径部総大腿動脈・橈骨動脈・足背動脈が触知するかを確認する

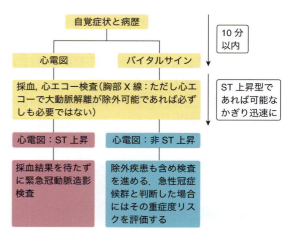

図3 診断の進め方

に猶予があることから，ACS かどうかの判断を行うための医療面接を詳細に行う．

家族歴に関しては，突然死も含め確認することが重要であり，特に若年発症の家族歴（男性 55 歳未満，女性 65 歳未満）に留意する．

冠危険因子に関しては，年齢，喫煙歴，脂質異常症，糖尿病，高血圧，家族歴，腎機能障害など，可能なかぎり情報収集し，特に 3 つ以上該当する場合には可能性が高くなる．

身体診察（表3）

身体所見の注意深い診察は，ACS の診断のみならず，合併症の有無や胸痛を引き起こす他疾患との鑑別，治療法の選択，あるいは心臓カテーテル検査時の動脈アクセス部位の決定においても重要である．

肺水腫を合併しているかどうかの聴診所見と収縮期血圧が 90 mmHg 未満のショック状態であるかどうかで，簡便な急性心筋梗塞の重症度診断である Killip（キリップ）分類の診断が可能である．

最重症のショック症例は Killip Ⅳ型，上下肺野肺水腫の合併例は Killip Ⅲ型，下肺野を中心とした肺水腫症例は Killip Ⅱ型，肺水腫がなく血圧が維持されている症例は Killip Ⅰ型である．

重症症例であることを認識したら，機械的サポートや非侵襲的陽圧換気療法，あるいは気管内挿管下での人工呼吸器サポートによる呼吸補助療法が検討される．また，右室梗塞を合併した急性下壁梗塞においては，頸静脈怒張，肝腫大，下腿浮腫などの右心不全徴候や血圧低値を認める場合がある．この場合は右室機能障害による右心不全症状が回復するまで厳重な集中管理を要する．

診断のターニングポイント

医療面接と身体診察を総合して考える点

心電図で ST 上昇を認めるかどうかが最も大事な分岐点である（図3）．心電図で ST 上昇を認めれば迅速な血行再建治療が必要となる．受診後 90 分以内での経皮的冠動脈形成術（percutaneous coronary intervention; PCI）による血流再開あるいは PCI 施行困難な状況であれば，血栓溶解療法を 30 分以内に施行することが推奨されている．同時に肺うっ血を呈している状態かあるいはショック状態ではないかを最初に判断し，重症度を把握する必要性がある．

必要なスクリーニング検査

❶ 第1段階：医療面接，身体診察，12誘導心電図，血液生化学検査（血算，心筋トロポニン，CK，CK-MB，（D-ダイマー））

原則として10分以内にST上昇型急性心筋梗塞であるかどうか，そして重症度を評価する．急性下壁梗塞の場合は，右室梗塞の合併の有無を調べるために右側胸部誘導（V_{4R} 誘導）を記録し，ST変化を確認する．急性冠症候群が疑われる患者で，初回の心電図で診断できない場合には，後壁梗塞を念頭に背側部誘導（V_{7-9} 誘導）も記録する．ST上昇型心筋梗塞であれば，採血結果を待つことで再灌流療法が遅れてはならない．

D-ダイマーに関しては，急性大動脈解離と急性肺血栓塞栓症の除外診断にも使用可能であるので，心電図でST上昇を認めない場合には有用となる．

❷ 第2段階：心エコー検査，胸部X線検査

心エコー検査は必須である．詳細な心エコーを施行すると10分程度は時間を要するので，評価したい項目を意識しながら5分以内で終えるようにする．心雑音を聴取していれば，心筋梗塞の重篤な合併症である乳頭筋不全（断裂）などによる急性僧帽弁閉鎖不全症，あるいは心室中隔穿孔の有無を念頭に心エコー検査を行う．心雑音がなく血行動態が安定している患者においては左室壁運動異常が重要となる．また下壁梗塞の患者においては，右室の壁運動異常や右心不全所見に関しても留意して観察する．

胸部X線を施行する時間がない場合も多いが，急性大動脈解離に合併した急性心筋梗塞に遭遇することもある．このため，必ず冠尖から上行大動脈の中部程度までは大動脈解離の有無と大動脈弁閉鎖不全症の有無，そして心囊液貯留も確認する必要がある．心エコーで急性大動脈解離が十分に否定でき，呼吸状態と肺雑音の有無が確認できた症例においては，時間がない場合には胸部X線はPCI施行後で十分である．

診断確定のために

ST上昇型心筋梗塞では診断と血行再建治療をかねて緊急で冠動脈造影検査を施行し，冠動脈の閉塞や狭窄を確認する．一方，非ST上昇型心筋梗塞あるいは不安定狭心症の場合には，昨今冠動脈CTの精度が非常に高くなっているので，冠動脈の閉塞や狭窄などの形態情報を把握するのに必ずしも冠動脈造影検査が必要ではない．点滴や内服治療を開始し冠動脈CTを予定したうえで，冠動脈の解剖学的情報を併せて治療方針を決定することが可能である．

ACSで冠動脈の血流低下から脂肪酸代謝の障害あるいは壊死した心筋部位を把握するために，核医学検査を行うこともある．また，ACSを疑った際の運動負荷検査は心筋梗塞を惹起することがあり禁忌であるため，運動負荷前にはACSではないことを十分確認することが必要である．

Topic

安定している慢性冠症候群（CCS）で主に問題となる冠動脈狭窄を有さない ischemia with non-obstructive coronary arteries（INOCA）の概念が注目されている．典型的な狭心症状および虚血を認める患者において，冠動脈造影にて有意な冠動脈狭窄が認められる割合は約半分であることが知られている．INOCAの病因としては，心外膜冠動脈における冠攣縮，あるいは冠微小血管攣縮や微小血管抵抗上昇などによる冠微小血管障害である．これらの評価は冠動脈造影検査に付随して行う侵襲的なものであったが，近年は負荷心エコー検査や心臓MRIなどでも冠微小血管障害を評価することが可能となってきており，INOCAに対する研究の進展が期待されている．

1988年にCannonらにより初めてmicrovascular angina（微小血管狭心症）が提唱されたが，その臨床像としては，①女性（特に閉経前後の女性）に多い，②胸痛の性状や心電図ST下降のパターンは通常の狭心症と同様，③労作時以外の安静時胸痛も生じる，④胸痛の持続時間が10分以上続くこともしばしばである，⑤半数以上の症例で速効性硝酸薬の有効性が認められない，などがある．よって，心外膜の冠動脈を評価する冠動脈造影検査や冠動脈CT検査で，有意な狭窄を呈さないINOCA（冠攣縮性狭心症や微小血管狭心症）を理解しておくことは重要である．

〈東谷 迪昭〉

急性腹症
acute abdomen

急性腹症とは

定義

急性腹症とは，一般的には発症1週間以内の突然発症した急激な腹痛のなかで，緊急手術やそれに代わる迅速な対応が必要な腹部(胸部なども含む)疾患の総称である．

急性発症の腹痛には全身状態の低下，バイタルサインの変化により病態把握が困難なことがあり，確定診断が得られないまま緊急に対応する必要が生じる場合もあることから，急性腹症という概念が導入されている．

急性腹症の原因となる疾患は，①腹痛部位の局在，②炎症・感染，機械的閉塞，循環障害などの病態，③腹部以外の疾患，④初期対応の緊急度により分類される．

腹痛の原因診断へのアプローチには，基礎疾患，病歴，身体所見，臨床検査，画像検査を総合的に評価する必要がある．近年，急性腹症の原因疾患の診断は，画像診断の進歩により，以前に比べて比較的容易となってきており，初期対応の診断補助に寄与している．しかし，高齢者や小児の病態把握は困難なことが多く，また血流障害の一部には初期症状が乏しく，早期診断が困難な疾患もあり，緊急性が増すことも念頭におかなければならない．

患者の訴え方

患者の腹痛の訴えには大きく分けて体性痛と内臓痛(疝痛)，関連痛があり，その痛みの性状や強さが重要である．

体性痛は，壁側腹膜や腸間膜などへの物理的刺激による炎症で起こるものである．"持続的に刺すような痛み(鋭い痛み)"が特徴的で，「ヒリヒリ」「ズキズキ」「しみるような」「灼けるような」「脈打つような(ズキンズキン)」「うずくような」と訴える．

内臓痛は，管腔臓器の平滑筋や壁側腹膜の過伸展や拡張，攣縮によって起こるもので，"周期的・間欠的に差し込むような痛み(鈍痛)"が特徴的で，「鈍い」「圧迫されたような」「締めつけられるような」「重い(ズーンとした)」「ギューッと」などのように訴える．

関連痛とは，内臓から生じた疼痛が本来の場所でなく，別の部位に生じるもので，代表的な例として，胆石症・消化性潰瘍穿孔による右肩甲骨痛，横隔膜を刺激する感染による肩痛，膵炎・腹部大動脈瘤破裂による背部痛，尿管結石による鼠径部痛，閉鎖孔ヘルニアによる大腿内側から膝内側の痛み〔Howship-Romberg(ハウシップ・ロンベルク)徴候〕などがある．

また，痛みが強い場合は，「転げまわりたくなるような」「じっとしていられない」などと訴えることもあり，その強さ表現の聴取も重要である．

急性腹症の頻度

急性発症する腹痛は，救急外来を受診する患者の5〜10％を占めると報告され，そのうち重篤または手術が必要になる患者は20％前後とされ，さらに致死的な患者は0.5％未満とされている．

また，以前の報告では約40％が非特異的な腹痛とされていたが，画像診断(CT検査や超音波検査)の進歩などにより，確定診断できるようになってきている．

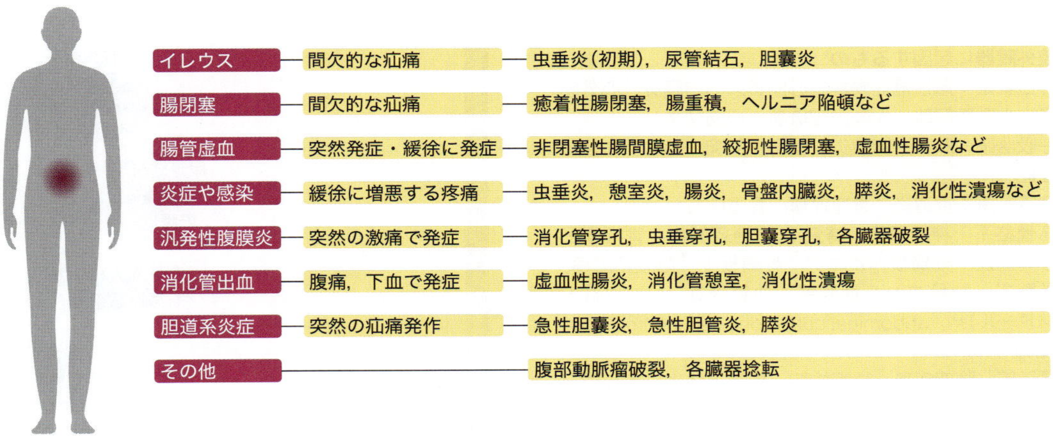

図1 急性腹症の原因

病態	疼痛の特徴	原因疾患
イレウス	間欠的な疝痛	虫垂炎（初期），尿管結石，胆嚢炎
腸閉塞	間欠的な疝痛	癒着性腸閉塞，腸重積，ヘルニア陥頓など
腸管虚血	突然発症・緩徐に発症	非閉塞性腸間膜虚血，絞扼性腸閉塞，虚血性腸炎など
炎症や感染	緩徐に増悪する疼痛	虫垂炎，憩室炎，腸炎，骨盤内臓炎，膵炎，消化性潰瘍など
汎発性腹膜炎	突然の激痛で発症	消化管穿孔，虫垂穿孔，胆嚢穿孔，各臓器破裂
消化管出血	腹痛，下血で発症	虚血性腸炎，消化管憩室，消化性潰瘍
胆道系炎症	突然の疝痛発作	急性胆嚢炎，急性胆管炎，膵炎
その他		腹部動脈瘤破裂，各臓器捻転

症候から原因疾患へ

病態の考え方

患者が急性腹症を訴える場合，その症状の発現部位と強さを確認し，その原因疾患を考慮する必要がある．これらを引き起こす病態としては図1に示すようなものがあり，その原因疾患として主なものを表1に示す．さらに急性腹症と紛らわしい疾患を表2に示す．

なお，イレウスと腸閉塞の違いは，最近では機能性イレウス（腸管麻痺）のみイレウス，機械性イレウスは腸閉塞と定義されている．

病態・原因疾患の割合（図2）

欧米の研究では，原因不明の腹痛（非特異性腹痛）が約1/3を占め，頻度が高い非外傷性急性腹症の原因疾患は，急性虫垂炎，胆石症，小腸閉塞，尿管結石，胃炎，消化性潰瘍穿孔，胃腸炎，急性膵炎，憩室炎，婦人科疾患などが挙げられている．急性腹症1,333例の頻度では，急性虫垂炎30.2％，急性胆嚢炎10.1％，腎疝痛4.4％，小腸閉塞4.3％，急性膵炎2.2％，消化不良2％，憩室炎1％，急性婦人科疾患0.9％となっている．

急性腹症の頻度は，性別，年齢によってその頻度は異なっている．性別では，腸管感染症や急性虫垂炎が男女ともに多いものの，男性では腸閉塞，胆石症，憩室炎が多く，女性では婦人科疾患が多

表1 急性腹症をきたす疾患

消化器系疾患
- 消化管穿孔，臓器破裂
- 食道炎，食道痙攣，胃炎，胃潰瘍，十二指腸潰瘍，大網感染
- 大腸炎，憩室炎，虫垂炎，腸閉塞，イレウス，虚血性腸炎，炎症性腸疾患，過敏性腸症候群，大腸腫瘍，便秘
- 肝膿瘍，肝炎，肝腫瘍，胆嚢炎，胆石症，胆管炎，膵炎，膵腫瘍
- 脾梗塞，脾膿瘍，脾腫，脾捻転，脾動脈瘤
- 鼠径ヘルニア嵌頓

血管系疾患
- 急性冠症候群，急性心筋梗塞，心筋炎，心内膜炎，心外膜炎，大動脈解離，大動脈瘤破裂
- 腸間膜動脈解離，腸間膜動脈閉塞症，腸間膜静脈血栓症
- IgA血管炎

尿路系疾患
- 腎結石症，腎盂腎炎，尿管結石，腎梗塞，副腎梗塞，前立腺炎，精巣上体炎
- 尿路感染症，尿膜管遺残症

婦人科系疾患
- 異所性妊娠，子宮内膜炎，卵巣出血，卵巣嚢胞破裂，卵巣茎捻転，子宮筋腫
- 骨盤腹膜炎，付属器膿瘍，付属器炎，Fitz Hugh-Curtis（フィッツ ヒュー・カーティス）症候群

内分泌代謝系疾患
- 糖尿病性ケトアシドーシス，アルコール性ケトアシドーシス，急性ポルフィリン症

その他
- 呼吸器疾患（肺炎，肺塞栓，膿胸）
- 腸腰筋膿瘍，後腹膜出血
- 中毒（鉛，ヒ素など）

表2 急性腹症と紛らわしい疾患

腹腔外臓器に起因するもの
- 心血管系：急性冠症候群，心筋炎，心内膜炎，心外膜炎，大動脈解離，大動脈瘤破裂，心筋梗塞
- 呼吸器系：肺炎，胸膜炎，膿胸，気胸，肺動脈血栓塞栓症
- 食道疾患：食道炎，食道痙攣，食道破裂
- 筋骨格系：神経根炎，脊髄/末梢神経腫瘍，脊椎変形性関節症，椎間板ヘルニア，椎間板炎，腸腰筋膿瘍，骨髄炎，肋骨すべり症候群，肋軟骨炎，Mondor（モンドール）病，abdominal cutaneous nerve entrapment syndrome
- 鼠径部・陰部疾患：精索捻転，精巣上体炎，ヘルニア嵌頓，痔核，痔瘻

全身疾患に起因するもの
- 血液・アレルギー・膠原病疾患：急性白血病，溶血性貧血，鎌状赤血球症，リンパ腫，全身性エリテマトーデス，脊髄癆，関節リウマチ，皮膚筋炎，結節性多発動脈炎，IgA血管炎，食物アレルギー，好酸球性腸炎
- 内分泌代謝疾患：急性副腎不全，糖尿病性ケトアシドーシス，甲状腺機能亢進症，ポルフィリア，Addison（アジソン）病クリーゼ，尿毒症，褐色細胞腫，上皮小体機能亢進症
- 中毒：過敏性反応（昆虫，クモ刺傷，爬虫類毒など），鉛・ヒ素中毒
- 感染症：連鎖球菌咽頭炎，帯状疱疹，水痘，骨髄炎，チフス熱，結核，ブルセラ症，破傷風，伝染性単核球症，toxic shock syndrome

その他
- 急性緑内障，腹部てんかん，腹性片頭痛，精神疾患，異物，熱中症
- 家族性地中海熱

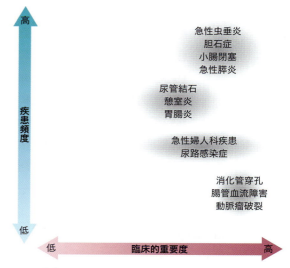

図2 疾患の頻度と臨床的重要度

くを占めている．また，年齢別では，若年者ほど腸管感染症や急性虫垂炎が多い．年齢が上がるほど腸閉塞や胆石症が増加し，特に女性では婦人科疾患関連が増加する．妊娠可能年齢の女性では妊娠関連疾患が多くなっている．また，表2のように腹部疾患以外でも急性発症の腹痛を訴えることがあり，注意が必要である．

診断の進め方

診断の進め方のポイント

- 急性腹症が疑われた場合の基本的初期対応はlife-threatening（生命を高度に脅かす疾患）な病態を見逃さないことが重要である．
- まず最初に，患者のバイタルサインのABCD〔A：Airway（気道），B：Breathing（呼吸），C：Circulation（循環），D：Dysfunction of central nervous system（意識障害）〕を確認し，異常の有無を確認する．
- バイタルサインに異常がある場合には，緊急処置が必要である．A，Bの異常に対しては気道確保，酸素投与を行い，さらに状態が悪化する場合には気管挿管，人工呼吸器装着が必要となる．Cの異常に対しては，循環の確保のために静脈を確保し初期輸液を行う．Dの異常に対しては，敗血症や出血性ショック・高アンモニア血症などの重篤な病態が合併している可能性を考える．
- 上記により生理学的状態の安定化をはかるとともに，ポータブル胸腹部X線検査，心電図，腹部・心臓超音波検査を行い，原因疾患の確定に努める．患者の状態によってはCT検査や血液生化学検査の結果を待つ余裕がないこともあるため，最小限の検査での推定診断となることもある．
- ABCDの異常の発生から急速に状態が悪化する超緊急疾患として，急性心筋梗塞，腹部大動脈瘤破裂，肺動脈塞栓症，大動脈解離などがあり，ショックを生じた場合にはABCを確保しながら，CT検査を無理に行わず，ただちに緊急手術，緊急interventional radiology（IVR）を

表3 医療面接のポイント

痛みの経過
- いつから痛みが始まったか
- どのような状況下に痛みがあったか

痛みの部位や移動
- どの部分から痛みが始まり，今どこが痛むか
- 痛みの部分以外に痛む部位はないのか

痛みの発生状況
- 痛みはどのように始まったのか（急激に，徐々に，間欠的になど）

痛みの性状
- 痛みはどのような痛みなのか（持続性，間欠的，連続性）
- 痛みが変化しているか（悪化，軽快，変化なし）

食事内容
- 痛みが始まる前の食事内容を確認する

随伴症状の有無
- 吐血・血便，嘔吐・下痢，便秘，発熱，食欲不振，排尿障害，不正出血などを確認する

アレルギー
- アレルギー疾患の有無，薬物や食物アレルギーの有無を確認する

薬物服用歴
- 現在内服中の薬物を確認する

既往歴
- 疾患，外傷，手術歴，妊娠などを確認する

妊娠（妊娠可能年齢の女性の場合）
- 最終月経や期間，不正出血の有無，避妊薬の有無，不妊治療歴などを確認する

表4 SAMPLE

S	signs and symptoms	徴候：痛みの部位など
A	allergies	アレルギー：アレルギー疾患の既往，薬物や食物アレルギーの有無
M	medications	薬物治療：現在内服中の薬物
P	past medication history, injuries, illness	既往歴：疾患や外傷，手術歴，妊娠など
L	last meal/intake	直近の飲食
E	events leading up to the injury and/or illness	イベント：どのような状況下に痛みが始まったか

表5 OPQRST

O	onset	発症様式
P	palliative/provocative	増悪・寛解因子
Q	quality/quantity	症状の性質，ひどさ
R	region/radiation	場所・放散の有無
S	associated symptom	随伴症状
T	time course	時間経過

判断する必要がある．
- 緊急性の高い疾患として，肝癌破裂，異所性妊娠，腸管虚血，重症急性胆管炎，敗血症性ショックを伴う汎発性腹膜炎，内臓動脈瘤破裂などが挙げられ，来院時間からの治療開始までの時間が長くなるほど病態が悪化するため，緊急手術，緊急IVRの可否，保存的加療の可否につき判断する必要がある．
- 患者のバイタルサインに異常がない場合は，医療面接により病歴を聴取し，身体診察による身体所見をとり，腹痛の原因が外科的処置を必要とするかどうか，検査所見を含め総合的に判断する必要がある．

医療面接（表3）

救急医療における病歴聴取において，時間的制約のなかでの最小限かつ有用な情報を得るために，"SAMPLE"が多くの国でゴールドスタンダードとなっている（表4）．

また，病歴を漏れなく系統的に聴取する項目として，"OPQRST"が推奨されている（表5）．

これらをふまえ，過不足なく病歴聴取を行い，緊急処置の必要性を検討する．また，痛みの性状（図1）や痛みの部位（表6）を参考に診断を進めていく．

身体診察（表7）

身体診察は，外観，第一印象（表情，顔色，呼吸状態，整容，立ち居ふるまい，ベッド上の姿勢など）から，疼痛部位や急性腹膜炎の有無，代謝状態などの多くの情報が得られるため，重要である．右手での診察時には，患者の右側に立ち腹部の診察を行うことが推奨されている．

バイタルサイン

バイタルサインのなかの頻脈，低血圧，体温異常は重症度，予後と関連しており，合併症の増加

表6 腹痛の部位による疾患

腹痛部位	分野	疾患
右上腹部	消化器系	胆嚢炎，胆石発作，胆嚢穿孔，胆管炎，肝膿瘍(破裂)，肝炎，肝腫瘍破裂，虫垂炎，結腸憩室炎，腸炎，消化性潰瘍穿孔，膵炎
	血管系	急性冠動脈症候群，心筋炎，心内膜炎，心外膜炎，大動脈解離，上腸間膜動脈解離
	尿路系	腎結石症，腎盂腎炎，尿路結石，腎梗塞，副腎梗塞
	その他	呼吸器疾患(肺炎，肺梗塞，胸膜炎，膿胸)，肋骨骨折，帯状疱疹，Fitz Hugh-Curtis症候群
心窩部	消化器系	消化性潰瘍，膵炎，胃炎，食道炎，腸閉塞，大腸炎，虫垂炎(初期)，胆嚢炎，胆管炎，胆石症，肝膿瘍，肝炎，肝腫瘍，膵炎
	血管系	急性冠動脈症候群，心筋炎，心内膜炎，心外膜炎，大動脈解離，上腸間膜動脈解離，上腸間膜動脈閉塞
	尿路系	腎結石症，腎盂腎炎，尿路結石，腎梗塞，副腎梗塞
	その他	呼吸器疾患(肺炎，肺梗塞，胸膜炎，膿胸)
左上腹部	消化器系	食道破裂，食道炎，食道痙攣，胃潰瘍，胃炎，脾破裂，脾梗塞，脾腫，脾動脈瘤，脾膿瘍，脾捻転，憩室炎，虚血性腸炎，腸閉塞，膵炎，膵腫瘍
	血管系	急性冠動脈症候群，心筋炎，心内膜炎，心外膜炎，大動脈解離，上腸間膜動脈解離，肺梗塞
	尿路系	腎結石症，腎盂腎炎，尿路結石，腎梗塞，副腎梗塞
	その他	左胸郭内疾患(肺炎，気胸，膿胸)，肋骨骨折，帯状疱疹
右下腹部	消化器系	虫垂炎，腸炎，炎症性腸疾患(Crohn(クローン)病，潰瘍性大腸炎)，小腸異物性穿孔，憩室炎，腸間膜リンパ節炎，盲腸軸捻転，腸閉塞，鼠径部ヘルニア，消化性潰瘍穿孔，胆嚢炎，膵炎
	尿路系	前立腺炎，精巣上体炎，尿路結石症，尿路感染症
	婦人科系	異所性妊娠，子宮内膜症，卵巣出血，卵巣囊腫破裂，卵巣腫瘍茎捻転，子宮筋腫，骨盤腹膜炎，付属器膿瘍(卵管・卵巣膿瘍)，付属器炎
	血管系	動脈解離，動脈瘤破裂
	その他	腸腰筋膿瘍，腹直筋鞘血腫，後腹膜出血，帯状疱疹
臍下部	消化器系	虫垂炎，憩室炎，腸閉塞，大腸炎，炎症性腸疾患，過敏性腸症候群，腸重積
	尿路系	膀胱炎，尿路結石症，腎盂腎炎，尿閉
	婦人科系	異所性妊娠，子宮内膜症，子宮筋腫，卵巣腫瘍，卵巣腫瘍茎捻転，骨盤腹膜炎，卵巣出血
左下腹部	消化器系	下行・S状結腸憩室炎，虫垂炎，結腸癌穿孔，結腸脂肪垂炎，腸閉塞，虚血性結腸炎，腸骨動脈瘤破裂，卵巣囊腫破裂，中間痛，鼠径部ヘルニア，精巣捻転
	尿路系	前立腺炎，精巣上体炎，腎・尿路結石，尿路感染症，腎盂腎炎
	婦人科系	異所性妊娠，子宮内膜症，卵巣出血，卵巣囊腫破裂，卵巣腫瘍茎捻転，子宮筋腫，骨盤腹膜炎，付属器膿瘍(卵管・卵巣膿瘍)，付属器炎
	血管系	動脈解離，動脈瘤破裂
	その他	腸腰筋膿瘍，腹直筋鞘血腫，後腹膜出血，帯状疱疹
臍周囲	消化器系	小腸閉塞，虫垂炎(初期)，膵炎，単純な腸の疝痛
	血管系	腸間膜動脈閉塞症，冠動脈症候群，腹部大動脈瘤，内臓動脈解離
	その他	脊髄癆，急性緑内障による腹痛，尿膜管遺残症
全体びまん性	消化器系	消化管穿孔，突発性憩室穿孔，消化管閉塞(絞扼性)，急性胃炎，急性腸炎，臓器破裂，膵炎，結核性腹膜炎，食中毒
	血管系	大動脈解離，大動脈瘤破裂，腸間膜動脈閉塞症，腸間膜静脈血栓症
	代謝内分泌系	糖尿病性ケトアシドーシス，アルコール性ケトアシドーシス，急性ポルフィリン症，副甲状腺機能亢進症，尿毒症
	その他	中毒(鉛，ヒ素など)，IgA血管炎，両側肺炎，鎌状赤血球症，急性白血病，遺伝性神経血管性浮腫など

表7 身体診察のポイント

バイタルサイン
- 呼吸回数，血圧および脈拍数，意識レベル，体温を測定する

全身状態
- 外観が重篤にみえる，顔色が悪い(顔貌苦悶様，蒼白，冷汗)，弱っている感じ，意識もうろう，皮膚の張り，整容などを確認する
- ベッド上の姿勢，体動を確認する
- 歩行の姿勢を確認する

頭頸部
- 眼瞼結膜(貧血，黄疸)，舌乾燥(脱水)，顔色などを確認する
- 頸部の触診でリンパ腺や扁桃腺，甲状腺の異常を確認し，頸静脈虚脱などの確認をする

胸部
- 胸郭の形態を視認する
- 呼吸状態(肋骨の動きの左右差の有無，息切れ，呼吸音，呼吸回数，深呼吸の可否，異常呼吸)，起座呼吸を確認する
- 動悸の有無，脈拍(体位による変動)を確認する

腹部
- 視診：手術瘢痕，皮膚所見，腹部膨隆(全体，局所)，ヘルニア，腹部拍動，腫瘤，呼吸による腹壁運動などを観察する．頻度は少ないものの壊死性急性膵炎として特徴的な皮膚色素斑として Grey-Turner(グレイ・ターナー)徴候(側腹壁)や Cullen(カレン)徴候(臍周囲)などを認める．また，腸閉塞において腹部膨満の状態観察は重要な所見である
- 聴診：腹部診察では必須であるものの標準的な方法は定まっていない．腸雑音聴取において，腸蠕動は伝達がよいため，1か所のみの聴取でよく，聴取できないとしても数か所にする必要はない
- 打診：打診痛や腹水貯留，ガス，肝脾腫の有無を判別できる
- 触診：浅い触診では筋性防御，筋強直，腹膜刺激症状の有無を確認できる．また，深い触診では，胆嚢，肝臓，脾臓，膀胱などの臓器腫大や腫瘤触知が可能である．無痛性の胆嚢腫大を触知する Courvoisier(クールボアジェ)徴候や，急性胆嚢炎において圧迫しての深呼吸での痛みを示す Murphy(マーフィ)徴候が有名である
- 直腸診：便性状や痔核・痔瘻などの肛門疾患，消化管出血(タール便，鮮血)，腫瘍，前立腺疾患の鑑別では有用であるが，急性腹症における情報としては限局的であり，ルーチンとしては行わない
- 内診：女性の急性腹症に対してルーチンでの検査は一定の見解はなく，異所性妊娠，骨盤内炎症性疾患などを疑う場合は子宮頸管可動痛や付属器圧痛などの所見を示す

四肢
- 四肢における色調変化，発疹の有無を確認する．しばしば腹痛を伴う Henoch-Schönlein(ヘノッホ・シェーンライン)紫斑病などは四肢の発疹を認めることが多い
- 痛みの部位，神経の放散痛の部位を確認する．閉鎖孔ヘルニアは大腿の内旋で痛みを生じる Howship-Romberg 症候を呈する

神経系
- 放散痛の部位は重要で，推定診断の補助とする
- 腹部の傍神経節から発生する傍神経節腫などは急性腹症を呈するため，鑑別は必要である

または生存率低下を示す所見とされ，重要な所見である．さらに，頻呼吸は肺炎，心肺不全，菌血症の可能性を高めるため，急性腹症患者の診察でバイタルサインを確認することは初期治療において重要である．

全身状態

外観，ベッド上の姿勢には診断的価値があるとされ，重篤にみえる患者は致命的な疾患である可能性もあるものの，高齢者では軽症にみえても重篤な場合もあり，注意が必要である．また，床上姿勢や歩行における姿勢において，疾患特異性はないものの診断の補助になりうる．

頭頸部

眼瞼結膜は，貧血や黄疸を見つけることは容易で，腹部以外の疾患の除外を診察で行うことは重要である．

胸部

呼吸や脈拍の状態で，全身状態の把握を行うことは重要で，腹部以外の疾患の除外を診察で行う．

表8 急性腹症診断において特徴のある身体所見

徴候	鑑別する疾患	身体症状
Grey-Turner 徴候(図3)	急性膵炎	急性膵炎による膵液漏出で組織が自己融解を起こし，血性滲出液により左側腹部の周囲が暗赤色に染まる
Cullen 徴候	急性膵炎	急性膵炎による膵液漏出で組織が自己融解を起こし，血性滲出液により臍周囲が暗赤色に染まる
Courvoisier 徴候	胆嚢腫大	無痛性に触知する胆嚢腫大
Murphy 徴候(図4)	急性胆嚢炎	右季肋部下で肝縁の下を圧迫することで深呼吸時に痛みによって呼吸が止まる．超音波検査時のプローブによる胆嚢の圧迫で同様の徴候が観察され，sono-graphic Murphy sign とも呼ばれている
heel drop test(踵落とし試験)	汎発性腹膜炎	立位では爪先立ちから急に踵を床につけさせる．臥位では膝を伸展位で下腿を持ち上げ，踵をベッドに落とす．急な振動で腹痛が誘発される
Blumberg(ブルンベルグ)徴候(図5)	汎発性腹膜炎	患者の腹壁を圧迫し，急に圧迫を解除すると鋭い痛みを感じる症状
Carnett(カーネット)徴候	腹壁疾患，腹直筋鞘血腫，心因性腹痛	仰臥位で両腕を胸に交叉させて最も強い圧痛点に手を置いて頭部をわずかに浮かせ，圧痛が増強
Rosenstein(ローゼンシュタイン)徴候	虫垂炎	左側臥位で右下腹部の圧痛点を圧迫すると痛みが増強
Rovsing(ロブジング)徴候	虫垂炎	左下腹部を深く圧迫すると右下腹部の痛みが増強
psoas 徴候	虫垂炎の腸腰筋への炎症波及	下腿を過伸展させると痛みが増強
obturator 徴候	虫垂炎の閉鎖筋への炎症波及	膝を軽く屈曲させ，大腿を内転させると，内閉鎖筋が伸展されて下腹部の痛みが増強
Howship-Romberg 症候	閉鎖孔ヘルニア	閉鎖神経の知覚枝の圧迫によって，大腿内側から膝や下腿に放散する疼痛やしびれ

腹部

腹部聴診において，「正常」「低下」「亢進」などの判断は主観的なものではあるが，推定診断するうえで重要な手段である．腸蠕動減弱・低下している場合は，腸管蠕動が麻痺性になっており，麻痺性イレウスや腹膜炎などの病態を考慮する．また，亢進している場合は，腸閉塞などの病態を考慮し，音は有響性の高調音や金属音などを呈する．

腹部触診では，腹痛の訴えがない部位から触診を始め，患者の腹部の緊張をとるため，仰臥位にして膝を屈曲した姿勢で行うなどの工夫を行う必要がある．腹膜刺激徴候とは，壁側・臓側腹膜に炎症が波及し，刺激されているときに出る徴候である．直接的に診察する手技として，圧痛，腹壁筋強直(板状硬)，筋性防御，皮膚感覚過敏，反跳性圧痛，打診痛を確認する．間接的には咳嗽試験や踵落とし試験などあるが，これらは打診痛同様，咳嗽や踵落としで腹痛の刺激をみるものである．急性腹症診断において特徴のある身体所見として，表8のような徴候を認める(図3〜5)．

小児や高齢者，肥満患者などは，腹部所見がとりにくいため，検体検査や画像診断などを併せて判断する必要がある．

診断のターニングポイント(図6)

医療面接と身体診察を総合して考える点

- **(確定診断)** 急性腹症において医療面接や身体診察は必須であるものの，これのみで確定診断を得られる疾患は少なく，血液検査や画像検査を含めた総合的な診断が要求される．
- ABCDのいずれかに異常がある場合は緊急処置や蘇生が必要となる．A，Bの異常ではまず気道確保を行い，呼吸に問題があれば酸素投与を行い，状態が悪化した場合には気管挿管，人

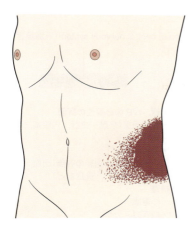

図3　Grey-Turner 徴候

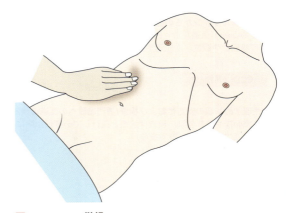

図4　Murphy 徴候

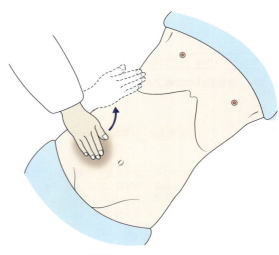

図5　Blumberg 徴候

工呼吸が必要となる．Cの異常では，循環動態の確保のために静脈路を確保し，初期輸液を開始する．Dに関しては，敗血症や出血性ショック・高アンモニア血症などの重篤な合併症を生じている可能性があり，留意が必要である．これらの異常のある場合は，超緊急疾患や緊急疾患である可能性が高いため，医療面接や身体診察は次項に述べる必要なスクリーニング検査と並行して必要最小限に行うことが重要である．

- 超緊急疾患として，急性心筋梗塞，腹部大動脈瘤破裂，肺動脈塞栓症，大動脈解離（心タンポナーデ）が挙げられる．このうち，医療面接や身体診察で確定診断をできる可能性がある疾患は，腹部大動脈瘤破裂である．腹部大動脈瘤破裂の3大症状は低血圧，背部痛，拍動触知する腫瘤とされ，25～50％の患者で3大症状がそろうとされ，腹痛症状も70％の患者で呈するため，高齢男性で腹痛または背部痛・喫煙歴を有する場合は本疾患を疑う．その他の超緊急疾患は次項に述べる必要なスクリーニング検査や造影CT検査が必要となる．
- 緊急疾患としては，肝癌破裂，異所性妊娠，腸管虚血，重症急性胆管炎，敗血症性ショックを伴う汎発性腹膜炎，内臓動脈瘤破裂が挙げられる．これらの疾患は緊急手術やIVRが必要となるものの，超緊急疾患に比べて血液検査や画像検査の結果を待つ余裕があることが多く，医療面接と身体診察を総合して次のステップの検査に進むことが多い．
- 身体所見における特徴ある徴候が知られている（表8）．これらの身体所見は診断の一助となる．

必要なスクリーニング検査（図7）

バイタルサインの異常の有無により，医療面接や身体診療にかける対処が違うものの，これらを総合することで器質性疾患の存在を推定診断することは可能である．その総合判断のうえに，スクリーニング検査を開始する．

❶ 血液生化学検査

急性腹症の場合には，腹部症状の部位，強さによって検査内容が一部変わってくるものの，スクリーニングとして，白血球数（WBC），ヘモグロビン（Hb），血小板数（Plt），ALT，AST，UN，Cr，

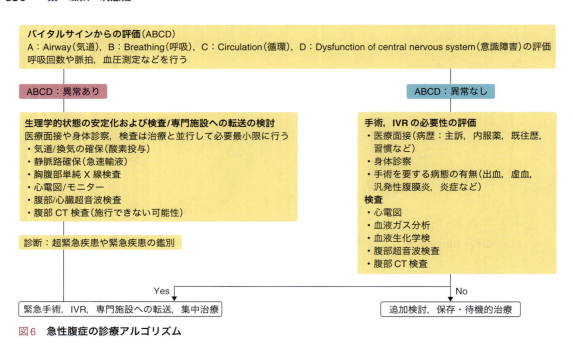

図6 急性腹症の診療アルゴリズム

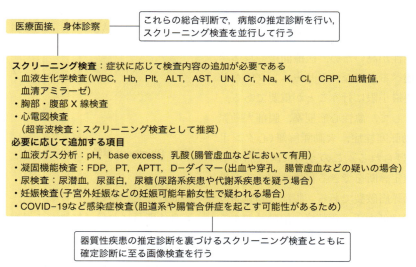

図7 急性腹症の診断の進め方

Na，K，CL，CRP，血糖値，血清アミラーゼなどの項目は急性腹症において鑑別疾患が多いため，これらの検査項目が必要である．これらにより，炎症の状態（WBC，CRP），肝胆道系（ALT，ASTなど），腎疾患（UN，Cr），貧血（Hb）などの推定診断の補助を行う．

❷ 胸部・腹部X線検査

胸部X線検査は，心肺疾患や腸管穿孔などの除外に行い，腹部X線検査は腸管ガスの状態，石灰化や胆石などのスクリーニングに行う．

❸ 心電図検査

心筋梗塞や不整脈などの心疾患の除外に行う．

図7のように，必要に応じて血液ガス分析，血液凝固機能検査，尿検査，妊娠検査，COVID-19などの感染症検査を随時追加して検査を行う．

診断確定のために

医療面接や身体診察，スクリーニング検査で推定診断に至ることが多いが，器質性疾患の診断には画像診断を並行して行い，確定診断を得ることができる．その際に有用な検査として下記の検査を行う．

- 超音波検査：急性腹症において，放射線被曝がなく，簡便であることで妊婦や小児でも頻用できるため，スクリーニング検査，精査として有用である．特に腹部大動脈瘤破裂や急性胆嚢炎などの胆道系疾患，尿管結石，水腎症などの尿路系疾患，卵巣出血や茎捻転などの婦人科系疾患などに有用で，繰り返し施行できる点も有用である．
- CT検査：すべての急性腹症患者において適応となり，超音波検査に比べ客観的であり，広く用いられている．尿管結石や総胆管結石，急性虫垂炎，憩室炎，腹腔内遊離ガスなどは単純CT検査で撮像，鑑別可能であるものの，臓器虚血の有無，血管性病変や急性膵炎などの評価が必要な場合は，躊躇なく造影CT検査を行う必要がある．
- MRI検査：超音波検査やCT検査で確定診断が得られず，緊急処置を要さない病態の場合の胆道系疾患，婦人科疾患，超音波検査で確定診断が得られなかった妊婦の急性腹症に対して施行される場合もある．

消化器系疾患の確定診断

スクリーニング検査で肝胆道系疾患が疑われる場合は，γ-GT，ALP，LDH，肝炎検査などを追加する．さらに超音波検査，CT検査で肝腫瘍が疑われる際にはAFPやPIVKA-Ⅱの採血を行う．

精査で追加される超音波検査，CT検査で消化器系疾患はほぼ確定診断可能であるものの，消化管潰瘍や消化管炎症の場合には内視鏡検査も考慮する必要がある．

血管系疾患の確定診断

スクリーニング検査で推定診断されることが多いが，心筋梗塞や心筋炎などの疑いの場合はCK（CK-MBなどの分画も）やトロポニンTなどの採血を追加する．さらに心エコー検査を行い，心機能評価や心嚢水などの評価を行う．また，心筋梗塞や腸間膜血管の血栓症を疑う場合は血管造影検査を行い，診断的治療につなげる場合もある．

尿路系疾患の確定診断

スクリーニング検査に加え，尿検査，超音波検査を行い確定診断を行う．また，菌血症状態になっている場合は適宜血液や尿培養検査を行う必要がある．

婦人科系疾患の確定診断

医療面接，身体診察（内診含め），スクリーニング検査で推定診断を行い，超音波検査を行い確定診断を行う．また，性感染症による急性腹症を疑う場合は，クラミジアなどの検査を追加する．確定診断のため，条件が許せばCT検査を追加する場合もある．

内分泌系疾患の確定診断

スクリーニング検査に加え，血糖やHbA1c，尿検査（ケトン体やポルフィリン検査）を適宜追加する．また，副腎不全や甲状腺機能異常が疑われる際には副腎機能や甲状腺機能の採血を追加し，超音波検査，CT検査でこれらの状態を把握する必要がある．

呼吸器系疾患の確定診断

スクリーニング検査に加え，採血では凝固系検査を加え，CT検査を行い，肺の状態，血栓の有無を確認する．

筋骨格系疾患の確定診断

スクリーニング検査に加え，腫瘍の存在や炎症などはCT検査で確認し，場合によってはMRI検査を行い，病態を把握する必要がある．

血液/膠原病疾患の確定診断

スクリーニング検査に加え，採血ではWBC分

画や自己免疫系抗体検査などを追加する．貧血がある場合には血清鉄，総鉄結合能，フェリチン，ビタミン B_{12}，葉酸などを追加し，場合によっては骨髄検査を行う．

中毒/感染症の確定診断

その原因と考えられるものの採血を追加し，抗原/抗体検査も行う．

〈鈴木 修司〉

急性腎不全，急性腎障害
acute renal failure(ARF)，acute kidney injury(AKI)

急性腎不全，急性腎障害とは

定義

急激な腎機能障害を，かつては急性腎不全(ARF)と呼称していた．ARFは「数時間から数日の経過をもって急速に腎機能低下が起こる病態」「なんらかの原因で急激に腎機能が低下し，腎臓で排泄されるべき老廃物や窒素が体内に蓄積し，体液や電解質バランスを保てなくなった状態」と定義があいまいで，研究の比較，統合において問題となっていた．

2000年にAcute Dialysis Quality Initiative(ADQI)により，急性腎障害(acute kidney injury; AKI)という概念が提唱され，RIFLE分類という国際基準が策定された．これは，48時間で血清クレアチニン(Cr)値0.3 mg/dLという軽度の上昇でも生命予後と相関があることが示されたことを背景に，血清Cr値と推定糸球体濾過量(estimated glomerular filtration rate; eGFR)から5段階(Risk, Injury, Failure, Loss, End-stage kidney disease)にAKIを分類したものである．しかしながら，実臨床での利便性に乏しいため，これに尿量を指標に加えたAKIN(acute kidney injury network)分類が策定された．

2012年にRIFLE分類とAKIN分類を統合して，Kidney Disease Improving Global Outcomes(KDIGO)基準が策定された．KDIGO基準では腎前性・腎後性の要素を否定したうえで，48時間以内の血清Cr値の0.3 mg/dLの上昇，または7日以内の基礎血清Cr値からの1.5倍以上の増加がAKIの診断基準となった(表1)．また，18歳未満では筋肉量が少ないため，eGFR低下も加えられた．

AKIに対する数々の研究により，早期診断，早期治療における重要性が明確になってきた．しかし，血清Cr値は腎機能障害が発生してから早期に上昇するマーカーではなく，血清Cr値が上昇した時点では腎機能障害は進行しているおそれがあった．現在では，AKIを早期に発見できるように新規バイオマーカーが研究されている．

患者の訴え方

AKIは血液検査にて偶発的に発見されることが多く，尿量低下や浮腫の訴えはあるものの，そのほかに特徴的な訴えは乏しい．AKIを発症する原因により訴えは異なり，悪心・嘔吐，下痢，体重減少，口渇感などは腎前性腎不全を疑う．先行感

表1 AKI分類(KDIGO基準)

定義
1. 血清Cr値 ≧ 0.3 mg/dL (48時間以内)
2. 血清Cr値が基礎値から1.5倍上昇(7日以内)
3. 尿量0.5 mL/kg/時以下が6時間以上持続

のいずれか1つを満たせばAKIと診断する
尿量とCr値の重症度の高いほうを採用する

	血清Cr値基準	尿量基準
ステージ1	基礎値から血清Cr値1.5～1.9倍(7日以内に診断) or 血清Cr値0.3 mg/dL以上の上昇(48時間以内に診断)	<0.5 mL/kg/時 6～12時間
ステージ2	基礎値から血清Cr値2.0～2.9倍	<0.5 mL/kg/時 12時間以上
ステージ3	基礎値から血清Cr値3倍以上 or 血清Cr値4.0 mg/dL以上 or 腎代替療法開始 or 18歳未満でeGFR < 35 mL/分/1.73 m^2 への低下	<0.3 mL/kg/時 24時間以上 or 無尿 12時間以上

染後の浮腫，高血圧，肉眼的血尿などは急性糸球体腎炎を，発熱，関節痛，血痰・呼吸困難感などがある際には急速進行性糸球体腎炎を疑うため，多岐にわたる患者の訴えを確認する必要がある．

AKIの発症頻度

AKIの一般人口における発症頻度は国・地域，民族，医療設備などにより異なり，また，腎代替療法に至るほどの重篤な状態以外を集積することは困難であるため，正確な数値は示されていない．

2013年に報告されたメタ解析では，2004～2012年に北米・北欧・東アジアを中心とした高所得国の入院患者を対象として，KDIGO分類に相当するAKI発症率が報告された．AKIの発症率は，全体で23.2%，成人21.6%，小児33.7%であり，入院患者の5人に1人はAKIを発症していた．AKI発症者の重症度は，Risk 11.5%，Injury 4.8%，Failure 4.0%，透析を施行したのは2.3%であった．

わが国では藤井らにより，2008～2011年に東京の病院に入院した成人患者の11.0%にAKIが発症していたことが報告された．また2018年には，ICUに入室した2,292人の患者のうち，KDIGO分類にて1,024人（44.7%）のAKI，そのうち敗血症患者の66.3%に，敗血症性ショックの75.3%にAKIが合併したことが報告された（図1）．

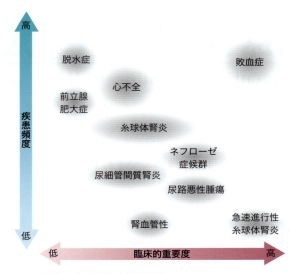

図1 疾患の頻度と臨床的重要度

症候から原因疾患へ

病態の考え方

AKIの原因検索は，腎前性，腎性，腎後性に分けてアプローチする（図2）．腎前性腎不全においては心原性疾患を分けて考えることもある．実臨床では，腎前性，腎性，腎後性が混在することもあるため，原因検索は上記を網羅して行う必要がある．

病態・原因疾患の割合

AKIの原因疾患は院内・院外にて異なることが報告されている．AKIの院内発生は腎前性が35～40%，腎性が55～60%，腎後性が2～5%であり，院外発生と比較して腎性が多い．院外発生では腎前性が70%を占め，腎性11%，腎後性17%と腎前性が大多数を占めている．院内発生のAKIは腎外要因による腎血流の低下や敗血症のほか，手術，カテーテル治療，薬物の追加後に発生しやすい．

Acute Kidney Injury-Epidemiologic Prospective Investigation（AKI-EPI）studyでは，ICU入室時のAKI発症率が示された．神経疾患以外では，ICU入室時にAKIを発症している率が高かった（表2）．また，Miyamotoらの報告では，わが国のICUにおいて2007～2016年にAKIにて腎代替療法を要した症例が報告された（表3）．

AKIのリスク因子としては，加齢，糖尿病，慢性腎臓病（CKD），低心機能，アンジオテンシンⅡ受容体拮抗薬（ARB）やアンジオテンシン変換酵素阻害薬（ACEI）の使用などがあり，侵襲的な処置を施行する際には事前のリスク評価を要する．

診断の進め方

診断の進め方のポイント

■ まずはAKIのステージ評価を行い，緊急透析の適応を確認する（図3）．透析導入の目安とし

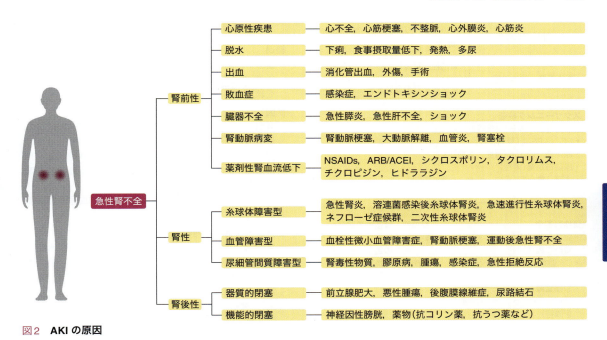

図2 AKIの原因

表2 AKI-EPIにおけるICU入室理由ならびにAKIの発症率

ICU入室理由	非AKI	AKI	全患者数
心血管疾患	193（25.1％）	431（41.8％）	624（34.6％）
血液量減少性ショック	46（6.0％）	106（10.3％）	152（8.4％）
敗血症性ショック	62（8.1％）	217（21.0％）	279（15.5％）
肝不全	15（1.9％）	56（5.4％）	71（3.9％）
急性腹症，その他	47（6.1％）	99（9.6％）	146（8.1％）
神経疾患	214（27.8％）	252（24.4％）	466（25.9％）

〔Hoste, E.A., et al.: Epidemiology of acute kidney injury in critically ill patients: the multinational AKI-EPI study. Intensive Care Med., 41(8):1411–1423, 2015 より作成〕

表3 わが国においてICUで腎代替療法を施行したAKI患者の疾患割合

疾患	2007〜2016年の平均割合
敗血症	26.14％
心臓血管手術	14.78％
冠動脈疾患	8.14％
非冠動脈疾患	26.89％
中枢神経系障害	6.21％
外傷	2.77％
その他	15.08％

〔Miyamoto, Y., et al.: Temporal change in characteristics and outcomes of acute kidney injury on renal replacement therapy in intensive care units: analysis of a nationwide administrative database in Japan, 2007–2016. Crit. Care, 23:172, 2019 より作成〕

て，①心不全，②高窒素血症，尿毒症症状による意識障害，③コントロール不良な電解質異常，④高カリウム血症，⑤代謝性アシドーシス（pH＜7.15），などが挙げられている．敗血症において血液透析を早期に始めることの有効性についての結論は出ていない．手術侵襲などによるAKIの場合は速やかに開始することが推奨されている．

■ 血清Cr値上昇，eGFR低下時期が経時的な血液検査から推定される場合，その時期に起きたイベントを確認する．新規薬物，外科手術，血管カテーテル検査，造影剤の使用，尿道カテーテル抜去などの医学的介入のほか，血圧低下，発熱，体重減少，下痢などの症状，仕事や介護などのストレス，飲酒量の増加，夜間不眠など生活習慣の変化が原因となることもある．

■ 医療面接・身体診察後の検査においては，CKDと腎後性腎不全を確認するため，画像検査を施行する．CKDでは腎萎縮が認められ，腎後性腎不全では水腎症や膀胱の緊満，前立腺肥大などが認められる．

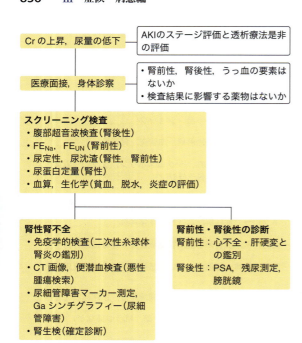

図3 AKIの診断の進め方
PSA：前立腺特異抗原

- AKI 診断に重要な情報は，「臨床経過」「画像検査」「尿定性，尿沈渣」の 3 項目である．

医療面接

軽度の AKI は身体所見に乏しく，医療面接は特に重要である（表 4）．

血清 Cr 値，eGFR の変化開始時点が推定される場合には，その時期に起きたことを重点的に聴取する．発熱，感冒などの先行感染後に発症した浮腫や倦怠感は，腎炎を疑う所見として重要である．

高齢者では自身からの訴えが困難であることが多い．家族から嘔吐，下痢，食事摂取量の減少，体重減少がなかったか，普段との変化を確認する．体調不良があり，水分摂取量が減少している際にも内服薬は変わらず継続していることが多々ある．心不全や骨粗鬆症の既往がある場合は，複数の病院から ARB/ACEI，利尿薬，非ステロイド系抗炎症薬（NSAIDs）やビタミン D 製剤が処方されていることがあるため，注意が必要である．

生活環境の変化などで強いストレス下にいる場合，不眠や食欲低下，うつ症状が現れることがある．飲酒量の増加から脱水を起こしている可能性もあるため，精神面の変化も確認する．職場環境では高温多湿環境や過度に冷却された場所での長時間勤務はないか，炎天下での勤務により仕事の前後で体重減少がある際には腎前性腎不全の合併が疑わしい．

発熱患者では感染症に注意する．AKI は菌血症の 20％，敗血症の 50％ に発症するとされ，感染経路を確認する．

既往歴として，神経因性膀胱をきたすような糖尿病，神経変性疾患，前立腺肥大があり，排尿障

表4 医療面接のポイント

経過
- 健診や前医採血検査結果がある際には，eGFR の低下，Cr 値の上昇が始まった時期を推察し，その時期の詳細を聴取する

誘因
- 腎前性：飲水量，食事摂取量，尿量の低下．利尿薬の増量などを確認する
- 腎性：浮腫，先行感染，腎毒性物質への曝露（ヨード造影剤，抗菌薬，化学療法），血管カテーテル検査，手術，妊娠，出産などを確認する
- 腎後性：残尿感，下腹部の膨満，肉眼的血尿，腰背部痛の有無を確認する

全身症状の有無と内容
- 発熱（感染症），下痢，嘔吐，食事摂取量低下（脱水症），体重減少（内分泌・代謝疾患，膠原病，悪性腫瘍），残尿感，肉眼的血尿（前立腺疾患，神経因性膀胱），尿の泡立ち，浮腫（ネフローゼ症候群），呼吸困難感（心不全），発疹や倦怠感（急速進行性糸球体腎炎など）を確認する
- 上記自覚症状と eGFR の低下時期の関係はあるか

家族歴
- 家族に腎疾患（遺伝性腎疾患），悪性腫瘍（膜性腎症），高血圧，糖尿病，脂質異常症（生活習慣病）はいないか

既往歴
- 高血圧，糖尿病，脂質異常症，高尿酸血症（生活習慣病），骨粗鬆症（高カルシウム血症），うつ病，Parkinson（パーキンソン）病（腎後性腎不全），悪性腫瘍（薬剤性尿細管間質性腎炎）など，慢性腎臓病や急性腎不全のリスクとなる疾患はなかったか

嗜好品，常用薬
- 喫煙歴，飲酒歴，漢方薬やサプリメント（ビタミン D 製剤，Ca 製剤），市販の鎮痛薬（NSAIDs），違法薬物の使用歴はないか

職業
- 高温多湿環境や冷房の強い倉庫での長時間労働，トイレに行けない工場レーンでの勤務などはなかったか

害を自覚している場合には腎後性病変が疑わしい．緩徐に神経因性膀胱が進行してきた場合，残尿感や排尿障害について自覚症状がない例もあるので注意が必要である．

身体診察

体液量評価

体液量の客観的評価としては，直近の体重からの変化が簡便である．飲水量，尿量の変化は自覚が難しく，入院中で飲水・尿量カウントを施行していないと正確な値は把握できない．体液量の減少が，体重の3％で脈拍上昇，体重の6％で起立性低血圧，体重の10％で横臥位での血圧低下を発症するといわれており，普段との体重の変化を確認する．口腔内粘膜乾燥，腋窩乾燥，眼球陥凹，皮膚ツルゴールの低下，CRT（capillary refill time）の延長は体液量減少の所見であり，これらの存在から腎前性腎不全を考慮する．

一方，体重の増加に加えて労作時の呼吸困難感・起座呼吸がある場合，細胞外液量増加や心不全を想定する．頸静脈怒張，腹部頸静脈逆流，Ⅲ音などを確認する．

浮腫は，圧痕性浮腫，非圧痕性浮腫があり，非圧痕性浮腫では甲状腺機能低下症とリンパ浮腫を鑑別に挙げる．圧痕性浮腫は上記以外で認められる．

その他

腎機能障害の原因は多岐にわたるため，随伴する身体所見が原因診断に有用である場合も少なくない（表5）．心雑音が聴取される場合には感染性心内膜炎を考慮し，Osler 結節を確認する．膠原病が疑わしい場合には皮膚所見や特徴的な所見を確認する．血管内カテーテル治療が先行して施行されている場合，網状皮斑や blue toe を確認する．

診断のターニングポイント

医療面接と身体診察を総合して考える点

AKI のリスクとなる基礎因子や AKI の曝露因子（表6）がある場合，AKI の原因疾患との関連性が高い．代表的な例を表7に示す．

必要なスクリーニング検査

AKI の診断は腎前性，腎性，腎後性に分類して行う．

まずは比較的診断が容易な腎後性 AKI から除外する．排尿障害の訴えがない場合にも腎後性の

表5　身体診察のポイント

バイタルサイン
- 体重，血圧，尿量

頭頸部
- 眼底（コレステロール塞栓，動脈硬化）
- ぶどう膜炎（間質性腎炎，血管炎）
- 難聴（アミノグリコシド，ループ利尿薬，Alport（アルポート）症候群）
- 巨舌（アミロイドーシス）
- 眼瞼結膜（貧血，黄疸）
- 眼瞼浮腫，頸静脈腫脹（溢水）
- 眼球陥凹，頸静脈虚脱，口腔内乾燥（脱水）
- 副鼻腔炎（多発血管炎性肉芽腫症）
- 扁桃腫大，白苔（IgA 腎症，溶血性連鎖球菌感染）
- 頸動脈雑音（動脈硬化）
- 甲状腺腫大（甲状腺機能低下症）

胸部
- 心雑音（感染性心内膜炎）
- Ⅲ音の聴取（溢水）
- 肺雑音（肺水腫，肺胞出血）
- 胸膜炎（尿毒症）
- 腋窩の乾燥（脱水）

腹部
- 腹部血管雑音（腎動脈狭窄）
- 腎打診，触診（囊胞腎，腎盂腎炎）
- 腹部緊張（腹部コンパートメント症候群）
- 膀胱緊満（尿路閉塞）
- 生殖器（性感染症，不正出血，前立腺肥大）

皮膚，四肢
- 圧痕性浮腫（ネフローゼ症候群，腎不全など）
- 非圧痕性浮腫（甲状腺機能低下症，リンパ浮腫）
- livedo reticularis：網状皮斑（コレステロール塞栓症）
- blue toe：指端病変（コレステロール塞栓症）
- 紫斑（血管炎，血栓性微小血管症（thrombotic microangiopathy；TMA））
- Osler（オスラー）結節（感染性心内膜炎）
- 関節炎（膠原病，痛風）
- ツルゴールの低下（脱水症）
- 爪下線状出血（溶血性連鎖球菌感染）

神経
- 意識障害（尿毒症，TMA）

表6　AKIの高リスク因子

AKIのリスクを上げる基礎因子	AKIのリスクを上げる曝露因子
▪ 細胞内外の脱水 ▪ 高齢 ▪ 女性 ▪ 黒人 ▪ CKD ▪ 慢性臓器不全（心，肺，肝） ▪ 糖尿病 ▪ 悪性腫瘍 ▪ 貧血	▪ 敗血症 ▪ 重症疾患 ▪ ショック ▪ 熱傷 ▪ 外傷 ▪ 心臓手術 ▪ 大手術（心臓以外） ▪ 腎毒性物質 ▪ 造影剤 ▪ 有毒の食物や動物

表7　医療面接と身体診察から想起しうるAKIをきたす疾患

医療面接と身体診察から得られた情報	想起すべき疾患
咽頭炎後2週間程度で発症した血尿，浮腫，関節炎	溶連菌感染後糸球体腎炎
新規薬物使用後からの発熱，関節炎，皮疹	急性間質性腎炎
高齢女性で，発熱，食思不振の持続，皮疹，関節痛などの出現	ANCA関連血管炎
熱傷，手術などで長時間の血圧低下	急性尿細管壊死
骨痛・貧血のある高齢者	多発性骨髄腫
血管内カテーテル検査1週間後から徐々に出現した四肢の網状皮斑，末梢のblue toe	コレステロール塞栓症
ビタミンD製剤内服中の骨粗鬆症	高カルシウム血症
体液量減少時のARB/ACEI阻害薬，利尿薬，NSAIDs	腎前性腎不全
高齢男性の抗コリン薬，抗うつ薬，抗ヒスタミン薬	尿閉・腎後性AKI

要素があることがあり，必ず画像検査にて腎後性腎疾患を否定する．

腎前性腎不全，腎性腎不全の鑑別にて腎前性を否定したあとには，腎生検での確定診断も考慮し，検査を進めていく．

❶ 尿検査

尿検査は侵襲が少なく，簡便に行うことができる．尿定性検査，尿沈渣検査，尿生化学検査に分けられ，まずは尿定性検査から施行される．

腎性AKIでは腎生検を要することが多いが，腎生検困難例や腎生検の結果を待つことができずに治療を開始する必要があることもあり，尿検査からいかに原因疾患を予測していくかが重要となる．

▪ 尿潜血

血尿の定義は，「尿潜血1＋，尿中赤血球数20個/μL以上，尿沈渣で赤血球数5個/HPF以上である．尿潜血1＋は試験紙法による簡便な検査であるが，ヘモグロビンのペルオキシダーゼ反応を利用しているため，偽陽性，偽陰性となることがある．尿定性・尿沈渣を併用することで疾患を絞ることが可能となる．

▪ 尿蛋白

試験紙法では主にアルブミンのみに反応している．定量法ではアルブミンとグロブリンに反応するため，尿定性，尿蛋白/尿Crにより尿蛋白定性と定量（g/g・Cr）で矛盾が生じることがある．たとえば，多発性骨髄腫による免疫グロブリンでは，試験紙法で陰性となり，定量法にて尿蛋白が測定されることとなる．脱水などがあり，尿比重が高い場合には，試験紙法で尿蛋白1〜2＋となるが，定量法では0.15 g/g・Cr以下となることもあるので，比重に関しても確認する．ただし，AKIでは尿中Cr排泄が低下しているため，尿蛋白/Cr比では尿蛋白量が過大評価となるおそれがあることも注意が必要である．

尿蛋白≧3.5 g/g・Crではネフローゼ症候群を考慮するが，ネフローゼ症候群のみで必ずしもAKIを発症するとは限らない．AKI合併時には低アルブミン血症による有効循環血漿量減少に伴う腎血流量減少による腎前性AKIや腎静脈血栓症を考慮する．腎静脈血栓症はネフローゼ症候群の15〜20％に合併し，膜性腎症や膜性増殖性糸球体腎炎でより高率に合併することが報告されている．

▪ 尿沈渣検査

尿試験紙法で尿潜血，尿蛋白などの異常が認められた際には，尿沈渣検査を施行する．成人では糸球体にて原尿が1日に150〜180L生成され，尿細管にて再吸収されたあと，1〜2Lが

表8 腎前性AKI，腎性AKIの鑑別

	腎前性AKI	腎性AKI
一般尿所見	軽微	尿蛋白，血尿，円柱を認める
尿浸透圧(mOsm/kgH$_2$O)	＞400	＜300
尿/血清Cr比	＞40	＜20
尿/血清UN比	＞20	＜20
尿中Na濃度(mEq/L)	≦20〜30	≧20〜30
Na排泄分画(FE$_{Na}$)(%)	＜1	＞1
UN排泄分画(FE$_{UN}$)(%)	＜35	＞35
UA排泄分画(FE$_{UA}$)(%)	＜12	＞12

尿となって排泄される．近位尿細管と比較して遠位尿細管や集合管では濃縮が起こりやすく，円柱が形成されやすい．円柱は尿細管由来のTamm-Horsfall(タム・ホースフォール)蛋白により形成され，それより上の部位から漏出した物質を取り込むこととなる．たとえば，糸球体から赤血球が漏れ出ている場合は赤血球を取り込んだ赤血球円柱が，白血球が漏れ出ている場合は白血球円柱が認められる．前者は糸球体腎炎を，後者は間質性腎炎や腎盂腎炎を疑う所見となる．

■ 尿生化学検査

　腎前性AKIと腎性AKIの鑑別は，尿中Na排泄で評価されることが一般的である(表8)．Na排泄分画(fractional excretion of sodium; FE$_{Na}$)(%)は，(尿Na/血清Na)÷(尿Cr/血清Cr)×100で算出され，尿中Na排泄をCr補正した指標である．FE$_{Na}$＜1%で腎前性AKIを疑うが，FE$_{Na}$は本来乏尿患者の指標として検討されたものであり，乏尿でない患者での有用性は明らかではない．また，有効循環血漿量が減少し，Naの再吸収が促進されている心不全や肝硬変では，FE$_{Na}$は腎前性AKIでなくても低値を示す．

　一方，FE$_{Na}$が高値を示す代表例は利尿薬である．利尿薬使用下では，腎前性と腎性AKIの鑑別に際し，尿素窒素排泄分画(fractional excretion of urea nitrogen; FE$_{UN}$)や尿酸排泄分画(fractional excretion of uric acid; FE$_{UA}$)にて代用するが，ともに特異度は高くないため，その他の所見と合わせて判断する．

❷ 血清学的検査

　急性腎炎，急速進行性糸球体腎炎を疑う場合には，免疫学的検査を施行する．急速進行性糸球体腎炎は未治療では腎死に至るおそれが高い．わが国では抗好中球細胞質抗体(ANCA)，特にMPO (myeloperoxidase)-ANCA関連血管炎によるものが多い．尿潜血，尿蛋白，貧血，炎症反応上昇，腎機能障害を伴う高齢女性では，MPO-ANCA関連血管炎を含めた免疫学的検査を推奨する．また，MPO-ANCAやPR3 (proteinase 3)-ANCAが白血球を標的抗原とするのに対して，抗糸球体基底膜(GBM)抗体は肺胞と糸球体を対象としており，進行が速く，予後不良である．呼吸器症状を伴う急速な腎機能障害では血管炎を考慮しやすいが，肺出血を伴わずに急速進行性糸球体腎炎のみを起こすこともあるので注意が必要である．

> ■検査例
> 免疫グロブリン(IgG, IgA, IgM)，補体(C_3, C_4, CH_{50})，HBV抗原，HBV抗体，HCV抗体，RPR，TPHA，抗核抗体，MPO-ANCA，PR3-ANCA，抗GBM抗体，免疫電気泳動

診断確定のために

　腎後性AKIは，否定するためにも画像検査を必ず確認する．

　腎前性AKIは血清学的検査，尿生化学検査で評価できるが，利尿薬などの影響を受ける．補液に対する治療反応性も腎前性AKIの診断の助けとなる．

　腎性AKIは病歴，身体所見，血清学的検査，尿生化学検査に加えて，免疫学的検査にて疾患を推定する．臨床診断と腎生検による組織診断を合わせて確定診断に至る．

　腎生検では，合併症として腎周囲への出血や血尿による尿閉，腎膿瘍などのリスクがある．診断後の治療強度を決めるうえで必要な検査ではあるが，安全に施行するために事前の抗血小板薬や抗凝固薬の継続の是非，貧血の是正などを確認する．

〈丸山 浩史，平山 浩一〉

妊娠と分娩
pregnancy and delivery

妊娠と分娩とは

定義

妊娠とは，受精卵の着床から胎児およびその付属物が母体外へ排出されるまでをいう．分娩はこの「母体外に排出する」一連の過程を指す．

妊娠期間は最終月経開始日から数えておおよそ40週であり，最終月経開始日を0日，受精日を妊娠2週0日，分娩予定日を妊娠40週0日と定義している．7日を1週と定めており，たとえば最終月経開始日から6日目までが妊娠0週0日～0週6日，7日目～13日目までが妊娠1週0日～1週6日となる．

妊娠が判明すると，排卵日(受精日)や胎児の大きさから現在の妊娠週数と分娩予定日を決定する．このとき月経周期が28日周期である場合，最終月経より14日目を排卵日(受精日)と推定できる．しかし月経周期が不順であったり，また順調であっても排卵日がずれる可能性もあるため注意が必要である．そのため，通常は妊娠初期の胎児超音波計測の結果を加味したうえで分娩予定日を決定している．

患者の訴え方

通常の妊婦は各自特定の医療機関において妊婦健診を受けており，妊娠週数に合わせた管理をされていることが多い．そのためなんらかの身体症状で受診する場合も，患者からの医療面接の結果や母子手帳の記載内容などによりおおよその妊娠経過を知ることは可能である．

しかし，患者自身が妊娠に気づいていない場合もあることに留意する必要がある．無月経やつわり・妊娠悪阻の出現で妊娠に気づくことは多いが，症状出現の有無には個人差があり，また月経周期がもともと不順である場合には月経が遅れていても受診せず妊娠に気づかない場合もある．妊娠初期の性器出血を月経と混同してしまうこともあり，注意が必要である．

また稀ではあるが，妊娠週数がかなり進んでいても患者自身が気づかない，もしくは気づいていても妊婦健診を受けることなく分娩に至るという場合もある．切迫早産や陣痛による疼痛であっても，下腹部痛や性器出血，月経痛といった主訴で受診することがある．

妊娠の頻度

避妊法を正確に使用したにもかかわらず妊娠が成立する可能性は，経口避妊薬や子宮内避妊具の使用で0.1％，コンドーム使用で2％とされる．そのため医療面接のみで妊娠の可能性を除外することはできない．

特に無月経や月経周期が不規則な場合は医療面接のみで妊娠を否定することは困難であり，妊娠可能な女性の診療においては，常に妊娠の可能性を念頭におくべきである．

通常，妊娠4週以降であれば尿中ヒト絨毛性ゴナドトロピン(HCG)で妊娠の判定が可能である．患者に尿を採取してもらい，妊娠反応検査により容易に判定できる．

症候から原因疾患へ

病態の考え方

母体は妊娠により全身のさまざまな器官に変化を起こす．この母体の生理学的変化によって起こりやすくなる疾患がある(妊娠糖尿病や耐糖能低下，つわり・妊娠悪阻などの消化器系の機能減弱など)．また妊娠特有の異常疾患として，異所性

表1　妊娠・分娩中の主な疾患

妊娠初期
- 流産(妊娠21週6日までに妊娠が終了すること)
- 切迫流産
- つわり・妊娠悪阻
- 異所性妊娠(卵管妊娠,頸管妊娠など)

妊娠中・後期
- 早産(妊娠22週0日から妊娠36週6日までの出産・妊娠の終了)
- 切迫早産(早産となる危険性が高い状態)
- 妊娠高血圧症候群
- 妊娠糖尿病
- 前置胎盤
- 常位胎盤早期剥離

分娩中・分娩後
- 前期破水
- 微弱陣痛
- 児頭骨盤不均衡
- 回旋異常
- 分娩時異常出血(弛緩出血など)

妊娠や流早産,前置胎盤,常位胎盤早期剥離などがある.
表1に主な疾患を示す.

病態・原因疾患の割合

自然流産(人工妊娠中絶ではなく,自然に起きる流産)の頻度は約15%とされるが,母体年齢が上昇すると発生頻度も高くなる.妊娠初期の流産の多くは胎児側の原因(染色体異常など)によるものとされる.

妊娠初期の悪心・嘔吐は5〜8割の妊婦でみられ,「つわり」と呼ばれるものである.食事指導などで特別な治療を要さないことが多いが,体重減少や脱水を伴う場合は妊娠悪阻として入院管理や補液が必要となる.妊娠悪阻は全妊婦の0.5〜2%ほどで起こる.また稀ではあるが,ビタミンB_1欠乏によるWernicke(ウェルニッケ)脳症,脱水による静脈血栓症を発症することがある.補液の際にはビタミンB_1の補充などの注意が必要である.

異所性妊娠は全妊婦の約1〜2%に発生するとされるが,近年では生殖医療により増加している.また異所性妊娠の反復率は約10〜15%であり,すでに異所性妊娠の既往がある患者の妊娠時は留意しておくことが重要である.

わが国の早産率は約5.7%と,他国と比較しても低値である.早産の原因は多岐にわたるが,主に母体の基礎疾患の合併(糖尿病,高血圧,甲状腺機能低下症,自己免疫系疾患),ストレス,低栄養,感染症,子宮奇形などがリスクであるとされる.一方で,早産の約半数はこれらのリスクを有していないと報告されているため,妊娠中のスクリーニングが大切である.

妊娠時に高血圧〔収縮期血圧が140 mmHg以上(重症では160 mmHg以上),あるいは拡張期血圧が90 mmHg以上(重症では110 mmHg以上)〕を発症した場合は妊娠高血圧症候群と診断する.発症率は4%ほどとされ,近年は母体年齢の上昇とともに増加している.ほかにも妊娠高血圧症候群のリスク因子として高血圧や糖尿病,抗リン脂質抗体症候群の合併,高血圧や糖尿病の家族歴,妊娠高血圧症候群の既往,多胎妊娠,初産であることなどが報告されている.

妊娠糖尿病は妊娠中に初めて発見された糖代謝異常と定義され,その頻度は8.5%ほどである.妊娠初期のHbA1cが高いほど胎児形態異常のリスクが上昇するとされる.また,出生児に呼吸窮迫症候群が発症しやすい.

胎盤が正常より低い位置に付着してしまい,そのために胎盤が子宮の出口(内子宮口)の一部/全部を覆っている状態を「前置胎盤」と定義しており,全分娩の約0.3〜0.5%で認められる.高齢妊娠や帝王切開分娩の増加により近年は増加している.前置胎盤のうち,多量出血の原因となる癒着胎盤は約5〜10%で合併するとされるため注意が必要である.

正常位置,すなわち子宮体部に付着している胎盤が胎児娩出以前に子宮壁より剥離する病態を常位胎盤早期剥離といい,全妊婦の約0.5〜1.3%に認められる.ときに胎児や母体の生命にかかわる多量の出血や,それに伴う播種性血管内凝固症候群(DIC)をきたす.妊娠高血圧症候群では合併しやすく,発症率は9.5%まで上昇する.母体救命のために早期診断と厳重な管理が重要である.

各疾患の頻度とその臨床的重要度を図1に示す.

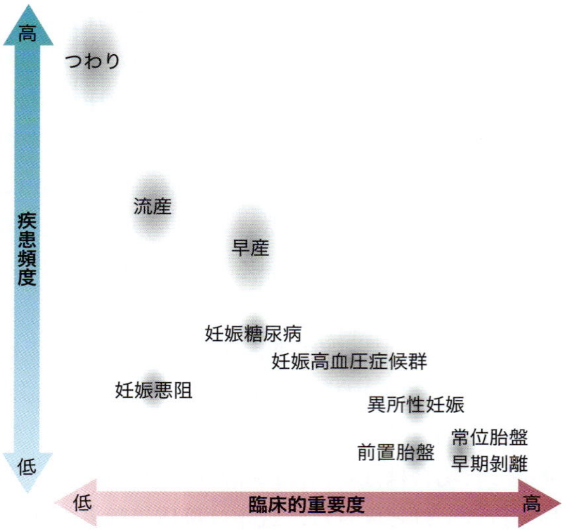

図1 疾患の頻度と臨床的重要度

縦軸：疾患頻度（低→高）
横軸：臨床的重要度（低→高）

- つわり
- 流産
- 早産
- 妊娠糖尿病
- 妊娠高血圧症候群
- 妊娠悪阻
- 異所性妊娠
- 前置胎盤
- 常位胎盤早期剝離

表2　医療面接のポイント

月経歴
- 最終月経を確認する
- 月経周期（例：30日周期），規則的か不規則か
- 最終月経が通常の月経と同様であったか

妊娠分娩歴
- 現在までの妊娠の回数，分娩の回数
  （異所性妊娠や流産の既往があるか，以前の妊娠・分娩に異常があったか）

性交の有無・避妊の有無
- 最近の性交の有無と時期を確認する
- 避妊の有無と方法（低用量ピル内服の有無，コンドーム使用の有無など）を確認する

基礎体温
- 基礎体温を測定している場合，高温期が14日以上持続しているか

妊娠経過・分娩予定日
- すでに妊娠が確定している場合，現在の妊娠週数を確認する（分娩予定日が判明している場合はそこから推定することも可能）
- 現在までの健診で言われている注意点などを確認する

診断の進め方

診断の進め方のポイント

- 無月経なら妊娠を疑い，妊娠反応検査を行う．月経が順調であっても予定より遅れている場合は妊娠を完全には否定できないため，妊娠反応検査を行う．
- 妊娠週数の推定は，妊娠週数が進んでいれば増大した子宮を触診して恥骨結合上縁から子宮底までの高さ（子宮底長）を測定することができる．妊娠初期では通常子宮を触れることはないため，経腟・経腹超音波検査による胎嚢や胎児の計測が必要となる．
- 腹部痛や性器出血，バイタルサインの異常を認める場合，後述の妊娠に関する病態を疑う．

医療面接

月経と妊娠にかかわる事項を聴取する必要があるため，プライバシーに配慮したうえで医療面接を施行する（表2）．

身体診察

妊娠週数の推定と異常疾患の除外のために身体診察を行う（表3）．

妊娠週数の推定には経腟・経腹超音波検査による胎嚢や胎児の計測が最も有用であるが，妊娠週数が進んでいれば増大した子宮を触診できるため，子宮底長を測定し推定することも可能である．目安として妊娠16週で12cm，20週で15cm，24週で21cm，28週で24cm，32週で27cm，36週で30cm，40週で33cmである．ただし，母体の体格や子宮筋腫の合併などで正確に測定できない場合や個人差もあることに留意する必要がある．妊娠初期では通常は腫大した子宮を触れることはないため，経腟・経腹超音波検査が必要となる．

腹部痛や性器出血，血圧，バイタルサインの異常を認める場合，異常疾患を疑う．浮腫の有無も妊娠高血圧症候群の診断には重要な所見となる．

診断のターニングポイント

医療面接と身体診察を総合して考える点

- 妊娠可能な女性の診療においては，常に妊娠の可能性を念頭におく．医療面接のみで妊娠の可能性を除外することができない場合，尿妊娠反応検査を行う．
- 妊娠が判明した場合，可能であれば妊娠週数の

表3 身体診察のポイント

バイタルサイン
- 血圧
- 脈拍

腹部診察
- 子宮底を測定する
- 腹部痛の有無を確認する

性器出血
- 性器出血の有無，性状（量など）を確認する

浮腫（下肢限局もしくは全身）の有無

推定を行う．腹部痛や性器出血，バイタルサインの異常を認める場合，後述の異常疾患を疑う．
- 妊娠週数と身体症状で異常疾患が推定できることもある．

> ◆妊娠初期＋出血，下腹部痛 → 流産，異所性妊娠など
> ◆妊娠初期＋消化器症状 → 妊娠悪阻など
> ◆妊娠中・後期＋出血，下腹部痛 → 切迫流早産，常位胎盤早期剥離など
> ◆妊娠中・後期＋浮腫，血圧の上昇 → 妊娠高血圧症候群など

必要なスクリーニング検査

妊娠が確定していない場合，まずは妊娠か否かのスクリーニングを行う．その後，妊娠週数を推定し，週数と症状に応じて異常疾患を鑑別する．

❶ 妊娠の可能性を除外するためのスクリーニング

通常，妊娠4週以降であれば尿中HCGで妊娠の判定が可能である．患者に尿を採取してもらい，尿妊娠反応検査により容易に判定できる．

血液検査で血中HCG定量検査を行うこともできる．おおよそ妊娠4週で血中HCG 100～200 IU/mL程度，妊娠5週で2,000～4,000 IU/mL程度まで上昇がみられる．

❷ 妊娠週数を推定するためのスクリーニング

妊娠4～5週以降であれば経腟超音波検査で子宮内に胎嚢が描出される．妊娠反応検査が陽性にもかかわらず描出されない場合には，ごく初期の妊娠や流産，異所性妊娠であるかを鑑別する必要がある．

妊娠週数が進むと子宮内の胎嚢や胎児は経腹超音波検査でも描出できるが，妊娠初期であれば経腟超音波検査が必須である．

❸ 妊娠中の異常疾患のスクリーニング

- **経腟もしくは経腹超音波検査**

  妊娠週数の評価のほか，胎児心拍の有無，胎児状態の評価，胎盤の位置，羊水量，頸管長などさまざまな疾患の鑑別に有用である．

- **尿検査**

  尿蛋白は妊娠高血圧症候群の推定になる．尿糖も妊娠糖尿病や，妊娠中に診断された明らかな糖尿病の可能性を疑うきっかけとなる．

- **血圧測定**

  妊娠中の高血圧は妊娠高血圧症候群と診断される．厳重な管理や早期の治療介入が必要な場合もあり注意が必要である．

- **子宮底計測**

  妊娠週数が進んでいれば増大した子宮を触診できる．子宮底長を測定することで，おおまかな妊娠週数を推定することも可能である．ただし，母体の体格や子宮筋腫の合併などで正確に測定できない場合や個人差もあることに留意する．

- **血液検査**

  妊娠中は循環血漿量が増加することでヘモグロビン（Hb），ヘマトクリット（Ht），赤血球数（RBC）が見かけ上の低下を示す．また，白血球数（WBC）は高値（9,000～12,000/μL程度）を示すことが多い．凝固能は亢進する．AST，ALT，ビリルビン値，血糖などで妊娠糖尿病や妊娠高血圧症候群，HELLP症候群の診断を行うことができる．

診断確定のために

医療面接と身体診察，上記スクリーニング検査をもとに診断を行う．

妊娠の確定診断

尿中もしくは血中HCGの上昇が認められれば妊娠と判定できる．子宮内に，推定される妊娠週

数相当の所見(胎嚢,胎児心拍など)が確認されれば正常妊娠と診断できる.HCGの上昇は異所性妊娠や絨毛性疾患でも確認されるため,経腟超音波検査を併用しての診断が有用である.

流産の確定診断

通常,妊娠4～5週以降の経腟超音波検査で子宮内に胎嚢が描出され,妊娠6～7週で胎児心拍が確認される.胎嚢が確認されたものの,以後胎児心拍が確認できない,もしくは胎児心拍が消失するといった場合は流産と診断される.母体に自覚症状がない状態を稽留流産,性器出血や下腹部痛が出現し流産が進行している場合を進行流産,子宮内容の一部が排出された場合を不全流産という.不全流産や進行流産では多量の性器出血を示すこともあり,貧血の進行やバイタルサインの変化に留意する.

異所性妊娠の確定診断

受精卵が子宮体部の内膜以外に着床するものを示す.妊娠反応検査が陽性にもかかわらず,経腟超音波検査で子宮内に胎嚢が確認できない場合は異所性妊娠を疑う.血中HCG値測定と経腟超音波検査を繰り返し行い,血中HCG値が1,500～2,000 IU/Lであっても子宮内に妊娠部位を認めない場合は異所性妊娠を強く疑う.

異所性妊娠部位が破裂をきたすと下腹部痛が出現し,大量の腹腔内出血から出血性ショックをきたし死亡に至る可能性もあるため注意が必要である.

妊娠中・後期の異常の確定診断

❶ 切迫流早産

妊娠37週未満で下腹部痛,性器出血をきたし,流早産の危険性がある状態をいう.妊娠22週未満は切迫流産,妊娠22週以降37週未満は切迫早産と定義されている.

妊娠初期の切迫流産の場合,軽度の性器出血と下腹部痛を認める.超音波検査で絨毛膜下血腫や胎嚢の増大不良,胎嚢の変形を認める場合,流産となる可能性が高い.

切迫早産では軽度の性器出血,下腹部痛のほか,規則的な腹部緊満感(子宮収縮)を認めることがある.子宮収縮が規則的であり子宮頸管の開大・展退に進行がみられる場合,もしくは子宮頸管の開大が2 cm以上である場合に切迫早産と診断される.診断には,胎児心拍モニタリングを施行することで胎児状態と子宮収縮の双方を確認することができる.また,経腟超音波検査で内子宮口の開大や頸管長の短縮を確認することが有用である.

❷ 妊娠高血圧症候群

妊娠中に高血圧(収縮期血圧140 mmHg以上かつ/または拡張期血圧90 mmHg以上)を示し,加えて母体の臓器障害や血管障害を発症する.発症時期や病状によって妊娠高血圧腎症,妊娠高血圧,加重型妊娠高血圧腎症,高血圧合併妊娠に分類される.血圧高値のほか,浮腫,蛋白尿,肝機能障害,血小板減少,腎機能障害,肺水腫などをきたす場合があり,注意が必要である.胎児も胎児発育不全や胎児機能不全をきたしやすい.

上記の検査所見や病状によって早期のターミネーション(妊娠終了)が必要なことが多く,経時的に注意深く観察する必要がある.

❸ 前置胎盤

胎盤が正常より低い位置に付着しており,内子宮口にかかる,もしくは内子宮口を覆っているものをいう.子宮収縮の増加や子宮口の開大によって胎盤血管が断裂し,無痛性の性器出血をきたすことが多い.妊娠の経過とともに子宮下部が伸展し,胎盤が徐々に上方に移動して正常化することがあるため,症状とともに慎重に経過を観察する.胎盤位置の評価には経腟超音波検査が有用である.

❹ 妊娠糖尿病

妊娠中の随時血糖測定などでスクリーニングを行い診断されることが多い.妊娠糖尿病はあくまで妊娠中に初めて発見または発症したものであり,糖尿病に至っていない糖代謝異常の状態をいう.すでに診断されているものや明らかな糖尿病網膜症がある場合は「糖尿病合併妊娠」として扱う.

妊娠糖尿病は,75 g経口ブドウ糖負荷試験

(OGTT)において，①空腹時血糖92 mg/dL以上，②1時間値180 mg/dL以上，③2時間値153 mg/dL以上のいずれか1つ以上を満たすと診断される．

また，①空腹時血糖126 mg/dL以上，②HbA1c 6.5％以上のいずれか1つ以上を満たす場合は「妊娠中に診断された明らかな糖尿病」と診断される．随時血糖200 mg/dL以上，もしくは75 gOGTTで2時間値200 mg/dL以上である場合は①②の基準を満たすかどうか確認するよう推奨されている．

❺ 常位胎盤早期剝離

妊娠中や分娩時の胎児娩出前に胎盤が剝離し，母児双方に重篤な障害をもたらす．急激で持続的な下腹部痛が特徴であり，病状が進行するとDIC，胎児死亡をきたすため，早期の診断が重要である．疑わしい場合は胎児心拍モニタリング，超音波検査を行う．

性器出血，下腹部痛，子宮収縮といった症状が切迫早産と類似しているため，鑑別が重要である．上記の切迫早産様の症状があり，胎児心拍モニタリングで異常がみられた場合は胎盤早期剝離の可能性に留意する必要がある．

〈吉田 梨恵，藤村 正樹〉

急性感染症
acute infections disease

急性感染症とは

定義

急性感染症とは，生体内で病原体が増殖し，比較的急速な経過で症状をきたした場合である．

患者の訴え方

患者の主訴としては，なんらかの体調の変化を訴えて受診する場合が多い．ただし，免疫不全状態の患者においては，たまたま炎症所見やなんらかの検査値の上昇を指摘されて受診する場合もある．

臓器を示唆する症状があるかないか，それが問題だ．

感染が局在するタイプのものであればその部位に起因する症状を，局在しないものであれば，全身倦怠感，発熱，多発関節痛，頭痛，リンパ節腫脹などの複数の解剖学的には関連のない症状を訴えて受診する可能性がある．

注意する必要があるのは，急性に体調不良をきたす疾患は感染症以外の原因であることも多くあり，急性感染症の診断は，同時にそれらの疾患を鑑別していくということでもある．

急性感染症の頻度

患者が急性感染症と診断される頻度は，受診する医療機関によって異なると考えられるが，わが国の報告では，大学病院の総合内科の外来を受診する主訴として，発熱は6%と報告されている．また，カナダのプライマリケアクリニックを対象とした研究では，診断名は急性上気道炎が最も多く，上位10位までに肺炎，急性中耳炎が含まれていた．米国のERの受診理由の上位10位のなかにも，皮膚の軟部組織感染症，急性上気道感染症，歯の痛みなどの明らかな感染性疾患が複数含まれており，最終診断は10%程度が急性感染症によるものであったとされている．これらのERやプライマリケアクリニックの受診患者には，高血圧や外傷の患者も含まれているため，なんらかの体調不良の患者が受診した際に，急性感染症である可能性は十分あるとして診療にあたる必要がある．

症候から原因疾患へ

病態の考え方

急性感染症の感染経路は以下の2つに分けられる(図1).
①体内には存在しない病原体が外部から侵入し，症状をきたした場合
②体内に存在する病原体が，解剖学的な破綻または免疫機能の低下に伴いバリアを突破して感染を生じた場合

ヒトに感染する病原体は，a)宿主の状態，b)曝露した(保菌している)病原体の2つが大きなポイントとなる．

引き続き行う医療面接で患者の背景を把握し，特定の病原体への感受性が上がるような既往歴はないか(抗癌薬や生物学的製剤の使用，リンパ節郭清に伴うリンパ浮腫や脾臓の摘出など)，また，曝露した可能性のある病原体は「何がありうるか」を推定していく．そして，身体診察で患者の主訴となる症状を裏づける所見および全身の症状を確認していく．

また，診察を進めるうえで，病原体が一臓器で感染し症状をきたしているのか，または1つの臓器だけでなく全身に症状を引き起こすタイ

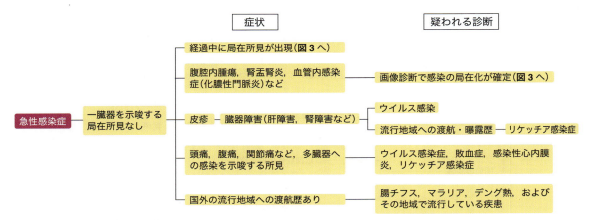

図1 主要な急性感染症を起こす各種微生物

図2 急性感染症をきたす疾患（局在を示唆する症状がない場合）

プの感染なのかを考えていくことも重要である（図2，3）．

病態・原因疾患の割合

「急性感染症の頻度」で述べたが，多くの患者が急性上気道炎や皮膚の感染などの比較的ありふれた管理しやすい疾患で受診する可能性が高いと考える．

重症の感染症である敗血症の原因としては，肺炎が最も多く約50％であり，次いで腹腔内感染，尿路感染，軟部組織感染が多いとされている．

図4に疾患の頻度と臨床的重要度を示したが，ウイルスでも細菌でも，きわめて重篤な病態を引き起こすものと，ありふれた良性疾患を引き起こすものがあり，重要度を図解することは難しく，あくまでも目安としていただきたい．比較的，稀でも公衆衛生学的に重要な病原体〔重症熱性血小板減少症候群（SFTS），結核，麻疹，風疹，髄膜炎菌など〕に遭遇する可能性はある．渡航歴のある患者からの海外での流行疾患の持ち込みの可能性も考える必要がある．診療には十分な注意が必要である．

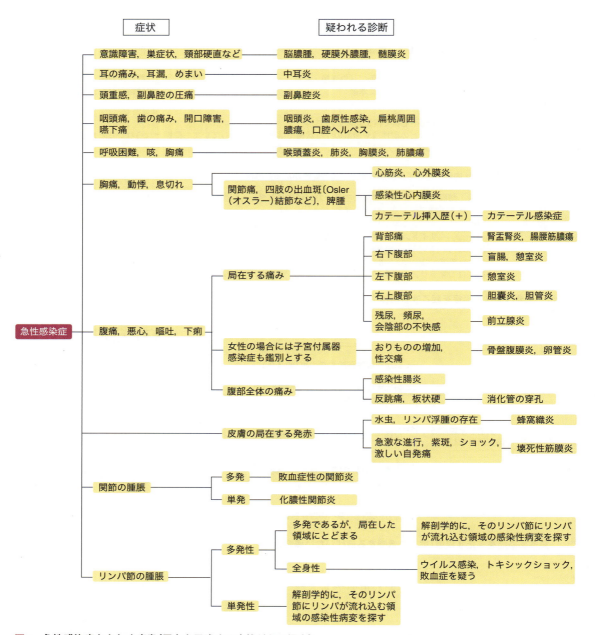

図3 急性感染症をきたす疾患(局在を示唆する症状がある場合)

診断の進め方

診断の前に

　急性感染症が疑われる患者を診察する場合には，十分な感染対策を行う．標準予防策の遵守および症状によっては経路別(飛沫感染対策，空気感染対策，接触感染対策)を行う．

　特に，渡航歴のある患者では不測の病原体に曝露している可能性がある．可能であれば，病院を受診する前，受診した際にもなるべく早く渡航歴を聴取し，情報を共有したうえで対策をとる．

診断の進め方のポイント

■ 症状および訴えから，感染症を鑑別診断として挙げることは多いが，その他の原因でも同様の

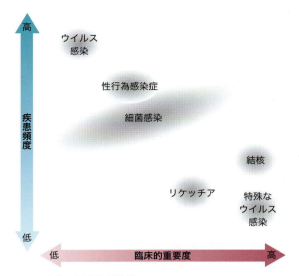

図4 疾患の頻度と重症度

症状を生じる可能性に十分注意をする必要がある．
- 急性感染症を疑う事例で忘れてはならないのは，「感染症以外の急性の症状を起こす原因」である．
- 感染症の診断のステップを以下に示す．
  ①患者の背景を理解すること．
  ②医療面接と身体診察から病態を推定し，感染している臓器（診断）を推定すること．
  ③患者の背景と推定される感染臓器から，考えられる起炎菌を挙げること．
  ④上記の過程から，行うべき検査を組み立てること．
  ⑤臨床経過および検査結果から診断を確定すること．
  ⑥診断が確定しない場合や臨床経過から新たな情報が得られた場合には，医療面接および身体所見を取り直し再度，②～④の過程を繰り返すこと．

医療面接

医療面接は，患者の臨床経過から想定しうる疾患を念頭におきつつ，病歴を聴取できるかが大きなポイントである．

表1に示したような項目を網羅しつつ，以前にも同じような症状がなかったか，まわりの人にも同じような症状はないか確認する．可能であれば，主観的な情報だけでなく，同居家族などからの客観的な情報に関しても収集する必要がある．

図2, 3で示したように，感染症は全身のあらゆる臓器に症状を生じる可能性がある．医療面接では，review of the systems（ROS）を利用して，症状に関して見落としがないようにしつつ，特にどの部分の情報を聞き出すべきなのかを考えながら行う必要がある．また，なぜその事項の医療面接が疑われる疾患の診断に必要なのかを理解しておくことが必要である．医療面接の前に疑われる疾患に関して，成書などで情報収集をしておく準備も必要である．

表1 医療面接のポイント

臨床経過
- いつ頃から，どの症状から始まり，どのように症状が変化しているのか，発熱の経過，体重の増減などを具体的に聴取する．可能であれば，家族や身のまわりの人からも情報収集を行う

既往歴
- 治療中の疾患，既往歴，手術歴，予防接種歴，女性であれば妊娠，出産歴，月経周期を聴取する
- 健康診断の受診歴も確認する

家族歴
- 家族内の病歴および同じような体調不良者がいないか（現在でも過去でもよい）
- 肉親に結核や特殊な感染症（寄生虫など）の罹患歴がないか

喫食歴
- 発症前の喫食歴について聴取する（数日～1か月程度）
- 食習慣についても聴取する（生ものの喫食の習慣など）

社会歴
- 職業，同居家族，ライフスタイル（居住地域，習慣），違法薬物への曝露，性交渉歴（パートナーの数，性別，性風俗の利用の有無）を確認する

曝露歴
- 動物への接触を確認する

旅行歴
- 急性疾患を疑う場合は3か月程度の渡航地域，期間，滞在先での行動歴（野外活動，動物との接触，蚊などに刺されたかどうか）をまず聴取する．滞在地域での流行疾患の情報に注意する
- 日本国内においても地域によって流行する疾患が異なる．結核，特殊な寄生虫疾患を疑う場合には，過去の居住歴を聴取する

嗜好歴
- 飲酒，喫煙歴を確認する

医療面接で聴取する時間的な広がり

①急性の感染症であれば，そのきっかけとなった事柄があるはずである．潜伏期からは，一般には2週間以内に特定の病原体への曝露がなかったか具体的に聞き取る必要がある．また，「いつもと違うことがなかったか」と詳細に尋ねていく必要がある．

潜伏期の長い急性疾患（1か月以上）もあるので（肝炎，寄生虫感染），疑われる場合には1年程度の曝露歴や生活習慣（喫食歴，性交渉歴，血液曝露歴など）を聴取する．

②慢性の感染症が増悪し，急性の経過を示す場合もあるので（結核，一部の原虫，ウイルス），経過から可能性があれば，曝露歴の聴取を行っていく．

たとえば，結核であれば，一定年齢以上の人では，結核蔓延の時期を過ごしており，特に曝露歴を認識していなくてもハイリスクである．また，家族のなかに結核に罹患された人がいないかを確認することも有用である．さらに，稀な状態ではあるが，開発途上国で一定期間過ごしたがゆえに罹患する疾患がある（糞線虫，有鉤嚢虫症，住血吸虫症，フィラリア症など）．人生における居住歴の聴取も大切である．

表2に代表的な病原体の感染経路を示す．医療面接の参考としてほしい．

身体診察

身体診察においては全身をくまなく診察を行っていくが（表3），医療面接で得られた情報から病態を推定し，特にどの部分の感染が疑われるか，その場合にはどこに所見があるのかを考えたうえで，所見のとり方を組み立てておくことが必要である．局所に所見がある場合には，解剖学的な関係にも注意しつつ，診察を行う．

緊急性のある状況に注意

急性感染症が疑われる場合，急速な悪化が想定され，診察を治療と同時進行で行っていくことが必要な場合がある．診察をしている間にも，短時間で急速に状態が悪化する可能性があることにも十分注意が必要である．

❶ 敗血症

診察時のバイタルサインには注意が必要である．ICU以外で敗血症のスクリーニングに用いられるqSOFA scoreは，2点以上で敗血症を疑う．血圧，意識状態，呼吸回数のみでスクリーニング可能であり，簡便で有用な検査である（表4）．初診時，もしくは診察時に測定されたバイタルサインには，まず目を通し，緊急を要する必要がないか確認する．

❷ 脾臓摘出後の発熱，好中球減少時の発熱

免疫不全状態の発熱のなかでも特に迅速な対応が必要な状況である．

脾臓摘出後の発熱では，肺炎球菌，インフルエンザ桿菌，髄膜炎菌が主たる原因であるため，それに対する経験的治療を開始する．好中球減少時の発熱においては，緑膿菌を含むGram（グラム）陰性桿菌を抗菌薬でまずカバーする．

❸ 細菌性髄膜炎

早急な抗菌薬投与が必要な状況である．細菌性髄膜炎が疑われる場合には，画像検査，髄液検査よりも前に，血液培養の採取を行い，抗菌薬の投与を開始する必要がある．

相対的徐脈

ある種のウイルス感染症（デング熱，一部の出血熱など），腸チフス，レジオネラ症などの細胞内寄生菌，寄生虫（マラリア症，バベシア症，トリパノソーマ症），ツツガムシ病で相対的徐脈を認める場合があり鑑別の一助となる．逆に非感染性疾患（リンパ腫，薬剤熱，副腎不全など）による発熱や，β遮断薬の使用でも相対的徐脈は出現しうるので十分な注意が必要である．

診断のターニングポイント

医療面接と身体診察を統合して考える点

■ 医療情報と身体所見から統合して，感染臓器が絞れるのか，絞れないのかということがこの時点で判明していると考えられる．

表2 主な病原体の感染経路

感染経路	病原体
飛沫感染(一部接触感染を起こす場合もある)	・ウイルス:インフルエンザウイルス,アデノウイルス,エコーウイルス,EBウイルス,風疹ウイルス ・細菌:マイコプラズマ
空気感染	・ウイルス:麻疹ウイルス,水痘・帯状疱疹ウイルス ・抗酸菌:結核菌
経口感染	・細菌:サルモネラ,カンピロバクター,赤痢,出血性大腸菌,腸炎ビブリオなど ・ウイルス:ノロウイルス,ロタウイルス,A型肝炎ウイルス(HAV),E型肝炎ウイルス(HEV) ・寄生虫:トキソプラズマ,アニサキス,回虫,エキノコックス,顎口虫など
ベクター感染	・寄生虫:マラリア原虫 ・ウイルス:デングウイルス,日本脳炎ウイルス,SFTSウイルス ・リケッチア:Orientia tsutsugamushi, R. japonica, Borrelia
経皮感染	・寄生虫:糞線虫,住血吸虫 ・細菌:Leptospira interrogans,ビブリオ・バルニフィカス
体液曝露感染	・B型肝炎ウイルス(HBV),C型肝炎ウイルス(HCV),HIV
性行為感染症	・T. pallidum, HBV, HIV, HSV

- 症状で感染臓器が絞れる場合については,その所見から疑われる疾患に基づいて鑑別を進めていく.診察および,医療面接で得られた感染臓器を示唆する症状が曝露歴などからも矛盾しないようであれば,その臓器に感染を起こす病原体は,その患者の状態および生活環境からはどれが一番考えられるのかと考えていく.
- その推定診断をもって,感染臓器への感染を確認するための最適な画像検査,および感染巣に対する培養検査や疑われる病原体に対する個別の検査を行う.
- 症状の出ていない,または症状から臓器が絞れない場合については,臓器の絞れない感染症(ウイルス感染症,リケッチア感染症,血流感染症)を想定しつつ,局所の感染が全身症状をきたすタイプのトキシックショックや,解剖学

表3 身体診察のポイント

身体診察は頭部から爪先までくまなく行う
バイタルの変化のある事例では急速に進行する可能性のある感染症は何かを念頭におき,治療と同時並行で手早く進める

全身の観察
- まずは患者の入室時の様子を観察する.表情,体臭なども確認する.歩行のしかたや座った際の姿勢に不自然な点があれば,以前からのものなのか,新たに出現したのであれば,神経学的な異常がないか,筋骨格系の問題がないかについて見落とさないようにする.全身のリンパ節腫脹の有無も確認する
- 腫脹があれば解剖学的に関連のある部位の診察を特に注意して行う

バイタルサイン
- 血圧,体温,呼吸状態,意識状態を確認する(敗血症の可能性について注意)

皮膚の観察(頭頸部,上半身,四肢)
- 眼球結膜の点状出血斑を確認する
- 結膜充血を確認する
- 四肢の出血斑を確認する
- 皮疹を確認する

頭頸部,甲状腺
- 鼻汁,耳漏,口腔内の炎症,衛生状態を確認する
- 甲状腺の大きさを確認しつつ,圧痛の有無を確認する

胸郭,肺
- 呼吸音,心雑音の有無に注意する

腹部
- 圧痛,自発痛について触診を行う
- 肋骨脊柱角(CVA)叩打痛,腎把握痛の有無を確認する

四肢
- 十分に観察し,皮疹,傷や関節の腫脹,刺し口などないか注意する

神経学的所見(精神状態,脳神経,運動,感覚,反射)
- 可能であれば一通り観察する.感染所見となんらかの巣症状があれば頭蓋内病変や血行性感染からの播種を疑う所見となる
- 神経根症状を伴う場合には脊椎に接する病変の存在を疑う

外陰部の診察
- 男性・女性とも理由を説明し,プライバシーに配慮して行う
- 男性の不明熱の原因として,前立腺は重要な鑑別であるが,触診は強く行うと敗血症を誘発する可能性があるので,慎重に行う必要がある

表4 qSOFA score

- 呼吸回数≧22回/分
- 意識状態の変容
- 収縮期血圧≦100 mmHg

的な広がりが，まだ判明していない疾患を念頭におきつつ精査を行う．

①症状が出るまで時間が経っていないもの：カンピロバクター腸炎などが典型である．腎盂腎炎の発症初期，発熱，リンパ節腫脹が先行する軟部組織感染などが挙げられる．
②症状が複数臓器に出現するもの：感染性心内膜炎，ウイルス感染症，リケッチア感染症，ショック，トキシックショック，レプトスピラ症などが挙げられる．渡航歴があればマラリア腸チフスなどの当該地域の流行疾患も鑑別とする必要がある．
③感染は局在しているが，診断のつかない状態：腹部の深在性膿瘍，太い静脈の血栓性静脈炎など，感染は局在しているが画像を撮らないと診断が難しい場合がある．また，呼吸器症状を伴わない肺炎や腎盂腎炎においても局在する症状が存在せず，無症候性細菌尿との鑑別が困難な場合がある．

- 上記を考え医療面接や身体診察を追加していく．逆に診断が困難なものに関しては，感染症以外の原因も考慮し，不明熱の精査も同時に行っていくことになる．

必要なスクリーニング検査（図5）

医療面接と身体診察から，明らかに良性のウイルス性上気道炎などの良性疾患と診断がついた場合を除いて，以下のような検査を行う．
- 血算（白血球分画含む）
- CRP，肝機能，腎機能，CK，LD
- 尿検査

この時点で，感染は局在化していてもバイタルサインの変化がある場合，高齢者，基礎疾患のある場合，感染巣不明または複数臓器にまたがる所見がある場合には，血液培養2セット（感染性心内膜炎を強く疑う所見があれば3セット）の採取を行う．

感染臓器不明の場合には，追加して胸部X線，腹部造影CTなどを行い鑑別を進めていく．

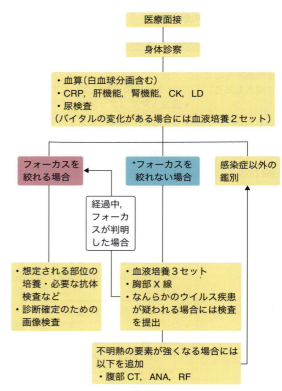

図5　急性感染症の診断の進め方
＊図2および本文診断のターニングポイント（症状の出ていないまたは症状から臓器が絞れない場合）を参照．

診断確定のために

病歴情報，身体診察，スクリーニング検査の結果で，ある程度の情報は得られていると考える．ここでは，感染症の確定診断についての概略を説明する．

感染部位の確定

感染部位が局在化している場合には，その部位の画像検査を行い，感染の存在の有無および広がりの評価を行う．疑われる疾患の成書を確認することを推奨するが，検査には長所短所があるので，患者にその検査を行うことが可能かも含めて検討する必要がある．

感染が疑われる部位と画像検査の概略を示す（表5）．

注意が必要なのが，その部位に感染があっても異常が出現する時期が病変によって異なるということである．たとえば，骨髄炎は感染して2週間

表5 感染臓器に対する画像検査例

感染部位	疾患名	画像検査
頭部	脳炎,髄膜炎,脳膿瘍,硬膜外膿瘍	頭部CT,頭部MRI:脳の詳細な病変をみる場合にはMRIが優れる
頸部	扁桃周囲膿瘍,頸部膿瘍	造影CT
胸部	肺炎,胸膜炎	胸部X線,詳細をみる場合には胸部CT
心臓	感染性心内膜炎	心エコー
血管	感染性動脈瘤,血栓性静脈炎,門脈炎	造影CT,表在であれば超音波
腹部	膿瘍性病変,消化管病変	造影CT,臓器によっては腹部超音波
軟部組織	蜂窩織炎,筋膿瘍	造影CT,MRI(軟部組織の評価はMRIが優れる)
骨	化膿性骨髄炎	MRIが優れる

表6 病原体検査の概要

病原体	感染巣からの検体	その他
細菌	細菌培養(培養条件の指定が必要な場合がある)	尿中抗原(肺炎球菌,レジオネラ菌)
抗酸菌	抗酸菌培養,遺伝子検査	
マイコプラズマ,クラミジア	遺伝子検査(ときに可能)	抗体検査
ウイルス	遺伝子検査(病原体によりときに可能)	抗体検査
リケッチア	遺伝子検査(病原体によりときに可能)	抗体検査
真菌	培養・病理検査	抗原検査(アスペルギルス,クリプトコッカス)
原虫,寄生虫	血液塗抹,病理検査,虫体の観察,遺伝子検査(ときに可能)	抗体検査(病原体による)

経過しなければMRI上,変化が出ない.「画像で変化がない=病変がない」というわけではない.

各検査の臓器に対する感度を考慮して,結果を評価する必要がある.

病原体の確定

この時点で,感染が局在化する感染症か,または感染が局在化しない感染症かがわかっているかと思う.それでは,患者の背景から最も疑うべき病原体は何だろうか.

表6に病原体検査の概要を示した.診断確定のために,局所の病変の培養が必要なものもあるし,同じ細菌でも培養条件で培養されないこともある.ウイルス感染が疑われる場合には,血液や組織から直接病原体を検出することや血清抗体検査を行うこともある.疑う病原体ごとに行う検査も異なる.

具体的に,精査の対象とする病原体名を明確にして,検査を行うことをすすめる.結果,診断が確定した場合は治療を進めていくことになる.確定しない場合には,検査の感度の問題なのか,他の疾患の可能性があるのかの検討が再度必要である.

〈横田 恭子〉

外傷
trauma

外傷とは

定義

外傷とは，外的要因により身体の組織，臓器が損傷を受けることである．外傷は，外力発生の種類，損傷形態，損傷部位などによりさまざまな分類がある．

外力の種類による分類としては，鈍的外傷と穿通性外傷に分類される．鈍的外傷は鈍的な形状のものによる外傷と定義され，交通事故，墜落，転落など，わが国の外傷の大半を占める．穿通性外傷とは，刃物や銃などの鋭的な形状のものによるもので，傷害事件や自傷行為などで生じることが多い．局所の内臓の高度障害をきたすことがあり，重症となることが多い．

損傷部位による分類としては，その数により単独外傷と多発外傷に分類される．通常，AIS（Abbreviated Injury Scale）[注1]3以上の損傷が身体区分の2区分以上にみられるものを多発外傷という．

患者の訴え方

外傷による愁訴の多くは受傷部位の疼痛である．特に骨折による疼痛は非常に強いが，患者の表現としては上腕を損傷していても「右手が痛い」など，漠然とした表現となることが多いので，必ず視診，触診により受傷部位の詳細を把握する必要がある．高齢者や小児では疼痛の訴えがはっきりせず，「痛がっているようだ」など，家族からの情報が重要となることも多い．

また，疼痛に随伴する症状として，頭部外傷では，視力障害，複視「目がかすむ，ものが二重に見える」や，聴力障害，咬合障害「ものを噛むときに力が入らない」，頸部外傷では，頸部絞扼感「喉が締めつけられる感じがする」，咽頭違和感，胸腹部外傷では，呼吸困難，脊髄損傷では，筋力低下，感覚脱失「手足がなんとなく動かしづらい」など，損傷臓器により多彩な症状を訴えることがある．

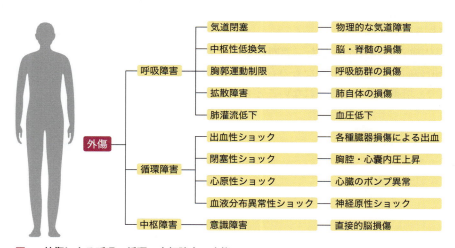

図1 外傷による呼吸・循環・中枢障害の病態

[注1] AISとは，外傷の種類と解剖学的重症度をコードで表し，重症度を6段階で評価したもの．

四肢の変形など，見た目に派手な外傷に目がいってしまい，上記のような愁訴を軽視することで，気道狭窄など生命にかかわる緊急病態を見逃すこともある．愁訴の1つひとつを体系的に原因検索していくことが重要となる．

外傷の疫学

日本人の死亡原因として，不慮の事故は第7位で，年間約38,000人が死亡している．生産年齢である10代，20代では第2位の死亡原因である．また，重症外傷患者は死亡者の約40倍ともいわれ，40万人程度といわれている．

外傷の受傷機転に関しては，近年減少傾向ではあるが転倒・墜落・転落が最も多く55%であり，交通事故28%と続く．銃規制のあるわが国では銃創は年間10例程度と少ない．

症候から原因疾患へ

病態の考え方

外傷の死亡には，①大血管損傷や致命的脳損傷で即死または数分で死亡する群，②呼吸障害や出血が原因で2～3時間で死亡する群，③敗血症や多臓器不全で数日後に死亡する群の3つの群がある．このなかで防ぎうる死が最も多いのが②の群であり，初期診療においてこの群を救うための診察方法が最も重要となる．外傷の病態把握のためには，生命維持の生理学的要素を理解しておく必要がある．

生体は酸素を取り込み，各組織へ供給し，中枢への酸素供給が維持されることで成り立つ．これには気道，呼吸，循環，中枢の生命の輪がつながる必要がある．外傷による損傷によって，これらのどこかが障害されれば，致死的となる．外傷によって呼吸，循環，中枢が障害される病態を図1に示す．またこれらをきたす原因疾患として主なものを表1に示す．

病態・原因疾患の割合

外傷死亡者における損傷部位別の頻度は，頭部外傷が50%程度を占め，頸部損傷を含めると過半数を超える．これは，頭部外傷患者の3/4以上が重症以上の損傷形態であること，30%程度が多部位の重症外傷を合併していることなどが要因として考えられている．また，高次脳機能障害を含む後遺障害を有する患者は，死亡患者の数倍に上ると予想されている．

死亡者における損傷部位として次に多いのは多部位の損傷で15%であり，胸部外傷が13%程度と続く．受傷部位別の頻度と臨床的重要度を図2に示す．

診断の進め方 (図3)

診断の進め方のポイント

外傷初療は，primary survey，secondary surveyの2段階のプロセスを考える．

primary survey

- まず生命維持のための生理機能に基づいた，気道，呼吸，循環，中枢の異常を確認する．
- 生命にかかわることを最優先し，最初に生理学的徴候の異常を把握する．この時点では確定診

表1　外傷による致命的な疾患

呼吸障害
- 物理的な気道障害
  - 意識低下による舌根沈下，顔面・口腔内出血，異物
  - 頸部軟部組織損傷，気管損傷
- 脳脊髄の損傷：脳幹損傷，頸髄損傷，横隔神経麻痺
- 呼筋群の損傷：肋骨骨折，フレイルチェスト，緊張性気胸，横隔膜損傷
- 肺自体の損傷：肺挫傷，外傷後の肺水腫，血液吐物の誤嚥
- 血圧の低下：出血，心タンポナーデ，緊張性気胸など

循環障害
- 各種臓器損傷による出血：大量血胸，腹腔内出血，後腹膜血腫，骨盤骨折，大腿骨骨折
- 胸腔，心囊内圧上昇：緊張性気胸，心タンポナーデ
- 心臓のポンプ異常：心筋挫傷，中隔破裂，冠動脈損傷，弁損傷
- 神経原性ショック：脊髄損傷

中枢障害
- 直接的脳損傷：頭蓋内占拠性病変，脳ヘルニア

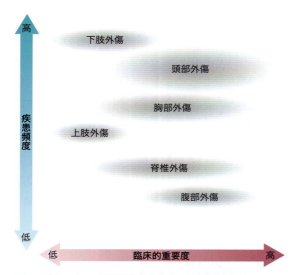

図2　外傷による受傷部位別の頻度と臨床的重要度

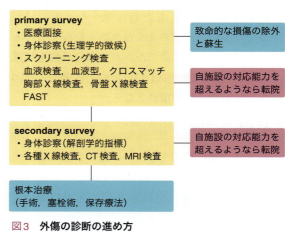

図3　外傷の診断の進め方

断に固執せず，時間を重視する．
- 初療室内での診療を原則として，CT検査などに安易に移動しない．
- 気道確保，輸液路確保，胸腔・心囊ドレナージ，外出血の圧迫，保温の処置が必要な場合は診察と同時進行で遅滞なく行う．

secondary survey

- 生命の安全が確保されたところで，各身体部位の損傷を系統的に検索し，根本治療の必要性を決定する．
- 治療を要する損傷をすべて検索するために，解剖学的指標を主眼に評価する．
- 生体に加わった外力の部位とエネルギーの大きさを考慮するうえで，受傷機転を確認する．
- 多部位損傷患者では，主訴の原因となる損傷部位と危機的な損傷部位とが一致しないこともあるため，先入観をもたずに系統的に診察する．
- 止血目的以外の創部の縫合処置などは，すべての検索が終わったあとで行う．不必要な処置を優先させない．
- secondary survey 施行中に，循環動態が不安定になった場合は，速やかに primary survey に戻り，生理学的指標をもとに，その原因を再検索する．

いずれの段階においても，常に自身の診療技能，自施設の対応能力を超えていないかを判断しながら，応援医師の要請，転院の必要性を考慮する．

医療面接

外傷診療における医療面接は，迅速かつ速やかに，漏れがないように行う．患者からの聴取が難しいことも多く，救急隊，家族，関係者などからも可能な範囲で行う（表2）．バイタルサインの確認が終わった secondary survey の段階で聴取することが多いが，時間的余裕があれば primary surveyの段階で聴取を開始してもよい．

受傷機転は，重症度，緊急度を判断するうえで重要である．運動エネルギーの大きな鈍的外傷，体幹部への穿通性外傷，長時間の圧挫は高エネルギー外傷として特に注意を要する．愁訴や身体所見が軽度であっても，高エネルギー外傷では大動脈損傷などの隠れた外傷を負っている可能性もあり，画像検査などの閾値を下げる必要が出てくる．

また，受傷からの経過時間も重要で，受傷早期に搬送された場合には，時間経過とともに出血量が増大し，バイタルサインが今後悪化してくる可能性を考慮して診療を進める必要がある．

出血を助長する内服歴や肝硬変，血液疾患の病歴などは，手術を検討する際に重要である．また，最終の食事からの時間は，胃内容の容量を想定するのに有用で，気道確保時の胃内容逆流のリスクの推定に重要となる．

表2 医療面接のポイント

受傷機転・現場の状況
- 高所墜落，自動車事故（横転，放り出され，車体の損傷程度，はね飛ばされた距離，体幹部の挟まれなど）の状況を確認する

アレルギー歴
- 局所麻酔，抗菌薬，造影剤などを特に注意して聴取する

内服薬
- 抗凝固薬・抗血小板薬，副腎皮質ステロイド薬の服用歴を確認する

既往歴
- 心疾患，呼吸器疾患，透析患者，肝硬変，妊娠の有無を確認する

最終の食事時間

病前 ADL
- 麻痺の有無や歩行障害などの日常生活強度を確認する

身体診察

外傷における身体診察では，primary survey で生命にかかわる異常を見逃さないよう，生理学的異常を速やかに検索し，同時にその異常に対応し，secondary survey ですべての外傷部位を同定していくことが重要である（表3）．

primary survey では，致死的出血部位およびショックの原因となる損傷を早期に検索することが重要である．また，収縮期血圧は出血量が血液量の 30% を超えた時点でようやく下がり始めるため，血圧のみでショックの判断をせず，120/分以上の頻脈や，冷たく湿った皮膚所見などの早期のショック所見を見逃さないことも重要である．

primary survey でバイタルサインが安定したことを確認してから secondary survey は開始すべきであり，視診，聴診，触診を，頭から足先まで，抜けのないよう，体の前面，後面（背側）を含めてていねいに行う．

診断のターニングポイント

医療面接と身体診察を総合して考える点

- 受傷機転から高エネルギー外傷が疑われた場合には，簡単な身体所見と合わせて，損傷部位の推定ができることが多い．

表3 身体診察のポイント

primary survey

バイタルサイン
- 気道：声が出れば気道は開通していると評価する
- 呼吸：陥没呼吸，シーソー呼吸など呼吸様式の異常を視認する
- 血圧・脈拍：末梢の冷汗による湿潤，capillary refill time (CRT) 2秒以上はショック所見である
- 意識：Glasgow Coma Scale (GCS) 8点以下，瞳孔不同，片麻痺は重症頭部外傷である

全身状態
- 胸部：呼吸音の左右差，皮下気腫，圧痛の有無を確認する
- 腹部・骨盤：腹膜刺激徴候，骨盤動揺性の有無を確認する
- 衣服を脱衣し，外表上の活動性出血を検索してガーゼで圧迫を確認する

secondary survey

頭頸部
- 眼窩周囲の皮下血腫，耳介後部の皮下血腫，耳出血，鼻出血時にはガーゼに滴下し，二重の輪（ダブルリングサイン）を確認する
- 頸部の皮下気腫，気管の偏位，頸静脈怒張を確認，後頸部での棘突起の圧痛を確認，原則として画像評価を行うまでは頸椎カラーを装着しておく

胸部
- 視診で創傷，シートベルト痕，呼吸様式を確認，触診で握雪感，圧痛を確認し，聴診で呼吸音の左右差を確認する

腹部
- 視診で創傷，打撲痕などを確認し，触診で腹膜刺激徴候を確認，大量出血でも腹部膨隆などがないこともある

骨盤・生殖器
- 骨盤の動揺性，股関節の内外旋，外尿道からの出血，男性では陰部の腫脹あれば，直腸診で前立腺の浮動を確認する

四肢
- 開放創の確認，関節可動域の確認，末梢動脈拍動の減弱や消失を確認する

背部
- 背面の創の確認と脊椎の叩打痛を確認する

神経学的所見
- 意識レベル，瞳孔不同，四肢の筋力低下，感覚脱失を確認する

- **(確定診断)** 緊張性気胸は，primary survey において胸部の握雪感と同側の呼吸音減弱，ショック所見からほぼ診断がつけられる．
- **(確定診断)** 骨盤動揺性があり，ショック状態であれば，骨盤骨折による出血性ショックを強く疑うことができる．
- **(確定診断)** 脳ヘルニアが切迫する状況は，GCS 8点以下で，瞳孔不同を伴う所見から強く疑われる．
- 身体診察から考慮される外傷を以下に示す．

> ◆パンダの目徴候，Battle（バトル）徴候 → 頭蓋底骨折
> ◆耳出血，鼻出血のダブルリングサイン → 髄液漏
> ◆気管の偏位 → 喉頭気管損傷
> ◆股関節の内転，外旋，屈曲姿位 → 股関節脱臼
> ◆直腸診での前立腺浮動 → 尿道損傷

必要なスクリーニング検査

受傷機転と身体所見から，損傷部位を推定できることが多いが，外傷では意識障害を呈することも多く，自覚症状に乏しい場合もある．また，primary survey ではショックの原因検索を速やかに同定，対応する必要があり，臓器損傷の程度などを客観的に評価することも，のちの治療で重要となることから，診断精度を上げるために，各種スクリーニング検査を行う．

primary survey で行うべきスクリーニング検査を下記に示す．

❶ 血球・血液生化学・凝固・血液型・クロスマッチ・感染症検査

大量出血が想定される場合，輸血の準備および術前検査としての感染症の確認などが必須となる．出血によるヘモグロビン低下は，数時間して起こってくるため，血球検査で貧血がないからといって油断してはいけない．

❷ 胸部・骨盤ポータブルX線検査

ショックの鑑別に必要となるため，高エネルギー外傷で適応となる．胸部X線では大量血胸，緊張性気胸を，骨盤X線では不安定型の骨盤骨折の有無を確認する．

❸ focused assessment with sonography for trauma (FAST)

FAST とは，心嚢，腹腔，胸腔の液体貯留を検索することを目的として行われる，迅速簡易超音波検査法である．ショックの原因となる心タンポナーデ，大量腹腔内出血，大量胸腔内出血を確認するための検査である．まず，心窩部から心嚢液を確認し，Morrison（モリソン）窩，右胸腔，脾周囲，左胸腔，膀胱直腸窩の6点で液体貯留を検索する．ショックの可能性がある外傷では全例で行うべき検査である．

❹ 12誘導心電図検査

心損傷が疑われるときに行う．

❺ 頭部CT検査

原則として primary survey は初療室内で行うべきで，CT 室などへの移動は secondary survey 後に行うべきである．しかし，GCS 8 点以下で，かつ気道，呼吸，循環に問題がない場合には，切迫する重症頭部外傷と考え，secondary survey による全身検索の前に頭部 CT を施行し，治療可能な血腫などの同定を行う必要がある．

診断確定のために

primary survey における病歴情報，身体所見，スクリーニング検査の結果，呼吸・循環動態も安定し，secondary survey の身体所見における全身の損傷部位評価が終わったら，それらを画像で確定診断していく．基本的に頭部，体幹は CT での評価となり，四肢は単純 X 線，脊髄損傷を疑う際には MRI を行うことが多い．各損傷部位別に撮像方法，造影の有無，画像再構築の選定が必要となるため，次にまとめる．

頭部外傷の確定診断

まず非造影 CT にて，緊急の減圧開頭術を要する急性硬膜外血腫，硬膜下血腫と，正中偏位の有無を確認する．受傷時に CT にて頭蓋内占拠性病変がないが，意識障害が遷延する場合には，びまん性脳損傷の可能性があり，MRI での精査を要する．

顔面外傷の確定診断

顔面外傷は口腔内大量出血による気道閉塞が生じやすい．確実な気道確保を行ったうえで評価を行うことが重要である．眼球の上転制限がある場合には眼窩底骨折を疑い，CT 撮影にて水平断，前額断，矢状断の 3 方向から評価を行うことが望ましい．

脊椎・脊髄外傷の確定診断

外傷患者の初期治療では，気道，呼吸，循環の処置が最優先されるため，基本的に初療中は脊髄損傷があるものとして，頚椎は固定した状態で診療が行われる．身体所見で運動障害，感覚障害を認めた場合は，デルマトームに沿って損傷高位を推定し，MRI にて脊髄圧迫の有無を確認する．

胸部外傷の確定診断

致死的な病態を多く含むため，primary survey で迅速に確定されることが多い．気道閉塞，フレイルチェスト，開放性気胸，緊張性気胸は身体所見と胸部 X 線で確定診断でき，大量血胸，心タンポナーデは FAST にて確定診断できる．secondary survey で重要なのは，大動脈損傷，鈍的心損傷，横隔膜損傷などである．大動脈損傷は上位肋骨，鎖骨骨折などに合併しやすく，心損傷は胸骨骨折などに合併しやすいため，これらの骨折を認める場合には，積極的に造影 CT を行う．

腹部外傷の確定診断

血液検査ではトランスアミナーゼの上昇は肝損傷を疑わせ，アミラーゼの上昇は膵損傷を疑わせるが，受傷早期の膵損傷ではアミラーゼの上昇は少ない．primary survey における FAST が陽性の場合や，意識障害などで腹部所見がとりにくい場合で循環動態が安定している場合に，腹部造影 CT の適応が考慮される．動脈相，平衡相での造影 CT を施行し，造影剤の血管外漏出像がみられた場合には，緊急の止血処置のための迅速な対応を要する．

骨盤・生殖器外傷の確定診断

骨盤骨折は primary survey における骨盤 X 線で確定診断できる．骨盤骨折における出血性ショックの原因は骨盤後方要素(仙腸関節付近)に集まる静脈叢からの出血が多く，この部分の骨折は大量出血をきたしやすい．腹部 CT において，骨盤内臓器損傷と造影剤の血管外漏出像を確認した場合には，緊急の止血を要する．

外尿道口からの出血があった場合は尿道損傷を疑い，安易に導尿カテーテルの挿入を試みず，逆行性の尿路造影を行い，尿道断裂を診断する．

四肢外傷の確定診断

X 線検査による．前後および側面の 2 方向撮影が必須であるが，身体所見で疑わしいが骨折がはっきりしないときなど，斜位像を 2 方向追加して撮影すると骨折がはっきりとしてくることがある．

四肢外傷では，このような骨折に伴い，軟部組織の腫脹などによりコンパートメント症候群を呈することがあり，受傷部位の末梢血流，感覚障害などを確認することは重要である．

〈望月 俊明〉

急性中毒
acute intoxication

急性中毒とは

定義

　急性中毒とは，なんらかの外因性の物質に人体が急性に曝露したためにさまざまな症候を呈する病態である．理論的には，あらゆる物質がその許容範囲を超えて曝露されれば急性中毒を起こしうる．しかし，自殺や犯罪などの目的のために計画的に入手した毒薬物や，工場などで職業上曝露しうる薬品やガスの類を除けば，臨床的に遭遇しうる一般的な中毒の原因は患者の身近にある物質のことが多く，その種類はある程度限られている（表1）．この定義に従えば，統合失調症患者などにおける水中毒も含まれることになるが，臨床的には中毒ではなく症候性低ナトリウム血症として扱われるため本項では扱わない．また毒薬物によって発症した特殊な場合を除いて，細菌性の感染性腸炎などの食中毒は臨床的には中毒ではなく感染症として扱うため本項では扱わない．

患者の訴え方

　急性中毒の患者の訴え方は，その原因となる毒薬物によって症状が異なるため非常に多彩であるものの，大きく分ければ診療アプローチには2通りの入口が考えられる．1つは症状とともになんらかの物質に曝露したことを積極的に訴える場合，もう1つは患者の訴える症状が典型的な身体疾患で矛盾なく説明できないときや臨床上のなんらかの疑問が残るときに背景に中毒の存在を疑う場合である．

　前者の場合，曝露源となった食物や薬品の包装用紙や写真，摂取量，摂取時刻などの情報が速やかに入手できるときにはスムーズに医療面接を含めた診療に移行できるが，患者自身が乳幼児や認知症の高齢者のときや意識障害を呈しているときには詳細な情報が得られないこともある．後者の場合には患者自身が中毒物質への曝露について全く自覚していないこともあり，救急外来では診断がつかず入院後の医療面接で初めて中毒の可能性を聞き出せることも稀ではない．このように患者の症状の原因がわからない場合には，急性中毒の可能性を疑う習慣をもつことが重要である．

急性中毒の発症頻度

　わが国において急性中毒の患者全体を調べた調査・研究は存在しないため正確な頻度は不明である．参考までに人口約3.3億人を有する米国では年間200万件以上の急性中毒の症例が報告され，うち31%がなんらかの治療を要し，8%が入院加療を要し，0.07%が死亡している．食生活や処方薬などの社会背景が異なるため単純比較はでき

表1 急性中毒をきたす疾患（頻度が高いものや代表的なもの）

薬物
鎮痛薬（アセトアミノフェン，アスピリン），オピオイド，抗うつ薬，鎮静薬（ベンゾジアゼピン系など），抗精神病薬，抗痙攣薬，循環作動薬（ジゴキシンなど），抗ヒスタミン薬，覚醒剤，ストリートドラッグ・危険ドラッグ，ホルモン製剤，感冒薬，ビタミン，抗菌薬，胃腸薬，テオフィリン

食物
エタノール（酒），植物（ハーブやキノコなど），ヒスチジン中毒，カフェイン

日用品
洗剤，化粧品などのケア用品，農薬，ダイエット食品やサプリメント，タバコ

職業曝露
化学薬品，ヒューム，ガス，エチレングリコール，メタノール

その他
一酸化炭素，動物咬傷（蛇など），節足動物（蜂など），ヒ素，サリン

ないが，わが国でも毎年相当数の急性中毒が発生し，治療を要し，死亡していると考えられる．

なお，わが国では病院ごとに急性中毒の患者数にばらつく印象がある．というのも病院搬送前に中毒が疑われた重症患者は，救命救急センターなどの三次救急医療機関やこれに準ずる二次医療機関が選定され搬送される．中毒が疑われた小児患者の場合は選定・搬送されるのは小児救急を担う医療機関に限定される．意図的に過量内服した精神疾患患者では精神保健指定医の常勤施設に選定・搬送される傾向にある．このように，医療機関の地域における役割によって急性中毒患者の頻度にはばらつきがあり，一般的に感じられることもあれば稀に感じられることもありうるだろう．しかし，今後さらに社会が高齢化するにつれて，認知症患者の意図しない日用品誤飲などの中毒はどの医療施設でも遭遇しうるため，中毒診療の基本についてはすべての医療者が精通する必要がある．

症候から原因疾患へ

病態の考え方

急性中毒はその個々の原因物質により厳密には症状，身体所見，検査所見，治療法が異なる．しかし，個々の物質ごとの代謝経路・作用部位によって引き起こされる病態には類似点があり，病態ごとに整理・グループ分けが可能である．このように整理する考え方をトキシドロームという(表2)．トキシドロームとはもともと toxic + syndrome に由来する造語であり，急性中毒を1つの症候群としてとらえる考え方に由来する．たとえば有機リン系やカルバメート系の農薬，ニコチン，ピロカルピン，ピリドスチグミンはいずれもコリン作動性があり人体に摂取されるとムスカリン受容体やニコチン受容体に作用し徐脈，低血圧，気管支攣縮，縮瞳，流涙，流涎，下痢・嘔吐，痙攣などのさまざまな症状を引き起こす．同じ病態が背景にあるため治療方法も同様で，抗コリン作用のあるアトロピンが第一選択である．このほかにも代表的なトキシドロームには，交感神経興奮系，抗コリン系，幻覚系，セロトニン症候群，鎮静・催眠系，オピオイド系などがある．

病態・原因疾患の割合

わが国において急性中毒の患者全体を調べた調査・研究は存在しないため，急性中毒の病態や原因の割合は不明ではあるが，米国の報告によると背景となる病態について，6歳未満の小児では意図しない曝露が大多数であるが，20歳以上の成人例では自殺を目的とした曝露が多いという．高齢者については，自殺を目的とした曝露と認知症による意図しない曝露のどちらも臨床現場で遭遇する．

中毒の原因物質について最もありふれているのはエタノールによる急性アルコール中毒であるが，これはもはや一般的な疾患として扱われており，専門領域としての中毒診療には含まれない．それ以外の原因物質については米国からの報告によれば，全体では薬物が多く，それに洗剤や化粧品・美容品などの日用品が続く(図1)．薬物のなかで中毒症例が多いのは，アセトアミノフェンな

表2　急性中毒の原因(代表的なトキシドローム)

交感神経興奮系
アンフェタミン，コカイン，エフェドリン，フェニルプロパノールアミン

コリン作動性
有機リン系農薬，カルバメート系農薬，ニコチン，フィゾスチグミン，ベタネコール，ピロカルピン，神経系の化学物質(サリンなど)

抗コリン系
ジフェンヒドラミン，アトロピン，三環系抗うつ薬，フェノチアジン系抗精神病薬など

幻覚系
MDMA，ケタミン，LSD，フェンシクリジン(麻薬)

セロトニン中毒(セロトニン症候群)
モノアミンオキシダーゼ阻害薬，三環系抗うつ薬，SSRI，SNRI，デキストロメトルファン

鎮静・催眠系
ベンゾジアゼピン系，バルビツール系，エタノールなどのアルコール類，ガバペンチン，プレガバリン，ゾルピデム

オピオイド系
モルヒネ，フェンタニル，オキシコドン，ロペラミド

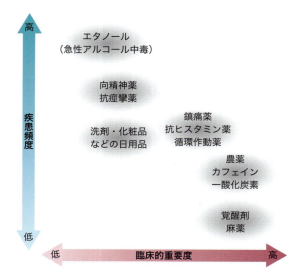

図1 疾患の頻度と臨床的重要度

どの鎮痛薬，ベンゾジアゼピン系抗不安薬，抗うつ薬，抗痙攣薬，オピオイドなどである．これらの薬物や日用品の詳細な割合は米国やヨーロッパ諸国内でそれぞれ異なっており，社会背景が関連していると思われる．わが国の臨床現場ではベンゾジアゼピン系抗不安薬や抗うつ薬の過量内服に遭遇することが多く，鎮痛薬やオピオイドは少ない印象がある．そして薬物や日用品より遭遇する頻度はやや低いが，臨床的に重要なのは農薬や一酸化炭素やカフェインなどの自殺を目的とした曝露である．これらは身体疾患として重症化しやすいうえに，精神疾患としての自殺の実効性が高いため重要である．

診断の進め方

診断の進め方のポイント

急性中毒を扱うためには，トキシドロームに裏づけられた首尾一貫として体系立てられたアプローチが必要である．さらに，中毒は単独で発生しうると同時に外傷や感染症などのほかの病態と同時並行的に発生しうることを忘れない．最初に取り組むべきは，患者のベースラインとなる意識状態や基礎疾患・処方薬などの情報と焦点を絞った医療面接を行い，これと焦点を絞った身体所見を合わせてトキシドロームのパターン認識に落とし込むことである．また同時に迅速な患者状態の安定化に努め，さらなる悪化を未然に防ぐことも忘れてはいけない．

というのも，急性中毒は昏睡などの重症を呈することがしばしばあり，原因がわからない症候に対する診断アプローチと同時に気道（Airway），呼吸（Breathing），循環（Circulation），中枢神経（Dysfunction of CNS），体表・体温（Exposure and Environmental control）の評価と安定化を目指すABCDEアプローチを実践する必要があるからである．たとえば，高度の意識障害で病歴不明の場合には気道確保を目的に気管挿管や人工呼吸器を開始することや，患者背景に外傷を想定して頸椎カラーを装着することもありうるし，循環虚脱によるショックを呈している場合には急速輸液やカテコールアミン投与を開始してから詳細な医療面接を行うこともありうる．

急性中毒の症例に限らず，特に意識障害を呈する患者では以前はルーチンでcoma cocktailと総称して，ブドウ糖，チアミン（ビタミンB_1），ナロキソン，フルマゼニルの投与が実臨床で行われていた．これらは治療可能な意識障害である低血糖，Wernicke（ウェルニッケ）脳症，オピオイド中毒，ベンゾジアゼピン中毒を迅速に治療することを目的としているが，必ずしも迅速に投与が必要ないことや，有害事象があることから現在は推奨されていない．ブドウ糖は低血糖が確認された患者に投与し，チアミンはWernicke脳症がより疑わしい場合に投与する．ナロキソンはわが国でオピオイド中毒の頻度が少ないため症例は限られる．ベンゾジアゼピン中毒が疑われる場合でも，ほかに痙攣誘発性の薬物を内服していた場合には，フルマゼニル投与によりかえって痙攣を引き起こす可能性があるため病歴を十分確認する必要がある．

実際の診療中に急性中毒の可能性が出てきた際，その曝露源の毒薬物についての詳細な医学的情報が手元にあることが理想だが，そうではない場合には公益財団法人日本中毒情報センターが運

営している「中毒110番」が利用できる．これは大阪府箕面市と茨城県つくば市の2か所に設置された施設で，夜間・休日も含めて24時間体制で医薬品や化学物質や自然毒などによる急性中毒について，実際に患者が発生している緊急時に医療機関へ情報を提供している．ある程度は曝露源となる物質が絞り込めている場合には，中毒性・症状・治療・予後などについての情報が電話およびFAXを通じて得ることができる．被疑薬が複数ある場合も含めて，利用には1回の電話相談あたり2,000円の費用がかかる．

医療面接（表3）

患者の状態が安定化したら，詳細な医療面接に移る．病歴は本人からだけでなく，家族や友人，搬送してきた救急隊などさまざまな情報源を活用し多角的なアプローチを試みる．単に急性中毒の訴えといっても，意図的な薬物の過量服用のほかに，食物の摂取，職業上の曝露，環境からの曝露，動物咬傷などさまざまなタイプがある．さらに繰り返しになるが，来院当初は摂取した毒薬物についての情報が一切ないか，あるいは患者自身も全く自覚していない場合があるため，中毒の可能性を常に頭の片隅に残しておくことが肝要である．そしてトキシドロームのフレームワークを意識して閉じられた質問（closed question）を加えつつ，患者の症状を漏れなく聴取していく．

薬物の使用歴については，お薬手帳を確認するだけではなく実際にどのように内服しているかを聴取し，搬送現場の空の薬包の有無，処方薬以外の市販薬やサプリメントなどの情報についても忘れずに聴取する．前述のとおり，救急医療の臨床現場で遭遇することが多いのは向精神薬などの処方薬を過量服用した急性中毒や急性アルコール中毒である．このうち自傷や自殺企図が関連している急性中毒の場合には，背景にある疾患や社会背景を医療面接で確認する．具体的にはうつ病や統合失調症の既往歴やその治療経過，金銭や人間関係や慢性疾患に対する向き合い方，これまでの救急外来への受診歴などを本人からだけでなく，付き添いの家族や友人などからも聴取する．

表3 医療面接のポイント

経過
- いつからどのような症状があるのか
- これまでにも同様の症状が起きたことがあるか，それにより救急外来を受診したことがあるか
- 付き添いの家族に普段と様子がどのように異なるのか確認する

誘因
- 症状が生じるきっかけはなかったか，普段と様子が異なるところはなかったか（食事，薬，仕事，動物との接触など）
- 心理・社会的な背景，人間関係や金銭面でのトラブルがなかったか
- 現場に空き缶や空き瓶，空の薬包がなかったか

全身症状の有無と内容
- まずはABCDEアプローチに則り全身状態を確認する．続けて詳細な全身の症状についてもれなく確認する

既往歴，生活歴，嗜好品，常用薬
- 既往歴や喫煙歴はもちろんだが，普段のアルコール摂取状況や向精神薬などの常用薬の有無は重要なので必ず詳細まで確認する．お薬手帳にも必ず目を通し，処方薬以外のサプリメントなども忘れずに確認する

職業歴
- 職業上の曝露によって化学薬品やガスによる中毒を生じていることがあるので，仕事内容を確認する．周囲に同様の症状の患者はいるか確認する

自傷や自殺企図のために本人が意図的に摂取したとわかった場合には，必ず「死にたい意思があるか（希死念慮）」を積極的に聴取する．患者本人に刺激を与えてしまうことを恐れてあいまいな聞き方をするのではなく単刀直入に問診する．希死念慮があり自傷行為を重ねる可能性がある場合には，身体疾患としての急性中毒の治療と並行して，精神科的な治療適応を考慮しなければならない．身体疾患の治療が終わりしだい医療保護入院や措置入院などの入院形態に移行する必要があるため，精神保健指定医との密接な連携が必要不可欠である．

身体診察

症候性の急性中毒患者では医療面接と同様に身体診察を行う際にも，どのトキシドロームのフレームワークに入るのかを考えながら行う．意識を含めたバイタルサイン，瞳孔所見，皮膚所見，

表4　身体診察のポイント

バイタルサイン
- 意識障害，低体温や高体温，頻脈や徐脈，低血圧，徐呼吸や頻呼吸を呈する中毒を鑑別する

全身状態(顔貌を含める)
- 末梢血管の収縮による冷感や血管拡張による皮膚紅潮，発汗や皮膚乾燥を確認する

頭頸部
- 眼球偏位や瞳孔径や不同を確認する
- 流涙や流涎を確認する

胸部
- 気管支攣縮・粘液分泌の亢進によるwheezesやrattlingの有無を診察する

腹部
- 聴診で腸蠕動音の亢進もしくは低下を診察する

四肢
- 浮腫や冷感，痙攣様の運動，リストカット痕，筋把握痛の有無などを診察する
- 中毒や内科疾患ではなく心因性を疑う場合には，ハンドドロップテストやHoover(フーバー)テストを診察する

神経系
- 筋トーヌスの低下や筋強剛，麻痺や失調の有無を診察する

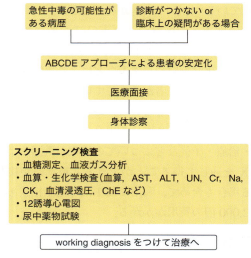

図2　急性中毒の診断の進め方

流涙や唾液を含めた粘膜所見が特に参考になるため，これらに焦点を当てて診察する(表4)．

診断のターニングポイント(図2)

医療面接と身体診察を総合して考える点

- **(確定診断)** 家族が過量服薬を目撃している場合や空の薬包が残っている場合に，臨床症状や身体所見がその物質によるトキシドロームのフレームワークに一致していればおおむね診断することができる．この場合の検査はあくまで他疾患の除外を目的として行う．
- **(除外)** 急性中毒を医療面接や身体診察のみで除外することは難しい．たとえば薬歴の確認については救急外来での精度は十分とはいえないという報告がある．頭の片隅には常に中毒の可能性を残しておくことが重要である．

必要なスクリーニング検査

❶ 血糖測定

意識障害の場合には簡易測定器や血液ガス分析を用いて最優先に測定し，低血糖が判明すればブドウ糖を迅速に静注する．Wernicke脳症を予防するためにブドウ糖に先行してチアミンを投与することが以前はルーチンで行われていたが，ビタミンB_1が細胞内へ吸収される速度はブドウ糖よりも緩徐に進むため，必ずしも先行投与する必要はない．

❷ 血液ガス分析

ABCDEアプローチの呼吸評価の目的もあるため，はじめに行うスクリーニング検査である．低酸素血症や高炭酸ガス血症を認めた場合には，適切に酸素投与や換気補助を行う．アニオンギャップ開大性代謝性アシドーシスやメトヘモグロビン血症を認めた場合には中毒を疑うきっかけになる(表5)．一酸化炭素中毒は血液ガス分析で迅速に診断し治療に移行する．

❸ 血球検査(血算)・血液生化学検査

血算，トランスアミナーゼ，尿素窒素，クレアチニン，電解質，クレアチンホスホキナーゼ，血清浸透圧，コリンエステラーゼなどをスクリーニングとして測定する．血清浸透圧は血清ナトリウム・尿素窒素・血糖値の3項目から推定値が計算

表5 スクリーニング検査から挙げる鑑別疾患のアクロニム（acronym）

アニオンギャップ開大性代謝性アシドーシスを起こす毒薬物
- C：一酸化炭素（Carbon monoxide），青酸化合物（Cyanide）
- H：硫化水素（Hydrogen sulfide）
- E：エタノール（Ethanol），エチレングリコール（Ethylene glycol）
- M：メタノール（Methanol）
- I：鉄（Iron），イソニアジド（Isoniazid）
- S：サリチル酸（Salicylate）
- T：テオフィリン（Theophylline）

浸透圧ギャップを起こす毒薬物
- G：グリコール類（Glycols），グリセロール（Glycerol）
- A：アルコール類（Alcohol），アセトン（Acetone）
- M：マンニトール（Mannitol），マグネシウム（Magnesium）
- E：エチルエーテル（Ethyl ether）

でき，実際に測定された血清浸透圧との差（浸透圧ギャップ）を認める場合には，血中になんらかの浸透圧を構成する物質が存在する可能性があり，中毒を疑うきっかけになる（表5）．

❹ 12誘導心電図

急性薬物中毒では致死的な心室性不整脈を起こすことがあり，可能なかぎり心電図異常は確認する．特に心筋のナトリウムチャネル阻害作用がある薬物ではQRS幅の延長に，心筋からのカリウム流出阻害作用がある薬物ではQT延長に注意する．

❺ 尿中薬物試験

SIGNIFY ER®，アイベックススクリーン®，メディカルスタット®などの尿検体を用いた迅速キットが市販されている．一部の大学病院を除いて，ほとんどの医療機関における急性中毒に対する特異度の高い検査はこのキットのみである．これらは乱用薬物検査のために開発されたキットであるが，臨床現場ではそれを中毒起因物質の定性検査に利用している．非常に簡便に使用できるところが利点だが，特定の薬物しか検出することができない，検出できる薬物もグループごとにしか検出することができない，薬物濃度が中毒域に達しているかを検出できない，偽陽性や偽陰性の例外が多いなど，臨床現場で使用する際に注意すべきポイントが多く残る．それでも以前は最も普及していた迅速キットであるトライエージDOA®では，特定の薬物どうしが交差反応を起こして偽陽性が起こるなどのさまざまな知見の蓄積があり，結果解釈の参考にすることができた．残念ながらトライエージDOA®は2020年ですでに販売が終了している．迅速キットごとに感度・特異度が異なるため，販売が継続されている迅速キットの知見の蓄積が期待される．このような事情から迅速キットのみに頼って急性中毒の診断をすることはできない．常用薬や実際の内服歴，症状などを加味して，検査結果のみからではなく総合的に解釈する必要がある．

診断確定のために

ここまで到達する間に病歴，バイタルサイン，医療面接，身体診察を行い内因性や外因性の他疾患をていねいに除外し，血液検査や心電図検査や尿中薬物試験を補助的に使いながら診断の核心に迫っている．集めたこれらの情報と摂取したことが病歴からわかっている中毒物質のトキシドロームのフレームワークとがちょうど合致している場合には，その時点での最適な診断に基づき治療を行う．このように，時間軸上の各時点における最適な診断名をworking diagnosisといい，急性疾患を扱う救急医療の現場では，working diagnosisをもとに治療を行っていく．患者が治療に反応して予測された経過で改善し治療を終了できた段階で確定診断を下す．予測されない経過をたどる場合には，重症度を見誤っていないか，治療は間違っていないか，あるいは見逃している鑑別疾患はないかなどと再考し，情報を集め直し鑑別疾患を挙げてworking diagnosisをつける．臨床現場はこの作業の繰り返しである．

急性中毒の診療において理想をいえば，疑っている原因物質が人体に有害な中毒域に達していることを血液などの検体から調べられることが望ましい．この方法であれば悪性腫瘍の診療における病理診断と比べても遜色なく，確定診断として疑いの余地はないだろう．しかし，そのためにはガスクロマトグラフィーや液体クロマトグラフィー

などの手法を用いた機器分析を利用しなければならず，これは保険診療の枠を超えており，ほとんどの病院では調べることができない．実際，機器分析は一部の大学病院の研究室で主に研究費を用いて行われているのが現状である．したがって事件性が疑われる場合などに，最終的に機器分析を大学病院や研究機関に依頼する可能性を残して血液や尿検体を保存しておくことは手がかりの1つになりうるが，あくまでも基本に忠実に医療面接や身体診察をもとに診断・治療を行う姿勢が何よりも重要である．

〈入山 大希，阿部 智一〉

誤飲・誤嚥
accidental ingestion, aspiration

誤飲・誤嚥とは

定義

　誤飲は食物以外のもの（異物：硬貨や安全ピン，玩具など）を誤って口から摂取することであり，誤嚥は食物や異物が誤って気道に入ってしまうことである．

　誤飲で口から摂取した異物は，咽頭から食道を通って胃や腸へ進む（咽頭異物，食道異物，胃・消化管異物など）こともあれば，喉頭から気管に入る場合（喉頭異物，気管異物，窒息）もある．誤飲と誤嚥は同義に用いられることも多い．

　気道異物は基本的に緊急事態である．窒息で気道が完全に閉塞すると死に至る．完全閉塞でなくても，酸素化不良，化学性肺炎や誤嚥性肺炎を引き起こす可能性がある．消化管異物では，肛門から排出されるまで待てばよいものもあるが，ボタン電池や先の尖った物など，異物によっては食道や胃，腸の穿孔や閉塞を起こす危険がある．

患者の訴え方

　患者は，無症状であることもあれば，持続性または一過性に「息苦しい」「吐きそう」「異物がある」などと訴えることもある．異物や食物が気道を塞ぎ窒息状態に陥ると，発語ができなくなり，両手で首をかきむしる窒息のサイン（choking sign）を呈する．

　意識が清明な患者は異物を飲み込んだ経緯を述べることができる場合が多いが，幼児や認知機能障害のある高齢者，精神疾患患者などでは，正確な経緯を述べられない可能性がある．目撃がなく，付き添いの人も完全に状態を把握できていないことも多い．

誤飲・誤嚥の頻度

　不慮の窒息による死亡は年間8千人程度であり，不慮の事故による死亡の20％程度を占める．不慮の窒息による死亡の全死亡に占める割合は，3歳以下では3〜5％程度だが年齢が上がると徐々に減っていき，15歳以上では1％未満となる．しかし，不慮の窒息で死亡した者のなかでは0歳が約2％で1〜15歳は1％未満であり，その後は年齢を重ねると徐々に割合が増え，65〜79歳が約30％，80歳以上は50％以上と高齢者が多数を占める．

　死亡に至らないものを含めると，さらに多数の人が誤飲・誤嚥していることが予想される．

症候から原因疾患へ

病態の考え方

　患者が誤飲・誤嚥を訴える場合，異物はどこにあるのか，異物は何であるのか，異物により合併症を生じたか，なぜ誤飲・誤嚥をしたのかを考える．

　異物の場所によって緊急度が変わるため，最初に場所の同定を行う．気道異物は緊急度が高いため，まずは気道異物を診断・除外する．

　次に，異物の種類（原因物質）と異物による合併症，なぜ誤飲・誤嚥したのかを検索する．健常成人が医療機関を受診するような誤飲・誤嚥をすることは稀である．誤飲・誤嚥患者では認知機能や嚥下機能の低下が起こっていると考え，対応する．これらを引き起こす病態としては図1に示すようなものがあり，その原因として主なものを表1に示す．

図1 誤飲・誤嚥の原因

表1 誤飲・誤嚥をきたす状態

認知機能低下（未発達）
- 乳幼児，小児，高齢者
- アルコール・鎮静薬の使用

嚥下機能低下
- 老衰
- 脳卒中：脳出血，脳梗塞，くも膜下出血
- アルコール・鎮静薬の使用
- 全身衰弱：感染症，電解質異常
- 神経筋疾患：Parkinson（パーキンソン）病，重症筋無力症，筋萎縮性側索硬化症
- 悪性腫瘍：食道癌，口腔内癌，咽頭癌

病態・原因疾患の割合

　救急搬送された誤飲・誤嚥の原因物質としては食品が最も多く，次いで，玩具，タバコ，医薬品，菓子・菓子包装，日用雑貨などである．

　誤飲・誤嚥では，①異物の場所（気道か消化管か），②誤飲・誤嚥した物質の種類，③誤嚥・誤飲の合併症，そして④誤飲・誤嚥を起こす原因となっている身体状況が関連して臨床的重要度が決まる．基本的に気道異物は何であれ緊急である．消化管異物のときには原因物質が重症度と関係する．そして，全身が弱っている状態ではより重症化しやすいのである．

　病態・原因疾患の頻度とその臨床的重要度を図2に示す．

診断の進め方

診断の進め方のポイント

- 患者が誤飲・誤嚥を訴える場合，①異物はどこにあるのか（異物の場所），②異物は何であるのか（異物の種類），③誤飲・誤嚥の結果，合併症を生じていないか，④なぜ誤飲・誤嚥をしたのかを判断する．
- 最初に行うのは異物が気道（喉頭〜気管〜気管支）にあるのか，消化管（咽頭〜食道〜胃）にあるのかの把握である．
- 気道異物は緊急事態なので，気道異物の可能性があるようなら速やかに除去を行う必要がある．

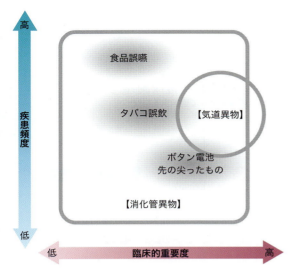

図2 疾患の頻度と臨床的重要度

- 気道異物では，咳嗽や喘鳴が起こることが多い．気道の完全閉塞では，両手で首をかきむしる窒息のサイン（choking sign）を呈する．
- 食道異物では嚥下障害が起こることが多く，唾液を飲み込めない状態になる．

医療面接

　誤飲・誤嚥では，患者は誤飲・誤嚥したことを主訴にして受診するか，のどや胸部の異物感を訴えて受診する．状況を知ることが原因の判定には重要であるため，医療面接が診断に重要な役割を果たす．経過や誘因などを中心に，病歴を丹念に聴取する（表2）．

　自身で説明ができる患者では，飲み込んだ物や異物感がどこにあるのかを聴取することで，ほぼ診断をつけることができる．認知機能障害や知的障害がある患者や乳幼児の場合は，周囲の人に状況を聴取する．タバコ誤飲では，タバコそのものを食べた場合より，灰皿に溜まっているタバコのエキスを飲んだほうが体内に吸収されるニコチン量がはるかに多いため，状況を聴取することが大切である．

　また，もともとの摂食状況や嚥下状況を聴取することも大切である．

　発語できない誤飲・誤嚥患者は，気道の完全閉塞が疑われる．緊急事態なので，すぐに治療を行

表2 医療面接のポイント

経過
- いつから，どの程度の異物感があるのか
- 急激に始まったのか，徐々に起きてきたのか
- 異物感は徐々にひどくなっているのか，改善しているのか
- 誤飲・誤嚥現場は目撃されているか

誘因
- 何を食べたときに生じたのか
- 誤飲・誤嚥を生じるきっかけはなかったか（咳や驚きなど）

その他の症状の有無と内容
- 呼吸困難，嘔吐，嚥下障害，痛み（咽頭痛，胸痛，腹痛），皮下気腫，吐下血などの自覚症状はないか
- 上記の（自覚）症状があるとすれば，誤飲・誤嚥との時間関係はどうか

生活歴
- 食事の食べ方（急いで食べるか，よく噛むか）
- これまでも食事中にむせることはあったか
- 食事の形態は何か（普通食，刻み食，ペースト食など）

既往歴
- 脳卒中や神経筋疾患，悪性腫瘍など，嚥下状態が悪くなるような既往歴はあるか
- アルコールや鎮静薬などの使用はあるか

う〔病院外ではHeimlich（ハイムリック）法を考慮し，病院では気管支鏡検査などを考慮する．意識がなくなったら胸骨圧迫を行う〕．

身体診察

　身体診察は，誤飲・誤嚥による合併症を診断するうえで重要である（表3）．

　呼吸数やS_pO_2，脈拍数や血圧などのバイタルサインは必ずチェックする．呼吸音が有力な診断の手がかりになることもある．胸部の合併症診断には聴診・触診・打診が，腹部の合併症診断には聴診や触診が役立つ．飲んだ物や異物の場所によっては，身体診察では全く異常のない場合も多い．

　身体診察だけで誤飲・誤嚥したものを同定することは不可能である．異物の場所や種類が全くわからない場合は，速やかに画像検査を行う．

診断のターニングポイント

医療面接と身体診察を総合して考える点

- **【確定診断】**確実に病歴が聴取できる患者では，

表3 身体診察のポイント

バイタルサイン
- 呼吸数，SpO_2：異物によって気道や呼吸に異常をきたしているかを確認する
- 脈拍数，血圧：異物による苦しさが間接的に確認できる
- 意識：反応の有無や活動性などを確認する

全身状態
- 体格：脳卒中や神経筋疾患，悪性腫瘍による体重減少の有無などを確認する
- 皮膚：脱水を予期させるツルゴールの低下などを確認する

頭頸部
- 顔貌，表情：苦悶状態の有無を確認する
- 頸部：悪性腫瘍やリンパ節腫大の有無を視診や触診で確認する

胸部
- 呼吸音の聴診で上気道や下気道の狭窄を確認する
- 心音の聴診で縦隔気腫の有無を確認する
- 触診で皮下気腫の有無を確認する

腹部
- 触診で腹痛の有無を確認する
- 聴診，打診で腸管の動きを確認する

四肢
- 筋力低下などを診察する

神経系
- 嚥下反射の有無などを確認する

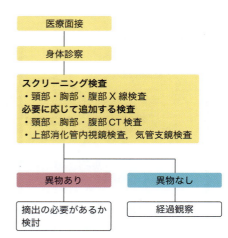

図3 誤飲・誤嚥の診断の進め方

医療面接からほぼ誤飲・誤嚥の診断がつけられる．
- **〔確定診断〕**口腔内の異物が目視で確認できれば，誤飲・誤嚥の診断がつけられる．
- **〔確定診断〕**両手で首をかきむしる窒息のサイン（choking sign）を呈していて発語がない場合は，気道の完全閉塞の診断がつけられる．
- 身体診察で器質性疾患の存在を疑うことができるものは多い．

◆呼吸音減弱→気道閉塞
◆皮下気腫や心収縮期の捻髪音→縦隔気腫
◆直腸診でタール便→消化管出血

必要なスクリーニング検査

医療面接と身体診察から，誤飲・誤嚥の診断は可能であることが多い．しかし，異物の場所や種類の同定，合併症の検索のためには，検査が必要である（図3）．

主なスクリーニング検査として，次のようなものがある．

❶ 頸部・胸部・腹部X線検査

異物がありそうな場所のX線写真を撮影する（異物の位置によって検査の部位は変わる）．異物の種類によってはX線不透化性のものもあるため，X線写真が陰性であっても異物は否定できない．

異物の種類がわかっているのであれば，X線を撮影するときに体の横に異物と同じ物を置いて撮影すると，異物のX線での写り方がわかって診断の助けになる．

診断確定のために

病歴情報，身体所見，スクリーニング検査の結果に基づき，誤飲・誤嚥の結果としての異物の場所や種類，合併症の有無をかなり限定することができる．しかし，異物の正確な場所の確認や，合併症まで含めた診断を行うためには，次のような検査が必要である．

異物の場所・種類・合併症の確定診断

X線撮影で異物の部位が確定できなければ，頸部，胸部，腹部など必要な部位のCTを撮影して異物の場所を確認する．CTを撮影すると，咽頭なのか喉頭なのかはっきりする．単純X線撮影

ではわかりにくい物質がCTで同定できることもあるが，細かい異物までは描出できないこともある．またCTでは，縦隔気腫や腹腔内のフリーエアの有無も観察でき，異物による合併症も確認できる．

医療面接や身体診察から，X線撮影では場所がわかりにくいと判断したら，最初からCTを撮影することもある．

気道異物では，診断（異物の確認）と治療（摘出）を目的に気管支鏡を施行する．

誤飲・誤嚥の原因の確定診断

各種疾患の確定診断のためには，医療面接，身体診察，血液検査，画像検査が有用である．誤飲・誤嚥をしやすくなっているかのチェックには，反復唾液嚥下テストや改訂水飲みテストなどが用いられ，嚥下造影検査で確定診断を行う．

〈宮道 亮輔〉

熱傷
burns

熱傷とは

定義

熱傷とは，熱や急性の外的要素への曝露によって，皮膚および各組織が損傷を受けることと定義される．

熱傷はその原因別に，温熱熱傷，電撃傷，化学熱傷，放射線熱傷，凍傷などに分類される．温熱熱傷は火炎，高温液体，高温固体，蒸気などによって引き起こされる最も頻度が高い熱傷である．電撃傷，化学熱傷，放射線熱傷，凍傷は特殊熱傷とされ，その頻度は低いが，専門的加療を要することが多い熱傷である．

熱傷は皮膚損傷の深度によって4段階に分類される．臨床症状，身体所見を表1に，皮膚組織の損傷深達度を図1にそれぞれまとめる．

熱傷の範囲，受傷部位は，体表面積に占める割合として，% total body surface area（%TBSA）で示す．その測定方法として，Lund-Browder（ランド・ブロウダー）の法則，成人では9の法則，小児では5の法則があり（図2），いずれかを用いて評価する．手掌法は患者の全指腹と手掌を1%とし，手掌のみを0.5%として評価する方法で，小児および全身に散在する熱傷範囲を評価する場合には有用である．

患者の訴え方

患者は非常に強い疼痛を訴えることが多い．「ヒリヒリと痛い」や「ジーンと痛い」など個人差はあるが，強い疼痛を訴える．しかし，熱傷深度が深いⅢ度熱傷では，感覚消失のため痛み自体を訴えない．

また気道熱傷では，「声を出しづらい」「声がかれる」などの呼吸困難や嗄声を訴えることがある．四肢の熱傷によりコンパートメント症状などを呈すると，「手を動かしづらい」「感覚が鈍い」といった訴えもある．一酸化炭素中毒などを伴うと，「頭が痛い」「ふらふらする」「気持ちが悪い」といった訴えも起こす．

熱傷の疫学

世界では，年間1.1億人が熱傷による医療処置を受けていると推定されており，これは結核とHIV感染症を合わせた発生頻度よりも多い．人口10万人あたりの発生頻度は0.14～1.3人，発展途上国で多く，先進国で少ない傾向がある．

表1 熱傷深度別の臨床所見

熱傷深度		皮膚所見	症状
Ⅰ度熱傷（epidermal burn; EB）		発赤・紅斑のみ	疼痛
Ⅱ度熱傷	浅達性Ⅱ度熱傷（superficial dermal burn; SDB）	紅斑，水疱形成あり，水疱底は赤い，水疱の圧迫で発赤は消失	疼痛
	深達性Ⅱ度熱傷（deep dermal burn; DDB）	紅斑，紫斑～白色，水疱形成あり，水疱底は白色，水疱の圧迫で発赤は消失しない	感覚鈍麻，毛根から容易に毛が抜ける
Ⅲ度熱傷（deep burn; DB）		白色～褐色，黒色炭化，水疱なし	感覚なし

熱傷　873

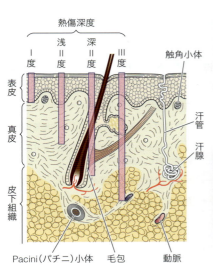

図1　熱傷深度と熱傷深度別写真
（聖路加国際病院皮膚科　中野敏明氏提供）

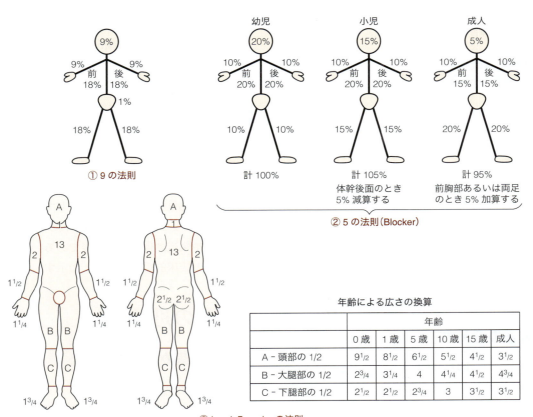

図2　熱傷面積測定法
〔Lund, C.C., Browder, N.C.: The estimation of areas of burns. *Surg. Gynecol. Obstet.*, 79:352-358, 1944 より引用改変〕

図3 熱傷による全身の病態と原因

表2 臓器障害と熱傷原因

皮膚障害
- 温熱・化学物質・電流,放射線,凍傷など,すべての熱傷

気道,呼吸障害
- 気道熱傷,火炎熱傷,化学熱傷

四肢感覚,血流障害
- Ⅲ度熱傷や電撃傷

血管内脱水
- 広範囲重症熱傷

腎障害
- 広範囲重症熱傷,電撃傷

凝固障害
- 重症熱傷

意識障害
- 火炎熱傷

不整脈,心筋障害
- 電撃傷

症候から原因疾患へ

病態の考え方

　熱傷による全身の障害は,熱による直接的な障害と熱による二次的な全身障害,および合併損傷に分けて考える.

　二次的な全身障害とは,熱による炎症性サイトカイン産生によって全身反応をきたした結果生じる病態で,四肢の皮下組織浮腫による感覚・血流障害や,血管内脱水,腎障害,凝固障害を起こす.

　合併損傷とは,熱による障害とは別に,特殊な状況が重なることによって起こる臓器障害であり,意識障害を引き起こすものとして一酸化炭素中毒や頭部外傷があり,不整脈を引き起こすものとして,電流による心筋損傷などがある.

　これらの病態には図3に示すようなものがあり,その原因となる熱傷原因を表2に示す.

病態・原因疾患の割合

　入院を要する熱傷原因としては,火炎熱傷が44.2%と最も多く,高温液体熱傷が34.3%と続いて多数を占め,高温固体,電撃傷,化学熱傷の順となる.熱傷原因別の死亡率としては,火炎熱傷が25%程度で最も高く,電撃傷が10%程度,高温液体や気道熱傷が5%前後である.熱傷原因別の頻度と臨床的重要度を図4に示す.

診断の進め方

診断の進め方のポイント

　熱傷の初期診療は,外傷診療に準じてprimary survey, secondary surveyの2段階のプロセスを考えるが,熱傷特有の評価が必要となる.

primary survey

- まず生命維持のための生理機能に基づいた,気

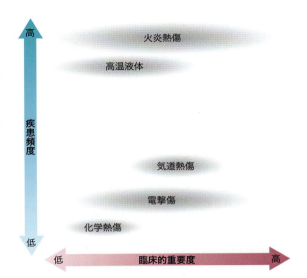

図4 熱傷原因別の頻度と臨床的重要度

表3 熱傷の重症度判定（Artzの基準）

重症度	対応	熱傷の臨床所見
重症熱傷	総合病院あるいは熱傷専門病院に転送し，入院加療	・II度熱傷で30%TBSA以上 ・III度熱傷で10%TBSA以上 ・顔面，手，足の熱傷 ・気道熱傷が疑われるもの ・軟部組織の損傷や骨折を伴うもの
中等症熱傷	一般病院に転送し，入院加療	・II度熱傷で15%TBSA以上，30%TBSA未満 ・III度熱傷で顔面，手，足を除く部位で10%TBSA未満
軽症熱傷	外来治療可能	・II度熱傷で15%TBSA未満 ・III度熱傷で2%TBSA未満

道，呼吸，循環，中枢の異常を確認する．
- 気道熱傷を疑う所見，体幹の全周性III度熱傷による換気障害，化学物質による肺胞障害などの気道・呼吸障害に対しては，気管挿管，100%酸素投与を速やかに行うことが重要である．
- 意識障害を認めた場合には，一酸化炭素中毒，薬物使用の有無，低酸素血症などを鑑別する．
- 脱衣を行い，保温の処置が必要な場合は診察と同時進行で遅滞なく行う．

secondary survey

- 生命の安全が確保されたところで，全身の熱傷部位の観察を行う．
- 熱傷原因（火炎，高温液体，化学熱傷，電撃，爆発）を確認する．
- III度熱傷では疼痛を訴えないため，背部の観察，会陰部の観察も入念に行う．
- 熱傷では強い疼痛を伴うため，早期から積極的に麻薬などの鎮痛薬を使用する．
- 熱傷深度，熱傷面積を算出し，熱傷の重症度を評価する．重症度分類としてはArtz（アルツ）の分類が広く使用されている（表3）．
- 重症度を評価し，熱傷専門施設への転送の要否を判断する．

見かけの熱傷局所のみで重症度を判断するのではなく，生理学的徴候，解剖学的徴候，病歴から重症度を評価することが重要である．

医療面接

熱傷患者の医療面接では，患者が意識障害を呈している場合もあり，現場の状況を知りうる救急隊や，現場に一緒にいた人からの情報も重要となる．現場の環境，受傷時の様子は，合併する損傷の有無，重症度を判断するうえで重要な情報であり，できるだけ詳細に聴取する必要がある．合併する障害を推定するためにも，熱傷原因を特定することは最も重要である．

全身症状は，合併する臓器損傷を推定するために重要であり，気道熱傷，一酸化炭素中毒，コンパートメント症候群，腎障害などは症状をもとにその合併を迅速に診断することができる．

また，熱傷は自傷行為によることもあり，薬物多量内服の合併もあることから，精神疾患の既往や最近の生活状況などの情報も重要となる（表4）．

身体診察

primary surveyにおいてバイタルサインに準じる気道，呼吸，循環，中枢の評価を行い，生命徴候に直結する異常を速やかに発見し対応する．その後，secondary surveyにて全身の熱傷部位，熱傷深度，熱傷範囲を評価しながら，全身臓器の合

表4　医療面接のポイント

誘因
- 熱傷の原因を確認する（火炎，液体，電撃，化学，爆発）

経過
- 受傷時刻，温度，発生場所の環境（閉鎖環境など）を確認する
- 化学熱傷ならば，物質の種類（酸，アルカリ，重金属，有機溶媒，毒ガス），物質の濃度・量を確認する
- 電撃傷ならば，接触時間，電圧，電流，電源種（交流か直流か）を確認する

全身症状の有無と内容
- 意識障害，頭痛，悪心・嘔吐（一酸化炭素中毒），嗄声，咽頭痛（気道熱傷），四肢の運動障害，感覚障害（コンパートメント症候群），血尿（腎障害），ショック，疼痛の有無を確認する

生活歴
- アルコール・薬物依存歴，精神科通院歴を確認する

嗜好品，常用薬

職業歴
- 仕事の内容と職場環境を確認する

表5　身体診察のポイント

バイタルサイン
- 気道，呼吸，循環，中枢を確認する

全身状態
- 熱傷深度，熱傷面積を評価する

頭部
- 口・鼻：口腔内のスス，鼻毛の焦げの有無を確認する
- 目：結膜充血，角膜白濁，眼内異物，コンタクトレンズの有無を確認する
- 耳：鼓膜損傷の有無を確認する

頸部
- 気管狭窄音を確認する
- 皮膚は薄く，皮下組織も少ないので拘縮しやすい

胸部
- 胸郭の運動制限（全周性Ⅲ度熱傷による拘縮）を確認する
- ラ音，wheezeの有無，呼吸音の左右差を確認する

腹部
- 圧痛，腹膜刺激徴候の有無を確認する

会陰部

四肢
- 関節部の熱傷，関節可動域を確認する
- コンパートメントによる血流障害，感覚障害を確認する

併損傷の有無を，頭の先から足先までくまなく評価していくことが重要である．身体診察のポイントを表5に示す．

診断のターニングポイント

医療面接と身体診察を総合して考える点

- **〔確定診断〕**火炎，高温蒸気吸引，爆創などの病歴に加え，口腔内のスス，呼吸困難などの所見を認めれば，気道熱傷の診断はつけられる．
- **〔確定診断〕**閉鎖空間における不完全燃焼の病歴に加え，頭痛，悪心・嘔吐，めまい，意識障害などの所見を認めれば，一酸化炭素中毒の診断はほぼつく．
- 身体診察で臓器損傷を疑うことができるものも多い．

◆結膜充血や角膜白濁→角膜熱傷
◆不整脈→心筋障害
◆四肢の血流障害や感覚障害→コンパートメント症候群

- 爆創では爆風の圧による臓器損傷が起こるが，鼓膜＞肺＞腸管の順で障害されやすいため，鼓膜損傷がなければ，気胸，腸管損傷は除外できる可能性が高いといえる．

必要なスクリーニング検査

医療面接と身体診察で熱傷の多くの臓器障害を推定することは可能であるが，より正確に診断するためにはスクリーニング検査が有用となる．

主なスクリーニング検査としては次のようなものがあり，これらを用いて診断を進める（図5）．

❶ 血液ガス検査

低酸素血症の評価，CO-Hb値の測定によって一酸化炭素中毒の有無を評価する．

❷ 血液検査

CKにて横紋筋融解の有無，Na，K，Clによって電解質異常，血糖測定によって意識障害の原因検索，UN/Cr比，ヘマトクリット（Ht）をみることで血管内脱水の有無を確認できる．

❸ 胸部X線検査

重症熱傷に伴う肺水腫，爆創に伴う気胸の有無

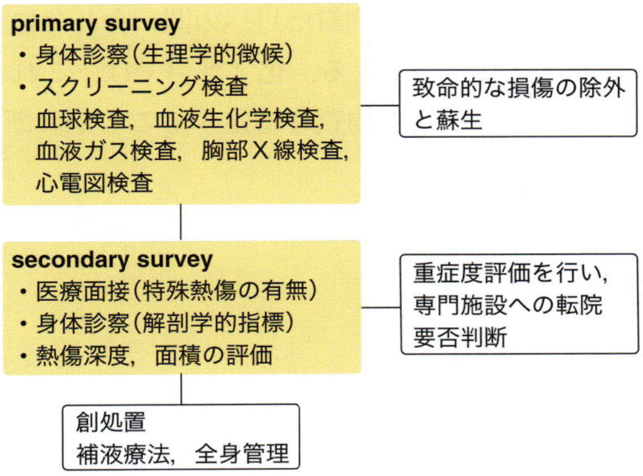

```
primary survey
・身体診察（生理学的徴候）
・スクリーニング検査
  血球検査，血液生化学検査，
  血液ガス検査，胸部X線検査，
  心電図検査
```
→ 致命的な損傷の除外と蘇生

```
secondary survey
・医療面接（特殊熱傷の有無）
・身体診察（解剖学的指標）
・熱傷深度，面積の評価
```
→ 重症度評価を行い，専門施設への転院要否判断

↓

創処置
補液療法，全身管理

図5 熱傷の診断の進め方

などを評価できる．

❹ 心電図検査

電撃傷で，心臓を通電した場合には不整脈が観測されることがあり，必要となる．

❺ 尿検査

ヘモグロビン尿，ミオグロビン尿をみることで，横紋筋融解の有無をみることができる．

診断確定のために

熱傷の初期診療はこれまで述べてきたように，primary survey，secondary survey の順に，生理学的徴候から始まり，全身を診察し，重症度の評価を行っていくことで対応は可能である．しかし，特殊熱傷とされる気道熱傷，電撃傷，化学熱傷に関しては，疾患特異的な要素を知る必要があり，診断確定のためにはそれぞれ注意すべき点があるため，次に述べる．

気道熱傷の確定診断

気道熱傷は一般に咽頭痛，嗄声，呼吸困難などの自覚症状があり，口腔粘膜の発赤腫脹，鼻毛の焦げ，口腔内のススを認めることが多い．

受傷機転としては閉所での火炎熱傷であることが多く，一酸化炭素中毒などを合併することが多い．

このような所見を認めた場合には，喉頭鏡で直接喉頭周囲を観察し，発赤，腫脹の有無を観察，もしくは気管支ファイバーにて気管内のススや気管支粘膜の炎症所見を観察し，これらが認められれば気道熱傷と診断する．

電撃傷の確定診断

電撃傷は直接電流が生体を流れ，脳，心臓を障害することと，通電により生体内で発生するジュール熱による組織の障害とに分けられる．

電流が流入する部分（接触部）を流入創といい，上肢に多い．流出部（接地部）には電流斑と呼ばれる特有の皮膚欠損を伴う熱傷を生じ，下肢や体幹に多い．電撃傷では流入部と流出部の間に電流が流れるため，その間にある臓器すべてが損傷を受ける．このため，流入創を見つけた際には，それに対する流出創（電流斑）を探し，その間にある臓器損傷を推定することが重要となる．

生体の電気抵抗は骨＞脂肪＞腱＞皮膚＞筋肉＞血管＞神経の順となり，皮膚よりも筋肉，血管，神経は抵抗が低いため，皮膚の電流斑が軽微であっても，筋肉，血管，神経の損傷が大きいこともあり，注意を要する．

筋肉の損傷では横紋筋融解とそれに伴う腎障害，コンパートメント症候群を呈するため，血液検査でのCK，CK-MBのチェックや，尿検査でミオグロビン尿などを確認し診断する．血管内皮の障害では，血栓形成に伴う血行障害，動脈瘤形成によりその破裂に伴う大出血などをきたす．MRアンギオグラフィー（MRA）や血管造影などで評価し，診断する必要がある．

化学熱傷の確定診断

化学熱傷は酸，アルカリ，重金属，毒ガスなどによる皮膚の進行性組織障害である．障害機序は組織の蛋白変性によるもので，腐食（アルカリ，フェノール，重クロム酸塩），脱水（硫酸，塩酸），酸化（次亜塩素酸ナトリウム，過マンガン酸カリウム），変性（ギ酸，酢酸，フッ化水素），発泡（ガソリン，毒ガス）に分類される．

これらの損傷は何万とある化学薬品それぞれの特徴を有するため，その薬品の原因物質を特定することが診断において重要である．これらを調べるツールとして，化学物質のデータシートで

ある安全データシート(Safety Data Sheet; SDS)が有用である．これは企業責任で作成する製品安全シートであり，物質名や治療法などが記載されている．一般商品の情報などは日本中毒情報センター(医療機関専用，有料)〔大阪中毒110番：072-726-9923，つくば中毒110番：029-851-9999(いずれも365日，24時間対応)〕への問い合わせにより確認することができる．化学熱傷では，これらのツールを活用して物質を特定することが診断・治療に重要である．

〈望月 俊明〉

精神科領域での救急
physical emergencies for patients with psychiatric disorder

精神科領域での救急とは

定義

この「領域」の用語には混乱がある．「精神科救急」という用語があるが，これは一般には精神疾患による精神症状に対して緊急に精神科医による診察・治療を要する状況のことである．本書では「精神科領域での救急」という用語を，精神疾患を背景として生じた身体疾患だと判断または疑われた病態・原因疾患に対して，緊急に内科医などの身体科医による診察・治療を要する状況と定義する．

ただし，本書の特徴から，内科医が対応する可能性のある精神症状と向精神薬の副作用を中心に記述し，自殺企図による墜落，刺創，切創，熱傷などの外傷は除外した．急性中毒は別項に譲る．

患者の訴え方

精神症状については，パニック発作や過換気症候群では，窒息感や呼吸困難感などを「このまま死んでしまうのではないか」「気が狂ってしまうのではないか」などの強い不安や恐怖とともに訴える．パニック発作を繰り返してパニック症に進展すると，「発作がまた起こるのではないかと不安だ」という予期不安が生じて，「電車やエレベータが恐くて乗れない」といった閉所恐怖や，「人の多い所には恐くて外出できない」といった広場恐怖を訴える．

その一方で，昏迷状態では発語が困難なので自覚症状を訴えることができない．

向精神薬の副作用については，精神疾患の影響で自覚症状を訴えない，または訴えがあいまいで正確に伝えられないことがある．したがって，意識障害や痙攣発作など目に見えてわかる他覚症状が生じて初めて向精神薬の副作用に気づき，発見されたときにはすでに重症であることがある．

精神科領域での救急の頻度

三次救急医療施設に搬送される患者の30%前後になんらかの精神科疾患があるといわれている．二次救急施設では，たとえば精神科のない施設では受け入れが困難であるように，施設によって受診する頻度はさまざまである．

症候から原因疾患へ

病態の考え方

精神疾患を有する患者が身体疾患と判断または疑われて救急搬送される場合，図1に示すように，実際は精神疾患による精神症状であることがある．

昏迷状態は，意識は保たれているのに，活発な精神症状のために内的な緊張が高まり，外からの刺激に反応できず，自発的な運動や発語が極端に抑制されている状態である．これが，昏睡状態などの重度の意識障害と判断または疑われて救急搬送されることがある．

また，解離性痙攣は，痙攣発作と判断または疑われて救急搬送されることがある．

救急医療現場で遭遇する昏迷状態のなかで重要なのは，緊張病性昏迷と解離性昏迷である．表1に示すように，緊張病性昏迷は統合失調症や気分症(特に双極症)などでみられる．ただし，身体疾患や薬物に由来しているものもあるので鑑別する必要がある．

解離性昏迷や解離性痙攣は，解離症，パーソナリティ症，精神発達遅滞などでみられる．若い女性に多く，ストレス負荷の強い出来事や対人関係

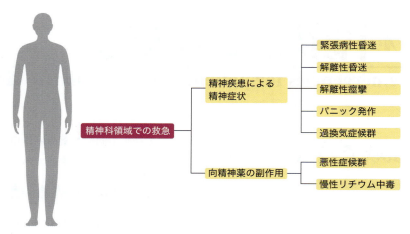

図1　精神科領域の救急の原因

表1　精神科領域の救急の代表的な原因疾患

精神症状
- 緊張病性昏迷：統合失調症，気分症（特に双極症）など
- 解離性昏迷：解離症，パーソナリティ症，精神発達遅滞など
- 解離性痙攣：解離症，パーソナリティ症，精神発達遅滞など
- パニック発作（窒息感，胸痛，動悸など）：パニック症
- 過換気症候群：統合失調症，うつ病，パニック症，解離症などさまざま

向精神薬の副作用
- 悪性症候群：統合失調症など
- 慢性リチウム中毒：双極症など

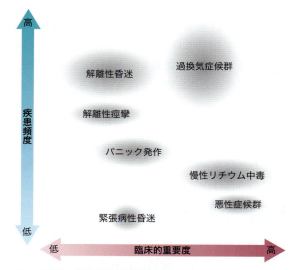

図2　疾患の頻度と臨床的重要度

上の問題などの心理的誘因があることが多い．

パニック発作は，窒息感，呼吸困難感，胸痛，動悸などを訴えるため，心肺疾患によるものと判断または疑われて救急搬送されることがある．パニック症でみられる．ただし，身体疾患や薬物に由来しているものもあるので鑑別する必要がある．

過換気症候群は，統合失調症，うつ病，パニック症，不安症，解離症などさまざまな精神疾患でみられる．若い女性に多いが，男性，小児，高齢者でも生じ，興奮，精神的または身体的ストレスなどの誘因があることが多い．

向精神薬の副作用により救急搬送されることもある．悪性症候群の主な原因薬物は抗精神病薬であるので，統合失調症でみられることが多い．慢性リチウム中毒の原因薬物は当然ながら炭酸リチウムが原因であるので，双極症でみられることが多い．

病態・原因疾患の割合

病態・原因疾患の頻度とその臨床的重要度を図2に示す．病態・原因疾患の頻度は，身体科救急施設の受け入れる重症度（二次か，三次かなど）や精神科疾患に対する許容度（精神科を有するか否かなど）によって大きく異なる．

診断の進め方

診断の進め方のポイント

- 患者，家族，同居者からの情報のみならず，診療情報提供書などを通じてかかりつけ医から精神科病歴，精神科診断名，向精神薬服薬歴などの情報を得る．
- 精神症状という先入観にとらわれず，重篤な身体疾患を見逃さないよう，身体診察やスクリーニング検査などによって確実に鑑別する．
- 医療面接などから精神症状を疑ったら，身体診察やスクリーニング検査などによって身体疾患との矛盾点を検索する．

医療面接

患者から聴取するのは当然である．ただし，背景の精神疾患，または身体疾患と判断あるいは疑われた病態・原因疾患によって，患者からの情報聴取が不可能であったり困難であったりするので，家族や同居者からの情報，診療情報提供書などによるかかりつけ医からの精神科病歴，精神科診断名，向精神薬服薬歴などの情報を詳細に収集することが診断に重要な役割を果たす（表2）．

精神科診断名，向精神薬服薬歴は精神症状や向精神薬の副作用を裏づける重要な情報である．もっとも，実際の精神科診断名は患者や家族に伝えられているものとは異なることがあるので注意する．以前にも同様のエピソードがあり，その際の精神科または他科受診歴および診断名などがわかればほぼ診断は確定する．

患者のみならず，家族や同居者が思い当たるなんらかの精神的または身体的誘因がなかったか丹念に聴取する．最近の精神状態ばかりでなく，エピソードの間欠期の精神状態も重要な情報である．エピソードの経過については，どんな生じ方だったか，持続時間は短かったのか長かったのか，ピークはどうだったのか，周囲から注目の程度で増強・減弱・消失するのかなどを詳細に聞き取ったり，観察したりする．身体的自覚症状に限らず，それに伴う精神的自覚症状を丹念に聴取す

表2 医療面接のポイント

病歴
- 精神科通院歴，精神科診断名を確認する
- 以前にも同様なエピソードがなかったかどうか，あるとすればその頻度はどうか，その際の精神科または他科受診歴および診断名はどうだったか

服薬歴
- 抗精神病薬や炭酸リチウムの服用の有無と服用期間を確認する
- 抗精神病薬や抗Parkinson（パーキンソン）病薬の開始や中止，または増量や減量がなかったか

最近または間欠期の精神状態または最近の身体状態，誘因
- 先行する幻覚や妄想を思わせる言動や意味不明な興奮がなかったか
- 間欠期に予期不安や閉所恐怖・広場恐怖がなかったか
- 興奮，精神的または身体的ストレスなどの誘因がなかったか

経過
- 突然に生じたのか，漠然とあいまいに生じたのか
- 数分以内で治まったのか，10分程度でピークを迎えたか，だらだら持続しているか
- 注目されると増悪するか，放置されると減弱して長く続かないか

身体症状と伴随する精神症状
- 窒息感，呼吸困難感，動悸，胸痛，口唇や手足のしびれ感やこわばり感など，随伴する不安感・恐怖感，口渇感はないか

ることも重要である．

身体診察

体温，血圧，脈拍数，呼吸数，SpO_2，自律神経症状を必ずチェックする（表3）．特に，高体温，異常血圧，頻脈，頻呼吸・過呼吸，発汗などに注意する．

精神疾患による精神症状の診断にとって，身体診察は身体疾患を除外するうえで重要である．精神症状を疑ったら，顔貌や表情を注意深く観察する．

咬舌や外傷がない，開瞼や開口に抵抗する，急速眼球運動や瞬時の閉瞼がみられる，舌根沈下などによる気道閉塞がない，尿・便失禁がない，深部腱反射は正常で病的反射がみられない，などの昏睡状態や痙攣発作には合致しない所見，または窒息感や呼吸困難感を訴えてもSpO_2の低下がないなどの心肺疾患には否定的な所見を見出すことが重要である．胸腹部の診察では心肺疾患や腹部

表3 身体診察のポイント

バイタルサイン
- 体温，血圧，脈拍数，呼吸数，SpO_2 を確認する
- 自律神経症状を確認する

全身状態
- 皮膚：脱水による乾燥やツルゴール（turgor）の低下，発汗の有無を観察する
- 体重減少や低栄養の有無を確認する
- 筋強剛の有無を確認する
- 意識障害や痙攣発作などの中枢神経症状の有無を確認する
- 解剖学的に矛盾する奇異な痙攣発作かどうか観察する
- 便・尿失禁の有無を確認する
- 咬舌や外傷の有無を確認する

頭頸部
- 顔貌，表情：硬く険しい，無表情，不安や恐怖感などを観察する
- 目：開瞼への抵抗，急速眼球運動，瞬時の閉瞼などを確認する
- 口：開口への抵抗を確認する
- 気道：舌根沈下などの気道閉塞がないことを確認する

胸部
- 視診で深く速い呼吸を観察する
- 聴診，打診で心肺疾患を除外する

腹部
- 視診，聴診，触診で腹部膨隆，腸蠕動音の低下，腹部の圧痛の有無を確認する

四肢
- 四肢の弛緩，筋強剛，トーヌスの亢進や受動的な肢位を長く保つ状態（カタレプシー）を確認する
- 四肢の振戦などの不随意運動を確認する
- 四肢末梢の冷感，助産師の手位などのテタニー症状を確認する
- 解剖学的に矛盾または奇異な四肢の痙攣様発作で，注目すると発作が増強するが，1人で放置すると長く続かないことを確認する

神経系
- 深部腱反射，病的反射の有無などを観察する

図3 精神科領域の救急疾患の診断の進め方

疾患を除外する．

　向精神薬の副作用の誘因となる脱水や低栄養などを示唆する身体所見に注意する．四肢の診察はそれぞれの病態・原因疾患を診断するうえで重要である．

診断のターニングポイント（図3）

医療面接と身体診察を総合して考える点

- 緊張病性昏迷は，背景の精神疾患，先行する精神症状などの医療面接，特徴的な顔貌，カタレプシーなどの身体診察からほぼ診断がつけられる．ただし，身体診察やスクリーニング検査によって身体疾患や薬物を除外することが重要である．

- 解離性昏迷および解離性痙攣は，背景の精神疾患，過去のエピソードや心理的誘因が存在するなどの医療面接および昏睡や痙攣発作と矛盾する所見などの身体診察からほぼ診断がつけられる．身体診察やスクリーニング検査によって身体疾患を除外する．

- パニック発作は，背景の精神疾患，発作時に強い不安・恐怖を伴うこと，発作の経過などの医療面接からほぼ診断がつけられる．ただし，身体診察やスクリーニング検査によって身体疾患や薬物を除外する．

- 過換気症候群は，背景の精神疾患，過去のエピソードや誘因となる興奮，精神的または身体的ストレスの存在などの医療面接，および呼吸の観察や四肢の所見などの身体診察からほぼ診断がつけられる．身体診察やスクリーニング検査によって他の身体疾患を除外する．

- 悪性症候群は，抗精神病薬の服薬歴などの医療面接と高体温や筋強剛などの身体所見から疑うことができる．しかし，身体診察やスクリーニング検査によって，高体温を生じる感染症など他の身体疾患を除外することが重要である．ま

表4 昏睡状態との鑑別のための昏迷状態の特徴

1. 呼吸状態が穏やかで舌根沈下などの気道閉塞がみられない
2. 閉瞼していることもあるが，瞼を開こうとすると抵抗することが多い．また開口にも抵抗することが多い
3. 急速眼球運動（saccadic eye movement）である
4. 瞬時に目を閉じる
5. 反射は正常で，病的反射はみられない
6. 脳波は正常である

表5 緊張病性昏迷の特徴

1. 表情は硬く拒絶的である
2. 寝たきりか同じ姿勢をとり続けることが多い（常同姿勢）
3. 受動的にとらされた姿勢を，たとえ不自然な姿勢であっても過度に長く保ち続け，もとに戻そうとしないといったカタレプシーがみられることがある
4. 内界は幻覚・妄想で占められていることが多い
5. 幻覚・妄想を疑わせる言動や意味不明な興奮が先行していることがある
6. 交感神経の活動が亢進状態にある
7. 興奮状態と交代する危険がある

た，診断には高CK血症などの血液検査のデータが必要である．

- 慢性リチウム中毒は，炭酸リチウムの服薬歴などの医療面接と痙攣発作などの中枢神経症状から疑うことができる．血中のリチウム濃度を測定し診断する．

必要なスクリーニング検査

❶ 尿検査

ミオグロビン尿，または尿沈渣で潜血反応が陽性であるのに赤血球を認めないといったミオグロビン尿を示唆する所見は，悪性症候群の診断の手がかりとなる．

❷ 血球検査（血算）

白血球数（WBC）増加は，悪性症候群や慢性リチウム中毒の診断の手がかりとなる．

❸ 血液生化学検査

CRPから炎症性疾患を鑑別する．高CK血症は悪性症候群の診断の手がかりとなる．

❹ 動脈血液ガス検査

低炭酸ガス血症および呼吸性アルカローシスは過換気症候群の診断の手がかりとなる．

❺ 薬物分析（薬物血中濃度検査，薬物スクリーニング検査）

血中リチウム濃度の上昇は慢性リチウム中毒の診断の手がかりとなる．また，簡易キットを用いた尿中薬物スクリーニング検査は，中毒性疾患を除外するために行う．

❻ 胸部X線検査

心肺疾患を除外する目的で行う．

❼ 心電図検査，心エコー検査

心疾患を除外する目的で行う．

❽ 頭部CT検査

脳器質性疾患を除外する目的で行う．

❾ 脳波検査

意識障害や痙攣発作の診断または鑑別のために行う．

❿ 髄液検査

髄膜脳炎を除外するために行う．

診断確定のために

病歴情報，身体所見，スクリーニング検査の結果でほぼ疾患を限定することができるが，同様の状態を生じる他の疾患を確実に鑑別することが重要である．

緊張病性昏迷の確定診断

原因が身体疾患や薬物に由来するものではないか，頭部単純および造影CT検査，血液検査，脳波検査，髄液検査，尿中薬物スクリーニング検査などによって鑑別する．表4に示した昏迷状態の特徴を参考にして，昏迷状態と昏睡状態を鑑別する．表5に示した特徴を参考にして緊張病性昏迷を診断する．

解離性昏迷の確定診断

原因が身体疾患や薬物に由来するものではないか，頭部単純および造影CT検査，血液検査，脳波検査，髄液検査，尿中薬物スクリーニング検査などによって鑑別する．表4に示した鑑別のポイントを参考にして昏迷状態と昏睡状態を鑑別する．表6に示した特徴を参考にして解離性昏迷を診断する．

表6 解離性昏迷の特徴

1. 心理的誘因のあることが多い
2. 以前にも同様なエピソードのあることが多い
3. 時や場所との関係が深く，通常は目撃者のいない所では生じない
4. 咬舌，転倒による打撲・骨折などの外傷がない
5. 尿，便失禁がない
6. 無表情で四肢は弛緩していることが多い
7. 人のいない所では長く続かない
8. 暗示的に励ましながら動作を促すと反応が出やすい

表7 痙攣発作との鑑別のための解離性痙攣の特徴

1. 心理的誘因のあることが多い
2. onsetがはっきりしないことが多い
3. 以前にも同様なエピソードのあることが多い
4. 時や場所との関係が深く，通常は睡眠中や目撃者のいない所では生じない
5. 不規則・多彩な痙攣であったり，奇妙な痙攣であったり，解剖学的に矛盾する痙攣であることが多い
6. 周囲の状況に影響を受け，人のいる所では発作が増強することが多い
7. 舌咬傷や外傷を負うことが少ない
8. 尿，便失禁がない
9. 発作の持続時間が長い．数十分～数時間に及ぶこともある
10. 発作中も対光反射を認める
11. 発作中の病的反射はない
12. 発作後に終末睡眠へ移行しない
13. 発作中，発作直後，発作間欠期の脳波は正常である
14. 人のいない所では長く続かない

解離性痙攣の確定診断

原因が身体疾患や薬物に由来するものではないか，頭部単純および造影CT検査，血液検査，脳波検査，髄液検査，尿中薬物スクリーニング検査などによって鑑別する．表7に示した特徴を参考にして解離性痙攣を診断する．ただし，過去にてんかんと診断されている患者の約30%が実際には解離性痙攣とする報告もあるので注意する．

パニック発作の確定診断

なんら前触れがなく，突然に窒息感，動悸，めまいなどの症状が出現するのが特徴である．パニック発作時に救急搬送されることもあるが，症状のピークは10分以内で，たいていは20～30分以内に治まってしまうため，病院に到着したときにはすでに症状が消失していることが多い．パニック発作を繰り返しているうちにパニック症に進展し，予期不安が生じて，閉所恐怖や広場恐怖が生じることがある．

スクリーニング検査などによって心肺疾患や腹部疾患などを除外する．また，原因が身体疾患や薬物に由来するものでないか，頭部単純および造影CT検査，血液検査，脳波検査，髄液検査，尿中薬物スクリーニング検査などによって鑑別する．表8に示した診断基準を参考にしてパニック症を診断する．

過換気症候群の確定診断

スクリーニング検査などによって心肺疾患を除外する．過換気症候群では，過換気から低炭酸ガス血症および呼吸性アルカローシスが生じる．これらに対するネガティブフィードバックから生じる呼吸困難感が，さらなる不安・恐怖を生じて悪循環をきたす．

症状は，アルカローシスによるテタニー症状と血管攣縮による臓器の虚血症状で，筋攣縮や助産師手位(念誦手位)，手足のしびれ感やこわばり感などの症状が生じる．表9の主な症状を参考にして過換気症候群を診断する．

悪性症候群の確定診断

スクリーニング検査などによって他の高体温を生じる全身疾患を除外する．特に，感染症を除外することは重要である．抗精神病薬を服用している患者に表10に示すような症状を認めれば悪性症候群の可能性が高い．

大症状を具体的に示すと，他に全身疾患がないが38.5℃以上の高体温を認める，全身の筋緊張が鉛管様に増大する(筋強剛)，横紋筋融解症によりCKが1,000 IU/L以上の高値となる(高CK血症)の3つである．

小症状には，頻脈，異常血圧，頻呼吸，発汗といった自律神経症状のほかに，無動・無言，昏迷，またはせん妄・傾眠・昏睡などの意識障害，軽度～30,000/μLのWBCの増加などがある．

表8　パニック障害の診断基準（ICD-10）

F41.0 パニック障害（エピソード性発作性不安）

A. 反復性のパニック発作が，特別な状況や対象に一致することなく，多くの場合自然に生じる（懸命な努力の必要な状況，危険にさらされる状況，生命を脅かされる状況に伴うものではない）

B. パニック発作は下記のすべてを特徴とする
1. 激しい恐怖または不安のエピソード
2. 突発的な開始
3. 数分で最強となり，少なくとも数分間持続
4. 下記のうち少なくとも4つが存在し，うち1つは（a）から（d）のいずれかである

　自律神経刺激症状
　　（a）動悸，心悸亢進，頻脈
　　（b）発汗
　　（c）身震い，ふるえ
　　（d）口渇
　胸部・腹部症状
　　（e）呼吸困難感
　　（f）窒息感
　　（g）胸痛，胸部不快感
　　（h）悪心，腹部不快感
　精神症状
　　（i）めまい感，ふらふら感，気が遠くなる感じ，頭のくらくら感
　　（j）物事に現実味がない感じ（現実感喪失）自分自身が遠く離れて「現実にここにいる感じがしない」（離人症）
　　（k）自制できない，「気が狂いそう」，気を失うのではないかという恐れ
　　（l）死ぬのではないかという恐怖感
　全身症状
　　（m）紅潮または寒気
　　（n）しびれ感，チクチクする痛み

C. パニック発作は，身体的な障害や，器質性精神障害，あるいは統合失調症，気分障害，または身体表現性障害のような他の精神障害によるものではない

表9　過換気症候群の主な症候

呼吸器系
- 呼吸困難感，窒息感，頻呼吸・過呼吸，低炭酸ガス血症，呼吸性アルカローシス

循環器系
- 動悸，胸痛，胸部圧迫感・苦悶感，QTc延長・ST-T変化・T波の陰転化などの心電図異常

神経系
- 発汗，めまい，頭痛，頭重感，全身脱力感，失神，意識障害，四肢の筋攣縮，助産師手位（念誦手位），口唇や四肢末梢のしびれ感・こわばり感・疼痛，振戦

消化器系
- 悪心・嘔吐，腹痛，口渇

精神症状
- 不安・恐怖感，離人感，いらいら感，錯乱

表10　悪性症候群の診断基準（Levensonの基準）

大症状
- 38.5℃以上の高体温
- 筋強剛
- 高CK血症

小症状
- 頻脈
- 意識障害：無動・無言，昏迷，昏睡など
- 異常血圧
- 発汗
- 頻呼吸
- WBC増加

大症状3項目，または大症状2項目と小症状4項目以上で診断する

表11　慢性リチウム中毒の症候

軽症～中等症
- 悪心・嘔吐，傾眠，焦燥感，錯乱，せん妄状態，言語不明瞭，振戦，反射の亢進，運動失調，筋強剛，筋緊張の亢進

重症
- 昏睡，痙攣発作，ミオクローヌス，低血圧，高体温

その他
- 心電図T波の陰転化・脚ブロック・徐脈・洞停止などの異常，WBC増加など

慢性リチウム中毒の確定診断

　リチウムは，ほとんどが腎臓から排泄される．リチウムの服用量の増加，腎機能低下やNSAIDsなどによるリチウムの排泄の低下または脱水，Na欠乏，サイアザイド系利尿薬などによる尿細管からのリチウムの再吸収の増加によって，脳中のリチウム濃度が上昇して中毒症状を発現する．血中濃度は，脱水，輸液，血液透析法によって容易に上下するので，脳中濃度を正確に反映せず，血中濃度が治療域よりわずかに高い程度，または治療域にあっても中毒症状が生じることがある．

　炭酸リチウムを服用している患者に表11の症状があれば慢性リチウム中毒を疑い，血中リチウム濃度を測定する．血中リチウム濃度が上昇していれば診断はほぼ確定するが，血中リチウム濃度が治療域であっても否定してはならない．

〈上條吉人〉

終末期の諸症状
common symptoms in palliative care

緩和ケアの対象は癌・非癌に限らず生命を脅かす疾病を患った患者・家族とされるが，本項では主に終末期の癌患者にみられる諸症状につき解説する．

I 疼痛

疼痛とは

定義

疼痛は「実際の組織損傷もしくは組織損傷が起こりうる状態に付随する，あるいはそれに似た，感覚かつ情動の不快な体験」と国際疼痛学会により定義されている．

患者の訴え方

侵害受容性疼痛としての「痛み」のみならず，神経障害性疼痛では「しびれ」「電気が走るような感じ」「焼ける感じ」と表現されることもある．

患者が疼痛を訴える頻度

進行癌患者が疼痛を訴えるのは85％に上るとされる．

症候から原因疾患へ

病態の考え方

癌患者にみられる疼痛には，以下の3つがある．
①癌による痛み
②癌治療に関連する痛み
③癌とは直接関係がないと考えられる痛み

①「癌による疼痛」の場合，疼痛をきたす責任病変(原発性腫瘍，転移性腫瘍)が存在するのか，存在するならその部位，大きさ，周囲組織への浸潤はどうか確認する．

術後の疼痛や薬物によるしびれなど，②「癌治療に関連する痛み」が治療後に時間が経過しても遷延する場合がある．

併存疾患である変形性関節症や帯状疱疹など，③「癌とは直接関係がないと考えられる痛み」が発症する可能性も考慮する．

疼痛の機序による分類

- 侵害受容性疼痛(体性痛，内臓痛)
- 神経障害性疼痛
- その他(中枢性疼痛など)

侵害受容性疼痛と神経障害性疼痛とが混在することもある．

頻度は高くないものの，アロディニア(触るなど通常は疼痛をきたさないとされる程度の刺激でも著しい疼痛を生じること)が認められることもある．

診断の進め方

診断の進め方のポイント

- TNM分類に基づき，癌の広がり診断をする．
- 組織障害をきたす病変が存在するのか，それはどの臓器のどの場所か(患者が疼痛を訴えてもその責任病変を同定しえない場合がある)．
- 責任病変が同定されたら，どのような機序により疼痛をきたしているか．

医療面接

患者から病歴を聴取できる場合は，痛みのLIQORAAAを具体的に尋ねる(表1)．

疼痛の強さはNumerical Rating Scale(「痛みが

ない状態を 0, これ以上考えられない痛みを 10 としたとき, あなたの痛みは 0 から 10 のどれくらいですか」) などの妥当性が検証されている基準を用いて定量的に評価することが推奨されている. ただし, 痛みを自分の言葉で表現することは多くの患者にとって容易ではない. 病状がすぐれない患者の場合は特に配慮が必要である. 言葉による表現が困難な場合は, 非言語コミュニケーションにも留意したい.

身体診察

見落としがないよう, 全身を系統的に診察することが大切である. 診察は疼痛のない部位から始めて, 疼痛部位はあとにするような配慮もときに必要になる. 疼痛をきたす姿勢・動作を避けている様子から, 疼痛の存在に気づくこともある. 疼痛を避けるため手足を動かさないこともあり, 稀に麻痺との鑑別を要する. 関連痛の場合は痛みの場所と責任病変の存在部位が離れていることがある.

診断のターニングポイント

医療面接と身体診察を総合して考える点

- 疼痛の原因が既知の腫瘍(原発, 転移)で説明しうるか.
- 手術や薬物療法など, これまでの治療経過から現在の痛みの症状が妥当か.
- 患者が訴える疼痛が, 癌やその治療と関係ないと考えられる場合は, ほかに疾患特異的な変化(例: 帯状疱疹の皮疹, 疼痛など)がないか.
- 手術後半年以上経過していても, 手術(瘢痕)に起因する痛みが継続する場合がしばしばある. 腹部より胸部の手術でその傾向が強い.
- 痛みには身体的な疼痛のみならず, 心理的, 社会的, スピリチュアル(実存的)な側面があることを考慮し, トータルペインとして全人的理解を心がけたい.

必要なスクリーニング検査

感染などの合併症を除外する必要があれば, 血

表1 痛みの LIQORAAA

- Location(場所):「どこが痛みますか」
- Intensity(強さ):「一番強いときの痛み(1日の平均的な痛み)はどれくらいですか」
- Quality(性状):「どのような痛みですか」「ズキンズキンする痛みですか」「重い感じですか」「電気が走るような痛みですか」「灼けるような痛みですか」
- Onset(発症様式):「痛みはいつ始まりましたか」「急に起こりましたか」「徐々に痛くなりましたか」「痛みのきっかけに何か思い当たることはありませんか」「痛みは持続していますか」「よくなったり悪くなったり繰り返していますか(持続痛のほかに突出痛がないかも尋ねる)」
- Radiation(放散):「痛みは他の場所に広がりますか」
- Aggravating factors(増悪因子):「どのようにすると痛みが強くなりますか」
- Alleviating factors(寛解因子):「どのようにすると痛みが和らぎますか」
- Associated symptoms(随伴症状):「しびれ, 吐き気, 嘔吐, 冷や汗などはありませんか」

液検査で炎症反応などをチェックする. 鎮痛薬投与にあたっては, 肝・腎機能を確認する.

診断確定のために

これまでの癌の診療経過中に施行された画像検査を丹念に見返して責任病変を確認する. 過去の画像検査で責任病変が見出せない場合(たとえば, 疼痛の原因となっている骨転移を診断することで緩和照射につなげうる場合は), 患者の状況が許せば追加の画像検査も検討される. 現実的には終末期の重症患者の場合は CT・MRI などの検査を断念せざるをえないことも多い.

II 呼吸困難

呼吸困難とは

定義

呼吸するときに「苦しい」と感じる自覚的な症状である.

患者の訴え方

患者は「息苦しい」「胸が苦しい」「息切れする」「息が詰まる」「息が吸いにくい」「息が吐きにく

表2 呼吸困難の原因疾患の部位による分類

- 気道閉塞(腫瘍,気道分泌物,気道攣縮,声帯麻痺,睡眠時無呼吸)
- 肺実質(腫瘍,肺炎,リンパ管症,肺切除後,肺線維症,慢性閉塞性肺疾患)
- 胸膜(胸水,気胸)
- 血管(肺塞栓,上大静脈症候群,心不全,心タンポナーデ,肺高血圧)
- 呼吸筋,横隔膜(悪液質による呼吸筋疲労,横隔神経麻痺)
- 胸郭コンプライアンス低下(腫瘍,開胸術後変化,大量腹水)
- 全身(貧血,アシドーシス)
- 精神(不安,抑うつ,痛み,パニック障害)

い」「空気(酸素)が足りない」「窒息しそうな感じ」「ハーハーする」「ゼーゼーする」「息をするのがしんどい」などと訴える.

患者が呼吸困難を訴える頻度

進行癌患者の10〜70％が呼吸困難を訴えるとされる.呼吸困難はQOLに大きな影響を及ぼす.

症候から原因疾患へ

病態の考え方

呼吸器に病態生理学的な異常がなくとも呼吸困難は生じうるが,癌終末期患者では複数の因子がかかわることが多い.

癌終末期患者の闘病意欲にも関連し,終末期鎮静の理由の第2位を占めている.呼吸困難は不安や抑うつといった心理面にも影響し,不安や抑うつの重症度スコアは呼吸困難と相関する.

原因疾患の部位による分類

原因疾患の部位による分類を表2に示す.

診断の進め方

診断の進め方のポイント

- 呼吸困難はあくまで主観的症状であり,心理面からも影響を受ける.ゆえに身体所見や検査所見のみから,患者が呼吸困難を感じているか否か,またその呼吸困難の重症度を評価するには限界があることをふまえておく.
- 呼吸不全は動脈血酸素分圧(P_aO_2)≦60 mmHgと定義される.P_aO_2 > 60 mmHgで,呼吸不全の定義を満たさなくとも呼吸困難は生じうる.呼吸困難を訴えている目前の患者が呼吸不全なのか否かを評価することは重要である.

医療面接

呼吸困難がいつから起きているのか,急激に発症したのか,それとも徐々に出現したのか.胸痛,発熱,咳,痰,浮腫,起座呼吸などの随伴症状などを尋ねる.

呼吸困難の発現パターン(夜間就寝時に起こるなど)や寛解因子(気管支拡張薬で軽快),増悪因子(労作時)なども診断に役立つ.

喘息,慢性閉塞性肺疾患(COPD)などの既往歴ならびに癌治療歴(肺線維症,間質性肺炎を惹起しうる薬物)なども重要である.

ときに患者が疾患に特徴的な表現をすることがある.たとえば,心不全では「息を吸いたい,苦しくて窒息するようだ」と訴えたり,喘息では「息が吐ききれない感じで苦しい」ということがある.

身体診察

呼吸回数(頻呼吸はないか),呼吸パターン,心音・呼吸音,喘鳴・呼気延長などの有無,起座呼吸の有無(仰臥位になれるか否か),頸静脈怒張,気管偏位,胸郭の動き,呼吸補助筋の収縮程度,喀痰の量と性状,チアノーゼの有無などに留意して診察する.顔色,姿勢,息づかいから患者の呼吸困難を想起しうることも多い.

診断のターニングポイント

医療面接と身体診察を総合して考える点

- 癌終末期における緩和ケアでは,呼吸困難のつらさをいかに和らげるかが重要視されるものの,目前の患者が呼吸不全なのか否かという視点は介入可能な器質的病変を同定するうえで重

要である．

- 呼吸困難の程度の評価には妥当性が検証された尺度を用いることが推奨されている．Numerical Rating Scale，Visual Analogue Scale，Borg（ボルグ）Scaleなどが代表的である．
- 呼吸困難の質的評価尺度にはCancer Dyspnea Scaleなども用いられる．

必要なスクリーニング検査

パルスオキシメーターによる酸素飽和度測定，ヘモグロビン濃度測定，胸部X線撮影などを行う．

診断確定のために

癌終末期患者の原因疾患の治療は困難であり，血液ガス検査や画像検査は呼吸困難の有無や重症度評価に必ずしも有用ではないという考え方もある．一方，胸水，気道狭窄，肺血栓症など呼吸困難の原因が特定できれば，患者の意向や病状に応じて治療対象となりうるため，侵襲性・有用性を勘案のうえ状況に応じて検査を選択する．

III 悪心・嘔吐

悪心・嘔吐とは

定義

- 悪心とは，消化管の内容物を口から吐き出したいという切迫した不快な感覚である．
- 嘔吐とは，消化管の内容物が口から強制的に排出されることである．

患者の訴え方

患者は「気持ちが悪い」「ムカムカする」「吐きそう」などと訴える．

患者が悪心・嘔吐を訴える頻度

癌終末期患者には化学療法や放射線治療などの抗腫瘍治療と関係のない悪心・嘔吐もしばしばみられ，その頻度は30〜68％とされる．

表3 悪心・嘔吐の原因となる病態・疾患
- 代謝：薬物，電解質代謝異常
- 内臓：消化器疾患，泌尿器疾患
- 神経：頭蓋内圧亢進，髄膜刺激，前庭神経系，精神的（予期性嘔吐を含む）

症候から原因疾患へ

病態の考え方

原因として，①代謝（薬物を含む），②内臓（消化器など），③神経・前庭器の異常を想起する．介入可能な疾患が見出せれば原因治療につながるが，癌終末期患者では複数要因が関与していることもしばしばみられる．

病態・原因疾患

表3に悪心・嘔吐の原因となる病態・疾患を示す．

診断の進め方

診断の進め方のポイント

- 詳細に病歴（それまで把握されている腫瘍の局在）・治療歴（特に抗腫瘍治療薬を含め使用された薬物や放射線治療歴）をレビューする．
- 高Ca血症，低Na血症などの電解質・酸塩基平衡異常を除外する．
- 腹痛があり，排便（ガス）が停止していれば腸閉塞などの消化器疾患を除外する．
- 頭痛，意識障害などの随伴症状があれば中枢神経障害を疑う．平衡感覚障害，蝸牛症状などを伴えばほかに前庭器疾患も考える．

医療面接

嘔吐の回数，吐物の色，性状，排便（ガス）状況，めまい，立ちくらみの有無を尋ねる．

身体診察

意識状態，バイタルサイン，麻痺・知覚障害，

腹部膨満，腸蠕動音，腹部圧痛，筋性防御などをチェックする．

診断のターニングポイント

医療面接と身体診察を総合して考える点

- 悪心・嘔吐は代表的な消化器症状である．中枢神経障害を想起する意識障害や麻痺がなければ，まず消化器病変，特に消化管通過障害の有無を確認する．身体診察では腹部膨満，圧痛，腸蠕動音の変化などが重要になる．
- 腸閉塞が除外されれば最近の抗腫瘍薬物療法，オピオイド使用歴，放射線照射などの治療歴を確認する．通常は抗癌薬投与72時間以内に悪心・嘔吐が出現するが，急性の嘔吐症状が遷延したり，遅発性嘔吐がみられたりすることも少なくない．
- 頭痛や意識障害，神経学的所見があれば中枢神経系疾患を疑う．
- 上記原因がなくとも，癌終末期には持続する悪心がしばしば認められる．口腔内診察も怠らず，口腔カンジダ症や口渇感を伴う粘膜障害などの有無をチェックする．

必要なスクリーニング検査

血液検査で電解質異常，脱水，骨髄抑制の有無をチェックする．病歴聴取，身体診察のみで電解質異常を診断するのはときに困難である．特に扁平上皮癌終末期患者における悪心の原因として高Ca血症を見逃さないように留意する．腸閉塞が疑われれば腹部X線や超音波などを施行することがある．

診断確定のために

患者の状況によっては，腸閉塞の病態把握や中枢神経病変の確認のためにCT・MRIを施行することがある．終末期患者では検査の負担と期待される利益を状況に応じて検討する．

IV 倦怠感

倦怠感とは

定義

癌関連倦怠感（cancer-related fatigue）とは，「癌やその治療により身体的・感情的・認知的に疲労・消耗したという持続する主観的な感覚で，活動量とも関連せず日常生活に悪影響を及ぼす不快な感覚である」と The National Comprehensive Cancer Network により定義されている．癌関連倦怠感は健常者が感じる疲労感と比較して，より持続的であり休息をとっても改善しにくい．

患者の訴え方

患者は「疲れやすい」「だるい」「しんどい」「億劫である」「身のおき所がない」「座る姿勢や寝る姿勢が定まらない」などと訴える．身体面とともに「気持ち（こころ）が疲れた」といった心理面での疲労も評価したい．なお，患者の居住地域や生活歴により表現が異なる場合がある．

患者が倦怠感を訴える頻度

癌患者の50〜75％が倦怠感を訴えるが，終末期患者では85％にまで上昇するとされる．

症候から原因疾患へ

病態の考え方

欧州緩和ケア学会では，癌関連倦怠感を主に炎症性サイトカインが関連する一次性倦怠感と，貧血や悪液質，感染，代謝異常，薬物などが関連する二次性倦怠感に分類している．

倦怠感の病態・原因疾患

癌終末期の患者では複数の要因が関与し，一次性倦怠感と二次性倦怠感の両者が混在していることも多い．

倦怠感の病態・原因を表4に示す．

診断の進め方

診断の進め方のポイント

- 倦怠感は尋ねられない限り自ら訴えない患者が多く，その頻度は高いものの，医療者には過小評価されがちであるとされる．
- 癌終末期における倦怠感は多因子により生じ，回復困難なことも多い．
- 介入可能な二次的倦怠感の原因が同定されれば，対策に結びつける．

医療面接

倦怠感の発症様式や期間，1日のなかでの変化（日内変動），これまでの治療との関係を尋ねる．癌の病状，治療経過，薬物歴（飲酒歴も含む），睡眠・食事摂取の状況，体重変化，日常活動度，ストレスの程度やリラックスの方法，倦怠感が日常生活や闘病姿勢に及ぼす影響などを聴取する．

身体診察

歩行や姿勢，筋肉消耗の程度，脱水，浮腫，栄養不良などに注意して診察する．

診断のターニングポイント

医療面接と身体診察を総合して考える点

- Brief Fatigue Inventory や Cancer Fatigue Scale など，妥当性が評価されている評価尺度を用いることが推奨されている．
- うつ病による「疲れやすさ」などの症状と，癌関連倦怠感による症状の鑑別が困難な場合がある．希死念慮や無価値感はうつ病でしばしば認められる．

必要なスクリーニング検査

血液検査では血算，甲状腺機能，肝機能，腎機能，電解質（Na, K, Cl, HCO_3^-, Ca, Mg），総蛋白，アルブミンなどを測定する．

表4　倦怠感の原因

- **一次性倦怠感**：腫瘍に起因するサイトカイン産生による
- **二次性倦怠感**：貧血，感染，薬物などが原因となる
  - 貧血
  - 感染症
  - 電解質異常（高 Ca 血症，低 Na 血症）
  - 薬物
  - 精神症状（不安，うつ）
  - 睡眠障害
  - 脱水
  - 発熱
  - 臓器不全（心不全，呼吸不全，肝不全，腎不全）
  - 内分泌代謝異常（甲状腺機能低下症，副腎不全）
  - 筋力低下

診断確定のために

二次性倦怠感について十分に検討する．ちなみに，癌免疫療法後には免疫関連有害事象として約4〜13％の患者に甲状腺機能低下症がみられる．癌治療中の患者では貧血が倦怠感の原因として重要である．ただし，終末期では貧血よりも精神症状，悪液質，感染などほかの要因の影響が大きくなるとされる．

貧血の確定診断

貧血の存在は血液検査で診断がつくが，貧血の原因を同定するには鉄動態，ビタミン，葉酸などの追加検査が必要になる．白血球分画から骨髄癌腫症の診断に至ることもある．

甲状腺機能低下症の確定診断

甲状腺刺激ホルモン（TSH），free T_4 より甲状腺機能低下症と診断される．

電解質異常の確定診断

血液検査で電解質異常は診断される．
低 Na 血症が認められることが多いが，患者の体液量，尿中 Na 排泄量，その他内分泌検査をふまえて，抗利尿ホルモン不適合分泌症候群（syndrome of inappropriate antidiuretic hormone; SIADH），副腎機能不全などの鑑別を行う．
高 Ca 血症を認めた場合は患者の病状・予後を

表5 せん妄の原因
- 準備因子：身体的な脆弱性（高齢，併存疾患，アルコール依存など）
- 促進因子：疼痛コントロール不良，不適切な照明など
- 直接因子：薬物（オピオイド，ベンゾジアゼピン，三環系抗うつ薬，ステロイド，抗コリン薬，抗ヒスタミン薬，抗腫瘍薬など），感染，水電解質異常（脱水，高Ca血症，低Na血症），脳腫瘍・浮腫など

勘案のうえ，治療を考える．終末期では，大量補液をするとその後の体液コントロールが困難になるため，通常は補液＋利尿薬は選択せず，ビスホスホネート製剤の適応を検討する．

感染症の確定診断

発熱，炎症反応から感染症を疑う場合は，感染のフォーカスを臓器特異的な症状，身体所見から想定し，患者の負担を考慮しつつ画像検査を検討する．

V せん妄

せん妄とは

定義

器質性疾患や環境要因などにより生じた意識障害であり，意識混濁のもと種々の精神神経症状を呈する状態である．

患者の訴え方

①注意障害（注意を向けて集中すること，それを維持することができない．注意を別のことに向けることができない）および意識障害（見当識低下）
②見当識障害，記憶障害，知覚障害（幻視＞幻聴）
③睡眠覚醒リズムの乱れ（昼夜逆転）
④興奮して落ち着かない（過活動型），傾眠傾向（低活動型）

患者がせん妄を訴える頻度

一般に入院患者の20％がせん妄を合併する．終末期予後1か月程度では30〜50％，予後数日では80％以上がせん妄を経験する．

症候から原因疾患へ

病態の考え方

不穏状態を呈する過活動型のみならず，傾眠傾向を呈する低活動型，もしくは両者の混合型がある．

原因は準備因子，促進因子，直接因子に分けて考える（表5）．

癌患者終末期に認められるせん妄は，原疾患の増悪を含めた複数の原因が関与していることが多く，ひとたび発症すると回復困難なことが多い．

診断の進め方

診断の進め方のポイント

- せん妄は意識変容をきたした状態であり，疎通性はある程度保たれているものの，つじつまの合わない言動があり，興奮や幻覚などの精神症状をきたす．
- せん妄の診断基準（DSM-5-TR）は症候・病態編「せん妄」の表1参照（☞278ページ）．

医療面接

1つの事柄に注意を向け，維持することができない注意障害と見当識障害の有無に留意して面接する．会話のつじつまが合っているか，時間を間違えていないか（夜中を朝と間違える），場所を間違えていないか（病院を自宅と間違える），人物を間違える（家族と病院職員を間違える），1日のうちで症状の日内変動がないか，睡眠覚醒リズムが保たれているかも重要である．しばしば天井に虫が這っているなどの幻視もみられる．

身体診察

きょろきょろと落ち着かず，目が泳いでいる様子はないか観察する．原疾患の増悪のほか，新

たな感染，脱水の合併など，せん妄の原因となる促進因子・直接因子がないか全身をくまなく診察する．

診断のターニングポイント

医療面接と身体診察を総合して考える点

- 注意障害や認知障害を伴うせん妄の原因となる器質性疾患や促進因子・直接因子がないか確認する．

必要なスクリーニング検査

血液検査を行い，感染症，水電解質代謝異常の有無をチェックする．

診断確定のために

感染症を疑えば，フォーカスを同定し，重症度を評価するための画像検査ならびに起因菌を同定するための培養検査なども適応になるが，終末期患者の場合は特に全身状態や予後を勘案のうえ検査を選択する．原因が是正可能であれば，せん妄の軽減，苦痛の緩和につながるとされる．

認知症とせん妄とでは病気の経過が異なる．認知症は通常数か月から数年かけて発症し，月から年の単位で進行する．日内変動（数時間での変化）は通常みられない．

せん妄の確定診断

せん妄の診断基準（DSM-5-TR）による．

VI 臨死期の症状

予後数週以内の終末期にしばしば認められる病状

- 衰弱が顕著になり，ほぼ床上での生活になる．
- 嚥下困難になり経口摂取が低下する．原因には全身の衰弱，薬物による鎮静，高Ca血症などの代謝異常などがある．多くの患者が訴える口渇に対しては口腔ケアが重要になる．湿らせたスポンジや小氷片を利用することも有用である．
- 体幹の浮腫：四肢のみならず，びまん性浮腫がみられる．体幹の背部から側部にかけて重力影響が及ぶ部位にも浮腫が顕著になる．
- 傾眠になる，眠気が増す．

予後が数日から数時間以内に迫った終末期にみられる症状

- 呼吸パターンが変化する〔換気量が少ない浅い呼吸が繰り返され，不規則・不安定な呼吸からCheyne-Stokes（チェーン・ストークス）呼吸，さらには数秒〜数十秒の無呼吸や下顎呼吸になる〕．
- 死前喘鳴（衰弱が進むにつれ唾液や喀痰などが排出困難になり，息をするたびにゴロゴロ，ゼーゼーといった雑音を生じるようになる）．
- 呻吟．
- 循環不良：血圧低下，頻脈，脈拍減弱，四肢末梢の冷感，皮膚の湿った冷感，大理石様変化，チアノーゼ．
- 尿量減少，失禁．
- 意識レベル低下（声かけに対する反応の低下，視覚刺激に対する反応の低下）．
- 閉眼できなくなる，首の伸展，鼻唇溝の平坦化（欧米と比較してわが国では鼻唇溝の平坦化は認識されにくいとされる）．

〈清水 敦〉

IV 症例編

発熱 … 896	吐血 … 923	排尿痛, 頻尿 … 951
全身倦怠感 … 899	頸部リンパ節腫脹 … 926	血尿 … 953
食思不振, 不眠 … 901	咳, 痰 … 929	ろれつが回らない … 956
黄疸 … 904	胸痛 … 932	感覚障害・感覚異常 … 959
出血傾向 … 908	胸痛, 呼吸困難 … 935	歩行障害 … 961
息切れ, 全身倦怠感 … 911	脱水 … 938	心肺停止 … 964
反応が鈍い … 914	チアノーゼ, ばち状指 … 941	左半身麻痺 … 968
突然の声がれ … 917	静脈怒張 … 945	労作時呼吸困難 … 971
食欲不振 … 920	月経異常 … 948	悪寒, 発熱 … 975

[以下の症例は電子版に収録]

寝汗	胸やけ・げっぷ	左上肢痛, 左手指しびれ
肥満	口渇	左股関節痛
体重減少	嚥下困難	末梢血行異常
成長障害	甲状腺腫	理解力低下, 手指の不随意運動
睡眠中の奇行	血痰	物にぶつかる(自覚なく, 周囲か
失神	乳房のしこり	ら指摘)
失見当識や辻褄の合わない言動	喘鳴, 労作時呼吸困難	もの忘れ
皮疹, 瘙痒	胸水, 労作時呼吸困難	持続する手の痙攣
右後頭部痛	動悸	左手足の脱力発作
めまい, 悪心	呼吸困難	四肢脱力
左目の一過性失明発作	意識消失	構音障害, 四肢筋萎縮
眼の充血, 頭痛と悪心	手掌紅斑, 下腿浮腫	手がふるえる, 手が使いにくい
眼球突出	下肢浮腫	ふらつき, ろれつ不良
右後頭部痛, ふらつき	腹痛	ショック
喚語困難	腹部膨隆	意識障害
めまい	腹水	甲状腺機能亢進症
眼球運動障害, 意識障害	肝腫大	呼吸不全
顔面痛	全身倦怠感, 食欲不振, 脾腫大	強い心窩部痛
難聴, 耳鳴	下痢	上腹部痛, 背部痛
鼻閉	便が出ない	易疲労感
反復する鼻出血	下血	下腹部痛(妊娠初期)
嗅覚障害	肛門・会陰部痛	腰背部痛
味覚障害	背部痛(安静時痛もある)	意識障害
舌痛, 口内乾燥	腰痛	異物誤飲
咽頭痛	排尿障害	熱傷
いびき	頻尿	意識障害・痙攣発作
悪心・嘔吐	無尿・乏尿	左殿部から下肢にかけての疼痛

72歳 女性
発熱

現病歴：5週前から夕方から夜にかけて38℃前後の発熱を認めるようになった．4週前に近医を受診したが診断はつかず，非ステロイド性抗炎症薬が処方された．内服すると解熱するが，悪心を伴うようになり内服をやめた．3週前からは両足先にしびれ感が出現し，徐々に足関節まで上行した．さらに両足に発疹が出現した．1週前からは左環指～小指のしびれ感も出現し，受診した．
既往歴：特記すべきことはない．常用薬はない．
生活歴：喫煙歴なし．飲酒歴は機会飲酒程度．
家族歴：父親に結核の罹患歴あり．
身体所見：意識は清明．身長149 cm，体重38.0 kg，体温37.9℃，脈拍92回/分（整），血圧132/72 mmHg，呼吸数16回/分．眼瞼結膜は貧血様である．心音と呼吸音とに異常はない．腹部は平坦・軟で，肝・脾を触知しない．両足背に触れる紫斑を認める（図1）．左尺骨神経支配領域に触覚と痛覚との低下を認める．両足関節から足先までに痛覚，触覚，振動覚および位置覚の低下を認める．下肢の筋力は両側の前脛骨筋と腓腹筋が4/5に低下している．腱反射は，上腕二頭筋反射（＋/＋），上腕三頭筋反射（＋/＋），膝蓋腱反射（－/－），アキレス腱反射（－/－），Babinski（バビンスキー）反射（－/－）である．

問題点の描出

既往歴のない72歳女性．慢性経過の発熱と亜急性経過の多発性単神経炎と足背に触れる紫斑を認める．

診断の進め方

特に見逃してはいけない疾患
・血管炎
・サルコイドーシス
・アミロイドーシス
・慢性炎症性脱髄性多発根神経炎

頻度の高い疾患
・糖尿病

この時点で何を考えるか？
医療面接と身体診察を総合して考える点

慢性経過の発熱からは，①感染症，②自己免疫疾患，③悪性腫瘍，④医原性（薬物）について考慮する．患者に常用薬の服用はない．次に，発熱以外で診断へのヒントとなる症状・徴候に着目する．上記のとおり，多発性単神経炎の鑑別の1つに血管炎がある．加えて，触れる紫斑の存在は血管炎の存在を支持する．よって，自己免疫疾患である血管炎を疑い，さらに血管炎のどれかを考える．高齢者の大血管炎に巨細胞性動脈炎があるが，主に外頸動脈の末梢と内頸動脈の末梢にある眼動脈を含む血管の虚血症状（側頭部痛，顎跛行，視力障害）を認める．中血管炎である結節性多発動脈炎は，中年以降，特に50歳代で発症することが多いが，可能性は残しておく．小血管炎である顕微鏡的多発血管炎は，わが国では多発血管炎性肉芽腫症に

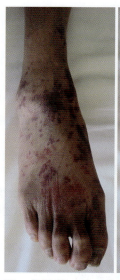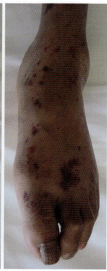

図1　両足背に触れる紫斑を認める

比べて発症率が高く，発症の平均年齢は71歳である．**好酸球性多発血管炎性肉芽腫症**では，既往に気管支喘息，アレルギー性鼻炎を有することが多い．年齢と発症率を考慮すると**顕微鏡的多発血管炎**の可能性が高いと考える．

> **診断仮説（仮の診断）**
> ・顕微鏡的多発血管炎
> ・結節性多発動脈炎

必要なスクリーニング検査

顕微鏡的多発血管炎を中心として鑑別を進めるため，検尿，血算，腎機能を含む生化学検査，抗好中球細胞質ミエロペルオキシダーゼ抗体（myeloperoxidase antineutrophil cytoplasmic antibodies；MPO-ANCA），抗好中球細胞質抗体（proteinase-3-antineutrophil cytoplasmic antibodies；PR3-ANCA），肺病変の有無を確認するため胸部X線写真をオーダーする．

検査結果

> **尿所見**：蛋白（1+），潜血（2+），赤血球数10〜19/HPF．
> **血液所見**：RBC 355万/μL，Hb 9.9 g/dL，Ht 30.5%，WBC 9,900/μL（分葉核好中球71%，好酸球4%，単球5%，リンパ球20%），Plt 32万/μL．
> **血液生化学所見**：TP 6.6 g/dL，Alb 2.1 g/dL，UN 38 mg/dL，Cr 2.1 mg/dL，肝機能，電解質に異常なし．
> **免疫血清学所見**：CRP 4.6 mg/dL，MPO-ANCA 250.0 IU/mL（基準値：3.5 IU/mL未満），PR3-ANCA 1.0 IU/mL（基準値：3.5 IU/mL未満）．
> **胸部X線写真**：異常なし．

尿所見では，蛋白尿，血尿，血液検査では，貧血と腎機能障害を認める．CRPは炎症の存在を示している．さらにMPO-ANCAが強陽性である．

> **診断仮説（仮の診断）**
> ・顕微鏡的多発血管炎

診断確定のために

顕微鏡的多発血管炎の確定診断には，組織診断が必要である．腎生検で壊死性血管炎の所見を見出せれば，診断は確定する．生検が困難な場合には，治療を開始することも少なくない．

診断確定のため腎生検を行った．18個の糸球体のうち6個は硬化糸球体に陥っていた．7個には図2に示すように細胞性半月体を認めた．さらに，フィブリノイド壊死を伴う血管炎を認めた（図3）．

MPO-ANCA陽性，かつ壊死性血管炎と半月体糸球体腎炎を認め，以下の診断とした．

> **診断** 顕微鏡的多発血管炎

治療の基本方針

治療の基本方針は中等量〜高用量の副腎皮質ステロイドとシクロホスファミド，もしくは副腎皮質ステロイドと抗CD20モノクローナル抗体であるリツキシマブを用いる．他の免疫抑制薬であるアザチオプリンな

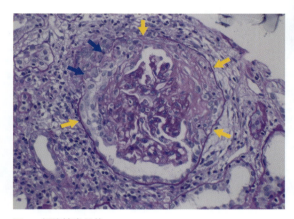

図2 細胞性半月体
Bowman（ボウマン）腔に細胞成分の増加（細胞性性半月体，黄色矢印）を認める．Bowman嚢の破綻（青色矢印）も認める（PAS染色）．

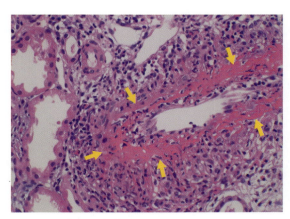

図3 フィブリノイド壊死
ヘマトキシリン-エオジン染色で好酸性を示すフィブリノイド壊死（矢印）を伴う血管壁破綻の所見を認める．

どを併用することもある．

アナザーストーリー

もし患者に気管支喘息の既往があったら

白血球の分画で好酸球増加があれば，好酸球性多発血管炎性肉芽腫症の可能性が高くなる．

診断に至る思考プロセス

いわゆる不明熱の患者では，発熱以外に鑑別診断の想起の鍵となる症状，徴候，一般的検査における着目すべき異常を探す．ていねいな医療面接に努め，異常所見を拾い上げることができる身体診察のスキルを日頃から高めておく．

クリニカルパール

- ANCA測定の意義は大きいが，診断に組織所見が必要である．
- 血管炎を疑う症状と徴候は，①不明熱，②触れる紫斑，③末梢神経障害，特に多発性単神経炎，④多臓器(肝，腎，肺胞出血)障害，⑤急速進行性糸球体腎炎の存在である．

〈松村 正巳〉

48歳 男性
全身倦怠感

現病歴：昨年の会社の定期健診で脂質異常症を指摘され，スタチン系薬物を服用していた．その後，夜間に舌を噛むようになり，薬剤添付文書をみて薬物による副作用の筋肉障害と思い，3か月ほどで自身の判断で服薬を中断していた．2か月前頃から身体がだるく感じるようになり，仕事をする気力も低下してきた．今年の定期健診で再び脂質異常症を指摘され，精査のため受診した．
既往歴：特記すべきことはない．
生活歴：喫煙歴なし．飲酒歴はビール 350 mL を週 4 回程度．海外渡航歴はない．薬物はスタチン系薬物を昨年に 3 か月ほど服用した以外にはない．
家族歴：母親(71歳)が橋本病で治療を受けている．
身体所見：意識は清明．身長 163 cm，体重 68 kg，体温 36.0℃，血圧 132/74 mmHg．皮膚は乾燥し，結膜に貧血・黄疸はない．巨舌を認める．前頸部にびまん性の腫脹を認める．心肺に異常所見なく，腹部にも異常所見を認めない．下腿浮腫はない．

問題点の描出

脂質異常症を指摘されている 48 歳男性．全身倦怠感，気力低下があり，巨舌を認める．

診断の進め方

特に見逃してはいけない疾患
・感染症
・悪性腫瘍
・心肺疾患
・肝疾患
・貧血
・内分泌・代謝疾患
・腎疾患
・神経筋疾患
・薬物依存症
・精神神経疾患
・生理的疲労

頻度の高い疾患
・生理的疲労
・精神神経疾患
・慢性感染症
・貧血
・内分泌・代謝疾患
・悪性腫瘍
・慢性疲労症候群

この時点で何を考えるか？
医療面接と身体診察を総合して考える点

全身倦怠感で受診した患者では，まず身体疾患による**身体的疲労**か，過労による**生理的疲労**やストレスなどによる**精神的疲労**なのかを判断する必要がある．精神的疲労は，患者の生活歴や医療面接での質疑応答，表情などからある程度判断が可能である．身体的疲労の可能性を除外してから精神的疲労を考える．

全身倦怠感は，組織の低酸素，低血圧，老廃物蓄積，ホルモン分泌不全，低栄養などによる細胞レベルでの代謝活動障害が原因で発生する．特に，感染症，悪性疾患，心肺疾患，肝疾患，腎疾患，貧血は全身倦怠感をきたす重要な疾患であり，かつ重症度の高い疾患もあるので，鑑別を慎重に進める必要がある．頻度的には生理的疲労や精神的疲労による全身倦怠感が多いが，最初から生理的疲労や精神的疲労と決めつけず，鑑別診断を確実に進めるようにする．

本症例では，発熱，頭痛，関節痛などはなく，感染症は否定的である．血圧，胸部・腹部所見に異常はなく，心肺疾患は否定的である．貧血，黄疸の所見，浮腫もみられず，肝疾患，腎疾患も否定的である．脂質異常症を指摘されていること，母親が橋本病であった家族歴から，二次性の脂質異常症，特に甲状腺機能低下症を疑う．気力低下，皮膚乾燥，巨舌，頸部のびまん性甲状腺腫脹は甲状腺機能低下症を示唆する．

診断仮説(仮の診断)
・甲状腺機能低下症
・脂質異常症

必要なスクリーニング検査

甲状腺機能低下症，脂質異常症が疑われるため，ま

ずは尿，血液検査を行う．

検査結果

尿検査：蛋白（−），糖（−），潜血（−）．
血液検査：RBC 370万/μL，Hb 12.0 g/dL，Ht 36.8%，MCV 99 fL，MCHC 32.4%，WBC 4,500/μL（好中球46%，好酸球1%，好塩基球0%，リンパ球48%，単球5%），Plt 15.7万/μL．
血液生化学検査：TP 7.5 g/dL，Alb 4.7 g/dL，AST 40 IU/L，ALT 41 IU/L，LD 277 IU/L，T.Bil 0.5 mg/dL，γ-GT 50 IU/L，ALP 197 IU/L，CK 848 IU/L，UN 18 mg/dL，Cr 1.1 mg/dL，UA 4.6 mg/dL，TC 348 mg/dL，LDL-C 210 mg/dL，TG 143 mg/dL，Glu 80 mg/dL，free T_4 0.2 ng/dL，TSH 195 μU/mL．

血液検査では軽度の正球性正色素性貧血がみられ，血液生化学検査では，甲状腺ホルモン低値，コレステロール高値，CK高値，さらに軽度の肝逸脱酵素高値が認められる．

診断確定のために

検査結果からは以下のように考察される．
- 高コレステロール血症
- 遊離性（free）T_4 低値，甲状腺刺激ホルモン（TSH）高値
- 正球性正色素性貧血
- クレアチンキナーゼ（CK）高値

甲状腺ホルモン低値から甲状腺機能低下症が考えられ，TSH高値は原発性の甲状腺ホルモン分泌低下を示唆する．コレステロール高値，貧血，CK高値はいずれも甲状腺ホルモン分泌低下に基づくものと判断できる．

甲状腺機能低下症の原因としては自己免疫疾患である慢性甲状腺炎（橋本病）の頻度が最も高く，確定診断のために，甲状腺自己抗体を検査する．

追加検査

抗体検査：抗サイログロブリン抗体 289 IU/L，抗TPO抗体 100 IU/L．

甲状腺自己抗体の存在から，慢性甲状腺炎（橋本病）と診断できる．なお，頸部超音波検査ではびまん性の甲状腺腫大が認められ，悪性の所見はみられなかった．

診断 慢性甲状腺炎（橋本病）

治療の基本方針

甲状腺ホルモン薬の投与と同時に高コレステロール血症に対してHMG-CoAレダクターゼ阻害薬を併用した．3か月ほど治療を続けるとfree T_4とTSHはほぼ基準値になり，総コレステロール値（TC）も234 mg/dLにまで改善した．全身倦怠感は消失し気力も回復した．治療は検査結果をみながら継続している．

アナザーストーリー

もし患者が女性だったら

中高年女性が全身倦怠感，気力低下，高コレステロール血症で受診してきた場合には，まずは甲状腺機能低下症を疑うべきである．わが国では，潜在性のものまで含めると甲状腺機能低下症は，女性の約9%，男性の約3%に認められるとの報告があり，頻度が高い疾患といえる．加齢とともに増加し，女性に多いが，男性でも留意しておく必要がある．成人の甲状腺機能低下症の約90%は慢性甲状腺炎（橋本病）が原因で，そのほか中枢性甲状腺機能低下症，先天性甲状腺機能低下症などがある．

診断に至る思考プロセス

健診で脂質異常症を指摘される頻度は高い．その多くは原発性であるが，二次性脂質異常症を除外しておく必要がある．コレステロールが高値になる二次性高コレステロール血症の原因には，甲状腺機能低下症のほか，糖尿病，Cushing（クッシング）症候群，アルコール依存，ネフローゼ症候群，肝硬変，経口避妊薬やグルココルチコイドなどの薬物使用などがある．これらを鑑別するには，スクリーニング検査で疾患を絞り込み，確定診断に必要な検査を追加する．

クリニカルパール

- 慢性甲状腺炎（橋本病）は，①甲状腺ホルモン（free T_4）の低下，②ネガティブフィードバックによるTSH高値，③甲状腺ホルモンの低下による代謝障害，④甲状腺自己抗体の検出によって診断できる．
- 高齢患者では無気力，うつ症状など精神症状で発症することもあり，甲状腺機能低下症を見落とさないように注意する．

〈奈良 信雄〉

47歳 女性
食思不振，不眠

現病歴：右乳房の腫瘤を自覚し，乳癌と診断され，切除術を受けた．退院後の来外来時に，ホルモン薬などが効かない癌であることが告げられ，強いショックを受けた．以降，食思不振，不眠などが出現し，はっきりとした身体因がないにもかかわらず，これら症状が続くため受診．
既往歴：特記すべきことはない．
生活歴：出生，発育，発達に特記すべき問題はない．短大を卒業後，自動車機器製造の会社に入社し，結婚とともに退職．現在，19歳と16歳の娘がいる．
家族歴：精神疾患の家族歴はない．母親は患者が4歳のときに脳腫瘍で死亡．父親はその後再婚．6歳年下の異母弟がいる．
病前性格：繊細で心配症．
身体所見：身長155 cm，体重48 kg，脈拍84回/分（整），血圧124/60 mmHg，SpO_2 98%．甲状腺腫などは触知せず．

問題点の描出
ストレスとなる出来事，特に喪失体験に続発する器質因のはっきりしない食思不振，不眠を認める．

診断の進め方

特に見逃してはいけない疾患	原因（誘因）として頻度の高い疾患*
・甲状腺機能低下症 ・Cushing（クッシング）症候群 ・全身性エリテマトーデス	・癌 ・閉塞性肺疾患 ・脳血管障害 ・心血管障害 ・糖尿病

*直接的な病態としてうつ病の原因になるという意味ではなく，うつのきっかけとなるライフイベントとしての誘因という意味．

この時点で何を考えるか？
医療面接と身体診察を総合して考える点

乳癌に罹患するという強いストレスに続発する食思不振と不眠が主訴であるため，うつ病をまずは念頭におくが，身体疾患によるうつ状態である可能性を除外する必要があるため，うつ病を考えながらも，同時に甲状腺機能低下症などのうつ状態をきたす可能性があり，血液検査などの簡便な検査でスクリーニングできる疾患については初診時の段階でチェックする．また各症状に応じて，適宜内科の専門各科などにも紹介する．

うつ病は気分障害といわれるように，気分的な側面の障害を主とした疾患であるが，患者が気分的な問題を主訴として受診することはほとんどなく，うつ状態で出現する身体症状，今回の場合のような食思不振などが続くことで医療機関を受診することが多い．その他，継続する倦怠感などを主訴とすることもある．

うつ病に罹患するリスク要因は，遺伝的なものに加え，幼少時の逆境，神経質な性格など多要因からなるが，最も大きな要因は直近のネガティブなライフイベントであるため，医療面接では必ず不調が出現する前の出来事について聴取する．ここで気をつけたいのは，昇進など一見好ましい出来事のように思えても，多忙になったり責任が重くなったり，むしろストレス因として働くことがあることを知っておきたい．つまり，医療面接では，出来事のみではなく，それがもたらした生活上や役割の変化などについても尋ねることが重要になる．

上記のような内容を把握するための面接に加え，うつ病の診断基準項目である，抑うつ気分，興味・喜びの低下，倦怠感・意欲低下，無価値感，自責感，希死念慮などの存在について尋ねていく．

甲状腺疾患などが除外され，ネガティブなライフイベントに続発するうつ状態であれば，うつ病を第一

に考える．

> **診断仮説（仮の診断）**
> - うつ病
>   - 甲状腺機能低下症
>   - Cushing 症候群

必要なスクリーニング検査

　一般的な血液生化学検査に加えてスクリーニングとして甲状腺刺激ホルモン（TSH）を測定し，甲状腺機能障害の有無をチェックする．脳 MRI などの神経画像検査の実施については，高齢者の場合や局所神経症状がみられる場合は必須となるが，若年者の場合には，うつ病の症状が非典型的であったり，治療抵抗性である場合に適宜追加することが一般的である．

検査結果

　一般血液，生化学検査，および甲状腺ホルモンに異常なし．面接の結果，乳癌の診断後から，発熱などはなく，抑うつ気分，食思不振，不眠が 1 か月以上続いており，家事にも支障がある状態．

> **診断仮説（仮の診断）**
> - うつ病

診断確定のために

　うつ病の診断は器質的な疾患の除外のうえで，診断基準を満たすか否かの症状のチェックが必要となる．つまり，以下の症状のうち，①抑うつ気分，②興味・喜びの低下のいずれかを必須症状として，全部で 5 つ（またはそれ以上）が同じ 2 週間の間に存在し，病前の機能からの変化を起こしているか否かについて評価する．①抑うつ気分，②興味・喜びの低下，③著しい体重減少/食欲低下あるいは体重増加/食欲増加，④不眠または睡眠過多，⑤精神運動性の焦燥感または制止（他者によっても観察可能な程度のもの），⑥易疲労性・気力減退，⑦罪責感・無価値観，⑧思考・集中力低下，⑨希死念慮．

　また，面接時に，患者の表情や話し方，動作などにも注意する．表情は伏し目がちで応答に際しての反応潜時が長く，精神運動制止がみられることもある．さらに，患者自身に最近の出来事について話してもらい，その体験のもたらす意味や生活にもたらす影響について尋ねたい．

診断　うつ病

治療の基本方針

　うつ病に関する適切な情報提供（心理教育）は必須であり，自尊心が低下していることも多いため，支持的で温かい対応も不可欠である．治療に関しては，軽症であれば認知行動療法や対人関係療法などを考慮するが，実施可能な医療機関も多くないため，実際的には薬物療法が最も一般的である．

　うつ病に対する薬物療法の中心は抗うつ薬である．抗うつ薬に関しては，個々の薬物で効果に差があることも示唆されているが，個別に厳密に使い分けるほど大きな差異はなく，多くのガイドラインで特にいずれかの薬物を推奨するような状況にはないが，一般的には三環系・四環系抗うつ薬ではなく，安全性が高い，選択的セロトニン再取り込み阻害薬，セロトニン・ノルアドレナリン再取り込み阻害薬，ノルアドレナリン作動性・特異的セロトニン作動性抗うつ薬（ミルタザピン），セロトニン再取り込み阻害・セロトニン受容体調節薬（ボルチオキセチン）などの新しい世代の抗うつ薬が推奨される．また実際には，多くの症例に同時に不安感や焦燥感が併存し，さらに睡眠障害，なかでも不眠はきわめて頻度が高い（非定型な症状として過眠も 1 割程度の症例にはみられることがある）．そして抗うつ薬が効果をもたらすには早くとも数週間の期間が必要であるなどをふまえる必要がある．一般的に抗うつ薬は効果が発現した用量で，改善したあとも 4〜9 か月程度は継続して漸減する方法が推奨される．

　不安感や焦燥感，不眠が同時に存在する場合には，初期の短期間（おおむね 1 か月程度）においては，抗不安薬や睡眠薬（あるいは催眠鎮静作用が強い抗うつ薬であるトラゾドン）などが併用されることも一般的である．ベンゾジアゼピン系薬物に関しては，治療初期に抗うつ薬と併用することで治療効果が早く発現することがメタアナリシスで示されている．一方，高齢者に対しては，転倒リスクなど副作用が増加するため，睡眠薬を含めてベンゾジアゼピン系薬物の使用は推奨されず，こういった場合の不眠には，メラトニン受容体作動薬やオレキシン受容体拮抗薬が推奨される．そして，これらの薬物に関しては，症状を観察しながら，改善すれば，可能な範囲で早期に減量，中止していくという考え方が一般的である．

アナザーストーリー

もし過去に軽躁状態があったら

うつ病ではなく双極症であり，治療のアプローチが全く異なったものになる．

診断に至る思考プロセス

癌のような大病など大きな出来事を経験したあとには，うつ病発症の頻度が高くなる．正常反応と治療を要する病態の判断は必ずしも容易でないが，多くの人は1〜2週間程度で日常生活に大きな支障のない状態まで回復するが，不眠などが何週間にわたって続き，気分の問題がみられる際にはうつ病を考えたい．

クリニカルパール

- うつ病に先行して多くの場合は喪失体験がある．
- うつ病は女性に多い．
- 双極症の可能性も念頭に必ず躁状態/軽躁状態の既往の有無を確認する．
- うつ病は不安障害の合併が多い．
- うつ病は自殺の最大の原因である．

〈明智 龍男〉

73歳 男性
黄疸

現病歴：1か月前から全身皮膚のかゆみがあった．7日前から褐色尿に気づいた．3日前から急に食欲が低下し，全身倦怠感を自覚した．2日前に灰白色便に気づく．かかりつけ医を受診したところ黄疸を指摘され紹介された．体重が2か月で5kg減少した．発熱，腹痛はない．

既往歴：高血圧症（5年前から降圧薬内服中）．

生活歴：飲酒・喫煙歴なし．

家族歴：父親が大腸癌．

身体所見：身長175.0cm，体重63.0kg，BMI 20.6，体温36.2℃，血圧138/68mmHg，脈拍75回/分（整）．全身皮膚の黄染と引っ掻き傷，眼瞼結膜に貧血を認め，眼球結膜に強い黄染を認める（図1）．頸部リンパ節は触れない．胸部聴診所見に異常ない．腹部は陥凹，右季肋部に胆嚢を触れる．圧痛はない．腹水はない．両側下腿に浮腫あり．

問題点の描出

急激に進行する皮膚瘙痒と褐色尿・灰白色便がある．発熱，腹痛はない．2か月で5kgの体重減少がある．全身皮膚と眼球結膜に黄疸があり，皮膚に引っ掻き傷がある．無痛性の腫大した胆嚢を触知する（Courvoisier（クールボアジェ）徴候）．

診断の進め方

特に見逃してはいけない疾患
- 閉塞性黄疸
- 胆汁うっ滞性肝炎

頻度の高い疾患
- 閉塞性黄疸：膵頭部癌，総胆管癌，自己免疫性膵炎，IgG4関連胆管炎，総胆管結石
- 急性胆汁うっ滞性肝炎：急性薬物性肝炎，急性ウイルス性肝炎

診断仮説（仮の診断）
- 閉塞性黄疸（三管合流部以下の胆道閉塞）
- 膵頭部癌，総胆管癌
- 自己免疫性膵炎，IgG4関連胆管炎
- 無痛性総胆管結石嵌頓
- 肝内胆汁うっ滞性肝障害
- 急性肝炎
- 溶血性貧血

この時点で何を考えるか？
医療面接と身体診察を総合して考える点

皮膚瘙痒感を伴う黄疸の出現で，褐色尿，灰白色便であること，また腹部触診で無痛性の腫大した胆嚢（Courvoisier徴候）があることから，三管合流部以下の胆道閉塞を考える．発熱，腹痛がないことから胆管炎は考えにくい．体重が2か月で5kg減少しているので悪性疾患を考える．

必要なスクリーニング検査

黄疸の診断に尿検査は有用である．閉塞性黄疸ではビリルビンが陽性になりウロビリノゲンは増加しない．一方，溶血性黄疸ではウロビリノゲンは強陽性となるがビリルビンは陰性である．

黄疸の鑑別に血液検査，生化学検査は必須である．閉塞性黄疸では貧血の値はさまざまであるが，直接ビリルビンが圧倒的に優位で，アルカリホスファターゼ（ALP），γ-GTが異常高値となるがアスパラギン酸アミノトランスフェラーゼ（AST），アラニンアミノトランスフェラーゼ（ALT）は軽度上昇である．一方，溶血性黄疸では正色素性貧血を呈し，乳酸脱水素酵素（LDH）が高値を呈するが，AST，ALT，ALP，γ-GTは上昇しない．

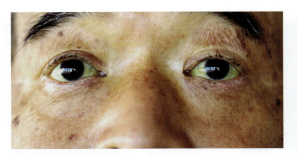

図1　眼球結膜の黄染
皮膚にも黄染がある．

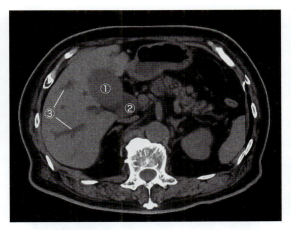

図3　CT単純写真
拡張した胆嚢(①)，肝外胆管(②)と肝内胆管(③)を認める．

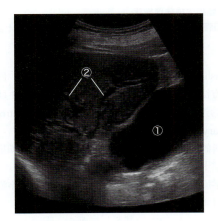

図2　超音波検査
拡張した胆嚢(①)と肝内胆管(②)を認める．

画像検査では腹部超音波検査，CT検査は必須である．閉塞性黄疸では肝内胆管，肝外胆管，胆嚢の腫大がみられる．溶血性黄疸では脾臓の腫大はあるが，肝内，肝外の胆管に異常を認めない．

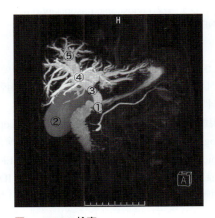

図4　MRCP検査
遠位胆管下端が閉塞し(①)，胆嚢(②)，肝外胆管(③)，肝門部胆管(④)，肝内胆管(⑤)が拡張している．

検査結果

尿検査：褐色尿，蛋白(−)，糖(−)，ビリルビン(＋)．
血液所見：WBC 8,040/μL(好中球73％，リンパ球20％，単球4％，好酸球2％，好塩基球1％)，RBC 335万/μL，Hb 10.1 g/dL，Ht 29.5％，Plt 32万/μL，TP 6.6 g/dL，Alb 2.6 g/dL，T.Bil 15.1 mg/dL(D.Bil 12.2 mg/dL，I.Bil 2.9 mg/dL)，AST 78 IU/L，ALT 103 IU/L，ALP(IFCC)549 IU/L，γ-GT 473 U/L，アミラーゼ 130 IU/L．
画像検査：超音波検査とCT検査で肝内胆管の拡張と胆嚢の腫大を認める(図2，3)．

直接ビリルビン優位，胆道系酵素の上昇，画像で胆嚢，胆管の拡張を認める．

診断仮説(仮の診断)
・閉塞性黄疸

診断確定のために

確定診断では閉塞性黄疸の確認と閉塞部位診断，閉塞の原因診断をする．画像検査では造影CT検査，MRI検査，種々の内視鏡検査がなされる．血液検査では腫瘍マーカーの癌胎児性抗原(CEA)，糖鎖抗原(CA)19-9，免疫グロブリンIgG4の測定が有用である．

造影CT検査では，血流状態をみることにより悪性腫瘍の診断や癌の広がりをみる．MRI検査のMR胆管膵管撮影検査(MRCP)は胆汁や膵液の撮影を強調して撮影する方法で，造影剤を使わないが胆管膵管の走

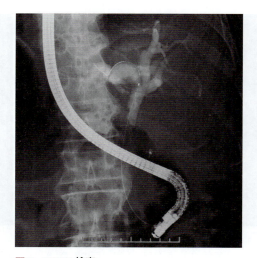

図5　ERCP検査
閉塞部位の診断と減黄処置（内視鏡的経鼻胆道ドレナージ（endoscopic nasobiliary drainage; ENBD））を行った．

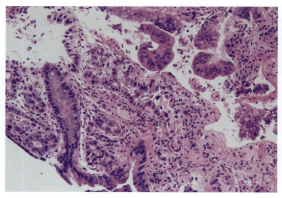

図6　腫瘍生検病理検査
経口胆管内視鏡検査時の腫瘍生検病理検査で腺癌と診断された．

行，太さ，閉塞部位の場所や状態を知ることができる．本例では遠位胆管下端に閉塞がみられ，肝内胆管，胆嚢，肝門部胆管の拡張がある（図4）．

内視鏡的検査には超音波内視鏡検査（endoscopic ultrasonography），内視鏡的逆行性胆管膵管造影検査（endoscopic retrograde cholangiopancreatography; ERCP），管腔内超音波検査（intraductal ultrasonography; IDUS），経口的胆管内視鏡検査（peroral cholangioscopy）などがある．ERCP検査は内視鏡的に直接造影剤を胆管あるいは膵管に注入し，透視しながら写真を撮影する検査である．鮮明な画像が得られ，直視下に病変部を観察でき，生検も可能である．また，黄疸軽減のカニューレを留置できる．図5はERCP検査の写真で，遠位胆管の閉塞がある．

組織診断は経口的胆管内視鏡検査で腫瘍生検をし診断する．本例はERCP検査の腫瘍生検で腺癌と診断された（図6）．

診断　遠位胆管癌

治療の基本方針

- まず最初にやるべきは減黄処置である．黄疸が軽くなってから外科的治療か化学療法を検討する．
- 減黄処置にはドレナージを経皮的に行う方法と，内視鏡による経十二指腸乳頭的な方法がある．経皮的方法は経皮経肝的胆道ドレナージ法（percutaneous transhepatic biliary drainage; PTBD）という．内視鏡的方法は2法がある．第1はENBD，第2は内視鏡的逆行性胆道ドレナージ（endoscopic retrograde biliary drainage; ERBD）である．
- 外科的治療：遠位胆管癌の外科的治療の標準術式は膵頭十二指腸切除術である．
- 化学療法：外科的治療ができない場合，化学療法を検討する．

本例ではENBDで減黄してから，膵頭十二指腸切除術を行った．

アナザーストーリー

① 超音波検査で肝内胆管の拡張がない場合は，肝内胆汁うっ滞性肝障害を考える．
② トランスアミナーゼが高度であったら，急性肝炎を疑い肝炎の原因を探索する．
③ 貧血が高度であったらビリルビン分画をみる．間接ビリルビン優位の場合は溶血性貧血を疑う．

診断に至る思考プロセス

本患者は皮膚瘙痒を伴う黄疸で，褐色尿，灰白色便があること，Courvoisier徴候があることから閉塞性黄疸が考えられた．血液検査で直接ビリルビン優位の黄疸，ALP，γ-GTが高値は閉塞性黄疸のパターンであり，かつ画像診断で胆管，胆嚢の拡張があり閉塞性黄疸と確診された．閉塞部位および閉塞原因の診断は造影CT，MRCPと内視鏡的検査を駆使し，併せて腫瘍生検を行い病理学的に診断できた．

クリニカルパール

- 黄疸の鑑別は直接ビリルビンが優位か，間接ビリルビンが優位かを確認する．
- 間接ビリルビンが優位の場合は溶血性貧血を疑う．
- 皮膚瘙痒を伴う黄疸は直接ビリルビン優位の黄疸である．
- 黄疸の鑑別に超音波検査は有用である．

〈清澤 研道〉

72歳 男性
出血傾向

現病歴：1週間前から赤色尿が出現．また，皮膚に紫斑，歯肉出血がみられ，来院した．
既往歴：特記すべきことはない．
生活歴：喫煙歴なし．飲酒歴はビール500 mLを週5回程度．薬物服用なし．
家族歴：兄が脳出血で死亡(70歳)．
身体所見：身長167 cm，体重63 kg，体温36.8℃，血圧138/62 mmHg．眼瞼結膜貧血様，黄疸はなし．歯肉出血あり．右側胸部，右下腹部，右殿部，左大腿などに10～40 cm径の紫斑が多発．左肩，右季肋部，右腸骨，胸椎～腰椎に叩打痛あり．頸部リンパ節腫脹なし．心肺に異常所見なく，腹部は平坦・軟で肝・脾を触知しない．神経学的異常所見なし．

問題点の描出

これまで基礎疾患を指摘されていない72歳男性．全身性に出血傾向が出現した．

診断の進め方

特に見逃してはいけない疾患
・播種性血管内凝固(DIC)
・白血病
・再生不良性貧血
・特発性血小板減少性紫斑病
・血友病
・IgA血管炎

頻度の高い疾患
・播種性血管内凝固(DIC)
・白血病
・再生不良性貧血
・特発性血小板減少性紫斑病

この時点で何を考えるか？
医療面接と身体診察を総合して考える点

出血傾向は重症の血液疾患が原因であることが多く，鑑別診断を適切に行って，原因に応じて対応する必要がある．出血傾向には先天性疾患と後天性疾患があるが，今回の症例は高齢で，過去に出血傾向を起こしたことがなく，かつ家系内にも出血傾向の患者がいないことから後天性疾患と考えてよい．
皮膚や粘膜での出血に対する止血は，損傷された血管への血小板の粘着，凝集によって生じる一次血栓によって始まる．さらに血漿中の血液凝固因子が次々に活性化されてフィブリンとなり，強固な二次血栓が形成されて血管の創傷部位を完全に塞ぎ，止血が完了する．そして血管が修復されて完全に止血したあとは，線維素溶解現象(線溶)によって血栓が溶解し，もとの状態に復帰する．
出血傾向は止血の各段階における異常によって発生する．すなわち，止血機構にかかわる，血小板，凝固系，線溶系，血管のいずれかに異常があると止血しにくく，かつ止血するのに長時間かかる．
血小板の減少または機能障害や，血管障害による出血傾向は，一次止血が障害されて皮膚や粘膜などの表在性出血が起こる．血液凝固異常では，二次止血が不完全なために筋肉や関節などに深部出血が起こる．血液凝固異常による二次止血障害や，線溶系の亢進では，いったん一次止血で止血しても，のちに出血することがある(後出血)．
出血傾向の患者に対しては，検査によって止血異常の原因を確定し，さらに止血異常の引き金になる基礎疾患を究明することが重要である．
なお，多発性に骨叩打痛があることは，骨病変の存在を示す．

診断仮説(仮の診断)
・出血傾向

必要なスクリーニング検査

止血異常の原因を調べるうえで，血球検査，血液凝固・線溶系の検査をまず行う．

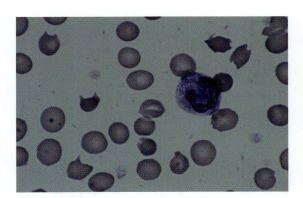

図1　血液塗抹標本
破砕赤血球を認める．

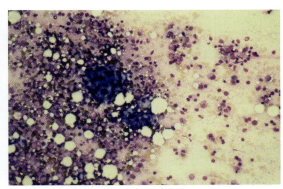

図2　骨髄穿刺検査
腫瘍細胞の集塊を認める．

検査結果

尿検査：蛋白(＋)，糖(－)，潜血(3＋)，沈渣赤血球多数．
血球検査：RBC 266 万/μL，Hb 9.6 g/dL，Ht 27.2%，MCV 102.2 fL，MCHC 35.3%，網赤血球 5.6%，WBC 16,400/μL（骨髄球 3%，後骨髄球 2%，桿状核好中球 4%，分葉核好中球 61%，好塩基球 1%，リンパ球 26%，単球 3%），Plt 9.6 万/μL．
凝固・線溶系検査：PT 15.7 秒，APTT 39.2 秒，フィブリノゲン 124 mg/dL，FDP 80 μg/mL．
血液生化学検査：TP 7.4 g/dL，Alb 4.3 g/dL，AST 22 IU/L，ALT 6 IU/L，LD 1,161 IU/L，ALP 2,187 IU/L，T.Bil 1.8 mg/dL，D.Bil 0.5 mg/dL，γ-GT 16 IU/L，CK 136 IU/L，UN 19 mg/dL，Cr 1.0 mg/dL，UA 6.9 mg/dL，TC 178 mg/dL，LDL-C 120 mg/dL，TG 174 mg/dL，Glu 96 mg/dL．

血球検査所見では，正球性正色素性貧血，核の左方移動を伴う白血球増加（類白血病反応），血小板減少がみられる．血液塗抹標本では，ヘルメット細胞など，赤血球破砕の所見が観察された(図1)．
凝固・線溶系検査からは，PT，APTT がともに延長し，フィブリノゲンの減少，FDP 陽性がみられる．これらの所見は，凝固因子活性低下と，線溶系亢進を示す．
血液生化学検査では，LD 超高値，ALP 超高値，間接ビリルビン(I.Bil)高値がみられるが，肝機能，腎機能には異常がみられない．
以上の所見を総合すると，血小板減少，凝固線溶系異常による出血傾向が考えられる．赤血球減少，核の左方移動を伴う白血球増加，血小板減少は，骨髄抑制を示唆する．さらに，網赤血球の増加と間接ビリ

ルビン高値は，溶血の存在を疑わせる．
これらの結果から，本症例では播種性血管内凝固(DIC)が起こっていると診断される．

> **診断仮説（仮の診断）**
> ・播種性血管内凝固(DIC)

診断確定のために

DIC は，敗血症，外傷，熱傷，白血病など造血器悪性腫瘍，固形癌，産科合併症（常位胎盤早期剥離，羊水塞栓など），重症肝障害，急性膵炎などの基礎疾患に伴って発症する．
本症例では，感染症や熱傷などはなく，肝障害，膵炎の所見もないことから悪性疾患が疑われる．類白血病反応は骨髄で造血抑制が起こっていることを示す．LD 超高値は，造血器悪性腫瘍か固形癌を疑わせる．固形癌の場合には，骨髄に癌が転移する骨髄癌腫症を考える．また，ALP 超高値は，癌の骨転移を示唆する．
そこで診断を確定するには，骨髄穿刺検査が必須となる．癌の骨転移の診断は，骨シンチグラフィーやPET 検査が有用であるが，本症例では重症のため実施できなかった．

追加検査

> 骨髄穿刺検査：集塊を形成した腫瘍細胞が散見され，造血細胞が減少していた(図2)．

診断　骨髄癌腫症による播種性血管内凝固(DIC)

骨髄癌腫症は，胃癌，乳癌，肺癌，前立腺癌など

で発生する．本症例は高齢の男性であり，腫瘍マーカーとして前立腺特異抗原(PSA)を測定したところ，16 ng/mL と高値であった．

最終診断 前立腺癌骨転移，播種性血管内凝固（DIC）

治療の基本方針

DIC は種々の原因によって血液凝固能が亢進して多発性に血栓が形成され，それに続いて血小板や血液凝固因子が消費されて出血傾向を起こすという，複雑な病態を発症する．このため，血液凝固を抑制して血栓形成を防ぐとともに，血小板や血液凝固因子を適宜補充することが重要である．

DIC の治療方針は，抗凝固療法と血小板や血液凝固因子の補充療法で出血傾向に対処するとともに，基礎疾患に対する治療を行うことにある．ただし，骨髄癌腫症による DIC はきわめて重症で，基礎疾患の治療そのものは困難なことが多い．

本症例でも抗凝固療法を実施して出血傾向は軽減したものの，全身に転移した前立腺癌に対しては根治療法が行えず，救命できなかった．

アナザーストーリー

もし患者が女性だったら

DIC を伴う骨髄癌腫症として，胃癌，乳癌，肺癌などを鑑別する必要がある．

また，妊娠女性では産科合併症に伴う DIC に注意する．

診断に至る思考プロセス

重症な疾患に伴う出血傾向に対しては，止血異常の原因と基礎疾患の鑑別診断を的確かつ速やかに進め，出血を阻止する治療と，基礎疾患の治療を並行して行う．

クリニカルパール

- DIC は血栓形成と血液凝固異常という一見すると相矛盾する病態を形成する．複雑な病態に対応するため，血液凝固を抑制するとともに，血小板や血液凝固因子を適宜補充することが治療の方針になる．

〈奈良 信雄〉

37歳 男性
息切れ，全身倦怠感

現病歴：1年ほど前から，歩行時に息切れを感じるようになった．様子をみていたところ，息切れが徐々に増悪し，全身倦怠感も出現するため受診した．
既往歴：6年前に胃癌のために胃全摘手術を受けている．
生活歴：手術後は食事回数を増やして少量ずつ摂取している．喫煙歴は30本/日，飲酒歴なし．
家族歴：父親が50歳で脳出血で死亡．
身体所見：身長169 cm，体重45 kg，体温36.0 ℃，脈拍92回/分（整），血圧112/56 mmHg．眼瞼結膜貧血様，眼球結膜黄疸はなし．頸部リンパ節を触知しない．収縮期心雑音を聴取，呼吸音は清明で副雑音はない．腹部は平坦・軟で，手術痕を認める．肝・脾は触知しない．両側下腿に軽度浮腫あり．神経学的異常所見なし．

問題点の描出

6年前に胃全摘手術を受けている37歳男性．息切れと全身倦怠感を訴えている．

診断の進め方

特に見逃しては いけない疾患	頻度の高い疾患
・心不全 ・呼吸不全 ・腎不全 ・貧血 ・癌再発	・心不全 ・呼吸不全 ・貧血

この時点で何を考えるか？
医療面接と身体診察を総合して考える点

胃癌による胃全摘出術を受けた患者で，息切れと全身倦怠感が主訴になっている．

喫煙歴もあり，慢性呼吸器疾患を否定する必要があるが，胸部診察で異常所見は認めないので，否定的である．年齢にしては脈拍数がやや多く，収縮期心雑音，下腿浮腫の存在から慢性心不全は否定できない．

今回の患者は胃全摘手術を6年前に受けており，体重減少があることから，食事内容に問題があって貧血を生じている可能性が高い．収縮期心雑音と浮腫は慢性の貧血による心不全と考えられる．

貧血は血液検査で簡単に診断できる．貧血の原因は胃全摘に伴うビタミンB_{12}欠乏と鉄欠乏が考えられるが，血液生化学検査で鑑別できる．心不全の有無は心電図検査，心臓エコー検査，血漿ナトリウム利尿ペプチド（BNP）測定で確認できる．癌の再発や骨髄転移の可能性も否定できないが，手術後6年を経過しており，必要に応じてCT検査，MRI検査，PET検査を加える．

診断仮説（仮の診断）
・貧血 ・慢性心不全 ・癌の再発 ・慢性呼吸器疾患

必要なスクリーニング検査

貧血の診断と分類のために，血球検査，血液生化学検査を行う．心不全と呼吸不全の除外には，スクリーニング検査として胸部X線検査，心電図検査を行う．

検査結果

尿検査：蛋白（−），糖（−），潜血（−）．
血球検査：RBC 106万/μL，Hb 5.0 g/dL，Ht 14.8%，MCV 139.1 fL，MCHC 33.8%，網赤血球1.6%，WBC 5,100/μL（後骨髄球1%，分葉核好中球81%，リンパ球18%），Plt 14.9万/μL．血液塗抹標本で好中球の核分葉を認める（図1）．
血液生化学検査：TP 6.1 g/dL，Alb 4.0 g/dL，AST 34 IU/L，ALT 20 IU/L，LD 4,938 IU/L，ALP 122

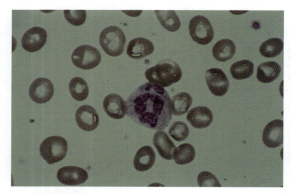

図1 血液塗抹標本
好中球の核過分葉を認める.

IU/L, γ-GT 6 IU/L, T.Bil 1.5 mg/dL, D.Bil 0.3 mg/dL, UN 15 mg/dL, Cr 0.6 mg/dL, UA 3.0 mg/dL, TC 78 mg/dL, TG 53 mg/dL, Glu 200 mg/dL, Fe 140 μg/dL, TIBC 219 μg/dL.

血液検査から高度の<u>大球性正色素性貧血</u>があり, 好中球の<u>核過分葉</u>を認めることから<u>巨赤芽球性貧血</u>の可能性が高いと判断される. 血清鉄, 総鉄結合能(TIBC)には異常がないことから鉄欠乏は否定的であるが, 赤血球造血低下によってマスクされている可能性は否定できない.

胸部X線検査では心肥大を認める以外には問題なく, 収縮期心雑音と浮腫は高度の貧血に伴う心不全のためと考えられる.

なお, 検査は通常の外来診療のため食後に採血されており, 胃全摘の影響で血糖値が高値になっている. 血清総蛋白, 総コレステロールは低値で, 栄養状態がよくなく, 体重減少につながっていると考えられる.

診断仮説(仮の診断)
・巨赤芽球性貧血

診断確定のために

ビタミンB_{12}や葉酸が欠乏すると細胞のDNA合成が障害され, 細胞核の成熟が遅れる. 一方では細胞質の成熟は遅れないため, <u>核と細胞質の成熟乖離</u>が起こり, その結果として赤芽球が大型の巨赤芽球となり, 赤血球も大球性となる. また, 白血球にも形態異常が起こり, 核の過分葉がみられる. この状態をきたす貧血を巨赤芽球性貧血と総称する. 巨赤芽球性貧血では骨髄内で<u>無効造血</u>が起こり, LD高値や間接ビリルビン高値のみられることが多い. 今回の症例でもLDが超高値になり, 間接ビリルビンも軽度に上昇している.

巨赤芽球性貧血は, <u>ビタミンB_{12}欠乏, 葉酸欠乏</u>, プリン代謝拮抗薬などの薬物投与, Lesch-Nyhan(レッシュ・ナイハン)症候群などの先天性異常などで発症する. そこで, 原因を鑑別するためにビタミンB_{12}, 葉酸を測定する.

追加検査

巨赤芽球性貧血の検査：ビタミンB_{12} 120 pg/mL, 葉酸 10.2 ng/mL, 抗内因子抗体 陰性.

検査の結果, 血清葉酸には異常がなく, ビタミンB_{12}が著しく欠乏していることが確認され, 巨赤芽球性貧血はビタミンB_{12}欠乏によるものと診断される.

ビタミンB_{12}は一部の微生物によって合成され, 動物性食品にしか含まれない. 食事で摂取したビタミンB_{12}は, 唾液や胃液中の<u>R蛋白(ハプトコリン)</u>と結合して十二指腸に入り, 膵液の蛋白分解酵素によって分解される. 分離したビタミンB_{12}は, 胃壁細胞から分泌される<u>内因子</u>と結合して内因子-B_{12}複合体を形成する. そして回腸末端部で内因子受容体を介して吸収される. 吸収されたB_{12}はトランスコバラミンIIと結合して血中に放出され, 肝臓に輸送される. 細胞内に取り込まれたビタミンB_{12}は補酵素型に転化されてホモシステインからメチオニンの転換に関与し, この際に生成されるテトラヒドロ葉酸塩(FH_4)がDNA合成にかかわる.

ビタミンB_{12}の欠乏は, 摂取不足, 吸収障害, トランスコバラミンII欠損症などで起こり, 完全菜食主義者(vegan), 胃全摘後, 悪性貧血のほか, 吸収不良症候群, Crohn(クローン)病, 盲管部蹄症候群, 広節裂頭条虫症などが原因になる. このうち, 胃全摘後と抗内因子抗体や抗胃壁細胞抗体による自己免疫疾患としての悪性貧血が頻度として多い. 今回の症例では胃が全摘されており, 内因子が分泌されないためにビタミンB_{12}が欠乏したと診断できる. 念のために検査した抗内因子抗体は陰性であった.

なお, 葉酸も細胞内でDNA合成に必要な補酵素として働き, 欠乏すると巨赤芽球性貧血を発症する. ただし, 葉酸は新鮮な緑黄色野菜, 果物, 動物性食品などに含まれ, わが国の食生活で不足することは少なく, アルコール依存症, 妊娠などの際にみられる程度である.

診断 ビタミン B₁₂ 欠乏性貧血

治療の基本方針

　胃全摘後や悪性貧血によるビタミン B₁₂ 欠乏症に対しては，経口でビタミン B₁₂ を投与しても吸収できず，効果がない．筋注などで非経口的にビタミン B₁₂ 製剤を投与する．

　初診時には血清鉄は異常がなかったが，ビタミン B₁₂ 投与開始 2 か月後には Fe 27 μg/dL，TIBC 425 μg/dL となった．これは胃全摘後に潜在的に鉄が欠乏しており，ビタミン B₁₂ が利用されて赤血球産生が高まった結果，鉄が利用されて鉄欠乏状態が顕性化したと考えられる．このとき網赤血球も 29.0% と増加しており，著明な赤血球造血の亢進を裏づける．

　そこで，ビタミン B₁₂ 製剤の筋注を行うとともに，経口で鉄剤を投与し，ビタミン B₁₂，Fe はともに増加した．治療開始 5 か月後には RBC 525 万/μL，Hb 15.3 g/dL，Ht 46.8%，網赤血球 0.9%，MCV 89.1 fL，MCHC 32.8% と改善が認められた．以降は，ビタミン B₁₂ 製剤の筋注を 2〜3 か月に 1 度の割合で定期的に続けるとともに，検査結果に応じて鉄剤を補充している．

アナザーストーリー

もし患者が手術後でなかったら

　悪性貧血は抗内因子抗体や抗胃壁細胞抗体を検査し，陽性の場合には診断される．

　完全菜食主義者では食生活を確認し，十分に貧血の原因を説明したうえで，食生活の改善か，ビタミン剤

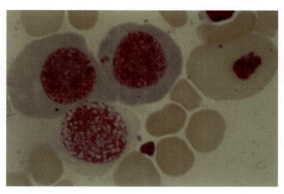

図2　骨髄穿刺検査
巨赤芽球を認める．

の内服をすすめる．

診断に至る思考プロセス

　胃全摘後の患者で大球性正色素性貧血を認めた場合には，ビタミン B₁₂，葉酸，抗内因子抗体を検査して診断を確定する．骨髄穿刺検査を行うと，核のクロマチン構造が繊細で大型の巨赤芽球や，巨大後骨髄球などの所見を認める（図2）．ただし，血液検査などで確定診断できるので，あえて負担のある骨髄穿刺検査まで行うことの必要性は少ない．

クリニカルパール

　ビタミン B₁₂ は肝臓など体内に 2〜5mg 貯蔵されている．胃全摘によってビタミン B₁₂ が吸収されなくなると，毎日約 3 μg のビタミン B₁₂ が消費されるので，術後 3〜5 年でビタミン B₁₂ が枯渇して巨赤芽球性貧血を発症する．これを防ぐためには，ビタミン B₁₂ 製剤を非経口的に生涯投与しなければならない．

〈奈良　信雄〉

91歳 女性
反応が鈍い

現病歴：午前4時頃に施設の職員が声をかけた際には反応があったが，午前7時前に訪室した際には反応に乏しく，近医に往診を依頼した．診察を経て，意識障害・両側縮瞳の情報で救急搬送となった．高血圧にて加療中．
既往歴：右大腿骨転子部骨折術後，第5腰椎圧迫骨折，腸閉塞．
生活歴：4年前より老人施設入所中．歩行器を用いて施設内の移動は可能であった．
家族歴：特記すべきことはない．
身体所見：意識障害（JCS Ⅲ-100），血圧116/70 mmHg，脈拍60回/分，呼吸数18回/分・正常振幅．瞳孔2 mm径と両側縮瞳．用手開眼後しばらくの開眼保持あり，眼位はほぼ正中だが，水平性の眼球彷徨あり．drop testでは左が速く，しかし両側とも比較的速やかに落下する．四肢の深部腱反射は両側とも強めで，両側Babinski（バビンスキー）反射陽性．痛み刺激に右手で振り払うような仕草は認める．

問題点の描出

反応の低下を認め，老人施設から救急搬送となった患者．意識障害と四肢不全麻痺を認める．両側瞳孔は縮瞳していた．

診断の進め方

特に見逃してはいけない疾患	頻度の高い疾患
・くも膜下出血 ・脳梗塞 ・脳出血 ・低血糖 ・中毒（有機リン，麻薬） ・肝性脳症 ・脳炎	・脳梗塞 ・橋出血 ・低血糖 ・てんかん ・認知症，睡眠覚醒障害

この時点で何を考えるか？
医療面接と身体診察を総合して考える点

　四肢不全片麻痺と昏迷から半昏睡程度の意識障害で，刺激による除脳硬直肢位や除皮質硬直肢位の誘発はなく，両側縮瞳を呈していた．drop test陽性と思われ，両側Babinski徴候を認める点から，左に強い四肢不全麻痺を呈しているものと推察された．特記すべきは両側縮瞳を呈している点で，瞳孔散大にかかわる交感神経路の両側性の障害の可能性が示唆された．橋出血で両側縮瞳をきたすことはよく知られているが，血圧の上昇は乏しく比較的穏やかな印象であり，早朝睡眠時発症と思われる点からは否定的に思われた．橋，両側視床などの上位脳幹・間脳の虚血性脳血管障害の可能性が疑われる．

　意識障害，両側縮瞳という切り口からは，中毒の可能性も鑑別には挙がるものの，老人施設入所中の高齢者であることを考えると否定的と思われる．神経症候で病巣特異的な徴候が目立たない際には，代謝性あるいは全身的な要因，さらにはくも膜下出血などの可能性も鑑別のリストに加えて，除外診断を進めるべきである．特にファーストタッチの際には意識障害を呈する疾患をある程度広範に想定する必要があり，発症時の状況を知る人からの病歴聴取も肝要である．

診断仮説(仮の診断)

- **脳梗塞**
- 橋出血
- 非けいれん性てんかん
- くも膜下出血

必要なスクリーニング検査

　意識障害をきたしうる全身性および代謝性要因については，念のため生化学的検査でチェックしておく必要がある．低血糖，高アンモニア血症，ビタミンB群欠乏症は状況によって考慮すべき項目となる．頭部CTもしくは頭部MRI画像検査で脳の器質的病態

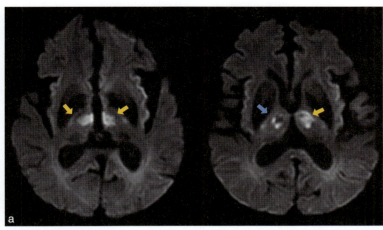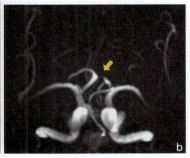

図1 受診時頭部MRI
a：両側視床は拡散強調画像にて高信号に描出される（黄矢印）．右視床は一部に陳旧性梗塞を含む（青矢印）．b：MRアンギオグラフィーでは，左後大脳動脈（PCA）近位の脳底交通動脈部分に信号欠如を認め（矢印），左PCAは後交通動脈から主に灌流されている．

の評価を実施することが必要である．

検査結果

血液・生化学・凝固所見：WBC 4,500/μL，RBC 336万/μL，Hb 11.4 g/dL，Plt 16.5万/μL，PT 14.8秒，APTT 26.2秒，BUN 11.9 mg/dL，Cr 0.67 mg/dL，eGFR 60.9 mL/分/1.73 m²，Na 135 mmol/L，K 3.7 mmol/L，Cl 98 mmol/L，脂質系正常，BS 161 mg/dL，NH₃ 54 μg/dL，CRP 0.14 mg/dL．
心電図：心拍数64回/分，洞性調律．
受診時頭部MRI：図1a, b

　検査データからは，意識障害の原因として低血糖や肝性脳症の可能性は否定的であった．心電図上，洞性調律であったことは，病態を推察するうえで重要である．MRIでは両側視床に虚血性病変を認め，画像上の特徴からは二期的に経過したものであることがうかがわれた．

診断仮説（仮の診断）
・両側視床梗塞

診断確定のために

　画像検査までの過程で，ほぼ診断確定は可能だが，検査後にさらに画像から得られた情報と身体所見との突合・整合性の確認を行うべきである．それによって責任病巣としての確信を得ることができる．視床は中継核としての性格から，その障害によって遠隔作用としての失語や無視などの皮質症状を呈することもある．また，意識障害は意欲低下や覚醒障害の遷延という形をとることも多い．視床もしくは視床下部には，第一次の瞳孔散大中枢があり，その障害によって同側性の縮瞳を生じうる．

　本例では，やや変動する意識障害，両側Babinski徴候陽性の四肢不全麻痺および両側縮瞳が目立つ所見であり，描出された両側視床病変はその責任病巣として合致するものと思われる．また，眼球彷徨は脳幹障害のない証左でもある．視床に向かう傍正中の穿通枝である視床下部動脈はその起始部にバリエーションがあることが知られており，一側の脳底交通動脈（P1）から左右別々にあるいは共通幹として起始するものが半数近くに及ぶという報告もある．本症例もそのようなバリエーションの可能性が示唆される．心房細動などの合併はなく，左P1血栓性閉塞と推察した．

診断 両側視床梗塞，アテローム血栓性梗塞

治療の基本方針

　アテローム血栓性梗塞の診断にて，虚血巣拡大の防止と安定化をはかる．抗トロンビン薬のアルガトロバンの持続点滴を開始，フリーラジカルスカベンジャーとして脳保護作用の期待できるエダラボン投与を併用する．意識障害のため経口摂取は不能であり，支持療法として輸液を実施して全身状態の維持に努め，リハビリテーションの早期介入をはかる．

アナザーストーリー

もし意識障害と両側縮瞳に，流涎や徐脈を伴っていたら

意識障害と両側縮瞳という組み合わせで，患者が老人施設入所中の高齢者ではなく，さらには流涎や徐脈に血圧低下などを伴っていた場合を考える．このような状況ではアセチルコリン過剰による中毒症状のほかに，たとえば農薬撒布中の事故であれば有機リン中毒を，電車内で突然倒れ運び込まれたということならばかつての地下鉄サリン事件を彷彿させる．

もし心房細動を合併していたら

塞栓由来の脳底動脈先端症候群というとらえ方も1つの可能性として考えられ，出血性梗塞をきたす可能性にも留意しつつ慎重な経過観察が必要となる．

診断に至る思考プロセス

障害臓器の推察や病巣の局在診断から病名の確定，病態の推察などと，診断確定までには複数のプロセスが含まれ，密接に関連している．まずは病歴や身体所見の取得をヒントに探索を深めていく，推論を打ち立てながら関連する情報を迅速に集めていかなければならない．

本例は，さまざまな合併症や基礎疾患を有する施設入所の高齢者であり，加齢とともに増加する動脈硬化性疾患や認知症などとの関連も想起される．そのなかで，緊急性のある病態や頻度の高い病態に的を絞ってまずは対応していくこととなる．脳血管障害の可能性は強く疑われ，画像と身体所見を行き来しながら確信を深めていく作業が重要となる．

クリニカルパール

- 意識障害時には瞳孔の診察は必須であり，診断にとって有効なヒントとなる．
- 両側性でも局在徴候としてとらえられる場合がある．
- 全身的な病態の関与も鑑別に残し，総合的にその蓋然性を検討する必要がある．

〈山形 真吾〉

63歳 男性
突然の声がれ

現病歴：4か月前から咳嗽を自覚していたが放置していた．2週間前に突然の声がれを自覚し，周囲から指摘されるようになった．精査を希望して受診した．
既往歴：特記すべきことはない．常用薬なし．
生活歴：22歳より公務員．粉塵曝露なし，アスベスト吸入なし．喫煙歴20～63歳，20本/日．飲酒歴はビール350mLを週5回程度．
家族歴：特記すべきことはない．
身体所見：意識は清明．身長164cm，体重70kg（体重減少：6か月で2kg減少），体温36.0℃，脈拍72回/分（整），血圧112/76mmHg，呼吸数15回/分，SpO_2 98%（室内気）．発声時に嗄声を認める．頸部リンパ節を触知しない．咽頭・扁桃・口腔内は異常なし．心音に異常を認めない．呼吸音は正常で左右差を認めない．腹部は平坦・軟で肝・脾を触知しない．ばち状指なし．下肢に浮腫なし．体表に明らかな外傷・手術痕はない．

問題点の描出

既往のない63歳の男性．突然発症した嗄声によって受診．喫煙者．身体所見では明らかな異常を認めない．

診断の進め方

特に見逃してはいけない疾患	頻度の高い疾患
・反回神経麻痺（喉頭癌，肺癌，食道癌，縦隔腫瘍） ・神経疾患（重症筋無力症など）	・上気道炎 ・急性・慢性喉頭炎 ・喉頭異物 ・声帯ポリープ ・外傷

この時点で何を考えるか？
医療面接と身体診察を総合して考える点

嗄声（hoarseness，かれ声）は音声障害のうちの1つで，両側声帯がうまく合わないのか，両側声帯間に異物が挟まっていないか，声帯の質的変化をきたしていないか確認する．特に反回神経麻痺の存在は重大な病気が潜んでいる可能性がある．発症に心理的なストレスが影響している際などは機能性音声障害も疑う．医療面接により原因疾患を推定していくことが重要であり〔症候・病態編「嗄声」の表2参照（☞416ページ）〕，鑑別診断を念頭に丹念に聴取していく必要がある．

この患者では会話を行うための聴力は問題なく，難聴による構音障害は否定的である．先天性疾患の既往はない．反回神経麻痺をきたす頸部や胸部の手術や外傷を認めず，気管挿管の既往や喉頭の感染，脳血管障害や神経・筋疾患の既往もない．急性の発症ではあるが，発熱や咽頭痛などの上気道炎症状は認めない．心理的ストレスなどのきっかけは認めない．癌などを考慮すべき年代で，体重減少も伴うことから悪性腫瘍は鑑別に挙げるべきである．声を多く用いる職業ではないが，喫煙者で喉頭炎や喉頭癌は鑑別に挙がる．吸入薬物の使用はなく，薬物使用による影響の可能性は低い．

以上の点から，喉頭の疾患や反回神経麻痺をきたす腫瘍性疾患の可能性が高いと考えられる．

診断仮説（仮の診断）
・反回神経麻痺（喉頭癌，肺癌，食道癌，縦隔腫瘍）
・急性・慢性喉頭炎
・喉頭異物
・声帯ポリープ
・神経疾患（重症筋無力症など）
・外傷
・上気道炎

必要なスクリーニング検査

嗄声の原因検索として，内科外来では間接喉頭鏡による声帯の観察を行う．反回神経麻痺をきたす腫瘍の

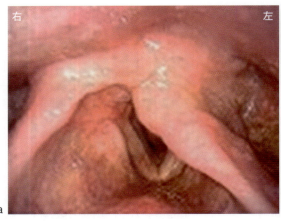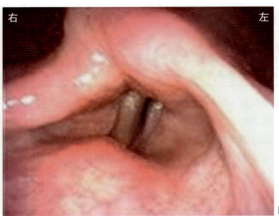

図1 喉頭ファイバースコープ所見
a：吸気時．左側は外転位で固定されており，弓状弛緩を認める．
b：発声時．左側の声帯が閉塞できず，右側の声帯が過内転している．

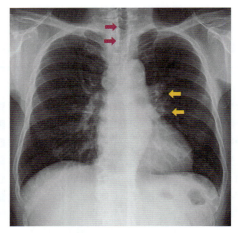

図2 胸部 X 線写真
気管の左側偏移（赤矢印）および左肺門部腫瘤（黄矢印）を認める．

検索のため胸部 X 線写真を撮影する．全身状態の評価のため血球検査，血液生化学，免疫学的検査を行う．

必要に応じて耳鼻咽喉科による喉頭ファイバースコープでの詳細な咽喉頭の観察や胸部 CT の施行，腫瘍マーカーの測定や喀痰細胞診，培養検査も提出する．

検査結果

間接喉頭鏡検査：明らかな喉頭異物なし．左声帯が副正中位で固定し，左反回神経麻痺を認める．
胸部 X 線写真：左肺門部に腫瘤影を認める．
血液・血液生化学・免疫学所見：明らかな異常なし．

間接喉頭鏡検査で異常を認めたため，耳鼻咽喉科による喉頭ファイバースコープを実施し，左反回神経麻痺と診断した（図1）．胸部 X 線写真で左肺門部に腫瘤影を認めた（図2）．腫瘍性病変を疑い胸部 CT を実施したところ，左肺下葉 S_6 領域に結節および左肺門および両側縦隔リンパ節の著明な腫大を認め，原発性肺癌を疑った（図3）．

診断仮説（仮の診断）
・原発性肺癌

診断確定のために

気管支鏡検査を行った．気管支内腔超音波断層法によるリンパ節生検を実施し，縦隔リンパ節から組織を採取した．検体から腺癌の病理学的診断を得た．

診断　肺腺癌

治療の基本方針

頭部造影 MRI，FDG-PET/CT などで病期を確定する．進行非小細胞肺癌であれば，採取した組織にてドライバー遺伝子変異の有無および PD-L1 の発現を確認する．

この患者の臨床病期は cT1cN2M1b stage IVA であり，ドライバー遺伝子変異は検出せず，PD-L1 発現は75％であった．

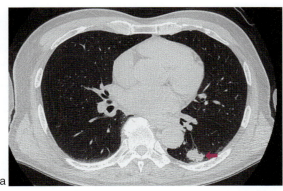
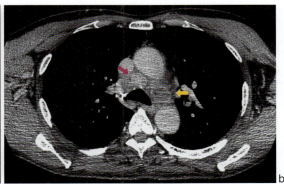

図3 胸部CT
a：肺野条件．左肺下葉 S_6 領域に 15×22 mm 大の結節を認める（矢印）．
b：縦隔条件（造影 CT 静脈相）．右下部気管傍リンパ節（赤矢印）および左下部気管傍リンパ節（黄矢印）の腫大を認める．

アナザーストーリー

もし反回神経麻痺を認めなかったら

耳鼻咽喉科によるさらに詳細な評価が必要と考える．質問紙法である Voice Handicap Index（VHI）や Voice‒Related Quality of Life（V‒RQOL）での自覚的評価に加え，ストロボスコピーで声帯運動と粘膜波状運動を観察する．必要に応じて最長発声持続時間（maximum phonation time；MPT）や発声時平均呼気流率（mean flow rate；MFR），声域検査，声の強さ測定，声門下圧測定を実施する．

診断に至る思考プロセス

嗄声の原因を検索するうえで，腫瘍による反回神経麻痺の可能性は常に念頭におくべきであり，画像検査や耳鼻咽喉科による専門的な診察を速やかに行った．

クリニカルパール

- 「嗄声」の原因は多岐にわたるため，医療面接による詳細な情報収集が必要である．
- 「嗄声」を主訴に来院した場合は，間接喉頭鏡によるスクリーニングと喉頭ファイバースコープによる耳鼻咽喉科における診察を考慮する．
- 反回神経麻痺を認める場合，腫瘍性病変の有無を評価するため胸部 X 線および胸部 CT の実施を考慮する．

〈立石 一成，花岡 正幸〉

73歳 男性
食欲不振

現病歴：4か月前から食欲不振と嘔吐があり，体重が26kg減少したとの訴えで受診した．腹痛はない．
既往歴：20年前に脳幹梗塞．後遺症なし．降圧薬・抗血小板薬を服用していたが10年くらい服薬していない．造影剤アレルギーあり．
生活歴：飲酒（－），喫煙（＋），20歳より1日15本．
家族歴：特記すべきことはない．
身体所見：身長178cm，体重64.7kg，体温36.7℃．結膜貧血なし．腹部平坦，圧痛・自発痛なし．

問題点の描出
4か月前から食欲が低下した結果，26kgの体重減少をきたした症例．食欲低下の原因は過食時のつかえ感・嘔吐のためらしい．

診断の進め方

特に見逃してはいけない疾患
- 消化器的要因として，上部消化管通過障害をきたす疾患（胃癌・十二指腸癌など）
- 非消化器的要因として，比較的長い経過で食欲不振・体重減少をもたらす疾患（内分泌疾患，精神神経疾患など）

頻度の高い疾患
- 胃癌などの消化管悪性腫瘍
- 腸閉塞
- 肝機能異常・糖尿病ほかの代謝疾患

この時点で何を考えるか？
医療面接と身体診察を総合して考える点

悪性疾患を念頭に上部消化管の通過障害の有無を第一に検索する．
体重減少・食欲不振をきたす全身疾患・代謝疾患がないかどうか，血液・生化学的検索を行う．

診断仮説（仮の診断）
- 上部消化管通過障害（癌をはじめとする狭窄病変）
- 除外診断として上記非消化管疾患

必要なスクリーニング検査
- 血液・生化学検査（貧血・低栄養の有無，肝機能異常・電解質異常の有無）．
- 上部消化管内視鏡検査．
- 腸閉塞除外のための胸腹部CT．

検査結果
血液所見：WBC 10,900/μL，RBC 412万/μL，Hb 11.3g/dL，Plt 34.5万/μL，TP 5.5g/dL，Alb 3.2g/dL，Fe 27μg/dL，TC 129mg/dL，TG 81mg/dL，FPG 103mg/dL，HbA1c 5.1%，TSH 3.02μU/mL，free T_4 1.5ng/dL，CEA 1.4ng/mL，CA19-9 15.1U/mL．
胸腹部CT検査：胃壁肥厚，胃内食物残渣，胃壁周囲リンパ節腫大，腹膜結節（図1）．
上部消化管内視鏡検査：胃内に食物残渣を伴うスキルス胃癌（図2）．

診断確定のために
CT・上部消化管内視鏡検査にて胃癌（生検結果：Group 5，低分化腺癌）による通過障害と診断．胃周囲リンパ節転移と腹膜播種も認められ，治癒切除不能進行胃癌と診断した．

診断 腹膜播種・リンパ節転移を有するスキルス胃癌

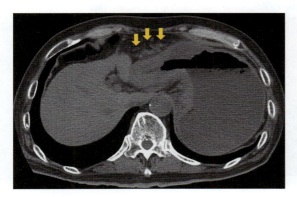

図1　CT 所見
胃体部-前庭部の壁肥厚・内腔狭窄，胃体上部・穹窿部の食物残渣貯留，胃前面のリンパ節・腹膜結節(矢印)がみられる．

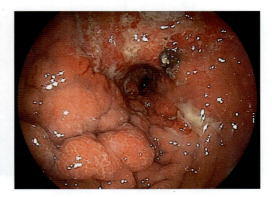

図2　上部消化管内視鏡
胃体下部から前庭部にかけての巨大皺襞・粘膜不整びらん・内腔狭小化がみられる．

治療の基本方針

　腹膜播種という非治癒因子を有する根治切除不能胃癌であるが，狭窄による経口摂取および服薬不能があるため姑息手術を行い，術後に化学療法を導入する．

　本症例は胃全摘・空腸パウチ Roux-Y 再建を行った．術後病理は MUL, Circ, Type 4, 140×110 mm, por 2 > tub 2, pT4a, pN3b, pM1 (P1, CY1), pStage IV であった．

　HER2 陰性胃癌であり，術後1か月からニボルマブ＋XELOX(オキサリプラチン＋カペシタビン)療法を開始している．

アナザーストーリー

もし患者の通過障害が軽度であれば

症例2　70歳，男性．2週間前から食欲不振・悪心があり仰臥位で心窩部重苦感があり側臥位で寝るようになったとして受診．採血にて貧血・低蛋白・低栄養あり．
上部消化管内視鏡：5型胃癌，幽門狭窄あり．
CT検査：多発胃癌・幽門狭窄，肝転移・リンパ節転移(図3)．

　本症例は狭窄が軽度であり，非切除のまま全身化学療法を行った．

　HER2 陽性胃癌であり，治療が比較的奏効し4年2か月生存中である(図4)．

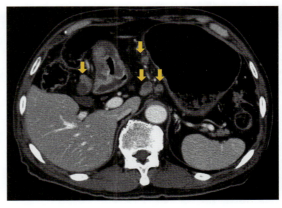

図3　CT 所見
胃前庭部の壁肥厚と内腔狭小(範囲は狭い)，胃周囲リンパ節多発腫脹(矢印)がみられる．

診断に至る思考プロセス

　食欲不振の原因が過食時の悪心・嘔吐のため，「食が細くなった」という情報を医療面接で聞き取り，体重減少・低栄養が消化管通過障害によるものか否かを判断して効率のよい検査につなげることができる．

クリニカルパール

- 消化器症状がある場合には有効な医療面接とともに上部消化管内視鏡ならびに CT・超音波検査などの画像診断で病態を迅速に診断し，治療方針を立てることが必要である．

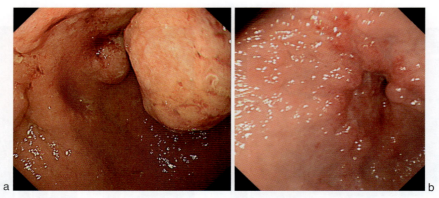

図4 治療経過
a：不整形腫瘤・潰瘍性病変による幽門狭窄（5型胃癌）がみられる．
b：4年後．化学療法による腫瘤・癌性潰瘍の縮小（癌細胞は残存している）を認める．

- 根治切除不能進行胃癌であっても，症状に応じて治療方針を検討する．

〈目黒 高志〉

43歳 男性
吐血

現病歴：前日の就寝前に日本酒を3合程度飲酒した．朝目が覚めてすぐに1回嘔吐し，その後に多量の鮮血の吐血を認めたため，救急搬送となった．
既往歴：特記すべきことはない．上部消化管内視鏡検査の施行歴はない．
生活歴：喫煙歴なし．飲酒歴は日本酒3合をほぼ毎日．
家族歴：特記すべきことはない．
身体所見：意識は清明．身長171 cm，体重52 kg，脈拍113回/分（整），血圧80/55 mmHg，呼吸数24回/分，S_pO_2 100%（room air）．眼瞼結膜に貧血はなく，眼球結膜に黄染を認めない．心音，呼吸音に異常を認めない．腹部は軽度膨満あるが軟で，肝・脾を触知しない．

問題点の描出

飲酒の習慣のある43歳男性．嘔吐後に出現した吐血によって救急搬送され，搬送直後は収縮期血圧80 mmHgのショック状態である．

診断の進め方

特に見逃してはいけない疾患
・食道静脈瘤破裂
・胃静脈瘤破裂
・悪性腫瘍（食道癌，胃癌）

頻度の高い疾患
・消化性潰瘍（出血性胃・十二指腸潰瘍）
・Mallory-Weiss（マロリー・ワイス）症候群
・急性胃粘膜病変

この時点で何を考えるか？
医療面接と身体診察を総合して考える点

吐血で受診した患者に対しては，まずその緊急性を第一に考える必要がある．

今回の症例の場合は，収縮期血圧80 mmHgと低下を認め，出血性ショックの可能性が考えられる．その場合は，まず迅速に静脈路の確保を行い，循環動態を維持するために輸液投与を行う．また，必要に応じて輸血が可能な留置針を選択して複数の末梢静脈路，場合によっては緊急で中心静脈カテーテルを留置する場合もある．静脈路の確保の際には同時に採血を行い，現在の貧血の程度を確認し，血中尿素窒素（UN）/クレアチニン（Cr）比から出血部位などを想定する．

出血源の同定と止血処置を急ぐため，輸液や輸血で血圧が維持できる状況であれば，緊急内視鏡の準備を進める．なお，造影CT検査は，出血点同定や活動性出血の有無，静脈瘤の有無，その他併存疾患などの事前情報が得られるため，速やかな撮像が可能な施設であれば内視鏡の前に施行することを考慮すべきである．

今回の症例では，嘔吐後の吐血というMallory-Weiss症候群の典型的な経過ではあるが，1日あたりの飲酒量も多いことから，アルコール性肝硬変に伴う食道静脈瘤破裂，胃静脈瘤破裂なども鑑別疾患として念頭におく必要がある．

そのほか，吐血の原因となる頻度の高い疾患として，消化性潰瘍，急性胃粘膜病変（acute gastric mucosal lesion；AGML），消化管悪性腫瘍などが考えられる．

消化性潰瘍については，ときに急激な出血を伴う場合がある．その原因となる非ステロイド性抗炎症薬（NSAIDs）の内服歴，*Helicobacter pylori* の除菌歴，また過去の内視鏡検査歴などを医療面接の際に確認することが大切である．

AGMLは「胃粘膜面に急性の異常所見，すなわち明らかな炎症性変化，出血，潰瘍性変化（びらん，潰瘍）が観察されるもの」と定義され，アルコールやストレスが原因と考えられている．吐血や下血の原因となりうるが，緩徐な粘膜出血であることが多い．

消化管悪性腫瘍は，ときに出血を伴い，吐下血がきっかけで発見されることがある．内視鏡検査で診断されるが，造影CT検査では消化管の不整な壁肥厚や造影効果として同定されうる．

今回の症例は，嘔吐後の吐血というエピソードから，Mallory-Weiss症候群を第一に疑った．ただし，NSAIDsの内服歴はないものの，*Helicobacter pylori*の検査歴，除菌歴がないため，消化性潰瘍の可能性や，急激な出血をきたす静脈瘤性出血の可能性も否定はできないと考えられた．輸液により収縮期血圧110mmHgまで上昇したため，造影CT検査後に上部消化管内視鏡検査を行うこととした．

> **診断仮説（仮の診断）**
> ・Mallory-Weiss症候群
> ・消化性潰瘍
> ・食道静脈瘤，胃静脈瘤破裂
> ・急性胃粘膜病変

必要なスクリーニング検査

貧血の程度，UN/Cr比，肝硬変の有無などを確認するため，血液検査をオーダーする．なお，出血性ショックを呈している場合など，失血量が多いことが予想される場合は，輸血が必要になる可能性を念頭において血液型も調べておく．

先述のごとく，造影CT検査から得られる情報も多いため，可能であれば内視鏡検査に先立って造影CT検査を行うことも考慮する．

検査結果

> **血液所見**：WBC 11,900/μL，RBC 428万/μL，Hb 14.0g/dL，Ht 40.7%，MCV 95.1%，Plt 30.5万/μL，PT 107.8%，APTT 23.1秒，TP 6.3g/dL，Alb 4.0g/dL，AST 47U/L，ALT 48U/L，γ-GT 306U/L，T.Bil 0.6mg/dL，UN 16mg/dL，Cr 1.24mg/dL，Na 140mEq/L，K 4.3mEq/L，Cl 98mEq/L，CRP 0.02mg/dL．
> **心電図**：特に異常なし．
> **腹部造影CT検査**：図1

血液検査では，明らかな貧血を認めなかった．また，アルコールの影響と思われる肝機能障害はあるものの，肝硬変を示唆するデータではなかった．

造影CT検査では明らかな出血源の同定には至らなかったものの，胃内には液体の貯留を認め，そのなかに一部高吸収な沈殿物が含有しており，血液と血塊と推測され，上部消化管出血に付随する所見として矛盾しないと考えられた．また，明らかな肝硬変や脾腫を認めず，静脈瘤性出血を積極的に疑う要素はなかった．さらに，悪性腫瘍を疑う不整な消化管壁肥厚も

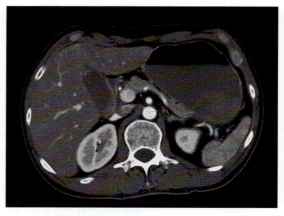

図1 腹部造影CT検査
明らかな肝硬変，脾腫を認めない．胃内には液体の貯留を認め，そのなかに一部高吸収な沈殿物が含有しており，血液と血塊と推測される．

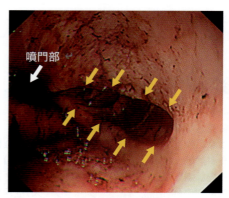

図2 上部消化管内視鏡検査（検査時）
下部食道の粘膜に裂創を認める．

認めなかった．

上部消化管内視鏡検査で食道内に血液貯留を認めた．噴門の口側，下部食道右壁に縦走する裂創を認めた（図2）．

> **診断仮説（仮の診断）**
> ・Mallory-Weiss症候群

診断確定のために

上部消化管出血が疑われた場合は，24時間以内の上部消化管内視鏡検査を行うことが推奨されており〔エビデンスレベルⅠ，推奨度A（非静脈瘤性上部消化管出血における内視鏡診療ガイドライン，2015）〕，内視鏡施行により死亡や手術のリスクが減る．

今回の症例では，緊急で行った上部消化管内視鏡検査で，下部食道の粘膜に裂創が確認されたため，

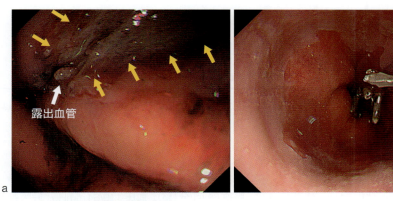

図3 上部消化管内視鏡検査(治療時)
裂創部分に露出血管を認めたため(a),クリップで同部位および創部全体を縫縮した(b).

Mallory–Weiss症候群と診断した.検査時にはすでに自然止血していたが,裂創の内部に露出血管が確認され,出血源と同定した.

診断 Mallory–Weiss症候群

治療の基本方針

Mallory–Weiss症候群では裂傷が生じた際に一度出血しても,その後自然止血することが多い.一方で,出血が持続する場合や,創部に露出血管を認める場合などは,クリップによる創部の縫縮を行う.

今回の症例では,裂傷部分に露出血管を認めたため,露出血管からの再出血を予防するため,クリップを用いて創部を縫縮した(図3).以降,再出血は認めていない.

アナザーストーリー

もし患者が静脈瘤性出血だったら

静脈瘤からの出血は短時間に多量の出血を呈することが多く,特に緊急性が高い.また,他の出血性疾患とは別の止血術を要するため,静脈瘤性出血の可能性については内視鏡検査を始める段階である程度検討されている必要がある.食道静脈瘤破裂では一時止血として内視鏡的静脈瘤結紮術(endoscopic variceal ligation; EVL)が有用である.また,噴門部静脈瘤はSBチューブで圧迫止血を行うこともある.

診断に至る思考プロセス

Mallory–Weiss症候群は,非血性の嘔吐後の吐血といった典型的な臨床経過により病態の存在を推察することが可能である.Mallory–Weiss症候群の出血は一時的なものであることが多く,特別な処置を行わず経過観察となる場合もあるが,その他の上部消化管出血との鑑別が重要である.

クリニカルパール

- 上部消化管出血は,緊急性の高い静脈瘤性出血や消化性潰瘍の可能性をまず検討する.消化性潰瘍は,存在を推測しうる情報(NSAIDsの内服歴,*Helicobacter pylori*の除菌歴)の聴取が重要である.
- 出血性ショックをきたしている場合は,バイタルサインの改善を最優先とする.
- Mallory–Weiss症候群は,典型的な病歴から推察が可能である.

〈松本 将吾,山本 桂子〉

61歳 女性
頸部リンパ節腫脹

現病歴：1か月前に両側頸部と左鎖骨上のリンパ節が腫れているのに気がついた．痛みや発熱はないが，徐々に大きくなってきたため，受診した．
既往歴：生来健康で，特記すべきことはない．
生活歴：主婦．喫煙歴なし．年に数回の機会飲酒．ペット飼育なし．
家族歴：特記すべきことはない．
身体所見：身長 152 cm，体重 51 kg，体温 36.3℃，脈拍 68 回/分（整），血圧 110/64 mmHg，呼吸数 18 回/分．眼瞼結膜に貧血はなく，眼球結膜に黄染はない．口蓋扁桃の腫脹はない．両側頸部と左鎖骨上窩に約 2 cmのリンパ節を計 3 個触知する．腫大したリンパ節に圧痛はなく弾性硬で可動性がある．心音と呼吸音に異常はなく肝・脾を触れない．浮腫なし．皮疹なし．

問題点の描出

これまで健康な 61 歳女性．緩徐に増大する無痛性の頸部リンパ節腫脹を自覚して受診した．

診断の進め方

特に見逃してはいけない疾患
・悪性リンパ腫
・癌のリンパ節転移
・結核性リンパ節炎

頻度の高い疾患
・ウイルス性リンパ節炎
・細菌性リンパ節炎
・リンパ節腫脹を伴う炎症性疾患（膠原病など）

この時点で何を考えるか？
医療面接と身体診察を総合して考える点

頸部リンパ節腫脹は感染症，腫瘍，その他の疾患（膠原病やサルコイドーシスなど）でみられる．このうち，感染症，なかでもウイルス感染症や細菌感染症が多い．ウイルス感染症としてはライノウイルスなどによるかぜ症候群，インフルエンザ，EB ウイルスの初感染である伝染性単核球症などがあり，咽頭痛や咳嗽などの上気道炎症状を伴う．細菌感染症としては連鎖球菌性咽頭炎・扁桃炎，う歯や歯周炎などがあり，細菌が波及して腫脹したリンパ節は圧痛を伴うことが多い．この患者では，上気道炎症状や圧痛を伴うリンパ節腫脹がみられないため，考えにくい．結核性リンパ節炎は緩徐な経過をとるが，通常はリンパ節に圧痛を伴うため，この可能性も低い．

炎症所見がなく，緩徐に増大するリンパ節腫脹は悪性リンパ腫や癌のリンパ節転移の可能性を考える必要がある．通常，前者は無痛性で，ゴム様の弾性硬で可動性がある．急速に増大する症例ではリンパ節被膜の伸展痛を伴うこともある．後者はより硬く，相互に癒合し周辺組織にも癒着して可動性がないことが多い．通常は癌の原発巣の症状を伴うが，原発巣の症状がなくリンパ節腫脹によって見つかる症例もある．この患者の リンパ節は弾性硬で可動性があるという性状から，癌よりもリンパ腫の可能性が高いと推測される．

診断仮説（仮の診断）
・悪性リンパ腫
・癌のリンパ節転移
・リンパ節腫脹を伴う炎症性疾患

必要なスクリーニング検査

炎症性疾患のスクリーニングとして，血球検査，血液生化学，CRP の検査を行う．一般的なスクリーニング検査項目ではないが，この患者はリンパ腫を考えているので，その腫瘍マーカーである可溶性インターロイキン 2 レセプター（sIL-2R）も検査する．縦隔・肺門リンパ節や腹腔内リンパ節，肝脾腫を評価するため，胸部 X 線検査や腹部エコー検査も行う．

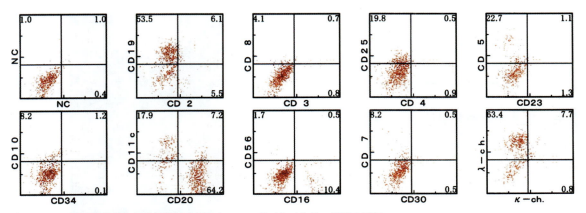

図1 リンパ節生検検体の細胞浮遊液を用いたフローサイトメトリー検査の所見
リンパ腫細胞と考えられる分画の表面免疫グロブリン軽鎖はλ鎖に偏って発現しており，CD19とCD20が陽性，CD5は弱陽性，CD10は陰性である．

検査結果

血液所見：WBC 4,100/μL（Band 4%，Seg 56%，Eos 3%，Lym 31%，Mono 6%），RBC 380万/μL，Hb 12.1 g/dL，Ht 36.1%，Plt 19.3万/μL，TP 6.8 g/dL，Alb 4.1 g/dL，UN 18 mg/dL，Cr 1.0 mg/dL，Ca 9.2 mg/dL，LD 355 U/L，AST 25 U/L，ALT 32 U/L，CRP 0.03 mg/dL，sIL-2R 1,320 U/mL．
胸部X線写真：異常所見なし．
腹部エコー：軽度の脾腫と傍大動脈リンパ節の腫脹を認める．

炎症を示唆する所見はなく，sIL-2RとLDが増加し，腹腔内リンパ節腫脹や脾腫があることより，悪性リンパ腫の可能性が最も高いと考えた．

診断仮説（仮の診断）
・悪性リンパ腫

診断確定のために

悪性リンパ腫の診断確定には生検による病理組織診が必須である．悪性リンパ腫はWHO分類に基づいたさまざまな組織型（病型）に分けられる．WHO分類は細胞や組織の形態学的所見に加えて，免疫学的表現型や染色体・遺伝子所見を加味した分類法であるため，生検検体は病理検査だけでなく，フローサイトメトリーによる細胞表面抗原解析と，G分染法による染色体検査も行う．

この患者の左頸部リンパ節生検の病理組織診は，びまん性大細胞型B細胞リンパ腫（DLBCL）の所見であった．フローサイトメトリー（図1）でリンパ腫細胞と考えられる細胞分画の表面免疫グロブリン軽鎖がλ鎖に偏って発現している．一方の軽鎖への偏りはB細胞性腫瘍の根拠となる．この細胞分画はCD19とCD20が陽性，CD5は弱陽性，CD10は陰性であり，DLBCLの組織型に矛盾しない所見である．

染色体検査による核型は，47,XX,t(3;14)(q27;q32),add(4)(q21),add(13)(q34),+18であった．BCL6遺伝子とIGH遺伝子との再構成をきたす3番と14番染色体の長腕の相互転座があり，DLBCLにみられる染色体転座である．

リンパ腫の治療方針は，同じ組織型であっても，病変の広がりを示す臨床病期によって異なる．病期を決めるために，PET/CT検査と腸骨での骨髄穿刺・生検を行った．PET/CT検査では両側頸部，左鎖骨上窩，腸間膜，傍大動脈，右鼠径のリンパ節や脾臓にFDG集積の増強〔standardized uptake value（SUV）max＝10.4〕を認めた（図2）．なお，この図2の冠状断のスライスでは脾臓の集積はとらえられていない．骨髄穿刺・生検の塗抹標本，病理標本，フローサイトメトリー検査，染色体検査ではリンパ腫細胞はみられなかった．また，患者にB症状（発熱，盗汗，体重減少）はなかった．

診断 悪性リンパ腫（びまん性大細胞型B細胞リンパ腫）臨床病期ⅢA

治療の基本方針

DLBCLで病期Ⅲの場合は，抗体療法を加えた多剤併用化学療法であるR-CHOP療法（リツキシマブ，シクロホスファミド，ドキソルビシン，ビンクリスチ

ン，プレドニゾロン）を6〜8コース行うのが標準的治療である．

アナザーストーリー

もし患者が発熱を呈していたら

かぜ症候群，インフルエンザ，細菌性扁桃炎などであれば，それぞれに応じた治療を行う．患者が若年者で，頸部リンパ節腫脹とともに発熱や咽頭痛が1週間以上続き，上記の疾患ではなさそうであれば，伝染性単核球症も考える．血球検査，血液生化学，EBウイルス抗体（VCA-IgM，VCA-IgG，EBNA）を検査し，血液塗抹標本で異型リンパ球がみられ，AST，ALT，LDが上昇し，VCA-IgM陽性，VCA-IgG陽性，EBNA陰性であれば，伝染性単核球症と診断される．

EBウイルス初感染が否定された場合は，類似した症候を呈するサイトメガロウイルスやHIVの初感染を考えて，サイトメガロウイルスIgM抗体やHIV抗原抗体スクリーニング検査を行うことがある．HIVスクリーニング陽性であれば，ウエスタンブロット法で陽性を確認する．必要に応じてRT-PCR法によるHIV RNA検査を行う．

診断に至る思考プロセス

リンパ節腫脹をみたら，症状，身体所見，スクリーニング検査の結果から感染症，腫瘍などを鑑別していく．一般に，急な腫脹は感染症を，徐々に増大する場合は腫瘍を考える．濾胞性リンパ腫などの低悪性度リンパ腫では，経過観察中に自然に縮小することもありうるので，縮小したからといってリンパ腫を否定することはできない．また，炎症性疾患でもsIL-2Rは上昇するため，sIL-2R高値は必ずしもリンパ腫の証拠にならないし，逆にsIL-2R値が基準範囲内にとどま

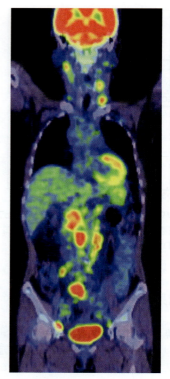

図2　PET/CT画像
FDG集積が増強して赤くみえる両側頸部，左鎖骨上窩，腸間膜，傍大動脈，右鼠径のリンパ節がリンパ腫病変である．なお，脳，心臓，腎盂，膀胱は健常者でも赤くみえる．

るリンパ腫症例もある．リンパ腫の診断は吸引細胞診では確定できない．生検による病理組織診が必要である．

クリニカルパール

- 緩徐に増大する無痛性で弾性硬のリンパ節腫脹をみたら，悪性リンパ腫の可能性を考える．

〈東田 修二〉

55歳 女性
咳, 痰

現病歴：1か月前よりときどき白色痰を伴った咳が出現した．消化器内科にて胆石症，アルコール性肝硬変に対して加療されており，フォローアップの腹部CTにて右肺中葉に異常陰影を指摘された．胸部CTにて右中葉に最大径18 mmの結節影，粒状影および縦隔リンパ節腫大を認め，紹介受診した．
既往歴：胆石症，アルコール性肝硬変．手術歴なし，輸血歴なし．
生活歴：東南アジア出身，主婦．飲酒歴は2019年までビール2L/日．喫煙歴なし．
家族歴：特記すべきことはない．
内服薬：ウルソデオキシコール酸．
アレルギー歴：なし．
身体所見：意識は清明．身長145 cm，体重55 kg，体温36.7℃，脈拍72回/分（整），血圧142/90 mmHg，呼吸数20回/分，SpO_2 99%（room air）．右鎖骨上窩に示指頭大のリンパ節を触知する．心音，呼吸音に異常を認めない．腹部は平坦・軟で，肝・脾を触知しない．

問題点の描出

これまで呼吸器疾患の既往のない55歳女性．喀痰を伴う遷延性咳嗽を自覚していた．胸部CTにて右中葉に結節影および縦隔リンパ節腫大を指摘され，紹介受診した．

診断の進め方

特に見逃してはいけない疾患	頻度の高い疾患
・肺癌 ・悪性リンパ腫 ・転移性肺腫瘍 ・肺結核・リンパ節結核	・肺炎 ・肺癌

この時点で何を考えるか？
医療面接と身体診察を総合して考える点

咳・痰を伴っている患者に対しては，まず呼吸不全がないか，発熱・食欲不振などで全身状態が悪化していないかをみて，入院での精査が必要か判断する．今回の患者の場合，全身状態は比較的良好であり，入院での精査が必要な状況ではないと判断し，外来で医療面接，身体診察および検査を進めていく．

喀痰を伴った遷延性咳嗽については鑑別診断が多岐にわたるが，喫煙歴，アレルギー歴，息切れの有無，咳嗽の出るタイミング（日内変動や季節内変動），喀痰の性状，発熱，同居家族における呼吸器感染症の既往歴などを正確に聴取することで，慢性呼吸器疾患なのか，あるいは呼吸器感染症なのかある程度原因疾患を絞ることができる．今回の患者の場合，右鎖骨上窩リンパ節腫大・縦隔リンパ節腫大を伴っており，肺癌，悪性リンパ腫，転移性肺腫瘍などの悪性腫瘍のほか，結核を含む感染症，サルコイドーシスなども考えられるため，肺癌以外の悪性腫瘍の既往がないか，体重減少はないか，大量の寝汗はないか，飛蚊症などの眼症状および皮疹がないかなども正確に聴取する．

医療面接によって上記の点に特記事項はなく，慢性閉塞性肺疾患（COPD）や喘息などの慢性呼吸器疾患や急性の呼吸器感染症，サルコイドーシスの可能性は低いと考えられる．そこでリンパ節腫大を伴う可能性がある悪性腫瘍や結核を念頭において精査を進める必要がある．

診断仮説（仮の診断）
・肺癌
・悪性リンパ腫
・転移性肺腫瘍
・肺結核・リンパ節結核
・肺炎
・サルコイドーシス

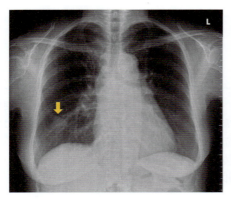

図1 胸部X線検査

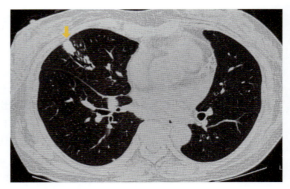

図2 胸部CT検査（肺野条件）

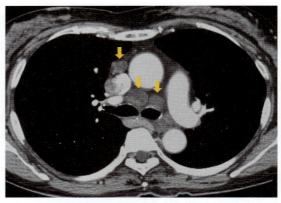

図3 胸部CT検査（縦隔条件）

必要なスクリーニング検査

　感染性のある疾患で管理上問題が生じる肺結核のスクリーニングをまず行う．併せて悪性腫瘍のスクリーニング，全身状態の評価を行う．画像検査，3日連続の抗酸菌喀痰検査〔塗抹検査，培養検査，結核菌ポリメラーゼ連鎖反応（PCR）検査〕，一般細菌喀痰検査（塗抹検査，培養検査），喀痰細胞診，血液検査〔インターフェロンγ遊離試験（IGRA），血算・生化学検査・炎症反応・腫瘍マーカー〕を行い，患者の同意を得てヒト免疫不全ウイルス（HIV）のスクリーニングも行う．

検査結果

胸部X線検査：右下肺野に結節影を認める（図1）．
胸部CT検査（肺野条件）：右中葉に最大径18mmの結節影，粒状影を認める（図2）．
胸部CT検査（縦隔条件）：縦隔リンパ節腫大を認める（図3）．
IGRA：陽性．
抗酸菌塗抹検査・結核菌PCR検査：陰性．
抗酸菌培養：3週の時点で陰性（Miller & Jones分類：P1）．
喀痰細胞診：悪性細胞は認められない．
各種腫瘍マーカー：陰性．

　IGRA陽性であることから結核菌感染が存在し，肺結核・リンパ節結核の可能性を第一に考える．しかし，抗酸菌塗抹検査・結核菌PCR検査は陰性であり，潜在性結核感染症によってIGRA陽性になった可能性を否定できない．胸部CTにて悪性腫瘍の合併を否定できない．

診断仮説（仮の診断）
- 肺結核・リンパ節結核
- 肺癌
- 悪性リンパ腫
- 転移性肺腫瘍

診断確定のために

　気管支鏡検査によるアプローチ（経気管支生検，超音波気管支鏡ガイド下針生検）や外科的鎖骨上窩リンパ節生検を考慮する．今回の患者の場合，より多くの検体を得るには後者が適していると考えられる．

　外科紹介のうえ，右鎖骨上窩リンパ節生検を施行したところ，リンパ節内に凝固壊死を囲んで多核巨細胞が出現し，抗酸菌染色で陽性となる菌体を確認した．結核菌PCR検査陽性であり，結核症と診断された．

診断　肺結核・リンパ節結核

治療の基本方針

抗結核薬による化学療法を行う．

アナザーストーリー

もし HIV 陽性であったら

肺非結核性抗酸菌症との鑑別が必要である．また，肺外結核や他の日和見感染症の合併を考慮する必要がある（サイトメガロウイルス感染症，トキソプラズマ症，クリプトコッカス髄膜炎，ニューモシスチス肺炎など）．

診断に至る思考プロセス

喀痰を伴った遷延性咳嗽については鑑別診断が多岐にわたるが，「特に見逃してはいけない疾患」である悪性腫瘍，肺結核を常に念頭において診断を確定しよう．特に肺結核は感染性がある疾患のため管理上注意が必要であり，慎重に対応しよう．発見・診断の遅れによって集団感染がありうることを肝に銘じよう．

クリニカルパール

- 肺結核のスクリーニングにおいて IGRA が陽性でも喀痰検査で陽性所見が得られるとは限らない．
- IGRA が陽性でも潜在性結核感染症である可能性がある．
- 結核を診断した医師は感染症法第 12 条の規定に基づいて最寄りの保健所にただちに届け出る．
- 結核菌塗抹検査陽性の場合，結核病床のある病院への入院が必要となる．

〈北口 良晃，花岡 正幸〉

72歳 男性
胸痛

現病歴：3日前，夜間に排尿のため立ち上がった際に胸痛を自覚した．それ以降，動くたびに胸痛を感じていたため，安静臥床しがちであった．本日病院を受診しようと歩いたときに呼吸困難が出現し，家族が救急車を呼び外来へ搬送された．

既往歴：70歳から特発性肺線維症と診断され，抗線維化薬を処方されている．

内服薬：ニンテダニブ．

身体所見：身長170 cm，体重65.0 kg，体温36.0℃，脈拍86回/分（整），血圧96/60 mmHg，呼吸数20回/分，SpO_2 85%（room air）．眼瞼結膜に貧血所見は認めない．呼吸音は清明で左右差はなく，両下胸部背側で捻髪音を聴取する．心音ではⅡ音が分裂し，Ⅲ音を聴取する．軽度の下腿浮腫を認める．

問題点の描出

特発性肺線維症の既往があり治療中の患者が急性発症の胸痛を自覚し，呼吸困難を伴っている．

診断の進め方

特に見逃してはいけない疾患	頻度の高い疾患
・急性冠症候群（心筋梗塞，不安定狭心症） ・肺血栓塞栓症 ・緊張性気胸 ・急性大動脈解離 ・Boerhaave（ブールハーフェ）症候群	・食道炎 ・肺炎 ・胸膜炎 ・急性冠症候群 ・肺血栓塞栓症 ・気胸 ・貧血 ・心因性呼吸困難・胸痛

この時点で何を考えるか？
医療面接と身体診察を総合して考える点

今回の患者においては，胸痛と呼吸困難という2つの症候から鑑別していく．

胸痛に関して，立ち上がった際の胸痛ということで，典型的には深部静脈血栓症からの肺塞栓というエピソードが疑われる．しかし，労作後に発症した点からは急性冠症候群や急性大動脈解離も重要な鑑別疾患となる．動くたびに胸痛を感じていた経過からは，急性冠症候群が想起される〔症候・病態編「胸痛および胸部圧迫感」参照（☞492ページ）〕．

呼吸困難の観点から，肺疾患，貧血，心因性の可能性を検討していく必要があり，これらが併存する場合もある〔症候・病態編「呼吸困難」参照（☞511ページ）〕．

眼瞼結膜に貧血がないことから貧血のみでの症状である可能性は低く，既往歴から特発性肺線維症に伴う気胸が鑑別疾患として想起しやすいが，身体所見から呼吸音は清明で左右差はないため考えにくい．さらにⅡ音の分裂があることからⅡpの亢進する肺高血圧症の可能性が疑われ，Ⅲ音を聴取することからは心室への負荷が強いと考えられる．下腿浮腫を認めることからは心不全，肺血栓塞栓症を想起する必要がある．病歴での立ち上がった際の突然の胸痛と，引き続き生じた呼吸困難，Ⅱ音の分裂からは肺血栓塞栓症が疑われるが，臨床経過としては労作時に症状が悪化していることから急性冠症候群の可能性も否定はできない．

診断仮説（仮の診断）
・肺血栓塞栓症
・急性冠症候群

必要なスクリーニング検査

虚血性心疾患除外のために標準12誘導心電図は必須である．さらに心機能の確認および肺塞栓からの右心負荷を確認するために心臓超音波検査は必要である．血液生化学検査では肺塞栓についてD-ダイマーが上昇しているか確認が必要であるが，感度は高いものの特異度は低い．心筋逸脱酵素の上昇を確認することも虚血性心疾患の診断に必要である．

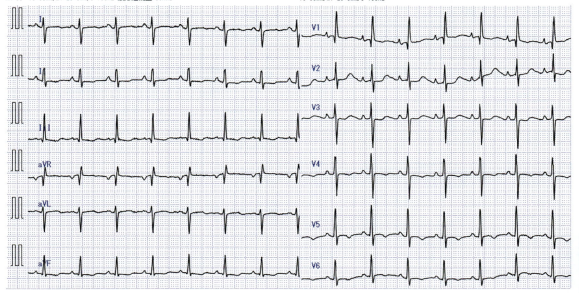

図1　来院時標準12誘導心電図
右軸偏位，前胸部誘導 V_4〜V_6 で陰性 T 波を認めた．

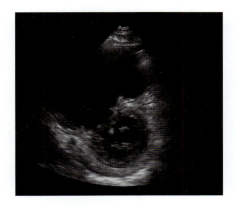

図2　心臓超音波検査
右室の拡大と左室の圧排像を認めた．

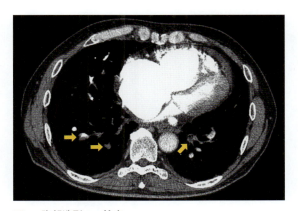

図3　胸部造影 CT 検査
両側肺動脈に血栓（矢印）を認める．

検査結果

心電図：図1
血液生化学検査： D-ダイマー 7.0 μg/mL，CK 80 IU/L，CK-MB 10 IU/L，LDH 200 IU/L，CRP 0.06 mg/dL．
心臓超音波検査：図2

　心電図では図1のとおり右軸偏位を認め，右室負荷の所見である．心拍数 90/分の洞調律で不完全右脚ブロック，胸部誘導 V_4〜V_6 で陰性 T 波を認めた．心臓超音波検査では右室の拡大と左室の圧排像を認めた．

診断仮説（仮の診断）
・肺血栓塞栓症

診断確定のために

　肺血栓塞栓症が疑われ，造影 CT を施行した．造影 CT では図3のとおり，両側肺動脈に血栓像を認めた．

診断　肺血栓塞栓症

治療の基本方針

　肺血栓塞栓症で肺高血圧症は伴うものの血行動態は安定していた．酸素投与に加えてヘパリンの静脈注射後，抗凝固薬の内服を開始し，第8病日には歩行が可能となり退院した．

アナザーストーリー

造影CTで血栓を認めない状態であったら

　標準12誘導心電図・心臓超音波検査で強い右心負荷所見を認めるにもかかわらず画像検査で血栓を認めない場合，肺動脈性肺高血圧症の存在を疑う．肺動脈圧の上昇から中枢側の肺動脈が強く拡張し，呼吸困難を伴う胸痛を生じうることもおさえておく必要がある．

診断に至る思考プロセス

　立ち上がった，トイレに行ったなどという行動時に起こる，呼吸困難を伴う胸痛症状から肺血栓塞栓症を強く疑う．身体所見でⅡ音の分裂を認めること，スクリーニング検査のうち12誘導心電図で強い右心負荷所見を指摘できれば比較的診断は容易であるが，心電図の感度は高くはなく，多彩な所見を認めるため，急性冠症候群と迷うことも少なくない．ST上昇があってST上昇型心筋梗塞を疑う場合には，冠動脈造影を優先する．

クリニカルパール

- 突然に発症する胸痛と呼吸困難がある場合，右心負荷所見に注意して肺血栓塞栓症を見極める．

〈和田洋典，花岡正幸〉

35歳 女性
胸痛, 呼吸困難

現病歴：8日前に帝王切開(初産)で出産後の患者. 4日前から突然の右肩, 右背部痛が出現し胸部X線で肺炎像, 両側胸水があり, 抗菌薬加療(セフトリアキソン)を受けていた. CRP 7.0 mg/dL と高値である. 2日前は CRP 20 mg/dL まで上昇したとのことで電話コンサルトがあった. 酸素需要は4日前から出現し, バイタルサインは酸素3 L/分で SpO_2 98%と保たれ, 脈拍は70〜80回/分, 血圧は120/80 mmHg, 呼吸数は18回/分とのことである. 胸痛は消失しており抗菌薬不応性の肺炎として転院搬送となった.

既往歴：特記すべきことはない.

入院時身体所見：酸素3 L/分で SpO_2 98%, 脈拍78回/分, 血圧124/78 mmHg, 呼吸数18回/分, 体温37.2℃. 内頸静脈圧上昇なし. 頸静脈怒張なし. 下肢腫脹なし.

review of systems：胸膜痛なし. 血痰なし. 咳嗽なし. 喀痰なし. 悪寒戦慄なし.

問題点の描出

生来健康な35歳女性が帝王切開の4日後から突然の右肩, 右背部痛が出現し(転院時には消失), 4日間の抗菌薬不応性の肺炎として来院. 持参した胸部X線写真を示す(図1).

診断の進め方

特に見逃してはいけない疾患
- 肺塞栓症
- 心筋梗塞
- 薬物性胸膜炎
- 脾破裂/十二指腸潰瘍

頻度の高い疾患
- 肺炎随伴性胸水/膿胸
- 膠原病(全身性エリテマトーデスや血管炎)による胸膜炎
- 気胸

この時点で何を考えるか？
医療面接と身体診察を総合して考える点

背部痛は横隔膜以下の腹部臓器の関連痛・放散痛の可能性を常に考慮する.

十二指腸潰瘍や脾破裂, 急性膵炎, 腎性, 子宮, 直腸でそれぞれ関連痛の部位が異なる(図2). 右腕, 左腕の放散痛はそれぞれ心筋梗塞および不安定狭心症への陽性尤度比が2.9, 2.3であり, 両腕への放散は7.1倍となる. 本症例は突然発症の胸痛と呼吸困難であり, 咳嗽, 喀痰など感染症を強く疑う症状がなく, 術後の臥床時期が数日あったことから肺塞栓の可能性が最も高い.

肺塞栓症の可能性を探る評価基準は, modified Wells criteria や改訂ジュネーブスコアを用いる.

modified Wells criteria (表1) では, 本症例は肺塞栓症が他の鑑別診断と比べてより濃厚, 過去4週間以内の手術もしくは3日以上の長期臥床が該当し, 4.5点となり造影CTでの検索が必要である.

改訂ジュネーブスコア(表2)では, 1か月以内の手術, 骨折と心拍数が陽性となり, スコア2点で中等度の臨床的可能性となる.

診断仮説(仮の診断)
- 肺塞栓症
- 下肢静脈血栓症
- 肺炎/胸膜炎

必要なスクリーニング検査

胸部X線, 血算, 生化学(D-ダイマー含む), 心電図, 心臓超音波.

検査結果

血液所見：WBC 8,600/μL, CRP 3.6 mg/dL, D-ダイマー<0.5 μg/mL.
心電図：異常なし.
心臓超音波検査：左室の壁運動は正常範囲で, 右室の軽度拡大はあったが, 推定肺動脈収縮期圧18 mmHgと正常範囲であった.

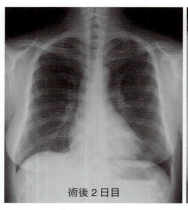 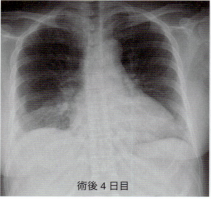 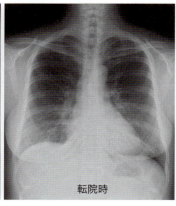

術後2日目　　　　　　術後4日目　　　　　　転院時

図1　胸部X線写真
術後2日目は正常肺であるが，術後4日目（胸痛の発症時）は右中下肺野に浸潤影を認める．転院時（術後8日目）は右中下肺野の陰影は著明に改善している．

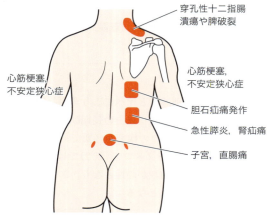 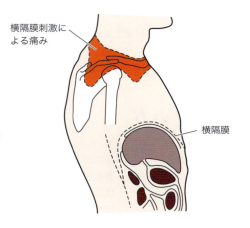

図2　関連痛/放散痛の部位

表1　modified Wells criteria	
深部静脈血栓症の臨床症状	3
肺塞栓症が他の鑑別診断と比べてより濃厚	3
心拍数＞100回/分	1.5
過去4週間内の手術もしくは3日以上の長期臥床	1.5
深部静脈血栓症もしくは肺塞栓症の既往	1.5
喀血	1
悪性疾患	1
肺塞栓症の可能性が低い（≦4）	
D-ダイマーが陰性なら治療不要	
D-ダイマーが陽性なら造影CTで肺塞栓の検索	
肺塞栓症の可能性が高い（＞4）	
造影CTで肺塞栓症の検索	

表2　改訂ジュネーブスコア	
66歳以上	1
肺塞栓症あるいは深部静脈血栓症の既往	1
1か月以内の手術，骨折	1
活動性の癌	1
一側の下肢痛	1
血痰	1
心拍数	
75〜94 bpm	1
95 bpm以上	2
下肢深部静脈拍動を伴う痛みと浮腫	1
臨床的可能性	
低い	0〜1
中等度	2〜4
高い	5以上

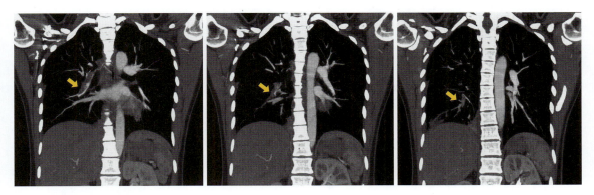

図3 肺動脈造影CT画像
矢印は血栓を示す．

診断仮説（仮の診断）
- 肺塞栓症

診断確定のために

胸部造影CTまたは肺動脈造影CTを行う．深部静脈血栓症も下肢エコーか下腿造影CTを行う．

下肢エコーでは血栓症は指摘できなかったが，肺動脈造影CTでは右肺動脈内に連なる血栓(図3矢印)とその末梢にconsolidationを認め，肺塞栓症に合致した所見である．

診断 肺塞栓症

治療の基本方針

従来は未分画ヘパリンを3日〜5日併用しながらワルファリン治療が行われていた．近年は選択的Xa薬であるエドキサバン，リバーロキサバン，アピキサバンの3剤が直接作用型経口抗凝固薬(direct oral anticoagulant; DOAC)として使用可能であり，特に後2者は初期から維持期までの単剤治療が可能である．エドキサバンは5〜12日間の未分画ヘパリンかフォンダパリヌクスの皮下注を投薬したのちに使用する．今後は3〜6か月を目安に再発に注意しながら投薬を継続する．また，凝固異常や血栓傾向を示す基礎疾患(例：抗リン脂質抗体症候群)などの検索も行う．

アナザーストーリー

もし患者が外来の初診状態であったら

D-ダイマーなしで診断できる肺塞栓症除外基準〔症候・病態編「胸水」の表3参照(☞ 522ページ)〕も活用する．うちすべてを満たさなければ肺塞栓症のリスクは1.4％(感度96％，特異度27％)である〔Kline, J.A., et al., J. Thromb. Haemost., 2(8):1247–1255, 2004〕．このスコアは入院患者ではなく救急外来など外来のセッティングで使用する．

診断に至る思考プロセス

胸膜痛を訴える抗菌薬不応性の肺炎像を呈する女性であったが，術後疼痛による臥床の影響があり，肺塞栓症の検査前確率が中等度以上のリスクである．D-ダイマーが陰性でも造影CTを行う必要のあった症例である．

クリニカルパール

- 女性の場合生理痛でピルを内服していることがあり，肺塞栓症のリスクとなるため医療面接が重要となる．
- 検査前確率の推定に，外来，入院のセッティングで異なる評価基準を使いこなす．
- 胸膜痛が消失していても検査前確率が高い場合は，肺塞栓症の可能性は除外しない．

〈皿谷 健〉

73歳 男性
脱水

現病歴：2週間前から全身倦怠感，食欲不振があり，昨日より腹痛，悪心を自覚，症状が改善せず，受診した．
既往歴：高血圧症，3か月前から，肺癌で免疫チェックポイント阻害薬（抗PD-1抗体）を投与している．
生活歴：喫煙20本×48年（5年前より禁煙），飲酒なし．
家族歴：特記すべきことはない．
内服薬：Ca拮抗薬（普段の血圧は130/80mmHg前後）．
身体所見：意識は清明だが無欲状顔貌．身長170cm，体重67kg，BMI 23.2kg/m^2，脈拍110回/分（整），体温37.7℃，血圧105/70mmHg．頸部リンパ節を触知しない．口腔粘膜・舌粘膜の乾燥あり．皮膚ツルゴール低下．甲状腺腫大なし．眼瞼結膜貧血なし．心音・呼吸音異常なし．腹部は軟，心窩部・下腹部全体に圧痛あり．反跳痛なし．グル音の増強や消失なし．肝・脾を触知しない．下腿浮腫なし．直腸診で腹膜炎所見なし，便色正常．

問題点の描出

肺癌で免疫チェックポイント阻害薬投与中の高齢男性．2週間前から倦怠感と食欲不振，昨日より消化器症状も加わり受診．身体所見では脱水所見がある．

診断の進め方

特に見逃してはいけない疾患
・腸閉塞
・虚血性腸管障害
・消化管出血穿孔
・胆管炎，胆石・胆道結石
・急性膵炎
・糖尿病性ケトアシドーシス
・急性副腎不全

頻度の高い疾患
・胃腸炎
・胃・十二指腸潰瘍
・腸閉塞
・胆管炎，胆石・胆道結石

この時点で何を考えるか？
医療面接と身体診察を総合して考える点

意識は清明であるが，普段より血圧は20mmHg程度低下し，脈拍は速く，皮膚乾燥，ツルゴール低下もみられ，中等症の脱水所見がある．また腹部症状を伴っており，消化器疾患を中心に鑑別を進める必要がある．一方で，免疫チェックポイント阻害薬を使用しており，その有害事象として大腸炎や膵炎，下垂体炎（急性副腎不全），劇症1型糖尿病などが知られているので，それらも念頭においた鑑別診断を行う．腹膜炎の所見は乏しいことや便色は正常であったことから，消化管出血穿孔の可能性は低そうである．腹部症状は心窩部から下腹部にかけての広範囲に及び，上部消化管の疾患や胆道系疾患の可能性も低そうである．

診断仮説（仮の診断）
・腸閉塞
・胃腸炎
・虚血性腸管障害
・糖尿病性ケトアシドーシス
・急性副腎不全
・急性膵炎
・胃・十二指腸潰瘍
・胆管炎，胆石・胆道結石
・消化管出血穿孔

必要なスクリーニング検査

まず，脱水の程度や貧血の有無，炎症の有無などを含む病態の把握のため，尿検査（尿比重，尿Na，K，Clなど），ヘモグロビン（Hb）およびヘマトクリット（Ht）を含む末梢血血算，血中尿素窒素（BUN）/クレアチニン（Cr）比，輸液計画を立てるための心臓超音波検査および下大静脈の評価を行う．
加えて消化器疾患の鑑別のため，腹部X線検査，腹部超音波検査，CT検査を行う．

表1 CRH 負荷試験（本症例）

	0分	30分	60分	120分
ACTH (pg/mL)	< 1.5	< 1.5	< 1.5	< 1.5
コルチゾール (μg/dL)	0.5	0.5	0.6	0.5

発熱があり，感染症を考える場合には血液培養が必要になる．

また，免疫チェックポイント阻害薬投与による内分泌有害事象を考慮し，血糖値や甲状腺ホルモン，副腎皮質ホルモンも同時に評価しておく．

検査結果

尿所見：比重 1.020，pH 5.5，蛋白（−），糖（−），ケトン体（1＋），浸透圧 320 mOsm/kgH$_2$O，Na 34 mEq/L，K 35.6 mEq/L，Cl 19 mEq/L．
血液所見：WBC 6,020/μL，Hb 11 g/dL，Ht 32.1%，血小板数 37.7×10^4/μL，Na 128 mEq/L，K 4.6 mEq/L，Cl 101 mEq/L，P$_{osm}$ 270 mOsm/kgH$_2$O，BUN 40 mg/dL，Cr 1.81 mg/dL，アミラーゼ 114 IU/L，空腹時血糖 64 mg/dL，HbA1c 5.1%，CRP 0.85 mg/dL．
血液培養：菌の検出なし．
内分泌検査：TSH 0.40 μIU/mL，free T$_4$ 1.37 ng/dL，ACTH＜1.5 pg/mL，コルチゾール 0.5 μg/dL．
心電図：異常なし．
心臓超音波検査：異常なし，下大静脈径 12 mm（虚脱なし）で呼吸性変動あり．
腹部 X 線検査：異常なし．
腹部超音波検査，腹部 CT：異常なし．

血液検査では，BUN/Cr 比の上昇がある．尿検査では尿比重は等張で，尿 Na は 34 mEq/L と 20 mEq/L 以上であり，血清 Na が 128 mEq/L と低 Na 血症をきたしていることも併せて，Na 欠乏性脱水のなかで腎性体液喪失を考える．

消化器症状があるが，炎症反応は強くなく，アミラーゼの上昇なし．画像検査でも消化器系の器質的異常は認められない．内分泌検査では，副腎皮質刺激ホルモン（ACTH），コルチゾールともに低値で，全身倦怠感や食欲不振などの症状，低 Na 血症，低血糖，免疫チェックポイント阻害薬投与歴も併せて，ACTH 分泌低下による急性副腎不全が最も考えられる．

診断仮説（仮の診断）
・急性副腎不全（ACTH 分泌低下症）

診断確定のために

早朝コルチゾール値が 4 μg/dL 未満であり，臨床的には副腎不全として診断は可能である．副腎不全は迅速なホルモン補充が必要な病態であり，本症が疑われた場合には診断的治療も兼ねて下記のヒドロコルチゾン補充を可及的速やかに行う．副腎不全であれば，補充により腹部症状を含む自他覚症状の速やかな改善が認められる．確定診断には副腎皮質刺激ホルモン放出ホルモン（CRH）を含む視床下部ホルモン負荷試験を行う．本症例では，CRH 負荷（表1）で ACTH およびコルチゾールの頂値が ＜1.5 pg/mL，0.6 μg/dL と無反応であり，中枢性の副腎不全と確定診断した．また下垂体 MRI は著変なく，その他の下垂体前葉ホルモンの分泌は保たれており，ACTH 単独の分泌低下症であった．

診断 急性副腎不全（ACTH 分泌低下症）

治療の基本方針

脱水補正のために細胞外液主体の輸液を行うが，低血糖もあり，5〜10％ のブドウ糖が入った輸液を選択したい．さらに，本症例では免疫チェックポイント阻害薬を投与中であること，全身倦怠感や食欲不振，腹痛，Na 欠乏性脱水，低 Na 血症，低血糖から，副腎不全を想起した時点でヒドロコルチゾンの投与を行う．ヒドロコルチゾンは，経静脈的に 50〜100 mg 投与後，6〜8 時間ごとに 50 mg を点滴静注または 100〜200 mg を持続静注し，全身状態の改善とともに漸減する．

アナザーストーリー

もし患者が高血糖だったら

免疫チェックポイント阻害薬で起こる 1 型糖尿病は数 ％ と報告されており，その場合の発症様式は劇症型（インスリン分泌が急速に枯渇してケトアシドーシスに陥る）であることが多い．高血糖を確認したら，ケトアシドーシスの程度やインスリン分泌能を速やかに評価のうえ，生理食塩水ベースの輸液，インスリン持続投与を開始する．

診断に至る思考プロセス

　免疫チェックポイント阻害薬を投与中の患者が，全身倦怠感，食欲不振，脱水症で受診した場合，副腎不全を想起する．普段より低い血圧，低Na血症や低血糖を伴うことも診断の一助となる．また急性副腎不全では食欲低下，悪心・嘔吐，腹痛などの消化器症状がみられることが多い．

クリニカルパール

- 脱水症の病態を水欠乏性脱水（高張性）なのか，Na欠乏性脱水（低張性）なのか，腎性の水分喪失か腎外性の水分喪失か，バイタルサインや身体所見から重症度を判定しながら惹起疾患を鑑別する．
- 悪性腫瘍に対して免疫チェックポイント阻害薬を投与する機会が増加しており，その有害事象として内分泌異常が起こりうることを知っておくべきである．
- 本例のように副腎不全を想起したら，内分泌ホルモンの結果を待たずに治療を開始する．

〈近藤 剛史，遠藤 逸朗〉

18歳 女性
チアノーゼ，ばち状指

現病歴：大学入学時の健康診断でチアノーゼとばち状指を指摘され，精査目的で紹介となった．
既往歴：出生時特に問題なし，その他特記すべきことなし．ただ体育は苦手であった．
生活歴：大学生，喫煙・飲酒歴なし．
家族歴：母親が毎日鼻血を出している．母方の祖父が脳梗塞で死去．
身体所見：意識は清明．労作時にのみ軽度の呼吸困難を自覚．身長160 cm，体重50 kg，脈拍94回/分（整），血圧110/64 mmHg，呼吸数22回/分，S$_p$O$_2$ 80%（room air），体温36.0℃．心音・呼吸音異常なし．眼瞼結膜に貧血・黄疸を認めない．腹部は平坦・軟で肝・脾を触知しない．ばち状指を伴い（図1），爪床は暗紫色，口唇や全身皮膚も同様に暗紫色．四肢冷感なし．

問題点の描出

チアノーゼとばち状指を伴う18歳女性．著明な低酸素血症に比べて呼吸困難の症状に乏しい．

診断の進め方

特に見逃してはいけない疾患
・急性心不全
・肺癌
・動脈閉塞
・心内膜炎
・先天性心疾患
・肺動静脈瘻
・肺胞低換気

頻度の高い疾患
・心不全
・先天性心疾患
・慢性呼吸器疾患

この時点で何を考えるか？
医療面接と身体診察を総合して考える点

チアノーゼで受診した患者に対しては，まず緊急の処置が必要な状態であるかを判断する必要がある．今回の患者に関しては，経皮的酸素飽和度は異常に低値である一方で，自覚症状に乏しく，呼吸数・脈拍数もわずかに多いのみで血圧は保たれていること，また明らかに急性の経過ではないことから，急性心不全や急性の動脈閉塞といった緊急の処置は不要と判断し，医療面接，身体診察，および検査を進めていく．

チアノーゼをみた場合には，全身の皮膚と粘膜にみられる中枢性チアノーゼ，末梢性にみられる末梢性チアノーゼ，上肢と下肢もしくは左右でチアノーゼの出現に差のある解離性チアノーゼなのかを区別することで，チアノーゼの原因疾患を絞り込んでいく必要がある．この患者は全身にチアノーゼがみられ，チアノーゼ出現に解離もない．そして動脈血の酸素飽和度の低下がみられるため中枢性チアノーゼであると診断できる．

また，この患者はばち状指も合併している．チアノーゼを合併するばち状指をきたす疾患としては，チアノーゼ性心疾患，Eisenmenger（アイゼンメンゲル）症候群，肺動静脈瘻，肝硬変による肝肺症候群，慢性呼吸器疾患が考えられる．このうち黄疸の所見がなく腹部所見で肝・脾は触知しないため肝硬変の可能性は低い．また発熱所見はないため心内膜炎などの心臓血管内感染症は除外できる．

この患者は著明な低酸素血症に比して，呼吸困難の自覚症状に乏しい．また血圧の低下がなく循環不全を認めない．そのため慢性的な経過での低酸素血症があったと考える．以上から，先天性もしくは慢性的に経過した呼吸器系の疾患もしくは肺動静脈瘻の可能性が高いと考える．ただし，心血管系の先天性形成異常も除外する必要はある．

診断仮説（仮の診断）
・慢性呼吸器疾患
・肺動静脈瘻
・チアノーゼ性心疾患
・Eisenmenger症候群
・肝硬変による肝肺症候群

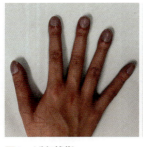
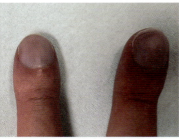

図1　ばち状指
ばち状指を認める．また爪床は暗紫色である．

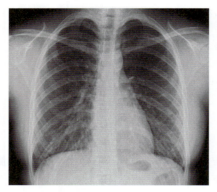

図2　胸部単純X線写真
両側下肺野優位で肺血管に沿った小結節影が散在．

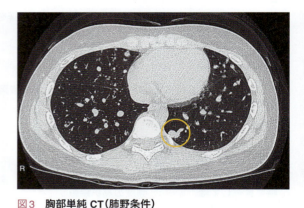

図3　胸部単純CT（肺野条件）
全肺葉に大小不同の多発結節が散在し，結節に肺血管の流入を認める（円内）．

必要なスクリーニング検査

中枢性チアノーゼなので動脈血液ガス分析は必ず行う．呼吸器系疾患を疑うため胸部単純X線写真を撮影し，必要に応じて胸部単純CTも追加オーダーする．先天性心疾患やEisenmenger症候群による肺高血圧症の鑑別のため，心電図および経胸壁心エコーを施行する．全身状態の評価のために採血も行うが，その際に肝機能障害の有無や炎症反応の高値がないかは念のため確認しておく．

検査結果

動脈血液ガス分析：pH 7.42，P_aO_2 52 mmHg，P_aCO_2 36 mmHg．
心電図・心エコー：先天性心疾患や肺高血圧症は認めず．LVEF 62%．その他異常なし．
胸部単純X線写真：図2
胸部単純CT：図3
血液検査：特に異常なし．

動脈血液ガス分析では著明なI型呼吸不全を呈していた．心エコーでは先天性心疾患や肺高血圧症は認めなかった．胸部単純X線写真にて両側下肺野優位で肺血管に沿った小結節影が散在しており，胸部単純CTにて全肺葉に大小不同の多発結節が散在し，各結節に肺動静脈の流入を認めた．

診断仮説（仮の診断）
・肺動静脈瘻

診断確定のために

胸部造影CT（図4，5）にて肺血管の形態を精査することで診断する．必要に応じて血管造影を行う．なお，右左シャント率測定のために肺血流シンチグラフィー（図6）を施行することもある．

診断　多発肺動静脈瘻

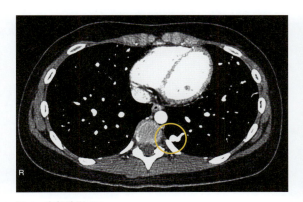

図4 胸部造影 CT
胸膜周囲を中心に強い造影効果をもつ小結節影が散在．結節に血管流入を認める（円内）．

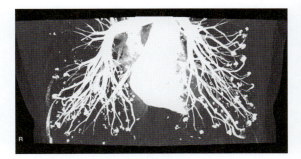

図5 胸部造影 CT の MIP 再構成
びまん性の肺動静脈瘻を認める．

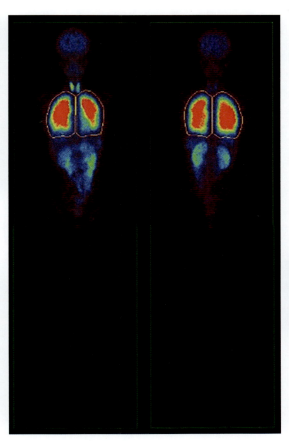

図6 肺血流シンチグラフィー
脳や甲状腺，腎臓といった肺以外の臓器への核種の集積が目立つ．

治療の基本方針

　肺動静脈瘻は低酸素血症だけでなく，肺内シャントに起因する奇異性塞栓症のリスクになるため，診断がつき次第治療を考慮する．最近はカテーテルによる肺動静脈瘻コイル塞栓術が第一選択であるが，この症例のように多発性の場合はカテーテルによる治療は技術的に困難であり，肺移植を考慮する必要がある．

　なお，この患者には毎日鼻出血を認める母親がおり精査したところ，この母親に Osler（オスラー）病（Osler-Rendu-Weber 病；遺伝性出血性毛細血管拡張症）を認めた．この患者に関しては Curaçao の臨床的診断基準のうち，家族歴（母親）と内臓病変（肺動静脈瘻）しか満たさず，臨床的には Osler 病の「疑い（probable）」となるが，若年のため臨床症状がまだ出現していない可能性があることに留意する必要があり，必要に応じて遺伝子検査を施行することが望ましい．

アナザーストーリー

もし II 型呼吸不全であったら

　若年性の肺気腫，そのなかでも α_1-アンチトリプシン欠乏症や肺胞低換気症候群のなかの特に先天性中枢性肺胞低換気症候群を鑑別に挙げる必要がある．いずれも遺伝子検査を行うことで診断する．

診断に至る思考プロセス

　比較的若年で自覚症状に乏しい低酸素血症を伴うチアノーゼおよびばち状指を認める患者をみた場合には，先天的な肺内シャントか慢性呼吸器疾患かを鑑別する．動脈血液ガス分析で呼吸不全が I 型か II 型なのかを鑑別したうえで，CT や呼吸機能検査などを用いて診断を確定させる．

クリニカルパール

- 肺動静脈瘻や先天性心疾患の場合は，臥位に比べて座位や立位で低酸素血症が悪化する platypnea orthodeoxia syndrome を認めることがあるため，鑑別に有用な所見となる．

〈杉浦 寿彦〉

56歳 女性
静脈怒張

現病歴：半年前より両側下腿浮腫と労作での息切れを自覚していた．2週間前より，下肢浮腫増強，疼痛も認め，軽労作で息切れ，動悸を認めたため受診となった．
既往歴：高血圧症（5年前より），脂質異常症（5年前より）．
生活歴：喫煙歴なし，飲酒歴は機会飲酒．
家族歴：父親：高血圧症．
身体所見：意識は清明．身長163cm，体重64kg，脈拍90回/分（整），血圧145/118mmHg，呼吸数20回/分，SpO_2 94％（room air）．眼瞼浮腫，甲状腺腫大を認めない．頸部リンパ節を触知しない．頸静脈怒張を認める．心音Ⅲ音聴取．呼吸音は清．腹部は平坦・軟で，肝・膵を触知しない．両前脛骨部に浮腫著明，発赤認める．

問題点の描出

高血圧既往のある中年女性．半年前より両下肢浮腫と息切れを認めていたが，2週間前より増強したため受診．血圧上昇，SpO_2 軽度低下，頸静脈怒張を認める．

診断の進め方

特に見逃してはいけない疾患
・うっ血性心不全
・肺塞栓症
・虚血性心疾患
・静脈血栓症
・慢性腎不全

頻度の高い疾患
・うっ血性心不全
・静脈血栓症
・静脈瘤
・慢性腎不全
・肝硬変
・甲状腺機能低下症

この時点で何を考えるか？
医療面接と身体診察を総合して考える点

本症例は半年前から比較的慢性的な経過であり，バイタルサインは比較的保たれており，緊急で救命処置を要する状態ではないため，医療面接，身体診察を詳しく進めて鑑別していく．

患者に静脈怒張が生じた場合，静脈怒張のみを主訴とする患者は比較的少なく，その原因疾患による症状を伴うことが多い．本症例では，下肢浮腫に労作時息切れ，動悸である．静脈怒張をみたときは，まずはその原因が心臓であるか，心不全徴候の有無を評価する必要がある．

心音でⅢ音を聴取し，頸静脈怒張を認めることから，心不全徴候としてとらえることができる．また，血圧は保たれているが，脈圧が低下しており，低心拍出が考えられ，今後血行動態破綻をきたさないか注意深い観察が必要であり，早急に治療処置が必要である．

心不全症状として主に左心不全徴候と右心不全徴候がある．なんらかの原因で左心機能障害が起こると心臓から出ていく血液の量が低下するため，左心不全徴候，低心拍出症状が現れる．左心不全徴候として，有効循環血漿量の低下により，血圧低下，全身倦怠感，食欲低下，末梢冷感などがある．また，心臓から出ていく血液量が低下すると左心系の通過障害が起こり，右心系の血液うっ滞が引き起こされ，右心不全徴候を認める．症状としては，頸静脈怒張，起座呼吸，肝腫大，下肢浮腫，体重増加などが典型的である．

診断仮説（仮の診断）
・うっ血性心不全
・慢性腎不全
・肺塞栓症
・静脈血栓症

必要なスクリーニング検査

病歴情報と身体所見でうっ血性心不全が第一に疑わしいため，胸部X線写真でうっ血や胸水などを確認する．そして，虚血性心疾患による心機能低下から

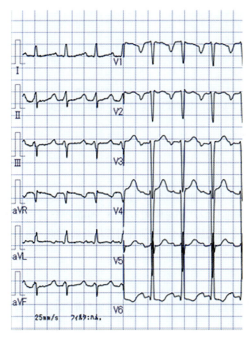

図1 来院時安静12誘導心電図

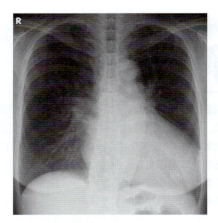

図2 胸部X線写真

体液貯留，うっ血による静脈怒張の鑑別のため心電図検査を行う．また，腎疾患による体液貯留，静脈怒張の可能性も考えられ，採血検査で腎機能を含めて評価する．

検査結果

血液・血液生化学・血液凝固所見：Cr 0.61 mg/dL，CK 25 U/L，D-ダイマー 0.5μg/mL．
心電図：心拍数 110 回/分の洞性頻脈で左室肥大所見（図1）．前胸部誘導でR波の減高を認める．
胸部X線写真：心拡大，肺うっ血を認める（図2）．

診断仮説（仮の診断）
・うっ血性心不全

診断確定のために

症状，診察所見，胸部X線で本症例ではうっ血性心不全と診断可能であるが，治療対象となる心不全の鑑別のため，採血にて脳性ナトリウム利尿ペプチド（BNP）＞100 pg/mL，脳性ナトリウム利尿ペプチド前駆体N端フラグメント（NT-proBNP）＞400 pg/mL がカットオフ値として有用である．また心機能，弁膜症評価，治療方針決定のため，心臓超音波検査も必須検査である．

診断 うっ血性心不全

治療の基本方針

うっ血性心不全は速やかなうっ血解除が予後改善につながるため，酸素，利尿薬投与を行い，必要に応じて血管拡張薬を併用する．低心拍出状態で，利尿が不十分な場合は強心薬も併用する．また，治療と同時に心不全の原因精査を行う必要があるが，特に虚血性心疾患による原因が最も多く，除外する必要がある．さらに，治療に難渋し，血行動態の把握が難しい場合は躊躇なく Swan-Ganz（スワン・ガンツ）カテーテルで血行動態を評価し，必要に応じてメカニカルサポートデバイスの併用を検討する．

アナザーストーリー

もし下肢浮腫が片側性だったら

下肢浮腫が両側ではなく片側性の場合は，心臓，中枢静脈の問題ではなく，下肢への分岐後の問題として，頻度としては深部静脈血栓症が第一に考えられる．血液検査でD-ダイマーや，必要に応じて下肢静脈超音波検査を行う．また，息切れ症状など随伴症状がある場合は深部静脈血栓症からの肺塞栓症が考えられ，必要に応じて造影CT検査で鑑別する必要がある．

診断に至る思考プロセス

下肢浮腫をみた場合は随伴症状に注意し，心臓か血管かどこに病変があるのかを考える必要がある．心不

全は症候群であり，症状と診察所見で大部分診断することが可能である．虚血性心疾患の鑑別などの原因精査も含めて，心電図や胸部X線写真で確定診断を行っていく．

クリニカルパール

- 下肢浮腫をみた場合，随伴症状に注意して，心臓かそのほか原因を考えていく．
- 心不全の静脈うっ血所見として頸静脈怒張は重要である．
- うっ血性心不全は進行性の病態であり，速やかにうっ血解除することが予後改善につながる．

〈矢崎 義行，中村 正人〉

38歳 女性
月経異常

現病歴：3年くらい前より寒がりになり，全身倦怠感・食思不振が出現．2年前から無月経となり，数か月前より両側外側が見にくいことに気づいた．ここ3年間で体重が6kg減少している．
既往歴：29歳時，第1子妊娠・出産．
生活歴：特記すべきことはない．
家族歴：特記すべきことはない．
身体所見：意識は清明．身長167cm，体重56kg，体温35.4℃，血圧108/78mmHg，脈拍72回/分（整），呼吸数20回/分．頸部リンパ節を触知しない．甲状腺を触知しない．心音・呼吸音に異常を認めない．腹部は平坦・軟．皮膚はやや乾燥．腋毛・恥毛はやや粗．

問題点の描出

耐寒性の低下，全身倦怠感・食思不振・体重減少に引き続き，無月経と両側外側が見にくいという視力障害が出現した．

診断の進め方

特に見逃してはいけない疾患
・視床下部障害
・下垂体前葉機能低下症
・高プロラクチン（PRL）血症やプロラクチノーマ
・甲状腺機能低下症

頻度の高い器質性疾患
・下垂体腺腫
・頭蓋咽頭腫
・鞍上部胚芽腫

この時点で何を考えるか？
医療面接と身体診察を総合して考える点

全身倦怠感・食思不振・体重減少などはありふれた症状であり，さまざまな疾患が考えられる．しかしながら，耐寒性の低下を訴え，皮膚の乾燥，腋毛・恥毛の脱落，両耳側の視野の欠損と続発性無月経が出現している．このような症候や診察所見から，甲状腺機能低下症や性腺機能低下症が疑われる．全身倦怠感・食思不振・体重減少など，グルココルチコイド（コルチゾール）の欠損による症候と推論することもできる．これらの症候を一括して説明できるのは，下垂体前葉機能低下症であることを想起する．下垂体前葉機能低下症により，続発性副腎皮質機能低下症・続発性甲状腺機能低下症・続発性性腺機能低下症が惹起され，両側外側（両耳側）の視力障害と無月経から，視床下部か下垂体近傍の病変を想起し，鑑別診断を進める必要がある．

視力障害はどのようなパターンか，眼科で視野検査を行う必要がある．両耳側半盲ならば，視交叉を圧排する下垂体腺腫や鞍上部胚芽腫が疑われる．頭蓋咽頭腫での視力障害のパターンはさまざまある．無月経に関しては，視床下部−下垂体系の異常か，性腺自体の異常が疑われるが，本症例では視力障害もあるので，視床下部−下垂体系の異常が疑われる．

下垂体近傍の頻度が高い腫瘍としては，下垂体腺腫（80％），頭蓋咽頭腫（10％）の順になる．下垂体腺腫のなかではプロラクチノーマが30％を占めるが，本症例では乳汁漏出の訴えはないので否定的といえる．最も頻度が高い下垂体腺腫はホルモンを産生しない非機能性下垂体腺腫である．本症例は非機能性下垂体腺腫によるトルコ鞍内の圧迫で性腺刺激ホルモンの産生が低下し，続発性性腺機能低下症による無月経をきたし，下垂体腺腫の鞍上方への進展で視交叉を圧排し両耳側半盲をきたしていると推測できる．

診断仮説（仮の診断）
・**下垂体腺腫による下垂体前葉機能低下症**
・高PRL血症やプロラクチノーマ
・頭蓋咽頭腫
・鞍上部胚芽腫

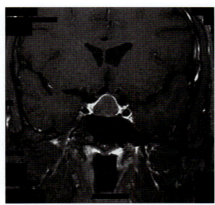

a：冠状断　　　　　　　　　　　　　b：矢状断

図1　頭部MRI

必要なスクリーニング検査

　視床下部か下垂体近傍の病変を疑い，頭部X線写真（正面・側面）をオーダーする．加えて，頭部CT，可能なら頭部MRIをオーダーする．できれば造影して撮像する．全身状態の評価のため，採血にて血算（白血球像も）・生化学（電解質・血糖・総コレステロール・CKも）検査を行う．下垂体前葉機能低下症があれば，コルチゾール低下により，低Na血症や低血糖，貧血や好酸球増加が認められる．甲状腺機能低下症があれば高コレステロール血症やCK上昇を認める．内分泌学的検査として以下のホルモンを測定する．ACTH，TSH，GH，LH，FSH，プロラクチン，コルチゾール，free T_3，free T_4，IGF-I，エストラジオール（E_2）．

検査結果

画像検査：頭部MRIで下垂体のトルコ鞍内に腫瘤性病変があり，上に凸の腫大を認める．造影効果は弱い（図1 a, b）．
血液所見：血算；WBC 5,600/μL（桿状核球8％，分葉核球48％，リンパ球32％，好塩基球1％，好酸球11％），RBC 374×10^4/μL，Hb 10.0 g/dL，Ht 36.8％，MCV 98.3 fL，MCH 26.7 pg，MCHC 27.2％，Plt 18.1×10^4/μL．
血液生化学：Na 134 mEq/L，Cl 102 mEq/L，K 4.2 mEq/L，LDL-コレステロール202 mg/dL，CK 526 IU/L，血糖78 mg/dL，HbA1c 5.0％．
内分泌学的検査：ACTH，TSH，GH，LH，FSHは低値，コルチゾール，free T_3，free T_4，IGF-I，エストラジオール（E_2）も低値．

診断仮説（仮の診断）
・下垂体腺腫による下垂体前葉機能低下症

診断確定のために

　内分泌負荷試験として，ACTH系はCRH試験，TSH系はTRH試験，GH系はGHRP試験，ゴナドトロピン系はGnRH試験などで各ホルモンの反応性分泌が低下していることを確認する．
　視野検査で両耳側半盲が認められることを確認する．

診断　下垂体腺腫による下垂体前葉機能低下症

治療の基本方針

　下垂体腺腫に対して，経蝶形骨洞的下垂体腺腫摘除術を考慮する．下垂体前葉機能低下症に対して，生命の維持のため，最初にグルココルチコイドであるコルチゾールの補充を開始し，次いで甲状腺ホルモンの補充を開始する．無月経の原因である続発性性腺機能低下症に対しては妊孕性の獲得を目指す場合にはゴナドトロピン（HCG，hMG，rFSH）による治療を行う．挙児希望のない場合には，周期的なエストロゲンとプロゲステロンの併用療法〔Kaufmann（カウフマン）療法〕を行う．重症型GH分泌不全症の場合には，GHを週6～7回皮下注射する．

アナザーストーリー

もし患者が男性だったら

　思春期前の男子なら，低身長や二次性徴が出現しないなどの訴えで受診することが多い．成人の男性ならば，全身倦怠感や食思不振に加えて，髭が薄くなった，性欲の減退などの訴えで受診することが多い．もちろん，下垂体腺腫が鞍上部へ進展すれば視力障害(両耳側半盲)は起こりうる．

診断に至る思考プロセス

　下垂体前葉機能低下症の訴えは多岐にわたるが，全身倦怠感や食思不振などの症状に加えて，視力障害・視野欠損や女性の場合には無月経などがあれば，視床下部か下垂体近傍の病変を疑うことは容易である．頭部 MRI などの画像検査と内分泌学的負荷試験で診断を確定する．

クリニカルパール

- 全身倦怠感や食思不振などのありふれた症状でも，下垂体前葉ホルモンの欠損症状の可能性がある．
- 血算や生化学検査所見から，コルチゾールや甲状腺ホルモンの低下を推測できることがある．
- 視力障害・視野欠損や女性の場合には無月経があれば，視床下部か下垂体近傍の病変を疑うことができる．
- 下垂体腺腫は経蝶形骨洞的下垂体腺腫摘除術の適応となる．
- 下垂体前葉機能低下症には生命の維持のため，グルココルチコイドと甲状腺ホルモンの補充が必須である．
- 個々の患者の希望により，ゴナドトロピンによる治療や周期的なエストロゲンとプロゲステロンの併用療法(Kaufmann 療法)を行う．重症型 GH 分泌不全症の場合には，患者の希望があれば GH の皮下注射を行う．

〈片山 茂裕〉

34歳 女性
排尿痛, 頻尿

現病歴：昨日勤務中より軽度頻尿傾向であった．今朝より，排尿痛，褐色尿と残尿感あり．微熱あり．尿意はあるものの尿量が少なく，昼に受診となった．
既往歴：特記すべきことはない．
生活歴：会社勤務．受付業務．喫煙歴なし．
家族歴：特記すべきことはない．
身体所見：意識は清明．身長 160 cm，体重 52 kg，脈拍 78 回/分（整），血圧 110/64 mmHg，体温 37.4 °C，呼吸数 16 回/分，SpO_2 99%（room air）．心音，呼吸音異常なし．腹部平坦・軟．肋骨脊柱角（CVA）叩打痛は右に軽度あり．

問題点の描出

これまで健康な 34 歳女性．頻尿傾向があり翌日から褐色尿と残尿感を伴う排尿痛を主訴に受診．微熱と右優位の軽度の CVA 叩打痛も認める．

診断の進め方

特に見逃してはいけない疾患
- 膀胱癌
- 糸球体腎炎（IgA 腎症）
- 婦人科悪性腫瘍（子宮癌）

頻度の高い疾患
- 急性膀胱炎
- 腎盂腎炎
- 慢性膀胱炎
- 尿路結石

この時点で何を考えるか？
医療面接と身体診察を総合して考える点

排尿痛と頻尿を認める患者に対しては，尿路感染のほか，結石あるいは腫瘍などによる下部尿路に対する物理的刺激が原因なのかの鑑別を，病歴などから考える必要がある．

今回の患者の場合には慢性の経過ではなく，急性に症状が出現していること，褐色尿や微熱などの急性炎症を示唆する所見を伴うことから，急性の病態が示唆される．一方で，褐色尿があることから慢性の尿路感染症あるいは慢性糸球体腎炎を示唆する慢性の尿所見異常がないか，結石を示唆する先行する移動性の背部痛の有無や尿路結石発作の既往の有無，喫煙歴など尿路系の悪性腫瘍の原因となるような生活習慣などがないかなども慎重に聴取する必要がある．受付業務ということもあり，業務上トイレに行けなかったなどの状況があったかどうかも重要な判断材料になる．

診断仮説（仮の診断）
- 急性膀胱炎

必要なスクリーニング検査

排尿痛，頻尿，残尿感などの膀胱刺激症状などと褐色尿から尿路感染による急性膀胱炎を第一に疑うため，尿検査を行い血尿や膿尿の有無などを確認する．できれば定性検査だけでなく，尿沈渣により尿中赤血球，尿中白血球の増加の有無を確認する．

全身状態の確認のため採血検査も考慮されるが，その場合には白血球数，CRP の上昇の有無も確認する．本症例の場合，現在はバイタルサインは問題ないが，軽度の CVA 叩打痛と発熱があるため，今後腎盂腎炎からの敗血症，敗血症性ショックへの波及，重症化も想定しておく必要がある．

検査結果

尿所見：潜血（3＋），蛋白（1＋），赤血球 50 以上/HPF，白血球 10〜20/HPF．
血液所見：WBC 10,500/μL，CRP 1.5 mg/dL．

明らかな血尿と膿尿を認め，白血球数増加と CRP の軽度増加を認めた．

診断仮説（仮の診断）
・急性膀胱炎

診断確定のために

今回の患者のように急性の臨床経過で，尿路感染を疑う尿所見があることから急性膀胱炎を考える．一方，CVA叩打痛と微熱から腎盂腎炎の合併も示唆される．そのため，尿培養は行わずに，検査結果から治療を行い，診断的治療を行う必要がある．

診断 急性膀胱炎，右側腎盂腎炎疑い

治療の基本方針

原因菌として頻度的に *Escherichia coli* といったグラム陰性菌や，*Klebsiella pneumoniae* や *Proteus mirabilis* などのグラム陰性桿菌などをまず念頭において治療を考慮する．腎盂腎炎も懸念されるため，抗菌薬へのアレルギーの有無を確認のうえ，最初からフルオロキノロン系あるいはセファロスポリン系の経口抗菌薬にて外来治療を3日間行う．積極的な水分摂取も指導する．内服薬でも改善せず，さらに熱が悪化する場合には入院による注射薬の静脈投与を行う．

アナザーストーリー

もし患者が男性だったら

男性の場合には，単純性膀胱炎のほか，前立腺炎なども念頭におく必要がある．発熱，会陰部の不快感などの症状の有無は，鑑別において重要である．疑われる場合には，直腸診による前立腺の熱感や圧痛の有無を確認する．

診断に至る思考プロセス

基礎疾患のない比較的若年の女性で，排尿痛などの急性の膀胱刺激症状から急性膀胱炎を疑うのは容易である．しかし，腎盂腎炎への移行による重症化の危険性があるため，発熱，CVA叩打痛などの腎盂腎炎のサインを見逃さずに，積極的な抗菌薬治療を検討する．

クリニカルパール

- 膀胱炎のみで発熱することは稀であるため，発熱の病歴は確実に聴取する．
- CVA叩打痛は確実に行い，腎盂腎炎の合併の有無を確認する．

〈鈴木 祐介，富野 康日己〉

36歳 女性
血尿

現病歴：中学・高校の学校検診では尿潜血反応・蛋白陽性を時々指摘されていたが，社会人となってからの定期健康診断では尿所見異常は指摘されていなかった．35歳時の健康診断で尿潜血反応(2＋)，尿蛋白(1＋)を指摘されるも放置していた．36歳時，感冒をきっかけに肉眼的血尿を認めたが数日で消失した．感冒から約2か月後の健康診断時に尿潜血反応(3＋)，尿蛋白(2＋)と尿所見異常を指摘されたため受診となった．
既往歴：特記すべきことはない．
生活歴：22歳時より商社勤務．飲酒歴はビール350mLを週2回程度．喫煙歴なし．
家族歴：原因は不明だが，母親は60歳から血液透析療法を受けている．
身体所見：意識は清明．身長160cm，体重55kg，脈拍70回/分(整)，血圧120/80mmHg，呼吸数14回/分．胸部聴診上異常を認めない．腹部は平坦・軟で，肝・脾を触知しない．下肢に浮腫を認めない．

問題点の描出

以前に尿潜血反応と尿蛋白の陽性を指摘されたが，持続性ではなかった．感冒時に肉眼的血尿を認め，その後も尿潜血反応陽性と尿蛋白は持続している．母親は血液透析治療を受けている．

診断の進め方

特に見逃してはいけない疾患	頻度の高い疾患
・腎細胞癌 ・腎盂・尿管癌 ・膀胱癌 ・腎梗塞	・腎・尿路結石 ・膀胱炎 ・慢性腎炎症候群(特にIgA腎症)

この時点で何を考えるか？
医療面接と身体診察を総合して考える点

肉眼的血尿を認め受診した患者に対しては，まず腎・尿路腫瘍である腎細胞癌，腎盂・尿管癌，膀胱癌などを除外する必要がある．一般に，これらの疾患の好発年齢は高齢である．青壮年で血尿を認める疾患としては，腎・尿路結石がある．このほか，血尿をきたす頻度の高い疾患として膀胱炎がある．単純性膀胱炎では頻尿や排尿痛，残尿感，尿混濁に加え，血尿などの自覚症状を認める場合が多いが，複雑性膀胱炎では無症状のこともある．

心房細動や弁膜症のため人工弁置換術を受けている患者で，血尿以外に腎部に圧痛を認める場合は，その側に腎梗塞がある可能性を考える．また，カテーテル操作を伴う処置後に血尿や蛋白尿，網状皮斑などの皮膚症状(紫色/青色足趾症候群)を認める場合には，コレステロール塞栓症が疑われる．

本症例では，自覚症状として肉眼的血尿を一時認めたが，受診時には消失しており，腹部症状もなく，緊急での救命処置が必要な状態ではないと判断し，原因疾患を絞り込むための医療面接が重要と考えた．肉眼的血尿を呈する糸球体疾患としては，溶連菌感染後急性糸球体腎炎や半月体形成性糸球体腎炎，ループス腎炎，IgA腎症などがある．本症例では，感冒時に咽頭痛もなく乏尿や高血圧などの所見もないことより，溶連菌感染後急性糸球体腎炎の可能性は低い．また，以前から尿所見異常を指摘されていたことに加え，感冒後に肉眼的血尿を発症していること，母親が血液透析治療を受けていることなどからIgA腎症を第一に考える．

診断仮説(仮の診断)
- **慢性腎炎症候群(特にIgA腎症)**
- 急性腎炎症候群(溶連菌感染後急性糸球体腎炎)
- 急速進行性腎炎症候群(半月体形成性糸球体腎炎)
- ループス腎炎
- 腎・尿路結石

必要なスクリーニング検査

慢性腎炎症候群が第一に疑わしいため尿検査（尿蛋白定性・定量，尿沈渣）をオーダーする．溶連菌感染後急性糸球体腎炎を除外するために咽頭培養も提出する．血液検査では，腎機能〔血清 Cr，推算糸球体濾過量（eGFR）など〕，CRP，免疫グロブリン（IgA，IgG，IgM など），補体（C_3，C_4，CH_{50}），抗核抗体，抗好中球細胞質抗体（ANCA），溶血性連鎖球菌抗体（ASO）などを行う．腎・膀胱癌や腎・尿路結石の除外のために腹部単純 X 線撮影，腹部・膀胱超音波検査も行う．

検査結果

尿検査：蛋白定性（2＋），定量 0.75 g/g・Cr，潜血反応（3＋），沈渣；赤血球 50 以上/HPF（変形赤血球あり），赤血球円柱・顆粒円柱・脂肪円柱・硝子円柱を認める．
血液検査：Cr 0.70 mg/dL，eGFR 75.7 mL/分/1.73 m^2，CRP 0.20 mg/dL，IgA 400 mg/dL，C_3 90 mg/dL，CH_{50} 50 U/mL，抗核抗体（−），MPO−ANCA・PR3−ANCA（−），ASO は正常．
胸・腹部 X 線写真，腹部・膀胱超音波検査：異常なし．
咽頭培養：陰性．

尿検査では，蛋白尿と変形赤血球を伴う血尿，赤血球円柱，顆粒円柱を認めることより，腎臓（糸球体）からの出血が疑われ，慢性腎炎症候群が示唆される．

血液検査では，eGFR は正常で昨年の健康診断時と比較しても明らかな腎機能低下は認めていなかった．また，炎症反応や ANCA は陰性であり，腹痛や関節痛，紫斑など血管炎を疑う臨床所見はなく，急速進行性腎炎症候群（半月体形成性糸球体腎炎）の可能性は低い．また，咽頭培養も陰性で，ASO は正常範囲内で補体 C_3・CH_{50} の低下も認めていないことより，急性腎炎症候群である溶連菌感染後急性糸球体腎炎も否定的である．このほか，蛋白尿・肉眼的血尿を認める腎炎としてはループス腎炎があるが，全身性エリテマトーデスを示唆するような多彩な臨床症状（皮膚・粘膜，関節，神経，心臓，肺）はなく，抗核抗体や補体も正常であり否定的である．腎疾患の家族歴があること，IgA 高値（315 mg/dL 以上）で血清 IgA/C_3 比 4.4（3.01 以上）と高値であることから IgA 腎症の可能性が疑われる．

診断仮説（仮の診断）
・IgA 腎症

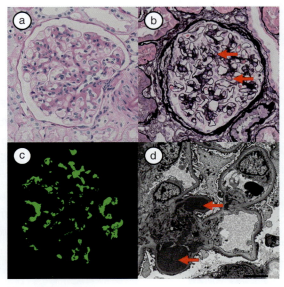

図1　腎生検所見
a：PAS 染色では，糸球体メサンギウム基質の拡大と細胞増加が認められる．
b：PAM 染色では，傍メサンギウム領域の糸球体基底膜直下に半球状沈着物（矢印）を認める．
c：蛍光抗体法による IgA 染色では，メサンギウム領域に全節性に顆粒状の IgA 沈着が認められる．
d：電子顕微鏡では，傍メサンギウム領域に高電子密度物質沈着（矢印）を認める．

診断確定のために

IgA 腎症は病理的診断名であり，腎生検により確定診断可能である（図1）．

 IgA 腎症

治療の基本方針

腎生検結果から組織学的重症度を 4 段階，蛋白尿と eGFR の程度から臨床的重症度を 3 段階に分類し，その両者を組み合わせて透析導入リスクの層別化を行う．また，年齢や血圧，蛋白尿，血尿の程度に加え，急性腎組織病変の有無を参考にして治療方法を決定する．治療法としては，レニン−アンジオテンシン系（RAS）阻害薬や副腎皮質ステロイド薬の投与を検討する．また，免疫抑制薬や抗血小板薬，n−3 系脂肪酸の投与，口蓋扁桃摘出術（単独あるいはステロイドパルス療法との併用）を検討する．

アナザーストーリー

もし患者が高齢男性であったら

　前立腺癌を鑑別する必要がある．腫瘍マーカーであるPSAの測定，経直腸超音波断層法やMRIを行う必要がある．前立腺癌が疑われる場合には，前立腺針生検で確定診断を行う．

診断に至る思考プロセス

　比較的若年から中年で血尿と蛋白尿を伴う場合，慢性腎炎症候群を想起することは容易である．腎・泌尿器腫瘍や腎梗塞などを除外したうえで，血液・尿検査から糖尿病や膠原病など全身性疾患の有無を確認したのち，腎生検で確定診断を行う．

クリニカルパール

- 尿検査での変形赤血球や赤血球円柱の存在は糸球体からの出血を示唆する．
- 肉眼的血尿を呈する糸球体疾患としては，IgA腎症や溶連菌感染後急性糸球体腎炎，半月体形成性糸球体腎炎，ループス腎炎などがある．
- IgA腎症では血清 IgA/C_3 比が3.01以上を示す頻度が高い．

〈合田 朋仁，富野 康日己〉

67歳 男性
ろれつが回らない

現病歴：2年ほど前から，会話の際に，ろれつが回らず言葉を滑らかに話せなくなった．家族からも聞き取りづらさを指摘されるようになったため，専門外来を受診．同時期から，起立時や歩行時にふらつき感もあり，転びそうになることが増え，小走りや階段昇降が難しくなった．日内あるいは日差変動を自覚することはない．
既往歴：特記すべきことはない．
生活歴：喫煙歴なし．大量飲酒歴はなく，機会飲酒程度．
家族歴：神経筋疾患の既往を有する者なし．
身体所見：バイタルサイン異常なし．意識は清明．義歯装着なし．発語では，語頭が突然吹き出すように大きな声となり，リズムやイントネーションが乱れ，語尾は不明瞭．錯語なく，会話の内容は正確．復唱は可．失読や失書なし．計算可．失行や失認なし．眼球運動はやや跳躍性で注視方向性眼振あり．上部・下部顔面筋に異常なし，軟口蓋の挙上は良好，挺舌正中．運動や感覚に異常所見なし．深部腱反射正常，病的反射なし．指鼻試験は拙劣で測定過大や運動分解，企図振戦あり．反復拮抗運動，踵膝試験も拙劣．歩行は開脚歩行．髄膜刺激症状なし．膀胱直腸障害なし．

問題点の描出

2年前（65歳時）から歩行障害などの運動症状を伴い，緩徐進行性に増悪する構音障害のため受診．小脳失調症状がみられている．

診断の進め方

特に見逃してはいけない疾患
- 脳血管障害
- 炎症性疾患
- 運動ニューロン疾患
- 感染症
- 傍腫瘍症候群

頻度の高い疾患
- 神経変性疾患

この時点で何を考えるか？
医療面接と身体診察を総合して考える点

　言語障害の症例をみた場合に，まず失語症と構音障害とを鑑別する必要がある．本症例では会話による疎通や復唱が可能であり，失読や失書はみられないことなどから，構音障害と考えられる．構音障害の場合，脳神経（顔面神経，舌咽・迷走神経，舌下神経）の異常による場合と小脳の異常による場合とがある．本症例では，こうした脳神経の異常所見はみられず，発語が爆発性（発音が努力様で語頭などの声量が唐突に大きくなる）で断綴性（とぎれとぎれ）かつ不明瞭であり，失調症状を伴うことから，病巣を小脳にもつ構音障害であると判断できる．

　傍腫瘍症候群（腫瘍の遠隔効果によるもの）などの免疫介在性疾患や，感染，中毒（薬物性，アルコール性），代謝異常（橋本病，ビタミンB_1，B_{12}，E欠乏症）など二次性小脳失調との鑑別も必要である．年単位の緩徐な経過であること，進行性であることから，神経変性疾患である脊髄小脳変性症が最も疑わしい．

　脊髄小脳変性症は，さらに遺伝性と孤発性とに分類される．遺伝性疾患であっても，家族歴がはっきりせず，孤発性と判断されてしまうこともある．遺伝学的検査で頻度の高いSCA6やSCA31は，本症例のような純粋小脳失調型を示すことが多いとされている．孤発性であれば，多系統萎縮症－小脳型の頻度が高いが，本症例では，自律神経症状やParkinson症状（錐体外路症状）はみられない．皮質性小脳萎縮症が考えられるが，多系統萎縮症初期の可能性も否定できない．

診断仮説（仮の診断）
- 脊髄小脳変性症（多系統萎縮症初期，皮質性小脳萎縮症）

必要なスクリーニング検査

小脳に病巣の存在が推測されることから，頭部画像検査を行いたい．特に，神経変性疾患を疑っており，多系統萎縮症でみられる特徴的な所見や，小脳以外の大脳や脳幹部における所見を確認する．

また，二次性小脳失調の除外には，血液検査や髄液検査，胸腹骨盤部のCT検査などを行う．免疫介在性疾患としては，橋本脳症や傍腫瘍症候群，グルテン失調症や抗GAD抗体陽性失調症などの各種抗体を測定する．

検査結果

血液所見：各種抗体を含め，有意な所見なし．
髄液所見：有意な所見なし．
胸腹部骨盤部CT検査：有意な所見なし．
頭部MRI検査：小脳上面に萎縮性変化あり．脳幹部や基底核に萎縮性変化，異常信号域はみられず（図1）．

診断仮説（仮の診断）
- 皮質性小脳萎縮症

診断確定のために

孤発性で純粋小脳失調型を示す症例であること，二次性小脳失調が除外され，皮質性小脳萎縮症と考えられるが，多系統萎縮症-小脳型の初期との鑑別が必要となる．多系統萎縮症では，橋底部の十字サイン（小脳型）や被殻外側のスリットサイン（パーキンソニズム型）などの特徴的なMRI所見が知られており，進行とともに現れやすくなるため，小脳半球の評価も兼ねて定期的な頭部MRI検査の施行が望ましい．また，多系統萎縮症は皮質性小脳萎縮症に比べ，歩行障害などの進行速度は一般的に速いとされており，自律神経症状やParkinson症状が出現しないかどうか注意深く経過をみていく必要がある．自律神経症状については，膀胱直腸障害に加え，起立性低血圧の評価を行うことも重要である．脳幹機能や小脳機能の評価のため，前庭機能検査を行うこともある．ドパミントランスポーターシンチグラフィー（DAT-SPECT）において，多系

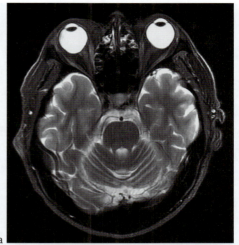

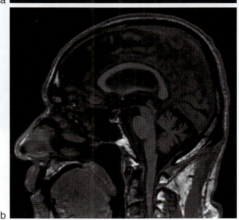

図1　頭部MRI検査
a：T_2強調画像・水平断像，b：T_1強調画像・矢状断像

統萎縮症では線条体機能異常がみられる．本症例では異常所見がみられず（図2），皮質性小脳萎縮症に矛盾しない所見であった．

診断　皮質性小脳萎縮症

治療の基本方針

皮質性小脳萎縮症は根治的な治療法が確立されておらず，対症療法が中心となる．

運動失調に対する薬物治療としては，TRH製剤である酒石酸プロチレリンやTRH誘導体であるタルチレリン水和物がある．両者の作用機序は明確ではない部分もあるが，脊髄小脳変性症の運動失調に保険適用を有している．また，リハビリテーション療法による身体機能維持訓練を行い，身体機能に応じた療養環境

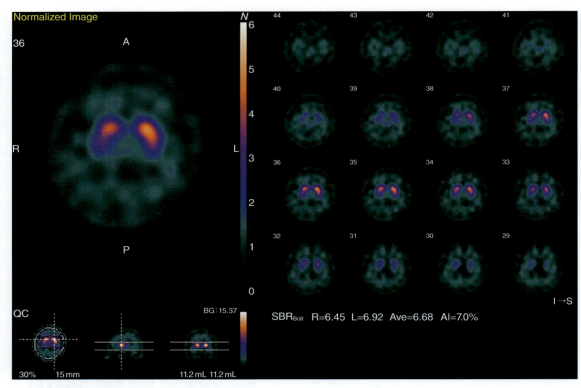

figure 2 DAT-SPECT

調整を行うなどの対応も重要である．

アナザーストーリー

もし患者が大酒家だったら

　大量かつ長期間の飲酒により，二次性に萎縮を伴う小脳失調がみられることがある．受診時に酩酊状態であれば，小脳由来の症状に似た構音障害や失調症状がみられるかもしれない．また，大量飲酒者でしばしばみられる栄養障害としてビタミン B_{12} 欠乏症があり，亜急性連合性変性症による対麻痺や脊髄性の失調症状を引き起こすこともある．アルコールが原因であった場合，断酒によって症状の進行が停止あるいは改善が生じうる．急激な断酒は離脱症状をきたす場合もあり，注意を要する．

診断に至る思考プロセス

　構音障害が緩徐進行性に増悪する場合には，神経変性疾患を考慮する．医療面接における注意深い病歴聴取と身体診察における随伴症状の所見により病巣診断を行い，画像など各種検査による評価を組み合わせて診断する．

クリニカルパール

- 「パ・タ・カ」(あるいは「パ・タ・カ・ラ」「パンダの宝物」)を繰り返し患者に唱えさせることで，脳神経由来の構音障害や小脳由来の構音障害のスクリーニングを行う方法がある．
- ほかにも「瑠璃も玻璃も照らせば光る」を唱えさせ，復唱や発語の流暢性を確認することで，構音障害と同時に失語の評価も兼ねることができる．

〈安部 哲史〉

45歳 男性
感覚障害・感覚異常

現病歴：半年前の秋から両足先が冷たく感じていた．徐々に範囲が上昇し，足首のだるさも春先になって出てきた．両下肢に浮腫も出てきたため，近医から紹介され受診．仕事で長時間正座をする．
既往歴：高血圧症，脂質異常症，高尿酸血症．
生活歴：職業は仏教関係，喫煙はなし，飲酒はなし．
家族歴：特記すべきことはない．
身体所見：脳神経に異常なし．左右上下肢運動麻痺なし．感覚は上肢顔面正常で，右下腿前面から母指まで，左下腿は外側から母指まで膜が張った感じあり表在感覚低下．足底は両側ともピリピリする異常感覚あり．振動覚は足関節正常で，母指は右優位の低下．腱反射は上肢（+/+），下肢（±/±），病的反射なし．両下腿浮腫軽度．体毛は剛毛で多毛．

問題点の描出

緩徐に進行する感覚障害があり，浮腫や多毛を伴い，運動麻痺は目立たない．

診断の進め方

特に見逃してはいけない疾患
- 慢性炎症性脱髄性多発根神経炎（CIDP），抗MAG抗体陽性ニューロパチー
- アミロイドーシス
- POEMS症候群
- 悪性リンパ腫，傍腫瘍症候群

頻度の高い疾患
- 糖尿病性などの感覚性ニューロパチー
- 腰部脊柱管狭窄症，腰椎下部神経根症

この時点で何を考えるか？
医療面接と身体診察を総合して考える点

時間軸で考えると半年ほどの期間に緩徐に進行する両下肢感覚障害で，脳血管障害や外傷などの物理的ストレスによるものは考えにくい．免疫の関与を考えた場合，Guillain-Barré（ギラン・バレー）症候群のように急速に増悪するものは考えにくい．CIDPのようなゆっくり進行するものなら可能性がある．腰部脊柱管狭窄症，腰椎下部神経根症はかなり緩徐な場合と急性増悪のような形をとるときがある．傍腫瘍症候群，POEMS症候群，アミロイドーシスなどはじわじわ悪くなってくるので，本症例とは合致しやすい．

疾患の解剖学的分布で考えると第4腰椎（L4）から第1仙椎（S1）の神経支配領域に主座があるようにみえる（図1）．下肢反射低下も認めることから，L4からS1の馬尾より末梢に病変がありそうだと予測できる．

浮腫や多毛，正座が多いという病歴や身体所見は無視してよいのだろうか．若い患者の場合，たまたま合併している，関係ないと簡単に切り捨てず，1つの疾患として結びつかないかを考えることが大切となる．この症例もこのような視点で考えてほしい．

診断仮説（仮の診断）
- **POEMS症候群**，Castleman（キャッスルマン）病
- CIDP
- 腰部脊柱管狭窄症，腰椎下部神経根症

必要なスクリーニング検査

末梢神経障害の有無を確認するため神経伝導検査を行った．腰椎神経根などの病変も考えF波も測定した．腫瘍検索の目的では胸腹部CT検査を行った．腫瘍が疑われればFDG PET-CTや腫瘍シンチグラフィーを考えていた．血液検査ではPOEMS症候群なども鑑別に挙げていたのでM蛋白を測定した．

検査結果

血液所見：IgG-λ型M蛋白検出．
神経伝導検査：後脛骨神経，総腓骨神経の複合活

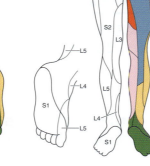

図1 下肢デルマトーム

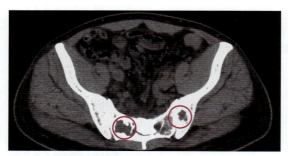

図2 腹部単純CT画像（自験例）
○部分に溶骨像を認める．

動電位は低下し，遠位潜時や神経伝導速度も遅延していた．それ以上に特徴的だったのは，正中神経，尺骨神経といった上肢の神経も含め，軒並みF波最短潜時が著明に延長していたことである．
胸腹部単純CT検査：仙骨，腸骨に溶骨，右第7肋骨に造骨像を認めた．肝脾腫も認める．リンパ節も多発の腫脹を認めた（図2）．
FDG PET-CT：腸骨にFDG集積．

> 診断仮説（仮の診断）
> ・POEMS症候群，Castleman病

診断確定のために

骨髄検査で多発性骨髄腫を認めなかった．右鼠径リンパ節生検はCastleman病のplasma cell typeのような病理像．血管内皮増殖因子（VEGF）は血清で1,090 pg/mL と上昇．

診断 POEMS症候群

治療の基本方針

POEMS症候群は診断基準こそあるが確立された治療法がなく，文献的にエビデンスの高い治療を倫理委員会に提出し行っていく．サリドマイド，テモゾロミドなどを試し，最終的には自己血幹細胞移植を行った．

アナザーストーリー

もし患者が正座による疾患だったら

仕事で正座が多いために腓骨神経麻痺は起こりやすいが，尖足になり運動麻痺がみられるはずである．

診断に至る思考プロセス

キーワードはM蛋白血症を伴う多発ニューロパチーで，このタイプのニューロパチーは限られてくる．CTでの溶骨・造骨像，浮腫や多毛，肝脾腫のような臓器腫大もみられる．POEMS症候群の国際診断基準で必須項目は多発ニューロパチー，単クローン性形質細胞増殖（M蛋白血症）で，その他の大基準のうちVEGF上昇も当てはまる．小基準も臓器腫大，浮腫，皮膚変化（多毛）など1つ以上をクリアでき，診断基準に合致する．

クリニカルパール

- 内科でも神経学的所見だけでなく，身体所見もていねいにみることで皮膚の特徴をつかむことが重要である．CT検査では映っているものすべてを読影する必要があり，放射線科の読影もしっかり確認することが必須である．稀な疾患だが，内科医が知っておいて損のない疾患と考え取り上げた．
- 神経伝導検査ではF波の最短潜時が著明に延長していた場合，CIDP，抗MAG抗体陽性ニューロパチー，Charcot-Marie-Tooth（シャルコー・マリー・ツース）病などのほかにPOEMS症候群を思い浮かべてもよいだろう．
- POEMS症候群はPolyneuropathy（多発ニューロパチー），Organomegaly（臓器腫大），Endocrinopathy（内分泌異常），M-protein（M蛋白血症），Skin change（皮膚症状）の頭文字に由来するが，以前はCrow-Fukase（クロウ・深瀬）症候群ともいわれていた．

〈青山 淳夫〉

79歳 女性
歩行障害

現病歴：半年前から動作が緩慢になり，転びやすくなってきた．両手に買い物袋を抱えたまま玄関に上がろうとして転倒したり，室内でも段差につまずいて転倒したりすることが多くなった．先月から尿失禁が増えて尿とりパッドを使用するようになった．かかりつけ医に相談し，当科紹介受診となった．

既往歴：64歳時に本態性振戦で内服加療．69歳時にうつ状態で近医精神科通院．75歳時に進行胃癌で幽門側胃切除術．

生活歴：喫煙歴なし．飲酒は機会飲酒．尿：10回/日以上，便：便秘．

家族歴：兄・妹が胃癌．

身体所見：身長144.3cm，体重43.6kg，体温36.2℃，脈拍80回/分(整)，血圧148/84mmHg，呼吸数16回/分，SpO_2 96%(room air)．意識は清明で見当識は正常，高次脳機能障害はない．仮面様顔貌でMyerson(マイヤーソン)徴候は陽性，脳神経系に異常なし．話し声は小声である．上肢Barré(バレー)徴候およびMingazzini(ミンガツィーニ)徴候は陰性．安静時振戦はないが，動作時・姿勢時振戦を軽度認める．筋強剛なし．感覚障害なし．小脳性失調なし．四肢深部腱反射は正常で左右差なし．病的反射なし．歩行は小幅ですり足，やや開脚でスピードが遅いが，すくみはなし，上肢の腕振りあり．継ぎ足歩行は不可．pull testでは3歩あとずさってそのまま後方へ倒れ込む．Romberg(ロンベルク)徴候は陰性．Schellong(シェロング)テストは陰性．胸部著変なし．腹部は手術痕あるほか，著変なし．

問題点の描出

既往疾患のある高齢女性．徐々に動作緩慢および易転倒性が進行し，尿失禁も伴うようになり受診．パーキンソニズムが疑われるが，筋強剛や安静時振戦は目立たない．

診断の進め方

特に見逃してはいけない疾患
- 脳あるいは脊髄の血管障害
- 頭部外傷(慢性硬膜下血腫など)
- 脳あるいは脊髄の腫瘍(転移性を含む)
- 中枢および末梢神経系の炎症性・感染性・脱髄性・代謝性疾患

頻度の高い疾患
- 脳血管障害
- Parkinson(パーキンソン)病，Parkinson症候群(正常圧水頭症を含む)
- Lewy(レビー)小体型認知症
- 腰椎疾患，関節疾患

この時点で何を考えるか？
医療面接と身体診察を総合して考える点

歩行障害患者の訴え方はさまざまだが，転びやすいという訴えも歩行障害に関連している可能性が高い．まずは緊急の診断・治療を要する状態であるかを判断する必要がある．突然や急性発症の場合や，下肢の筋力低下が急激に進行する歩行障害は緊急性が高く，その際随伴症状として，下肢以外の筋力低下，感覚障害や膀胱直腸障害の有無などに注意するが〔症候・病態編「歩行障害」参照(☞757ページ)〕，今回の患者の場合，半年の経過で徐々に易転倒性が進行し，麻痺や感覚障害はない．

ただ，転倒回数が増えており，今後転倒による頭蓋内出血や骨折など外傷発生リスクは高く，早急な原因診断が必要である．

医療面接では発症様式(突然の発症か，急性の発症か)と経過(発症から半年経過，徐々に進行している)，歩行障害の具体的内容(両手がふさがった状態で動いて転倒，段差につまずきやすい)や随伴症状(尿失禁)，薬剤服用歴や既往を聴取することで，病変部位や診断につながる情報を得ることができる．

加えて身体診察では，まず歩行状態をよく観察する．歩行障害の分類〔症候・病態編「歩行障害」参照(☞757ページ)〕に当てはめ，一般身体診察および詳細

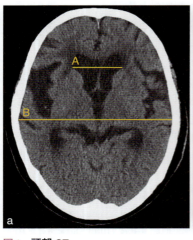 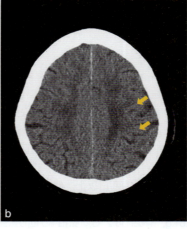 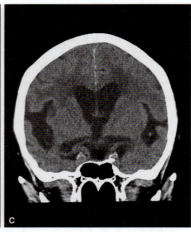

図1 頭部CT
a：水平断．脳室が軽度拡大している〔Evans Index（両側側脳室前角間最大幅A/その部位における頭蓋内腔幅B 比）＝ 0.33 ＞ 0.3〕．
b：水平断．高位円蓋部のくも膜下腔（脳溝）は狭小化している（矢印）．
c：冠状断．Sylvius（シルビウス）裂は開大しているが，高位円蓋部くも膜下腔は狭小化．

な神経学的診察によって病変部位を推定し，原因の検討に進む．医療面接や身体診察の結果，本例では脳や脊髄の急性期脳血管障害や，中枢および末梢神経系の炎症性・感染性・脱髄性・代謝性疾患の可能性は低くなる．複数回の転倒歴があり，頭部外傷は頭部CTなどで除外しておく必要がある．悪性疾患の既往があるので，脊椎への転移に伴う急速進行性の下肢麻痺や，胃切除後によるビタミンB₁₂欠乏にも注意が必要だが，身体診察で脊髄障害や末梢神経障害を示唆する所見はない．

緩徐進行性の経過で動作緩慢，姿勢反射障害といったパーキンソニズムを認めるが，安静時振戦や筋強剛を認めない点はParkinson病にしては非典型で，認知機能の低下や変動・幻視・自律神経症状が目立たない点はLewy小体型認知症も考えにくい．経過に従って尿失禁を伴い，Parkinson病に似た運動障害症状をきたす疾患（Parkinson症候群）を第一に考える．

> **診断仮説（仮の診断）**
> ・**Parkinson症候群，Parkinson病**
> ・急性期脳・脊髄血管障害
> ・Lewy小体型認知症
> ・脳あるいは脊髄の腫瘍
> ・中枢および末梢神経系の炎症性・感染性・脱髄性・代謝性疾患
> ・腰椎疾患・関節疾患

必要なスクリーニング検査

Parkinson症候群が第一に疑われるため，頭部画像をオーダーする．Parkinson症候群の原因には大脳皮質基底核変性症（大脳皮質基底核症候群），進行性核上性麻痺，多系統萎縮症などの神経変性疾患のほか，脳血管性Parkinson症候群，慢性硬膜下血腫，正常圧水頭症，薬剤性Parkinson症候群などがあるが，初診や救急外来では短時間に撮影でき，患者への負担が少ないので，まずは頭部CTを行う．慢性硬膜下出血を含む頭蓋内外傷性変化の有無や水頭症の有無，ある程度時間の経過した脳血管障害，脳腫瘍や脳萎縮の状態も初期診断としては十分評価できる．

Parkinson症候群に特異的な血液・生化学的検査はないが，全身状態評価のために採血も行う．認知機能もスクリーニング評価する．

検査結果

> **血液・血液生化学・血液凝固所見**：特に異常なし．
> **頭部CT**：図1
> **認知機能検査**：長谷川式簡易知能評価スケール改訂版（HDS-R）26点，MMSE（Mini-Mental State Examination）24点，前頭葉機能検査（FAB）12点．

血液検査では特記すべき所見はなかった．頭部CTでは脳室が拡大し〔Evans（エバンス）Index＞0.3〕，くも膜下腔は高位円蓋部および正中部で狭小化してい

る一方で，Sylvius（シルビウス）裂や脳底槽では拡大している（disproportionately enlarged subarachnoid-space hydrocephalus; DESH）．くも膜下腔のなかの脳脊髄液の分布が不均衡となっている所見であり，特発性正常圧水頭症（idiopathic normal pressure hydrocephalus; iNPH）に特徴的な画像所見である．脳梁角は DESH を間接的に表す指標であり，iNPH ではほとんどが 90°以下を示す．認知機能検査は前頭葉優位に軽度の低下を認めた．

> **診断仮説（仮の診断）**
> ・Parkinson 症候群，特発性正常圧水頭症（iNPH）疑い

診断確定のために

診断には MRI が推奨される．MRI が禁忌の場合には CT を用いる．症候と画像の面から iNPH を疑うことが重要で，画像所見のみでは診断できない．本例は suspected iNPH の必須項目（① 60 歳代以降に発症，②脳室が拡大）に該当し，possible iNPH の必須項目（① suspected iNPH の必須項目を満たす．②歩行障害，認知障害，尿失禁のうち 1 つ以上を認める．③ほかの疾患で症状が説明できない．④脳室拡大をきたす先行疾患がない）を満たした．精査入院で行った髄液検査で髄液圧の上昇はなく，蛋白や細胞数は正常であり，頭部画像検査で DESH 所見を認めることから，probable iNPH と診断した．

診断　特発性正常圧水頭症（iNPH）

治療の基本方針

髄液シャント術が基本で，主に 3 つの術式〔脳室・腹腔短絡術（ventriculoperitoneal shunt; VP シャント術），腰部くも膜下腔・腹腔短絡術（lumboperitoneal shunt; LP シャント術），脳室・心房短絡術（ventriculoatrial shunt; VA シャント術）〕がある．患者の全身状態や合併症を考慮して術式が選択される．タップテスト（脳脊髄液排除試験）で症状改善が認められない場合でも，シャント術で症状改善の場合（偽陰性）があることに注意する．

アナザーストーリー

もし患者の頭部 CT 所見が正常だったら

Parkinson 病や Lewy 小体型認知症，薬剤性 Parkinson 症候群の可能性や，また，進行性核上性麻痺は病初期には異常所見がはっきりしない場合も多く，鑑別に挙げる必要がある．服用薬の詳細な聴取やドパミントランスポーターシンチグラフィー，MIBG 心筋シンチグラフィーなどが鑑別に有用である．

診断に至る思考プロセス

既往疾患のある高齢者が緩徐進行性経過の歩行障害で受診してきた場合，医療面接と身体診察によって病変部位を推定し，緊急を要する疾患を除外する．大脳疾患が疑われる場合は頭部 CT・MRI 検査が有用であり，症候と併せて診断する．

クリニカルパール

- 病変部位を推定する際には，系統的に脳・脊髄・末梢神経で大きく分けて神経診察を行うとよい．
- 突然や急性発症の場合，また，急激に進行する歩行障害は，早急な治療を要することが多いので，迅速な診断が重要である．

〈塩田 由利〉

41歳 女性
心肺停止

現病歴：職場（介護施設）からの帰宅途中，同僚が運転する車の助手席に乗っていたが気分が悪くなり，車をコンビニの駐車場に停めてもらったところで意識消失，同僚が救急車を呼んだ．
既往歴：6年前に心肺停止で他病院に救急搬送され，冠攣縮性狭心症の診断を受けていた．内服薬で状態が安定していたので，近くの開業医でフォローされていた．
生活歴：喫煙歴なし，飲酒歴は機会飲酒．
家族歴：特記すべきことなし．
身体所見：救急隊到着時，意識なし，脈拍触知できず，呼吸なく心肺停止と判断．同僚による一次救命処置あり．救急隊員接触時に心室細動（VF）でただちに除細動を行い，心肺蘇生（CPR）を継続．病院到着時，医師は心拍再開（ROSC）を確認．

問題点の描出

日常生活を送っていた41歳女性が，突然意識消失し心肺停止となった．致死的不整脈による心肺停止の既往があり，冠攣縮性狭心症の診断を受けていたが，内服薬で状態が安定していたとのことで，埋込型除細動器（ICD）植え込みには至っていなかった．

診断の進め方

特に見逃してはいけない疾患
・虚血性心疾患（急性心筋梗塞，狭心症）
・重篤な不整脈（QT延長症候群，特発性心室細動，高/低K血症など）
・くも膜下出血
・脳出血
・急性大動脈解離
・肺血栓塞栓症

この時点で何を考えるか？
医療面接と身体診察を総合して考える点

心肺停止時には患者の意識はなく，患者の訴えはない．何も訴えることができず，反応がないのが心肺停止である．救急要請された救急隊員は，現場にいた同僚から話を聞いたが，患者の既往歴や生活歴，内服について何も知らなかった．救急救命士は，家族に連絡をとり，現在心肺停止状態にあることを説明し，特定行為を行うことを説明し同意を得た．同時に，既往歴として，家族から6年前に心肺停止で他病院へ救急搬送歴があることを聞き出し，医師に報告した．医師は，心疾患の既往と突然の心肺停止から，心臓由来の心肺停止と判断した．

救急隊現着時，同僚によるバイスタンダーCPRが施行されていた．AEDを装着したところ，VF波形を認めたためただちに除細動を行った．CPRを継続したがモニター波形は無脈性電気的活動（PEA）だったとのこと．救急救命士は心肺停止患者に対する特定行為について医師にオンラインで指示を受けたのち，薬物投与のための静脈路確保と乳酸リンゲル液の輸液を開始し，目撃のある心肺停止のためアドレナリンを投与（合計6A）した．現発してから37分で病院に到着した．医師は，病院到着時にROSCを確認，カテコールアミンの持続投与を開始するとともに，緊急気管挿管を行い人工呼吸管理を開始した．医師は，瞳孔不同なく，対光反射は緩徐ではあるが両側にあることを確認した．ほぼ同時刻に家族も病院に到着し，医師は家族から，患者は冠攣縮性狭心症を指摘されており内服中であったとの情報を得た．頭部CT施行後，循環器内科医により緊急冠動脈造影（CAG）が予定された．

診断仮説（仮の診断）
・冠攣縮性狭心症による心肺停止
・心筋梗塞による心肺停止
・脳卒中による心肺停止

必要なスクリーニング検査

症候・病態編「心肺停止」の項参照(☞ 763 ページ).

検査結果

血液所見：WBC 21,700/μL, pH 7.2, P_aCO_2 35.1 mmHg, HCO_3^- 13.4 mEq/L, BE −13.6 mEq/L, 乳酸 97.3 mg/dL, CK 149 U/L(CK−MB 型 38 U/L), トロポニン T(＋)
心電図：心拍数 147 回/分, 洞性頻脈, Ⅱ・Ⅲ・aVF・V_3〜V_6 で ST 低下(図 1, 2).
胸部 X 線検査：肺うっ血と誤嚥を思わせる浸潤陰影(図 3).
portable UCG：視覚的左室駆出率(visual EF) 30〜40%, びまん性収縮低下(diffuse hypokinesis), 有意な弁膜症(−).
頭部 CT 検査：くも膜下出血(−), 脳出血(−).

診断仮説(仮の診断)
・冠攣縮性狭心症による心肺停止
・心筋梗塞による心肺停止

診断確定のために

緊急 CAG を経て経皮的冠動脈インターベンション(PCI)を実施予定であったが, 冠血管への選択的血管拡張薬投与で冠血流は改善し, 冠血管に器質的な狭窄部位は存在せず, 冠血管攣縮が原因の心肺停止と考えられた.

診断 冠攣縮性狭心症による心肺停止

治療の基本方針

心肺停止の治療は, 胸骨圧迫, 人工呼吸, 必要であれば電気的除細動や薬物投与という CPR であり, 絶え間ない胸骨圧迫が何よりも重要である.
　ROSC 後は, 呼吸, 意識, バイタルサインを確認し, 気管挿管のうえ人工呼吸管理を継続する. 循環管理は, カテコールアミンの持続投与を行いながら必要に応じて容量負荷を行い血圧を維持する. 循環動態が不安定で機械的補助循環が必要な場合は, PCI を検討する. 意識レベルの回復が不明なときは, 体温管理療法(目標体温：32〜36℃)を行う.
　心肺停止の原因となった冠攣縮性狭心症に対しては, 発作を予防する目的で, 血管拡張薬の内服治療が治療の中心となる. また, 発作を誘発する原因の是正, 禁煙, 血圧管理, 糖尿病や脂質異常症の是正, 過労や精神的ストレス回避など日常生活の見直しが必要になる場合もある. 今回, 冠血管攣縮から致死性不整脈(心室細動)をきたし心肺停止となり救命できたが, これが 2 度目であることから, ICD の植え込み治療を施行することになった.

アナザーストーリー

もし患者が心筋梗塞だったら

冠攣縮性狭心症による致死的不整脈の既往の情報がなかったら, この事例も急性心筋梗塞として対応し, ROSC した場合は上記と同じような治療経過となったと推測される.
　通常の心肺蘇生に反応しなかった場合は, 目撃のある心肺停止でバイスタンダー CPR があり, 心エコーや検査結果から心筋梗塞が原因の心肺停止が強く疑われ, 最初の心電図が VF ということで, 体外循環式心肺蘇生(extracorporeal CPR; E−CPR)の適応になる可能性があった. E−CPR は, 胸骨圧迫をしながら経皮的心肺補助装置(PCPS)を導入し, 冠動脈造影を施行し必要があれば PCI による血行再建を施行する治療手段である.

診断に至る思考プロセス

主に救急隊員との医療面接により, 心肺停止前の症状と発見時の状態, 既往歴・生活歴・家族歴の情報を入手し, 身体診察とスクリーニング検査の結果に基づき, CPR を行いながら心肺停止の原因を絞っていく. まず, 心原性か否かに焦点を当てて検索していく. ROSC した場合, 循環動態が安定した段階で, CT 検査など諸検査を行い確定診断につなげていくことになる. ROSC のための治療戦略が原因検索に結びつく場合もあるが, 原則として心肺停止患者には CPR を行うことが最重要で, 原因診断確定は ROSC が得られたのちの次の段階となる.

クリニカルパール

- 心肺停止の診断を理解する.
- 心肺停止の原因となる病態・疾患を理解する.
- 一般市民が現場で, 救急救命士が倒れた現場から病院まで, 絶え間ない胸骨圧迫(CPR)を継続し, 病着

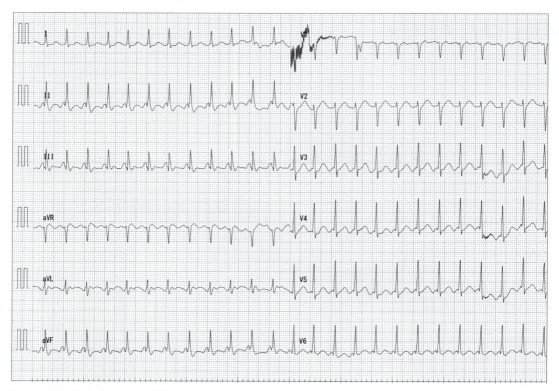

図1 心電図(救急外来 ROSC 後)

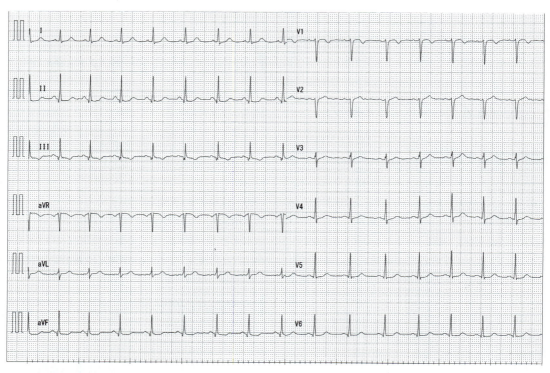

図2 心電図(退院時)

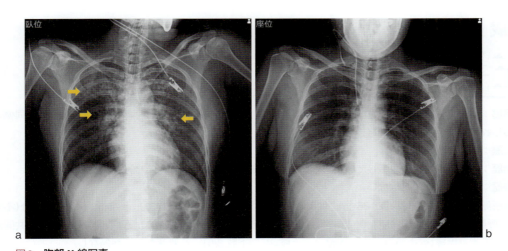

図3 胸部X線写真
a：ROSC後の胸部X線写真．肺うっ血と浸潤陰影が混在，b：ICU退室時の胸部X線写真．

後に医師がCPRを継続しながら心肺停止の原因となる疾患を探すことが重要である．
- 心臓由来の心肺停止は，ROSCする確率が比較的高いため，迅速に鑑別し診断的治療に結びつける．

〈柳田 国夫〉

80歳 男性
左半身麻痺

現病歴：肺炎で入院中，突然左半身麻痺が出現した．意識は清明であったが，構音障害と右への共同偏視が認められた．発症から2時間経過していた．
既往歴：高血圧症，心筋梗塞，心房細動で抗凝固薬を内服している．
生活歴：会社勤務を定年退職していた．喫煙歴40年あるが，10年前から禁煙．飲酒歴なし．
家族歴：特記すべきことはない．
身体所見：意識は清明．身長165cm，体重60kg，体温36.8℃，血圧145/95mmHg，脈拍90回/分(不整あり)，呼吸数20回/分，SpO_2 100%(酸素3L)，呼吸苦なし．対光反射正常で瞳孔不同なし．右への共同偏視あり．左半身麻痺〔徒手筋力テスト(MMT)：上肢2/5，下肢3/5〕．心雑音なし．胸痛なし．

問題点の描出

突然発症した意識障害を伴わない左半身麻痺．心房細動の既往歴があり抗凝固薬を内服している．

診断の進め方

特に見逃してはいけない疾患	頻度の高い疾患
・心原性脳塞栓 ・アテローム血栓性脳梗塞 ・脳出血	・ラクナ脳梗塞 ・Trousseau(トルソー)症候群 ・大動脈解離

この時点で何を考えるか？
医療面接と身体診察を総合して考える点

　突然の片麻痺で発症している患者では脳梗塞か脳出血の可能性が非常に高い．どちらも救命処置にかかわる疾患であるので迅速な診断が必要である．意識障害を伴わない片麻痺は脳梗塞の可能性のほうが高く，心房細動の患者では心原性脳塞栓を第一に考える．脳出血でも小さい出血が錐体路に起きれば意識障害を伴わないことがあり，抗凝固薬を内服しているので脳出血のリスクは高い．
　脳梗塞の場合には急性期には血圧は下げないが，脳出血の場合には再出血予防のため降圧が必要となり，鑑別は急を要する．
　脳主幹動脈急性閉塞による脳梗塞は急性期治療の対象となるので，迅速な診断が予後を左右する．
　意識障害があれば救命のための外科治療の適応となる脳出血を考える．意識清明で局所神経症状を認めれば再開通療法の適応となる脳梗塞を考える．しかし確定診断するまではいずれの可能性も考える必要がある．

必要なスクリーニング検査

　脳出血の可能性が高い場合には頭部CT検査を行う．脳出血が認められなければ頭部MRIで脳梗塞の診断を行う．MRI検査でFLAIR画像やT_2^*画像では脳出血を検出することは可能である．
　胸部単純X線撮影で大動脈解離をチェックする．

検査結果

血液生化学所見：異常所見なし．
血液凝固所見：APTT 45.3秒，PT-INR 1.4，D-ダイマー1.44μg/mL．
頭部MRI：拡散強調画像で右大脳半球に散在性の高信号病変を認めた(図1)．FLAIR画像で脳出血は認められなかった．
MRアンギオグラフィー：椎骨脳底動脈系と左中大脳動脈は描出されるが，両側内頸動脈，右中大脳動脈は描出されなかった(図2)．

血液凝固所見

　APTT(活性化部分トロンボプラスチン時間)とPT-INRは延長している．抗凝固薬内服のためと考えられる．D-ダイマーは正常値を超えており，血栓症を示

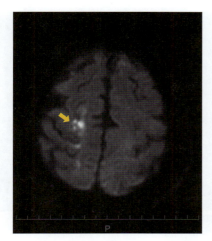

図1 MRI 拡散強調画像
右大脳半球に散在性の高信号病変を認めた．

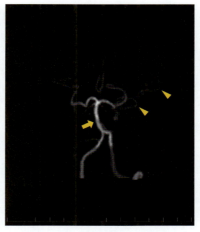

図2 MR アンギオグラフィー
椎骨脳底動脈系（➡）と左中大脳動脈（▶）は描出されるが，両側内頸動脈，右中大脳動脈は描出されなかった．

唆する．

頭部 MRI

拡散強調画像で高信号病変を認め急性期脳梗塞と診断する．

MR アンギオグラフィー

両側内頸動脈と右中大脳動脈閉塞の所見．

> **診断仮説（仮の診断）**
> ・心原性脳塞栓による右内頸動脈，右中大脳動脈閉塞

診断確定のために

頭部 MRI で両側内頸動脈閉塞が疑われるが，左大脳半球には拡散強調画像で脳虚血を示す高信号病異変は認められず，神経症候は右大脳半球病変を示唆するものであり，左内頸動脈は慢性閉塞で今回の症状とは直接関係なく，右内頸動脈，右中大脳動脈閉塞が脳梗塞の原因と考えられる．

診断　右内頸動脈，右中大脳動脈閉塞による脳梗塞

治療の基本方針

「脳卒中治療ガイドライン 2021」によると，
- 発症から 4.5 時間以内の虚血性脳血管障害で慎重に適応判断された患者に対して遺伝子組み換え組織プラスミノゲンアクチベータ（t-PA；アルテプラーゼ）の静脈内投与は強くすすめられる（グレード A）．
- 前方循環の主幹動脈（内頸動脈または中大脳動脈 M1 部）閉塞と診断され，画像診断などに基づく治療適応判定がなされた急性期脳梗塞に対して，アルテプラーゼ静注療法を含む内科治療に追加して発症 6 時間以内に血管内治療（機械的血栓回収療法）を開始することがすすめられる．

以上より血管内治療（機械的血栓回収療法）の適応となったが，抗凝固療法中の患者への静注血栓溶解療法は慎重を期さなければならず，ダビガトラン内服中で APTT が 40 秒を超えているので適応外となった．

実際の治療

右鼠径部で大腿動脈穿刺して血管撮影行うと，左内頸動脈は起始部から閉塞していた．眼動脈からの側副血行で左内頸動脈遠位部から左中大脳動脈は灌流されていた．

血管内治療を図 3 に示す．

術翌日から左片麻痺は MMT 4/5 に改善し，1 週間後には MMT 5/5 まで回復した．

右内頸動脈起始部にアテローム血栓性高度狭窄があり，いわゆるタンデム病変として内頸動脈閉塞と右中大脳動脈閉塞が起こったと考えられた．

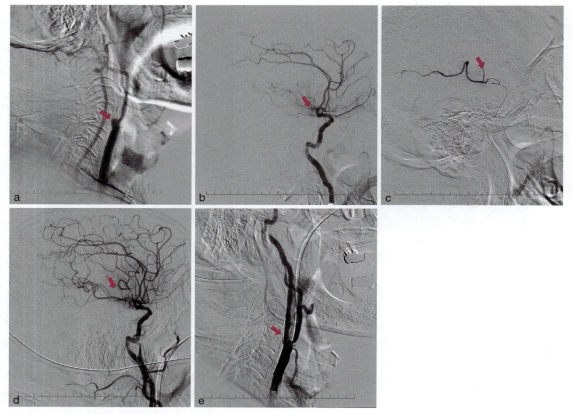

図3　血管内治療（機械的血栓回収療法）
a：右内頸動脈は起始部で完全閉塞していた（➡）．総頸動脈をバルーン付きガイディングカテーテルで遮断しながら閉塞している右内頸動脈にガイドワイヤーを進め，血管形成用バルーンカテーテルで内頸動脈起始部から遠位部までを拡張した．
b, c, d：内頸動脈は再開通が得られたが右中大脳動脈が閉塞しており，血栓回収用デバイス（ステントリトリーバー）を挿入して右中大脳動脈閉塞部位から血栓を回収した（➡）．
e：右内頸動脈起始部は残存狭窄を認め（➡），頸動脈ステントを留置した．

アナザーストーリー

もし大動脈解離が認められたら

　胸部X線撮影で大動脈解離が疑われたら，胸部造影CTで診断確定する．大動脈解離を伴う脳梗塞ではアルテプラーゼ静注療法は行ってはならない．また機械的血栓回収療法の適応にもならない．

診断に至る思考プロセス

　画像診断は非常に重要なツールであるが，治療適応を決定するには神経症状の所見が最も重要である．無症候か軽症の場合にはリスクの高い治療を行わずに経過観察する．

　高齢者では心房細動による心原性塞栓症が多く発生しており，本症例でも心原性脳塞栓を疑った．頭蓋外のアテローム血栓性内頸動脈狭窄を合併した頭蓋内動脈閉塞は稀ならず経験されることであり，内頸動脈から中大脳動脈まで閉塞した症例では両者を念頭において診療にあたる必要がある．

〈根本　繁〉

34歳 男性
労作時呼吸困難

現病歴：2週間前から労作時息切れと下腿浮腫が出現．4日前から夜横になると咳嗽が出現．労作時呼吸困難が増悪傾向であり，本日臨時受診となった．
既往歴：32歳で高血圧を指摘されたが無治療．
生活歴：22歳より会社員，多忙でストレスは大きい．機会飲酒．喫煙中20本/日．
家族歴：特記すべきことはない．突然死の家族歴もなし．
身体所見：意識は清明．身長173 cm，体重74.1 kg，脈拍96回/分（整），血圧164/100 mmHg，呼吸数20回/分，S_pO_2 95%（room air），体温36.3℃．頸部リンパ節を触知しない．頸静脈怒張あり．心音；Ⅲ音を聴取，心雑音なし．呼吸音；明らかな雑音なく左右差なし．腹部は平坦・軟で肝・脾を触知しない．両側に圧痕を伴う下腿浮腫あり．

問題点の描出

無治療の高血圧を有する，下腿浮腫とⅢ音を伴った増悪する労作時呼吸困難を主訴とした34歳男性．

診断の進め方

特に見逃してはいけない疾患
・虚血性心疾患
・心不全
・肺炎
・気胸
・急性肺血栓塞栓症

頻度の高い疾患
・虚血性心疾患
・心不全
・肺炎
・喘息

診断仮説（仮の診断）
・心不全

必要なスクリーニング検査と検査結果

胸部X線写真：心拡大を認める（図1）．
12誘導心電図：洞調律，88回/分，左室高電位（図2）．
採血検査：BNP 352 pg/mL，ほか特記すべき所見なし．
心エコー検査：左室収縮能21%（50%未満），左

この時点で何を考えるか？
医療面接と身体診察を総合して考える点

呼吸困難は呼吸時の主観的な不快感だが，呼吸数増加ならびに喫煙者ではあるものの経皮的酸素飽和度の低下，頻脈傾向を有しており，器質的疾患の存在が想起される．劇的な急性発症ではないが，1か月以上持続するような慢性経過ではなく，また呼吸困難症状は増悪傾向にある．現時点での緊急性は非常に高いわけではないが，臨時受診時点で診断し治療を開始できなければ重篤化することが予想される．

2週間で増悪する労作時呼吸困難の原因としては，主に心疾患，肺疾患が考えられる．心疾患としては，虚血性心疾患，不整脈，心不全，肺疾患としては，肺炎，喘息，気胸，急性肺血栓塞栓症などである．身体所見を併せると心不全が最も考えられる．

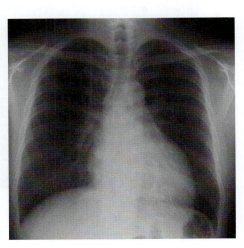

図1 受診時胸部X線

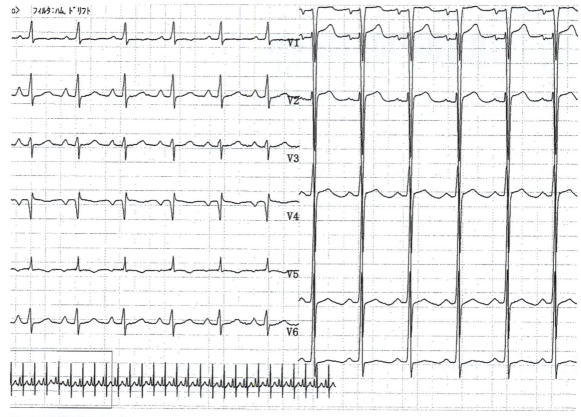

図2 受診時心電図

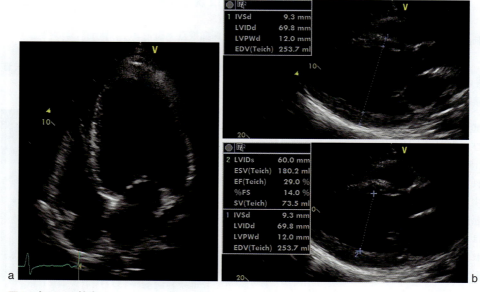

図3 心エコー検査
a：心尖部アプローチ4腔像．
b：傍胸骨アプローチ長軸像．上：拡張期，下：収縮期．

室拡張末期容量342.8 mL，中隔12 mm，僧帽弁閉鎖不全症は軽度（弁自体の異常なし），推定肺動脈圧62 mmHg（図3）．

診断確定のために

Framingham Criteriaの大症状を2つ（心拡大，Ⅲ音聴取），小症状を3つ（下腿浮腫，夜間咳嗽，労作時呼吸困難）認めており，代償されていない肺うっ血を伴った心不全の確定診断に至った．

診断　心不全非代償期（急性心不全）

治療の基本方針

Nohria-Stevenson（ノリア・スティーブンソン）分類では肺うっ血があり（wet），低心拍出量状態ではない（warm），wet-warm Profile Bと分類され，利尿薬投与を早期に行うべき病態と判断される．さらには血圧が164 mmHgと高値であり心収縮能低下型の心不全のため，血管拡張薬，ACE阻害薬を早々に導入した．また心不全が代償され，慢性心不全状態と判断された3週間後より予後改善目的のβ遮断薬の内服を開始した．図4に経過を示す．

アナザーストーリー

もし患者に安静時の呼吸困難を認めたら

急性肺水腫さらには血行動態破綻の時期が近づいていると判断し，入院加療が検討される．

診断に至る思考プロセス

Framingham Criteriaを左心不全症状，右心不全症状別に理解することがまず重要である．そして低心拍出量の症状を理解する．そうすれば，身体所見とバイタ

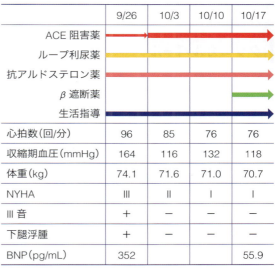

	9/26	10/3	10/10	10/17
ACE阻害薬				
ループ利尿薬				
抗アルドステロン薬				
β遮断薬				
生活指導				
心拍数（回/分）	96	85	76	76
収縮期血圧（mmHg）	164	116	132	118
体重（kg）	74.1	71.6	71.0	70.7
NYHA	Ⅲ	Ⅱ	Ⅰ	Ⅰ
Ⅲ音	+	-	-	-
下腿浮腫	+	-	-	-
BNP（pg/mL）	352			55.9

図4　治療経過

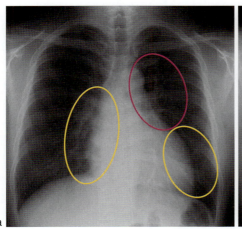
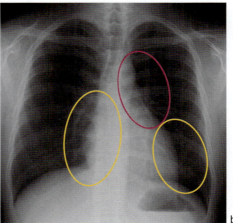

図5　胸部X線写真の治療経過
a：9/26 CTR 59%，b：10/17 CTR 47%

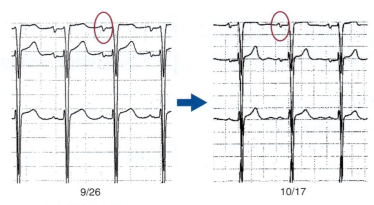
図6 心電図の治療経過

ルサインから自ずと心不全の非代償期の診断に至ることが可能である．

クリニカルパール

- 心不全が代償されているのか，それとも非代償期なのか判断が難しい症例は多い．その際に経時的な症状，身体所見あるいは胸部X線写真の変化などを確認することで回帰的に非代償期であったと認知することは多い．経時的な変化にも留意すべきである．
- 本症例において，図5aに入院時胸部X線写真，図5bに3週間後の代償された胸部X線写真を示す．図5bの第1・2弓そして図5aの第3・4弓を比較すると，図5aでは肺と心臓の境界陰影がぼんやりしていたのが，図5bでは鮮明となり，肺うっ血が軽快していることがわかる．また左第2弓の陰影は経時的に縮小しており，肺高血圧所見が改善していることがわかる．図6に心電図の経時的変化を示した．左房負荷が改善していることがわかる．

〈東谷 迪昭〉

32歳 女性
悪寒, 発熱

現病歴：最近多忙であった．昨日から頻尿が出現し，朝から悪寒が出現，改善せず全身倦怠感も強くなったため，夜間救急を受診．
既往歴：特記すべきことはない．
生活歴：1人暮らし，事務職．喫煙歴なし．飲酒は機会飲酒(1回にビール 350 mL)．
家族歴：特記すべきことはない．
身体所見：意識は清明．身長 160 cm，体重 58 kg，体温 39.1℃，血圧 110/70 mmHg，脈拍 110/分，呼吸回数 24 回/分，SpO_2 98%(room air)．頭頸部に異常なく，甲状腺も触知しない．関節の腫脹なし．体表に外傷なし．リンパ節腫脹なし．心音，呼吸音ともに異常なし．腹部は平坦・軟で，肝・脾を触知しない．肋骨脊柱角(CVA)叩打痛なし．項部硬直なし．

問題点の描出

生来健康な 30 歳代女性に突然生じた発熱である．頻尿が先行している．全身状態は良好であるが，やや呼吸回数が多く，全身倦怠感は朝からは進行している印象である．

診断の進め方

特に見逃してはいけない疾患
- 重症感染症
- 敗血症を伴う重症感染症(腎盂腎炎を含む)
- 外科的介入の必要な腹腔内感染症

頻度の高い疾患
- 腎盂腎炎
- 性器ヘルペス
- 骨盤内炎症性疾患

この時点で何を考えるか？
医療面接と身体診察を総合して考える点

生来健康な女性に突然生じた発熱である．頻尿が先行しており，尿路感染をまずは考える．印象として全身倦怠感は強い．qSOFA score では 1 点であるが〔症候・病態編「急性感染症」の表 4 参照(☞ 851 ページ)〕，進行する可能性があり注意を要する．
頻尿があるため，腎盂腎炎をまずは考えるが，頻尿はほかの原因でも出現する．この時点での鑑別は以下のとおりである．
①腎盂腎炎，②頻尿，排尿痛をきたす感染性疾患(頸管炎，骨盤内炎症性疾患，腹腔内感染，性器ヘルペスなど)，③若年者なので考えにくいが，ほかの感染症に膀胱炎を合併している可能性もありうるので，そこも頭の隅においておく．

追加医療面接

ありうる曝露歴について
- ここ 3 か月の海外渡航歴：なし．
- まわりに同じような症状の人はいない．
- 2 週間の間に，焼肉や生の魚介類の喫食はない．
- 外傷の既往はなく，口腔内の衛生状況は良好(抜歯のみが感染性心内膜炎のリスクではない)．
- 鼻炎や花粉症の既往はないか？ →ない(副鼻腔炎のリスクがある)．
- 多忙な際に体調不良を生じたことは今までもあるか？ →以前疲れたときに膀胱炎から熱が出たことがある．
- 月経周期はどうか？ →月経中ではない(タンポンショックの可能性を考慮)．

ほかの感染症を示唆する曝露歴はなく，以前も疲れた際に尿路感染症を発症した既往があり，今回も多忙であったということから，腎盂腎炎の可能性を第一に考えた．

診断仮説(仮の診断)
- 頻尿が先行しており，**腎盂腎炎**
- 頻尿を伴う他の感染性疾患(骨盤内炎症性疾患，

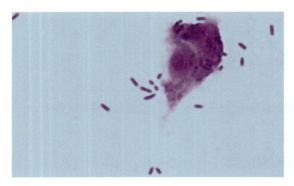

図1　Gram染色

性器ヘルペス，腹腔内感染症など）
・膀胱炎症状にたまたま他の感染症を合併

必要なスクリーニング検査

まずは腎盂腎炎を疑っているため，検尿と尿培養，Gram（グラム）染色を行う．

加えて，血液検査による全身の臓器への炎症の波及の評価，および呼吸回数がやや多いため，敗血症への進行も考慮し，血液培養を2セットを採取．

検査結果

血液検査（生化学，血算）：CRP 23.1 mg/dL，WBC 12,000/μL，Hb 12.5 g/dL，Plt 15万/μL，肝機能，腎機能は異常なし．
検尿：膿尿あり．Gram染色でGram陰性桿菌を認める（図1）．

この時点では，炎症所見の上昇と膿尿およびGram染色でGram陰性桿菌を認めた．健常者であることと，頻尿があり，尿路感染の既往からは，まずは腎盂腎炎と考えられる．

診察上，腹部所見を認めず，問診で外陰部の疼痛も認めないため，腹腔内感染症や骨盤内炎症性疾患，性器ヘルペスは鑑別から下がる．

> 診断仮説（仮の診断）
> ・腎盂腎炎

診断確定のために

急性感染症の初期に受診した場合には，症状が出そろっていないことが多くあるため，治療しつつ経過をみることが大切である．

本症例では，入院のうえ，抗菌薬を投与し経過をみたところ，翌日になって右の腎臓の把握痛が出現し，腎盂腎炎の診断が確定した．血液培養，尿培養からも大腸菌が陽性であった．

診断　腎盂腎炎

アナザーストーリー

もし患者が男性だったら

特に尿路の異常がない男性で頻尿と膿尿を認めた場合には，その時点で尿路感染症の診断が確定する．通常は腎盂腎炎ではなく急性前立腺炎である．

もし膿尿はあるがGram染色で細菌が見えなかったら

以下を検討する．
①抗菌薬投与後の受診か否かを確認する．
②抗菌薬の投与がなければ，尿路感染症以外の頻尿を生じる疾患について鑑別を進める．

診断に至る思考プロセス

健常な女性に生じた頻尿と発熱であり，通常は腎盂腎炎を疑う．特に女性の腎盂腎炎の診断は無症候性細菌尿の可能性があるため難しい．頻尿をきたすほかの疾患を鑑別しつつ，経過をみることが重要である．

虫垂炎や骨盤内炎症性疾患でも頻尿を生じることがあり，特に外科的な介入が必要な状態を見落とすことがないように注意する．

クリニカルパール

- 症状がはっきりしない腎盂腎炎は存在する．
- 排尿痛は膀胱炎の症状であり，腎盂腎炎で常に先行するわけではない（最大20%は認めない）．
- 画像検査で腎盂腎炎の診断はできないが，腹部症状が強くほかの腹腔内疾患が否定できない場合には鑑別のために画像検査を行う．
- 特に女性では膿尿，細菌尿があるからという理由だけで，尿路感染と決めつけないように注意することが必要である．

〈横田　恭子〉

主要検査の基準値

尿検査　978
蛋白，糖，ウロビリノゲン，ビリルビン，ケトン体，亜硝酸塩，潜血，α_1-ミクログロブリン，β_2-ミクログロブリン，NAG（N-アセチル-β-D-グルコサミニダーゼ），尿沈渣

血液一般検査　979
赤血球数（RBC），血色素量（Hb），ヘマトクリット値（Ht），白血球数（WBC），血小板数，網（状）赤血球数，末梢血液像（白血球百分率），骨髄像

血液生化学検査　980
①酵素　980
AST（GOT），ALT（GPT），AST/ALT比，ALP（アルカリホスファターゼ），ALPアイソザイム，LD（乳酸脱水素酵素，LDH），γ-GT（γ-GTP），ロイシンアミノペプチダーゼ（LAP），コリンエステラーゼ（ChE），アミラーゼ，アミラーゼアイソザイム，膵アミラーゼ，クレアチンキナーゼ（CK），クレアチンキナーゼアイソザイム，アルドラーゼ，モノアミンオキシダーゼ（MAO），酸性ホスファターゼ（ACP），LIP（リパーゼ），ACE（アンジオテンシン変換酵素），LCAT（レシチンコレステロールアシルトランスフェラーゼ）

②蛋白　982
総蛋白（TP），アルブミン（Alb），アルブミン/グロブリン比（A/G比），Bence Jones蛋白，チモール混濁試験（TTT），硫酸亜鉛混濁試験（ZTT），蛋白分画，心筋トロポニンT，心筋ミオシン軽鎖，α_1-アンチトリプシン（α_1-AT），ハプトグロビン（Hp），セルロプラスミン，トランスフェリン（Tf），免疫グロブリン（IgG, IgA, IgM），免疫グロブリンE（IgE），免疫グロブリンD（IgD），赤血球沈降速度（ESR），CRP（C反応性蛋白），シアル酸，エンドトキシン，β-D-グルカン，補体価（CH$_{50}$），補体第3成分（C$_3$），補体第4成分（C$_4$），ムコ蛋白

③非蛋白窒素成分　984
尿素窒素（UN, BUN），クレアチニン（Cr），クレアチン，アンモニア（NH$_4$OH），尿酸（UA）

④ビリルビン　984
総ビリルビン（T.Bil），間接型ビリルビン（I.Bil），直接型ビリルビン（D.Bil）

⑤脂質　984
総コレステロール（TC），LDL-コレステロール（LDL-C），HDL-コレステロール（HDL-C），リン脂質（PL），中性脂肪（トリグリセリド；TG），リポ蛋白（a）〔Lip（a）〕，リポ蛋白分画，遊離脂肪酸（NEFA）

⑥糖質　985
血糖，グリコヘモグロビン（HbA1c），乳酸

⑦無機成分　986
ナトリウム（Na），カリウム（K），クロール（Cl），カルシウム（Ca），無機リン（IP），マグネシウム（Mg），銅（Cu），鉄（Fe），不飽和鉄結合能（UIBC），総鉄結合能（TIBC）

出血・凝固系検査　986
出血時間，プロトロンビン時間（PT），活性化部分トロンボプラスチン時間（APTT），トロンボテスト（TT），ヘパプラスチンテスト（HPT），フィブリノゲン，アンチトロンビンIII（AT III），フィブリン分解産物（FDP），D-ダイマー（D-Dダイマー），SFMC（可溶性フィブリンモノマー複合体），トロンビン・アンチトロンビン複合体（TAT），プラスミン・α_2-プラスミンインヒビター複合体（PPIC）

腫瘍・線維化マーカー　987
α-フェトプロテイン（AFP），癌胎児性抗原（CEA），ポリアミン，組織ポリペプチド抗原（TPA），扁平上皮癌関連抗原（SCC抗原），糖鎖抗原19-9（CA19-9），フェリチン，前立腺特異抗原（PSA），前立腺酸ホスファターゼ（PAP），ヒト絨毛性ゴナドトロピン（HCG），PIVKA-II，CA15-3，塩基性胎児蛋白（BFP），神経特異エノラーゼ（NSE），CA125，CA130，シアリルTn抗原（STN），CA72-4，SP$_1$，エラスターゼ1，β_2-ミクログロブリン，免疫抑制酸性蛋白（IAP），ホモバニリン酸（HVA），シアル化糖鎖抗原KL-6（KL-6）

免疫血清学検査　989
①細菌などの抗体　989
ASO（抗ストレプトリジンO），ASK（抗ストレプトキナーゼ），ADNaseB（抗デオキシリボヌクレアーゼB），ウィダール反応（チフス菌・パラチフス菌抗体），梅毒血清反応（脂質抗原試験）（STS）（梅毒沈降反応，補体結合反応），梅毒トレポネーマ抗体（TPHA試験，FTA-ABS試験），結核菌特異的インターフェロンγ産生能（クォンティフェロンQFT，Tスポット），抗ヘリコバクターピロリ抗体，カンジテック（カンジダ抗体）

②ウイルスなどの抗原・抗体　989
Weil-Felix反応，EBウイルス抗体（EBV抗体），A型肝炎ウイルス抗体（HA抗体，IgM-HA抗体），B型肝炎ウイルス抗原・抗体（HBs抗原・抗体，HBc抗体，HBe抗原・抗体），C型肝炎ウイルス抗体（HCV抗体），抗HTLV-I抗体，抗HIV抗体（抗HTLV-III抗体），サイトメガロウイルス抗原（CMV抗原）

③自己抗体　990
Coombs試験（直接Coombs試験，間接Coombs試験），抗血小板同種抗体，抗血小板自己抗体（PAIgG），寒冷凝集反応，抗核抗体，抗DNA抗体，抗ds-DNA，抗ss-DNA，抗RNP抗体，抗Sm抗体，抗Scl-70抗体（抗トポイソメラーゼI抗体），抗SS-A/Ro抗体 抗SS-B/La抗体，抗Jo-1抗体，リウマチ因子（リウマトイド因子），マトリックスメタロプロティナーゼ-3（MMP-3），抗シトルリン化ペプチド

抗体(抗CCP抗体), 抗ミトコンドリア抗体, 抗サイログロブリン抗体(TA), 抗甲状腺ペルオキシダーゼ抗体(TPOAb)〔抗甲状腺ミクロソーム抗体〕, 甲状腺刺激ホルモンレセプター抗体(TRAb)

④**細胞性免疫** 991

T細胞, B細胞, リンパ球サブセット, 可溶性インターロイキン2レセプター(sIL-2R)

内分泌検査　992

GH(成長ホルモン), LH(黄体形成ホルモン), FSH(卵胞刺激ホルモン), ACTH(副腎皮質刺激ホルモン), 17-KS(17-ケトステロイド), 17-OHCS(17-ヒドロキシコルチコステロイド), VMA(バニリルマンデル酸), TSH(甲状腺刺激ホルモン), ADH(抗利尿ホルモン)(バソプレシン), トリヨードサイロニン(T_3), サイロキシン(T_4), 遊離(free)T_4(FT_4), T_3摂取率(T_3U), サイログロブリン(Tg), サイロキシン結合グロブリン(TBG), 副甲状腺ホルモン(PTH)(パラソルモン), カルシトニン(CT), プロラクチン(PRL), インスリン(IRI), C-ペプチド(CPR), コルチゾール, アルドステロン, 総エストロゲン(卵胞ホルモン), エストラジオール(E_2), プロゲステロン(P_4), テストステロン, ヒト絨毛性ゴナドトロピン(HCG), レニン活性(PRA), 心房性ナトリウム利尿ペプチド(ANP), 脳性ナトリウム利尿ペプチド(BNP)

血液ガス　995

pH, PaO_2, SaO_2, $PaCO_2$, HCO_3^-, base excess(BE)

その他(機能検査など)　996

ICG試験, BSP試験, PSP試験, Fishberg濃縮試験, クレアチニンクリアランス(C_{cr}), 推算GFR値(eGFR)

■ 尿検査

検査項目	検体	基準値	病態または疾患
蛋白	尿	陰性	[陽性]腎炎, ネフローゼ症候群, 尿細管障害(低分子の蛋白尿), 起立性蛋白尿, 機能性蛋白尿(運動, 発熱, 寒冷, ストレス)
糖	尿	陰性	[陽性]糖尿病, 甲状腺機能亢進症, 胃切除後, 肝疾患, 副腎皮質ステロイド・クロロサイアザイド薬投与時, 腎性糖尿
ウロビリノゲン	尿	±〜+	[強陽性]急性肝炎, 慢性肝炎, 肝硬変, 溶血性黄疸, 便秘, 腸閉塞 [陰性]胆管完全閉塞, 高度肝不全, 抗菌薬投与時
ビリルビン	尿	陰性	[陽性]閉塞性黄疸, 肝細胞性黄疸
ケトン体	尿	陰性	[陽性]糖尿病性ケトアシドーシス, 飢餓, 嘔吐, 消化不良症(小児), 脱水, 発熱, 妊娠(悪阻)
亜硝酸塩	尿	陰性	[陽性]尿路感染症
潜血	尿	陰性(試験紙法)	[陽性]急性腎炎, 腎結核, 腎盂腎炎, 膀胱炎, 尿道炎, 前立腺炎, 尿路結石, 尿路腫瘍, 出血性素因, 特発性腎出血
α_1-ミクログロブリン	尿	0.9〜2.7 mg/L	[増加]間質性腎炎, 慢性糸球体腎炎
β_2-ミクログロブリン	尿	蓄尿:30〜370 μg/日 随時尿:16〜518 μg/L	[増加]間質性腎炎, 慢性糸球体腎炎
NAG(N-アセチル-β-D-グルコサミニダーゼ)	尿	蓄尿:1.8〜6.8 U/日 随時尿:1〜4.2 U/L	[高値]ネフローゼ症候群, 糸球体腎炎, 糖尿病性腎症, アミノグリコシド薬などの抗菌薬投与, 抗癌薬投与
尿沈渣	尿	(いずれも ×400) 赤血球:1〜4個/1視野 白血球:1〜4個/1視野 上皮:0〜1/全視野, 扁平上皮は正常でもみられるが立方上皮や移行上皮がみられるのは異常 硝子円柱: 　0〜1個/全視野	[増加]腎疾患, 尿路疾患, 急性熱性疾患, 膠原病 [増加]腎盂腎炎, 膀胱炎, 尿道炎 [増加]尿道・腟由来(炎症時) [増加]腎炎, ネフローゼ症候群, 心不全, 膠原病

検査項目	検体	基準値	病態または疾患
尿沈渣(つづき)	尿	細菌, 真菌, 原虫, 精子, 脂肪球：少数認めることあり 結晶：少数認めることあり	[増加]感染症 [尿酸]肉食, 体蛋白崩壊 [シュウ酸]シュウ酸含有食品摂取 [リン酸Ca, リン酸アンモニウム, 炭酸Ca, 尿酸アンモニウム]アルカリ尿

■ 血液一般検査

検査項目	検体	基準値	病態または疾患
赤血球数(RBC)	血液	男性 $(427〜570)×10^4/\mu L$ 女性 $(376〜500)×10^4/\mu L$	（下記貧血タイプ表参照）
血色素量(Hb)	血液	男性 $(13.5〜17.6)$ g/dL 女性 $(11.3〜15.2)$ g/dL	
ヘマトクリット値(Ht)	血液	男性 39.8〜51.8% 女性 33.4〜44.9%	
白血球数(WBC)	血液	4,000〜8,000/μL	[白血球の増加(9,000/μL 以上)]感染症, 組織傷害, 悪性腫瘍, 急性白血病, 慢性骨髄性白血病, 真性多血症 [白血球の減少(3,500/μL 以下)]感染症, 薬物, 放射線などの骨髄抑制因子の作用, 再生不良性貧血, 巨赤芽球性貧血, 急性白血病, 脾機能亢進症(肝硬変), SLE
血小板数	血液	$(15〜35)×10^4/\mu L$	[高値]本態性血小板血症, 真性多血症, 慢性骨髄性白血病, 骨髄線維症 [低値]特発性血小板減少性紫斑病, SLE, 薬物アレルギー性血小板減少症, DIC, 再生不良性貧血, 急性白血病, 巨赤芽球性貧血, 骨髄癆, 脾機能亢進症(肝硬変), 遺伝性血小板減少症
網(状)赤血球数	血液	赤血球に対する割合：0.2〜2.7% 絶対数：4〜7万/μL	[高値]溶血性貧血, 大量出血, 肝・脾の髄外造血亢進, 貧血からの回復期 [低値]再生不良性貧血, 白血病, 溶血性貧血の無形成性クライシス, 巨赤芽球性貧血
末梢血液像 (白血球百分率)	血液	桿状核球 2〜13% 分節核好中球 38〜58.9% 好酸球 0〜5%	[好中球の増加]細菌感染症, 炎症, 急性出血, 溶血, 副腎皮質ステロイド薬投与時, 慢性骨髄性白血病, 真性多血症, ストレス, CSF産生腫瘍 [好中球の減少]ウイルス感染症, 薬物副作用, 放射線障害, 再生不良性貧血, 悪性貧血, 急性白血病, SLE [好酸球の増加]アレルギー性疾患, 皮膚疾患, 寄生虫疾患, 腫瘍, 好酸球増加症候群, 好酸球性胃腸炎, 潰瘍性大腸炎 [好酸球の減少]Cushing症候群, 副腎皮質ステロイド薬投与時

貧血のタイプ	MCV	MCH	MCHC	疑われる貧血疾患
大球性正色素性	高値	高値	正常	巨赤芽球性貧血(ビタミンB_{12}欠乏性貧血, 葉酸欠乏性貧血)
正球性正色素性	正常	正常	正常	各種の溶血性貧血, 出血性貧血, 再生不良性貧血, 造血器腫瘍(白血病, 多発性骨髄腫), 続発性貧血
小球性低色素性	低値	低値	減少	鉄欠乏性貧血, 慢性炎症(関節リウマチ, 肺結核), サラセミア, 鉄芽球性貧血, 無トランスフェリン血症

MCV：平均赤血球容積, MCH：平均赤血球ヘモグロビン量, MCHC：平均赤血球ヘモグロビン濃度

検査項目	検体	基準値	病態または疾患
末梢血液像 （白血球百分率） （つづき）	血液	好塩基球　　　0〜1% リンパ球　　26〜46.6% 単球　　　　2.3〜7.7%	[好塩基球の増加]アレルギー性疾患，慢性骨髄性白血病 [リンパ球の増加]ウイルス感染症，慢性リンパ性白血病 [リンパ球の減少]急性感染症の初期，悪性リンパ腫，再生不良性貧血，SLE [単球の増加]感染症，単球性白血病 [単球の減少]敗血症
骨髄像	骨髄穿刺液	骨髄細胞数 　　　$10〜25 \times 10^4/\mu L$ 白血球系 　骨髄芽球　　0.2〜2.9% 　好中球 　　前骨髄球　1.5〜8.4% 　　骨髄球　　1.0〜9.7% 　　後骨髄球　3.6〜14.6% 　　桿状核球　10.6〜24.6% 　　分節核球　8.5〜33.2% 　好酸球　　　1.0〜5.0% 　好塩基球　　0〜0.8% 　リンパ球　　5.0〜32.6% 　単球　　　　0.7〜6.0% 赤芽球系 　前赤芽球　　0.14% 　塩基好性赤芽球 0.8〜6.7% 　多染性赤芽球 4.1〜29.1% 　正染性赤芽球 0.1〜5.7% 巨核球　　　　0〜0.1% 細網細胞　　　0〜3.9% 形質細胞　　　0.2〜1.7% M/E 比　　　　2〜3	[異常細胞の出現]白血病，骨髄異形成症候群，多発性骨髄腫，癌の骨髄転移 [造血能の亢進]真性多血症，溶血 [造血能の低下]再生不良性貧血，低形成性白血病 [線維化]骨髄線維症 [無効造血]骨髄異形成症候群，巨赤芽球性貧血

■ 血液生化学検査

①酵素

検査項目	検体	基準値	病態または疾患
AST（GOT）	血清	11〜33 U/L	[高値]急性肝炎，アルコール性肝炎，慢性肝炎，肝硬変，脂肪肝，肝癌，胆汁うっ滞，筋疾患，溶血性疾患，心筋梗塞
ALT（GPT）	血清	6〜43 U/L	[高値]急性肝炎，アルコール性肝炎，慢性肝炎，肝硬変，脂肪肝，肝癌，肝内胆汁うっ滞，閉塞性黄疸，肝癌
AST/ALT 比			急性肝炎では AST > ALT → AST < ALT → AST > ALT という経過をとる．慢性肝炎では AST < ALT の場合が多く，肝硬変，肝癌，脂肪肝，心筋梗塞，閉塞性黄疸，アルコール性肝障害では AST > ALT の場合が多い
ALP（アルカリホスファターゼ）	血清	38〜113 U/L	[高値]肝疾患，胆道系疾患，骨疾患，甲状腺機能亢進症，悪性腫瘍，妊娠など
ALP アイソザイム	血清	ALP_2（肝性）：20.5〜54.5% ALP_3（骨性）：43.4〜78.3% ALP_5（小腸性）：0.0〜5.7%	[高値]高分子 ALP（ALP_1）：肝外性閉塞性黄疸，肝癌，薬物性肝炎，胆石，肝膿瘍，うっ血肝．肝性 ALP（ALP_2）：肝・胆道疾患．骨性 ALP（ALP_3）：癌骨転移，骨軟化症，副甲状腺機能亢進症，甲状腺機能亢進症，健常乳児・学童．胎盤性 ALP（ALP_4）：妊娠後期，悪性腫瘍，小腸性 ALP（ALP_5）：肝硬変，血液型の B・O 型の分泌型の人の高脂肪の摂取，人工透析．ALP_6：潰瘍性大腸炎活動期

検査項目	検体	基準値	病態または疾患
LD（乳酸脱水素酵素，LDH）	血清	124～222 U/L アイソザイム分画 LD_1：20.0～31.0% LD_2：28.8～37.0% LD_3：21.5～27.6% LD_4：6.3～12.4% LD_5：5.4～13.2%	[高値]LD_1：心筋梗塞，溶血性貧血，巨赤芽球性貧血，甲状腺機能低下症，筋ジストロフィー，肝硬変，腎腫瘍，LD_2，LD_3：白血病，悪性リンパ腫，悪性腫瘍，間質性肺炎．LD_4，LD_5：急性肝炎，慢性肝炎増悪期，肝癌，肝硬変の肝不全期，多発性筋炎 [LD/AST 比]AST との比で臓器由来を考えるのが便利 ①LD/AST > 100：悪性腫瘍，②LD/AST > 40：赤血球由来，白血病，悪性腫瘍，③LD/AST > 5：心筋・骨格筋など実質臓器由来，④LD/AST < 4：肝由来
γ-GT（γ-GTP）	血清	男性 10～50 U/L 女性 9～32 U/L	[高値]肝内および肝外の胆汁うっ滞（100～600 U/L），急性肝炎（50～150 U/L），慢性肝炎（30～70 U/L），肝硬変（50～300 U/L），アルコール性肝障害（50～400 U/L），薬物性肝障害（50～400 U/L）
ロイシンアミノペプチダーゼ（LAP）	血清	30～70 U/L	[高値]胆汁うっ滞（肝外 > 肝内），原発性および転移性肝腫瘍，急性肝炎，慢性肝炎，肝硬変，脂肪肝，妊娠 （注）副甲状腺ホルモン高値時に上昇
コリンエステラーゼ（ChE）	血清	男性 251～489 U/L 女性 214～384 U/L （JSCC 標準化対応法）	[高値]ネフローゼ症候群，脂肪肝，肥満など [低値]肝硬変，慢性肝炎，肝癌，悪性腫瘍，重症消耗性疾患，栄養失調，有機リン系農薬中毒，抗 ChE 薬投与時など
アミラーゼ	血清 尿	60～200 U/L 50～500 U/L	[高値]膵型アミラーゼの上昇が主体：急性膵炎，慢性膵炎再燃時．唾液型アミラーゼの上昇が主体：唾液腺疾患，外科手術，肝胆道疾患，アミラーゼ産生腫瘍（肺癌，卵巣癌，大腸癌）
アミラーゼアイソザイム	血清 尿	S 型（唾液腺由来）25～72% P 型（膵由来）28～72% S 型（唾液腺由来）19～62% P 型（膵由来）46～84%	
膵アミラーゼ	血清	30～95 U/L	
クレアチンキナーゼ（CK）	血清	男性 57～197 U/L 女性 32～180 U/L	[高値]筋ジストロフィー，多発性筋炎，急性心筋梗塞，甲状腺機能低下症，脳血管障害急性期 [低値]甲状腺機能亢進症，SLE，関節リウマチ，Sjögren 症候群，副腎皮質ステロイド薬投与時
クレアチンキナーゼアイソザイム		CK-MM 88～96% CK-MB 1～4% CK-BB 1% 未満	[CK-MB 高値]心筋梗塞急性期，進行性筋ジストロフィー，脳外傷急性期，多発性筋炎，長期透析療法 [CK-BB 高値]脳・神経疾患，前立腺疾患，悪性腫瘍
アルドラーゼ	血清	1.7～5.7 U/L	[高値]心筋梗塞（発作後 5 日まで），肝炎急性期，筋ジストロフィー，多発性筋炎，悪性腫瘍 [低値]果糖不耐症
モノアミンオキシダーゼ（MAO）	血清	23～49 U/L	[高値]慢性活動性肝炎，肝硬変，甲状腺機能亢進症，糖尿病，慢性心不全 [低値]活動性の SLE，重症熱傷，各種の悪性腫瘍，膠原病での副腎皮質ステロイド薬投与時
酸性ホスファターゼ（ACP）	血清	1.9～6.2 U/L	[高値]前立腺癌，骨転移ないし肝転移を伴った悪性腫瘍，骨腫瘍，Paget 病，多発性骨髄腫，白血病，血小板の崩壊，尿路実質臓器の感染，血行障害
LIP（リパーゼ）	血清	36～161 U/L	[高値]急性膵炎，慢性膵炎，肝硬変，腎不全

検査項目	検体	基準値	病態または疾患
ACE(アンジオテンシン変換酵素)	血清	8.3〜21.4 U/L	[高値]サルコイドーシス,甲状腺機能亢進症,肝硬変,慢性活動性肝炎,糖尿病 [低値]Crohn病,慢性白血病,多発性骨髄腫,慢性閉塞性肺疾患
LCAT(レシチンコレステロールアシルトランスフェラーゼ)	血清	73〜130 nmol/mL/時	[高値]家族性高リポ蛋白血症,脂肪肝,ネフローゼ症候群 [低値]LCAT欠損症,急性肝炎,肝硬変,心筋梗塞,無βリポ蛋白血症

②蛋白

検査項目	検体	基準値	病態または疾患
総蛋白(TP)	血清	6.5〜8.0 g/dL	[高値]肝硬変,多発性骨髄腫,原発性マクログロブリン血症 [低値]ネフローゼ症候群,吸収不良症候群,蛋白漏出性胃腸症
アルブミン(Alb)	血清	3.8〜5.2 g/dL	[低値]ネフローゼ症候群,栄養摂取不足,肝硬変,熱傷,先天性無アルブミン血症,蛋白漏出性胃腸症
アルブミン/グロブリン比(A/G比)	血清	1.2〜2.0	[低値]ネフローゼ症候群,重症肝疾患,M蛋白血症,慢性炎症
Bence Jones 蛋白	尿	陰性	[陽性]多発性骨髄腫,原発性マクログロブリン血症
チモール混濁試験(TTT)	血清	0.5〜6.5 U	[高値]急性肝炎,慢性肝炎,肝硬変,慢性感染症,膠原病,伝染性単核球症
硫酸亜鉛混濁試験(ZTT)	血清	2.0〜12 U	[高値]急性肝炎,慢性肝炎,肝硬変,結核,膠原病,IgG型骨髄腫
蛋白分画	血清	アルブミン(Alb) 60.5〜73.2% α_1-グロブリン(α_1) 1.7〜2.9% α_2-グロブリン(α_2) 5.3〜8.8% β-グロブリン(β) 6.4〜10.4% γ-グロブリン(γ) 11.0〜21.1%	[高値]全蛋白分画増加:脱水,γ-グロブリン分画増加:慢性炎症性疾患,慢性肝疾患,慢性感染症,自己免疫性疾患,悪性腫瘍,特にリンパ系組織の悪性腫瘍 [低値]全蛋白分画減少:血液希釈,飢餓,栄養失調,消化吸収不良症候群,重症甲状腺機能亢進症,重症糖尿病,熱傷,蛋白漏出性胃腸症,出血.アルブミン分画減少:肝疾患,ネフローゼ症候群,γ-グロブリン分画減少:低または無グロブリン血症
心筋トロポニンT	血清	0.10 ng/mL以下	[高値]急性心筋梗塞,不安定狭心症,心筋炎
心筋ミオシン軽鎖	血清	2.5 ng/mL以下	[高値]急性心筋梗塞,心筋炎,筋ジストロフィー,多発性筋炎
α_1-アンチトリプシン(α_1-AT)	血清	94〜150 mg/dL	[高値]感染症,急性肝炎,膠原病,悪性腫瘍,経口避妊薬服用,ストレス [低値]α_1-アンチトリプシン欠損症,肺気腫,小児肝硬変,新生児呼吸窮迫症候群,劇症肝炎,栄養失調,ネフローゼ症候群,蛋白漏出性胃腸症
ハプトグロビン(Hp)	血清	Hp 1-1:130〜327 mg/dL Hp 2-1:103〜341 mg/dL Hp 2-2:41〜273 mg/dL	[高値]活動性炎症性疾患(感染症,膠原病,癌,組織崩壊,ストレスなど) [低値]溶血性疾患,肝細胞障害,先天的ハプトグロビン欠損
セルロプラスミン	血清	18〜37 mg/dL	[高値]感染症,膠原病,細胆管性肝炎,胆汁性肝硬変,閉塞性黄疸,鉄欠乏性貧血,妊娠,経口避妊薬服用,悪性腫瘍,急性心筋梗塞 [低値]Wilson病,遺伝性低セルロプラスミン血症,低蛋白血症,蛋白漏出性胃腸症

検査項目	検体	基準値	病態または疾患
トランスフェリン(Tf)	血清	男性 190～300 mg/dL 女性 200～340 mg/dL	[高値]貯蔵鉄が減少する場合(妊娠, 鉄欠乏性貧血など), 急性肝障害 [低値]貯蔵鉄が増加した場合(鉄過剰症, ヘモクロマトーシスなど), 炎症性疾患(膠原病, 悪性腫瘍など), 肝硬変, 栄養失調, 蛋白漏出性胃腸症, ネフローゼ症候群
免疫グロブリン(IgG, IgA, IgM)	血清	IgG 870～1,700 mg/dL IgA 110～410 mg/dL IgM 男性 33～190 mg/dL 　　 女性 46～260 mg/dL	[高値]多クローン性増加:慢性肝疾患, 慢性感染症, 膠原病, 悪性腫瘍, リンパ増殖性疾患. 単クローン性増加:多発性骨髄腫, 形質細胞性白血病, 本態性(良性)M蛋白血症, H鎖病, マクログロブリン血症(IgM) [低値]原発性:免疫不全症(免疫グロブリン欠乏症), 続発性:免疫抑制療法, γ-グロブリン製剤投与時, ウイルス感染, ネフローゼ症候群, 蛋白漏出性胃腸症, 尿毒症, 悪液質など
免疫グロブリンE(IgE)	血清	170 U/mL 未満(成人)	[高値]気管支喘息, アレルギー性鼻炎, アトピー性皮膚炎, 寄生虫感染症, 急性肝炎, 慢性肝炎, 肝硬変, 原発性肝癌, SLE, 関節リウマチ, IgE型骨髄腫
免疫グロブリンD(IgD)	血清	9.0 mg/dL	[高値]IgD型骨髄腫, δ鎖病
赤血球沈降速度(ESR)	血液	1時間値:男性 2～10 mm 　　　　 女性 3～15 mm	[促進]急性感染症, 急性炎症, 慢性感染症, 慢性疾患の急性増悪, 急性心筋梗塞, 悪性腫瘍, 多発性骨髄腫, ネフローゼ症候群 [遅延]多血症, DIC
CRP(C反応性蛋白)	血清	0.14～0.3 mg/dL 以下	[高値]炎症性疾患(細菌感染症, 活動期膠原病, 悪性腫瘍など), 組織壊死(大手術, 外傷, 心筋梗塞など)
シアル酸	血清	44～71 mg/dL	[高値]急性リンパ性白血病, 転移性肝癌, 脂質異常症, 多発性骨髄腫, 膵癌, 胃癌, 慢性骨髄性白血病, Hodgkinリンパ腫, 潰瘍性大腸炎, 急性骨髄性白血病, Crohn病, 糖尿病, 関節リウマチ, 膠原病, 急性肝炎, 胃・十二指腸潰瘍 [低値]肝硬変
エンドトキシン	血液	1.0 pg/mL 以下	エンドトキシン血症, グラム陰性菌感染症
β-D-グルカン	血液	20 pg/mL 以下	深在性真菌症
補体価(CH$_{50}$)	血清	25.0～48.0 U/mL(SRL)	[高値]炎症, Behçet病, 全身性強皮症, サルコイドーシス, 多発動脈炎, 多発性骨髄腫 [低値]SLE, 悪性関節リウマチ, 若年性関節リウマチ, Felty症候群, 急性糸球体腎炎, 膜増殖性糸球体腎炎, DIC, 肝硬変, 補体成分欠損症
補体第3成分(C$_3$)	血清	86～160 mg/dL(SRL)	[高値]炎症性疾患(感染症, 悪性関節リウマチなど), 悪性腫瘍 [低値]SLE, 悪性関節リウマチ, 溶連菌感染後急性糸球体腎炎, 膜増殖性糸球体腎炎, 肝炎, 肝硬変, 先天性補体欠損症(C$_3$欠損症)
補体第4成分(C$_4$)	血清	17～45 mg/dL(SRL)	[低値]SLE, 悪性関節リウマチ, 肝炎, 肝硬変, 感染性心内膜炎, 先天性補体欠損症(C$_4$欠損症)
ムコ蛋白	血清	60～140 mg/dL	[高値]白血病, 悪性腫瘍(胃癌, 結腸癌, 膵癌, 胆嚢癌, 食道癌など), SLE, リウマチ性疾患などの自己免疫疾患, 肝硬変

③非蛋白窒素成分

検査項目	検体	基準値	病態または疾患
尿素窒素 (UN, BUN)	血清	9～21 mg/dL	[高値]UN排泄障害:乏尿,腎不全,高血圧,痛風,多発性骨髄腫,アミロイドーシス,PNH,サイアザイド・エタクリン酸・抗菌薬などによる腎障害,尿毒症,肝硬変で腹水多量の場合,広範な癌.UN過剰生産:蛋白の大量摂取,体組織の崩壊(絶食,低カロリー食,癌) [低値]妊娠,低蛋白食,肝不全,強制多尿(マンニトール利尿,尿崩症など)
クレアチニン(Cr)	血清	男性 0.65～1.09 mg/dL 女性 0.46～0.82 mg/dL	[高値]腎機能障害,腎不全,尿路閉塞,ショック,心不全,先端巨大症,巨人症 [低値]筋ジストロフィー,尿崩症
クレアチン	血清	0.2～0.9 mg/dL	[高値]筋疾患(筋ジストロフィー,多発性筋炎,ステロイドミオパシーなど),甲状腺機能亢進症,糖尿病 [低値]肝硬変,甲状腺機能低下症,強い蛋白制限時
アンモニア (NH_4OH)	除蛋白血液上清	40～80 μg/dL	[高値]重症肝障害,ショック,過激な運動後 [低値]低蛋白食摂取時,貧血など
尿酸(UA)	血清	男性 3～7 mg/dL 女性 2～7 mg/dL	[高値]痛風,腎不全,白血病,悪性リンパ腫,サイアザイド系降圧薬投与時 [低値]尿酸生合成の低下(アロプリノール,プリン体代謝系酵素欠損症),尿酸排泄亢進

④ビリルビン

検査項目	検体	基準値	病態または疾患
総ビリルビン(T.Bil)	血清	0.2～1.2 mg/dL 新生児 ～2 mg/dL	[高値]急性肝炎(血清肝炎,中毒性肝炎),閉塞性黄疸(高度),ヘモクロマトーシス,慢性活動性肝炎,肝癌,胆石症,胆管炎,肝硬変症,体質性黄疸,溶血性黄疸
間接型ビリルビン (I.Bil)	血清	0.0～0.8 mg/dL	[高値]各種溶血性疾患,無効造血,体質性黄疸(Gilbert型,Crigler-Najjar症候群),新生児黄疸,薬物性黄疸など
直接型ビリルビン (D.Bil)	血清	0～0.4 mg/dL	[高値]肝細胞障害(肝炎,肝硬変),体質性黄疸(Dubin-Johnson症候群,Rotor症候群など),アルコール性肝炎,重症感染症による黄疸

⑤脂質

検査項目	検体	基準値	病態または疾患
総コレステロール(TC)	血清	130～220 mg/dL	[高値]肥満,糖尿病,妊娠,副腎皮質ステロイド薬長期投与時,甲状腺機能低下症,ネフローゼ症候群,糖・脂質代謝異常,閉塞性黄疸 [低値]家族性低コレステロール血症,甲状腺機能亢進症,Addison病,経静脈高カロリー輸液
LDL-コレステロール(LDL-C)	血清	60～140 mg/dL	[高値]家族性コレステロール血症,家族性欠陥アポ蛋白B血症,家族性複合型高脂血症,家族性Ⅲ型高脂血症,糖尿病,甲状腺機能低下症,Cushing症候群,先端巨大症 [低値]家族性無βリポ蛋白血症,肝硬変,肝炎
HDL-コレステロール(HDL-C)	血清	40～65 mg/dL	[高値]原発性高HDL血症(家族性高αリポ蛋白血症,長寿症候群),二次性高HDL血症(アルコール摂取,薬物服用) [低値]Tangier病,LCAT欠損症,動脈硬化症,糖尿病,ネフローゼ症候群,慢性腎不全,肥満,喫煙,運動不足

検査項目	検体	基準値	病態または疾患
リン脂質(PL)	血清	150～250 mg/dL	[高値]肝外性閉塞性黄疸，一部の原発性胆汁性肝硬変，家族性高リポ蛋白血症のⅢ，Ⅳ，Ⅴ型，ネフローゼ症候群，急性および慢性膵炎，肥満症，糖尿病，甲状腺機能低下症，多発性骨髄腫 [低値]慢性肝炎，肝硬変，Tangier病，先天性無あるいは低リポ蛋白血症，甲状腺機能亢進症
中性脂肪(トリグリセリド；TG)	血清	50～150 mg/dL	[高値]家族性高リポ蛋白血症，Tangier病，食事性肥満，動脈硬化症，痛風，甲状腺機能低下症，Cushing症候群，糖尿病，妊娠 [低値]βリポ蛋白欠損症，甲状腺機能亢進症，慢性副腎不全，下垂体機能低下症，肝硬変，吸収不全症，ヘパリン投与時
リポ蛋白(a)〔Lip(a)〕	血清	30 mg/dL 以下	[高値]動脈硬化症，虚血性心疾患，糖尿病，腎疾患
リポ蛋白分画	血清	アガロースゲル電気泳動法 αリポ蛋白 31.5～51.5% プレβリポ蛋白 2.6～24.6% βリポ蛋白 36.5～53.3%	[高値]家族性高リポ蛋白血症，甲状腺機能低下症，ネフローゼ症候群，糖尿病，急性膵炎 [低値]無βリポ蛋白血症，低βリポ蛋白血症，Tangier病，甲状腺機能亢進症，肝硬変
遊離脂肪酸(NEFA)	血清	100～800 μEq/L	[高値]糖尿病，重症肝障害，甲状腺機能亢進症，褐色細胞腫，急性心筋梗塞 [低値]甲状腺機能低下症，下垂体機能低下症，インスリノーマ

⑥糖質

検査項目	検体	基準値	病態または疾患
血糖	静脈血	70～110 mg/dL	[高値]糖尿病，耐糖能障害，妊娠糖尿病 [低値]インスリノーマ，内分泌疾患，肝疾患，アルコール低血糖および低栄養，インスリン自己免疫症候群，医原性(インスリンの過量投与時など)
グリコヘモグロビン(HbA1c)	血液	HbA1c 4.6～6.2% (Hb中での百分率)	HbA1c値は過去1～3か月間の平均血糖値とよく相関する [高値]高血糖状態，腎不全，アルコール依存症 [低値]溶血性貧血など赤血球の寿命が短縮したとき
乳酸	全血	4～16 mg/dL(成人)	[高値]乳酸アシドーシス(糖尿病，心不全，劇症肝炎，ショック)
ナトリウム(Na)	血清	135～145 mEq/L	[高値]嘔吐・下痢による水分欠乏，多尿による水分補給不全，副腎皮質機能亢進症，先端巨大症 [低値]嘔吐・下痢による体外へのNa喪失，急性腎不全，尿毒症，サイアザイド・フロセミドなど利尿薬投与時，Addison病，SIADH，心不全
カリウム(K)	血清	3.5～5.0 mEq/L	[高値]腎不全，乏尿時，Addison病，カルチノイド症候群，蛋白異化亢進(飢餓，発熱，慢性消耗性疾患)，家族性周期性四肢麻痺，慢性閉塞性肺疾患，利尿薬(スピロノラクトン，トリアムテレンなど) [低値]K摂取不足，嘔吐・下痢によるKの体外喪失，腎不全，Fanconi症候群，慢性腎盂腎炎，原発性・続発性および偽性アルドステロン症，Cushing症候群，利尿薬(サイアザイド，フロセミドなど)投与時，抗菌薬，ACTH，副腎皮質ステロイド薬投与時

⑦無機成分

検査項目	検体	基準値	病態または疾患
クロール(Cl)	血清	98〜108 mEq/L	[高値]Cl 大量投与あるいは摂取，脱水症，呼吸性アルカローシス，Cl 排泄の低下(尿細管性アシドーシス，腎盂腎炎)，スルホンアミド系利尿薬，膵嚢胞性線維症 [低値]Cl 摂取不足，水分過剰投与時，嘔吐，消化液吸引，急性腎不全，Addison 病，アルドステロン症，慢性閉塞性肺疾患や呼吸筋・呼吸中枢障害による呼吸性アシドーシスの代償
カルシウム(Ca)	血清	4.2〜5.2 mEq/L 8.6〜10.0 mg/dL	[高値]原発性副甲状腺機能亢進症，異所性 PTH 産生腫瘍，ビタミン D 中毒，サルコイドーシス，Addison 病，ミルクアルカリ症候群，白血病，多発骨髄腫 [低値]副甲状腺機能低下症，ビタミン D 欠乏症，骨硬化症，吸収不良症候群，慢性腎不全，膵炎
無機リン(IP)	血清	成人　　　2.5〜4.5 mg/dL 乳幼児　　5.9〜6.9 mg/dL 4〜6 歳　4.8〜5.9 mg/dL	[高値]腎不全，術後・特発性・偽性副甲状腺機能低下症，サルコイドーシス，転移性骨腫瘍，先端巨大症，ビタミン D 中毒，急性組織崩壊，横紋筋融解症 [低値]原発性副甲状腺機能亢進症，異所性 PTH 産生腫瘍，ビタミン D 欠乏症，吸収不良症候群，尿細管性アシドーシス，Fanconi 症候群
マグネシウム(Mg)	血清	1.7〜2.6 mg/dL	[高値]急性腎不全，慢性腎不全，糸球体腎炎，乏尿，シュウ酸中毒，筋無力症など [低値]大量飲酒歴，原発性アルドステロン症，ループ利尿薬投与時，妊娠，重症下痢
銅(Cu)	血清	男性 70〜140 μg/dL 女性 80〜155 μg/dL	[高値]胆道疾患，貧血，悪性腫瘍，妊娠，感染症 [低値]セルロプラスミン合成障害のある疾患(Wilson 病など)
鉄(Fe)	血清	男性 64〜187 μg/dL 女性 40〜162 μg/dL	[高値]再生不良性貧血，鉄芽球性貧血，ヘモクロマトーシス，急性肝炎の初期 [低値]鉄欠乏性貧血，出血性貧血，真性多血症，PNH の一部，慢性感染症，悪性腫瘍，腎性貧血の一部
鉄結合能 　不飽和鉄結合能 　　(UIBC) 　総鉄結合能 　　(TIBC)	血清	UIBC： 男性 104〜259 μg/dL 女性 108〜325 μg/dL TIBC = Fe + UIBC： 男性 253〜365 μg/dL 女性 246〜410 μg/dL	[高値]鉄欠乏性貧血，慢性出血，真性多血症 [低値]再生不良性貧血，白血病，感染症，肝硬変，慢性腎炎，ヘモクロマトーシス

■ 出血・凝固系検査

検査項目	検体	基準値	病態または疾患
出血時間		出血時間 　Duke 法：1〜3 分 　Ivy 法：1〜5 分	[出血時間延長]血小板減少性紫斑病，血小板機能異常症，再生不良性貧血，von Willebrand 病
プロトロンビン時間 (PT)	血漿	11〜13 秒 INR：0.9〜1.1 プロトロンビン比： 　0.85〜1.15	[延長]I，II，VII，X あるいは V 凝固因子の減少，肝硬変，劇症肝炎，ビタミン K 欠乏症
活性化部分トロンボプラスチン時間 (APTT)	血漿	25〜40 秒	[延長]凝固因子 I，II，V，VIII，IX，X，XI，XII のいずれかが低下した場合，肝硬変，肝癌，ワルファリン投与時，ビタミン K 欠乏症

検査項目	検体	基準値	病態または疾患
トロンボテスト (TT)	血液	70〜130%	[低値]ワルファリン投与時, ビタミンK欠乏症, 40%以下は少なくともⅦ, Ⅸ, Ⅹ凝固因子の1つの低下を示す
ヘパプラスチンテスト (HPT)	血漿	70〜130%	[低値]ワルファリン投与時, ビタミンK欠乏症, 急性肝炎の極期, 慢性肝炎, 肝硬変, 急性肝不全など
フィブリノゲン	血漿	200〜400 mg/dL	[高値]感染症, 悪性腫瘍, 血栓症, ネフローゼ症候群, 脳血管障害, 冠動脈障害など [低値]無フィブリノゲン血症, DIC, 線溶亢進状態, 肝障害, 大量出血など
アンチトロンビンⅢ (ATⅢ)	血漿	TIA法:15〜31 mg/dL 合成基質法:80〜120%	[低値]先天性アンチトロンビンⅢ欠乏症, 後天性(DIC, 線溶亢進状態, 肝障害)
フィブリン分解産物 (FDP)	血清 血漿	10 μg/mL 未満 5 μg/mL 未満	[高値]DIC, 血栓症, 悪性腫瘍, 熱傷, ウロキナーゼ投与, 手術後
D-ダイマー(D-Dダイマー)	血漿	LPIA:1.0 μg/mL 以下 ELISA:0.5 μg/mL 以下	[増加]DIC, 血栓溶解療法, 心筋梗塞, 血栓症
SFMC(可溶性フィブリンモノマー複合体)	血漿	FMテスト:陰性 ラテックス凝集法:6.1 μg/mL 未満	血中にトロンビンが生成されるような状況下で陽性化. DIC, 血栓症のほか, 糖尿病, 膠原病, ネフローゼ症候群などでも陽性化
トロンビン・アンチトロンビン複合体 (TAT)	血漿	3.75 ng/mL 以下	[増加]DIC, 血栓症, 心筋梗塞, 敗血症, 肝硬変
プラスミン・α_2-プラスミンインヒビター複合体(PPIC)	血漿	0.8 ng/mL 以下	[増加]DIC, ウロキナーゼ投与, 血栓症, 悪性腫瘍, 大動脈瘤

■ 腫瘍・線維化マーカー

検査項目	検体	基準値	病態または疾患
α-フェトプロテイン(AFP)	血清	10 ng/mL 以下	[高値]肝細胞癌, 肝硬変, 慢性肝炎, 転移性肝癌, 妊娠後半期, 乳児肝炎, 先天性胆道閉鎖症
癌胎児性抗原(CEA)	血清	5 ng/mL 以下	[陽性または高値]悪性疾患:結腸直腸癌, 膵癌, 胆道癌, 胃癌, その他の癌. 良性疾患:肝炎, 肝硬変, 炎症性腸疾患, 慢性気管支炎 (注)健常成人の約5.6%で陽性, 喫煙高齢男性で高値を示す傾向が強い
ポリアミン	尿	46.2 μmol/g・Cr 未満	[高値]急性白血病, 慢性骨髄性白血病急性転化, 悪性リンパ腫, 肉腫, 悪性黒色腫, 胃癌, 大腸癌, 肝癌, 膵癌, 肺癌, 乳癌, 移植腎拒絶, 抗癌薬投与(腫瘍細胞の破壊亢進), 囊胞性線維症, 乾癬, 急性肝炎回復期, 創傷治癒期
組織ポリペプチド抗原(TPA)	血清	70 U/L 未満	[高値]食道癌, 胃癌, 大腸癌, 肝細胞癌, 胆道癌, 膵癌, 肺癌, 乳癌, 子宮癌, 卵巣癌, 精巣腫瘍, 白血病・リンパ腫など. 非悪性疾患:肝炎, 肝硬変, 膵炎, 肺炎
扁平上皮癌関連抗原(SCC抗原)	血清	1.5 ng/mL 未満	[高値]肺癌, 子宮頸癌, 皮膚癌, 食道癌. 非悪性疾患:肺炎, 慢性閉塞性肺疾患, 乾癬, 天疱瘡
糖鎖抗原19-9 (CA19-9)	血清	37 U/mL 以下	[陽性または高値]悪性疾患:膵癌, 胆道癌, 大腸癌, 胃癌, 肝癌, その他の癌. 非悪性疾患(軽度高値):膵炎, 胆管炎, 肝炎, 気管支囊胞, 卵巣囊腫など [陰性または低値]Lewis抗原陰性者

検査項目	検体	基準値	病態または疾患
フェリチン	血清	男性 26～240 ng/mL 女性 8～74 ng/mL	[高値]非悪性疾患：ヘモクロマトーシス，ヘモジデローシス，反復輸血後，再生不良性貧血，鉄芽球性貧血，不応性貧血，肝疾患，心筋梗塞．悪性疾患：肝癌，膵癌，肺癌，乳癌，白血病，Hodgkin リンパ腫，多発性骨髄腫 [低値]鉄欠乏性貧血，妊娠，授乳期，栄養不良
前立腺特異抗原(PSA)	血清	4.0 ng/mL 以下	[高値]前立腺癌，前立腺肥大症
前立腺酸ホスファターゼ(PAP)	血清	3.0 ng/mL 以下	[陽性または高値]前立腺癌，前立腺肥大症（一般に低値）
ヒト絨毛性ゴナドトロピン(HCG)	血清 尿	2.0 mIU/mL 以下 2.0 mIU/mL 以下	[高値]絨毛癌，胞状奇胎，妊娠
PIVKA-II	血漿	40 mAU/mL 以下	[高値]肝細胞癌，慢性肝炎，肝硬変，ビタミンK欠乏症，ワルファリン投与時
CA15-3	血清	30 U/mL 未満	[高値]乳癌，卵巣癌，子宮癌，肺癌
塩基性胎児蛋白(BFP)	血清	75 ng/mL 未満	[高値]泌尿器系癌，肝癌，各種の悪性腫瘍と炎症
神経特異エノラーゼ(NSE)	血清	10 ng/mL 未満	[高値]神経と網膜の良・悪性疾患，肺小細胞癌
CA125	血清	男性，閉経後の女性 　　　25 U/mL 未満 閉経前の女性 　　　40 U/mL 未満	[高値]卵巣，卵管，子宮内膜，胸腹膜の炎症と癌
CA130	血清	35 U/mL 未満	[高値]卵巣，卵管，子宮内膜，胸腹膜の炎症と癌
シアリル Tn 抗原(STN)	血清	45 U/mL 以下	[高値]卵巣癌，胃癌，その他の腺癌
CA72-4	血清	4.0 U/mL 未満	[高値]卵巣癌，胃癌，大腸癌，その他の腺癌
SP_1	血清	7.0 ng/mL 以下	[高値]妊娠，絨毛癌，胞状奇胎
エラスターゼ 1	血清	100～400 ng/dL	[高値]良性疾患：急性膵炎，慢性膵炎，腎不全，慢性肝障害．悪性疾患：膵癌
β_2-ミクログロブリン	血清 尿	1.0～1.9 mg/L 30～370 μg/日（蓄尿）	[高値]非悪性疾患：腎機能障害（急性糸球体腎炎，慢性糸球体腎炎，慢性腎不全，尿毒症，糖尿病性腎症），感染症，膠原病(SLE，関節リウマチなど)，臓器移植の拒絶反応．悪性疾患：原発性肝癌，胃癌，結腸癌，肺癌，前立腺癌，多発性骨髄腫，慢性リンパ性白血病，悪性リンパ腫など [高値＋尿細管再吸収極量を超えた場合]Fanconi 症候群，Lowe 症候群，Wilson 病，慢性カドミウム中毒，骨髄腫腎，痛風腎，移植腎，急性尿細管壊死，シスチン尿症，アミノグリコシド系抗菌薬投与時，ガラクトース血症など
免疫抑制酸性蛋白(IAP)	血清	500 μg/mL 未満	[高値]炎症性疾患（感染症，膠原病，悪性腫瘍），胆囊癌，白血病，食道癌，膵癌，卵巣癌，肺癌，胃癌，胆道癌
ホモバニリン酸(HVA)	尿	成人 2.1～6.3 mg/日	[高値]悪性黒色腫，神経芽細胞腫，交感神経芽細胞腫，交感神経節細胞腫，褐色細胞腫，統合失調症 [低値]Parkinson 症候群，Alzheimer 病，Down 症候群，脳梗塞
シアル化糖鎖抗原 KL-6(KL-6)	血清	500 U/mL 未満	[高値]間質性肺炎，肺結核，肺胞蛋白症

■ 免疫血清学検査
①細菌などの抗体

検査項目	検体	基準値	病態または疾患
ASO（抗ストレプトリジン O）	血清	239 IU/mL 以下	[上昇]ストレプトリジン O 産生（特に A 群）溶連菌感染，扁桃腺摘出後（一過性），脂質異常症（溶血阻止法で時に）
ASK（抗ストレプトキナーゼ）	血清	小児 5,120 倍未満 成人 2,560 倍未満	[上昇]ストレプトキナーゼ産生溶連菌感染，ストレプトキナーゼ製剤投与時
ADNaseB（抗デオキシリボヌクレアーゼ B）	血清	小児 480 倍以下 成人 320 倍以下	[上昇]A 群溶連菌感染，特に皮膚感染症で高値傾向
Widal 反応（チフス菌・パラチフス菌抗体）	血清	Vi 抗原　20 倍未満 TO 抗原　160 倍未満 AO 抗原　80 倍未満 BO 抗原　160 倍未満	[陽性]Vi：腸チフス，TO：腸チフス，AO：パラチフス A，BO：パラチフス B
梅毒血清反応（脂質抗原試験）（STS） 　梅毒沈降反応 　補体結合反応	血清	陰性	[陽性]梅毒 [生物学的偽陽性（BFP）]Hansen 病，SLE，麻薬常用者，異型肺炎，種痘後，伝染性単核球症，その他 [陰性]初期梅毒，晩期梅毒，免疫不全状態，抗菌薬治療
梅毒トレポネーマ抗体（TPHA 試験，FTA-ABS 試験）	血清	陰性	[陽性]梅毒 [陰性]初期梅毒（特に TPHA），免疫不全状態，抗菌薬治療
結核菌特異的インターフェロンγ産生能（クォンティフェロン QFT，T スポット）	全血	0.35 U/mL 未満	[陽性]結核
抗ヘリコバクターピロリ抗体	血清・尿	陰性	[陽性]ヘリコバクターピロリ感染
カンジテック（カンジダ抗原）	血清	陰性	[陽性]カンジダ症

②ウイルスなどの抗原・抗体

検査項目	検体	基準値	病態または疾患
Weil-Felix 反応	血清	OXK　　40 倍未満 OX19　160 倍未満 OX2　　40 倍未満	[OX19，OX2 上昇]発疹チフス，発疹熱 [OXK 上昇]つつが虫病
EB ウイルス抗体（EBV 抗体）	血清	EBV VCA　　　10 倍未満 EBV EA-DR　10 倍未満 EBV EBNA　　10 倍未満	[上昇]伝染性単核球症
A 型肝炎ウイルス抗体（HA 抗体，IgM-HA 抗体）	血清	陰性	[HA 抗体陽性]A 型肝炎ウイルス感染あるいはその既往 [IgM-HA 抗体陽性]A 型肝炎ウイルス感染
B 型肝炎ウイルス抗原・抗体（HBs 抗原・抗体，HBc 抗体，HBe 抗原・抗体）	血清	陰性	[陽性]B 型肝炎ウイルス感染あるいはその既往
C 型肝炎ウイルス抗体（HCV 抗体）	血清	陰性	[陽性]C 型肝炎ウイルス感染

検査項目	検体	基準値	病態または疾患
抗 HTLV-I 抗体	血清	陰性	[陽性]HTLV-I 感染，成人 T 細胞白血病（ATL）
抗 HIV 抗体 （抗 HTLV-III 抗体）	血清	陰性	[陽性]HIV 感染キャリア，ARC（AIDS 関連症候群），AIDS
サイトメガロウイルス抗原（CMV 抗原）	尿，髄液，血液，咽頭拭い液など	陰性	[陽性]サイトメガロウイルス感染

③自己抗体

検査項目	検体	基準値	病態または疾患
Coombs 試験 （直接 Coombs 試験）	血液 （赤血球）	陰性	[陽性]自己免疫性溶血性疾患，発作性寒冷血色素尿症，寒冷凝集素症，続発性溶血性貧血（SLE，薬物投与時など），新生児溶血性疾患（ABO 不適合ではほとんど陰性），血液型不適合輸血
（間接 Coombs 試験）	血清	陰性	[陽性]不規則性赤血球抗体の存在，赤血球自己抗体の存在，新生児溶血性疾患，血液型不適合輸血
抗血小板同種抗体	血清	陰性	[陽性]頻回の輸血または血小板輸血
抗血小板自己抗体（PAIgG）	血清	$10\,ng/10^7$ 血小板未満	[高値]自己免疫性血小板減少症，特発性血小板減少性紫斑病
寒冷凝集反応	血清	128 倍以下	[上昇]単クローン性の上昇：慢性寒冷凝集素症，原発性マクログロブリン血症，リンパ増殖性疾患など，多クローン性の上昇：マイコプラズマ肺炎，伝染性単核球症，サイトメガロウイルス感染症など
抗核抗体	血清	陰性（40 倍未満）	[陽性]SLE，重複症候群，混合性結合組織病（MCTD），全身性硬化症，多発性筋炎・皮膚筋炎（PM/DM），Sjögren 症候群，関節リウマチ，ルポイド肝炎，自己免疫性肝炎
抗 DNA 抗体	血清	RIA 法（Farr 法） 6.0 IU/mL 以下	[陽性]SLE，重複症候群，MCTD，Sjögren 症候群，全身性硬化症，関節リウマチ，多発性筋炎・皮膚筋炎
抗 ds-DNA	血清	10 U/mL 以下（FEIA）	[高値]SLE，重複症候群，低補体血症を伴えば活動性ループス腎炎を疑う
抗 ss-DNA	血清	7.0 U/mL 以下（FEIA）	[高値]比較的多くの膠原病で陽性
抗 RNP 抗体	血清	陰性	[高値]MCTD（100％），SLE（20〜40％），全身性硬化症（15〜30％），重複症候群，Sjögren 症候群，多発性筋炎・皮膚筋炎
抗 Sm 抗体	血清	陰性	[高値]SLE（15〜30％）
抗 Scl-70 抗体（抗トポイソメラーゼ I 抗体）	血清	陰性	[高値]全身性硬化症
抗 SS-A/Ro 抗体 抗 SS-B/La 抗体	血清	陰性	[高値]SS-A 抗体：Sjögren 症候群，SLE，MCTD，全身性硬化症，関節リウマチ．SS-B 抗体：Sjögren 症候群，SLE（低率），全身性硬化症（低率）
抗 Jo-1 抗体	血清	陰性	[陽性]多発性筋炎・皮膚筋炎（PM/DM）

検査項目	検体	基準値	病態または疾患
リウマチ因子（リウマトイド因子）	血清	定性法（RAテスト）　陰性 RAPA（RAHA）　40倍未満 リウマチ因子定量 　　　　　　20 IU/mL 以下 IgG型リウマチ因子 　　　　　　2 未満	[陽性]関節リウマチ，悪性関節リウマチ，若年性関節リウマチ，SLE，全身性硬化症，その他の膠原病，肝疾患，悪性腫瘍，高齢者
マトリックスメタロプロティナーゼ-3（MMP-3）	血清	男性 36.9〜121.0 ng/mL 女性 17.3〜59.7 ng/mL	[高値]関節リウマチ，悪性関節リウマチ
抗シトルリン化ペプチド抗体（抗CCP抗体）	血清	陰性（4.5 U/mL 未満）	[陽性]関節リウマチ
抗ミトコンドリア抗体	血清	陰性（20倍未満）	[陽性]原発性胆汁性肝硬変，慢性活動性肝炎，薬物性肝障害，その他の自己免疫病
抗サイログロブリン抗体（TA）	血清	受身血球凝集法（サイロイドテスト）　100倍未満 RIA，EIA　0.3 U/mL 以下	[陽性]原発性甲状腺機能低下症，橋本病，Basedow病，SLE
抗甲状腺ペルオキシダーゼ抗体（TPOAb）（抗甲状腺ミクロソーム抗体）	血清	受身血球凝集法（ミクロソームテスト）　100倍未満 RIA，EIA　0.3 U/mL 以下	[陽性]橋本病，Basedow病，原発性甲状腺機能低下症，SLE
甲状腺刺激ホルモンレセプター抗体（TRAb）	血清	2.0 IU/L 以下	[陽性]Basedow病

④細胞性免疫

検査項目	検体	基準値	病態または疾患
T細胞，B細胞	ヘパリン加静脈血	T細胞百分率　66〜89% B細胞百分率　4〜13% Eロゼット形成細胞/T細胞　65〜92%	T細胞系：CD3はT細胞すべてを，CD4はヘルパーT細胞を，CD8はキラー/サプレッサーT細胞を認識するマーカーである B細胞系：CD19，CD20，CD21がB細胞を認識するマーカーである
リンパ球サブセット	ヘパリン加静脈血	CD2 = 71〜91% CD3 = 58〜84% CD4 = 25〜56% CD8 = 17〜44% CD4/CD8比 = 0.6〜2.9 CD10 = 1% 以下 CD11a = 77〜95% CD11b = 14〜46% CD20 = 5〜25% CD21 = 4〜22%	
可溶性インターロイキン2レセプター（sIL-2R）	血清	220〜530 U/mL	[高値]非Hodgkinリンパ腫，成人T細胞白血病，肝炎

■ 内分泌検査

検査項目	検体	基準値	病態または疾患
GH（成長ホルモン）	血清	男性 0.17 ng/mL 以下 女性 0.28〜1.64 ng/mL 以下 （目安として）	[高値]先端巨大症，下垂体性巨人症，神経性食思不振症，低栄養，急性ポルフィリン症 [低値]下垂体機能低下症，甲状腺機能低下症，下垂体性小人症，Cushing 症候群
LH（黄体形成ホルモン）	血清	男性 　成人 1.6〜9.5 mIU/mL 女性 　卵胞期初期 　　1.5〜12.7 mIU/mL 　排卵期ピーク 　　2.6〜66.3 mIU/mL 　黄体期 0.7〜17 mIU/mL 　閉経後 　　7.5〜56.2 mIU/mL	[高値]中枢性早熟症，多囊胞卵巣症候群，Turner 症候群，Klinefelter 症候群 [低値]下垂体機能低下症，神経性食思不振症，黄体機能不全
FSH（卵胞刺激ホルモン）	血清	男性 　成人 1.2〜15 mIU/mL 女性 　卵胞期初期 　　2.7〜10.2 mIU/mL 　排卵期ピーク 　　2〜23 mIU/mL 　黄体期 1.0〜8.4 mIU/mL 　閉経後 　　9.2〜124.7 mIU/mL	[高値]Turner 症候群，精巣女性化症，Klinefelter 症候群 [低値]下垂体機能低下症，頭蓋咽頭腫，神経性食思不振症，Sheehan 症候群
ACTH（副腎皮質刺激ホルモン）	血漿	7.2〜63.3 pg/mL	[高値]Addison 病，Cushing 病，異所性 ACTH 症候群 [低値]下垂体機能低下症，ACTH 単独欠損症，Cushing 症候群，副腎皮質ステロイド薬投与時
17-KS（17-ケトステロイド）	尿	成人 男性 3.5〜13 mg/日 　　女性 3〜8 mg/日	[高値]Cushing 症候群，副腎性器症候群，男性化症候群，精巣腫瘍，卵巣腫瘍 [低値]下垂体機能低下症，Addison 病，副腎クリーゼ
17-OHCS（17-ヒドロキシコルチコステロイド）	尿	男性 2.1〜11.5 mg/日 女性 2.6〜7.8 mg/日	[高値]Cushing 症候群，異所性 ACTH 症候群，副腎癌 [低値]Addison 病，下垂体機能低下症，副腎性器症候群
VMA（バニリルマンデル酸）	血漿 尿	3.3〜8.6 ng/mL 1.5〜4.3 mg/日	[陽性]褐色細胞腫，神経芽細胞腫
TSH（甲状腺刺激ホルモン）	血清	0.34〜3.5 μU/mL	[高値]原発性甲状腺機能低下症，TSH 産生腫瘍，ヨード欠乏 [低値]甲状腺機能亢進症（Basedow 病）
ADH（抗利尿ホルモン）（バソプレシン）	血漿	0.3〜3.5 pg/mL	[高値]SIADH（悪性腫瘍，肺疾患，中枢神経系疾患，薬物），腎性尿崩症 [低値]中枢性尿崩症，多飲症
トリヨードサイロニン（T_3） サイロキシン（T_4）	血清	T_3　80〜180 ng/dL T_4　5〜12 μg/dL	[高値]甲状腺機能亢進症，Plummer 病，亜急性甲状腺炎，TSH 産生腫瘍，甲状腺ホルモン大量服用時，トリヨードサイロニン中毒症（T_3） [低値]原発性甲状腺機能低下症，下垂体性および視床下部性甲状腺機能低下症，抗甲状腺薬服用時，低トリヨードサイロニン症候群（T_3）
遊離(free)T_4（FT_4）	血清	1.0〜2.0 ng/dL	[高値]甲状腺機能亢進症 [低値]甲状腺機能低下症

検査項目	検体	基準値	病態または疾患
T_3 摂取率(T_3U)	血清	20〜32%	[高値]甲状腺機能亢進症 [低値]甲状腺機能低下症
サイログロブリン(Tg)	血清	5〜30 ng/mL	[高値]甲状腺分化癌(髄様癌，未分化癌では上昇しない)，甲状腺腫，Basedow病，甲状腺破壊性甲状腺ホルモン中毒症，亜急性甲状腺炎，Basedow病の術後または ^{131}I 療法後など
サイロキシン結合グロブリン(TBG)	血清	14〜28 μg/mL	[高値]エストロゲン投与，妊娠，新生児，胞状奇胎，エストロゲン産生腫瘍，急性間欠性ポルフィリア，甲状腺機能低下症 [低値]アンドロゲンまたは蛋白同化ホルモン投与，副腎皮質ステロイド薬(大量)投与，先端巨大症，甲状腺機能亢進症
副甲状腺ホルモン(PTH)(パラソルモン)	血清	intact-PTH 15〜65 pg/mL PTH-C 0.5 ng/mL 以下 PTH-HS 180〜560 pg/mL	[高値]原発性副甲状腺機能亢進症，異所性副甲状腺機能亢進症，偽性副甲状腺機能亢進症，骨軟化症，骨粗鬆症，妊娠，腎不全 [低値]術後副甲状腺機能低下症，特発性副甲状腺機能低下症，悪性腫瘍の骨転移
カルシトニン(CT)	血清	男性 5.5 pg/mL 以下 女性 4.0 pg/mL 以下	[高値]甲状腺髄様癌，悪性腫瘍(異所性CT産生腫瘍など高Ca血症を呈するもの)，膵炎，Zollinger-Ellison症候群 [低値]低Ca血症，甲状腺全摘，老年性骨粗鬆症
プロラクチン(PRL)	血清	男性 1.5〜10 ng/mL 女性 1.5〜15 ng/mL	[高値]乳汁漏出性無月経症候群，視床下部障害，下垂体疾患，甲状腺機能低下症，乳癌
インスリン(IRI)	血清	5〜15 μU/mL(空腹時)	[高値]インスリノーマ，先端巨大症，Cushing症候群，褐色細胞腫，グルカゴノーマ，甲状腺機能亢進症，肥満，インスリン治療中，インスリン自己免疫症候群，腎不全 [低値]糖尿病，膵炎，膵摘出後
C-ペプチド(CPR)	血清	1.2〜2 ng/mL	[高値]インスリノーマ，インスリン自己免疫症候群，インスリン抗体出現時，肥満，Cushing症候群，副腎皮質ステロイド薬投与時，甲状腺機能亢進症 [低値]糖尿病，副腎不全，下垂体機能低下症，飢餓
コルチゾール	血清	2.7〜15.5 μg/dL	[高値]Cushing病，Cushing症候群 [低値]Addison病，下垂体機能低下症，急性副腎皮質不全，先天性副腎性器症候群
アルドステロン	血液	4.0〜82.1 pg/mL(安静臥位)	[高値]原発性アルドステロン症，続発性アルドステロン症，Bartter症候群，ネフローゼ症候群 [低値]Addison病
総エストロゲン(卵胞ホルモン)	尿	男性 2〜20 μg/日 女性 卵胞期 3〜20 μg/日 　　　排卵期 10〜60 μg/日 　　　黄体期 8〜50 μg/日 　　　閉経後 10 μg/日以下 妊娠 　32〜36週 15 mg/日以上 　37〜38週 20 mg/日以上 　39〜42週 25 mg/日以上	[高値]多胎妊娠，先天性副腎過形成 [低値]切迫流産，妊娠高血圧症候群，無脳児妊娠，子宮内胎児死亡例，胞状奇胎

検査項目	検体	基準値	病態または疾患
エストラジオール（E_2）	血清	男性 14.6〜48.8 pg/mL 非妊婦 　卵胞期 　　28.8〜196.8 pg/mL 　排卵期 　　36.4〜525.9 pg/mL 　黄体期 　　44.1〜491.9 pg/mL 　閉経後 　　47.0 pg/mL 以下 妊婦 　妊娠初期 　　208.5〜4,289 pg/mL 　妊娠中期 　　2,808〜28,700 pg/mL 　妊娠後期 　　9,875〜31,800 pg/mL	[高値]エストロゲン産生卵巣腫瘍，卵巣過剰刺激症候群，思春期早発症，多胎妊娠 [低値]卵巣機能低下症，神経性食思不振症，胎盤機能不全
プロゲステロン（P_4）	血清	男性 0.22 ng/mL 以下 非妊婦 　卵胞期 0.28 ng/mL 以下 　排卵期 5.69 ng/mL 以下 　黄体期 　　2.05〜24.2 ng/mL 　閉経後 0.44 ng/mL 以下 妊婦 　妊娠初期（4〜13 週） 　　13.0〜51.8 ng/mL 　妊娠中期（14〜27 週） 　　24.3〜82.0 ng/mL 　妊娠後期（28〜38 週） 　　63.5〜174 ng/mL	[高値]妊娠，胞状奇胎，先天性副腎皮質過形成，Cushing 症候群，副腎男性化腫瘍 [低値]無月経，妊娠高血圧症候群，絨毛上皮腫，下垂体機能低下症，Addison 病，黄体機能不全
テストステロン	血清	男性 1.31〜8.71 ng/mL 女性 0.11〜0.47 ng/mL	[高値]先天性副腎皮質過形成，Cushing 症候群，精巣腫瘍，卵巣腫瘍，多嚢胞卵巣症候群，特発性多毛症，甲状腺機能亢進症 [低値]下垂体機能低下症，肝硬変，Addison 病，Turner 症候群，Klinefelter 症候群，筋緊張性ジストロフィー，前立腺癌
ヒト絨毛性ゴナドトロピン（HCG）	血液	男性/非妊婦 　2.0 mIU/mL 以下 妊婦 　〜6 週 　　2,700〜87,200 mIU/mL 　7〜10 週 　　6,700〜201,500 mIU/mL 　11〜20 週 　　8,700〜72,200 mIU/mL 　21〜30 週 　　4,300〜50,500 mIU/mL 　31〜40 週 　　5,400〜79,000 mIU/mL	[分娩後高値]胞状奇胎，絨毛癌 [非妊娠時高値]胎生癌，精上皮腫瘍，肝芽腫，肺癌，胃癌，異所性絨毛上皮腫

検査項目	検体	基準値	病態または疾患
レニン活性（PRA）	血漿	0.4〜2 ng/mL/時（早朝安静空腹時）	[高値]高レニン性本態性高血圧症, 悪性高血圧症, 腎血管性高血圧症, 腎症 [低値]原発性アルドステロン症, 低レニン性本態性高血圧症, 異所性アルドステロン分泌腫瘍, Cushing 症候群, 異所性 ACTH 症候群
心房性ナトリウム利尿ペプチド（ANP）	血漿	10〜43 pg/mL	[高値]うっ血性心不全, 腎不全, 本態性高血圧症, ネフローゼ症候群, 原発性アルドステロン症 [低値]腹水, 利尿薬投与, 尿崩症
脳性ナトリウム利尿ペプチド（BNP）	血漿	18.4 pg/mL 以下	[高値]うっ血性心不全, 高血圧症, 腎不全, 心筋症

■ 血液ガス

検査項目	検体	基準値	病態または疾患
pH	動脈血	7.38〜7.41	[高値]代謝性アルカローシス, 呼吸性アルカローシス [低値]代謝性アシドーシス, 呼吸性アシドーシス
P_aO_2	動脈血	80〜100 Torr（mmHg）	代謝性アルカローシス 　（pH 上昇または不変, P_aCO_2 上昇または不変, HCO_3^- 上昇） 　胃液嘔吐, 低カリウム血症, 利尿薬・副腎皮質ステロイド薬投与時, HCO_3 の点滴 呼吸性アルカローシス 　（pH 上昇または不変, P_aCO_2 低下, HCO_3^- 低下または不変） 　過換気症候群, 肺疾患, 脳炎, 肝硬変, 妊娠, 低酸素血症, 情動不穏, サリチル酸・プロゲステロンなどの薬物 代謝性アシドーシス 　（pH 低下または不変, P_aCO_2 低下または不変, HCO_3^- 低下） 　腎不全, 下痢, 糖尿病, 飢餓, 高熱, 乳酸アシドーシス, 尿細管性アシドーシス, NH_4Cl 投与時 呼吸性アシドーシス 　（pH 低下または不変, P_aCO_2 上昇, HCO_3^- 上昇または不変） 　頭部外傷, 麻酔薬, 気道異物, 肺気腫, 気管支喘息, 重症筋無力症, 肥満, Pickwick 症候群, 肺胞低換気症候群 P_aO_2 が低下するとき 　呼吸不全（P_aO_2 が 60 Torr 以下）, 吸入気の酸素分圧の低下, 肺胞換気量（$\dot{V}_A$）の低下, 換気血流不均等, 拡散障害, 動静脈シャント, 肺水腫（ARDS）
S_aO_2	動脈血	96% 以上	
P_aCO_2	動脈血	38〜44 Torr（mmHg）	
HCO_3^-	動脈血	22〜26 mEq/L	
base excess（BE）	動脈血	−2〜2 mEq/L	[高値]代謝性アルカローシス, 慢性の呼吸性アシドーシス, 急性の呼吸性アルカローシス [低値]代謝性アシドーシス, 慢性の呼吸性アルカローシス, 急性の呼吸性アシドーシス

■ その他（機能検査など）

検査項目	検体	基準値	病態または疾患
ICG 試験	血清	血中停滞率測定法： 15 分値 10% 以下	無黄疸性の肝疾患で肝機能を知る場合が適応となる．肝炎，肝硬変，胆汁流出障害，体質性黄疸（特に Rotor 型）で異常を示す
BSP 試験	血清	45 分値 5% 以下	[高値]肝炎，肝硬変，胆汁流出障害，体質性黄疸（特に Dubin-Johnson 症候群）
PSP 試験	各分画尿	15 分値 25〜50%	[低値]心拍出量減少，血圧低下，腎硬化症，糸球体腎炎，腎盂腎炎，尿路閉塞
Fishberg 濃縮試験	尿	比重 1.022 以上 浸透圧 850 mOsm/kg 以上	[低値]進行性腎疾患，腎不全，腎盂腎炎
クレアチニンクリアランス（C_{cr}）	尿 血液	91〜130 mL/分	[低値]腎機能低下，腎不全 [高値]糖尿病性腎症（初期），妊娠，高蛋白食
推算 GFR 値（eGFR）	血清	90 mL/分/1.73m^2 以上	[低値]慢性糸球体腎炎，糖尿病性腎症，腎硬化症 [高値]糖尿病性腎症（初期），妊娠，高蛋白食

〔高久史麿（監）：臨床検査データブック 2023–2024. 医学書院, 2023 を参考にして作成〕

〈奈良 信雄〉

略語一覧

1. 医学領域で一般的に使われる略語のなかから，本書の趣旨に沿って疾患・症候群，病態，検査項目，測定法などに関する略語を中心に掲載した．薬剤・薬物名に関する略語は除いた．
2. 《本文，索引》に記載のない略語も含まれている．
3. 《略語一覧》および《本文，索引》のそれぞれに記載のある略語のなかには，欧文または和文の表現に多少の差異を認める場合もある．
4. 略語の配列は記号，数字，ギリシャ文字，アルファベット順とした．
5. 略語が同じ綴りの場合，大文字，小文字の順とした．
6. 略語の数字が同じ値の場合，ローマ数字，アラビア数字の順とした．
7. 略語に対応する〈欧文〉，〈和文〉を付した（対応する適当な和文がない場合を除く）．

%RCU percent red cell utilization〔赤血球鉄利用率〕
%VC percent vital capacity〔パーセント肺活量〕
ICTP cross-linked carboxyterminal telopeptide of type I collagen〔I 型コラーゲン C 末端テロペプチド〕
1,5-AG 1,5-anhydro-D-glucitol〔1,5-アンヒドロ-D-グルシトール〕
1,25-(OH)$_2$-D$_3$ 1,25-dihydroxy vitamin D$_3$〔1,25-ジヒドロキシビタミン D$_3$〕
2,3-DPG 2,3-diphosphoglyceric acid〔2,3-ジホスホグリセリン酸〕
2-5AS 2',5'oligoadenylate synthetase〔2',5' オリゴアデニル酸合成酵素〕
3-MeHis 3-methylhistidine〔3-メチルヒスチジン〕
5-HIAA 5-hydroxyindole acetic acid〔5-ヒドロキシインドール酢酸〕
5-HT 5-hydroxytryptamine〔5-ヒドロキシトリプタミン〕
5'-NPD-V 5'-nucleotid phosphodiesterase isozyme-V〔5'-ヌクレオチドホスホジエステラーゼアイソザイム V〕
11-DTXB$_2$ 11-dehydro thromboxane B$_2$〔11-デヒドロトロンボキサン B$_2$〕
11-OHCS 11-OH-corticosteroids〔11-ヒドロキシコルチコステロイド〕
17-KGS 17-ketogenic steroids〔17-ケトジェニックステロイド〕
17-KS 17-ketosteroids〔17-ケトステロイド〕
17-OHCS 17-hydroxycorticosteroids〔17-ヒドロキシコルチコステロイド〕
17α-OHP 17α-hydroxyprogesterone〔17α-ヒドロキシプロゲステロン〕
25-(OH)-D$_3$ 25-hydroxy vitamin D$_3$〔25-ヒドロキシビタミン D$_3$〕
α-MSH α-melanocyte stimulating hormone〔α-メラノサイト刺激ホルモン〕
α$_1$-AG α$_1$-acid glycoprotein〔α$_1$-酸性糖蛋白〕
α$_1$-AT α$_1$-antitrypsin〔α$_1$-アンチトリプシン〕
α$_2$-HS α$_2$-heat stable glycoprotein〔α$_2$-HS グリコプロテイン〕
α$_2$-PI α$_2$-plasmin inhibitor〔α$_2$-プラスミンインヒビター〕
β-TG β-thromboglobulin〔β-トロンボグロブリン〕
γ-GT γ-glutamyl transferase〔γ-グルタミルトランスフェラーゼ〕
γ-GTP γ-glutamyl transpeptidase〔γ-グルタミルトランスペプチダーゼ〕
γ-Sm γ-seminoprotein〔γ-セミノプロテイン〕
AA amyloid A〔アミロイド A〕
AAA aromatic amino acid〔芳香族アミノ酸〕
A-aDO$_2$ alveolar-arterial O$_2$ difference〔肺胞気動脈血 O$_2$ 分圧較差〕
AAG α$_1$-acid glycoprotein〔α$_1$-酸性糖蛋白〕
AAG allergic angiitis and granulomatosis〔アレルギー性血管炎および肉芽腫症〕
AAT α$_1$-antitrypsin〔α$_1$-アンチトリプシン〕
Ab antibody〔抗体〕
ABC airway, breathing, and circulation〔気道確保，人工呼吸，閉胸式心マッサージ〕
ABC avidin-biotin-peroxidase complex〔アビジンビオチンペルオキシダーゼコンプレックス〕
ABE acute bacterial endocarditis〔急性細菌性心内膜炎〕
ABI ankle-brachial pressure index〔足関節/上腕血圧比〕
ABPA allergic bronchopulmonary aspergillosis〔アレルギー性気管支肺アスペルギルス症，喘息性肺好酸球増加症〕
ABR auditory brain stem response〔聴覚脳幹反応〕
ABS acute brain syndrome〔急性脳症候群〕
ACCR amylase-ycreatinine clearance rate〔アミラーゼクレアチニンクリアランス比〕
ACDK acquired cystic disease of kidney〔後天性腎囊胞〕

ACE angiotensin converting enzyme〔アンジオテンシン変換酵素〕
AChE acetylcholine esterase〔アセチルコリンエステラーゼ〕
AChR acetylcholine receptor〔アセチルコリンレセプター〕
ACLS advanced cardiac life support〔二次救命処置〕
aCML atypical chronic myeloid leukemia〔非定型性慢性骨髄性白血病〕
ACP acid phosphatase〔酸性ホスファターゼ〕
ACS acute coronary syndrome〔急性冠症候群〕
ACT α_1-antichymotrypsin〔α_1-アンチキモトリプシン〕
ACTH adrenocorticotropic hormone〔副腎皮質刺激ホルモン〕
AD Alzheimer's disease〔アルツハイマー病〕
ADA adenosine deaminase〔アデノシンデアミナーゼ〕
ADCC antibody-dependent cellular cytotoxicity, antibody-dependent cell-mediated cytotoxicity〔抗体依存性細胞介在性細胞障害〕
ADEM acute disseminated encephalomyelitis〔急性散在性脳脊髄炎〕
ADH alcohol dehydrogenase〔アルコール脱水素酵素〕
ADH antidiuretic hormone〔抗利尿ホルモン〕
ADL activities of daily living〔日常生活動作〕
ADNase B anti-deoxyribonuclease B〔抗デオキシリボヌクレアーゼ B〕
ADP adenosine diphosphate〔アデノシン二リン酸〕
ADPKD autosomal dominant polycystic kidney disease〔常染色体優性多発性嚢胞腎, 成人型多発性嚢胞腎〕
AEP acute eosinophilic pneumonia〔急性好酸球性肺炎〕
AF atrial flutter〔心房粗動〕
Af, AF atrial fibrillation〔心房細動〕
AFP α-fetoprotein〔α-フェトプロテイン〕
AG anion gap〔アニオンギャップ〕
Ag antigen〔抗原〕
AGA allergic granulomatous angiitis〔アレルギー性肉芽腫性血管炎〕
AGL acute granulocytic leukemia〔急性顆粒球性白血病〕
AGM acute gastric mucosal lesion〔急性胃粘膜病変〕
AGN acute glomerulonephritis〔急性糸球体腎炎〕
A/G ratio albumin/globulin ratio〔アルブミン/グロブリン比〕
AGS adrenogenital syndrome〔副腎性器症候群〕
AHC acute hemorrhagic conjunctivitis〔急性出血性結膜炎〕
AHD acquired heart disease〔後天性心疾患〕
AHD anti-hyaluronidase〔抗ヒアルロニダーゼ〕
AHI apnea-hypopnea index〔無呼吸・低呼吸指数〕
AIDS acquired immunodeficiency syndrome〔後天性免疫不全症候群〕
AIH autoimmune hepatitis〔自己免疫性肝炎〕
AIHA autoimmune hemolytic anemia〔自己免疫性溶血性貧血〕
AIP acute intermittent porphyria〔急性間欠性ポルフィリン症〕
AIP acute interstitial pneumonia〔急性間質性肺炎〕
AL acute leukemia〔急性白血病〕
Al aluminum〔アルミニウム〕
ALA δ-aminolevulinic acid〔δ-アミノレブリン酸〕
Alb albumin〔アルブミン〕
ALbL acute lymphoblastic leukemia〔急性リンパ芽球性白血病〕
ALD adrenoleukodystrophy〔アドレノロイコジストロフィー, 副腎白質ジストロフィー〕
ALD aldosterone〔アルドステロン〕
ALDH aldehyde dehydrogenase〔アセトアルデヒド脱水素酵素〕
ALI acute lung injury〔急性肺傷害〕
ALL acute lymphocytic leukemia〔急性リンパ性白血病〕
ALP alkaline phosphatase〔アルカリホスファターゼ〕
ALS amyotrophic lateral sclerosis〔筋萎縮性側索硬化症〕
ALT alanine aminotransferase〔アラニンアミノトランスフェラーゼ〕GPTと同義
AMA anti-mitochondrial antibody〔抗ミトコンドリア抗体〕
AMI acute myocardial infarction〔急性心筋梗塞〕
AML acute myelocytic leukemia〔急性骨髄性白血病〕
AMMoL acute myelomonocytic leukemia〔急性骨髄単球性白血病〕
AMoL acute monocytic leukemia〔急性単球性白血病〕
AMP adenosine monophosphate〔アデノシン一リン酸〕
AMPS acid mucopolysaccharides〔酸性ムコ多糖体〕
ANA anti-nuclear antibody〔抗核抗体〕
ANCA anti-neutrophil cytoplasmic antibody〔抗好中球細胞質抗体〕
ANP atrial natriuretic peptide〔心房性ナトリウム利尿ペプチド〕
Ao aorta〔大動脈〕
AP angina pectoris〔狭心症〕

APA aldosterone producing adenoma〔アルドステロン産生腺腫，副腎皮質腺腫〕
APC atrial premature contraction〔心房性期外収縮〕
APH apical hypertrophy〔心尖部肥大〕
APL acute promyelocytic leukemia〔急性前骨髄球性白血病〕
APTT activated partial thromboplastin time〔活性化部分トロンボプラスチン時間〕
AR aortic regurgitation〔大動脈弁閉鎖不全症〕
ARDS acute respiratory distress syndrome〔急性呼吸促迫症候群〕
ARF acute renal failure〔急性腎不全〕
ARPKD autosomal recessive polycystic kidney disease〔常染色体劣性囊胞腎〕
AS ankylosing spondylitis〔強直性脊椎炎〕
AS aortic stenosis〔大動脈弁狭窄症〕
ASD atrial septal defect〔心房中隔欠損症〕
ASH asymmetric septal hypertrophy〔非対称(心室)中隔肥厚〕
ASK anti-streptokinase antibody〔抗ストレプトキナーゼ抗体〕
ASO anti-streptolysin O antibody〔抗ストレプトリジンO抗体〕
ASO arteriosclerosis obliterans〔閉塞性動脈硬化症〕
ASP anti-streptococcal polysaccharide antibody〔抗ストレプトコッカルポリサッカライド抗体〕
AST aspartate aminotransferase〔アスパラギン酸アミノトランスフェラーゼ〕GOTと同義
AT antithrombin〔アンチトロンビン〕
ATL adult T-cell leukemia〔成人T細胞白血病〕
ATLA adult T-cell leukemia antigen〔成人T細胞白血病抗原〕
ATLL adult T-cell leukemia/lymphoma〔成人T細胞白血病/リンパ腫〕
ATLV adult T-cell leukemia virus〔成人T細胞白血病ウイルス〕
ATN acute tubular necrosis〔急性尿細管壊死〕
ATP adenosine triphosphate〔アデノシン三リン酸〕
AV atrioventricular〔房室〕
AVA aortic valve area〔弁口面積〕
AVM arteriovenous malformation〔動静脈奇形〕
BA basilar artery〔脳底動脈〕
BA bronchial asthma〔気管支喘息〕
BAL bronchoalveolar lavage〔気管支肺胞洗浄〕
BALF bronchoalveolar lavage fluid〔気管支肺胞洗浄液〕
BAP bone specific alkaline phosphatase〔骨型アルカリホスファターゼ〕
BBB bundle branch block〔脚ブロック〕
BBT basal body temperature〔基礎体温〕
BCAA branched chain amino acid〔分枝(鎖)アミノ酸〕
BE bacterial endocarditis〔細菌性心内膜炎〕
BE base excess〔塩基過剰〕
BFP basic fetoprotein〔塩基性フェトプロテイン〕
BFP biological false positive〔生物学的偽陽性〕
BGP bone Gla protein〔骨グラ蛋白〕
BHL bilateral hilar lymphadenopathy〔両側肺門リンパ節腫脹〕
BJP Bence Jones protein〔ベンスジョーンズ蛋白〕
BM bone marrow〔骨髄〕
BMI body mass index〔肥満指数，体容量指数〕
BMR basal metabolic rate〔基礎代謝率〕
BNP brain natriuretic peptide〔脳性ナトリウム利尿ペプチド〕
BO bronchiolitis obliterans〔閉塞性細気管支炎〕
BOOP bronchiolitis obliterans organizing pneumonia〔閉塞性細気管支炎性器質化肺炎〕
BP blood pressure〔血圧〕
BPH benign prostatic hypertrophy〔前立腺肥大症〕
BRM biological response modifier〔生物学的応答調節物質〕
BSA body surface area〔体表面積〕
BTA bladder tumor antigen〔膀胱腫瘍抗原〕
BTR branched chain amino acids/tyrosine molar ratio〔血中総分枝鎖アミノ酸/チロシンモル比〕
C$_3$PA C$_3$ proactivator〔C$_3$プロアクチベータ〕
CA catecholamine〔カテコールアミン〕
Ca calcium〔カルシウム〕
CA19-9 carbohydrate antigen 19-9〔糖鎖抗原19-9〕
CABG coronary artery bypass graft(ing)〔冠(状)動脈バイパス移植(術)〕
CAD cold agglutinin disease〔寒冷凝集素症〕
CAG coronary angiography〔冠動脈造影〕
CAH chronic active hepatitis〔慢性活動性肝炎〕
CAH congenital adrenal hyperplasia〔先天性副腎皮質過形成〕
cAMP cyclic adenosine monophosphate〔サイクリックAMP〕
CB chronic bronchitis〔慢性気管支炎〕
CBA congenital biliary atresia〔先天性胆道閉鎖症〕
CBD congenital biliary dilatation〔先天性胆道拡張症〕
CBF cerebral blood flow〔脳血流量〕
CBO constrictive bronchiolitis obliterans〔狭窄性細気管支炎〕
CC chief complaint〔主訴〕

CCC cholangiocellular carcinoma〔胆管細胞癌〕
CCM congestive cardiomyopathy〔うっ血性心筋症〕
CCP cyclic citrullinated peptide〔シトルリン化ペプチド〕
C_cr creatinine clearance〔クレアチニンクリアランス〕
CD cluster of differentiation〔CD抗原〕
CD Crohn disease〔クローン病〕
CD tox A *Clostridium difficile* toxin A〔クロストリジウムディフィシレ毒素，CDトキシン〕
CDH congenital dislocation of the hip〔先天性股関節脱臼〕
CEA carcinoembryonic antigen〔癌胎児性抗原〕
CEP chronic eosinophilic pneumonia〔慢性好酸球性肺炎〕
CETP cholesteryl ester transfer protein〔コレステロールエステル転送蛋白〕
CF cardiac failure〔心不全〕
CF complement fixation〔補体結合反応〕
CF cystic fibrosis〔囊胞性線維症〕
CFS chronic fatigue syndrome〔慢性疲労症候群〕
CFU colony forming unit〔コロニー形成単位〕
CGL chronic granulocytic leukemia〔慢性顆粒球性白血病〕
cGMP cyclic guanosine 3′,5′-monophosphate〔サイクリックGMP〕
CGN chronic glomerulonephritis〔慢性糸球体腎炎〕
CH chronic hepatitis〔慢性肝炎〕
CH_50 50% hemolytic unit of complement〔補体価，補体50%溶血単位〕
CHD congenital heart disease〔先天性心疾患〕
CHD coronary heart disease〔冠動脈性心疾患〕
ChE cholinesterase〔コリンエステラーゼ〕
CIDP chronic inflammatory demyelinating polyneuropathy〔慢性炎症性脱髄性多発神経炎〕
CIIP chronic idiopathic intestinal pseudo-obstruction〔慢性特発性偽性腸閉塞〕
CJD Creutzfeldt-Jakob disease〔クロイツフェルト・ヤコブ病〕
CK creatine kinase〔クレアチンキナーゼ〕
Cl chlorine〔塩素〕
CLEIA chemiluminescent enzyme immuno assay〔化学発光酵素免疫測定法〕
CLIA chemiluminescent immunoassay〔化学発光免疫測定法〕
CLL chronic lymphocytic leukemia〔慢性リンパ性白血病〕
CLLs chronic lymphoid leukemias〔慢性リンパ系白血病〕
CMJ carpometacarpal joint〔手根中手骨関節〕
CML chronic myelocytic leukemia〔慢性骨髄性白血病〕
CMML chronic myelomonocytic leukemia〔慢性骨髄単球性白血病〕
CMPD chronic myeloproliferative diseases〔慢性骨髄増殖性疾患〕
CMV cytomegalovirus〔サイトメガロウイルス〕
CN cyanide〔シアン〕
CNS central nervous system〔中枢神経系〕
CNSDC chronic non-suppurative destructive cholangitis〔慢性非化膿性破壊性胆管炎〕
CO cardiac output〔心拍出量〕
CoA coenzyme A〔補酵素A〕
COD chemical oxygen demand〔化学的酸素要求量〕
COHb carboxyhemoglobin〔カルボキシヘモグロビン〕
COLD chronic obstructive lung disease〔慢性閉塞性肺疾患〕
COP cryptogenic organizing pneumonia〔特発性器質化肺炎〕
COPD chronic obstructive pulmonary disease〔慢性閉塞性肺疾患〕
CP cerebral palsy〔脳性麻痺〕
CP chronic pancreatitis〔慢性膵炎〕
CP coproporphyrin〔コプロポルフィリン〕
CP cor pulmonale〔肺性心〕
CPA cardiopulmonary arrest〔心肺停止〕
C_PAH sodium paraaminohippurate clearance〔パラアミノ馬尿酸ナトリウムクリアランス（PAHクリアランス）〕
CPBA competitive protein binding analysis〔競合性蛋白結合分析法〕
CPE cardiogenic pulmonary edema〔心原性肺水腫〕
CPGN chronic proliferative glomerulonephritis〔慢性増殖性糸球体腎炎〕
CPH chronic persistent hepatitis〔慢性持続性肝炎〕
CPK creatine phosphokinase〔クレアチンホスホキナーゼ〕
CPP cerebral perfusion pressure〔脳灌流圧〕
CPR cardiopulmonary resuscitation〔心肺蘇生法〕
CPR connecting peptide immunoreactivity〔C-ペプチド〕
Cr creatinine〔クレアチニン〕
CRBBB complete right bundle branch block〔完全右脚ブロック〕
CRF chronic renal failure〔慢性腎不全〕
CRF corticotropin-releasing factor〔副腎皮質刺激ホル

モン放出因子〕
CRH corticotropin-releasing hormone〔コルチコトロピン（副腎皮質刺激ホルモン）放出ホルモン〕
CRP C-reactive protein〔C反応性蛋白〕
CRS congenital rubella syndrome〔先天性風疹症候群〕
CSD cat scratch disease〔ネコひっかき病〕
CSF cerebrospinal fluid〔髄液〕
CSF colony stimulating factor〔コロニー刺激因子〕
CSLEX sialyl Lewis^x antigen〔シアリル Le^x 抗原〕
CT computed tomography〔コンピュータ断層撮影〕
C$_{thio}$ sodium thiosulfate clearance〔チオ硫酸ナトリウムクリアランス〕
CTR cardiothoracic ratio〔心胸郭比〕
CTS carpal tunnel syndrome〔手根管症候群〕
CTX cerebrotendinous xanthomatosis〔脳腱黄色腫症〕
CTZ chemoreceptor trigger zone〔化学受容器引金帯〕
CV central vein〔中心静脈〕
CVA costovertebral angle〔肋骨脊柱角〕
CVD cerebrovascular disease〔脳血管疾患〕
CVP central venous pressure〔中心静脈圧〕
DACA p-dimethylaminocinnamaldehyde〔パラジメチルアミノシンナムアルデヒド法〕
DAD diffuse alveolar damage〔びまん性肺胞障害〕
DAF decay accelerating factor〔崩壊促進因子〕
DCC dextran coated charcoal〔デキストランチャコール法〕
DCH delayed cutaneous hypersensitivity〔遅延型皮膚過敏症〕
DCM dilated cardiomyopathy〔拡張型心筋症〕
DES drug eluting stent〔薬剤溶出ステント〕
DFA direct fluorescence antibody method〔直接蛍光抗体法〕
DHEA dehydroepiandrosterone〔デヒドロエピアンドロステロン〕
DHEA-S dehydroepiandrosterone-sulfate〔デヒドロエピアンドロステロンサルフェート〕
DHF dengue hemorrhagic fever〔デング出血熱〕
DHT dihydrotestosterone〔ジヒドロテストステロン〕
DI diabetes insipidus〔尿崩症〕
DIC disseminated intravascular coagulation〔播種性血管内凝固〕
DID double immuno diffusion〔二重免疫拡散法〕
DIP desquamative interstitial pneumonia〔剥離性間質性肺炎〕
DIP drip infusion pyelography〔点滴静注性腎盂造影法〕
DIP joint distal interphalangeal joint〔遠位指節間関節〕
DKA diabetic ketoacidosis〔糖尿病ケトアシドーシス〕

D$_L$CO lung diffusing capacity of CO〔CO肺拡散能力〕
DM dermatomyositis〔皮膚筋炎〕
DM diabetes mellitus〔糖尿病〕
DNase deoxyribonuclease〔デオキシリボヌクレアーゼ〕
DOA dead on arrival〔来院時心停止〕
DPB diffuse panbronchiolitis〔びまん性汎細気管支炎〕
DPD deoxypyridinoline〔デオキシピリジノリン〕
DRPLA dentatorubropallidoluysian atrophy〔歯状核赤核淡蒼球ルイ体萎縮症〕
DSA digital subtraction angiography〔デジタルサブトラクション血管造影〕
DVT deep vein thrombosis〔深部静脈血栓症〕
E$_2$ estradiol〔エストラジオール〕
E$_3$ estriol〔エストリオール〕
EBNA EBV-associated nuclear antigen〔EBウイルス特異核抗原〕
EBV Epstein-Barr virus〔EBウイルス〕
ECG electrocardiogram〔心電図〕
ECLIA electrochemiluminescence immuno assay〔電気化学発光免疫測定法〕
ED elemental diet〔成分栄養療法〕
EDD electron dense deposit〔高電子密度沈着物〕
ED-SCLC extensive disease small cell lung carcinoma〔進展型小細胞肺癌〕
EDTA ethylenediaminetetraacetic acid〔エチレンジアミン四酢酸〕
EH essential hypertension〔本態性高血圧〕
EHEC enterohemorrhagic *Escherichia coli*〔腸管出血性大腸菌〕
EIA enzyme immunoassay〔酵素免疫測定法〕
EIA exercise induced asthma〔運動誘発性喘息〕
EIS endoscopic injection sclerotherapy〔内視鏡的硬化薬注入療法，内視鏡的硬化療法〕
EKC epidemic keratoconjunctivitis〔流行性角結膜炎〕
ELISA enzyme-linked immunosorbent assay〔酵素免疫測定法〕
EMG electromyogram, electromyography〔筋電図〕
EMIT enzyme multiplied immuno assay technique〔多元酵素免疫測定法〕
EMR endoscopic mucosal resection〔内視鏡的粘膜切除術〕
ENG electronystagmogram〔眼振電図，電気眼振図〕
ENL erythema nodosum leprosum〔らい性結節性紅斑〕
EOG electro-oculography〔眼電図，電気眼位図法〕
EP eosinophilic pneumonia〔好酸球性肺炎〕
EPEC enteropathogenic *Escherichia coli*〔病原性大

腸菌〕
EPO erythropoietin〔エリスロポエチン〕
EPS electrophysiological study〔心臓電気生理学的検査〕
EPS expressed prostatic secretion〔前立腺分泌（圧出）液〕
ERBD endoscopic retrograde biliary drainage〔内視鏡的逆行性胆道ドレナージ〕
ERC endoscopic retrograde cholangiography〔内視鏡的逆行性胆道造影〕
ERCP endoscopic retrograde cholangiopancreatography〔内視鏡的逆行性膵胆管造影〕
ERP endoscopic retrograde pancreatography〔内視鏡的逆行性膵管造影〕
ES electrosyneresis method〔向流電気泳動法〕
ESD endoscopic submucosal dissection〔内視鏡的粘膜下層剝離術〕
ESR erythrocyte sedimentation rate〔赤血球沈降速度〕
ESRD end stage renal disease〔末期腎不全〕
ESWL extracorporeal shock-wave lithotripsy〔体外衝撃波結石破砕療法〕
ET endothelin〔エンドセリン〕
ET erythrogenic toxin〔発赤毒素〕
ET essential thrombocythemia〔本態性血小板血症〕
ETEC enterotoxigenic *Escherichia coli*〔毒素原性大腸菌〕
EUS endoscopic ultrasound, endoscopic ultrasonography〔超音波内視鏡〕
EVL endoscopic variceal ligation〔内視鏡的静脈瘤結紮術〕
F_{1+2} prothrombin fragment F_{1+2}〔プロトロンビンフラグメント F_{1+2}〕
FA fluorescence antibody method〔蛍光抗体法〕
FA folic acid〔葉酸〕
FAD flavin adenine dinucleotide〔フラビンアデニンジヌクレオチド〕
FAP familial adenomatous polyposis〔家族性腺腫性ポリポーシス〕
FAS fetal alcohol syndrome〔胎児性アルコール症候群〕
FBS fasting blood sugar〔空腹時血糖〕
FDP fibrin/fibrinogen degradation products〔フィブリン/フィブリノゲン分解産物〕
FEIA fluorescence-enzyme immunoassay〔蛍光酵素免疫測定法〕
FE_{Na} fractional sodium excretion〔Na 排泄率〕
FEV forced expiratory volume〔努力性呼気量〕
FF filtration fraction〔濾過率〕

FFA free fatty acid〔遊離脂肪酸〕
FGS focal glomerular sclerosis〔巣状糸球体硬化症〕
FH familial hypercholesterolemia〔家族性高コレステロール血症〕
FH fulminant hepatitis〔劇症肝炎〕
F_IO_2 inspired O_2 fractional concentration〔吸気酸素濃度〕
FISH fluorescence *in situ* hybridization〔蛍光 *in situ* ハイブリダイゼーション〕
FL fatty liver〔脂肪肝〕
FMD fibromuscular dysplasia〔線維性筋肉形成異常症〕
FMN flavin mononucleotide〔フラビンモノヌクレオチド〕
FNAB fine needle aspiration biopsy〔穿刺吸引細胞診〕
FNH focal nodular hyperplasia〔限局性結節性過形成〕
FPA fibrinopeptide A〔フィブリノペプチド A〕
FPA fluorescence polarization assay〔蛍光偏光測定法〕
FPC familial polyposis coli〔家族性大腸ポリポーシス〕
FPIA fluorescence polarization immunoassay〔蛍光偏光免疫測定法〕
FSA fluorescence single strand conformation polymorphism analysis〔蛍光 SSCP 解析〕
FSH follicle stimulating hormone〔卵胞刺激ホルモン〕
FSS familial short stature〔家族性低身長〕
FSSA fluorescence single strand conformation polymorphism and sequence analysis〔蛍光 SSCP 解析＋シークエンス解析〕
FT_3 free triiodothyronine〔遊離トリヨードサイロニン〕
FT_4 free thyroxine〔遊離サイロキシン〕
FTA-ABS fluorescent treponemal antibody absorption test〔梅毒トレポネーマ蛍光抗体吸収試験〕
FUO fever of unknown origin〔原因不明熱〕
FVC forced vital capacity〔努力性肺活量〕
G-6-PD glucose-6-phosphate dehydrogenase〔グルコース-6-リン酸脱水素酵素〕
GABA γ-aminobutyric acid〔γ-アミノ酪酸〕
Gal galactose〔ガラクトース〕
GAT galactosyl transferase associated with tumor〔癌関連ガラクトース転移酵素〕
GBM glomerular basement membrane〔糸球体基底膜〕
GBS group B streptococcus〔B 群連鎖球菌〕
GC gas chromatography〔ガスクロマトグラフィー〕
GCA giant cell arteritis〔巨細胞性動脈炎〕
GC-MS gas chromatography-mass spectrometry〔ガスクロマトグラフィー・マススペクトロメトリー〕
GCS Glasgow Coma Scale〔グラスゴーコーマスケール〕

GER gastroesophageal reflux〔胃食道逆流現象〕
GERD gastroesophageal reflux disease〔胃食道逆流性疾患〕
GFR glomerular filtration rate〔糸球体濾過量(値)〕
GH growth hormone〔成長ホルモン〕
GH-RH growth hormone-releasing hormone〔成長ホルモン放出ホルモン〕
GIF growth hormone inhibiting factor〔成長ホルモン抑制因子〕
GIP gastric inhibitory polypeptide〔胃酸分泌抑制ポリペプチド〕
GLC gas-liquid chromatography〔ガス液体クロマトグラフィー〕
GLDH glutamate dehydrogenase〔グルタミン酸脱水素酵素〕
GN glomerulonephritis〔糸球体腎炎〕
Gn gonadotropin〔性腺刺激ホルモン,ゴナドトロピン〕
GnRH gonadotropin releasing hormone〔性腺刺激ホルモン放出ホルモン〕
GOT glutamic oxaloacetic transaminase〔グルタミン酸オキサロ酢酸トランスアミナーゼ〕AST と同義
GPT glutamic pyruvic transaminase〔グルタミン酸ピルビン酸トランスアミナーゼ〕ALT と同義
GRP gastrin-releasing peptide〔ガストリン放出ペプチド〕
GTT glucose tolerance test〔グルコース(ブドウ糖)負荷試験〕
GVHD graft versus host disease〔移植片対宿主疾患〕
HA hemagglutination〔赤血球凝集反応〕
HA hepatitis A〔A 型肝炎〕
HA hippuric acid〔馬尿酸〕
HA hyaluronic acid〔ヒアルロン酸〕
HAART highly active antiretroviral therapy〔抗レトロウイルス療法〕
HAM HTLV-I associated myelopathy〔ヒト T 細胞白血病ウイルス I 型関連脊髄症〕
HANE hereditary angioneurotic edema〔遺伝性血管神経性浮腫〕
HAV hepatitis A virus〔A 型肝炎ウイルス〕
HB hepatitis B〔B 型肝炎〕
Hb hemoglobin〔ヘモグロビン〕
HbA1 hemoglobin A1〔ヘモグロビン A1〕
HbA1c hemoglobin A1c〔ヘモグロビン A1c〕
HBc hepatitis B core〔B 型肝炎ウイルスコア〕
HBe hepatitis B envelope〔B 型肝炎ウイルスエンベロープ〕
HbF hemoglobin F, fetal hemoglobin〔胎児ヘモグロビン〕
HBO hyperbaric oxygen〔高気圧酸素療法〕
HBs hepatitis B surface〔B 型肝炎ウイルス表面〕
HbS hemoglobin S, sickle-cell hemoglobin〔鎌状赤血球ヘモグロビン〕
HBV hepatitis B virus〔B 型肝炎ウイルス〕
HC hepatitis C〔C 型肝炎〕
HCC hepatocellular carcinoma〔肝細胞癌〕
HCG human chorionic gonadotropin〔ヒト絨毛性ゴナドトロピン〕
HCM hypertrophic cardiomyopathy〔肥大型心筋症〕
HCV hepatitis C virus〔C 型肝炎ウイルス〕
HD hemodialysis〔腎透析,血液透析〕
HDL high density lipoprotein〔高比重リポ蛋白〕
HDV hepatitis D virus〔D 型肝炎ウイルス〕
HES hypereosinophilic syndrome〔好酸球増加症候群〕
HEV hepatitis E virus〔E 型肝炎ウイルス〕
H-FABP heart type fatty acid-binding protein〔ヒト心臓由来脂肪酸結合蛋白〕
HFRS hemorrhagic fever with renal syndrome〔腎症候性出血熱〕
HGF hepatocyte growth factor〔肝細胞増殖因子〕
HGPRT hypoxanthine-guanine phosphoribosyl transferase〔プリン代謝酵素〕
HGV hepatitis G virus〔G 型肝炎ウイルス〕
HHV-6 human herpesvirus-6〔ヒトヘルペスウイルス 6 型〕
HI hemagglutination inhibition〔赤血球凝集抑制反応〕
HIV human immunodeficiency virus〔ヒト免疫不全ウイルス〕
HLA histocompatibility locus antigen〔組織適合抗原〕
HLA human leukocyte antigen〔ヒト白血球抗原〕
HNCM hypertrophic nonobstructive cardiomyopathy〔非閉塞性肥大型心筋症〕
HOCM hypertrophic obstructive cardiomyopathy〔閉塞性肥大型心筋症〕
HOT home oxygen therapy〔在宅酸素療法〕
HP hypersensitivity pneumonitis〔過敏性肺炎〕
Hp haptoglobin〔ハプトグロビン〕
HPA hybridization protection assay
HPL human placental lactogen〔ヒト胎盤性ラクトゲン〕
HPLC high performance liquid chromatography〔高速液体クロマトグラフィー〕
HPT hepaplastin test〔ヘパプラスチンテスト〕
HPV human papilloma virus〔パピローマウイルス,ヒト乳頭腫ウイルス〕

HRT histamine releasing test〔ヒスタミン遊離試験〕
HRT hormone replacement therapy〔ホルモン補充療法〕
HSP heat shock protein〔熱ショック蛋白〕
HSV herpes simplex virus〔単純ヘルペスウイルス〕
Ht hematocrit〔ヘマトクリット〕
HTLV human T-cell leukemia virus〔ヒトT細胞白血病ウイルス〕
HUS hemolytic uremic syndrome〔溶血性尿毒症症候群〕
HVA homovanillic acid〔ホモバニリン酸〕
Hyp hydroxyproline〔ヒドロキシプロリン〕
I iodine〔ヨウ素〕
IAHA immune adherence hemagglutination〔免疫粘着赤血球凝集反応〕
IAP immunosuppressive acidic protein〔免疫抑制酸性蛋白〕
IBD inflammatory bowel disease〔炎症性腸疾患〕
IBS irritable bowel syndrome〔過敏性腸症候群〕
IC immune complex〔免疫複合体〕
ICA anti-islet cell cytoplasmic antibody〔抗膵島細胞質抗体〕
ICA immunocytochemical assay
ICAM intercellular adhesion molecule〔細胞間接着分子〕
ICDH isocitrate dehydrogenase〔イソクエン酸脱水素酵素〕
ICH intracranial hemorrhage〔頭蓋内出血〕
ICP intracranial pressure〔頭蓋内圧〕
ICP-MS inductively coupled plasma mass spectrometry〔誘導結合プラズママススペクトロメトリー〕
ICU intensive care unit〔集中治療室〕
IDA iron deficiency anemia〔鉄欠乏性貧血〕
IE infective endocarditis〔感染性心内膜炎〕
IFA indirect fluorescence antibody method〔間接蛍光抗体法〕
IFG impaired fasting glucose〔空腹時血糖異常〕
IFN interferon〔インターフェロン〕
Ig immunoglobulin〔免疫グロブリン〕
IgA immunoglobulin A〔免疫グロブリンA〕
IgD immunoglobulin D〔免疫グロブリンD〕
IgE immunoglobulin E〔免疫グロブリンE〕
IGF-I insulin-like growth factor-I〔インスリン様成長因子-I〕
IGF-II insulin-like growth factor-II〔インスリン様成長因子-II〕
IGFBP-1 insulin-like growth factor binding protein-1〔インスリン様成長因子結合蛋白1型〕
IGFBP-3 insulin-like growth factor binding protein-3〔インスリン様成長因子結合蛋白3型〕
IgG immunoglobulin G〔免疫グロブリンG〕
IgM immunoglobulin M〔免疫グロブリンM〕
IGT impaired glucose tolerance〔耐糖能障害〕
IHA idiopathic hyperaldosteronism〔特発性アルドステロン症〕
IHA indirect hemagglutination〔間接赤血球凝集法〕
IHD ischemic heart disease〔虚血性心疾患〕
IIP idiopathic interstitial pneumonia〔特発性間質性肺炎〕
IL interleukin〔インターロイキン〕
IMF idiopathic myelofibrosis〔特発性骨髄線維症〕
INR international normalized ratio〔国際標準比〕
IOL intraocular lens〔眼内レンズ〕
IP inorganic phosphorus〔無機リン〕
IPA indirect immunoperoxidase assay〔間接免疫ペルオキシダーゼ法〕
IPF idiopathic pulmonary fibrosis〔特発性肺線維症〕
IPH idiopathic portal hypertension〔特発性門脈圧亢進症〕
IPMT intraductal papillary mucinous tumor〔膵管内乳頭粘液性腫瘍〕
IR infrared absorption spectrometry〔赤外吸収分光光度法〕
IRDS infantile respiratory distress syndrome〔新生児呼吸窮迫症候群〕
IRG immunoreactive glucagon〔免疫活性グルカゴン〕
IRI immunoreactive insulin〔免疫活性インスリン〕
IRP immunoreactive proinsulin〔免疫活性プロインスリン〕
IRT immunoreactive trypsin〔免疫活性トリプシン〕
ISI insulin sensitivity index〔インスリン感受性指数〕
ISS idiopathic short stature〔特発性低身長〕
ITP idiopathic thrombocytopenic purpura〔特発性血小板減少性紫斑病〕
IU international unit〔国際単位〕
IUGR intrauterine growth retardation〔子宮内発育遅延〕
IVC inferior vena cava〔下大静脈〕
IVGTT intravenous glucose tolerance test〔静脈内ブドウ糖負荷試験〕
IVH intravenous hyperalimentation〔経静脈栄養法, 中心静脈栄養〕
IVH intraventricular hemorrhage〔脳室内出血〕
IVP intravenous pyelography〔静脈性腎盂造影法〕
IVU intravenous urography〔経静脈性尿路造影〕
JRA juvenile rheumatoid arthritis〔若年性関節リウ

マチ〕
LA latex agglutination〔ラテックス凝集反応〕
LA left atrium〔左心房〕
LAM lymphangioleiomyomatosis〔リンパ管平滑筋腫症〕
LAP leucine aminopeptidase〔ロイシンアミノペプチダーゼ〕
LAP leukocyte alkaline phosphatase〔白血球アルカリホスファターゼ〕
LBBB left bundle branch block〔左脚ブロック〕
LC liver cirrhosis〔肝硬変〕
LCAP leukocytapheresis〔白血球除去療法〕
LCAT lecithin-cholesterol acyltransferase〔レシチンコレステロールアシルトランスフェラーゼ〕
LDH lactate dehydrogenase〔乳酸脱水素酵素〕
LDL low-density lipoprotein〔低比重リポ蛋白〕
LD-SCLC limited disease small cell lung carcinoma〔限局型小細胞肺癌〕
LE lupus erythematosus〔エリテマトーデス,紅斑性狼瘡〕
LES lower esophageal sphincter〔下部食道括約筋〕
LESP lower esophageal sphincter pressure〔下(部)食道括約筋圧〕
LG limb-girdle muscular dystrophy〔肢体型筋ジストロフィ〕
LGL large granular lymphocyte〔大顆粒リンパ球〕
LGLL large granular lymphocyte leukemia〔大顆粒リンパ球性白血病〕
LH luteinizing hormone〔黄体形成ホルモン〕
LH-RH luteinizing hormone-releasing hormone〔黄体形成ホルモン放出ホルモン〕
Li lithium〔リチウム〕
LIA laser immunoassay〔レーザーイムノアッセイ〕
LIP lymphocytic interstitial pneumonia〔リンパ球性間質性肺炎〕
LKM-1 liver-kidney microsome type 1〔肝腎ミクロソーム1型〕
LN lupus nephritis〔ループス腎炎〕
LOC loss of consciousness〔意識消失〕
LOH loss of heterozygosity〔ヘテロ接合性の消失〕
Lp (a) lipoprotein (a)〔リポ蛋白(a)〕
LPIA latex photometric immunoassay〔ラテックス近赤外免疫比濁法〕
LPL lipoprotein lipase〔リポ蛋白リパーゼ〕
LPS lipopolysaccharide〔リポ多糖体〕
LST lymphocyte stimulation test〔リンパ球刺激試験〕
LT leukotriene〔ロイコトリエン〕

LV left ventricle〔左心室〕
MA megaloblastic anemia〔巨赤芽球性貧血〕
MAHA microangiopathic hemolytic anemia〔細血管障害性溶血性貧血〕
MAO monoamine oxidase〔モノアミンオキシダーゼ〕
MASA mutant allele specific amplification〔アレル特異的増幅法〕
MAST multiple antigen simultaneous test〔多項目抗原特異的IgE同時測定〕
MBP mean blood pressure〔平均血圧〕
MBP myelin basic protein〔ミエリン塩基性蛋白〕
MCH mean corpuscular hemoglobin〔平均赤血球血色素量〕
MCHC mean corpuscular hemoglobin concentration〔平均赤血球血色素濃度〕
MCNS minimal change nephrotic syndrome〔微小変化型ネフローゼ症候群〕
MCP joint metacarpophalangeal joints〔中手指節関節〕
MCT mucinous cystic tumor〔粘液性嚢胞腫瘍〕
MCTD mixed connective tissue disease〔混合性結合組織病〕
MCV mean corpuscular volume〔平均赤血球容積〕
MDCT multidetector computed tomography〔マルチスライスCT〕
MDS myelodysplastic syndrome〔骨髄異形成症候群〕
MDS-U myelodysplastic syndrome, unclassifiable〔分類不能のMDS〕
MELAS mitochondrial myopathy, encephalopathy, lactic acidosis and stroke-like episodes〔脳卒中様発作と高乳酸血症を伴うミトコンドリアミオパシー〕
MEN multiple endocrine neoplasia〔多発性内分泌腫瘍〕
MERRF myoclonus epilepsy associated with ragged-red fibers〔ミトコンドリア脳筋症, ragged-red fibersを伴うミオクローヌス〕
MF myelofibrosis〔骨髄線維症〕
MG myasthenia gravis〔重症筋無力症〕
Mg magnesium〔マグネシウム〕
MGN membranous glomerulonephritis〔膜性糸球体腎炎〕
MHA methylhippuric acid〔メチル馬尿酸〕
MHC major histocompatibility complex〔主要組織適合遺伝子複合体〕
MI myocardial infarction〔心筋梗塞〕
MIC minimum inhibitory concentration〔最小発育阻止濃度〕
ML malignant lymphoma〔悪性リンパ腫〕
MM multiple myeloma〔多発性骨髄腫〕

MMSE Mini-Mental State Examination〔簡易知能試験〕
MMT manual muscle test〔徒手筋力テスト〕
MN membranous nephropathy〔膜性腎症〕
Mn manganese〔マンガン〕
MO micro-Ouchterlony〔マイクロオクタロニー法〕
MODS multiple organ dysfunction syndrome〔多臓器不全症候群〕
MP joint metacarpophalangeal joint または metatarsophalangeal joint〔中手指節関節または中足指節関節〕
MPD myeloproliferative disorder〔骨髄増殖性疾患〕
MPGN membranoproliferative glomerulonephritis〔膜性増殖性糸球体腎炎〕
MPHA mixed passive hemagglutination〔混合受身凝集法〕
MPO myeloperoxidase〔ミエロペルオキシダーゼ〕
MR magnetic resonance〔磁気共鳴〕
MR mitral regurgitation〔僧帽弁閉鎖不全症〕
MRA magnetic resonance angiography〔磁気共鳴血管撮影法〕
MRA malignant rheumatoid arthritis〔悪性関節リウマチ〕
MRCP magnetic resonance cholangiopancreatography〔核磁気共鳴膵胆管造影〕
MRI magnetic resonance imaging〔磁気共鳴画像〕
MRSA methicillin-resistant *Staphylococcus aureus*〔メチシリン耐性黄色ブドウ球菌〕
MRSE methicillin-resistant *Staphylococcus epidermidis*〔メチシリン耐性表皮ブドウ球菌〕
MS mitral stenosis〔僧帽弁狭窄症〕
MS multiple sclerosis〔多発性硬化症〕
MSH melanocyte-stimulating hormone〔メラノサイト刺激ホルモン〕
MSSA methicillin-sensitive *Staphylococcus aureus*〔メチシリン感受性黄色ブドウ球菌〕
MTP joint metatarsophalangeal joint〔中足指・趾節関節〕
MVP mitral valve prolapse〔僧帽弁逸脱症〕
MYD myotonic (muscular) dystrophy〔筋緊張性ジストロフィー〕
NAA nicotinamide〔ニコチンアミド〕
NAD nicotinamide adenine dinucleotide〔ニコチンアミドアデニンジヌクレオチド〕
NADP nicotinamide adenine dinucleotide phosphate〔ニコチンアミドアデニンジヌクレオチドリン酸〕
NAG N-acetyl-β-D-glucosaminidase〔N-アセチル-β-D-グルコサミニダーゼ〕
NAP スコア neutrophil alkaline phosphatase stain〔好中球アルカリホスファターゼ染色〕
NASH nonalcoholic steatohepatitis〔非アルコール性脂肪性肝炎〕
NBT nitroblue tetrazolium〔ニトロブルーテトラゾリウム〕
N/C nuclear-cytoplasmic (ratio)〔核/細胞質(比)〕
NcAMP nephrogenous cyclic AMP〔腎原性 cAMP〕
NDI nephrogenic diabetes insipidus〔腎性尿崩症〕
NEC necrotizing enterocolitis〔壊死性腸炎〕
NeF nephritic factor〔腎炎因子〕
NGF nerve growth factor〔神経成長因子〕
NiA nicotinic acid〔ニコチン酸〕
NIDDM non-insulin dependent diabetes mellitus〔非インスリン依存(性)糖尿病〕
NK cell natural killer cell〔ナチュラルキラー細胞〕
NMP22 nuclear matrix protein 22〔核マトリックス蛋白質 22〕
NMR nuclear magnetic resonance〔核磁気共鳴〕
NO nitric oxide〔一酸化窒素〕
NPH normal pressure hydrocephalus〔正常圧水頭症〕
NSE neuron specific enolase〔神経特異エノラーゼ〕
NSIP nonspecific interstitial pneumonia〔分類不能の間質性肺炎〕
NT neurotensin〔ニューロテンシン〕
NT neutralization test〔中和反応〕
NTM non-tuberculous mycobacteria〔非結核性抗酸菌〕
NTx type I collagen cross-linked N-telopeptides〔I 型コラーゲン架橋 N 末端テロペプチド〕
OA osteoarthritis〔変形性関節症〕
OGTT oral glucose tolerance test〔経口ブドウ糖負荷試験〕
OMI old myocardial infarction〔陳旧性心筋梗塞〕
OP organizing pneumonia〔器質化肺炎〕
OPCA olivopontocerebellar atrophy〔オリーブ橋小脳萎縮(症)〕
ORS oral rehydration solution〔経口補水液〕
OS opening snap〔僧帽弁開放音〕
OSAS obstructive sleep apnea syndrome〔閉塞性睡眠時無呼吸症候群〕
P phosphorus〔リン〕
PICP cross-linked carboxyterminal propeptide of type I procollagen〔I 型プロコラーゲン C 末端プロペプチド〕
P-II-C type II procollagen carboxy peptide in synovial fluid〔II 型プロコラーゲン-C-ペプチド〕
P$_2$ pregnanediol〔プレグナンジオール〕

P-Ⅲ-P procollagen III peptide〔プロコラーゲン III ペプチド〕
P₃ pregnanetriol〔プレグナントリオール〕
P₄ progesterone〔プロゲステロン〕
PA passive (particle) agglutination〔受身（粒子）凝集反応〕
PA polyarteritis〔多発動脈炎〕
PA prealbumin〔プレアルブミン〕
PA procainamide〔プロカインアミド〕
PA prostate antigen〔前立腺抗原〕
PA pulmonary artery〔肺動脈〕
PABA p-aminobenzoic acid〔パラアミノ安息香酸〕
PAC plasma aldosterone concentration〔血漿アルドステロン濃度〕
PAC premature atrial contraction〔心房（性）期外収縮〕
P$_A$CO$_2$ alveolar CO_2 tension〔肺胞気 CO_2 分圧〕
P$_a$CO$_2$ arterial CO_2 tension〔動脈血 CO_2 分圧〕
PAGE polyacrylamide geldisc electrophoresis〔ポリアクリルアミドゲル電気泳動〕
PAH para-aminohippuric acid〔パラアミノ馬尿酸〕
PAI-1 plasminogen activator inhibitor-1〔プラスミノゲンアクチベータインヒビター-1〕
PAIC tissue plasminogen activator-plasminogen activator inhibitor-1 complex〔t-PA・PAI-1 複合体〕
PAIgG platelet associated IgG〔血小板関連 IgG〕
P$_A$O$_2$ alveolar O_2 tension〔肺胞気 O_2 分圧〕
P$_a$O$_2$ arterial O_2 tension〔動脈血 O_2 分圧〕
PAP peroxidase antiperoxidase〔ペルオキシダーゼアンチペルオキシダーゼ〕
PAP primary atypical pneumonia〔異型肺炎〕
PAP prostatic acid phosphatase〔前立腺酸性ホスファターゼ〕
PAP pulmonary alveolar proteinosis〔肺胞蛋白症〕
PAP pulmonary artery pressure〔肺動脈圧〕
PAS 染色 periodic acid Schiff stain〔パス染色〕
PAWP pulmonary arterial wedge pressure〔肺動脈楔入圧〕
PBC primary biliary cholangitis〔原発性胆汁性胆管炎〕
PBG porphobilinogen〔ポルホビリノゲン〕
PBPs penicillin-binding proteins〔ペニシリン結合蛋白〕
PC protein C〔プロテイン C〕
PCH paroxysmal cold hemoglobinuria〔発作性寒冷血色素尿症〕
PCIA particle counting immunoassay〔粒度分布解析ラテックス免疫測定法〕
PCNA proliferating cell nuclear antigen〔増殖細胞核抗原〕
PCO polycystic ovary〔多嚢胞性卵巣〕
PCO$_2$ CO_2 tension〔CO_2 分圧〕
PCOD polycystic ovarian disease〔多嚢胞性卵巣〕
PCOS polycystic ovary syndrome〔多嚢胞性卵巣症候群〕
PCR polymerase chain reaction〔ポリメラーゼ連鎖反応〕
PCWP pulmonary capillary wedge pressure〔肺動脈楔入圧〕
PDA patent ductus arteriosus〔動脈管開存症〕
PDGF platelet derived growth factor〔血小板由来成長因子〕
PDH pyruvate dehydrogenase〔ピルビン酸脱水素酵素〕
PE pulmonary edema〔肺水腫〕
PE pulmonary embolism〔肺塞栓症〕
PEEP positive end-expiratory pressure〔呼気終末陽圧呼吸〕
PEF peak expiratory flow〔最大呼気流量〕
PEIT percutaneous ethanol injection therapy〔経皮的エタノール注入療法〕
PET positron emission tomography〔ポジトロン CT〕
PF peak flow〔最大流量〕
PF-4 platelet factor 4〔血小板第 4 因子〕
PFC plaque-forming cell〔プラク形成細胞〕
PFU plaque-forming unit〔プラク形成ユニット〕
PG prostaglandin〔プロスタグランジン〕
PGN proliferative glomerulonephritis〔増殖性糸球体腎炎〕
PH prolyl hydroxylase〔プロリン水酸化酵素〕
PH pulmonary hypertension〔肺高血圧症〕
Ph¹ Philadelphia chromosome〔フィラデルフィア染色体〕
PHA passive hemagglutination〔受身赤血球凝集反応〕
PHN postherpetic neuralgia〔帯状疱疹後神経痛〕
PID plasma iron disappearance〔血漿鉄消失率〕
PIDT$_{1/2}$ plasma iron disappearance time$_{1/2}$〔血漿鉄消失半減時間〕
PIE pulmonary infiltration with eosinophilia〔肺好酸球増加症〕
PIF prolactin release-inhibiting factor〔プロラクチン放出抑制因子〕
PIH prolactin release-inhibiting hormone〔プロラクチン放出抑制ホルモン〕
P$_I$O$_2$ inspired O_2 tension〔吸気 O_2 分圧〕
PIP peak inspiratory pressure〔最大吸気圧〕
PIP joint proximal interphalangeal joint〔近位指節間

関節〕
PIT plasma iron turnover rate〔血漿鉄交替率〕
PK pyruvate kinase〔ピルビン酸キナーゼ〕
PLED periodic lateralized epileptiform discharge〔周期性一側てんかん型放電〕
Plg plasminogen〔プラスミノゲン〕
PLL prolymphocytic leukemia〔前リンパ球性白血病〕
Plt platelet〔血小板〕
PM polymyositis〔多発性筋炎〕
PMD progressive muscular dystrophy〔進行性筋ジストロフィー〕
PM/DM polymyositis/dermatomyositis〔多発性筋炎，皮膚筋炎〕
PML progressive multifocal leukoencephalopathy〔進行性多巣性白質脳症〕
PN polyarteritis nodosa〔結節性多発動脈炎〕
PND paroxysmal nocturnal dyspnea〔発作性夜間呼吸困難〕
PNH paroxysmal nocturnal hemoglobinuria〔発作性夜間血色素尿症〕
PO$_2$ O$_2$ tension〔O$_2$ 分圧〕
POMC proopiomelanocortin〔プロオピオメラノコルチン〕
P$_{osm}$ plasma osmolality〔血漿浸透圧〕
PP protoporphyrin〔プロトポルフィリン〕
PP pulse pressure〔脈圧〕
PPH primary pulmonary hypertension〔原発性肺高血圧症〕
PPI proton pump inhibitor〔プロトンポンプ阻害薬〕
PPIC plasmin-$α_2$-plasmin inhibitor complex〔プラスミン・$α_2$-プラスミンインヒビター複合体〕
PR pulse rate〔脈拍数〕
PRA plasma renin activity〔血漿レニン活性〕
PRC plasma renin concentration〔血漿レニン濃度〕
PRCA pure red cell aplasia〔赤芽球癆〕
PRF prolactin-releasing factor〔プロラクチン放出因子〕
PRH prolactin-releasing hormone〔プロラクチン放出ホルモン〕
PRL prolactin〔プロラクチン〕
PRM primidone〔プリミドン〕
ProGRP gastrin-releasing peptide precursor〔ガストリン放出ペプチド前駆体〕
PRP progressive rubella panencephalitis〔進行性風疹脳炎〕
PRSP penicillin-resistant *Streptococcus pneumoniae*〔ペニシリン耐性肺炎球菌〕

PS protein S〔プロテイン S〕
PS pulmonary stenosis〔肺動脈弁狭窄(症)〕
PSA prostate-specific antigen〔前立腺特異抗原〕
PSC primary sclerosing cholangitis〔原発性硬化性胆管炎〕
PSD periodic synchronous discharge〔周期性同期性放電〕
PSD psychosomatic disease〔心身症〕
PSP 試験 phenolsulfonphthalein test〔フェノールスルホンフタレイン試験〕
PSS progressive systemic sclerosis〔進行性全身性硬化症〕
PSTI pancreatic secretory trypsin inhibitor〔膵分泌性トリプシンインヒビター〕
PSVT paroxysmal supraventricular tachycardia〔発作性上室性頻拍〕
PT prothrombin time〔プロトロンビン時間〕
Pt platinum〔白金〕
PTAD percutaneous transhepatic abscess drainage〔経皮経肝肝膿瘍ドレナージ〕
PTC percutaneous transhepatic cholangiography〔経皮経肝胆道造影〕
PTCA percutaneous transluminal coronary angioplasty〔経皮経管の冠血管形成術，経皮の冠動脈再建術〕
PTCD percutaneous transhepatic cholangiodrainage〔経皮経肝的胆道ドレナージ〕
PTE pulmonary thromboembolism〔肺血栓塞栓症〕
PTH parathyroid hormone〔副甲状腺ホルモン〕
PTH-C parathyroid hormone-C terminal〔副甲状腺ホルモン C 末端〕
PTH-HS high sensitive-parathyroid hormone〔高感度副甲状腺ホルモン〕
PTHrP parathyroid hormone-related protein〔副甲状腺ホルモン関連蛋白〕
PTHrP-C parathyroid hormone-related protein-C terminal〔副甲状腺ホルモン関連蛋白 C 末端〕
PTRA percutaneous transluminal renal angioplasty〔経皮的腎血管形成術(拡張術)〕
PTSD post-traumatic stress disorder〔外傷後ストレス障害〕
PTT partial thromboplastin time〔部分トロンボプラスチン時間〕
PVC premature ventricular contraction〔心室性期外収縮〕VPC と同義
PVP peripheral venous pressure〔末梢静脈圧〕
PVP portal vein pressure〔門脈圧〕
PVT paroxysmal ventricular tachycardia〔発作性心室性

頻拍〕
PWV pulse wave velocity〔脈波伝搬速度〕
RA radioassay〔ラジオアッセイ〕
RA refractory anemia〔不応性貧血〕
RA rheumatoid arthritis〔関節リウマチ〕
RA right atrium〔右心房〕
RAEB refractory anemia with excess of blasts〔芽球増加を伴う不応性貧血〕
RAEB-t RAEB in transformation〔白血病移行期のRAEB〕
RARS refractory anemia with ringed sideroblasts〔環状鉄芽球を伴う不応性貧血〕
RAST radioallergosorbent test〔放射性アレルギー吸着試験, ラスト試験〕
RBBB right bundle branch block〔右脚ブロック〕
RBC red blood cell count〔赤血球数〕
RBF renal blood flow〔腎血流量〕
RB-ILD respiratory bronchiolitis-causing interstitial lung disease〔呼吸細気管支関連性間質性肺炎〕
RBP retinol binding protein〔レチノール結合蛋白〕
RCMD refractory cytopenia with multilineage dysplasia〔多系統の異形成を伴う不応性血球減少症〕
RCMD-RS refractory cytopenia with multilineage dysplasia and ringed sideroblasts〔多系統の異形成と環状鉄芽球を伴う不応性血球減少症〕
REA radio enzymatic assay〔酵素アイソトープ法〕
REPE reexpansion pulmonary edema〔再膨張性肺水腫〕
Ret reticulocyte count〔網赤血球数〕
RF renal failure〔腎不全〕
RF rheumatic fever〔リウマチ熱〕
RF rheumatoid factor〔リウマチ因子〕
RFA radiofrequency ablation〔ラジオ波焼灼療法〕
RFLP restriction fragment length polymorphism〔制限酵素断片長多型〕
RIA radioimmunoassay〔ラジオイムノアッセイ(放射性免疫測定法)〕
RIST radioimmunosorbent test〔放射性免疫吸着試験, リスト試験〕
RLP remnant like particle〔レムナント様リポ蛋白〕
RMI recent myocardial infarction〔亜急性心筋梗塞〕
RNA ribonucleic acid〔リボ核酸〕
RNase ribonuclease〔リボヌクレアーゼ〕
RNP ribonucleoprotein〔リボ核蛋白〕
ROM range of motion〔関節可動域〕
RPF renal plasma flow〔腎血漿流量〕
RPGN rapidly progressive glomerulonephritis〔急速進行性糸球体腎炎〕
RPHA reversed passive hemagglutination〔逆受身赤血球凝集反応〕
RPLA reversed passive latex agglutination〔逆受身ラテックス凝集反応〕
RRA radioreceptor assay〔ラジオレセプターアッセイ〕
RSV respiratory syncytial virus〔RSウイルス〕
RSV Rous sarcoma virus〔ラウス肉腫ウイルス〕
rT₃ reverse triiodothyronine〔リバーストリヨードサイロニン〕
RT-PCR reverse transcription-polymerase chain reaction〔逆転写酵素-遺伝子増幅法〕
RV residual volume〔残気量〕
RV right ventricle〔右心室〕
RVH renovascular hypertension〔腎血管性高血圧症〕
SAA serum amyloid A〔血清アミロイドA〕
SAB streptoavidin-biotin-peroxidase〔ストレプトアビジンビオチンペルオキシダーゼ〕
SAH subarachnoid hemorrhage〔くも膜下出血〕
S$_a$O$_2$ arterial O$_2$ saturation〔動脈血O$_2$飽和度〕
SAS sleep apnea syndrome〔睡眠時無呼吸症候群〕
SAT subacute thyroiditis〔亜急性甲状腺炎〕
SBE subacute bacterial endocarditis〔亜急性細菌性心内膜炎〕
SBP spontaneous bacterial peritonitis〔特発性細菌性腹膜炎〕
SBPA sandwich binding protein assay〔結合蛋白サンドイッチ測定法〕
SBS sinobronchial syndrome〔副鼻腔気管支症候群〕
SCA sickle cell anemia〔鎌状赤血球貧血〕
SCC squamous cell carcinoma〔扁平上皮癌〕
SCD spinocerebellar degeneration〔脊髄小脳変性症〕
SCID severe combined immunodeficiency〔重症複合免疫不全症〕
SCLC small cell lung cancer〔小細胞肺癌〕
SCT serous cystic tumor〔漿液性嚢胞腫瘍〕
SDH sorbitol dehydrogenase〔ソルビトール脱水素酵素〕
SF scarlet fever〔猩紅熱〕
SFMC soluble fibrin monomer complex〔可溶性フィブリンモノマー複合体〕
SGLT sodium/glucose cotransporter〔Na$^+$/糖共輸送体, 糖質転送蛋白〕
SI stimulation index〔刺激指数〕
SIADH syndrome of inappropriate secretion of antidiuretic hormone〔抗利尿ホルモン(ADH)不適合分泌症候群〕

SIRS systemic inflammatory response syndrome〔全身性炎症反応症候群〕
SjS Sjögren syndrome〔シェーグレン症候群〕
SLE systemic lupus erythematosus〔全身性エリテマトーデス〕
SLT Shiga-like toxin〔志賀毒素様毒素〕
SLX sialyl Lewis^x-i antigen〔シアリル Le^x-i 抗原〕
SMA smooth muscle antibody〔抗平滑筋抗体〕
SMA superior mesenteric artery〔上腸間膜動脈〕
SMC smooth muscle cell〔平滑筋細胞〕
SMON subacute myelo-opticoneuropathy〔亜急性脊髄視神経末梢神経障害,スモン〕
SO$_2$ O$_2$ saturation〔O$_2$ 飽和度〕
SOD superoxide dismutase〔スーパーオキシドジスムターゼ〕
SOL space occupying lesion〔占拠性病変〕
SP$_1$ pregnancy specific β_1-glycoprotein〔妊娠特異 β_1 糖蛋白〕
SP-A surfactant protein A〔サーファクタントプロテイン A〕
SP-D surfactant protein D〔サーファクタントプロテイン D〕
SPECT single photon emission computed tomography〔単光子放射線コンピュータ断層撮影〕
SRID single radial immunodiffusion〔免疫拡散法〕
SSc systemic sclerosis〔全身性強皮症〕
SSPE subacute sclerosing panencephalitis〔亜急性硬化性全脳炎〕
SSS sick sinus syndrome〔洞機能不全症候群〕
SSSS staphylococcal scalded skin syndrome〔ブドウ球菌性熱傷様皮膚症候群〕
STD sexually transmitted disease〔性感染症〕
STI systolic time interval〔収縮時間〕
STN sialyl Tn antigen〔シアリル Tn 抗原〕
STS serological tests for syphilis〔梅毒血清反応〕
Stx Shiga toxin〔志賀毒素〕
SVC superior vena cava〔上大静脈〕
SVC supraventricular contraction〔上室性期外収縮〕
S$_V$O$_2$ venous O$_2$ saturation〔静脈血 O$_2$ 飽和度〕
SVPC supraventricular premature contraction〔上室性期外収縮〕
SVT superficial venous thrombosis〔表在性血栓性静脈炎〕
SVT supraventricular tachycardia〔上室性頻拍〕
T$_3$ triiodothyronine〔トリヨードサイロニン〕
T$_3$U triiodothyronine uptake test〔トリヨードサイロニン摂取率〕
T$_4$ thyroxine〔サイロキシン〕
TA temporal arteritis〔側頭動脈炎〕
TA tricuspid atresia〔三尖弁閉鎖症〕
TAE transcatheter arterial embolization〔経カテーテル的肝動脈塞栓術〕
TAO thromboangiitis obliterans〔閉塞性血栓性血管炎〕
TAT thrombin-antithrombin complex〔トロンビン・アンチトロンビン複合体〕
TB tuberculosis〔結核菌感染症〕
TBA thiobarbituric acid (reaction)〔チオバルビツール酸(反応)〕
TBG thyroxine-binding globulin〔サイロキシン結合グロブリン〕
TBII TSH-binding inhibiting immunoglobulin〔甲状腺刺激ホルモン(TSH)結合阻害免疫グロブリン〕TRAb と同義
TBLB transbronchial lung biopsy〔経気管支肺生検〕
TBPA thyroxine-binding prealbumin〔サイロキシン結合プレアルブミン〕
TCA trichloroacetic acid〔トリクロル酢酸〕
TeBG testosterone-estradiol binding globulin, testosterone binding globulin〔テストステロン・エストラジオール結合グロブリン,テストステロン結合グロブリン〕
TEN toxic epidermolytic necrolysis〔中毒性表皮融解壊死症〕
TF tissue factor〔組織因子〕
Tf transferrin〔トランスフェリン〕
TFPI tissue factor pathway inhibitor〔組織因子経路インヒビター〕
TG triglyceride〔トリグリセリド,中性脂肪〕
Tg thyroglobulin〔サイログロブリン〕
TgAb anti-thyroglobulin antibody〔抗サイログロブリン抗体〕
TGF transforming growth factor〔形質転換性増殖因子〕
TGF tumor growth factor〔腫瘍増殖因子〕
TIA transient ischemic attack〔一過性脳虚血発作〕
TIA turbidimetric immunoassay〔免疫比濁法〕
TIBC total iron binding capacity〔総鉄結合能〕
TIF tumor inhibitory factor〔腫瘍阻害因子〕
TIG tetanus immune globulin〔破傷風免疫ヒトグロブリン〕
TK thymidine kinase〔チミジンキナーゼ〕
TLC thin layer chromatography〔薄層クロマトグラフィー〕
TLC total lung capacity〔全肺気量〕
TM thrombomodulin〔トロンボモジュリン〕
TMA transcription-mediated amplification

TMA-HPA transcription mediated amplification-hybridization protection assay
TMO trimethadione〔トリメタジオン〕
TNF tumor necrosis factor〔腫瘍壊死因子〕
TP total protein〔総蛋白〕
TPA tissue polypeptide antigen〔組織ポリペプチド抗原〕
t-PA tissue plasminogen activator〔組織プラスミノゲンアクチベータ〕
TPHA *Treponema pallidum* hemagglutination〔梅毒トレポネーマ感作赤血球凝集反応〕
TPN total parenteral nutrition〔完全静脈栄養療法〕
TPO thyroid peroxidase〔甲状腺ペルオキシダーゼ〕
TPOAb anti-thyroid peroxidase antibody〔抗甲状腺ペルオキシダーゼ抗体〕
TPV total plasma volume〔総血漿量〕
TR tricuspid regurgitation〔三尖弁逆流症〕
TRAb thyrotropin (thyroid stimulating hormone；TSH) receptor antibody〔甲状腺刺激ホルモンレセプター抗体〕TBII と同義
TRCV total red cell volume〔総赤血球量〕
TR-FIA time resolved fluoroimmunoassay〔時間分解蛍光免疫法〕
TRFR tubular rejection fraction ratio〔尿細管排泄率〕
TRH thyrotropin-releasing hormone〔甲状腺刺激ホルモン放出ホルモン〕
TS tricuspid stenosis〔三尖弁狭窄症〕
TSAb thyroid stimulating antibody〔甲状腺刺激抗体〕
TSBAb thyroid-stimulation blocking antibody〔甲状腺刺激阻害抗体〕
TSH thyroid stimulating hormone〔甲状腺刺激ホルモン〕
TSI thyroid stimulating immunoglobulin〔甲状腺刺激免疫グロブリン〕
TSP tropical spastic paraparesis〔熱帯性痙性対麻痺〕
TSS toxic shock syndrome〔毒素性ショック症候群〕
TSST-1 toxic shock syndrome toxin-1〔トキシックショックシンドロームトキシン-1〕
TT thrombin time〔トロンビン時間〕
TTA transtracheal aspiration〔経気管吸引〕
TTP thrombotic thrombocytopenic purpura〔血栓性血小板減少性紫斑病〕
TTT thymol turbidity test〔チモール混濁試験〕
TX thromboxane〔トロンボキサン〕
TXB$_2$ thromboxane B$_2$〔トロンボキサン B$_2$〕
UA uric acid〔尿酸〕
UC ulcerative colitis〔潰瘍性大腸炎〕

UCG ultrasound cardiography〔超音波心エコー検査〕
UDCA ursodeoxycholic acid〔ウルソデオキシコール酸〕
UIBC unsaturated iron binding capacity〔不飽和鉄結合能〕
UIP usual interstitial pneumonia〔通常型間質性肺炎〕
UK urokinase〔ウロキナーゼ〕
UN urea nitrogen〔尿素窒素〕
U_{osm} urine osmolality〔尿浸透圧〕
UP uroporphyrin〔ウロポルフィリン〕
UPPP uvulopalatopharyngoplasty〔口蓋垂軟口蓋咽頭形成術〕
US ultrasound〔超音波検査，エコー〕
UTI urinary tract infection〔尿路感染症〕
UV ultraviolet absorption spectrophotometry〔紫外部吸光光度分析〕
VAHS virus-associated hemophagocytic syndrome〔ウイルス関連血球貪食症候群〕
VC vital capacity〔肺活量〕
VF ventricular flutter〔心室粗動〕
Vf, VF ventricular fibrillation〔心室細動〕
VHDL very high-density lipoprotein〔超高比重リポ蛋白〕
VIP vasoactive intestinal polypeptide〔血管作動性腸ポリペプチド〕
VLCD very low calorie diet〔超低エネルギー食〕
VLDL very low-density lipoprotein〔超低比重リポ蛋白〕
VMA vanillylmandelic acid〔バニリルマンデル酸〕
VOD veno-occlusive disease〔肝静脈閉塞症〕
VOR vestibuloocular reflex〔前庭眼反射〕
VPC ventricular premature contraction〔心室性期外収縮〕PVC と同義
VSD ventricular septal defect〔心室中隔欠損症〕
VT ventricular tachycardia〔心室性頻脈(頻拍)〕
VT verotoxin〔ベロ毒素〕
VTEC verotoxin producing *Escherichia coli*〔ベロ毒素産生性大腸菌〕
VUR vesicoureteral reflux〔膀胱尿管逆流〕
VWD von Willebrand disease〔von Willebrand 病〕
VWF von Willebrand factor〔von Willebrand 因子〕
VZV varicella-zoster virus〔水痘・帯状疱疹ウイルス〕
WAIS Wechsler adult intelligence scale〔ウェクスラー成人知能検査スケール〕
WBC white blood cell count〔白血球数〕
Xyl xylose〔キシロース〕
Zn zinc〔亜鉛〕
ZTT zinc sulfate turbidity test〔硫酸亜鉛混濁試験〕

和文索引

1. 索引は，《和文索引》と《数字・欧文索引》に分類した．
2. 《和文索引》の配列は五十音順とし，濁音，半濁音は配列には関係ないものとした．
3. 《和文索引》で同音の索引語は，カタカナ，ひらがな，漢字順とした．
4. 《和文索引》で音引き（ー），中黒（・）は，配列に関係ないものとした．
5. 《数字・欧文索引》の配列は数字，ギリシャ文字，アルファベット，和文順とした．
6. 《数字・欧文索引》で欧文が同じ綴りの場合，大文字，小文字の順とした．
7. 《数字・欧文索引》で数字が同じ値の場合，ローマ数字，アラビア数字の順とした．
8. 冠名・人名索引語には，対応するカタカナ表記または欧文表記名を（）内に示した．
   【例1】・Adams－Stokes（アダムス・ストークス）症候群・アダムス・ストークス（Adams－Stokes）症候群
9. 索引語に対応する〈和文〉，〈欧文〉，〈略語〉のいずれかがある場合には，索引語に付した．
   【例2】・僧帽弁開放音　opening snap〔OS〕
   ・opening snap　僧帽弁開放音〔OS〕
   ・OS（opening snap）　僧帽弁開放音
10. 図表中の索引語は頁数をイタリック体（斜体）で示した．
11. 索引語の頁数がゴチック体（太字）の場合は，主要説明箇所を意味する．
12. 用語はできるだけ統一に努めたが，人名，外来語，略語などは欧文，和文両方の索引で検索されたい．

あ

曖気　eructation　441
愛情遮断症候群　254
アイゼンメンゲル（Eisenmenger）症候群　568
── ，Ⅱ音　101
亜鉛欠乏，味覚障害　401
赤い斑点　563
アーガイル ロバートソン（Argyll Robertson）徴候　76
アーガイル ロバートソン（Argyll Robertson）瞳孔　**345**, 347, *690*, 692, 749
── ，瞳孔異常　347
アカラシア　454
── ，嚥下困難　453
── ，嘔吐　429
亜急性壊死性リンパ節炎，リンパ節腫脹　475
亜急性硬化性全脳炎　subacute sclerosing panencephalitis〔SSPE〕，知能低下　689
亜急性甲状腺炎　subacute thyroiditis　465, 786
── ，咽頭痛　413
── ，甲状腺機能亢進症　786
── ，発熱　218
── の確定診断　790
亜急性連合性脊髄変性症
── ，運動失調　747

── ，運動麻痺　718, 720
── ，感覚障害　724
── ，筋脱力　732
アキレス腱反射　Achilles tendon reflex　166
悪液質　cachexia　57
悪性眼球突出症　332
悪性胸水　519
悪性胸膜中皮腫
── ，胸水　519
── ，咳，痰の原因疾患の特徴所見　480
悪性高血圧，頭蓋内圧亢進をきたす疾患　351
悪性黒色腫　630
── ，肛門・会陰部痛　626
悪性症候群，精神科領域での救急　880
悪性中皮腫，腹水　591
悪性貧血　pernicious anemia　304
── の初期症状，舌炎　405
悪性リンパ腫　926
── ，顔面痛　371
── ，胸水　519
── ，失語・失行・失認　695
── ，腎性乏尿　663
── ，直接ビリルビン増加の黄疸　294
── ，寝汗，ほてり　229
── ，乏尿・無尿　663
── ，リンパ節腫脹　471, 475

── ，リンパ節腫脹の鑑別　85
── の細胞浸潤，乏尿・無尿　667
アグリコン　605
足関節－上腕血圧比　ankle-brachial pressure index〔ABI〕　685
足クローヌス　ankle clonus　166
アジソン（Addison）病
── ，舌の異常　403
── ，知能障害　690
── ，知能低下　689
── ，低血圧　538, 544
── ，るいそう　247, 249
── の色素沈着　249
足の長軸弓隆　144
足の変形　144
アステリキシス　754
── ，不随意運動　752
アスピリン，急性中毒　860
アスピリン過敏症　480
アスペルギルス症，喀血，血痰　490
アセトアミノフェン，急性中毒　860
アセトン臭　80
頭の形，視診　70
アダムス・ストークス（Adams－Stokes）症候群
── ，失神　267
── ，病的な徐脈　49
アダムス・ストークス（Adams－Stokes）発作　710
── ，痙攣　708
圧痕性浮腫　pitting edema　66, 576

アッシャーマン（Asherman）症候群 635
圧痛　tenderness　130
圧迫帯，血圧計の　51
アディー（Adie）症候群　76
　――，散瞳をきたす　345
　――，瞳孔異常　347
アテトーゼ　752, 753
アテトーゼ運動　athetotic movement 60
アデノイド増殖症
　――，いびき　421
　――，鼻漏・鼻閉　383
アデノウイルス結膜炎　324
アトピー性角結膜炎　326
アナフィラキシー，心肺停止　764
アナフィラキシーショック　772, 778
　――，心肺停止　764
アヒル歩行　waddling gait　63
アフタ　aphtha　82, 403
　――，再発性　404
アブミ骨，耳の構造　78
アペール（Apert）症候群，斜頭を認める疾患　71
アポクリン汗腺　224
アミノ酸代謝異常（症），精神遅滞 689
アミノ配糖体，腎性乏尿　663
アミノフィリン中毒，食欲不振　434
アミロイドーシス　amyloidosis
　――，感覚障害　724
　――，肝腫大　593
　――，舌の異常　403
　――，浮腫　574
　――，慢性進行性・重症化肝腫大 593
アミロイドニューロパチー
　――，感覚障害　724
　――，低血圧　538, 544
アメーバ赤痢，下痢の原因　606
アメンチア　confused state　47
亜硫酸ガス，咳，痰の原因疾患の特徴所見　480
アルギニン負荷試験　188
アルコール，頻尿　657
アルコール依存症
　――，栄養失調（障害）による浮腫 576
　――，嘔吐　429
　――，食欲不振　434
　――，るいそう　252

アルコール性肝硬変，手掌紅斑　564
アルコール性肝障害　alcoholic liver disease，くも状血管腫　564
アルコール性小脳失調症，運動失調 747, 749
アルコール性末梢神経障害，感覚障害 727
アルコール性ミエロパチー，筋脱力 731
アルコール多飲者，意識障害　784
アルストレーム（Alström）症候群，肥満，肥満症　239, 242
アルツ（Artz）の分類　875
アルツハイマー（Alzheimer）型認知症 159, 689
　――，痙攣　708, 708
　――，もの忘れ　701, 706
アルツハイマー（Alzheimer）病
　――，失語・失行・失認　695
　――，知能障害　689
　――，認知症　689
　――，不随意運動　753
　――，不眠　261, 264
アルパーズ（Alpers）病　70
　――，精神遅滞　691
アレキサンダー（Alexander）病，精神遅滞　691
アレルギー検査　291
アレルギー性結膜疾患　324, 331
アレルギー性疾患の検査　189, 190
アレルギー性脳脊髄炎，知能低下 689
アレルギー性鼻炎
　――，咳，痰の原因疾患の特徴所見 480
　――，鼻漏・鼻閉　383, 386
アレルゲン　189
アロプリノール，急性尿細管間質性腎炎の誘因物質　667
暗褐色便　621
アンジオテンシン変換酵素〔ACE〕阻害薬，咳，痰の原因疾患の特徴所見 480
安静時呼吸　110
安静時振戦　751, 752
安全データシート　Safety Data Sheet〔SDS〕　878
アンチトロンビン〔AT〕　182
アントラキノン（anthraquinone）系緩下剤　612
鞍鼻　saddle nose　79

アンモニア臭　436

い

胃
　――の触診　128
　――の振水音　135
　――の打診　134
胃炎
　――，嘔吐　429
　――，急性腹症　823
　――，上部消化管出血　457
胃潰瘍　gastric ulcer
　――，嘔吐　429
　――，急性腹症　823
　――，胸痛　498
　――，胸痛および胸部圧迫感　494
　――，上部消化管出血　457
　――，腹痛　579
　――，胸やけ・げっぷ　442
胃管　461
胃癌　gastric cancer　620, 624, 920
　――，上部消化管出血　457
　――，食欲不振　435
　――，腹痛　578
　――，胸やけ・げっぷ　442
息切れ　810
　――，症例　911
　――，貧血の初期症状　305
異嗅症　393
胃酸　441
意識（状態）　consciousness　45, 55
意識障害　consciousness disturbance 45, 158, 277, **779**
　――，緊急性の高い嘔吐　430
　――，劇症肝炎　296
　――，症例　914
　――，脱水　547
　――による水摂取不能　546
　――の分類　46
意識消失，一過性　266
意識変容　46
意識レベル分類法　779
胃・十二指腸からの出血　624
萎縮，皮膚の　286
異常運動　145
胃・消化管異物　867
異常感覚　dysesthesia　169, 723
異常屈曲　abnormal flexion　46
異常高熱　hyperpyrexia　216
異常呼吸音　115

異常ヘモグロビン(血)症
　　hemoglobinopathie　305
　　——，チアノーゼ　552, 553
異常歩行，特徴的な　61
異常味覚　398
胃静脈瘤　620
胃静脈瘤破裂
　　——，上部消化管出血　457
　　——，吐血　457
異常連合運動　163
胃食道逆流　gastroesophageal reflux
　　〔GER〕　442
胃食道逆流症，咽頭痛　410, 413
胃・食道蠕動運動　442
異所性甲状腺腫　464
異所性精巣　139
異所性尿管瘤，頻尿　657
異所性妊娠　841, 844
　　——，急性腹症　823
異所性妊娠破裂，腹痛　578, 581
胃切除後下痢　607
異染性白質ジストロフィー，精神遅滞
　　　　691
イソニアジド〔INH〕，眼底異常　350
胃－大腸瘻，嘔吐　429
痛み　723
イチゴ舌　strawberry tongue　81, 403
一次止血　299
一次止血栓　299
一過性意識消失　266
一過性肝腫脹　593
一過性黒内障，脳血管障害　799
一過性全健忘　transient global amnesia
　　〔TGA〕　702, 706
一過性低血圧　538
一過性てんかん性健忘　transient
　　epileptic amnesia〔TEA〕　702, 706
一過性脳虚血発作　transient ischemic
　　attack〔TIA〕
　　——，意識障害　784
　　——，失語・失行・失認　695, 697
　　——，脳血管障害　799
一過性便秘　614
一酸化炭素，急性中毒　860
一酸化炭素中毒　carbon monoxide
　　poisoning
　　——，筋脱力　730
　　——，熱傷　875
一酸化炭素ヘモグロビン血症
　　carboxyhemoglobinemia　552
一側性感音性難聴　317

一定方向性眼振　355, 356
溢流性尿失禁　644
遺伝子検査　196
　　——，感染症の　196
　　——，造血器腫瘍の　196
遺伝子診断
　　——，感染症の　196
　　——，造血器腫瘍の　196
遺伝性運動感覚ニューロパチー，歩行
　　障害　758, 761
遺伝性球状赤血球症　hereditary
　　spherocytosis　305
遺伝性血管性浮腫　573
遺伝性脊髄小脳変性症，運動失調
　　　　747, 750
遺伝性楕円赤血球症　305
遺伝性知能障害　693
遺伝性肥満　242
遺伝性メトヘモグロビン血症　553
遺伝性溶血性貧血　298, 600
　　——，脾腫　601
移動性　mobility，腹部腫瘤　132
イートン・ランバート（Eaton-
　　Lambert）(筋無力)症候群　164
　　——，眼球運動障害　364, 368
　　——，眼瞼下垂　337, 338, 339
　　——，筋萎縮　736
　　——，筋脱力　729, 732
胃内容のうっ滞，嘔吐　429
いびき　snore　419
　　——の程度分類　419
　　——の発生　420
いびき音　rhonchus　115
いびき様音　rhonchi　515
易疲労感　233, 810
胃不全麻痺，悪心・嘔吐　430
異物の誤飲　453
胃泡症候群，鼓腸をきたす疾患　583
意味記憶　700
異味症　398, 405
イヤーチューブ　97
イヤーピース　97
医療情報　17
胃良性腫瘍　624
医療被ばく，画像検査と　197
医療保険制度，検査と　177
医療面接　medical interview　8, 33
　　——，診断のプロセス　7
　　——のスキル　8
　　——の手順　33, 34
医療面接事項，診療録に記載する　33

イレウス　ileus　581, 585
　　——，急性腹症　823
陰窩膿瘍　crypt abscess　610
陰茎癌　138
陰茎　penis の診察　138
咽後膿瘍，咽頭痛　408, 413
インスリノーマ　insulinoma　243
　　——，寝汗，ほてり　231
インスリン負荷試験　188
インスリン様成長因子-I　insulin-like
　　growth factor I〔IGF-I〕　253
陰性データの無視，診断を誤る心理過
　　程　29
陰性ミオクローヌス　752
インターロイキン1〔IL-1〕，食欲低下
　　物質　434
咽頭　pharynx　82
　　——と喉頭の構造　80
咽頭異物　867
咽頭違和感，外傷　854
咽頭炎　pharyngitis　82
　　——，咽頭痛　408
　　——，咳，痰の原因疾患の特徴所見
　　　　480
　　——，リンパ節腫脹　473
咽頭癌，咽頭痛　409, 413
咽頭期，嚥下運動　451
咽頭収縮筋　451
咽頭痛　sore throat　408
咽頭隆起，頸部の構造　83
陰嚢　scrotum
　　——の診察　138
　　——の透光性試験　139
陰嚢腫大，無痛性の　139
陰嚢水腫　hydrocele　139
インフォームドコンセント　informed
　　consent　32
インフルエンザ
　　——，咽頭痛　409
　　——，発熱　216

う

ウィップル（Whipple）病　606
　　——，下痢　611
ウイルス関連血球貪食症候群
　　virus-associated hemophagocytic
　　syndrome〔VAHS〕　599
ウイルス性胃腸炎，下痢の原因　606
ウイルス性結膜炎　324

ウイルス性肺炎，咳，痰の原因疾患の
　　特徴所見　*480*
ウィルソン(Wilson)病
　──，角膜に異常を認める疾患　76
　──，持続性肝腫大　593
　──，不随意運動　*752*, 753
ウィルヒョウ(Virchow)リンパ節　475
　──　転移　85
ウェクスラー成人知能検査(スケール)
　　Wechsler adult intelligence scale
　　〔WAIS〕　691
ウェーバー(Weber)試験　379
ウェルニッケ(Wernicke)失語
　　　　　　　　　　　　64, *64*, 159
ウェルニッケ(Wernicke)脳症
　　　　　　　　　　　　782, 841
　──，意識障害　*781*, 782
　──，運動失調　750
　──，瞳孔異常　347
　──，もの忘れ　702
ウェルニッケ・マン(Wernicke-
　　Mann)肢位(姿勢)　58, 61, 743, 781
ウェルニッケ(Wernicke)野(領域)
　　　　　　　　　　　　64, *64*
ウォーラー(Waller)変性　728
ウォルフ・パーキンソン・ホワイト
　　(Wolff-Parkinson-White)症候群
　　〔WPW症候群〕，失神　269
右心不全　94, 810
　──，肝腫大　593
　──，静脈怒張　556
　──，腹水　590
内がえし　inversion　153
内よせ運動，眼球運動　363
うっ血肝
　──　の確定診断　597
　──　をきたす心疾患，腹水　586
うっ血性心不全　congestive heart
　　failure　682, 812, 945
　──，Ⅲ音　101
　──，喀血，血痰　486
　──，口渇　446
　──，呼吸困難　511
　──，静脈怒張　556
　──，食欲不振　435
　──，めまい　315
うっ血性心不全患者の起座呼吸　58
うっ血乳頭　papilledema
　　　　　　　　　　77, *321*, *350*, 351
　──，高血圧　535
　──，視覚障害　321

──，頭痛　312
──　の所見　*351*
うつ病　depression
　　　　　　　　234, 235, 271, 275, 901
──，食欲不振　435
──，精神科領域での救急　880
──，不眠　264
──，もの忘れ　702
運動　movement　58
──，舌の　404
──　による最良の応答　best motor
　　response　46
運動後急性腎不全　835
運動失調　ataxia　60, 172, **746**
運動性失語(症)　motor aphasia
　　　　　　　　　　　　　64, 694
運動性チック　756
運動性中枢　64
運動ニューロン疾患
──，筋萎縮　736
──，筋脱力　*731*
──，構音障害　716
運動不足，食欲不振　435
運動麻痺　motor paralysis
　　　　　　　162, 696, **717**, 729
──，感覚障害　726

え

栄養　nutrition　57
栄養障害(失調，不良)　malnutrition
──，意識障害　*781*
──，成長障害をきたす疾患　*254*
──，腹水　587
──　による浮腫の確定診断　576
会陰部　625
会陰部痛　perineal pain　**625**
会陰裂傷，肛門・会陰部痛　*626*
腋窩の診察　117
腋窩リンパ節　69, 117, *470*
エクリン汗腺　224
壊死性筋膜炎
──，肛門・会陰部痛　630
──，発熱　218
壊死性肺病変，咳，痰の原因疾患の特
　徴所見　*480*
エストロゲンの代謝異常，くも状血管
　腫　564
壊疽性口内炎　82
壊疽性膿皮症，下痢　608
エタノール，急性中毒　860

エタンブトール〔EB〕，眼底異常　*350*
エディンガー・ウェストファル
　　(Edinger-Westphal)核〔E-W核〕
　　　　　　　　　　　　342, *344*
エドワーズ(Edwards)症候群，肥満，
　肥満症　*239*, 243
エネルギーバランス　245
エピソード記憶　700
エビデンス　2
エプスタイン・バー(Epstein-Barr)ウ
　イルス〔EBV〕　85
エルシニア・エンテロコリチカ，粘膜
　傷害による下痢　605
エルスワース・ハワード(Ellsworth-
　Howard)試験　243
エルブ(Erb)の領域　98
エルブ(Erb)麻痺　724
遠位筋の筋脱力　729
円かき歩行　744, 759
遠隔記憶　700
鉛管現象　lead pipe phenomenon　146
鉛管様硬直(固縮)　lead pipe rigidity
　　　　　　　　　　　　　　743
円形脱毛症　alopecia areata　68, 71
嚥下運動　451
嚥下困難　dysphagia　**451**
嚥下障害
──，筋緊張異常　742
──，鉄欠乏性貧血　304
嚥下反射　451
炎症性角化症　287
炎症性肝腫大の確定診断　597
炎症性腸疾患
──，急性腹症　*823*
──，肛門・会陰部痛　627
──，発熱　218
炎症性浮腫　572
炎症マーカー検査　189
延髄外側症候群　798
──，Horner(ホルネル)症候群の原因
　　　　　　　　　　　　　　347
延髄空洞症
──，感覚障害　724
──，顔面痛　371, 373
──，舌の異常　403
円錐障害，感覚障害　724, *725*
延髄障害　359
延髄の障害による球麻痺　63
塩類喪失性腎症　549
塩類尿，排尿痛　652

お

横隔膜下膿瘍，腹痛 *578*
横隔膜下遊離ガス，胸痛の胸部X線検査 *499*
嘔気 *426*
横指 *89*
黄色腫 *292*
黄色調の白目，黄疸 *292*
黄色レンズ状斑，下痢 *612*
凹足 *144*
黄体形成ホルモン〔LH〕 *188, 636*
黄疸 jaundice *65, 292*
　――，間接ビリルビン優位の *292*
　――，失神 *268*
　――，症例 *904*
　――，直接ビリルビン優位の *293*
　――，溶血性貧血 *304*
　――の鑑別診断 *297*
　――の経過 *295*
　――をきたす疾患 *294*
黄疸患者の受診理由 *292*
横断性障害，感覚障害 *724, 726*
嘔吐 vomiting *426*
　――，終末期の *889*
　――をきたす疾患 *428*
嘔吐中枢 *426*
　――の刺激経路 *426*
凹凸不整 uneven *127*
嘔吐癖，嘔吐 *429*
黄斑 macula *77*
黄斑部変性，精神遅滞 *691*
横紋筋肉腫 rhabdomyosarcoma，眼球突出 *333*
横紋筋融解症，乏尿・無尿 *668*
おおい試験 *367*
　――，眼科的検査 *368*
悪寒 *218*
　――，症例 *975*
おくび eructation *441*
オージオメーター *78*
悪心 nausea *426*
　――，終末期の *889*
　――をきたす疾患 *428*
オースチン フリント（Austin Flint）雑音 *106*
オスラー（Osler）結節 *93, 218*
悪阻，食欲不振 *433*
オッズ *23*
オトガイ，頸部の構造 *83*
オトガイ下リンパ節 *69, 84, 470*
オピオイド，急性中毒 *860*
折りたたみナイフ現象 clasp-knife phenomenon *146, 163, 165, 743*
オリバー・カルダレリ（Oliver-Cardarelli）徴候 *87*
オリーブ核 *756*
温痛覚 *722*
温度覚 *168, 727*
温度眼振 *355*
温熱熱傷 *872*

か

加圧相，咳のメカニズム *476*
外陰癌，肛門・会陰部痛 *626, 631*
外陰部の視診・触診 *140*
下位運動ニューロン（障害）
　――，運動麻痺 *718*
　――による運動麻痺 *732*
回外 supination *150*
回外運動 *172*
外界刺激 *725*
開眼 eye opening *46*
外眼筋
　――の作用 *362*
　――の肥大，Basedow病眼症 *336*
外眼筋脳神経核 *365*
外眼筋ミオパチー，眼球運動障害 *364*
開眼失行 *338*
回帰熱 *219*
開脚歩行 *172*
外頸静脈 *86, 94*
外頸動脈 *86*
外肛門括約筋，肛門断面でみる *137*
介在ニューロン，瞳孔反応 *342*
カイザー・フライシャー（Kayser-Fleischer）輪 *76*
開散 *363*
　――，眼球運動 *363*
開散麻痺 *365*
外耳，耳の構造 *78*
外痔核，肛門・会陰部痛 *626*
概日リズム障害 *260*
外耳道 *78*
　――，耳の構造 *78*
外耳道刺激，咳，痰の原因疾患の特徴所見 *480*
外斜視 divergent strabismus *74*
外傷 *780*
　――，ショック *773*
外性器 genital organの診察 *138*
外旋 external rotation *149*
回旋性眼振 *355, 356*
咳嗽 *477, 515, 516*
　――，症例 *929*
外側脊髄視床路 *722*
外直筋，外眼筋 *362*
改訂水飲みテスト *871*
外転 abduction *149*
回転状頭皮 cutis verticis gyrata *571*
外転神経 *74*
外転神経麻痺，眼球運動障害 *364*
回転性めまい vertigo *314, 317, 357*
回内 pronation *150*
回内運動 *172*
外尿道口狭窄，排尿障害 *645*
灰白髄炎
　――，筋緊張異常 *742*
　――，舌の異常 *403*
外麦粒腫 *73*
海馬梗塞，もの忘れ *702*
外反膝 genu valgum *144*
外反足 *144*
外反肘，Turner症候群 *142, 635*
外反母趾 hallux valgus *144*
開腹手術の既往，便秘 *616*
開放型質問 open-ended question
　　　　　　　　　　⇒開かれた質問
開放性気胸，外傷 *859*
海綿状血管腫，脳血管障害 *798*
海綿静脈洞，眼球運動障害 *369*
海綿静脈洞炎，顔面痛 *371*
海綿静脈洞血栓（症）
　――，眼球運動障害 *363*
　――，眼球突出 *333*
回盲部結核，下痢 *608*
潰瘍 ulcer
　――，主な発疹 *67*
　――，皮膚の *285*
潰瘍性大腸炎 ulcerative colitis *571, 610, 624*
　――，腹痛 *578*
潰瘍性変化，舌 *404*
外来性甲状腺中毒症 *787*
解離症，精神科領域での救急 *880*
解離性感覚障害 *722, 740*
解離性健忘，もの忘れ *702*
解離性昏迷 *880*
解離性大動脈瘤 dissecting aneurysm of aorta，高血圧 *532*
解離性チアノーゼ *551*

下咽頭，咽喉頭の構造　80
下咽頭収縮筋，嚥下運動　451
下咽頭腫瘍，いびき　421
下咽頭浮腫，いびき　421
ガウス分布　23
カエル腹　121
下顎呼吸　sternomastoid breathing　53
化学受容体誘発帯　chemoreceptor trigger zone〔CTZ〕　426
化学性肺炎，誤飲・誤嚥　867
化学熱傷　872
下顎反射　jaw jerk　166
過活動膀胱　657
踵落とし試験　heel drop test　828
踵脛試験　172
踵膝試験　172, 748
過換気，脱水　547
過換気症候群　hyperventilation syndrome
　──，胸痛および胸部圧迫感　494
　──，胸痛の原因　494
　──，痙攣　708
　──，精神科領域での救急　879
　──，頻尿　657
可逆性後頭葉白質病変　posterior reversible encephalopathy syndrome〔PRES〕，痙攣　711
蝸牛，耳の構造　78
蝸牛症状　357
蝸牛神経，耳の構造　78
核医学検査　201
角回　64
角化症　287
核下性麻痺　59
顎下腺　submaxillary gland　85
顎下リンパ節　69, 84, 470
顎関節症，顔面痛　371
角結膜炎
　──，感染性　331
　──，中毒性　324
拡散強調画像　198
核酸代謝異常，精神遅滞　689
学習能力　688
核上性麻痺　supranuclear palsy　59
核，眼球運動障害　364
覚醒剤，急性中毒　860
覚醒剤使用，縮瞳をきたす　345
覚醒剤中毒　amphetamine intoxication，食欲不振　434
覚醒障害　45
　──の程度分類　45

覚醒度　779
核性麻痺　nuclear palsy　59
顎舌骨筋の収縮，嚥下運動　451
額帯反射鏡　79
喀痰　476
　──，症例　929
拡張型心筋症　dilated cardiomyopathy〔DCM〕
　──，Ⅲ音　101
　──，心性浮腫　575
　──，動悸，脈拍異常　524
拡張期血圧　diastolic blood pressure　49, 51, 530, 538
拡張期雑音　105
拡張後期雑音　106
拡張早期雑音　105
拡張中期雑音　106
角膜　cornea　76, 344
　──，眼の構造　73
角膜異物　327
角膜炎　327
　──，顔面痛　371
角膜潰瘍　327
角膜周囲充血　75
角膜反射　corneal reflex　76, 167, 168, 782
確率　23
確率変動幅　28
家系図　36
下顎部神経節　344
過誤　mistake　29
靴工胸　cobbler's chest　90
過呼吸　110
　──，意識障害　782
カサブタ　67
下肢近位筋の筋脱力　729
下肢静脈怒張　555
下肢静脈瘤　681, 686
下肢静止不能症候群　restless-leg syndrome，不随意運動　752
下肢測定　152
下肢長　spina malleolar distance〔SMD〕　147
下肢痛　675
下肢動脈の触診・血圧測定　534
下肢の変形　144
下肢閉塞性動脈疾患　lower extremity artery disease〔LEAD〕　681, 685
下斜筋，外眼筋　362
過少月経　632
過剰心音　98

渦静脈，眼の構造　73
過食症　bulimia，嘔吐　429
下唇，口腔の構造　80
下垂手　drop hand　144
下垂体機能亢進症　56
下垂体機能低下症　hypopituitarism，るいそう　249
下垂体性小人症　pituitary dwarfism，貧毛（無毛）を認める疾患　68
下垂体腺腫　464, 948
下垂体前葉機能低下症　948
　──，低血圧　538
下垂体ホルモン　56
下垂体ホルモン分泌刺激試験　188
過睡眠　hypersomnia　46
カステル（Castell）の方法，脾腫の打診の　601
仮性球麻痺　59, 453
　──，筋緊張異常　742
仮性クループ　416
仮性クローヌス　pseudoclonus　166
仮性認知症，知能障害　690
仮性肥大　738
　──，筋萎縮　738
　──，筋ジストロフィー症　146
かぜ薬，排尿障害　645
仮説，診断　15
仮説演繹法　hypothesis-deductive method　14
　──の落とし穴　15
仮説設定の早期閉鎖　premature closure，診断を誤る心理過程　28
画像検査　175, 196
家族性痙性対麻痺，歩行障害　758, 761
家族性髄様癌，甲状腺腫　466
家族性大腸ポリポーシス，下痢　608
家族性低身長　familial short stature〔FSS〕　256, 259
加速歩行　festinating gait　61
家族歴　family history　36
肩　shoulder　149
下大静脈症候群，静脈怒張　557
過多月経　632
カタレプシー　882
過短月経　632
過長月経　632
下直筋，外眼筋　362
脚気，栄養失調（障害）による浮腫　576
喀血　hemoptysis　456, **486**

――と吐血の鑑別　486
滑車神経　74, 344
滑車神経麻痺，眼球運動障害　364
褐色細胞腫　pheochromocytoma
　――，血圧測定　533
　――，高血圧　532, 537
　――，動悸，脈拍異常　524
　――，寝汗，ほてり　230
褐色尿，黄疸　292
褐色斑　283
活性化部分トロンボプラスチン時間
　〔APTT〕182
滑走性触診　41
滑動性眼球運動　smooth pursuit　363
滑動性追跡眼球運動　356
カットオフ値　176
家庭血圧　530
カテゴリゼーション，診断　2
カテコールアミン過剰，高血圧　532
カテーテルアブレーション　529
カーテン現象　curtain sign　82
下同名四半盲，視覚障害　320
カーネット（Carnett）徴候　828
化膿性胃炎，嘔吐　429
化膿性関節炎，関節痛　678
カハール（Cajal）核　365
痂皮　67, 286
下鼻甲介　79
下鼻道　79
過敏性腸症候群　irritable bowel
　syndrome〔IBS〕610, 618
　――，急性腹症　823
　――，下痢　607
　――，腹痛　578
　――による便秘　615
過敏性肺炎　hypersensitivity
　pneumonitis
　――，咳，痰の原因疾患の特徴所見
　　480
　――，喘鳴　516
カフェイン，急性中毒　860
カフェオレ斑，精神遅滞　691
下腹部痛　664
下腹部の膨隆　122
下部消化管出血　619
下部消化管内視鏡検査　629
下部食道括約筋　lower esophageal
　sphincter〔LES〕442, 452
下部食道括約部圧〔LESP〕455
　――低下の原因　442
下部尿路感染症，頻尿　659

下部尿路通過障害　657
下部尿路閉塞，排尿障害　645
下腕神経叢障害　724
花粉症，鼻漏・鼻閉　383
カーペンター（Carpenter）症候群
　――，斜頭を認める疾患　71
　――，肥満，肥満症　239, 243
がま腫　ranula　82
仮面うつ病，食欲不振　435, 436
仮面様顔貌　mask-like face　54
ガリウム〔Ga〕シンチグラフィー，乏
　尿・無尿　667
カルチノイド腫瘍，下痢　608
カルチノイド症候群　225
　――，下痢　605
カルテ　Karte　32, 209
カルブンケル　carbuncle　83
カルマン（Kallmann）症候群　635, 636
加齢
　――，頻尿　657
　――に伴う動脈硬化，高血圧　532
加齢性眼瞼下垂　337
かれ声　⇒嗄声
カレン（Cullen）徴候　827
過労，食欲不振　435
カロチンの沈着　292
カロリック試験（テスト）　317, 355
川崎病　Kawasaki disease，舌の異常
　　403
下腕神経叢障害，感覚障害　725
肝
　――の縦径　vertical span　134
　――の触診　125, 596
　――の打診　134
　――の表面　127
　――の辺縁　127
癌
　――，終末期の　886
　――のスクリーニング　191
　――の転移　85
眼圧　intraocular pressure　77
眼圧計　tonometer　77
眼圧亢進，散瞳をきたす　345
眼圧測定　331
肝圧痛，肝細胞性黄疸　296
眼圧低下，縮瞳をきたす　345
眼位異常　366
眼位検査　367
簡易睡眠検査　424
簡易知能試験　Mini-Mental State
　Examination〔MMSE〕691, 698

がん遺伝子パネル検査　207
眼・咽頭筋ジストロフィー，眼球運動
　障害　364
肝炎，急性腹症　823
肝炎ウイルス
　――感染時の経過　183
　――の感染　296
肝炎ウイルスマーカー　184
陥凹　retraction，腹部　122
感音性難聴　79, 317
感音難聴　374
肝外胆汁うっ滞　597
感覚　722
感覚異常，症例　959
感覚過敏　723
感覚検査　725
感覚障害　sensory disturbance
　　168, 696, **722**, 742
　――，症例　959
感覚神経上行路　722
感覚性失語（症）　sensory aphasia
　　64, 694
感覚脱失　723
　――，外傷　854
感覚低下　723
感覚鈍麻　723, 725
感覚レベル　sensory level，感覚障害
　　726
眼窩血栓静脈炎，眼球突出　333
眼窩腫瘍　336
　――，眼球運動障害　364
　――，顔面痛　371
眼窩静脈瘤，眼球突出　333
眼窩底の陥凹骨折　364
眼窩内圧亢進，甲状腺機能亢進症によ
　る，頭蓋内圧亢進をきたす疾患
　　351
眼窩内異常　331
眼窩内炎症，眼底異常　350
眼窩内腫瘍　334
眼窩ふきぬけ骨折　363
眼窩蜂窩織炎，眼球突出　333
眼窩蜂巣炎　328
肝癌　594
　――，原発性，慢性進行性・重症化肝
　　腫大　593
　――末期，肝性浮腫　576
眼乾燥症状　447
癌関連倦怠感　cancer-related fatigue
　　890
肝機能検査　182

眼球　eyeball　74
　── の落陽現象　setting sun phenomenon　70
眼球位置異常　365
眼球運動　eye movements　74, 172
　──, 滑動性　363
　──, 滑動性追跡　356
　──, 衝撃性　356
　──, 衝動性　363
　──, 正常　362
　──, 前庭系由来の　356
　──, 片眼での　362
　──, 両眼での　362
　── の観察, 眼瞼下垂　339
　── の構成要素　356
眼球運動時痛　351
眼球運動障害　eye movement disorder　74, **361**, 363
　──, 意識障害　780
眼球下方偏位　364
眼球陥凹　enophthalmos　74, 347, 364
　── の観察, 眼瞼下垂　339
眼球強膜　sclera　75
眼球結膜　bulbar conjunctiva　75
眼球後方の痛み　353
眼球上転障害　364
眼球振盪　⇒眼振
眼球頭位反射　782
眼球突出　exophthalmos　74, **332**, 364, 787
　──, Basedow（バセドウ）病　467
　── の観察, 眼瞼下垂　339
眼球容積増大　333
桿菌　194
眼筋ミオパチー　340
　──, 眼球運動障害　364
　──, 眼瞼下垂　338〜340
眼筋無力症, 眼球突出　333
ガングリオン　ganglion　147
肝頸静脈逆流　hepato-jugular reflux　94, 589
肝頸静脈逆流試験, 静脈怒張　560
肝血管腫, 巨大, 持続性肝腫大　593
間欠性跛行　intermittent claudication　681, 757
間欠熱　intermittent fever　48, 219
眼瞼　73
眼瞼下垂　blepharoptosis　73, **337**, 347
眼瞼挙筋　344
眼瞼痙攣　blepharospasm　60, 338
　──, 不随意運動　752, 753

眼瞼結膜　palpebral conjunctiva　75
　── の貧血, 失神　269
眼瞼浮腫　edema of the eyelids　73
　──, 眼球突出　332
還元ヘモグロビン　551
還元ヘモグロビン濃度, チアノーゼ　65
肝硬変　liver cirrhosis　600
　──, 意識障害　781
　──, 肝腫大　593
　──, 肝性浮腫　576
　──, くも状血管腫　564
　──, 口渇　446
　──, 持続性肝腫大　593
　──, 手掌紅斑　564
　──, 静脈怒張　557
　──, 腎前性乏尿　663
　──, 知能低下　689
　──, ばち状指　568
　──, 腹水　586
　──, 浮腫　575
喚語障害, 失語症の鑑別　65
肝細胞性黄疸　296
　── の確定診断　298
カンジダ舌炎, 舌の異常　403
間質性肺炎
　──, 呼吸不全　804
　──, 喘鳴　515
間質性病変, 乏尿・無尿　662
間質性膀胱炎, 頻尿　657
患者
　── とのコミュニケーション　33
　── の意向　preference　12
　── のメリット　3
患者観察, 診断のプロセス　6
患者基本情報, 診断のプロセス　6
患者情報　34
肝縦径　vertical span　134
肝腫大　hepatomegaly　**592**
　──, 肝細胞性黄疸　296
　──, 胸痛　496
　──, 胆汁うっ滞による　597
　── の記載　127
　── の診察のポイント　596
感情　feeling　55
肝障害型, 蛋白電気泳動パターン　186
肝静脈・下大静脈の閉塞, 腹水　586
肝静脈閉塞症　veno-occlusive disease〔VOD〕　593
緩徐言語　bradylalia　63

緩徐進行性筋萎縮　740
緩徐進行性失語症, 失語・失行・失認　695
眼振（眼球振盪）　nystagmus　74, 172, **355**
　──, 一定方向性　355, 356
　──, 温度　355
　──, 回旋性　355, 356
　──, 完全注視方向性　359
　──, 視運動性〔OKN〕　356
　──, 自発　355
　──, 振幅大　355
　──, 垂直性　359
　──, 水平回旋混合性の　359
　──, 前庭性　356
　──, 先天性　359
　──, 注視　355, 355, 356
　──, 頭位　355
　──, 頭位変換　355
　──, 反対回旋性頭位変換　360
　──, 非注視　355
　──, 頻度大　355
　──, 振子様　359
　── の記載法　355
眼神経　76, 344
眼神経帯状疱疹, 散瞳をきたす　345
眼振検査　355
眼振方向優位性　356
肝腎ミクロソーム抗体　183
カーンズ・セイヤー（Kearns-Sayre）症候群〔KSS〕
　──, 眼球運動障害　364
　──, 眼瞼下垂　338
　──, 筋脱力　730
乾性咳嗽　477
肝性口臭　80
肝性昏睡　hepatic coma, 特徴ある口臭　80
眼性斜頸　361
癌性髄膜炎, 構音障害　713, 714
癌性髄膜腫, 眼球運動障害　363
癌性疼痛, 食欲不振　434
肝性脳症　hepatic encephalopathy　296
　──, 意識障害　784
　──, 知能障害　692
　──, 不随意運動　754
癌性腹膜炎　peritonitis carcinomatosa, 腹水　586, 587, 590
肝性浮腫　575
　── の確定診断　576

関節位置覚　722, 727
関節炎　147
関節可動域　range of motion〔ROM〕　149
関節強直　ankylosis　147
関節拘縮　contracture　147
関節障害性歩行　757
間接対光反射, 瞳孔反応　342
関節痛　arthralgia　447, **677**
関節軟骨の破壊　678
関節の触診　147
関節破壊　678
間接ビリルビン　292
間接ビリルビン優位の黄疸　292
関節リウマチ　rheumatoid arthritis〔RA〕　143
　——, 関節痛　677
　——, くも状血管腫　565
　——, 発熱　218
　——, 歩行障害　758, 758
　——でみられる手の変形　143
汗腺　224
乾癬, 関節痛　680
眼前暗黒感　314
　——, 失神　268
完全右脚ブロック
　——, Ⅰ音　100
　——, Ⅱ音　101
完全横断性脊髄障害, 感覚障害　725
感染型食中毒　430
完全左脚ブロック, Ⅱ音　101
感染症
　——の遺伝子検査　196
　——の遺伝子診断　196
　——の診断　191
感染性海綿静脈洞血栓症, 顔面痛　371, 373
感染性角結膜炎　331
感染性結膜炎　324
感染性下痢　605, 611
感染性ショック　772, 778
感染性心内膜炎　infective endocarditis〔IE〕　218
　——, 心雑音　105
　——, ばち状指　568
　——, 発熱　218
感染性腸炎　431, 605
完全注視方向性眼振　359
感染脾の確定診断　603
完全片麻痺　59
完全房室ブロック, Ⅰ音　100

完全麻痺　paralysis　59
甘草, 薬剤性浮腫　576
間代性痙攣　clonic cramp　59, 707
肝濁音界　134
　——の決定　596
肝胆道疾患の検査　183
眼底　ocular fundus　76
眼底異常　fundus abnormality　**349**
眼底検査　77
眼底網膜前出血, 視覚障害　321
癌転移, リンパ節腫脹　475
眼電図〔EOG〕　368
感度　sensitivity　19, 176
　——の臨床的活用方法　23
眼動脈　344
冠動脈造影　coronary angiogram〔CAG〕　769
癌取扱い規約　207
嵌頓性内痔核, 肛門・会陰部痛　626
眼内炎(症)　327
　——, 眼底異常　350
肝内胆汁うっ滞　597
観念運動(性)失行　160, 694
観念性失行　160
肝嚢胞, 巨大, 持続性肝腫大　593
肝膿瘍　liver abscess
　——, 肝腫大　593
　——, 急性腹症　823
　——, 発熱　218
　——, 慢性進行性・重症化肝腫大　593
肝不全, 意識障害　781
鑑別診断　differential diagnosis　32
顔貌　countenance　54, 71
感冒, 咽頭痛　409
感冒後嗅覚障害　394
感冒後味覚障害　400
陥没呼吸　111
顔面痙攣　facial spasm　72, 707
　——, 半側, 不随意運動　752
顔面神経
　——, 味覚障害　404
　——, 耳の構造　78
顔面神経麻痺　facial palsy　71
　——, 味覚障害　400
顔面蒼白, 悪心・嘔吐の随伴症状　426
顔面痛　facial pain　**370**
顔面の診察　71
顔面発汗減少　347
顔面皮膚温上昇　347

顔面片側萎縮症, 進行性　progressive facial hemiatrophy　72
丸薬丸め運動　755
眼裂狭小　347
冠攣縮性狭心症
　——, 胸痛　498
　——, 動悸, 脈拍異常　524
関連痛　822
　——, 胸痛　494
　——, 腹痛　577
緩和ケア　888

き

奇異性呼吸運動　92
奇異性分裂, Ⅱ音の　101
既往歴　past history　35
記憶　memory　56
　——, 過去に関する　remote memory　56
　——, 最近の出来事に関する　recent memory　56
記憶障害　disturbance of memory　56, 688, 700
記憶力　memory　56
飢餓　429
期外収縮　premature beat または premature contraction　49, 524
機械性イレウス, 腹痛　580
機械性腸閉塞, 悪心・嘔吐　430
機械様雑音　machinery murmur　106
飢餓状態　245
　——, 意識障害　784
気管　trachea　515
　——, 頸部の構造　83
　——の診察　87
気管異物　867
気管気管支内異物, 咳, 痰の原因疾患の特徴所見　480
気管牽引　tracheal tug　87
気管呼吸音　114
気管支　bronchi　515
気管支炎
　——, 喀血, 血痰　487
　——, 胸痛　500
　——, 喘鳴　515
　——, 発熱　218
気管支拡張症　bronchiectasis
　——, 喀血, 血痰　486
　——, 呼吸不全　804

気管支拡張症
　——，咳，痰の原因疾患の特徴所見 480
　——，喘鳴 515
気管支拡張薬
　——，痙攣 708
　——，食欲不振 434
　—— による振戦 751
気管支呼吸音 114
気管支喘息 bronchial asthma
　——，呼吸困難 511
　——，呼吸不全 804
　——，食欲不振 435
　——，喘鳴 515
気管支肺胞呼吸音 114
気管支肺胞洗浄 bronchoalveolar lavage〔BAL〕 491
機関車様雑音 locomotive murmur 107
気管腫瘍，呼吸不全 804
気管切開，脱水 547
気管内異物，呼吸困難 511
気胸
　——，胸痛の胸部 X 線検査 499
　——，呼吸不全 804
菊池病，発熱 218
危険ドラッグ，急性中毒 860
起座呼吸 orthopnea 58, 109, 516, 555, 810
器質性疾患による疲労 234
器質性消化器疾患 578
器質性自律神経障害，失神 267
器質性便秘 615
義歯不適合 435
基準値 reference value 23, 176
起床時尿量 657
キース・ワグナー(Keith-Wagener)分類 351
寄生虫嚢胞，痙攣 708
偽性副甲状腺機能低下症，肥満，肥満症 243
キーゼルバッハ(Kiesselbach)部 79
気息声 414
基礎データ data base, POMR 209
偽痛風，発熱 218
喫煙 517, 819
基底細胞癌 630
　——，肛門・会陰部痛 626
気道異物，呼吸不全 804
気道拡張筋群 419
気道確保 458

気導性嗅覚障害 393
気道断面積 420
気道内圧上昇，咳のメカニズム 476
気道内陰圧 420
気道熱傷 875
気道閉塞
　——，奇脈を認める 51
　——，心肺停止 769
　——，吐物による 428
亀頭包皮炎，排尿痛 652
企図振戦 intention tremor 60, 748
キヌタ骨，耳の構造 78
偽嚢腫 285
機能性雑音 functional murmur 104
機能性疾患 442
機能性消化器疾患 578
機能性頭痛 310, 313
機能性聴覚障害 375
機能性腸疾患の診断の進め方 610
機能性ディスペプシア functional dyspepsia〔FD〕 442
機能性便秘 614
機能性膀胱容量 656
亀背 kyphosis 108
希発月経 632
気腹 583
ギブソン(Gibson)雑音 106
気分症，精神科領域での救急 880
基本検査 175
基本情報，患者，診断のプロセス 6
偽膜性結腸炎，下痢 612
奇脈 paradoxical pulse 51
　——，胸痛 496
ギムザ(Giemsa)染色 181
記銘力 56
逆説性不眠 263
虐待児 256
逆流性食道炎 reflux esophagitis 441
　——，嚥下困難 453
　——，胸痛の原因 494
　——，胸やけ・げっぷ 442
逆行性健忘 700
キャッスルマン(Castleman)病 959
　——，発熱 218
球海綿体反射，神経因性膀胱の診断 646
嗅覚過敏 393
嗅覚検査 396
嗅覚障害 olfactory disorders 393
嗅覚脱失 393
嗅覚低下 393

吸気相，咳のメカニズム 476
球菌 194
急激な視力低下 352
球結膜異常 372
急降下爆撃音 dive bomber sound, 筋緊張性ジストロフィーの筋電図 740
球後視神経炎 353
　——，眼底異常 350
　——，顔面痛 371
　——，視覚障害 320, 321
球後痛，眼底異常 351
吸収不良症 611
吸収不良症候群 malabsorption syndrome, 栄養失調（障害）による浮腫 576
球状赤血球症 298
弓状束 64
丘疹 papule 284
　——，主な発疹 67
嗅神経性嗅覚障害 394
求心性刺激，嚥下運動 451
求心性瞳孔異常 afferent pupillary defect 342
求心路遮断性疼痛，頭痛 311
急性アルコール性肝炎，急激・重篤な肝腫大 593
急性アルコール中毒 acute alcoholism 861
　——，筋脱力 730
急性胃炎 acute gastritis, 腹痛 578
急性意識障害 779
急性胃粘膜病変〔AGML〕 620
　——，上部消化管出血 457
　——，腹痛 579
急性咽頭炎，咽頭痛 408
急性ウイルス感染症，一過性肝腫脹 593
急性横断性脊髄炎，筋脱力 731
急性化膿性甲状腺炎，甲状腺機能亢進症 786
急性化膿性乳腺炎 117
急性肝炎 acute hepatitis
　——，患者の訴え方 233
　——，肝腫大 593
　——，くも状血管腫 564
　——，静脈怒張 557
急性冠症候群 acute coronary syndrome〔ACS〕 817
　——，心肺停止 764

急性感染症　acute infections disease
　　　846
　　──，症例　975
急性気管支炎
　　──，胸痛の原因　494
　　──，呼吸困難　511
急性下痢　604
急性喉頭炎，嗄声　415
急性喉頭蓋炎
　　──，咽頭痛　408, 412
　　──，呼吸不全　804
急性後部尿道炎，排尿痛　652
急性硬膜外血腫　270
　　──，外傷　858
急性硬膜外出血，意識障害　780
急性硬膜下出血，意識障害　780
急性呼吸窮迫症候群　acute respiratory distress syndrome〔ARDS〕　479
　　──，呼吸困難　512
　　──，呼吸不全　804, 807
急性呼吸不全　802
急性細菌性結腸炎，下痢　609
急性散在性脳脊髄炎
　　──，構音障害　713
　　──，失語・失行・失認　695
急性耳下腺炎，耳下腺腫脹を認める疾患　86
急性糸球体腎炎
　　──，腎性浮腫　576
　　──，乏尿・無尿　661, 663, 667
急性子宮付属器炎，腹痛　578
急性上気道炎　846
　　──，咽頭痛　408
急性腎盂腎炎
　　──，寝汗，ほてり　229
　　──，乏尿・無尿　668
急性腎炎　835
　　──，静脈怒張　557
急性心筋梗塞　acute myocardial infarction〔AMI〕　817, 964
　　──，悪心・嘔吐　429
　　──，胸痛　493, 499
　　──，胸痛および胸部圧迫感　497
急性腎障害　acute kidney injury〔AKI〕
　　　833
急性心不全　810, 973
　　──，一過性肝腫脹　593
　　──，動悸，脈拍異常　524
急性腎不全　acute renal failure〔ARF〕
　　　661, **833**
　　──，脱水　547

急性心膜炎
　　──，胸痛および胸部圧迫感　498
　　──，ショック　773
急性膵炎　acute pancreatitis
　　──，胸痛および胸部圧迫感　494
　　──，胸痛の原因　494
　　──，腎前性乏尿　663
急性水頭症，意識障害　782
急性全身性循環障害　772
急性前立腺炎
　　──，排尿痛　652
　　──，頻尿　657
急性大動脈解離　818
　　──，胸痛　499
　　──，胸痛および胸部圧迫感　494
　　──，胸痛の原因　494
急性胆嚢炎
　　──，胸痛および胸部圧迫感　494
　　──，胸痛の原因　494
急性中耳炎　380, 846
急性虫垂炎
　　──，圧痛　130
　　──，腹痛　580
急性中毒　acute intoxication　860
急性動脈閉塞(症)　682, 686
急性尿細管壊死　665
　　──，乏尿・無尿　662, 668
急性尿細管間質性腎炎，乏尿・無尿
　　　667
急性尿閉　646
急性膿胸，胸水　519
急性肺血栓塞栓症
　　──，呼吸不全　807
　　──，咳，痰　485
急性肺損傷，呼吸不全　804
急性鼻炎，鼻漏・鼻閉　383
急性腹症　acute abdomen　578, **822**
急性副腎不全　938
急性副鼻腔炎，鼻出血　389
急性便秘　614, 615
急性膀胱炎　951
　　──，排尿痛　652
　　──，頻尿　657, 660
急性緑内障発作　327
急速進行性糸球体腎炎　835
　　──，乏尿・無尿　667
球麻痺　453
　　──，延髄の障害による　63
嗅盲　393
胸郭　thorax　90
　　──の異常　94

　　──の診察　90
胸郭運動　92
胸郭外気道閉塞　92
胸郭出口症候群　724
　　──，筋脱力　730
胸郭変形　90
橋下部外側症候群，Horner（ホルネル）症候群の原因　347
胸管，リンパ節の分布　69
共感性対光反射　75
胸筋リンパ節　69, 470
凝固異常症，先天性　303
強剛，筋トーヌス　146
凝固検査　182
凝固・線溶検査　182
胸骨角　sternal angle　86
胸骨下部不快感，胸痛の原因　494
胸骨線，胸部位置の指標・記載法　89
胸鎖乳突筋，頸部の構造　83
橋出血　pontine miosis　348
恐食症　433
狭心症　angina pectoris　443, 964
　　──，嚥下困難　451
　　──，胸痛　496, 498, 500
　　──，動悸，脈拍異常　524
　　──，労作性，胸痛を訴える　493
強心薬，食欲不振　434
胸水　pleural effusion　**519**
　　──，喘鳴　515
胸水貯留，胸痛の原因　494
強制嘔吐　429
偽陽性率　176
胸腺腫，筋脱力　735
協調運動　746
協調運動障害　incoordination
　　　696, 746
協調性　cooperation　55
強直性間代性痙攣　707
強直性痙攣　tonic cramp　59, 707
強直性脊椎炎　58, 91
　　──，歩行障害　758
胸痛　chest pain　**492**, 516, 520, 817
　　──，失神　268
　　──，症例　932, 935
　　──，胸やけとの鑑別　443
　　──の発生源　493
共同運動障害　725
狭頭症　craniostenosis　70
共同偏位，眼球　365
共同偏視　conjugate deviation　74
強度近視，眼球突出　333

和文索引〈き〉

頰粘膜，口腔の構造　80
強皮骨膜症　pachydermoperiostosis, 先天性　571
強皮症　scleroderma
　——，嚥下困難　451
　——，下痢　608
　——，舌の異常　403
橋病変，意識障害　782
胸部圧迫感　chest oppression　**492**
胸部位置の指標　89
胸部苦悶感，失神　268
胸部呼吸運動の触診　92
恐怖症　273
胸部大動脈瘤，Horner（ホルネル）症候群の原因　347
胸部の診察　89
胸壁腫瘍，胸痛　498
強膜，眼の構造　73
強膜炎　328
　——，顔面痛　371
胸膜炎　pleurisy
　——，胸痛　500
　——，咳，痰の原因疾患の特徴所見　480
　——，発熱　218
胸膜腔　pleural space　519
胸膜痛　514, 520
　——，胸痛の原因　494
胸膜摩擦音，胸痛　496
局所状態　special status　39
局所性肝腫大　593
局所性ジストニア　753
局所的非対称陰影　focal asymmetric density〔FAD〕　507
局所熱感　local heat　69
局所麻酔薬，痙攣　708
虚血スコア，Hachinski（ハチンスキー）の　691
虚血性視神経症　350
虚血性心筋症，動悸，脈拍異常　524
虚血性心疾患　964
　——，IV 音　102
　——，咽頭痛　410, 413
　——，胸痛　495
　——，背部痛　638, 639
虚血性腸炎
　——，急性腹症　823
　——，腹痛　578
虚血による心筋障害，胸痛の原因　493
挙睾筋反射　167

——，神経因性膀胱の診断　646
巨細胞性動脈炎，発熱　218
鋸状縁，眼の構造　73
挙上試験　tilt test　460
拒食症，嘔吐　429
巨人症　giantism　56
巨赤芽球性貧血　307, 912
巨舌症，いびき　421
巨大肝癌，急激・重篤な肝腫大　593
巨大肝血管腫，持続性肝腫大　593
巨大肝嚢胞，持続性肝腫大　593
巨大結腸症　121
巨大舌　large tongue　80
巨大乳頭結膜炎　326
虚脱　prostration, 典型的な出血性ショック症状　460, 623
巨脾　598
ギラン・バレー（Guillain-Barré）症候群　179
　——，運動失調　747
　——，運動麻痺　720
　——，眼瞼下垂　340
　——，筋緊張異常　743
　——，筋脱力　730, 732
　——，構音障害　716
　——，低血圧　538
　——，歩行障害　758, 758, 761
ギラン・モラレ（Guillain-Mollaret）の三角　756
起立性低血圧　53, 538, 542
　——，意識障害　780
　——，失神　267
　——，動悸，脈拍異常　524
　——，めまい　315
キリップ（Killip）分類　820
亀裂
　——，主な発疹　67
　——，皮膚の　285
季肋部圧痛，胸痛　496
近位筋対称性麻痺　718
筋萎縮　muscular atrophy　164, 729, **736**
　——，下肢の逆シャンペンボトル型　740
　——，構音障害　714
筋萎縮性側索硬化症　amyotrophic lateral sclerosis〔ALS〕　59, 156, 163, 550
　——，運動麻痺　718, 720
　——，筋萎縮　736, 740
　——，筋脱力　731, 734

——，構音障害　713, 716
——，歩行障害　758
緊急検査　175
筋強剛　rigidity　165
　——，精神科領域での救急　884
筋強直性放電　myotonic discharge　740
筋緊張　muscle tonus　146
　——の低下　172
筋緊張異常　**741**
筋緊張性ジストロフィー　myotonic dystrophy
　——，眼球運動障害　363
　——，眼瞼下垂　338
　——，筋萎縮　736, 738
　——，筋脱力　732
　——，構音障害　713
筋緊張低下　hypotonus　146
筋筋膜性の腰痛症　642
筋痙縮　spasticity　146
筋痙攣　736
筋原性筋萎縮　myogenic muscular atrophy　729, 736
筋原性パターン，筋電図　735
近見反応
　——，瞳孔反応　342
　——の神経経路　343
筋硬直（固縮）　rigidity　146
筋固縮　rigidity　146
筋弛緩薬，便秘を起こしやすい薬物　615
近時記憶　recent memory　56, 692, 700
筋ジストロフィー
　——，仮性肥大　146
　——，筋緊張異常　741, 742
　——，筋脱力　732
　——，構音障害　713, 715
　——，歩行障害　758, 761
筋障害による運動麻痺　732
筋性耳鳴　376
筋性斜頸　83
筋性防御　muscle guarding　129
　——，緊急性の高い嘔吐　428
　——，腹痛　577
筋線維束攣縮　163, 736
　——，筋萎縮　738
筋脱力　muscle weakness　**729**, 736
　——，対称性の　732
　——，非対称性の　732
　——をきたす疾患　730

緊張型頭痛　tension headache　310
緊張性気胸
　──，外傷　858
　──，胸痛および胸部圧迫感　498
　──，心肺停止　764
緊張度　tension，脈の　49
緊張病性昏迷　880
筋電図　735
筋トーヌス　muscle tonus
　　　　　　　146, *163*, 165, **741**
　──，構音障害　714
筋トーヌス低下　743
筋肉障害，構音障害を認める　63
筋肉痛　736
　──，傍脊柱筋の　637, 640
筋肉の触診　145
筋肥大　muscle hypertrophy　146
筋膨隆現象　738
緊満感　582
筋力低下　weakness
　　　　　　　162, **729**, 736, 741
　──，外傷　854
筋力の記録法　734

く

クインケ（Quincke）浮腫
　──，眼瞼浮腫をきたす疾患　73
　──，口唇に異常を認める　80
空気嚥下症　aerophagia　134, 443
偶発性低体温症　accidental hypothermia　771
空腹感　436
クーゲルベルク・ウェランダー
　（Kugelberg-Welander）病
　──，筋萎縮　740
　──，筋脱力　731, 732
駆出音　100
クスコー（Cusco）式腟鏡　140
クスマウル（Kussmaul）呼吸　53, 110
クスマウル（Kussmaul）徴候　94, 560
口すぼめ呼吸　111
口とがらし反射　166
口の診察　79
屈曲　flexion　149
靴下手袋型麻痺　720
クッシング（Cushing）症候群　243
　──，筋脱力　730
　──，高血圧　532, *532*, 535, 536
　──，症候性肥満の原因　57
　──，肥満，肥満症　239, *239*

　──，浮腫　575
クッシング（Cushing）病，眼球突出
　　　　　　　　333
グッドパスチャー（Goodpasture）症
　候群
　──，喀血，血痰　491
　──，咳，痰の原因疾患の特徴所見
　　　　　　　　480
クームス（Coombs）試験　307
くも状血管腫　vascular spider
　　　　　　　68, **563**, 601
　──，肝硬変　296
くも状指　arachnodactyly　142
くも状指趾症　arachnodactyly
　　　　　　　56, 142
くも膜下出血　subarachnoid
　hemorrhage〔SAH〕　173
　──，意識障害　781, *781*
　──，咽頭痛　410, 413
　──，痙攣　708
　──，頭痛　310
　──，頭蓋内圧亢進をきたす疾患
　　　　　　　　351
　──，脳血管障害　791
苦悶状顔貌　painful　54
クラインフェルター（Klinefelter）症候
　群　138
　──，肥満，肥満症　239, 243
　──，貧毛（無毛）を認める疾患　68
クラッベ（Krabbe）病，筋脱力　730
グラハム スティール（Graham Steel）雑
　音　106
クラミジア感染症，血尿　673
グラム（Gram）陰性菌　194
グラム（Gram）染色　483
グラム（Gram）染色性と分類　193
グラム（Gram）陽性菌　194
クリグラー・ナジャー（Crigler-
　Najjar）症候群　293
　──，黄疸　293, 298
グリコーゲン　245
グリチルリチン製剤，薬剤性浮腫
　　　　　　　　576
クリティカルパス　critical path　212
クリニカルパス　clinical path　212
クリュヴェイエ・バウムガルテン
　（Cruveilhier-Baumgarten）症候群，
　腹水　590
グル音　borborygmus　616
グルカゴン（IRG）負荷試験　188
グルクロン酸抱合酵素の欠如　293

クルーゾン（Crouzon）病（頭蓋顔面異
　骨症）
　──，眼球突出　333
　──，斜頭を認める疾患　71
くる病　58, 257
クールボアジェ（Courvoisier）徴候
　　　　　　　128, 296, 827, 904
クルンプケ（Klumpke）麻痺　724
　──，Horner（ホルネル）症候群の原因
　　　　　　　　347
グレイ・ターナー（Grey-Turner）徴候
　　　　　　　　827
クレチン病
　──，口唇に異常を認める　80
　──，精神遅滞　691
　──，知能低下　689
クレチン様顔貌　256
グレーフェ（Graefe）徴候　335, 787
グレーブス（Graves）病　785
　──，眼球突出　332
　──，甲状腺腫　464
クロイツフェルト・ヤコブ
　（Creutzfeldt-Jakob）病〔CJD〕
　──，失語・失行・失認　695, 697
　──，不随意運動　753, 755, 756
クロウ・深瀬（Crow-Fukase）症候群
　　　　　　　　519, 960
　──，筋脱力　730
クロニジン負荷試験　188
グロムス腫瘍，聴覚障害　377
クロラムフェニコール，眼底異常
　　　　　　　　350
クロロキン，眼底異常　350
クローン（Crohn）病　571, 610, 612
　──，下痢　608
　──，ばち状指　569
　──，腹痛　578
群発頭痛　310, 370

け

頸窩，頸部の構造　83
経過一覧表　flow chart，POMR　212
経過記録　progress note，POMR　211
頸管閉鎖，無月経　634
経験的治療　empiric therapy　191
計算不能　acalculia　65
計算力　calculation　56
憩室炎
　──，急性腹症　823
　──，腹痛　578

痙縮(痙直) spasticity 163, 165, 742, 743
——, 筋トーヌス 146
痙笑 risus sardonicus 60
軽症成長ホルモン分泌不全性低身長症 258
頸静脈 jugular vein 86
頸静脈圧 86
頸静脈こま音, 貧血 306
頸静脈怒張 94
——, 症例 945
頸静脈波 86
頸静脈拍動 jugular venous pulse 86
頸髄空洞症, 縮瞳をきたす 345
頸髄腫瘍, 縮瞳をきたす 345
痙性散瞳 343, 345
痙性斜頸, 不随意運動 752, 753
痙性縮瞳 344, 345
痙性対麻痺, 筋脱力 732
痙性対麻痺歩行 spastic paraplegic gait 61
痙性片麻痺歩行 spastic hemiplegic gait 61
痙性歩行 757
痙性麻痺 spastic paralysis 59, 146, 729
脛側広筋 147
経腟超音波検査 141
痙直 ⇒痙縮
経直腸超音波断層法 transrectal ultrasonography〔TRUS〕 654
頸椎症
——, 感覚障害 724
——, 関節痛 678
——, 筋脱力 732
——, 四肢痛 674
——, 脳血管障害 794
——, 歩行障害 758, 761
頸椎症性ミエロパチー, 歩行障害 758
頸椎性脊髄根神経障害 740
頸椎椎間板ヘルニア
——, 関節痛 678, 679
——, 四肢痛 674, 676
系統的レビュー system review 17, 37
頸動脈 carotid artery 86
頸動脈海綿静脈洞瘻, 眼球運動障害 363
頸動脈解離, 咽頭痛 410, 413
頸動脈洞過敏症, 低血圧 538

珪肺, 喘鳴 515
経皮経肝的胆道造影〔PTC〕 183
経皮的冠動脈形成術 percutaneous coronary intervention〔PCI〕 820
頸部 82
—— の血管系 86
—— の構造 83
—— の診察 82
—— の先天異常 88
頸部血管(性)雑音 86
——, 失神 268
頸部絞扼感, 外傷 854
頸部腫瘤 464
——, 散瞳をきたす 345
頸部脊椎症, 排尿障害 645
頸部大動脈瘤, Horner(ホルネル)症候群の原因 347
頸部リンパ節 84
—— の腫大部位 85
頸部リンパ節腫脹, 症例 926
鶏歩 steppage gait 61, 144, 757
傾眠 somnolence 45, 779
稽留熱 sustained fever 48, 219
頸リンパ本幹 69, 470
痙攣 convulsion 59, **707**
痙攣性便秘 614
頸肋 cervical rib 88
下痢 138
——, 軟性, 肛門・会陰部痛 626
下血 459, **619**
—— をきたす消化管疾患 621
—— をきたす全身性疾患 621
ゲスターゲン 636
血圧 blood pressure 51
—— の動揺, 悪心・嘔吐の随伴症状 426
血圧下降, 急激な, 失神 267
血圧計の圧迫帯 51
血圧測定 533
血圧値 52
血液学的検査 180
血液ガス分析 553
血液凝固因子 299
血液分布異常性ショック 773
血痂 67
結核 847, 929
——, 喀血, 血痰 487
——, 眼底異常 350
——, 発熱 218
——, リンパ節 85, 475
——, リンパ節腫脹 471

結核腫, 痙攣 708
結核性胸膜炎 519
結核性髄膜炎 tuberculous meningitis, 構音障害 713, 713, 714, 716
結核性肉芽腫, 筋脱力 731
結核性腹膜炎, 腹水 587
結痂性炎症, 嗄声 415
血管炎 896
——, 血尿 670
血管外漏出像 extravasation 463
血管奇形, 筋脱力 731
血管緊張低下性失神 267
血管系 blood vessels, 頸部の 86
血管雑音, 腹部聴診 135
血管作動性腸ポリペプチド vasoactive intestinal polypeptide〔VIP〕 605
血管神経性浮腫 angioneurotic edema 66
血管性雑音, 胸痛 496
血管性耳鳴 376
血管性浮腫 572
血管造影 201
血管抵抗, 血圧 532
血管内脱水 545
血管分布異常性ショック, 心肺停止 770
血管迷走神経反射, 意識障害 780
血球検査 180
ゲックラー(Geckler)の分類 483
月経 428, 505
月経異常 menstrual disorder **632**
——, 症例 948
月経血流出路障害 636
血行障害 681
血腫 791
血漿膠質浸透圧 248
血漿浸透圧〔P_{osm}〕 187, 445
楔状束核 722
血小板 299
血小板機能異常症 302
血小板数 182
血小板数減少の確定診断 302
血小板由来成長因子 platelet derived growth factor〔PDGF〕 568
血清脂質検査 185
血清蛋白質検査 185
血清蛋白電気泳動検査 185
血清糖質検査 186
血性腹水 583
血清免疫電気泳動検査 185

結節　nodule　284
　——，主な発疹　67
結節性硬化症，精神遅滞　691
結節性甲状腺腫　464
結節性紅斑　erythema nodosum　68
　——，下痢　608
結節性多発動脈炎　896
　——，腎性乏尿　663
　——，発熱　218
　——，乏尿・無尿　663
結節性動脈炎，下血・血便　620
結節性動脈周囲炎，感覚障害　724
血栓　299
血栓性血小板減少性紫斑病　182
　——，発熱　218
血栓性静脈炎　686
血栓性微小血管障害症　835
血痰　bloody sputum　486
血中ホルモン基礎分泌量　187
結腸からの出血　624
結腸癌，下血・血便　624
結腸気腫症，下痢　612
結腸黒皮症，下痢　612
結腸腫瘍，下痢　608
血沈　189
血尿　hematuria　669
　——，症例　953
　——，排尿終末期，排尿痛　653
　——，排尿痛　652
　——の原因疾患(病態による分類)　670
　——の原因疾患(部位による分類)　672
げっぷ　eructation　441
　——をきたす疾患　442
血便
　——，鮮血に近い　hematochezia　619
　——をきたす消化管疾患　621
　——をきたす全身性疾患　621
結膜　conjunctiva　74
　——の充血　conjunctival hyperemia　324
結膜炎
　——，ウイルス性　324
　——，感染性　324, 331
　——，細菌性　324
　——，非感染性　324
　——，淋菌性　328
結膜血管拡張，精神遅滞　691
結膜疾患，アレルギー性　324, 331

結膜充血　conjunctivitis　75, 324
血友病　hemophilia　299
血友病A　299
血友病B　299
ケトアシドーシス性昏睡，意識障害　784
ケトン体　178
ゲフリール検査　205
ケミカルメディエーター　476
下痢(症)　diarrhea　604
　——，手術後，診断の進め方　611
　——，浸透圧性　605
　——，脱水　547
　——，分泌性　605
　——の医原性原因　607
　——　薬物起因性，診断の進め方　610
ケリー クームス(Carey Coombs)雑音　106
下痢便秘交代症　618
ゲル状腹水　588
ゲルストマン(Gerstmann)症候群　65, 161
ケルニッヒ(Kernig)徴候　173, 783
減黄処置　906
幻覚　hallucination　47, 55, 277
検眼鏡　ophthalmoscope　77
嫌気性菌　194
嫌気性菌肺炎，咳，痰の原因疾患の特徴所見　480
限局性浮腫　572
言語　speech　63
肩甲下部　89
肩甲間部　89
肩甲棘　89
肩甲骨下角　89
健康上の結果　health outcome　5, 11
肩甲舌骨筋，頸部の構造　83
肩甲線，胸部位置の指標・記載法　89
言語障害　speech disturbance　63
言語性チック　756
言語中枢　64
言語野孤立症候群　64
言語理解　697
言語領域，左大脳半球の　64
検査
　——の種類　174
　——の選択，診断のプロセス　10
検査閾値　test threshold　11
検査計画　174
検査情報の有用性　23

原始性触覚　722
現症　present status　38
倦怠感　233, 271
　——，終末期の　890
　——，貧血の初期症状　305
検体検査　174
見当識　orientation　46, 56
見当識障害　disorientation　56
原発性アルドステロン症　primary aldosteronism
　——，高血圧　532, 536
　——，二次性高血圧　532
原発性肝癌，慢性進行性・重症化肝腫大　593
原発性硬化性胆管炎　primary sclerosing cholangitis〔PSC〕
　——，肝腫大　597
　——，くも状血管腫・手掌紅斑　566
　——，直接ビリルビン増加の黄疸　294
原発性糸球体腎炎，血尿　670
原発性全身性アミロイドーシス，失神　267
原発性全般てんかん，痙攣　708
原発性胆汁性胆管炎　primary biliary cirrhosis〔PBC〕
　——，直接ビリルビン増加の黄疸　294
　——，無症候性，持続性肝腫大　593
原発性てんかん　709
原発性二糖類分解酵素欠乏症，下痢の原因　606
原発性乳糖不耐症　605
原発性粘液水腫，甲状腺腫　466
原発性脳腫瘍，もの忘れ　702
原発性肺高血圧症　primary pulmonary hypertension〔PPH〕，心性浮腫　575
原発性肥満　238
原発性副甲状腺機能亢進症，口渇　449
原発性無月経　632
腱反射　tendon reflex　163, 165
　——，るいそう　248
腱反射異常，構音障害　714
腱反射亢進，筋緊張異常　742
顕微鏡的血尿　microscopic hematuria　669
顕微鏡的多発血管炎　microscopic polyangiitis　896
　——，血尿　671
　——，発熱　218

現病歴　present illness　35
健忘　amnesia　700
健忘失語　64
──，失語症の鑑別　65
原発疹　283
検脈　523
瞼裂狭小　73

こ

誤飲　accidental ingestion　**867**
硬　hard　127
高Ca血症　hypercalcemia
　──，口渇　448
　──，せん妄　279
　──，脱水　547
　──，便秘　615
高CK血症，精神科領域での救急
　　　884
抗GBM病（anti-glomerular basement membrane disease）　抗糸球体基底膜病
　──，血尿　671
　──，乏尿・無尿　667
抗GM₁抗体　720
抗Parkinson（パーキンソン）病薬，便秘を起こしやすい薬物　615
抗TPO抗体　789
降圧薬，便秘を起こしやすい薬物
　　　615
抗うつ薬
　──，痙攣　708
　──，三環系，頻尿　657
　──，排尿障害　645
　──，便秘を起こしやすい薬物　615
後腋窩線，胸部位置の指標・記載法
　　　89
構音筋群　712
構音障害　dysarthria　63, 696, **712**
　──，筋緊張異常　742
　──，症例　956
　──，聴力障害による　416
口蓋咽頭弓，口腔の構造　80
口蓋結節　torus palatinus　81
口蓋垂，口腔の構造　80
口蓋舌弓，口腔の構造　80
口蓋扁桃，口腔の構造　80
口蓋扁桃肥大，いびき　421
口蓋ミオクローヌス　756
　──，不随意運動　752
口蓋裂　cleft palate　81

──，構音障害　713
口角炎，鉄欠乏性貧血　304
抗核抗体〔ANA〕　183, 190
口渇　thirst　**445**
　──，脱水　546
口渇中枢　445
高カロリー輸液，脱水　547
膏顔　salve-like face　54
睾丸　⇒精巣
交感神経経路　344
抗癌薬，食欲不振　434
好気性菌　194
後弓反張　opisthotonus　58
工業用薬物中毒，食欲不振　435
抗菌薬
　──，急性尿細管間質性腎炎の誘因物質　667
　──，痙攣　708
口腔癌　404
口腔期，嚥下運動　451
口腔底，嚥下運動　451
口腔内炎症　403
口腔内乾燥（感）　445
口腔内の診察　80
口腔粘膜の乾燥　445
口腔　oral cavityの構造　80
後頸三角，頸部の構造　83
硬結
　──，乳房の　501
　──の触診ポイント　41
高血圧（症）　hypertension
　　　52, **530**, 819
　──，血尿　671
　──，頭痛　311
　──の分類　52
高血圧眼底の分類　352
高血圧性合併症　533, 535
高血圧性緊急症　535
高血圧性心疾患，Ⅳ音　102
高血圧性脳症　hypertensive encephalopathy
　──，痙攣　708
　──，頭痛　312
膠原病
　──，腎性浮腫　576
　──，浮腫　574
　──の検査　189
硬口蓋　hard palate　81
　──，嚥下運動　451
　──，口腔の構造　80
咬合障害，外傷　854

抗甲状腺ペルオキシダーゼ〔TPO〕抗体
　　　469, 789
高甲状腺ホルモン血症，甲状腺機能亢進症　787
抗好中球細胞質抗体　anti-neutrophil cytoplasmic antibody〔ANCA〕　486
後交連　365
交互脈　alternating pulse　51
抗コリン薬
　──，頻尿　657
　──，便秘を起こしやすい薬物　615
後根神経節細胞　722
虹彩，眼の構造　73
虹彩炎，瞳孔に異常を認める疾患　75
抗サイログロブリン抗体〔TgAb〕
　　　469, 789
後索障害，感覚障害　724, 726
好酸球性肉芽腫性多発血管炎，発熱
　　　218
好酸球性副鼻腔炎
　──，嗅覚障害　397
　──，鼻漏・鼻閉　383, 386
好酸球増加症，下痢　610
抗糸球体基底膜病　anti-glomerular basement membrane disease〔抗GBM病〕
　──，血尿　671
　──，乏尿・無尿　667
光視症，眼底異常　351
合指症　71
高次脳機能障害　696
口臭　halitosis　80
後縦靱帯骨化症
　──，運動麻痺　720
　──，筋脱力　730
　──，歩行障害　758, 761
抗腫瘍薬，痙攣　708
甲状舌管　88
甲状舌管嚢胞　thyroglossal duct cyst
　　　88
甲状腺　thyroid gland　87
　──の診察　87
甲状腺炎，亜急性，咽頭痛　413
甲状腺癌，甲状腺腫　466
甲状腺眼症，眼球運動障害　369
甲状腺機能亢進症　hyperthyroidism
　　　468, **785**
　──，Ⅲ音　101
　──，HCG産生腫瘍による　790
　──，栄養失調（障害）による浮腫
　　　576

——，眼球運動障害 364
——，筋脱力 730
——，高血圧 532, 533, 537
——，静脈怒張 557
——，動悸，脈拍異常 524
——，不随意運動 751, 752
——，無月経 634
——，リンパ節腫脹 471
——，るいそう 249
—— による眼窩内圧亢進，頭蓋内圧亢進をきたす疾患 351
——の下痢 608
甲状腺機能低下症 hypothyroidism 242, 899
——，感覚障害 724
——，筋萎縮 738
——，痙攣 708
——，甲状腺腫 466
——，静脈怒張 557
——，知能低下 689
——，低血圧 538
——，肥満，肥満症 239
——，便秘 615
——，無月経 634
——，もの忘れ 702
甲状腺刺激抗体〔TSAb〕 785
甲状腺刺激ホルモン〔TSH〕 188, 464, 785
甲状腺自己抗体 469
甲状腺腫 goiter **464**
甲状腺腫瘍 thyroid tumor, Horner（ホルネル）症候群の原因 347
甲状腺髄様癌，下痢 608
甲状腺中毒症 thyrotoxicosis 785
——，外来性 787
甲状腺中毒性ミオパチー，筋萎縮 739
甲状腺超音波断層撮影 789
甲状腺肥大，散瞳をきたす 345
甲状腺ホルモン異常 464
甲状腺ホルモン低下症 256
甲状腺ホルモン不応症，甲状腺機能亢進症 786, 788
甲状腺未分化癌，甲状腺腫 468
甲状軟骨，頸部の構造 83
口唇 lip 80
口唇癌 80
高浸透圧性脳症 710
——，痙攣 708
口唇裂 cleft lip 80
光錐，鼓膜の 79

硬性下疳 138
構成失行 160, 694
向精神薬
——，痙攣 708
——，不随意運動 753
後正中線，胸部位置の指標・記載法 89
口舌ジスキネジア 756
——，不随意運動 752
高摂取結節 hot nodule 790
光線過敏性検査 291
拘束性ショック 773, 778
——，心肺停止 769
拘束性肺疾患 484
高体温 hyperthermia 216
交代性便通異常 618
交代性便秘 615
叩打，肺の 113
叩打痛 knocking pain 113, 131
高窒素血症 azotemia 662
紅潮 redness 66
高張食塩水負荷試験 188
高張性脱水 545
——，口渇 445, 447
硬直 ⇒固縮
後天性出血性素因 182
後天性免疫不全症候群 acquired immunodeficiency syndrome〔AIDS〕 607
後天性溶血性貧血 298
硬度 consistency 127
喉頭 larynx 515
喉頭異物，嗄声 415
喉頭炎
——，呼吸困難 511
——，咳，痰の原因疾患の特徴所見 480
喉頭横隔膜症，嗄声 416
喉頭蓋，咽喉頭の構造 80
喉頭蓋炎，咽頭痛 408, 412
喉頭癌
——，咽頭痛 409, 413
——，嗄声 416
喉頭痙攣 707
喉頭ジフテリア 416
喉頭腫瘍
——，いびき 421
——，嗄声 415
喉頭浮腫
——，いびき 421, 422
——，呼吸不全 804

後頭葉病変，視覚障害 320
後頭リンパ節 69, 84, 470
高度徐脈，めまい 315
口内炎 stomatitis 81, 404
高尿酸血症，乏尿 663
更年期障害 224
——，動悸，脈拍異常 524
抗パーキンソン（Parkinson）病薬，便秘を起こしやすい薬物 615
紅斑 erythema 67, 283
——，結節性 erythema nodosum 68
——，手掌 palmar erythema 68
——，多形滲出性 erythema multiforme 68
——，蝶形 butterfly rash 68
——，ヘリオトロープ heliotrope erythema 68
紅斑症 287
広範腸切除 605
後鼻孔 79
後鼻孔閉鎖症，鼻漏・鼻閉 383
抗ヒスタミン薬，排尿障害 645
後鼻漏
——，嘔吐 429
——，咳，痰の原因疾患の特徴所見 480
高頻度自発放電，筋緊張性ジストロフィーの筋電図 740
口部顔面失行 694
項部硬直（強直） nuchal stiffness 83, 173
——，意識障害 783
——，緊急性の高い嘔吐 429
——，失神 269
抗不整脈薬，排尿障害 645
高プロラクチン血症 hyperprolactinemia 633
——，無月経 634
興奮 277
抗平滑筋抗体 183
鉤ヘルニア，意識障害 782
硬膜外膿瘍，筋脱力 731
硬膜下血腫
——，意識障害 781
——，外傷 858
硬膜動静脈瘻，脳血管障害 801
抗ミクロソーム抗体 469
硬脈 hard pulse 49
後迷路性難聴 375

肛門　625
　── からの出血　624
　── の診察　136
肛門縁粘膜　137
肛門潰瘍，肛門・会陰部痛　626
肛門括約筋　613
肛門管，肛門断面でみる　137
肛門管癌，肛門・会陰部痛　626, 630
肛門狭窄，肛門・会陰部痛　626
肛門鏡診　628
肛門挙筋　613
　──，肛門断面でみる　137
肛門挙筋症候群　626
肛門周囲膿瘍　perianal abscess　137, 625
　──，肛門・会陰部痛　626, 630
肛門断面　137
肛門直腸結合部，肛門断面でみる　137
肛門痛　anal pain　**625**
肛門反射，神経因性膀胱の診断　646
肛門病変の位置の表し方　136
抗利尿ホルモン　anti-diuretic hormone〔ADH〕　188, 657
光量調節，瞳孔の機能　342
抗リン脂質抗体症候群，失語・失行・失認　698
後弯　kyphosis　91
声変わり　416
誤嚥　aspiration　457, **867**
誤嚥性肺炎，誤飲・誤嚥　867
鼓音　tympanitic
　──，胃泡による　134
　──，打診音　43
コカイン，点眼試験　346
股関節炎，歩行障害　758
呼吸運動　91, 420
　──，腹部の　124
呼吸運動制限　92
呼吸音　527, 805
　── の減弱，胸痛　496
呼吸筋収縮，咳のメカニズム　476
呼吸困難　dyspnea　**511**, 515
　──，終末期の　887
　──，症例　932, 935, 971
呼吸循環管理　781
呼吸状態　respiration　53
呼吸性アシドーシス　657
呼吸性アルカローシス
　──，痙攣　708
　──，精神科領域での救急　884

呼吸性移動，腹部腫瘤　132
呼吸性不整脈　respiratory arrhythmia　49
呼吸中枢　420
呼吸不全　respiratory failure　**802**
　──，典型的な出血性ショック症状　460, 623
呼吸様式　110
国際前立腺症状スコア　International Prostate Symptom Score〔IPSS〕　649
黒色のタール便　melena　619
黒色斑　283
黒色便　621
　──，消化管出血　622
黒内障の既往歴，眼底異常　351
黒毛舌　404
鼓索神経，味覚障害　404
ゴーシェ（Gaucher）病
　──，精神遅滞　689
　──，リンパ節腫脹　471
鼓室，耳の構造　78
固縮（硬直）　rigidity　742, 743
　──，筋トーヌス　146
呼称，失語症の鑑別　65
誤診に至る心理　28
語想起　697
孤束核　344
鼓腸　121
　── の確定診断　585
骨Ｘ線検査　257
骨壊死，関節痛　678
骨幹端異形成症　metaphyseal dysplasia, 成長障害をきたす疾患　254
骨腫瘍
　──，関節痛　679
　──，四肢痛　676
骨髄異形成症候群　myelodysplastic syndrome〔MDS〕　306, 307
骨髄炎
　──，関節痛　679
　──，四肢痛　676
　──，背部痛　639
　──，発熱　218
　──，腰痛　642
骨髄癌腫症　909
骨髄浸潤　307
骨髄線維症　307
　──，特発性，脾腫（左季肋部のしこり）　598
骨髄内無効造血　292

骨髄不全　307
　──，白血病などによる　302
骨髄癆　307
骨粗鬆症，腰痛　*641*
骨端線閉鎖　257
骨転移，脊椎の　638, 641
骨年齢　257
骨盤底筋の脆弱化，排尿障害　645
骨盤動揺性　858
骨盤内手術後，排尿障害　645
骨盤内膿瘍，発熱　218
骨盤腹膜炎，急性腹症　823
固定姿勢保持困難　754
固定性分裂，Ⅱ音の　101
古典的不明熱　218
言葉
　── による最良の応答　best verbal response　46
　── の理解力，失語症　64
コーヒー残渣様　melanemesis　456
小人症　dwarfism　57
コプリック（Koplik）斑　81
こま音　venous hum　86, 106
鼓膜　78
　──，耳の構造　78
コミュニケーション，患者との　33
コルサコフ（Korsakoff）症候群，記銘力障害を認める疾患　56
コール・セシル（Cole-Cecil）雑音　105
ゴールドマン（Goldmann）型視野計　76
コレラトキシン　605
語聾　64
コロトコフ（Korotkoff）音　52
ゴワーズ（Gowers）徴候　740
　──，筋脱力　734
混合性性腺形成不全　mixed gonadal dysgenesis, 無月経　634
混合性脱水　545, 546
混合性難聴　374, 375
コンゴーレッド（Congo red）染色　728
昏睡　coma　46, 779
根性障害，感覚障害　725
根性疼痛　radicular pain, 感覚障害　726
混濁尿，排尿痛　652
コンパートメント症候群
　──，外傷　859
　──，熱傷　875
コンパニオン診断　207

コンピュータの活用，診断　27
昏迷　stupor　46, 779
昏迷状態　879

さ

臍炎　124
鰓管　88
細菌エンテロトキシン　605
細菌性結膜炎　324
細菌性髄膜炎　850
細菌性肺炎，咳，痰の原因疾患の特徴
　　所見　480
細菌性腹膜炎，腹水　590
細血管性病変，乏尿・無尿　662
細結節状　fine nodular　127
鰓原性嚢胞　branchial cyst　88
最高血圧　maximal blood pressure　51
最終診断　19
再生不良性貧血　aplastic anemia
　　182, 302, 305, 307
砕石位　136
最大尿流量　650
最低血圧　minimal blood pressure　51
再発性アフタ　404
再発性脳出血，知能低下　689
臍ヘルニア　123
細胞外液量の低下，乏尿・無尿　662
細胞診　cytological examination　202
細胞内脱水　545
細胞内水中毒　545
サイロキシン結合グロブリン〔TBG〕
　　増加症　788
錯感覚　paresthesia　169, 725
錯語　694
錯知覚性大腿痛症　meralgia
　　paresthetica，感覚障害　726
錯味症　405
錯乱　confusion　46
錯乱状態　confused conversation　46
鎖骨，頸部の構造　83
鎖骨下窩　89
鎖骨下リンパ本幹　69, 470
鎖骨上窩　89
坐骨神経痛　sciatic neuralgia　58
――，歩行障害　758
鎖骨中線，胸部位置の指標・記載法
　　89
ささやき声　414
左心不全　810
――，胸水　519

――，静脈怒張　556
嗄声　hoarseness　63, **414**
――，症例　917
痤瘡　79
詐聴　375
雑音，頸部血管性　86
錯覚　illusion　55
蹉跌性言語　syllable stumbling　63
左右視力障害　366
左右瞳孔径の不同　342
左右非対称　asymmetry　71
サラセミア　305
サリン，急性中毒　860
サルコイドーシス　sarcoidosis
――，眼底異常　350
――，顔面痛　371, 373
――，筋脱力　730
――，痙攣　708
――，構音障害　713, 715
――，呼吸困難　512
――，腎性乏尿　663
――，咳，痰の原因疾患の特徴所見
　　480
――，発熱　218
――，乏尿・無尿　663, 667
――，リンパ節腫脹　471
猿手　ape hand　144
サルモネラ感染　430
サルモネラ菌（属）　605, 607
――，粘膜傷害による下痢　605
酸塩基平衡　549
酸塩基平衡異常，意識障害　781
産科医の手　obstetrician's hand　145
三環系抗うつ薬，頻尿　657
三叉神経　344, 722
――，味覚障害　404
三叉神経鞘腫，顔面痛　371
三叉神経脊髄核　722
三叉神経脊髄路　722
三叉神経第Ⅰ枝　76
三叉神経痛　trigeminal neuralgia，顔
　　面痛　370
産褥期，肛門・会陰部痛　631
三尖弁閉鎖不全（症）
――，心雑音　105
――での頸静脈波　87
酸素吸収の低下　512
酸素摂取の低下　511
三段脈　trigeminy　49
散瞳　mydriasis　75, 342
――，一側性の，意識障害　782

――，痙性　343, 345
――，絶対的な　345
――，麻痺性　343, 345
散瞳薬，眼底検査　77
散瞳薬使用　345
残尿　644, 657
残尿感　residual feeling　651, 658
霰粒腫　chalazion　74

し

指圧痕　digital impression　70
ジアルジア症，下痢の原因　606
視運動性眼振〔OKN〕　356, 363
視運動性反応，眼球運動　356
シェーグレン（Sjögren）症候群
――，顔面痛　371, 373
――，痙攣　708
――，口渇　446
――，口腔内乾燥感　446
――，舌の異常　403
――，味覚障害　401
シェリントン（Sherrington）法則　363
シェロング（Schellong）試験　318
ジェーンウェイ（Janeway）発疹　93
耳介　78
――，耳の構造　78
耳介後リンパ節　69, 470
視蓋前野　343
痔核　hemorrhoid　136
――，肛門・会陰部痛　630
視覚・視空間認知障害，視覚障害
　　320
視覚失認　694
――，視覚障害　320
視覚障害　visual disorder　**319**
自覚症状　32
視覚性失認　160
視覚前野　343
自覚的耳鳴　376
視覚認知障害　321
視覚誘発電位〔VEP〕　728
視覚領域　64
視覚路　319
耳下腺　parotid gland　85
耳下腺悪性腫瘍，耳下腺腫脹を認める
　　疾患　86
耳下腺結石症，耳下腺腫脹を認める疾
　　患　86
耳下腺良性腫瘍，耳下腺腫脹を認める
　　疾患　86

耳管，耳の構造　78
耳管開放症　377
耳管性耳鳴　376
弛緩性便秘　614, 618
弛緩性麻痺　flaccid paralysis
　　　　　　　59, 146, 729
弛緩性麻痺歩行　61
敷石像　cobblestone appearance　611
色彩失認，視覚障害　320
色素異常症　287
色素沈着　pigmentation　66
──，舌　404
色素斑　67, 283
ジギタリス中毒，食欲不振　434
識別性触覚　722
子宮癌術後，排尿障害　645
子宮筋腫，腰痛　641, 642
子宮性無月経　636
糸球体性血尿　670
糸球体病変，乏尿・無尿　662
糸球体濾過量〔GFR〕，低下，頻尿
　　　　　　　657
子宮脱，排尿障害　647
子宮内膜炎，急性腹症　823
子宮内膜無形成，無月経　634
視空間失認　160
軸索変性　728
シクロスポリン A〔CYA〕，乏尿・無尿
　　　　　　　668
刺激経路，嘔吐中枢の　426
止血機構　299
止血凝固スクリーニング検査　182
耳口蓋指趾症候群　72
耳硬化症　380
思考様式　diagnostic reasoning，診断
　　の　12
自己炎症症候群，発熱　218
事後オッズ　23
篩骨垂直板　79
篩骨洞粘液嚢胞，眼球突出　336
自己免疫性甲状腺炎，甲状腺機能亢進
　　症　786
自己免疫性水疱症　287
自己免疫性脳炎，もの忘れ　702
自己免疫性溶血性貧血　autoimmune
　　hemolytic anemia〔AIHA〕　307
自己免疫性卵巣不全，無月経　634
しこり，乳房の　501
歯根炎，顔面痛　371
歯根部膿瘍，顔面痛　371
視索　320, 322

──，視覚障害　320
視索前野　preoptic area〔POA〕　216
四肢
──の診察　142
──の変形　142
四肢血流不全　675
四肢伸展　extends　46
脂質異常症　819, 899
──の検査　185
四肢痛　limb pain　**674**
脂質検査，血清　185
脂質代謝異常，精神遅滞　689
四肢麻痺　tetraplegia　59
──，意識障害　780
──，運動麻痺　719
歯周囲炎，リンパ節腫脹　473
視床　344
──の障害　724
歯状核赤核淡蒼球ルイ体萎縮症
　　〔DRPLA〕，痙攣　708
視床下部性肥満　242
──の確定診断　243
視床梗塞　915
耳小骨奇形　380
耳小骨離断　380
視床障害，感覚障害　725, 725, 727
視床痛　thalamic pain，感覚障害
　　　　　　　727
糸状乳頭，舌の　402
四肢冷感，胸痛の重篤な急性発症
　　　　　　　496
視診　inspection　38, 39
──，外陰部の　140
──，胸郭　90
──，胸部の　93
──，頸部の　94
──，甲状腺の　87
──，肛門・直腸の　136
──，四肢　142
──，心臓の　93
──，乳房の　116
──，肺の　107
──，皮膚の　142
──，腹部　120
視神経，眼の構造　73
視神経圧迫，眼球　332
視神経萎縮　351
──，精神遅滞　691
視神経炎　350, 353
視神経交叉　322
──，視覚障害　320

視神経障害，視覚障害　320
視神経脊髄炎，眼底異常　349
視神経乳頭　optic disc　319
──，眼底　77
──，眼の構造　73
ジスチグミン臭化物，頻尿　657
システムレビュー　system review　37
ジストニア（ジストニー）　dystonia
　　　　　　　60, 752, 753
──，不随意運動　755
ジストニア歩行　757
姿勢　posture の観察　58
姿勢時振戦　751, 752
姿勢性側弯　58
耳石器の異常　357
ジセステジア　dysesthesia　723
肢節運動失行　limb-kinetic apraxia
　　　　　　　160, 694
事前オッズ　23
事前確率　prior probability　23
──の無視，診断を誤る心理過程
　　　　　　　28
自然気胸　spontaneous pneumothorax
──，胸痛　493, 499
──，胸痛および胸部圧迫感　498
──，胸痛の原因　494
──，呼吸不全　804
──，咳，痰　482
──，咳，痰の原因疾患の特徴所見
　　　　　　　480
死戦期呼吸　763
死前喘鳴　893
自然歴，疾病の　3
持続性肝腫大　593
持続性高血圧　535
持続性分裂，Ⅱ音の　101
舌　tongue　80
──，咽喉頭の構造　80
──の異常　**402**
──の乾燥　404
──の色調変化　404
──の腫大　404
──のびらん　402, 404
舌の発赤，悪性貧血　304
死体解剖　208
視中枢　322
弛張熱　remittent fever　48, 219
耳痛，聴覚障害　376
膝蓋腱反射　patellar tendon reflex
　　　　　　　166
膝蓋骨　147

膝蓋骨跳動　floating patella　147
膝窩部粘液囊腫　147
膝関節　147
膝関節液貯留　147
失行（症）　apraxia　65, 159, **694**
失語（症）　aphasia　64, 159, **694**
　──の鑑別診断　64
失語・失行・失認の検査法　697
失書　agraphia　64
失神　syncope　**266**, 529
　──, 低血圧　538
湿疹　286
失神性めまい　presyncope　314, *315*
失神前状態　presyncope　266
失神発作, 意識障害　780
失声（症）　aphonia　63, 414
湿性咳嗽　477
失調性呼吸, 意識障害　782
失調性歩行　ataxic gait　61, *757*
失読　alexia　64, 160
失認（症）　agnosia　65, 160, **694**
疾病
　──に伴う社会的利得　4
　──の悪循環　4
　──の自然歴　3
指導計画　educational plan, POMR　211
歯肉　gingiva
　──, 口腔内の診察　81
　──, 口腔の構造　80
自発眼振　355
自発言語　64, *697*
自発性異常味覚　398
自発性喪失　apallic state　46
自発痛, 感覚障害　727
紫斑　purpura　67, 283, 299, 896
シーハン（Sheehan）症候群
　──, 無月経　636
　──, るいそう　247, 249
紫斑病　287
　──, 舌の異常　403
ジヒドロキシ胆汁酸, 下痢の原因　606
しびれ　722
しびれ感, 感覚障害　724
ジフテリア
　──, 構音障害　*713*, 716
　──　後麻痺　417
しぼり腹　tenesmus　604, 608
紙幣状皮膚　paper money skin　564, 601

脂肪肝　fatty liver, 持続性肝腫大　593
死亡時画像診断　autopsy imaging〔Ai〕　766
視放線　320, *322*
脂肪組織の過剰蓄積　239
脂肪滴　611
脂肪便　611
嗜眠　lethargy　46
嗜眠状態　drowsiness　46
シムス（Sims）体位　136
耳鳴　tinnitus　360, 374
　──, 悪心・嘔吐　431
シメチジン, 急性尿細管間質性腎炎の誘因物質　667
視野　visual field　76
シャイエ（Scheie）症候群, 眼底異常　*349*
シャイエ（Scheie）分類　351
視野異常　320, 321
シャイ・ドレーガー（Shy-Drager）症候群
　──, 失神　267
　──, 低血圧　*538*, 544
　──, 排尿障害　645
　──, めまい　*315*
社会歴　social history　36
弱視　366
ジャクソン（Jackson）痙攣　707
弱打診　134
灼熱感, 舌の　402
灼熱痛　causalgia　724
若年性血管線維腫, 鼻出血　389
若年性胆石の既往　600
若年性白髪　71
斜頸　torticollis　83
視野欠損　76, *349*, 351
社交不安症　273
斜視　strabismus　74, 366
視野障害　321
尺屈　ulnar flexion　*150*
斜頭　plagiocephaly　71
ジャネッタ（Jannetta）の手術　373
斜偏位, 眼球　366
シャルコー（Charcot）関節　682
シャルコー・マリー・ツース（Charcot-Marie-Tooth）病
　──, 運動失調　*747*, 750
　──, 筋萎縮　736
　──, 筋脱力　*730*
ジャルゴン　159

シャントビリルビン血症　292
ジャンドラシック（Jendrassik）誘発法　168
縦隔腫瘍　mediastinal tumor
　──, Horner（ホルネル）症候群の原因　347
　──, 筋脱力　730
　──, 構音障害　715
縦隔腫瘍, 呼吸困難　511
習慣性便秘　616
周期性四肢運動障害　262, 265
周期性四肢麻痺　periodic paralysis
　──, 筋脱力　*730*, 732
　──, 歩行障害　*758*, 762
周期性同期性放電　periodic synchronous discharge〔PSD〕　699
周期性浮腫　573
周期熱　periodic fever　48, *219*
充血, 結膜の　324
収縮期機能性心雑音, 貧血　306
収縮期血圧　systolic blood pressure　49, 51, 530, 538
収縮期高血圧　*532*
収縮期雑音　102
収縮後期雑音　105
収縮性心外膜炎
　──, 心臓性腹水　587
　──, 腹水　587, 590
収縮性心膜炎
　──, 心性浮腫　575
　──, 浮腫　575
収縮早期雑音　105
収縮中期（後期）クリック　100
収縮中期雑音　102
重症筋無力症　myasthenia gravis〔MG〕　163
　──, 運動麻痺　*718*, *719*, 721
　──, 眼球運動障害　361
　──, 眼瞼下垂　337
　──, 筋萎縮　736
　──, 筋緊張異常　742
　──, 筋脱力　729
　──, 構音障害　63, *713*, 714
　──, 歩行障害　*758*, 761
重症心不全, 交互脈を認める　51
重症膵炎, 意識障害　781
重症成長ホルモン分泌不全性低身長症　258
舟状頭　scaphocephaly　70
重症熱性血小板減少症候群〔SFTS〕　847

重症薬疹，肛門・会陰部痛 626
自由神経終末 724
就寝時多尿 657
愁訴 symptom 32
集団規範の影響，診断を誤る心理過程 29
視誘導眼球運動 363
柔軟な視点 biopsychosocial model 3
十二指腸潰瘍 duodenal ulcer
　——，嘔吐 429
　——，急性腹症 823
　——，胸痛 498
　——，胸痛および胸部圧迫感 494
　——，腹痛 579
　——，胸やけ・げっぷ 442
十二指腸癌，食欲不振 435
十二指腸閉塞，嘔吐 429
終末期の諸症状 886
終末期排尿痛 terminal pain 651
絨毛様腺腫，下痢 612
粥状（動脈）硬化 atherosclerosis 86
宿酔，食欲不振 435
縮瞳 miosis 75, 342, **344**
　——，痙性 344, 345
　——，絶対的な 345
　——，瞳孔反応 342
　——，麻痺性 344, 345
縮瞳薬使用 345
熟眠感の欠如 260
手根管症候群，感覚障害 723
酒皶性痤瘡 acne rosacea 79
酒皶鼻 601
手指尺側偏位 143
手指振戦，劇症肝炎 296
手術，腎前性乏尿 663
手術後下痢の診断の進め方 611
手術後乏尿 662
手術後盲係蹄症候群 blind loop syndrome 611
手術摘出材料診断 206
手掌紅斑 palmar erythema 68, **563**
　——，肝硬変 296
主訴 chief complaint 34
　——の記載例 35
主知覚核 722
腫脹しているリンパ節の診察 474
出血
　——，胃・十二指腸からの 624
　——，結腸・直腸・肛門 624
　——，小腸からの 624
出血傾向 bleeding tendency 182, **299**

——，喀血，血痰 486
——，症例 908
出血時間 182
出血性ショック 456
　——の重症度 461
出血性素因 182, *182*
出血性膀胱炎，血尿 671
出血性毛細血管拡張症，鼻出血 392
出血量の推定 460
術中迅速診断検査 205
受動的仰臥位 passive supine position 58
シュニッツラー（Schnitzler）転移 138
腫瘍
　——，終末期の 886
　——の確定診断，鼻漏・鼻閉 385
腫瘍随伴症候群 paraneoplastic syndrome
　——，口渇 449
　——，ばち状指 568
腫瘍マーカー検査 191
腫瘤 tumor 284
　——，主な発疹 67
　——，乳房の 501
　——の触診ポイント 41
　——の触知，腹部 131
　——の臓器別占拠部位，腹部 584
　——の打診 135
循環血液量
　——，有効 460
　——の減少，脱水 546
循環血液量減少性ショック，心肺停止 770
循環障害 772
循環不全 772
春季カタル 326
上位運動ニューロン 59
　——による運動麻痺 732
上位運動ニューロン障害，運動麻痺 718
常位胎盤早期剥離 841, 845
上咽頭，咽喉頭の構造 80
上咽頭収縮筋，嚥下運動 451
上咽頭腫瘍，いびき 421
小下顎症，いびき 421
消化管X線検査，下痢 611
消化管異物 867
消化管出血
　——，上部 456
　——，脱水 547
　——，低血圧 543

——の病態 620
消化管穿孔 461, 585
　——，急性腹症 823
　——，胸痛の胸部X線検査 499
　——，腹痛 581
消化管通過障害 920
消化管の虚血，恐食症 433
消化器系悪性腫瘍
　——，背部痛 639
　——，腰痛 642
上顎癌，鼻出血 389
小顎症，いびき 422
消化性潰瘍 620
　——，上部消化管出血 457
上下方注視麻痺 365
上眼窩裂，眼球運動障害 369
小眼球症，放射線障害などによる，眼球陥凹を認める疾患 74
上眼瞼 344
　——の挙上不全 337
上眼瞼挙筋 73, 337
上気道炎
　——，咽頭痛 408
　——，発熱 218
上気道狭窄，呼吸不全 807
上気道断面積の変化 420
上気道閉塞，咳，痰の原因疾患の特徴所見 480
小球性低色素性貧血 **181**
　——の鑑別診断 307
消去現象 727
掌屈 flexion, 手 150
上顎部神経節 344
上下眼球運動障害 365
衝撃性眼球運動 356
小結節 284
上瞼板筋 73, 337
症候性原発性胆汁性胆管炎，肝腫大 593
症候性三叉神経痛，顔面痛 371
症候性ジストニア，歩行障害 758
症候性頭痛 310
症候性脱毛症 symptomatic alopecia 71
症候性肥満 57, 239
上喉頭神経，嚥下運動 451
猩紅熱 scarlet fever, 舌の異常 403
常識 general information 56
上肢近位筋の筋脱力 729
上肢測定 149
硝子体，眼の構造 73

上肢長　147
上肢の変形　142
上肢閉塞性動脈疾患　upper extremity artery disease〔UEAD〕　682
上斜筋，外眼筋　362
症状志向型診察　symptom-oriented examination　158
茸状乳頭，舌の　402
上小脳動脈症候群，Horner（ホルネル）症候群の原因　347
上唇，口腔の構造　80
小水疱　284
踵足　talipes calcaneus　144
消退出血　636
上大静脈症候群　superior vena cava syndrome　84, 109, 112
──，静脈怒張　557
上大静脈閉塞，奇脈を認める　51
小腸からの出血　624
小腸リンパ管拡張症，下痢　611
上直筋，外眼筋　362
焦点を絞った質問　focused question　8
小頭症　microcephalus，精神遅滞　691
衝動触診　40, 41
衝動性眼球運動　saccades　363
上同名四半盲，視覚障害　320
小脳萎縮症　317
小脳橋角部腫瘍，眼振　357
小脳梗塞
──，意識障害　781
──，運動失調　747
──，脳血管障害　794
小脳歯状核　756
小脳出血
──，意識障害　781
──，運動失調　747
──，脳血管障害　794
小脳腫瘍，運動失調　747
小脳障害　358, 359
小脳症状　169
小脳性運動失調　cerebellar ataxia　61
小脳脳幹梗塞，めまい　315
小脳脳幹出血，めまい　315
小脳脳幹腫瘍，めまい　315
小脳膿瘍，運動失調　747, 749
上鼻甲介　79
上鼻道　79
上部消化管出血　456, 619
上部消化管通過障害　920

小舞踏病　60
上部脳幹障害，意識障害　782
上部腕神経叢障害　724
情報収集，医療面接の意義　7
上方注視麻痺　365
情報量，診断能力　16
小脈　small pulse　49
静脈炎　555
静脈拡張，腹壁　123
静脈還流異常　555
静脈血栓症　555
静脈雑音　86
静脈性血管腫，脳血管障害　798
静脈性連続性雑音　106
静脈洞血栓，頭痛　310
静脈怒張　venous dilatation　112, 555
──，症例　945
──，腹壁　589
静脈内の血流方向　123
睫毛嚢　73
小葉癌　503
上腕三頭筋反射　triceps reflex　166
上腕二頭筋反射　biceps reflex　166
初期計画　initial plan, POMR　210
初期排尿痛　initial pain　651
職業性クランプ　753
食事性低血圧　538, 542
触診　palpation　38, 40
──，胃の　128
──，外陰部の　140
──，関節の　147
──，胸郭の　92
──，胸部呼吸運動の　92
──，胸部の　95
──，筋肉の　145
──，頸部リンパ節の　84
──，血圧測定の　51
──，甲状腺の　87
──，肛門・直腸の　137
──，四肢の　145
──，心音の　96
──，心窩部の　96
──，心雑音の　97
──，心尖拍動の　95
──，心臓の　95
──，腎臓の　41, 128
──，膵臓の　128
──，鼠径部リンパ節の　129
──，胆嚢の　127
──，腸管の　128
──，乳房の　117

──，肺の　111
──，半座位での　42
──，脾臓の　42, 128
──，皮膚の　145
──，腹部の　40, 124
──，傍胸骨部の　95
──，骨の　146
──，脈拍の　48
──，リンパ節の　129
食中毒　431
──，感染型　430
食道アカラシア　esophageal achalasia　444
食道胃静脈瘤　624
食道異物　867
食道炎，急性腹症　823
食道潰瘍　esophageal ulcer，恐食症　433
食道下部粘膜の刺激症状，胸やけ　441
食道癌　esophageal carcinoma　453
──，嚥下困難　453
──，嗄声　415
──，食欲不振　435
──，胸やけ・げっぷ　442
食道期，嚥下運動　452
食道痙攣　444
──，急性腹症　823
食道静脈瘤　620
食道静脈瘤破裂
──，くも状血管腫　564
──，上部消化管出血　457
食道性嚥下困難　453
食道内圧モニター　455
食道粘膜傷害　442
食道嚢，嘔吐　429
食道破裂，特発性　461
食道裂孔ヘルニア，胸やけ・げっぷ　442
食物残渣，嘔吐　429
食物摂取に伴う苦痛　433
食物摂取量　245
食欲　appetite　433
食欲中枢の抑制　433
食欲低下物質　434
食欲不振　anorexia　271, **433**
──，症例　901, 920
──の原因　434
──をきたす疾患　435
書痙，不随意運動　753
鋤骨　79

書字が下手 688
除脂肪組織 57
叙述的記録 narrative note，POMR 211
処女膜閉鎖，無月経 634
女性化乳房 gynecomastia 504, 601
女性性器の診察 139
触覚 168, 722, 727
触覚(性)失認 161, 694
ショック shock 620, **772**, 814
— ，意識障害 781
— ，痙攣 708
— ，出血性 456
— ，消化管出血患者の 622
— ，心肺停止 763
— ，チアノーゼ 554
— ，低血圧 538
— の5徴候(5P) 623, 775
— の重症度 460
— の重症度，出血性 461
ショック指数 460
除脳硬直 decerebrate rigidity 781
除皮質硬直 decorticate rigidity 781
徐脈 bradycardia 49, 523
— ，悪心・嘔吐の随伴症状 426
徐脈性不整脈，病的な徐脈 49
自律神経失調症，寝汗，ほてり 226
自律神経障害，器質性，失神 267
自律神経症状 271
自律神経ニューロパチー，めまい 315
視力 visual acuity 76
視力障害 321
— ，外傷 854
視力低下 320, 349
— ，急激な 352
ジル・ドゥ・ラ・トゥレット(Gilles de la Tourette)症候群，不随意運動 756
ジルベール(Gilbert)症候群，黄疸 293, 298
シルマー(Schirmer)法，涙液分泌検査 78
痔瘻 anal fistula 137
— ，肛門・会陰部痛 626, 630
痔瘻癌，肛門・会陰部痛 626, 630
耳瘻孔 78
耳漏，聴覚障害 376
腎萎縮，浮腫 575
心因性失神 267
心因性舌痛 402

心因性多飲症 446
— ，口渇 448
心因性難聴 376
心因性頻尿 657
心因性無反応 782
心因性めまい 315
腎盂炎，腹痛 578
腎盂腎炎 pyelonephritis 951, 975
— ，急性腹症 823
— ，血尿 670
— ，排尿痛 653
— ，発熱 218
腎炎，血尿 670
心音 527
侵害受容性疼痛 886
腎外性水分喪失 545
心外閉塞性ショック 773, 778
— ，心肺停止 769
心拡大 94
— ，胸痛の胸部X線検査 499
新型コロナウイルス感染症〔COVID-19〕，発熱 216
心窩部の膨隆 121
心悸亢進 523
腎機能検査 184
腎機能障害 837
腎機能低下，腎性乏尿 663
腎虚血，乏尿・無尿 668
心筋炎 myocarditis
— ，胸痛 500
— ，交互脈を認める 51
— ，ショック 773
心筋梗塞 myocardial infarction 817
— ，意識障害 781
— ，急性，胸痛を訴える 493
— ，胸痛 495
— ，交互脈を認める 51
— ，呼吸不全 807
— ，食欲不振 435
— ，ショック 773
— ，腎前性乏尿 663
— ，低血圧 538, 542
— ，腹痛 580
— ，乏尿・無尿 661
心筋症
— ，心肺停止 764
— ，動悸，脈拍異常 524
心筋障害
— ，虚血による，胸痛の原因 493
— ，交互脈を認める 51

真菌性髄膜炎 fungal meningitis，後遺症，知能低下 689
神経因性膀胱 neurogenic bladder 657
— ，排尿障害 645
— の診断 646
神経学的左右差 783
神経学的診察 neurological examination 38, 44
神経幹痛，頭痛 311
神経筋接合部疾患，眼球運動障害 369
神経原性筋萎縮 neurogenic muscular atrophy 729, **736**, 738
神経原性ショック 778
— ，心肺停止 764
神経原性パターン，筋電図 735
神経膠腫
— ，痙攣 708
— ，失語・失行・失認 695
神経根障害，筋脱力 730
神経疾患の発症・臨床経過パターン 156
神経循環無力症
— ，胸痛および胸部圧迫感 494
— ，胸痛の原因 494
神経症 234, 235
神経障害性疼痛 886
神経症候の診察 155
神経鞘腫，Horner(ホルネル)症候群の原因 347
神経所見のとり方 155
神経性食思不振症 anorexia nervosa 435
— ，食欲不振 435
神経性食欲不振症 252
神経性腹部緊満症 583
神経叢障害 plexopathy
— ，感覚障害 724, 726
— ，筋脱力 730
神経痛 neuralgia，頭痛 310
神経痛様激痛発作，舌痛 404
神経梅毒
— ，知能低下 689
— ，瞳孔異常 347
深頸リンパ節 69, 84, 470
腎結核
— ，血尿 670
— ，腎後性乏尿 663
— ，乏尿・無尿 663

腎血管性高血圧(症)　renovascular hypertension　532, 536
腎血管抵抗の上昇　665
心血管拍動　94
腎結石，血尿　671
腎血流量減少(低下)，頻尿　657
心原性ショック　772, 773, 777
　——，胸痛の胸部X線検査　499
心原性ショック，心肺停止　769
心原性脳塞栓(症)　798
　——，運動失調　749
心原性肺水腫，呼吸不全　804
進行胃癌，早期満腹感　433
腎硬化症，頻尿　657
人工血管置換術後，高血圧　532
進行性顔面片側萎縮症　progressive facial hemiatrophy　72
進行性球麻痺，構音障害　713, 716
進行性筋ジストロフィー　progressive muscular dystrophy〔PMD〕
　——，アヒル歩行　61
　——，筋萎縮　736, 740
　——，筋脱力　734
進行性脊髄性筋萎縮症，筋緊張異常　742
進行性多巣性白質脳症　progressive multifocal leukoencephalopathy〔PML〕
　——，失語・失行・失認　695, 697
　——，知能低下　689
進行性多巣白質脳症，もの忘れ　702
腎梗塞
　——，急性腹症　823
　——，血尿　671
　——，腹痛　578
　——，乏尿・無尿　668
人工知能　artificial intelligence〔AI〕，画像検査と　197
腎後性腎不全　834
腎後性乏尿　663, 664
　——の確定診断　668
　——の原因　665
深昏睡　deep coma　46
診察　32
心雑音　heart murmur　102
　——，胸痛　496
　——，失神　268
診察室血圧　530
診察所見の感度・特異度　20
診察の進め方　38
診察前検査　175

腎疾患の検査　185
心室期外収縮，I音　100
心室細動　ventricular fibrillation〔VF〕　763
腎実質性高血圧　532, 537
心室中隔欠損症，動悸，脈拍異常　524
心室頻拍　524
真珠腫性中耳炎　380
滲出液　exudate　586
滲出性中耳炎　380
滲出性腹水　586
腎腫瘍　renal tumor，血尿　670
浸潤影，胸痛の胸部X線検査　499
腎障害，熱傷　875
腎症候性出血熱，乏尿・無尿　668
振水音　splash sound　135
心静止　asystole　763
新生児黄疸，小児の黄疸　295
腎性腎不全　834
腎性水分喪失　545
真性性腺形成不全　pure gonadal dysgenesis，無月経　634
真性多血症　182
腎性貧血　659
心性浮腫　573
　——の確定診断　575
腎性浮腫　573
　——の確定診断　576
真性包茎　138
腎性乏尿　663, 664
　——の確定診断　666
　——の原因　665
振戦　tremor　60, 751, 752
　——，拡張期雑音の　97
　——，舌の　81
　——，収縮期雑音の　97
　——，連続性雑音の　97
振戦(血管の)　thrill，心雑音　97
腎前性高窒素血症　460
腎前性腎不全　834
腎前性乏尿　663, 664
　——の確定診断　666
　——の原因　665
心尖拍動　94
　——の性状　95
心臓
　——の視診　93
　——の触診　95
　——の診察　92
　——の打診　97

　——の聴診　97
心臓-足首血管指数　cardio-ankle vascular index〔CAVI〕　685
心臓血管形成異常，ばち状指　568
心臓神経症
　——，胸痛および胸部圧迫感　494
　——，胸痛の原因　494
心臓性腹水　587
心臓喘息，喘鳴　515
腎臓の触診　41, 128
心臓弁膜症，めまい　315
深鼠径リンパ節　69, 470
身体失認　161, 694
身体所見　physical findings　38
身体診察　physical examination　18, 38
　——，診断のプロセス　10
靱帯損傷，関節痛　678
身体的疲労　899
診断　diagnosis　32
　——の意義　2
　——の軸　4
　——の思考様式　12
　——のプロセス　6
　——の論理　6
診断仮説　10, 15, 19
　——の落とし穴　15
診断計画　diagnostic plan，POMR　210
診断能力　16
心タンポナーデ
　——，外傷　859
　——，奇脈を認める　51
　——，胸痛　495
　——，呼吸不全　804, 807
　——，静脈怒張　557
　——，心性浮腫　575
　——，心肺停止　764
　——，低血圧　538, 542
　——，浮腫　575
　——，乏尿・無尿　661, 666
シンチグラフィー　201
身長　height　56
伸展　extension　149
心電図，心肺停止　764
心電図検査
　——，Holter(ホルター)　528
　——，標準12誘導　528
　——，標準12誘導，胸痛　498
浸透圧性下痢　605
浸透圧利尿，口渇　448

振動覚　168, 722, 727
腎動静脈奇形，血尿　671
腎動脈狭窄
　──，高血圧　532
　──，高血圧の鑑別　535
　──，排尿障害　649
腎動脈梗塞　835
腎動脈雑音，高血圧の鑑別　535
腎毒性物質の投与，乏尿・無尿　662
心内膜炎
　──，呼吸不全　807
　──，寝汗，ほてり　229
腎尿細管性アシドーシス，成長障害を
　きたす疾患　254
心嚢液貯留，胸痛の原因　493
腎膿瘍，発熱　218
真の口渇　445
塵肺
　──，呼吸困難　512
　──，呼吸不全　804
　──，咳，痰の原因疾患の特徴所見
　　　　　　　　　　　　　　480
　──，喘鳴　515
　──，リンパ節腫脹　473
心肺蘇生　cardiopulmonary
　resuscitation〔CPR〕　763
心肺停止　cardiopulmonary arrest
　〔CPA〕　**763**
　──，症例　964
心拍　523
心拍再開　return of spontaneous
　circulation〔ROSC〕　766
心拍出量，血圧　532
心破裂，ショック　773
深部感覚　722, 727
振幅大眼振　355
深部腱反射　deep tendon reflex　165
　──，運動麻痺　718
　──，視覚障害　321
心不全　heart failure　**810**, 945, 971
　──，喀血，血痰　486
　──，肝腫大　593
　──，急性，一過性肝腫脹　593
　──，胸痛　496
　──，呼吸困難　511
　──，呼吸不全　804
　──，静脈怒張　556
　──，喘鳴　515
　──，低血圧　538, 542
　──，動悸，脈拍異常　523, 524
　──，貧血　304

　──，頻尿　657
　──，浮腫　574
　──，乏尿・無尿　661, 664
心不全患者にみられた浮腫　66
腎不全　662
　──，意識障害　781
　──，呼吸不全　808
　──，多尿期の　659
　──，知能低下　689
深部反射　deep reflex　59
心房細動　atrial fibrillation〔Af〕　524
　──，Ⅰ音　100
　──，甲状腺機能亢進症　790
　──，絶対性不整脈の原因　49
心房粗動　524
心房中隔欠損症
　──，Ⅱ音　101
　──，心雑音　104
心膜炎
　──，胸痛　498, 500
　──，静脈怒張　557
　──，動悸，脈拍異常　524
心膜摩擦音　106
じんま疹　285, 287
心理機制，臨床判断を誤る　28
心理ストレス性体温上昇　223
心理的早道　heuristics　28
診療
　──のスパイラル　12
　──の手順　32
診療録　medical record　32, 209
　──に記載する医療面接事項　33

す

随意運動　voluntary movement
　　　　　　　　　　　　　59, 737
随意運動遂行能力の低下　729
髄液圧亢進，頭痛　311
髄液検査　179
膵炎
　──，急性腹症　823
　──，胸痛　498
　──，直接ビリルビン増加の黄疸
　　　　　　　　　　　　　　294
　──，腹痛　579
膵癌　carcinoma of pancreas，直接ビ
　リルビン増加の黄疸　294
水吸収障害，腸管　604
水銀血圧計　51
水欠乏性脱水　545

随時尿　178
水晶体　lens　76
　──，眼の構造　73
水晶体屈折率　343
水腎症　hydronephrosis
　──，血尿　673
　──，排尿障害　649
　──，腹部膨隆　583
　──，乏尿・無尿　664
膵性脂肪便　611
水摂取不能，意識障害による　546
髄節性感覚障害　740
膵臓の触診　128
錐体外路性疾患，引きずり歩行を認め
　る疾患　61
錐体路　59
錐体路障害　743
垂直性眼振　359
垂直性注視麻痺　347
　──，意識障害　782
推定糸球体濾過量　estimated
　glomerular filtration rate〔eGFR〕
　　　　　　　　　　　　　　833
水痘　varicella，舌の異常　403
水頭症　hydrocephaly　70
　──，眼球突出　333
　──，急性，意識障害　782
　──，知能低下　689
　──，頭蓋内圧亢進をきたす疾患
　　　　　　　　　　　　　　351
髄内腫瘍，感覚障害　724
水分欠乏性脱水，口渇　447
水分摂取不足　448
水平回旋混合性の眼振　359
水平屈曲　horizontal adduction　150
水平伸展　horizontal abduction　150
水平(性)注視麻痺　365, 366
　──，意識障害　782
水疱　bulla　284
　──，主な発疹　67
水泡音　coarse crackle　115
髄膜炎　173, 847
　──，意識障害　781
　──，悪心・嘔吐　430
　──，眼底異常　350
　──，緊急性の高い嘔吐　429
　──，痙攣　708
　──，細菌性　850
　──，頭痛　310
　──，せん妄　279
　──，知能障害　692

――，頭蓋内圧亢進をきたす疾患 351
――，発熱 218
――，めまい 315
髄膜癌腫症，もの忘れ 702
髄膜刺激症候（症状） 783
――，構音障害 714
髄膜刺激徴候 173
髄膜腫
――，顔面痛 371
――，痙攣 708
――，構音障害 715
――，失語・失行・失認 695
髄膜脳炎，痙攣 708
睡眠時随伴症 260
睡眠時無呼吸症候群 sleep apnea syndrome〔SAS〕 260, 419
――，高血圧 532
睡眠障害 419
――の評価 423
睡眠相後退型 261
睡眠日誌 262
睡眠不足，食欲不振 435
水様(性)下痢 watery diarrhea 605
鋤手 spade hand 142
スキーン(Skene)腺 140
すくみ足 759
スクラッチテスト 190
スクリーニング検査 174, 175
図形模写 161
スタイン・レベンタール(Stein-Leventhal)症候群，肥満，肥満症 243
スタージ・ウェーバー(Sturge-Weber)症候群，精神遅滞 691
スチュアート–ホームズ(Stewart-Holmes)徴候 172
頭痛 headache 310, 310
――，緊急性の高い嘔吐 430
――，緊急にCTが必要な 312
――，失神 268
――の大分類 311
ステルワーグ(Stellwag)徴候 74
ステロイドミオパチー，筋脱力 730, 732
ストリートドラッグ，急性中毒 860
ストレス，食欲不振 435
スナップ診断 snap diagnosis 39
スプルー 607
スプーン状爪 spoon nail 68
――，鉄欠乏性貧血 304

スミレ色の潮紅，肝触診 608
スルフヘモグロビン血症 sulfhemoglobinemia 552
スルホンアミド系薬物，急性尿細管間質性腎炎の誘因物質 667
スワンネック変形 143

せ

清音 clear，打診音 42
声音振盪(伝導) vocal fremitus 41, 111
生活習慣 235
性感染症 sexually transmitted disease〔STD〕 138
性器ヘルペス，肛門・会陰部痛 626
正球性正色素性貧血 **181**, 307
生検 biopsy 204
――，皮膚 290
――，リンパ節 474
精索静脈瘤 varicocele 138
制酸薬，便秘を起こしやすい薬物 615
正常圧水頭症 normal pressure hydrocephalus〔NPH〕
――，知能障害 690
――，排尿障害 645
――，歩行障害 758, 758
正常眼球運動 362
正常血圧 52
正常体温 47
正常値 normal value 23
青色斑 283
成人Still(スチル)病，発熱 218
成人T細胞白血病〔ATL〕，リンパ節腫脹 473
精神運動発達遅延，歩行障害 758, 758
精神科救急 879
精神科領域での救急 **879**
精神状態 mental status 55
精神生理性不眠 263
精神遅滞 mental retardation 56, 688
――を伴う先天性代謝異常 689
精神的疲労 234, 899
精神発達遅滞，精神科領域での救急 880
成人副腎過形成，無月経 634
性腺機能不全，症候性肥満の原因 57
性腺形成不全 gonadal dysgenesis，無月経 634

精巣 testis 138, 139
――，異所性 139
――の診察 138
精巣欠損症 139
精巣上体 139
精巣性女性化症候群，無月経 633
声帯
――，咽喉頭の構造 80
――の質的変化，嗄声 415
声帯運動 415
生体計測 147
声帯結節 416
声帯溝症，嗄声 416
声帯ポリープ 416
――，嗄声 415
声帯麻痺，呼吸不全 804
正中視 367
成長障害 failure to thrive **253**
清澄尿
――，排尿痛 652
――を伴う頻尿 655
成長ホルモン growth hormone〔GH〕 253
成長ホルモン分泌不全性低身長症 258
成長ホルモン放出ホルモン〔GH-RH〕 253
成長ホルモン放出ホルモン負荷試験 188
成長率低下 255
精嚢，肛門断面でみる 137
精嚢腺炎，排尿痛 652
精密検査 175
整脈 eurhythmia 49
清明 alert 45
生命徴候 vital sign ⇒バイタルサイン
声門閉鎖，咳のメカニズム 476
生理機能検査 175
生理食塩水，脱水 547
生理的塩類尿，排尿痛 652
生理的瞳孔不同 346
生理的疲労 233, 234, 899
生理的無月経 632
咳 cough **476**
――，症例 929
――の種類 477
――のメカニズム 476
赤芽球癆 307
赤核 756
赤褐色便 621

赤ガラス法，眼科的検査　368
脊索腫，構音障害　715
赤色平滑舌　403, 403
赤色ぼろ線維　ragged-red fiber　716
脊髄炎，運動麻痺　718
脊髄外傷，散瞳をきたす　345
脊髄局所病変，筋脱力　732
脊髄空洞症　740
───, Horner(ホルネル)症候群の原因　347
───, 運動麻痺　718
───, 感覚障害　724, 725
───, 筋緊張異常　742
───, 筋脱力　732
───, 散瞳をきたす　345
───, 歩行障害　758, 758, 761
脊髄係留症候群，排尿障害　647
脊髄血管性障害，歩行障害　758, 758
脊髄後索　722
脊髄梗塞，歩行障害　761
脊髄根障害　radiculopathy, 感覚障害　724, 726
脊髄出血，歩行障害　761
脊髄腫瘍
───, 感覚障害　724
───, 筋緊張異常　742
───, 筋脱力　730, 732
───, 歩行障害　758, 758, 761
脊髄障害
───, 感覚障害　724
───, 筋脱力　731
脊髄小脳変性症　spinocerebellar degeneration　357, 956
───, 運動失調　746
───, 眼振　356, 357
───, 構音障害　713, 715
───, 知能低下　689
───, 不随意運動　753
───, 歩行障害　758, 761
脊髄ショック，筋緊張異常　742
脊髄性運動失調　spinal ataxia　60
脊髄性失調，感覚障害　724
脊髄性対麻痺，感覚障害　726
脊髄損傷急性期，排尿障害　645
脊髄動静脈奇形
───, 運動麻痺　718
───, 歩行障害　761
脊髄半側障害，感覚障害　725
脊髄癆　60
───, 運動失調　747
───, 感覚障害　724

───, 筋緊張低下　146
───, 排尿痛　652
───, 歩行障害　758, 761
─── による単純性視神経萎縮　351
脊柱後弯　kyphosis　58
脊柱前弯　lordosis　58
脊柱側弯　scoliosis　58, 91
脊柱の弯曲　91
赤沈　189
脊椎　637
───の骨折，運動麻痺　718
脊椎圧迫骨折
───, 背部痛　638
───, 歩行障害　758
───, 腰痛　641
脊椎炎，強直性　91
脊椎カリエス　58, 91
脊椎管狭窄症，感覚障害　728
脊椎骨折
───, 背部痛　639
───, 腰痛　642
脊椎骨粗鬆症
───, 背部痛　638
───, 腰痛　641
脊椎椎間板ヘルニア，排尿障害　645
赤痢アメーバ　607
赤痢菌　607
癤　furuncle　83
舌萎縮　402, 404
───, 筋萎縮　738
舌咽神経　402
───, 嚥下運動　451
───, 味覚障害　404
舌咽神経痛　405
舌運動異常　402
舌炎　405
舌下神経　402
舌下腺　sublingual gland　85
舌癌　402, 403, 404
舌癌恐怖症　402, 402
舌乾燥　402
舌筋　402
赤血球
───の産生障害　305
───の破壊亢進　305
赤血球円柱，尿沈渣，血尿　673
赤血球酵素異常症　305
赤血球指数による貧血の分類　307
赤血球数〔RBC〕　180
───, 尿沈渣　669
赤血球沈降速度〔ESR〕　189

赤血球分布異常　305
節後線維　344
舌根，咽喉頭の構造　80
舌色調変化　402
節遮断薬，便秘を起こしやすい薬物　615
舌腫大　402
舌小帯短縮，構音障害　713
絶食　429
摂食障害　249, 429
接触性皮膚炎　289
───, 肛門・会陰部痛　626
摂食中枢　245
舌神経，味覚障害　404
節性脱髄　728
節足動物，急性中毒　860
舌苔　coating　81, 402, 403
絶対性不整脈　absolute arrhythmia　49
絶対膀胱容量　657
舌痛　402, 404
セットポイント温度　47
舌乳頭　402
───の萎縮性変化　403
舌乳頭萎縮　402
───, 鉄欠乏性貧血　304
舌粘膜　402
舌背，口腔の構造　80
切迫(性)尿失禁　644
切迫早産　841, 844
舌白板症，舌の異常　403
切迫流産　841, 844
舌表層　402
ゼリー状腹水　591
セルロプラスミン　183
前2/3の障害　726
線維束攣縮　732
───, 運動麻痺　718
───, 構音障害　714
線維素溶解現象　300
前腋窩線，胸部位置の指標・記載法　89
遷延性咳嗽　929
苒延性排尿　644
遷延性排尿　644
前額筋の観察，眼瞼下垂　339
全眼球運動消失，意識障害　782
全眼球炎，眼球突出　333
全眼筋麻痺　365
前眼房，眼の構造　73
前期破水　841

和文索引〈せ，そ〉

セングステークン・ブレークモアー（Sengstaken-Blakemore）チューブ　461
前脛骨粘液水腫，Basedow（バセドウ）病　467
尖圭コンジローマ　138, 140
　──，肛門・会陰部痛　626
前頸三角，頸部の構造　83
浅頸リンパ節　84
潜血　occult bleeding　179, 619
鮮血　hematoemesis　456
　──に近い血便　hematochezia　619
潜血反応　179
鮮紅色便　621
前向性健忘　700
穿孔性汎発性腹膜炎，腹痛　578
仙骨部腫瘍，肛門・会陰部痛　626
前昏睡　precoma　46
洗剤，急性中毒　860
潜在性甲状腺機能亢進症　789
潜在性甲状腺機能低下症　466
潜在性浮腫　573
浅耳下腺リンパ節　69, 470
全失語　64
全収縮期雑音　105
前収縮期雑音　106
腺腫様甲状腺腫　464
全身倦怠感　fatigue　233
　──，症例　899, 911
　──をきたす疾患　234
全身状態　general status　39, 54
全身性エリテマトーデス　systemic lupus erythematosus〔SLE〕
　──，関節痛　677
　──，痙攣　708
　──，腎性乏尿　663
　──，発熱　218
　──，腹水　587
　──，乏尿・無尿　663, 667
　──，リンパ節腫脹　474
全身性硬化症，下痢　608
全身性チアノーゼ　552
全身性チック　756
全身性浮腫　anasarca　572, 573
前正中線，胸部位置の指標・記載法　89
前脊髄視床路　722
前脊髄動脈症候群
　──，感覚障害　724
　──，筋脱力　731
前脊髄動脈閉塞症，運動麻痺　718

尖足　talipes equinus　144, 144
尖足位拘縮　144
選択バイアス　29
先端巨大症　acromegaly　56, 334
　──，大頭症を認める疾患　70
　──，寝汗，ほてり　231
先端巨大症顔貌　acromegalic face　55
前置胎盤　841, 844
疝痛　822
穿通性外傷　854
前庭眼反射　vestibuloocular reflex〔VOR〕　363, 782
前庭機能検査，眼振　355
前庭系由来の眼球運動　356
前庭神経，耳の構造　78
前庭神経炎　357, 360
　──，運動失調　746, 747
　──，眼振　356, 357
　──，歩行障害　758
　──，めまい　317
前庭性眼振　356
先天異常，頸部の　88
先天性βリポ蛋白欠乏症，下痢　611
先天性眼振　359
先天性凝固異常症　303
先天性強皮骨膜症　571
先天性股関節脱臼
　──，アヒル歩行　61
　──，歩行障害　758, 758
先天性出血性素因　182
先天性心疾患〔CHD〕　553
　──，呼吸困難　512
先天性代謝異常，精神遅滞を伴う　689
先天性胆道閉鎖　294
先天性便秘　615
先天性ミオパチー，筋脱力　730
先天性溶血性貧血　292
尖頭　oxycephaly　70
蠕動運動　peristaltic movement　124, 133
　──，食道の　452
前頭骨骨髄炎，眼瞼浮腫をきたす疾患　73
前頭側頭葉変性症，知能障害　689
前頭洞　79
前頭洞粘液囊胞，眼球突出　336
蠕動不穏　visible peristalsis　124
前頭葉性肥満の確定診断　243
センナ　605
全脳虚血，失神　267

全排尿痛　total pain　651
全般不安症　273
仙部回避　sacral sparing　728
尖腹　121
前部尿道炎，排尿痛　652
線分末梢テスト　161
喘鳴　wheezes　**515**, 805
せん妄　delirium　46, 47, **277**
　──，終末期の　892
　──と認知症の鑑別　280
線溶　300
線溶検査　182
戦慄　218
前立腺　prostate
　──の外側葉，肛門断面でみる　137
　──の診察　139
　──の正中溝，肛門断面でみる　137
前立腺圧出液　expressed prostatic secretion〔EPS〕　654
前立腺異常，排尿痛　654
前立腺炎　prostatitis
　──，急性，排尿痛　652
　──，急性，頻尿　657
　──，肛門・会陰部痛　626, 630
　──，排尿痛　652
　──，発熱　218
　──，頻尿　659, 660
前立腺癌　prostatic cancer
　──，肛門・会陰部痛　626, 631
　──，排尿障害　645
　──，排尿痛　652, 654
前立腺結石，排尿痛　652
前立腺腫瘍，排尿痛　652
前立腺触診
　──，直腸指診による　139
　──，排尿障害　647
前立腺膿瘍，肛門・会陰部痛　626, 630
前立腺肥大（症）　benign prostatic hypertrophy〔BPH〕
　──，血尿　670
　──，排尿障害　645
　──，頻尿　657
前弯　lordosis　91
前腕　forearm　150

そ

早期満腹感　433

双極症　903
　——，精神科領域での救急　880
造血器腫瘍
　——の遺伝子検査　196
　——の遺伝子診断　196
造血器腫瘍細胞浸潤　597
早産　841
双耳型聴診器　43
双手診　40, 40, 127, 139
　——，脾腫の触診　601
双手深部触診　40, 40, 128
躁状態　manic state　55
増殖型網膜症　353
増大換気駆動圧　420
早朝覚醒　260
早朝尿　178, 657
遭難，脱水　547
総尿量　657
蒼白　pallor　65
　——，典型的な出血性ショック症状　460, 623
早発卵巣不全，無月経　634
総ビリルビン　183
相貌失認　160, 694
　——，視覚障害　320
僧帽弁逸脱(症)
　——，心雑音　105
　——，動悸，脈拍異常　524
僧帽弁開放音　opening snap〔OS〕　101
僧帽弁狭窄症
　——，I音　100
　——，喀血，血痰　491
　——，動悸，脈拍異常　524
僧帽弁閉鎖不全症
　——，II音　101
　——，III音　101
僧帽弁閉鎖不全，心雑音　105
瘙痒　283
即時記憶　immediate memory　692, 700
足趾-上腕血圧比　toe-brachial pressure index〔TBI〕　686
足蹠紅斑　plantar erythema　564
測定障害　dysmetria　748
側頭動脈炎　temporal arteritis
　——，眼底異常　350
　——，顔面痛　371
側頭動脈の触診・聴診　72
続発性糸球体腎炎，血尿　670
続発性てんかん　708, 709

続発性無月経　632
足部　foot　152, 153
側腹部の膨隆　121
側方視の経路　366
側方注視麻痺，眼球運動障害　364
続発疹　67, 283
速脈　rapid pulse　49
粟粒結核，発熱　218
側弯　scoliosis　91
鼠径管　129
鼠径靱帯　119
鼠径部
　——の触診　129
　——の膨隆　122
　——の膨隆，悪性リンパ腫による　122
鼠径ヘルニア　129
ソーセージ様腫脹(膨隆)　124
粗糙声　414
粗大結節状　coarse nodular　127
外がえし　eversion　153
外よせ運動，眼球運動　363
ソマトメジンC　253
ゾリンジャー・エリソン(Zollinger-Ellison)症候群
　——，嘔吐　429
　——，下痢　610
ソルビトール，下痢の原因　606

た

第1次節前線維　344
第1度無月経　636
第2次節前線維　344
第2度無月経　636
体位　position　57
　——の観察　58
第一群仮説　leading hypothesis　15
体位変換現象　shifting dullness　589
　——，腹水の存在診断　589
退院時要約　discharge summary, POMR　212
ダイエット　429
体温　temperature　47, 216
体温上昇，心理ストレス性　223
体温中枢　47
体格　stature　56
体幹失調　169
大気中の亜硫酸ガス，咳，痰の原因疾患の特徴所見　480
大球性正色素性貧血　181, 307

大球性貧血　749
体型　habitus　56
対決の質問　confrontation　8
対光近見反応解離　light-near dissociation　342, 345, 347
対光反射　light reflex　75
　——，瞳孔反応　342
　——の神経経路　343
対光反射試験　346
対光反射消失，意識障害　782
体質性黄疸　constitutional jaundice, 持続性または出没性黄疸　295
体脂肪量　245
代謝検査　185
代謝性アシドーシス，意識障害　782
代謝性昏睡，意識障害　782
代謝性脳症　710
　——，知能障害　689
体重　body weight　56
体重減少　245
帯状疱疹　herpes zoster
　——，感覚障害　724
　——，顔面痛　370, 371
　——，胸痛および胸部圧迫感　494
　——，胸痛の原因　494
　——，肛門・会陰部痛　626
　——，排尿障害　645
帯状疱疹後三叉神経痛　371
体性感覚誘発電位〔SEP〕　728
体性痛　577, 822
　——，腹痛　577
大腿骨頸部骨折，歩行障害　758
大腿骨頭壊死，歩行障害　758, 758
大腿四頭筋短縮症，歩行障害　758, 758
大腿内転筋の緊張亢進　743
体蛋白量　245
大腸炎
　——，急性腹症　823
　——，腹痛　579
大腸癌　large bowel cancer, colorectal cancer　617, 620
　——，器質性便秘　615
　——，食欲不振　435
　——，腹痛　578
大腸菌エンテロトキシン，下痢の原因　606
大腸ポリープ　colonal polyp　620
大腸メラノーシス，便秘　617
大頭症　macrocephaly　70
　——，精神遅滞　691

大動脈陰影の拡大，胸痛の胸部 X 線検査　499
大動脈炎症候群　aortitis syndrome
——，眼底異常　350
——，高血圧　537
——，脈拍性状に部位差を認める疾患　51
大動脈解離　682, 818
——，高血圧　532
——，心雑音　105
——，脳血管障害　796
大動脈駆出音　100
大動脈縮窄症
——，高血圧　532, 537
——，チアノーゼ　552
大動脈弁狭窄(症)
——，IV音　102
——，心雑音　104
——，低血圧　538
——，動悸，脈拍異常　524
大動脈弁閉鎖不全(症)
——，III音　101
——，高血圧　533
——，心雑音　105
——，動悸，脈拍異常　524
大動脈瘤　aortic aneurysm
——，喀血，血痰　491
——，呼吸困難　511
——，脈拍性状に部位差を認める疾患　51
大動脈瘤破裂　682
——，腹痛　581
第二群仮説　active alternatives　15
大脳高次機能　688
大脳皮質基底核変性症，失語・失行・失認　695, 697
大脳皮質性病変，感覚障害　725, 727
大脳皮質体性感覚野，感覚障害　727
大脳皮質の障害　724
体壁痛　somatic pain　131
大脈　large pulse　49
体毛　68
体容量指数　body mass index〔BMI〕　57
大量喀血　486
大量胸水　519
多飲，口渇　448
ダウン(Down)症候群
——，精神遅滞　691
——，成長障害をきたす疾患　254
——，短頭を認める疾患　71

——，知能低下　689
唾液腺　salivary gland　85
——の診察　85
唾液分泌
——，悪心・嘔吐の随伴症状　426
——の低下　445
楕円赤血球症　298
他覚的耳鳴　376
他覚的所見　32
高安動脈炎，発熱　218, 223
高安病，聴覚障害　379
濁音　dull, 打診音　43
濁音界移動現象　shifting dullness, 打診による　134
多クローン性高 γ-グロブリン血症　185
多形滲出性紅斑　erythema multiforme　68
——，舌の異常　403
多系統萎縮症　956
多血症，手掌紅斑　566
多幸症　euphoria　55
多項目抗原特異的 IgE 同時測定〔MAST〕　190
多産婦，排尿障害　645
多指(趾)症　71, 241
打診　percussion　38, 42
——，胃の　134
——，肝の　134
——，腫瘤の　135
——，心臓の　97
——，腸管の　134
——，肺の　113
——，脾の　134
——，腹水の　134
——，腹部　133
——による濁音界移動現象　134
打診音　42
立ちくらみ感　faintness　314
脱円　75
脱水　dehydration　431, 438, 545
——，口渇　445
——，症例　938
——，めまい　315
脱髄(性)疾患，視覚障害　320
脱毛(症)　68
——，円形　alopecia areata　71
——，症候性　symptomatic alopecia　71
脱力　162

ターナー(Turner)症候群
——，外反肘　142
——，成長障害　254, 259
——，貧毛(無毛)を認める疾患　68
——，無月経　633
——，翼状頸を認める　83
多尿　polyuria　656, 657
——，口渇　447
多尿期の腎不全　659
多嚢胞性卵巣〔PCO〕　635
多嚢胞性卵巣症候群　polycystic ovary syndrome〔PCOS〕，肥満，肥満症　243
タバコ-アルコール弱視，眼底異常　350
タバコ，急性中毒　860
多発外傷　854
多発筋炎，発熱　218
多発血管炎性肉芽腫(症)　granulomatosis with polyangiitis
——，眼球突出　336
——，眼底異常　351
——，顔面痛　371, 373
——，血尿　671
——，咳，痰の原因疾患の特徴所見　480
——，発熱　218
——，乏尿・無尿　661, 667
多発根神経炎，運動失調　747
多発神経炎
——，運動失調　747
——，筋脱力　732
——，歩行障害　761
多発性筋炎　polymyositis〔PM〕
——，筋萎縮　736
——，筋脱力　730, 732
——，構音障害　713, 715
——，歩行障害　758, 758
多発性血管炎，乏尿・無尿　661
多発性硬化症　multiple sclerosis〔MS〕
——，意識障害　781
——，運動失調　747
——，運動麻痺　718, 719
——，感覚障害　724, 728
——，眼球運動障害　361, 363
——，眼底異常　349
——，顔面痛　371
——，筋緊張異常　741
——，構音障害　713, 713
——，視覚障害　320, 323
——，失語・失行・失認　695, 697

多発性硬化症
　——，低血圧　*538*
　——，瞳孔異常　*347*
　——，排尿障害　*645*
　——，不随意運動　*752*
　——，歩行障害　*758, 758*
　——，めまい　*315*
　——，もの忘れ　*702*
多発性骨髄腫　multiple myeloma
　〔MM〕　*307*
　——，筋脱力　*730*
　——，腎性乏尿　*663*
　——，貧血　*307*
　——，浮腫　*574*
　——，乏尿・無尿　*663*
多発性腺腫状ポリープ，下痢　*612*
多発性単ニューロパチー
　mononeuritis multiplex，感覚障害
　　　　　　　　　　　724, 726
多発性内分泌腫瘍　multiple endocrine neoplasia〔MEN〕2型　*466*
多発性ニューロパチー
　polyneuropathy
　——，運動麻痺　*718, 719*
　——，感覚障害　*724, 726, 728*
　——，歩行障害　*758*
多発性脳梗塞
　——，構音障害　*713, 714*
　——，知能低下　*689*
多発性脳神経炎，眼球運動障害　*363*
多発性嚢胞腎
　——，血尿　*672*
　——，脱水　*547*
　——，排尿障害　*649*
　——，浮腫　*575*
多発性ラクナ梗塞　*692*
　——，排尿障害　*645*
多発動脈炎　polyarteritis〔PA〕，痙攣　*708*
ダブルリングサイン　*858*
多分岐法　*13*
打撲
　——，背部痛　*639*
　——，腰痛　*642*
タマネギ形成　onion bulb formation　*740*
だみ声　*414*
タム・ホースフォール（Tamm-Horsfall）蛋白　*839*
多毛症　hirsutism　*68*
ダーモスコピー　*289*

タリウム，頭蓋内圧亢進をきたす疾患　*351*
垂井病，筋脱力　*730*
樽状胸　barrel chest　*90*
タール便　melena　*621*
　——，黒色の　*619*
痰　sputum　**476**
　——，症例　*929*
　——の種類　*478*
単一Ⅱ音　*101*
胆管炎
　——，急性腹症　*823*
　——，発熱　*218*
胆管癌　*906*
短期記憶　immediate memory　*692*
単クローン性高γ-グロブリン血症　*185*
短後毛様体動脈，眼の構造　*73*
単耳型聴診器　*43*
胆汁うっ滞による肝腫大　*597*
胆汁性腹水　*583*
単純X線検査　*199*
単純型網膜症　*353*
単純性視神経萎縮，脊髄癆による　*351*
単純性肥満　*57, 238*
単純性やせ　*57*
単純性るいそう　*245*
単純ヘルペスウイルス脳炎，もの忘れ　*702, 706*
単純疱疹，肛門・会陰部痛　*626*
弾診法　*133*
炭水化物不耐症　*609*
弾性硬　elastic hard　*127*
男性性器の診察　*138*
胆石（症）　cholelithiasis
　——，急性腹症　*823*
　——，直接ビリルビン増加の黄疸　*294*
　——，背部痛　*638*
　——，腹痛　*579, 580*
　——，腰痛　*641, 642*
　——の既往，若年性　*600*
短腸症候群　short bowel syndrome　*611*
　——，下痢　*605*
断綴性言語　scanning speech　*63*
　——，構音障害　*715*
短頭　brachycephaly　*71*
胆道閉鎖，小児の黄疸　*295*
単独外傷　*854*

丹毒，顔面痛　*371*
単ニューロパチー　mononeuropathy，感覚障害　*724, 726*
胆嚢炎　cholecystitis
　——，急性腹症　*823*
　——，胸痛　*496, 498*
　——，発熱　*218*
胆嚢切除後下痢，下痢の原因　*606*
胆嚢の触診　*127*
蛋白漏出型，蛋白電気泳動パターン　*186*
蛋白漏出性胃腸症　protein-losing gastroenteropathy
　——，栄養失調（障害）による浮腫　*576*
　——，下痢　*608*
　——，腹水　*587*
　——，漏出性腹水　*583*
単麻痺　monoplegia　*59, 718*
短毛様体神経　*344*

ち

チアノーゼ　cyanosis
　　　　　*65, 109, **551**, 558, 568, 681*
　——，症例　*941*
　——，肺動静脈奇形患者にみられた　*65*
　——，るいそう　*248*
チアノーゼ性心奇形，ばち状指　*570*
チェストピース　*97*
チェーン・ストークス（Cheyne-Stokes）呼吸　*53, 110, 805*
　——，意識障害　*782*
チオリダジン，眼底異常　*350*
蓄尿障害　*644*
遅語　*63*
地誌的障害　*694*
腟外陰部血腫，肛門・会陰部痛　*626*
腟鏡診　*140*
チック　tic　***60**, 72, 752, 756*
腟診，排尿障害　*647*
窒息　*92, 511, 867*
　——，心肺停止　*764*
　——のサイン　choking sign　*867*
腟中隔，無月経　*634*
知的分類作業，診断　*2*
千鳥足，失調性歩行　*61*
知能　intelligence　*56, 688*
知能障害　**688**
知能低下　*688*

遅発性ジスキネジア，不随意運動 752
地方性甲状腺腫，ヨード欠乏による 466
遅脈　slow pulse　49
着衣失行　65, 160, 694
着色尿　670
チャート　chart　32
チャドック(Chaddock)反射　158, 166
注意障害，せん妄　279
中咽頭，咽喉頭の構造　80
中腋窩線，胸部位置の指標・記載法 89
中頚部神経節　344
中耳，耳の構造　78
中耳炎，聴覚障害　375
注視眼振　355, 355, 356
中耳刺激，咳，痰の原因疾患の特徴所見　480
虫刺症　286
注視方向性眼振　173
注視麻痺　365
中手指節関節　metacarpophalangeal〔MCP〕joint　677
抽象的思考能力　688
中心窩　central fovea　77
中心灰白質障害，感覚障害　724, 726
中心性ヘルニア
　――，意識障害　782
　――，眼球運動障害　363
虫垂炎　appendicitis
　――，急性腹症　823
　――，発熱　218
　――，腹痛　580, 581
中枢神経感染症，意識障害　781
中枢神経梅毒，散瞳をきたす　345
中枢性嘔吐　428
中枢性眼球運動障害　364
中枢性嗅覚障害　394
中枢性チアノーゼ　551
中枢性疼痛　886
中枢性麻痺　supranuclear palsy　59
中枢性めまい　315, 317
中枢前庭性めまい　314
中枢痛　central pain　724
中枢動揺性めまい　314
中足指・趾節関節 metatarsophalangeal〔MTP〕joint　677
中側頭視覚関連野〔MT野〕363
宙吊り型分布　740

中等症成長ホルモン分泌不全性低身長症　258
中途覚醒　260
中毒　780, 860
　――，意識障害　780, 784
中毒性角結膜炎　324
中毒性巨大結腸症，下痢　610
中毒性多結節性甲状腺腫　469
　――，甲状腺機能亢進症　785
中毒性知能障害　692
中毒性脳症　710
中毒性ミオパチー，筋脱力　730
中毒性網膜症，眼底異常　350
中脳路核　722
中鼻甲介　79
中鼻道　79
中立的質問　neutral question　8
腸液貯留，腹痛　581
腸炎ビブリオ，下痢の原因　606
超音波検査　197
超音波ドプラ法　198
聴覚失認　694
聴覚障害　hearing impairment　374
聴覚性失認　161
聴覚脳幹反応〔ABR〕317
聴覚脳幹誘発電位〔BAEP〕728
腸管
　――の触診　128
　――の打診　134
腸管運動　604
腸管運動音　135
腸管出血性大腸菌O157感染症　607
腸間膜血栓症，腹痛　581
腸管癒着
　――，器質性便秘　615
　――，便秘　616
長期記憶　remote memory　56, 692
超急性期脳梗塞，意識障害　784
鳥距溝　320
蝶形紅斑　butterfly rash　68, 72
蝶形骨洞　79
腸結核　intestinal tuberculosis　611
　――，下痢の原因　606
　――，腹痛　578
徴候　sign　32
長後毛様体動脈，眼の構造　73
腸骨窩の膨隆　122
腸骨リンパ節　69, 470
長鎖脂肪酸　605
腸雑音　584
長軸弓隆，足の　144

聴診　auscultation　38, 43
　――，血圧測定の　52
　――，甲状腺の　88
　――，心音の　98
　――，心雑音の　102
　――，心臓の　97
　――，肺の　114
　――，腹水の　135
　――，腹部の　135
　――の方法，心臓の　97
聴診器　43, 44, 97, 114
聴神経，耳の構造　78
聴神経腫瘍　317
　――，運動失調　747
　――，眼振　356, 357
　――，聴覚障害　375
　――，めまい　315
聴神経鞘腫，顔面痛　371
腸性鼓腸　583
調節反射　accommodation reflex　75
腸チフス　typhoid fever　850
　――，下痢　609
　――，下痢の原因　606
　――，発熱　218
腸粘膜構造の破壊　604
超皮質性運動失語・語唖　64
超皮質性感覚失語　64
超皮質性失語　65
腸閉塞　intestinal obstruction
　――，嘔吐　429
　――，急性腹症　823
　――，腹痛　578, 581
　――，便秘　616
長毛様体神経　344
腸腰筋テスト　iliopsoas test, 急性虫垂炎の診断　130
調律　rhythm　49
聴力検査　78
聴力障害　357
　――，外傷　854
　――による構音障害　416
腸リンパ本幹　69, 470
直接対光反射，瞳孔反応　342
直接ビリルビン　183, 292
直接ビリルビン血症　293
直接ビリルビン優位の黄疸　293
直線の二等分テスト　161
直腸
　――からの出血　624
　――の診察　136
直腸S状結腸鏡検査，下痢　611

直腸温 47
直腸癌 616
　──，下血・血便 624
　──，肛門・会陰部痛 630
　──，腹痛 580
直腸癌術後，排尿障害 645
直腸肛門痛 626
直腸指診 137, 616
　──，消化管出血 622
　──による前立腺触診 139
直腸診 628
　──，急性虫垂炎の診断 130
直腸性便秘 614, 618
直腸脱 137
　──，肛門・会陰部痛 626
　──，排尿障害 647
直腸内糞塊 616, 617
直腸粘膜脱症候群 616
直腸病変の位置の表し方 136
直列検査 10
チラミン，点眼試験 346
治療閾値 treatment threshold 11
治療可能な認知症 treatable dementia 159
治療計画 therapeutic plan, POMR 210
治療的自己 therapeutic self 228
治療目標値 176
陳旧性心筋梗塞 old myocardial infarction〔OMI〕
　──，心性浮腫 575
　──，浮腫 575
陳述記憶 700
沈着症の確定診断 597
鎮痛薬
　──，急性中毒 860
　──，痙攣 708

つ

椎間板炎，発熱 218
椎間板病変による脊髄圧迫，運動麻痺 718
椎間板ヘルニア
　──，運動麻痺 720
　──，感覚障害 724
　──，筋緊張異常 742
　──，筋脱力 730
椎骨動脈解離，咽頭痛 410, 413
椎骨脳底動脈血栓症，感覚障害 724
椎骨脳底動脈循環不全，めまい 315

椎体骨折，筋脱力 731
対麻痺 paraplegia 59, 718, 729
痛覚 168, 722, 727
通常検査 175
通性嫌気性菌 194
痛風，関節痛 680
痛風結節 gouty tophus 78
痛風性関節炎 gouty arthritis 143
継ぎ足歩行，歩行障害 759
ツチ骨，耳の構造 78
土ふまず 144
ツツガムシ病 850
　──，発熱 218
爪 68
ツルゴール turgor 67, 430
つわり 840

て

手 wrist 150
　──の変形 142
手足口病 hand, foot and mouth disease, 舌の異常 403
低 K 血症 hypokalemia 605
　──，口渇 448
　──，脱水 547
　──，便秘 615
低 K 血症性ミオパチー，筋脱力 730, 732
低アルブミン血症
　──，腎性浮腫 576
　──，腹水 586, 587
　──，浮腫 576
底屈 plantar flexion 152
低血圧（症） hypotension 53, **538**
低血糖（症） hypoglycemia
　──，意識障害 781
　──，筋脱力 730
　──，痙攣 708
　──，頭痛 311
　──，動悸，脈拍異常 524
抵抗 resistance, 腫瘤様の 131
低ゴナドトロピン症 138
テイ・サックス（Tay-Sachs）病，精神遅滞 691
低酸素，頭痛 311
低酸素血症 hypoxemia 802
　──，意識障害 782
　──，心肺停止 769
　──，低血圧 538
　──，貧血 304

　──による失神 270
低酸素状態 434
　──，意識障害 784
低酸素脳症，不随意運動 753, 756
低色素性小球性貧血
　　　　　　　⇒小球性低色素性貧血
低身長 253
　──，Turner 症候群 635
　──と target height 255
低心拍出量 810
低体温症 hypothermia 47
低体温，心肺停止 771
低体重 245
低炭酸ガス血症，精神科領域での救急 884
低蛋白血症
　──，胸水 519
　──，腹水 586, 590
　──，浮腫 586
　──，るいそう 248
　──，漏出性腹水 583
低張性脱水 545
低ナトリウム血症
　──，せん妄 279
　──，もの忘れ 702
低濃度ピロカルピン 347
ディフェンス 129
ディープラーニング deep learning〔DL〕 197
低容量性ショック 773, 777
手がかり cue 15
適応障害性不眠 262
笛音 wheeze 115
デキサメタゾン抑制試験 188
溺水，呼吸不全 804
デジェリン・ソッタス（Dejerine-Sottas）病，筋脱力 730
テタニー発作時の産科医の手 145
鉄〔Fe〕 183
鉄芽球性貧血 305, 307
鉄結合能 183
鉄欠乏性貧血 iron deficiency anemia〔IDA〕 304, 404
　──，舌の異常 404
　──，味覚障害 400
徹照法 transillumination 139
徹底的検討法 14
テトロドトキシン，筋脱力 730
手袋靴下型 glove and stocking type, 感覚障害 726
手袋靴下型麻痺 718

デモグラフィックス　demographics 6
デュクレイ（Ducrey）菌　138
デュシェンヌ（Duchenne）型筋ジストロフィー　739, 740
——, 仮性肥大　146
——, 筋脱力　733
デュビン・ジョンソン（Dubin-Johnson）症候群, 黄疸　293, 298
デルマトーム　169
転移性肝癌　metastatic liver cancer, 急激・重篤な肝腫大　593
転移性骨腫瘍
——, 背部痛　639
——, 腰痛　642
転移性脊椎腫瘍, 背部痛　637
転移性脳腫瘍
——, 痙攣　708
——, 失語・失行・失認　695
——, もの忘れ　702
伝音（性）難聴　79, 317, 374
電解質異常
——, 意識障害　781
——, 痙攣　708
——, 口渇　448
——, 知能低下　689
てんかん　epilepsy
——, 意識障害　781
——, 知能低下　689
点眼試験　341, 346
てんかん小発作　60
てんかん性失神　267
てんかん大発作　59
てんかん発作, 意識障害　780
てんかん発作型分類　707
デング熱　850
電撃傷　872
電子カルテ　212
電子血圧計　51
テンシロンテスト（試験）　164, 716
伝染性単核球症
——, リンパ節腫脹　471, 475
——, リンパ節腫脹の鑑別　85
伝導失語　64
電流斑　877

と

頭位眼振　355, *355*
頭位眼振検査　357
頭位変換眼振　315, 355

頭位変換眼振検査　357
頭位（性）めまい　315
頭蓋咽頭腫　craniopharyngioma 243, 636
——, 無月経　634
頭蓋顔面異骨症
　⇒ Crouzon（クルーゾン）病
頭蓋計測　423
頭蓋底陥入症
——, 運動失調　747, 750
——, 眼振　358
頭蓋底転移性腫瘍, 顔面痛　371
頭蓋内圧亢進　173, 783
——, 眼底異常　349
——, 視覚障害　321
——, 縮瞳をきたす　345
——をきたす疾患　351
頭蓋内圧亢進症状　783
頭蓋縫合癒合　70
盗汗　224
動眼神経　74, 344
動眼神経核　344
動眼神経麻痺　342
——, 意識障害　782
——, 眼球運動障害　364
——, 眼瞼下垂　338, 339
——, 瞳孔異常　348
動悸　palpitation　**523**, 810
橈屈　radial flexion　*150*
塔形頭蓋, 眼球突出　333
糖原病, 筋脱力　*730*
瞳孔　pupil　75
——の観察, 眼瞼下垂　*339*
——の筋　*343*
瞳孔異常　dyscoria　**342**
——, 症例　914
瞳孔運動線維　339
瞳孔括約筋　*344*
——, 瞳孔反応　*342*
瞳孔緊張症　347
瞳孔散大筋　343, *344*
統合失調症
——, 意識障害　*781*
——, 食欲不振　436
——, 精神科領域での救急　880
透光性試験　transillumination, 陰嚢の *139*
瞳孔調節　*343*
瞳孔反応　*342*
瞳孔不同（症）　anisocoria 75, 342, 344, 783

——, 意識障害　782
——, 緊急性の高い嘔吐　429
——, 生理的　346
動作時振戦　751
——, 不随意運動　*752*
透視検査　201
糖質検査, 血清　186
凍傷　872
洞性頻拍　523
洞性頻脈, 甲状腺機能亢進症　789
透析脳症, 痙攣　708
等張性脱水　545, 546
頭頂葉感覚領　722
頭頂葉皮質障害　723
——, 感覚障害　725
疼痛　283, 723, 724
——, 感覚障害　723
——, 舌の　402
——, 終末期の　886
——, 単神経障害による　724
——, 歩行時の　759
疼痛性歩行　757
導尿, 排尿障害　646
糖尿病　diabetes mellitus　819
——, 意識障害　781, 784
——, 感覚障害　724
——, 口渇　445
——, 腎性浮腫　576
——, 腎性乏尿　663
——, 脱水　547
——, 瞳孔異常　347
——, 排尿障害　645, *645*
——, 頻尿　656
——, 浮腫　574
——, 便秘　615
——, 乏尿・無尿　663
——の検査　186
糖尿病性アシドーシス, 筋脱力　*730*
糖尿病性眼筋麻痺, 眼瞼下垂　340
糖尿病性ケトアシドーシス, 口渇 449
糖尿病性高血糖, 意識障害　*781*
糖尿病性自律神経障害
——, 血圧測定　533
——, 高血圧　533
——, 失神　267
——, 低血圧　538
糖尿病性神経障害　650
糖尿病性腎症
——, 排尿障害　649
——, 浮腫　575

糖尿病性動眼神経麻痺
　――，眼瞼下垂　339
　――，顔面痛　371
糖尿病性乳腺症　504
糖尿病性末梢神経障害，感覚障害
　　727
糖尿病網膜症　353
　――，眼底異常　350
頭髪，頭部診察　71
逃避　withdraws　46
頭部　head　70
　――の診察　70
頭部外傷
　――，嗅覚障害　394
　――，緊急性の高い嘔吐　429
　――，筋緊張異常　742
　――，痙攣　708，708
　――，散瞳をきたす　345
　――，縮瞳をきたす　345
　――，もの忘れ　702
頭部外傷後遺症，歩行障害　758
頭部神経痛　311
洞不全症候群　524
動物咬傷，急性中毒　860
頭部白癬　tinea capitis　71
動脈炎
　――，頭痛　311
　――，ばち状指　568
動脈管開存症，チアノーゼ　552
動脈血圧　arterial blood pressure　51
動脈血酸素分圧〔PaO_2〕　552，553
動脈血酸素飽和度〔SaO_2〕　552，553
動脈血栓症，脈拍性状に部位差を認める疾患　51
動脈血炭酸ガス分圧〔$PaCO_2$〕　553
動脈硬化症
　――，加齢に伴う，高血圧　532
　――，眼底異常　350
　――，急性冠症候群　818
　――，高血圧　532
　――，脈拍性状に部位差を認める疾患　51
動脈硬化性血管蛇行，顔面痛　371
動脈コンプライアンス，血圧　532
動脈停滞現象　arterial stationary wave phenomenon　369
動脈壁性状　character of arterial wall　50
　――の診察　51
同名(性)半盲　349
　――，視覚障害　320

動揺関節　147
動揺性歩行　757
トゥレーヌ・ソレント・ゴレ
　（Touraine-Solente-Golé）症候群
　　567
トキシドローム　861
トキソプラズマ症　toxoplasmosis，リンパ節腫脹　471
特異的 IgE 測定〔RAST〕　190
特異度　specificity　19，176
　――の臨床的活用方法　23
特殊検査　175
特殊熱傷　872
毒素原性大腸菌株　605
特徴的な異常歩行　61
特発性炎症性腸疾患の診断の進め方
　　610
特発性冠動脈解離　spontaneous coronary artery dissection〔SCAD〕
　　818
特発性血小板減少性紫斑病
　idiopathic thrombocytopenic purpura〔ITP〕　182，299
特発性結腸炎，下痢　609
特発性好酸球増加症，発熱　218
特発性骨髄線維症　idiopathic myelofibrosis〔IMF〕，脾腫（左季肋部のしこり）　598
特発性細菌性腹膜炎〔SBP〕　588
特発性三叉神経痛　tic douloureux，頭痛　370
特発性食道破裂　461
　――，胸痛および胸部圧迫感　498
特発性スプルー，下痢　605
特発性正常圧水頭症　idiopathic normal pressure hydrocephalus〔iNPH〕　963
特発性脊柱側弯　58
特発性低身長　idiopathic short stature〔ISS〕　255，259
特発性捻転ジストニア　753
特発性浮腫　573
　――の確定診断　576
特発性門脈亢進症　557
毒物，意識障害　781
時計描写　161
吐血　hematemesis　**456**
　――，症例　923
　――と喀血の鑑別　486
徒手筋力テスト　manual muscle test〔MMT〕　158，162

閉じられた質問　closed question
　　8，17，37
突進現象試験　pulsion test，歩行障害
　　759
トッド（Todd）麻痺　709
突背　gibbus　91
突発性腎出血，血尿　671
突発性難聴　360
　――，眼振　356，357
　――，聴覚障害　375
　――，歩行障害　758
　――，めまい　315
登攀性起立　734
吐物の誤嚥　458
兎糞状の硬便　618
ドライアイ　327
トライツ（Treitz）靱帯　456，619
トラウベの方法，脾腫の打診の　601
トラウベ半月腔　Traube's semilunar space　601
ドランゲ（de Lange）症候群，眉毛に異常を認める疾患　72
鳥飼病，喘鳴　516
トリーチャー コリンズ（Treacher Collins）症候群，下顎の低形成を認める疾患　72
努力声　414
努力呼吸　111
トローザ・ハント（Tolosa-Hunt）症候群
　――，眼球運動障害　369
　――，眼瞼下垂　337，339，340
　――，顔面痛　371
トロピカミド，眼底検査　77
トロンビン・アンチトロンビン複合体〔TAT〕　182
鈍的外傷　854
トンプソン（Thompson）の2杯分尿試験法　673

な

内下方偏位，眼球　366
内眼筋麻痺，眼瞼下垂　338
内頸-後交通動脈分枝部　internal carotid-posterior communicating artery〔IC-PC〕　368
内頸静脈　86，95
内頸動脈　86
　――，耳の構造　78

内頸動脈海綿静脈洞瘻，眼球突出 332
内肛門括約筋，肛門断面でみる 137
内耳，耳の構造 78
内耳炎，めまい 315
内痔核，嵌頓性，肛門・会陰部痛 626
内視鏡検査
　——，下部消化管 629
　——，下痢 611
内視鏡的逆行性膵胆管造影　endoscopic retrograde cholangiopancreatography〔ERCP〕 183, 201
内視鏡的止血治療 462
内視鏡的処置後の出血 620
内視鏡的粘膜下層(切開)剝離術　endoscopic submucosal dissection〔ESD〕 205
内視鏡的粘膜切除術　endoscopic mucosal resection〔EMR〕 205
内視鏡的パンチ生検 204
内耳障害 357
内耳性難聴 375
内斜視　convergent strabismus 74
内診 140
内旋　internal rotation 149
内臓脂肪型肥満 240
内臓痛　visceral pain 131, 577, 822
　——，腹痛 577
内側縦束　medial longitudinal fasciculus〔MLF〕 364
内側縦束症候群，意識障害 782
内側毛帯 722
内直筋，外眼筋 362
内転　adduction 149
内麦粒腫 73
内反股，歩行障害 758
内反膝　genu varum 144
内反足 144
内分泌検査 187
内分泌性肥満の確定診断 242
内分泌性浮腫の確定診断 576
内分泌不均衡，無月経 634
内閉鎖筋テスト　obturator muscle test，急性虫垂炎の診断 130
涙　tear 78
軟　soft 127
軟口蓋　soft palate 81
　——，口腔の構造 80
軟骨形成不全　achondroplasia 256

　——，成長障害をきたす疾患 254
軟骨無形成症 71
軟性下疳 138
　——，肛門・会陰部痛 626
難治性腹水 586
難聴 360, 374, 416
　——，感音性 79, 317
　——，伝音性 79, 317
軟便 604
軟脈　soft pulse 50

に

肉眼的血尿　macrohematuria 669, 670
　——，症例 953
肉芽腫症 287
　——，鼻漏・鼻閉 386
ニクソン(Nixon)の方法，脾腫の打診の 601
ニコチン酸欠乏，筋脱力 730
ニコチン中毒，食欲不振 434
二次止血 299
二次止血栓 299
二次性意識障害 784
二次性高アルドステロン血症
　——，肝性浮腫 576
　——，浮腫 576
二次性高血圧(症) 52, 532, *532*, **535**
二次性糸球体腎炎 835
二次性徴の異常 256
二次性低血圧症 53
二次性肥満 238, 239
二次性リンパ節炎，リンパ節腫脹の鑑別 84
二段脈　bigeminy 49
日射病，脱水 547
二糖類分解酵素欠損(乏)症，下痢の原因 606
ニトログリセリン，胸痛 496
二分脊椎
　——，排尿障害 645
　——，歩行障害 758
二峰性脈　double apical pulse 51
日本住血吸虫症
　——，静脈怒張 557
　——，腹水 588
　——，慢性 600
日本脳炎　Japanese encephalitis，知能低下 689

ニーマン・ピック(Niemann-Pick)病
　——，精神遅滞 689
　——，リンパ節腫脹 471
乳管　duct 501
乳癌 116, 501
　——の ^{18}F-FDG-PET-CT像 509
　——のMRI 509
　——の超音波像 508
　——のマンモグラフィー像 508
乳管癌 503
乳汁分泌の有無，無月経の診察 634
乳汁漏出無月経症候群，無月経 635
乳腺 501
乳腺炎 117, 502
乳腺症 502, 504
乳腺線維症 504
乳腺線維腺腫 502
乳頭　nipple 501
乳頭萎縮，悪性貧血 304
乳頭筋機能不全，心雑音 105
乳頭腫，鼻出血 389
乳頭浮腫　disk edema 77
乳糖不耐症
　——，下痢の原因 606
　——，原発性 605
乳び槽，リンパ節の分布 69
乳び腹水 583, 588, 591
乳房
　——のしこり　breast lump **501**
　——の診察 116
乳房撮影 507
乳房超音波検査 506
乳房痛 501
入眠障害 260
乳幼児突然死症候群　sudden infant death syndrome〔SIDS〕 764
尿Na排泄率〔FE_{Na}〕 666
尿意切迫 656
　——，排尿痛 653
尿管下端結石，頻尿 657
尿管癌，血尿 670
尿管結石，腰痛 641, 642
尿検査 178
尿細管間質性腎炎，乏尿・無尿 667
尿細管機能低下，頻尿 657
尿細管腔の閉塞，乏尿 663
尿細管病変，乏尿・無尿 662
尿酸排泄分画　fractional excretion of uric acid〔FE_{UA}〕 839
尿失禁　incontinence 46, 644, 779

尿浸透圧〔U_{osm}〕 187, 448, 666
尿性腹水 583
尿潜血反応 179, 669
尿線途絶，排尿痛 653
尿素窒素排泄分画 fractional excretion of urea nitrogen〔FE_{UN}〕 839
尿蛋白検査 178
尿中ホルモン測定 188
尿中薬物試験 865
尿沈渣 179, 669
尿道異物，排尿痛 652
尿道炎 urethritis
　——，排尿障害 645
　——，排尿痛 652, 654
　——，頻尿 660
尿道からの排膿 653
尿道下裂 138
尿道狭窄
　——，排尿障害 645
　——，排尿痛 652
尿道憩室炎，排尿痛 652
尿道結石
　——，排尿障害 645
　——，排尿痛 652
尿糖検査 178
尿道周囲膿瘍，排尿障害 645
尿道上裂，排尿障害 645
尿道断裂，排尿障害 645
尿道閉塞，乏尿・無尿 662
尿道膀胱炎，排尿痛 652
尿毒症
　——，筋脱力 730
　——，痙攣 708
　——，食欲不振 434
　——，特徴ある口臭 80
　——，不随意運動 754
尿毒症症状 uremia 664
尿毒症初期，嘔吐 429
尿毒症性昏睡，意識障害 784
尿毒症性神経症 664
尿毒性物質 663
　——，腎性乏尿 663
尿濃縮力の低下，口渇 448
尿の最大濃縮力 662
尿排出障害 644
　——の確定診断 649
尿比重 448
尿閉 644
　——，急性 646
　——，慢性 645
尿崩症 diabetes insipidus 446

　——，口渇 448
　——，脱水 545
　——，頻尿 656
尿流量測定 660
尿量 448
　——の変化，口渇 447
　——の変動 664
尿路感染症，下部，頻尿 659
尿路結核，血尿 673
尿路結石 urinary stone
　——，血尿 670
　——，腎後性乏尿 663
　——，腹痛 578, 580
　——，乏尿・無尿 663
尿路疾患の検査 185
尿路上皮癌，血尿 671
尿路閉塞，下部，排尿障害 645
人形の眼現象 doll's eye head phenomenon 367
　——消失 782
認識障害 65
妊娠 pregnancy 428, **840**
　——，嘔吐 429
　——，くも状血管腫 565
　——，食欲不振 435
　——，動悸，脈拍異常 524
妊娠悪阻 840
妊娠高血圧症候群 841, 844
妊娠子宮
　——，頻尿 657
　——の羊水過多，腹部膨隆 583
妊娠性黄疸，直接ビリルビン増加の黄疸 294
妊娠線 striae of pregnancy 122
妊娠糖尿病 841, 844
妊娠反応，食欲不振 436, 438
認知機能障害 688
認知症 dementia 56, 158, **688**, 700
　——とせん妄の鑑別 280
認知障害，視覚・視空間，視覚障害 320
認知心理 15

ね

寝汗 night sweat 218, **224**
ネオシネジンコーワ，眼底検査 77
ネコひっかき病
　——，発熱 218
　——，リンパ節腫脹 473
ネーザルサイクル 381

熱型 48
熱射病，脱水 547
熱傷 burns **872**
　——，腎前性乏尿 663
熱性痙攣，痙攣 708
熱帯性スプルー，下痢 605
熱帯性腸症 607
ネフローゼ症候群 nephrotic syndrome 835
　——，口渇 446
　——，静脈怒張 557
　——，腎性浮腫 576
　——，脱水 545
　——，腹水 586, 590
　——，浮腫 575, 586
　——，乏尿・無尿 664
　——，漏出性腹水 583
粘液水腫 576
　——，筋脱力 732
　——，腹水 586
　——，浮腫 575, 586
粘液水腫顔貌 myxedematous face 55
粘液性腹水 583
捻髪音 fine crackle 115
粘膜疹 enanthema 81

の

脳圧亢進，緊急性の高い嘔吐 429
脳炎
　——，意識障害 781
　——，悪心・嘔吐 430
　——，緊急性の高い嘔吐 430
　——，痙攣 708
　——，失語・失行・失認 695, 695
　——，せん妄 279
　——，頭蓋内圧亢進をきたす疾患 351
　——，発熱 218
脳幹
　——の圧迫，意識障害 780
　——の障害 724
脳幹機能障害 782
脳幹グリオーマ，構音障害 715
脳幹梗塞
　——，意識障害 781
　——，構音障害 713
　——，脳血管障害 794
脳幹出血
　——，意識障害 781
　——，構音障害 713

脳幹障害　723
　──，感覚障害　724, 727
脳幹損傷，意識障害　782
脳幹脳炎
　──，眼球運動障害　361, 363
　──，構音障害　713, 716
脳幹部腫瘍，構音障害　713
膿胸　empyema
　──，胸水　519
　──，ばち状指　568
　──，発熱　218
脳虚血状態，病的な徐脈　49
脳血管奇形，痙攣　708
脳血管障害　cerebrovascular disease
　〔CVD〕　708, 723, **791**
　──，Horner（ホルネル）症候群の原因　347
　──，意識障害　780, 784
　──，運動麻痺　718
　──，感覚障害　725
　──，眼球運動障害　361
　──，眼振　356, 358
　──，筋緊張異常　742
　──，筋脱力　732
　──，痙攣　708
　──，構音障害　713
　──，散瞳をきたす　345
　──，視覚障害　320, 323
　──，失語・失行・失認　695
　──，縮瞳をきたす　345
　──，症例　968
　──，知能低下　689
　──，認知症　689
　──，頻尿　656
　──，不随意運動　753
　──，歩行障害　758
脳血管障害急性期，排尿障害　645
脳血管性認知症　vascular dementia　689
脳血栓（症），失語・失行・失認　695, 697
脳腱黄色腫症　cerebrotendinous xanthomatosis〔CTX〕，運動失調　747
脳梗塞　cerebral infarction　914, 968
　──，意識障害　781
　──，筋緊張異常　742
　──，痙攣　708
　──，頭痛　311
　──，脳血管障害　791
嚢腫　284

濃縮尿，排尿痛　652
脳出血　intracerebral hemorrhage
　──，意識障害　781
　──，筋緊張異常　742
　──，痙攣　708
　──，失語・失行・失認　695
　──，頭痛　311
　──，頭蓋内圧亢進をきたす疾患　351
　──，脳血管障害　791
脳腫瘍　brain tumor　313
　──，Horner（ホルネル）症候群の原因　347
　──，意識障害　781
　──，筋緊張異常　742
　──，筋脱力　732
　──，痙攣　708, 708
　──，散瞳をきたす　345
　──，視覚障害　323
　──，失語・失行・失認　695, 697
　──，縮瞳をきたす　345
　──，心肺停止　764
　──，頭痛　310
　──，知能低下　689
　──，頭蓋内圧亢進をきたす疾患　351
　──，瞳孔異常　347
　──，排尿障害　645
　──，歩行障害　758
脳静脈洞血栓症，頭蓋内圧亢進をきたす疾患　351
脳振盪，意識障害　781
脳性小児麻痺，アテトーゼ運動を認める疾患　60
膿性鼻漏　334
膿性腹水　583
脳性麻痺
　──，構音障害　713
　──，不随意運動　753
　──，歩行障害　758
脳脊髄炎，急性散在性，失語・失行・失認　695
脳塞栓（症）
　──，痙攣　708
　──，失語・失行・失認　695, 697
脳卒中　791
　──，心肺停止　764
　──，めまい　316
脳底髄膜炎
　──，眼球運動障害　363
　──，顔面痛　371

脳底部中枢神経感染症，縮瞳をきたす　345
脳動静脈奇形，脳血管障害　796
能動的仰臥位　active supine position　58
脳動脈硬化症，引きずり歩行を認める疾患　61
脳動脈閉塞，脳血管障害　796
脳動脈瘤，脳血管障害　796
脳内感染症，失語・失行・失認　695
脳内出血　313
膿尿　658
脳膿瘍
　──，意識障害　781
　──，痙攣　708
　──，失語・失行・失認　695, 695, 697
　──，頭痛　310
　──，頭蓋内圧亢進をきたす疾患　351
脳波記録，24時間　711
脳発達不全，痙攣　708
膿皮症，肛門・会陰部痛　626
脳貧血，失神　268
脳ヘルニア　encephalocele
　──，意識障害　780
　──，外傷　858
　──，心肺停止　771
　──，徴候　783
膿疱　pustule　284
　──，主な発疹　67
嚢胞性線維症，呼吸不全　804
農薬，急性中毒　860
膿瘍，皮膚の　285
脳葉型出血，痙攣　708, 708
ノカルジア症，咳，痰　480
のぼせ　224
ノリア・スティーブンソン（Nohria-Stevenson）分類　812
ノルアドレナリン，点眼試験　346

は

歯　teeth，口腔内の診察　81
バイアス，選択　29
肺うっ血　811
　──，胸痛の胸部X線検査　499
肺炎　846
　──，喀血，血痰　487
　──，胸痛　500
　──，胸痛の胸部X線検査　499

肺炎
　——, 呼吸困難　512
　——, 呼吸不全　804, 807
　——, せん妄　279
　——, 発熱　218
肺炎随伴性胸水　519
肺化膿症　lung (pulmonary) suppuration
　——, 喀血, 血痰　487
　——, 咳, 痰の原因疾患の特徴所見　480
　——, 特徴ある口臭　80
肺癌　lung cancer　484, 917
　——, 喀血, 血痰　487
　——, 胸痛の胸部X線検査　499
　——, 筋脱力　730
　——, 呼吸不全　804
　——, 嗄声　415, 416
　——, 食欲不振　435
　——, 咳, 痰　482
　——, 咳, 痰の原因疾患の特徴所見　480
　——, 喘鳴　515
肺肝境界　lung-liver border　134, 596
肺気腫　pulmonary emphysema
　——, 呼吸困難　511
　——, 食欲不振　435
　——, 喘鳴　515
　——, ばち状指　570
背屈
　——, 足　dorsiflexion　152
　——, 手　extension　150
肺結核(症)　pulmonary tuberculosis　929
　——, Horner (ホルネル) 症候群の原因　347
　——, 構音障害　715
　——, 咳, 痰の原因疾患の特徴所見　480
　——, 発熱　218
肺血管病変, 咳, 痰の原因疾患の特徴所見　480
敗血症　sepsis　847
　——, 意識障害　781
　——, 痙攣　708
　——, 呼吸不全　808
　——, 腎前性乏尿　663
　——, 心肺停止　764, 770
　——, せん妄　279
敗血症性ショック　772

肺血栓塞栓症　pulmonary thromboembolism 〔PTE〕　932
　——, 喀血, 血痰　486
　——, 胸痛および胸部圧迫感　494, 499
　——, 胸痛の胸部X線検査　499
　——, 胸痛の原因　494
　——, 心肺停止　764
　——, 咳, 痰　485
肺高血圧
　——, Ⅱ音　101
　——, 静脈怒張　556
肺高血圧症, 低血圧　538
肺梗塞, 乏尿・無尿　661
排出相, 咳のメカニズム　476
肺腫瘍, 背部痛　638, 639
肺小細胞癌
　——, 運動失調　749
　——, 筋脱力　735
肺真菌症　pulmonary mycosis
　——, 喀血, 血痰　487
　——, 咳, 痰の原因疾患の特徴所見　480
肺水腫
　——, 胸痛の胸部X線検査　499
　——, 呼吸困難　512
　——, 熱傷　876
肺性心
　——, 静脈怒張　556
　——, 心性浮腫　575
　——, 浮腫　575
肺性脳症, 不随意運動　754
肺線維症, 呼吸困難　512
肺腺癌　918
　——, 胸水　519
肺尖部腫瘍, 縮瞳をきたす　345
背側三叉神経毛帯　722
肺塞栓(症)　935
　——, 胸水　519
　——, 呼吸困難　512
　——, 心性浮腫　575
　——, 低血圧　538
　——, 浮腫　575
バイタルサイン　vital sign　45
肺動静脈奇形患者にみられたチアノーゼ　65
肺動静脈瘻　941
肺動脈拡張, 心雑音　104
肺動脈駆出音　100
肺動脈血栓塞栓症, 発熱　218
肺動脈弁狭窄, 心雑音　104

梅毒　syphilis
　——, 眼底異常　350, 351
　——, 筋脱力　731
梅毒トレポネーマ感作赤血球凝集　Treponema pallidum hemagglutination 〔TPHA〕　761
肺内シャント, ばち状指　568
排尿回数　656
排尿筋機能低下, 排尿障害　645
排尿筋・尿流量同時測定法　pressure-flow study 〔PFS〕　650
排尿筋の障害, 排尿障害　645
排尿後痛　pain after micturition　651
排尿困難　644
　——, 腎後性乏尿　664
排尿時灼熱痛　burning on urination　651
排尿終末期血尿　673
　——, 排尿痛　653
排尿障害　dysuria　644
排尿初期血尿　673
排尿全期血尿　673
排尿痛　micturition pain　651, 658
　——, 症例　951
　——の分類　652
排尿反射抑制路　657
肺膿瘍　lung (pulmonary) abscess
　——, 咳, 痰の原因疾患の特徴所見　480
　——, ばち状指　568
肺の診察　107
背部痛　back pain　637
排便回数の減少　613
排便困難症　dyschezia　618
排便のしくみ　614
排便反射　613
排便量の減少　613
肺胞　alveoli　515
肺胞呼吸音　114
肺胞出血, 呼吸不全　807
肺胞低換気(症), チアノーゼ　553
ハイムリック (Heimlich) 法　869
肺野・楔状浸潤影, 胸痛の胸部X線検査　499
廃用性萎縮　disuse atrophy　145, 736
ハウシップ・ロンベルク (Howship-Romberg) 徴候　822
破壊性甲状腺中毒症　785
パーキンソン (Parkinson) 顔貌　54
パーキンソン (Parkinson) 症候群　54, 961

――, 姿勢 59
――, 失語・失行・失認 697
パーキンソン（Parkinson）病 155, 742, 755, 961
――, 筋緊張異常 741, 742
――, 筋脱力 733
――, 構音障害 713, 713, 715
――, 知能低下 689
――, 低血圧 538
――, 寝汗, ほてり 229
――, 排尿障害 645
――, 不随意運動 751, 752
――, 不眠 261, 264
――, 便秘 615
――, 歩行障害 758, 758
パーキンソン（Parkinson）歩行 61
白衣高血圧 532
薄束核 722
拍動（性） pulsation 132
――, 腹部大動脈 124, 133
拍動音 52
白内障 cataract, 水晶体に異常を認める疾患 76
白髪 68
爆発性言語（発語） explosive speech 63, 173
白斑 67, 283
白板症 leukoplakia 81, 82
麦粒腫 hordeolum 73
歯車現象 cogwheel phenomenon 146
歯車様硬直（固縮） cogwheel rigidity 743
跛行 759
跛行性歩行 limping gait 63
破砕（状）赤血球, 脾腫 601
はさみ脚歩行 scissors gait 61
パジェット（Paget）病 503
――, 肛門・会陰部痛 626
橋本病 Hashimoto's thyroiditis 786, 900
――, 甲状腺機能亢進症 786
――, 甲状腺腫 464
――の急性増悪 789
播種性血管内凝固 disseminated intravascular coagulation〔DIC〕 182, 299, 841, 908
――, 意識障害 781
――, 痙攣 708
波状熱 undulant fever 48
破傷風 tetanus, 構音障害 713, 713

長谷川式簡易知能評価スケール改訂版〔HDS-R〕 691, 698
バセドウ（Basedow）病 785
――, 眼球突出 332
――, 甲状腺腫 464
――, 舌の異常 403
――の確定診断 790
――の鑑別 469
バセドウ（Basedow）病眼症 332, 336
パーソナリティ症, 精神科領域での救急 880
バソプレシン 188
―― 負荷試験 188
パターン認識 13
ばち（状）指 clubbed finger 109, 142, 567
――, 症例 941
ハチンスキー（Hachinski）の虚血スコア 690, 691
発汗, 悪心・嘔吐の随伴症状 426
白血球数〔WBC〕 181
白血球増加症, 下痢 610
白血球分画 181
白血病 307
――, 下血・血便 620
――, 腎性乏尿 663
――, 貧血 305
――, 乏尿・無尿 663
――, リンパ性, リンパ節腫脹の鑑別 85
――などによる骨髄不全 302
抜歯後神経痛, 顔面痛 371
発声構音障害 416
バッセン・コーンツヴァイク（Bassen-Kornzweig）症候群, 筋脱力 730
パッチテスト 190
発痛物質 724
バッド・キアリ（Budd-Chiari）症候群
――, 肝腫大 593
――, 静脈怒張 557
――, 腹水 587, 587, 589
――, 慢性進行性・重症化肝腫大 593
パッドテスト 650
発熱 fever 216
――, III音 101
――, 症例 896, 975
――, 動悸, 脈拍異常 524
バーデット・ビードル（Bardet-Biedl）症候群, 肥満, 肥満症 239, 241

波動 fluctuation
――, 腹水の存在診断 589
――, 腹部腫瘤 132
――, 腹部触診 133
ハートナップ（Hartnup）病, 運動失調 747
鳩胸 pigeon breast（chest） 90, 108
バトル（Battle）徴候 858
鼻アレルギー, いびき 421
鼻茸, いびき 421
鼻の診察 79
鼻ポリープ, 咳, 痰の原因疾患の特徴所見 480
鼻水 381
鼻指鼻試験 172
パニック症 274, 276
――, 寝汗, ほてり 226
パニック値 176
パニック発作, 精神科領域での救急 879
羽ばたき振戦 flapping tremor 60
――, 失神 268
パパニコロウ（Papanicolaou）染色 202
パパニコロウ（Papanicolaou）分類 204
馬尾腫瘍, 排尿障害 645
馬尾障害 726
――, 感覚障害 724
バビンスキー（Babinski）徴候 158, 166
ハム（Ham）試験 307
ハーラー（Hurler）症候群
――, 舟状頭を認める疾患 70
――, 精神遅滞 689, 691
バラニー（Barany）の指示試験 158
ハラーマン・ストライフ（Hallermann-Streiff）症候群, 舟状頭を認める疾患 70
バリスム 752, 753
針生検 204
パリノー（Parinaud）症候群 347, 365
――, 眼球運動障害 365
バリント（Bálint）症候群 161
バルサルバ（Valsalva）試験 100
バルサルバ（Valsalva）手技 526
バルトリン（Bartholin）腺 140
バルトリン（Bartholin）腺炎, 肛門・会陰部痛 626
バルビタール中毒
――, 意識障害 782
――, 筋脱力 730
バルブ作用 270

パレステジア paresthesia 723
バレー(Barré)徴候 157, 163
ハレルフォルデン・スパッツ
　　(Hallervorden-Spatz)病, 精神遅滞
　　　　　　　　　　　　　　　　691
斑 67, 283
反回神経 415
　── 圧迫 416
　── 麻痺 415
反回神経麻痺 917
半規管, 耳の構造 78
半月神経節 722
パンコースト(Pancoast)腫瘍, Horner
　　(ホルネル)症候群の原因 347
瘢痕 123
　──, 皮膚の 286
半昏睡 semicoma 46, 779
半座位での触診 42
反射性眼球運動 363
半側横断性障害 726
　──, 感覚障害 724
半側顔面痙攣, 不随意運動 752
半側空間無視 160, 319, 322, 694
　──, 視覚障害 320
反対回旋性頭位変換眼振 360
ハンター(Hunter)舌炎 81, 403
　──, 悪性貧血 304
バンチ(Banti)症候群 121
反跳現象 172
反跳痛 rebound tenderness 131
　──, 腹痛 577
ハンチントン(Huntington)(舞踏)病
　　　　　　　　　　　　　　　　60
　──, 知能低下 689
　──, 不随意運動 753, 755
　──, 歩行障害 758, 761
斑点, 赤い 563
ハント(Hunt)症候群, 味覚障害 399
反復拮抗運動 diadochokinesis 172
反復唾液嚥下テスト 871
ハンマン(Hamman)徴候 805
半盲 76
　──, 視覚障害 319

ひ

非ST上昇型心筋梗塞 817
非圧痕性浮腫 non-pitting edema 576
鼻咽腔血管線維腫, 鼻出血 391
鼻咽頭炎, 嘔吐 429

ビエモン(Biemond)症候群, 肥満, 肥
　　満症 239, 243
ピエール ロバン(Pierre Robin)症候群,
　　下顎の低形成を認める疾患 72
鼻炎
　──, いびき 421
　──, 鼻漏・鼻閉 383
ビオー(Biot)呼吸 53, 111, 805
非回転性めまい 317, 357
皮下気腫 112
皮下浮腫 572
非感染性結膜炎 324
ひき運動, 眼球運動 362
引きずり歩行 shuffling gait 61
脾機能亢進 599
鼻鏡 79
非巨赤芽球性貧血 307
鼻腔 79
　── 側壁 79
　── 通気度検査 424
ヒグローマ hygroma, 頸部の先天異
　　常 88
非結核性抗酸菌症, 喀血, 血痰 487
脾血流異常 599
非ケトン性高浸透圧性昏睡, 意識障害
　　　　　　　　　　　　　　　　784
脾梗塞, 腹痛 578
尾骨骨折, 肛門・会陰部痛 626
膝 knee 152
肘 elbow 150
非糸球体本性血尿 670
皮質感覚 722, 727
皮質性小脳萎縮症 957
微弱陣痛 841
脾腫 splenomegaly 598
　──, 門脈圧亢進に伴う 600
鼻汁 381
鼻出血 nasal bleeding 387
微小血管狭心症 microvascular angina
　　　　　　　　　　　　　　　　821
微小血管減圧術 373
微小血管障害性溶血性貧血, 貧血
　　　　　　　　　　　　　　　　305
肘リンパ節 69, 470
皮疹 exanthema 67, 283
ヒスタミン遊離試験 190
ヒスチジン, 急性中毒 860
ヒステリー
　──, 意識障害 781
　──, 失語・失行・失認 695
　──, 歩行障害 758

　──, めまい 315
ヒステリー球 452
ヒステリー性痙攣, 痙攣 708
ヒステリー性失神 267
ヒステリー性失声 416
ヒステリー(性)歩行 hysteric gait
　　　　　　　　　　　　　63, 757
非ステロイド性抗炎症薬
　　──, 急性尿細管間質性腎炎の誘因
　　物質 667
　　──, 薬剤性浮腫 576
脾切痕 128
脾臓
　── の触診 42, 128
　── の打診 134
ヒ素, 急性中毒 860
腓側広筋 147
肥大型心筋症 hypertrophic
　　cardiomyopathy〔HCM〕
　　──, 低血圧 538
　　──, 動悸, 脈拍異常 524
　　──, 二峰性脈を認める 51
肥大性骨関節症 hypertrophic
　　osteoarthropathy 567, 569
脾濁音界 598
ビタミンA, 頭蓋内圧亢進をきたす疾
　　患 351
ビタミンB群欠乏症, 眼底異常 350
ビタミンB_1欠乏
　　──, 意識障害 781
　　──, 筋脱力 730
　　──, 知能障害 690
ビタミンB_6欠乏, 筋脱力 730
ビタミンB_{12}欠乏
　　──, 筋脱力 730
　　──, 味覚障害 400
ビタミンB_{12}欠乏性貧血 306, 912
　　──, 運動麻痺 718
左胸骨線 89
左季肋部の膨隆 121
左肩甲骨内縁線 89
左肩甲線 89
左鎖骨中線 89
左上腹部膨満感, 巨脾 598
左大脳半球の言語領域 64
左傍胸骨線 89
鼻中隔 79
鼻中隔軟骨 79
鼻中隔弯曲症, 鼻漏・鼻閉 383
非注視眼振 355
非陳述記憶 700

ヒトT細胞白血病ウイルスI型　human T-cell leukemia virus type I〔HTLV-I〕, 運動麻痺　718
ヒトT細胞白血病ウイルスI型関連ミエロパチー〔HAM〕
　——, 運動麻痺　718
　——, 筋脱力　732
　——, 歩行障害　761
ヒト絨毛性ゴナドトロピン　human chorionic gonadotropin〔HCG〕　464, 786
ヒト乳頭腫ウイルス　human papilloma virus　138
鼻内視鏡　384
皮内テスト　190
非内分泌性低身長　255
被ばく　197
菲薄基底膜病, 血尿　670
皮膚　skin　65
　——の異常　skin abnormality　283
　——の痒み, 黄疸　292
　——の色調　65
　——の視診　142
　——の触診　145
皮膚圧痕　pitting edema　573
皮膚炎　286
皮膚筋炎　dermatomyositis〔DM〕
　——, 筋脱力　730, 732
　——, 発熱　218
皮膚緊満度　67
皮膚色素沈着　690
皮膚書字試験　727
皮膚生検　290
皮膚線条　striae cutis　122, 241
皮膚反応　190
飛蚊症
　——, 眼底異常　351
　——, 視覚障害　319
鼻閉　nasal obstruction　381
非抱合型ビリルビン　292
ヒポクラテス顔貌　hippocratic face　54
ひまし油　605
肥満指数　body mass index〔BMI〕　57, 238, 245
肥満(症)　obesity　57, **238**
　——, いびき　421
　——, 薬物による　244
　——の定義　238
びまん性肝腫大　593
びまん性甲状腺腫　464

びまん性脳脊髄炎, 筋脱力　731
びまん性肺胞出血　486
　——, 呼吸不全　804
びまん性汎細気管支炎　diffuse panbronchiolitis〔DPB〕
　——, 咳, 痰　484
　——, 咳, 痰の原因疾患の特徴所見　480
肥満度　57
眉毛, 顔面の診察　72
鼻毛様体神経　344
病因診断　etiological diagnosis　44
病原性大腸菌, 粘膜傷害による下痢　605
病原微生物検査　191
表在感覚　722, 727
　——消失, 感覚障害　726
表在性リンパ節　68
表在反射　168
病者の役割　sick role　4
標準12誘導心電図検査　528
　——, 胸痛　498
標準体重　57
病態失認　694
病態生理学的な考え方　25
病的混濁尿, 排尿痛　652
病的反射　163, 168
　——, 筋緊張異常　742
病的無月経　632
表皮水疱症　287
表皮剥離　285
病理解剖　207
病理検査　pathological examination　202
病理組織検査　histopathological examination　203
病歴情報　17
病歴聴取　7
鼻翼呼吸　111
開かれた質問　open-ended question　8, 18, 37
ピラミッド胸(肺)　thorax pyramidalis　90
びらん　erosion
　——, 主な発疹　67
　——, 舌の　404
　——, 皮膚の　285
微量元素欠乏症, 食欲不振　435
ビリルビン　292
非淋菌性尿道炎, 排尿痛　654

ヒルシュスプルング(Hirschsprung)病　121
　——, 器質性便秘　615
　——, 便秘　615
ビールショウスキー(Bielschowsky)の頭位傾斜　364
ピルビン酸脱水酵素抗体　183
疲労　899
　——, 器質性疾患による　234
鼻漏　nasal discharge　381
疲労感　233
ピロカルミン, 低濃度　347
脾弯曲症候群　splenic flexure syndrome
　——, 鼓腸をきたす疾患　583
　——, 腹痛　578
貧血　anemia　**304**
　——, Ⅲ音　101
　——, 高血圧　532
　——, 失神　268
　——, 症例　911
　——, 動悸, 脈拍異常　524
　——の検査　181
　——の分類, 赤血球指数による　307
　——の分類, 平均赤血球恒数による　181
頻呼吸　110, 511
ビンスワンガー(Binswanger)病, 知能低下　689
頻度大眼振　355
ピント調節
　——, 瞳孔の機能　342
　——, 瞳孔反応　342
頻尿　pollakisuria　**656**
　——, 症例　951
　——, 清澄尿を伴う　655
　——, 膀胱炎, 血尿を伴う　654
　——, 薬物による　657
頻拍　523
　——, Ⅰ音　100
頻発月経　632
頻脈　tachycardia　48
　——, 悪心・嘔吐の随伴症状　426
貧毛症　hypotrichosis　68

ふ

ファブリ(Fabry)病, 筋脱力　730
ファロー(Fallot)四徴症, 呼吸困難　512

不安　**271**
　　── を呈する身体疾患　*273*
ファンコニ(Fanconi)貧血　*70, 309*
不安症　**271**
　　──，精神科領域での救急　*880*
　　──，寝汗，ほてり　*226*
　　──，不眠　*264*
不安状態　anxiety state　*55*
不安神経症
　　──，胸痛の原因　*494*
　　──，めまい　*315*
不安定狭心症　*817*
　　──，胸痛および胸部圧迫感　*497*
部位診断　anatomical diagnosis　*44*
フィッシャー(Fisher)症候群
　　──，運動失調　*747*
　　──，眼球運動障害　*368, 369*
　　──，眼瞼下垂　*337, 340*
　　──，歩行障害　*758, 761*
フィードバック障害，無月経　*634*
フィブリノゲン　*182*
フィブリン/フィブリノゲン分解産物
　　〔FDP〕　*182*
フィブリン分解産物　*182*
風疹　rubella　*847*
　　──，舌の異常　*403*
　　──，リンパ節腫脹　*473*
封入体筋炎，筋脱力　*730*
不運な結果　bad outcome　*29*
フェニルケトン尿症
　　──，精神遅滞　*689, 691*
　　──，知能障害　*692*
フェニレフリン塩酸塩，眼底検査　*77*
フェノチアジン系薬物，便秘を起こしやすい薬物　*615*
フェノバルビタール，急性尿細管間質性腎炎の誘因物質　*667*
フェルティ(Felty)症候群，舌の異常　*403*
フォトンカウンティング CT　*200*
フォルクマン(Volkmann)拘縮，四肢痛　*675*
フォン ヴィレブランド(von Willebrand)病　*300*
フォン グレーフェ(von Graefe)徴候　*74*
不穏状態　restlessness　*46, 779*
フォン レックリングハウゼン(von Recklinghausen)病
　　──，筋脱力　*730*
　　──，精神遅滞　*691*

不快感，舌の　*402*
負荷試験　*187*
浮球感　ballottement　*41, 128*
腹圧性尿失禁　*644*
腹腔内膿瘍，発熱　*218*
副睾丸　⇒精巣上体
複合感覚　*722, 727*
副交感神経経路　*344*
副甲状腺機能異常症，知能低下　*689*
副甲状腺機能亢進症
　　hyperparathyroidism
　　──，筋脱力　*730*
　　──，下痢　*610*
　　──，四肢痛　*676*
副甲状腺クリーゼ，悪心・嘔吐　*431*
副甲状腺ホルモン　parathyroid hormone〔PTH〕　*259*
複視　diplopia　*74, 361*
　　──，外傷　*854*
復唱　*697*
　　──，失語症の鑑別　*64*
副腎腺腫，高血圧　*536*
副腎皮質機能亢進症，症候性肥満の原因　*57*
副腎皮質機能不全症，脱水　*546*
副腎皮質刺激ホルモン〔ACTH〕　*188*
副腎皮質ホルモン放出ホルモン〔CRH〕，食欲低下物質　*434*
副腎不全　*938*
　　──，悪心・嘔吐　*431*
　　──，脱水　*545*
　　──，発熱　*218*
腹水　ascites　*120, 582,* **586**
　　──，乳び　*591*
　　──，の鑑別　*591*
　　──，の存在診断　*589*
　　──，の打診　*134*
　　──，の聴診　*135*
腹水穿刺　*591*
腹水貯留時の波動　*133*
輻輳　convergence　*75*
　　──，眼球運動　*363*
輻輳運動，瞳孔反応　*342*
輻輳開散運動，眼球運動　*356*
輻輳麻痺　*365*
腹側三叉神経毛帯　*722*
腹痛　abdominal pain　**577**
　　── をきたす疾患　*578*

副鼻腔炎
　　──，いびき　*421*
　　──，眼球突出　*336*
　　──，眼底異常　*350*
　　──，顔面痛　*371, 371*
　　──，鼻漏・鼻閉　*385*
副鼻腔腫瘍，顔面痛　*371*
副鼻腔粘液嚢腫，眼球突出　*333*
腹部　abdomen　*119*
　　── の区分　*119, 120*
　　── の呼吸運動　*124*
　　── の触診　*40*
　　── の聴診　*135*
　　── の皮膚線条　*122*
腹部圧迫試験，静脈怒張　*560*
腹部全体
　　── の陥凹　*122*
　　── の膨隆　*120*
腹部大動脈の拍動　*124, 132*
腹部てんかん，腹痛　*578*
腹部膨満(感)，弛緩性便秘　*614*
腹部膨隆　abdominal distention　**582**
　　── の鑑別　*121*
腹壁静脈拡張　*123*
腹壁静脈怒張　*589, 600*
　　──，肝硬変　*296*
腹壁反射　*167, 168*
腹壁表在性静脈　*123*
腹膜炎
　　──，滲出性腹水　*583*
　　──，発熱　*218*
　　──，腹水　*586*
　　──，腹痛　*581*
腹膜偽粘液腫　peritoneal pseudomyxoma　*121, 588*
腹膜刺激，腹痛　*577*
腹膜性鼓腸　*583*
腹鳴　*135*
ブシャール(Bouchard)結節　*143*
浮腫　edema　*66, 555,* **572**
　　──，肝硬変　*296*
　　──，失神　*268*
　　──，心不全患者にみられた　*66*
　　── 全身性　anasarca　*572, 573*
腐食性物質の誤嚥，嘔吐　*429*
婦人科的手術後，排尿障害　*645*
不随意運動　involuntary movement　*59, 60, 169,* **751**
不随意運動性歩行　*757*
不整脈　arrhythmia　*49, 523*
　　──，胸痛　*496*

——, 甲状腺機能亢進症　790
——, 呼吸性　respiratory arrhythmia
　　　49
——, 心肺停止　764
——, 絶対性　absolute arrhythmia
　　　49
——, 低血圧　538
不全対麻痺　59
不全麻痺　paresis　59
二重まぶたの観察, 眼瞼下垂　339
不適切 TSH 分泌〔SITSH〕　790
舞踏運動　752, 753
浮動性めまい　dizziness　314
舞踏病　chorea
——, 筋緊張異常　742
——, 不随意運動　755
舞踏病様運動　choreiform movement
　　　60
ぶどう膜, 眼の構造　73
ぶどう膜炎　328
——, 顔面痛　371
腐敗臭, 吐物の　453
フーバー（Hoover）徴候　111
プパール（Poupart）靱帯　119
部分腟欠損, 無月経　634
不眠　insomnia　260
——, 症例　901
不明熱　218
不明瞭発語（発話）　slurred speech, 構音障害　715
不明瞭発話　173
ブラウン・セカール（Brown-Séquard）症候群, 感覚障害　724
プラスミノゲン　182
プラスミン・プラスミンインヒビター複合体〔PIC〕　182
プラゾシン塩酸塩, 頻尿　657
プラダー・ウィリ（Prader-Willi）症候群
——, 精神遅滞　691
——, 成長障害をきたす疾患　254
——, 短頭を認める疾患　71
——, 肥満, 肥満症　239, 241
ふらつき, 眼振　355
フラボキサート塩酸塩, 頻尿　657
ブランコ雑音　to-and-fro bruit（murmur）　88, 106
プランマー・ヴィンソン（Plummer-Vinson）症候群　81, 403
——, 嚥下困難　454
——, 鉄欠乏性貧血　304

プランマー（Plummer）病
——, 甲状腺機能亢進症　785
——, 甲状腺腫　468
——の確定診断　790
プリオン　prion　756
プリオン病
——, 知能低下　689
——, もの忘れ　702
振子様眼振　359
プリックテスト（反応）　190
フリードライヒ（Friedreich）失調症, 感覚障害　724
フリードライヒ（Friedreich）病
——, 運動失調　747, 750
——, 歩行障害　758, 758, 761
ブルガダ（Brugada）症候群, 失神　269
ブルジンスキー（Brudzinski）徴候　173
ブルセラ症, 発熱　218
フルニエ（Fournier）壊疽, 肛門・会陰部痛　626, 630
ブールハーフェ（Boerhaave）症候群
——, 胸痛　499
——, 胸痛および胸部圧迫感　494, 498
——, 胸痛の原因　494
フルンケル　furuncle　83
ブルンス（Bruns）眼振　359, 359
ブルンベルグ（Blumberg）徴候　131, 590, 828
——, 腹痛　580
フレイルチェスト, 外傷　859
フレーリッヒ（Fröhlich）症候群, 肥満, 肥満症　239, 241
フレンツェル（Frenzel）眼鏡　316, 355
ブローカ（Broca）失語　64, 64, 159
ブローカ（Broca）（領）野　64, 64, 694
プロゲステロン　636
プロスタグランジン〔PG〕　605
プロトロンビン時間〔PT〕　182
プロベネシド, 急性尿細管間質性腎炎の誘因物質　667
プロラクチノーマ　635
プロラクチン〔PRL〕　636
プロラクチン産生（下垂体）腺腫, 無月経　633
糞塊　129
——, 直腸内　617
分枝閉塞症　352
分泌刺激試験　188
分泌性下痢　605
分泌抑制試験　188

分娩　delivery　840
糞便　613
糞便検査, 下痢　609
分娩時異常出血　841
糞便中脂肪滴　611
糞便軟化薬　605
粉瘤, 肛門・会陰部痛　626

へ

平滑　smooth　127
平均赤血球恒数　181
平均赤血球ヘモグロビン濃度　mean corpuscular hemoglobin concentration〔MCHC〕　180, 306
平均赤血球ヘモグロビン量　mean corpuscular hemoglobin〔MCH〕　180, 306
平均赤血球容積　mean corpuscular volume〔MCV〕　180, 306
平均値への回帰, 診断を誤る心理過程　28
平衡失調　357
平衡障害　314
——, 眼振　355
閉鎖型質問　⇒閉じられた質問
閉塞性黄疸　295, 597, 904
——, くも状血管腫・手掌紅斑　566
——の確定診断　298
閉塞性ショック　772
閉塞性睡眠時無呼吸症候群　obstructive sleep apnea syndrome〔OSAS〕　419
閉塞性動脈硬化症　arteriosclerosis obliterans〔ASO〕　757
——, 下肢動脈の触診　534
——, 四肢痛　675
——, 歩行障害　758
閉塞性肺疾患　484
——, 咳, 痰の原因疾患の特徴所見　480
閉塞性肥大型心筋症〔HOCM〕, 心雑音　104
並列検査　11
壁石灰化陰影, 胸痛の胸部 X 線検査　499
ヘス（Hess）赤緑試験　368
ペースメーカー症候群　524
臍　navel　123
——の癌　123

ベーチェット(Behçet)病 140
　——，肛門・会陰部痛 626
　——，舌の異常 403
　——，発熱 218
　——の初発症状，再発性アフタ 404
ペニシリン，急性尿細管間質性腎炎の誘因物質 667
ヘノッホ・シェーンライン(Henoch-Schönlein)紫斑病 300, 303, 624
　——，腹痛 578
ヘバーデン(Heberden)結節 143
ヘビ毒，筋脱力 730
ヘマチン 456
ヘマトキシリン-エオジン hematoxylin-eosin〔HE〕染色 203
ヘマトクリット〔Ht〕 180
ヘモグロビン〔Hb〕 180, 669
　——，還元 551
ヘモグロビン濃度，還元，チアノーゼ 65
ヘモクロマトーシス hemochromatosis 66
　——，持続性肝腫大 593
ヘモジデリン 66
ペラグラ 403
　——，下痢 608
ヘリオトロープ紅斑 heliotrope erythema 68, 72, 734
ヘーリング(Hering)法則 363
ベル型聴診器 44
ヘルテル(Hertel)眼球突出計 334
ベルナール・スリエ(Bernard-Soulier)症候群 300
ベルヌーイ(Bernoulli)効果 420
ヘルパンギーナ，舌の異常 403
ヘルペス 138
ヘルペス脳炎 herpes encephalitis，知能低下 689
ベル(Bell)麻痺 Bell's palsy
　——，構音障害 713, 714, 716
　——，味覚障害 399
便意 613
偏位 365
　——，眼球 365
　——，気管の deviation of trachea 87
便遺残感 613
便塊 613
弁下部狭窄，心雑音 104

変換運動障害 dysdiadochokinesis または adiadochokinesis 748
片眼での眼球運動 362
変形性関節症 osteoarthritis〔OA〕 143
　——，関節痛 678
変形性頚椎症
　——，筋萎縮 736
　——，筋脱力 730
変形性股関節症，歩行障害 758
変形性骨炎，大頭症を認める疾患 70
変形性膝関節症
　——，関節痛 677
　——，歩行障害 758
変形性脊椎症
　——，感覚障害 724, 728
　——，筋緊張異常 742
　——，背部痛 638
　——，腰痛 641
変形性腰椎症，歩行障害 758
便検査 179
片頭痛 migraine 310
偏性嫌気性菌 194
偏性好気性菌 194
便潜血反応 179
片側臥呼吸 trepopnea 109
片側性胸水 519
胼胝 286
扁桃 tonsil 82
扁桃炎 tonsillitis 82
扁桃周囲膿瘍 peritonsillar abscess 82
　——，咽頭痛 408, 413
扁桃腫大 601
扁桃腫瘍，いびき 421
便培養，悪心・嘔吐 431
便秘(症) constipation 613
　——を起こしやすい薬物 615
扁平胸 flat chest 90
扁平コンジローマ flat condyloma 137
扁平足 flat foot 144
弁膜症，心肺停止 764
片麻痺 hemiplegia 59, 718, 729
　——，Wernicke-Mann(ウェルニッケ・マン)肢位 58
　——，症例 968

ほ

蜂窩織炎，発熱 218

包括的高度慢性下肢虚血 chronic limb-threatening ischemia〔CLTI〕 685
傍胸骨線，胸部位置の指標・記載法 89
包茎，真性 138
剖検 autopsy 207
膀胱圧迫 657
膀胱異物
　——，排尿痛 652
　——，頻尿 657
膀胱炎 cystitis 951
　——，急性，排尿痛 652
　——，急性，頻尿 657
　——，血尿 670
　——，血尿を伴う頻尿 654
　——，排尿障害 645
　——，頻尿 658
　——，腹痛 578
膀胱外反症，排尿障害 645
抱合型ビリルビン 292
膀胱癌
　——，血尿 670
　——，排尿痛 652
膀胱頸部硬化症
　——，排尿障害 645
　——，頻尿 657
膀胱結核
　——，排尿障害 645
　——，排尿痛 652
　——，頻尿 657
膀胱結石
　——，排尿障害 645
　——，排尿痛 652
　——，頻尿 657
膀胱刺激 657
膀胱周囲炎，排尿痛 652
膀胱腫瘍 bladder tumor
　——，排尿障害 645
　——，排尿痛 654
　——，頻尿 657
膀胱障害，乏尿・無尿 662
膀胱直腸障害 137
膀胱内圧，頻尿 660
膀胱粘膜刺激 656
膀胱排尿筋収縮低下 650
膀胱部腫瘤，排尿痛 654
膀胱容量，機能性 656
膀胱容量減少 657
膀胱瘤，排尿障害 645, 647
放散痛 radiating pain 724

―――, 胸痛　494
―――, 四肢痛　675
―――, 腹痛　577
房室ブロック　524
―――, 病的な徐脈　49
放射性直腸炎, 肛門・会陰部痛　626
放射性同位体　radio isotope　201
放射線障害などによる小眼球症, 眼球陥凹を認める疾患　74
放射線傷害による下痢　608
放射線熱傷　872
傍腫瘍症候群　paraneoplastic syndrome, 運動失調　747, 749
膨疹　285
傍脊柱筋の筋肉痛　637, 640
放線菌症, 咳, 痰の原因疾患の特徴所見　480
蜂巣炎, 眼窩　328
乏尿　oliguria　661
―――, 口渇　447
―――の発症時期　663
乏尿性急性腎不全, 腎性浮腫　576
乏尿性腎障害　661
放屁　604
泡沫細胞　foam cell, リンパ節腫脹　471
膨満感　582
―――, 左上腹部, 巨脾　598
膨隆　prominence
―――, 下腹部の　122
―――, 心窩部の　121
―――, 側腹部の　121
―――, 鼠径部の　122
―――, ソーセージ様の　124
―――, 腸骨窩の　122
―――, 左季肋部の　121
―――, 右季肋部の　121
ボーエン(Bowen)病, 肛門・会陰部痛　626
歩行　gait　61
歩行障害　gait disturbance　757
―――, 症例　961
母児間血液型不適合溶血性貧血, 小児の黄疸　295
ボタン穴変形　143
発作性上室頻拍　524
発作性腹部膨満症　583
発作性夜間呼吸困難　810
発作性夜間ヘモグロビン尿症　paroxysmal nocturnal hemoglobinuria〔PNH〕　307

―――, 貧血　305
発疹　eruption　67, 123, 283
―――, 顔面の　72
発赤　reddening　69
ボツリヌス中毒
―――, 眼球運動障害　363
―――, 筋脱力　730
―――, 構音障害　713, 713
ほてり　hot flash　224
母乳性黄疸, 小児の黄疸　295
骨の触診　146
母斑　287
ホモシスチン尿症, 精神遅滞　689
ポリオ後筋萎縮症, 歩行障害　758, 761
ポリニューロパチー　724
―――, 感覚障害　725
ポリープ切除術　polypectomy　205
ホルター(Holter)心電図検査　528
ホルネル(Horner)症候群　73, 109, **347**
―――, 眼瞼下垂　338, 339
―――, 縮瞳をきたす　344
―――, 瞳孔異常　342, 347
―――の責任病巣　341
ポルフィリア, 腹痛　578
ポルフィリン症
―――, 肝腫大　593
―――, 筋脱力　730
―――, 慢性進行性・重症化肝腫大　593
ホルモン基礎分泌量, 血中　187
ホルモンの測定　187
ホルモン薬, 薬剤性浮腫　576
ボレリア・ブルグドルフェリ　716
本態性血小板血症　essential thrombocythemia〔ET〕, 脾腫(左季肋部のしこり)　598
本態性血小板増加症　182
本態性高血圧(症)　essential hypertension　52, 532
本態性振戦　751, 753, 755
―――, 不随意運動　752
本態性低血圧(症)　53, 538, 542
本態性肥満　57
本態性ミオクローヌス, 不随意運動　753
ポンペ(Pompe)病, 筋脱力　730

マイボーム腺　74

マーカス ガン(Marcus Gunn)瞳孔　342, 345, 348
膜型聴診器　44
マクバーニー(McBurney)点　119
マクログロブリン血症　macroglobulinemia, 筋脱力　730
麻疹　measles　847
―――, 舌の異常　403
麻酔時, 脱水　547
股　hip　152
マッカードル(McArdle)病, 筋脱力　730
末梢血行異常　peripheral blood circulation disorder　**681**
末梢循環障害　772
末梢循環不全　772
末梢神経絞扼症候群　entrapment neuropathy　724, 726
末梢神経障害　723
―――, 感覚障害　724
―――, 筋脱力　730
末梢性, 眼球運動障害　364
末梢性運動麻痺　729
末梢性嘔吐　428
末梢性チアノーゼ　551
末梢性麻痺　infranuclear palsy　59
末梢前庭性めまい　314, 315, 317
末梢動脈疾患　peripheral arterial disease〔PAD〕　682
マネージメント　2
麻痺　palsy　59, 742
麻痺性イレウス　134, 580
―――, 腹痛　580
麻痺性橋性外斜視　paralytic pontine exotropia　364
麻痺性散瞳　343, 345
麻痺性縮瞳　344, 345
麻痺性腸閉塞, 悪心・嘔吐　430
麻痺性歩行　paretic gait　61
マーフィ(Murphy)徴候　128, 827
麻薬性鎮痛薬, 食欲不振　434
麻薬中毒, 意識障害　782
マラリア　malaria　850
―――, 発熱　218
―――, 乏尿・無尿　667, 668
マリオット(Mariotte)盲点　351
―――拡大　351
マルファン(Marfan)症候群　56, 93, 142
―――, 水晶体に異常を認める疾患　76

マロリー・ワイス（Mallory–Weiss）症
　　候群　923
　——，胸痛および胸部圧迫感　498
　——，下血・血便　624
　——，上部消化管出血　457
　——，吐血　457
満月様顔貌　moon face　55
マンシェット　51
慢性胃炎　chronic gastritis，嘔吐　429
慢性意識障害　akinetic mutism　779
慢性右心不全，心臓性腹水　587
慢性炎症性脱髄性多発根神経炎
　　〔CIDP〕
　——，感覚障害　724
　——，筋脱力　730, 732
慢性炎症性腸疾患，粘膜傷害による下
　　痢　605
慢性肝炎　chronic hepatitis
　——，肝腫大　593
　——，くも状血管腫　564
　——，持続性肝腫大　593
　——，静脈怒張　557
慢性間質性腎炎
　——，口渇　448
　——，脱水　547
慢性冠症候群　chronic coronary
　　syndrome〔CCS〕　818
慢性肝内胆汁うっ滞，肝腫大　595
慢性気管支炎，咳，痰　484
慢性下痢　604
慢性甲状腺炎　900
慢性喉頭炎，嗄声　415
慢性硬膜下血腫　chronic subdural
　　hematoma
　——，意識障害　784
　——，失語・失行・失認　695, 697
　——，頭痛　310
　——，知能障害　689
　——，知能低下　689
慢性呼吸不全　802
慢性骨髄性白血病　chronic
　　myelogenous leukemia〔CML〕　601
　——，脾腫（左季肋部のしこり）　598
慢性耳下腺炎，耳下腺腫脹を認める疾
　　患　86
慢性糸球体腎炎　chronic
　　glomerulonephritis〔CGN〕
　——，腎性浮腫　576
　——，腎性乏尿　663
　——，浮腫　576
　——，乏尿・無尿　663

慢性消耗性疾患，持続的低体温　47
慢性腎炎症候群　953
慢性腎臓病〔CKD〕　834
慢性心不全　810
　——，貧血　304
慢性腎不全　chronic renal failure　446
　——，静脈怒張　557
　——，脱水　545
　——，排尿障害　649
　——，頻尿　657
慢性腎不全乏尿期，腎性浮腫　576
慢性膵炎　chronic pancreatitis　609
慢性前立腺炎，排尿痛　652, 654
慢性胆汁うっ滞，持続性または出没性
　　黄疸　295
慢性中耳炎　380
慢性特発性偽性腸閉塞　121
慢性日本住血吸虫症　600
慢性尿閉　645
慢性脳幹部髄膜炎，眼球運動障害
　　　363
慢性肺血栓塞栓症，咳，痰　485
慢性非化膿性破壊性胆管炎〔CNSDC〕，
　　肝腫大　597
慢性疲労症候群　chronic fatigue
　　syndrome〔CFS〕　237
慢性副鼻腔炎
　——，眼球突出　336
　——，鼻出血　389
　——，鼻漏・鼻閉　383
慢性閉塞性肺疾患　chronic obstructive
　　pulmonary disease〔COPD〕　479
　——，呼吸困難　511
　——，呼吸不全　804
　——，静脈怒張　557
　——，喘鳴　515
　——，低血圧　538
　——，頻尿　656
　——，不眠　264
慢性便秘　**614**, 615, 618
　——，食欲不振　435
慢性発作性片側頭痛　311
慢性毛包炎　chronic folliculitis　83
慢性リチウム中毒，精神科領域での救
　　急　880
満腹感　433
満腹中枢　245
マンモグラフィー　504, 507

み

ミオクローヌス　myoclonus
　　60, 70, *752*, **753**, 756
　——，失語・失行・失認　697
ミオクローヌスてんかん，不随意運動
　　755
ミオグロビン血症，乏尿・無尿　662
ミオグロビン尿，筋萎縮　738
ミオトニー現象，筋萎縮　738
ミオパチー　164, 729
　——，運動麻痺　*718*, 720
　——，眼球運動障害　361
ミオパチー顔貌　738
味覚異常，舌の　402
味覚検査　82, 401
味覚障害　taste disorder　**398**, *402*, 404
右胸骨線　89
右季肋部の膨隆　121
右肩甲骨内縁線　89
右肩甲線　89
右鎖骨中線　89
右→左へのシャントによる心疾患
　　552
右傍胸骨線　89
右肋骨弓下　592
水欠乏症，口渇　445
水制限試験　188
水たまり現象　puddle sign　136
　——，腹水の　136
　——，腹水の存在診断　589
ミトコンドリア抗体　183
ミトコンドリア脳筋症　mitochondrial
　　encephalomyopathy　716
　——，構音障害　713
ミトコンドリアミオパチー，筋脱力
　　730
ミドリン®M，眼底検査　77
ミドリン®P，眼底検査　77
耳
　——の構造　78
　——の診察　78
脈圧　pulse pressure　49, 51
脈拍　pulse　47
　——の大きさ　49
　——の速さ　49
脈拍異常　abnormal pulse　**523**
脈拍欠損　pulse deficit　49
脈拍左右差，失神　268

脈拍触知不能(困難) pulselessness, 典型的な出血性ショック症状 460, 623
脈拍数 pulse rate 48
脈拍数/収縮期血圧の比 460
脈拍微弱, 悪心・嘔吐の随伴症状 426
脈波伝播速度, 上腕動脈-下腿動脈間の brachial-ankle pulse wave velocity〔baPWV〕 685
脈絡膜, 眼の構造 73
ミュンヒハウゼン(Münchausen)症候群 516
——, 発熱 218
味蕾 404
ミンガツィーニ(Mingazzini)試験 163

む

無害性頸部静脈雑音 106
無害性雑音, 心音図 104
むかつき ⇒悪心
むき運動, 眼球運動 362
無気肺, 呼吸不全 804
無気力感 233
無菌性髄膜炎, 発熱 223
無菌性膿尿 673
むくみ 66
無月経 amenorrhea 632, 840
——, 症例 948
無呼吸 apnea 420
ムコ多糖症
——, 眼底異常 349
——, 精神遅滞 689
ムコリピドーシス, 精神遅滞 689
無酸症 achlorhydria 605
無酸素(状態), 意識障害 781
無酸素脳症, 痙攣 708
霧視, 眼底異常 351
無症候性血尿 671
無症候性原発性胆汁性胆管炎〔PBC〕
——, 肝腫大 593
——, 持続性肝腫大 593
無髄神経, 咳のメカニズム 476
むずむず脚症候群 260, 261
無声 414
ムチン沈着, 舌の異常 403
無痛性黄疸 295
無痛性甲状腺炎 466, **786**
——, 甲状腺機能亢進症 786

—— の確定診断 790
—— の鑑別 469
無痛性胆囊腫大の触知 296
無痛性の陰囊腫大 139
無動性無言症 akinetic mutism 46
無トランスフェリン血症 307
無尿 anuria **661**
胸やけ heartburn **441**
—— をきたす疾患 442
無脈性心室頻拍 pulseless ventricular tachycardia 763
無脈性電気的活動 pulseless electrical activity〔PEA〕 763
無毛症 atrichia 68
無欲状顔貌 apathetic 54
無力声 414

め

眼
—— の構造 73
—— の診察 73
明識困難状態 senselessness 46
迷走神経 344
—— 背側核 344
迷走神経切断術後下痢, 下痢の原因 606
迷走神経反射性失神 267
メーグス(Meigs)症候群 121
メージュ(Meige)症候群 755
——, 不随意運動 752, 753
メチラポン負荷試験 188
メチルアルコール, 眼底異常 350
メドゥサの頭 caput medusae 123, 296, 559, 589
——, 肝硬変 296
メトヘモグロビン血症 methemoglobinemia 552
メニエール(Ménière)病 360
——, 運動失調 746
——, 眼振 356, 357
——, 聴覚障害 375
——, 歩行障害 758
——, めまい 315, 315, 317
メビウス(Möbius)徴候 74
めまい **314**, 314
——, 悪心・嘔吐の随伴症状 426
——, 回転性 vertigo 314
——, 眼振 355
——, 失神性 315, 317
——, 心因性 315

——, 中枢性 315, 317
——, 頭位 315
——, 浮動性 dizziness 314
——, 末梢前庭性 315, 317
メラニン色素 66, 67
免疫血清学的検査 189
免疫染色 205
免疫組織化学的染色 immunohistochemistry〔IHC〕 205
免疫不全症の検査 190
メンケス(Menkes)病, 精神遅滞 691

も

盲係蹄症候群 blind loop syndrome, 手術後 611
毛細血管再充満時間 capillary refill time〔CRT〕 776
網状皮斑 837
網赤血球数〔Ret〕 306
妄想 delusion 47, 277
毛巣洞, 肛門・会陰部痛 626
盲腸周囲膿瘍, 下痢 608
毛囊炎 83
毛髪 68
網膜 retina 77
——, 眼の構造 73
—— の乳白色混濁 352
網膜黄斑変性症, 眼底異常 350
網膜血管 retinal vessels 77
網膜血管硬化症の分類 352
網膜血管腫, 眼底異常 350
網膜色素変性(症)
——, 眼底異常 350
——, 精神遅滞 691
網膜出血, 眼底異常 350
網膜循環障害 353
網膜静脈閉塞症 352
——, 眼底異常 349
網膜神経節細胞, 瞳孔反応 342
網膜中心静脈閉塞症 352
網膜動脈閉塞症 352
——, 眼底異常 349
網膜内シナプス, 瞳孔反応 342
網膜剝離 351, 353
——, 眼底異常 350
網膜裂孔 351
毛様充血 75, 324
毛様体, 眼の構造 73
毛様体筋 344
毛様体小帯, 眼の構造 73

毛様体神経節　344
　──，瞳孔反応　342
毛様体脊髄中枢　344
もうろう状態　twilight state　46
目標身長　target height　259
モーターバイク音，筋緊張性ジストロフィーの筋電図　740
もの忘れ　forgetfulness　**700**
もやもや病
　──，痙攣　708
　──，脳血管障害　796, 801
モルヒネ薬，便秘を起こしやすい薬物　615
問診　7, 37
問題解決志向型診療録　problem oriented medical record〔POMR〕　209
問題解決志向システム　problem oriented system〔POS〕　209
問題リスト　problem list, POMR　210
モンドール（Mondor）病　504
門脈圧亢進（症）　599
　──，肝性浮腫　576
　──，静脈怒張　557
　──，腹水　121, 586
　──に伴う脾腫　600
門脈血栓症，腹水　587
モンロー・リヒター（Monro-Richter）線　119

や

夜間多尿　646, 657
夜間排尿回数　658
夜間頻尿　656
薬剤性嗅覚障害　394
薬剤性浮腫　573
　──の確定診断　576
薬剤熱，発熱　218
薬疹　287
薬物
　──，意識障害　781
　──，排尿障害　645
　──による肥満　243
　──による頻尿　657
薬物過敏症，薬剤性浮腫　576
薬物起因性下痢の診断の進め方　610
薬物性眼筋麻痺，意識障害　782

薬物性肝障害　drug-induced liver injury
　──，一過性肝腫脹　593
　──，くも状血管腫・手掌紅斑　566
薬物性高プロラクチン血症　633
薬物性前庭神経障害，めまい　315
薬物性腸炎　624
薬物性不眠　263
薬物性めまい　317
　──，眼振　356
薬物中毒　drug intoxication
　──，痙攣　708
　──，縮瞳をきたす　345
　──，心肺停止　771
やせ　emaciation　57, 245
夜尿症，排尿障害　645

ゆ

有芽胞菌　194
有機リン中毒　organophosphate poisoning，筋脱力　730
有効循環血液量　460
有効循環血漿量の低下，乏尿・無尿　662
有効膀胱容量　657
有髄神経，咳のメカニズム　476
遊走腎　128
　──，血尿　670
誘導的質問　leading question　8
尤度比　23
有熱顔貌　febrile　54
幽門部狭窄　426
幽門閉塞，悪心・嘔吐　429, 430
遊離ガス　free air　584
遊離脂肪酸　245
癒着性イレウス，腹痛　579
指先触診　41
指鼻試験　172
指鼻指試験　748
指指打診法　43

よ

癰　carbuncle　83
溶血性黄疸の確定診断　298
溶血性貧血　304, 305
　──，持続性または出没性黄疸　295
　──，先天性（遺伝性）　600
　──の確定診断　603
葉酸欠乏性貧血　307

幼若細胞の出現，脾腫　601
羊水過多，妊娠子宮の，腹部膨隆　583
腰椎症
　──，関節痛　678
　──，四肢痛　674
腰椎椎間板ヘルニア
　──，関節痛　678
　──，四肢痛　674
　──，姿勢の観察　58
　──，歩行障害　758
腰椎分離すべり症，歩行障害　758
腰痛　lumbago　**640**
腰痛症　641
　──，筋筋膜性の　642
腰部脊柱管狭窄症　757
　──，関節痛　679
　──，四肢痛　676
腰部椎間板ヘルニア，歩行障害　758
腰リンパ節　69, 470
腰リンパ本幹　69, 470
溶連菌感染後糸球体腎炎　835
抑うつ　**271**
　──，症例　901
　──を呈する身体疾患　273
抑うつ状態　depressive state　55
　──，食欲不振　434
翼状頸　83, 634
　──，Turner症候群　635
翼状肩甲，筋萎縮　738
よせ運動，眼球運動　363
ヨード欠乏，地方性甲状腺腫　466

ら

ライト（Wright）染色　181
ライム病　Lyme disease，構音障害　713, 716
ラ音　115
落屑　67
落屑性紅斑　734
ラクツロース，下痢の原因　606
ラクナ梗塞　798
　──，構音障害　713
落陽現象，眼球の　setting sun phenomenon　70
ラゼーグ（Lasègue）徴候　173
ラベリング効果　labeling effect　4
ラムゼー・ハント（Ramsay Hunt）症候群，眼振　356

ランス・アダムス(Lance-Adams)症候群, 不随意運動　756
卵巣腫瘍茎捻転, 腹痛　578
卵巣囊胞, 腹部膨隆　583
ランツ(Lanz)(圧痛)点　130
ランデュ・オスラ・ウェーバー(Rendu-Osler-Weber)病, 下血・血便　620, 624
ランド・ブローダー(Lund-Browder)の法則　872
ランブル鞭毛虫　607
卵胞刺激ホルモン[FSH]　188, 636

り

リウマチ因子[RF]　190
リウマチ性多発筋痛症, 発熱　218
リケッチア感染症　851
リシノール酸　605
リズム　rhythm　49
立位歩行　358
立体覚　722
立体認知　727
利尿薬
── , 急性尿細管間質性腎炎の誘因物質　667
── , 頻尿　657
── , 便秘を起こしやすい薬物　615
リピドーシス, 不随意運動　753
罹病率　26
リプシュッツ(Lipschutz)潰瘍　140
リベロ カルバイヨ(Rivero Carvallo)徴候　105
流行性耳下腺炎　mumps　85
── , 耳下腺腫脹を認める疾患　86
流産　841, 844
流入創　877
両眼視機能検査　368
両眼視機能の障害　361
両眼性眼球突出　332
両眼での眼球運動　362
両耳側半盲　349
── , 視覚障害　320
良性発作性頭位めまい(症)　315, 357, 359
── , 眼振　356
── , 歩行障害　758
良性労作性頭痛　311
両側橋病変, 意識障害　782
両側腎動脈の閉塞, 乏尿・無尿　662
両側性胸水　519

両側性舌萎縮　403
両側声帯　415
両側尿路閉塞, 乏尿・無尿　662
両側肺門リンパ節腫脹　bilateral hilar lymphadenopathy[BHL]　716
── , 顔面痛　373
緑内障　glaucoma　78
── , 顔面痛　371
緑内障発作　327
淋菌性結膜炎　328
淋菌性尿道炎, 排尿痛　652, 654
リング状増強効果　ring enhancement　749
臨死期の症状　893
輪状咽頭筋, 嚥下運動　452
臨床疫学的指標　19
臨床疫学的な考え方　26
臨床診断　clinical diagnosis　44
輪状軟骨, 頸部の構造　83
臨床判断　clinical judgment　28
── を誤る心理機制　28
臨床病理検討会　clinicopathological conference[CPC]　207
鱗屑　67, 285
リンネ(Rinne)試験　379
リンパ球刺激試験　lymphocyte stimulation test[LST]　190
リンパ性白血病
── , リンパ節腫脹　471
── , リンパ節腫脹の鑑別　85
リンパ節
── , 表在性　68
── の所在　470
── の診察　84
── の診察, 腫脹している　474
── の分布　69
リンパ節炎, 二次性, リンパ節腫脹の鑑別　84
リンパ節結核　85, 929
── , リンパ節腫脹　475
リンパ節腫脹　lymph node swelling　470
── , 症例　926
リンパ節生検　474
リンパ節転移, Virchow(ウィルヒョウ)　85

る

涙液分泌検査　78
ルイ(Louis)角　86, 89

涙腺混合腫, 眼球突出　333
るいそう　emaciation　245, 435
ルイ・バー(Louis-Bar)症候群, 精神遅滞　691
類皮囊胞　dermoid cyst, 頸部の先天異常　88
ルゴール(Lugol)染色　455
ループス腎炎, 乏尿・無尿　661
ループス膀胱炎, 血尿　673

れ

冷汗　perspiration
── , 胸痛の重篤な急性発症　496
── , 典型的な出血性ショック症状　460, 623
レイノー(Raynaud)現象　68, 447
レイノー(Raynaud)症候群　682, 687
レイノー(Raynaud)病　682, 687
レジオネラ症　850
レストレスレッグス症候群　261
裂肛　anal fissure　137
── , 肛門・会陰部痛　626, 630
レッシュ・ナイハン(Lesch-Nyhan)症候群, 精神遅滞　689
レバイン(Levine)分類　102
レビー(Lewy)小体型認知症, 知能障害　689
レビー(Lewy)小体病, 不眠　264
レビン(Levin)チューブ　461
レフサム(Refsum)病
── , 運動失調　747
── , 筋脱力　730
レプトスピラ症, 乏尿・無尿　668
レルミット(Lhermitte)徴候　728
レンズ　344
連続性雑音　106
レンノックス・ガストー(Lennox-Gastaut)症候群, 不随意運動　753

ろ

瘻孔, 主な発疹　67
労作時呼吸困難, 症例　971
労作性狭心症
── , 胸痛　493
── , 動悸, 脈拍異常　524
漏出液　transudate　586
漏出性腹水　120, 586
ロウ(Lowe)症候群, 精神遅滞　691
老人性縮瞳　345

老人性難聴　375
老人性認知症，記銘力障害を認める疾患　56
漏斗胸　funnel chest　90, 94, 108
老年期認知症　688
肋軟骨炎，胸痛および胸部圧迫感　498
ローゼンシュタイン（Rosenstein）徴候　828
ローター（Rotor）症候群，黄疸　293, 298
肋間腔，胸部位置の指標・記載法　89
肋骨，胸部位置の指標・記載法　89

肋骨脊柱角　costovertebral angle〔CVA〕　128
ロート（Roth）斑　77
ロブジング（Rovsing）徴候　130, 828
ローレンス・ムーン・ビードル（Laurence–Moon–Biedl）症候群
　──，精神遅滞　691
　──，無月経　634
ロンベルク（Romberg）試験
　──，運動失調　748
　──，歩行障害　759
ロンベルク（Romberg）徴候　157
　──，感覚障害　726

わ

鷲手　claw hand　144
ワルダイエル（Waldeyer）輪　472
ワールデンブルグ（Waardenburg）症候群，眉毛に異常を認める疾患　72
ワレンベルグ（Wallenberg）症候群　357, 359, 798
　──，運動失調　747
　──，感覚障害　725
　──，眼振　358
腕神経叢麻痺，縮瞳をきたす　345
腕橈骨筋反射　brachioradialis reflex　166

数字・欧文索引

数字

I音　98
　——の分裂　100
I型呼吸不全　802
II$_A$，大動脈弁成分　100
II$_P$，肺動脈弁成分　100
II音　100
　——の病的分裂　101
II型呼吸不全　802
III度熱傷　872
III音　101
IV音　101
1回排尿量　658
2×2表　19
2点識別　727
2点識別覚　722
2点同時刺激識別感覚　727
3-3-9度方式　46, 779
3D-CTアンギオグラフィー　796
5P
　——，ショックの　623
　——，典型的な出血性ショック症状　460
5q-症候群　72
5つのP，不眠の原因　260
13トリソミー症候群，眉毛に異常を認める疾患　72
17α-ヒドロキシラーゼ欠損症，無月経　636
24時間脳波記録　711
^{123}I甲状腺摂取率　469

ギリシャ文字

α-フェトプロテイン〔AFP〕　183
α$_1$-プロテインインヒビター　183
α$_2$-プラスミンインヒビター〔α$_2$-PI〕　182
βサラセミア　307
γ-グロブリン　183
γ-GT　183

A

A型肝炎　594
A型肝炎ウイルス感染時の経過　183

Abbreviated Injury Scale〔AIS〕　854
ABCDDスコア　799
abdomen　腹部　119
abdominal distention　腹部膨隆　582
abdominal pain　腹痛　577
abduction　外転　149
ABI（ankle-brachial pressure index）　足関節-上腕血圧比　685
abnormal flexion　異常屈曲　46
abnormal pulse　脈拍異常　523
ABR　聴覚脳幹反応　317
absolute arrhythmia　絶対性不整脈　49
acalculia　計算不能　65
accidental hypothermia　偶発性低体温症　771
accidental ingestion　誤飲　867
accommodation reflex　調節反射　75
ACE阻害薬　アンジオテンシン変換酵素阻害薬，咳，痰の原因疾患の特徴所見　480
Achilles tendon reflex　アキレス腱反射　166
achlorhydria　無酸症　605
achondroplasia　軟骨形成不全　256
　——，成長障害をきたす疾患　254
acid-maltase deficiency，筋脱力　730
acne rosacea　酒皶性痤瘡　79
acquired immunodeficiency syndrome　後天性免疫不全症候群〔AIDS〕　607
acromegalic face　先端巨大症顔貌　55
acromegaly　先端巨大症　56, 334
　——，寝汗，ほてり　231
ACS（acute coronary syndrome）　急性冠症候群　817
ACTH　副腎皮質刺激ホルモン　188
active alternatives　第二群仮説　15
active problem　211
active supine position　能動的仰臥位　58
acute abdomen　急性腹症　822
acute coronary syndrome　急性冠症候群〔ACS〕　817
acute infections disease　急性感染症　846
acute intoxication　急性中毒　860

acute kidney injury　急性腎障害〔AKI〕　833
acute myocardial infarction　急性心筋梗塞〔AMI〕，胸痛　493, 497
acute renal failure　急性腎不全〔ARF〕　661, 833
acute respiratory distress syndrome　急性呼吸窮迫症候群〔ARDS〕　479
　——，呼吸困難　512
　——，呼吸不全　804, 807
Adams-Stokes（アダムス・ストークス）症候群
　——，失神　267
　——，病的な徐脈　49
Adams-Stokes（アダムス・ストークス）発作　710
　——，痙攣　708
Addison（アジソン）病
　——，舌の異常　403
　——，知能障害　690
　——，知能低下　689
　——，低血圧　538, 544
　——，るいそう　247, 249
　——の色素沈着　249
adduction　内転　149
ADH（anti-diuretic hormone）　抗利尿ホルモン　188, 657
adiadochokinesis　変換運動障害　748
Adie（アディー）症候群　76
　——，散瞳をきたす　345
　——，瞳孔異常　347
aerophagia　空気嚥下症　443
afferent pupillary defect　求心性瞳孔異常　342
AFP　α-フェトプロテイン　183
AGML　急性胃粘膜病変　620
　——，上部消化管出血　457
　——，腹痛　579
agnosia　失認（症）　65, **694**
agraphia　失書　64, 65
Ai（autopsy imaging）　死亡時画像診断　766
AI（artificial intelligence）　人工知能，画像検査と　197
AIDS（acquired immunodeficiency syndrome）　後天性免疫不全症候群　607

AIDS 脳症
　──, 眼球運動障害　363
　──, 知能低下　689
AIHA（autoimmune hemolytic anemia）
　自己免疫性溶血性貧血　307
AIS（Abbreviated Injury Scale）　854
AKI（acute kidney injury）　急性腎障害　833
akinetic mutism　無動性無言症/慢性意識障害　46, 779
alert　清明　45
Alexander（アレキサンダー）病, 精神遅滞　691
alexia　失読　64, 65
alopecia areata　円形脱毛症　71
ALP　183
Alpers（アルパーズ）病　70
　──, 精神遅滞　691
ALS（amyotrophic lateral sclerosis）　筋萎縮性側索硬化症　59, 156, 163, 550
　──, 運動麻痺　718, 720
　──, 筋萎縮　736, 740
　──, 筋脱力　731, 734
　──, 構音障害　713, 713, 716
　──, 歩行障害　758, 758
Alström（アルストレーム）症候群, 肥満, 肥満症　239, 242
ALT　183
alternating pulse　交互脈　51
alveoli　肺胞　515
Alzheimer（アルツハイマー）型認知症　159, 689
　──, 痙攣　708, 708
　──, もの忘れ　701, 706
Alzheimer（アルツハイマー）病
　──, 失語・失行・失認　695
　──, 知能障害　689
　──, 認知症　689
　──, 不随意運動　753
　──, 不眠　261, 264
amenorrhea　無月経　632
AMI（acute myocardial infarction）　急性心筋梗塞, 胸痛　493, 497
amnesia　健忘　700
amyotrophic lateral sclerosis　筋萎縮性側索硬化症〔ALS〕　59, 156, 163, 550
　──, 運動麻痺　718, 720
　──, 筋萎縮　736, 740
　──, 筋脱力　731, 734

　──, 構音障害　713, 713, 716
　──, 歩行障害　758, 758
ANA　抗核抗体　183, 190
anal fissure　裂肛　137
anal fistula　痔瘻　137
anal pain　肛門痛　625
anasarca　全身性浮腫　572, 573
anatomical diagnosis　部位診断　44
ANCA（anti-neutrophil cytoplasmic antibody）　抗好中球細胞質抗体　486
ANCA 関連血管炎
　──, 血尿　671
　──, 聴覚障害　379
anemia　貧血　304
angina pectoris　狭心症　443
　──, 嚥下困難　451
angioneurotic edema　血管神経性浮腫　66
anisocoria　瞳孔不同（症）　75, 342, 344, 783
ankle-brachial pressure index　足関節-上腕血圧比〔ABI〕　685
ankle clonus　足クローヌス　166
ankylosis　関節強直　147
anorexia　食欲不振　433
　── nervosa　神経性思不振症　435
anthraquinone（アントラキノン）系緩下剤　612
anti-diuretic hormone　抗利尿ホルモン〔ADH〕　188, 657
anti-glomerular basement membrane disease　抗糸球体基底膜病〔抗GBM病〕
　──, 血尿　671
　──, 乏尿・無尿　667
anti-neutrophil cytoplasmic antibody　抗好中球細胞質抗体〔ANCA〕　486
anuria　無尿　661
anxiety state　不安状態　55
apallic state　自発性喪失または慢性意識障害　46, 779
apathetic　無欲状顔貌　54
ape hand　猿手　144
Apert（アペール）症候群, 斜頭を認める疾患　71
aphasia　失語（症）　64, 694
aphonia　失声症　63, 414
aphtha　アフタ　82, 403

aplastic anemia　再生不良性貧血　302, 305
apnea　無呼吸　420
appetite　食欲　433
apraxia　失行（症）　65, 694
APTT　活性化部分トロンボプラスチン時間　182
arachnodactyly　くも状指（趾症）　56, 142
ARDS（acute respiratory distress syndrome）　急性呼吸窮迫症候群　479
　──, 呼吸困難　512
　──, 呼吸不全　804, 807
ARF（acute renal failure）　急性腎不全　833
Argyll Robertson（アーガイル ロバートソン）徴候　76
Argyll Robertson（アーガイル ロバートソン）瞳孔　345, 347, 690, 692, 749
　──, 瞳孔異常　347
arm drop test　782
Arnold－Chiari（アーノルド・キアリ）奇形
　──, 運動失調　747
　──, めまい　315
arrhythmia　不整脈　49
arterial blood pressure　動脈血圧　51
arterial stationary wave phenomenon　動脈停滞現象　369
arteriosclerosis obliterans　閉塞性動脈硬化症〔ASO〕　757
　──, 下肢動脈の触診　534
　──, 四肢痛　675
　──, 歩行障害　758
arthralgia　関節痛　677
artificial intelligence　人工知能〔AI〕, 画像検査と　197
Artz（アルツ）の分類　875
ascites　腹水　120, 582, 586
Asherman（アッシャーマン）症候群　635
　──, 無月経　634
ASO（arteriosclerosis obliterans）　閉塞性動脈硬化症　757
　──, 下肢動脈の触診　534
　──, 四肢痛　675
　──, 歩行障害　758
aspiration　誤嚥　867
assessment　評価, 考察　212
AST　183

asymmetry 左右非対称 71
asystole 心静止 763
AT アンチトロンビン 182
ataxia 運動失調 60, 746
ataxic gait 失調性歩行 61, 757
athetotic movement アテトーゼ運動 60
ATL 成人T細胞白血病, リンパ節腫脹 473
atrichia 無毛症 68
auscultation 聴診 38, 43
Austin Flint(オースチン フリント)雑音 106
autoimmune hemolytic anemia 自己免疫性溶血性貧血〔AIHA〕 307
autopsy 剖検 207
autopsy imaging 死亡時画像診断〔Ai〕 766
AVP 188
azotemia 高窒素血症 662

B

B型肝炎 594
B型肝炎ウイルス感染時の経過 183
Babinski(バビンスキー)徴候 158, 166
Babinski(バビンスキー)反射 732
back ache 背部痛 637
back pain 背部痛 637
bad outcome 不運な結果 29
BAEP 聴覚脳幹誘発電位 728
BAL(bronchoalveolar lavage) 気管支肺胞洗浄 491
Bálint(バリント)症候群 161
ballottement 浮球感 41
Banti(バンチ)症候群 121
baPWV(brachial-ankle pulse wave velocity) 脈波伝播速度, 上腕動脈-下腿動脈間の 685
Barany(バラニー)の指示試験 158
Bardet-Biedl(バーデット・ビードル)症候群, 肥満, 肥満症 239, 241
Barré(バレー)徴候 157, 163
barrel chest 樽状胸 90
Bartholin(バルトリン)腺 140
Bartholin(バルトリン)腺炎, 肛門・会陰部痛 626
Basedow(バセドウ)病 785
——, 眼球突出 332
——, 甲状腺腫 464

——, 舌の異常 403
——, の確定診断 790
——, の鑑別 469
Basedow(バセドウ)病眼症 332, **336**
Bassen-Kornzweig(バッセン・コーンツヴァイク)症候群, 筋脱力 730
Battle(バトル)徴候 858
Behçet(ベーチェット)病 140
——, 肛門・会陰部痛 626
——, 舌の異常 403
——, 発熱 218
—— の初発症状, 再発性アフタ 404
belching おくび 441
Bell(ベル)麻痺 Bell's palsy
——, 構音障害 713, 714, 716
——, 味覚障害 399
Bernard-Soulier(ベルナール・スリエ)症候群 300
Bernoulli(ベルヌーイ)効果 420
best motor response 運動による最良の応答 46
best verbal response 言葉による最良の応答 46
BHL(bilateral hilar lymphadenopathy) 両側肺門リンパ節腫脹 716
——, 顔面痛 373
biceps reflex 上腕二頭筋反射 166
Bielschowsky(ビールショウスキー)の頭位傾斜 364
Bielschowsky head tilt test 367
Biemond(ビエモン)症候群, 肥満, 肥満症 239, 243
bigeminal pulse 二段脈 49
bigeminy 二段脈 49
bilateral hilar lymphadenopathy 両側肺門リンパ節腫脹〔BHL〕 716
——, 顔面痛 373
Binswanger(ビンスワンガー)病, 知能低下 689
biopsy 生検 204
biopsychosocial model 柔軟な視点 3
Biot(ビオー)呼吸 53, 111, 805
black-out 失神性めまい 314
bleeding tendency 出血傾向 182, 299
blepharoptosis 眼瞼下垂 73, **337**, 347
blepharospasm 眼瞼痙攣 60, 338
——, 不随意運動 753
blind loop syndrome 手術後盲係蹄症候群 611
blood pressure 血圧 51

blood vessels 血管系, 頸部の 86
bloody sputum 血痰 486
bloody stool 鮮血に近い血便 619
blue toe 837
Blumberg(ブルンベルグ)徴候 **131**, 590, *828*
——, 腹痛 580
BMI(body mass index) 肥満指数 **57**, 238, 245
boat skull 舟状頭 70
body mass index 肥満指数〔BMI〕 **57**, 238, 245
body weight 体重 56
Boerhaave(ブールハーフェ)症候群
——, 胸痛 499
——, 胸痛および胸部圧迫感 494, 498
——, 胸痛の原因 494
borborygmus グル音 616
Bouchard(ブシャール)結節 143
Bowen(ボーエン)病, 肛門・会陰部痛 626
brachial-ankle pulse wave velocity 脈波伝播速度, 上腕動脈-下腿動脈間の〔baPWV〕 685
brachial neuritis, 筋脱力 730
brachioradialis reflex 腕橈骨筋反射 166
brachycephaly 短頭 71
bradycardia 徐脈 49
bradylalia 緩徐言語 63
branchial cyst 鰓原性嚢胞 88
branching enzyme deficiency, 筋脱力 730
breast lump 乳房のしこり 501
Broca(ブローカ)失語 64, *64*, 159
Broca(ブローカ)(領)野 64, *64*, 694
bronchi 気管支 515
bronchoalveolar lavage 気管支肺胞洗浄〔BAL〕 491
Brown-Séquard(ブラウン・セカール)症候群, 感覚障害 724
Brudzinski(ブルジンスキー)徴候 173
Brugada(ブルガダ)症候群, 失神 269
Bruns(ブルンス)眼振 359, *359*
BSP 負荷検査, Dubin-Johnson(デュビン・ジョンソン)症候群 298
Budd-Chiari(バッド・キアリ)症候群
——, 肝腫大 593
——, 静脈怒張 557
——, 腹水 587, *587*, 589

Budd-Chiari（バッド・キアリ）症候群，慢性進行性・重症化肝腫大　593
bulbar conjunctiva　眼球結膜　75
burning on urination　排尿時灼熱痛　651
burns　熱傷　872
butterfly rash　蝶形紅斑　68, 72

C

C 型肝炎　594
C 型肝炎ウイルス感染時の経過　183
C 反応性蛋白〔CRP〕　189
CA　カテコールアミン，過剰，高血圧　532
Ca　カルシウム，食欲低下物質　434
cachexia　悪液質　57
CAG（coronary angiogram）冠動脈造影　769
CAGE スコア　252
Cajal（カハール）核　365
calculation　計算力　56
caloric test　782
cancer-related fatigue　癌関連倦怠感　890
capillary refill time　毛細血管再充満時間〔CRT〕　776
caput medusae　メドゥサの頭　123, 296, 559, 589
——，肝硬変　296
carboxyhemoglobinemia　一酸化炭素ヘモグロビン血症　552
carbuncle　癰　83
cardiac cachexia　250
cardio-ankle vascular index　心臓－足首血管指数〔CAVI〕　685
cardiopulmonary arrest　心肺停止〔CPA〕　763
cardiopulmonary resuscitation　心肺蘇生〔CPR〕　763
Carey Coombs（ケリー クームス）雑音　106
Carnett（カーネット）徴候　828
carotid artery　頸動脈　86
Carpenter（カーペンター）症候群
——，斜頭を認める疾患　71
——，肥満，肥満症　239, 243
Castell（カステル）の方法，脾腫の打診の　601
Castleman（キャッスルマン）病　959
——，発熱　218

cataract　白内障，水晶体に異常を認める疾患　76
causalgia　灼熱痛　724
CAVI（cardio-ankle vascular index）心臓－足首血管指数　685
CCS（chronic coronary syndrome）慢性冠症候群　818
CVD（cerebrovascular disease）脳血管障害　791
celerity　49
central fovea　中心窩　77
central pain　中枢痛　724
cephalometry　423
cerebellar ataxia　小脳性運動失調　61
cerebrovascular disease　脳血管障害〔CVD〕　791
cervical rib　頸肋　88
CFS（chronic fatigue syndrome）慢性疲労症候群　237
CGN（chronic glomerulonephritis）慢性糸球体腎炎
——，腎性浮腫　576
——，腎性乏尿　663
Chaddock（チャドック）反射　158, 166
chalazion　霰粒腫　74
character of arterial wall　動脈壁の性状　50
Charcot（シャルコー）関節　682
Charcot-Marie-Tooth（シャルコー・マリー・ツース）病
——，運動失調　747, 750
——，筋萎縮　736
——，筋脱力　730
chart　チャート　32
CHD　先天性心疾患　553
ChE　183
chemoreceptor trigger zone　化学受容体誘発帯〔CTZ〕　426
chest oppression　胸部圧迫感　492
chest pain　胸痛　492
Cheyne-Stokes（チェーン・ストークス）呼吸　53, 110, 805
——，意識障害　782
chief complaint　主訴　34
choking sign　窒息のサイン　867
choreiform movement　舞踏病様運動　60
chronic coronary syndrome　慢性冠症候群〔CCS〕　818
chronic fatigue syndrome　慢性疲労症候群〔CFS〕　237

chronic folliculitis　慢性毛包炎　83
chronic glomerulonephritis　慢性糸球体腎炎〔CGN〕
——，腎性浮腫　576
——，腎性乏尿　663
chronic limb-threatening ischemia　包括的高度慢性下肢虚血〔CLTI〕　685
chronic myelogenous leukemia　慢性骨髄性白血病〔CML〕　601
chronic obstructive pulmonary disease　慢性閉塞性肺疾患〔COPD〕　479
——，呼吸困難　511
——，呼吸不全　804
——，静脈怒張　557
——，喘鳴　515
——，頻尿　656
chronic pancreatitis　慢性膵炎　609
chronic renal failure　慢性腎不全　446
CIDP　慢性炎症性脱髄性多発根神経炎
——，感覚障害　724
——，筋脱力　730, 732
CJD（Creutzfeldt-Jakob 病）クロイツフェルト・ヤコブ病
——，失語・失行・失認　695, 697
——，不随意運動　753, 755, 756
CKD　慢性腎臓病　834
clasp-knife phenomenon　折りたたみナイフ現象　146, 743
claw hand　鷲手　144
clear　清音，打診音　42
cleft lip　口唇裂　80
cleft palate　口蓋裂　81
clinical diagnosis　臨床診断　44
clinical judgment　臨床判断　28
clinical path　クリニカルパス　212
clinicopathological conference　臨床病理検討会〔CPC〕　207
clonic cramp　間代性痙攣　59, 707
closed question　閉じられた質問　8
closed question　閉じられた質問/閉鎖型質問　17, 37
CLTI（chronic limb-threatening ischemia）包括的高度慢性下肢虚血　685
clubbed finger　ばち（状）指　142, 567
CML（chronic myelogenous leukemia）慢性骨髄性白血病　601
CNSDC　慢性非化膿性破壊性胆管炎，肝腫大　597
CO_2 ナルコーシス，意識障害　784

CO 中毒，筋脱力　730
coarse crackle　水泡音　115
coarse crackles　805
coarse nodular　粗大結節状　127
coating　舌苔　81, 402, 403
cobbler's chest　靴工胸　90
cobblestone appearance　敷石像　611
cogwheel phenomenon　歯車現象　146
cogwheel rigidity　歯車様硬直　743
Cole-Cecil（コール・セシル）雑音　105
colonal polyp　大腸ポリープ　620
colorectal cancer　大腸癌　617, 620
coma　昏睡　46, 779
confrontation　対決的質問　8
confused conversation　錯乱状態　46
confused state　アメンチア　47
confusion　錯乱　46
Confusion Assessment Method　281
Congo red（コンゴーレッド）染色　728
conjugate deviation　共同偏視　74
conjunctiva　結膜　74
conjunctival hyperemia　結膜の充血　324
conjunctivitis　結膜充血　75
consciousness　意識（状態）　45, 55
　── disturbance　意識障害　**779**
consistency　硬度　127
constipation　便秘（症）　613
contracture　関節拘縮　147
convergence　輻輳　75
convergent strabismus　内斜視　74
convulsion　痙攣　59, 707
Coombs（クームス）試験　307
cooperation　協調性　55
COPD（chronic obstructive pulmonary disease）　慢性閉塞性肺疾患　479
　──，呼吸困難　511
　──，呼吸不全　804
　──，静脈怒張　557
　──，喘鳴　515
　──，頻尿　656
　──，不眠　264
coprolalia　756
cornea　角膜　76, 344
corneal reflex　角膜反射　76, 167, 782
coronary angiogram　冠動脈造影〔CAG〕　769
costovertebral angle　肋骨脊柱角〔CVA〕　128
cough　咳　476

countenance　顔貌　54
Courvoisier（クールボアジェ）徴候　**128**, 296, 296, 827, 904
COVID-19　新型コロナウイルス感染症
　──，咽頭痛　409
　──，発熱　216
　──，味覚障害　398
CPA（cardiopulmonary arrest）　心肺停止　763
CPC（clinicopathological conference）　臨床病理検討会　207
CPR（cardiopulmonary resuscitation）　心肺蘇生　763
cramp　痙攣　59, 707
craniopharyngioma　頭蓋咽頭腫　243, 636
　──，無月経　634
craniostenosis　狭頭症　70
Creutzfeldt-Jakob（クロイツフェルト・ヤコブ）病
　──，失語・失行・失認　695, 697
　──，不随意運動　753, 755, 756
CRH　副腎皮質ホルモン（コルチコトロピン）放出ホルモン
　──，食欲低下物質　434
　──，負荷試験　188
Crigler-Najjar（クリグラー・ナジャー）症候群　293
　──，黄疸　293, 298
critical path　クリティカルパス　212
Crohn（クローン）病　571, 610, 612
　──，下痢　608
　──，ばち状指　569
　──，腹痛　578
Crouzon（クルーゾン）病
　──，眼球突出　333
　──，斜頭を認める疾患　71
Crow-Fukase（クロウ・深瀬）症候群　519, 960
　──，筋脱力　730
CRP　C反応性蛋白　189
CRT（capillary refill time）　毛細血管再充満時間　776
crush injury，筋脱力　730
Cruveilhier-Baumgarten（クリュヴェイエ・バウムガルテン）症候群，腹水　590
crypt abscess　陰窩膿瘍　610
CT 検査　199
CT コロノグラフィー　200

CTZ（chemoreceptor trigger zone）　化学受容体誘発帯　426
cue　手がかり　15
Cullen（カレン）徴候　827
curtain sign　カーテン現象　82
Cusco（クスコー）式腟鏡　140
Cushing（クッシング）症候群　243
　──，筋脱力　730
　──，高血圧　532, 532, 535, 536
　──，症候性肥満の原因　57
　──，肥満，肥満症　239, 239
　──，浮腫　575
Cushing（クッシング）病　334
　──，眼球突出　333
cutis verticis gyrata　回転状頭皮　571
CVA（costovertebral angle）　肋骨脊柱角　128
CYA　シクロスポリン A，乏尿・無尿　668
cyanosis　チアノーゼ　65, 551
cytological examination　細胞診　202

D

D-ダイマー　182
Darkschewitsch（ダルクシェーヴィチ）核　365
data base　基礎データ，POMR　209
debranching enzyme deficiency，筋脱力　730
decerebrate rigidity　除脳硬直　781
decorticate rigidity　除皮質硬直　781
DECT（Dual-Energy CT）　200
deep coma　深昏睡　46
deep learning　ディープラーニング〔DL〕　197
deep reflex　深部反射　59
deep tendon reflex　深部腱反射　165
defense musculaire　筋性防御　129
dehydration　脱水　431, 438, **545**
Dejerine-Sottas（デジェリン・ソッタス）病，筋脱力　730
de Lange（ドランゲ）症候群，眉毛に異常を認める疾患　72
delirium　せん妄　46, 47, 277
delivery　分娩　840
delusion　妄想　47
dementia　認知症　56, **688**
demographics　デモグラフィックス　6
depression　うつ病　234, 235

depressive state　抑うつ状態　55
dermatomyositis　皮膚筋炎〔DM〕
　──, 筋脱力　730, 732
　──, 発熱　218
dermoid cyst　類皮嚢胞　88
deviation of trachea　偏位, 気管の　87
diabetes insipidus　尿崩症　446
diadochokinesis　反復拮抗運動　172
diagnosis　診断　32
diagnostic plan　診断計画, POMR　210
diagnostic reasoning　思考様式, 診断の　12
diarrhea　下痢(症)　604
diastolic blood pressure　拡張期血圧　51
DIC(disseminated intravascular coagulation)　播種性血管内凝固　182, 299, 841, 908
　──, 意識障害　781
differential diagnosis　鑑別診断　32
digital impression　指圧痕　70
diplopia　複視　74, 361
　──, 外傷　854
discharge summary　退院時要約, POMR　212
disk edema　乳頭浮腫　77
disorientation　見当識障害　56
disseminated intravascular coagulation　播種性血管内凝固〔DIC〕　182, 299, 841, 908
　──, 意識障害　781
disturbance of consciousness　意識障害　45
disturbance of memory　記憶障害　56, 688
disuse atrophy　廃用性萎縮　145, 736
divergent strabismus　外斜視　74
dizziness　浮動性(非回転性)めまい　314, 357
DL(deep learning)　ディープラーニング　197
DM(dermatomyositis)　皮膚筋炎
　──, 筋脱力　730, 732
　──, 発熱　218
doll's eye head phenomenon　人形の眼現象　367
dorsiflexion　背屈, 足　152
double apical pulse　二峰性脈　51

Down(ダウン)症候群
　──, 精神遅滞　691
　──, 成長障害をきたす疾患　254
　──, 短頭を認める疾患　71
　──, 知能低下　689
drop hand　下垂手　144
drowsiness　嗜眠状態　46
Dual-Energy CT〔DECT〕　200
Dubin-Johnson(デュビン・ジョンソン)症候群, 黄疸　293, 298
Duchenne(デュシェンヌ)型筋ジストロフィー　739, 740
　──, 仮性肥大　146
　──, 筋脱力　733
Ducrey(デュクレイ)菌　138
duct　乳管　501
dull　濁音, 打診音　43
dwarfism　小人症　57
dysarthria　構音障害　63, **712**
dyschezia　排便困難症　618
dyscoria　瞳孔異常　342
dysdiadochokinesis　変換運動障害　748
dysesthesia　異常感覚　169, 723
dysesthesia　異常感覚(ジセステジア)　723
dysmetria　四肢の測定障害　748
dysphagia　嚥下困難　451
dyspnea　呼吸困難　511
dystonia　ジストニー　60
dysuria　排尿障害　644

E

Eaton-Lambert(イートン・ランバート)(筋無力)症候群　164
　──, 眼球運動障害　364, 368
　──, 眼瞼下垂　337, 338, 339
　──, 筋萎縮　736
　──, 筋脱力　729, 732
EB　エタンブトール, 眼底異常　350
EB ウイルス〔EBV〕, リンパ節腫脹　475
EBD(evidence-based diagnosis)　26
EBM(evidence-based medicine)　2
EBV　Epstein-Barr(エプスタイン・バー)ウイルス　85
　──, リンパ節腫脹　475
edema　浮腫　66, 572
　── of the eyelids　眼瞼浮腫　73

Edinger-Westphal(エディンガー・ウェストファル)核　E-W 核　342, 344
educational plan　指導計画, POMR　211
Edwards(エドワーズ)症候群, 肥満, 肥満症　239, 243
eGFR(estimated glomerular filtration rate)　推定糸球体濾過量　833
Eisenmenger(アイゼンメンゲル)症候群　568
　──, II 音　101
elastic hard　弾性硬　127
elbow　肘　150
Ellsworth-Howard(エルスワース・ハワード)試験　243
emaciation　やせ　57, 245
emaciation　るいそう　245, 435
EMBASE　26
empiric therapy　経験的治療　191
empty sella 症候群, 肥満, 肥満症　242
EMR(endoscopic mucosal resection)　内視鏡的粘膜切除術　205
enanthema　粘膜疹　81, 283
endoscopic mucosal resection　内視鏡的粘膜切除術〔EMR〕　205
endoscopic retrograde cholangiopancreatography　内視鏡的逆行性膵胆管造影〔ERCP〕　183, 201
endoscopic submucosal dissection　内視鏡的粘膜下層(切開)剝離術〔ESD〕　205
enophthalmos　眼球陥凹　74, 347, 364
entrapment neuropathy　末梢神経絞扼症候群　724, 726
EOG　眼電図　368
epistaxis　鼻出血　387
EPS(expressed prostatic secretion)　前立腺圧出液　654
Epstein-Barr(エプスタイン・バー)ウイルス〔EBV〕　85
Epworth(エプワース) sleepiness scale　423
Erb(エルブ)の領域　98
Erb(エルブ)麻痺　724
ERCP(endoscopic retrograde cholangio-pancreatography)　内視鏡的逆行性膵胆管造影　201

ERCP（endoscopic retrograde cholangiopancreatography）内視鏡的逆行性膵胆管造影　183
eructation　おくび　441
eruption　発疹　67
erythema multiforme　多形滲出性紅斑　68
erythema nodosum　結節性紅斑　68
──，下痢　608
ESD（endoscopic submucosal dissection）内視鏡的粘膜下層（切開）剥離術　205
esophageal achalasia　食道アカラシア　444
esophageal carcinoma　食道癌　453
ESR　赤血球沈降速度　189
essential hypertension　本態性高血圧（症）　532
essential thrombocythemia　本態性血小板血症〔ET〕，脾腫（左季肋部のしこり）　598
estimated glomerular filtration rate　推定糸球体濾過量〔eGFR〕　833
ET（essential thrombocythemia）本態性血小板血症，脾腫（左季肋部のしこり）　598
etiological diagnosis　病因診断　44
euphoria　多幸症　55
eurythmia　整脈　49
euthyroid Graves 病　334, 790
eversion　外がえし　153
evidence-based diagnosis〔EBD〕　26
evidence-based medicine〔EBM〕　2
E−W 核　Edinger−Westphal（エディンガー・ウェストファル）核　342, 344
exanthema　283
exanthema　皮疹　67
exophthalmos　眼球突出　74, 332, 364
explosive speech　爆発性言語（発語）　63, 173
expressed prostatic secretion　前立腺圧出液〔EPS〕　654
extends　四肢伸展　46
extension　伸展または背屈　149
external rotation　外旋　149
external strabismus　外斜視　74
extravasation　血管外漏出像　463
exudate　滲出液　586
eyeball　眼球　74
eye movement disorder　眼球運動障害　74, 361
eye movements　眼球運動　74
eye opening　開眼　46

F

FAB（frontal assessment battery）　692
Fabry（ファブリ）病，筋脱力　730
facial pain　顔面痛　370
facial palsy　顔面神経麻痺　71
facial spasm　顔面痙攣　72, 707
FAD（focal asymmetric density）局所的非対称陰影　507
failure to thrive　成長障害　253
faintness　失神性めまい　314
Fallot（ファロー）四徴症，呼吸困難　512
familial short stature　家族性低身長〔FSS〕　256, 259
family history　家族歴　36
Fanconi（ファンコニ）貧血　70, 309
FAST（focused assessment with sonography for trauma）　777, 858
fatigue　全身倦怠感　233
FD（functional dyspepsia）機能性ディスペプシア　442
FDP　フィブリン/フィブリノゲン分解産物　182
Fe　鉄　183
febrile　有熱顔貌　54
feeling　感情　55
FEF（frontal eye field）　365
Felty（フェルティ）症候群，舌の異常　403
FE_Na（fractional excretion of sodium）Na 排泄分画　839
FE_Na（fractional sodium excretion）Na 排泄率　666
festinating gait　加速歩行　61
FE_UA（fractional excretion of uric acid）尿酸排泄分画　839
FE_UN（fractional excretion of urea nitrogen）尿素窒素排泄分画　839
fever　発熱　216
fine crackle　捻髪音　115, 805
fine nodular　細結節状　127
Fisher（フィッシャー）症候群
──，運動失調　747
──，眼球運動障害　368, 369
──，眼瞼下垂　337, 340
──，歩行障害　758, 761

flaccid paralysis　弛緩性麻痺　59, 146, 729
FLAIR（fluid attenuated inversion recovery）画像　198
flapping tremor　羽ばたき振戦　60
flat chest　扁平胸　90
flat condyloma　扁平コンジローマ　137
flat foot　扁平足　144
flexes　46
flexion　屈曲または掌屈　149, 150
floating patella　膝蓋骨跳動　147
flow chart　経過一覧表，POMR　212
fluctuation　波動
──，腹水の存在診断　589
──，腹部腫瘤　132
──，腹部触診　133
fluid attenuated inversion recovery〔FLAIR〕画像　198
foam cell　泡沫細胞，リンパ節腫脹　471
focal asymmetric density　局所的非対称陰影〔FAD〕　507
focused assessment with sonography for trauma〔FAST〕　777, 858
focused question　焦点を絞った質問　8
foot　足部　152, 153
forearm　前腕　150
forgetfulness　もの忘れ　700
Fournier（フルニエ）壊疽，肛門・会陰部痛　626, 630
fractional excretion
── of sodium　Na 排泄分画〔FE_Na〕　839
── of urea nitrogen　尿素窒素排泄分画〔FE_UN〕　839
── of uric acid　尿酸排泄分画〔FE_UA〕　839
Framingham criteria　812
free air　遊離ガス　584
free T_3　788
free T_4　788
Frenzel（フレンツェル）眼鏡　316, 355
friction rub　115
Friedreich（フリードライヒ）失調症，感覚障害　724
Friedreich（フリードライヒ）病
──，運動失調　747, 750
──，歩行障害　758, 758, 761

Fröhlich（フレーリッヒ）症候群，肥満，肥満症　239, 241
frontal assessment battery〔FAB〕692
frontal eye field〔FEF〕365
FSH　卵胞刺激ホルモン　188, 636
FSS（familial short stature）　家族性低身長　256, 259
functional dyspepsia　機能性ディスペプシア〔FD〕442
functional murmur　機能性雑音　104
fundus abnormality　眼底異常　349
funnel chest　漏斗胸　90, 108
furuncle　癤　83

G

Ga（ガリウム）シンチグラフィー，乏尿・無尿　667
gait　歩行　61
── disturbance　歩行障害　757
ganglion　ガングリオン　147
gastric cancer　胃癌　620, 624
gastric inhibitory peptide〔GIP〕605
gastroesophageal reflux　胃食道逆流〔GER〕442
Gaucher（ゴーシェ）病
── , 精神遅滞　689
── , リンパ節腫脹　471
GCS（Glasgow Coma Scale）46, 158, 779
Geckler（ゲックラー）の分類　483
general hypothesis　16
general information　常識　56
general status　全身状態　39, 54
genital organ　外性器　138
genu valgum　外反膝　144
genu varum　内反膝　144
GER（gastroesophageal reflux）　胃食道逆流　442
Gerstmann（ゲルストマン）症候群　65, 161
GH（growth hormone）　成長ホルモン　253
GH 放出ホルモン　GH-releasing hormone〔GH-RH〕253
── 負荷試験　188
GH/IGF-I 系　253, 254
giantism　巨人症　56
gibbus　突背　91
Gibson（ギブソン）雑音　106
Giemsa（ギムザ）染色　181

Gilbert（ジルベール）症候群，黄疸　293, 298
Gilles de la Tourette（ジル・ドゥ・ラ・トゥレット）症候群，不随意運動　756
gingiva　歯肉，口腔内の診察　81
GIP（gastric inhibitory peptide）605
Glasgow Coma Scale〔GCS〕46, 158, 779
glaucoma　緑内障　78
glove and stocking type　手袋靴下型，感覚障害　726
GM_1-ガングリオシドーシス，精神遅滞　689
GM_2-ガングリオシドーシス，精神遅滞　689
goiter　甲状腺腫　464
Goldmann（ゴールドマン）型視野計　76
gold standard　19
gonadal dysgenesis　性腺形成不全，無月経　634
Goodpasture（グッドパスチャー）症候群
── , 喀血，血痰　491
── , 咳，痰の原因疾患の特徴所見　480
gouty arthritis　痛風性関節炎　143
gouty tophus　痛風結節　78
Gowers（ゴワーズ）徴候　740
── , 筋脱力　734
grading and recording of muscle strength　734
Graefe（グレーフェ）徴候　335, 787
Graham Steel（グラハム スティール）雑音　106
Gram（グラム）染色　483
Gram（グラム）染色性と分類　193
granulomatosis with polyangiitis　多発血管炎性肉芽腫（症）
── , 眼球突出　336
── , 眼底異常　351
── , 顔面痛　373
── , 血尿　671
── , 乏尿・無尿　667
Graves（グレーブス）病　785
── , 眼球突出　332
── , 甲状腺腫　464
Grey-Turner（グレイ・ターナー）徴候　827

growth hormone　成長ホルモン〔GH〕253
Guillain-Barré（ギラン・バレー）症候群　179
── , 運動失調　747
── , 運動麻痺　720
── , 眼瞼下垂　337, 340
── , 筋緊張異常　743
── , 筋脱力　730, 732
── , 構音障害　713, 716
── , 低血圧　538
── , 歩行障害　758, 758, 761
Guillain-Mollaret（ギラン・モラレ）の三角　756
gum　歯肉，口腔内の診察　81
gynecomastia　女性化乳房（症）601

H

habitus　体型　56
Hachinski（ハチンスキー）の虚血スコア　690, 691
halitosis　口臭　80
Hallermann Streiff（ハラーマン・ストライフ）症候群，舟状頭を認める疾患　70
Hallervorden-Spatz（ハレルフォルデン・スパッツ）病，精神遅滞　691
hallucination　幻覚　47, 55
hallux valgus　外反母趾　144, 145
HAM　ヒト T 細胞白血病ウイルス I 型〔HTLV-I〕関連ミエロパチー
── , 運動麻痺　718
── , 筋脱力　732
── , 歩行障害　761
Ham（ハム）試験　307
Hamman（ハンマン）徴候　805
hard　硬　127
hard palate　硬口蓋　81
── , 口腔の構造　80
hard pulse　硬脈　49
Hartnup（ハートナップ）病，運動失調　747
Hashimoto's thyroiditis　橋本病　464, 786
Hb　ヘモグロビン　180, 551, 669
HCG（human chorionic gonadotropin）　ヒト絨毛性ゴナドトロピン　464, 786
HCG 産生腫瘍による甲状腺機能亢進症　790

HCM(hypertrophic cardiomyopathy) 肥大型心筋症, 二峰性脈を認める 51
HDS-R 長谷川式簡易知能評価スケール改訂版 691, 698
HE(hematoxylin-eosin) ヘマトキシリン-エオジン染色 203
head 頭部 70
head up tilt 試験 269, 318
headache 頭痛 310
health outcome 健康上の結果 5, 11
hearing impairment 聴覚障害 374
heart failure 心不全 810
heartburn 胸やけ 441
Heberden(ヘバーデン)結節 143
heel drop 徴候 130
heel drop test 踵落とし試験 828
height 身長 56
Heimlich(ハイムリック)法 869
heliotrope erythema ヘリオトロープ紅斑 68, 72, 734
hematemesis 吐血 456
hematochezia 鮮血に近い血便 619
hematoemesis 鮮血 456
hematoxylin-eosin ヘマトキシリン-エオジン〔HE〕染色 203
hematuria 血尿 669
hemiplegia 片麻痺 59, 718, 729
hemochromatosis ヘモクロマトーシス 66
――, 持続性肝腫大 593
hemoglobinopathie 異常ヘモグロビン(血)症 552
hemophilia 血友病 299
hemoptysis 喀血 486
hemorrhoid 痔核 136
Henoch-Schönlein(ヘノッホ・シェーンライン)紫斑病 300, 303, 624
――, 腹痛 578
hepatic encephalopathy 肝性脳症 296
hepato-jugular reflux 肝頸静脈逆流 94, 589
hepatomegaly 肝腫大 592
hereditary spherocytosis 遺伝性球状赤血球症 305
Hering(ヘーリング)法則 363
Hertel(ヘルテル)眼球突出計 334
Hess(ヘス)赤緑試験 368
heuristics 心理的早道 28
hip 股 152

hippocratic face ヒポクラテス顔貌 54
Hirschsprung(ヒルシュスプルング)病 121
――, 器質性便秘 615
――, 便秘 615
hirsutism 多毛症 68
histopathological examination 病理組織検査 203
HIV 感染症, 発熱 218
hoarseness 嗄声 63, 414
HOCM 閉塞性肥大型心筋症, 心雑音 104
Hoffmann 反射 166
Holter(ホルター)心電図検査 528
Hoover(フーバー)徴候 111
hordeolum 麦粒腫 73
horizontal abduction 水平伸展 150
horizontal adduction 水平屈曲 150
Horner(ホルネル)症候群 73, 109, 347
――, 眼瞼下垂 338, 339
――, 縮瞳をきたす 344
――, 瞳孔異常 342, 347
―― の責任病巣 341
hot flash ほてり 224
hot nodule 高摂取結節 790
Houston(ヒューストン)弁, 肛門断面でみる 137
Howship-Romberg(ハウシップ・ロンベルク)徴候 822
Ht ヘマトクリット 180
HTLV-I(human T-cell leukemia virus type I) ヒト T 細胞白血病ウイルス I 型, 運動麻痺 718
HTLV-I(ヒト T 細胞白血病ウイルス I 型)関連ミエロパチー〔HAM〕
――, 筋脱力 732
――, 歩行障害 761
human papillomavirus ヒト乳頭腫ウイルス 138
Hunt(ハント)症候群, 味覚障害 399
Hunter(ハンター)舌炎 81, 403
――, 悪性貧血 304
Huntington(ハンチントン)(舞踏)病 60
――, 知能低下 689
――, 不随意運動 753, 755
――, 歩行障害 758, 761
Hurler(ハーラー)症候群
――, 眼底異常 349
――, 舟状頭を認める疾患 70

――, 精神遅滞 689, 691
hydrocele 陰嚢水腫 139
hydrocephaly 水頭症 70
hydronephrosis 水腎症 664
hygroma ヒグローマ 88
hyperparathyroidism 副甲状腺機能亢進症
――, 筋脱力 730
――, 四肢痛 676
hyperprolactinemia 高プロラクチン血症 633
hyperpyrexia 異常高熱 216
hypersomnia 過睡眠 46
hypertension 高血圧(症) 52, 530
―― の分類 52
hyperthermia 高体温 216
hyperthyroidism 甲状腺機能亢進症 468, **785**
――, 眼球運動障害 364
――, 下痢 608
――, 高血圧 532
――, 無月経 634
――, リンパ節腫脹 471
hypertrophic cardiomyopathy 肥大型心筋症〔HCM〕, 二峰性脈を認める 51
hypertrophic osteoarthropathy 肥大性骨関節症 567, 569
hyperventilation syndrome 過換気症候群 657
hypokalemia 低 K 血症 605
――, 口渇 448
――, 便秘 615
hypotension 低血圧(症) 53, 538
hypothermia 低体温症 47
hypothyroid Graves 病 334
hypothyroidism 甲状腺機能低下症 242, 466
hypotonus 筋緊張低下 146
hypotrichosis 貧毛症 68
hysteric gait ヒステリー歩行 63

I

^{123}I 甲状腺摂取率 469
IBS(irritable bowel syndrome) 過敏性腸症候群 610, 618
IC-PC(internal carotid-posterior communicating artery) 内頸-後交通動脈分枝部 368
icterus 黄疸 65, 292

IDA (iron deficiency anemia) 鉄欠乏性貧血 304, 404
idiopathic normal pressure hydrocephalus 特発性正常圧水頭症〔iNPH〕 963
idiopathic short stature 特発性低身長〔ISS〕 255, 259
idiopathic thrombocytopenic purpura 特発性血小板減少性紫斑病〔ITP〕 299
IE (infective endocarditis) 感染性心内膜炎 218, 568
──, 発熱 218
IgA 血管炎 303
──, 腹痛 578
IgA 腎症 953
IGF-I (insulin-like growth factor I) インスリン様成長因子-I 253
IHC (immunohistochemistry) 免疫組織化学的染色 205
IL-1 インターロイキン 1, 食欲低下物質 434
ileus イレウス 581, 585
iliopsoas test 腸腰筋テスト, 急性虫垂炎の診断 130
illusion 錯覚 55
immediate memory 短期（即時）記憶 692
immunohistochemistry 免疫組織化学的染色〔IHC〕 205
inactive problem 211
inappropriate words 不適当な言葉 46
incomprehensible sounds 理解できない言葉 46
incontinence 尿失禁 46, 644, 779
incoordination 協調運動障害 696, 746
infective endocarditis 感染性心内膜炎〔IE〕 218, 568
──, 発熱 218
informed consent インフォームドコンセント 32
infranuclear palsy 末梢性麻痺 59
INH イソニアジド, 眼底異常 350
initial pain 初期排尿痛 651
initial plan 初期計画, POMR 210
INOCA (ischemia with non-obstructive coronary arteries) 821

iNPH (idiopathic normal pressure hydrocephalus) 特発性正常圧水頭症 963
in situ hybridization〔ISH〕 205
insomnia 不眠 260
inspection 視診 38
insulin-like growth factor I インスリン様成長因子-I〔IGF-I〕 253
insulinoma インスリノーマ 243
intelligence 知能 56, 688
intention tremor 企図振戦 60, 748
intermittent claudication 間欠性跛行 757
intermittent fever 間欠熱 48
internal carotid-posterior communicating artery 内頸-後交通動脈分枝部〔IC-PC〕 368
internal rotation 内旋 149
internal strabismus 内斜視 74
International Prostate Symptom Score 国際前立腺症状スコア〔IPSS〕 649, 649
interventional radiology〔IVR〕 201
intestinal tuberculosis 腸結核 611
intraocular pressure 眼圧 77
inversion 内がえし 153
involuntary movement 不随意運動 59, 60, 751
IPSS (International Prostate Symptom Score) 国際前立腺症状スコア 649, 649
IRG (グルカゴン) 負荷試験 188
iron deficiency anemia 鉄欠乏性貧血〔IDA〕 304, 404
irritable bowel syndrome 過敏性腸症候群〔IBS〕 610, 618
ischemia with non-obstructive coronary arteries〔INOCA〕 821
ischemic score Hachinski の虚血スコア 690
ISH (in situ hybridization) 205
ISS (idiopathic short stature) 特発性低身長 255, 259
IT15 遺伝子 755
ITP (idiopathic thrombocytopenic purpura) 特発性血小板減少性紫斑病 299
IVR (interventional radiology) 201

J

JA (jolt accentuation) 312
Jackson (ジャクソン) 痙攣（発作） 707
Janeway (ジェーンウェイ) 発疹 93
Jannetta (ジャネッタ) の手術 373
Japan Coma Scale〔JCS〕 46, 158, 779, 780
jaundice 黄疸 65, **292**
jaw jerk 下顎反射 166
JCS (Japan Coma Scale) 158
Jendrassik (ジャンドラシック) 誘発法 168
jolt accentuation〔JA〕 312
jugular vein 頸静脈 86
jugular venous pulse 頸静脈拍動 86

K

Kallmann (カルマン) 症候群 635, 636
Karte カルテ 32, 209
Kayser-Fleischer (カイザー・フライシャー) 輪 76
Kearns-Sayre (カーンズ・セイヤー) 症候群〔KSS〕
──, 眼球運動障害 364
──, 眼瞼下垂 337, 338
──, 筋脱力 730
Keith-Wagener (キース・ワグナー) 分類 351, 352
Kernig (ケルニッヒ) 徴候 173, 783
Kiesselbach (キーゼルバッハ) 部 79
Killip (キリップ) 分類 820
Klinefelter (クラインフェルター) 症候群 138
──, 肥満, 肥満症 239, 243
──, 貧毛（無毛）を認める疾患 68
Klumpke (クルンプケ) 麻痺 724
──, Horner (ホルネル) 症候群の原因 347
knee 膝 152
── drop test 782
knocking pain 叩打痛 113
Koplik (コプリック) 斑 81
Korotkoff (コロトコフ) 音 52
Korsakoff (コルサコフ) 症候群, 記銘力障害を認める疾患 56
Krabbe (クラッベ) 病, 筋脱力 730
KSS Kearns-Sayre (カーンズ・セイヤー) 症候群
──, 眼球運動障害 364

KSS　Kearns-Sayre（カーンズ・セイヤー）症候群
　——，眼瞼下垂　338
　——，筋脱力　730
Kugelberg-Welander（クーゲルベルク・ウェランダー）病
　——，筋萎縮　740
　——，筋脱力　731, 732
Kussmaul（クスマウル）呼吸　53, 110
Kussmaul（クスマウル）徴候　86, 94, 560
kyphosis　亀背　108
kyphosis　脊柱後弯　58, 91

L

L－ドパ
　——，Parkinson（パーキンソン）病　755
　——負荷試験　188
labeling effect　ラベリング効果　4
Lance-Adams（ランス・アダムス）症候群，不随意運動　756
Lanz（ランツ）（圧痛）点　130
large bowel cancer　大腸癌　617, 620
large pulse　大脈　49
large tongue　巨大舌　80
larynx　喉頭　515
Lasègue（ラゼーグ）徴候　173
Laurence-Moon-Biedl（ローレンス・ムーン・ビードル）症候群
　——，精神遅滞　691
　——，無月経　634
LEAD（lower extremity artery disease）下肢閉塞性動脈疾患　681, 685
leading hypothesis　第一群仮説　15
leading question　誘導の質問　8
lead pipe phenomenon　鉛管現象　146
lead pipe rigidity　鉛管様硬直　743
Leber（レーバー）病，眼底異常　350
Leigh（リー）脳症，眼球運動障害　363
Lennox-Gastaut（レンノックス・ガストー）症候群，不随意運動　753
lens　水晶体　76
LES（lower esophageal sphincter）下部食道括約筋　442, 452
　——圧低下の原因　442
Lesch-Nyhan（レッシュ・ナイハン）症候群，精神遅滞　689
LESP　下部食道括約部圧　455
leukoplakia　白板症　81, 82

Levin（レビン）チューブ　461
Levine（レバイン）分類　102
Lewy（レビー）小体型認知症，知能障害　689
Lewy（レビー）小体病，不眠　264
LH　黄体形成ホルモン　188, 636
Lhermitte（レルミット）徴候　728
LH-RH 負荷試験　188
light reflex　対光反射　75, 342
lightheadedness　314
light-near dissociation　対光近見反応解離　342, 345, 347
limb-kinetic apraxia　肢節運動失行　160
limb pain　四肢痛　674
limping gait　跛行性歩行　63
lip　口唇　80
Lipschutz（リプシュッツ）潰瘍　140
liver cirrhosis　肝硬変　600
local heat　局所熱感　69
localises　46
locomotive murmur　機関車様雑音　107
lordosis　脊柱前弯　58, 91
Louis（ルイ）角　86, 89
Louis-Bar（ルイ・バー）症候群，精神遅滞　691
low back pain　腰痛　640
Lowe（ロウ）症候群，精神遅滞　691
lower esophageal sphincter　下部食道括約筋〔LES〕　442, 452
lower extremity artery disease　下肢閉塞性動脈疾患〔LEAD〕　681, 685
LST（lymphocyte stimulation test）リンパ球刺激試験　190
Lugol（ルゴール）染色　455
lumbago　腰痛　640
Lund-Browder（ランド・ブロウダー）の法則　872
lung cancer　肺癌　484
lung-liver border　肺肝境界　134, 596
lymph node swelling　リンパ節腫脹　470
lymphocyte stimulation test　リンパ球刺激試験〔LST〕　190

M

M 蛋白型，蛋白電気泳動パターン　186
machinery murmur　機械様雑音　106

macrocephaly　大頭症　70
macroglobulinemia　マクログロブリン血症，筋脱力　730
macrohematuria　肉眼的血尿　669, 670
macula　黄斑　77
magic number seven　15
malignant hyperthermia　悪性過高熱，筋脱力　730
Mallory-Weiss（マロリー・ワイス）症候群　923
　——，胸痛および胸部圧迫感　498
　——，下血・血便　624
　——，上部消化管出血　457
　——，吐血　457
malnutrition　栄養障害，成長障害をきたす疾患　254
manic state　躁状態　55
manual muscle test　徒手筋力テスト〔MMT〕　158, 162
Marcus Gunn（マーカス ガン）瞳孔　342, 345, 348
Marfan（マルファン）症候群　56, 93, 142
　——，水晶体に異常を認める疾患　76
Mariotte（マリオット）盲点　351
mask-like face　仮面様顔貌　54
mass　腫瘤　131
MAST　多項目抗原特異的 IgE 同時測定　190
maximal blood pressure　最高血圧　51
McArdle（マッカードル）病，筋脱力　730
McBurney（マクバーニー）点　119
MCH（mean corpuscular hemoglobin）平均赤血球ヘモグロビン量　180, 306
MCHC（mean corpuscular hemoglobin concentration）平均赤血球ヘモグロビン濃度　180, 306
MCP joint（metacarpophalangeal joint）中手指節関節　677
MCV（mean corpuscular volume）平均赤血球容積　180, 306
MDS（myelodysplastic syndrome）骨髄異形成症候群　306
mean corpuscular hemoglobin　平均赤血球ヘモグロビン量〔MCH〕　180, 306

mean corpuscular hemoglobin concentration　平均赤血球ヘモグロビン濃度〔MCHC〕　180, 306
mean corpuscular volume　平均赤血球容積〔MCV〕　180, 306
medial longitudinal fasciculus　内側縦束〔MLF〕　364
──，意識障害　782
medical chart　診療録　209
medical interview　医療面接　8, 33
──の手順　33
medical record　診療録　32, 209
MEDLINE　26
Meige（メージュ）症候群　755
──，不随意運動　752, 753
Meigs（メーグス）症候群　121
melanemesis　コーヒー残渣様　456
melena　黒色のタール便　619, 621
Memorial Delirium Assessment Scale　281
memory　記憶力　56
MEN（multiple endocrine neoplasia）2型　多発性内分泌腫瘍2型，甲状腺腫　466
Ménière（メニエール）病　360
──，運動失調　746
──，眼振　356, 357
──，聴覚障害　375
──，歩行障害　758
──，めまい　315, 315, 317
Menkes（メンケス）病，精神遅滞　691
menstrual disorder　月経異常　632
mental retardation　精神遅滞　56, 688
mental status　精神状態　55
meralgia paresthetica　錯知覚性大腿痛症　726
──，感覚障害　726
metacarpophalangeal joint　中手指節関節〔MCP〕　677
metachromatic leukodystrophy，筋脱力　730
metaphyseal dysplasia　骨幹端異形成症，成長障害をきたす疾患　254
metatarsophalangeal joint　中足指・趾節関節〔MTP〕　677
methemoglobin　551
methemoglobinemia　メトヘモグロビン血症　552
Meyer（マイヤー）loop　322
MG（myasthenia gravis）　重症筋無力症　163, 339

──，運動麻痺　718, 719, 721
──，眼球運動障害　361, 364
──，眼瞼下垂　337
──，筋萎縮　736
──，筋緊張異常　742
──，筋脱力　729
──，構音障害　713, 713, 714
──，歩行障害　758, 761
microcephaly　小頭症　70
microscopic hematuria　顕微鏡的血尿　669
microscopic polyangiitis　顕微鏡的多発血管炎，血尿　671
microvascular angina　微小血管狭心症　821
micturition pain　排尿痛　651
migraine　片頭痛　310
Mikulicz（ミクリッツ）病，耳下腺腫脹を認める疾患　86
Mingazzini（ミンガツィーニ）試験　163
minimal blood pressure　最低血圧　51
Mini-Mental State Examination　簡易知能試験〔MMSE〕　281, 691, 698
miosis　縮瞳　75, 342, 344
mistake　過誤　29
mitochondrial encephalomyopathy　ミトコンドリア脳筋症　716
mixed gonadal dysgenesis　混合性性腺形成不全，無月経　634
MLF（medial longitudinal fasciculus）　内側縦束　364
──，意識障害　782
──，眼球運動障害　364
MM（multiple myeloma）　多発性骨髄腫　307
──，筋脱力　730
──，腎性乏尿　663
MMSE（Mini-Mental State Examination）　簡易知能試験　281, 691, 698
MMT（manual muscle test）　徒手筋力テスト　158, 162
mobility　移動性，腹部腫瘤　132
Möbius（メビウス）徴候　74
modified Rankin Scale〔mRS〕　793
Mondor（モンドール）病　504
mononeuritis multiplex　多発性単ニューロパチー，感覚障害　724, 726

mononeuropathy　単ニューロパチー，感覚障害　724, 726
monoplegia　単麻痺　59, 718
Monro-Richter（モンロー・リヒター）線　119
moon face　満月様顔貌　55
Morquio（モルキオ）症候群，眼底異常　349
motor aphasia　運動性失語（症）　64, 694
motor paralysis　運動麻痺　696, 717, 717, 729
──，感覚障害　726
mounding　現象　738
movement　運動　58
MP関節（metacarpophalangeal joint または metatarsophalangeal joint）　中手指節関節または中足指・趾節関節　677
MR アンギオグラフィー〔MRA〕　199, 796
MR cholangiopancreatography〔MRCP〕　199
MRA（MR angiography）　199, 796
MRCP（MR cholangiopancreatography）　199
MRI 検査　198
mRS（modified Rankin Scale）　793
MS（multiple sclerosis）　多発性硬化症
──，意識障害　781
──，運動失調　747
──，運動麻痺　718
──，眼球運動障害　361, 363
──，眼底異常　349
──，顔面痛　371
──，筋緊張異常　741
──，構音障害　713, 713
──，視覚障害　320
──，失語・失行・失認　695, 697
──，瞳孔異常　347
──，排尿障害　645
──，不随意運動　752
──，歩行障害　758, 758
──，めまい　315
MT野　中側頭視覚関連野　363
MTP joint（metatarsophalangeal joint）　中足指・趾節関節　677
Müller（ミュラー）管，無月経　634
Müller（ミュラー）筋　344
multiple endocrine neoplasia　多発性内分泌腫瘍〔MEN〕2型　466

multiple myeloma　多発性骨髄腫
　　〔MM〕　307
　——, 筋脱力　730
　——, 腎性乏尿　663
multiple X chromosomes, 肥満, 肥満
　　症　243
mumps　流行性耳下腺炎　85
Münchausen（ミュンヒハウゼン）症候
　　群　516
　——, 発熱　218
murmur　心雑音　102
Murphy（マーフィ）徴候　128, 827
muscle atrophy　⇒ muscular atrophy
muscle guarding　筋性防御　129
muscle hypertrophy　筋肥大　146
muscle tonus　筋トーヌス（緊張）
　　　　　146, *163*, 165, **741**
muscle weakness　筋脱力　729
muscular atrophy　筋萎縮
　　　　　145, *164*, 729, **736**
myasthenia gravis　重症筋無力症〔MG〕
　　　　　163, 339
　——, 運動麻痺　719, 721
　——, 眼球運動障害　364
　——, 眼瞼下垂　337
　——, 筋萎縮　736
　——, 筋緊張異常　742
　——, 筋脱力　729
　——, 構音障害　713
　——, 歩行障害　758, 761
mydriasis　散瞳　75, 342, 343
myelodysplastic syndrome　骨髄異形成
　　症候群〔MDS〕　306
myoclonus　ミオクローヌス
　　　　　60, 70, 752, 753, 756
myogenic muscular atrophy　筋原性筋
　　萎縮　729, 736
myotonic discharge　筋強直性放電（異
　　常放電）　740
myxedematous face　粘液水腫顔貌　55

N

Na 欠乏性脱水　545
Na 排泄分画　fractional excretion of
　　sodium〔FE$_{Na}$〕　839
narrative note　叙述の記録, POMR
　　　　　211
nasal bleeding　鼻出血　387
nasal discharge　鼻漏　381
nasal obstruction　鼻閉　381

nausea　悪心　426
navel　臍　123
negative feedback　187
neurogenic bladder　神経因性膀胱
　　　　　657
neurogenic muscular atrophy　神経原性
　　筋萎縮　729, 736, 738
neurological examination　神経学的診
　　察　38, 44
neutral question　中立的質問　8
NiA　ニコチン酸, 欠乏, 筋脱力
　　　　　730
Niemann-Pick（ニーマン・ピック）病
　——, 精神遅滞　689
　——, リンパ節腫脹　471
night sweat　寝汗　224
NIH stroke score　794
nil　46
nipple　乳頭　501
Nixon（ニクソン）の方法, 脾腫の打診
　　の　601
Nohria-Stevenson（ノリア・スティー
　　ブンソン）分類　*812*
non-pitting edema　非圧痕性浮腫
　　　　　66, 576
Noonan（ヌーナン）症候群, 成長障害
　　をきたす疾患　254
normal pressure hydrocephalus　正常圧
　　水頭症〔NPH〕, 歩行障害　758, *758*
normal value　正常値　23
NPH（normal pressure hydrocephalus）
　　正常圧水頭症, 歩行障害　758, *758*
nuchal stiffness　項部硬直　83
nuclear palsy　核性麻痺　59
Numerical Rating Scale　886
nutrition　栄養　57
nystagmus　眼球振盪　74, **355**, *355*

O

O 脚　144
OA（osteoarthritis）　変形性関節症
　　　　　143
obesity　肥満（症）　57, **238**
　——の定義　238
obeys　命令に従う　46
objective data　身体所見, 検査所見
　　　　　212
obstetrician's hand　産科医の手　145

obstructive sleep apnea syndrome　閉塞
　　性睡眠時無呼吸症候群〔OSAS〕
　　　　　419
obturator muscle test　内閉鎖筋テス
　　ト, 急性虫垂炎の診断　*130*
occult bleeding　潜血　619
ocular fundus　眼底　76
oculocephalic test　782
OKN　視運動性眼振　356, 363
olfactory disorders　嗅覚障害　393
oliguria　乏尿　661
Oliver-Cardarelli（オリバー・カルダレ
　　リ）徴候　87
one-and-a-half 症候群, 眼球運動障害
　　　　　364
onion bulb formation　タマネギ形成
　　　　　740
open-ended question　開かれた質問/開
　　放型質問　8, 18, *37*
opening snap　僧帽弁開放音〔OS〕
　　　　　101
ophthalmoscope　検眼鏡　77
opisthotonus　後弓反張　58
optic disc　乳頭, 眼底　77
oral cavity　口腔　81
　——の構造　80
orientation　見当識　56
orthopnea　起座呼吸　58, 109
OS（opening snap）　僧帽弁開放音
　　　　　101
OSAS（obstructive sleep apnea
　　syndrome）　閉塞性睡眠時無呼吸症
　　候群　419
Osler（オスラー）結節　93, 218
Osler（オスラー）病, 鼻出血　392
osteoarthritis　変形性関節症〔OA〕
　　　　　143
ovarian insensitivity 症候群, 無月経
　　　　　634
oxycephaly　尖頭　70

P

PA（polyarteritis）　多発動脈炎, 痙攣
　　　　　708
pachydermoperiostosis　強皮骨膜症
　　　　　567
P$_a$CO$_2$　動脈血炭酸ガス分圧　553
PAD（peripheral arterial disease）　末梢
　　動脈疾患　682
pad テスト　650

Paget（パジェット）病　503
　——，肛門・会陰部痛　626
pain after micturition　排尿後痛　651
painful　苦悶状顔貌　54
pallor　蒼白　65, 623
　——，典型的な出血性ショック症状
　　　460
palmar erythema　手掌紅斑　68, 563
palpation　触診　38
palpebral conjunctiva　眼瞼結膜　75
palpitation　動悸　523
palsy　麻痺　59, 742
Pancoast（パンコースト）腫瘍，Horner
　（ホルネル）症候群の原因　347
PaO_2　動脈血酸素分圧　552, 553
Papanicolaou（パパニコロウ）染色　202
Papanicolaou（パパニコロウ）分類　204
paper money skin　紙幣状皮膚
　　　564, 601
papilledema　うっ血乳頭　77
paradoxical pulse　奇脈　51
paralysis　完全麻痺　59
　——, motor　運動麻痺　**717**
paralytic pontine exotropia　麻痺性橋性
　外斜視　364
paramedial pontine reticular formation
　〔PPRF〕　365
paraneoplastic syndrome　腫瘍随伴症
　候群
　——，口渇　449
　——，ばち状指　568
paraplegia　対麻痺　59, 718, 729
parathyroid hormone　副甲状腺ホルモ
　ン〔PTH〕　259
paresis　不全麻痺　59
paresthesia　パレステジア（錯感覚）
　　　723, 725
paresthesia　錯感覚　169
paretic gait　麻痺性歩行　61
Parinaud（パリノー）症候群　347, 365
　——，眼球運動障害　365
Parkinson（パーキンソン）顔貌　54
Parkinson（パーキンソン）症候群
　　　54, 961
　——，姿勢　59
　——，失語・失行・失認　697
Parkinson（パーキンソン）病
　　　155, 742, 755, 961
　——，筋緊張異常　741, 742
　——，筋脱力　733
　——，構音障害　713, 713, 715

　——，知能低下　689
　——，低血圧　538
　——，寝汗，ほてり　229
　——，排尿障害　645
　——，不随意運動　751, 752
　——，不眠　261, 264
　——，便秘　615
　——，歩行障害　758, 758
Parkinson（パーキンソン）歩行　61
parkinsonian gait　61
parotid gland　耳下腺　85
paroxysmal nocturnal hemoglobinuria
　発作性夜間ヘモグロビン尿症
　〔PNH〕　307
passive supine position　受動的仰臥位
　　　58
past history　既往歴　35
patellar tendon reflex　膝蓋腱反射
　　　166
pathological examination　病理検査
　　　202
PBC（primary biliary cirrhosis）　原発性
　胆汁性胆管炎，無症候性，持続性肝
　腫大　593
PCI（percutaneous coronary
　intervention）　経皮的冠動脈形成術
　　　820
PCO　多嚢胞性卵巣　635
PCOS（polycystic ovary syndrome）　多
　嚢胞性卵巣症候群，肥満，肥満症
　　　243
PDGF（platelet derived growth factor）
　血小板由来成長因子　568
PEA（pulseless electrical activity）　無脈
　性電気的活動　763
penis　陰茎　138
percussion　打診　38, 42
percutaneous coronary intervention　経
　皮的冠動脈形成術〔PCI〕　820
perianal abscess　肛門周囲膿瘍　137
perineal pain　会陰部痛　625
periodic fever　周期熱　48
periodic synchronous discharge　周期性
　同期性放電〔PSD〕　699
peripheral arterial disease　末梢動脈疾
　患〔PAD〕　682
peripheral blood circulation disorder　末
　梢血行異常　681
peristaltic movement　蠕動運動　133
　——，食道の　452

peritoneal pseudomyxoma　腹膜偽粘液
　腫　588
peritonsillar abscess　扁桃周囲膿瘍
　　　82
pernicious anemia　悪性貧血　304
perspiration　冷汗　623
　——，典型的な出血性ショック症状
　　　460
pertinent negative　10
pertinent positive　10
PET（positron emission tomography）
　　　201, 508
PFS（pressure-flow study）　排尿筋・尿
　流量同時測定法　650
PG　プロスタグランジン　605
pharyngitis　咽頭炎　82
　——，リンパ節腫脹　473
pharynx　咽頭　82
physical examination　身体診察
　　　18, 38
physical findings　身体所見　38
PIC　プラスミン・プラスミンインヒ
　ビター複合体　182
Pierre Robin（ピェール ロバン）症候群，
　下顎の低形成を認める疾患　72
pigeon breast（chest）　鳩胸　90, 108
pigmentation　色素沈着　66
pitting edema　皮膚圧痕/圧痕性浮腫
　　　66, 573, 576
PIVKA-Ⅱ　183
plagiocephaly　斜頭　71
plan　計画　212
plantar erythema　足蹠紅斑　564
plantar flexion　底屈　152
platelet derived growth factor　血小板
　由来成長因子〔PDGF〕　568
pleural effusion　胸水　519
pleural space　胸膜腔　519
plexopathy　神経叢障害
　——，感覚障害　724, 726
　——，筋脱力　730
Plummer（プランマー）病
　——，甲状腺機能亢進症　785
　——，甲状腺腫　468
　——，の確定診断　790
Plummer-Vinson（プランマー・ヴィン
　ソン）症候群　81, 403
　——，嚥下困難　454
　——，鉄欠乏性貧血　304
PM（polymyositis）　多発性筋炎
　——，筋萎縮　736

PM(polymyositis) 多発性筋炎
　——, 筋脱力 730, 732
　——, 構音障害 713
　——, 歩行障害 758, 758
PMD(progressive muscular dystrophy) 進行性筋ジストロフィー
　——, アヒル歩行 61
　——, 筋萎縮 736, 740
　——, 筋脱力 734
PML(progressive multifocal leukoencephalopathy) 進行性多巣性白質脳症
　——, 失語・失行・失認 695, 697
　——, 知能低下 689
PNH(paroxysmal nocturnal hemoglobinuria) 発作性夜間ヘモグロビン尿症 307
POA(preoptic area) 視索前野 216
POEMS 症候群 519, 959
pollakisuria 頻尿 656
polyarteritis 多発動脈炎〔PA〕, 痙攣 708
polycystic ovary syndrome 多嚢胞性卵巣症候群〔PCOS〕, 肥満, 肥満症 243
polyneuropathy 多発性ニューロパチー
　——, 運動麻痺 718, 719
　——, 感覚障害 724, 726, 728
polypectomy ポリープ切除術 205
polyuria 多尿 656, 657
Pompe(ポンペ)病, 筋脱力 730
POMR(problem oriented medical record) 問題解決志向型診療録 209
pontine miosis 橋出血 348
POS(problem oriented system) 問題解決志向システム 209
position 体位 57
positron emission tomography〔PET〕 201, 508
P_{osm} 血漿浸透圧 187, 445
posterior reversible encephalopathy syndrome 可逆性後頭葉白質病変〔PRES〕, 痙攣 711
posture 姿勢 57
Pott's puffy tumor 73
Poupart(プパール)靱帯 119
PPH(primary pulmonary hypertension) 原発性肺高血圧症, 心性浮腫 575

PPRF(paramedial pontine reticular formation) 365
Prader-Willi(プラダー・ウィリ)症候群
　——, 精神遅滞 691
　——, 成長障害をきたす疾患 254
　——, 短頭を認める疾患 71
　——, 肥満, 肥満症 239, 241
precoma 前昏睡 46
preference 患者の意向 12
pregnancy 妊娠 840
premature beat 期外収縮 49
premature closure 仮説設定の早期閉鎖, 診断を誤る心理過程 28
preoptic area 視索前野〔POA〕 216
PRES(posterior reversible encephalopathy syndrome) 可逆性後頭葉白質病変, 痙攣 711
present illness 現病歴 35
present status 現症 38
pressure-flow study 排尿筋・尿流量同時測定法〔PFS〕 650
presyncope 失神前状態/失神性めまい 266, 314
primary 原発性
　—— biliary cirrhosis 原発性胆汁性胆管炎〔PBC〕, 無症候性, 持続性肝腫大 593
　—— pulmonary hypertension 原発性肺高血圧症〔PPH〕, 心性浮腫 575
primary survey
　——, 外傷 855
　——, 熱傷 874
prion プリオン 756
prior probability 事前確率 23
PRL プロラクチン 636
problem list 問題リスト, POMR 210
problem oriented medical record 問題解決志向型診療録〔POMR〕 209
problem oriented system 問題解決志向システム〔POS〕 209
progressive facial hemiatrophy 進行性顔面片側萎縮症 72
progressive multifocal leukoencephalopathy 進行性多巣性白質脳症〔PML〕
　——, 失語・失行・失認 695, 697
　——, 知能低下 689

progressive muscular dystrophy 進行性筋ジストロフィー〔PMD〕
　——, アヒル歩行 61
　——, 筋萎縮 736, 740
　——, 筋脱力 734
progress note 経過記録, POMR 211
pronation 回内 150
prostate 前立腺 139
prostration 虚脱 623
　——, 典型的な出血性ショック症状 460
protein-losing gastroenteropathy 蛋白漏出性胃腸症 608
PSD(periodic synchronous discharge) 周期性同期性放電 699
pseudo-Argyll Robertson(アーガイル ロバートソン)瞳孔 347
pseudoclonus 仮性クローヌス 166
PT プロトロンビン時間 182
PTC 経皮経肝的胆道造影 183
PTE(pulmonary thromboembolism) 肺血栓塞栓症
　——, 胸痛の胸部 X 線検査 499
　——, 胸痛の原因 494
PTH(parathyroid hormone) 副甲状腺ホルモン 259
puddle sign 水たまり現象 136
　——, 腹水の存在診断 589
pulmonary deficiency 呼吸不全 623
　——, 典型的な出血性ショック症状 460
pulmonary thromboembolism 肺血栓塞栓症〔PTE〕
　——, 胸痛の胸部 X 線検査 499
　——, 胸痛の原因 494
pulsation 拍動(性) 132
　——, 腹部大動脈 133
pulse 脈拍 47
　—— deficit 脈拍欠損 49
　—— pressure 脈圧 51
　—— rate 脈拍数 48
pulseless electrical activity 無脈性電気的活動〔PEA〕 763
pulselessness 脈拍触知不能(困難) 623
　——, 典型的な出血性ショック症状 460
pulseless ventricular tachycardia 無脈性心室頻拍 763
pulsion test 突進現象試験, 歩行障害 759

pupil　瞳孔　75
　── sparing　348
pupillary sparing　339
pure gonadal dysgenesis　真性性腺形成不全，無月経　634

Q

Q熱，発熱　218
Quincke（クインケ）浮腫　66, 572
　──，眼瞼浮腫をきたす疾患　73
　──，口唇に異常を認める　80

R

RA（rheumatoid arthritis）　関節リウマチ　143
　──，関節痛　677
　──，くも状血管腫　565
　──，発熱　218
　──，歩行障害　758, 758
radial flexion　橈屈　150
radiating pain　放散痛　724
radicular pain　根性疼痛，感覚障害　726
radiculopathy　脊髄根障害，感覚障害　724, 726
radio isotope　放射性同位体　201
Raeder（レーダー）症候群，Horner（ホルネル）症候群の原因　347
ragged-red fiber(s)　赤色ぼろ線維　716
Ramsay Hunt（ラムゼー ハント）症候群，眼振　356
range of motion　関節可動域〔ROM〕　149
ranula　がま腫　82
rapid pulse　速脈　49
RAST　特異的IgE測定　190
Raynaud（レイノー）現象　68, 447
Raynaud（レイノー）症候群　682, 687
Raynaud（レイノー）病　682, 687
RBC　赤血球数　180
　──，尿沈渣　669
rebound tenderness　反跳痛　131
recent memory　近時記憶　56, 692
reddening　発赤　69
redness　紅潮　66
reference value　基準値　23, 176
reflux esophagitis　逆流性食道炎　441

Refsum（レフサム）病
　──，運動失調　747
　──，眼球運動障害　363
　──，筋脱力　730
regular pulse　整脈　49
REM　睡眠　419
REM 睡眠行動異常症　264
remittent fever　弛張熱　48
remote memory　長期記憶　56, 692
renal failure index　666
Rendu-Osler-Weber（ランデュ・オスラ・ウェーバー）病，下血・血便　620, 624
renovascular hypertension　腎血管性高血圧（症）　532, 536
residual feeling　残尿感　651, 658
resistance　抵抗，腫瘤様の　131
resistant ovary 症候群，無月経　634
respiration　呼吸状態　53
respiratory arrhythmia　呼吸性不整脈　49
respiratory failure　呼吸不全　802
restless leg syndrome　下肢静止不能症候群，不随意運動　752
restlessness　不穏状態　46, 779
Ret　網赤血球数　306
retina　網膜　77
retinal vessels　網膜血管　77
return of spontaneous circulation　心拍再開〔ROSC〕　766
RF　リウマチ因子　190
rheumatoid arthritis　関節リウマチ〔RA〕　143
　──，関節痛　677
　──，くも状血管腫　565
　──，発熱　218
　──，歩行障害　758, 758
rhonchi　805
rhonchi　いびき様音　515
rhonchus　いびき音　115
rhythm　リズム　49
rigidity　筋固縮（固縮，硬直）　146, 742, 743
rigidity　筋強剛　165
riMLF（rostral interstitial nucleus of the medial longitudinal fasciculus）　365
ring enhancement　リング状増強効果　749
Rinne（リンネ）試験　379
risus sardonicus　痙笑　60

Rivero Carvallo（リベロ カルバイヨ）徴候　105
ROM（range of motion）　関節可動域　149
Romberg（ロンベルク）試験
　──，運動失調　748
　──，歩行障害　759
Romberg（ロンベルク）徴候　157
　──，感覚障害　726
ROSC（return of spontaneous circulation）　心拍再開　766
Rosenstein（ローゼンシュタイン）徴候　828
　──，急性虫垂炎の診断　130
rostral interstitial nucleus of the medial longitudinal fasciculus〔riMLF〕　365
Roth（ロート）斑　77
Rotor（ローター）症候群，黄疸　293, 298
Rovsing（ロブジング）徴候　130, 828
ructus　おくび　441
Russel-Silver（ラッセル・シルバー）症候群，成長障害をきたす疾患　254

S

S 状結腸過長症
　──，器質性便秘　615
　──，便秘　615
S 状結腸軸捻転，腹痛　578
saccades　衝動性眼球運動　363
sacral sparing　仙部回避　728
　──，感覚障害　725
saddle anesthesia，感覚障害　726
saddle nose　鞍鼻　79
Safety Data Sheet　安全データシート〔SDS〕　878
SAH（subarachnoid hemorrhage）　くも膜下出血　173
　──，意識障害　781, 781
　──，痙攣　708
　──，頭痛　310
　──，頭蓋内圧亢進をきたす疾患　351
salivary gland　唾液腺　85
salve-like face　膏顔　54
SaO_2　動脈血酸素飽和度　552, 553
SAS（sleep apnea syndrome）　睡眠時無呼吸症候群　260, 419
　──，高血圧　532
SB チューブ　461

数字・欧文索引〈S〉

SBP　特発性細菌性腹膜炎　588
SCAD(spontaneous coronary artery dissection)　特発性冠動脈解離　818
scanning speech　断綴性言語　63
　――, 構音障害　715
scaphocephaly　舟状頭　70
Scheie(シャイエ)症候群, 眼底異常　349
Scheie(シャイエ)分類　351, 352
Schellong(シェロング)試験　318
Schirmer(シルマー)法, 涙液分泌検査　78
Schnitzler(シュニッツラー)転移　138
scissors gait　はさみ脚歩行　61
sclera　眼球強膜　75
scleroderma　強皮症, 嚥下困難　451
scoliosis　脊柱側弯　58, 91, 91
scrotum　陰囊　138
SDS(Safety Data Sheet)　安全データシート　878
secondary survey
　――, 外傷　855
　――, 熱傷　874
semicoma　半昏睡　46, 779
Sengstaken-Blakemore(セングステークン・ブレークモアー)チューブ　461
senselessness　明識困難状態　46
sensitivity　感度　19, 176
sensory aphasia　感覚性失語(症)　64, 694
sensory disturbance　感覚障害　722
sensory level　感覚レベル, 感覚障害　726
SEP　体性感覚誘発電位　728
setting sun phenomenon　眼球の落陽現象　70
sexually transmitted disease　性感染症〔STD〕　138
SFTS　重症熱性血小板減少症候群　847
Sheehan(シーハン)症候群
　――, 無月経　636
　――, るいそう　247, 249
Sherrington(シェリントン)法則　363
shifting dullness　体位変換現象　589
shifting dullness　濁音界移動現象(体位変換現象)　134
　――, 腹水の存在診断　589
shock　ショック　772

short bowel syndrome　短腸症候群　611
　――, 下痢　605
shoulder　肩　149
shuffling gait　引きずり歩行　61
Shy-Drager(シャイ・ドレーガー)症候群
　――, 失神　267
　――, 低血圧　538, 544
　――, 排尿障害　645
　――, めまい　315
sick role　病者の役割　4
SIDS(sudden infant death syndrome)　乳幼児突然死症候群　764
sign　徴候　32
Simmonds(シモンズ)病, 食欲不振　435
Sims(シムス)体位　136
single photon emission computed tomography〔SPECT〕　201
SITSH　不適切TSH分泌　790
Sjögren(シェーグレン)症候群
　――, 顔面痛　371, 373
　――, 痙攣　708
　――, 口渇　446
　――, 口腔内乾燥感　446
　――, 舌の異常　403
　――, 味覚障害　401
Skene(スキーン)腺　140
skin　皮膚　65
skin abnormality　皮膚の異常　283
skip lesion　610
SLE(systemic lupus erythematosus)　全身性エリテマトーデス
　――, 関節痛　677
　――, 痙攣　708
　――, 腎性乏尿　663
　――, 発熱　218
　――, 腹水　587
　――, 乏尿・無尿　663, 667
　――, リンパ節腫脹　474
sleep apnea syndrome　睡眠時無呼吸症候群〔SAS〕　419
slow pulse　遅脈　49
slow speech　緩徐言語　63
slurred speech　不明瞭発語　748
　――, 構音障害　715
small pulse　小脈　49
small pupil　348
SMD(spina malleolar distance)　下肢長　147

smooth　平滑　127
　―― pursuit　363
smooth pursuit　滑動性眼球運動　363
snap diagnosis　スナップ診断　39
snore　いびき　419
social history　社会歴　36
soft palate　軟口蓋　81
soft pulse　軟脈　50
somatic pain　体壁痛　131
somnolence　傾眠　45, 779
sore throat　咽頭痛　408
spade hand　鋤手　142
spastic hemiplegic gait　痙性片麻痺歩行　61
spasticity　痙縮　165
spasticity　筋痙縮(痙縮, 痙直)　146, 742, 743
spastic paralysis　痙性麻痺　59, 146, 729
spastic paraplegic gait　痙性対麻痺歩行　61
special status　局所状態　39
specific hypothesis　16
specificity　特異度　19, 176
SPECT(single photon emission computed tomography)　201
speech　言語　63
　―― disturbance　言語障害　63
spider angioma/spider nevus(nevi)　くも状血管腫　563
spinal ataxia　脊髄性運動失調　60
spina malleolar distance　下肢長〔SMD〕　147
spinocerebellar degeneration　脊髄小脳変性症　357
splash sound　振水音　135
splenomegaly　脾腫　598
spontaneous coronary artery dissection　特発性冠動脈解離〔SCAD〕　818
spoon nail　スプーン状爪　68
sputum　痰　476
squawk　515
SSPE(subacute sclerosing panencephalitis)　亜急性硬化性全脳炎, 知能低下　689
ST上昇型心筋梗塞　817
stature　体格　56
status epilepticus, 筋脱力　730
STD(sexually transmitted disease)　性感染症　138

Stein-Leventhal(スタイン・レベンタール)症候群, 肥満, 肥満症　243
Stellwag(ステルワーグ)徴候　74
steppage gait　鶏歩　61, 144, 757
sternomastoid breathing　下顎呼吸　53
Stewart-Holmes(スチュアート-ホームズ)徴候　172
stigmatization　4
stomatitis　口内炎　81, 404
strabismus　斜視　74, 366
strawberry tongue　イチゴ舌　403
striae cutis　皮膚線条　122, 241
striae of pregnancy　妊娠線　122
stridor　115, 515
struma　甲状腺腫　464
stupor　昏迷　46, 46, 779
Sturge-Weber(スタージ・ウェーバー)症候群, 精神遅滞　691
subacute sclerosing panencephalitis　亜急性硬化性全脳炎〔SSPE〕, 知能低下　689
subacute thyroiditis　亜急性甲状腺炎　465, 786
subarachnoid hemorrhage　くも膜下出血〔SAH〕　173
subjective data　患者の訴え　212
sublingual gland　舌下腺　85
submaxillary gland　顎下腺　85
sudden infant death syndrome　乳幼児突然死症候群〔SIDS〕　764
sulfhemoglobin　551
sulfhemoglobinemia　スルフヘモグロビン血症　552
superior vena cava syndrome　上大静脈症候群　84
supination　回外　150
supranuclear palsy　核上性(中枢性)麻痺　59
sustained fever　稽留熱　48
Swan(スワン)第1点　52
Swyer(スワイヤー)症候群, 無月経　634
syllable stumbling　蹉跌性言語　63
symptom　愁訴　32
symptomatic alopecia　症候性脱毛症　71
symptom-oriented examination　症状志向型診察　158
syncope　失神　266
system review　システムレビュー　37

systolic blood pressure　収縮期血圧　51

T

T_1 強調画像　198
T_2 強調画像　198
T_3　788
T_4　788
tachycardia　頻脈　48
TAFRO 症候群　519
talipes calcaneus　踵足　144
talipes equinus　尖足　144, 144
Tamm-Horsfall(タム・ホースフォール)蛋白　839
target height　目標身長　259
taste disorder　味覚障害　398
TAT　トロンビン・アンチトロンビン複合体　182
Tay-Sachs(テイ・サックス)病, 精神遅滞　691
TBG 増加症　サイロキシン結合グロブリン増加症　788
TBI(toe-brachial pressure index)　足趾-上腕血圧比　686
%TBSA(% total body surface area)　872
TEA(transient epileptic amnesia)　一過性てんかん性健忘　702, 706
tear　涙　78
teeth　歯, 口腔内の診察　81
temperature　体温　47
tenderness　圧痛　130
tendon reflex　腱反射　163, 165
tenesmus　しぶり腹　604, 608
tension　緊張度, 脈の　49
tension headache　緊張型頭痛　310
terminal pain　終末期排尿痛　651
testis　精巣　138
test threshold　検査閾値　11
tetraplegia　四肢麻痺　59
TGA(transient global amnesia)　一過性全健忘　702, 706
TgAb　抗サイログロブリン抗体　469, 789
thalamic pain　視床痛　724
therapeutic plan　治療計画, POMR　210
therapeutic self　治療的自己　228
thirst　口渇　445

Thompson(トンプソン)の2杯分尿試験法　673
thorax　胸郭　90
—— pyramidalis　ピラミッド胸(肺)　90
thrill　振戦(血管の), 心雑音　97
throat　咽頭　82
thyroglossal duct cyst　甲状舌管嚢胞　88
thyroid gland　甲状腺　87
thyrotoxicosis　甲状腺中毒症　785
TIA(transient ischemic attack)　一過性脳虚血発作
——, 意識障害　784
——, 失語・失行・失認　695, 697
——, 脳血管障害　799
tic　チック　60, 72, 752, 756
—— douloureux　特発性三叉神経痛, 頭痛　370
tilt test　挙上試験　460
tinea capitis　頭部白癬　71
tinnitus　耳鳴　360
to-and-fro bruit(murmur)　ブランコ雑音　88, 106
Todd(トッド)麻痺　709
toe-brachial pressure index　足趾-上腕血圧比〔TBI〕　686
Tolosa-Hunt(トローザ・ハント)症候群
——, 眼球運動障害　369
——, 眼瞼下垂　337, 339, 340
——, 顔面痛　371
tongue　舌　80
tonic cramp　強直性痙攣　59, 707
tonometer　眼圧計　77
tonsil　扁桃　82
tonsillitis　扁桃炎　82
torticollis　斜頸　83
torus palatinus　口蓋結節　81
% total body surface area(%TBSA)　872
total pain　全排尿痛　651
Touraine-Solente-Golé(トゥレーヌ・ソレント・ゴレ)症候群　567
TPHA(*Treponema pallidum* hemagglutination)　梅毒トレポネーマ感作赤血球凝集　761
TPO(抗甲状腺ペルオキシダーゼ)抗体　469
TRAb　TSH レセプター抗体　464, 786

trachea　気管　87, 515
tracheal tug　気管牽引　87
transient epileptic amnesia　一過性てんかん性健忘〔TEA〕　702, 706
transient global amnesia　一過性全健忘〔TGA〕　702, 706
transient ischemic attack　一過性脳虚血発作〔TIA〕
　――，意識障害　784
　――，失語・失行・失認　695, 697
　――，脳血管障害　799
transillumination　透光性試験（徹照法）　139
transrectal ultrasonography　経直腸超音波断層法〔TRUS〕　654
transudate　漏出液　586
Traube（トラウベ）聴診器　139
Traube（トラウベ）の方法，脾腫の打診の　601
Traube's semilunar space　トラウベ半月腔　601
Treacher Collins（トリーチャー コリンズ）症候群，下顎の低形成を認める疾患　72
treatable dementia　治療可能な認知症　159, 689
treatment threshold　治療閾値　11
Treitz（トライツ）靱帯　456, 619
tremor　振戦　60, 751, 752, **752**
　――，舌の　81
Treponema pallidum hemagglutination　梅毒トレポネーマ感作赤血球凝集〔TPHA〕　761
trepopnea　片側臥呼吸　109
TRH 負荷試験　188
triceps reflex　上腕三頭筋反射　166
trigeminal pulse　三段脈　49
trigeminy　三段脈　49
Trömner 反射　166
TRUS（transrectal ultrasonography）　経直腸超音波断層法　654
TSAb　甲状腺刺激抗体　785
TSH　甲状腺刺激ホルモン　188, 464, 785
TSH 産生下垂体腫瘍　786
　――の確定診断　790
TSH 産生下垂体腺腫　469
　――，甲状腺機能亢進症　788
TSH レセプター抗体〔TRAb〕　464, 786
TSH レセプターの突然変異　785

tumor　腫瘍　131
turgor　ツルゴール　67, *430*
Turner（ターナー）症候群
　――，外反肘　142
　――，成長障害　*254*, 259
　――，貧毛（無毛）を認める疾患　68
　――，無月経　633
　――，翼状頸を認める　83
twilight state　もうろう状態　46
tympanitic　鼓音，打診音　43

U

UEAD（upper extremity artery disease）　上肢閉塞性動脈疾患　682
ulcerative colitis　潰瘍性大腸炎　571, 610, 624
ulnar flexion　尺屈　150
umbilicus　臍　123
undesired outcome　29
undulant fever　波状熱　*48*
uneven　凹凸不整　127
U_{osm}　尿浸透圧　187, 448, *666*
upper extremity artery disease　上肢閉塞性動脈疾患〔UEAD〕　682
uremia　尿毒症症状　664

V

VAHS（virus-associated hemophagocytic syndrome）　ウイルス関連血球貪食症候群　599
Valsalva（バルサルバ）試験　100
Valsalva（バルサルバ）手技　526
variocele　精索静脈瘤　138
vascular dementia　脳血管性認知症　689
vascular spider　くも状血管腫　68, 563, 601
vasoactive intestinal polypeptide　血管作動性腸ポリペプチド〔VIP〕　605
VATS（video assisted thoracic surgery）　205
veno-occlusive disease　肝静脈閉塞症〔VOD〕　593
venous dilatation　静脈怒張　555
venous hum　こま音　86, 106
ventricular fibrillation　心室細動〔VF〕　763
VEP　視覚誘発電位　728
vertical span　肝縦径　134

vertigo　回転性めまい　314, 317, 357
vestibuloocular reflex　前庭眼反射〔VOR〕　363
VF（ventricular fibrillation）　心室細動　763
video assisted thoracic surgery〔VATS〕　205
VIP（vasoactive intestinal polypeptide）　血管作動性腸ポリペプチド　605
VIP 産生腫瘍，寝汗，ほてり　230
VIPoma 症候群　605
Virchow（ウィルヒョウ）リンパ節　475
Virchow（ウィルヒョウ）リンパ節転移　85
virus-associated hemophagocytic syndrome　ウイルス関連血球貪食症候群〔VAHS〕　599
visceral pain　内臓痛　131, 577
visible peristalsis　蠕動不穏　124
visual acuity　視力　76
visual disorder　視覚障害　319
visual field　視野　76
vital sign　バイタルサイン　45
vocal fremitus　声音振盪（伝導）　41, 111
VOD（veno-occlusive disease）　肝静脈閉塞症　593
Vogt-小柳-原田病，眼底異常　*350*
Volkmann（フォルクマン）拘縮，四肢痛　675
voluntary movement　随意運動　59, *737*
vomiting　嘔吐　426
von Graefe（フォン グレーフェ）徴候　74
von Recklinghausen（フォン レックリングハウゼン）病
　――，眼底異常　*349*
　――，筋脱力　*730*
　――，精神遅滞　*691*
von Willebrand（フォン ヴィレブランド）病　*300*
VOR（vestibuloocular reflex）　前庭眼反射　363, 782

W

Waardenburg（ワールデンブルグ）症候群，眉毛に異常を認める疾患　72
waddling gait　アヒル歩行　63

WAIS（Wechsler adult intelligence scale）ウェクスラー成人知能検査　691
Waldeyer（ワルダイエル）輪　472
Wallenberg（ワレンベルグ）症候群　357, 359, 798
　──，運動失調　747
　──，感覚障害　725
　──，眼振　358
Waller（ウォーラー）変性　728
waning　368
waning 現象　163
watery diarrhea　水様下痢　605
waxing　368
waxing 現象　164
WBC　白血球数　181
WDHA（watery diarrhea, hypokalemia, and achlorhydria）症候群　605
WDHA 症候群，寝汗，ほてり　230
weakness　筋力低下　162, 729, 736, 741
Weber（ウェーバー）試験　379
Wechsler adult intelligence scale　ウェクスラー成人知能検査〔WAIS〕　691

Werdnig-Hoffmann（ウェルドニッヒ・ホフマン）病，筋脱力　731
Wernicke（ウェルニッケ）失語　64, 64, 159
Wernicke（ウェルニッケ）脳症　782, 841
　──，意識障害　781, 782
　──，運動失調　750
　──，瞳孔異常　347
　──，もの忘れ　702
Wernicke（ウェルニッケ）野（領域）　64, 64
Wernicke-Mann（ウェルニッケ・マン）肢位（姿勢）　58, 61, 743, 781
wheeze　笛音　115
wheezes　喘鳴　515, 805
Whipple（ウィップル）病　606
　──，下痢　611
Wilson（ウィルソン）病
　──，角膜に異常を認める疾患　76
　──，持続性肝腫大　593
　──，不随意運動　752, 753
withdraws　逃避　46

Wolff-Parkinson-White（ウォルフ・パーキンソン・ホワイト）症候群〔WPW 症候群〕，失神　269
Wright（ライト）染色　181
wrist　手　150

X

X 脚　144
X 線検査，単純　199
XY gonadal dysgenesis，無月経　634

Z

Zollinger-Ellison（ゾリンジャー・エリソン）症候群
　──，嘔吐　429
　──，下痢　610